collection

Jean M. Auel

Les Enfants de la Terre

Le Clan de l'Ours des Cavernes
La Vallée des chevaux
Les Chasseurs de mammouths

Préface de Jean-Philippe Rigaud
Conservateur général du Patrimoine
Directeur du Centre national de préhistoire

PRESSES DE LA CITÉ

SOMMAIRE

Préface

par Jean-Philippe Rigaud
Conservateur général du Patrimoine
Directeur du Centre national de préhistoire

C'est en Périgord que je rencontrai Jean Auel pour la première fois. J'étais sur mon chantier de fouille dans la vallée de la Dordogne ; elle visitait, avec quelques amis, le cadre de son futur roman. Je lui fis les honneurs du chantier. Elle me remit un exemplaire en anglais du *Clan de l'Ours des Cavernes.*

Avec une pointe de scepticisme critique, que bien des professionnels ont à l'égard de l'adaptation romancée du cher objet de leurs recherches, traquant l'invraisemblable ou l'anachronisme, j'entrepris la lecture des aventures de Ayla. Ce fut vain ! Il n'y avait pas, dans tout le récit, la faute qui aurait donné au Préhistorien l'argument d'une « lettre à l'auteur », développant tel point de chronologie ou de paléontologie. A l'évidence, Jean Auel était bien documentée sur la faune préhistorique, sur la technologie de l'homme de Néandertal ou sur celle de l'homme de Cro-Magnon, notre ancêtre direct. Elle avait en outre su tirer parti judicieusement d'un débat de spécialistes qui divisait depuis peu les Préhistoriens : l'homme de Néandertal, que l'imagerie populaire assimilait à tort à un homme primitif poilu et brutal, avait rencontré en Europe, il y a 35 000 ans, les premiers hommes modernes, l'*homo sapiens sapiens,* dont Ayla était certainement une fort belle représentante ! La rencontre d'humains, assez semblables en fin de compte, mais parvenus à des niveaux technologiques différents fournirent à Jean Auel la trame d'un beau développement. Il y avait eu, à n'en pas douter, un long dialogue entre la romancière et quelques-uns de mes collègues d'outre-Atlantique que je reconnaissais parfois au détour d'un commentaire ou d'une réplique.

Quelques années passèrent avant que je ne rencontre à nouveau Jean Auel. C'était à Santa Fé, sur le plateau du Nouveau Mexique, où E. Trinkaus, un spécialiste des Néandertaliens, avait réuni quelques spécialistes, préhistoriens et anthropologues, pour débattre de l'origine et l'émergence de l'homme moderne. Ce séminaire, organisé par la « School of American Research », avait été rendu possible grâce, entre autres, à l'aide financière de J. Auel qui nous expliqua, très modestement, qu'elle souhaitait exprimer en cela sa gratitude à ceux qui lui fournissaient des matériaux pour ses romans.

Plus récemment, en 1990, Jean Auel était de retour en Périgord. Elle avait souhaité se joindre aux étudiants américains, scandinaves, anglais, allemands ou italiens qui, dans une grotte périgourdine, recherchaient le racloir d'Ayla, le percuteur de Droog ou le foyer allumé par Jondalar au retour d'une journée de chasse. Dans la poussière, la chaleur et l'inconfort d'un chantier-école de fouille, elle a vécu, avec peut-être même plus d'émotion que tous, la monotonie du travail de certains jours, la joie lors de la découverte, l'enthousiasme des préhistoriens et l'incertitude de leurs explications. Elle avait bien mérité, en fin de campagne, la Truelle d'or (disons plutôt dorée !) que lui offrirent ses compagnons de terrain. Bouleversée d'émotion devant les fresques de Lascaux, elle fit encore preuve de générosité en 1990 lors du colloque international célébrant le jubilé de la découverte de la grotte qu'honorât de sa présence le président François Mitterrand.

Au-delà du réalisme archéologique, l'œuvre de Jean Auel est marquée par un discours féministe militant. Délicate entreprise que d'aborder le sujet de la condition féminine préhistorique tant notre ignorance est grande sur ce point.

Mais ce qui est important, en fait, c'est de présenter, à travers ces récits, un point de vue nouveau, bien différent de celui qui a prévalu jusqu'ici dans une discipline encore très masculine. Mes collègues préhistoriennes ne manqueront certainement pas d'applaudir à l'initiative...

La Guerre du Feu de J.H. Rosny aîné fut à l'origine de la vocation de François Bordes qui établit les bases de la Préhistoire moderne et marqua profondément tous les Préhistoriens de la seconde moitié de ce siècle. Souhaitons que le cycle des *Enfants de la Terre*, dont les trois premiers livres sont présentés ici, fassent également naître chez quelques jeunes lecteurs l'envie d'explorer notre lointain passé.

Cénac, le 10 juillet 1991

*A la fin de la glaciation du Würm, de 35 000 à 25 000 avant nos jours,
l'Europe largement recouverte de glaces et dont le tracé des côtes était
différent de celui d'aujourd'hui connut une période de réchauffement
de 10 000 ans . C'est à cette époque que se déroule l'histoire des*

Enfants de la Terre

400 km

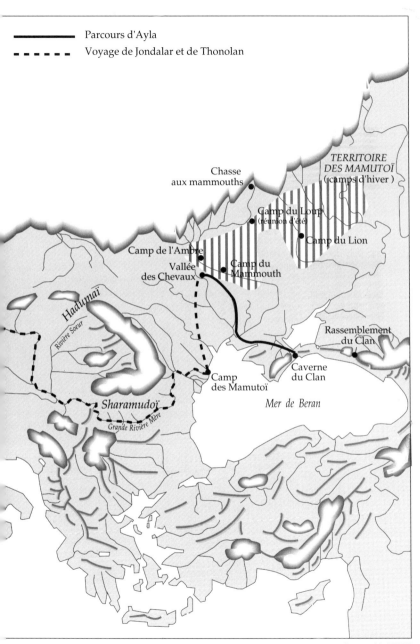

Parcours d'Ayla

Voyage de Jondalar et de Thonolan

Chasse
aux mammouths

*TERRITOIRE
DES MAMUTOÏ*
(camps d'hiver)

Camp du Loup
(réunion d'été)

Camp du Lion

Camp de l'Ambre

Vallée
des Chevaux

Camp du
Mammouth

Haduma

Rivière Soeur

Rassemblement
du Clan

Caverne
du Clan

Camp
des Mamutoï

Sharamudoï

Grande Rivière Mère

Mer de Beran

Cartographie AFDEC

LE CLAN DE L'OURS DES CAVERNES

*A Ray, mon plus sévère critique
— et mon meilleur ami.*

The Clan of the Cave Bear
1980
Traduit par Philippe Rouard

Ce livre a déjà paru en France dans une édition
abrégée sous le titre *Ayla, l'enfant de la Terre.*

L'enfant nue quitta l'auvent de peaux de bêtes pour courir vers la
crique nichée au creux d'un méandre de la petite rivière. Elle ne pensa
pas à jeter un regard derrière elle. Rien, depuis qu'elle était venue au
monde, n'avait jamais menacé son refuge et ceux qui le partageaient
avec elle.

Elle se précipita dans le courant et sentit rouler sous ses pieds le
sable et les galets tapissant le fond qui s'inclinait rapidement. Elle
plongea dans l'eau fraîche, émergea en soufflant, et nagea d'une brasse
vigoureuse vers la rive opposée. Elle avait appris à nager avant même
de savoir marcher et, à cinq ans, elle se trouvait parfaitement à l'aise
dans l'eau. Par ailleurs, la nage était souvent le seul moyen de franchir
un cours d'eau.

La petite fille joua quelques instants, nageant de-ci de-là, puis se
laissa entraîner par le courant. Lorsque la rivière commença à s'élargir
et ses flots à bouillonner autour des rochers, elle reprit pied pour gagner
le rivage et se mit en quête de galets. Elle posait une dernière pierre sur
la pile de celles qu'elle avait choisies parce qu'elle les trouvait
particulièrement jolies, quand la terre se mit à trembler.

L'enfant vit avec stupeur le caillou dégringoler tout seul et, bouche
bée, regarda vaciller et s'effondrer sa petite pyramide de galets. Elle
s'aperçut seulement alors qu'elle était elle-même secouée, mais elle en
ressentit plus de confusion que d'appréhension. Elle regarda autour
d'elle, s'efforçant de comprendre pourquoi son univers se trouvait ainsi,
inexplicablement bouleversé. La terre n'était pas censée bouger.

La petite rivière qui, l'instant d'avant, coulait paisiblement, bouillonnait à présent, soulevée par de grosses vagues qui venaient brutalement
frapper la berge, charriant des cailloux et de la boue. Les buissons qui
bordaient le cours d'eau s'agitèrent comme si quelque force invisible en
ébranlait les racines. En aval, des blocs de roche tressautèrent de façon
surprenante. Plus loin, dans la forêt, les majestueux conifères se mirent
à tituber de manière grotesque. Près de la rive, un pin géant, sapé par
le déferlement des eaux, s'abattit lentement avec un craquement sinistre
en travers des flots.

La chute du géant arracha l'enfant à sa stupeur. Elle sentit sa gorge
se nouer et la peur commencer de l'envahir. Elle essaya de se tenir
debout, mais fut projetée à terre, déséquilibrée par l'étourdissant
mouvement du sol. Elle fit une deuxième tentative, parvint à se redresser
et, chancelante, n'osa faire un pas.

Quand elle s'aventura enfin en direction de l'auvent de peaux installé
en retrait du cours d'eau, un grondement sourd s'éleva, éclata en un
mugissement terrifiant. Une crevasse déchira le sol, et il s'en échappa

une odeur d'humidité et de moisi ; on eût dit l'exhalaison nauséabonde d'un gigantesque bâillement de la terre. La petite fille resta pétrifiée devant le chaos de rochers et d'arbustes précipités pêle-mêle dans la faille qui ne cessait de s'agrandir en un déchirement de cataclysme.

Perché de l'autre côté de la crevasse, l'abri de peaux de bêtes vacilla, tandis que le terrain s'éboulait sous lui. La frêle perche de faîtage vacilla, maintint un bref instant son aplomb, puis s'effondra et disparut dans le gouffre, entraînant avec elle l'auvent et tout ce qui se trouvait à l'intérieur. La petite fille frémit, les yeux exorbités d'horreur, en voyant le monstre à l'haleine putride engloutir tout ce qui avait donné du sens et un sentiment de sécurité aux cinq premières années de son existence.

— Maman ! Maamaaan ! cria-t-elle, soudain consciente de ce qui arrivait, sans savoir vraiment si le cri qui résonnait à ses oreilles dans le fracas de la terre en convulsion était bien le sien.

Elle voulut gagner le bord de la profonde faille, mais une nouvelle secousse la jeta à terre, et elle s'agrippa de toutes ses forces afin de résister aux violents soubresauts.

Puis la faille se referma, le grondement s'évanouit, et la terre cessa de bouger. Mais la petite fille, allongée à plat ventre contre le sol humide, continua de trembler de terreur.

Elle avait des raisons d'avoir peur. Elle était seule au milieu d'un désert de hautes herbes et de forêts éparses. Des glaciers enserraient l'horizon au nord. D'immenses troupeaux d'herbivores, et les carnassiers qui y prélevaient leur part, peuplaient les vastes plaines, mais les humains y étaient rares. Elle n'avait nulle part où aller, et personne ne partirait à sa recherche.

La terre trembla de nouveau en se tassant et fit entendre un grondement au plus profond de ses entrailles, comme si elle était occupée à digérer un repas englouti trop précipitamment. L'enfant sursauta, terrifiée à l'idée qu'elle pût s'ouvrir de nouveau. Elle contempla ce qui restait du site où s'élevait son refuge : quelques buissons déracinés jonchant le sol dévasté. Fondant en larmes, elle se précipita vers la rivière et, secouée par les sanglots, elle se recroquevilla au bord de l'eau.

Mais les berges détrempées n'offraient aucun abri contre les éléments déchaînés. Une nouvelle secousse, de plus grande amplitude que la précédente, ébranla la terre. Le souffle coupé par la vague d'eau glacée qui vint fouetter sa peau nue, l'enfant bondit. Il lui fallait fuir ces lieux où la terre s'ouvrait pour vous engloutir, mais où pouvait-elle aller ?

Son instinct lui dictait de ne pas s'éloigner du cours d'eau, mais les ronciers qui en bordaient les rives en amont semblaient impénétrables. A travers un voile de larmes, elle porta ses regards de l'autre côté, vers la forêt de grands conifères.

De minces rayons de soleil filtraient à travers les épais branchages. Les buissons étaient plutôt rares dans le sous-bois, mais quelques arbres tombés et d'autres retenus par ceux qui tenaient encore debout ployaient dangereusement. La forêt boréale, plongée dans l'obscurité de cet entrelacs inextricable, n'était guère plus accueillante que les épais taillis défendant les rives en amont. En proie aux affres de l'indécision, l'enfant contempla tour à tour les deux voies qui s'offraient à elle. Un frémissement du sol sous ses pieds, alors qu'elle venait de se tourner à nouveau vers l'aval, la décida. Après un dernier regard au paysage dévasté avec l'espoir enfantin de voir réapparaître l'abri de peaux de bêtes, la petite fille s'élança en direction de la forêt.

Pressée par les secousses intermittentes, l'enfant nue descendit la rivière en suivant la berge, ne s'arrêtant que pour se désaltérer. Son chemin était jonché de conifères arrachés, et elle devait contourner les cratères laissés par leurs racines encore chargées de terre grasse et humide.

Dans la soirée, elle constata que les ravages du tremblement de terre se faisaient de plus en plus rares, que le nombre des arbres déracinés avait considérablement décru, que les blocs de pierre roulés et disloqués obstruaient moins souvent le passage et que l'eau redevenait limpide. L'enfant s'arrêta lorsqu'il lui devint impossible de distinguer son chemin et, harassée, elle s'écroula sur le sol humide. La marche l'avait réchauffée, mais l'air froid de la nuit la fit frissonner. Elle se roula en boule et se terra sous un épais tapis d'aiguilles de pin qu'elle amassa sur elle afin de se couvrir.

Malgré son immense fatigue, elle eut bien du mal à trouver le sommeil. Tant qu'elle avait dû se frayer un chemin à travers maints obstacles, elle avait pu dominer sa peur. Mais à présent, celle-ci reprenait son emprise. Les yeux ouverts, elle voyait l'obscurité s'épaissir tout autour d'elle. Elle n'osait ni bouger ni même respirer.

Jamais de sa vie elle n'avait passé la nuit seule, et il y avait toujours eu un feu pour trouer les ténèbres mystérieuses. Soudain, elle n'y tint plus et s'abandonna à sa détresse, le corps agité de sanglots et de hoquets. Alors, épuisée, elle sombra dans le sommeil. Curieux, un petit animal nocturne s'approcha d'elle pour la flairer, mais l'enfant ne s'aperçut de rien.

Elle se réveilla en hurlant !

La planète était toujours en effervescence, et un lointain grondement montant des profondeurs de la terre la plongea dans une terreur sans nom. Elle se leva d'un bond, prête à fuir, mais elle avait beau écarquiller les yeux, tout était noir autour d'elle. Pendant un instant, ne se rappelant plus où elle se trouvait, elle se demanda avec une folle angoisse pourquoi elle ne voyait plus rien. Où étaient les bras aimants qui avaient toujours été là pour la réconforter quand un cauchemar la réveillait en sursaut la nuit ? Et puis, lentement, la mémoire lui revint et, tremblante de peur et de froid, elle s'enfouit de nouveau dans sa couche d'aiguilles de pin. L'aube grisaillait quand le sommeil l'emporta à nouveau.

La matinée était déjà bien avancée quand elle ouvrit les yeux, mais l'ombre épaisse du sous-bois l'empêchait de s'en rendre compte. La veille, elle s'était écartée de la rivière à la tombée de la nuit, et un instant la panique la saisit quand elle se vit entourée d'arbres.

La soif lui rappela la proximité du cours d'eau qu'elle entendait cascader. Elle se laissa conduire par le bruit et retrouva la rivière avec un immense soulagement. Elle était aussi perdue sur cette rive boueuse que dans la forêt, mais elle se sentait rassurée de pouvoir suivre une voie toute tracée qui lui permettait d'étancher sa soif tant qu'elle la longerait. Si la veille l'eau avait suffi à la rassasier, il n'en était plus de même à présent, et la faim commençait à la tarauder.

Elle savait que certaines plantes ou racines étaient bonnes à manger, mais elle ignorait lesquelles. La première feuille qu'elle goûta était amère et lui piqua la langue. Elle la recracha et se rinça la bouche. Cette expérience malheureuse la rendit hésitante et elle préféra boire encore un peu pour calmer sa faim, puis elle se remit en route, en suivant la rive. La pénombre de la forêt dense lui semblait menaçante, et elle ne tenait pas à s'écarter de la rivière éclaboussée de soleil. Quand la nuit tomba, elle ne s'aventura pas plus loin que la lisière des bois et se terra de nouveau sous une épaisse couche d'aiguilles de pin.

Sa deuxième nuit solitaire ne fut qu'une répétition plus douloureuse encore de la première. La peur et la faim étaient ses seules compagnes. Sa détresse était telle qu'elle se mit à chasser de sa mémoire le souvenir du tremblement de terre et de sa propre existence avant qu'il ne la bouleverse. Mais elle se garda également de penser au lendemain si chargé de menaces.

Quand, au matin, elle se remit en route, elle concentra son attention sur l'instant, sur le prochain obstacle à franchir, le prochain affluent à traverser, le prochain tronc d'arbre abattu à escalader. Suivre la rivière devint une fin en soi, non parce que cela la conduirait quelque part, mais parce que c'était pour elle la seule façon de se donner un but, un objectif, une ligne de conduite. Cela valait mieux que de rester inactive.

Peu à peu la faim se transforma en une douleur sourde et obsédante. Elle pleurait de temps à autre tout en cheminant, et ses larmes traçaient des sillons brillants sur son visage sale. Son petit corps nu était maculé de poussière et de boue, et ses cheveux, autrefois blonds et soyeux, étaient tout emmêlés, remplis d'aiguilles de pin, de brindilles et de terre.

Sa progression s'avéra plus difficile lorsque la forêt de conifères fit place à une végétation plus rase, où dominaient d'épais taillis, de hautes herbes et des graminées, un sol caractéristique des zones couvertes d'espèces à petites feuilles caduques. Il pleuvait par intermittence, et elle se mettait alors à l'abri d'un tronc d'arbre abattu, d'un gros rocher ou d'un affleurement en surplomb, quand elle ne continuait pas son chemin sous la pluie, pataugeant dans la boue. La nuit venue, elle se fit un lit de feuilles sèches dans lequel elle se blottit pour dormir.

Les grandes quantités d'eau qu'elle buvait réduisaient en l'hydratant le risque d'hypothermie, mais elle était très affaiblie. Elle ne sentait même plus sa faim, seulement un tiraillement au creux de l'estomac et, de temps à autre, quelques vertiges. Elle s'efforça de ne plus y penser, de ne plus penser à rien, si ce n'est au courant, à suivre le courant.

Le soleil qui pénétrait le lit de feuilles la tira de son sommeil. Elle quitta son petit abri tiède et douillet pour aller boire à la rivière, le corps encore couvert de brindilles. Un beau ciel bleu et un soleil resplendissant avaient heureusement remplacé les pluies de la veille. Après avoir marché un moment, la fillette s'aperçut que la rive qu'elle suivait s'élevait progressivement, et lorsqu'elle décida de se désaltérer à nouveau, un fort escarpement la séparait de l'eau. Elle descendit la pente avec les plus grandes précautions, mais son pied glissa et elle roula jusqu'en bas.

Egratignée et endolorie, elle se retrouva dans la boue au bord du courant, trop fatiguée, trop faible et trop malheureuse pour faire un mouvement. De grosses larmes ruisselaient le long de ses joues et ses gémissements plaintifs dominaient le bouillonnement des eaux vives. Mais personne ne vint à son secours. Secouée par les sanglots, elle donna libre cours à son désespoir. Elle n'avait plus envie de se relever, elle ne voulait plus continuer.

Quand elle eut cessé de pleurer, elle resta prostrée dans la boue jusqu'au moment où une racine qui lui labourait douloureusement les côtes et un goût de terre dans sa bouche la décidèrent à se lever. Elle vacilla légèrement, une fois debout, et s'en fut d'un pas incertain étancher sa soif. L'eau fraîche la revigora quelque peu, et elle ne tarda pas à se mettre en marche, se frayant courageusement un chemin à travers les branches et les souches d'arbres, pataugeant au bord de la rivière qui, déjà gonflée par les pluies printanières, avait doublé de volume en recevant ses affluents.

Elle entendit un grondement dans le lointain, bien avant d'apercevoir l'impressionnante cataracte qui déferlait à la confluence de la rivière et d'un autre cours d'eau. Plus loin, les courants rapides se jetaient sur les rochers avant de s'enfoncer dans les plaines verdoyantes des steppes.

A première vue, son chemin lui parut bloqué par la chute d'eau déferlant dans un bruit assourdissant au milieu d'un nuage de gouttelettes, mais en se rapprochant, elle remarqua qu'une étroite corniche courait derrière la chute au pied de la falaise érodée par le ruissellement. Elle considéra longuement le passage qui lui permettrait peut-être de franchir l'obstacle, puis, rassemblant tout son courage, elle s'engagea prudemment sur la corniche en s'agrippant des deux mains à la roche mouillée pour ne pas glisser. Le bruit était terrifiant, et vertigineux le déversement incessant de l'eau.

Elle était presque arrivée de l'autre côté quand la saillie sur laquelle elle avançait s'étrécit de plus en plus et se fondit dans la paroi abrupte. Elle fut obligée de revenir sur ses pas. Quand elle eut regagné son point de départ, elle contempla les flots impétueux et décida de les affronter. Il n'y avait pas d'autre solution.

L'eau était froide et les courants violents. Elle s'avança dans la rivière, fit quelques brasses et se laissa porter au-delà de la chute jusqu'à la rive opposée du cours d'eau que ce large affluent avait considérablement grossi. La nage avait ajouté à sa fatigue mais, sur le moment, elle se sentit ravigotée par la fraîcheur de l'eau.

La température était étonnamment élevée en cette fin de printemps, et lorsque les arbres et les arbustes firent place à la prairie, l'ardeur du soleil se révéla fort agréable. Mais à mesure qu'il s'élevait dans le ciel, ses rayons brûlants prélevèrent leur tribut sur les maigres forces qui restaient à l'enfant. Au cours de l'après-midi, elle eut le plus grand mal à suivre la bande de sable qui courait entre la rivière et une falaise escarpée. La surface miroitante de l'eau réverbérait le vif éclat du soleil et la roche calcaire gorgée de chaleur l'éblouissait de sa blancheur.

Devant elle, et aussi loin que la vue pouvait porter, les petites herbacées en fleurs piquetaient le vert de la prairie de taches blanches, jaunes, violettes et rouges, mais la fillette n'avait plus d'yeux pour la beauté printanière des steppes. Elle commençait à délirer de faim et de faiblesse, et les premières hallucinations se manifestèrent.

« Je t'ai dit que je serais prudente, maman. J'ai seulement nagé un peu, pourquoi es-tu partie ? demanda-t-elle, comme l'image de sa mère venait flotter devant elle. Maman, quand est-ce qu'on mange ? J'ai faim, et il fait si chaud. Pourquoi n'es-tu pas venue quand je t'ai appelée ? J'ai eu beau crier et crier, tu n'es jamais venue. Où étais-tu, maman ? Ne t'en va pas encore ! Attends-moi ! Ne me laisse pas ! »

La fillette s'élança vers la vision qui se dissipait, sans s'apercevoir que la falaise s'écartait brusquement de la rivière et qu'elle laissait ainsi derrière elle sa source d'eau. Dans sa course éperdue, elle buta soudain contre une pierre et tomba brutalement. Sa chute lui fit retrouver ses esprits et elle s'assit en frottant son pied meurtri.

La muraille de calcaire était criblée de trous obscurs, de failles étroites et de crevasses, provoqués par l'éclatement des roches plus tendres sous l'action des grandes amplitudes de température. L'enfant jeta un coup d'œil dans l'une d'elles, située à sa hauteur, mais la cavité ne retint pas longtemps son attention.

En revanche, la présence d'un troupeau d'aurochs broutant paisiblement l'herbage entre la rivière et la falaise la mit en émoi. Dans sa course folle, elle n'avait pas remarqué les impressionnantes bêtes brunes, atteignant un mètre quatre-vingts au garrot, le crâne surmonté d'immenses cornes recourbées. Leur vue balaya d'un seul coup tous les sortilèges de son imagination. Elle recula contre la paroi, les yeux rivés sur un gros taureau qui s'était arrêté de paître pour la regarder, puis elle prit la fuite en courant.

Elle jeta un coup d'œil derrière elle, et aperçut une masse en mouvement qui la fit s'arrêter net et retenir son souffle. Une énorme lionne, deux fois plus grande que tous les grands félins qui peupleraient les savanes du Sud des milliers d'années plus tard, était en train de guetter le troupeau. La petite fille étouffa un cri en voyant le redoutable fauve bondir sur un aurochs.

Jetant dans la mêlée toute la puissance meurtrière de ses griffes et de ses crocs, la lionne eut tôt fait de terrasser le massif bovidé et elle mit brutalement fin à ses mugissements terrifiés en lui tranchant la gorge de ses formidables mâchoires. Les pattes de l'aurochs remuaient encore spasmodiquement quand elle lui déchira la panse et en tira les entrailles chaudes et fumantes.

Une vague de panique déferla sur la fillette, qui détala à toutes jambes, sans savoir qu'un autre grand félin l'observait. L'enfant s'était aventurée dans le territoire des lions des cavernes. D'ordinaire, ils auraient dédaigné une proie aussi malingre pour lui préférer un robuste aurochs, un gros bison ou encore un daim géant répondant mieux aux exigences de leur féroce appétit. Mais dans sa fuite, l'enfant s'approchait beaucoup trop près de la caverne qui abritait deux lionceaux nouveau-nés.

Préposé à la garde des petits pendant que la lionne chassait, le mâle à l'épaisse crinière mit en garde l'intruse d'un terrifiant rugissement. La fillette leva la tête et, à la vue du gigantesque félin ramassé sur un rocher, prêt à bondir, elle poussa un hurlement et arrêta sa course si brusquement qu'elle glissa sur des graviers. Se relevant frénétiquement, elle repartit en courant dans la direction opposée.

Le lion des cavernes s'élança avec une aisance pleine de nonchalance, confiant en sa capacité d'attraper la créature qui avait violé les limites sacrées de sa tanière. Il courait sans hâte après cette proie qui se déplaçait avec lenteur, comparée à la vitesse dont il était capable. Et puis, ce jour-là, il était tout à fait d'humeur à jouer au chat et à la souris.

La petite fille ne dut son salut qu'à l'instinct qui dirigea ses pas vers la petite cavité qui s'ouvrait dans le flanc de la falaise. Hors d'haleine, elle se glissa dans le trou, juste assez large pour lui laisser le passage. C'était une anfractuosité minuscule, peu profonde, à peine plus grande qu'une simple faille. Elle se tapit, à genoux, le dos au mur, aplatie contre la roche.

Le lion rugit de colère quand il atteignit le trou qui lui avait ravi sa proie. L'enfant frémit au cri du félin et, figée d'horreur, elle vit la patte toutes griffes dehors qu'il plongeait dans son refuge. Prise au piège, elle regarda la patte s'approcher d'elle, et poussa un cri de douleur lorsque les griffes acérées s'enfoncèrent dans sa cuisse, y creusant quatre sillons profonds et parallèles.

La fillette se contorsionna pour se mettre hors de la portée du fauve et découvrit, à sa gauche, un léger renfoncement. Elle s'y recroquevilla autant qu'elle put, et retint son souffle.

La patte pénétra de nouveau dans l'ouverture, masquant la lumière qui y filtrait, et cette fois fouetta le vide. Furieux, le lion rugit longtemps en arpentant les abords de la cavité.

L'enfant passa toute la journée, la nuit, et une grande partie du lendemain dans son refuge dont l'exiguïté ne lui permettait pas de s'allonger ni même de s'étirer. Sa jambe avait enflé considérablement et la blessure infectée la faisait souffrir sans répit. Elle délira la plus grande partie du temps, rongée par la faim et la douleur, hantée par d'effroyables cauchemars où se mêlaient tremblement de terre et griffes acérées. Mais si la douleur et la faim ne purent la décider à abandonner son refuge, la soif y parvint.

Elle risqua un coup d'œil angoissé par l'étroite ouverture. Quelques bouquets de saules et de pins en bordure de la rivière projetaient de longues ombres. Le jour déclinait. La petite fille passa un long moment à scruter l'étendue d'herbe qui bordait l'eau étincelante avant de trouver le courage de se hasarder hors de son abri. Elle passa la langue sur ses lèvres sèches en jetant des regards craintifs alentour. Seules les herbes bougeaient sous la brise. La troupe de lions était partie. La femelle, inquiète pour ses petits et perturbée par cette odeur étrangère, avait choisi de se mettre en quête d'une nouvelle tanière.

Elle se glissa enfin dehors et se redressa. Le sang lui battit précipitamment aux tempes et sa vision se voila de taches dansantes. Chaque pas relançait la douleur insupportable de ses plaies enflammées d'où suintait un pus verdâtre.

Elle crut ne jamais parvenir jusqu'à l'eau, mais sa soif l'attirait toujours plus loin. Elle se laissa tomber à genoux et parcourut les derniers mètres en rampant. Etendue à plat ventre, elle aspira de longues gorgées d'eau fraîche. Quand elle eut étanché sa soif, elle s'ébroua et essaya de se relever, mais elle venait d'atteindre les limites de son endurance. La tête lui tourna soudain, des points lumineux se mirent à danser devant ses yeux, puis un voile noir s'abattit sur elle et elle s'évanouit.

Un charognard qui planait indolemment dans le ciel repéra la forme immobile et amorça sa descente pour y voir de plus près.

2

Ils franchirent la rivière en aval de la chute, là où le cours se faisait plus large et peu profond. Ils étaient vingt, jeunes et vieux. Le clan en avait compté vingt-six avant que le tremblement de terre détruise leur caverne. Deux hommes marchaient en tête, loin devant un groupe de femmes et d'enfants que flanquaient deux vieillards. Des hommes plus jeunes fermaient la marche.

Ils longèrent la rivière qui entamait sa course sinueuse à travers les steppes, observant avec intérêt le vol des charognards dans le ciel. Si ces derniers ne s'étaient pas posés, c'est que l'objet de leur convoitise vivait encore. Les deux hommes de tête partirent en reconnaissance. Une bête blessée était une proie facile pour les chasseurs, pourvu qu'aucun carnassier ne les eût devancés.

Une femme au ventre rebondi révélant une grossesse avancée cheminait devant ses compagnes. Elle vit les deux hommes s'arrêter, jeter un coup d'œil au sol et poursuivre leur chemin sans s'attarder. Elle en déduisit que ce devait être un carnivore, car le clan en appréciait peu la chair.

Haute d'un mètre quarante au plus, elle avait une forte ossature et des jambes arquées qui lui donnaient une silhouette trapue, mais elle marchait le buste droit, bien campée sur ses solides jambes musclées et ses pieds nus et plats. Ses bras, longs pour sa taille, présentaient la même courbure que ses jambes. Elle avait un nez fort et busqué, une mâchoire prognathe saillante comme un museau, et pas de menton. Son front bas fuyait sur un crâne long et large soutenu par un cou épais. Une protubérance osseuse, au niveau de l'occiput, accentuait la longueur de sa tête.

Un duvet de poils bruns, courts et frisés, lui recouvrait les membres inférieurs et les épaules, soulignant le haut de la colonne vertébrale pour s'épaissir ensuite en une longue chevelure broussailleuse. Le soleil printanier hâlait déjà son teint. Ses grands yeux noirs et ronds, intelligents, profondément enfoncés sous la saillie prononcée des arcades sourcilières, brillaient de curiosité tandis qu'elle hâtait le pas pour découvrir ce que les hommes avaient délaissé.

A vingt ans à peine, la femme était déjà âgée pour une première grossesse, et le clan l'avait crue stérile jusqu'à ce qu'elle manifeste les premiers signes de gestation. La charge qui lui était dévolue ne s'en trouvait pas allégée pour autant. Elle portait, sanglé à son dos, un grand panier auquel étaient attachés tout un tas de ballots. Plusieurs sacs de corde tressée pendaient à une lanière de cuir nouée autour de la souple peau de bête qu'elle portait drapée de façon à former des replis tenant lieu de poches. L'un des sacs accrochés à sa ceinture se distinguait des autres. Il était fait de la dépouille d'une loutre, dont la fourrure au poil serré avait été traitée en laissant intactes les pattes, la queue et la tête.

Au lieu d'éventrer l'animal, on avait pratiqué une unique incision au niveau de la gorge pour extraire les entrailles, la chair et le squelette et obtenir ainsi une sorte de sac. La tête, retenue à la nuque par une bande de peau, servait de rabat, et une cordelette teinte en rouge, confectionnée avec un tendon, était passée dans des trous percés autour du cou et nouée à la lanière ceinturant sa taille.

Quand elle découvrit la créature que les hommes avaient négligée, elle fut d'abord intriguée par ce qu'elle prit pour un animal sans fourrure. Mais, s'approchant un peu plus, elle tressaillit et recula vivement en portant instinctivement la main à la petite bourse de cuir suspendue à son cou pour éloigner les mauvais esprits. Elle palpa les menus objets à l'intérieur de son amulette en invoquant leur protection, puis se pencha de nouveau, hésitant à se rapprocher et doutant manifestement de la réalité qu'elle avait sous les yeux.

Pourtant elle ne rêvait pas. Ce n'était pas un animal qui avait attiré les rapaces, mais une enfant, une enfant décharnée et des plus étranges !

La femme jeta un regard autour d'elle, s'attendant à voir surgir d'autres monstruosités, et elle s'apprêtait à passer son chemin quand elle perçut un gémissement. Oubliant ses craintes, elle s'agenouilla auprès de la petite fille et la secoua doucement. Puis, comme elle tournait l'enfant sur le côté, elle vit les sillons purulents laissés par les griffes et délia la cordelette du sac en peau de loutre.

L'homme qui marchait en tête jeta un coup d'œil derrière lui et, voyant la femme agenouillée auprès de l'enfant, il revint sur ses pas.

— Iza ! Viens ! lui ordonna-t-il. Il y a des traces de lions des cavernes par ici !

— C'est une enfant, Brun. Elle n'est pas morte, seulement blessée, répondit-elle.

Brun considéra la frêle petite fille au front haut, au nez fin et au visage remarquablement plat.

— Pas du Clan, rétorqua le chef d'un geste sans réplique, et il se détourna.

— Brun, c'est une enfant. Elle est blessée. Elle mourra si nous la laissons là.

Iza s'exprimait par gestes en l'implorant du regard.

Le chef du clan baissa les yeux vers la femme. D'une taille approchant le mètre soixante-dix, il était puissamment musclé, avec un torse large et de fortes jambes arquées. Il présentait des traits semblables à la femme mais plus accentués ; les arcades sourcilières saillaient davantage, le nez était plus busqué. Les jambes, le ventre, le torse et les épaules étaient recouverts d'un poil dru et brun évoquant singulièrement la fourrure des animaux. Une barbe broussailleuse dissimulait sa mâchoire proéminente et l'absence de menton. Son vêtement de peau de bête, plus court que celui de la femme, était noué différemment et comportait moins de poches et de replis.

Il n'avait pour tout fardeau que ses armes et sa couverture de fourrure qu'il portait sur le dos, retenue par une large bande de cuir ceignant son front fuyant. Une cicatrice, sombre comme un tatouage ayant grossièrement la forme d'un U, se détachait sur sa cuisse droite, le symbole de son totem, le bison. Aucun signe ni ornement ne lui était nécessaire pour indiquer son rang. Seuls son maintien et le respect dont il faisait l'objet désignaient le chef en lui.

Il posa sur le sol le long tibia de cheval qu'il portait sur son épaule et qui lui servait de massue, et le cala contre sa cuisse. Iza comprit alors qu'il prenait en considération sa requête. Dissimulant son émotion, elle attendit tranquillement, lui laissant tout le loisir de réfléchir. Il mit par terre son lourd épieu de bois qu'il appuya contre son épaule, la pointe aiguisée, durcie au feu, dirigée vers le haut, et disposa les bolas[1] qu'il portait autour du cou ainsi que son amulette de façon à mieux répartir le poids des trois boules de pierre. Enfin il dégagea de la lanière ceinturant sa taille sa fronde en peau de daim et, l'air songeur, en lissa le cuir entre ses mains.

Brun répugnait à prendre une décision hâtive lorsqu'un événement imprévu survenait dans son clan, et il devait redoubler de circonspection depuis qu'ils avaient perdu leur abri. Aussi résista-t-il à un premier mouvement de refus. J'aurais dû prévoir qu'Iza voudrait porter secours

---

1. Arme formée de plusieurs balles de pierre ou d'ivoire réunies par des cordelettes. On lance les bolas comme un lasso en faisant tourbillonner les boules au-dessus de la tête puis en les projetant sur la cible. (N.d.T).

à cette créature, pensa-t-il. Ne lui est-il pas arrivé d'exercer ses talents de guérisseuse sur de jeunes animaux ? Elle m'en voudra de ne pas la laisser aider cette enfant. Qu'elle appartienne au Clan ou aux Autres, cela ne fait à ses yeux aucune différence. Elle ne voit en elle qu'une enfant blessée. Peut-être est-ce pour cela qu'elle est si bonne guérisseuse. Mais guérisseuse ou pas, elle n'est qu'une femme. Quelle importance si elle doit être fâchée ? Iza est bien trop avisée pour faire étalage de son mécontentement, et nous avons assez de problèmes sans nous encombrer d'une étrangère blessée. Mais son totem s'en apercevra, et les esprits aussi. Seront-ils contrariés de la voir dans la peine ? Quand nous trouverons une nouvelle caverne, c'est Iza qui préparera le breuvage pour la cérémonie rituelle. Qu'adviendrait-il si, dans son trouble, elle se trompait d'ingrédients ? Des esprits en colère pourraient bien l'y pousser, et en colère ils le sont déjà assez. Non, rien ne devra troubler le rituel, quand nous célébrerons la nouvelle caverne.

Laissons-la emmener l'enfant, décida Brun. Elle se lassera vite de porter ce fardeau supplémentaire, et l'étrangère est dans un tel état que les pouvoirs magiques de ma sœur ne pourront la sauver. Brun replaça sa fronde sous sa ceinture, ramassa ses armes et haussa les épaules d'un air indifférent, signifiant à Iza de faire comme bon lui semblait. Puis il tourna les talons et s'éloigna.

Iza sortit de son panier une couverture de fourrure dont elle enveloppa la petite fille. Elle souleva l'enfant évanouie et l'arrima contre sa hanche dans un pan de sa peau de bête, tout étonnée de sa légèreté pour sa taille. D'une tendre caresse, elle rassura la fillette qui s'était mise à geindre puis elle s'en fut reprendre sa place derrière les deux hommes.

Les autres femmes s'étaient arrêtées à l'écart de Brun et d'Iza. Quand elles virent la guérisseuse emporter l'étrange créature inanimée, leurs mains s'agitèrent avec frénésie et leurs gestes vifs, ponctués de sons gutturaux, témoignèrent de leur intense curiosité. A l'exception du sac en peau de loutre, elles étaient vêtues comme Iza et tout aussi lourdement chargées de tous les biens du clan qu'elles avaient pu sauver du tremblement de terre.

Deux des sept femmes transportaient leur enfant dans un repli de leur vêtement, à même la peau, ce qui facilitait l'allaitement. Tandis qu'elles étaient là à attendre, l'une d'elles, sentant la tiédeur d'une miction, sortit son petit, qui était nu, des replis de sa robe et le tint devant elle jusqu'à ce qu'il finisse d'uriner. Quand les mères ne se déplaçaient pas, elles enveloppaient les bébés dans des langes de peau bien assouplie. Afin d'absorber les urines et les déjections infantiles, les langes étaient bourrés de matériaux tels que les lambeaux de laine que les mouflons laissaient sur les épineux quand ils perdaient leur épaisse toison hivernale, le duvet des nids d'oiseaux ou encore des peluches de plantes fibreuses. Mais en se déplaçant, il leur était plus commode de porter les enfants nus et, tout en cheminant, de les laisser faire leurs besoins sur place.

Quand le clan se remit en route, une autre femme souleva son petit garçon et le cala sur sa hanche avec une large bande de peau, mais l'enfant ne tarda pas à gigoter pour descendre et marcher tout seul. La mère ne chercha pas à le retenir, sachant qu'il reviendrait se faire porter quand il commencerait à se fatiguer. Une fillette plus âgée qui, encore impubère, n'en portait pas moins un lourd fardeau, marchait derrière la femme qui suivait Iza, tout en jetant de furtifs regards à un jeune garçon. Ce dernier faisait tout son possible pour rester à distance des femmes et donner ainsi l'impression d'appartenir au groupe des trois chasseurs fermant la marche. Il aurait aimé avoir du gibier à porter et il enviait même le vieil homme, l'un des deux encadrant les femmes, dont l'épaule était chargée d'un gros lièvre abattu à la fronde.

Les chasseurs n'étaient pas les seuls à subvenir aux besoins du clan. Les femmes y participaient pour une grande part, et de manière plus constante. En dépit de leurs fardeaux, elles se livraient à la cueillette tout en marchant, déterrant avec dextérité des racines en quelques coups de leurs rustiques bâton à fouir, dégageant sans presque ralentir le pas les tendres bulbes d'un parterre de lis ou les racines de massettes qu'elles arrachaient dans l'eau des marais.

Sans l'errance à laquelle le clan se voyait contraint, les femmes se seraient fait un devoir de repérer le lieu où poussaient ces plantes, afin d'y retourner plus tard, à la floraison, et d'y cueillir les pousses tendres. Plus tard, elles auraient confectionné des galettes en mélangeant le pollen jaune à la fécule obtenue à partir de vieilles racines. Une fois les sommités des plantes séchées, elles en auraient recueilli la bourre et auraient fabriqué des paniers avec les feuilles les plus dures et les tiges. Pour l'instant, elles ramassaient ce qu'elles pouvaient, ne laissant presque rien leur échapper : les jeunes pousses et les feuilles tendres du trèfle, la luzerne, le pissenlit, les chardons, débarrassés de leurs épines avant d'être cuits, et les baies et les fruits précoces qui se présentaient. Les bâtons à fouir épointés ne restaient jamais inactifs ; les mains habiles des femmes en faisaient de redoutables outils. Elles les utilisaient comme leviers pour retourner les souches d'arbres sous lesquelles nichaient les tritons et les gros vers dont le clan se délectait ou encore pour pousser vers le rivage les mollusques des rivières et les pêcher plus facilement, enfin pour extraire du sol une grande variété de bulbes, de tubercules et de racines.

Toutes ces choses trouvaient place dans les replis de leurs vêtements ou dans un recoin de leur panier. Les grandes feuilles vertes servaient d'emballage, mais certaines, comme la bardane, étaient cuites et consommées comme des légumes verts. Elles ramassaient également du bois mort et des brindilles ainsi que les bouses sèches des herbivores. C'était en plein été que la variété des aliments était la plus grande, mais déjà la nourriture ne manquait pas à qui savait s'y prendre.

Iza leva les yeux vers le vieil homme, la trentaine passée, qui se portait à sa hauteur en boitant, après que le clan se fut remis en marche. Il n'avait ni fardeau ni arme, rien qu'un grand bâton pour s'aider à marcher. Sa jambe droite était paralysée et plus courte que la gauche mais il parvenait cependant à se mouvoir avec une surprenante agilité.

Son épaule droite et le haut du bras, amputé au niveau du coude, étaient atrophiés. Le côté gauche de son corps, parfaitement développé et musclé, lui donnait l'air bancal. Son énorme crâne, bien plus volumineux que chez les autres membres du clan, et l'accouchement difficile qui en avait résulté, étaient responsables des malformations qui l'avaient handicapé pour la vie.

Frère aîné d'Iza et de Brun, il aurait été le chef du clan sans son infirmité. Il portait le même vêtement de peau que les autres hommes, et, sur le dos, une chaude fourrure qui lui servait également de couverture. Mais plusieurs sacoches pendaient à sa ceinture et, sur son épaule, une cape de peau comme en avaient les femmes contenait un objet volumineux.

De hideuses cicatrices marquaient le côté gauche de son visage qui était borgne mais son œil droit brillait d'intelligence et d'une étrange acuité. Malgré sa claudication, il se déplaçait avec une tranquille assurance qui témoignait de sa grande sagesse et de la conscience de son importance dans le clan. Il était Mog-ur, le sorcier le plus puissant, le plus redouté et le plus vénéré de tous les clans. Convaincu que son infirmité physique le destinait au rôle de médiateur avec le monde des esprits plutôt qu'à celui de chef de clan, il possédait de fait dans maints domaines plus de pouvoir que tout autre chef, et il en avait parfaitement conscience. Seuls ses proches l'appelaient encore par le nom qui lui avait été donné à sa naissance.

— Creb, dit Iza en accueillant sa présence à ses côtés avec un geste qui témoignait du contentement qu'elle en ressentait.

— Iza ? demanda-t-il en désignant l'enfant.

Elle ouvrit le pan de son manteau de peau, et Creb se pencha sur le petit visage fiévreux. Son œil se porta sur la jambe enflée et les blessures purulentes, puis sur la guérisseuse dont il comprit le regard. La fillette gémit, et l'expression de Creb s'adoucit. Il hocha la tête en signe d'approbation.

— Bien, dit-il. (Le mot avait une sonorité rude et gutturale). Nous avons perdu assez des nôtres, signifia-t-il d'un geste de la main.

Creb demeura auprès d'Iza. Il n'était pas tenu de se conformer aux règles régissant le rang et le statut de chacun ; il pouvait marcher aux côtés de qui bon lui semblait, et même du chef, s'il le désirait. Mog-ur se situait au-dessus de la stricte hiérarchie du clan.

Brun les conduisit loin au-delà du territoire des lions des cavernes avant de faire halte et d'examiner le terrain. De l'autre côté de la rivière, la prairie s'étendait à perte de vue en ondoyant doucement. Seuls quelques arbres aux silhouettes tourmentées par les vents constants donnaient une échelle au paysage en soulignant sa nudité.

A l'horizon, un nuage de poussière révélait la présence d'un important troupeau de bêtes à cornes, et Brun regretta amèrement de ne pouvoir lancer ses chasseurs à leur poursuite. Derrière lui, seules les crêtes des grands conifères se détachaient dans le ciel au-delà des arbustes et des buissons forestiers venus s'échouer au bord de l'immense steppe.

De ce côté-ci de la rivière, la prairie se terminait brusquement, barrée par la falaise qui à quelque distance de là obliquait, s'éloignant du cours d'eau. La paroi abrupte ceignait comme un ruban de pierre les contreforts des hautes montagnes qui dressaient au loin leurs pics enneigés. Ils luisaient de reflets pourpres et violets. Le paysage était si beau, si majestueux que même Brun, homme à l'esprit pratique, fut ému.

Il se détourna de la rivière et, suivi du clan, prit la direction de la falaise, où ils avaient une chance de trouver une caverne. Ils avaient besoin d'un abri et, bien plus important encore, d'une demeure pour les esprits de leurs totems, si toutefois ils n'avaient pas déjà déserté le clan. Les esprits étaient en colère, comme le prouvait le tremblement de terre, et leur mécontentement était tel qu'il avait entraîné la mort de six personnes et la destruction de leur caverne. Si les esprits ne retrouvaient pas de lieu stable, ils abandonneraient le clan à la merci des esprits malins qui envoient les maladies et font fuir le gibier. Personne ne connaissait les raisons de leur colère, pas même Mog-ur, en dépit des rites nocturnes auxquels il se livrait pour apaiser leur courroux et l'angoisse du clan. Chacun était inquiet, et Brun tout particulièrement.

Il sentait monter la tension qui pesait sur le clan dont il avait la responsabilité. Les esprits, forces obscures aux désirs impénétrables, le déconcertaient profondément, et il préférait de loin le monde plus matériel de la chasse. Aucune des cavernes qu'ils avaient visitées jusqu'ici ne pouvait convenir : il y manquait chaque fois une condition essentielle et Brun commençait à désespérer. Ils gaspillaient de précieuses journées ensoleillées à chercher un refuge au lieu de les consacrer à amasser les provisions nécessaires pour l'hiver. D'ici peu, Brun se verrait obligé d'abriter son clan dans une caverne inappropriée et d'attendre l'année suivante pour reprendre les recherches. Néanmoins, il espérait ardemment que lui serait épargnée cette pénible épreuve.

Ils longeaient toujours la falaise lorsque la nuit tomba. En arrivant à la hauteur d'une petite cascade, dont les eaux irisées par la lumière rasante des derniers rayons du soleil dévalaient la paroi rocheuse, Brun ordonna une halte. Les femmes ne furent pas fâchées de déposer enfin leurs fardeaux et elles partirent ramasser du bois.

Iza étala sa fourrure par terre et, après y avoir étendu l'enfant, se hâta d'aider les autres femmes. L'état de la fillette la préoccupait. Sa respiration était faible, et ses plaintes mêmes se faisaient de plus en plus rares. Iza se demandait comment soulager la petite fille. Elle avait examiné les herbes séchées que contenait sa sacoche de loutre et, tout en ramassant du bois mort, elle inspectait les plantes alentour. A ses yeux, tout ce qui poussait avait un intérêt, curatif ou nutritif, et il était peu de plantes qu'elle ne sût identifier.

La découverte d'iris prêts à fleurir dont les longues tiges se dressaient au bord du ruisseau résolut l'un de ses problèmes et elle s'empressa de les cueillir. Les feuilles de houblon qui s'enroulaient autour d'un arbre retinrent également son attention, mais elle préférait utiliser la poudre sèche de houblon qu'elle possédait déjà, les petits fruits coniques n'étant pas encore mûrs. Elle détacha d'un aulne la tendre écorce grise dont elle huma le fort arôme en hochant la tête et, avant de rejoindre les autres, elle arracha plusieurs poignées de feuilles de trèfle.

Une fois le bois amassé et le foyer préparé, Grod, l'homme qui marchait aux côtés de Brun, sortit d'une corne d'aurochs un charbon ardent enveloppé de mousse. Le clan savait faire naître le feu mais en voyage il était plus sûr de conserver une braise du feu précédent pour allumer le prochain.

Grod avait anxieusement entretenu le brandon rougeoyant tout au long de la marche. Nuit après nuit, le feu avait été allumé à partir d'une braise conservée d'un feu antérieur, et l'on pouvait ainsi remonter jusqu'au foyer qui brûlait à l'entrée de l'ancienne caverne. Pour qu'une grotte soit, selon les rites, considérée comme un lieu de résidence acceptable, le clan devait y allumer un feu à l'aide d'une braise dont il pouvait suivre la trace jusqu'à sa précédente demeure.

L'entretien du feu ne pouvait être confié qu'à un homme de rang élevé. Si le brandon venait à s'éteindre, il faudrait y voir le signe que les esprits protecteurs avaient déserté le clan, et Grod, second par le rang, se trouverait ravalé au dernier échelon du clan, une déchéance qu'il redoutait par-dessus tout. Sa tâche représentait un grand honneur en même temps qu'une écrasante responsabilité.

Pendant que Grod disposait soigneusement la braise sur un lit de brindilles sèches et qu'il animait la flamme, les femmes vaquaient à diverses occupations. Selon des techniques ancestrales, elles dépecèrent rapidement le gibier. Quelques instants plus tard, le feu flambait clair, et la viande embrochée sur des piques de bois vert grillait. Saisie par l'intense chaleur, elle conservait son jus. Le clan s'en régalerait jusqu'à la dernière bouchée.

Les femmes grattèrent et coupèrent les racines et les tubercules avec les mêmes instruments tranchants dont elles se servaient pour dépecer et découper le gibier. Elles remplirent d'eau les paniers étanches tressés serré et les bols en bois, puis y déposèrent des pierres brûlantes. Dès que les pierres refroidissaient, elles les remettaient dans le feu et en prenaient d'autres qu'elles plongeaient dans l'eau jusqu'à ce qu'elle bouille et que les légumes soient cuits. Les gros vers de souches étaient légèrement grillés et les petits lézards rôtis dans leur peau jusqu'à ce que celle-ci noircisse et craquèle, exposant une chair goûteuse et cuite à point.

Tout en les aidant à la préparation du repas, Iza s'occupait de ses propres potions. Elle mit l'eau à chauffer dans un bol en bois qu'elle avait taillé dans une vieille souche de nombreuses années auparavant. Quand elle eut lavé les rhizomes d'iris, elle les réduisit en pâte en les mâchant et les recracha dans l'eau bouillante. Dans un autre bol, confectionné avec la mâchoire inférieure d'un grand daim, elle pila les feuilles de trèfle, y ajouta quelques pincées de houblon en poudre, des bouts d'écorce d'aulne, et versa de l'eau chaude sur le tout. Elle écrasa ensuite de la viande séchée entre deux pierres avant de la malaxer dans un troisième bol avec l'eau de cuisson des légumes.

La femme qui marchait dans la file derrière Iza lui jetait de temps à autre un regard, espérant quelque commentaire. Tout le clan brûlait de curiosité. Chacun avait trouvé quelque prétexte pour approcher de la fourrure de la guérisseuse depuis l'installation du camp. Les spéculations allaient bon train, et tous de se demander pourquoi l'enfant se trouvait là et, surtout, pourquoi Brun avait accepté une créature qui, de toute évidence, venait de chez les Autres.

Ebra était bien placée pour savoir ce que ressentait Brun. C'était elle qui, par d'habiles massages, dissipait la crispation de son cou et de ses épaules, elle aussi qui devait supporter les rares mais violents accès de nervosité de celui qui était son compagnon. Brun était réputé pour son sang-froid, et elle savait qu'il regrettait ses éclats, même si par fierté il ne les reconnaissait pas. Cependant Ebra elle-même se demandait comment il avait pu accepter l'enfant parmi eux, au moment où il leur fallait redoubler de prudence dans le respect des règles, afin de ne pas soulever davantage la colère des esprits.

Malgré sa vive curiosité, Ebra se garda bien de poser la moindre question à Iza ; quant aux autres femmes, leur rang ne permettait à aucune d'y songer. Personne n'avait le droit de déranger une guérisseuse qui procédait à ses préparations, et Iza n'était pas d'humeur à bavarder. Tous ses efforts se concentraient sur l'enfant à sauver. Creb témoignait lui aussi de l'intérêt pour la petite fille, et Iza appréciait grandement sa présence.

Elle l'observa avec une muette reconnaissance qui s'approchait du petit être inconscient, le contemplait un moment d'un air songeur puis, posant son bâton contre un gros rocher, faisait des passes de son unique main au-dessus de l'enfant, dans le but d'appeler sur celle-ci la bienveillance des esprits protecteurs. La maladie et les accidents représentaient des manifestations mystérieuses de la guerre que les esprits se livraient entre eux sur le champ de bataille du corps humain. Les pouvoirs magiques d'Iza venaient des esprits protecteurs qui agissaient par son entremise, mais aucune guérison n'était vraiment complète sans l'intervention d'un sorcier. Une guérisseuse n'était que l'agent des esprits ; un sorcier intercédait directement auprès d'eux.

Iza ne comprenait pas pourquoi elle ressentait un tel intérêt pour une enfant si différente des membres du clan, mais elle désirait la sauver. Quand Mog-ur eut terminé ses passes magiques, elle prit la fillette dans ses bras et la porta jusqu'au bassin au pied de la petite cascade. Elle l'y plongea jusqu'au cou et lava le petit corps couvert de crasse et de boue séchée. La fraîcheur de l'eau ranima la petite fille qui se mit à délirer. Elle s'agita, battit des jambes et des bras en balbutiant des sons inconnus. Iza la serra contre elle en chuchotant des paroles apaisantes qui ressemblaient à de doux grognements et se dépêcha de regagner le camp.

Avec l'habileté que lui conférait sa grande expérience, elle nettoya doucement les blessures à l'aide d'un morceau de peau de lapin trempé dans la décoction encore chaude de rhizomes d'iris. Puis elle recouvrit les plaies avec l'emplâtre qu'elle avait préparé, étala par-dessus la peau de lapin et banda la jambe avec des lambeaux de peau de daim souple. Avec un bout de branche fourchue, elle retira les pierres brûlantes du bol en os contenant le trèfle broyé et l'écorce d'aulne hachée pour faire refroidir le mélange à côté du bol de bouillon chaud.

Creb désigna les bols d'un air intrigué. Il ne s'agissait pas là d'une question directe, car tout Mog-ur qu'il fût, il n'était pas autorisé à s'enquérir des remèdes magiques de la guérisseuse, mais son geste n'en exprimait pas moins son intérêt. Iza savait qu'il appréciait plus que quiconque ses connaissances. Il lui arrivait d'utiliser les mêmes plantes qu'elle, mais à d'autres fins. Hors des Rassemblements du Peuple du Clan, où elle avait l'occasion de rencontrer d'autres guérisseuses, Creb était son unique interlocuteur en la matière.

— Ceci est destiné à vaincre les mauvais esprits qui ont provoqué l'infection, lui répondit par gestes Iza, désignant du doigt la solution antiseptique de rhizomes d'iris. L'emplâtre fera sortir le poison et favorisera la guérison.

Elle saisit le bol en os et y plongea un doigt pour vérifier la température.

— Le trèfle fortifiera son cœur et l'aidera à combattre les mauvais esprits.

Iza n'utilisait que fort peu de mots articulés ; ils lui servaient essentiellement à souligner ce qu'elle voulait dire. Les membres du clan étaient incapables d'articuler avec assez d'aisance pour s'exprimer uniquement de façon verbale ; c'est pourquoi ils communiquaient surtout par gestes et mouvements du corps, parvenant à nuancer à l'extrême leur langage silencieux et à lui donner une parfaite intelligibilité.

— Le trèfle se mange. Nous en avons eu hier soir, lui signifia Creb.

— Oui, fit Iza de la tête. Nous en mangerons encore ce soir. Le pouvoir magique réside dans la façon dont il est préparé. Une poignée de trèfle bouillie dans très peu d'eau distille exactement la substance nécessaire. (Creb acquiesça d'un air entendu). L'écorce d'aulne purifie le sang, en chasse les esprits qui l'empoisonnent, ajouta-elle.

— Tu as pris également quelque chose dans ta sacoche de guérisseuse.

— De la poudre de houblon pour la faire dormir paisiblement. Pendant que les esprits combattent, il lui faut du repos.

Creb acquiesça de nouveau. Il connaissait bien les vertus soporifiques du houblon qui, utilisé différemment, peut conduire à un agréable état d'euphorie. Si les informations d'Iza l'intéressaient toujours, il se laissait rarement aller pour sa part aux confidences sur la manière dont il utilisait lui-même les plantes pour sa magie. Ce savoir secret était exclusivement réservé aux mog-ur et à leurs homologues, et en aucun cas aux femmes, fussent-elles guérisseuses. Iza en connaissait plus long que lui sur les propriétés des plantes, et ses capacités de déduction l'inquiétaient. Il serait tout à fait anormal qu'elle découvrît trop de choses sur ses propres manipulations.

— Et l'autre bol ? demanda-t-il.

— Ce n'est que du bouillon. La pauvre petite est à moitié morte de faim. Que lui est-il arrivé, crois-tu ? D'où vient-elle ? Où est son peuple ? Elle a dû errer seule pendant des jours.

— Seuls les esprits le savent, répondit Mog-ur. Es-tu certaine que ton pouvoir opérera sur elle ? Elle ne fait pas partie du clan.

— Elle devrait guérir. Les Autres aussi sont des êtres humains. Te souviens-tu de cet homme au bras cassé dont notre mère nous parlait ? Celui que notre grand-mère a sauvé ? Les remèdes magiques du clan ont eu sur lui d'heureux résultats bien que, selon notre mère, il ait mis plus de temps que prévu à se remettre des effets de la potion soporifique.

— Quel dommage que tu n'aies pas connu la mère de notre mère, dit Creb, qui s'exprimait de son unique main. Ses talents de guérisseuse étaient tels que les membres des autres clans venaient la consulter. Quel dommage qu'elle ait rejoint le monde des esprits si peu de temps après ta naissance, Iza. Elle m'a effectivement parlé de cet homme. Il est resté quelque temps parmi nous après sa guérison, et il chassait avec le clan. Ce devait être un bon chasseur, car il a été autorisé à participer aux rites de la chasse. Ce sont des êtres humains, c'est vrai, mais ils sont différents de nous.

Mog-ur se tut. En face d'une femme aussi astucieuse qu'Iza, il devait veiller à ne pas en dire trop, sinon elle serait bien capable de percer certains secrets n'appartenant qu'aux hommes.

Tout en berçant tendrement la petite fille sur ses genoux, Iza parvint à lui faire absorber le contenu du bol en os. Il fut plus facile de lui faire boire le bouillon. L'enfant murmura quelques paroles incohérentes en essayant de repousser le breuvage amer, mais sa faim était telle qu'elle ne lutta pas longtemps. Iza la tint dans ses bras jusqu'à ce que le sommeil se fût emparé d'elle, puis elle écouta les battements de son cœur et sa respiration. Elle avait fait tout son possible. Peut-être n'était-il pas trop tard. Tout ne dépendait plus que des esprits, maintenant, et de la résistance de l'enfant.

Iza vit Brun s'approcher d'elle, l'air mécontent. Elle se leva prestement et alla aider à servir le repas. Une fois sa décision prise, Brun avait chassé de ses pensées cette étrange enfant, mais voilà qu'il se reprenait à douter de l'opportunité de sa présence parmi le clan. Alors qu'il était de règle de s'abstenir de regarder ce que les autres disaient, il ne put éviter de remarquer les commentaires de son clan. L'étonnement de ses compagnons à le voir accepter la présence de la fillette le conduisit à s'interroger lui aussi. Il se mit à redouter un redoublement de la colère des esprits. Il s'apprêtait à aller trouver la guérisseuse quand Creb, qui avait deviné son intention, l'arrêta.

— Que se passe-t-il, Brun ? Tu as l'air préoccupé.

— Iza doit abandonner l'enfant ici même, Mog-ur. Elle ne fait pas partie du Clan. Les esprits n'apprécieront pas sa présence parmi nous pendant que nous cherchons une nouvelle caverne. Je n'aurais jamais dû permettre à Iza de l'emmener.

— Mais non, rétorqua Mog-ur. La bonté n'a jamais irrité les esprits protecteurs. Tu connais Iza, elle ne supporte pas de voir une souffrance sans intervenir. Ne crois-tu pas que les esprits aussi la connaissent bien ? S'ils n'avaient pas voulu qu'elle soigne l'enfant, ils ne l'auraient pas mise sur son chemin. Il y a sûrement une raison à cela. Il se peut très bien que la petite meure, Brun, mais si Ursus veut l'appeler dans le monde des esprits, laissons-lui l'entière décision. Ce n'est pas le moment d'intervenir. Elle mourra à coup sûr si nous l'abandonnons.

Brun n'était pas convaincu. Quelque chose chez cette enfant le troublait. Cependant, par déférence envers Mog-ur, il acquiesça.

Après le repas, Creb demeura perdu dans un silence contemplatif, en attendant que tout le monde ait terminé de manger pour commencer la cérémonie nocturne, pendant qu'Iza lui préparait une couche pour dormir. Mog-ur avait interdit aux hommes et aux femmes de dormir ensemble tant qu'ils n'auraient pas trouvé une nouvelle caverne, afin que les hommes consacrent leur énergie à la célébration des rites et donnent à tous le sentiment qu'aucun effort n'était épargné pour les rapprocher du but.

Cette interdiction ne dérangeait guère Iza dont le compagnon avait péri dans l'éboulement. Elle avait manifesté un chagrin convenable lors de ses funérailles — le contraire eût été néfaste — mais elle n'était pas vraiment affligée de sa disparition. La cruauté et les exigences du défunt n'étaient un secret pour personne. Il n'y avait jamais eu la moindre tendresse entre eux. Elle ignorait le parti que Brun lui réservait à présent. Il faudrait bien que quelqu'un subvienne à ses besoins et à ceux de l'enfant qu'elle portait en elle, mais tout ce qu'elle espérait, c'était de pouvoir continuer à préparer les repas de Creb.

Il avait toujours partagé leur feu. Iza savait qu'il n'avait pas plus qu'elle-même apprécié son compagnon disparu, bien qu'il ne se fût jamais mêlé de leurs problèmes personnels. Elle avait toujours considéré comme un bonheur de cuisiner pour Mog-ur, mais surtout elle s'était prise pour son frère d'une affection comme beaucoup de femmes rêvent d'en éprouver pour le compagnon de leur vie.

La condition de son frère attristait parfois Iza. Il aurait pu prendre une compagne s'il l'avait voulu, mais elle savait qu'en dépit de ses pouvoirs magiques et de son rang élevé dans le clan, aucune femme ne regardait jamais son corps difforme et son visage balafré sans une répulsion dont il était lui-même parfaitement conscient. Voilà pourquoi il n'avait jamais voulu prendre de compagne et maintenait le sexe féminin à distance. Cette attitude réservée ajoutait encore à sa stature. Tout le monde, les hommes y compris, à l'exception toutefois de Brun, redoutait Mog-ur et lui témoignait un respect craintif. Tout le monde, sauf Iza qui, dès sa naissance, avait appris à connaître sa bonté et sa sensibilité. Mais c'était là un aspect de sa personnalité qu'il dévoilait rarement.

Or c'était bien cette bonté que le grand Mog-ur manifestait en cet instant. Au lieu de méditer sur la cérémonie nocturne, il pensait à la petite fille. Le peuple auquel elle appartenait avait toujours excité sa curiosité, mais le clan évitait dans la mesure du possible de se mêler aux Autres, et Mog-ur n'avait jamais eu l'occasion d'examiner un de leurs enfants. Il soupçonnait le tremblement de terre d'être responsable du triste sort de la fillette ; mais il s'étonnait toutefois que les Autres se soient trouvés si proches, eux qui séjournaient d'habitude beaucoup plus au nord.

Creb se releva à l'aide de son bâton, tandis que les hommes commençaient à quitter le campement pour se livrer aux préparatifs de la cérémonie nocturne. Ce rite était l'apanage des hommes, de même que leur devoir. S'il arrivait de temps à autre que les femmes fussent autorisées à participer à la vie religieuse du clan, cette cérémonie-là leur était absolument interdite. Il n'était pas de plus grand malheur que l'intrusion d'une femme dans les rites secrets des hommes, car elle n'attirerait pas seulement le mauvais sort sur le clan mais en chasserait les esprits protecteurs. Le clan entier en mourrait.

Mais il n'y avait aucun danger de ce côté-là. Jamais une femme n'aurait osé s'aventurer trop près du lieu consacré aux rites. Elles considéraient plutôt le déroulement des cérémonies comme un instant de détente, une interruption pendant laquelle elles se trouvaient déchargées du poids des exigences constantes des hommes, surtout en ces temps difficiles où ils étaient nerveux et toujours présents. Normalement, à cette époque de l'année, ils s'absentaient pour de grandes expéditions de chasse. Si les femmes se désolaient tout autant qu'eux de n'avoir pas encore trouvé une nouvelle caverne, elles n'y pouvaient pas grand-chose. Brun décidait seul de la direction à suivre, sans leur demander un avis qu'elles auraient été d'ailleurs bien incapables de lui donner.

Les femmes s'en remettaient entièrement aux hommes pour le commandement du clan, les responsabilités à assumer, les décisions à prendre. Le clan, dont la structure avait fort peu évolué en près de cent mille ans, était désormais réfractaire à tout changement, et certaines habitudes, fruits d'adaptations successives au milieu, se trouvaient à présent génétiquement ancrées. Les hommes comme les femmes acceptaient leurs rôles sans opposer la moindre résistance. Ils étaient tout aussi incapables de chercher à modifier la nature de leurs rapports que de transformer la structure de leur cerveau.

Après le départ des hommes, les femmes firent cercle autour d'Ebra, en espérant qu'Iza se joindrait à elles et satisferait enfin leur curiosité. Mais la guérisseuse, fatiguée, préféra rester auprès de la fillette. Elle s'allongea à ses côtés et s'enveloppa avec elle dans la fourrure, puis regarda longuement l'enfant endormie à la lueur du feu déclinant.

Etrange petite chose, pensa-t-elle. Plutôt laide d'une certaine façon. Son visage paraît si plat avec ce front haut et bombé et ce petit bout de nez. Et quel drôle d'os saillant sous la bouche. Je me demande quel

peut être son âge ? Plus petite que je ne l'ai d'abord pensé. Sa taille
m'a trompée. Elle est si maigre que je sens tous ses os. Pauvre bébé,
depuis combien de temps erres-tu sans manger ? Iza entoura le corps
frêle d'un bras protecteur. La femme qui avait souvent soigné et guéri
de jeunes animaux blessés ne pouvait faire moins pour la petite créature
humaine, si frêle, si vulnérable qu'elle en avait le cœur serré.

Mog-ur se tenait à l'écart pendant que chaque homme prenait place
derrière l'une des pierres disposées en un petit cercle à l'intérieur d'un
cercle plus grand délimité par des torches. Ils se trouvaient en terrain
dégagé loin du campement. Quand tous les hommes furent assis, le
sorcier attendit encore un peu puis il pénétra dans le cercle, tenant
enflammée une petite torche de plantes aromatiques.

Quand il eut planté la torche dans le sol, devant son bâton, il vint se
placer au milieu du cercle, et là, dressé de toute sa hauteur sur sa
bonne jambe, il porta vers la steppe un regard rêveur et lointain, comme
s'il voyait de son unique œil un monde qui demeurait invisible aux
autres. Enveloppé dans son épaisse fourrure d'ours des cavernes, avec
sa silhouette difforme qui le différenciait des autres, Mog-ur dégageait
une force envoûtante et mystérieuse qui prenait toute sa dimension lors
des rites qu'il célébrait.

Soudain, d'un geste emphatique, il sortit un crâne et de son bras
gauche musculeux le leva haut au-dessus de sa tête et tourna lentement
sur lui-même de façon à ce que chaque homme pût voir le gros crâne
de l'ours des cavernes luire d'un blanc laiteux à la lueur des flammes
dansantes des torches. Il déposa ensuite le crâne devant le flambeau
aromatique encore fumant et, s'accroupissant derrière celui-ci, il com-
pléta le cercle.

Un homme jeune assis à côté de lui se leva et ramassa un grand bol
en bois. Il avait dépassé sa onzième année, et la cérémonie de son
passage à l'âge d'homme avait eu lieu peu de temps avant le tremblement
de terre. Goov avait été choisi comme servant de Mog-ur dès son
enfance et il avait souvent aidé le sorcier dans ses préparatifs, mais les
servants n'étaient autorisés à participer aux rites eux-mêmes qu'une fois
adultes. C'était la première fois que Goov servait dans une cérémonie
depuis qu'ils erraient à la recherche d'une caverne, et le garçon ressentait
une certaine appréhension.

Pour Goov, trouver une nouvelle caverne revêtait une signification
particulière. C'était pour lui l'occasion unique d'apprendre du grand
Mog-ur les rites complexes et difficilement transmissibles qui marquaient
la célébration d'un nouveau lieu de résidence pour le clan. Enfant, il
avait redouté le sorcier, bien qu'il fût conscient de l'honneur d'avoir
été choisi comme servant. En grandissant, il avait peu à peu découvert
que l'infirme n'était pas seulement le mog-ur le plus habile de tous les
clans mais que la laideur de ses traits masquait un cœur bon et généreux.
Aussi Goov n'avait-il pas seulement un grand respect mais encore une
vive affection pour son mentor.

Il avait commencé la préparation du breuvage sitôt que Brun avait ordonné la halte. Il lui avait d'abord fallu broyer entre deux pierres plates des pieds entiers de datura. Le plus difficile était d'estimer la quantité exacte de plante, feuilles et sommités comprises, qu'on laisserait ensuite macérer dans de l'eau bouillante jusqu'au moment de la cérémonie.

Goov avait versé la puissante infusion au datura dans la coupe réservée au rite, la serrant fort entre ses mains bien avant que Mog-ur pénètre dans le cercle, tout à l'espoir que sa préparation aurait l'assentiment du magicien. Comme Goov lui tendait la coupe, Mog-ur prit une gorgée, approuva de la tête et but, au grand soulagement de son jeune servant. Goov fit ensuite boire les autres hommes selon leur rang, en commençant par Brun. Il tenait la coupe pendant que chacun buvait, veillant à ce que chaque part fût égale. Il prit la sienne en dernier.

Mog-ur attendit qu'il reprenne sa place puis, sur son signe, les hommes commencèrent à battre en cadence le sol du bout de leur lance. Le bruit sourd, cadencé, s'amplifia dans la nuit, et les hommes se levèrent, se balançant avec le rythme. Mog-ur baissa son regard sur le crâne posé devant lui, et il y avait une telle intensité dans ce regard que les hommes aussi portèrent toute leur attention à la relique sacrée. Il attendit encore un peu, sentant monter l'attente de chacun, puis il leva les yeux vers son frère, l'homme qui menait le Clan. Brun s'accroupit devant le crâne.

— Esprit du Bison, Totem de Brun, commença Mog-ur.

Il n'articula qu'un seul mot, « Brun », exprimant le reste par signes de sa seule main valide. Ce qui suivit, il le transmit dans l'ancien langage, celui utilisé pour communiquer avec les esprits ou bien les membres d'autres clans dont les sons et la gestuelle étaient différents des leurs. Par des symboles muets, Mog-ur implora l'Esprit du Bison de leur pardonner les fautes qu'ils avaient pu commettre et de leur venir en aide.

— Cet homme a toujours honoré les esprits, Grand Bison, toujours respecté les traditions du Clan. Cet homme est un chef avisé, un chef juste, un bon chasseur, un homme de sang-froid, un homme digne du Puissant Bison. N'abandonne pas cet homme ; guide ce chef jusqu'à une nouvelle caverne, une demeure où l'Esprit du Bison sera heureux. Ce Clan implore l'aide du totem de cet homme, conclut le sorcier.

Puis il porta son regard vers le chef en second. Tandis que Brun s'écartait, Grod vint s'accroupir devant le crâne de l'ours des cavernes.

S'il était formellement interdit aux femmes d'assister à la cérémonie, c'était bien pour qu'elles ne puissent voir les hommes, qui affichaient tant de force stoïque, se prosterner et implorer les esprits invisibles avec la même crainte et la même humilité qu'on attendait d'elles quand elles présentaient aux hommes quelque requête.

— Esprit de l'Ours Brun, Totem de Grod, reprit Mog-ur, invoquant cette fois le totem du chef en second.

Puis, quand il eut ainsi procédé pour chaque homme, il continua de fixer de son œil unique le crâne devant lui, pendant que les hommes martelaient de nouveau la terre de leurs lances, se laissant emporter par le rythme.

Ils savaient ce qui viendrait ensuite, car la cérémonie ne variait jamais, mais elle avait beau être identique nuit après nuit, ils n'en attendaient pas moins avec fièvre que Mog-ur invoque l'esprit d'Ursus, le Grand Ours des Cavernes, son totem personnel et le plus vénéré de tous les esprits.

Ursus était plus que le totem de Mog-ur ; il était celui de chacun, et plus qu'un totem. C'était Ursus le fondateur du Peuple du Clan. C'était lui l'esprit suprême, le grand protecteur. La vénération de l'Ours des Cavernes était le facteur commun qui les unifiait, la force qui unissait tous les clans autonomes en un seul peuple, le Clan de l'Ours des Cavernes.

Quand le sorcier borgne jugea le moment opportun, il fit un signe. Les hommes cessèrent de battre le sol de leurs lances et se rassirent en cercle, mais le rythme envoûtant courait encore dans leur sang et leur battait aux tympans.

Mog-ur prit une pincée de spores de pied-de-loup dans une petite poche de cuir et, se penchant au-dessus de la torche aromatique toujours allumée devant lui, il laissa tomber en fine pluie les spores séchées en même temps qu'il soufflait dessus, les projetant en une gerbe d'étincelles tout autour du crâne.

Le crâne de l'ours des cavernes semblait prendre vie sous les yeux des hommes, dont les perceptions se trouvaient particulièrement aiguisées par la prise de datura. Un hibou hua dans la nuit, et son cri fit un dramatique contrepoint à la pluie lumineuse qui semblait jaillir de la bouche de Mog-ur.

— Grand Ursus, Protecteur du Peuple du Clan, disaient les gestes du sorcier, montre à ce clan sa nouvelle demeure comme il y a longtemps l'Ours des Cavernes nous enseigna comment vivre dans les grottes et se vêtir de fourrures. Protège-nous de la Glace de Montagne, et des Esprits de la Neige Poudreuse et de la Neige Cristalline qui lui donnèrent naissance. Ce clan implore le Grand Ours des Cavernes de les protéger du malheur, alors que nous sommes sans abri. Ton clan, tes hommes, implorent l'Esprit le plus vénéré, l'Esprit du Puissant Ursus de les accompagner dans leur marche.

Puis Mog-ur fit appel aux capacités de son énorme cerveau.

Ces hommes primitifs, dénués ou presque de lobes frontaux, au langage limité par des organes vocaux atrophiés, mais nantis de cerveaux volumineux — plus volumineux que ceux de toutes les espèces humaines anciennes ou à venir — étaient uniques en leur genre. Ils formaient l'aboutissement d'une espèce humaine dont le cerveau était développé à l'arrière du crâne, dans les régions occipitales et pariétales qui contrôlent la vision, les perceptions corporelles, et qui sont le siège de la mémoire.

Et c'était leur mémoire qui faisait d'eux des êtres hors du commun. Le savoir inconscient des comportements ancestraux qu'on appelle l'instinct avait évolué. Entreposés à l'arrière de leurs gros cerveaux, il n'y avait pas seulement leurs propres souvenirs mais ceux de leurs ancêtres. Ils pouvaient ainsi se rappeler le savoir que ceux-ci leur avaient légué et, dans certaines circonstances particulières, ils pouvaient faire plus : ils étaient capables de se souvenir de leur mémoire raciale, de leur propre évolution. Et quand ils allaient encore plus loin dans le passé, ils parvenaient à se fondre dans la mémoire collective et unir télépathiquement leurs esprits.

Ce talent était exceptionnellement développé dans le cerveau de l'infirme. Creb, le doux Creb, dont l'énorme masse cervicale lui avait valu une naissance difficile et sa difformité même, avait appris, devenu mog-ur, à se servir des capacités de ce cerveau pour fusionner en un seul esprit les identités assises autour de lui et, tel un pilote, à guider cet esprit. Il pouvait les emmener jusqu'à leurs origines, jusqu'à ce qu'ils deviennent dans leurs esprits n'importe lequel de leurs premiers géniteurs. Il était Mog-ur, et son pouvoir était réel ; il ne se limitait pas à quelques effets d'ordre physique ou à la connaissance de certaines plantes narcotiques. La drogue comme la dramaturgie du rite n'étaient pour lui que de simples auxiliaires.

En cette nuit calme et sombre, constellée d'étoiles anciennes, quelques hommes eurent ainsi des visions impossibles à décrire. Sensations plus que visions, car ils les éprouvaient de l'intérieur et se souvenaient d'impénétrables commencements. Dans les profondeurs de leurs propres esprits, ils retrouvèrent les impressions des créatures flottant dans la mer, ils revécurent la douleur de leur première respiration à l'air libre et redevinrent des amphibiens partageant les deux éléments.

Parce qu'ils vénéraient l'ours des cavernes, Mog-ur évoqua le mammifère primitif, à l'origine des espèces qui suivraient, et il unit leurs esprits à celui du premier ours. Ainsi deviendraient-ils à travers les âges chacun des descendants du premier mammifère, prenant par là conscience de leur parenté avec toute vie sur terre et ressentant la nécessité d'un respect pour les animaux qu'ils tuaient, respect qui s'exprimait dans le choix des totems appelés de leurs vœux à les protéger.

Tous les esprits n'en formaient qu'un seul, et ce ne fut qu'en se rapprochant du présent qu'ils se séparèrent en même temps qu'ils retrouvaient leurs derniers ascendants, leurs tout derniers géniteurs, et enfin reprenaient conscience d'eux-mêmes. Ce voyage à travers les âges n'avait en vérité duré que quelques minutes et, comme chaque homme sortait de sa transe, il se levait sans hâte pour regagner le campement et dormir d'un sommeil sans rêves, car ceux-ci restaient derrière lui à l'intérieur du cercle des torches.

Quand ils furent tous partis, Creb resta seul à méditer. Il songea à leur capacité de connaître le passé avec une profondeur qui exaltait les âmes. Pourtant cela le laissait toujours insatisfait, car l'avenir leur restait invisible. Ils ne parvenaient même pas à imaginer un futur quelconque. Lui seul en avait une idée, encore celle-ci était-elle des plus floues.

Le Clan était incapable de concevoir un futur différent du passé, incapable d'entrevoir la moindre alternative pour ses lendemains. Tout le savoir des gens du Clan, toutes leurs actions n'étaient que la répétition de ce qui avait déjà été fait avant eux. Même constituer des provisions de nourriture lors des changements de saisons était le fruit d'une expérience non pas acquise mais héritée.

Il y avait eu un temps, un temps très lointain, où innover, inventer était plus facile, où l'arête tranchante d'une pierre avait donné à quelqu'un l'idée de fendre une pierre dans le seul but d'obtenir une arête tranchante, où un bâton durci accidentellement au feu avait donné l'idée de durcir au feu les pointes des épieux. Mais à mesure que les souvenirs s'étaient accumulés dans les esprits, les changements s'étaient faits plus rares. Dans leurs cerveaux saturés par les connaissances acquises au cours des âges, il n'y avait plus de place pour les idées nouvelles. Les crânes, déjà énormes, ne pouvaient grossir encore sans rendre les accouchements de plus en plus douloureux, voire impossibles.

Le Peuple du Clan vivait selon des coutumes inchangées. Chaque facette de la vie, depuis la naissance jusqu'au moment où les esprits vous rappelaient dans le monde invisible, était calqué sur le passé. La survie de la race exigeait cet immobilisme, et cependant ce dernier les condamnait tôt ou tard à disparaître.

Leur adaptation était lente. Les inventions étaient toujours le fruit d'un hasard, et encore n'étaient-elles presque jamais utilisées. Changer leur coûtait trop d'effort, et une race qui n'avait pas de place pour des connaissances nouvelles, pas de place pour évoluer, se retrouvait désarmée face à un environnement en évolution constante. Leur développement était achevé, du moins dans la direction qu'ils avaient prise de corps et d'esprit. Il ne pourrait y avoir de progrès pour l'espèce que sous une forme nouvelle, un nouveau spécimen.

Et Mog-ur, assis seul dans l'herbe de la steppe, regarda la flamme de la dernière torche vaciller et s'éteindre en pensant à l'étrange fillette qu'Iza avait recueillie. Il avait déjà eu l'occasion de rencontrer les Autres, mais il ne gardait pas un bon souvenir de ces rencontres. D'où venaient ces gens restait un mystère, et certes, ils étaient étrangers aux contrées où vivait le Clan. Cependant des choses avaient changé depuis leur arrivée. Ils semblaient apporter le changement avec eux.

Creb chassa le trouble qui s'était emparé de lui à ces pensées. Il rangea avec précaution le crâne de l'ours des cavernes dans un pli de sa fourrure et, saisissant son bâton, il s'en revint en boitant vers le campement.

3

L'enfant se retourna et commença à s'agiter.

— Ma-man, gémit-elle. (Puis, battant l'air de ses bras, elle appela de nouveau, plus fort :) Ma-man !

Iza l'attira contre elle en murmurant tendrement à son oreille. La chaleur de son corps ainsi que les sons apaisants pénétrèrent l'esprit enfiévré de la fillette qui se calma. Elle avait dormi par à-coups, réveillant fréquemment la femme par ses sursauts, ses plaintes et son délire. Les sons étaient étranges, fort différents de ceux prononcés par le Peuple du Clan. Ils se succédaient aisément, avec une grande facilité, un son entraînant l'autre. Iza était bien incapable de les saisir dans leur totalité car son oreille n'était pas préparée à percevoir leurs subtiles variations. Mais ceux que l'enfant venait de pousser étaient revenus si souvent qu'Iza en déduisit qu'ils devaient désigner quelqu'un de très proche pour la fillette, et comme celle-ci s'apaisait à son contact, elle comprit leur signification.

Elle ne peut pas être très âgée, pensa Iza, car elle n'a manifestement pas su trouver de quoi manger. Je me demande pendant combien de temps elle a erré seule ? Qu'a-t-il bien pu arriver à son peuple ? Le tremblement de terre ? La petite aurait tenu si longtemps ? Et comment a-t-elle pu se tirer des griffes d'un lion des cavernes avec quelques égratignures ? Iza avait soigné assez souvent ce genre de blessures pour connaître leur provenance. De puissants esprits doivent la protéger, conclut-elle.

L'aube naissait mais l'obscurité était encore profonde quand la fièvre provoqua une brusque suée. Iza s'assura que l'enfant était bien couverte et la garda au chaud tout contre elle. La petite fille se réveilla peu après et se demanda où elle se trouvait, mais il faisait trop sombre pour y voir quelque chose. Le corps de la femme endormie contre elle la rassura et elle referma les yeux, glissant dans un sommeil moins agité.

Au lever du jour, au moment où les arbres commençaient à se découper sur le ciel pâle, Iza se glissa doucement hors de la fourrure. Elle attisa le feu, y ajouta du bois, puis alla remplir un bol d'eau à la cascade et arracher un peu d'écorce de saule. Elle saisit son amulette et remercia les esprits pour le saule qu'ils dispensaient si généreusement, car non seulement le saule était fort répandu, mais son écorce possédait de grandes vertus pour calmer la douleur et apaiser la fièvre. Elle connaissait d'autres plantes aux qualités analgésiques, mais elles endormaient trop les sens. Le saule, lui, se contentait d'atténuer la fièvre et la douleur.

Tandis qu'Iza s'occupait à faire chauffer l'eau, le campement sortit peu à peu de sa torpeur. Une fois la potion d'écorce de saule prête, elle revint auprès de l'enfant, posa précautionneusement le bol fumant dans un petit trou creusé dans le sol, puis se glissa sous la fourrure. Elle observa la fillette endormie, notant que sa respiration était régulière. Comme ce petit visage l'intriguait ! Le feu du soleil avait disparu, laissant un hâle doré et une peau qui pelait sur l'arête du nez minuscule.

Iza n'avait jamais vu d'aussi près un petit des Autres. Les femmes du Clan s'enfuyaient et se cachaient toujours à leur approche. Des incidents désagréables survenus lors de rencontres fortuites et rapportés lors des Rassemblements du Clan incitaient chacun à les éviter autant que possible. Cependant, l'expérience qu'avait connue leur propre clan n'avait pas été déplaisante. Iza repensa à sa conversation avec Creb au sujet de l'homme qui, un jour, avait fait irruption dans leur caverne, le bras cassé, fou de douleur.

Il avait appris à la longue quelques rudiments de leur mode d'expression, mais se comportait d'étrange façon. Ainsi, il aimait s'entretenir aussi bien avec les femmes qu'avec les hommes et avait manifesté un profond respect, voire de la déférence envers la guérisseuse, ce qui ne l'avait pas empêché de gagner l'estime des hommes.

Soudain, le soleil, qui venait d'apparaître à l'horizon, éclaira de ses rayons le visage de la petite fille, dont les paupières frémirent. En ouvrant les yeux, elle plongea son regard dans deux grands yeux bruns, profondément enfoncés dans leurs orbites, et découvrit un visage dont le bas ressemblait à un museau.

La fillette poussa un cri et referma les yeux précipitamment. Iza serra contre elle l'enfant tremblante de peur, murmurant des sons apaisants, des sons qui semblaient familiers à la petite fille, tout comme la chaleur de ce corps réconfortant. Son tremblement s'atténua progressivement et elle entrouvrit de nouveau les yeux. Cette fois elle ne cria pas. Enfin, elle les ouvrit complètement et examina ce visage terrifiant et totalement inconnu.

Stupéfaite, Iza la regardait aussi. Pendant un instant, elle crut que l'enfant était aveugle. Jamais auparavant, elle n'avait vu des yeux de la couleur du ciel. Ceux des vieillards se voilaient parfois d'une pellicule blanchâtre qui réduisait considérablement la vue. Mais les pupilles dilatées de l'enfant la convainquirent qu'elle voyait parfaitement. Cette couleur bleu-gris doit être courante chez les Autres, pensa-t-elle.

La petite fille restait étendue, parfaitement immobile, les yeux grands ouverts. Quand Iza l'aida à s'asseoir, elle grimaça de douleur et tous ses souvenirs refluèrent en force. Elle revit le monstrueux lion et ses griffes acérées lui labourant la cuisse ; elle se rappela ses efforts pour gagner le bord de la rivière, étourdie par la soif et la souffrance, mais elle fut incapable de se remémorer ce qui lui était arrivé auparavant. Elle avait complètement refoulé de sa mémoire tout ce qui concernait sa fuite solitaire, la peur et la faim, le tremblement de terre et les êtres chers qu'elle avait perdus.

Iza approcha le bol de ses lèvres. La fillette avait soif mais à la première gorgée le breuvage amer lui arracha une grimace de dégoût. Lorsque la femme porta de nouveau le bol à ses lèvres, cependant, elle but, trop effrayée pour refuser. Satisfaite, Iza la laissa pour aider les femmes à préparer le repas du matin. La petite fille la suivit des yeux, et avec stupeur elle vit pour la première fois ce campement où tous les gens ressemblaient à cette femme.

L'odeur de la nourriture qui cuisait réveilla la faim de l'enfant et, quand Iza revint avec un petit bol de bouillon de viande épaissi de graines broyées, elle l'avala avec avidité. La guérisseuse ne la jugeait pas prête à un aliment plus solide. Pour le moment un simple gruau suffisait à remplir son estomac resserré par le jeûne. Elle garda le reste du bouillon dans une outre de peau ; elle le lui donnerait une fois qu'ils se seraient remis en route. Puis elle l'allongea sur la fourrure et lui ôta l'emplâtre. Les plaies commençaient à sécher et la cuisse était déjà moins enflée.

— Bien, dit Iza à haute voix.

La petite fille sursauta au son rauque et guttural du mot, le premier qu'elle entendait prononcer. Cela ne ressemblait pas à un vrai mot, on aurait dit plutôt le grognement de quelque animal. Mais le comportement d'Iza n'avait rien d'animal, il était au contraire très humain, très tendre. La guérisseuse avait déjà préparé un nouveau pansement et elle s'apprêtait à l'appliquer quand survint en claudiquant un homme bancal et difforme.

Jamais elle n'avait vu homme plus horriblement repoussant. Une profonde balafre zébrait un côté de son visage et il n'y avait qu'un bout de chair tourmentée à la place où aurait dû se trouver son œil. Mais tous ces gens lui semblaient si bizarres et si laids que ces traits abominablement défigurés ne représentaient pour elle qu'un degré supplémentaire dans la laideur. Elle ne savait pas qui ils étaient ni comment elle se trouvait parmi eux mais elle savait que cette femme prenait soin d'elle. On lui avait donné à manger, on l'avait soignée, et surtout elle éprouvait un immense soulagement après l'effroi qu'elle avait connu à errer seule dans un monde hostile. Et seule, elle ne l'était plus, même parmi ces êtres si différents d'elle.

L'infirme s'assit pour observer la petite fille. Elle lui rendit son regard avec une franche curiosité qui surprit le vieil homme. Les enfants de son clan avaient toujours eu peur de lui, prompts à s'apercevoir que leurs aînés mêmes le craignaient, et ses manières distantes n'encourageaient pas la familiarité. De plus, les mères menaçaient fréquemment leurs bambins d'appeler Mog-ur s'ils se montraient désobéissants. En approchant de l'âge adulte, la plupart d'entre eux, et particulièrement les filles, le redoutaient réellement. Ce n'était que beaucoup plus tard, une fois adultes, que les membres du clan voyaient leur crainte se transformer en respect. L'œil valide de Creb pétillait d'intérêt devant le regard franc et serein que lui portait cette étrange enfant.

— La petite va mieux, Iza, remarqua-t-il.

Il avait la voix plus profonde que celle de la femme mais, aux oreilles de l'enfant, les sons qu'il émettait ressemblaient plutôt à des grognements, et elle ne remarqua pas les gestes qui les accompagnaient. Leur langage lui demeurait totalement étranger ; elle savait seulement qu'il venait de communiquer une observation à la femme.

— Elle est encore très faible, dit Iza, mais sa blessure va mieux. En dépit de la profondeur de ses plaies, elle n'a pas la jambe trop abîmée et l'infection se résorbe. Elle a été labourée par les griffes d'un lion des cavernes, Creb. As-tu déjà vu un lion des cavernes attaquer une proie et se contenter de lui donner un coup de patte ? Je suis étonnée qu'elle soit encore en vie. Elle doit se trouver sous la protection d'un esprit très puissant. Mais, ajouta Iza, que sais-je des esprits ?

Il n'appartenait certainement pas à une femme, fût-elle la sœur de Mog-ur, de parler des esprits. D'un geste, elle le pria de pardonner son audace. Il ne releva pas, ainsi qu'elle s'y attendait, mais considéra l'enfant avec un intérêt accru. Il était arrivé de son côté à la même conclusion et, s'il ne voulait pas l'admettre, l'avis de sa sœur comptait pour lui et venait confirmer ses propres déductions.

Ils levèrent le camp rapidement. Iza, chargée de ses ballots et de son panier, hissa la petite fille sur sa hanche et prit sa place dans le rang derrière Brun et Grod. Du haut de son perchoir, la fillette promenait autour d'elle un regard curieux, attentive à ce que faisaient Iza et les autres femmes en marchant. Les arrêts au cours desquels elles ramassaient tout ce qui se présentait de comestible l'intéressaient tout particulièrement. Iza lui donnait de temps à autre un morceau de bourgeon qu'elle venait de cueillir ou quelque jeune et tendre racine, qui réveillaient chez l'enfant le vague souvenir d'une autre femme qui avait eu pour elle les mêmes attentions. La terrible faim dont elle avait souffert suscita en elle un vif désir d'apprendre à trouver sa pitance, et elle se mit à prêter davantage attention aux plantes, cherchant à percevoir leurs caractéristiques. Lorsqu'elle en désignait une du doigt, elle manifestait sa joie si Iza s'arrêtait pour l'arracher. Iza aussi était heureuse. Cette enfant est vive, pensait-elle. Elle apprend rapidement.

Vers la mi-journée, ils firent une halte pour se reposer pendant que Brun inspectait les lieux. Après avoir donné à l'enfant le reste de bouillon conservé dans une outre, Iza lui tendit à mâcher un morceau de viande séchée. Ils se remirent en route sans avoir trouvé de caverne satisfaisante et, vers la fin de l'après-midi, la potion d'écorce de saule ayant cessé d'agir, la jambe de la fillette la fit de nouveau souffrir. Comme elle s'agitait nerveusement, Iza l'installa plus à l'aise, et l'enfant s'abandonna en toute confiance, les bras autour du cou de la femme et la tête reposant sur sa large épaule. La guérisseuse, qui n'avait pas encore eu d'enfant, éprouvait un grand élan d'affection pour la petite orpheline. Encore faible et fatiguée, celle-ci ne tarda pas à s'assoupir, bercée par le mouvement régulier de la marche.

Comme le soir approchait, Iza, éreintée par le poids du fardeau supplémentaire qu'elle portait, accueillit avec soulagement la halte qu'ordonna Brun, et elle déposa l'enfant à terre. La fillette avait les joues en feu et le front brûlant de fièvre et, tout en ramassant du bois, la guérisseuse cueillit au passage quelques plantes pour renouveler ses soins. Iza ignorait ce qui causait l'infection, mais elle savait comment la traiter, comme elle savait soigner bien d'autres maux.

La guérison avait beau être chargée de magie et attribuée aux esprits, les remèdes d'Iza n'en étaient pas moins efficaces. Le Peuple du Clan vivait depuis la nuit des temps de la chasse et de la cueillette, et au cours des générations s'était constituée une solide base de connaissances sur les vertus curatives des plantes, due au hasard comme à l'expérimentation. Une fois les animaux dépouillés et dépecés, on observait leurs organes. Les femmes les découpaient pour les cuisiner et en tiraient un savoir qu'elles pouvaient appliquer sur elles-mêmes.

La mère d'Iza lui avait montré les divers organes internes et lui avait expliqué leur fonction, ainsi que son éducation l'exigeait, mais en fait uniquement pour faire resurgir dans sa mémoire ce qu'elle savait déjà. A sa naissance, Iza possédait un savoir inné, légué par la grande lignée de guérisseuses dont elle était la descendante directe. Elle possédait la capacité de se souvenir des expériences de ses ancêtres comme des siennes propres, et une fois le processus enclenché, il devenait automatique. Elle faisait appel à sa mémoire personnelle et aux événements qu'elle avait vécus et dont elle n'oubliait jamais rien, mais s'il lui arrivait d'utiliser le savoir ancestral accumulé dans son cerveau, elle ne pouvait se rappeler comment elle l'avait acquis. Et même si Brun et Creb étaient nés des mêmes parents, ils ne possédaient pas le savoir médicinal inné d'Iza, leur propre sœur.

Parmi tous les groupes qui composaient le Peuple du Clan, les souvenirs se répartissaient différemment, en fonction des sexes. Ainsi, les femmes n'avaient pas plus besoin de connaissances en matière de chasse que les hommes en matière de plantes. Si la différence entre le cerveau des hommes et celui des femmes était imposée par la nature, elle était consolidée par la culture. Chaque enfant naissait avec un savoir appartenant au genre opposé, mais le perdait faute d'y avoir recours dès qu'il atteignait l'âge adulte.

Mais si la nature tentait de prolonger la race en limitant la taille du cerveau des hommes et des femmes, cette tentative portait en elle les germes de son échec. Les deux sexes étaient non seulement indispensables à la procréation mais aussi à la vie quotidienne ; l'un ne pouvait survivre sans l'autre, et ils ne pouvaient échanger leurs aptitudes faute de posséder la mémoire correspondante.

Le cerveau des hommes, comme celui des femmes, était doué d'une acuité visuelle particulièrement aiguë, bien qu'utilisée de façon différente. Au fur et à mesure de leur progression, l'environnement géographique s'était considérablement modifié sous les yeux d'Iza, qui avait à son insu enregistré les moindres particularités du paysage et plus spécialement de la végétation. Elle était capable de distinguer de loin les imperceptibles détails du contour d'une feuille ou même la taille d'une plante, et si, par hasard, elle trouvait en chemin quelques végétaux, certaines fleurs, un buisson ou un arbre qu'elle n'avait encore jamais vus, ils lui étaient pourtant familiers. Elle parvenait à en faire resurgir le souvenir profondément enfoui dans les replis de sa mémoire. Mais en dépit de cette impressionnante réserve d'informations, elle avait vu récemment une végétation qui lui était totalement inconnue, tout comme l'était d'ailleurs la contrée qu'ils traversaient. Elle aurait aimé l'examiner de plus près, car tout spécimen végétal nouveau l'intéressait, outre le fait que l'acquisition de connaissances supplémentaires était indispensable à leur survie immédiate.

Toutes les femmes étaient curieuses de connaître des plantes ignorées jusqu'alors et elles possédaient le talent d'en déterminer les effets et l'usage éventuel. Iza, comme les autres, se livrait à des expériences sur elle-même. Les similarités avec des plantes déjà répertoriées situaient les nouvelles dans des catégories voisines, mais toute bonne guérisseuse connaissait bien les dangers de l'amalgame : des caractères semblables ne signifiaient pas des propriétés identiques. La méthode d'expérimentation était simple. Elle en mangeait tout d'abord un petit morceau. Si le goût était désagréable, elle le recrachait immédiatement ; sinon, elle en gardait un bout dans la bouche en étudiant soigneusement les sensations de picotement ou de brûlure qui pouvaient survenir ainsi que les altérations de la saveur. Si rien de tel ne se produisait, elle l'avalait et attendait d'en ressentir les effets. Le lendemain, elle en absorbait un morceau plus gros et procédait de même. Si aucune conséquence désagréable ne s'était manifestée à la troisième fois, elle considérait la plante comme une nouvelle denrée comestible, du moins en petites quantités au début.

Mais c'étaient les effets notables qui intéressaient surtout Iza, car ils indiquaient la possibilité d'un éventuel usage curatif. Les autres femmes lui apportaient tout ce qui présentait les caractéristiques de plantes exotiques ou vénéneuses. De telles expériences lui demandaient beaucoup de temps car elle procédait avec précaution, selon ses propres méthodes, et c'est pourquoi elle s'en tenait pour l'instant aux plantes connues tant qu'ils n'auraient pas découvert une nouvelle caverne.

Iza trouva non loin du campement plusieurs pieds de roses trémières dont les fleurs aux vives couleurs étaient épanouies. Les racines pouvaient fournir un emplâtre dont les propriétés désinfectantes étaient comparables à celles obtenues à partir des rhizomes d'iris. L'infusion des fleurs, elle, atténuerait la douleur et aurait un effet somnifère. Elle arracha quelques pieds et finit de ramasser son bois mort.

Après le repas, la petite fille, assise contre un gros rocher, regardait tout le monde s'activer alentour. Une nourriture reconstituante et un pansement frais lui ayant fait le plus grand bien, elle se mit à jacasser à l'adresse d'Iza qui n'y comprenait goutte. Les autres membres du clan jetaient des regards désapprobateurs dans sa direction, mais elle était bien incapable d'en comprendre la signification. Leurs cordes vocales atrophiées leur rendaient impossible toute articulation précise. Les quelques sons qu'ils émettaient pour souligner leurs gestes étaient dérivés des cris qu'ils poussaient en guise d'avertissement ou pour capter l'attention, et l'importance attachée aux verbalisations faisait partie de leurs traditions. Leurs moyens de communication — signes de la main, gestes, attitudes, intuition née du contact intime, coutumes — étaient très suggestifs mais limités. Aussi la volubilité de la fillette suscitait-elle parmi le clan perplexité et méfiance.

Ils chérissaient les enfants et les élevaient avec une réelle tendresse et une discipline qui se durcissait à mesure qu'ils grandissaient. Les hommes comme les femmes dorlotaient les bébés et mettaient au pas les jeunes enfants en se contentant la plupart du temps de ne pas leur prêter attention. En prenant conscience de la considération dont jouissaient leurs aînés, les jeunes prenaient exemple sur eux et apprenaient très tôt à se conformer strictement aux usages établis. L'un d'entre eux consistait précisément à éviter de proférer un son inutile.

En raison de sa taille, la fillette paraissait plus que son âge et, aux yeux du clan, elle passait pour indisciplinée et mal élevée.

Iza, en contact plus intime avec elle, avait deviné qu'elle était beaucoup plus jeune qu'il ne semblait. Elle était parvenue à estimer approximativement son âge, et elle se laissait plus facilement attendrir par une enfant qui avait jeté ses petits bras autour de son cou avec un tel abandon. Par ailleurs, à en juger par les sons émis par la fillette au plus fort de sa fièvre, la guérisseuse avait supposé que le peuple auquel l'enfant appartenait verbalisait davantage et avec une grande aisance. Et puis, pensait-elle, elle aurait le temps de lui enseigner les bonnes manières. Elle commençait déjà à considérer la fillette comme la sienne.

Creb vint s'asseoir auprès de la petite fille pendant qu'Iza versait de l'eau bouillante sur les sommités fleuries des roses trémières. L'enfant des Autres l'intéressait au plus haut point et, les préparatifs de la cérémonie nocturne n'étant pas encore achevés, il venait voir comment elle se remettait. La fillette et l'infirme restèrent un long moment à s'observer avec une égale intensité. Le vieil homme avait pour la première fois l'occasion de voir de près un rejeton des Autres, et elle venait juste de découvrir l'existence du Peuple du Clan. Mais plus que les caractéristiques raciales, c'était ce visage ridé qui l'intriguait. Au cours de sa brève existence, elle n'avait jamais vu un être aussi monstrueusement défiguré. Impétueusement, avec l'audace spontanée des enfants, elle tendit la main vers la cicatrice qui lui barrait tout un côté du visage.

Creb fut stupéfait lorsqu'il sentit cette main le caresser. Aucun des enfants du clan ne l'avait jamais touché ainsi. Aucun adulte non plus, d'ailleurs. Ils évitaient son contact, comme si sa difformité avait été contagieuse. Seule Iza, qui le soignait lors des attaques d'arthrite qui le terrassaient un peu plus violemment chaque hiver, ne semblait ressentir aucune répugnance. Elle n'était pas dégoûtée par son corps contrefait et ses horribles cicatrices, ou terrorisée par son pouvoir et par son rang. La douce caresse de la petite fille émut profondément ce vieux cœur solitaire. Il désira communiquer avec elle et se demanda un instant comment y parvenir.

— Creb, dit-il en se désignant du doigt.

Iza les regardait tranquillement en attendant que ses fleurs infusent. Elle était heureuse de l'intérêt que son frère portait à l'enfant.

— Creb, répéta-t-il en se frappant la poitrine.

La fillette tendit le visage en avant, essayant de comprendre ce qu'il attendait d'elle. Creb répéta son nom pour la troisième fois. Soudain son regard s'éclaira, et elle se redressa en souriant.

— Grub ? répondit-elle en roulant les r comme lui.

Le vieil homme approuva de la tête ; elle n'était pas trop loin de la bonne prononciation. Puis il la montra du doigt. Elle fronça légèrement les sourcils, incertaine de ce qu'il voulait à présent. Il se frappa la poitrine en disant son nom, puis frappa celle de la fillette. Le large sourire de compréhension qui illumina l'enfant fit à Creb l'effet d'une grimace, et quant au mot polysyllabique qui tomba de ses lèvres, il était non seulement imprononçable, mais quasiment incompréhensible. Il refit les mêmes gestes en s'approchant pour l'entendre mieux.

— Ay-rr, répéta-t-il, hésitant. Ay-lla, Ayla ?

C'était le mieux qu'il pût faire. Bien peu parmi les membres du clan seraient parvenus à un résultat aussi proche de l'exactitude. Elle sourit de nouveau en hochant la tête. Ce n'était pas tout à fait ce qu'elle avait dit, mais elle acceptait ce nom, comprenant dans la précocité de son intelligence que le vieil homme ne pouvait mieux faire.

— Ayla, répéta Creb pour s'habituer à la sonorité.

— Creb ? dit la petite fille en le tirant par le bras pour qu'il la regarde.

Puis elle désigna la femme.

— Iza, dit Creb. Iza.

— Iiiia-sa, répéta-t-elle, prenant manifestement un grand plaisir à ce jeu. Iza, Iza, dit-elle encore en regardant la femme.

Iza acquiesça solennellement ; savoir prononcer le nom de quelqu'un était très important. Elle se pencha et toucha l'enfant comme Creb l'avait fait. La fillette répéta son nom au grand désespoir d'Iza qui se révéla incapable d'en prononcer la moindre syllabe. La petite fille, désolée, jeta un coup d'œil à Creb et articula son nom à la manière du vieillard.

— Aaay-ghha, dit la femme avec difficulté. Aaaya-ya ?

— Non, Aaay-lla, reprit Creb très lentement pour qu'Iza puisse mieux saisir.

— Aaaya-lla, parvint à articuler Iza au prix d'un grand effort pour imiter son frère.

La petite fille sourit, peu lui importait que son nom ne fût pas très bien prononcé ; Iza avait eu tant de mal à répéter celui que lui avait indiqué Creb qu'elle l'accepta désormais comme le sien. Elle serait donc Ayla. L'enfant tendit spontanément les bras vers la femme et l'embrassa.

Iza la serra doucement contre elle, puis la repoussa. Il lui faudrait apprendre à la fillette que les démonstrations d'affection n'avaient pas cours en public. Ayla était folle de joie. Elle s'était sentie tellement perdue, tellement isolée parmi ces inconnus. Elle avait ressenti une déception si cruelle de ne pouvoir communiquer avec la femme qui prenait soin d'elle. Ce n'était qu'un début, mais au moins pouvaient-elles désormais s'appeler l'une l'autre par leurs noms. Elle se tourna vers l'homme qui était à l'origine de ce commencement de communication et ne le trouva plus aussi laid. Elle éprouva soudain pour lui un grand élan d'affection et, comme elle l'avait fait si souvent avec cet autre homme dont la silhouette flottait dans ses souvenirs, elle passa ses bras autour du cou de l'infirme et, attirant sa tête vers elle, elle posa sa joue contre la sienne.

Ce geste affectueux ébranla profondément Creb. Il résista au désir de lui rendre son étreinte car il était impensable qu'on le vît embrasser cette étrange fillette hors des limites du foyer familial. Mais il la laissa presser sa petite joue ferme et douce contre son visage broussaillant de barbe avant de se dégager.

Creb ramassa son bâton et s'en aida pour se relever. Comme il s'éloignait, il songea à l'enfant. Je vais lui apprendre à parler et à communiquer correctement, se promit-il. Je ne vais tout de même pas confier son éducation à une femme. Il ne pouvait se cacher cependant que son véritable désir était de passer davantage de temps avec l'enfant. Sans en être vraiment conscient, il la considérait déjà comme un membre à part entière du clan.

Quant à Brun, il n'avait pas réfléchi aux conséquences que pourrait avoir la permission donnée à Iza de recueillir une enfant étrangère. Toutefois, il ne pensait pas avoir commis une erreur. Comment aurait-il pu prévoir qu'ils trouveraient sur leur route une fillette blessée n'appartenant pas à la race du Clan ? Grâce aux soins d'Iza, l'enfant était maintenant hors de danger, mais pouvait-il la chasser sans se heurter à Iza qui, bien qu'elle n'eût aucun pouvoir personnel, comptait maints alliés invisibles parmi les esprits ? Et voilà que Creb à son tour, le Mog-ur, homme écouté de tous les esprits, semblait manifestement séduit par la petite. Brun n'avait nulle envie de se mesurer à si forte partie. En outre, il ne s'en était pas encore fait la réflexion, mais le clan, avec l'enfant, comptait maintenant vingt et un membres.

Le lendemain matin, en examinant la jambe d'Ayla, la guérisseuse constata une nette amélioration de son état. Grâce à ses soins avisés, l'infection s'était à peu près résorbée et les quatre sillons parallèles se refermaient peu à peu en s'atténuant, même s'il en resterait à jamais des cicatrices. Iza considéra comme inutile le renouvellement de l'emplâtre mais elle prépara néanmoins une infusion d'écorce de saule. Avec son aide, Ayla essaya de se lever. Elle grimaça de douleur en s'appuyant sur sa jambe blessée mais, au bout de quelques pas, elle eut moins mal.

Une fois debout, la fillette se révéla encore plus grande que ne le pensait Iza. Ses jambes fines, droites et fuselées où pointaient des genoux arrondis incitèrent la guérisseuse à croire qu'elles étaient déformées, car tous ceux du Clan avaient les membres inférieurs fortement arqués. Mais à part une légère claudication, l'enfant ne semblait guère éprouver de difficultés à marcher. Comme les yeux bleus, les jambes droites devaient être une caractéristique normale chez les Autres, se dit Iza.

La guérisseuse enveloppa Ayla dans la couverture et la hissa sur sa hanche au moment du départ ; elle n'était pas suffisamment guérie pour marcher normalement mais, de temps à autre, Iza la laissait faire quelques pas toute seule. La fillette montrait un appétit féroce, et Iza constata qu'elle avait pris du poids, car elle était plus lourde à porter. Et c'est avec soulagement qu'elle la déposait par terre, d'autant que le chemin devenait de plus en plus pénible.

Le clan abandonna derrière lui la vaste étendue des steppes pour traverser une contrée vallonnée qui fit bientôt place à d'abruptes montagnes dont les sommets enneigés se rapprochaient sensiblement chaque jour. Si d'épaisses forêts croissaient sur les pentes, ce n'étaient plus les conifères de la forêt boréale mais des arbres aux troncs noueux et aux larges feuilles caduques. La température s'était réchauffée bien plus vite que ne le laissait présager la saison, à la grande surprise de Brun. Les hommes avaient troqué leur fourrure contre un pagne court en cuir, laissant le torse nu. Les femmes n'avaient pas changé de vêtements, trouvant plus commode de porter leurs ballots vêtues de peaux pour se protéger des frottements.

Le paysage n'avait rien de commun avec la froide prairie qui entourait leur ancienne caverne. Iza dut recourir de plus en plus souvent à ses connaissances ancestrales tandis que le clan traversait les vallées ombreuses et les collines boisées. L'écorce brun foncé des chênes, des hêtres, des pommiers et des érables alternait avec celle plus tendre et plus souple des saules, des bouleaux, des peupliers, des aulnes et des noisetiers. L'air avait une senteur particulière qui semblait portée par une douce brise tiède en provenance du sud. Des chatons pendaient encore aux branches feuillues des bouleaux. Des pétales fragiles tombaient en pluie rose et blanche, promesse précoce d'un automne fructueux.

Ils cheminaient avec difficulté à travers des sous-bois denses, d'où ils ne sortaient que pour longer des pentes ravinées par les eaux et le soleil. Quand ils franchissaient une arête, les collines autour d'eux offraient à leur vue une formidable palette de verts. Avec l'altitude les sapins argentés réapparaissaient, tachés plus haut du bleu des épicéas. Le vert sombre des conifères se mêlait au véronèse des arbres à feuilles caduques et au vert amande d'autres espèces à petites feuilles. Les mousses et les herbes ajoutaient leurs teintes à la mosaïque des oxalides, de l'oseille sauvage et des succulentes accrochées aux roches. Les fleurs sauvages mouchetaient les sous-bois du blanc des trilliums, du bleu des violettes, du rose pâle des aubépines, tandis que le jaune des jonquilles et le bleu et jaune des gentianes dominaient dans les prairies de montagne. Dans les rares endroits préservés de l'ardeur du soleil, les dernières anémones dressaient comme un défi leurs têtes blanches.

Le clan décida de faire halte après avoir atteint le sommet d'un escarpement. Au-dessous, le paysage ondoyant des collines s'interrompait brusquement devant les steppes qui s'étendaient jusqu'à l'horizon. De leur poste d'observation, les hommes pouvaient distinguer de nombreux troupeaux pâturant dans les hautes herbes dont le vert commençait déjà à jaunir au soleil de l'été. Des chasseurs se déplaçant rapidement, débarrassés des femmes lourdement chargées, pourraient fort bien gagner ces étendues herbeuses en moins d'une matinée et y choisir leurs proies parmi une grande variété de gibier. Le ciel était encore dégagé vers l'est, au-dessus de la vaste prairie, mais de gros nuages noirs menaçants arrivaient du sud. Ils ne tarderaient pas à rencontrer la chaîne de montagnes et à éclater en orages sur le clan.

Brun et ses hommes tenaient conseil, à l'écart des femmes et des enfants qui, cependant, à leurs airs préoccupés et à leurs gestes, comprirent vite ce qui les tourmentait. Ils se demandaient en effet s'ils ne seraient pas plus avisés de rebrousser chemin. Non seulement la région leur était totalement inconnue, mais ils s'éloignaient beaucoup trop des steppes à leur goût. Certes ils avaient entraperçu de nombreux animaux dans les bois au pied des collines, mais ce n'était rien par comparaison avec les superbes troupeaux engraissés dans les riches herbages des plaines. Il était infiniment plus facile de chasser le gibier à découvert qu'à l'abri des épaisses forêts où les prédateurs eux aussi vivaient dissimulés. Les animaux des plaines avaient un instinct grégaire qui les poussait à vivre en hardes et non en solitaires ou en petits groupes, comme c'était le cas des espèces de la forêt.

Iza devina qu'ils allaient probablement revenir sur leurs pas, après avoir escaladé en vain les pentes raides de la montagne. Les nuages qui s'amoncelaient et la pluie menaçante jetaient un voile lugubre sur les voyageurs désemparés. Iza déposa Ayla sur le sol et se débarrassa de son fardeau. Profitant pleinement de la liberté de mouvement que lui offrait de nouveau sa jambe en voie de guérison, l'enfant gambadait joyeusement. Quelques instants plus tard, Iza la vit disparaître derrière un gros épaulement rocheux. Elle ne tenait pas à ce que la fillette s'éloigne trop. La discussion des hommes pouvait prendre fin d'un moment à l'autre, et Brun verrait assurément d'un fort mauvais œil leur départ retardé par sa faute. Elle s'élança à sa recherche, et à peine eut-elle contourné la roche qu'elle aperçut Ayla, mais ce qu'elle découvrit au-delà de la fillette lui fit battre le cœur à tout rompre.

Elle fit aussitôt demi-tour, jetant force regards par-dessus son épaule. N'osant pas interrompre Brun et ses hommes, en plein conseil, elle attendit impatiemment que la discussion prît fin. Brun devina en la voyant qu'il se passait quelque chose d'anormal. Dès que les hommes se préparèrent, Iza se précipita vers lui et s'assit les yeux baissés, position qui indiquait son désir de lui parler. Il était libre de lui accorder la parole ou de la refuser ; le choix lui appartenait entièrement. S'il ignorait sa présence, elle n'aurait pas le droit de lui dire ce qui la préoccupait.

Brun se demanda ce qu'elle voulait. Il avait remarqué la fugue de la petite fille ; rien ou presque de ce qui se passait dans le clan ne lui échappait, mais des problèmes plus pressants l'occupaient. Il doit s'agir de l'enfant, pensa-t-il avec déplaisir, et il fut tenté de négliger la requête d'Iza. Quoi qu'en dise Mog-ur, Brun ne voyait pas d'un œil serein la présence de la fillette. En levant les yeux, il rencontra le regard du sorcier. Il s'efforça de deviner les pensées de l'infirme, mais ne put parvenir à pénétrer le visage impassible.

Brun reporta son regard sur la femme assise à ses pieds, visiblement très agitée. Il n'était pas insensible à sa sœur qu'il estimait tout particulièrement. Elle s'était toujours bien conduite, donnait l'exemple aux autres femmes et l'avait rarement importuné avec des demandes futiles. Peut-être devrait-il la laisser parler ; il n'était pas obligé de satisfaire l'objet de sa requête. Il tendit le bras et lui tapa sur l'épaule.

Iza, à ce geste, expira bruyamment ; elle ne s'était pas rendu compte qu'elle avait durant tout ce temps retenu son souffle. Il l'autorisait à

parler ! Il avait mis si longtemps à se décider qu'elle était persuadée de recevoir un refus. Elle se releva et, pointant le doigt en direction de l'arête rocheuse, elle prononça un seul mot :
— Caverne !

4

Brun partit aussitôt dans la direction que lui indiquait Iza. A peine eut-il tourné l'arête rocheuse qu'il s'arrêta net, fasciné par ce qui s'offrait à sa vue. Une bouffée d'enthousiasme l'envahit soudain. Une caverne ! Et quelle caverne ! Il sut dès le premier instant que c'était celle qu'il cherchait, mais il lutta néanmoins pour contrôler son émotion et refréner ses espoirs. Il s'obligea à concentrer son attention sur les possibilités qu'elle offrait ainsi que sur son emplacement et ne remarqua même pas la petite fille.

Il se trouvait à une centaine de mètres mais, même de là, l'entrée de la caverne, de forme grossièrement triangulaire, laissait présager un espace intérieur plus que suffisant pour y loger à l'aise tout le clan. Elle était orientée plein sud, bénéficiant ainsi du soleil pendant la majeure partie de la journée. Brun inspecta rapidement les environs. Deux falaises escarpées, l'une au nord et l'autre au sud-est, protégeaient un ruisseau qui coulait le long d'une pente douce, ajoutant un atout supplémentaire à une liste déjà longue. C'était le site le plus exceptionnel qu'il eût jamais vu. Contenant sa joie, il fit signe à Grod et à Creb de le rejoindre pour examiner la caverne de plus près.

Les deux hommes accoururent vers leur chef, suivis par Iza qui venait chercher Ayla. Elle en profita, elle aussi, pour jeter un coup d'œil circonspect à la caverne et hocha la tête avec satisfaction, avant de s'en retourner avec l'enfant vers le reste du clan tout agité d'impatience. L'émotion réprimée de Brun ne leur avait pas échappé, et ils avaient deviné la découverte d'une caverne offrant de bonnes possibilités. Perçant les sombres nuages accumulés au-dessus d'eux, des rayons de soleil semblaient confirmer leurs espoirs.

Brun et Grod se saisirent de leurs épieux en s'approchant de la grotte. Ils ne remarquèrent aucun signe de vie humaine, ce qui ne leur garantissait pas pour autant qu'elle fût inhabitée. Des oiseaux entraient et sortaient inlassablement, voletant, gazouillant, et décrivant de larges cercles. Leur présence est de bon augure, pensa Mog-ur. Ils s'avancèrent avec prudence, longeant l'entrée, tandis que Brun et Grod cherchaient attentivement des empreintes ou des excréments d'animaux. Les plus récents dataient de plusieurs jours. Les impressionnantes marques de dents laissées sur de gros ossements par de puissantes mâchoires en disaient long sur les hôtes de ces lieux : une bande de hyènes avait trouvé refuge dans la caverne. Les charognards avaient attaqué un vieux daim dont ils avaient traîné la carcasse à l'intérieur pour finir leur repas en paix dans une relative sécurité.

Sur le côté ouest de l'entrée, tapie au milieu d'un épais taillis, se trouvait une petite mare, dont le trop-plein, suivant la pente, se déversait plus bas dans le cours d'eau. Pendant que les deux autres attendaient, Brun suivit le bras d'eau jusqu'à sa source. Elle surgissait un peu plus haut d'une anfractuosité dans la roche moussue qui formait un des côtés de la caverne. Une eau vive, fraîche et pure, y jaillissait. Brun rejoignit ses compagnons, comptant la mare et la source dans la liste des avantages du lieu. Le site en lui-même était excellent, mais c'est de la caverne elle-même que dépendait la décision.

Les trois hommes franchirent le seuil de l'entrée triangulaire percée dans la montagne et pénétrèrent, leurs sens en alerte, à l'intérieur, sans s'écarter de la paroi rocheuse. Une fois leurs yeux accoutumés à l'obscurité, ils regardèrent autour d'eux avec stupéfaction. Un haut plafond voûté surplombait une immense salle suffisamment spacieuse pour contenir plusieurs clans comme le leur. Ils longèrent la roche dans l'espoir de découvrir des ouvertures susceptibles de les conduire plus avant dans les tréfonds de la montagne. Au fond de la salle, une seconde source jaillissait du mur pour former une petite mare sombre. Juste au-delà, la paroi de la caverne tournait brusquement en direction de l'entrée et, en suivant le côté opposé, les trois hommes aperçurent, à la lueur croissante du jour, une faille noire dans la pierre grisâtre. D'un geste, Brun signifia à Creb de s'arrêter et, s'approchant de la fissure avec Grod, en scruta les profondeurs. Il y faisait nuit noire.

— Grod ! ordonna Brun, joignant le geste propre à lui faire comprendre ce dont il avait besoin.

Le chef en second sortit précipitamment de la caverne. Il passa rapidement en revue la végétation qui croissait alentour et se dirigea vers un petit bosquet de sapins argentés. Des coulées de résine solidifiée faisaient des plaques brillantes sur les troncs. Grod arracha un morceau d'écorce scintillant de gouttes de résine, cassa quelques branches mortes à la base du sapin sous les premiers rameaux d'aiguilles vertes puis, retirant d'un pli de son vêtement une hache à la pierre effilée, trancha et dépouilla prestement une branche verte. A l'aide de quelques longues herbes, il attacha à l'extrémité de la branche l'écorce résineuse et des brindilles sèches et, après avoir extrait avec précaution le charbon ardent de la corne d'aurochs suspendue à sa ceinture, il l'approcha de la résine et se mit à souffler dessus. Un instant plus tard, il regagnait en courant la caverne, une torche enflammée à la main.

Grod, la torche haut levée, et Brun, brandissant sa massue, prêt à toute éventualité, disparurent dans la faille obscure. Ils suivirent en silence un étroit passage qui tourna brusquement et déboucha soudain dans une seconde caverne. Au fond de celle-ci, plus petite que la précédente et presque circulaire, ils découvrirent un amoncellement d'ossements que la lueur de la torche parait de reflets d'ivoire. Brun s'avança pour voir de plus près et, les yeux écarquillés, fit un signe à Grod. Les deux rebroussèrent chemin.

Appuyé sur son bâton, Mog-ur attendait, inquiet. Lorsque Brun et Grod débouchèrent du passage, il remarqua avec surprise l'agitation inaccoutumée du chef. Sur un geste de lui, Creb suivit les deux hommes à l'intérieur de la faille. En arrivant dans la grotte secondaire, Grod leva sa torche, et le sorcier étrécit les yeux en découvrant la pile d'ossements. Il s'en approcha avec impatience et, se laissant choir à genoux, il se mit à fouiller. Il aperçut dans le tas un grand objet oblong. Il le tira. C'était un crâne.

Il n'y avait aucun doute possible. Le crâne au front fortement arqué était absolument identique à celui que Mog-ur transportait dans ses affaires. Le sorcier s'assit par terre et, soulevant le lourd crâne à hauteur de ses yeux, plongea son regard dans les deux orbites noires avec un mélange d'incrédulité et de respect. Ursus lui-même avait séjourné dans cette caverne. A en juger par la quantité d'ossements, les ours des cavernes avaient passé plusieurs hivers en ces lieux. Mog-ur comprenait enfin l'excitation de Brun. Que le Grand Ours des Cavernes eût hiberné dans cette grotte, il ne pouvait y avoir de meilleur présage. L'essence de la puissante créature que le Peuple du Clan vénérait entre toutes imprégnait la roche même. Chance et protection étaient assurées au clan qui y résiderait. A en juger par l'âge des ossements, la grotte était manifestement inhabitée depuis des années, attendant seulement qu'ils la découvrent.

C'était une caverne parfaite, bien située, spacieuse, pourvue d'un réduit idéal pour y célébrer les rites secrets du Clan. Mog-ur imaginait déjà les cérémonies. La petite grotte serait son domaine réservé. Leur quête était enfin terminée, leur clan avait trouvé une demeure, à condition que la première chasse soit fructueuse.

Lorsque les trois hommes quittèrent la caverne, le soleil brillait dans le ciel tandis que le vent chassait rapidement les derniers nuages. Brun y vit un heureux présage ; mais il aurait également trouvé de bon augure le plus formidable déluge, tant sa satisfaction était grande. De la terrasse à l'entrée de la caverne, il regarda le panorama qui s'étendait à ses pieds. Devant lui, dans l'échancrure de deux collines brillait une vaste étendue d'eau, et il comprit alors la raison de la douceur du climat et du changement de la végétation.

La caverne se trouvait au pied d'une chaîne de montagnes située à l'extrémité sud d'une péninsule qui avançait dans une mer intérieure. La péninsule était reliée en deux points au continent, au nord par une large bande de terre, et à l'est par une langue étroite de marais salants faisant la jonction avec la région des hautes montagnes. Les marais les séparaient également d'une autre mer intérieure, plus petite, située au nord-est.

Les montagnes dans leur dos protégeaient la bande côtière des grands vents froids venus du glacier continental au nord. Les vents maritimes apportaient assez d'humidité et de chaleur pour que se développent les essences forestières à feuilles caduques communes aux climats tempérés.

Le site de la caverne était vraiment idéal. Non seulement la température y était plus élevée que n'importe où alentour, mais on y trouvait du bois en abondance pour affronter sans crainte les rigueurs de l'hiver.

La grande mer proche pourvoirait poissons et crustacés et les falaises le long du rivage abritaient des colonies d'oiseaux marins et leurs œufs. La forêt tempérée était un paradis pour qui savait y cueillir les fruits, les noix, les baies, les graines et les gousses des légumineuses. Les sources et ruisseaux constituaient une réserve d'eau fraîche inépuisable. Mais le principal avantage résidait dans la proximité des steppes dont les verts pâturages engraissaient d'importants troupeaux de ruminants qui fourniraient non seulement de la viande mais aussi des peaux pour les vêtements et des os pour l'outillage. Le petit clan qui vivait de la chasse et de la cueillette dépendait de la terre, et cette terre à leurs pieds déployait toute son abondance.

Comme il s'en retournait vers le clan qui attendait impatiemment, Brun regardait à peine où il posait les pieds. Il n'aurait su imaginer caverne plus parfaite. Les esprits protecteurs étaient revenus, pensait-il. Peut-être ne les avaient-ils jamais abandonnés, peut-être désiraient-ils simplement que le clan s'en aille, pour s'installer ici, dans cette grotte plus grande, plus avantageuse. Il n'y avait pas d'autre explication ! Les esprits s'étaient lassés de leur ancienne caverne, ils en voulaient une nouvelle, et ils avaient déclenché un tremblement de terre pour les obliger à partir. Peut-être avaient-ils également besoin parmi eux de ceux et celles qui avaient perdu la vie dans le séisme. Ils m'ont mis à l'épreuve, songea-t-il encore. Voilà pourquoi j'étais incapable de décider si nous devions ou pas rebrousser chemin. Brun était heureux que sa qualité de chef n'ait pas été prise en défaut. Si cela n'avait pas été contraire à sa position, il aurait pris le pas de course pour annoncer la bonne nouvelle à son clan.

Lorsque les trois hommes réapparurent, il leur fut inutile d'informer les autres qu'ils étaient arrivés au terme de leur voyage. Tout le monde le savait déjà. Iza, la seule avec Ayla à avoir vu la caverne, n'avait jamais douté que Brun en prendrait possession. Et à présent, pensait-elle, il ne pourrait plus exiger le départ d'Ayla. Sans elle, il aurait décidé de rebrousser chemin. Le totem de l'enfant est décidément aussi puissant que bénéfique et la chance qu'il apporte avec lui s'étend aux membres de notre clan. Iza considéra la fillette à côté d'elle, inconsciente de l'enthousiasme dont elle était indirectement la cause. Mais si la chance était avec elle, pourquoi avait-elle perdu ses parents et ceux de sa race ? Iza secoua la tête d'un air perplexe. Décidément, les voies des esprits étaient impénétrables.

Brun aussi pensait à l'enfant et il reconnaissait en son for intérieur qu'Iza n'aurait jamais découvert la caverne si elle ne s'était mise à la recherche d'Ayla. Il avait été contrarié quand il avait vu la petite s'éloigner du groupe, alors qu'il avait donné l'ordre d'attendre. Mais sans l'indiscipline de l'enfant, la grotte leur serait restée cachée. Pourquoi les esprits avaient-ils guidé les pas de la fillette ? Comme toujours, Mog-ur avait raison. Les esprits ne désavouaient pas la pitié d'Iza ni la présence d'Ayla parmi eux. On pouvait même dire que cette dernière avait leur faveur.

Brun jeta un regard à l'homme estropié qui aurait dû devenir chef à sa place. Nous avons bien de la chance que mon frère soit notre mog-ur. C'est étrange, se dit-il, car cela fait si longtemps que je n'ai pas pensé à lui comme étant mon frère. Quand Brun était jeune et qu'il s'efforçait d'acquérir le courage et le sang-froid qu'on attendait de celui destiné à être chef, la présence de son frère lui avait été d'un grand secours. Creb était l'aîné, et il avait son propre combat à mener contre son infirmité et les douleurs physiques et morales qu'elle lui valait, mais rien de ce qui pouvait tourmenter Brun ne lui échappait. Que son jeune frère eût le moindre doute quant à ses capacités à commander et à donner l'exemple, Creb était là, à ses côtés, présence silencieuse mais rassurante et pleine de compréhension.

Tous les enfants nés de la même femme n'étaient pas considérés comme frères ou sœurs. Seuls des enfants de même sexe pouvaient se désigner l'un l'autre comme frères ou comme sœurs, et cela uniquement quand ils étaient jeunes ou en de rares moments d'intimité particulière. Les hommes n'avaient pas de sœurs, et les femmes n'avaient pas de frères. Creb, de même mère que Brun, était son frère. Iza, pourtant née de la même mère, ne pouvait être tenue pour sa sœur, et elle-même n'avait pas de sœur.

Etant jeune, Brun avait éprouvé de la compassion envers son frère, mais il avait depuis longtemps oublié l'infirmité de son aîné et n'avait plus à son égard qu'un profond respect pour son pouvoir et son savoir. A ses yeux, Creb était maintenant avant tout le grand sorcier dont il sollicitait souvent les sages conseils. Brun ne pensait pas que son frère pût regretter de ne pas être lui-même un chef, mais parfois il se demandait si l'infirme ne souffrait pas de ne pas avoir pris femme et eu des enfants. Les femmes pouvaient se révéler parfois contrariantes, mais le plus souvent elles apportaient de la chaleur et du plaisir à l'homme. Creb n'avait jamais eu de compagne, il n'avait jamais appris à chasser, n'avait jamais connu les joies et les responsabilités de tout homme normal, mais il était Mog-ur, le grand Mog-ur.

Brun ne connaissait rien à la magie, et le monde mystérieux des esprits lui était pratiquement étranger, mais il était le chef et sa compagne avait donné le jour à un fils superbe. C'est avec fierté qu'il pensa à Broud, le garçon qu'il élevait pour devenir chef à sa suite. Je l'emmènerai à la chasse pour la fête de la caverne, décida-t-il soudain. Ce sera sa chasse d'homme. S'il réussit sa première prise, nous pourrons célébrer en même temps les rites de son accession à l'âge adulte. Broud l'a requis, il est fort et brave, un peu obstiné parfois, mais il apprend à se contrôler. Brun avait besoin d'un chasseur supplémentaire, à présent qu'ils prenaient possession d'une nouvelle caverne et que les préparatifs en vue de l'hiver exigeraient beaucoup à faire. Broud avait douze ans, un âge plus que suffisant pour être considéré comme un adulte. Il partagera les souvenirs des hommes de notre nouvelle demeure, pensa Brun. Iza préparera le breuvage.

Iza ! Que vais-je faire d'Iza ? Et de l'enfant ? Iza s'est déjà attachée à elle, malgré qu'elle soit une étrangère. Ce doit être parce qu'elle est restée si longtemps sans enfant. Mais elle en aura un bientôt, et elle n'a plus son compagnon pour pourvoir à ses besoins. Avec la petite, elle aura deux bouches à nourrir. Iza n'est plus très jeune, mais elle est enceinte, et son savoir et sa haute position dans le clan honoreraient tout homme disposé à lier sa vie à la sienne. Sans cette gamine venue d'ailleurs, un des chasseurs la prendrait peut-être comme deuxième épouse.

L'enfant est protégée des esprits, pensa encore Brun, et Iza désire vivement la garder avec elle. C'est Iza qui m'a averti au sujet de la caverne. Elle mérite que je l'en remercie, mais je ne dois pas le faire de façon trop ostensible. Je lui ferais certainement plaisir en l'autorisant à garder la petite fille, mais celle-ci n'appartient pas au Peuple du Clan. Les esprits du Clan veulent-ils d'elle ? Elle n'a même pas de totem ; comment pourrait-elle demeurer parmi nous sans totem ? Les esprits ! Ah ! Je ne les comprends pas !

— Creb, appela Brun. (Le sorcier se retourna et s'approcha du chef en boitant.) Tu sais que la fillette, enfin, l'enfant qu'Iza a recueillie ne fait pas partie du clan. Tu m'as conseillé de laisser Ursus décider de son sort, mais qu'allons-nous faire d'elle à présent ? Elle n'appartient pas au clan, elle n'a même pas de totem, et les nôtres ne laisseront jamais une étrangère assister à la cérémonie d'inauguration de la caverne. Je vois bien qu'Iza désire la garder auprès d'elle, et qu'abandonnée dans la nature elle ne pourrait survivre. Mais que faire pour la cérémonie ?

Creb, qui n'attendait que ce moment, répondit sans hésiter.

— L'enfant a un totem, Brun, un totem très puissant. Nous ne savons pas encore lequel. Elle a été attaquée par un lion des cavernes et pourtant elle s'en est tirée avec un bon coup de patte en tout et pour tout.

— Un lion des cavernes ! Peu de chasseurs s'en seraient sortis à si bon compte.

— Oui, et elle a erré seule pendant longtemps. Elle était près de mourir de faim ; et pourtant elle n'est pas morte. Elle a été placée sur notre chemin pour qu'Iza la découvre. Et n'oublie jamais, Brun, que tu ne t'y es pas opposé. Elle est encore bien jeune pour subir une épreuve, poursuivit Mog-ur, mais je pense que son totem voulait voir si elle est digne de lui. Et son totem n'est pas seulement puissant, il porte également chance. Nous pourrions partager sa chance ; peut-être la partageons-nous déjà.

— Tu veux parler de la caverne ?

— C'est elle qui l'a vue la première. Nous étions prêts à rebrousser chemin ; tu nous as conduits si près, Brun...

— Les esprits m'ont conduit, Mog-ur. Ils désiraient une nouvelle demeure.

— Bien sûr qu'ils t'ont conduit, mais ils ont d'abord révélé l'existence de la grotte à la fillette. J'ai réfléchi, Brun, il reste encore deux bébés qui ne possèdent pas de totem. J'ai pensé que nous pourrions célébrer en même temps la consécration de la caverne et la révélation de leurs totems. Cela leur portera bonheur et fera plaisir à leurs mères.

— Quel rapport avec la petite ?

— Lorsque j'interrogerai les esprits pour savoir quels sont leurs totems, je demanderai également quel est celui de l'enfant. S'il se révèle à moi, nous pourrons la faire participer à la cérémonie et l'accepter dans le clan. Alors, plus rien ne s'opposera à sa présence parmi nous.

— L'accepter dans le clan ! Elle n'appartient pas au Peuple du Clan, elle est née chez les Autres. Qui a parlé de l'accepter dans le clan ? Ursus ne permettra jamais une chose pareille. Ça ne s'est jamais vu ! objecta Brun. Je me demandais seulement si les esprits l'autoriseraient à séjourner parmi nous jusqu'à ce qu'elle soit assez grande pour se débrouiller toute seule.

— Iza lui a sauvé la vie, Brun, et en le faisant elle s'est approprié une partie de son esprit. L'enfant était tout près de passer dans l'autre monde, mais à présent elle est vivante. C'est comme si elle était venue une seconde fois à la vie, au sein du clan. (Creb, voyant avec quelle difficulté le chef accueillait cette idée, s'empressa de poursuivre sa plaidoirie avant que Brun n'intervienne.) Les membres d'un clan ont le droit de se joindre à un autre clan, Brun. Il n'y a rien d'anormal à cela. Souviens-toi du dernier Rassemblement du Clan ; deux petits clans n'ont-ils pas décidé de se regrouper en un seul ? Ces deux clans auraient probablement disparu s'ils ne s'étaient unis, car ils avaient tous deux perdus beaucoup d'enfants en bas âge. L'acceptation d'un étranger ne date pas d'hier.

— C'est vrai, certains clans fusionnent entre eux, mais cette fillette est une étrangère au Peuple du Clan. Tu ne sais même pas si l'esprit de son totem te parlera, Mog-ur. Et s'il le fait, sais-tu seulement si tu le comprendras ? Pour ma part, je ne comprends rien à ce qu'elle dit. Crois-tu vraiment découvrir son totem ?

— Je peux toujours essayer. Je demanderai à Ursus de m'aider. Les esprits savent se faire comprendre, Brun. Si elle doit appartenir au clan, son totem me le fera savoir.

Brun réfléchit un instant aux paroles de Mog-ur.

— Même si tu découvres son totem, quel chasseur voudra d'elle plus tard ? Iza et son enfant représentent déjà une charge assez lourde et les chasseurs ne sont pas nombreux parmi nous. Le compagnon d'Iza n'est pas le seul à avoir péri dans le tremblement de terre. Le fils de Grod a été tué ; c'était un chasseur jeune et fort. Le compagnon d'Aga n'est plus, il l'a laissée avec deux enfants et sa vieille mère à nourrir. Quant à Oga, poursuivit Brun avec émotion, elle a perdu le compagnon de sa mère, mort encorné par un mouflon, puis sa mère dans l'éboulement de la caverne. Dans quelque temps, je la donnerai à Broud, ce qui lui fera plaisir. Tu vois que les hommes ont déjà suffisamment de bouches à nourrir sans se charger en plus de cette étrangère, Mog-ur. Si je l'accepte dans le clan, à qui vais-je donner Iza ?

— A qui comptais-tu la donner, de toute façon, Brun ? dit le sorcier. (Mais avant que le chef, mal à l'aise, ait pu lui répondre, il enchaîna :) Iza et l'enfant ne seront un fardeau pour aucun chasseur, Brun. Je m'occuperai d'elles.

— Toi !

— Et pourquoi pas ? Ce sont deux femmes. Pour le moment du moins, il n'y a aucun garçon à éduquer. Ma position de mog-ur m'autorise à recevoir une part de toutes les chasses, n'est-ce pas ? Je n'ai jamais réclamé mon dû, car je n'en ai jamais eu besoin, mais aujourd'hui, je peux le faire. Ne serait-il pas beaucoup plus simple que tous les chasseurs me remettent la part qui revient de droit au mog-ur pour qu'ainsi je subvienne aux besoins d'Iza et de la fillette, plutôt que de charger l'un d'eux de s'occuper d'elles ? J'avais l'intention de te faire part de mon désir de fonder un foyer avec Iza dès que nous aurions trouvé une nouvelle caverne, à moins qu'un autre homme ne la désire, naturellement. Voilà des années que je partage le feu de ma sœur ; il me serait pénible de voir cette situation changer. En outre, Iza soulage mes rhumatismes. Si son enfant est une fille, je la prendrai également avec moi. Si c'est un garçon, eh bien, nous verrons à ce moment-là...

L'idée fit son chemin dans l'esprit de Brun. Elle ne lui déplaisait pas vraiment. Cela arrangerait tout le monde, en effet. Mais pourquoi Creb voulait-il cela ? se demanda-t-il. Iza s'occuperait de lui et de ses maux, quel que soit l'homme dont elle partagerait le feu. Pourquoi un homme de son âge tiendrait-il soudain à s'entourer d'enfants ? Pourquoi ce désir d'éduquer une petite fille étrangère à sa propre race ? Peut-être Creb se sentait-il responsable de cette enfant. Brun n'aimait pas trop l'idée d'intégrer la fillette dans le clan, mais il lui déplaisait encore plus de la voir vivre hors des règles et échapper à son autorité. Mais si Creb se chargeait de son éducation et qu'il lui apprenait à se comporter comme il se doit, son intégration serait moins problématique. Non, Brun ne voyait pas de raison de refuser à Mog-ur ce que ce dernier lui réclamait.

— D'accord, répondit-il avec un geste d'acquiescement. Si tu parviens à découvrir son totem, Mog-ur, nous accepterons la fillette dans le clan et elle pourra vivre avec Iza dans ton foyer, au moins jusqu'à la naissance de l'enfant.

Et, pour la première fois de sa vie, Brun se surprit à souhaiter qu'un enfant à naître soit une fille plutôt qu'un garçon.

Une fois sa décision prise, Brun se sentit soulagé. Le devenir d'Iza le préoccupait depuis des jours, sans qu'une solution ne se manifeste, du moins dans l'immédiat. Ce problème à présent résolu, il allait pouvoir se consacrer à des tâches plus importantes. La proposition de Creb avait en outre l'avantage de résoudre un problème personnel. En effet, depuis que le compagnon d'Iza avait trouvé la mort dans l'éboulement de l'ancienne caverne, Brun ne voyait pas comment il pourrait faire autrement que de prendre Iza et son enfant à naître, ainsi que Creb, dans son propre foyer. Or, il avait déjà la responsabilité de Broud et d'Ebra, et également d'Oga. Aussi la perspective de deux bouches supplémentaires, plus une autre à venir, aurait inévitablement créé des tensions autour de son feu, le seul endroit où il pouvait se détendre et oublier un instant sa tâche de chef de clan. Et puis cela n'aurait certainement pas plu à sa compagne, Ebra.

Celle-ci s'entendait bien avec Iza, mais de là à l'accueillir dans son foyer... Sans que rien n'ait jamais été exprimé à ce sujet, Brun savait qu'Ebra jalousait la position d'Iza. Compagne du chef, Ebra aurait occupé le rang le plus haut parmi les femmes dans tout autre clan. Mais Iza descendait directement d'une lignée de guérisseuses qui étaient les plus renommées parmi tous les clans, et elle ne devait sa situation élevée qu'à elle-même. Quand Iza avait recueilli la fillette, Brun avait pensé qu'il faudrait également prendre cette enfant en charge. Il ne lui était pas venu à l'idée que Mog-ur lui en demande la garde, ni qu'il requière la présence d'Iza. Creb ne pouvait chasser mais il avait bien d'autres ressources.

Ce problème résolu, Brun se hâta de rejoindre le clan qui attendait impatiemment de son chef la confirmation de ce qu'ils avaient tous deviné.

— Notre voyage est terminé, annonça-t-il d'un geste bref. Nous avons trouvé une caverne.

— Iza, dit Creb à la femme qui préparait une décoction d'écorce de saule pour Ayla. Je ne mangerai pas ce soir.

Iza inclina la tête pour signifier qu'elle avait compris. Elle savait qu'il allait méditer pour se préparer à la cérémonie. Il ne mangeait jamais avant de méditer.

Le clan campait près du cours d'eau au pied de la pente douce menant à la caverne, dans laquelle ils s'installeraient seulement quand elle aurait été consacrée selon le rituel établi. Bien qu'il ne fût pas convenable de faire preuve d'impatience, chacun trouvait quelque prétexte pour s'en approcher et jeter un coup d'œil à l'intérieur. Les femmes s'obstinaient à ramasser du bois mort près de l'entrée, et les hommes, sous couvert de veiller sur elles dans cette contrée inconnue, leur emboîtaient le pas. Le soulagement était grand dans le clan après tous ces jours d'angoisse qui avaient suivi le tremblement de terre. La nouvelle caverne, tout au moins ce qu'ils pouvaient en voir depuis ses abords, leur plaisait. Elle leur paraissait beaucoup plus spacieuse que celle qu'ils avaient perdue. Les femmes désignaient avec satisfaction la petite mare tout près de l'entrée. Elles n'auraient pas à descendre jusqu'à la rivière pour aller chercher de l'eau. Elles attendaient avec impatience que se déroule la cérémonie consacrant la caverne, l'un des rares rites auxquels elles avaient le droit de participer.

Mog-ur quitta le campement affairé. Il désirait trouver un endroit tranquille où il pourrait réfléchir sans être dérangé. Il suivit la berge de la rivière dont les eaux vives se jetaient beaucoup plus bas dans la mer intérieure. Une brise tiède soufflait de nouveau du sud. Seuls quelques nuages blanchissaient au loin le ciel clair de cette fin d'après-midi. La végétation était dense des deux côtés du cours d'eau, et il contournait machinalement les obstacles, plongé qu'il était dans ses réflexions. Un bruit dans un taillis devant lui le fit s'arrêter net. Il était en terrain inconnu, et il n'avait que son lourd bâton pour se défendre, mais la puissance de son bras valide en faisait une arme redoutable. Il le brandit au-dessus de lui, à l'affût des grognements et des mouvements agitant les buissons devant lui.

Soudain, un animal surgit de l'écran de verdure, son corps robuste supporté par de courtes pattes trapues. Des canines pointues se dressaient comme des défenses, de chaque côté de son groin. Quoique Creb n'en eût encore jamais rencontré le nom de la bête lui revint en mémoire. Un sanglier. Le porc sauvage le regarda d'un air belliqueux en grattant le sol, puis se détourna et disparut dans l'épaisseur des fourrés. Creb poussa un soupir de soulagement et reprit son chemin. Parvenu auprès d'un banc de sable étroit, il déplia sa couverture, y déposa le crâne de l'ours des cavernes et s'assit en lui faisant face. Il exécuta les gestes rituels, requérant l'assistance d'Ursus, puis chassa de son esprit toutes les préoccupations qui ne concernaient pas exclusivement les enfants dont il devait découvrir le totem.

Les enfants avaient toujours intrigué Creb. Souvent, assis parmi les siens et apparemment plongé dans ses pensées, il les observait à l'insu de tous. L'un d'eux, un petit garçon costaud de six mois environ, avait coutume de brailler d'un air agressif chaque fois qu'il avait faim. Depuis sa naissance, Creb l'avait toujours vu fourrer son petit nez dans la douce poitrine de sa mère pour y trouver le sein, puis pousser des grognements de plaisir tout en tétant. Le petit Borg, pensa Creb en souriant, lui rappelait le porc sauvage qu'il venait de voir et d'entendre grogner tout en fouillant le sol de son groin. Le sanglier était un animal intelligent, digne de respect, dont les redoutables défenses se révélaient capables d'infliger de sérieuses blessures à qui le mettait en colère, et dont les courtes pattes devenaient d'une surprenante vivacité lorsqu'il décidait de charger. Il n'était de chasseur qui aurait dédaigné un tel totem. Et puis il convenait tout particulièrement à la nouvelle caverne, car l'esprit du sanglier habitait ces bois. Un sanglier donc, décida Creb, convaincu que le totem de l'enfant lui était apparu à dessein.

Satisfait de son choix, Mog-ur tourna son attention vers l'autre enfant. Ona, dont la mère avait perdu son compagnon lors du tremblement de terre, était née peu de temps avant le cataclysme. Vorn, son frère de quatre ans, était le seul mâle au foyer. Il faudra bientôt trouver à Aga un nouveau compagnon, songea le sorcier, un homme qui saura prendre soin également d'Aba, sa vieille mère. Mais ceci est l'affaire de Brun ; c'est à Ona qu'il me faut penser, non à sa mère.

Les filles avaient besoin de totems plus paisibles, moins puissants que ceux des garçons, si elles désiraient porter des enfants. Creb songea à Iza, dont le totem, une antilope saïga, avait longtemps mis en échec celui de son compagnon... un problème qui avait souvent occupé les réflexions de Mog-ur. Iza connaissait bien plus la magie qu'on ne le supposait, et cependant elle n'avait pas trouvé le bonheur avec l'homme qu'on lui avait donné. Creb ne trouvait rien à reprocher à sa sœur ; elle s'était toujours parfaitement conduite envers cet homme. Celui-ci était mort, à présent. Mog-ur allait le remplacer. Naturellement, il n'aurait pas de rapports physiques avec Iza. Elle était sa sœur, et ce serait contraire à toutes les coutumes. Par ailleurs, ce genre de désir était depuis longtemps étranger à Creb. Iza avait toujours été de bonne compagnie, s'occupant avec diligence de lui depuis des années, et ce n'en serait que plus agréable aujourd'hui que son ancien compagnon avait disparu. Et puis il y avait Ayla. Creb éprouva une bouffée d'émotion au souvenir de ses petits bras autour de son cou. Plus tard, se rappela-t-il à l'ordre. D'abord, Ona.

Ona était une enfant tranquille et facile, qui posait souvent sur lui un regard grave. Ses petits yeux tout ronds examinaient chaque chose avec un vif intérêt silencieux, sans que rien leur échappât, semblait-il. L'image d'un hibou lui traversa l'esprit. Etait-ce un totem trop puissant ? Le hibou chasse, pensa-t-il, mais il ne s'attaque qu'aux petits animaux. Lorsqu'une femme possède un totem puissant, celui de son époux doit être plus puissant encore. Mais peut-être Ona aura-t-elle besoin d'un homme capable de lui assurer une forte protection, un homme ayant un totem plus fort que le sien. Le hibou donc, décida-t-il. Toutes les femmes doivent prendre des époux aux totems puissants. Est-ce la raison pour laquelle je n'ai jamais eu de compagne ? se demanda Creb. Quelle protection peut bien apporter un chevreuil ? Il y avait longtemps que Creb n'avait pensé à son totem, le doux et timide chevreuil. Il gîte lui aussi dans les forêts impénétrables, tout comme l'ours, se rappela-t-il soudain. Le sorcier était l'un des rares à posséder deux totems. Le chevreuil était celui de Creb, Ursus celui de Mog-ur.

Ursus Spelaeus, l'ours des cavernes, massif végétarien qui surpassait largement en taille ses cousins omnivores, près de deux fois plus petits que lui et trois fois plus légers, le plus grand ours qui ait jamais existé, était généralement lent à se mettre en colère. Mais un jour, une femelle irritée attaqua un petit garçon boiteux et sans défense qui musardait un peu trop près de ses oursons. La mère découvrit l'enfant déchiqueté et en sang, un œil arraché ainsi que la moitié du visage, et ce fut elle qui le ramena à la vie. Elle amputa au niveau du coude le bras paralysé et inutile, broyé par l'énorme bête à la force colossale. Ce petit garçon s'appelait Creb. A quelque temps de là, le mog-ur en exercice choisit pour servant l'enfant estropié et défiguré, lui apprenant qu'Ursus l'avait choisi, éprouvé et considéré digne de lui, emportant l'un de ses yeux comme gage de sa protection. Il devait maintenant se sentir fier de ses cicatrices, lui recommanda-t-il, car elles représentaient les marques de son nouveau totem.

Ursus ne permit jamais à l'esprit de Creb d'être englouti par une femme pour reproduire un enfant ; l'Ours des Cavernes n'offrait sa protection qu'après avoir éprouvé ses élus. Si ces derniers étaient fort peu nombreux, les survivants à ses épreuves l'étaient encore moins. La perte d'un œil était un lourd tribut à payer, mais Creb n'en ressentait aucune amertume. Il était Mog-ur et possédait l'intime conviction qu'Ursus n'avait jamais, au grand jamais, investi les précédents sorciers d'un pouvoir aussi formidable que le sien.

Saisissant son amulette, il pria l'esprit du Grand Ours de lui révéler celui du totem protecteur de la fillette née parmi les Autres. C'était là demander beaucoup, et il n'était pas certain que le message lui parviendrait. Il concentra ses pensées sur l'enfant et le peu de choses qu'il savait d'elle. Elle était intrépide, pensa-t-il. Elle m'a ouvertement manifesté son affection, sans peur ni crainte de la censure du clan. Voilà qui est rare chez une fille ; les filles ont plutôt tendance à se cacher derrière leur mère. Elle est curieuse et vive. Une image commença à se former dans son esprit, mais il la chassa. Non, c'est une fille, elle a besoin d'un totem féminin. Malgré ses efforts de concentration, l'image demeura persistante. Cette fois, il décida de ne pas l'écarter ; peut-être le mènerait-elle quelque part.

Il vit une troupe de lions en train de se chauffer paresseusement au soleil d'été dans les hautes herbes de la steppe. L'un des deux lionceaux était une petite femelle, destinée à devenir la chasseresse de la troupe. Elle jouait avec intrépidité et donnait des coups de patte sur le museau d'un gros lion. Des coups de patte audacieux et en même temps légers comme des caresses. Le lion finit par la repousser tendrement et, l'immobilisant sous son énorme patte, se mit à la lécher de sa langue rugueuse. Les lions des cavernes élevaient eux aussi leurs petits avec amour et fermeté, pensa Creb, en se demandant pourquoi lui était apparue cette scène de félicité domestique.

Mog-ur fit encore quelques efforts pour dissiper sa vision, mais la scène ne s'évanouit nullement.

— Ursus, serait-ce le Lion des Cavernes ? Ce n'est pas possible. C'est un totem trop puissant pour une femme. A quel homme pourra-t-elle s'accoupler ?

Le Lion des Cavernes n'était le totem d'aucun homme du clan, et n'apparaissait que fort rarement dans les autres clans. Il vit en imagination la maigre fillette, aux bras et aux jambes droits, au visage plat et au front bombé, si pâle ; même ses yeux étaient trop clairs. Elle deviendrait une femme hideuse et aucun homme ne voudrait d'elle, se dit Mog-ur. La pensée de sa propre laideur lui traversa l'esprit, et il se rappela comment les femmes l'évitaient, surtout quand il était jeune. Peut-être aura-t-elle besoin d'un totem puissant si elle ne doit jamais trouver d'homme pour veiller sur elle. Mais tout de même, un Lion des Cavernes ! Il essaya de se souvenir s'il y avait jamais eu une femme parmi le Peuple du Clan à avoir le grand félin pour totem.

J'oubliais qu'elle n'est pas des nôtres mais elle bénéficie d'une protection puissante, sinon elle n'aurait jamais survécu à ses épreuves. Elle serait morte sous les crocs de ce lion. Cette pensée se cristallisa dans son esprit. Le Lion des Cavernes ! Il l'avait attaquée sans la tuer... Voulait-il l'éprouver ? Une autre idée lui vint, et il frissonna. Le doute n'était plus permis. Brun lui-même ne pourrait faire la moindre objection. Le lion des cavernes l'avait marquée à la cuisse gauche de quatre sillons parallèles dont elle porterait toute sa vie les cicatrices. Or les rites de l'âge adulte exigeaient que Mog-ur marque du signe de son totem le corps d'un homme jeune, et le signe du Lion des Cavernes était justement quatre entailles parallèles dans la cuisse.

Les garçons sont marqués sur la cuisse droite ; mais Ayla est une fille, et les marques sont bien les mêmes, songea-t-il. Que n'y ai-je pensé plus tôt ! Le lion, conscient de la difficulté qu'aurait le clan à accepter une étrangère, l'a marquée du signe de son totem. Il désire qu'elle vive parmi nous, c'est pourquoi il l'a éloignée de son peuple. Mais pour quelle raison ? Le sorcier se sentit soudain mal à l'aise. S'il avait eu notion de ce concept, il y aurait vu un pressentiment. Dans l'état des choses, il éprouvait une vague appréhension mêlée d'un étrange espoir.

Mog-ur se ressaisit. Jamais un totem ne s'était imposé à son esprit d'une manière aussi impérieuse, et c'était cela précisément qui l'inquiétait. Le Lion des Cavernes est son totem. Il l'a choisie exactement comme Ursus m'a choisi. Mog-ur plongea son regard dans les sombres orbites du crâne posé devant lui. Avec une sincère humilité, il s'émerveilla de la façon dont les esprits parvenaient à se faire comprendre. Tout était clair, à présent. Un profond soulagement l'envahit en même temps que subsistait une question. Pourquoi cette petite fille avait-elle besoin d'une protection aussi grande ?

5

Les branches feuillues se balançaient doucement sous la brise du soir, silhouettes dansantes se découpant sur le ciel assombri. Le camp silencieux se préparait pour la nuit. A la faible lueur des braises du foyer, Iza vérifiait le contenu de ses bourses de peau rangées en bon ordre sur sa couverture, tout en jetant des regards inquiets dans la direction où elle avait vu disparaître Creb. Elle n'aimait pas le savoir seul, dans des bois inconnus, sans armes pour se défendre. La fillette dormait déjà et, à mesure que la nuit tombait, l'inquiétude de la guérisseuse grandissait.

Quelques instants plus tôt, elle était allée se rendre compte de la variété des plantes qui poussaient aux alentours de la caverne, désireuse de réapprovisionner et d'étendre sa pharmacopée. Elle ne se séparait jamais de son sac en loutre où elle serrait des feuilles séchées, des fleurs, des racines, des graines et des écorces, mais c'était là sa trousse d'urgence. Dans la nouvelle grotte, elle disposerait de tout l'espace voulu pour stocker et conserver toutes les plantes médicinales dont elle pourrait faire moisson.

Iza vit enfin arriver en claudiquant le vieux sorcier et, soulagée, elle s'empressa de mettre à chauffer son repas et de faire bouillir de l'eau pour son infusion favorite. Il s'approcha, silhouette voûtée par la fatigue, et s'assit à ses côtés pendant qu'elle rangeait ses bourses dans le sac en peau de loutre.

— Comment va l'enfant ce soir ? lui demanda-t-il par gestes.

— Mieux. Elle n'a presque plus mal. Elle t'a réclamé, répondit Iza.

— Tu lui feras une amulette demain matin, Iza.

La femme baissa la tête en signe d'acquiescement puis, incapable de rester en place tant sa joie était grande, elle se précipita pour surveiller і? repas. Ayla allait rester parmi eux. Creb a parlé à son totem, se dit-elle, le cœur battant. Les mères de deux autres enfants leur avaient confectionné des amulettes ce jour même, au vu et au su de tous, pour que l'on sache que leurs rejetons connaîtraient bientôt leurs totems lors de la cérémonie de consécration de la caverne. Cette coïncidence était pour eux un présage de chance, et les deux mères ne s'en montraient pas peu fières. Pourquoi Creb s'était-il absenté si longtemps ? Il devait avoir eu du mal à découvrir le totem d'Ayla, songea Iza, s'abstenant de poser la moindre question à Creb, qui d'ailleurs ne lui aurait sans doute pas répondu.

Elle déposa le repas devant son frère, et de l'infusion pour tous les deux. Assis l'un près de l'autre, ils se sentaient envahis par une douce et réconfortante tendresse. Quand Creb eut fini de manger, ils étaient les seuls du clan à être encore éveillés.

— Les chasseurs partiront dans la matinée, dit Creb. S'ils font une bonne chasse, la cérémonie se déroulera le lendemain. Tu seras prête ?

— Je viens de vérifier, il me reste suffisamment de racines. Je serai prête, lui indiqua Iza en montrant sa petite sacoche.

Celle-ci était différente des autres. Le cuir en avait été teint en brun-rouge foncé, avec une poudre d'ocre rouge mélangée à la graisse d'ours qui avait servi à tanner la peau. Aucune autre femme ne possédait rien de teint en rouge sacré, mais toutes portaient sur leurs amulettes une petite marque d'ocre rouge.

— Je me purifierai demain matin, ajouta-t-elle.

Pour tout commentaire, Creb se contenta d'un grognement. C'était là une forme de réponse coutumière aux hommes lorsqu'ils s'adressaient à une femme. Ils restèrent un long moment silencieux, puis Creb posa son bol et regarda sa sœur.

— Mog-ur va s'occuper de toi et de la fillette ; de ton enfant à naître aussi, si c'est une fille. Tu partageras mon feu dans la nouvelle caverne, Iza, dit-il.

Et, s'aidant de son bâton, il se redressa avec peine et s'en fut se coucher.

Iza, qui avait commencé de se lever, se rassit lourdement sur le sol, stupéfaite par cette déclaration. C'était la dernière chose à laquelle elle se fût attendue. Depuis la disparition de son compagnon, elle savait qu'un autre homme allait devoir se charger d'elle. Elle s'était en vain efforcée de chasser de son esprit cette préoccupation, car le choix d'un compagnon n'était pas de son ressort mais de celui de Brun. Elle ne pouvait que passer en revue les hommes qui pourraient lui échoir.

Il y avait Droog, seul depuis la mort de la mère de Goov. Iza le respectait. Il était le meilleur tailleur d'outils du clan. N'importe qui était capable de tailler un bloc de silex pour confectionner un coup-de-poing ou un grattoir, mais Droog possédait un authentique talent, faisant voler d'un seul coup des éclats de la taille et de la forme qu'il avait choisies. Ses couteaux, ses grattoirs et autres instruments étaient hautement prisés. Si elle avait été libre de le faire, Iza aurait choisi

Droog entre tous. Il s'était montré bon envers la mère du servant de Mog-ur, et il y avait toujours eu entre elle et lui une relation affectueuse.

Cependant, il était plus probable qu'Aga serait donnée au tailleur de pierres. Elle était plus jeune qu'Iza et déjà mère de deux enfants. Son fils, Vorn, aurait bientôt besoin de la présence d'un homme pour assumer son éducation en matière de chasse, et il en fallait un aussi à la petite Ona pour prendre soin d'elle. Droog accepterait sans doute aussi Aba, la vieille mère d'Aga. Toutes ces responsabilités bouleverseraient la vie jusqu'ici tranquille et rangée du tailleur de pierres. Aga était parfois sujette à des sautes d'humeur, et elle n'avait pas la compréhension qu'avait toujours manifestée la mère de Goov, mais ce dernier fonderait bientôt son propre foyer, et Droog avait besoin d'une femme.

Par ailleurs, il était impensable qu'elle fût unie à Goov, qui était bien trop jeune. Jamais Brun ne lui donnerait une vieille femme pour compagne. Iza aurait le sentiment d'être sa mère plus que sa femme.

Iza avait songé à partager le foyer de Grod et d'Uka qui vivaient avec Zoug, le compagnon de la mère de Grod. Grod était un homme distant et peu disert, mais dépourvu de toute cruauté, et sa loyauté envers Brun ne faisait aucun doute. Il n'aurait pas déplu à Iza de devenir la seconde compagne de Grod, mais Uka était la sœur d'Ebra et elle n'avait jamais pardonné à Iza son rang qui lui portait ombrage. En outre, elle ne s'était jamais consolée de la mort de son jeune fils, et pas même sa fille Ovra ne parvenait à adoucir son chagrin. Ce foyer était trop mélancolique pour le goût d'Iza.

Quant au foyer de Crug, elle y avait à peine songé. Ika, sa compagne, la mère de Borg, était une femme ouverte et aimable. Et la réticence d'Iza tenait précisément au fait que ces deux-là étaient trop jeunes pour elle, et puis elle ne s'était jamais bien entendue avec Dorv, le compagnon de la mère d'Ika, qui partageait le foyer des jeunes gens.

Restait Brun, dont elle ne pouvait devenir la seconde épouse, du fait qu'elle était née de la même mère bien que son rang de guérisseuse eût pu lui permettre de surmonter cet interdit. Iza n'était pas comme cette vieille femme qui avait rejoint le monde des esprits durant le tremblement de terre. Celle-là était veuve et venait d'un autre clan. Hébergée de foyer en foyer, sans position, elle n'avait jamais été qu'une charge pour les uns et les autres.

L'idée de partager le foyer de Creb ne l'avait pas effleurée un seul instant. Il n'était dans le clan d'homme ou de femme auxquels elle fût plus attachée. De plus, il aimait Ayla, elle en était persuadée. C'était là un arrangement parfait, à moins qu'elle ne donnât le jour à un garçon. Un garçon avait besoin d'un homme qui lui apprenne à chasser, et Creb n'était pas un chasseur.

Iza envisagea un moment de prendre une potion pour perdre l'enfant qu'elle attendait et s'assurer ainsi, une fois pour toutes, de ne pas avoir un garçon. Mais sa grossesse était bien avancée, et elle savait qu'elle désirait vraiment ce bébé. Malgré son âge, Iza avait de fortes chances de mener cet enfant à terme, et les enfants étaient trop précieux pour qu'on s'en débarrasse aussi légèrement. Je demanderai à mon totem de me donner une fille, décida-t-elle. L'esprit de mon totem sait que j'ai toujours voulu une fille ; ne lui ai-je pas promis de prendre grand soin de moi, afin que l'enfant naisse en bonne santé, à la condition que ce soit une fille ?

Iza n'ignorait pas que des femmes de son âge risquaient d'avoir des problèmes, et elle avait veillé à prendre des aliments et des remèdes favorisant une bonne gestation. Bien qu'elle n'eût jamais enfanté, Iza en connaissait plus sur la question que la plupart des femmes. Elle surveillait les grossesses, participait aux accouchements, dispensant volontiers ses connaissances. Mais il y avait certains remèdes, dont les formules se transmettaient de mère à fille, qui étaient tellement secrets qu'Iza serait morte plutôt que de les révéler, particulièrement aux hommes, car ils en auraient interdit absolument l'usage.

Si le secret avait pu être ainsi gardé, la raison en était que personne, homme ou femme, ne questionnait jamais une guérisseuse sur sa magie. Cette discrétion était presque une loi. Toute guérisseuse pouvait partager son savoir avec quiconque en manifestait sincèrement l'intérêt, mais elle se gardait bien d'aborder certains aspects de son art, car serait-il venu à l'esprit d'un homme de la questionner à ce propos, elle n'aurait pas pu refuser de lui répondre, de même qu'elle aurait été incapable de lui mentir. Le mode de communication dépendait trop des gestes, des expressions et des attitudes pour que tout mensonge ne fût pas détectable. La notion même de mensonge était absente des pensées, et les seules tentatives de dissimulation qui pouvaient parfois se produire se bornaient à une réticence à parler, réticence qui, par ailleurs, était souvent tolérée.

Iza tenait de sa mère de nombreux remèdes magiques et secrets qu'elle avait utilisés sans jamais en parler à personne. L'un d'entre eux était destiné à empêcher la conception, à empêcher l'esprit du totem d'un homme de concevoir un enfant. Son compagnon n'avait jamais songé à lui demander pourquoi elle n'avait pas d'enfant. Il la croyait dotée d'un totem trop puissant pour une femme et s'en plaignait fréquemment aux autres. Mais Iza désirait par-dessus tout l'humilier aux yeux du clan. Elle voulait que le clan sache que le totem de l'homme était impuissant à briser les défenses du sien, que le fluide de son propre ventre était plus fort que le fluide de l'homme, et que celui-ci pouvait toujours la battre, il n'y changerait rien.

L'homme lui infligeait de sévères corrections destinées à soumettre son totem, mais Iza savait qu'il prenait plaisir à ces sévices. Elle avait détesté cet homme avant même qu'on le lui donne pour compagnon. Elle avait supplié sa mère mais celle-ci ne pouvait rien pour elle. Iza était la guérisseuse, et son haut rang dans le clan était comme un défi pour cet homme envieux qui n'avait pas supporté de voir sa virilité mise en question par la stérilité de sa compagne. Ne pouvant la dominer en la fécondant, il s'était mis à la battre.

Iza savait que Brun désapprouvait un tel comportement et elle était sûre qu'il n'aurait pas fait de cet homme son compagnon, s'il avait été chef du clan à ce moment-là. Brun ne tenait pas pour une preuve de force la domination physique d'une femme. Le Peuple du Clan considérait comme indigne d'un homme de s'en prendre à un adversaire plus faible ou de se laisser emporter à cause d'une femme. Un homme devait se faire obéir d'une femme sans violence, il devait chasser et pourvoir son foyer de la nourriture nécessaire, sans montrer de signe de douleur quand il souffrait. Il arrivait que des hommes corrigent des femmes coupables de manquements à la discipline établie, mais peu en faisaient une pratique, encore moins un plaisir.

Quand Creb s'était installé avec eux, son compagnon avait pensé en tirer un bénéfice. En effet, Iza n'était pas seulement la guérisseuse du clan mais elle était également celle qui cuisinait pour Mog-ur. L'homme s'était imaginé que le reste du clan croirait que le sorcier l'initiait à sa magie. En réalité, Creb lui prêtait tout juste attention et, bien qu'il n'en dît jamais rien, n'appréciait pas la brutalité du compagnon de sa sœur.

Malgré les coups, Iza n'en avait pas moins continué à faire usage de ses potions contraceptives. Toutefois, lorsqu'elle se découvrit enceinte, elle accepta son sort avec résignation. Un moment elle pensa que le totem de son compagnon avait finalement vaincu le sien mais le tremblement de terre sembla le démentir : si le totem de l'homme avait été si fort, pourquoi l'avait-il soudain abandonné ? S'il avait survécu au cataclysme, Iza aurait probablement provoqué une fausse couche. Sa mort l'en avait dissuadée, et elle s'était accrochée à l'espoir de donner le jour à une fille, afin de prolonger sa lignée de guérisseuses. A présent, ce désir d'une fille était d'autant plus fort que cela lui permettrait de vivre aux côtés de Creb.

Iza rangea sa sacoche et se glissa dans la fourrure, auprès de l'enfant qui dormait paisiblement. Ayla est vraiment favorisée par la chance, pensa-t-elle. Elle a découvert une nouvelle caverne, elle obtiendra le droit de rester avec moi, et nous allons partager le feu de Creb. Puisse sa chance me faire donner naissance à une fille. Iza serra la fillette dans ses bras en se blottissant contre le petit corps chaud.

Le lendemain, après le repas matinal, Iza fit signe à l'enfant de la suivre pour chercher des plantes le long du cours d'eau. Elle aperçut bientôt une clairière de l'autre côté de la rivière et passa sur l'autre rive. Il y poussait de grandes plantes aux feuilles mates, pourvues de petites fleurs vertes disposées en grappes épaisses. Iza cueillit quelques-unes de ces ansérines aux racines rouges, puis se dirigea vers les marais où elle découvrit des prêles et, un peu plus haut, des saponaires. Ayla la regardait faire avec intérêt, désolée de ne pouvoir communiquer avec elle, la tête pleine de questions qu'elle était incapable de formuler.

De retour au campement, Iza remplit d'eau et de pierres brûlantes un panier finement tressé où elle ajouta les tiges de prêles. Puis elle découpa avec un éclat de silex un morceau circulaire dans une couverture dont la peau, bien que souple, était assez solide. A l'aide d'un instrument pointu, elle perça de petits trous au bord du cercle, dans lesquels elle passa une sorte de lien confectionné avec une écorce filandreuse torsadée qu'elle tira ensuite pour obtenir une petite bourse. Enfin, d'un coup de couteau, elle trancha un bout de la longue lanière de cuir qui maintenait fermé son vêtement, après en avoir mesuré la longueur en le passant autour du cou d'Ayla.

Quand l'eau se mit à bouillir, Iza ramassa les plantes qu'elle venait de cueillir ainsi que le bol d'osier tressé, et retourna à la rivière. La femme et la fillette longèrent son cours jusqu'à ce qu'elles découvrent un endroit où la rive descendait en pente douce dans l'eau. Iza entreprit alors d'écraser la racine de saponaire à l'aide d'un gros caillou rond dans une anfractuosité de la roche en forme de cuvette et il se forma bientôt une riche mousse savonneuse. Puis elle sortit des plis de son vêtement quelques outils de pierre et divers objets, ôta sa robe de peau ainsi que l'amulette qu'elle portait autour de son cou.

Ayla fut enchantée quand Iza la prit par la main pour la conduire dans l'eau. Elle adorait se baigner. Mais après une rapide immersion, la femme la prit dans ses bras et la déposa sur le rocher où elle la savonna de la tête aux pieds. Elle la rinça ensuite dans le courant après lui avoir appliqué la lotion à base de prêle, destinée à exterminer la vermine tapie dans ses cheveux. Ensuite Iza procéda aux mêmes ablutions sur sa personne pendant que la fillette jouait dans l'eau.

Tandis qu'elles se laissaient sécher au soleil, Iza ôta l'écorce d'une ramille avec ses dents et s'en servit pour démêler leurs cheveux. La finesse soyeuse des cheveux blond pâle d'Ayla ne cessait de l'étonner. Elle trouvait cela aussi étrange que beau, certainement le meilleur et, peut-être le seul avantage physique de la fillette, songea-t-elle en l'observant à la dérobée. Maigre, la peau claire, les yeux d'un bleu tendre, l'enfant était d'une grande laideur. Sans doute les Autres étaient-ils des humains, mais comme ils étaient laids ! Pauvre enfant, comment trouverait-elle jamais un compagnon ?

Si elle n'a pas de compagnon, quelle place pourra-t-elle avoir dans le clan ? Je ne voudrais pas qu'elle devienne comme cette vieille femme morte dans le tremblement de terre, pensait Iza. Si elle était réellement ma fille, elle aurait son propre rang. Je me demande si je ne pourrais pas lui apprendre l'art de soigner ? Cela lui conférerait de l'importance. Si je donne le jour à une fille, je pourrais leur enseigner mon art à toutes les deux ; et si c'est un garçon qui vient au monde, il n'y aura donc pas de femme pour prolonger ma lignée de guérisseuses. Pourtant il en faudra bien une pour me remplacer tôt ou tard. Si Ayla devient la dépositaire de mon savoir, le clan l'acceptera plus volontiers, et peut-être un homme voudra-t-il d'elle ? Pourquoi ne serait-elle pas ma fille ? Une idée commença de germer dans l'esprit d'Iza.

Elle s'aperçut soudain que le soleil était haut dans le ciel et qu'il se faisait tard. Reprenant conscience de ses responsabilités, elle décida qu'il était grand temps de préparer l'amulette d'Ayla ainsi que le breuvage à base de racines.

— Ayla, cria-t-elle à l'enfant qui s'était remise à jouer dans l'eau.

La fillette arriva en courant. Iza remarqua que l'eau avait légèrement gonflé ses cicatrices, mais la guérison était presque achevée. Elle se hâta d'envelopper l'enfant dans sa peau de bête et, ramassant son bâton à fouir et la petite bourse de sa confection, elle gagna avec Ayla la crête qui surplombait la rivière. La veille, juste avant qu'elle découvre la caverne en allant chercher la petite fille, elle avait remarqué un fossé de terre rouge. Parvenue sur les lieux, elle gratta le sol de son bâton pour en détacher de petites mottes d'ocre rouge. Elle en ramassa quelques-unes qu'elle montra à Ayla. La fillette les examina sans trop savoir ce qu'on attendait d'elle, et finit par en toucher une. Iza prit le morceau de terre et le mit dans sa bourse qu'elle referma. Avant de se remettre en route, elle scruta les environs et aperçut de petites silhouettes qui se déplaçaient au loin dans la plaine au pied de la colline. Les chasseurs étaient partis de fort bonne heure ce matin-là.

En des temps plus reculés, les hommes et les femmes, plus primitifs encore que Brun et ses cinq chasseurs, apprirent à chasser en observant les prédateurs et en s'inspirant de leurs méthodes. Ils remarquèrent, par exemple, comment les loups, chassant en bande, avaient raison de proies dix fois plus grandes et plus fortes qu'eux. Avec le temps et l'emploi d'outils et d'armes en guise de crocs et de griffes, ils apprirent qu'ensemble eux aussi pouvaient abattre les grands animaux qui partageaient leur environnement. L'évolution de ces hommes dut beaucoup à la chasse.

La nécessité de rester silencieux afin de ne pas alerter le gibier donna naissance à tout un code de signes et de gestes leur permettant de communiquer entre eux durant les actions de chasse. Bien que la branche de l'arbre humain aboutissant au Peuple du Clan ne comportât pas de mécanismes vocaux capables d'évoluer en un langage proprement dit, leur habileté de chasseur ne s'en trouvait pas amoindrie pour autant.

Les six hommes s'étaient mis en route dès les premières lueurs de l'aube. De leur position dominante, ils virent le soleil pointer timidement à l'horizon puis étendre franchement ses rayons sur la terre alentour. Dans la direction du nord-ouest, un nuage de poussière masquait une masse ondulante de massives silhouettes brunes, qui laissaient derrière elles un large sillage de terre labourée, dénudée de toute végétation. Le troupeau de bisons avançait lentement tout en paissant l'épais tapis herbeux qui s'étendait à l'infini. Les six chasseurs couvrirent rapidement la distance qui les séparait des steppes.

Laissant les collines derrière eux, ils s'approchèrent au petit trot du troupeau sous le vent et, une fois à proximité, ils se tapirent dans les hautes herbes pour observer les gigantesques ruminants aux encolures massives surmontées d'une grosse bosse, aux flancs étroits, au crâne crépu d'où s'élançaient deux immenses cornes noires, dont la longueur pouvait atteindre près d'un mètre chez les grands mâles. L'odeur musquée et douceâtre des bovidés agglutinés en masse compacte leur parvint aux narines, tandis que la terre résonnait du piétinement de milliers de sabots.

Brun, une main en visière pour s'abriter les yeux de l'éclat du soleil, étudia longuement les bêtes défilant très lentement devant eux, pour choisir la proie qui leur conviendrait le mieux. A le voir, il eût été difficile de deviner l'état de tension extrême qui était le sien. Seul un battement aux tempes et ses mâchoires serrées trahissaient sa nervosité. Il participait à la chasse la plus importante de sa vie, celle dont dépendait leur installation dans la nouvelle caverne. Une bonne chasse non seulement fournirait la viande indispensable au festin qui allait accompagner la cérémonie d'inauguration, mais elle serait la preuve que les totems du clan approuvaient leur choix. Si les chasseurs rentraient bredouilles, le clan se verrait contraint de repartir en quête d'une caverne plus digne des esprits protecteurs. C'était ainsi que les totems se faisaient comprendre quand un choix était malheureux. Brun se sentait toutefois rassuré devant ce troupeau de bisons, incarnations de son propre totem.

Il jeta un coup d'œil à ses chasseurs qui attendaient anxieusement son signal. L'attente constituait de loin le moment le plus pénible, mais tout mouvement prématuré pouvait compromettre l'issue de l'expédition. Dans la mesure du possible, Brun entendait mettre toutes les chances de son côté. Il surprit l'expression inquiète de Broud et, l'espace d'un instant, il regretta de lui avoir confié la mise à mort. Puis il se rappela avec tendresse l'orgueil qui brillait dans les yeux du garçon quand il lui avait dit de se préparer à sa première chasse. Il est naturel que Broud soit nerveux, pensa-t-il. Ce n'est pas seulement la première fois qu'il chasse, mais l'installation du clan dans sa nouvelle demeure dépend de la force de son bras.

Broud surprit le regard de Brun et il maîtrisa sur-le-champ son inquiétude, ou du moins la dissimula du mieux qu'il put. Il ne savait pas combien un bison pouvait être impressionnant, vu de près. La bosse qui surmontait l'encolure devait le dépasser de près d'un mètre ! Et que dire de l'impression éprouvée en présence de tout un troupeau ! Il lui faudrait infliger la première blessure. Et si je manque ma cible ? Que la bête s'enfuie ?

Où était passé ce sentiment de supériorité qu'il ressentait en présence d'Oga, quand celle-ci venait le voir s'entraîner au lancement de l'épieu et qu'elle le regardait avec adoration ? Il feignait alors de l'ignorer ; elle n'était qu'une gamine. Mais elle serait bientôt une femme, et elle ne serait pas une mauvaise compagne, pensait Broud. Elle aurait besoin d'un bon chasseur pour la protéger, maintenant que sa mère et son père avaient disparu. Broud appréciait son empressement à le servir, depuis qu'elle vivait dans leur foyer. Mais que pensera-t-elle de moi si je rate ma première chasse ? se demanda-t-il avec anxiété. Si je ne peux être déclaré homme à la cérémonie de la caverne ? Que pensera Brun ? Que pensera le clan ? Quel malheur si par ma faute nous devions quitter cette belle caverne dans laquelle repose l'esprit du grand Ursus ! Broud serra fort son épieu et saisit son amulette en priant le Rhinocéros Laineux de lui donner courage et force.

Brun avait l'intention de laisser Broud courir sa chance, mais il avait prévu de rester à proximité de la bête pour la tuer lui-même s'il le fallait. Il tenait pour le moment à ce que Broud soit persuadé que le destin de la nouvelle caverne dépendait de lui. S'il était appelé à devenir chef un jour, autant qu'il en mesure les responsabilités dès aujourd'hui. Brun espérait toutefois ne pas avoir à intervenir. Broud était orgueilleux, et son humiliation serait grande, mais Brun n'entendait aucunement sacrifier la caverne pour ménager la fierté de son fils.

Brun remarqua un jeune bison qui se tenait légèrement à l'écart du troupeau. L'animal avait atteint son plein développement mais il était encore jeune et inexpérimenté. Le chef attendit qu'il s'éloigne encore un peu et, quand il fut bien isolé, il donna le signal.

Les hommes se dispersèrent instantanément, Broud à leur tête. Brun les observa se poster à intervalles réguliers, sans pour autant quitter des yeux le jeune bison. Sur un autre signe de lui, les hommes se précipitèrent vers le troupeau en poussant de grands cris et en agitant les bras. Les bêtes situées en bordure détalèrent vers le reste du troupeau, Brun s'élança pour couper la route au jeune bison et l'éloigner davantage. Rassemblant toute son énergie, il se mit à pousser l'animal aussi vite que ses jambes le lui permettaient, crachant et toussant, aveuglé par la poussière qui lui emplissait les narines et lui coupait le souffle. Hors d'haleine, à bout de forces, il vit que Grod venait prendre le relais.

Pressé par Grod, le bison infléchit sa course, tandis que les autres chasseurs couraient pour former un grand cercle destiné à rabattre la bête vers Brun qui, haletant, s'efforçait de lui couper toute issue. Le vaste troupeau filait à travers la prairie. Il ne restait que le jeune bison pris de panique, fuyant devant une créature d'une force dérisoire comparée à la sienne, mais douée d'une intelligence et d'une détermination suffisantes pour compenser la différence. Grod maintint son effort jusqu'à ce que son cœur menace d'éclater. La sueur ruisselait sur son corps couvert de poussière. Quand il sentit ses jambes fléchir sous lui, il céda à son tour la place à Droog.

L'endurance des chasseurs était considérable, mais le jeune bison luttait de toutes ses forces qui étaient grandes. Droog, de loin l'homme le plus grand du clan, poussa la bête en avant et, dans un dernier sursaut d'énergie, l'empêcha de rejoindre le troupeau qui s'éloignait. Au moment où Crug prit le relais, l'animal commençait à fatiguer. Crug talonna la bête, la forçant encore un peu en la piquant au flanc de la pointe de son épieu.

Lorsque Goov prit sa suite, le bison éperdu courait maintenant à l'aveuglette, suivi de près par le chasseur qui s'acharnait à user ses dernières forces. Brun s'avança également et il entendit Broud pousser un cri au moment où il s'élançait à la poursuite de leur proie. Mais le fils du chef n'eut pas à courir longtemps. La bête n'en pouvait plus. Elle ralentit, puis s'arrêta net, les flancs fumants, la tête baissée, la gueule écumante. Son épieu bien en main, le garçon s'approcha du taureau épuisé.

Avec la justesse d'appréciation que lui conférait une longue expérience, Brun jeta un coup d'œil à la situation. Le bison était-il réellement à bout de forces ? Certains s'immobilisaient ainsi, donnant tous les signes d'épuisement, et soudain chargeaient sans qu'on s'y attende, et leurs charges pouvaient s'avérer meurtrières. Devait-il lui empêtrer les pattes d'un jet de ses bolas ? Le museau de l'animal effleurait le sol et son halètement témoignait de son épuisement. Si Brun l'entravait de ses bolas, la première mise à mort de Broud aurait moins d'éclat. Il décida de lui laisser entièrement l'honneur de la chasse.

Sans donner au bison le temps de reprendre son souffle, le garçon fondit sur lui, son épieu levé. Avec une dernière pensée pour son totem, il projeta son arme, qui se ficha profondément dans le flanc de la bête. La pointe durcie au feu perça le cuir épais et fracassa une côte, portant un coup prompt et fatal à l'animal. Le bison beugla de douleur et, les pattes flageolantes, fit un effort désespéré pour charger son adversaire. Brun prévint la menace en s'élançant aux côtés de son fils et en abattant sa massue sur le crâne de la bête de toute la force de ses muscles puissants. Le bison s'écroula sur le flanc, battit l'air de ses sabots et, après quelques soubresauts, cessa de bouger.

Broud resta quelques secondes stupéfait et légèrement étourdi, puis il poussa un hurlement de triomphe. Il avait réussi sa première chasse ! Il était enfin un homme !

Exultant, il saisit la hampe de son épieu profondément enfoncé dans la chair de l'animal et, comme il l'arrachait d'un coup sec, un jet de sang chaud lui gicla au visage. Brun, plein de fierté, lui tapa sur l'épaule.

— Bien joué, lui signifia-t-il d'un geste éloquent, tout heureux de pouvoir compter dans ses rangs ce nouveau chasseur, ce vaillant chasseur qui faisait sa joie et l'honorait, le fils de sa compagne, l'enfant de son cœur.

La caverne leur appartenait désormais. La cérémonie rituelle scellerait définitivement une possession que la mise à mort de Broud leur avait assurée : les totems étaient satisfaits de leur choix. Broud brandit sa lance maculée de sang tandis qu'accouraient les chasseurs, tout joyeux à la vue de la bête abattue. Brun dégaina son couteau et ouvrit le ventre du bison pour l'étriper avant de le transporter à la caverne. Il ôta le foie, le découpa en tranches et donna un morceau à chacun des hommes. C'était un morceau de choix, réservé aux chasseurs, destiné à leur conférer force et acuité visuelle. Puis il trancha le cœur qu'il enterra auprès de l'animal pour en faire présent à son totem.

En mâchant le foie cru imprégné de chaleur, Broud goûta pour la première fois la saveur de l'âge adulte et crut que son cœur allait exploser de bonheur. Il allait être intronisé en tant qu'homme du clan lors de la cérémonie sanctifiant la caverne. Il conduirait la danse de la chasse, et il aurait allégrement donné sa vie rien que pour avoir vu l'orgueil qui se lisait sur le visage de Brun. Broud savourait déjà l'intérêt qu'il susciterait au sein du clan, sans compter le respect et l'admiration qui lui reviendraient assurément. Le clan entier ne résonnerait que du récit de ses prouesses. Cette nuit serait sa nuit, et dans les yeux d'Oga se lirait toute la dévotion éperdue d'une jeune fille pour le héros de ses rêves.

Les hommes attachèrent deux à deux les pattes du bison, au-dessus de la jointure des genoux. Grod et Droog lièrent leurs lances ensemble, imités par Crug et Goov, et obtinrent ainsi deux perches fort résistantes qu'ils glissèrent transversalement entre les pattes avant et entre les pattes arrière. Brun et Broud saisirent chacun l'animal par une corne ; Grod et Droog se placèrent de part et d'autre du bison pour porter la perche avant, tandis que Crug et Goov procédaient de même pour celle de derrière. Au signal de leur chef, les six hommes se mirent en branle, moitié traînant, moitié soulevant l'énorme bête. Le voyage du retour dura plus longtemps que l'aller, les porteurs peinant pour transporter leur fardeau à travers les steppes jusqu'à la caverne.

Oga, qui guettait leur retour, les aperçut au loin dans les plaines. En arrivant dans la montagne, ils découvrirent que le clan tout entier les attendait pour les escorter pendant la fin du trajet. La position de Broud en tête du cortège indiquait clairement la part qu'il avait prise dans cette chasse. L'enthousiasme était général et Ayla elle-même, sans trop comprendre ce qui se passait, se sentait déborder d'allégresse.

6

— Le fils de ta compagne s'est bien comporté, Brun. Ce fut une belle mise à mort, dit Zoug, tandis que les chasseurs déposaient le pesant animal devant la caverne. Tu peux être fier de ton nouveau chasseur.

— Il s'est montré vaillant et courageux, répondit Brun, en tenant Broud par les épaules, les yeux brillants de fierté.

La félicité du garçon était à son comble.

Zoug et Dorv admirèrent le jeune bison avec un soupçon de nostalgie pour les plaisirs de la chasse et l'excitation du succès, oubliant les dangers et les découragements accompagnant souvent la périlleuse aventure de la traque du gros gibier. Incapables de se joindre à l'expédition des jeunes, les deux vieillards avaient passé la matinée à écumer les bois environnants à la recherche de petit gibier.

— Je vois que Dorv et toi n'avez pas perdu votre temps, à en juger par le fumet du repas qui se prépare, ajouta Brun. Quand nous serons installés dans la nouvelle caverne, nous tâcherons de trouver un endroit pour entraîner les chasseurs à tirer à la fronde, Zoug. Le clan aura tout à gagner à ton enseignement, en particulier Vorn qui sera bientôt en âge de pratiquer.

Le chef désirait faire savoir aux anciens combien ils étaient encore précieux pour la communauté. Quand les chasseurs rentraient bredouilles, il arrivait fréquemment aux plus âgés d'approvisionner le clan en viande fraîche, tout particulièrement pendant les longs mois d'hiver, où la fronde se révélait une arme très efficace par temps de neige. Ils apportaient alors un agréable changement dans l'alimentation du clan, le plus souvent obligé de puiser dans ses réserves de viande séchée.

— Rien de comparable avec ce jeune bison, mais nous avons tué quelques lièvres et un gros blaireau. Ils sont cuits, nous vous attendions, répondit Zoug. Et à propos de terrain d'entraînement, j'ai repéré une clairière qui fera très bien l'affaire.

Depuis la mort de sa compagne, Zoug partageait le foyer de Grod et travaillait à parfaire son tir à la fronde depuis qu'il avait quitté les rangs des chasseurs. La fronde et les bolas restaient en effet pour les hommes du clan les armes les plus difficiles à manier. La puissante musculature de leurs bras légèrement arqués ne les empêchait guère de se livrer à des exercices précis et délicats comme l'exigeait le maniement de la fronde, mais l'épaisseur de leurs articulations restreignait considérablement l'agilité de leurs membres. Ils ne pouvaient ainsi accomplir une rotation complète, et se voyaient pénalisés au lancer. Leur lance, l'épieu, était plus lourde que la sagaie, et ils la projetaient à courte distance avec grande force. L'usage de l'épieu ou de la masse exigeaient surtout de la puissance musculaire, alors que la fronde et les bolas demandaient des années de pratique. La fronde en particulier, faite d'une longue boucle de cuir souple lestée d'une pierre ronde que l'on faisait tournoyer au-dessus de soi pour catapulter le projectile, requérait de l'entraînement. Zoug était fier de son habileté de tireur, et la proposition de Brun de former les jeunes chasseurs à l'usage de cette arme l'honora fortement.

Pendant que Zoug et Dorv arpentaient les collines à la recherche de petit gibier, les femmes avaient également exploré les alentours, et le fumet appétissant du repas aiguisait la faim des chasseurs, qui n'eurent pas longtemps à attendre.

Une fois rassasiés, les hommes firent le récit de leur chasse tant pour leur propre plaisir que pour celui de Zoug et Dorv. Broud, fier de son nouveau rang dans le clan et des chaudes louanges qu'on lui prodiguait, remarqua que Vorn le regardait avec admiration. Jusqu'alors, ils étaient encore des enfants tous les deux, et Vorn avait été son unique compagnon de jeu dans le clan depuis que Goov était devenu un homme.

Broud se revit à guetter l'arrivée des chasseurs, comme Vorn le faisait encore. Il ne lui arriverait jamais plus désormais de se sentir tenu à l'écart par les hommes lorsqu'il les écoutait conter leurs histoires ; il ne serait plus jamais soumis aux ordres de sa mère et des autres femmes lui commandant d'aider aux tâches domestiques. A présent il était un homme, un chasseur. Il ne lui restait plus qu'à attendre la cérémonie qui se déroulerait en même temps que celle de l'inauguration de la caverne pour voir son statut d'adulte confirmé.

Certes, il se trouverait au rang le plus bas de la hiérarchie, mais il ne s'en préoccupait guère. Cela ne durerait pas. Sa place dans le clan était fixée d'avance : fils de la compagne du chef, il serait lui-même chef un jour. Aujourd'hui, Broud pouvait se permettre de se montrer bon et généreux envers le petit Vorn. Il s'approcha de l'enfant âgé de quatre ans ; ce dernier le regarda arriver avec des yeux emplis d'une admiration sans bornes.

— Vorn, je pense que tu es assez grand maintenant, lui fit-il comprendre avec toute la solennité seyant à l'homme qu'il était désormais. Je vais te fabriquer une lance. Il est grand temps que tu apprennes à devenir un chasseur.

Vorn se tortilla de plaisir, les yeux brillants d'admiration devant le jeune homme élevé depuis peu au rang enviable de chasseur.

— C'est vrai, approuva-t-il vigoureusement. Je suis grand, maintenant, Broud.

Puis, montrant l'épieu à la pointe noircie de sang :

— Je peux toucher ?

Broud abaissa l'arme devant le petit garçon qui tendit une main timide et effleura le sang séché de l'énorme bison, qui gisait sur le sol devant la caverne.

— Tu as eu peur, Broud ? demanda-t-il.

— Brun dit que tous les chasseurs sont un peu nerveux la première fois, répondit Broud, sans vouloir avouer les appréhensions qui l'avaient saisi.

— Vorn ! Ah, te voilà enfin ! Je croyais que tu devais aider Oga à ramasser du bois, s'exclama Aga en apercevant son fils qui avait échappé à l'attention des femmes.

Vorn suivit sa mère à contrecœur sans quitter des yeux sa nouvelle idole. Brun avait assisté à la scène avec satisfaction. Il voyait dans l'attitude du fils de sa compagne la marque d'un chef, capable de manifester de l'intérêt pour un petit garçon. Plus tard, quand Broud commanderait au clan, Vorn se souviendrait de la gentillesse qu'il lui avait témoignée.

Broud regarda Vorn qui traînait les pieds dans le sillage de sa mère. La veille encore, se rappela-t-il, Ebra était venue lui demander de l'aider. Il jeta un coup d'œil en direction des femmes occupées à creuser une fosse et il réprima à temps une envie de s'esquiver en surprenant le regard d'admiration qu'Oga posait sur lui. Ma mère ne peut plus rien exiger de moi, à présent que je suis un homme. C'est à elle de m'obéir, désormais, pensa-t-il en gonflant la poitrine.

— Ebra ! apporte-moi de l'eau ! ordonna-t-il sur un ton impérieux, tout en redoutant que sa mère ne l'envoie quand même chercher du bois.

Après tout, il ne serait définitivement un homme, du moins officiellement, qu'après la cérémonie.

Ebra leva vers lui des yeux emplis de fierté. Il était là devant elle, son garçon qui avait si bien accompli sa périlleuse mission, son fils, aujourd'hui devenu un homme. Elle se précipita vers la mare près de la caverne et revint aussitôt avec de l'eau en dévisageant ses compagnes d'un air hautain, comme pour dire : « Regardez mon fils ! N'est-ce pas un bel homme ? N'est-ce pas un vaillant chasseur ? »

L'empressement et l'orgueil de sa mère adoucirent la crispation de

Broud qui la gratifia d'un grognement de reconnaissance. La réponse d'Ebra lui fit presque autant plaisir que la lueur d'adoration qu'il lut dans les yeux d'Oga.

Oga avait le plus grand mal à se remettre de la mort de sa mère, suivie de peu par celle du compagnon de celle-ci. Le couple chérissait tendrement la jeune fille, en dépit de son sexe. La compagne de Brun s'était montrée très gentille avec elle lorsqu'elle vint au foyer du chef. Mais Oga avait peur de Brun, plus sévère que le compagnon de sa mère, et sur les épaules duquel pesaient lourdement ses responsabilités de chef. Quant à Ebra, elle avait peu de temps à consacrer à la petite orpheline. Un soir qu'elle songeait seule et triste près du feu, Broud, ce garçon fier, déjà presque un homme, était venu s'asseoir à côté d'elle et lui avait offert le réconfort de son épaule. Débordante de gratitude envers lui qui, auparavant, n'avait jamais porté la moindre attention à sa personne, Oga vivait depuis ce jour dévorée par le désir de devenir la compagne du jeune homme.

Le soleil de cette fin d'après-midi était encore chaud et aucun souffle de vent ne venait troubler l'air chargé de l'inlassable bourdonnement des mouches qui se relayaient autour des restes du repas, et du bruit des femmes occupées à creuser une fosse à rôtir. Ayla, assise auprès d'Iza, ne l'avait pas quittée de la journée, mais à présent la guérisseuse devait accomplir certains rites en compagnie de Mog-ur, afin de se préparer au rôle important qu'elle aurait à jouer lors de la cérémonie d'inauguration de la caverne, fixée pour le lendemain. Elle prit la petite fille par la main et la conduisit auprès des autres femmes. Le trou qu'elles creusaient non loin de l'entrée de la caverne serait tapissé de pierres puis on allumerait un grand feu qui brûlerait toute la nuit. Au matin, elles déposeraient au fond le bison dépecé et coupé en quartiers enveloppés de feuilles, puis recouvert d'argile sous laquelle il cuirait jusqu'au soir.

L'excavation exigeait du temps et beaucoup d'effort. Les femmes ameublissaient avec leurs bâtons la terre qu'elles ramassaient à la main pour la déposer sur une peau de cuir qu'elles hissaient et déchargeaient hors du trou. Cependant, une fois creusée, la fosse pouvait être utilisée autant de fois qu'on le désirait, son entretien n'exigeait que l'enlèvement des cendres. Tandis que les femmes creusaient, Oga et Vorn ramassaient du bois et rapportaient des pierres du ruisseau.

Les femmes s'arrêtèrent de travailler en voyant arriver Iza avec Ayla.

— Il faut que je voie Mog-ur, signala Iza en poussant gentiment Ayla vers le groupe.

Elle s'éloigna rapidement après avoir fait comprendre à la petite fille, tentée de la suivre, qu'elle ne devait pas bouger.

C'était le premier contact d'Ayla avec les autres membres du clan. Loin de la présence réconfortante d'Iza, elle resta clouée sur place, les yeux baissés. A l'encontre de tous les usages, les femmes examinèrent avec insistance la fillette qu'elles avaient pour la première fois l'occasion de voir de près.

Ebra fut la première à réagir.

— Elle peut ramasser du bois, fit comprendre la femme du chef à Ovra, avant de se remettre à creuser.

Ovra se dirigea vers un boqueteau en appelant d'un signe Oga et Vorn incapables de détacher leurs regards d'Ayla. Ovra fit le même geste à l'adresse d'Ayla qui hésita, incertaine de ce qu'on attendait d'elle. Puis, comme Ovra lui faisait signe de nouveau avant de se diriger vers le bouquet d'arbres, elle s'en fut d'un pas hésitant derrière Oga et Vorn qui traînaient les pieds dans le sillage de leur aînée.

Arrivée aux arbres, Ayla regarda les deux jeunes ramasser des branches mortes, tandis qu'Ovra élaguait de grosses bûches à l'aide de son coup-de-poing de pierre. Oga faisait la navette entre le tas de bois et les rondins que taillait Ovra. Elle s'efforçait de traîner une lourde bûche quand Ayla se porta à son aide en prenant l'autre extrémité. Les deux petites filles se dévisagèrent un long moment.

Quoique fondamentalement différentes, elles possédaient de nombreux points communs. Issues d'une même origine, leurs ancêtres avaient suivi une évolution différente qui conférait aux deux enfants une intelligence vive, mais totalement dissemblable. Toutes deux *homo sapiens,* toutes deux dominantes pendant une époque, le fossé les séparant n'était pas considérable, mais de subtiles particularités engendreraient des destins opposés.

Comme elles s'en retournaient après avoir déposé leur charge sur le tas de bois, les femmes suspendirent un instant leurs gestes pour les observer. Elles étaient à peu près de la même taille, bien que l'une fût deux fois plus âgée que sa compagne. L'une était élancée et blonde, l'autre courtaude et brune. Les femmes les comparèrent, mais les deux fillettes, comme tous les enfants, oublièrent vite leurs différences. Avant la fin de la journée, elles avaient trouvé, à partager les tâches, le moyen de communiquer et même de s'amuser.

Ce soir-là, elles dînèrent côte à côte, découvrant les premières joies de l'amitié. Heureuse qu'Oga ait accepté Ayla comme compagne de jeu, Iza attendit que la nuit tombât pour l'emmener se coucher. Les deux fillettes se séparèrent après avoir échangé un long regard puis Oga alla se glisser dans la fourrure d'Ebra, obligée, ainsi que le reste du clan, à dormir séparée de son compagnon jusqu'à leur emménagement dans la nouvelle caverne. Ainsi en avait décidé Mog-ur.

Iza ouvrit les yeux aux premiers rayons de soleil. Elle resta allongée à écouter le chant intarissable des oiseaux saluant le jour nouveau. D'ici peu, pensa-t-elle, elle s'éveillerait dans la caverne. Il ne lui déplaisait pas de dormir à la belle étoile, quand le temps était clément, mais il lui tardait de retrouver la sécurité des parois d'une grotte. Elle songea à la cérémonie et à toutes les tâches qui l'attendaient, et elle se leva promptement, sans faire de bruit.

Creb était déjà réveillé. En le retrouvant exactement comme elle l'avait quitté la veille, assis devant le feu, elle se demanda si seulement il avait dormi. Elle mit de l'eau à chauffer, et quand elle lui apporta son infusion de menthe et d'ortie, Ayla était déjà assise auprès du vieil homme. Elle alla quérir pour la fillette des restes du dîner de la veille car, ce jour-là, les hommes et les femmes ne mangeraient pas avant le festin rituel.

Vers la fin de l'après-midi, des fumets exquis s'échappaient de plusieurs feux où mijotait la nourriture, aux abords de la caverne. Les femmes avaient déballé les ustensiles de cuisine qu'elles avaient pu sauver du tremblement de terre. Des récipients d'osier tressé selon des trames variées servaient aussi bien à puiser de l'eau dans la mare qu'à y cuire ou contenir divers aliments. On faisait le même usage des bols en bois. Les larges os iliaques servaient, eux, de plats et de plateaux, tandis que les cuillers à touiller étaient faites de côtes. Mâchoires, os frontaux offraient de leur côté un assortiment de coupes et de louches. Enfin des écorces de noisetier collées ensemble avec de la résine de pin et renforcées astucieusement par des tendons formaient une variété de récipients de toutes formes.

Dans une outre, suspendue au-dessus d'un feu à trépied lié par une lanière de cuir, mitonnait un savoureux potage, objet d'une surveillance sans défaut, car il fallait que le niveau du liquide dépasse toujours les flammes, maintenant ainsi une température trop basse pour que la peau risque de prendre feu. Ayla observait Uka remuer doucement des morceaux de viande coupés dans le cou du bison, qui avaient été mis à cuire avec des oignons sauvages, du pas-d'âne, et diverses herbes. Uka goûtait de temps à autre le potage, dans lequel elle avait ajouté des champignons coupés en lamelles, des chardons ébarbés, des bulbes et des bourgeons de lis, du cresson sauvage, des bourgeons de laiterons ainsi que des airelles datant d'une cueillette précédant le cataclysme et que les femmes avaient également emportées.

Les fibres dures de vieux rhizomes de massettes avaient été broyées et ôtées. Des myrtilles séchées et des graines grillées agrémentaient la pâte des galettes de pain sans levain qui cuisaient sur des pierres près du feu. Des ansérines, du jeune trèfle et des feuilles de pissenlit cuisaient dans une autre marmite d'osier, tandis qu'une sauce faite d'une compote de pommes séchées mélangée à des pétales de roses et à du miel mijotait sur un autre feu.

Iza avait été particulièrement contente de voir Zoug rentrer de sa chasse avec quelques lagopèdes : leur vol bas en faisait des proies faciles pour l'habile frondeur. C'était le mets préféré de Creb. Farcis d'herbes odorantes et enveloppés dans des feuilles de vigne sauvage, les goûteux volatiles cuisaient à part dans une petite fosse à rôtir. Des lièvres et des hamsters géants, dépecés et vidés, rôtissaient au-dessus des braises, tandis que des tas de petites fraises sauvages brillaient d'un rouge vif au soleil.

C'était un festin à la hauteur de l'événement.

Ayla n'en pouvait plus d'attendre. Elle avait passé la journée entière à errer autour des plats fumants. Iza et Creb semblaient des plus affairés ; quant à Oga, elle aidait les femmes à la cuisine. Personne n'avait le temps ni le moindre désir de s'occuper de la petite fille qui, après s'être fait rabrouer à plusieurs reprises, s'efforça de se tenir à distance.

Tandis que le soleil couchant allongeait les ombres autour de la caverne, un silence attentif s'abattit sur le clan. Tout le monde s'approcha de la fosse où mijotaient les quartiers de bison. Ebra et Uka commençaient déjà à retirer l'argile chaude qui recouvrait la bête ; ôtant la couche de feuilles roussies, elles découvrirent l'appétissante chair exhalant un fumet qui mit l'eau à la bouche de chacun. La viande fut extraite du foyer avec précaution, tant les quartiers cuits à point risquaient de se détacher. Puis le soin de découper et de servir échut à Ebra, la compagne du chef, qui, avec orgueil, offrit le premier morceau à son fils.

Broud s'avança pour recevoir son dû sans afficher la moindre modestie. Une fois les hommes servis, les femmes, puis les enfants reçurent leur part, la dernière étant réservée à Ayla, et un grand silence tomba sur le clan tout occupé à dévorer la viande savoureuse.

Ce fut un interminable festin où chacun eut le loisir de se resservir à volonté. Si les femmes avaient travaillé dur, les louanges qu'elles en tirèrent les récompensèrent largement de leur peine, ainsi que la pensée de ne plus avoir à cuisiner de plusieurs jours. Quand tous furent gavés, ils se reposèrent, car une longue nuit les attendait.

Quand la pénombre s'installa, l'atmosphère doucement paresseuse de l'après-midi se chargea peu à peu de fébrilité. Sur un regard de Brun, les femmes firent rapidement disparaître les reliefs du repas et prirent place autour d'un feu dressé à l'entrée de la caverne. La disposition des membres du clan obéissait à des règles très strictes, correspondant au rang de chacun. Les femmes avaient pris place d'un côté de l'assemblage de branches mortes, et les hommes de l'autre, chacune et chacun selon sa position hiérarchique. Seul Mog-ur ne se trouvait pas parmi eux.

Brun fit signe à Grod qui s'avança dignement, sans se presser, et sortit de sa corne d'aurochs le charbon ardent provenant en ligne directe du feu allumé dans l'ancienne caverne. La survie de ce feu était étroitement liée à celle du clan. L'allumer à l'entrée de leur nouvelle demeure consacrait la possession et la pérennité de celle-ci.

La maîtrise de ce feu était primordiale pour l'homme en ces régions froides. La fumée même possédait des vertus. Son odeur seule suscitait le sentiment de sécurité d'avoir un abri. La fumée pénétrerait dans la caverne, monterait jusqu'à la voûte, s'insinuerait dans les fissures de la roche, éloignerait les forces du mal, assainirait la grotte et l'imprégnerait de l'essence même de l'homme.

Allumer le feu n'était qu'un des rites marquant l'inauguration d'une nouvelle caverne. L'un d'eux avait pour but de familiariser les esprits des ... ms protecteurs avec leur nouvelle résidence. Célébré par Mog-ur, ce rituel s'accomplissait sous la direction du sorcier par sexes séparés. A cette occasion, c'était Iza qui préparait le breuvage de la cérémonie consacrée aux hommes.

L'heureuse issue de la chasse avait témoigné de l'approbation des totems, et le festin confirmait leur intention d'en faire un lieu de résidence permanent, même si le clan était appelé à s'absenter plus ou moins longuement à certaines époques. Les esprits totémiques voyageaient également, mais tant que les membres du clan étaient en possession de leurs amulettes, leurs totems pouvaient les rejoindre depuis la caverne à chaque fois que leur présence était requise.

Dans la mesure où les esprits étaient forcément présents lors de la cérémonie d'inauguration d'une caverne, d'autres rituels pouvaient y être adjoints. Dans ce cas, ces derniers, associés à un événement aussi solennel que l'entrée en possession d'une nouvelle demeure, s'en trouvaient considérablement grandis.

C'était à Mog-ur qu'incombait le soin de décider des rituels suscepti-bles d'être associés, une tâche dont il ne s'acquittait toutefois qu'en accord avec Brun. Ainsi la consécration de leur nouvelle caverne allait-elle s'accompagner de la nomination de Broud au rang d'homme et de la désignation des totems de certains jeunes membres du clan, celle-ci étant accomplie par ailleurs dans le désir de plaire aux esprits. Le temps n'était pas un facteur important, et tout rituel pouvait se prolonger à plaisir quand les conditions s'y prêtaient. Auraient-ils été épuisés ou en danger, le simple fait d'allumer un feu aurait suffi à consacrer la caverne.

Avec une gravité à la mesure de l'importance de sa tâche, Grod s'agenouilla, déposa la braise rouge sur un tas de brindilles, puis se mit à souffler dessus. Le clan se pencha en avant dans une attitude anxieuse et de toutes les poitrines s'exhala un soupir de soulagement quand les flammes commencèrent de crépiter et que le bois sec s'embrasa rapidement. Soudain, surgissant de nulle part, un personnage effrayant apparut si près du feu qu'il semblait en être l'émanation. Un crâne blanc surmontait son visage rouge vif qui semblait flotter au milieu du brasier.

Ayla tressaillit à cette apparition, et Iza lui pressa la main pour la rassurer. L'enfant perçut le sourd martèlement des épieux sur le sol tandis que Dorv marquait le rythme sur une grande calebasse en bois. La fillette sursauta de nouveau alors que le plus proche des chasseurs bondissait devant les flammes. C'était Broud, entamant sa danse de la chasse.

Broud s'accroupit, la main en visière pour se protéger d'un soleil imaginaire, bientôt imité par les autres chasseurs qui mimèrent avec lui la chasse au bison. Leur art de la pantomime, affiné par des siècles de langage gestuel, était si parfait qu'ils parvenaient à recréer l'intense émotion de la traque au gros gibier. Les femmes du clan, sensibles aux nuances les plus fines de leurs gestes, se sentaient transportées dans les plaines torrides ; il leur semblait percevoir le tremblement du sol sous le martèlement de milliers de sabots et elles partageaient avec les chasseurs l'exaltation de la mise à mort. C'était là un rare privilège pour elles que d'entrevoir le domaine sacro-saint de la chasse. Même l'étrange fillette blonde était fascinée par le spectacle.

Broud avait pris la direction de la danse. Ç'avait été sa chasse, et c'était sa nuit. Conscient des réactions de son auditoire et de la peur des femmes, il y allait de ses plus belles mimiques, savourant le plaisir de se voir le centre de l'attention générale. Comédien consommé, il était parfaitement dans son élément sur cette scène primitive éclairée par les flammes d'un feu de camp, et le frisson qu'il faisait passer parmi les femmes avait une qualité érotique. Mog-ur, debout derrière son rempart de feu, suivait ses mimiques avec une attention passionnée ; s'il avait souvent entendu les hommes faire le récit de leurs chasses, il ne partageait réellement leurs émotions qu'à l'occasion de ces fêtes. Ce garçon s'est bien comporté, estima le sorcier ; il a bien mérité de son totem, et il est normal qu'il ait son heure de gloire.

Le dernier bond du jeune homme le fit atterrir devant le grand Mog-ur, tandis que le battement sourd des épieux et le contrepoint plus sec de la calebasse s'achevaient sur un dernier roulement. Le vieux sorcier et le jeune chasseur se firent face. Mog-ur aussi connaissait bien son rôle. Le maître de cérémonie, dont la silhouette bancale malgré la peau d'ours qui l'enveloppait se détachait sur le fond du brasier, attendit que l'excitation de la danse fût apaisée. Son visage teinté d'ocre rouge lui donnait l'apparence d'un être surnaturel.

Seuls les craquements du feu, la brise soufflant à travers les arbres et le cri d'une hyène dans le lointain venaient troubler le silence de la nuit. Les yeux brillants, le cœur battant, Broud ne parvenait pas à reprendre son souffle, après la danse exténuante, mais aussi en raison d'une peur incontrôlable qui l'envahissait soudain. Il savait ce qui l'attendait, mais plus le temps passait, plus ses frissons se muaient en tremblements. Le moment était venu où Mog-ur allait imprimer dans sa chair la marque de son totem. Jusqu'ici Broud avait chassé cette pensée de son esprit, et à présent l'aura dégagée par le sorcier bien plus que la douleur physique à venir l'emplissait d'effroi.

Il allait en effet pénétrer dans le monde des esprits, bien plus terrifiant que tous les bisons de la terre, qui sont au moins des créatures palpables, appartenant au monde visible, sans rien de commun avec le monde surnaturel puissant et invisible, capable de faire trembler la terre. Broud n'était pas le seul parmi l'assistance à frissonner au souvenir du dernier cataclysme qui avait douloureusement frappé le clan. Seuls les sorciers osaient pénétrer dans les contrées de l'impalpable, et le jeune homme pétri de superstition souhaitait que Mog-ur en finisse au plus vite.

En réponse au désir muet de Broud, le sorcier leva le bras, les yeux rivés sur le croissant de lune. Alors il adressa un appel passionné, qui n'était pas destiné au clan fasciné mais au monde éthéré des esprits. Eux seuls étaient capables de comprendre les gestes lents et éloquents de ce corps difforme et de cet unique bras. Lorsqu'il eut terminé, le

cla   sentait pénétré de l'essence des totems protecteurs ainsi que de
bien   autres esprits connus, et Broud trembla de plus belle.

Sou lain, avec une rapidité qui arracha un hoquet de stupeur à
quelques bouches, le sorcier fit surgir de sa fourrure une pierre acérée
qu'il brandit au-dessus de sa tête. D'un geste vif, il l'abaissa sur la
poitrine de Broud, comme s'il allait lui porter un coup fatal. Mais il
lui fit seulement deux entailles superficielles incurvées, se rejoignant en
un point, telle la corne du rhinocéros.

Broud avait fermé les yeux mais il ne broncha pas quand le couteau
lui grava la chair. Le sang jaillit, laissant des sillons rouges le long du
torse. Puis Goov se porta aux côtés du sorcier pour lui présenter un
bol d'onguent à base de graisse de bison mélangée à de la cendre de
frêne. Mog-ur fit pénétrer la pommade noirâtre dans les entailles,
interrompant l'hémorragie et assurant ainsi la formation d'une cicatrice
noire. Elle indiquerait que Broud était un homme ; un homme placé
sous l'éternelle protection du puissant et imprévisible rhinocéros.

Le jeune homme regagna sa place, sensible à l'attention générale
dont il faisait l'objet et plus que jamais disposé à en jouir maintenant
que le pire était passé. Il était persuadé que son courage et son adresse
à la chasse, le récit éloquent qu'il avait su en donner en dansant, enfin
l'impassibilité dont il avait fait preuve en recevant la marque de son
totem fourniraient pendant longtemps un sujet de conversation animée
aux membres du clan. Il se voyait déjà tel un personnage légendaire
dont on se conterait les exploits lors des longues soirées hivernales et
des rassemblements claniques. Sans moi, cette caverne ne serait pas
nôtre, se dit-il. Si je n'avais pas tué ce bison, nous n'aurions pu célébrer
cette cérémonie et nous serions toujours à la recherche d'une caverne.
Broud, grisé par son succès, n'était pas loin de croire que la nouvelle
et heureuse situation du clan n'était due qu'à lui seul.

Ayla assista au rite, fascinée et terrorisée par la vue du sang. Aussi,
quand Iza l'emmena auprès du sorcier, essaya-t-elle de s'enfuir, se
demandant ce qu'allait lui faire ce personnage vêtu d'une peau d'ours
et qui venait de taillader cruellement la poitrine d'un jeune chasseur.
Elle fut cependant rassurée de voir Aga portant Oga dans ses bras, et
Ika avec Borg, s'approcher également de Mog-ur.

Goov tenait à présent le panier cérémoniel contenant l'ocre rouge
sacrée réduite en poudre et mélangée avec de la graisse animale. Mog-
ur s'adressa de nouveau à la lune, haute dans le ciel, en exécutant les
gestes convenus pour demander aux esprits de veiller sur les enfants
dont les totems allaient leur être révélés. Puis, plongeant ses doigts
dans la pâte rouge, il dessina une spirale sur la hanche du petit garçon,
évoquant la queue d'un sanglier. Un murmure étouffé s'éleva de
l'assistance qui, par gestes, commenta éloquemment le bien-fondé d'un
tel choix.

— Esprit du Sanglier, Borg se trouve désormais sous ta protection,
indiqua par signes le sorcier tout en passant autour du cou de l'enfant
une petite bourse attachée avec une lanière de cuir.

Ika baissa la tête en signe d'approbation et de satisfaction, car le totem du sanglier était fort et respectable. Heureuse de ce choix pour son fils, elle s'écarta.

Le sorcier s'adressa de nouveau aux esprits puis, reprenant un peu de pâte dans le panier que lui présentait Goov, il dessina un cercle rouge sur le bras d'Ona.

— Esprit du Hibou, mima-t-il, Ona se trouve désormais sous ta protection.

Mog-ur passa ensuite au cou de la petite fille l'amulette que lui avait confectionnée sa mère, et une fois encore les gestes et les grognements allèrent bon train. Aga était heureuse pour sa fille, convenablement protégée d'ores et déjà, et qui plus tard se verrait à coup sûr présenter un compagnon au totem encore plus puissant. Il le fallait si Oga voulait être mère sans trop de difficultés.

Les bustes se penchèrent en avant avec curiosité quand Iza prit Ayla dans ses bras. La fillette n'était plus le moins du monde effrayée. Maintenant qu'elle était proche de lui, elle avait reconnu Creb sous l'inquiétante peinture rouge. La tendresse se lisait dans les yeux du sorcier lorsqu'il posa son regard sur elle.

A la grande surprise de l'assistance, le sorcier exécuta non pas les gestes auxquels on s'attendait, mais ceux qu'il avait coutume d'accomplir à chaque fois qu'il devait donner son nom à un nouveau-né, sept jours après sa naissance. Non seulement la fillette étrangère allait connaître son totem, mais elle allait être adoptée par le clan ! Mog-ur traça une ligne rouge sur le visage de l'enfant, partant du milieu du front et descendant le long de l'arête du nez.

— L'enfant s'appelle Ayla, déclara-t-il en prononçant lentement son nom, de manière à ce que le clan et les esprits le comprennent bien.

Iza se tourna vers l'assistance, le cœur battant, aussi stupéfaite que les autres devant cette révélation. Cela signifie donc, pensa-t-elle, qu'Ayla est ma fille, mon premier enfant. Seule la mère a le droit de présenter son enfant pour qu'il reçoive un nom. Cela fait-il sept jours que je l'ai trouvée ? Je n'en suis pas sûre ; il faudra que je demande à Creb. Après tout, il est juste qu'elle soit ma fille ; qui d'autre que moi pourrait être sa mère ?

Tous les membres du clan défilèrent devant Iza, qui portait la fillette de cinq ans comme un bébé, et tous répétèrent le nom avec plus ou moins d'exactitude. Puis Iza se retourna vers le sorcier qui, une fois encore, appela les esprits. Utilisant à son avantage l'attention impatiente du clan, Mog-ur décrivit délibérément de larges mouvements lents, pour bien faire durer l'expectative. Puis, prenant un peu de la pâte rouge et grasse, il traça une ligne sanglante sur la cuisse d'Ayla, exactement superposée à la première des cicatrices laissées par les griffes du félin.

De quel totem s'agissait-il ? se demandait le clan, interdit. Le sorcier plongea de nouveau la main dans le panier rouge et dessina une deuxième ligne sur la cicatrice suivante. Ayla sentit Iza frémir. Figé, le clan retenait sa respiration. Au troisième tracé, Brun jeta un regard insistant et contrarié à Mog-ur, mais ce dernier refusa d'y prêter attention. Quand la quatrième ligne fut tracée, tout le monde avait

c is, mais personne ne pouvait en croire ses yeux. Après tout, ce
n it pas la bonne jambe. Alors Mog-ur releva la tête et regarda Brun
d s les yeux tandis que de sa main il traçait la formule consacrée.

— Esprit du Lion des Cavernes, Ayla se trouve désormais sous ta
protection.

Le geste rituel balaya les derniers doutes. Comme Mog-ur passait
l'amulette autour du cou d'Ayla, l'agitation des mains traduisait la
stupeur du clan. Comment était-ce possible ? Une fille pouvait-elle
posséder l'un des plus puissants totems réservés aux hommes, le Lion
des Cavernes ?

Le regard de Creb à son frère était aussi ferme qu'intraitable. Ils
s'affrontèrent ainsi pendant un long moment en un combat muet. Mais
Mog-ur se sentait sûr des raisons qui avaient inspiré son choix. Il
n'avait fait que confirmer le signe que le lion lui-même avait gravé
dans la chair de la fillette. C'était là une raison plus forte que toutes
les raisons voulant qu'une femme ne reçoive jamais la protection d'un
totem aussi puissant. Brun n'avait jamais mis en question les révélations
dont son sorcier de frère faisait l'objet de la part des esprits, mais cette
fois-ci il avait le sentiment d'avoir été trompé par Creb, même s'il
devait admettre qu'il n'avait jamais vu de totem révélé de manière aussi
évidente. Il fut le premier à détourner les yeux, mais il n'était pas
heureux.

Accepter cette enfant des Autres au sein du clan n'était déjà pas
chose facile, et voilà que son totem créait une situation tout à fait
irrégulière, anormale. Et Brun n'aimait pas les anomalies dans son clan
bien ordonné. Les dents serrées, il se promit qu'il n'y aurait pas d'autre
dérogation à l'avenir. Si la fillette était appelée à devenir un membre
du clan, elle devrait se conformer aux règles, que son totem soit ou
non le Lion des Cavernes.

Stupéfaite, Iza baissa la tête en signe d'acceptation. Puisque Mog-ur
l'avait décidé, il devait en être ainsi. Elle savait que le totem d'Ayla
était puissant, mais de là à penser au Lion des Cavernes ! A présent,
elle était convaincue que la petite fille ne trouverait jamais de
compagnon, et cette certitude l'encouragea dans sa décision de lui
transmettre son savoir de guérisseuse, afin qu'elle puisse jouir d'un
statut particulier. Creb l'avait nommée, l'avait reconnue, et lui avait
révélé son totem alors qu'Iza la tenait dans ses bras. C'était cela qui la
désignait comme sa fille, car la naissance seule ne suffisait pas. Iza
songea que si elle menait sa grossesse à terme, elle, qui n'avait jamais
eu d'enfant, en aurait bientôt deux.

A en juger par l'agitation et le brouhaha guttural qui régnaient, la
nouvelle avait provoqué le plus vif émoi dans le clan. Iza, gênée, reprit
sa place sous les regards emplis de stupeur que lui lançaient à la dérobée
aussi bien les hommes que les femmes. Toutefois, tous s'efforçaient de
ne pas fixer des yeux d'Iza et la fillette, car il était malséant de le faire.
Tous, sauf un.

Il y avait plus que de l'étonnement dans les yeux de Broud. La haine
qu'y lut Iza l'effraya, et elle tenta de s'interposer entre Ayla et le

regard malveillant de l'orgueilleux jeune homme. Broud n'était plus le centre de l'attention générale ; plus personne ne parlait de lui. Oubliée sa chasse, oubliée sa danse merveilleuse, oublié son courage exemplaire lorsque Mog-ur lui avait gravé sur le torse la marque de son totem. Plus personne ne lui prêtait d'intérêt. Il entendait certains dire que c'était ce petit laideron qui avait découvert la caverne ! Son totem était le Lion des Cavernes ? Et alors ? Etait-ce elle qui avait tué le bison ? Ayla était en train de lui voler son plaisir, l'admiration et le respect du clan.

Il continuait de fixer la fillette d'un regard mauvais, quand il remarqua qu'Iza s'était levée pour se rendre au campement, près du ruisseau, et son attention se porta vers Mog-ur. Bientôt, très bientôt il allait participer aux cérémonies secrètes des hommes. Il ignorait ce qui l'attendait ; on lui avait seulement laissé entendre qu'il apprendrait pour la première fois ce qu'était la mémoire. C'était là le dernier pas qui lui ferait franchir le seuil de l'âge d'homme.

Au campement, Iza ôta sa peau de bête et prit l'écuelle en bois et les racines séchées qu'elle avait préparées pour la cérémonie. Après avoir rempli d'eau l'écuelle, elle regagna le gigantesque feu de joie qui crépitait de plus belle depuis que Grod y avait ajouté des branchages.

Sa peau de bête avait masqué pour une part la raison des longues absences d'Iza durant la journée : quand elle s'avança devant le sorcier, son corps entièrement nu, à l'exception de son amulette, était marqué de dessins à la peinture rouge. Un large cercle accentuait encore la plénitude de son ventre ; des cercles plus petits soulignaient également ses seins et ses fesses. Ces symboles énigmatiques, connus de Mog-ur seul, la protégeaient comme ils protégeaient aussi les hommes. Il était considéré comme dangereux d'impliquer une femme dans les rites religieux, mais l'événement autorisait qu'on déroge à cette règle.

Iza se tenait si près de Mog-ur qu'elle voyait les gouttelettes de sueur perler sur son visage à se tenir devant le feu dans sa peau d'ours. Sur un signe imperceptible de lui, elle leva l'écuelle en se tournant face au clan. C'était une écuelle très ancienne, exclusivement consacrée à certains rites depuis des générations. Il y avait très longtemps de cela, une guérisseuse avait évidé un petit billot taillé dans un arbre, puis l'avait longuement poli en le ponçant avec du sable et une pierre ronde. Un dernier polissage avec des rameaux de fougère lui avait donné un aspect soyeux, et l'intérieur avait pris une patine blanche due à toutes les fois où elle avait contenu le breuvage cérémoniel.

Iza porta les racines séchées à sa bouche et les mâcha lentement, en prenant bien soin de ne pas en avaler. Puis, elle cracha la pulpe ainsi obtenue dans l'écuelle remplie d'eau et remua le mélange jusqu'à ce qu'il devienne d'un blanc laiteux. Seules les guérisseuses de la lignée d'Iza connaissaient le secret de cette plante assez rare mais cependant familier qui, consommée fraîche, perdait de ses qualités narcotiques. Mais la guérisseuse en avait fait sécher les racines pendant au moins deux ans, suspendues la tête en haut, contrairement à la pratique courante. Si seules les guérisseuses étaient habilitées à préparer ce breuvage, seuls les hommes avaient le droit de le boire.

Selon une très ancienne légende, transmise de mère en fille, en des temps très reculés seules les femmes absorbaient cette drogue puissante. Bientôt cependant, les hommes les privèrent de ce privilège et s'octroyèrent l'exécution des rites qui l'accompagnaient, mais ils ne purent leur arracher le secret de sa préparation. Les guérisseuses qui le possédaient refusèrent avec intransigeance de le dévoiler à quiconque, si ce n'est à leurs descendantes directes. Aujourd'hui encore, le breuvage n'était remis aux hommes qu'en échange d'un équivalent. C'est ainsi qu'une fois la boisson prête, Iza adressa un signe de tête à Goov qui s'avança avec un bol de datura, tel qu'il le préparait d'ordinaire pour les hommes mais qui, en cette occasion, était destiné aux femmes. Ils échangèrent solennellement les écuelles, puis Mog-ur entraîna les hommes à sa suite dans la petite caverne.

Après leur départ, Iza fit passer le datura à la ronde parmi ses compagnes. La guérisseuse savait utiliser cette plante à des fins diverses : selon le mode de préparation, elle avait des effets anesthésiants, calmants, soporifiques, et Iza avait également une préparation sédative destinée aux enfants. Les femmes ne pouvaient en effet se détendre complètement qu'en sachant que leurs enfants ne viendraient pas réclamer leur attention et qu'ils seraient en même temps en sécurité. Ainsi Iza s'assurait-elle du sommeil des petits quand les femmes s'offraient le luxe rare d'une cérémonie.

Elles ne tardèrent pas à coucher leurs enfants tout ensommeillés avant de s'en retourner près du feu. Après avoir bordé Ayla dans sa fourrure, Iza retourna la calebasse dont Dorv s'était servi pendant la danse de la chasse et se mit à battre un rythme lent et régulier dont elle faisait varier la sonorité en frappant à son gré sur les bords ou bien au centre de l'instrument.

Au début, les femmes demeurèrent assises sans bouger, habituées qu'elles étaient à manifester la plus grande réserve en présence des hommes. Mais petit à petit, à mesure qu'elles ressentaient les effets de la drogue et prenaient conscience de l'absence de leurs compagnons, certaines commencèrent à se balancer au rythme lancinant de la calebasse. Ebra fut la première à se lever. Elle exécuta des pas complexes autour d'Iza qui accéléra le tempo, éveillant le désir d'un grand nombre de femmes. Elles ne tardèrent pas à rejoindre en chœur la compagne du chef.

Comme le rythme s'accélérait encore, les femmes, d'ordinaire si pudiques, se débarrassèrent de leurs peaux de bêtes, pour se donner plus librement et plus érotiquement à la danse. Elles ne s'aperçurent même pas qu'Iza avait abandonné son instrument pour danser avec elles. Un rythme interne les possédait et elles s'abandonnaient, exprimant des émotions que la vie quotidienne les obligeait à refouler. Dans une débauche de tourbillons, de bonds et de contorsions, elles dansèrent ainsi jusqu'à l'aube, avant de s'écrouler épuisées et de s'endormir sur place.

Les hommes commencèrent à quitter la caverne aux premières lueurs du jour. Enjambant les corps inertes des femmes, ils gagnèrent leurs couches pour sombrer dans un sommeil sans rêves. Leur propre cérémonie, plus réservée, plus intérieure, les avait tout autant épuisés.

Comme le soleil apparaissait à l'horizon, Creb sortit de la caverne en claudiquant et contempla le spectacle de ces corps abandonnés. Il avait eu le privilège d'assister une fois à la cérémonie des femmes. Le vieux magicien, dans sa sagesse, comprenait leur besoin de détente. Il savait les hommes extrêmement curieux d'apprendre ce qui mettait leurs compagnes dans un tel état d'épuisement, mais il ne leur avait jamais rien révélé. Les hommes auraient été choqués par le total abandon des femmes, comme celles-ci l'auraient été de surprendre leurs fiers compagnons suppliant les esprits protecteurs de ne pas les abandonner.

Mog-ur s'était souvent demandé s'il serait capable de faire remonter la pensée des femmes jusqu'à leurs origines premières. Leurs souvenirs étaient de nature différente, mais elles avaient la même capacité que les hommes à se rappeler leurs connaissances ancestrales. Pourraient-elles partager les rites des mâles, se demandait Mog-ur, bien décidé cependant à ne pas risquer de déchaîner la colère des esprits pour en avoir le cœur net. Le clan irait à sa perte le jour où une femme serait admise aux cérémonies masculines.

Creb se dirigea péniblement vers le campement où il retrouva sa fourrure. Il aperçut le désordre d'une chevelure blonde dans la couche d'Iza et se prit à repenser aux événements survenus depuis l'éboulement de leur ancienne caverne. Comment cette étrange fillette était-elle parvenue à gagner aussi vite son affection ? Il se sentait blessé par les sentiments hostiles de Brun à l'égard d'Ayla. Quant aux regards haineux de Broud, ils ne lui avaient pas échappé. Les dissensions au sein de ce petit groupe homogène avaient entaché la fête et fait naître en lui un certain malaise.

Broud n'en restera pas là, pensa-t-il. Le Rhinocéros Laineux ne pouvait mieux convenir comme totem à notre futur chef. Broud peut se révéler courageux mais il est pétri d'orgueil. Le voici calme et raisonnable, et même doux et aimable, et l'instant d'après, sans raison apparente, il peut charger aveuglé par la rage. J'espère qu'il ne se retournera pas contre Ayla.

Allons, ne sois pas idiot, se reprocha-t-il. Le fils de Brun ne va tout de même pas prendre ombrage d'une enfant ! Il est appelé à être un jour le chef de ce clan, et puis Brun désapprouverait tout geste hostile envers la fillette. Broud est maintenant un homme, et il lui faudra bien apprendre à se maîtriser.

Le vieillard se rendit compte en s'allongeant combien il était las. Depuis le tremblement de terre, pour la première fois, il pouvait se laisser aller au repos. La caverne était désormais la leur et les totems intronisés dans leur nouvelle demeure où le clan pourrait emménager dès le lendemain matin. Le sorcier bâilla, s'étira, puis ferma son œil unique.

7

Les membres du clan éprouvèrent un sentiment d'émerveillement à la vue de l'imposante salle voûtée quand ils prirent enfin possession de la caverne. Laissant derrière eux les angoisses de leur quête et les souvenirs de leur ancienne grotte, ce fut avec un égal ravissement qu'ils découvrirent toutes les ressources de la contrée. Aussi se livrèrent-ils sans tarder aux occupations quotidiennes des étés courts et chauds : la chasse, la cueillette et la constitution de réserves en prévision de la saison froide.

Ils pêchaient à la main les truites arc-en-ciel réfugiées sous les souches et les pierres du cours d'eau dont les eaux vives dévalaient vers l'embouchure fréquentée par les esturgeons et les saumons, alors que la mer intérieure hébergeait de gigantesques poissons-chats. Les grosses pièces étaient prises au filet, des seines faites de crins. Souvent ils parcouraient la quinzaine de kilomètres qui les séparaient de la côte afin d'y pêcher et de fumer sur place le poisson, en même temps qu'ils ramassaient crustacés et coquillages, ainsi que les œufs des oiseaux de mer nichant dans les falaises, ajoutant parfois à leur cueillette quelques mouettes et fous de Bassan tués à la fronde, et même de grands pingouins.

Les chasseurs partaient souvent en expédition. Les steppes voisines à l'herbe grasse abondaient en herbivores. On y trouvait le cerf géant, dont les bois pouvaient s'élever jusqu'à trois mètres de hauteur, ainsi que le bison dont les cornes atteignaient également de remarquables dimensions. Les chevaux des steppes se hasardaient rarement sous des latitudes aussi basses, mais les ânes et les onagres — se situant entre le cheval et l'âne — pâturaient dans les vastes étendues herbeuses de la péninsule, alors que leur robuste cousin, le cheval sylvestre, vivait seul ou en petits groupes dans les collines avoisinantes. Enfin, il n'était pas rare de rencontrer des bandes de saïgas, antilopes au nez bossué et bombé.

La zone entre la steppe et les contreforts des montagnes était fréquentée par les aurochs, ancêtres des bovidés domestiques. On y trouvait encore le rhinocéros sylvestre — apparenté aux espèces qui devaient fréquenter plus tard les régions chaudes, mais adapté au climat tempéré de ces forêts — ainsi qu'une autre variété très voisine. Tous deux, avec leurs deux cornes courtes surmontant une tête massive, différaient des rhinocéros laineux qui, comme les mammouths, n'étaient que des visiteurs saisonniers. Ils présentaient une longue corne antérieure inclinée vers l'avant et un port de tête très bas, utile pour déblayer la neige recouvrant les pâturages en hiver. Leur épaisse couche de graisse et leur manteau laineux leur offraient une totale protection contre les rigueurs de l'hiver septentrional. Leur habitat naturel s'étendait en effet au nord, dans les steppes alluviales, riches en loess.

Seule la présence de glaciers permettait la formation de steppes à loess. La basse pression exercée en permanence sur les vastes étendues de glace éliminait l'humidité de l'air, n'autorisant ainsi que de faibles chutes de neige et créant en revanche des vents constants. Le loess, fine poussière calcaire arrachée au chaos de roches à la périphérie des glaciers, était déposée sur des centaines de kilomètres. Au printemps le mélange de neige fondue et de loess permettait la pousse rapide d'une herbe drue qui séchait vite sous l'ardeur du soleil et fournissait des centaines de milliers d'hectares de fourrage aux millions d'animaux qui s'étaient adaptés au froid glaciaire du continent.

Les steppes continentales de la péninsule n'accueillaient les bêtes laineuses qu'à la fin de l'automne. Les étés y étaient trop chauds et, en hiver, la neige trop abondante pour paître. Nombre d'animaux étaient poussés vers le nord pendant la saison froide, jusqu'aux frontières des steppes à loess, au climat rigoureux mais sec. La faune forestière, capable de se nourrir d'arbustes, d'écorces et de lichens, restait sur les pentes boisées, plus clémentes mais peu propices aux grands troupeaux.

En altitude, mouflons, bouquetins et chamois se partageaient les alpages, tandis que dans les forêts plusieurs espèces d'oiseaux au vol rapide animaient les sous-bois de leurs ramages mais encore fournissaient aux champions du tir à la fronde un gibier de choix. Le lagopède des saules, plus lourd, constituait également dans les plaines une belle cible pour les frondeurs, tandis que l'on chassait au filet les oies et canards migrateurs. Enfin dans le ciel, portés par les courants chauds, planaient, nonchalants mais attentifs, de nombreuses espèces d'oiseaux de proie et de charognards.

Il y avait d'autres hôtes dans les bois et dans les steppes voisines de la caverne : hermines, loutres, gloutons, martres, renards, fouines, zibelines, blaireaux, chats sauvages, tous prédateurs d'écureuils, porcs-épics, lièvres, lapins de garenne, castors, rats musqués, hamsters géants, grandes gerboises, et autres petits rongeurs maintenant disparus.

Les grands carnivores étaient essentiels à la sélection des vastes troupeaux. Il y avait les loups et leurs féroces cousins, les lycaons. Il y avait les félins : lynxs, panthères, léopards des neiges, tigres, lions des cavernes, de loin les plus grands. Les ours bruns maraudaient près de la caverne, mais leurs gigantesques parents, les ours des cavernes, étaient désormais absents. Quant à la grande hyène des cavernes, elle prélevait ici comme partout sa part du festin.

La richesse de cette terre était infinie, et l'homme ne représentait qu'une part infime de la vie multiforme de l'ancien jardin d'Eden. Créature chétive, hors la taille de son cerveau, il était le moins doué des chasseurs. Mais malgré son manque de griffes et de crocs, la lenteur de sa course et sa dérisoire agilité, le prédateur bipède avait eu tôt fait de gagner le respect de ses concurrents quadrupèdes. Son odeur seule suffisait à éloigner tout animal d'envergure ayant vécu dans le voisinage de l'homme. Les chasseurs du clan étaient aussi aptes à se défendre qu'à porter l'attaque quand la sécurité du clan était menacée et, lorsqu'ils désiraient quelque belle fourrure pour l'hiver, ils n'hésitaient pas à traquer les félins les plus redoutables.

C'était une belle journée ensoleillée, qui sentait bon les prémices de l'été. Les frondaisons présentaient encore un vert tendre qui irait se fonçant avec la chaleur. Les mouches bourdonnaient au-dessus des restes de repas. La brise apportait des senteurs marines, et les ombres des branches dansaient sur la pente éclaboussée de soleil devant la caverne. Une fois la caverne adoptée et les cérémonies achevées, les tâches de Mog-ur se trouvèrent soudain allégées. De temps à autre il lui incombait encore la responsabilité de quelque rituel à l'occasion d'une expédition de chasse, d'une conjuration des mauvais esprits ou encore lorsqu'un membre du clan était blessé ou malade, afin d'en appeler aux totems protecteurs pour seconder les remèdes magiques d'Iza. Les chasseurs étaient partis, emmenant avec eux la plupart des femmes. Ils ne seraient pas de retour avant plusieurs jours et, pour cette raison, les femmes les accompagnaient afin de préparer la chair des bêtes abattues, car naturellement le gibier se transportait plus facilement une fois séché et prêt à être conservé pendant l'hiver. La chaleur du soleil et le vent qui balayait constamment les steppes desséchaient rapidement la viande découpée en fines lanières. La fumée abondante que produisaient les feux d'herbes et de bouse était plutôt destinée à éloigner les mouches qui pondaient dans la viande fraîche et la faisaient s'avarier. En outre, les femmes avaient la charge de la majeure partie des fardeaux sur le chemin du retour.

Depuis leur emménagement dans la caverne, Creb avait passé la majeure partie de son temps en compagnie d'Ayla, à s'efforcer de lui apprendre leur langage. Elle répétait sans la moindre difficulté les termes rudimentaires que les enfants avaient souvent le plus grand mal à prononcer, mais le système complexe des signes et des mimiques en usage dans le clan lui était totalement étranger. Creb avait bien essayé de lui faire comprendre le sens de certains gestes, mais pour y parvenir, il lui manquait un langage commun. Le vieillard avait eu beau se creuser la cervelle, il n'était pas arrivé à communiquer ce savoir à la petite fille, ce qui la rendait tout aussi malheureuse que lui.

Consciente de la présence d'un obstacle infranchissable, elle faisait des efforts désespérés pour allonger la liste des mots qu'elle connaissait. Elle savait bien que les membres du clan possédaient d'autres moyens d'expression que le langage parlé, mais elle ignorait lesquels. Toute la difficulté résidait dans le fait qu'elle ne distinguait pas les signes. A ses yeux non avertis, ils passaient pour des mouvements désordonnés et non des gestes précis, chargés d'une signification propre. Elle n'avait tout simplement pas conscience du double système de communication de ce peuple et se révélait incapable de concevoir l'existence d'un tel mode d'expression, totalement étranger au champ de ses propres expériences.

Creb, sans trop y croire, pensait avoir compris d'où provenaient les difficultés d'Ayla. Il appela la petite fille, dont l'intelligence ne faisait aucun doute à ses yeux. Ils longèrent le cours du ruisseau en empruntant un petit sentier tracé par le passage des hommes et des femmes allant chasser, pêcher ou faire la cueillette aux alentours. Ils parvinrent ainsi au lieu de prédilection du vieil homme : une clairière au milieu de laquelle trônait un grand chêne feuillu dont les grosses racines apparentes offraient un siège ombragé et confortable. Il commença la leçon en désignant l'arbre de son bâton.

— Chêne, répondit aussitôt Ayla.

Creb acquiesça puis montra le ruisseau.

— Eau, dit la fillette.

Le vieillard opina de nouveau, puis fit un geste de la main en répétant le dernier mot. La combinaison des deux signifiait alors « eau courante, rivière ».

— Eau ? répéta la petite fille en hésitant, croyant qu'il voulait lui faire comprendre qu'elle devait recommencer.

Creb fit non de la tête. Maintes fois, il avait procédé à ce genre d'exercice avec les enfants du clan. Il essaya quelque chose de nouveau en désignant les pieds d'Ayla.

— Pieds, dit-elle.

— Oui, approuva d'un signe le sorcier, pensant qu'il devrait lui faire voir le geste en même temps qu'elle entendait le mot.

Se levant, il la prit par la main et fit quelques pas avec elle. Il fit un mouvement tout en prononçant le mot « pieds ». « Bouger les pieds, marcher », tel était le sens qu'il voulait lui faire saisir. Elle tendit l'oreille, attentive, pensant qu'une nuance lui avait échappé dans l'intonation.

— Pieds ? avança l'enfant, déjà convaincue qu'elle ne fournissait pas la bonne réponse.

— Non, non, non ! Marcher ! Bouger les pieds ! mima le sorcier en la regardant droit dans les yeux et en accentuant son geste.

Il la fit encore avancer en lui montrant les pieds du doigt, désespérant qu'elle comprenne un jour.

Ayla sentit les larmes lui monter aux yeux. Pieds ! Pieds ! Elle savait que c'était le bon mot, mais pourquoi s'obstinait-il à faire non de la tête ? Quand allait-il cesser de lui agiter la main sous le nez ? Qu'avait-elle fait de mal ?

Le vieil homme la fit de nouveau marcher, lui désigna les pieds, refit le geste de la main, répéta le mot. Elle s'arrêta pour le regarder. Il refit encore le mouvement, en l'exagérant à tel point qu'il faillit en modifier le sens, et prononça une nouvelle fois le mot. Il était penché vers elle, la regardant fixement, agitant la main devant son visage. Geste, mot. Geste, mot.

Alors une vague idée se mit à germer dans l'esprit d'Ayla. Sa main ! Il ne cesse de bouger la main ! Et elle leva la sienne avec hésitation.

— Oui, oui ! C'est ça, approuva vigoureusement Creb. Fais le geste ! Bouger ! Bouger les pieds ! mima-t-il encore une fois.

Ayla le regarda faire, puis essaya de l'imiter. Creb a dit « oui » ! Il veut donc me voir faire ce geste ! pensa-t-elle.

Elle exécuta le mouvement en prononçant le mot, sans trop comprendre sa signification, mais heureuse d'avoir au moins compris ce qu'on attendait d'elle. Creb lui fit faire demi-tour et se dirigea vers le chêne en boitant lourdement. Il répéta encore la combinaison geste-mot.

Et tout à coup, une lueur de compréhension permit à l'enfant d'effectuer le rapprochement attendu. Bouger les pieds ! Marcher ! Voilà ce que ça veut dire ! Le geste de la main accompagnant le mot « pieds » signifie « marcher ». Les idées se bousculaient dans sa tête. Combien de fois avait-elle vu les membres du clan agiter les mains. Elle revoyait Iza et Creb, face à face, remuer les mains en prononçant quelques mots de temps à autre, mais sans cesser de faire des gestes. Est-ce donc ainsi qu'ils se parlent ? Est-ce pour cette raison qu'ils disent si peu de mots ? S'expriment-ils avec leurs mains ?

Creb s'assit et Ayla s'installa en face de lui en s'efforçant de retrouver son calme.

— Pieds, dit-elle en joignant le geste à la parole.

— Oui, répondit-il, étonné.

Elle s'éloigna de quelques pas et, revenant vers lui, elle fit le geste convenu en prononçant le mot « pieds ».

— Oui, oui ! c'est ça ! s'exclama-t-il, heureux qu'elle ait enfin compris.

La petite fille resta un instant tranquille, puis traversa en courant la clairière et revint s'arrêter devant lui un peu haletante.

— Courir, mima-t-il devant la fillette attentive.

Le geste était légèrement différent du précédent.

— Courir, essaya-t-elle timidement d'exprimer à son tour.

Creb était enthousiaste. Le mouvement était encore indécis et n'avait pas la précision à laquelle parvenaient des enfants plus jeunes, mais elle avait saisi l'idée générale. Il acquiesça vivement et manqua tomber de son siège comme Ayla se jetait sur lui pour l'embrasser.

Le vieux sorcier jeta des regards inquiets autour de lui. Les démonstrations d'affection étaient réservées à l'intimité du foyer. Mais Creb savait qu'ils étaient seuls. L'infirme, en rendant ses caresses à la petite fille, se sentit envahi par une bouffée de bien-être et de chaleur qu'il n'avait jamais ressentie jusqu'alors.

Un nouveau monde s'ouvrit alors pour la petite Ayla. Elle possédait une sensibilité et un talent de mime étonnants qu'elle mit à profit avec acharnement pour copier les mouvements de Creb. L'infirme ne pouvant de son bras unique lui enseigner les nuances, Iza prit le relais. Bien qu'elle apprît beaucoup plus vite qu'un petit enfant, Ayla dut commencer par les rudiments indispensables à l'expression des besoins élémentaires. Restée longtemps sans possibilité de communication, elle était bien décidée à rattraper le temps perdu, et ce le plus vite possible.

A mesure que se développaient ses moyens d'expression et ses capacités de compréhension, la vie du clan prit à ses yeux un relief nouveau. Elle passait de longs moments à regarder les autres s'exprimer en s'efforçant de déchiffrer leurs gestes. Au début, le clan supporta patiemment sa curiosité importune, mais plus le temps passa, plus les regards désapprobateurs jetés dans sa direction témoignèrent que de si mauvaises manières devenaient intolérables. Il était fort inconvenant de regarder comme d'écouter quelqu'un qui ne s'adressait pas à vous, et la bienséance commandait de détourner les yeux lorsque deux personnes conversaient. Un soir, au milieu de l'été, après le repas, un incident éclata.

Le clan se trouvait à l'intérieur de la caverne, réuni autour des feux que chaque famille avait allumés. La dernière lueur du soleil faisait ressortir la silhouette des arbres à l'épais feuillage sombre, bruissant dans la brise vespérale. Du feu qui flambait à l'entrée de la caverne pour maintenir à distance les prédateurs curieux, chasser les mauvais esprits et atténuer l'humidité de l'air s'élevaient des volutes de fumée et des ondulations de chaleur, et sa vive lueur projetait des ombres dansantes sur les parois de la grotte.

Ayla, assise dans les limites du foyer de Creb, plongeait ses regards sur le foyer de Brun. Broud, de mauvaise humeur, s'en prenait à sa mère et à Oga, jouant de ses prérogatives masculines. Pour lui, cette journée avait mal commencé, et s'était terminée plus mal encore. Après avoir passé de longues heures à l'affût de sa proie, il avait perdu tout le bénéfice de son guet en ratant son jet, et le renard roux, dont il avait promis la fourrure à Oga, averti par le sifflement de la pierre, s'était empressé de disparaître dans les fourrés. Les regards compréhensifs et compatissants d'Oga n'avaient fait qu'aggraver sa blessure d'amour-propre. Il appartenait à l'homme de pardonner à une femme son inaptitude, et non le contraire.

Les femmes, épuisées par les corvées de la journée, finissaient d'accomplir leurs tâches ménagères et Ebra, exaspérée par les exigences incessantes de son fils, fit un signe discret à Brun, auquel la conduite impérieuse de Broud n'avait pas échappé. Certes, le garçon avait le droit de se comporter ainsi, mais Brun estimait qu'il manquait de discernement. Point n'était besoin de faire courir les femmes sous les prétextes les plus futiles, alors qu'elles se trouvaient déjà écrasées de besogne.

— Broud, laisse les femmes tranquilles. Elles ont bien assez de travail, le réprimanda Brun.

Se faire rappeler ainsi à l'ordre par Brun, et surtout devant Oga, était plus que l'ombrageux garçon ne pouvait en supporter. Il s'en alla d'un pas rageur à la limite du foyer pour y bouder tout à son aise. Ce fut alors qu'il croisa le regard d'Ayla qui ne l'avait pas quitté des yeux. Que cette sale petite indiscrète eût été témoin de la réprimande le plongea dans une fureur noire. Ses déboires de la journée lui revinrent en mémoire et, outrepassant délibérément les conventions, Broud jeta par-dessus la frontière des foyers un regard haineux à la fillette qu'il détestait.

Creb avait perçu la légère friction survenue entre Brun et son fils car rien ne lui échappait de ce qui survenait dans la caverne. La plupart du temps, tel un bruit de fond, ces menus incidents ne retenaient pas sa curiosité, mais tout ce qui touchait à Ayla éveillait son attention. Il savait qu'il avait fallu à Broud un effort délibéré et lourd de mauvaise intention pour oser transgresser les règles et regarder chez son voisin. Creb le voyait bien, Broud éprouvait à l'égard de la fillette bien trop de haine. Il était grand temps, pour son bien, d'apprendre à Ayla les bonnes manières.

— Ayla ! appela-t-il sèchement, tandis que la petite fille sursautait à l'âpreté inaccoutumée de sa voix. Ne regarde pas chez les autres, lui fit-il comprendre par gestes.

— Pourquoi ? répondit-elle, interloquée.

— Il est interdit de regarder chez les autres. Si tu les regardes comme tu le fais, ils ne sont pas contents, expliqua-t-il, sachant que Broud les observait du coin de l'œil, sans chercher à dissimuler le plaisir malin qu'il prenait à voir la fillette ainsi réprimandée par Mog-ur.

— Mais c'est pour apprendre à parler, mima Ayla, surprise et peinée.

Creb savait qu'elle était sincère et que seul son désir d'en savoir plus l'animait, mais elle devait également apprendre à bien se tenir. Et puis peut-être cela détournerait-il d'elle le ressentiment de Broud, à la voir grondée pour son indiscrétion.

— Il est défendu de regarder dans le foyer du voisin, lui signifia Creb sévèrement. C'est mal, et c'est mal aussi de répondre quand un homme parle. Très mal. C'est compris ?

En la traitant ainsi, Creb avait l'intention de se faire comprendre une bonne fois pour toutes sur ce sujet. Il vit Broud se lever et regagner sa place près du feu, manifestement de meilleure humeur.

Ayla était effondrée. Jamais Creb n'avait fait preuve de dureté envers elle. Elle le croyait content de son application à apprendre leur langage, et voilà qu'il lui interdisait de regarder les autres pour en apprendre davantage. Décontenancée, blessée, les larmes lui vinrent aux yeux et coulèrent doucement le long de ses joues.

— Iza, appela Creb, soudain inquiet. Viens vite ! Ayla a quelque chose aux yeux.

Les membres du clan ne pleuraient que lorsqu'ils avaient une poussière dans l'œil ou s'ils avaient pris froid. Mais ils n'avaient jamais vu des yeux se remplir de larmes de chagrin. Iza arriva à la hâte.

— Regarde ! Ses yeux coulent ; il y a sûrement une escarbille dedans, regarde bien, insista-t-il.

Iza aussi était inquiète ; elle souleva délicatement les paupières et examina attentivement les yeux de la fillette.

— Tu as mal ? demanda-t-elle, ne relevant nulle trace d'inflammation ou de poussière.

— Non, je n'ai pas mal, répondit l'enfant en reniflant.

Elle ne comprenait pas ce qui les préoccupait tant, mais elle était heureuse que l'on prît soin d'elle, malgré la colère de Creb.

— Pourquoi Creb est-il méchant ? demanda-t-elle entre deux sanglots.

— Tu dois apprendre les bonnes manières, expliqua Iza, l'air sévère. Il n'est pas poli de regarder chez les autres pour voir ce qu'ils disent. Tu dois apprendre : quand l'homme parle, la femme baisse la tête, comme cela, lui montra Iza. Seuls les bébés peuvent regarder, mais toi, tu es une grande fille, Ayla.

— Creb n'est pas content ? Creb ne s'occupera plus de moi ? demanda Ayla en fondant en larmes de plus belle.

— Mais non, Creb continuera à prendre soin de toi. Et moi aussi, lui répondit-elle, sentant le désarroi profond de la petite fille. Creb cherche seulement à t'apprendre les coutumes du clan, ajouta-t-elle en la prenant dans ses bras.

Elle serra un long moment contre elle la fillette qui donnait libre cours à son chagrin, puis elle lui lava les yeux avec un peu d'eau douce et s'assura qu'ils n'étaient pas infectés.

— Qu'a-t-elle aux yeux ? s'enquit Creb. Elle est malade ?

— Elle pensait que tu ne l'aimais plus, que tu étais en colère contre elle. C'est ce qui a dû lui faire mal aux yeux. Les yeux clairs comme les siens sont probablement plus fragiles que les nôtres. Mais je n'y vois aucune inflammation et elle n'a pas mal. Je crois que la tristesse est seule responsable de ses larmes, expliqua Iza.

— La tristesse ? C'est la tristesse qui lui fait mal aux yeux ? Parce qu'elle croyait que je ne l'aimais plus ?

Creb était pour le moins perplexe. Ayla était-elle malade ? Pourtant elle avait toutes les apparences d'une enfant en bonne santé, et personne n'avait jamais éprouvé de malaise physique à l'idée de ne pas être aimé par Mog-ur. Non, personne, hormis Iza, ne lui avait jamais manifesté d'attachement particulier. On le craignait, on le respectait, mais il n'était pas un seul membre du clan qui eût désiré se faire aimer de lui au point d'en avoir mal aux yeux. Iza avait probablement raison, des yeux clairs comme ceux d'Ayla devaient être fragiles. Je dois lui faire comprendre que je l'ai grondée pour son bien, afin qu'elle se conduise dans le clan selon les règles établies. Si elle continue de mal se comporter, Brun finira par la chasser. Il en a le pouvoir. Je n'aurais jamais pensé qu'elle puisse s'imaginer que je ne l'aime plus. Je l'aime, cette petite, s'avoua Creb. Oui, aussi bizarre soit-elle, je l'aime énormément.

Telles étaient les pensées de Mog-ur tandis qu'Ayla s'approchait timidement, la tête baissée. Elle s'arrêta devant lui et leva vers le sorcier des yeux tristes encore remplis de larmes.

— Je ne regarderai plus chez les autres, déclara-t-elle par gestes. Tu n'es pas fâché ?

— Non, répondit-il de la même manière. Je ne suis pas fâché, Ayla. Mais tu fais désormais partie du clan, tu appartiens à mon foyer. Tu dois apprendre notre langage et nos coutumes aussi. Comprends-tu ?

— Tu vas continuer à t'occuper de moi ? demanda-t-elle. Tu m'aimes ?

— Oui, Ayla, je t'aime.

Un large sourire illumina le visage de la fillette qui tendit les bras vers le vieil homme et l'embrassa, puis grimpa sur ses genoux et s'y pelotonna tendrement.

Creb avait toujours manifesté un grand intérêt pour les enfants. Dans ses fonctions de mog-ur, il révélait rarement un totem d'enfant qui ne parût pas parfaitement approprié aux yeux de la mère. Le clan attribuait la justesse de vue de Mog-ur à ses pouvoirs magiques, mais toute son habileté résidait dans ses facultés d'observation. Il était très attentif aux enfants dès leur naissance, mais le vieil infirme qu'il était n'avait jamais connu la joie des parents à bercer leurs petits dans leurs bras.

Epuisé par tant d'émotions, Ayla s'abandonna au sommeil, rassurée par la chaude présence du vieil homme. Il remplaçait dans son cœur celle d'un homme dont le souvenir subsistait toujours dans un recoin de sa mémoire. En contemplant le visage paisible et confiant de l'enfant blottie contre lui, Creb sentit naître à son égard une affection profonde, aussi forte que s'il se fût agi de sa propre fille.

— Iza, appela-t-il doucement.

Mais il ne tendit l'enfant endormie à la femme qu'après l'avoir serrée encore un moment contre sa poitrine.

— Sa maladie l'a fatiguée, dit-il après que sa sœur eut étendu Ayla dans la fourrure. Veille à ce qu'elle se repose demain et tu examineras de nouveau ses yeux.

— Oui, Creb, répondit Iza d'un signe de tête.

Iza adorait son frère infortuné. Elle connaissait mieux que personne les trésors de bonté, dissimulés derrière une apparence rebutante, que renfermait son cœur. Elle était heureuse qu'il eût enfin trouvé quelqu'un à aimer, quelqu'un dont il fût aimé, et sa joie resserra encore les liens qui l'unissaient à la fillette.

Depuis son enfance, Iza n'avait plus jamais ressenti un bonheur semblable. Seule venait l'assombrir la peur lancinante de donner le jour à un garçon qui serait alors élevé par un chasseur. Malgré les prières ferventes qu'elle adressait quotidiennement à son totem, elle ne parvenait pas à dominer son inquiétude. Elle était la sœur de Brun ; leur mère avait été la compagne du chef auquel Brun avait succédé. S'il arrivait quelque malheur à Broud ou si la compagne de ce dernier n'avait pas d'enfant mâle, le commandement du clan reviendrait au fils d'Iza, si elle en avait un. Brun serait dans ce cas forcé de la donner, elle et l'enfant, à l'un des chasseurs, à moins qu'il ne la prît dans son propre foyer.

A mesure que l'été avançait, la petite fille commença non seulement à apprendre le langage, mais aussi les coutumes de son peuple adoptif, grâce à la douce patience de Creb et à sa propre volonté. Apprendre à détourner les yeux quand il le fallait, de manière à laisser les membres du clan jouir de la seule intimité possible, telle fut la première des nombreuses et difficiles leçons qu'elle dut assimiler. Il lui fallut aussi maîtriser sa curiosité naturelle et son enthousiasme débordant pour afficher la docilité de rigueur parmi les femmes.

Creb et Iza en apprirent également beaucoup. Ils découvrirent que lorsque Ayla faisait, en retroussant les lèvres, certaines grimaces accompagnées de sons étranges, elle voulait leur communiquer sa joie. Mais ils ne s'habituèrent jamais à la voir pleurer quand elle était triste. Iza en conclut que cette particularité était propre aux yeux clairs qui caractérisaient les Autres. Pour plus de sécurité, elle lui baignait les yeux avec une décoction de cette plante qu'elle trouvait dans les bois. Cette plante qui poussait dans l'ombre dense des sous-bois tirait sa substance des végétaux en décomposition, et sa texture cireuse noircissait au toucher, mais Iza ne connaissait pas de meilleur remède pour les yeux enflammés que le suc contenu dans sa tige.

Ayla ne pleurait pas souvent et faisait tout son possible pour contenir ses larmes qui, elle le savait, non seulement affligeaient les deux êtres qu'elle aimait, mais représentaient aux yeux de la communauté une anomalie inacceptable. Elle tenait par-dessus tout à se faire accepter du clan, encore hostile et méfiant devant ses particularités.

Si les hommes éprouvaient une extrême curiosité à son égard, il était incompatible avec leur dignité de manifester le moindre intérêt pour cette enfant de sexe féminin, et Ayla s'appliquait à les ignorer de la même manière. Quant à Brun, s'il lui témoignait un peu plus de curiosité que les autres, il lui faisait toujours peur. Elle le trouvait sévère et hermétique à ses avances, contrairement à Creb. Elle ne pouvait pas savoir combien Mog-ur paraissait plus distant et rébarbatif que Brun aux yeux du clan, consterné par l'intimité qui semblait régner entre le sorcier et la fillette étrangère. Mais s'il était quelqu'un qu'elle n'aimait pas du tout, c'était le jeune homme qui vivait au foyer de Brun.

Ce fut avec les femmes qu'elle parvint d'abord à se lier d'amitié, du fait qu'elle passait la majeure partie de son temps en leur compagnie. A l'exception des moments où elle se trouvait dans le foyer de Creb ou de ceux pendant lesquels la guérisseuse l'emmenait cueillir des plantes, Ayla partageait la vie des femmes du clan. Au début, Ayla se contentait de suivre la guérisseuse partout où elle allait et regardait les femmes dépecer les animaux, tanner les peaux, découper en spirale des lanières de cuir, tresser des paniers, des nattes ou des filets, façonner des bols dans des rondins de bois, cueillir les plantes sauvages, préparer les repas, conserver la viande, faire sécher les légumineuses pour l'hiver et répondre au désir de tout homme qui leur demandait un service. Mais lorsque les femmes découvrirent le féroce appétit de connaissances de la petite fille, elles ne se contentèrent pas de lui apprendre le langage, mais s'appliquèrent à lui transmettre leur savoir pratique.

Ayla n'était pas aussi forte que les femmes et les enfants du clan, car elle ne possédait pas leur puissante musculature, mais elle était étonnamment adroite et souple. S'il lui était difficile d'accomplir certaines tâches pénibles, elle se montrait extrêmement habile à son âge pour tresser les paniers ou découper des lanières d'une largeur parfaitement régulière. Elle gagna rapidement l'amitié d'Ika, qui l'autorisa à s'occuper du petit Borg lorsqu'elle s'aperçut de l'intérêt qu'Ayla portait à l'enfant. Ovra, malgré sa réserve, ainsi qu'Uka se montraient particulièrement compatissantes envers cette enfant qui avait perdu toute sa famille. Mais Ayla n'avait pas de compagne de jeu.

Son premier élan d'amitié envers Oga se refroidit après l'inauguration de la caverne, car Oga se vit obligée de choisir entre Broud et Ayla. Si elle ressentait une profonde sympathie envers cette fillette, dont le destin était comparable au sien, elle ne pouvait ignorer plus longtemps les sentiments de Broud à son égard. Et elle préféra éviter la compagnie de la petite orpheline, afin de plaire à l'homme dont elle espérait devenir la compagne.

Ayla n'aimait pas particulièrement jouer avec Vorn, à peine d'un an son cadet, mais pour lequel jouer consistait à reproduire le comportement des hommes envers les femmes, ce qu'Ayla avait le plus grand mal à accepter. Lorsqu'elle refusait de se plier aux caprices du garçon, elle s'attirait à la fois la colère des hommes et celle des femmes, et plus spécialement celle d'Aga, la mère de Vorn. Elle était fière que son fils se conduise déjà « comme un homme », et elle faisait grand cas des sentiments hostiles de Broud envers Ayla. Si un jour Broud devenait le chef du clan, son fils serait alors son favori et peut-être son second. Aga ne négligeait aucun moyen pour mettre son fils en avant, allant jusqu'à réprimander Ayla quand Broud se trouvait dans les parages, de même qu'elle s'empressait de rappeler Vorn, si d'aventure celui-ci jouait avec Ayla alors que Broud n'était pas loin.

Parmi tous les gestes et les signes appris par Ayla, il y en eut un qu'elle acquit par sa seule observation.

Un après-midi, alors qu'elle observait du coin de l'œil Ika jouant avec Borg, elle remarqua que la jeune mère apprenait un nouveau signe au bébé. Quand ce dernier fut parvenu à imiter le mouvement d'une manière qui parut satisfaire sa mère, celle-ci attira l'attention des autres femmes pour montrer les progrès de son rejeton en manifestant une grande fierté. Plus tard, dans la même journée, Ayla vit Vorn accourir vers Aga et lui adresser le même signe, un signe que faisait également Ovra en parlant à Uka.

Ce soir-là, elle s'approcha timidement d'Iza, et quand la guérisseuse tourna la tête vers elle, Ayla reproduisit le geste qu'elle avait observé. Iza écarquilla de grands yeux.

— Creb, quand lui as-tu appris à m'appeler maman ? demanda-t-elle à son frère.

— Je ne lui ai pas appris cela, Iza, répondit Creb. Elle a dû l'apprendre toute seule.

Iza se tourna vers la fillette.

— Tu as appris ça toute seule ?

— Oui, maman, dit Ayla en refaisant ce signe dont elle soupçonnait seulement la signification.

Ce dont elle était sûre, c'est que les jeunes enfants l'utilisaient à l'adresse des femmes qui leur étaient les plus proches. Bien que le souvenir de sa mère fût profondément refoulé dans sa mémoire, son cœur en avait gardé l'empreinte.

Iza, restée si longtemps sans enfant, en fut fortement émue.

— Ma fille, dit-elle en la prenant dans ses bras. Mon enfant. Ah Creb, je savais bien qu'elle était ma fille. Ne te l'avais-je pas dit ? Les esprits l'ont placée sur mon chemin, j'en suis sûre.

Creb ne chercha pas à la persuader du contraire. Peut-être avait-elle raison.

Après ce soir-là, la petite fille connut des nuits plus calmes, même si de temps à autre les cauchemars revenaient troubler son sommeil. Il y en avait deux qu'elle refaisait souvent. Dans le premier, elle se trouvait prisonnière dans une minuscule cavité et tentait d'échapper à une énorme patte armée de griffes acérées. Dans le deuxième, le sol tremblait sous ses pieds, elle se sentait perdue et criait dans son étrange langue. Au début, quand elle se réveillait en sursaut, elle continuait de parler son langage sans en prendre conscience, puis à mesure qu'elle apprenait le mode d'expression en vigueur dans le clan, ce fut par gestes qu'elle s'exprima dans ses rêves.

L'été passa, brûlant et court, cédant la place aux gelées matinales de l'automne, à son air vif et piquant, aux ors et aux roux qui éclaboussaient les frondaisons. Quelques neiges précoces, vite balayées par de fortes pluies saisonnières, annoncèrent l'arrivée du froid. Puis, lorsqu'il ne resta plus aux branches dénudées que quelques feuilles tenaces, un bref intermède ensoleillé vint rappeler une dernière fois les chaleurs de l'été avant l'arrivée des vents glacés et des froids rigoureux interdisant la plupart des activités en plein air.

Le clan se tenait dehors, savourant la tiédeur du soleil. Installées devant la caverne, les femmes vannaient le grain moissonné dans les steppes de la vallée. Un brutal coup de vent fit tourbillonner un amas de feuilles mortes, prêtant une apparence de vie aux vestiges de la richesse estivale. Profitant de la rafale, les femmes firent sauter le grain dans leurs larges paniers à fond plat, laissant la balle s'envoler.

Iza, penchée derrière Ayla, lui montrait comment procéder. Ayla sentait parfaitement le ventre dur de la femme dans son dos, et elle sentit également la violente contraction qui obligea Iza à s'arrêter soudain. Un instant plus tard, celle-ci quitta le groupe, suivie par Ebra et Uka. La petite fille jeta un regard inquiet aux hommes qui venaient d'interrompre leur conversation pour suivre des yeux les trois femmes, s'attendant à ce qu'ils les réprimandent pour abandonner leur tâche. Mais bizarrement, ils s'abstinrent de tout commentaire. Ayla en profita pour suivre le mouvement.

A l'intérieur de la caverne, Iza reposait sur sa fourrure, entourée d'Ebra et d'Uka. Ayla se demandait pourquoi elle s'alitait ainsi au milieu de la journée et elle s'inquiétait d'autant plus qu'elle voyait une expression douloureuse sur le visage de sa mère adoptive, en proie à une nouvelle contraction.

Ebra et Uka bavardaient avec Iza de choses et d'autres, s'entretenant des réserves pour l'hiver et du changement de saison. Mais Ayla en savait assez pour deviner à leurs mines qu'il se passait quelque chose d'inhabituel, et elle décida que rien ne l'empêcherait d'élucider ce mystère. Elle attendit donc, assise aux pieds d'Iza.

Vers la fin de l'après-midi, Ika vint voir la guérisseuse avec Borg sur la hanche, puis Aga arriva avec sa fille Ona. Les deux femmes s'installèrent pour tenir compagnie à Iza tout en allaitant leurs enfants. Ovra et Oga les rejoignirent sans tarder, curieuses et inquiètes à la fois. Bien que la fille d'Uka n'eût pas encore de compagnon, elle était adulte, et Ovra savait qu'elle pouvait dès maintenant donner la vie. Oga serait, elle, bientôt une femme, et toutes deux étaient remplies de curiosité et d'intérêt pour l'événement qui se préparait.

Quand Vorn vit Aba rejoindre le petit groupe et s'asseoir à côté de sa fille, il voulut savoir pourquoi toutes les femmes se trouvaient au foyer de Mog-ur. Il se rendit là-bas et grimpa sur les genoux d'Aga à côté de sa petite sœur, qui était en train de téter. Mais ne voyant rien d'intéressant, hormis la guérisseuse allongée sur sa couche, il se lassa rapidement et s'éloigna.

Quelque temps après, les femmes allèrent préparer le repas. Uka resta auprès d'Iza, tandis qu'Ebra et Oga ne cessaient de lui jeter des regards discrets tout en faisant la cuisine. Ebra servit le repas de Creb et de Brun, puis apporta de quoi manger à Uka, Iza et Ayla ; Ovra s'occupa du repas du compagnon de sa mère, mais elle regagna rapidement le foyer d'Iza en compagnie d'Oga. Elles tenaient fermement à voir ce qui allait se passer et s'assirent à côté d'Ayla, qui n'avait pas bougé de sa place.

Iza s'était contentée de quelques gorgées d'infusion. Sans grand faim, Ayla grignotait quelques miettes, l'estomac serré. Elle n'avait toujours pas compris ce qui allait se produire, se demandant pourquoi Iza ne se levait pas pour préparer le repas de Creb, et pourquoi Creb se trouvait dans le foyer de Brun au lieu de prier les esprits pour qu'elle guérisse vite.

Le travail avait commencé. Iza respirait par saccades, sans lâcher la main des deux femmes. Tous les membres du clan se tenaient sur le qui-vive tandis que la nuit tombait. Les hommes, groupés autour du feu qui brûlait chez Brun, semblaient plongés dans une grande discussion, mais les regards furtifs qu'ils jetaient aux femmes de temps en temps trahissaient leur véritable préoccupation. Les femmes allaient et venaient auprès d'Iza, attendant que la guérisseuse accouche.

Il faisait déjà grand nuit quand, soudain, un redoublement d'activité troubla le silence attentif. Ebra étendit une autre peau sous Iza, tandis qu'Uka soutenait la femme qui haletait violemment, en poussant très fort et en criant sous la douleur. Ayla tremblait d'émotion, assise entre Ovra et Oga. Iza prit une profonde inspiration et, grinçant des dents, tous les muscles bandés, elle poussa si vivement que le sommet de la tête du nouveau-né apparut en même temps que son ventre se vidait du liquide amniotique. Le reste fut plus facile, et Iza délivra le corps humide et luisant d'un tout petit enfant qui gigotait comme un ver.

Une dernière poussée expulsa une masse sanguinolente. Iza, épuisée, se laissa retomber sur sa couche, pendant qu'Ebra soulevait le bébé et, lui glissant un doigt dans la bouche, en chassait la glaire avant de le déposer sur le ventre de sa mère. Puis elle donna de petites claques sur les pieds du nouveau-né qui ouvrit aussitôt la bouche et poussa un braillement sonore annonçant son éveil à la vie. Ebra attacha un morceau de tendon teint en rouge au cordon ombilical qu'elle coupa avec les dents pour le détacher du placenta et souleva l'enfant pour le montrer à sa mère. Puis elle retourna dans son foyer pour faire part à son compagnon de l'heureuse naissance et lui dévoiler le sexe de l'enfant. Elle s'accroupit devant Brun, baissa la tête et ne la releva que lorsque, d'une tape sur l'épaule, il lui fit signe de parler.

8

— Je suis navrée de t'apprendre, dit Ebra en faisant le signe propre à exprimer l'affliction, qu'Iza vient de donner naissance à une fille.

Cette nouvelle fut loin d'affliger Brun. Pour rien au monde il ne l'aurait admis, mais il éprouvait un vif soulagement. L'arrangement proposé par Creb fonctionnait à merveille et le chef n'avait aucune envie d'y changer quoi que ce fût. Mog-ur avait entrepris une tâche estimable en se chargeant de l'éducation de la petite étrangère, et il y parvenait bien mieux qu'on aurait pu s'y attendre. Ayla apprenait rapidement la langue gestuelle et les habitudes du clan. Quant à Creb, il n'était pas seulement rassuré mais tout à fait réjoui. Il découvrait à un âge avancé les joies de la famille, et la naissance d'une fille garantissait la présence d'Iza à ses côtés.

Iza, elle, se sentait, pour la première fois depuis leur emménagement dans la nouvelle caverne, libérée de toute angoisse. Elle était heureuse du sexe de l'enfant et que son âge n'ait pas nui à son accouchement. Elle avait assisté bien des femmes dont les délivrances avaient été bien plus difficiles que la sienne. Elle en avait vu plusieurs en mourir, et de même plus d'un enfant mort-né. Il semblait à chaque fois que les têtes des nouveau-nés étaient trop grosses pour passer. Mais son inquiétude n'avait pas tant concerné la difficulté d'accoucher que le sexe de l'enfant et les conséquences que cela pourrait avoir sur son destin. S'il y avait une chose que supportaient mal les êtres du Clan, c'était bien l'incertitude.

Iza se reposait sur sa fourrure quand Uka lui déposa le bébé dans les bras, après l'avoir emmailloté dans une peau de lapin moelleuse. Ayla n'avait toujours pas bougé. Elle regardait Iza avec une ardente curiosité. La femme lui fit signe.

— Viens ici, Ayla. Tu veux voir le bébé ?

— Oui, répondit la fillette en s'approchant timidement.

La minuscule réplique d'Iza avait la tête recouverte d'un léger duvet brun. La protubérance osseuse de la nuque était particulièrement visible sans l'épaisse masse de cheveux qui la dissimulerait bientôt. Son crâne était néanmoins plus rond que celui des adultes et se terminait abruptement au-dessus des frêles arcades sourcilières. Ayla caressa la joue de l'enfant qui tourna la tête vers elle en faisant de petits bruits de succion.

— Elle est belle, lui signifia Ayla, encore émerveillée par le miracle auquel elle venait d'assister. Est-ce qu'elle essaie de parler, Iza ? demanda-t-elle en voyant le bébé agiter ses minuscules poings fermés.

— Non, pas encore, mais elle ne tardera pas et c'est toi qui lui apprendras, répondit Iza.

— Oh oui ! Je lui apprendrai à parler comme Creb et toi m'avez appris.

— J'en suis sûre, Ayla.

Ayla demeura auprès de sa mère adoptive, veillant sur son sommeil et sur celui de l'enfant. Ebra avait enveloppé le placenta dans une peau disposée à cet effet juste avant la délivrance et l'avait caché dans un recoin jusqu'au moment où Iza pourrait sortir l'enterrer dans un endroit connu d'elle seule. Si l'enfant avait été mort-né, elle l'aurait enseveli en même temps et personne n'aurait jamais fait la moindre allusion à sa mise au monde, pas plus que la mère infortunée n'aurait montré son chagrin.

Si l'enfant, bien que vivant, naissait malformé, ou bien si pour une raison quelconque le chef ne le jugeait pas acceptable au sein du clan, le devoir de la mère était considérablement plus éprouvant. Elle devait alors soit emporter son bébé pour l'enterrer, soit le laisser exposé aux éléments et aux bêtes féroces. Il était extrêmement rare qu'un enfant anormal soit autorisé à vivre ; s'il était du sexe féminin, ce n'était en pratique jamais le cas. Si c'était un garçon premier-né et si le père désirait le garder, la décision de le laisser vivre pendant sept jours avec sa mère, pour tester ses forces, appartenait au chef. Tout enfant encore en vie passé ce délai devait, selon une coutume qui avait force de loi, recevoir un nom et être accepté dans le clan.

Cette menace avait pesé sur les premiers jours de la vie de Creb. Sa mère avait survécu de justesse à sa naissance et il revint à son compagnon, alors le chef du clan, de décider si cet enfant devait vivre ou non. Mais sa décision lui fut dictée par la santé de la mère plus que par celle de l'enfant, dont la tête difforme et les membres paralysés témoignaient amplement des difficultés de l'accouchement. Il ne pouvait exiger de sa compagne qu'elle se débarrasse du petit, car son état de faiblesse ne le lui permettait pas. Or l'usage voulait que si la mère ne pouvait le faire disparaître elle-même, la tâche en incombait à la guérisseuse : mais la mère de Creb était aussi la guérisseuse du clan. Ainsi fut-il laissé à sa mère, bien que personne ne s'attendît à le voir survivre.

La mère manquait en effet de lait et ce fut une autre femme qui allaita Creb, dont la vie commença ainsi accrochée à un fil ténu avant qu'il devienne Mog-ur, le plus vénéré parmi les hommes vénérés, le sorcier le plus habile et le plus puissant de tous les clans.

A présent, c'était au tour du vieil infirme et de Brun de s'approcher d'Iza et de son enfant. Obéissant à un geste péremptoire de Brun, Ayla se leva prestement et se tint à distance sans rien perdre de la scène. Iza se redressa sur sa couche et, après avoir démailloté le bébé, le présenta à Brun, en prenant bien soin de ne regarder aucun des deux hommes. Ils examinèrent la nouveau-née vagissante, mécontente d'avoir été tirée du sein chaud de sa mère, tout en veillant de leur côté à ne pas porter les yeux sur Iza.

— L'enfant est normale, déclara gravement Brun. Elle peut rester avec sa mère. Si elle est encore en vie le jour où on lui donnera un nom, elle sera acceptée dans le clan.

Iza n'avait désormais plus rien à craindre. Elle espérait seulement que sa fille ne connaîtrait pas comme elle-même le malheur de ne pas avoir de compagnon. Toutefois elle devait s'avouer qu'elle ne regrettait pas celui qu'elle avait eu et qui lui avait donné cet enfant, et par ailleurs Creb était là, leur fournissant à elle, son bébé, et Ayla, un foyer stable.

Elle demeurait pendant sept jours confinée dans les strictes limites du foyer de Creb, à l'exception de quelques sorties indispensables ; entre autres pour enterrer le placenta. Entre-temps, personne ne reconnaîtrait officiellement l'existence de son enfant, hormis ceux qui partageaient son foyer. Les autres femmes lui apporteraient de quoi manger, et profiteraient de l'occasion pour jeter un coup d'œil au nourrisson. Passé ces sept jours, Iza n'aurait de contact qu'avec les femmes aussi longtemps que dureraient ses saignements, une règle qui s'appliquait en temps ordinaire aux menstruations.

Iza consacra donc son temps à allaiter et à s'occuper de sa fille et, lorsqu'elle se sentit plus forte, elle entreprit de ranger l'endroit où elle conservait la nourriture, celui où elle faisait la cuisine, celui où elle dormait et celui où elle entreposait ses remèdes, dans la limite des pierres qui bornaient le foyer de Creb, son territoire personnel dans la caverne.

Le rang de Mog-ur au sein de la hiérarchie du clan le faisait bénéficier d'un foyer particulièrement bien situé : suffisamment près de l'entrée pour profiter de la lumière du jour et de la chaleur du soleil en été, mais assez éloigné cependant pour ne pas se trouver trop exposé aux vents glacials en hiver. De plus, une saillie dans la paroi offrait une protection supplémentaire contre les bourrasques néfastes aux rhumatismes et à l'arthrite dont il souffrait.

Outre la chasse, il incombait aux hommes quelques autres tâches comme celle d'édifier un coupe-vent à l'entrée de la caverne, à l'aide de peaux tendues sur des piquets plantés dans le sol. Il leur fallait également paver les abords de la caverne de galets pour éviter que la pluie et la neige fondue ne transforment les lieux en un vaste bourbier. Quant au sol des foyers, il était en terre battue recouverte çà et là de nattes pour s'asseoir ou servir les repas.

Creb disposait d'une couche confortable faite d'une litière de paille recouverte d'une épaisse fourrure. A côté, Iza et Ayla avaient chacune une litière semblable. Les fourrures qui les recouvraient servaient également de manteau. Creb avait une peau d'ours, Iza une peau de saïga, et Ayla la dépouille magnifique d'un léopard des neiges, qui s'était aventuré près de la caverne et que Goov avait abattu. Il avait offert la peau à Creb.

La plupart des membres du clan portaient une peau ou un morceau de corne ou encore une dent de l'animal qui incarnait leur totem protecteur. Creb avait pensé que la fourrure du léopard des neiges était la plus appropriée pour Ayla. Bien que ce ne fût pas son totem, le léopard était un félin assez proche du lion des cavernes. Ce dernier s'écartait rarement des steppes et ne représentait pas une menace pour le clan bien à l'abri sur ses pentes boisées. Comme ce n'était pas une bête que l'on traquait sans raison, il y avait peu de chances pour que les chasseurs en capturent un. Iza venait tout juste de terminer pour la fillette le tannage de la riche fourrure quand les premières contractions étaient survenues. L'enfant était enchantée de son vêtement et sautait sur la moindre occasion de sortir pour le porter.

Iza préparait une infusion d'armoise absinthe pour favoriser la montée de lait et atténuer les crampes douloureuses qui lui contractaient le ventre. Quelques mois plus tôt, elle avait fait provision de ces feuilles étroites aux petites fleurs verdâtres, en prévision de la naissance de son enfant. Impatiente d'aller enfouir dans les bois les peaux souillées de sang qu'elle avait utilisées depuis son accouchement, la femme guettait l'arrivée d'Ayla pour lui confier la garde du bébé pendant son absence.

Mais Ayla ne se trouvait nulle part aux abords de la caverne. Elle était partie chercher dans la rivière des galets bien ronds dont Iza avait besoin pour la cuisine et qu'il fallait ramasser avant que la glace fige le cours d'eau. Pensant ainsi faire plaisir à Iza, la fillette, agenouillée sur la rive, triait des pierres. Comme elle relevait la tête, elle aperçut une petite tache de fourrure blanche sous un buisson. Elle s'approcha et, écartant les branchages, elle vit un jeune lapin gisant sur le flanc, une patte cassée noircie de sang séché.

L'animal blessé, haletant de soif, était incapable de bouger. Il roula des yeux inquiets alors que la fillette tendait la main vers lui. Un louveteau qui faisait son apprentissage à la chasse avait attrapé le lapin, mais celui-ci était parvenu à se libérer. Avant que le jeune carnivore puisse se saisir de nouveau de sa proie, sa mère l'avait rappelé d'un hurlement impérieux. Le louveteau, pas vraiment affamé, avait aussitôt répondu à l'appel, délaissant le lapin, qui en avait profité pour plonger sous le buisson le plus proche avec l'espoir que son tourmenteur ne reviendrait pas. Un moment plus tard, tout danger passé, il avait voulu quitter sa cachette pour aller boire, mais sa patte brisée par les dents pointues du petit loup l'en avait empêché.

Ayla prit la petite bête dans ses bras et se mit à la bercer comme un nouveau-né. A la vue du sang et de l'angle bizarre que formait sa patte, elle décida sur-le-champ de l'apporter à Iza, qui saurait assurément le soigner. Oubliant sa collecte de galets, elle regagna la caverne avec sa découverte.

L'arrivée d'Ayla réveilla Iza qui somnolait. La fillette lui tendit le lapin en lui montrant ses blessures. Iza avait souvent soigné des animaux blessés mais elle s'était toujours gardé de les introduire dans la caverne.

— Ayla, les animaux ne peuvent pénétrer ici.

Tous ses espoirs déçus, Ayla baissa la tête et, tristement, s'apprêta à sortir en serrant le lapin contre son cœur.

La déception de la fillette n'échappa point à la guérisseuse.

— Enfin, maintenant qu'il est là, montre-le-moi que je voie ce qu'il a, dit-elle à Ayla, qui lui tendit aussitôt la petite bête avec un sourire radieux.

— Cet animal a soif, va donc chercher un peu d'eau, demanda Iza.

Ayla s'empressa de remplir un bol à une grande outre, tandis qu'Iza taillait une attelle dans un bout de bois.

— Rapporte-moi encore de l'eau, Ayla. Nous la ferons bouillir. Il me faut nettoyer cette blessure, fit Iza.

Ayla emporta l'outre pour la remplir à la mare. L'eau avait redonné quelque énergie à l'animal, qui mangeait un peu d'herbe qu'Iza lui avait donnée quand la fillette revint.

Lorsque Creb arriva un peu plus tard, il resta stupéfait en voyant Ayla serrer dans ses bras le lapin blessé pendant qu'Iza allaitait son enfant. Il remarqua l'attelle qui immobilisait la patte de l'animal et croisa le regard de sa sœur qui semblait lui dire : « Que pouvais-je faire d'autre ? » Alors que la fillette était tout absorbée par son jouet vivant, le sorcier et la guérisseuse s'entretinrent par gestes.

— Pourquoi a-t-elle apporté ce lapin ? demanda Creb.

— Il était blessé. Elle voulait que je le soigne. Elle ne savait pas qu'il ne faut pas introduire d'animal. Mais elle n'a rien fait de mal ; tout cela part d'un bon sentiment. Je pense qu'elle a des dispositions pour devenir guérisseuse. Creb, ajouta-t-elle après une pause, je voulais te dire deux mots à son sujet. Elle n'est pas très jolie, tu sais...

— Elle est attachante, dit Creb en coulant un regard vers Ayla. Mais tu as raison, elle n'est pas très jolie, reconnut-il. Je ne vois pas le rapport avec ce lapin ?

— Quelle chance a-t-elle de trouver un compagnon plus tard ? Aucun homme ne voudra d'elle. Que se passera-t-il alors ?

— J'y ai pensé, mais qu'y pouvons-nous ?

— En devenant guérisseuse, elle se ferait un rang, proposa Iza. Et je la considère comme ma fille.

— Mais elle ne descend pas de ta lignée, Iza. Elle n'est pas de ton sang. C'est ta propre fille qui te succédera.

— Je le sais, mais qu'est-ce qui m'empêche de former Ayla en même temps ? Tu lui as bien donné un nom quand je la tenais dans mes bras le jour où tu lui as révélé son totem, n'est-ce pas ? Cette cérémonie en a fait ma fille. Elle a été acceptée par le clan, n'est-il pas vrai ? demanda Iza avec ferveur, et elle s'empressa de poursuivre sans laisser à Creb le temps de répondre par la négative. Je suis persuadée qu'elle a des dons de guérisseuse, Creb. Elle s'intéresse déjà à tout ce que je fais et me pose mille questions quand je prépare mes remèdes.

— Elle pose à propos de tout plus de questions que personne d'autre, coupa Creb. Il faut lui apprendre que cela ne se fait pas, ajouta-t-il.

— Mais regarde-la, Creb. Elle trouve un animal blessé et le rapporte à la caverne. C'est bien une preuve, non ?

Creb, perdu dans ses pensées, gardait le silence.

— Son entrée dans le clan ne modifie nullement ses origines, finit-il par dire. Elle est née parmi les Autres, comment pourrait-elle apprendre tout ce que tu sais ? Elle ne possède pas tes souvenirs.

— Oui, mais elle apprend très vite, tu l'as constaté toi-même. Vois comme elle a vite su parler. Tu serais étonné de découvrir tout ce qu'elle sait déjà. De plus, elle a une main sûre et une grande douceur. Ce lapin se sent en sécurité dans ses bras. Nous ne sommes plus jeunes toi et moi, Creb, ajouta Iza en se penchant vers lui. Que lui arrivera-t-il le jour où nous aurons rejoint le monde des esprits ? Veux-tu qu'elle passe sa vie de foyer en foyer, à charge pour tout le monde, promise au rang le plus bas dans le clan ?

Creb s'était déjà posé les mêmes questions mais, incapable de trouver une solution satisfaisante, il avait écarté ce problème de ses préoccupations.

— Penses-tu vraiment pouvoir la former, Iza ? demanda-t-il, perplexe.

— Je peux toujours commencer avec ce lapin. Je vais lui montrer comment faire et la laisserai le soigner toute seule. Je suis sûre qu'elle est capable d'apprendre, malgré l'absence des souvenirs.

— Je vais y réfléchir, Iza, conclut Creb.

La fillette berçait le lapin en fredonnant. Elle se souvint tout à coup d'avoir vu Creb faire certains gestes pour demander aux esprits d'apporter leur soutien aux remèdes magiques d'Iza, et elle apporta le petit animal au sorcier.

— Creb, veux-tu demander aux esprits d'aider le lapin à guérir ? lui dit-elle par gestes après avoir déposé l'animal aux pieds du sorcier.

Interloqué, Mog-ur contempla le visage sérieux de la fillette. Il n'avait jamais eu l'occasion d'invoquer les esprits en faveur d'une bête et il éprouvait de la réticence à le faire, mais il n'eut pas le cœur de lui refuser son secours. Il jeta un coup d'œil autour de lui pour voir si on ne l'observait pas puis exécuta quelques passes rapides.

— Maintenant, je suis sûre qu'il guérira ! s'exclama Ayla sur un ton convaincu.

Puis, voyant qu'Iza avait fini d'allaiter, elle lui demanda si elle pouvait tenir le bébé. Un lapin était bien agréable à bercer, mais ça ne valait pas un nouveau-né.

— D'accord, mais fais bien attention, lui conseilla Iza.

Ayla berça la petite fille comme elle l'avait fait pour le lapin.

— Comment vas-tu l'appeler, Creb ? demanda-t-elle au sorcier.

Iza était avide de connaître la réponse mais elle ne se serait jamais permis une telle question. Elles vivaient dans le foyer de Creb, qui subvenait à leurs besoins. C'était à lui que revenait le droit de nommer les enfants nés chez lui.

— Je ne sais pas encore, et tu devrais te montrer moins curieuse, Ayla, la réprimanda Creb, tout en étant secrètement heureux de la confiance de la fillette en ses pouvoirs magiques. (Il se tourna vers Iza, et ajouta :) Je suppose qu'il n'y a pas de mal à garder cet animal ici jusqu'à ce qu'il retrouve l'usage de sa patte ; c'est une créature inoffensive.

Iza lui fit un signe de consentement, toute à la joie des bonnes dispositions de son frère. Elle était certaine qu'il ne s'opposerait pas à ce qu'elle forme Ayla, dût-il ne jamais lui signifier ouvertement son accord.

— Comment arrive-t-elle à faire ce bruit dans sa gorge ? demanda Iza, changeant de sujet, tandis qu'Ayla se remettait à fredonner. Ce n'est pas un son désagréable mais tout à fait étrange.

— C'est encore une des différences entre le Peuple du Clan et les Autres, affirma Creb, vaguement pontifiant. Leur absence de souvenirs en est une autre, mais as-tu remarqué qu'elle ne fait plus ces autres bruits depuis qu'elle a appris à s'exprimer comme nous ?

L'arrivée d'Ovra empêcha Iza de lui répondre. La jeune fille venait leur apporter le repas du soir. Elle ne put cacher sa stupeur à la vue du lapin, et elle roula de grands yeux effarés quand Iza lui confia le bébé et qu'elle vit Ayla s'emparer de l'animal pour le bercer comme si c'était un nouveau-né. Ovra jeta un regard furtif à Creb pour voir sa réaction, mais le vieil homme semblait n'avoir rien remarqué. Il lui tardait d'aller rapporter la nouvelle à sa mère. Bercer un animal ! On n'avait jamais vu ça ! Cette fillette étrangère était peut-être dérangée dans sa tête. Pensait-elle que cette bête était humaine ?

Un instant plus tard, Brun se présenta et fit signe à Creb qu'il voulait lui parler. Creb s'attendait à cela. Ils se dirigèrent ensemble vers le feu qui flambait à l'entrée de la caverne, à l'écart de leurs foyers respectifs.

— Mog-ur... commença le chef avec quelque hésitation.

— Oui.

— J'ai pensé que nous pourrions célébrer certaines unions. J'ai décidé de donner Ovra à Goov ; quant à Droog, il veut bien se charger d'Aga et de ses enfants, et accepte également la présence de la vieille Aba dans son foyer, expliqua Brun, sans trop savoir comment faire pour aborder le sujet de la présence du lapin dans le foyer du magicien.

— Je me demandais justement ce que tu attendais, répondit Creb, sans lui laisser la possibilité d'amener la conversation sur le sujet qui lui tenait à cœur.

— Il fallait que j'attende un peu. Il n'était pas question de me priver de deux hommes en pleine période de chasse. Quel est à ton avis le meilleur moment pour la cérémonie ? demanda Brun.

— Je vais bientôt donner un nom à la fille d'Iza, nous pourrions célébrer les unions en même temps, proposa Creb.

— Je vais prévenir les intéressés, déclara Brun.

Il se balançait d'un pied sur l'autre en contemplant alternativement la voûte de la grotte et le sol en terre battue, puis le fond de la caverne, pour éviter de regarder Ayla et son lapin. Brun savait qu'en abordant ce sujet, il reconnaîtrait par là même avoir observé ce qui se passait chez son frère et ne pouvait trouver une façon convenable de lui en parler. Creb attendait sans mot dire.

— Que fait ce lapin chez toi ? demanda brusquement Brun en quelques gestes rapides, conscient de sa position délicate.

Creb se retourna ostensiblement vers son foyer où Iza, qui avait compris ce qui se passait, s'affairait auprès du bébé, comme pour rester à l'écart de toute l'affaire. Quant à Ayla, la responsable du conflit, elle ne prêtait pas la moindre attention aux deux hommes.

— C'est un animal inoffensif, Brun, rétorqua évasivement Creb.

— Mais que fait-il dans la caverne ? réitéra le chef.

— C'est Ayla qui l'a apporté, pour qu'Iza lui soigne une patte cassée, répondit Creb, comme s'il s'agissait là de la chose la plus naturelle.

— Personne n'a jamais introduit d'animaux dans la caverne, dit Brun, exaspéré de ne pouvoir trouver un argument plus tranchant.

— Quel mal y a-t-il à cela ? Il ne restera pas longtemps ici. Juste le temps de guérir, répliqua Creb avec le plus grand calme.

Brun avait beau chercher, il n'arrivait pas à trouver une bonne raison pour obliger Creb à se débarrasser de l'animal. Il se trouvait dans les limites de son foyer et aucun code n'interdisait formellement la présence d'animaux dans la caverne. Le fait ne s'était tout simplement jamais produit.

En fait, le lapin n'était qu'un prétexte. Le désarroi de Brun venait de la présence d'Ayla dans le clan. Depuis qu'Iza avait décidé de garder l'enfant, toute une série d'incidents inhabituels se produisaient à cause d'elle. Et encore n'était-elle qu'une enfant ! Que se passerait-il quand elle serait grande ? Brun ne pouvait s'appuyer sur aucun précédent de ce genre pour réussir l'intégration de cette étrangère parmi eux et il se voyait soudain incapable de faire part à Creb de ses doutes et de sa détresse. Devant la gêne de son frère, Creb chercha à lui fournir une raison sérieuse de garder l'animal.

— Brun, le clan qui nous a reçus lors du dernier Rassemblement avait recueilli un ourson dans sa caverne, lui rappela le sorcier.

— Cela n'a rien à voir. Il était destiné à la Cérémonie de l'Ours. Et puis les ours vivaient dans les cavernes bien avant les hommes, mais pas les lapins !

— Peut-être, mais il n'empêche que cet ourson a bien été introduit dans leur caverne.

Brun ne trouva rien à répondre à cela. Les arguments de Creb se tenaient, mais quelle idée avait eu la fillette d'apporter ce lapin ! Sans elle, jamais un tel problème ne se serait posé. Brun avait le sentiment que les fondements sur lesquels il avait toujours vécu se dérobaient sous ses pieds, comme s'il s'était aventuré dans des sables mouvants. Il préféra abandonner le sujet pour l'instant.

Il faisait beau mais froid à la veille de la cérémonie au cours de laquelle Creb allait donner un nom à la fille d'Iza. Le vieillard, que ses rhumatismes torturaient de plus belle, sentait qu'un orage se préparait. Désireux de profiter encore une fois du temps clair avant l'arrivée des neiges hivernales, il s'en fut se promener par le petit sentier qui longeait le cours d'eau. Ayla l'accompagnait, heureuse d'étrenner les chausses qu'Iza lui avait taillées dans une peau d'aurochs tannée, le poil vers l'intérieur, une bonne couche de graisse imperméabilisant le cuir à l'extérieur. Elle s'était enveloppée dans sa fourrure de léopard des neiges et, pour se protéger les oreilles, s'était couvert la tête d'une peau de lapin, le poil en dedans, nouée sous son menton avec les pattes de l'animal. Elle gambada un instant devant puis revint vers le vieil homme qui allait d'un pas lent. Ils marchèrent un moment côte à côte en silence, chacun d'eux perdu dans ses pensées.

Creb se demandait comment il allait nommer la petite fille d'Iza. Il aimait sa sœur et voulait choisir un nom qui lui plairait. Ce ne serait pas un nom associé à son compagnon défunt, décida-t-il. Au seul souvenir de cet homme il en éprouvait comme de la nausée. Sa méchanceté à l'égard de sa sœur l'avait ulcéré, mais son inimitié remontait à plus loin. Creb se rappelait la façon dont cet homme le malmenait quand il était petit, le traitant de « femme » parce qu'il était incapable de chasser comme les autres. Seule la crainte que ce méprisable personnage avait par la suite éprouvée face aux pouvoirs du sorcier avait tu ses railleries. Creb était content qu'Iza eût une fille, et non un garçon. Cela eût fait trop d'honneur à ce misérable.

Depuis la disparition de cet être détestable, il commençait à apprécier pleinement les joies du foyer. En devenant soudain le patriarche d'une petite famille, dont il se sentait responsable et qu'il était chargé de nourrir, il avait fait l'expérience d'une nouvelle forme de respect de la part des autres hommes, aux chasses desquels il s'intéressait de plus près depuis qu'une partie lui en revenait de droit.

Je suis sûr qu'Iza est heureuse également, songeait-il, en pensant à l'affection qu'elle lui témoignait, au soin qu'elle prenait à lui faire la cuisine et à prévenir ses moindres désirs. Elle se conduisait exactement comme si elle était sa compagne, sauf charnellement, bien entendu. Quant à Ayla, elle était pour lui une source intarissable de joie. Les particularités qu'il découvrait en elle le passionnaient, et son éducation représentait un défi qu'il éprouvait le désir de relever, comme tout maître confronté à une élève brillante et intelligente. La nouveau-née aussi l'intriguait beaucoup. Passé les premiers moments de surprise et de trouble, il était parvenu à maîtriser sa nervosité quand Iza lui déposait l'enfant sur les genoux et il observait avec intérêt ses mouvements désordonnés, s'émerveillant de ce qu'un si petit être puisse devenir un jour une femme.

Elle assurera l'illustre lignée d'Iza, pensait-il. Leur mère était la guérisseuse la plus réputée de tous les clans. On venait de loin lui présenter les malades encore capables de se déplacer. Iza possédait des talents de même envergure et, selon toute probabilité, sa fille était destinée à un avenir enviable. Elle méritait donc un nom digne de ses illustres ancêtres.

Les pensées de Creb allaient maintenant à la mère de leur mère. Cette femme s'était toujours montrée douce et affectueuse à son égard, s'occupant de lui quand sa mère avait mis Brun au monde.

Elle aussi avait été une grande guérisseuse ; c'était elle qui avait soigné cet homme né chez les Autres, tout comme l'avait fait Iza d'Ayla. Quel dommage que ma sœur n'ait jamais connu cette femme, se dit-il. Il s'arrêta soudain.

— Voilà ! J'ai trouvé ! Je donnerai son nom au bébé, décida-t-il, heureux de son inspiration.

Puis il porta son attention aux cérémonies qui allaient unir Goov et Ovra, ainsi que Droog et Aga. Il pensa d'abord au jeune homme qui était son servant. Il aimait bien Goov pour son calme et son sérieux. L'Aurochs, son totem, devrait être assez puissant pour vaincre celui d'Ovra, le Castor. La jeune femme était courageuse et ferait assurément une bonne compagne. Ses talents de chasseur permettraient à Goov de nourrir convenablement sa famille et une fois mog-ur, la part qui lui serait due compenserait largement l'impossibilité où il se trouverait de chasser.

Serait-il un puissant mog-ur ? se demanda Creb. Il secoua la tête. Il avait de l'affection pour son servant, mais il savait que Goov n'aurait jamais l'habileté dont lui-même faisait preuve. Ce corps infirme qui l'avait empêché de se livrer aux activités dévolues aux hommes, telles la chasse et la paternité, lui avait permis de se consacrer totalement à son art. C'était la raison pour laquelle il était Mog-ur, le plus puissant des sorciers, celui qui guidait les esprits des autres sorciers lors des Rassemblements du Peuple du Clan, au cours d'une cérémonie suivie des mog-ur seuls. La symbiose des esprits qu'il réalisait chaque soir avec les membres du clan ne pouvait se comparer à cette fusion des âmes qui se produisait avec les esprits entraînés des autres sorciers. Il songea au prochain Rassemblement du Clan, qui n'aurait lieu que dans plusieurs années. Les Rassemblements se tenaient tous les sept ans, et le dernier avait eu lieu l'été précédent. Ce sera mon dernier Rassemblement... si je vis jusque-là, réalisa-t-il soudain.

Il reporta son attention à la cérémonie qui unirait Droog et Aga. Droog était un excellent chasseur qui avait eu maintes fois l'occasion de le prouver. Sa réputation d'habile tailleur d'outils n'était plus à faire ; sérieux et paisible comme le fils de sa compagne défunte, il était comme lui placé sous le signe de l'Aurochs. Droog n'éprouverait certainement pas envers Aga la passion d'un jeune homme, mais tous deux se devaient de contracter une nouvelle union. Aga s'était déjà révélée plus féconde que la première compagne de Droog, et la décision de Brun de les unir obéissait à la raison.

Un lapin qui débaula soudain entre leurs jambes arracha Creb et Ayla à leurs pensées. La petite fille en profita pour exprimer tout haut les questions qu'elle s'était posées en chemin.

— Creb, comment le bébé est-il entré dans Iza ? demanda-t-elle.

— La femme avale l'esprit du totem de l'homme, commença Creb machinalement, encore perdu dans ses réflexions. Les deux totems se battent et, si celui de l'homme l'emporte sur celui de la femme, il lui laisse une partie de lui-même pour faire commencer une nouvelle vie.

Ayla jeta des regards autour d'elle, étonnée d'apprendre l'omniprésence des esprits. Elle ne pouvait en voir aucun, mais si Creb disait qu'ils existaient, elle voulait bien le croire.

— Est-ce que les esprits de tous les hommes peuvent pénétrer dans la femme ? demanda-t-elle ensuite.

— Oui, mais seul un esprit puissant peut vaincre l'esprit de la femme. S'il n'y parvient pas, l'homme peut demander l'assistance d'un autre esprit, expliqua prudemment Creb.

— Seules les femmes ont des enfants ? insista Ayla.

— Oui, acquiesça Creb.

— Et il faut une cérémonie pour en avoir ?

— Non, pas toujours, il arrive qu'une femme avale l'esprit de l'homme avant la cérémonie, mais si elle ne prend pas de compagnon avant la naissance de son enfant, le petit risque d'être malheureux toute sa vie.

— Et moi, je pourrais avoir un enfant ? demanda Ayla, pleine d'espoir.

Creb songea alors à l'esprit de son puissant totem. Le principe vital de ce dernier était trop fort. Peut-être avec l'aide d'un autre esprit concéderait-il une défaite momentanée. Mais elle découvrira cela bien assez tôt, songea-t-il.

— Tu es encore trop jeune, répondit-il évasivement.

— Quand alors ?

— Quand tu seras une femme.

— Et quand serai-je une femme ?

Creb commençait à croire qu'elle n'arrêterait jamais ses questions et, prenant son courage à deux mains, il se lança dans une grande explication.

— La première fois que ton esprit se battra avec un autre esprit, tu vas saigner, preuve qu'il a été blessé. Après cela, il combattra régulièrement avec d'autres esprits, et le jour où tu ne saigneras plus, tu sauras qu'il aura été vaincu et qu'une nouvelle vie est en train de germer en toi.

— Mais quand exactement serai-je une femme ? insista Ayla.

— En principe, lorsque tu auras parcouru huit ou neuf fois le cycle complet des saisons, répondit Creb.

— Dans combien de temps, alors ?

— Approche, je vais essayer de t'expliquer, lui dit avec patience le vieux sorcier en poussant un soupir.

Il sortit d'un pli de son manteau un couteau de silex, doutant que la fillette puisse comprendre mais espérant que sa démonstration mettrait enfin un terme au flot de questions.

Les nombres étaient une abstraction difficile pour les membres du clan dont la plupart ne pouvaient penser au-delà de trois ; toi, moi et un autre. Ce n'était pas un défaut d'intelligence. Ainsi, Brun s'apercevait immédiatement de l'absence de l'un des vingt-deux membres du clan. Il lui suffisait de penser à chaque individu, ce qu'il faisait rapidement, sans même s'en apercevoir. Mais passer de l'individu au concept de « un » représentait un effort considérable que bien peu étaient capables de fournir. Comment deux personnes différentes pouvaient-elles être « une » à un moment donné, voilà qui dépassait largement leur entendement.

L'incapacité du Peuple du Clan à concevoir la synthèse ou l'abstraction s'étendait à d'autres aspects de leur vie. Ils connaissaient le chêne, le saule, le sapin, mais ne possédaient pas de termes génériques pour les désigner : le mot « arbre » était absent de leur vocabulaire. Chaque type de sol, de roche, mêmes les différentes sortes de neige avaient un nom. Les membres du Peuple du Clan s'en remettaient à la richesse de leur mémoire et à leur capacité de l'enrichir encore, car ils n'oubliaient presque rien. Aussi dépendaient-ils de leur sorcier pour garder la trace de ce qui devait être compté : les années entre les Rassemblements, l'âge de chacun d'eux, la période d'isolement requise après une union et les sept premiers jours de la vie d'un nouveau-né. C'était dans sa capacité à mesurer le temps que résidait l'un des pouvoirs magiques les plus importants du mog-ur.

Creb ramassa une petite branche, s'assit et cala la badine entre son pied et une grosse pierre.

— Iza pense que tu es un peu plus âgée que Vorn, commença-t-il. Vorn a déjà passé l'année de sa naissance, l'année où il a appris à marcher, et celle où il a été sevré, expliqua Creb en faisant au fur et à mesure une entaille dans la branchette. Je vais ajouter une autre marque pour représenter l'âge que toi tu as aujourd'hui. Si je place mes doigts dans chaque entaille, toute ma main les recouvre, vois-tu ?

Ayla considéra avec une extrême attention l'ensemble des marques du couteau et tout à coup son visage s'éclaira.

— J'ai donc autant d'années que tout ça ! s'exclama-t-elle, en lui montrant sa main, les cinq doigts écartés. Mais dans combien de temps pourrai-je avoir un bébé ? ajouta-t-elle, plus intéressée par ce sujet que par le calcul.

Creb était stupéfait. Comment avait-elle pu comprendre si vite ? Elle n'avait même pas pris la peine de l'interroger sur le rapport existant entre les doigts et les entailles et sur leur relation avec les années. Goov avait mis très longtemps avant de comprendre tout cela. Creb incisa encore trois fois la petite branche et posa trois doigts sur les marques. Ayla regarda alors son autre main et leva aussitôt trois doigts, après avoir replié sans hésiter le pouce et l'index.

— Quand j'aurai tout ça ? demanda-t-elle en levant ses huit doigts.

Creb acquiesça, mais ce que fit ensuite la fillette le laissa ébahi ; il lui avait fallu des années pour maîtriser cette abstraction. Ayla abaissa l'une de ses mains et ne tendit que trois doigts.

— Alors, je pourrai avoir un bébé dans ça d'années, conclut-elle par gestes avec une grande assurance, convaincue de la justesse de son raisonnement.

Le vieux sorcier était abasourdi. Il était inconcevable qu'une enfant de son âge fût capable d'une telle promptitude de déduction.

— Oui, c'est possible, bien qu'un peu tôt. Il se pourrait que ce soit encore dans tout ça, répondit Creb en faisant deux entailles supplémentaires dans son morceau de bois. Ou bien dans beaucoup plus, ajouta-t-il. On ne peut savoir à l'avance.

Ayla, l'air perplexe, leva le pouce et l'index.

— Et après ça ? demanda-t-elle.

Creb la considéra avec suspicion. Ils s'aventuraient sur un terrain glissant et Brun verrait d'un mauvais œil la petite fille s'initier à des domaines réservés aux seuls mog-ur et, plus grave encore, exercer d'aussi grands pouvoirs magiques. Mais Ayla avait piqué la curiosité du sorcier, impatient de voir jusqu'où iraient ses capacités de compréhension.

— Mets tes deux mains sur toutes les marques, lui expliqua-t-il. (Ayla lui obéit, puis Creb traça une autre marque sur laquelle il mit son petit doigt.) Tu vois, dit-il, j'ai mis mon petit doigt sur cette marque-là. Après la première série couverte par tes deux mains, tu dois penser au premier doigt de la main de quelqu'un d'autre, puis au doigt suivant et ainsi de suite. Tu comprends ? demanda-t-il en la regardant attentivement.

La petite fille ne cilla pas. Elle considéra ses mains puis celles de Creb et fit la grimace particulière avec laquelle elle manifestait sa joie, en hochant vigoureusement la tête. Et, à la stupeur du sorcier, elle franchit une nouvelle étape avec une aisance déconcertante.

— Et ensuite les mains de quelqu'un d'autre, et encore de quelqu'un d'autre, n'est-ce pas ? demanda-t-elle.

C'était plus que ne pouvait imaginer Creb, qui avait le plus grand mal à compter jusqu'à vingt. Au-delà, les nombres se perdaient dans une infinité vague qu'il nommait « beaucoup ». Il avait en de rares occasions et après une longue méditation eu le sentiment d'entrevoir une bribe de ce concept qu'Ayla venait de maîtriser sans la moindre difficulté. Prenant soudain conscience de l'abîme qui séparait son esprit de celui d'Ayla, il chercha à dissimuler son trouble en faisant diversion.

— Dis-moi comment s'appelle ceci ? lui demanda-t-il en brandissant la branchette qu'il avait utilisée pour sa démonstration.

— Saule, répondit-elle avec une légère hésitation.

— Très bien, dit Creb en la prenant par les épaules et en la regardant droit dans les yeux. Ayla, il vaudrait mieux que tu ne parles à personne de tout ce que je viens de t'apprendre, ajouta-t-il en lui montrant les entailles.

— Oui, Creb, lui promit-elle, consciente de l'importance que cela représentait aux yeux du sorcier, dont elle avait appris à comprendre les gestes et les expressions mieux que personne, à l'exception d'Iza.

— Allons, il est grand temps de rentrer, déclara-t-il, désireux de rester seul pour méditer en paix.

— Oh, non, pas encore ! Il fait encore bon dehors, supplia la fillette.

— Ayla, il ne faut jamais contredire un homme quand il a pris une décision, lui reprocha-t-il gentiment.

— Oui, Creb, répondit-elle en baissant la tête, comme il lui avait appris à le faire.

Sur le chemin du retour, elle marcha en silence aux côtés de Mog-ur jusqu'au moment où l'impétuosité de sa jeunesse reprit le dessus, et elle se remit à gambader devant lui. Elle revenait en courant, les bras chargés de brindilles et de pierres, dont elle lui déclinait les noms ou lui demandait de les lui rappeler si elle ne s'en souvenait plus. Encore sous le coup de sa découverte, le sorcier lui répondait machinalement.

Les premières lueurs de l'aube dissipaient les ténèbres et la fraîcheur de la nuit annonçait l'arrivée prochaine de la neige. Allongée sur sa couche, Iza regardait se préciser peu à peu les contours familiers de la caverne. Aujourd'hui, sa fille allait recevoir un nom et se voir reconnue comme membre du clan à part entière et comme un être humain non seulement vivant mais apte à vivre. Elle songea avec plaisir que sa mise à l'écart forcée allait se relâcher, bien que ses rapports avec les autres dussent encore se limiter strictement aux femmes jusqu'à la fin des saignements.

A l'apparition de leurs premières menstruations, les jeunes filles étaient obligées de s'éloigner du clan pendant toute la durée du cycle. Si elles se produisaient en hiver, la jeune femme demeurait seule au fond de la caverne, mais devait tout de même subir l'épreuve de l'isolement total au printemps suivant, au moment de ses règles. Cette expérience était non seulement terrifiante mais encore dangereuse pour ces jeunes femmes désarmées, accoutumées à la protection et à la compagnie du clan. Cette épreuve était destinée à marquer le passage à la condition de femme, tout comme la première chasse marquait le passage d'un garçon à l'âge d'homme. Mais contrairement à ce dernier, la femme n'avait droit à aucune cérémonie pour fêter l'événement et son retour parmi les siens. Certes, pendant l'épreuve, elle avait la permission de faire du feu pour éloigner les bêtes féroces, mais il n'était pas rare que l'une d'elles disparaisse à tout jamais, et que son cadavre soit découvert plus tard par quelque chasseur. La mère de la jeune fille avait le droit de lui rendre visite une fois par jour, pour lui apporter réconfort et nourriture. Mais si elle venait à disparaître, sa mère n'était autorisée à en faire mention qu'au bout d'un certain temps.

Les luttes auxquelles se livraient les esprits à l'intérieur des corps des femmes dans le but de concevoir la vie restaient un profond mystère pour les hommes. Mais ils savaient que leur essence était vaincue, chassée du corps de la femme, quand celle-ci saignait. Si, durant cette période, une femme regardait un homme, l'esprit de ce dernier risquait d'être attiré dans une lutte qu'il n'était pas certain de remporter. C'est pourquoi les totems des femmes devaient être plus faibles que ceux des hommes, car même un totem faible pouvait tirer une grande force de l'essence vitale propre au sexe féminin. C'étaient les femmes qui possédaient le pouvoir de donner la vie.

Dans le monde matériel, un homme était plus grand, plus fort, bien plus puissant qu'une femme, mais dans le monde terrible des forces invisibles, la femme était l'héritière naturelle d'une force potentiellement plus conséquente. Pour les hommes la faiblesse physique de la femme était précisément ce qui permettait d'établir l'équilibre entre elles et eux. Qu'on permît aux femmes de réaliser toute la force qu'elles avaient en puissance, et c'en serait fini de cet équilibre. C'était la raison pour laquelle elles étaient tenues à l'écart de la vie spirituelle et gardées ainsi dans l'ignorance de la trop grande force que leur conférait ce pouvoir de concevoir la vie.

Les jeunes hommes étaient avertis à leur première cérémonie suivant la consécration à l'âge adulte des terribles conséquences qui pourraient résulter de la découverte par une femme des rites secrets des hommes, et des légendes couraient sur l'époque où c'étaient les femmes qui exerçaient la magie et intercédaient auprès des esprits. Ainsi éclairés, les jeunes hommes considéraient les femmes d'un autre regard. Ils assumaient leurs responsabilités masculines avec beaucoup de sérieux et veillaient à ce qu'une femme soit protégée, nourrie mais totalement dominée, sinon le fragile équilibre entre les forces matérielles et les forces spirituelles risquait d'être brisé et la pérennité du Peuple du Clan condamnée.

La puissance des esprits féminins étant beaucoup plus agissante pendant la menstruation, la femme devait subir un isolement forcé pour ne pas mettre en échec l'esprit totémique de l'homme. Confinée auprès des autres femmes elle n'avait le droit de toucher à aucune nourriture susceptible d'être consommée par un homme. Elle ne pouvait s'occuper que de tâches subalternes comme le ramassage du bois ou la préparation des peaux à l'usage exclusif des femmes. Pendant cette période, les hommes l'ignoraient totalement et s'abstenaient même de la réprimander. Que son regard tombât par hasard sur elle, l'homme faisait comme si elle était invisible.

Cet isolement semblait un châtiment cruel, presque aussi cruel que la Malédiction Suprême infligée au membre du clan coupable d'une faute grave. Seul le chef du clan était habilité à demander au mog-ur de faire descendre sur lui les esprits malfaisants. Le mog-ur ne pouvait se soustraire à cette obligation malgré le danger que cela représentait pour le clan et pour lui-même. Une fois maudit, le coupable était exclu du clan qui cessait aussitôt de lui parler comme de le voir. Il n'existait plus pour personne. Il était tout bonnement considéré comme mort. Son épouse et sa famille le pleuraient et personne n'avait le droit de lui donner à manger. Quelques-uns quittaient le clan pour ne plus jamais reparaître. Mais la plupart se laissaient mourir de faim et de soif.

Il arrivait parfois que le châtiment soit imposé pour une durée déterminée, mais dans la plupart des cas l'issue demeurait fatale, le coupable se laissant quand même mourir. S'il survivait à une telle condamnation, il pouvait réintégrer le clan et retrouver son rang. Une fois sa dette payée, son crime était oublié. Cependant, en raison de la rareté des actes criminels, un tel châtiment était fort peu souvent infligé. Enfin, l'isolement forcé des femmes pendant la menstruation avait au moins cela de bon qu'il les soustrayait pendant un temps aux demandes incessantes et à la surveillance attentive des hommes.

Iza attendait avec impatience la cérémonie grâce à laquelle elle pourrait enfin se joindre aux autres femmes et, lasse de se voir confinée dans les limites du foyer de Creb, elle regardait avec envie le beau soleil qui pénétrait dans la caverne. Elle guettait le signe de Mog-ur lui annonçant qu'il était prêt et le clan rassemblé pour la cérémonie. Lorsque enfin il la fit venir, elle se présenta devant lui et, la tête baissée, elle dénuda son enfant, tandis que Mog-ur convoquait les esprits protecteurs avec de grands gestes solennels. Puis plongeant les doigts dans l'écuelle que lui présentait Goov, il traça une ligne rouge sur le nez de l'enfant jusqu'au milieu des sourcils.

— Uba, cette enfant se nomme Uba, déclara le sorcier.

— Uba, répéta Iza en serrant contre elle son enfant frissonnante de froid.

Elle était heureuse que sa fille portât le nom de cette aïeule qu'elle regrettait de ne pas avoir connue. Les membres du clan commencèrent à défiler un à un devant la petite fille, en répétant son nom pour se familiariser ainsi que leurs totems avec la nouvelle venue. Après quoi, Iza enveloppa la nouveau-née dans de douces peaux de lapin et l'installa sous sa propre fourrure, tout contre la chaleur de son corps, et elle prit place parmi les femmes pour assister à la consécration des unions.

A l'occasion de cette cérémonie et celle-là seule, on utilisait l'ocre jaune. Goov, ne pouvant officier comme servant de sa propre union, tendit l'écuelle d'onguent jaune à Mog-ur, qui la cala entre son bras et sa taille. Il prit place devant le sorcier, attendant que Grod lui amène la fille de sa compagne. Uka, quant à elle, assistait à la scène, à la fois heureuse pour sa fille et désolée de la voir quitter le foyer familial. Ovra, enveloppée dans une peau de bête toute neuve, s'avança les yeux baissés, et s'assit en tailleur devant Goov.

Avec les gestes appropriés, Mog-ur s'adressa de nouveau aux esprits, puis, après avoir plongé son majeur dans l'écuelle, il traça à l'ocre jaune le signe du totem d'Ovra sur la cicatrice de celui de Goov, symbole de l'union de leurs esprits, puis le signe du totem de Goov sur celui d'Ovra, en recouvrant entièrement le signe de la femme, symbole de sa soumission.

— Esprit de l'Aurochs, Totem de Goov, tu as vaincu l'Esprit du Castor, Totem d'Ovra, déclara Mog-ur en effectuant les gestes rituels. Puisse Ursus permettre qu'il en soit toujours ainsi. Goov, acceptes-tu cette femme ?

Goov répondit en tapant Ovra sur l'épaule et en lui faisant signe de venir avec lui dans la caverne, vers leur nouveau foyer fraîchement délimité par des pierres. Ovra se releva pour suivre son nouveau compagnon. Personne ne lui ayant demandé son avis, elle n'avait pas eu le choix. Le couple allait rester isolé, confiné dans les limites du foyer où chacun dormirait de son côté. A la fin de cet isolement de quatorze jours, les hommes procédaient entre eux à de nouveaux rites pour sceller l'union.

L'union de deux êtres était aux yeux du clan une affaire strictement spirituelle, qui commençait par une déclaration publique devant tous et s'achevait par un rite secret strictement réservé aux hommes. Dans la communauté, il était aussi naturel de s'adonner aux activités sexuelles que de dormir ou de manger. Les enfants apprenaient souvent comment cela se passait en observant les adultes, et ils jouaient à faire l'amour dès leur plus jeune âge, tout comme ils imitaient les autres activités de leurs aînés. Les petites filles étaient déflorées très jeunes par des garçons pubères qui, n'ayant pas encore abattu leur première bête à la chasse, flottaient entre l'enfance et l'âge adulte.

Tout homme avait le droit de satisfaire ses désirs quand bon lui semblait, avec n'importe quelle femme, à l'exception de sa sœur. Généralement, les couples se restaient plus ou moins fidèles, mais il était plus grave pour un homme de réprimer ses désirs que de prendre la première femme venue. Quant aux femmes, elles faisaient volontiers des gestes subtilement évocateurs et suggestifs aux hommes qui leur plaisaient, afin de susciter leurs avances. Aux yeux des membres du clan, toute vie nouvelle prenait naissance par l'entremise des totems en présence dans le couple uni selon la coutume, et tout lien entre l'activité sexuelle et la reproduction paraissait inconcevable.

Une seconde cérémonie fut célébrée pour unir Droog et Aga, et le couple alla s'isoler dans le foyer de Droog. Cet isolement concernait le clan, mais non ceux qui partageaient leur feu et qui étaient libres d'aller et venir dans ce foyer qui leur restait ouvert. Quand le couple eut disparu dans la caverne, les femmes entourèrent Iza et son enfant.

— Mais elle est parfaitement constituée, Iza ! s'exclama Ebra. Je dois dire que j'étais inquiète quand je t'ai sue enceinte, au bout de tout ce temps.

— Les esprits ont veillé sur moi, répondit Iza. Une fois vaincu, un totem puissant aide à faire de beaux enfants.

— Je craignais que le totem de l'étrangère ait une mauvaise influence sur ton enfant. Elle est si différente de nous et son totem est si puissant qu'elle aurait pu déformer ta petite, commenta Aba.

— Ayla a de la chance et elle m'a porté chance, répliqua brusquement Iza en jetant un coup d'œil vers Ayla pour voir si elle avait prêté attention aux propos d'Aba. (La guérisseuse n'aimait pas qu'on affiche ouvertement de telles pensées.) Ne nous a-t-elle pas porté chance à tous ?

— Peut-être, mais en ce qui te concerne, pas assez pour te donner un garçon, insista Aba.

— Je désirais une fille, Aba, déclara Iza.

— Iza, comment peux-tu dire une chose pareille !

Les femmes n'en revenaient pas ; il n'était pas de coutume qu'elles reconnaissent préférer une fille à un garçon.

— Je la comprends, dit Uka, prenant la défense d'Iza. Vous avez un fils, vous veillez sur lui, vous le nourrissez, vous l'élevez, et dès qu'il est grand, il disparaît. S'il n'est pas tué à la chasse, il meurt autrement. Au moins, Uba aura, elle, une chance de vivre plus longtemps.

Tout le monde connaissait le chagrin de cette femme qui avait perdu son fils dans l'éboulement de la caverne. Ebra, avec tact, changea de sujet.

— Je me demande comment nous allons passer l'hiver dans cette nouvelle caverne.

— La chasse a été bonne, et nous avons assez de provisions. Les chasseurs vont tenter une dernière expédition aujourd'hui. Pourvu qu'il nous reste assez de place dans la réserve pour entreposer ce qu'ils tueront, dit Ika. En attendant, nous ferions bien de leur faire à manger, ils ont l'air de s'impatienter.

Les femmes quittèrent à regret Iza et son enfant pour aller préparer le repas du matin. Ayla s'assit à côté d'elle et prit le bébé dans ses bras. Iza se sentait heureuse de se trouver dehors par cette belle matinée froide et ensoleillée ; heureuse de la naissance de son enfant, une fille de surcroît, et en bonne santé ; heureuse de la nouvelle caverne et que Creb ait décidé de pourvoir à ses besoins ; heureuse enfin de la présence à ses côtés de la jeune étrangère aux cheveux blonds.

Elle regarda Uba, puis Ayla. Mes deux filles, pensa-t-elle, elles sont toutes les deux mes filles. Tout le monde sait déjà qu'Uba deviendra guérisseuse, mais il en sera de même pour Ayla. Je ferai en sorte qu'il en soit ainsi. Elle honorera sûrement notre grande lignée.

9

Alors l'Esprit de la Neige poudreuse vainquit celui de la Neige cristalline qui, à quelque temps de là, donna naissance loin au nord à la Montagne de Glace. Mais l'Esprit du Soleil détestait cette enfant étincelante qui ne cessait de s'étendre à mesure qu'elle grandissait, repoussant la chaleur de ses rayons et empêchant l'herbe de croître. Alors, le Soleil se jura de faire disparaître la Montagne de Glace, mais l'Esprit du Gros Nuage, frère de la Neige cristalline, apprit que le Soleil voulait tuer l'enfant. Et lorsque le Soleil se trouva au point culminant de sa puissance, en plein été, l'Esprit du Gros Nuage engagea le combat contre lui pour sauver la vie de la Montagne de Glace.

Uba sur les genoux, Ayla écoutait, captivée, la légende familière. C'était sa légende préférée, celle qu'elle ne se lassait pas d'entendre. Mais l'intrépide gamine d'un an et demi qu'elle tenait dans ses bras semblait plus intéressée par ses longs cheveux blonds qu'elle tirait allégrement. Ayla dégagea de sa chevelure les petits doigts, sans quitter des yeux le vieux Dorv qui, debout près du feu, mimait de façon théâtrale devant le clan les péripéties d'une histoire qu'il avait maintes fois racontée.

Certains jours, le Soleil gagnait la bataille après avoir réduit en eau la glace dure, ôtant peu à peu la vie à la Montagne de Glace. Mais certains autres, le Gros Nuage l'emportait sur son rival, faisant écran entre lui et la Montagne de Glace. Si en été la Montagne de Glace mourait de faim et perdait considérablement de ses forces, en hiver sa mère lui apportait de quoi se nourrir et retrouver la santé. Et chaque été, le Soleil luttait avec moins de succès contre le Gros Nuage. Ainsi, au début de chaque hiver, la Montagne de Glace était-elle un peu plus grosse que l'hiver précédent et recouvrait-elle davantage les terres tous les ans.

A mesure qu'elle envahissait l'espace, les vents froids se levaient et la neige tourbillonnait. Et la Montagne avançait toujours, se rapprochant petit à petit des lieux habités par le Peuple du Clan.

Un frisson parcourut l'auditoire blotti autour du feu. Instinctivement, des têtes rentrèrent dans les épaules, comme sous une bourrasque de neige.

Personne ne savait que faire. « Pourquoi les esprits ne nous protègent-ils plus ? Qu'avons-nous fait pour mériter leur colère ? » se demandaient-ils. Alors, le mog-ur décida de partir à la rencontre des esprits afin de leur parler. Il resta absent très longtemps. Tout le monde guettait son retour avec impatience, surtout les jeunes hommes.

Parmi ces derniers, Durc était le plus impatient.

— Le mog-ur ne reviendra jamais, dit-il. Nos totems n'aiment pas le froid. Ils sont partis. Nous devrions en faire autant.

— Nous ne pouvons pas quitter notre abri, dit le chef. C'est là que notre clan a toujours vécu. C'est la demeure des esprits de nos totems. Ils ne sont pas partis. Ils ne sont pas contents de nous, mais ils le seront encore moins sans feu ni lieu. Nous ne pouvons pas nous en aller et les emmener avec nous. De plus, où irions-nous ?

— Nos totems sont déjà partis, insista Durc. Ils reviendront peut-être si nous trouvons des lieux plus cléments. Nous pouvons aller vers le sud, en suivant les oiseaux chassés par le froid de l'automne ; ou vers l'est, au pays du Soleil. Nous devons aller là où la Montagne de Glace ne pourra jamais nous atteindre. Elle se déplace très lentement, tandis que nous, nous filons comme le vent. Elle ne pourra jamais nous rattraper. Si nous restons ici, nous gèlerons sur place.

— Non. Nous devons attendre le mog-ur. Il nous dira ce qu'il faut faire, ordonna le chef.

Mais Durc ne voulait pas écouter cet avis sage. A force d'exhortations, il parvint à rallier à sa cause quelques membres du clan qui décidèrent de partir avec lui.

— Restez, suppliaient les autres. Attendez le retour du mog-ur.

Durc refusa de les écouter.

— Le mog-ur ne trouvera jamais les esprits. Il ne reviendra jamais. Nous partons sur-le-champ. Venez donc chercher avec nous un endroit inaccessible à la Montagne de Glace.

— Non, répliquèrent-ils. Nous attendrons ici.

Les mères et leurs compagnons pleurèrent les jeunes hommes et les jeunes femmes qui partirent, assurés de ne jamais les revoir. Ils attendirent encore longtemps le retour du mog-ur et, à mesure que le temps passait, ils se mirent à douter de le revoir jamais et se demandèrent s'ils n'auraient pas mieux fait de suivre Durc.

Mais un jour le clan vit arriver un étrange animal, si étrange qu'il n'avait pas peur du feu. Lorsqu'il s'approcha on s'aperçut que ce n'était pas un animal : c'était le mog-ur, vêtu d'une peau d'ours des cavernes ! Il avait fini par revenir. Et il raconta au clan ce qu'Ursus, l'Esprit du Grand Ours des Cavernes, lui avait révélé.

Ursus leur enseigna à vivre dans les cavernes, à porter des vêtements de peaux de bêtes, à chasser et à faire la cueillette en été pour amasser des provisions en prévision de l'hiver. Le Peuple du Clan n'oublia jamais la leçon d'Ursus, et la Montagne de Glace, malgré tous ses efforts, ne parvint jamais à chasser notre peuple de chez lui.

Alors la Montagne de Glace finit par abandonner la lutte. Elle boudait et ne voulait plus se battre avec le Soleil. L'Esprit du Gros Nuage, mécontent, refusa désormais de la défendre. Elle retourna chez elle, loin vers le nord, et le froid la suivit. Radieux de sa victoire, le Soleil la poursuivit tout le long du chemin, et la Montagne de Glace n'ayant plus nulle part où se réfugier, fut obligée de s'avouer vaincue. Et pendant longtemps, longtemps, il n'y eut plus jamais d'hiver, seulement un éternel été.

Mais la Neige cristalline regrettait la perte de son enfant et elle commença à s'affaiblir de chagrin. La Neige poudreuse, qui désirait un autre enfant, fit appel au Gros Nuage pour l'assister. Prenant sa sœur en pitié, il couvrit le visage du Soleil pendant que la Neige poudreuse répandait son esprit sur la Neige cristalline qui, à quelque temps de là, donna naissance à une autre Montagne de Glace. Mais cette fois, notre peuple se rappelait ce qu'Ursus lui avait enseigné. La Montagne de Glace ne chassa jamais plus ceux du Clan de chez eux.

Et qu'est-il advenu de Durc et de ses compagnons ? Certains prétendent qu'ils furent dévorés par les loups et les lions ; d'autres qu'ils se sont noyés dans des eaux profondes ; d'autres encore qu'une fois arrivés au pays du Soleil, celui-ci, furieux à l'idée que Durc et ses amis veuillent lui prendre sa terre, leur envoya une boule de feu qui les réduisit en cendres, et personne ne les revit jamais plus.

— Tu vois, Vorn, tu dois toujours écouter ta mère, Droog et Mog-ur. Tu ne dois jamais désobéir, ni quitter le clan, sous peine de disparaître à jamais.

C'était toujours sur ces mots qu'Aga concluait, à l'usage de son fils Vorn, l'édifiante histoire de Durc.

— Creb, dit Ayla, crois-tu que Durc et ses compagnons ont découvert un nouvel endroit pour vivre ? Il a disparu, c'est vrai, mais personne ne l'a vu mourir, n'est-ce pas ? Il n'est peut-être pas mort ?

— Il est vrai que personne ne l'a vu mourir, Ayla, mais il est très difficile de chasser à deux ou trois hommes seulement. Ils auront pu tuer suffisamment de petit gibier durant les mois d'été, mais ils ont dû avoir beaucoup de mal avec le gros gibier, indispensable pour passer l'hiver. En outre, ils ont dû traverser de nombreux hivers avant d'atteindre le pays du Soleil. Et tu sais que les totems ont besoin d'un endroit pour vivre. Ils s'éloignent de ceux qui errent à l'aventure. Aimerais-tu que ton totem te quitte ?

— Mais mon totem ne m'a pas abandonnée, même quand j'étais toute seule et sans abri, rétorqua Ayla en portant spontanément la main à son amulette.

— C'est parce qu'il voulait t'éprouver. Il t'a trouvé un nouveau foyer, n'est-ce pas ? Le Lion des Cavernes est un totem très puissant, Ayla. Il t'a choisie lui-même et peut donc te protéger à tout moment. Mais en général, les totems préfèrent résider dans une demeure fixe. Si tu es très attentive, le tien t'aidera et te dictera ce que tu as de mieux à faire.

— Comment le saurai-je, Creb ? demanda Ayla. Je n'ai jamais vu l'Esprit du Lion des Cavernes. Comment peut-on savoir quand un totem vous dit quelque chose ?

— Tu ne peux pas voir l'esprit de ton totem parce qu'il fait partie de toi, qu'il est en toi. Mais il peut te parler si tu sais l'écouter. Si tu dois prendre une décision, il est là pour t'aider. Il te fera savoir à sa manière si tu as fait le bon choix.

— Mais par quel signe il me le fera savoir ?

— C'est difficile à dire. En général, il te le signifie par quelque chose d'inhabituel ou d'étrange. Ce peut être une pierre que tu n'as jamais vue auparavant ou bien une racine à la forme bizarre qui prendra un sens pour toi. Tu dois réussir à le comprendre avec ton cœur et ton esprit, non avec tes yeux et tes oreilles. C'est ainsi que tu sauras ce qu'il faut faire. Toi seule es capable de comprendre ton totem, personne ne peut le faire à ta place. Mais à chaque fois que tu trouveras un signe de lui, ajoute-le à ton amulette, cela te portera bonheur.

— Et toi, Creb, tu as des signes avec ton amulette ? demanda la fillette en fixant d'un œil curieux la petite bourse rebondie qui pendait au cou du sorcier.

— Oui, acquiesça-t-il. J'ai une dent d'ours des cavernes que j'ai trouvée quand je suis devenu le servant du mog-ur précédent. Elle s'était détachée de la mâchoire et se trouvait par terre, à mes pieds. Elle est en parfait état. C'est comme ça qu'Ursus m'a fait savoir que ma décision était la bonne.

— Tu crois que mon totem m'enverra aussi des signes ?

— Personne ne le sait. Mais ce n'est pas impossible ; le jour où tu auras une grave décision à prendre, ton totem t'y aidera peut-être si tu as conservé ton amulette sur toi. Fais bien attention de ne jamais la perdre, Ayla. Elle contient une partie de ton esprit et c'est grâce à elle qu'il pourra te retrouver où que tu sois. Si tu la perds, il perdra son chemin et regagnera le monde des esprits. Si tu ne la retrouves pas très vite, tu mourras.

Ayla frissonna. Elle porta la main à la petite bourse qui pendait à son cou en se demandant si elle rencontrerait jamais un signe de son totem.

— Crois-tu que le totem de Durc lui avait signifié qu'il pouvait partir au pays du Soleil ?

— Personne ne saurait le dire, Ayla. Cela ne fait pas partie de la légende.

— Je trouve que Durc a eu beaucoup de courage de partir à la recherche d'un pays plus doux, déclara Ayla.

— Il était peut-être courageux, mais bien imprudent, répondit Creb. Pourquoi quitter son clan et la demeure de ses ancêtres ? Pour découvrir autre chose ? Les jeunes trouvent toujours à Durc de la bravoure, mais avec l'âge et la sagesse, ils changent d'avis.

— Moi, je l'aime parce qu'il était différent, dit Ayla. C'est en tout cas ma légende préférée.

Ayla se leva pour suivre les femmes qui allaient préparer le repas du soir. Creb, perplexe, la suivit des yeux en secouant la tête d'un air de dépit. Chaque fois qu'elle paraissait sur le point de comprendre et de se soumettre aux coutumes du clan, elle faisait ou disait quelque chose qui incitait le sorcier à douter d'elle. Ainsi dans cette légende destinée à illustrer l'erreur de chercher à bouleverser les traditions, Ayla admirait l'intrépidité du jeune homme, avide de changement. Quand adopterait-elle une fois pour toutes les idées du clan ? se demandait-il. Elle avait pourtant appris tellement de choses en si peu de temps.

Dès l'âge de sept ou huit ans, les petites filles du clan étaient censées posséder tout le savoir pratique des femmes adultes. Peu après, d'ailleurs, la plupart d'entre elles devenaient en âge de s'accoupler. Depuis deux années qu'Iza l'avait recueillie, Ayla avait appris à trouver seule sa nourriture, à la préparer et à la conserver. Elle savait également faire de nombreuses autres choses, et cela aussi bien que les jeunes filles du clan.

Elle savait dépecer et tailler une peau pour en faire des vêtements, des couvertures et des sacs. Elle était capable de découper dans une seule peau des lanières de largeur régulière. Les cordes qu'elle fabriquait avec les poils, les tendons ou les écorces fibreuses étaient solides et lourdes, ou fines et légères, en fonction des besoins. Elle excellait dans le tressage des paniers, des nattes et des filets. Elle savait également tailler une pierre pour confectionner un coup-de-poing ou un couteau tranchant qui faisait l'admiration de Droog lui-même. Elle pouvait encore creuser des écuelles dans des souches d'arbre et les polir. Elle était capable de faire du feu en faisant tourner vivement entre ses mains la pointe d'une baguette contre une pièce de bois, jusqu'à l'obtention d'un charbon fumant avec lequel elle parvenait à enflammer des brindilles sèches. Et, à la grande surprise de tous, elle assimilait le savoir thérapeutique d'Iza avec une facilité déconcertante. Iza avait raison, songeait Creb, la petite n'a pas besoin de mémoire pour apprendre.

Ayla était occupée à couper des racines en morceaux pour les faire bouillir dans un récipient suspendu au-dessus du feu. Une fois enlevées les parties moisies, il ne restait plus grand-chose. Le fond de la caverne avait beau être frais et sec, les légumes entreposés n'en pourrissaient pas moins vers la fin de l'hiver. La petite fille commençait à rêver de la saison prochaine. Elle avait remarqué la présence d'un filet d'eau dans la rivière encore gelée, signe qu'elle ne serait pas longue à se libérer de la glace. Il lui tardait de retrouver la saveur des premiers légumes, des bourgeons, de la résine sucrée de l'érable que l'on recueillait pour la faire bouillir dans de grands récipients en peau jusqu'à ce qu'elle se transforme en un épais sirop, conservé dans des pots faits d'écorce de bouleau. Le bouleau lui-même fournissait un sirop, mais moins bon que l'érable.

Ayla n'était pas la seule à déplorer la longueur de ce pénible hiver, qui confinait le clan à l'intérieur de la caverne. Au lever du jour, le vent du sud avait commencé à souffler, porteur de la douce et tiède odeur de la mer proche. Les longues stalactites qui obstruaient partiellement l'entrée de la grotte commencèrent de fondre. Mais un peu plus tard dans la matinée, la température chuta brusquement, gelant de nouveau les pointes acérées. Néanmoins, chacun avait senti dans cette brise l'approche imminente du printemps.

Les femmes travaillaient en bavardant, conversant à leur habitude avec leurs mains, à l'aide de gestes brefs et éloquents, sans pour autant interrompre un seul instant leurs tâches. Vers la fin de l'hiver, au moment où venaient à s'épuiser les provisions, elles avaient coutume de mettre en commun leurs réserves et de faire la cuisine ensemble tout en continuant à manger séparément, sauf à l'occasion d'événements particuliers. Les festins étaient plus nombreux en hiver, agréable façon de rompre la monotonie des jours. Le clan avait largement de quoi manger. Entre deux tempêtes de neige, les chasseurs parvenaient à rapporter à la caverne quelque menu gibier ou un vieux daim, dont on aurait d'ailleurs fort bien pu se passer, étant donné l'abondance de viande séchée en réserve. La vieille Aba racontait une histoire aux femmes, dont le goût pour les légendes du clan avait été réveillé par le récit que venait de faire Dorv.

« ... *Mais l'enfant était difforme. Alors, obéissant aux ordres du chef, sa mère l'emporta, la mort dans l'âme, décidée à ne pas le laisser mourir. Elle grimpa dans un arbre et l'attacha aux branches les plus hautes, inaccessibles même aux chats sauvages. Le bébé se mit à pleurer à son départ et eut si faim au cours de la nuit qu'il hurla comme un loup, empêchant tout le monde de dormir. Il brailla jour et nuit, mais tant qu'il pleurait et criait, sa mère le savait vivant.*

Le jour où il devait recevoir un nom, la mère s'empressa de grimper dans l'arbre, très tôt le matin. Et non seulement son fils était encore en vie, mais son infirmité avait disparu ! Il était devenu normal et bien portant. Le chef, qui n'avait pas voulu de l'enfant dans le clan, fut obligé de l'accepter et de lui faire donner un nom. Par la suite, l'enfant devint chef à son tour et il fut toujours reconnaissant à sa mère de lui avoir évité une mort certaine. Il lui remettait une part de ses chasses et ne la battit ni ne la réprimanda jamais, et il la traita toujours avec le plus grand respect, conclut Aba.

— Quel enfant pourrait survivre sans manger dans les premiers jours après sa naissance ? demanda Oga en jetant un regard sur son robuste petit Brac, qui venait de s'endormir. Et comment a-t-il pu devenir chef si sa mère n'était pas déjà la compagne du chef ?

Oga était particulièrement fière de son nouveau-né, et Broud plus fier encore que sa compagne ait si rapidement donné naissance à un fils. Brun lui-même se départait quelque peu de sa dignité en contemplant l'enfant qui assurerait la pérennité de la direction du clan.

— Qui serait le futur chef si tu n'avais pas eu Brac, Oga ? lui demanda Ovra. Et si tu n'avais eu que des filles ? Il se peut fort bien que cette femme ait été l'épouse du second ou bien qu'il soit arrivé malheur au chef...

Ovra enviait un peu cette femme plus jeune qu'elle-même, qui venait d'avoir un enfant de Broud, alors qu'elle-même attendait encore d'en avoir un de Goov avec lequel elle s'était pourtant unie bien avant Broud et Oga.

— De toute façon, comment un enfant difforme peut-il devenir soudain normal et en bonne santé ? rétorqua Oga.

— Je crois que cette histoire a été inventée par une femme qui avait un enfant anormal et souhaitait qu'il en fût autrement, dit Iza.

— C'est une légende très ancienne, Iza, répliqua Aba, désireuse de défendre son récit. Elle est transmise de génération en génération. Et ce qui se passait il y a bien longtemps ne peut probablement plus se produire aujourd'hui. Comment savoir ?

— Certaines choses étaient peut-être différentes il y a très longtemps, Aba, mais je pense qu'Oga a raison, dit Iza. Un bébé né difforme ne peut pas devenir subitement normal, et il est peu vraisemblable qu'il puisse survivre tout ce temps sans être alimenté. Mais il est vrai que cette histoire est très ancienne. Qui sait, elle contient peut-être une part de vérité.

Une fois le repas prêt, Iza prit sa part pour l'emporter au foyer de Creb, Ayla sur ses talons tenant dans ses bras la turbulente petite Uba, qui était très attachée à la fillette. Elle voulait suivre Ayla partout, et celle-ci semblait ne jamais se lasser de l'enfant.

Le repas terminé, Uba se précipita sur sa mère pour téter, mais se mit bientôt à gigoter et à pleurnicher si bien qu'Iza finit par tendre le bébé à Ayla.

— Tiens, prends-la et va voir si Aga ou Oga peuvent la nourrir, lui dit-elle entre deux quintes de toux.

— Tu ne te sens pas bien, Iza ? s'inquiéta Ayla.

— Je suis beaucoup trop vieille pour pouvoir m'occuper convenablement d'un petit bébé. Je n'ai pas assez de lait. Uba a faim. La dernière fois, c'est Aga qui l'a nourrie. Amène-la donc à Oga, elle a plus de lait qu'il ne lui en faut.

Iza croisa le regard curieux de Creb mais s'empressa de détourner la tête, tandis qu'Ayla emmenait Uba à Oga, en faisant très attention à sa façon de marcher et en prenant bien soin de garder la tête baissée lorsqu'elle se présenta au foyer de Broud. Elle savait que le moindre écart de conduite lui attirerait la colère du garçon, à qui tout prétexte était bon pour la gronder ou pour la battre ; elle ne voulait surtout pas risquer qu'il lui interdise son foyer au nom de quelque inconvenance. Oga fut heureuse de nourrir l'enfant d'Iza, mais sous la surveillance sourcilleuse de Broud, il n'y eut pas de conversation possible. Une fois Uba rassasiée, Ayla la ramena chez elle et s'assit par terre en la berçant, fredonnant tout doucement pour endormir le bébé. Elle avait depuis longtemps oublié la langue qu'elle parlait en arrivant, mais fredonnait toujours en tenant la fillette dans ses bras.

— Je ne suis qu'une vieille femme qui s'aigrit, dit Iza à Ayla. J'ai conçu cette enfant trop tard, je n'ai plus de lait, et il est encore trop tôt pour la sevrer. Elle marche à peine, mais je n'ai pas le choix. Demain je t'apprendrai à lui préparer à manger. Je préférerais ne pas avoir à la confier à une autre femme.

— La confier à une autre femme ! Comment pourrais-tu donner Uba à quelqu'un d'autre ! Uba nous appartient !

— Ayla, je n'ai nulle envie de la donner à qui que ce soit, mais elle doit manger, et je ne peux plus l'allaiter. Nous ne pouvons pas la faire nourrir à la ronde par les autres femmes. Le bébé d'Oga est encore jeune, c'est pourquoi elle a beaucoup de lait. Mais quand Brac grandira, elle aura moins de lait, expliqua Iza.

— Si seulement je pouvais la nourrir moi-même !

— Ayla, je sais que tu es une grande fille mais tu n'es pas encore une femme et tu ne sembles pas prête de le devenir bientôt. Seules les femmes peuvent être mères, et seules les mères ont du lait. Nous allons donc préparer des repas spéciaux pour Uba et voir comment elle réagit. La nourriture pour les bébés doit être préparée de façon particulière. Tout doit être doux sous leurs dents de lait qui ne sont pas assez fortes pour mâcher. Il faudra tout réduire en bouillie, aussi bien la viande que les légumes et les graines. Est-ce qu'il reste encore des glands ?

— Il en restait encore la dernière fois que je suis allée voir, mais les souris et les écureuils ont dû en grignoter une bonne partie, sans compter ceux qui ont pourri.

— Prends ce que tu trouveras. Nous en ôterons le moisi, et nous les ajouterons, moulus, à la viande. Elle pourra manger des racines aussi. Heureusement l'hiver tire à sa fin et le printemps va enfin nous permettre de varier les menus !

Iza était heureuse de constater le sérieux avec lequel Ayla l'écoutait. Plus d'une fois pendant l'hiver elle lui avait été reconnaissante pour son aide empressée. Elle se demandait parfois si Ayla ne lui avait pas été envoyée par les esprits pour servir de seconde mère à cette enfant née un peu tardivement. Mais, outre son âge, sa mauvaise santé épuisait Iza, qui pourtant jamais ne parlait de cette douleur qu'elle ressentait dans la poitrine ni du sang qu'elle crachait après avoir toussé. Elle savait que Creb avait deviné qu'elle était beaucoup plus mal qu'elle ne voulait l'admettre. Comme il vieillit, lui aussi, songea-t-elle en observant le vieux sorcier. La chevelure hirsute du vieil homme était parsemée de fils argentés. L'arthrite, jointe à son infirmité, lui rendait tout déplacement horriblement douloureux. Ses dents usées commençaient à le faire souffrir. Mais Creb, depuis longtemps habitué à la douleur et à la souffrance, s'inquiétait pour Iza. Il ne pouvait s'empêcher de remarquer combien elle avait maigri, les traits tirés et les yeux profondément enfoncés dans les orbites, les bras décharnés et les cheveux grisonnants. Mais c'était sa toux qui le tourmentait le plus. Le vieil homme souhaitait ardemment lui aussi le retour du printemps et de ses douces journées ensoleillées.

L'hiver libéra enfin la terre de son étreinte glacée et le printemps déversa sur elle des pluies torrentielles. La fonte des neiges dans les montagnes environnantes grossit la rivière et transforma les abords de la cabane en un vaste bourbier. Seules les pierres plates qui en pavaient l'entrée protégeaient la grotte des infiltrations d'eau.

Mais toute la boue du monde n'aurait pu retenir le clan à l'intérieur de la caverne. Après leur longue réclusion, tous se précipitèrent dehors pour saluer les premiers rayons du soleil et la douce brise marine. Ils n'attendirent pas que la neige eût complètement fondu pour se dégourdir les jambes en pataugeant dans une mélasse glacée qui transperçait leurs chausses malgré la double couche de graisse qui les enduisait. Iza était plus occupée à soigner des rhumes en ces premiers jours de printemps qu'elle ne l'avait été de tout l'hiver.

Le paisible hiver nonchalant, consacré aux récits de légendes, aux bavardages, à la fabrication des outils et des armes, ainsi qu'à toutes sortes d'activités propres à passer le temps, faisait enfin place à l'agitation affairée du printemps. Les femmes partaient à la recherche des jeunes pousses et des tendres bourgeons, tandis que les hommes s'entraînaient pour la première grande chasse de la saison.

Uba s'accommodait parfaitement de sa nouvelle alimentation et ne tétait que de temps à autre, par habitude ou pour le plaisir de retrouver la chaleur et la sécurité du sein maternel. Bien que faible encore, Iza toussait moins. Cependant, elle ne s'éloignait guère de la caverne quand elle partait en quête de plantes. Quant à Creb, il reprit ses lentes promenades le long de la rivière, seul ou en compagnie d'Ayla, ravie par le renouveau de la nature.

Depuis qu'Iza se déplaçait moins, Ayla découvrait le plaisir des longues promenades solitaires où elle se sentait pour la première fois libérée des regards inquisiteurs du clan. Iza s'inquiétait de la savoir seule dans les bois, mais les autres femmes avaient pour tâche de ramasser de quoi manger, et les plantes médicinales ne poussaient pas toujours aux mêmes endroits que les espèces comestibles. De temps à autre Iza accompagnait la fillette, dans le but, surtout, de parfaire son apprentissage de la flore. Bien qu'Ayla portât Uba, ces sorties n'en fatiguaient pas moins la guérisseuse, qui finit par laisser à Ayla le soin de veiller à l'approvisionnement en plantes médicinales.

La fillette se joignait fréquemment aux autre femmes quand elles partaient en cueillette, mais, dès qu'elle en avait l'occasion, elle s'empressait d'exécuter au plus vite les tâches qui lui incombaient pour filer ensuite seule, dans les bois, d'où elle rapportait non seulement des végétaux qu'elle connaissait mais également d'autres qui lui étaient étrangers.

Brun ne fit à cela aucune objection directe ; il fallait bien que quelqu'un se charge d'apporter à Iza ce dont elle avait besoin pour préparer ses remèdes. Par ailleurs la maladie d'Iza ne lui avait pas échappé. Mais l'empressement d'Ayla à s'éloigner seule ne lui plaisait aucunement. Ce n'était pas dans les habitudes des femmes du clan. Ayla ne manquait jamais à ses devoirs domestiques, se tenait toujours correctement, et Brun n'avait aucun reproche à lui faire. Il sentait seulement confusément et non sans un certain malaise que le comportement, le caractère et les pensées de la fillette étaient non pas blâmables mais différents, et cela le troublait profondément. Mais que pouvait-il trouver à redire quand il la voyait arriver avec son panier rempli de plantes utiles et bénéfiques au clan ?

De temps à autre, Ayla ne ramenait pas seulement de la verdure. Sa disposition particulière envers les animaux, qui avait tant frappé le clan, s'était affirmée et imposée à tous au point que personne ne s'étonnait plus de la voir ramener une bête blessée pour la soigner. Le lapin qu'elle avait découvert juste après la naissance d'Uba fut le premier d'une longue série. Elle savait parfaitement mettre les animaux en confiance. Brun, qui ne s'était pas senti le courage de le lui interdire, ne s'éleva qu'une seule fois contre cette habitude saugrenue : le jour où elle revint avec un louveteau. La capacité de tolérance du clan s'arrêtait aux carnivores contre lesquels les chasseurs devaient défendre leurs proies. Il arrivait plus d'une fois qu'une bête traquée, peut-être même blessée, se trouve enfin à portée d'arme pour tomber au dernier moment entre les griffes d'un carnassier plus rapide. Brun ne pouvait pas permettre le sauvetage d'une bête susceptible de voler d'aventure au clan l'une de ses prises.

Un jour, alors qu'Ayla s'affairait à genoux à déterrer une racine, un lapin à la patte légèrement tordue surgit de sous un buisson et, furtivement, vint lui renifler les pieds. Se gardant de tout geste brusque, elle tendit lentement la main pour caresser l'animal. Es-tu mon lapin-Uba ? Mon bébé lapin ? pensa-t-elle. Tu es devenu grand et fort. Mais ton accident ne t'a-t-il pas appris à te montrer plus prudent ? Tu devrais te méfier des hommes, tu sais, sinon tu risques fort de te retrouver en train de rôtir au-dessus d'un feu, continua-t-elle ainsi en sentant sous ses doigts la douceur du pelage. Soudain, un coup de vent et le bruissement des buissons alertèrent l'animal, qui détala droit devant lui puis exécuta un stupéfiant demi-tour pour bondir dans la direction opposée.

— Tu cours si vite, je ne vois pas comment on pourrait t'attraper. Comment arrives-tu à faire des demi-tours pareils ? signifia-t-elle en gestes à l'adresse du lapin qui s'était évanoui dans les broussailles.

Et, comme elle éclatait de rire, elle se fit la remarque que c'était la première fois depuis longtemps qu'elle n'avait pas ri si franchement. Elle avait appris à refouler ses éclats de rire, car le bruit éveillait toujours les regards réprobateurs du clan. Durant sa promenade, ce jour-là, elle trouva plus d'un motif de se laisser aller à rire à gorge déployée.

— Ayla ! appela Iza un beau matin. Veux-tu aller me chercher de l'écorce de merisier ? Je ne peux pas utiliser celle qui me reste, elle est trop vieille. Il y a un bouquet de merisiers de l'autre côté de la rivière, juste après la clairière. Tu vois où c'est ?

— Oui, maman, je sais où ils sont, répondit Ayla.

C'était une superbe matinée de printemps. Les derniers crocus blancs et mauves étaient blottis auprès des premières jonquilles. Un léger tapis d'herbe tendre et bien verte commençait à croître dans le sol humide. De minuscules points verdoyants parsemaient çà et là les branches nues des buissons et des arbres, premiers bourgeons s'ouvrant à la vie. Un timide soleil dispensait ses encouragements au renouveau de la nature.

Dès qu'elle eut disparu aux regards du clan, Ayla retrouva sa liberté d'allure, heureuse de ne plus avoir à surveiller sa démarche et sa conduite. Elle descendit une pente, en remonta une autre, un sourire de contentement aux lèvres, s'amusant à répertorier les plantes qu'elle rencontrait au passage.

Il y avait de nouveaux pieds de ces baies violettes de phytolacca qu'elle avait cueillies à l'automne précédent. J'arracherai quelques racines au retour, se dit-elle. Iza prétend que les racines sont bonnes pour les rhumatismes de Creb. J'espère que l'écorce de merisier fera du bien à Iza. Elle semble aller mieux mais elle a tellement maigri. Et elle devrait arrêter de porter Uba, qui est devenue si lourde. Si c'est possible, j'emmènerai Uba avec moi la prochaine fois. Elle commence à s'exprimer. Il me tarde qu'elle grandisse et que nous puissions nous promener ensemble. Oh, comme ces saules blancs paraissent veloutés quand ils sont jeunes ; curieux qu'ils verdissent en grandissant. Et le ciel est si bleu, aujourd'hui. Le vent apporte des odeurs marines. Quand irons-nous pêcher ? Les eaux ont dû suffisamment se réchauffer pour que je puisse me baigner. Je suis étonnée que personne au clan n'aime nager. La mer a un goût salé, mais je flotte si bien dedans. J'espère que nous irons très bientôt à la pêche ; j'adore le poisson et les fruits de mer et aussi les œufs qu'on trouve dans les falaises. Tiens ! un écureuil ! Comme j'aimerais grimper dans un arbre comme il le fait !

Elle musarda ainsi dans les collines boisées une bonne partie de la matinée puis, s'étant soudain aperçue de l'heure tardive, elle décida de regagner directement la clairière aux merisiers. Comme elle s'en approchait, elle perçut des bruits de voix et entrevit à travers les arbres la silhouette des hommes se livrant à quelque activité. Elle s'apprêtait à faire demi-tour quand elle se rappela l'écorce de merisier, et un instant elle hésita. Les hommes ne seraient pas contents de me surprendre dans le coin, pensa-t-elle. Brun ne manquerait pas de me réprimander, mais Iza a besoin de son écorce. Peut-être qu'ils ne tarderont pas à rentrer. Je me demande ce qu'ils sont en train de faire, tout de même. Elle s'avança à pas de loup et se cacha derrière le large tronc d'un grand arbre pour observer à travers les buissons enchevêtrés ce qui se passait.

Les hommes s'entraînaient au lancer en prévision de la prochaine chasse. Ayla se rappela les avoir vus confectionner de nouvelles lances. Ils avaient commencé par abattre de jeunes arbres aux troncs minces, souples et bien droits, dont ils avaient élagué toutes les branches ; puis ils en avaient durci au feu l'extrémité, pour ensuite les tailler en pointe et les aiguiser à l'aide d'un grattoir en silex. Ayla frémissait encore au souvenir de la réprobation générale qu'elle avait provoquée en osant toucher l'un de ces épieux.

Il était strictement interdit aux femmes de toucher les armes, lui apprit-on ce jour-là, ainsi que les outils utilisés pour leur fabrication. Ayla ne voyait pourtant aucune différence entre un couteau servant à couper le cuir destiné à confectionner une fronde et celui servant à tailler un vêtement. La lance que sa main avait souillée fut brûlée, pour la plus grande irritation du chasseur qui l'avait fabriquée. Creb et Iza l'avaient soumise par gestes à une longue réprimande dans le but d'ancrer dans sa conscience l'abomination de son acte. Les femmes étaient consternées devant une telle audace ; quant à Brun, son regard noir en disait long sur sa réprobation. Mais ce fut le malin plaisir que prit Broud à la voir accablée de reproches qui ulcéra particulièrement Ayla.

La fillette observait, mal à l'aise, la scène qui se déroulait derrière l'écran de broussailles. Outre leurs lances, les hommes avaient emporté leurs autres armes. A l'exception de Dorv, de Grod et de Crug en grande discussion sur les mérites comparés de la lance et de la massue, la plupart des hommes s'entraînaient à la fronde. Vorn se trouvait parmi eux depuis que Brun l'avait estimé en âge d'apprendre le maniement de cette arme, sous la conduite de Zoug.

Zoug montrait à Vorn comment tenir ensemble les deux extrémités de la bande de cuir et comment placer le caillou. Il avait préféré utiliser une fronde passablement usée dont il avait raccourci les deux bouts pour l'adapter à la petite taille de son élève.

Ayla, tout attentive, se sentit rapidement captivée par la leçon de Zoug, et elle suivit avec autant d'intérêt que le jeune garçon les explications du vieil homme. Au premier essai de Vorn, la fronde s'emmêla et le caillou tomba à ses pieds. Le garçon semblait avoir le plus grand mal à donner le coup de poignet indispensable pour faire tournoyer la fronde et lui donner ainsi la force nécessaire à la projection violente du caillou.

Légèrement à l'écart, Broud observait Vorn. Le garçon lui vouait une véritable adoration. C'était Broud qui lui avait fabriqué sa première lance, dont il ne se séparait jamais, même pour dormir, et qui lui avait appris à s'en servir en le traitant d'égal à égal. Or, voilà qu'à présent Vorn reportait son admiration sur le vieux chasseur, au grand dépit de Broud. Après que Vorn eut échoué plusieurs fois, Broud interrompit la leçon.

— Attends, Vorn, je vais te montrer comment il faut s'y prendre, déclara Broud en écartant du coude le vieil homme.

Zoug recula, foudroyant du regard l'arrogant jeune homme. Chacun, médusé, se figea. Brun était furieux de l'insolence de Broud envers le meilleur tireur à la fronde du clan. C'était la raison pour laquelle il avait confié au vieil homme le soin d'initier Vorn à cette discipline. Le jeune garçon devait recevoir le meilleur enseignement, et Broud savait que la fronde n'était pas son arme favorite. Broud devait apprendre qu'un bon chef utilisait au mieux le talent de chaque homme. Zoug était non seulement le plus apte à former Vorn mais encore avait-il le temps de le faire pendant que les autres chasseurs étaient en expédition. Broud commence à se montrer un peu trop prétentieux et arrogant sous prétexte qu'un jour il sera chef, se dit-il.

Broud prit la fronde des mains de l'enfant, ramassa un caillou, le plaça au creux du cuir, et tira aussitôt. Il visa trop court et le caillou tomba bien avant d'avoir atteint la cible. A la fois furieux et vexé d'avoir manqué son coup, Broud prit une autre pierre et la lança précipitamment pour bien montrer toute sa dextérité au maniement de la fronde. Il sentait tous les regards braqués sur lui. La fronde était plus courte que celle à laquelle il était habitué ; la pierre partit beaucoup trop à gauche et atterrit aussi loin du but que la première fois.

— As-tu toujours l'intention de faire une démonstration à Vorn ou bien préfères-tu prendre toi-même quelques leçons à sa place, Broud ? lui demanda ironiquement Zoug. Je peux rapprocher la cible, si tu veux.

Broud s'efforça de garder son sang-froid, furieux de se voir tourné en ridicule et d'avoir encore raté son objectif. Il lança une autre pierre, mais cette fois-ci l'envoya trop loin.

— Si tu veux bien attendre que j'en aie terminé avec Vorn, je me ferai un plaisir de te donner une leçon à toi aussi, insista Zoug, sarcastique. Tu en aurais besoin à ce que je vois.

— Comment Vorn peut-il apprendre à tirer avec cette fronde pourrie ? lança Broud en jetant l'arme par terre d'un air dégoûté. Personne ne pourrait tirer convenablement avec ça. Vorn, je vais te fabriquer une nouvelle fronde. Tu n'apprendras jamais rien avec une vieillerie pareille appartenant à un vieillard qui n'est même plus capable de chasser !

Alors Zoug se mit réellement en colère. Il avait été longtemps second avant de céder la place au fils de sa compagne et il se sentait profondément blessé dans son orgueil par la remarque insolente de Broud. Par ailleurs, tout chasseur souffrait dans sa fierté de ne plus avoir la force d'accompagner les jeunes hommes aux grandes chasses dans les steppes. Enfin Zoug, qui avait à cœur d'être utile au clan, s'était durement entraîné au tir à la fronde pour devenir le fin tireur qu'il était et un honnête pourvoyeur de petit gibier.

— Mieux vaut être un vieillard qu'un gamin qui se prend pour un homme, répliqua Zoug.

L'affront infligé à sa virilité était plus que Broud n'en pouvait supporter. Hors de lui, incapable de se contrôler davantage, il bouscula violemment le vieil homme. Surpris, Zoug perdit l'équilibre et tomba lourdement à la renverse, regardant autour de lui d'un air stupéfait. Ce geste était bien la dernière chose à laquelle il se serait attendu.

Dans le clan, les chasseurs ne s'agressaient jamais physiquement ; ce traitement était réservé aux femmes, incapables de comprendre des remontrances exprimées de manière plus subtile. L'énergie bouillonnante des jeunes gens se dépensait lors de tournois de lutte, de concours de lancer de l'épieu ou encore dans les compétitions de tir à la fronde et aux bolas à l'occasion desquels ils en profitaient pour perfectionner leur adresse à la chasse. Broud, presque aussi surpris que Zoug par sa propre audace et mesurant la gravité de son geste, se détourna, rouge de honte.

— Broud !

Tel un grondement rauque, le nom sortit de la bouche de Brun.

Broud leva la tête craintivement. Jamais de sa vie il n'avait vu Brun dans une telle colère. Le chef s'approcha de lui d'un pas lourd et décidé et, en quelques gestes rapides et précis, se mit en devoir de le tancer vertement.

— Cette manifestation de mauvaise humeur on ne peut plus puérile est impardonnable ! Si tu ne te trouvais déjà au dernier rang des chasseurs, je t'y aurais relégué sur-le-champ. Qui t'a demandé de te mêler de la leçon de Vorn ? T'ai-je chargé de son entraînement ? (Les yeux du chef étincelaient de fureur.) Et tu te prétends chasseur, alors que tu ne peux même pas te comporter comme un homme ! Vorn sait mieux se contrôler que toi. Une femme a plus de discipline que toi. Est-ce ainsi que tu entends mener tes hommes le jour où tu seras chef ? Si tu es incapable de bien te conduire toi-même, comment peux-tu prétendre conduire le clan un jour ? Zoug a raison, tu n'es qu'un gamin qui se prend pour un homme.

Broud était mortifié. Jamais il n'avait subi de réprimande aussi sévère, et qui plus est, devant les chasseurs et devant Vorn. Jamais il ne parviendrait à faire oublier cette scène humiliante. Il aurait préféré affronter un lion des cavernes plutôt que d'encourir la colère de Brun. Et de la colère, Brun en manifestait d'autant plus rarement que l'harmonie régnait dans le clan, auquel il donnait un exemple de dignité, de sagesse et de rigueur personnelle. Jamais Brun n'avait à élever la voix ; il savait se faire obéir d'un seul regard appuyé. Broud, tout honteux, baissa humblement la tête.

Après avoir jeté un coup d'œil en direction du soleil, Brun donna le signal du départ. Témoins gênés d'une semonce aussi sévère, les autres chasseurs se sentirent soulagés de partir et se mirent à leur place derrière leur chef qui prit à vive allure le chemin de la caverne. Le visage encore cramoisi, Broud terminait la marche.

Ayla s'aplatit sur le sol, sans bouger, sans même oser respirer, paralysée de peur à l'idée que les hommes viennent à la découvrir. Elle savait qu'elle avait assisté à une scène qu'aucune femme n'avait le droit de surprendre. Broud n'aurait jamais été réprimandé de la sorte devant une femme. Quels que fussent les reproches qu'ils avaient à se faire, les hommes restaient fraternellement solidaires les uns des autres face à la gent féminine. Mais cette algarade avait fait découvrir à la petite fille tout un aspect de la vie des hommes qu'elle n'avait jamais envisagé. Ils n'étaient donc pas des êtres tout-puissants et jouissant de l'impunité, ainsi qu'elle l'avait toujours cru. Ils étaient eux aussi obligés d'obéir à des ordres et pouvaient également se faire réprimander. Seul Brun semblait au-dessus de toute loi et de tout homme. Ayla ne pouvait s'imaginer combien Brun, plus que quiconque, se trouvait soumis à de lourdes contraintes : celles des us et coutumes du clan et celles, imprévisibles, que lui imposaient les esprits mystérieux et son propre sens des responsabilités.

Ayla resta cachée longtemps après le départ des hommes, redoutant leur retour à tout instant. Et c'est toute tremblante qu'elle osa enfin sortir des buissons. Si elle n'était pas encore réellement à même de mesurer toutes les conséquences de sa nouvelle perception des hommes, une chose au moins était claire : elle avait vu Broud aussi soumis qu'une femme, et cela lui avait procuré un vrai plaisir, car elle en était venue peu à peu à détester l'arrogant jeune homme qui ne manquait jamais de l'admonester durement et de la frapper pour de prétendus manquements à la discipline dont elle ne se sentait pas coupable. Elle avait beau accourir à ses ordres et accomplir tout ce qu'il lui commandait, jamais il n'était satisfait d'elle.

Ayla traversait la clairière en songeant encore à l'incident quand elle aperçut à ses pieds la fronde que Broud avait jetée dans sa rage. Personne n'avait pensé à la ramasser avant de partir. Elle la contempla sans oser la toucher. C'était une arme, et elle avait bien trop peur de Brun pour commettre une faute qui lui attirerait sa terrible colère. Il lui revint en mémoire le début de la scène, quand les hommes étaient rassemblés autour de Zoug qui prodiguait à Vorn ses conseils, et la difficulté du petit garçon à tirer. Est-ce vraiment si difficile ? se demanda-t-elle. Si Zoug me montrait comment faire, serais-je capable de tirer ?

Ayla pâlit devant la témérité de ses propres pensées, jetant autour d'elle des regards inquiets pour s'assurer qu'elle était bien seule. Puis elle se baissa pour ramasser la fronde. A peine eut-elle en main l'arme au cuir souple et usé qu'elle prit conscience du châtiment qui l'attendait si elle venait à être surprise. Elle revit Broud essayer de toucher le poteau, la grimace moqueuse de Zoug comme le présomptueux manquait sa cible, et une lueur espiègle s'alluma dans ses yeux.

Comme Broud enragerait s'il me savait capable de réussir là où il échoue ! Elle aurait aimé le battre à toutes les disciplines. Mais l'ombre de Brun la retenait encore. Brun serait furieux, pensa-t-elle. Et Creb ne serait pas content de moi. Et Broud me battrait, c'est certain. Il tiendrait enfin un bon prétexte pour le faire. Il serait fou de rage s'il savait que je l'ai vu baisser la tête comme une femme. De toute façon, le mal est fait, j'ai touché à une arme. Mon crime serait-il plus grand si je l'essayais ? Déchirée entre son désir d'essayer la fronde et la crainte du châtiment, Ayla était sur le point de la jeter quand ses regards se posèrent sur la pile de cailloux. La tentation était trop forte. Elle s'assura une fois encore qu'elle était bien seule et se dirigea vers le monticule de galets ronds.

Ayla en ramassa un, en s'efforçant de se rappeler les instructions de Zoug. Elle prit les deux extrémités de la fronde qu'elle tint fermement ensemble. La bande de cuir pendait tristement. Ayla ne savait comment faire pour placer le caillou dans la légère poche réservée à cet effet. Elle se sentait horriblement maladroite et, plusieurs fois de suite, la pierre tomba à peine eut-elle esquissé un geste. Elle se concentra intensément sur ce qu'elle faisait en essayant de se remémorer la démonstration du vieil homme. Elle fit une nouvelle tentative qui faillit réussir, mais le caillou roula par terre encore une fois. Au coup suivant, elle réussit à projeter le galet quelques pas plus loin. Après plusieurs essais malheureux, elle parvint à lancer une seconde pierre. Elle renouvela ses tentatives jusqu'au moment où son projectile fila droit vers la cible, mais bien au-dessus. Ayla avait attrapé le coup de main. Les essais suivants révélèrent de nouveaux progrès. Enfin, elle lança son dernier caillou. Il toucha le poteau avec un bruit mat et rebondit tandis qu'Ayla sautait de joie.

Elle avait fini par y arriver ! C'était un pur hasard, un coup de chance extraordinaire, mais cela n'entama pas son enthousiasme. Elle voulut rééditer son exploit, mais elle tira trop court. Peu importe, elle avait réussi une fois, et elle était persuadée de réussir encore.

Elle s'apprêtait à reconstituer sa pile de galets quand elle s'aperçut que le soleil était déjà proche de l'horizon. Elle s'empressa de fourrer la fronde dans les replis de son vêtement, se précipita vers les merisiers dont elle arracha l'écorce à l'aide d'une pierre tranchante, puis courut vers la caverne aussi vite qu'elle put, ne s'arrêtant qu'aux abords de la mare pour reprendre le maintien réservé aux femmes. Elle ne tenait aucunement à donner de nouveau prétexte à une éventuelle semonce. Son retour tardif suffisait amplement.

— Ayla ! cria Iza en la voyant. Où étais-tu donc passée ? J'étais affreusement inquiète, je pensais qu'un animal t'avait attaquée. J'allais demander à Creb d'envoyer Brun à ta recherche.

— J'ai passé la journée à regarder ce qui poussait par ici et du côté de la clairière aussi, répondit Ayla d'un air coupable. Je n'ai pas vu le temps passer. Je t'ai apporté de l'écorce de merisier. J'ai trouvé aussi les plantes dont tu te sers pour les rhumatismes de Creb. Tu n'utilises que les racines, n'est-ce pas ?

— Oui, tu les fais d'abord macérer et tu appliques la décoction sur les points douloureux. Quant au jus de baies écrasées, il est très bon contre les inflammations, répondit machinalement la guérisseuse qui s'interrompit brusquement. Ayla, reprit-elle, reprenant une expression sévère, tu essayes de détourner la conversation. Tu sais que tu aurais dû rentrer plus tôt. Je me suis fait un tel souci...

A présent qu'elle savait l'enfant saine et sauve, la colère d'Iza était tombée, mais elle tenait à ce que ce genre d'escapade ne se reproduise plus.

— Je ne recommencerai plus, Iza. Je ne me suis pas aperçue qu'il était tard, c'est tout.

A peine était-elle entrée dans la caverne qu'Uba, qui avait passé la journée à guetter son retour, courut maladroitement sur ses petites jambes arquées et, dans sa précipitation, trébucha. Mais Ayla la saisit avant qu'elle ne heurte le sol et la souleva dans ses bras.

— Je pourrais l'emmener avec moi de temps en temps ? demanda-t-elle à Iza. On n'ira pas loin, et je commencerai à lui montrer certaines choses.

— Elle est encore trop petite pour comprendre. Elle sait à peine parler, dit Iza.

Mais devant le plaisir qu'avaient les deux enfants à se retrouver elle lui donna la permission.

— Comme je suis contente ! s'écria Ayla en embrassant Iza.

Mais qu'a-t-elle donc ? se demanda Iza. Il y a longtemps que je ne l'ai pas vue aussi joyeuse. Il se passe des choses bien étranges aujourd'hui. Les hommes sont rentrés de bonne heure et, contrairement à leur habitude, au lieu de rester ensemble à bavarder, ils ont directement regagné leurs foyers, sans prêter attention aux femmes. Aucune d'ailleurs n'a été réprimandée et Broud lui-même s'est montré presque aimable à mon égard. Et voilà qu'Ayla se met à embrasser tout le monde après avoir passé la journée dehors !

10

— Oui ? Que veux-tu ? demanda Zoug, l'air agacé.

Il faisait particulièrement chaud en ce début d'été. Zoug avait soif et souffrait de la chaleur, suant sang et eau à tanner en plein soleil une grande peau de daim. Il n'était pas d'humeur à se laisser interrompre dans sa tâche, et tout spécialement par cette horrible petite fille au visage aplati qui venait de s'asseoir à côté de lui, la tête baissée, attendant qu'il l'autorise à parler.

— Zoug désirerait-il un peu d'eau ? lui demanda par gestes Ayla, après qu'il lui eut tapé sur l'épaule. L'enfant qui est devant toi est allée à la rivière et elle a vu le chasseur travailler en plein soleil. L'enfant qui est devant toi a pensé que le chasseur avait soif, elle ne voulait pas le déranger, dit-elle avec les formules indispensables pour s'adresser à un homme.

Elle lui tendit une coupe en écorce de bouleau et souleva une outre ruisselante d'eau fraîche, confectionnée dans une panse de bouquetin. Zoug poussa un grognement affirmatif, dissimulant sa surprise devant ce témoignage d'attention, tandis que la fillette remplissait la coupe. Zoug n'avait pas réussi à attirer l'attention d'une femme pour lui demander de l'eau, et il ne pouvait suspendre sa tâche. La peau était presque sèche, et il devait continuer de la travailler s'il voulait qu'elle reste souple. Il suivit des yeux la petite fille qui posait l'outre à quelques pas dans un coin ombragé, où elle s'installa pour entreprendre le tressage d'un panier à l'aide de joncs et de racines ligneuses trempées dans l'eau.

Si Uka se montrait toujours respectueuse, répondant sans broncher à ses moindres désirs depuis qu'il vivait au foyer de son fils, elle anticipait rarement ses besoins comme le faisait sa compagne avant sa mort. Uka était nettement plus attentive aux désirs de Grod, son compagnon. Zoug regardait de temps à autre la fillette assise près de lui, toute au tressage de son panier, sans s'apercevoir qu'à son tour elle l'observait travailler du coin de l'œil, sans rien perdre de la façon dont il étirait, tendait et grattait la peau humide.

Plus tard, dans la journée, le vieil homme s'assit devant la caverne, les yeux perdus dans le lointain. Tous les chasseurs étaient partis. Uka les avait accompagnés ainsi que deux autres femmes, et Zoug avait été obligé de déjeuner au foyer de Goov et d'Ovra. A voir cette jeune femme, encore enfant dans les bras d'Uka il y avait si peu de temps, aujourd'hui adulte et unie à un homme, Zoug se surprit à songer avec nostalgie à toutes les belles années où il avait encore la force de chasser avec les hommes. Il avait quitté leur foyer dès la fin du repas. Peu après, Ayla s'était présentée, un petit panier d'osier à la main.

— L'enfant qui est devant toi a cueilli plus de framboises que nous ne pouvons en manger, dit-elle après que Zoug l'eut autorisée à parler. Le chasseur a-t-il encore assez faim pour y goûter ?

Zoug accepta le présent avec un plaisir non dissimulé. Et la petite fille attendit à une distance respectueuse qu'il eût fini les fruits juteux et sucrés. Zoug lui rapporta le panier et la regarda s'éloigner rapidement, sans comprendre en quoi Broud la trouvait insolente. Il ne voyait rien à lui reprocher, en dehors de son inqualifiable laideur.

Le lendemain, Ayla lui apporta de nouveau à boire et reprit à ses côtés le tressage de son panier. Quelques instants plus tard, tandis que Zoug finissait à peine de graisser la peau de daim souple, Mog-ur s'approcha de lui en clopinant.

— C'est un travail pénible de traiter les peaux en plein soleil, remarqua-t-il.

— Je fais de nouvelles frondes pour les hommes, et j'en ai promis une aussi à Vorn. Le cuir des frondes doit être extrêmement souple ; je suis obligé de le travailler sans cesse pendant qu'il sèche et absorbe la graisse. Il vaut donc mieux effectuer ce travail au soleil.

— Les chasseurs seront enchantés, affirma Mog-ur. Tu es irremplaçable pour fabriquer les frondes. Je t'ai vu en enseigner le maniement à Vorn. Il a de la chance de t'avoir comme professeur ! L'art de manier la fronde doit être aussi délicat que celui de les fabriquer.

— Je les découperai demain, répondit Zoug, flatté par tant de compliments. Je connais la taille de celles des hommes, mais je vais être obligé d'adapter celle de Vorn. Une fronde doit respecter certaines proportions pour gagner en force et en précision.

— Iza et Ayla sont en train de préparer le lagopède que tu m'as apporté l'autre jour. Voudrais-tu partager notre repas ce soir ? C'est Ayla qui l'a proposé et je serais ravi que tu te joignes à nous. Un homme a parfois le désir de discuter avec un autre homme ; or, je suis entouré de femmes.

— Zoug dînera avec Mog-ur, répondit le vieil homme, manifestement satisfait de l'invitation.

Si les festins étaient relativement fréquents ainsi que les réunions entre familles, Mog-ur invitait rarement à partager son repas. Encore peu habitué à posséder son propre foyer, il se contentait fort bien de la compagnie de ses trois femmes. Mais il connaissait Zoug depuis la prime enfance et l'avait toujours aimé et respecté. La joie qui éclaira le visage du vieil homme lui fit regretter de ne pas y avoir songé plus tôt.

Iza n'avait pas l'habitude de telles réceptions. Elle se dépensa sans compter pour préparer le repas. Sa connaissance de la flore s'étendant aussi bien aux plantes aromatiques, elle savait comment exalter le fumet d'un plat. Le dîner fut particulièrement savoureux. Ayla s'appliqua à se montrer d'une discrétion exemplaire, et Mog-ur se sentit flatté par tant de perfection. A la fin du repas, Ayla servit une infusion de menthe et de camomille, dont Iza savait qu'elle facilitait la digestion. Puis les deux hommes se mirent à évoquer le temps passé, tandis que les femmes se tenaient prêtes à satisfaire leurs moindres désirs. Zoug se sentit vaguement jaloux du bonheur du vieux sorcier, pour qui la vie n'aurait pu être plus douce.

Le lendemain, Ayla observa soigneusement Zoug en train de mesurer la fronde de Vorn, et prêta une grande attention aux explications du vieil homme sur la façon dont les deux extrémités devaient être taillées en pointe, ni trop courtes ni trop longues. Puis elle le regarda façonner le petit creux destiné à recevoir le caillou au centre de la fronde, à l'aide d'un galet bien rond et mouillé de manière à déformer et distendre légèrement le cuir à cet endroit. Au moment où Zoug rangeait les restes de cuir inutilisés, Ayla lui apporta à boire.

— Zoug a-t-il encore besoin de ces petits morceaux ? Ils ont l'air tellement souples, indiqua Ayla par gestes.

— Je n'en ai pas l'usage. Cela te ferait plaisir de les prendre ? proposa Zoug, qui se sentait rempli de bienveillance à l'égard de cette petite fille serviable et admirative.

— L'enfant qui est devant toi t'en serait reconnaissante. Certaines chutes sont encore assez grandes pour être utilisées, répondit Ayla, la tête baissée.

Le lendemain, Zoug regretta l'absence d'Ayla travaillant à ses côtés et lui apportant à boire ; mais il avait terminé son ouvrage ; toutes les frondes étaient enfin prêtes. Il la vit se diriger vers les bois, son panier de cueillette sanglé sur le dos, le bâton à fouir à la main. Elle va chercher des plantes pour Iza, pensa-t-il. Je ne comprends pas Broud. Zoug n'avait guère de sympathie pour le garçon ; il n'avait pas oublié le geste violent qu'il avait eu envers lui. Pourquoi est-il toujours à la réprimander ? Elle est travailleuse, respectueuse ; Mog-ur peut en être fier. Il a de la chance d'avoir Iza et cette fillette à son foyer. Zoug se souvenait de l'agréable soirée qu'il avait passée en compagnie du grand sorcier et, bien qu'il n'en fît point mention, il se rappelait que c'était

Ayla qui avait suggéré au mog-ur cette invitation. Il la regarda s'éloigner sur ses grandes jambes. Dommage qu'elle soit si laide, déplora-t-il une fois de plus, elle pourrait rendre un homme heureux un jour.

Après s'être confectionné une fronde neuve avec les morceaux de cuir que Zoug lui avait donnés, la vieille fronde ayant fini par se déchirer, Ayla décida de se trouver un lieu d'entraînement plus éloigné encore de la caverne, bien à l'abri de toute surprise. Elle commença par remonter le cours d'eau, puis grimpa la colline en suivant l'un de ses affluents, se frayant un passage à travers les broussailles.

Elle parvint bientôt à une falaise abrupte du haut de laquelle chutait en une fine pluie le ruisseau. Cherchant un passage pour aller plus haut, elle longea la falaise et vit que celle-ci prenait une inclinaison qui rendait possible son escalade. Elle en vint facilement à bout et déboucha sur un plateau traversé par le ruisseau. Elle poursuivit son chemin vers l'amont.

Les pins et les sapins aux troncs recouverts de lichen vert-de-gris dominaient le site dans lequel elle pénétrait. Les écureuils sautaient d'arbre en arbre ou traversaient le tapis de mousse qui s'étalait indifféremment sur la terre, les pierres et les souches. Les arbres s'éclaircirent peu à peu, et elle parvint à un petit pré enserré entre les parois gris-brun de la montagne. Le ruisseau qui serpentait le long d'un des côtés de la prairie prenait sa source au pied d'un rocher, près duquel poussait un gros bouquet de noisetiers. La chaîne de montagnes était criblée de fissures et de failles. Elles recevaient les eaux de la fonte des neiges qui resurgissaient plus bas en sources fraîches et cristallines.

Ayla alla se désaltérer longuement à la source glacée, puis s'arrêta un instant pour examiner quelques grappes de noisettes enchâssées dans leurs coques de velours vert. Elle en prit une, la cassa entre ses dents, pour extraire le petit fruit à la chair blanche et tendre. Elle les préférait vertes plutôt que mûres. Sa gourmandise réveillée, elle allait en entreprendre la cueillette quand soudain, derrière l'épais feuillage, elle aperçut un trou noir. Elle repoussa les branches et découvrit une petite grotte dissimulée par les noisetiers. Elle se faufila à travers les troncs enchevêtrés des arbres, puis après avoir jeté prudemment un coup d'œil à l'intérieur, pénétra dans l'abri, laissant les branches se rabattre derrière elle. Le soleil éclairait faiblement une cavité de trois mètres de long environ sur deux de large, dont la voûte s'abaissait doucement vers le fond. Ce n'était pas grand mais il y avait assez d'espace pour qu'une petite fille puisse s'y mouvoir à son aise. Ayla découvrit à l'entrée une réserve de noisettes pourries et quelques crottes d'écureuil, et en conclut que seuls de petits animaux avaient occupé les lieux. Elle en fit le tour en dansant de joie, ravie de sa découverte. La grotte semblait avoir été faite sur mesure pour elle.

Elle ressortit et, après avoir contemplé un instant la clairière, escalada la paroi rocheuse jusqu'à une étroite corniche. Au loin, blottie au creux de deux collines, s'étendait la surface miroitante de la mer intérieure.

Tout en bas, elle distingua de minuscules silhouettes près du ruban argenté de la rivière. Ayla comprit alors qu'elle se trouvait pratiquement au-dessus de la caverne du clan.

Puis elle s'en fut faire le tour de la clairière. C'était exactement ce qu'elle cherchait. Elle pourrait s'entraîner à la fronde dans le pré, se désaltérer à sa guise, et s'abriter de la pluie dans la petite grotte, où elle pourrait également cacher son arme sans craindre que Creb ou Iza viennent à la découvrir. Et il y avait même des noisettes ! En outre, elle n'aurait plus à redouter l'arrivée inopinée des hommes, qui ne s'aventuraient jamais aussi haut pour chasser. Elle s'élança toute joyeuse vers le ruisseau où elle choisit quelques galets bien ronds pour essayer sa nouvelle fronde.

Dès qu'elle le pouvait, Ayla gagnait sa retraite pour s'entraîner à tirer. Elle découvrit un accès plus direct, quoique plus escarpé, à sa prairie. Il n'était pas rare qu'elle croise en chemin un mouflon, un chamois ou même un daim farouche en train de paître. Mais les animaux des hauts pâturages s'habituèrent rapidement à sa présence, et lorsqu'elle arrivait, ils se contentaient de s'éloigner à l'autre bout du pré.

Quand elle eut gagné en habileté et que le tir sur cible fixe eut perdu son piquant, elle se donna des objectifs plus difficiles. La fillette écoutait attentivement les conseils que Zoug prodiguait à Vorn, puis les mettait en pratique pour son compte personnel. C'était un jeu pour elle, et elle s'amusa à comparer ses progrès avec ceux du jeune garçon. Mais celui-ci considérait la fronde comme une arme réservée aux vieux et lui préférait de loin la lance, l'arme des chasseurs, avec laquelle il avait réussi à abattre quelques petites proies peu rapides, comme les porcs-épics et les serpents. Faute de s'appliquer autant qu'Ayla, il éprouvait plus de difficultés qu'elle. Et quand la fillette constata sa supériorité sur lui, elle en ressentit une certaine fierté qui se manifesta par un léger changement dans son comportement, changement qui n'échappa nullement à Broud.

Les femmes étaient censées se montrer dociles, soumises, modestes et humbles, et le jeune homme considérait comme un affront personnel l'absence de toute servilité chez Ayla. Cela représentait une menace pour sa virilité. Il l'observa attentivement, afin de discerner ce qu'il y avait en elle de changé, et lui envoya même quelques calottes, rien que pour voir sa peur et pour l'humilier.

Ayla s'efforçait d'obéir aussi vite que possible aux ordres de Broud. Elle n'avait pas conscience de sa liberté d'allure et de son aisance, acquises à arpenter les forêts et les prés, de son attitude fière, née des exploits récents dans l'art de manier la fronde mieux que son jeune rival, et de la confiance en soi qu'elle gagnait chaque jour davantage. Elle ne comprenait pas pourquoi Broud s'en prenait si souvent à elle, et Broud lui-même aurait été incapable de dire en quoi elle le dérangeait tant.

Le souvenir cuisant du jour où elle avait usurpé à son profit l'attention générale y était pour quelque chose, mais la raison véritable résidait dans son origine étrangère, dans sa naissance chez les Autres. Elle représentait une nouvelle race, plus jeune, plus vigoureuse, plus dynamique, moins conditionnée par les acquis de la mémoire. La morphologie même de son crâne annonçait une nouvelle intelligence. Il naîtrait de son cerveau des idées comme le Peuple du Clan ne saurait même en rêver. La race d'Ayla appartenait à l'avenir, celle du Clan était déjà du passé.

Broud sentait de façon inconsciente et profonde la différence de leurs destins. Ayla constituait non seulement une menace pour sa virilité mais pour son existence même. Sa haine à l'égard de la fillette était celle de l'ancien pour le nouveau, de la tradition envers l'innovation, de ce qui meurt envers ce qui vit. La race de Broud était trop statique ; elle n'évoluait pas. Quant à Ayla, elle représentait une nouvelle expérience de la nature, et en essayant de modeler son comportement sur celui des femmes, elle ne faisait qu'adopter une façade. En fait, elle essayait de découvrir le moyen de satisfaire un profond besoin qui cherchait à s'exprimer et, au fond d'elle-même, elle était déjà entrée dans la voie de la révolte.

Par une matinée qui s'était révélée particulièrement éprouvante pour elle, Ayla alla se désaltérer à la petite mare. Les hommes s'étaient réunis de l'autre côté de l'entrée de la caverne pour organiser la prochaine chasse. Ayla en était heureuse, car ainsi Broud ne serait pas là pour la harceler comme il prenait plaisir à le faire. *Pourquoi fait-il toujours appel à moi pour les corvées ? Et j'ai beau m'exécuter du mieux que je le peux, il n'est jamais satisfait. Comme j'aimerais qu'il me laisse tranquille !*

— Aïe ! s'écria-t-elle involontairement, surprise par la violence du coup que Broud venait de lui porter.

Tout le monde se tourna vers elle, puis regarda aussitôt ailleurs. Quand on est presque une femme, on s'abstient de crier quand on reçoit une taloche.

— Espèce de paresseuse ! A quoi rêvassais-tu, assise à ne rien faire ! s'exclama Broud. Je t'ai demandé de nous apporter à boire et tu n'as pas obéi. Pourquoi faut-il qu'on te le dise deux fois ?

Une bouffée de rage envahit Ayla. Elle s'en voulait d'avoir crié, de s'être humiliée devant tout le clan. Elle se leva, mais au lieu de bondir sur ses pieds, prompte à obéir, elle prit tout son temps et, jetant à Broud un regard noir, elle se mit en devoir d'apporter à boire aux hommes, muets de stupeur. *Comment osait-elle se montrer si insolente ?*

Donnant libre cours à sa colère, Broud se jeta sur elle, la fit pivoter et lui envoya en plein visage un coup de poing qui la projeta à terre. Il lui asséna un autre coup violent tandis qu'elle roulait en boule pour tenter de se protéger. Aucune plainte ne sortit de sa bouche, bien que le silence ne soit plus de rigueur en de telles circonstances. La fureur de Broud croissait avec sa violence ; il voulait l'entendre crier et, aveuglé par la rage, il fit pleuvoir sur elle une volée de coups féroces.

Se cuirassant contre la douleur, elle serra les dents, résolue à ne pas lui concéder ce plaisir. Mais au bout de quelques instants, elle n'était même plus en mesure de hurler.

Lentement, à travers le voile rouge qui l'aveuglait, elle prit vaguement conscience qu'on avait cessé de la battre. Elle sentit Iza l'aider à se relever et, en s'appuyant sur elle de tout son poids, elle tituba, à moitié évanouie, jusqu'à la caverne. Elle éprouva une vague sensation de bien-être quand la guérisseuse lui appliqua des cataplasmes et, avant de sombrer dans le sommeil, elle sentit confusément qu'on lui faisait absorber un breuvage amer.

A son réveil, la faible lueur de l'aube soulignait à peine le contour des objets familiers. La fillette essaya de se redresser, mais tout son corps se rebella, lui arrachant un gémissement qui réveilla Iza. La guérisseuse fut aussitôt auprès d'elle, les yeux pleins d'inquiétude et de compassion. De sa vie, elle n'avait vu quelqu'un se faire corriger aussi sauvagement. Son époux, même dans ses pires moments, ne l'avait jamais pareillement battue. Iza était convaincue que Broud l'aurait tuée si on ne l'en avait empêché à temps. C'était une pénible scène qu'elle n'était pas près d'oublier.

A mesure que la mémoire lui revenait, Ayla se sentait envahie par la peur et la haine. Elle savait qu'elle n'aurait pas dû faire preuve d'une telle effronterie, mais jamais elle n'aurait imaginé une réaction aussi violente. Pourquoi donc Broud en était-il arrivé à cette extrémité ? Ce matin-là, Brun était en colère, d'une colère froide qui incita chacun à l'éviter autant que possible. S'il désapprouvait l'impudence d'Ayla, la réaction de Broud ne lui déplaisait pas moins. Broud avait eu raison de corriger la fillette mais avait largement exagéré l'ampleur de la punition. Il n'avait même pas répondu à Brun qui lui ordonnait d'arrêter ; il avait fallu que Brun l'écarte de force. Mais il y avait plus grave : Broud avait perdu son sang-froid d'une manière indigne d'un homme, à cause d'une femme, à cause d'une fillette un peu trop effrontée.

Après l'éclat de Broud à la clairière, Brun avait pensé que le jeune homme ne se laisserait plus aller à de tels excès. Or, il venait de récidiver plus gravement encore. Et pour la première fois, Brun commença à se demander, la mort dans l'âme, s'il serait sage de remettre à Broud la direction du clan. Plus que le fils de sa compagne, Brun était persuadé que Broud était une émanation de son propre esprit et il l'aimait plus que la vie même. Peut-être l'avait-il mal élevé ? se demanda-t-il, prenant sur lui les défauts du garçon. Peut-être s'était-il montré trop tolérant à son égard ?

Brun laissa couler plusieurs jours avant de parler à Broud, afin de bien réfléchir à tout ce qu'il devrait lui dire. Broud passa tout ce temps dans un état d'intense agitation, quittant à peine son foyer, et ce fut avec un réel soulagement qu'il vit Brun lui faire signe de le suivre. Il ne redoutait rien autant que la colère de Brun, et ce ne fut pas sans stupeur qu'il vit celui-ci lui exposer le fond de sa pensée avec des gestes simples et calmes. Se déclarant personnellement responsable des erreurs du fils de sa compagne, il se présenta à lui non comme le chef redoutable que le garçon avait toujours craint et respecté, mais comme un homme aimant et profondément déçu. Broud se sentit envahi de remords.

Puis il perçut une froide détermination dans le regard de Brun qui, à contrecœur, se devait de faire passer en priorité le bien de son clan.

— Encore un éclat de la sorte, même minime, Broud, et tu n'es plus le fils de ma compagne. Tu es destiné à me remplacer en tant que chef, mais sache-le bien, plutôt que de remettre le clan entre les mains d'un homme incapable de se contrôler, je te renierai et te condamnerai à la Malédiction Suprême. Tant que tu n'auras pas prouvé que tu es un homme, il te sera interdit de prendre ma suite. Je vais t'observer, Broud. Je ne veux plus voir aucune manifestation de mauvaise humeur. Et si je dois choisir un autre chef, tu seras ravalé au dernier rang du clan, et cela pour toujours. M'as-tu bien compris ?

— Oui, Brun, acquiesça-t-il, blême.

— Tout cela restera entre nous. Un tel bouleversement dans nos projets ne ferait qu'inquiéter les autres, or je ne tiens pas à les perturber inutilement. Mais ne te méprends pas, il en sera comme je l'ai décidé. Un chef a le devoir de faire passer les intérêts de son clan avant les siens propres. C'est la première chose à apprendre, Broud. Voilà pourquoi un chef doit savoir garder son sang-froid. Il assume l'entière responsabilité de la survie du clan. Un chef est moins libre qu'une femme, Broud. Il est parfois contraint de faire des choses qui ne lui plaisent guère. Et si besoin est, il peut même aller jusqu'à renier le fils de sa compagne. Tu comprends ?

— Oui, Brun, je comprends, répondit Broud, qui doutait d'avoir bien compris.

Comment se pouvait-il qu'un chef soit moins libre qu'une femme ? Un chef devait être libre de faire tout ce qu'il voulait et de commander à tout le monde, non ?

— Va, va-t'en maintenant, Broud. Je désire rester seul.

Ayla dut attendre plusieurs jours avant de pouvoir se lever et encore plus longtemps pour voir les ecchymoses violacées qui lui couvraient le corps virer au jaune pâle puis enfin disparaître. Au début, elle avait si peur de Broud qu'elle sursautait dès qu'elle le voyait arriver. Or, elle ne tarda pas à remarquer qu'un changement était intervenu en lui. Il avait cessé de la tourmenter, de la harceler et en vérité cherchait plutôt à l'éviter. Ses souffrances oubliées, elle se dit qu'à toute chose malheur est bon. La vie, sans l'oppression exercée par Broud, lui parut facile. Bien qu'elle continuât de vaquer aux mêmes tâches que les autres femmes, elle éprouvait une telle impression de liberté que son bonheur se lisait dans le moindre de ses gestes. Elle éclatait de rire et marchait la tête haute. Iza savait que la fillette était tout simplement heureuse, mais sa désinvolture et son exubérance suscitaient l'étonnement et la muette réprobation du clan, habitué à plus de réserve.

Quant au comportement distant de Broud envers Ayla, il n'échappait à personne. La fillette surprit par hasard quelques conversations et comprit que Broud avait été menacé d'un châtiment exemplaire s'il la battait encore une fois. Cela lui fut confirmé un jour où elle le provoqua sans résultat. Elle se permit tout d'abord quelques petites négligences, de petits riens, dans le seul but de l'irriter. Elle le haïssait et, se sentant protégée par Brun, prenait sournoisement sa revanche.

La petite taille du clan fit qu'en dépit des efforts de Broud pour éviter Ayla, il lui était nécessaire de recourir à elle en certaines occasions. Elle mettait alors un point d'honneur à satisfaire ses désirs le plus lentement possible. Après s'être assurée que personne ne regardait, elle le gratifiait de cette étrange grimace dont elle avait le secret, prenant un malin plaisir à voir les efforts désespérés du jeune homme pour garder son sang-froid. Elle faisait beaucoup plus attention lorsqu'elle n'était pas seule avec lui, ne désirant nullement s'attirer la colère de Brun.

De temps à autre elle surprenait le regard de haine que Broud posait sur elle, et il lui arrivait alors de s'interroger sur la sagesse de son comportement. Broud la tenait pour seule responsable de sa situation inconfortable. Si elle n'avait pas été aussi insolente, il ne se serait pas mis en colère comme il l'avait fait, et il ne serait pas aujourd'hui menacé du châtiment suprême. Pourquoi les autres ne se rendaient-ils pas compte de l'insolence de cette étrangère ? Pourquoi ne la punissaient-ils pas pour sa mauvaise conduite ? Oui, il la détestait encore plus qu'avant, mais il se gardait bien de le montrer, surtout quand Brun était là.

Si le conflit entre les deux jeunes gens devint larvé, son intensité s'accrut encore et la fillette déploya moins de finesse dans ses provocations. Tout le monde se demandait pourquoi Brun laissait faire et la tension entravait parfois la vie du clan, perturbant les hommes comme les femmes.

En réalité, Brun n'appréciait nullement le comportement d'Ayla dont les insolences, qu'elle croyait subtiles, ne lui échappaient pas, pas plus qu'il n'approuvait la relative résignation de Broud. Toute effronterie était inacceptable de la part d'une femme. Brun était choqué de voir la fillette s'imposer de cette façon contre un homme. Aucune femme du clan n'aurait imaginé pareille attitude. Elles étaient satisfaites de leur position dans la communauté. Elles possédaient un savoir qui leur était propre. L'art de la chasse n'était pas inscrit dans leurs gènes. Pourquoi une femme lutterait-elle pour changer le cours naturel de son existence ? Se rebeller contre l'ordre établi leur paraissait aussi absurde que de s'arrêter de manger ou de respirer. Si Brun n'avait été certain du sexe d'Ayla, le comportement de la fillette lui eût donné à penser qu'elle appartenait au sexe masculin. Pourtant elle avait remarquablement assimilé le savoir-faire des femmes et révélait même certains dons de guérisseuse.

Néanmoins, Brun se retenait d'intervenir dans ce conflit où il voyait enfin Broud lutter pour apprendre à conserver son sang-froid, qualité indispensable à un futur chef. Broud était un chasseur courageux, et

Brun se sentait fier de sa bravoure. S'il parvenait à se corriger de son principal défaut, il ferait un chef remarquable.

Ayla n'était pas pleinement consciente de toutes les tensions qu'elle provoquait. Cet été-là, elle se sentit plus heureuse qu'elle ne l'avait jamais été. Elle profita de sa nouvelle liberté pour aller à travers bois et ramasser des herbes ou bien s'entraîner à la fronde. Sans pouvoir se dérober totalement aux corvées qui lui incombaient, elle bénéficiait cependant du prétexte de rapporter des plantes à Iza pour s'échapper de la caverne aussi souvent que possible. La guérisseuse n'était pas encore remise de son pénible hiver, bien qu'elle toussât beaucoup moins avec les beaux jours revenus. Creb et elle s'inquiétaient au sujet d'Ayla. Iza redoutait que son comportement ne finisse par incommoder le clan et appelle à une sanction. Elle décida d'accompagner la fillette dans sa cueillette pour trouver l'occasion de lui parler.

— Uba, viens vite, maman est prête, dit Ayla en soulevant la petite fille et en l'installant sur sa hanche.

Elles descendirent la colline, traversèrent la rivière et continuèrent leur route à travers les bois en suivant une sente ouverte par un animal et élargie par le passage des hommes. Iza fit halte dans une prairie dégagée et, après avoir repéré les lieux, se dirigea vers une touffe de grandes fleurs jaune vif qui ressemblaient à des asters.

— Ce sont des aunées, Ayla, dit Iza. Elles poussent généralement dans les prés. Les feuilles sont ovales et pointues au bout, vert foncé par-dessus et vert clair en dessous, tu vois ?

Iza s'était agenouillée pour montrer une feuille à Ayla.

— Oui, je vois.

— C'est la racine qu'il faut utiliser. La plante se reproduit tous les ans, mais il vaut mieux la ramasser la seconde année, à la fin de l'été ou en automne, au moment où la racine est lisse et ferme. Il faut la couper en petits morceaux, puis en faire réduire une poignée dans l'écuelle en os. Ce breuvage se boit froid, deux fois par jour. Il s'utilise contre la toux et plus particulièrement quand on crache du sang. Il fait aussi transpirer abondamment. (Iza s'était assise par terre pour extraire la racine avec le bâton à fouir, agitant rapidement les mains à mesure qu'elle s'expliquait.) On peut aussi faire sécher la racine et la moudre en poudre, ajouta-t-elle.

Puis elles se dirigèrent vers un petit monticule. Uba s'était endormie, rassurée par la chaude présence d'Ayla.

— Tu vois cette petite plante aux fleurs jaunes en forme d'entonnoir, mauves au centre ? demanda Iza, en montrant à Ayla une plante de trente centimètres environ.

— Celle-ci ?

— Oui, ce sont des jusquiames. Elles sont très utiles aux guérisseuses, mais il ne faut jamais en manger car elles sont vénéneuses.

— Que faut-il utiliser ? La racine ?

— Les racines, les feuilles et les graines. Les feuilles sont plus grandes que les fleurs et poussent les unes après les autres de part et d'autre de la tige. Regarde bien, Ayla, les feuilles sont vert tendre et dentelées.

(La guérisseuse froissa une feuille entre ses doigts.) Sens, dit-elle à Ayla, qui perçut une forte odeur de narcotique. Le parfum disparaît une fois les feuilles séchées. Dans quelque temps, il y aura beaucoup de petites graines marron. (Iza arracha une racine brune et rugueuse qui, une fois cassée, révéla une chair blanche.) Toutes les parties de la plante sont efficaces pour lutter contre la douleur. On peut les préparer en infusion ou bien en lotion à appliquer sur la peau. Elles calment les contractions musculaires, détendent, apaisent et favorisent le sommeil.

Après en avoir ramassé plusieurs, Iza s'approcha d'un massif de splendides roses trémières dont elle cueillit quelques spécimens roses, mauves, blancs et jaunes.

— Voilà une plante excellente pour calmer les irritations, les maux de gorge, les écorchures et les égratignures. La décoction des fleurs soulage la douleur, mais elle fait également dormir. La racine est très efficace pour soigner les plaies. Je m'en suis servie pour traiter tes blessures.

Ayla porta la main à sa cuisse et sentit les quatre cicatrices parallèles, se disant qu'elle serait morte sans Iza.

Elles marchèrent un long moment sans parler, prenant plaisir à être ensemble par cette belle journée ensoleillée. Iza scrutait la végétation et, à chaque fois qu'elle le pouvait, elle indiquait une nouvelle plante à la fillette attentive, lui exposant ses vertus et ses contre-indications. Elles traversaient un champ de seigle sauvage quand Iza s'arrêta pour examiner certains plants dont les sommités avaient une coloration violette très foncée.

— Regarde, Ayla, dit-elle en désignant l'un des plants. Ce n'est pas comme ça que pousse le seigle, d'ordinaire. Ce que tu vois là est l'effet d'une maladie, et nous avons de la chance d'être tombées dessus. Ça s'appelle l'ergot. Sens-le.

— Pouah ! On dirait du poisson pourri ! s'exclama la fillette en fronçant le nez d'un air de dégoût.

— Mais l'ergot est magique et il est très utile aux femmes enceintes. Il provoque des contractions et facilite l'accouchement. Il peut même provoquer une fausse couche, ce qui permet aux femmes de ne pas mettre au monde des enfants se suivant de trop près, car il y a toujours un risque de ne pouvoir les allaiter. Trop de bébés meurent à la naissance ou pendant leur première année, et une mère doit prendre soin de celui qui vit et a une chance de grandir. Mais l'ergot de seigle n'est qu'une plante abortive parmi d'autres. Il a peut-être un goût et une odeur affreux mais il est fort efficace, utilisé sagement. Une trop grande quantité entraîne des crampes, des vomissements et même la mort.

— C'est comme la jusquiame, elle peut être nocive ou bénéfique, fit remarquer Ayla.

— C'est vrai. Souvent les plantes vénéneuses se révèlent de puissantes médecines, si l'on connaît le dosage.

Tandis qu'elles revenaient vers la rivière, Ayla s'arrêta pour montrer à Iza une plante aux fleurs bleu violacé.

— Regarde, de l'hysope ! Elle guérit les rhumes, n'est-ce pas ?

— Exactement. Et elle parfume agréablement n'importe quelle infusion. Prends-en donc quelques-unes.

Ayla arracha plusieurs pieds par la racine et entreprit de les effeuiller en chemin.

— Ayla, ce sont les racines qui permettent à la plante de repousser chaque année, fit observer la guérisseuse. Si tu les arraches, il n'y aura pas de récolte l'an prochain. Contente-toi donc de cueillir les feuilles si tu n'as pas besoin des racines.

— Je n'y avais pas pensé. Je ferai attention désormais, promit Ayla, penaude.

— Et même quand tu dois utiliser les racines, il vaut mieux ne pas les arracher toutes au même endroit, de façon à ce qu'il y en ait toujours l'année suivante.

Aux abords de la rivière, les deux femmes arrivèrent près d'un marécage où poussait une autre plante intéressante.

— C'est un lis des marais, expliqua Iza. Il ressemble un peu à l'iris, mais ce n'est pas la même plante. La lotion de racine bouillie apaise les brûlures et l'on peut en mâcher si l'on a mal aux dents. Mais il est dangereux d'en donner à une femme enceinte. Elle peut perdre son enfant, encore que cet expédient ne se soit pas révélé efficace quand j'y ai recouru. Tu ne peux pas la confondre avec l'iris ; regarde, elle a un bulbe et sent beaucoup plus fort.

Elles s'arrêtèrent pour se reposer à l'ombre d'un érable, près de la rivière. Ayla prit une feuille qu'elle roula en cornet et ferma avec son pouce pour la remplir d'eau dans le courant. Elle apporta à boire à Iza dans son récipient de fortune.

— Ayla, commença la femme, après s'être désaltérée, tu devrais te montrer plus obéissante envers Broud. C'est un homme, et il a le droit de te commander.

— Je fais tout ce qu'il me demande, répondit Ayla sur la défensive.

— Oui, mais tu ne le fais pas comme il faut. Tu ne cesses de le défier et de le provoquer. Tu le regretteras plus tard, Ayla, le jour où il sera chef. Tu dois obéir aux hommes, à tous les hommes. Tu n'as pas le choix.

— Pourquoi les hommes ont-ils le droit de commander aux femmes ? En quoi nous sont-ils supérieurs ? Ils ne peuvent même pas avoir d'enfants ! répliqua amèrement Ayla.

— C'est ainsi, et il en a toujours été ainsi chez ceux du Clan. N'oublie pas que tu es des nôtres, Ayla. Tu es ma fille. Tu dois te conduire comme il sied à une fille de notre peuple.

Ayla baissa la tête. Iza avait raison, elle avait provoqué Broud. Elle regarda la femme qu'elle pouvait considérer comme sa mère. Iza avait vieilli, ses bras autrefois musclés avaient perdu leur fermeté et ses cheveux bruns avaient blanchi. Creb, qui lui avait paru si vieux au premier abord, avait fort peu changé par comparaison.

— Tu as raison, Iza, répondit la fillette. Je me suis mal comportée avec Broud. Je tâcherai de ne plus le mécontenter dorénavant.

Le bébé qu'Ayla tenait dans ses bras commença à s'agiter, puis ouvrit de grands yeux étonnés.

— Faim, dit-elle en esquissant maladroitement le geste approprié, puis elle enfourna son petit doigt dans sa bouche.

— Il se fait tard, déclara Iza en regardant le ciel. Nous ferions mieux de rentrer.

Si Ayla avait décidé de faire des efforts pour plaire à Broud, elle eut le plus grand mal à tenir sa promesse. Elle essaya bien de ne plus le provoquer mais elle avait pris l'habitude de l'ignorer, faisant semblant de ne pas le voir en sachant qu'il s'adresserait à quelqu'un d'autre pour ses besoins ou encore se résignerait à se servir tout seul. Les regards haineux qu'il lui lançait ne faisaient plus peur à la fillette, qui se sentait à l'abri de sa colère. Son impertinence était devenue une habitude. Elle l'avait trop longtemps regardé droit dans les yeux pour baisser la tête à présent. Et c'était ce dédain inconscient que Broud lui reprochait bien plus que ses précédentes effronteries. Il sentait qu'elle n'avait plus le moindre respect pour lui. Mais ce n'était pas le respect qu'elle avait perdu, mais la crainte qu'il lui avait inspirée.

La saison où les vents froids et les neiges abondantes allaient de nouveau confiner le clan dans la caverne approchait, au grand regret d'Ayla. Les femmes s'activaient à rentrer les récoltes de l'automne. Ayla n'aimait pas voir les feuilles commencer de tomber, même si la riche palette de l'arrière-saison la fascinait par sa beauté. Elle avait peu de temps pour grimper jusqu'à sa retraite pastorale, car les tâches étaient multiples et les jours raccourcissaient rapidement.

Un jour, toutefois, elle prit son panier de cueillette et, armée de son bâton, s'en fut ramasser des noisettes dans sa clairière secrète. Dès qu'elle fut arrivée, elle se débarrassa de son panier et courut dans la grotte chercher sa fronde. Elle avait quelque peu aménagé sa retraite, y apportant une vieille peau de couchage. Sur une étagère faite d'un bout de branche fendu en deux posé entre deux grosses pierres, il y avait quelques ustensiles en écorce de bouleau, un couteau de silex, et quelques galets pour casser les noisettes. Elle prit sa fronde dans le panier d'osier tressé où elle la rangeait et s'en fut en quête de cailloux.

Elle se mit à tirer quelques coups pour ne pas perdre la main. Vorn n'atteint certainement pas ses cibles comme moi, pensa-t-elle avec fierté, tandis que chacun de ses projectiles filait avec force et précision. Mais elle se lassa vite de son jeu et entreprit de ramasser les noisettes éparpillées sur le sol, au pied des épais buissons. La vie lui paraissait merveilleuse. Uba croissait et embellissait à vue d'œil, Iza allait beaucoup mieux, et les maux de Creb se faisaient moins sentir durant les beaux jours, ce qui lui avait permis de faire de longues promenades en sa compagnie. Elle était devenue experte dans le tir à la fronde et prenait un immense plaisir à s'entraîner. Il lui était devenu extrêmement facile de toucher à tous les coups les cibles qu'elle choisissait, branches ou rochers. Enfin, plus important que tout, Broud avait fini par la laisser tranquille. Elle était convaincue que rien ne pourrait désormais gâcher son bonheur, tandis qu'elle remplissait son panier de noisettes.

Les feuilles mortes tourbillonnaient dans le vent avant de recouvrir les noisettes qui jonchaient le sol. Celles qui n'étaient pas tombées pendaient, mûres et bien pleines, aux branches en partie dénudées. A l'est, les steppes ondoyaient sous le vent telle une mer dorée, tandis qu'au sud, les eaux de la mer intérieure formaient une immense tache grise que festonnait l'écume blanche des vagues. Les dernières grappes de raisin sauvage gorgées de jus attendaient d'être coupées.

Les hommes s'étaient réunis à leur habitude pour organiser l'une des dernières chasses de la saison. Ils avaient discuté de l'expédition projetée jusque tard dans la matinée, et chargé Broud de demander à boire aux femmes. Le garçon aperçut Ayla installée à l'entrée de la caverne, des morceaux de bois et des lacets de cuir éparpillés autour d'elle, avec lesquels elle fabriquait des claies pour faire sécher les raisins.

— Ayla ! de l'eau ! lui signifia Broud.

La fillette était fort occupée à une opération délicate de son ouvrage. Si elle bougeait tant soit peu, tout serait à recommencer. Elle hésita une seconde, regardant autour d'elle si personne ne pouvait la remplacer, et finit par se lever à contrecœur en poussant un soupir de mécontentement.

S'efforçant de réprimer la colère qui montait en lui devant tant d'évidente mauvaise volonté, Broud chercha des yeux une autre femme susceptible de répondre plus rapidement à ses désirs. Mais soudain, il changea d'idée. Elle m'obéira, décida-t-il brusquement. Pourquoi se montre-t-elle aussi insolente envers moi ? Ne suis-je pas un homme à ses yeux ? N'est-ce pas son devoir de m'obéir ? Brun ne m'a jamais conseillé d'encourager un tel manque de respect, se dit-il. Il ne peut tout de même pas me menacer de la Malédiction Suprême uniquement parce que j'oblige une femme à faire ce qu'une femme doit faire ! Quel est le chef qui laisserait une femme le défier impunément ? Non, son insolence n'a que trop duré. Cette fois, je ne la laisserai pas s'en tirer comme ça !

Ces pensées lui vinrent en même temps qu'il franchissait en trois enjambées la distance qui les séparait. Son poing s'abattit sur elle juste comme elle se levait et l'envoya au sol. Le regard stupéfait qu'elle lui jeta se chargea vite de colère. Elle vit Brun qui observait la scène, mais comprit à sa mine qu'il n'y avait rien à attendre de lui. La rage qu'elle lut dans les yeux de Broud transforma sa colère en peur, et elle regretta aussitôt de l'avoir défié une fois de plus. Esquivant prestement le coup suivant, elle courut chercher l'outre dans la caverne. Les poings serrés, Broud la suivit des yeux, luttant pour ne pas donner libre cours à son exaspération. Puis il porta son regard du côté des hommes et surprit l'air impassible de Brun, qui n'exprimait ni encouragement ni réprobation. Broud reporta son attention sur Ayla qui s'empressait de remplir l'outre à la mare puis la hissait sur son épaule. Son empressement soudain ainsi que son regard terrifié ne lui avaient pas échappé et l'aidaient à conserver son sang-froid.

Au moment où Ayla, courbée sous le poids de son fardeau, passait à sa hauteur, le jeune homme la poussa d'un revers de la main, manquant de la faire tomber. Rouge de colère, la fillette parvint à garder l'équilibre et ralentit l'allure. Broud resta sur ses talons et lui administra un coup sur l'épaule. Alors, Ayla franchit en courant les derniers pas jusqu'à l'écuelle qu'elle remplit à ras bord, sans relever le visage. Broud l'avait suivie, inquiet de connaître la réaction de Brun.

— Crug dit avoir vu le troupeau se diriger vers le nord, Broud, déclara Brun d'un ton détaché.

Tout allait donc pour le mieux ! Brun ne lui en voulait nullement. Au fait, pourquoi lui en aurait-il voulu de corriger une femme qui le méritait ? Broud poussa un profond soupir de soulagement.

Quand les hommes eurent fini de boire, Ayla regagna la caverne, à l'entrée de laquelle se trouvait Creb. Le sorcier avait observé toute la scène.

— Creb ! Broud m'a encore battue, se plaignit-elle en accourant vers lui.

Mais devant le regard que lui jeta le vieil homme qu'elle aimait tant, son sourire s'évanouit brusquement.

— Tu n'as eu que ce que tu méritais, répliqua-t-il d'un air sévère, avant de lui tourner le dos, la laissant interloquée.

Un peu plus tard dans la journée, la fillette s'approcha timidement du vieux sorcier et lui passa les bras autour du cou, geste qui, généralement, avait le don de l'attendrir. Mais cette fois-ci, il ne daigna pas réagir et ne prit même pas la peine de la repousser. Il se contenta de rester le regard vague, perdu dans le lointain, et ce fut Ayla qui se retira.

Ses yeux se remplirent de larmes. Elle se sentait blessée et quelque peu terrorisée par le vieux magicien. Et, pour la première fois depuis qu'elle partageait la vie du clan, elle comprit pourquoi tout le monde redoutait et admirait le grand Mog-ur. D'un simple regard il lui avait fait comprendre sa réprobation et la distance qui les séparerait désormais. Comprenant qu'il ne l'aimait plus, elle alla se réfugier auprès d'Iza.

— Pourquoi Creb est-il en colère contre moi ? lui demanda-t-elle.

— Je t'avais bien dit de faire tout ce que Broud te demanderait, Ayla. Il a le droit de te commander, lui répondit doucement Iza.

— Mais c'est bien ce que je fais. Je ne lui ai jamais désobéi.

— Tu lui résistes, Ayla. Tu ne cesses de le défier. Tu sais parfaitement que tu es insolente. Ta conduite a nécessairement des répercussions sur Creb et moi-même. Creb a l'impression de t'avoir mal élevée, de t'avoir laissée agir avec trop de liberté envers lui, de sorte que tu te crois autorisée à agir de même avec n'importe qui. Brun non plus n'est pas content de toi, et Creb en est conscient. Tu n'arrêtes pas de courir, Ayla. Tu sais pourtant que les grandes filles ne doivent pas courir. Tu fais de drôles de sons avec ta gorge. Tu ne mets pas assez d'empressement quand on te demande quelque chose. Tout le monde désapprouve ta conduite, Ayla, et cela fait honte à Creb.

— Je ne savais pas que c'était mal, Iza, se défendit Ayla. Je ne l'ai pas fait exprès.

— Mais justement, tu devrais faire plus attention à ce que tu fais. Tu es trop grande à présent pour te conduire comme une enfant.

— Oui, mais Broud est toujours méchant avec moi. Il m'a encore fait mal aujourd'hui.

— Peu importe s'il est méchant, Ayla. Il en a le droit, c'est un homme. Il peut te battre aussi fort et autant qu'il le voudra. N'oublie pas qu'il sera bientôt le chef. Tu dois lui obéir et faire tout ce qu'il te demande au moment où il te le demande. Tu n'as pas le choix, lui expliqua Iza. (Elle considéra le visage empli de tristesse d'Ayla et se sentit envahie de compassion pour la fillette qui avait tant de mal à accepter les obligations de la vie.) Il est tard, Ayla. Va au lit, maintenant.

Ayla gagna sa couche mais elle ne put trouver le sommeil avant longtemps. Elle se réveilla très tôt, prit son panier et son bâton et partit sans déjeuner. Elle désirait être seule pour réfléchir. Elle grimpa jusqu'à sa grotte secrète et prit sa fronde, mais elle ne se sentait pas d'humeur à s'entraîner.

Tout est la faute de Broud, pensa-t-elle. Que lui ai-je donc fait pour qu'il s'acharne ainsi sur moi ? Il ne m'a jamais aimée. La grande affaire qu'il soit un homme ! En quoi un homme serait-il mieux qu'une femme ? Je me demande quel genre de chef il sera. Zoug est meilleur tireur à la fronde que lui. Et je suis sûre que je tire mieux que lui.

Elle se mit à jeter des pierres avec colère. L'une d'elles atterrit dans un fourré d'où elle chassa un porc-épic endormi. Les petits animaux nocturnes étaient rarement chassés. Vorn passe pour un prodige parce qu'il a tué un porc-épic. Moi aussi je pourrais le tuer si je voulais. L'animal gravissait un monticule de sable près du ruisseau. Ayla plaça une pierre dans sa fronde, visa et projeta le caillou. Cible facile, l'animal s'écroula.

Ayla, satisfaite de son tir, accourut auprès de sa proie. Mais comme elle se penchait pour toucher la petite bête, elle vit qu'il n'était que blessé. Le cœur battant, elle contempla le sang qui sourdait de sa blessure à la tête, et elle fut tentée de rapporter le porc-épic à la caverne pour le soigner comme elle l'avait fait avec d'autres animaux. Elle s'en voulait terriblement d'avoir blessé l'animal, et elle savait qu'elle ne pourrait l'emmener à la caverne car Iza avait trop vu d'animaux tués à la fronde pour se méprendre sur sa blessure.

La fillette contempla le porc-épic blessé. Je ne peux même pas chasser, comprit-elle soudain. Et si je parvenais à tuer quelque gibier, je ne pourrais même pas le rapporter au clan. A quoi bon avoir appris à tirer ? Creb m'en veut déjà suffisamment, que ferait-il s'il savait ? Et Brun ? Je suis censée ne jamais toucher à une arme et encore moins m'en servir ! Brun me chasserait. Alors où irais-je ? Qui s'occuperait de moi ? Je ne veux pas partir, pensa-t-elle en fondant en pleurs, bouleversée par la peur et par un sentiment de culpabilité.

Les larmes coulaient le long du petit visage désespéré. Elle se laissa choir par terre, donnant libre cours à son chagrin. Quand elle eut pleuré tout son soûl, elle se redressa et s'essuya le nez au revers de la main, encore secouée par les sanglots. Je ferai absolument tout ce que Broud me demandera, sans discuter. Et je ne toucherai plus jamais à une fronde. Afin de bien marquer sa détermination, elle jeta son arme dans un buisson, alla chercher son panier et se dépêcha de rentrer à la caverne où Iza l'attendait.

— Où étais-tu ? Tu as disparu de toute la matinée et tu reviens le panier vide !

— J'ai réfléchi, maman, répondit Ayla en regardant Iza avec sérieux. Tu avais raison, j'ai eu tort. Mais c'est la dernière fois. Je ferai tout ce que voudra Broud. Désormais, je me conduirai convenablement et plus jamais je ne vais courir ou me tenir mal. Tu crois que Creb m'aimera de nouveau si je suis bien sage ?

— J'en suis certaine, Ayla, répondit Iza en lui faisant une petite caresse, attendrie par les bonnes résolutions de la fillette.

C'est étrange, pensa-t-elle, elle a encore mal aux yeux, comme chaque fois qu'elle croit que Creb ne l'aime plus. Elle est si différente de nous. J'espère que tout se passera pour le mieux à partir de maintenant.

11

La transformation d'Ayla était stupéfiante. Elle avait changé du tout au tout et se montrait à présent repentante, docile et prévenante envers Broud. Les hommes étaient convaincus que ce changement provenait de l'intransigeance du jeune homme et, en voyant passer la fillette, hochaient la tête d'un air entendu. Ayla offrait la démonstration vivante de leur conviction profonde : si les hommes laissaient faire, les femmes devenaient vite paresseuses et insolentes. Il leur fallait une poigne énergique, la domination et le contrôle des hommes pour devenir des membres productifs du clan et contribuer à sa survie.

Qu'Ayla ne fût encore qu'une enfant et qu'elle n'appartînt pas au clan ne comptait pas aux yeux de la communauté. Elle était assez grande, par la taille au moins, pour être considérée comme une femme, et les hommes mettaient un point d'honneur à ne pas passer pour laxistes.

Mais c'était dans un esprit de vengeance que Broud appliquait ces principes. Il ne laissait guère de répit à Oga mais redoublait de dureté envers Ayla, la harcelant sans cesse, la dérangeant pour un rien, la corrigeant à la moindre incartade et parfois même sans raison aucune, pour le plaisir de la frapper. Elle l'avait blessé dans sa fierté d'homme, dans sa virilité, et il entendait le lui faire payer chèrement. Elle l'avait défié, l'avait provoqué, et il s'était retenu trop souvent de la corriger. Il la plierait à sa volonté et ne lui accorderait aucune grâce.

Ayla, pour sa part, faisait son possible pour lui être agréable. Elle essaya même de prévenir ses désirs, mais mal lui en prit. Broud lui reprocha de s'être crue capable de savoir ce qu'il pouvait désirer. A peine avait-elle franchi les limites du foyer de Creb que Broud l'attendait de pied ferme, et il était difficile à la fillette de rester sans raison chez Mog-ur. On approchait de l'hiver ; il y avait encore de nombreuses tâches à accomplir pour permettre au clan d'affronter la saison froide en toute sécurité. La pharmacopée d'Iza se trouvant à peu près complète, Ayla n'avait plus d'excuses pour s'éloigner de la caverne, et le soir, après une journée éreintante, la fillette s'écroulait sur sa couche.

Pour Iza, le changement de comportement d'Ayla avait peu de choses à voir avec Broud. C'était par amour pour Creb plus que par peur de Broud qu'elle s'efforçait de se bien conduire. Iza raconta au vieil homme qu'Ayla avait encore souffert des yeux à la pensée qu'il ne l'aimait plus.

— Tu sais qu'elle était allée trop loin, Iza. Je me devais d'intervenir. Si Broud n'avait recommencé à sévir, Brun l'aurait fait. Cela eût été plus grave. Broud lui rend la vie misérable, mais Brun a le pouvoir de la chasser.

Troublé par ce qu'Iza venait de lui apprendre, Creb passa de longues heures à méditer sur le pouvoir de l'amour, plus grand que celui exercé par la peur. Le sorcier se reprit à regarder Ayla avec tendresse.

Les premières chutes de neige alternaient avec de froides averses. Il gelait au matin mais le temps, entre cette fin d'automne et le début de l'hiver, était instable, et parfois le vent du sud réchauffait brusquement l'atmosphère. Pendant toute cette période, Ayla ne flancha pas une seule fois, obéissant à toutes les lubies de Broud, bondissant pour répondre à toutes ses exigences, baissant la tête avec soumission, surveillant soigneusement sa façon de marcher, sans jamais se permettre de rire ni même de sourire ; mais si elle n'opposait aucune résistance, ce n'était pas sans mal, car elle avait beau lutter contre ses penchants pour se montrer docile, l'envie la tenaillait de se rebiffer.

Elle se mit à maigrir et à perdre l'appétit, restant calme et soumise, même quand elle se trouvait dans le foyer de Creb. Uba elle-même ne parvenait pas à la dérider. Iza, inquiète à son sujet, décida par une belle journée ensoleillée qu'il était nécessaire de donner un certain répit à la fillette avant que l'hiver ne les confine tous dans la caverne pour une longue période.

— Ayla, dit Iza d'une voix forte, alors qu'elles sortaient de la caverne, sans laisser à Broud le temps de formuler la moindre exigence, il me faut des symphorines, contre les maux d'estomac. Tu les trouveras facilement, les fruits blancs restent attachés au buisson après la chute des feuilles.

Iza se garda bien de préciser qu'elle avait en réserve bien d'autres remèdes tout aussi efficaces contre les maux d'estomac. Broud fronça les sourcils en voyant Ayla se précipiter pour aller chercher son panier, mais il savait qu'il était plus important de la laisser cueillir des plantes pour Iza que de lui ordonner de lui apporter de l'eau, une infusion, un morceau de viande, ou encore une pomme, ou bien deux pierres pour casser des noix, sous prétexte que celles qui se trouvaient aux abords de la caverne ne lui convenaient pas, ou d'exiger de la fillette n'importe quelle autre besogne subalterne. Il s'éloigna dignement quand Ayla sortit de la grotte, son panier et son bâton à la main.

La fillette courut vers la forêt, reconnaissante à Iza de lui avoir procuré l'occasion d'être seule. Oublieuse des petites baies blanches, elle partit à l'aventure sans se rendre compte que ses pas la portaient jusqu'à sa prairie favorite et sa petite caverne. Elle n'y était pas retournée depuis qu'elle avait blessé le porc-épic.

Elle s'installa au bord de l'eau, jetant des cailloux dans le courant d'un air absent. Il faisait froid. La pluie de la veille s'était transformée en neige en cette altitude, couvrant la terre d'un tapis éblouissant. Mais Ayla restait indifférente à la beauté sereine de ce paysage hivernal. Il lui rappelait seulement que le froid n'allait pas tarder à empêcher le clan de sortir et qu'elle ne pourrait échapper à Broud avant le printemps.

Le long hiver glacial s'annonçait particulièrement lugubre aux yeux de la fillette, qui se verrait soumise chaque jour aux caprices de Broud. Quoi que je fasse, il n'est jamais content, songea-t-elle. J'ai beau faire de mon mieux, rien n'y fait. Elle tourna machinalement les yeux vers une tache dans la neige, et elle vit une peau de bête à moitié pourrie, hérissée encore de quelques piquants ; tout ce qui restait du porc-épic. Ayla se rappela avec remords le jour où elle l'avait blessé. Je n'aurais jamais dû apprendre à tirer, se dit-elle, ce n'est pas bien. Creb serait furieux, et Broud... comme il serait ravi s'il venait le à le savoir. Mais il ne le saura jamais, se jura-t-elle. Ayla se sentit heureuse à la pensée qu'elle lui cachait quelque chose qui lui aurait donné des raisons de la corriger. Et elle eut soudain envie de se dépenser, de tirer à la fronde justement pour donner libre cours à sa révolte.

Elle se souvint d'avoir jeté son arme dans un buisson et l'y chercha. Elle aperçut le morceau de cuir dans les broussailles et le ramassa, tout trempé, mais les intempéries ne l'avaient pas trop abîmé. Elle tira et lissa entre ses mains la bande de peau, se rappelant la fois où elle l'avait ramassée, après que Broud se fut fait sévèrement réprimander par Brun pour son geste agressif envers Zoug. Elle n'était pas la seule à avoir provoqué la rage du jeune fier-à-bras.

Seulement voilà, je suis une femme, et il peut me frapper sans encourir les foudres de Brun. Brun s'en fiche pas mal, qu'il me batte quand bon lui semble. Non, ce n'est pas vrai, reconnut-elle, Brun est intervenu la fois où Broud m'a battue si fort, et celui-ci se retient parfois de me corriger quand Brun est là. Mais ça m'est égal de recevoir des coups, tout ce que j'aimerais, c'est qu'il me laisse de temps en temps tranquille.

Elle mit machinalement un caillou dans la fronde et, voyant une dernière feuille qui pendait à une branche, elle la visa avec succès. Je suis encore capable de toucher ce que je veux, pensa-t-elle, puis elle se renfrogna. Mais à quoi bon ? Je n'ai jamais essayé de tirer sur une cible mouvante ; le porc-épic ne compte pas, il était pratiquement immobile. Je ne sais même pas si j'en serais capable et, si tel était le cas, cela ne me servirait à rien. Je ne pourrais jamais rien apporter à la caverne. Tout ce que j'arriverais à faire, c'est blesser des animaux, comme ce porc-épic, et les offrir aux loups, aux hyènes et aux gloutons, qui déjà nous volent nombre de proies.

Le clan, qui dépendait en grande partie de la chasse pour sa survie, devait monter sans cesse la garde contre les prédateurs. Non seulement les grands félins ou les bandes de loups ou de hyènes dérobaient parfois leur proie aux chasseurs mais encore les gloutons et autres petits carnassiers constituaient une menace pour les réserves de viande séchée qu'il leur arrivait de dérober sitôt que la surveillance se relâchait. Aussi ces animaux étaient-ils détestés des chasseurs.

Ayla se rappela la fois où Brun lui avait interdit de ramener dans la caverne un louveteau blessé. Soudain un projet commença à germer dans son esprit. Les carnassiers, à l'exception des grands félins, pouvaient être tués à la fronde. J'ai entendu Zoug le dire à Vorn. Il affirmait qu'il était souvent préférable d'utiliser la fronde, afin de ne pas être obligé de trop s'approcher d'eux.

Ayla avait maintes fois entendu Zoug louer les vertus de son arme favorite. Il était vrai qu'avec une fronde un chasseur restait hors de portée des griffes et des crocs des carnassiers, mais Zoug n'avait rien dit des risques encourus au cas où le tireur manquait le loup ou le lynx qu'il avait visé ; ces bêtes étaient parfaitement capables de se retourner contre lui.

Et si je ne chassais que les carnassiers ? songea-t-elle. Nous ne les mangeons pas, ce ne sera pas du gaspillage si je les laisse en pâture aux charognards. Les chasseurs le font bien.

Ayla secoua la tête, se reprochant de telles pensées. Je suis une femme, et la chasse m'est interdite ; je n'ai même pas le droit de toucher à une arme. Il n'empêche, je sais me servir d'une fronde ! Ce serait bien utile au clan que je tue ces gloutons, ces renards et ces sales hyènes qui volent notre viande.

Elle s'était entraînée au tir à la fronde pendant tout l'été, et bien que ce ne fût alors qu'un jeu pour elle, elle savait que toute arme avait pour fonction la chasse. Elle savait également qu'elle finirait par se lasser de tirer sur des branches, des feuilles ou des rochers. Aussi lui était-il insupportable de devoir abandonner la fronde faute de pouvoir l'employer pour ce qu'elle était : une arme de chasse. Tuer les prédateurs nuisibles au clan lui apparaissait comme la réponse à son dilemme, même si cela lui posait un problème de conscience. Creb et Iza lui avaient tant de fois dit qu'il était formellement interdit à une femme de toucher à une arme. Mais elle avait déjà largement transgressé cet interdit, et sa faute ne pouvait être plus grave si elle chassait. Elle jeta un regard à la fronde qu'elle tenait à la main et, balayant ses derniers scrupules, prit une décision.

— Je vais le faire ! Je vais apprendre à chasser ! Mais je ne m'en prendrai qu'aux carnassiers ! s'exclama-t-elle énergiquement, ponctuant ses mots par de grands gestes.

Rouge d'excitation, elle courut chercher des cailloux à la rivière.

En choisissant des galets ronds et lisses d'une taille précise, son regard fut attiré par un objet étrange. On aurait dit une pierre, mais il ressemblait aussi à une coquille de mollusque marin. Elle le ramassa et l'examina soigneusement. Quel étrange caillou, pensa-t-elle. Je n'en ai jamais vu de pareil. Puis, se souvenant soudain de ce que lui avait dit Creb un jour, elle se sentit si bouleversée qu'un frisson lui parcourut l'échine.

Creb a dit, se rappelait-elle, que mon totem m'aiderait chaque fois que j'aurais une grave décision à prendre, qu'il m'enverrait un signe pour m'indiquer la bonne direction. Creb a dit aussi que ce serait quelque chose d'inhabituel, et que personne ne pourrait identifier le signe à ma place. Je devrais écouter avec mon cœur et mon esprit, a-t-il dit encore, et l'esprit de mon totem me dira quoi faire.

— Grand Lion des Cavernes, est-ce toi qui me fais signe ? demanda-t-elle en utilisant le langage gestuel approprié pour s'adresser aux totems. Veux-tu me faire savoir que j'ai pris une bonne décision, que j'ai raison de chasser, bien que je sois une fille ?

Elle contempla le fossile d'un air méditatif, comme elle avait vu Creb le faire. Elle savait que le choix de son totem avait plongé le clan dans la stupéfaction. Elle frôla les quatre cicatrices parallèles qui lui striaient la cuisse et se demanda pourquoi le Lion des Cavernes l'avait choisie. Elle pensa alors à la fronde et au fait qu'elle avait appris à s'en servir. Pourquoi ai-je ramassé cette vieille fronde ? se demanda-t-elle. Aucune autre femme n'aurait osé y toucher. Mon totem m'y a-t-il poussée ? Voulait-il que j'apprenne à chasser ?

— O Grand Lion des Cavernes, je ne sais pourquoi tu veux que je chasse, mais je suis heureuse que tu m'aies envoyé un signe.

Ayla ôta le lacet de cuir auquel pendaient ses amulettes, délia la petite bourse et y glissa le fossile, à côté de la particule d'ocre rouge. La différence de poids se fit particulièrement sentir quand elle la repassa autour de son cou. Elle y vit le signe matériel de l'approbation donnée par son totem à la décision qu'elle venait de prendre.

Je suis comme Durc, pensa-t-elle. Il a quitté son clan en dépit de l'hostilité de chacun. Il était sûr de découvrir un endroit où la Montagne de Glace ne pourrait jamais l'atteindre. Je suis certaine qu'il a créé un nouveau clan. Lui aussi devait posséder un totem très puissant. Je me demande si le totem de Durc l'a mis à l'épreuve. Et moi, vais-je avoir à subir une autre épreuve de la part de mon Lion des Cavernes ? Quelle action difficile aurai-je à accomplir ? Ayla chercha dans sa vie ce qu'il pouvait y avoir de pénible et, soudain, elle comprit.

— Broud ! Broud est mon épreuve ! s'exclama-t-elle. Qu'y a-t-il de plus pénible que d'avoir à affronter tout un hiver avec Broud ? Mais si je réussis cet exploit, mon totem me laissera chasser.

Sans pouvoir préciser ce qu'il y avait de différent dans la démarche d'Ayla, Iza remarqua une légère transformation, et elle surprit une lueur consentante dans le regard que la fillette jeta à Broud en arrivant. Creb, pour sa part, nota le renflement de sa petite bourse à amulettes.

L'hiver s'installant définitivement, ils furent heureux tous les deux de la voir redevenir comme avant malgré la pression exercée par Broud. Creb était convaincu qu'elle avait pris une décision et découvert un signe de son totem. La résignation de la fillette à accepter sa place dans le clan le soulagea grandement. Il connaissait ses affres intimes, mais il savait également qu'elle devait non seulement se plier à la volonté du jeune homme mais aussi cesser de lui être hostile. Il lui restait à apprendre à conserver son sang-froid.

Ce fut au cours de cet hiver qu'Ayla entra dans sa huitième année et devint une femme. Non pas physiquement car elle avait encore le corps d'une fillette gracile et élancée, mais ce fut pendant cette longue saison glaciale qu'elle sortit de l'enfance.

Parfois, l'existence lui paraissait si insupportable qu'il lui arrivait, en contemplant le matin au réveil les aspérités familières de la paroi, d'avoir envie de se rendormir à tout jamais. Mais lorsqu'il lui semblait impossible de supporter davantage sa condition, elle touchait son amulette dont le renflement lui donnait le courage d'affronter l'avenir. Et chaque jour qui passait la rapprochait peu à peu du moment où les neiges épaisses et les vents glacés céderaient la place à l'herbe tendre et aux brises marines, lui permettant enfin d'arpenter de nouveau les prairies et les forêts en toute liberté.

A l'image du rhinocéros laineux, son totem, Broud pouvait se montrer aussi entêté que méchant. Trait de caractère propre au Peuple du Clan, une fois qu'il s'était fixé une ligne de conduite, il s'y tenait fermement, et en l'occurrence, il s'acharnait à maintenir son emprise sur Ayla. Le martyre quotidien de la fillette, sous les coups et les insultes, n'était un mystère pour personne. Si beaucoup reconnaissaient qu'elle méritait de se faire corriger, peu approuvaient les extrémités auxquelles Broud se laissait entraîner.

Brun trouvait que Broud exagérait un peu, mais après avoir constaté qu'il était capable de contrôler ses mouvements d'humeur, il estima les efforts du fils de sa compagne amplement suffisants et, tout en espérant le voir se comporter avec plus de modération, il décida de laisser les choses suivre leur cours. Pourtant, au fil de l'hiver, il en vint à éprouver malgré lui un certain respect à l'égard de la fillette, respect comparable à celui qu'il avait ressenti envers sa sœur Iza quand son compagnon la frappait.

Tout comme Iza, Ayla se comportait de façon exemplaire. Elle endurait tout sans se plaindre, ainsi qu'il convient à une femme. Et lorsqu'elle s'interrompait un instant dans l'accomplissement de ses tâches pour saisir son amulette, Brun et les autres ne voyaient dans ce geste qu'un signe de respect pour les puissances surnaturelles si importantes aux yeux du clan. Cette attitude ajoutait à sa stature féminine.

L'amulette était comme l'âme du projet qu'elle avait conçu. Elle rappelait à Ayla que son totem l'éprouvait et que, si elle se révélait digne de lui, elle pourrait apprendre à chasser. Plus Broud la harcelait, plus sa détermination grandissait. Quand le printemps viendrait, elle reprendrait sa fronde et deviendrait le meilleur tireur à la fronde du clan. Elle traversait ses dures journées, animée de cette espérance, aussi solide que les longues stalactites de glace qui se formaient à l'entrée de la caverne sous l'effet combiné de la chaleur provenant des feux allumés à l'intérieur de la grotte et du vent glacial soufflant au-dehors.

A son insu même, elle commençait déjà à s'entraîner. Elle débordait de curiosité pour les récits des hommes qui, assis ensemble, relataient les chasses passées ou établissaient des stratégies pour les battues futures. Elle trouvait le moyen de s'installer à côté d'eux pour travailler, prenant un plaisir tout particulier aux histoires de Dorv et de Zoug sur leurs chasses à la fronde. Son intérêt pour Zoug se ranima, elle redoubla de prévenances envers lui et en vint à éprouver une réelle affection pour le vieux chasseur. Comme Creb, il était fier et sévère, mais se montrait également heureux des gentillesses dont l'entourait la fillette, aussi étrange et laide fût-elle. L'attention vive avec laquelle elle suivait le récit de ses exploits, du temps où il était second à la place de Grod, n'échappait pas à Zoug et, lorsqu'elle venait s'asseoir tout près de lui, il en profitait pour expliquer à Vorn ses méthodes pour dépister et chasser le gibier. Quel mal pouvait-il y avoir à ce qu'elle prît plaisir à ses récits ?

Si j'étais plus jeune, pensait Zoug, et encore capable de chasser, je la prendrais pour compagne le moment venu. Elle aura bientôt besoin d'un compagnon et, laide comme elle est, elle risque d'avoir le plus grand mal à en trouver un. Mais elle est jeune, forte et respectueuse. J'ai des parents dans d'autres clans ; si je m'en sens la force, j'irai au prochain Rassemblement, et je parlerai en sa faveur. Ses propres désirs ne comptent pas, mais je comprendrais très bien qu'elle n'ait pas envie de demeurer ici lorsque Broud sera le chef.

J'espère que je ne serai plus de ce monde quand Brun cédera sa place, songeait encore Zoug, qui n'avait pas oublié l'agression de Broud. Il n'aimait pas ce garçon et le trouvait cruel envers cette fillette pour laquelle il se prenait peu à peu d'affection. Elle méritait d'être mise au pas mais la sévérité elle-même avait des limites que Broud dépassait de beaucoup. Oui, je parlerai en sa faveur, et si je ne peux me déplacer, j'enverrai un message. Si seulement elle n'était pas si laide...

La situation d'Ayla, aussi pénible fût-elle, n'était pas totalement déplaisante. Les activités s'étaient singulièrement ralenties, et les corvées devenaient rares. Broud lui-même avait du mal à trouver quelque travail à lui donner. Avec le temps, il commença de se lasser et, faute de recevoir la moindre opposition, il relâcha son emprise. Une autre raison aida également Ayla à trouver l'existence supportable.

Au début de l'hiver, cherchant de bonnes raisons de garder Ayla dans les limites protectrices du foyer de Creb, Iza avait décidé de commencer à lui enseigner la préparation et l'utilisation des plantes. Le désir d'apprendre de son élève obligea vite Iza à organiser des leçons régulières, et même à regretter de ne pas s'y être prise plus tôt, tandis qu'elle prenait pleinement conscience de l'intelligence d'Ayla, si différente de celle du Peuple du Clan.

Si Ayla avait été sa propre fille, elle n'aurait eu qu'à lui rafraîchir la mémoire et faire resurgir les souvenirs enfouis dans son esprit et lui apprendre à les utiliser. Mais Ayla devait enregistrer la somme des connaissances qu'Uba avait héritées à sa naissance. Aussi Iza était-elle obligée de revenir maintes fois sur le même sujet et de lui poser des questions pour s'assurer qu'elle avait bien compris. Iza tirait son savoir de sa mémoire aussi bien que de sa propre expérience et elle s'étonnait elle-même de l'étendue de ses connaissances. Aussi le handicap de la fillette lui apparaissait-il parfois comme insurmontable, et elle aurait peut-être abandonné si Ayla ne s'était montrée aussi curieuse et avide d'apprendre. Par ailleurs, Iza était bien déterminée à lui procurer une position assurée dans le clan, et les leçons se poursuivaient régulièrement tous les jours.

— Avec quoi soigne-t-on les brûlures, Ayla ?

— Euh... avec une quantité égale de fleurs d'hysope, de verge d'or et de rudbeckie séchées et réduites en poudre. Puis on les humecte pour en faire un cataplasme que l'on recouvre d'un bandage. Quand il est sec, il faut l'humidifier de nouveau en versant de l'eau froide sur le bandage, récita-t-elle précipitamment. Les fleurs et les feuilles de menthe sont excellentes contre les brûlures par l'eau bouillante ; il faut les mouiller et les appliquer à l'endroit douloureux. Les racines de lis des marais font aussi une bonne lotion contre les brûlures.

— Très bien, quoi d'autre ?

La fillette réfléchit quelques instants.

— L'hysope géant aussi. Mâcher les feuilles et la tige pour en faire un cataplasme ou alors humecter les feuilles sèches. Et... ah oui ! les fleurs de chardons jaunes, bouillies. Les appliquer en lotion après les avoir fait refroidir.

— C'est un remède excellent contre toutes les maladies de la peau, Ayla. Et n'oublie pas que les cendres de prêle mélangées à de la graisse font aussi un onguent efficace contre les brûlures.

Ayla commença également à se charger de la préparation des repas sous la direction d'Iza. Elle apprit sans déplaisir à se plier aux exigences que l'âge imposait à Creb. Elle se donna du mal pour moudre ses céréales suffisamment fin afin que ses dents abîmées puissent les mâcher plus facilement. Elle coupait les noix en petits morceaux avant de les lui servir. Iza lui apprit à préparer des potions analgésiques et des cataplasmes pour le soulager de ses rhumatismes, et Ayla se spécialisa dans la préparation de ces remèdes pour les autres membres du clan dont les maux empiraient invariablement avec leur réclusion hivernale dans la caverne humide et froide.

Pour la première fois Ayla assista la guérisseuse, et leur premier patient fut Creb.

C'était le milieu de l'hiver. Les lourdes chutes de neige obstruaient l'entrée de la caverne sur une hauteur de plus de trois mètres. Ce mur de neige isolait l'intérieur de la grotte où l'on entretenait du feu en permanence, mais le vent s'engouffrait par la large ouverture au-dessus de la congère. Creb était de fort méchante humeur, passant d'un silence têtu à des grognements bougons. Son comportement décontenançait

Ayla, mais Iza avait deviné que le vieil homme souffrait d'un mal de dents particulièrement douloureux.

— Creb, pourquoi ne me laisses-tu pas regarder cette dent ? demanda Iza.

— Ce n'est rien qu'une mauvaise dent qui me fait souffrir un peu. Crois-tu que je ne puisse pas supporter la douleur, femme ? aboya Creb.

— Oui, Creb, répondit Iza, la tête baissée.

Le vieil homme s'en voulut aussitôt de sa rudesse.

— Iza, je sais bien que tu cherches à m'aider.

— Si tu me laissais voir, je pourrais peut-être te donner quelque chose qui te soulagerait. Mais il faut que je t'examine pour cela.

— Qu'y a-t-il donc à voir ? dit-il par gestes. Une mauvaise dent n'est qu'une mauvaise dent. Fais-moi donc plutôt une infusion d'écorce de saule, grommela Creb, puis il s'assit sur sa fourrure et détourna la tête.

Iza s'en fut préparer l'infusion en secouant la tête d'un air de dépit.

— Femme ! appela Creb un instant plus tard. Et cette infusion ? C'est bien long. Comment pourrais-je méditer avec cette douleur ?

Iza se précipita avec une coupe en os, tout en faisant signe à Ayla de la suivre.

— Voici l'infusion, mais je doute qu'elle te soit d'un grand secours, Creb. Veux-tu me laisser voir cette dent ?

— D'accord, d'accord, Iza. Voilà, regarde.

Il ouvrit la bouche et désigna de son index la dent malade.

— Vois-tu comme le trou est profond, Ayla ? La gencive est enflée, et infectée. J'ai peur qu'il ne faille arracher cette dent, Creb.

— L'arracher ! Tu demandes à la voir pour savoir ce qu'il faut me donner comme médecine. Tu n'as pas parlé de l'arracher. Eh bien, maintenant que tu l'as vue, donne-moi donc quelque chose contre la douleur, femme !

— Oui, Creb, dit Iza. Bois donc cette infusion de saule.

Ayla observait l'échange avec des yeux emplis de stupeur.

— Tu disais que cette infusion ne me serait d'aucun secours, fit remarquer Creb.

— C'est vrai. Tu pourrais mastiquer un bout de racine de lis des marais, mais là encore je ne pense pas que ce soit très efficace.

— Ah ! Tu fais une fameuse guérisseuse ! Même pas fichue de soigner un simple mal de dents, bougonna Creb.

— Je pourrais essayer de cautériser la gencive, proposa Iza.

Creb fit la grimace.

— Apporte-moi du lis des marais à mâcher, commanda-t-il.

Le lendemain matin, la joue de Creb était tout enflée, ajoutant s'il était possible à la laideur de son visage. Il avait l'œil rougi du manque de sommeil.

— Iza, gémit-il. Ne pourrais-tu pas faire quelque chose pour cette dent ?

— Si tu m'avais laissée faire hier, tu n'aurais plus mal à présent, répliqua Iza, et elle s'en retourna surveiller sa bouillie de céréales qui mijotait sur le feu.

— Femme ! Tu n'as donc pas de cœur ? Je n'ai pas fermé l'œil de la nuit !

— Je le sais. Tu m'as empêchée de dormir.

— Allons, fais quelque chose ! exigea-t-il avec de grands gestes.

— Je veux bien, Creb, mais je ne peux pas l'arracher tant que la gencive est enflée.

— L'arracher ! L'arracher ! Tu ne penses décidément qu'à ça !

— Je veux bien essayer autre chose, Creb, mais cela ne sauvera pas ta dent. (Elle fit signe à Ayla.) Ayla, apporte-moi le petit panier de lancettes, celles qu'on a taillées dans l'arbre abattu par la foudre, l'été dernier. Il faut percer la gencive pour vider l'abcès, et peut-être pourrat-on calmer la douleur.

Creb tenta en vain de réprimer un frisson, puis il haussa les épaules d'un air fataliste. Le remède ne pouvait être pire que le mal, pensa-t-il.

Iza choisit deux lancettes de bois.

— Ayla, tu feras rougir au feu la pointe de celle-ci en faisant bien attention à ne pas la briser. Mais d'abord, je veux que tu voies comment on perce la gencive. Tiens les lèvres de Creb bien écartées pendant que j'opère.

Ayla fit ce qu'on lui demandait et regarda à l'intérieur de la bouche de Creb les deux rangées de vieilles dents jaunies.

— Il faut inciser la gencive sous la dent, expliqua Iza en passant à l'acte.

Creb serra le poing mais ne laissa échapper aucune plainte.

— Voilà, maintenant que le sang coule et le pus avec, va faire brûler la pointe de l'autre lancette.

Ayla courut au feu qui rougeoyait non loin et revint avec une braise contre laquelle elle appuya un instant la lancette. Prestement, elle tendit l'instrument à Iza. La guérisseuse considéra la pointe, hocha la tête et fit signe à Ayla d'écarter de nouveau les lèvres de Creb. Puis elle procéda à la cautérisation de l'incision qu'elle avait pratiquée. Ayla sentit frémir Creb tandis qu'une mince volute de fumée s'échappait de sa bouche.

— Voilà, c'est fait. Maintenant il faut attendre que la douleur s'estompe. Si ça te fait encore mal demain, alors nous arracherons la dent, déclara Iza, après qu'elle eut appliqué sur la gencive un emplâtre de poudre de géranium et de nard.

Le lendemain matin, Iza demanda à Creb comment allait sa dent.

— Est-ce qu'elle te fait encore mal, Creb ?

— Ça va mieux, Iza, répondit Creb.

— Si la douleur n'est pas complètement partie, la gencive enflera de nouveau, dit Iza.

— Elle... elle me fait encore un petit peu mal, reconnut Creb. Mais c'est très supportable. On pourrait peut-être attendre encore un jour ou deux. J'ai demandé à Ursus de détruire l'esprit maléfique qui cause la douleur.

— N'as-tu pas déjà demandé plusieurs fois à Ursus de te débarrasser de cette douleur ? A mon avis, Ursus veut que tu sacrifies d'abord cette dent avant de répondre à ta demande, Mog-ur, dit Iza.

— Que connais-tu du Grand Ursus, femme ? demanda Creb, irrité.

— La femme qui est devant toi est trop présomptueuse. La femme qui est devant toi ne sait rien des esprits, répondit Iza. (Puis levant la tête vers son frère :) Mais une guérisseuse connaît les maux de dents. Tu auras mal tant que tu garderas cette dent, lui dit-elle avec des gestes empreints d'assurance.

Creb lui tourna le dos et alla en boitant s'asseoir sur sa fourrure. Il ferma son œil unique, paraissant plonger dans une profonde méditation.

— Iza ? appela-t-il au bout d'un moment.

— Oui, Creb ?

— Tu as raison. Ursus désire que j'abandonne cette dent. Viens, finissons-en.

Iza s'approcha de lui.

— Tiens, Creb, bois pour atténuer la douleur. Ayla, tu trouveras dans ma trousse une petite cheville et un long tendon. Apporte-les-moi.

— Comment se fait-il que tu aies déjà préparé ce breuvage ? demanda Creb.

— Je connais Mog-ur. C'est dur de perdre une dent, mais Mog-ur s'en séparera volontiers, si tel est le désir d'Ursus. Et ce n'est pas le premier sacrifice ni le plus grand qu'il ait fait à Ursus. Il est difficile de vivre avec un totem puissant, mais Ursus ne t'aurait pas choisi s'il n'avait mesuré toute ta valeur.

Creb approuva d'un hochement de tête et but la décoction.

C'est la même plante que j'utilise pour raviver la mémoire ancestrale des hommes, réalisa-t-il. Mais Iza la fait bouillir au lieu de la laisser seulement infuser. Son pouvoir doit en être accru. Le datura est un don d'Ursus. Je commence déjà à ressentir les effets narcotiques.

Iza avait demandé à Ayla de maintenir ouverte la bouche de Creb pendant qu'elle plaçait avec précaution la petite cheville de bois brûlé à la base de la dent malade. Elle enfonça la cheville d'un coup sec avec un galet afin d'ébranler la dent de son logement. Creb tressaillit mais ce n'était pas aussi douloureux qu'il l'avait redouté. Puis Iza attacha le tendon autour de la dent et demanda à Ayla de lier l'autre extrémité à l'un des piquets qui supportaient la claie sur laquelle la guérisseuse faisait sécher ses herbes.

— Maintenant, tourne la tête de Creb jusqu'à ce que le tendon soit bien raide, demanda Iza à la fillette. Voilà, comme ça, approuva-t-elle.

Se saisissant du tendon, elle tira dessus d'un coup sec, arrachant la lourde molaire. Elle posa dans le trou sanglant un emplâtre de racine de géranium et appliqua par-dessus un morceau de peau de lapin trempé dans une solution antiseptique à base de balsamine.

— Voici ta dent, Mog-ur, dit Iza en posant la molaire cariée dans la main du sorcier qui dodelinait du chef sous les effets du datura.

Il referma gauchement les doigts dessus, mais la dent lui échappa alors qu'il se laissait aller à la renverse sur sa couche de fourrure.

— Il... faut que... je l'offre... à Ursus, exprima-t-il de quelques signes vagues.

Le clan ne perdit rien de l'opération exécutée par Iza avec l'assistance de la jeune étrangère. Quand ils virent Creb retrouver rapidement l'usage de ses mâchoires, ils furent rassurés de savoir que la présence d'Ayla auprès de la guérisseuse n'avait pas contrarié les esprits protecteurs. Au cours de cet hiver-là, Ayla apprit à soigner les brûlures, les coupures, les ecchymoses, les coups de froid, les maux de gorge, d'estomac, d'oreilles auxquels les membres du clan étaient sujets, ainsi que la plupart des blessures bénignes. Ceux-ci finirent bientôt par s'adresser indifféremment à Ayla ou à Iza, lorsqu'ils souffraient de maux légers. Ils voyaient bien aussi que la guérisseuse se faisait vieille, que sa santé déclinait et qu'Uba était encore trop petite pour assurer sa succession. C'est ainsi que le clan s'accoutuma à la présence d'Ayla et en vint à admettre qu'une enfant née parmi les Autres pût devenir un jour une bonne guérisseuse.

Ce fut au moment le plus rigoureux de l'année, peu après le solstice d'hiver, qu'Ovra entra en couches.

— C'est trop tôt, dit Iza à Ayla. Elle ne devait pas accoucher avant le printemps. Elle ne sent plus bouger son bébé depuis quelque temps. J'ai bien peur que l'accouchement soit difficile et l'enfant mort-né.

— Elle le désirait tellement ce petit, son premier. Tu te souviens, Iza, comme elle était heureuse de se savoir enceinte ? Ne peux-tu rien faire ? demanda Ayla.

— Je ferai ce que je pourrai. Mais tu sais, Ayla, il est des circonstances devant lesquelles nous sommes impuissantes, répondit la guérisseuse.

Tout le clan se sentit concerné par l'accouchement prématuré de la compagne de Goov. Les femmes firent leur possible pour la réconforter, tandis que les hommes attendaient, anxieux, à quelque distance. Ils avaient perdu un trop grand nombre des leurs au cours du tremblement de terre pour ne pas espérer voir le clan se renouveler. Si les enfants constituaient pour le moment de nouvelles bouches à nourrir, ils subviendraient plus tard aux besoins de leurs parents devenus vieux. Aussi se sentaient-ils profondément affligés à la pensée qu'Ovra n'accoucherait probablement pas d'un enfant vivant.

Goov, quant à lui, était beaucoup plus préoccupé par l'état de santé de sa compagne que par celui de l'enfant. Il ne supportait pas de la voir souffrir et se lamentait de se trouver impuissant à la soulager. De son côté, Ovra était peinée d'être la seule femme du clan à ne pas avoir d'enfant. Même Iza, en dépit de son âge, en avait un.

Droog, pour sa part, comprenait mieux que personne les sentiments de Goov ; il les avait lui-même éprouvés envers la mère de ce dernier. Le vieil homme s'était peu à peu habitué à sa nouvelle famille qu'il appréciait grandement. Il espérait même intéresser le petit Vorn à la taille des outils ; quant à Ona, elle faisait sa joie, surtout depuis qu'elle était sevrée et commençait à imiter à sa manière le comportement des adultes.

Ebra et Uka étaient assises auprès d'Ovra, tandis qu'Iza préparait les potions. Uka, qui s'était réjouie de la maternité de sa fille, lui tenait la main avec compassion. Oga était allée préparer le repas pour Brun, ainsi que pour Grod et Broud, après avoir proposé à Goov de se joindre à eux. Mais celui-ci avait décliné son offre, car il se sentait incapable d'avaler une bouchée. Il préféra se rendre au foyer de Droog, où Aba réussit à lui faire grignoter quelques morceaux de viande.

Oga, qui s'inquiétait pour Ovra, n'avait pas le cœur à ce qu'elle faisait, et au moment où elle servait aux hommes un bol de soupe brûlante, elle trébucha et renversa le liquide bouillant sur le bras et l'épaule de Brun. Celui-ci poussa un hurlement et se releva en se tordant de douleur. Un silence pesant s'abattit sur l'assemblée.

— Oga ! Espèce d'abrutie ! aboya Broud en gesticulant comme un forcené.

— Ayla, va soigner Brun, je ne peux pas laisser Ovra maintenant, dit Iza.

Broud s'avança vers sa compagne, les poings serrés, prêt à la corriger.

— Non, Broud, s'interposa Brun. C'est un accident, cela ne servirait à rien de la battre.

Oga, recroquevillée aux pieds de Broud, tremblait de peur et de honte.

L'angoisse étreignait Ayla. Jamais encore il ne lui était arrivé de devoir soigner le chef du clan. Elle se précipita au foyer de Creb où elle prit un bol en bois, puis courut à l'entrée de la caverne. Elle se présenta bientôt aux pieds de Brun, tenant l'écuelle pleine de neige.

— C'est Iza qui m'envoie. Elle doit rester au chevet d'Ovra. Le chef se laisserait-il soigner par la petite fille qui est devant lui ? demanda-t-elle après que Brun l'eut autorisée à parler.

Brun acquiesça. Il n'était pas convaincu des capacités d'Ayla comme guérisseuse, mais les circonstances ne lui laissaient pas d'alternative. Ayla recouvrit fébrilement de neige la brûlure à vif, et sentit aussitôt les muscles de Brun se détendre au contact de la fraîcheur apaisante. Puis elle courut chercher des feuilles de menthe sèches qu'elle trempa dans de l'eau chaude pour les ramollir. Revenue auprès de son patient, elle lui appliqua le cataplasme sur le bras. La respiration de Brun se fit beaucoup plus régulière et, si la brûlure le faisait encore souffrir, la douleur avait sensiblement décru. Il adressa un signe de tête approbateur à la fillette, qui poussa un soupir de soulagement.

Quelques instants plus tard, Ebra vint prévenir son compagnon que le fils d'Ovra était mort-né. Brun hocha la tête et jeta un coup d'œil en direction de la jeune femme. Et c'était un garçon ! pensa-t-il. Elle doit en avoir le cœur brisé, elle avait tellement désiré cet enfant ! Néanmoins, malgré toute sa compassion, il ne fit aucun commentaire, personne n'étant autorisé à parler de ce malheur. Mais Ovra comprit les sentiments de Brun à son égard lorsque, quelques jours plus tard, il se présenta à leur foyer pour lui recommander de bien se reposer. Si les hommes avaient coutume de se réunir fréquemment au foyer de Brun, le chef se rendait très rarement chez les autres membres du clan, et il était encore plus exceptionnel qu'il adressât la parole à une femme.

Aussi touchée fût-elle par ce témoignage de sollicitude, Ovra demeurait néanmoins inconsolable.

Iza tint à ce qu'Ayla continue de soigner les brûlures de Brun, et le clan constata avec plaisir que la blessure de leur chef se cicatrisait parfaitement. Quant à Ayla, elle fut désormais moins impressionnée en présence de Brun. Après tout, il n'était qu'un homme.

12

Tandis que le long hiver touchait à sa fin, le rythme de la vie du clan s'accélérait à l'unisson de la nature renaissante. Avec l'adoucissement de la température, chacun se sentait impatient de sortir de la léthargie dans laquelle l'avait confiné la saison froide. Iza distribua à la ronde une potion à base d'armoise commune, de feuilles sèches de reine-des-bois et de parelle, qu'elle administra aux jeunes comme aux vieux, afin de leur communiquer une vigueur nouvelle.

Ce troisième hiver passé dans la caverne ne s'était pas révélé trop pénible. La seule perte à déplorer était l'enfant mort-né d'Ovra, ce qui en fait ne comptait guère puisque le bébé n'avait pas été nommé ni reconnu. Iza, qui n'avait plus besoin d'allaiter son enfant, avait bien supporté les froids. Creb, pour sa part, n'avait pas plus souffert que de coutume. Aga et Ika étaient de nouveau enceintes, à la grande satisfaction de tous. Les premières pousses furent cueillies et une chasse fut prévue en vue d'un festin printanier destiné à rendre grâce aux esprits qui avaient ressuscité la nature et permis au clan de traverser sans encombre un autre hiver.

Ayla éprouvait une infinie reconnaissance envers son totem. L'hiver avait été pour elle à la fois rude et plaisant. Si elle détestait Broud plus férocement que jamais, elle avait du moins réussi à se contenir devant lui. Et puis elle avait pris grand plaisir à apprendre comment préparer les remèdes d'Iza. Plus elle avançait dans ses connaissances, plus elle désirait savoir. Elle était impatiente d'aller cueillir des herbes, mais cette fois pour leur usage propre, et non plus comme un prétexte à s'éloigner de la caverne. Enfin, elle attendait avec une fiévreuse impatience le départ des vents froids et des blizzards pour se mettre à chasser.

Dès que le temps le lui permit, Ayla prit la direction des bois et des collines. Désormais, elle ne cachait plus sa fronde dans la petite grotte derrière les noisetiers. Elle la gardait sur elle, dissimulée dans un des replis de sa fourrure ou sous une couche de feuilles au fond de son panier. Au début, elle eut du mal à retrouver le coup de main et à ajuster son tir. Les animaux se révélaient prestes et agiles, et les cibles mouvantes autrement plus difficiles que les cibles immobiles. Il lui fallut aussi se défaire de la fâcheuse habitude qu'avaient les femmes de faire du bruit, quand elles partaient en cueillette, pour effrayer les bêtes qui pouvaient se trouver dans les parages. Combien de fois s'en voulut-elle d'avoir averti un animal de sa présence en le voyant disparaître dans un fourré. Mais elle était déterminée, et elle apprit vite.

Ce fut toutefois à grand-peine, et non sans commettre de nombreuses erreurs, qu'elle apprit à dépister le gibier en appliquant les rudiments du savoir qu'elle avait glanés auprès des hommes. Naturellement dotée d'un sens aigu de l'observation, elle s'appliqua à utiliser les indications que lui fournissaient telle trace imperceptible dans la poussière, telle nappe d'herbe couchée ou telle branche cassée. Elle apprit aussi à reconnaître la foulée des différents animaux, leurs habitudes et leurs repaires. Sans négliger les herbivores, elle concentra cependant son attention sur les carnivores, les proies qu'elle s'était choisies.

Elle prenait bien garde d'observer la direction que prenaient les hommes quand ils partaient chasser ; mais ce n'étaient pas eux qui l'inquiétaient le plus, car ils préféraient les steppes, où elle n'aurait jamais osé s'aventurer. Les deux vieux chasseurs en revanche lui causaient maintes angoisses, car elle les avait souvent trouvés sur son chemin, quand elle cueillait des plantes pour Iza. Zoug et Dorv étaient les seuls susceptibles de chasser aux mêmes endroits qu'elle. Même lorsqu'ils partaient dans une direction opposée à la sienne, rien ne garantissait qu'ils ne rebrousseraient pas chemin. Alors ils risquaient de la surprendre, la fronde à la main. Aussi, Ayla se tenait-elle constamment sur ses gardes.

Mais dès qu'elle eut appris à se déplacer sans bruit, elle s'enhardit parfois à les suivre afin de les observer. Elle devait alors faire particulièrement attention, car il était beaucoup plus difficile et risqué de suivre des chasseurs que de faire l'objet de leur poursuite. Ce fut pour elle cependant une excellente école. Elle devint experte à la traque, et savait se fondre instantanément dans l'ombre d'un fourré si d'aventure l'un des deux hommes jetait un regard derrière lui.

Pendant qu'elle s'entraînait ainsi à gagner en habileté dans le dépistage des animaux, à perfectionner sa démarche silencieuse, à distinguer une silhouette tapie sous le couvert d'un buisson, Ayla s'aperçut qu'elle aurait pu, en certaines occasions, abattre un petit animal. Mais elle avait promis à son totem de ne s'attaquer qu'aux carnivores et malgré la tentation, elle laissa échapper maintes opportunités de tuer des proies faciles. Le printemps avança, les bourgeons firent place aux fleurs, les arbres se couvrirent de feuilles, mais Ayla n'avait pas encore abattu sa première bête.

— Allez, ouste ! Va-t'en ! Va-t'en !

Ayla sortit de la caverne pour voir ce qui se passait. Plusieurs femmes agitaient les bras pour chasser un animal court sur pattes, trapu et aux longs poils. Le glouton se dirigeait vers la caverne, mais en apercevant Ayla, il se détourna soudain en poussant un grognement. Il fila entre les jambes des femmes et s'enfuit, un morceau de viande dans la gueule.

— Quelle sale bête ! Je venais juste de mettre ce morceau de viande à sécher ! s'exclama Oga avec colère. Il rôde par ici depuis le début de l'été, et chaque jour il se fait plus audacieux. J'espère que Zoug l'aura un de ces jours ! Heureusement que tu es sortie, Ayla. Il allait entrer dans la caverne.

— Je pense que c'est une femelle, Oga. Elle doit nicher non loin de là avec ses petits affamés.

— Il ne manquait plus que ça ! Toute une tribu ! Et Zoug et Dorv qui sont partis avec Vorn très tôt ce matin ! Ils auraient mieux fait de se mettre à la chasse de ce glouton. Ces sales bêtes ne sont bonnes à rien !

— Si, elles sont bonnes à quelque chose, Oga. Leur fourrure fait d'excellentes capuches, car elle ne gèle pas sous l'haleine.

— J'aimerais que cette bestiole ne soit qu'une fourrure !

Ayla regagna le foyer où elle n'avait pas grand-chose à faire. Mais Iza l'informa qu'elle manquait d'un certain nombre de plantes, et elle décida de profiter de l'occasion pour partir à la recherche du glouton. Elle prit son panier et se dépêcha de sortir pour gagner la forêt, en direction de l'endroit où l'animal s'était réfugié.

En observant attentivement le sol, elle remarqua l'empreinte d'une patte pourvue de longues griffes et, un peu plus loin, de l'herbe couchée. Ayla se mit à suivre l'animal à la trace. Au bout de quelques instants, elle entendit un bruit de course précipitée. Elle s'avança prudemment, sans froisser la moindre feuille ni craquer de brindille sous ses pas, et aperçut tout à coup le glouton et ses quatre petits en train de se disputer le morceau de viande volé. Elle sortit tout doucement sa fronde de son vêtement et déposa un caillou au creux du renflement. Puis elle attendit le moment opportun pour tirer, sachant qu'elle n'avait pas droit à l'erreur. Une brusque saute de vent apporta une odeur étrangère aux narines du rusé carnivore. C'est exactement le moment que choisit Ayla pour lancer sa pierre. Le glouton s'écroula sur le sol, pendant que ses quatre petits s'enfuyaient, affolés.

Sortant des buissons, Ayla s'approcha pour examiner sa proie, une espèce de gros putois à la queue touffue, recouvert d'un épais pelage brun-noir. Les gloutons étaient d'intrépides nécrophages, assez agressifs pour disputer leurs proies à des prédateurs bien plus gros qu'eux, courageux au point d'aller voler de la viande en train de sécher sous le nez des humains, et assez malins pour s'introduire dans les caches à provisions. Pourvus de glandes sécrétant une odeur repoussante, ils représentaient un fléau pour le clan, plus encore que la hyène.

La pierre d'Ayla l'avait frappé juste au-dessus de l'œil, exactement à l'endroit où elle avait visé. En voilà un qui ne nous volera plus, pensa-t-elle avec jubilation. C'était sa première bête tuée, son premier trophée ! Je vais offrir la peau à Oga, se dit-elle en portant la main à son couteau de chasse pour dépecer l'animal. Comme elle sera contente de savoir que cet animal ne nous ennuiera plus ! Soudain elle suspendit son geste.

Qu'est-ce que je raconte là ? Je ne risque pas d'offrir à quiconque la fourrure de ce glouton ni même de la garder pour moi. Je ne suis pas censée chasser. Je préfère ne pas penser à la sanction que m'attendrait si jamais l'on découvrait que j'ai tué cet animal. Ayla s'accroupit près de la dépouille dont elle caressa le poil dense.

Elle venait de tuer sa première proie, et même si ce n'était pas un bison terrassé à l'épieu, c'était mieux que le porc-épic de Vorn. Mais aucune cérémonie ne marquerait son entrée dans le monde des chasseurs, aucun festin ne serait organisé en son honneur ! Si elle rapportait le glouton à la caverne, elle n'obtiendrait que des regards consternés et la plus sévère des punitions. Peu importait qu'elle voulût rendre service au clan et se montrât capable de chasser brillamment. Les femmes ne devaient pas chasser, les femmes ne devaient pas tuer d'animaux.

Elle poussa un soupir. Mais je le savais, je le savais bien, pensa-t-elle. Avant même que je commence à chasser, avant même que je touche à cette fronde, je savais que je transgressais l'une des lois du clan.

Le plus intrépide des jeunes gloutons sortit de sa cachette et, après quelque hésitation, vint renifler la femelle morte. Ces petits vont nous créer autant d'ennuis que leur mère, se dit Ayla. Mieux vaut éloigner cette charogne. Si je l'emmène assez loin, ils la suivront à l'odeur. Ayla se leva et traîna le glouton mort au plus profond des bois en le tirant par la queue. Puis elle se mit en quête de plantes.

Le glouton ne fut que le premier d'une longue série de prédateurs et de nécrophages à tomber sous les coups de la fronde. Les martres, les visons, les furets, les loutres, les belettes, les blaireaux, les hermines, les renards, ainsi que les chats sauvages tigrés gris et noir devinrent les victimes de ses lancers foudroyants. La décision d'Ayla de ne tuer que des prédateurs contribua grandement à accélérer le processus de son apprentissage, en l'obligeant à développer son habileté et sa précision. Les carnivores étaient bien plus rapides, plus astucieux, plus intelligents et plus dangereux que les paisibles herbivores.

Elle surpassa de loin Vorn, moins enthousiaste à pratiquer la fronde et moins bien adapté morphologiquement, moins souple, moins délié qu'elle pour atteindre une grande précision. Ayla ambitionna vite de devenir l'égale de Zoug. De fait, elle gagnait de jour en jour plus d'assurance et de savoir-faire. Un peu trop rapidement, toutefois.

L'été tirait à sa fin, avec son lot de chaleurs torrides alternant avec des orages. Il faisait terriblement chaud ce jour-là ; pas la moindre brise ne venait troubler l'immobilité de l'air. La veille, un orage extraordinaire avait illuminé toute la montagne de ses terribles éclairs et forcé le clan à se réfugier dans la caverne. La forêt était humide et étouffante. Les mouches et les moustiques bourdonnaient inlassablement aux abords de ce qui était devenu un mince filet d'eau.

Ayla suivait à la trace un renard roux, traversant sans bruit les sous-bois en bordure d'une petite clairière. Le front emperlé de sueur, elle songeait à abandonner la partie et à rentrer à la caverne. En arrivant au bord de la rivière, elle s'arrêta pour boire dans une petite cuvette naturelle où l'eau vive coulait encore, canalisée entre deux gros rochers.

Au moment où elle se relevait, elle resta pétrifiée à la vue de la tête et des oreilles houppées d'un lynx, tapi sur le rocher juste en face d'elle, battant l'air de sa queue courte. Plus petit que bien d'autres félins, le lynx au long corps et aux pattes trapues était capable de bonds prodigieux. Il se nourrissait surtout de lièvres, de lapins, de gros écureuils et autres rongeurs, mais pouvait fort bien terrasser un petit daim si l'envie lui en prenait ; un être humain de huit ans représentait exactement le genre de proie susceptible de lui convenir.

Le premier réflexe d'effroi passé, Ayla se sentit parcourue par un frisson d'excitation à l'idée de s'opposer au félin immobile. Zoug n'avait-il pas dit à Vorn qu'on pouvait tuer les lynx à la fronde ? Sans quitter l'animal des yeux, elle glissa tout doucement la main dans les replis de son vêtement, drapé court en cette saison, et y prit sa plus grosse pierre. Les paumes moites, elle saisit fermement les deux extrémités de son arme et y plaça avec soin le projectile. Et aussitôt, avant que sa tension se relâche, elle fit tournoyer la fronde au-dessus d'elle et décocha sa pierre. Mais le lynx, alerté par son mouvement, bougea la tête. La pierre lui racla le cou, lui causant une douleur aiguë.

Avant qu'elle eût le temps de prendre une autre pierre, Ayla vit les muscles du félin se bander brusquement. Seul un réflexe instantané lui permit de se jeter sur le côté pour éviter l'animal furieux qui bondissait sur elle. Elle atterrit dans la boue, au bord du ruisseau, et en tombant mit la main sur une grosse branche, dépourvue de feuilles après un long séjour dans le courant. Ayla s'en saisit en roulant sur elle-même au moment où le lynx, fou de rage, les babines retroussées, se jetait sur elle de nouveau. Balançant le rondin de toutes ses forces, elle lui en asséna un coup violent sur le crâne. Etourdi, le lynx resta immobile pendant quelques instants, puis s'en fut lentement vers les bois en secouant la tête, lassé sans doute de recevoir des coups.

Ayla se releva toute tremblante, le cœur battant, pour aller chercher sa fronde. Zoug n'aurait jamais imaginé qu'on pût s'attaquer, muni d'une simple fronde, à un prédateur aussi redoutable qu'un lynx, sans le secours d'un autre chasseur. Elle s'était montrée trop sûre d'elle et n'avait pas songé une seule seconde à ce qu'il pourrait lui arriver si elle ratait son coup. Elle prit le chemin de la caverne dans un tel état de choc qu'elle faillit oublier le panier qu'elle avait caché avant de se mettre sur la trace du renard.

— Ayla ! Que s'est-il passé ? Tu es couverte de boue ! s'écria Iza en la voyant arriver, remarquant à sa pâleur que quelque chose avait dû l'effrayer.

Mais la jeune fille se contenta de secouer la tête sans répondre.

Ce soir-là, Ayla conserva l'air fort abattu et se coucha de bonne heure. Elle eut le plus grand mal à s'endormir, repensant sans cesse à l'attaque du lynx et au danger auquel elle avait miraculeusement échappé. Ce ne fut qu'au petit matin que le sommeil finit par la gagner, mais elle s'éveilla bientôt en hurlant.

— Ayla, Ayla ! Qu'y a-t-il ? lui demanda Iza en la secouant doucement pour la ramener à la réalité.

— J'ai rêvé que j'étais dans une petite grotte et qu'un lion des cavernes me poursuivait. Mais ça va mieux, maintenant, Iza.

— Il y avait longtemps que tu n'avais pas fait de mauvais rêves, Ayla. Quelque chose t'a effrayée, aujourd'hui, n'est-ce pas ?

Ayla acquiesça de la tête mais s'abstint de toute explication. L'obscurité de la caverne où ne rougeoyaient que quelques braises dissimulait à la guérisseuse son air gêné.

L'idée de chasser ne la culpabilisait plus depuis qu'elle avait trouvé le petit fossile mais elle se demandait à présent si elle avait interprété correctement ce signe mis sur sa route par son totem. Peut-être ne devait-elle pas chasser, après tout. Surtout des animaux aussi dangereux. Comment avait-elle pu penser qu'une fillette pût s'attaquer sans dommage à un lynx ?

— Je ne suis jamais tranquille quand tu pars toute seule, Ayla. Je sais bien que cela te fait plaisir, mais tu t'absentes trop longtemps à mon goût. Il n'est pas normal qu'une jeune fille se plaise à ce point dans la solitude. Et la forêt peut se révéler dangereuse...

— Tu as raison, Iza, la forêt est dangereuse, répondit Ayla par gestes. La prochaine fois, j'emmènerai Uba avec moi, ou peut-être Ika, si elle veut bien m'accompagner.

Iza constata avec soulagement qu'Ayla prenait ses conseils au sérieux. Elle ne s'éloignait plus des abords immédiats de la caverne et, lorsqu'elle devait aller cueillir des plantes médicinales, elle se dépêchait de rentrer. Chaque fois qu'elle partait seule, la peur la taraudait et elle redoutait à tout instant d'apercevoir un animal prêt à fondre sur elle. Elle comprit alors la raison pour laquelle les femmes n'aimaient pas s'aventurer dans les bois et s'étonnaient toujours de son goût pour la solitude. Jusqu'à présent, elle avait tout simplement fait preuve d'inconscience devant les dangers qui la guettaient. Les animaux prédateurs n'étaient pas les seuls dangereux. Les sangliers aux canines acérées, les chevaux aux durs sabots, les cerfs aux bois lourds, les mouflons et les béliers aux cornes meurtrières pouvaient tous se révéler redoutables si on les provoquait. Ayla se demandait comment elle avait pu songer à chasser et n'avait pas la moindre intention de recommencer de sitôt.

Il n'y avait personne à qui la jeune fille pût confier ses appréhensions, personne pour lui dire que c'est la peur qui aiguise l'adresse du chasseur, que les hommes la connaissaient bien, même s'ils n'en parlaient jamais entre eux. Quant aux femmes, les journées qu'elles passaient loin de la protection des hommes partis chasser constituaient aussi une épreuve de courage. Les filles comme les garçons ne devenaient adultes qu'après avoir affronté et vaincu la peur.

Si, pendant un certain temps, Ayla n'eut aucune envie de s'éloigner de la caverne, elle ne tarda pas à s'impatienter. En hiver, elle n'avait pas le choix et devait accepter de rester confinée comme tout le monde ; mais lorsqu'il faisait beau, elle ne savait plus que faire. Lorsqu'elle se trouvait seule dans la forêt, loin du clan, elle ne se sentait pas rassurée et lorsqu'elle se trouvait aux abords de la caverne, la solitude de la forêt lui manquait.

L'une de ses cueillettes la conduisit tout près de sa retraite secrète et elle poussa jusqu'à sa prairie, haut dans la montagne. L'endroit eut sur elle un effet apaisant. Elle se trouvait là dans son monde personnel, et se sentait même un droit de propriété sur le petit troupeau de chevreuils qui venait paître fréquemment dans son pré. Cet espace découvert lui procurait un profond sentiment de sécurité, à présent qu'elle savait les bois pleins de bêtes féroces occupées à rôder. Elle n'était plus revenue dans sa grotte depuis le début de l'été, et ces retrouvailles ravivèrent ses souvenirs. C'était là qu'elle avait appris à manier la fronde, qu'elle avait découvert le signe du totem.

Comme elle n'osait pas la laisser dans la caverne, de peur qu'Iza la découvre, elle portait toujours sa fronde sur elle. Au bout d'un moment, elle ramassa des cailloux et tira quelques coups. Mais le jeu était trop monotone pour l'intéresser longtemps, et elle se remémora l'incident avec le lynx. Si seulement j'avais eu une autre pierre toute prête, pensa-t-elle, j'aurais pu la lancer sans lui laisser le temps de me sauter dessus. Il faut que j'apprenne à mettre une autre pierre dans la fronde dans la foulée du premier jet. Elle ne se souvenait pas d'avoir surpris Zoug parlant à Vorn de ce deuxième projectile de sécurité, songea-t-elle, mais sûrement le vieux chasseur devait connaître cette technique.

Elle se livra à quelques tentatives et se trouva aussi maladroite que lors de son premier essai à la fronde. Au bout d'un certain temps néanmoins, elle commença à acquérir le coup de main. Elle envoyait son premier caillou, rattrapait la fronde dans sa course descendante, glissait l'autre pierre au passage et la projetait. La deuxième pierre glissait souvent hors de son logement, et la première manquait de précision, car cette double opération influait sur la concentration, mais Ayla était ravie de savoir son projet réalisable. Si elle ne se sentait pas le cœur à chasser, le pari qu'elle s'était fixé raviva considérablement son intérêt pour le tir, auquel elle s'entraîna régulièrement à dater de ce jour.

Quand les collines revêtirent les couleurs flamboyantes de l'automne, Ayla était aussi habile à tirer deux cailloux qu'un seul. Campée au milieu du pré d'où elle envoyait ses projectiles contre un piquet planté dans le sol, elle ressentait la vive satisfaction de la réussite à chaque fois que le piquet vibrait par deux fois sous le choc de ses deux pierres. Elle n'avait entendu personne dire qu'on pouvait doubler le tir à la fronde, car peut-être personne n'en avait eu l'idée jusqu'ici, mais quoi qu'il en fût, elle avait prouvé que la chose était faisable.

Un beau matin, par une douce journée d'automne, une année après qu'elle se fut décidée à chasser, Ayla eut envie de grimper jusqu'à sa grotte secrète pour y cueillir des noisettes. Tandis qu'elle s'en approchait, elle entendit le ricanement caractéristique de la hyène et, en arrivant dans la prairie, elle en vit une vautrée sur la carcasse sanglante d'un vieux chevreuil.

Ayla se sentit prise de fureur à cette vue. Comment ce vil animal osait-il souiller sa prairie, attaquer l'un de ses hôtes ? Elle allait s'élancer en criant vers la bête pour la faire fuir quand il lui vint une meilleure idée en même temps qu'un réflexe de prudence. Les hyènes étaient des carnassiers aux mâchoires assez puissantes pour briser le tibia d'une antilope et on ne les chassait pas aisément de leurs proies. Elle fouilla précipitamment dans son panier pour y prendre sa fronde, cachée tout au fond. Puis elle se dirigea vers un monticule, près de la paroi rocheuse, tout en ramassant des cailloux en chemin. Le vieux chevreuil était à moitié dévoré, et la hyène efflanquée, au pelage moucheté, plus lourde et plus haute qu'un lynx, fut tirée de ses occupations par son passage. La bête leva la tête, huma cette odeur étrangère et se tourna en direction de la jeune fille.

Ayla était prête. De sa position élevée sur la butte, elle envoya un premier projectile, suivi d'un second. Elle ne pouvait savoir que ce dernier était inutile, le premier ayant déjà accompli son œuvre, mais il constituait néanmoins une sécurité supplémentaire. Forte de son expérience, elle avait déjà logé une troisième pierre dans la fronde, et tenait la quatrième dans la main, en prévision d'un second tir complet, si cela se révélait nécessaire. Mais la hyène s'était effondrée sur place et ne bougeait plus. Après s'être assurée qu'il n'y en avait pas d'autres alentour, la jeune fille s'approcha précautionneusement. Elle ramassa au passage un tibia auquel pendaient encore quelques lambeaux de chair et fracassa le crâne de la bête pour plus de sûreté.

Elle contempla l'animal mort à ses pieds et, comme elle prenait soudain conscience de son acte, le tibia lui glissa des mains. J'ai tué une hyène, se dit-elle. J'ai tué une hyène avec ma fronde ! Un sentiment d'exaltation l'envahit, mais ce n'était pas par satisfaction d'avoir tué une bête dangereuse et puissante. C'était quelque chose de plus humble, de plus profond. A travers la hyène, c'était sa propre faiblesse, sa peur qu'elle avait vaincue. Elle en éprouva une véritable révélation spirituelle, et ce fut le cœur empli d'un profond respect qu'elle s'adressa à l'esprit de son totem en employant les formules ancestrales du clan.

« Je ne suis qu'une fille, ô Grand Lion des Cavernes, et je suis fort ignorante du monde des esprits, mais il me semble mieux le comprendre à présent. Le lynx était une épreuve autrement plus importante que Broud. Creb m'a toujours enseigné qu'il est malaisé de vivre avec des totems puissants, mais il ne m'a pas dit que leurs plus beaux dons se trouvent en nous. L'épreuve ne consiste pas seulement à réaliser une action difficile, mais aussi à savoir qu'on peut l'accomplir. Je te suis reconnaissante de m'avoir choisie, Grand Lion des Cavernes. Je souhaite me montrer éternellement digne de toi. »

Quand les couleurs rousses de l'automne eurent perdu leur éclat et que furent tombées les dernières feuilles mortes, Ayla retourna dans la forêt, non seulement pour traquer les bêtes mais aussi pour étudier leurs habitudes. Combien de fois, s'étant approchée suffisamment pour les tuer d'un jet de pierre, elle avait retenu son geste pour les observer. Elle commençait à comprendre combien il était absurde de se débarrasser d'animaux qui ne constituaient pas un danger pour le clan, et dont la peau était inutilisable. Mais elle était bien décidée à devenir le meilleur tireur à la fronde du clan, et la seule manière de perfectionner son art était de le pratiquer en chassant, ce dont elle ne se privait pas.

Les conséquences ne se firent pas attendre, au grand désarroi des hommes.

— J'ai découvert encore un glouton, ou du moins ce qu'il en restait, non loin du champ d'entraînement, annonça Crug.

— Et moi, j'ai trouvé des morceaux de fourrure, on aurait dit celle d'un loup, un peu plus bas, de l'autre côté de l'escarpement, ajouta Goov.

— Il s'agit toujours de carnassiers, les bêtes les plus fortes, pas de totems femelles, dit Broud. Grod a dit que nous devions en parler à Mog-ur.

— Des carnassiers, mais des petits, pas les grands félins, qui s'attaquent aux daims et aux chevaux, aux mouflons et aux sangliers. Mais qui peut chasser les petits carnassiers ? Je n'en ai jamais vu autant de tués, remarqua Crug.

— C'est ce que j'aimerais savoir, qui les tue ? Ce n'est pas que je regrette la mort de quelques hyènes et de quelques loups mais si ce n'est pas nous... Est-ce que Grod va parler à Mog-ur ? Pensez-vous que ce soit le fait d'un esprit ? demanda Broud en frémissant légèrement.

— S'agirait-il d'un bon esprit qui nous veut du bien ou d'un esprit mauvais mécontent de nos totems ? s'enquit Goov.

— C'est à toi précisément de répondre à cette question, Goov. Tu es le servant de Mog-ur, dis-nous ce que tu en penses, répliqua Crug.

— Je ne pourrai répondre qu'après avoir longuement médité et consulté les esprits.

— Tu parles déjà comme un mog-ur, Goov, ironisa Broud. Jamais de réponse directe.

— Eh bien, dis-nous donc ce que tu en penses toi-même, Broud, rétorqua le servant. Qui tue ces animaux ?

— Je ne suis pas mog-ur ni destiné à le devenir, ce n'est pas à moi qu'il faut poser la question.

Ayla, qui vaquait à ses occupations non loin de là, eut du mal à réprimer un sourire.

— Je n'ai pas encore de réponse à te donner, Broud, dit Mog-ur qui s'était approché sans bruit. Il va falloir que je médite. Mais je puis dire déjà que cela n'est pas la manière habituelle des esprits.

Les esprits, se dit Mog-ur, peuvent provoquer des chaleurs torrides ou des froids glacials, susciter des pluies torrentielles ou encore éloigner les troupeaux, engendrer les maladies ou déclencher le tonnerre, les éclairs ou les tremblements de terre, mais ils n'ont pas coutume de faire périr des animaux isolés. Ce mystère sent la main de l'homme. Mog-ur fut arraché à ses pensées par Ayla qui se dirigeait vers la caverne. Comme elle a changé, songea-t-il en la suivant des yeux. Il nota le regard que Broud aussi posait sur elle, un regard chargé d'une haine froide. Le jeune homme avait également remarqué la différence. Peut-être est-ce sa nature étrangère, sa façon de marcher, différente de la nôtre, se dit le sorcier, mais dans un coin de son esprit, il sentait que la réponse était ailleurs.

Oui, Ayla avait changé. A mesure que se développaient ses talents de chasseresse, elle acquérait une assurance et une grâce inusitées parmi les femmes du clan. Elle possédait désormais la démarche silencieuse du traqueur, le contrôle parfait de son jeune corps musclé, une confiance absolue en ses réflexes et un regard lointain qui se voilait légèrement quand Broud se mettait à la harceler, comme si elle ne le voyait pas vraiment. Elle obéissait toujours aussi rapidement à ses ordres, mais Broud ne percevait plus dans ses réactions le réflexe de peur qu'il y cherchait, en dépit de la sévérité de ses corrections.

Broud ne comprenait pas ce qui se passait. Chaque fois qu'il s'efforçait de s'imposer à elle, c'est elle qui lui faisait sentir son infériorité. Exaspéré et dépité, plus il la harcelait, moins il la tenait en son pouvoir. Il la haïssait toujours, mais petit à petit il s'aperçut qu'il cessait de la tourmenter et se prenait à l'éviter, n'usant que très rarement de ses prérogatives. Sa haine atteignit son paroxysme vers la fin de la saison. Je la briserai un jour, se promit-il.

13

L'hiver survint et, avec lui, le ralentissement des activités coutumières. La vie suivait son cours, paisiblement. Ayla n'était pas mécontente de l'arrivée du froid qui lui permettrait de reprendre auprès de la guérisseuse son apprentissage interrompu par la belle saison. A peu de choses près, cet hiver se déroula semblable au précédent et céda à son tour la place à un printemps tardif et humide.

La fonte des neiges, jointe à des pluies torrentielles, transforma la rivière en un impétueux torrent débordant de son lit, entraînant des arbres entiers et des buissons sur son passage. Une vague de chaleur qui favorisa l'éclosion de timides bourgeons se trouva brutalement interrompue par des tempêtes de grêle qui ravagèrent les fleurs fragiles des arbres fruitiers, anéantissant tous les espoirs d'une récolte estivale. Puis, comme si la nature, ayant soudain changé d'avis, désirait suppléer à l'absence de fruits, l'été fournit une profusion de légumes, de racines et de courges.

Il tardait au clan de se rendre comme chaque printemps au bord de la mer pour y pêcher le saumon, et grande fut la joie de chacun le jour où Brun annonça qu'ils iraient bientôt à la pêche à l'esturgeon et à la morue. Si certains chasseurs parcouraient fréquemment la distance qui les séparait de la mer intérieure pour y ramasser des coquillages et les œufs des milliers d'oiseaux nichant dans les falaises, la pêche au gros poisson était une des activités du clan qui exigeait la présence des hommes et des femmes.

Droog se réjouissait particulièrement de cette expédition. Les fortes pluies printanières avaient détaché de nombreux fragments de silex des sédiments calcaires, les charriant en aval du cours d'eau. Cette sortie serait une excellente occasion de renouveler le matériel nécessaire à la fabrication des outils. Il était en effet plus commode de tailler sur place que de rapporter à la caverne de lourds morceaux de roche. Droog n'avait pas travaillé pour le clan depuis un certain temps. Les hommes avaient dû se contenter d'outils plus grossiers fabriqués par eux-mêmes, lorsqu'ils avaient cassé ceux taillés de main experte par Droog.

Une humeur allègre régna pendant les divers préparatifs. Il était rare pour le clan de quitter la caverne au complet et la perspective de dormir au bord de l'eau enchantait tout le monde et plus spécialement les enfants. Pendant leur séjour, Brun enverrait chaque jour deux hommes à la caverne pour entretenir le feu afin d'éloigner d'éventuels prédateurs. Creb lui-même était heureux de s'absenter un peu de son foyer, dont il ne s'éloignait presque jamais.

Les femmes s'appliquèrent à réparer les filets ; elles consolidèrent les zones les plus fragiles avec des cordelettes provenant de tiges ou d'écorces fibreuses, d'herbes résistantes, et de longs poils d'animaux. Bien qu'extrêmement solides, les nerfs et les tendons n'étaient pas utilisés car ils durcissaient beaucoup trop au contact de l'eau et se montraient peu perméables à la graisse destinée à les assouplir.

Au début de l'été, l'imposant esturgeon désertait, au moment du frai, les eaux tièdes de la mer pour la fraîcheur des rivières. Quoique ressemblant fort au requin, il se nourrissait exclusivement d'invertébrés et de petits poissons en raison de son absence de dents. Quant à la morue, plus petite, dont le poids moyen avoisinait les douze kilos, bien que certains spécimens puissent atteindre cinquante kilos et plus, elle gagnait les hauts-fonds tous les étés, en direction du nord, et remontait à la surface pour y chercher sa nourriture.

Durant les deux semaines que durait le frai, les embouchures des rivières regorgeaient d'esturgeons. Moins impressionnants par leur taille que les spécimens remontant les grands fleuves, ceux-ci ne se laissaient pourtant pas prendre facilement. A l'approche des migrations, Brun envoya tous les jours un homme observer la côte. Et, dès que le premier gros esturgeon fut aperçu à l'embouchure de la rivière, il fixa le départ pour le lendemain matin.

Ayla se réveilla ce jour-là en proie à la plus vive excitation. Elle avait déjà préparé toutes ses affaires, fait un paquet de sa fourrure, rangé dans son panier de la nourriture et quelques ustensiles de cuisine, et plié par-dessus le tout une grande peau de bête qui servirait à les abriter. Iza, qui ne se déplaçait jamais sans son sac de guérisseuse, était encore en train d'en vérifier le contenu quand Ayla sortit de la caverne pour voir si tout le monde était prêt.

— Dépêche-toi, Iza, lui cria-t-elle en revenant auprès d'elle en courant. On part bientôt.

— Du calme, petite. La mer nous attendra, répliqua Iza en serrant le cordon de sa sacoche en peau de loutre.

Ayla hissa le panier sur son dos et prit Uba dans ses bras. Iza la suivit tout en jetant un dernier regard derrière elle pour s'assurer qu'elle n'avait rien oublié, comme elle en avait la fâcheuse habitude. Oh, Ayla pourra toujours revenir, si jamais il me manque quelque chose, se dit-elle. Tout le monde était déjà dehors, et quand Iza eut pris sa place dans le rang, Brun donna le signal du départ. Ils avaient à peine parcouru une centaine de mètres qu'Uba s'agita dans les bras d'Ayla pour descendre.

— Je ne suis plus un bébé, je veux marcher toute seule ! demanda-t-elle par gestes avec une fierté enfantine.

A trois ans et demi, Uba commençait d'imiter les adultes et les enfants plus âgés qu'elle et refusait les marques d'attention dont faisaient l'objet les bébés et les plus jeunes. Elle grandissait. Dans quatre ans, elle serait presque une femme. Et durant ces quatre années, elle aurait beaucoup à apprendre, et le sentiment inné de sa maturité précoce la poussait à son insu à se préparer aux responsabilités qui seraient bientôt les siennes.

— D'accord, Uba, répondit Ayla en la laissant descendre. Mais reste bien derrière moi.

Ils descendirent la colline en suivant la rivière, empruntant un nouveau chemin pour éviter une partie du sentier inondé. Ils arrivèrent avant midi sur une longue plage où ils dressèrent en retrait des abris pour la nuit, à l'aide de peaux de bêtes tendues sur une armature de bois. Puis ils allumèrent des feux et vérifièrent le filet qui serait utilisé le lendemain matin. Une fois le campement installé, Ayla partit se promener au bord de l'eau.

— Je vais me baigner, maman, dit-elle.

— Mais pourquoi veux-tu toujours aller dans l'eau, Ayla ? C'est dangereux et tu t'aventures beaucoup trop loin.

— Mais c'est délicieux, Iza ! Je ferai bien attention.

Chaque fois qu'Ayla entrait dans la mer, Iza s'inquiétait horriblement. La fillette était la seule à savoir nager, la lourde ossature du Peuple du Clan lui interdisant cette activité. Ils avaient le plus grand mal à flotter et redoutaient particulièrement l'eau profonde. S'ils acceptaient volontiers de marcher dans la mer pour pêcher, ils s'arrêtaient toujours dès que l'eau leur arrivait à la ceinture. Ayla, au contraire, aimait nager, et le clan considérait cette prédilection pour l'élément liquide comme l'une des particularités de la jeune fille. Ce n'était pas la seule.

A neuf ans, elle dépassait par sa taille toutes les femmes, ainsi que la plupart des hommes du clan, bien qu'elle ne manifestât toujours aucun signe de maturité. Iza se demandait parfois si elle arrêterait jamais de grandir. Certains pensaient que son puissant totem mâle l'empêchait d'atteindre la féminité et qu'elle était peut-être condamnée à rester ainsi toute sa vie, sur la frontière incertaine entre les deux sexes, ni femme ni homme.

Creb s'approcha en boitant de la guérisseuse qui regardait Ayla s'éloigner vers le rivage. Son corps élancé et vigoureux, ses muscles nerveux et ses longues jambes auraient dû lui donner l'air gauche et maladroit, ce que démentait la souplesse de ses mouvements. De toute sa personne irradiait une confiance en elle inconnue des autres femmes du clan. C'était une chasseresse. Pas un seul homme du clan n'était aussi bon qu'elle à la fronde, elle en avait désormais la certitude. Elle ne pouvait pas feindre envers les hommes une soumission qu'elle ne ressentait pas. Elle ne pouvait avoir cette humilité naturelle des femmes du clan à l'égard du sexe fort. Et aux yeux des hommes, elle n'apparaissait pas seulement laide avec ses longs membres et son absence d'attributs féminins, mais masculine dans son attitude.

— Creb, dit Iza, Aba et Aga prétendent qu'elle ne deviendra jamais une femme. Elles pensent que son totem est trop puissant.

— Mais bien sûr qu'elle deviendra femme ! Tu crois que les Autres ne peuvent pas avoir d'enfants ? Son séjour parmi nous ne changera rien à sa nature, et il est fort possible que dans son peuple les femmes se forment plus tard. Chez nous, d'ailleurs, certaines jeunes filles ne deviennent femmes qu'à dix ans. Alors prends patience au lieu d'aller imaginer des sottises ! répliqua Creb.

Légèrement rassurée, la guérisseuse regarda Ayla qui venait de plonger dans l'eau, pour réapparaître quelques brasses plus loin. La jeune fille aimait l'impétuosité de la mer. Incapable de se souvenir de ses premières tentatives pour nager, il lui semblait avoir toujours su. Non loin du rivage, la couleur plus foncée et la fraîcheur de l'eau indiquaient à Ayla qu'elle venait de dépasser la limite où elle avait pied. Se retournant sur le dos, elle se laissa paresseusement bercer par les vagues. La marée descendait et elle fut portée vers l'embouchure de la rivière. La puissance des courants contraires lui rendit le retour difficile, mais après quelques efforts, elle regagna la plage et alla s'écrouler devant le feu qui crépitait au camp, épuisée mais heureuse.

Après avoir mangé, Ayla contempla rêveusement l'horizon, se demandant ce qu'il y avait au-delà des eaux. Les oiseaux de mer, en quête de fretin, rasaient une dernière fois les vagues avant que la nuit ne tombe. Les troncs blanchis d'arbres rejetés par la marée dressaient leurs silhouettes torturées dans le crépuscule. L'obscurité fondit bientôt toutes choses, à l'exception des foyers des hommes qui rougeoyaient en bordure de la plage.

Après avoir couché Uba, Iza alla s'asseoir à côté de Creb et d'Ayla, près du feu dont les volutes de fumée s'envolaient vers le ciel étoilé.

— Qu'est-ce que c'est, Creb ? demanda Iza en montrant les étoiles dans le ciel.

— Des feux. Chacun d'eux représente le foyer de l'esprit de quelqu'un qui nous a quittés pour l'autre monde.

— Pourquoi sont-ils si nombreux ?

— Parce qu'ils représentent également le foyer de ceux qui ne sont pas encore nés, et aussi celui des esprits des totems ; or, la plupart des totems possèdent plusieurs esprits. Regarde, tu vois ces feux ? indiqua Creb. C'est la fameuse Grande Ourse. Et ceux-là ? Ce sont les feux de ton totem, Ayla, le Lion des Cavernes.

— C'est bon de dormir dehors quand on peut voir tous ces petits feux briller dans le ciel, fit remarquer la fillette.

— C'est beaucoup moins agréable quand le vent souffle et que la neige tombe à gros flocons, dit Iza.

— Uba aussi aime tous ces petits feux, dit l'enfant surgissant de l'obscurité pour se joindre à eux.

— Je croyais que tu dormais, Uba, dit Creb.

— Non, Uba regarde les feux comme Ayla et Creb.

— Allez, il est temps d'aller nous coucher, proposa Iza. Nous aurons demain une rude journée.

Le lendemain matin, le filet fut tendu en travers de l'embouchure du cours d'eau. Des vessies d'esturgeon, conservées de la pêche précédente, soigneusement lavées et séchées pour qu'elles durcissent à l'air, faisaient office de flotteurs pour le pourtour du filet, et des pierres attachées en quelques points lui donnaient du poids. Brun et Droog tirèrent une extrémité vers la rive opposée et, sur un signe de leur chef, les adultes et les enfants les plus grands entrèrent dans l'eau. Uba allait les suivre quand Iza l'en empêcha.

— Non, Uba, dit-elle, tu restes ici. Tu n'es pas encore assez grande pour nous suivre.

— Mais Ona vous aide bien, répliqua l'enfant, l'air obstiné.

— Ona est plus grande que toi, Uba. Tu nous aideras plus tard, quand nous aurons ramené le poisson. Regarde, Creb aussi reste sur la rive.

— Oui, maman, répondit Uba avec des gestes empreints de déception.

Avançant tout doucement pour agiter l'eau le moins possible, les hommes et les femmes déplièrent le filet en un large demi-cercle. Puis ils attendirent que le sable se dépose à nouveau, jusqu'au signal de Brun. Ayla se tenait les jambes fermement campées dans le sable pour lutter contre la force du courant. Elle avait pris position au milieu du lit, le dos à l'embouchure et à la mer. Elle vit une longue silhouette sombre fendre les eaux à quelques brasses d'elle. Les esturgeons commençaient à remonter la rivière.

Quand Brun leva le bras, tout le monde se mit à crier et à agiter l'eau en soulevant de grandes gerbes écumantes. Ce qui semblait un indescriptible désordre était en réalité une habile manœuvre, destinée à entraîner le poisson à l'intérieur du filet tout en rétrécissant le cercle. Bientôt le filet se referma sur une masse de poissons affolés, prisonniers dans un espace de plus en plus réduit, qui se débattaient entre les mailles, menaçant de les rompre. Toutes les mains s'agrippèrent au filet, le poussant vers le rivage, tirant, luttant pour hisser hors de l'eau les énormes prises agitées de terribles soubresauts.

Levant la tête, Ayla vit Uba, de l'eau jusqu'aux genoux, qui essayait désespérément d'attirer son attention.

— Uba, ne reste pas là ! lui cria-t-elle.

— Ayla ! Ayla ! s'écria l'enfant en montrant la mer du doigt. Ona !

Ayla se retourna et entrevit une petite tête noire qui dansait dans l'eau, menacée d'être engloutie à tout moment. L'enfant, à peine plus âgée qu'Uba, avait perdu pied et le courant l'entraînait vers l'embouchure. Dans la confusion, personne ne s'en était aperçu. Seule Uba, qui regardait avec envie les évolutions de sa petite compagne de jeu, avait assisté au drame et s'efforçait désespérément de prévenir quelqu'un.

Ayla plongea dans la rivière bouillonnante, fendant les flots en direction du large. Portée par le courant descendant de la rivière, elle n'avait jamais nagé aussi vite, mais le même courant éloignait l'enfant avec une force presque égale. Ayla vit de nouveau la tête émerger à la surface, et elle redoubla de vitesse, gagnant du terrain peu à peu. Si jamais Ona atteignait la barre au point de rencontre de la rivière et de la mer avant qu'elle l'ait rattrapée, elle serait engoutie dans les eaux tourbillonnantes.

L'eau se faisait de plus en plus salée. La petite tête sombre émergea une fois de plus à quelques brasses devant elle, puis disparut à sa vue. Ayla tenta un plongeon désespéré, les mains tendues vers la vague silhouette qui s'enfonçait devant elle. Ses doigts se refermèrent sur la longue chevelure de l'enfant.

Elle eut alors l'impression que ses poumons allaient éclater, faute d'avoir eu le temps de prendre une grande inspiration avant de plonger, et elle craignit de s'évanouir tandis qu'elle remontait à la surface, chargée de son précieux fardeau. C'était la première fois qu'elle nageait en tirant quelqu'un mais, soutenant d'un bras l'enfant en veillant à lui garder la tête hors de l'eau, et se propulsant de ses jambes et de son bras libre, elle parvint à regagner la rive.

Le clan qui avait suivi ses efforts, paralysé par l'angoisse, accourut à sa rencontre, quand il la vit enfin reprendre pied.

Elle souleva le corps inerte d'Ona pour la tendre à Droog, et s'aperçut alors de son épuisement. Creb la soutint d'un côté et avec une vive surprise elle vit Brun la soutenir de l'autre. Droog les avait devancés, et au moment où Ayla s'écroula sur le sable, Iza était déjà en train d'éjecter l'eau des poumons de l'enfant.

Ce n'était pas la première fois qu'un membre du clan échappait à la noyade, et Iza savait ce qu'il fallait faire en pareil cas. Ona se mit soudain à tousser et à cracher, et entrouvrit légèrement les yeux.

— Mon bébé ! Mon bébé ! s'écria Aga en se jetant à genoux. J'étais sûre qu'elle était morte. Je pensais qu'elle était partie. Oh, mon enfant, ma petite fille !

Droog prit l'enfant des bras de sa mère et, la serrant à son tour contre lui, il la ramena au campement. Contrairement à la coutume, Aga marchait à ses côtés en caressant sa fille rescapée.

Personne n'en croyait ses yeux. Personne n'avait jamais regagné le rivage une fois entraîné vers le large, et des regards incrédules et admiratifs suivaient Ayla tandis qu'elle remontait la plage. Pour le clan, le sauvetage d'Ona était un véritable miracle. La chance accompagne cette fille, pensait chacun. Elle en a toujours eu. N'a-t-elle pas découvert la caverne ?

Les poissons s'agitaient encore spasmodiquement sur le rivage, pris au piège dans le filet. Certains avaient pu s'échapper quand le clan s'était rendu compte de ce qui se passait et qu'ils avaient tous couru à la rencontre d'Ayla revenant avec Ona, mais le plus gros de la pêche était sauvé. Les hommes assommèrent les prises à coups de massue, et les femmes entreprirent de les vider.

— Une femelle ! s'exclama Ebra en ouvrant le ventre d'un énorme esturgeon, ce qui fit accourir tout le monde.

— Regardez ça ! s'écria Vorn en prenant une poignée de ces petits œufs noirs dont le clan raffolait.

La tradition voulait que chacun puise à volonté dans les entrailles de la première femelle attrapée et se régale à satiété. Les autres prises seraient salées et conservées pour être consommées plus tard, mais le poisson n'était jamais aussi délicieux que frais pêché. Ebra arrêta le geste du garçon et se tourna vers Ayla.

— Toi d'abord, Ayla, dit-elle.

La fillette jeta à la ronde des regards surpris, gênée de se trouver au centre de l'attention générale.

— Vas-y, Ayla, l'encouragèrent les autres.

Elle regarda Brun qui hocha la tête d'un air approbateur. Puis, timidement, elle s'avança pour prendre une poignée d'œufs noirs et brillants. Alors Ebra donna le signal, et chacun plongea la main dans le ventre de l'esturgeon dans un joyeux désordre. Un grand malheur venait de leur être épargné et ils désiraient fêter ça.

Ayla regagna lentement leur abri. Elle mesurait tout l'honneur qui lui avait été fait. Avec chaque bouchée d'œufs il lui semblait savourer le plaisir merveilleux d'avoir été réellement acceptée par le clan. Ce plaisir-là, elle n'était pas près de l'oublier.

Une fois le poisson assommé, les hommes avaient coutume de laisser aux femmes la tâche de le vider et de le préparer pour la conservation. Outre les outils de silex tranchants utilisés pour ouvrir et découper leurs prises, elles se servaient d'un instrument spécial. C'était une sorte de couteau dont la partie supérieure était émoussée pour permettre un maniement plus facile, et qui comportait également, vers la pointe, un léger renflement pour y placer l'index et contrôler avec précision la pression de la main, afin d'écailler le poisson sans l'abîmer.

La pêche était bonne : outre les esturgeons, le filet était plein de morues, de carpes d'eau douce, de quelques grosses truites et même de crustacés. Les oiseaux, attirés par le poisson, se disputaient leurs entrailles, dérobant à l'occasion quelques morceaux de choix. Une fois les poissons préparés, les femmes étendirent dessus le filet, tout d'abord pour le faire sécher, mais aussi pour empêcher les oiseaux de s'emparer d'un butin chèrement gagné.

Bien avant la fin de la pêche, l'odeur et le goût du poisson dégoûtaient le clan, mais le festin de la première nuit était toujours un régal, essentiellement composé de morue fraîche à la chair blanche et délicate, parfumée aux herbes aromatiques et enveloppée dans de grandes feuilles vertes pour être ensuite cuite sur un lit de braises. Bien que personne ne le lui ait annoncé explicitement, Ayla savait que ce festin était célébré en son honneur. Les femmes lui choisirent les meilleurs morceaux et Aga lui prépara tout spécialement un filet entier.

Le soleil venait de disparaître à l'horizon, et la plupart des pêcheurs avaient rejoint leurs abris pour la nuit. Iza et Aba bavardaient près des braises rougeoyantes, tandis qu'Ayla et Aga regardaient en silence Ona et Uba qui jouaient. Groob, le petit garçon d'un an d'Aga, dormait paisiblement dans les bras de sa mère, après avoir eu son content de lait.

— Ayla, dit Aga d'un ton hésitant, je voulais te dire quelque chose. Je n'ai pas toujours été gentille avec toi...

— Mais non, Aga, l'interrompit Ayla. Tu t'es toujours montrée très courtoise envers moi.

— Ce n'est pas la même chose que d'être gentille, dit Aga. J'en ai parlé à Droog. Tu sais qu'il adore Ona, ma fille, bien qu'elle ne soit pas née chez lui, car il n'y a jamais eu d'enfant dans son foyer. Il m'a dit que désormais une partie de l'esprit d'Ona t'appartenait à tout jamais. Quand un chasseur sauve la vie d'un autre chasseur, il emporte avec lui un peu de son esprit. Ils deviennent frères en quelque sorte. Je suis heureuse que tu partages l'esprit d'Ona, Ayla, et qu'elle soit encore là pour le partager avec toi. Si j'ai la chance d'avoir un autre enfant, et que ce soit une fille, Droog a fait la promesse de l'appeler Ayla.

Ayla était stupéfaite.

— Mais c'est un trop grand honneur, Aga. Ayla n'est pas un nom du clan.

— Il l'est maintenant, répondit Aga.

La femme se leva et, après avoir appelé Ona, se dirigea vers son foyer.

— Je m'en vais, dit-elle en se retournant.

C'était, pour les membres du clan, la manière habituelle de se dire au revoir. Plus couramment, ils se contentaient de partir sans cérémonie. Ils ne possédaient en outre aucun terme pour dire « merci ». La gratitude ne leur était pas étrangère mais elle était chargée d'un sentiment d'obligation, généralement dû par une personne d'un rang inférieur envers une autre à la position plus élevée. Ils s'entraidaient néanmoins volontiers, ainsi que le voulaient leurs traditions et les nécessités de leur survie. Tout présent, toute faveur exigeait une réciproque de valeur égale, et cela par entente tacite, sans démonstration de remerciements. Aussi longtemps qu'Ona vivrait, elle serait redevable envers Ayla, à moins que l'occasion se présente à elle de lui sauver à son tour la vie et de s'assurer ainsi une partie de son esprit. L'offre d'Aga ne représentait pas le paiement de son obligation envers elle, mais plus que cela, c'était sa manière à elle de lui dire merci.

Aba se leva peu après le départ de sa fille.

— Iza a toujours dit que tu portais chance, dit la vieille femme comme elle passait devant Ayla. Je le crois, à présent.

— Iza, dit Ayla en venant s'asseoir aux côtés de la guérisseuse, Aga prétend qu'une partie de l'esprit d'Ona m'appartient pour toujours. Mais je n'ai fait que la ramener au rivage, c'est toi qui l'as sauvée réellement. En fait, nous l'avons sauvée l'une et l'autre. Tu possèdes donc une partie de son esprit, et de nombreux autres esprits doivent t'appartenir, toi qui as sauvé la vie à tant de monde ?

— Et d'où vient à ton avis le rang élevé de la guérisseuse, Ayla ? Elle porte en elle une partie de l'esprit de chaque membre du clan, aussi bien homme que femme. Et de tout le Peuple du Clan, en vérité. Elle aide chacun à venir au monde et veille sur leur santé tout au long de leurs vies. Quand une femme devient guérisseuse, elle reçoit une partie de l'esprit de chacun, même de ceux qu'elle n'a pas eu l'occasion de guérir, car personne n'est à l'abri d'un accident ou d'une maladie.

» Quand une personne meurt et s'en va dans le monde des esprits, poursuivit Iza, la guérisseuse perd une partie de cet esprit. Toutes les femmes ne sont pas aptes à devenir guérisseuse. Une guérisseuse doit posséder en elle le désir profond de secourir les autres. Mais toi, Ayla, tu l'as déjà en toi, cette volonté, et c'est pourquoi j'ai commencé à te former. Je l'ai su quand tu as rapporté à la caverne ce lapin blessé, juste après la naissance d'Uba. Quand tu t'es portée au secours d'Ona, tu n'as pas songé un seul instant au danger que tu pouvais courir, tu désirais la sauver avant tout. Les guérisseuses de ma lignée ont le rang le plus élevé. Le jour où tu seras guérisseuse, Ayla, tu seras toi aussi de cette lignée.

— Mais je ne suis pas ta vraie fille, Iza. Tu es la seule mère dont je puisse me souvenir, mais je ne suis pas née de toi. Comment puis-je appartenir à ta lignée ? Je ne possède même pas tes souvenirs...

— Ma lignée possède le rang le plus élevé parce que ses guérisseuses ont toujours compté parmi les meilleures. Ma mère, et la mère de ma mère, et leurs mères avant elles ont été de grandes guérisseuses qui se sont transmises les unes aux autres leur savoir. Tu es du clan, Ayla, tu es ma fille, formée par mes soins. Tu posséderas le savoir que je t'aurai enseigné. Si tu ne possèdes pas toutes mes connaissances, ce que tu sais sera néanmoins suffisant car tu as un don inestimable, le don de comprendre et de deviner l'origine du mal et, à partir de là, de le guérir. Je ne t'ai jamais dit de placer de la neige sur la brûlure de Brun quand Oga a renversé sur lui le bol de soupe. J'aurais fait la même chose, et pourtant je ne t'en avais rien dit. Ce don que tu possèdes peut se révéler aussi puissant et efficace, et peut-être plus même, qui sait, que tous les souvenirs dont nos têtes sont pleines. Oui, tu seras de ma lignée, Ayla, parce que je sais que tu feras une excellente guérisseuse. Tu seras digne du rang le plus élevé.

Le clan s'installa dans la routine des occupations quotidiennes. On ne faisait qu'une seule pêche par jour, mais cela suffisait amplement à tenir les femmes occupées jusque tard dans la soirée. Ona ne fut plus autorisée à aider les pêcheurs à battre l'eau, Droog ayant décidé qu'elle attendrait l'année suivante pour leur prêter main-forte. Vers la fin de la saison de l'esturgeon, les prises se firent de plus en plus réduites, ce

qui laissa aux femmes le temps de souffler un peu. Les claies chargées
de poissons à sécher s'étendaient à présent tout le long de la plage.

Droog passa au peigne fin le lit de la rivière, à la recherche de
rognons de silex ayant dévalé la montagne, et il en rapporta quelques-
uns au campement. Pendant l'après-midi, on le voyait souvent en train
de façonner de nouveaux outils. Un jour, peu avant leur départ, Ayla
le vit prendre son baluchon et se diriger vers la souche d'un arbre mort
où il avait l'habitude de travailler. Elle le suivit et s'assit à ses pieds,
tête baissée.

— La fillette qui se tient devant toi aimerait te regarder travailler. Y
vois-tu une objection ? lui demanda-t-elle quand il l'eut autorisée à
parler.

Droog acquiesça d'un grognement.

Ayla trouva une place sur le tronc de l'arbre abattu et l'observa en
silence. Ce n'était pas la première fois qu'elle le regardait travailler.
Droog savait qu'elle ne le dérangerait pas mais manifesterait au contraire
un vif intérêt pour tout ce qu'il exécuterait. Si seulement Vorn pouvait
en faire autant, pensa-t-il avec regret. Aucun des enfants du clan ne
semblait doué pour la fabrication des outils, déplorait-il, lui qui, comme
tous les bons artisans, désirait transmettre et partager son savoir.

Peut-être Groob prendra-t-il la relève, pensa-t-il avec espoir. Il était
heureux que sa nouvelle compagne ait donné naissance à un garçon si
tôt après qu'Ona eut été sevrée. Droog n'avait jamais eu un foyer aussi
peuplé, mais il était content d'avoir pris avec lui Aga et ses deux
enfants. Et la présence d'Aba était d'autant moins une gêne que la
vieille femme s'occupait de lui quand Aga était avec le bébé. Aga
n'avait pas la douce compréhension de la mère de Goov, et au début
Droog s'était vu forcé de remettre la jeune femme à sa place. Mais elle
était saine et avait eu un fils, dont il espérait fermement faire son élève.
Il avait lui-même appris l'art de tailler la pierre avec le compagnon de
la mère de sa mère et il comprenait aujourd'hui le plaisir qu'avait
manifesté le vieil homme à le voir, alors qu'il était encore enfant,
s'enthousiasmer pour cette discipline.

Seule Ayla, depuis son arrivée au clan, se passionnait pour son travail
et semblait adroite de ses mains. Les femmes étaient libres de fabriquer
des outils, tant qu'ils n'étaient pas destinés à devenir une arme. Il n'y
avait donc pas un grand intérêt à former une fille, qui ne pourrait
jamais exercer son habileté dans tous les domaines de la taille, mais
elle avait déjà taillé quelque pierres avec adresse, et une élève-fille était
mieux que pas d'élève du tout.

L'artisan ouvrit son baluchon et étendit la peau renfermant ses
instruments. Il décida de donner à Ayla quelques notions utiles en
matière de pierres, et il en prit une qu'il avait écartée la veille. De
longues années d'expérience, de tâtonnements, avaient amené Droog à
la conclusion que seul le silex possédait l'ensemble des qualités
indispensables à la fabrication de bons outils.

Ayla écoutait attentivement ses explications. D'abord une pierre
devait être suffisamment dure pour gratter, couper ou fendre une grande

variété de matières végétales ou animales. Nombre des minéraux siliceux de la famille des quartz possédaient la dureté nécessaire mais le silex avait une qualité qui manquait à la plupart d'entre eux, ainsi qu'à d'autres pierres. Le silex se brisait aisément sous une pression ou un choc. Ayla tressaillit tandis que Droog, en matière de démonstration, frappait la pierre défectueuse contre une autre, la brisant en deux morceaux et révélant un matériau de différente nature au cœur du silex d'un gris foncé et brillant.

En outre, le silex devait posséder une troisième qualité que Droog avait le plus grand mal à définir, bien que son long apprentissage lui ait appris à la reconnaître, et qui tenait à la façon particulière dont il se cassait et à son homogénéité.

La plupart des minéraux se brisaient en suivant la ligne de leur structure cristalline, et ne pouvaient donc se tailler que dans une direction bien précise, ne laissant au tailleur de pierre qu'un nombre restreint de possibilités. Lorsqu'il en trouvait, Droog se servait d'obsidienne, cette roche volcanique noire moins dure que la plupart des autres minéraux et dépourvue de structure nettement définie, qui se taillait dans n'importe quel sens.

La structure cristalline du silex était si dense, son homogénéité telle qu'elle laissait au tailleur la possibilité de le façonner à sa guise, la seule limitation résidant dans l'habileté de l'artisan, et c'était précisément là qu'intervenait tout le talent de Droog. Le silex n'en restait pas moins assez dur pour sectionner nettement les tiges végétales les plus fibreuses et les plus résistantes, et il était assez cassable pour se briser en laissant un profil de coupe plus tranchant que le couteau le plus affûté. Droog prit l'un des morceaux du silex défectueux et en montra le bord à Ayla. Elle n'avait pas besoin d'y poser le doigt pour mesurer la finesse de la brisure.

Droog se prit à penser à ses années d'expérience, tandis qu'il laissait choir à ses pieds le morceau de silex et étalait sa peau sur ses genoux. Pour commencer, un bon tailleur de pierre devait savoir choisir ses matériaux, avoir l'œil pour distinguer les variations de couleur de la gangue de calcaire recouvrant un silex au grain fin. Il fallait du temps pour développer l'intuition que tel nodule à tel endroit était de meilleure qualité, moins sujet à des inclusions de matières étrangères.

Le voyant disposer ses outils, examiner soigneusement ses pierres puis fermer les yeux en tenant son amulette, Ayla crut que Droog l'avait oubliée. Elle fut d'autant plus surprise quand il se mit à parler par gestes.

— Les outils que je vais faire sont d'une extrême importance ; Brun a décidé que nous irions à la chasse au mammouth. Dès l'automne, nous partirons en direction du nord à la recherche du troupeau. Je vais fabriquer des outils qui me serviront à tailler les armes spécialement réservées à cette chasse. Mog-ur va préparer un charme puissant pour que les esprits nous portent assistance. Mais si je ne rencontre aucune difficulté, ce sera un bon présage.

Ayla ne savait pas très bien si Droog s'adressait à elle, ou s'il se parlait à lui-même. Elle savait seulement qu'elle devait se tenir tranquille et ne rien faire qui pût le distraire, et elle s'était presque attendue à ce qu'il lui ordonne de partir, maintenant qu'elle savait toute l'importance des outils qu'il s'apprêtait à façonner.

En revanche, elle ignorait que Droog, depuis le jour où elle avait découvert la caverne, était persuadé qu'elle portait chance, conviction qui s'était affermie avec le sauvetage de la petite Ona, et c'est pourquoi il acceptait de la garder auprès de lui en travaillant. Il ignorait si elle-même était chanceuse, mais sa présence à ses côtés dans cette circonstance particulière lui semblait propice et, quand il la vit porter la main à son amulette en le voyant prendre le premier nodule, il fut certain qu'elle dispenserait la chance de son puissant totem sur le travail délicat qu'il allait accomplir.

Droog était assis par terre, sa peau sur les genoux, un rognon de silex dans la main gauche. Puis il choisit une pierre de forme ovale qu'il soupesa un long moment pour l'avoir bien en main. Il avait mis longtemps à trouver ce percuteur dont les nombreuses entailles attestaient l'ancienneté. Il fit délicatement sauter la gangue de craie qui recouvrait le silex. L'artisan s'arrêta un instant pour examiner la pierre d'un œil critique. La texture était parfaite, la couleur convenable et il n'y avait pas d'inclusions. Il entreprit alors de dégrossir la masse à l'aide d'un coup-de-poing. Des éclats tranchants et épais volaient à chaque coup, creusant une profonde dépression dans le cœur de la pierre.

Enfin, Droog posa son percuteur pour prendre un morceau d'os avec lequel il affûta délicatement le bord acéré du silex. Son instrument, plus souple, lui permit d'enlever des éclats beaucoup plus longs et fins que le marteau de pierre, sans risquer d'émousser l'arête tranchante du futur outil.

Quelques instants plus tard, Droog brandissait son œuvre achevée. C'était un outil relativement mince, long d'une quinzaine de centimètres, acéré, pointu à son extrémité, dont les deux faces auraient été parfaitement lisses sans les légères dépressions laissées par les éclats. On pouvait s'en servir pour couper du bois, ou pour évider une défense de mammouth, pour briser les os des animaux dépecés et dans toutes les circonstances nécessitant l'usage d'un instrument tranchant.

C'était un outil fort ancien, et les ancêtres de Droog en avaient façonné de semblables pendant des millénaires. Un outil de base, simple, toujours utile. Mais la fabrication de ce coup-de-poing n'était pour Droog qu'un exercice de mise en train, une façon de se faire la main. Il porta son attention sur un autre rognon de silex qu'il avait choisi pour la finesse de son grain, et qui nécessiterait une technique plus évoluée, plus difficile.

Droog se sentait à présent détendu et prêt pour la taille suivante. Il prit l'os de pied de mammouth qui lui servait d'enclume et le serra entre ses jambes, puis il y déposa la pierre qu'il tint fermement. S'emparant de son percuteur, il dégagea avec précaution la gangue de calcaire en veillant à ce que le rognon de silex garde sa forme ovoïde, grossièrement aplatie. Il le tourna sur le côté et, avec l'aide du morceau d'os, travailla le silex des bords vers le centre jusqu'à ce que le gros œuf de pierre présente une extrémité supérieure plate et ovale.

Droog marqua alors un temps d'arrêt, porta la main à son amulette et ferma les yeux. Ce qui venait ensuite exigeait autant d'adresse que de chance. Il étendit les bras, fit jouer ses doigts et reprit le morceau d'os dont il se servait comme d'un marteau. Ayla retint son souffle.

Droog devait préparer un plan de frappe — une surface plane — en faisant sauter un petit éclat de pierre du bloc de silex. Cette plate-forme de percussion était nécessaire pour détacher proprement un éclat aux bords acérés. Il examina les deux extrémités de la surface ovale, en choisit une et, affermissant sa prise, il frappa un coup sec. Droog maintint le nucleus sur l'enclume et, évaluant la distance et le point d'impact, frappa l'entaille qu'il avait faite avec le percuteur en os. Une lame parfaite sauta. Longue, ovale, avec des bords tranchants, aplatie sur une face, lisse et renflée sur l'autre.

Droog contempla le bloc à nouveau, le retourna et, de la même façon, fit voler une autre lame. En quelques instants, il était parvenu à débiter six grandes lames ovales, en forme d'amande, qui s'amincissaient en pointe à l'extrémité la plus fine. Droog les aligna soigneusement, elles étaient prêtes pour les retouches qui en feraient les outils voulus. D'un bloc de pierre identique à celui qu'il avait utilisé pour faire un seul coup-de-poing, il avait tiré grâce à une nouvelle technique six lames tranchantes.

Avec une petite pierre ronde légèrement aplatie, Droog procéda à de petits enlèvements sur le bord acéré de la première lame pour en affiner la pointe ; et il en émoussa le talon afin qu'il ne soit pas coupant. Il regarda le couteau d'un œil critique, fit sauter encore quelques minuscules éclats, puis, satisfait, le posa et passa à l'outil suivant. Il réalisa, selon le même procédé, un second couteau.

La lame que Droog choisit ensuite était plus grande, avec une arête presque droite. Après l'avoir calée contre l'enclume, Droog exerça une pression avec un petit os, détacha un petit fragment du bord effilé, puis plusieurs autres, pratiquant ainsi une série d'encoches en forme de V. Il émoussa le dos de l'outil, réexamina l'espèce de petite scie qu'il venait de fabriquer, puis hocha la tête, et la posa.

Ensuite, Droog s'attaqua à une autre pierre, plus petite et plus ronde, lui donnant une forme convexe pour en faire un outil muni de bords coupants, assez massif pour résister aux pressions exercées en raclant du bois ou des peaux. Ramassant un autre éclat de bonne taille, il y fit une seule et profonde encoche tranchante particulièrement destinée à l'affûtage des pointes d'épieux. Enfin, il gratta les deux faces d'un dernier éclat bien pointu, obtenant un outil propre à percer des trous dans le cuir ou à forer le bois ou l'os.

Ce travail accompli, Droog fit signe à Ayla qui l'avait observé sans oser faire un mouvement. Il lui tendit le racloir ainsi que plusieurs grands éclats de silex provenant de la fabrication du coup-de-poing.

— Tiens, tu peux les garder. Ils te seront utiles si tu viens avec nous à la chasse au mammouth, déclara-t-il.

Ayla, rayonnante de plaisir, reçut ces présents comme s'il se fût agi d'un trésor.

— La fille qui est devant toi gardera précieusement ces outils jusqu'à la chasse au mammouth, où elle s'en servira pour la première fois si elle y est autorisée, répondit Ayla.

Droog approuva d'un grognement tout en secouant la peau sur laquelle il travaillait pour en faire tomber tous les petits fragments et y envelopper le pied de mammouth, le marteau de pierre, le percuteur en os, ainsi que les deux petits instruments réservés aux retouches. Il serra bien son baluchon et l'attacha avec une lanière de cuir. Puis il ramassa les outils récemment fabriqués et se dirigea vers le campement. Il en avait terminé pour la journée. Il avait réalisé quelques outils parfaits, et il ne fallait pas trop exiger de la chance.

— Iza ! Iza ! Regarde ce que m'a donné Droog ! Il m'a même laissée regarder comment il s'y prend, s'écria Ayla, ponctuant ses phrases d'une seule main, à la manière de Creb, tandis qu'elle tenait de l'autre son précieux trésor. Il a dit que les hommes allaient partir à la chasse au mammouth cet automne et qu'il fabriquait des outils spéciaux pour cette occasion ! Il a dit que je pourrais en avoir besoin si je les accompagne. Crois-tu que j'aurai la permission de partir avec eux ?

— C'est possible, Ayla. Mais je ne comprends pas ce que tu trouves d'excitant à cela. Il y aura beaucoup de travail. Il faudra faire fondre toute la graisse et sécher la viande, et tu ne peux t'imaginer combien on en trouve dans un mammouth ! De plus le voyage sera long et tu seras lourdement chargée.

— Ça ne me fait pas peur. Je n'ai jamais vu de mammouth et j'ai tellement envie d'y aller ! Oh, Iza, pourvu qu'ils m'emmènent !

— Les mammouths fréquentent peu nos régions. Ils préfèrent le froid et nos étés sont beaucoup trop chauds pour eux. Cela fait bien longtemps que je n'ai pas mangé de cette viande. Il n'y a rien de plus succulent ni de plus tendre, et leur graisse sert à de multiples usages.

— Tu crois qu'ils me permettront d'y aller ? insista Ayla, toute excitée.

— Brun ne m'a pas fait part de ses projets, Ayla. Tu en sais plus que moi à ce sujet, répondit Iza. Mais je pense que Droog ne t'aurait rien dit s'il n'en était pas question. Je crois qu'il t'est reconnaissant d'avoir sauvé Ona, et qu'il a voulu te le faire savoir en te donnant ces outils et en te parlant de la chasse. Droog est un homme respectable, Ayla. Tu as de la chance qu'il t'ait jugée digne de ses présents.

— Je lui ai dit que je les utiliserai pour la première fois pendant la chasse au mammouth, si j'y vais.

— Tu lui as fait une excellente réponse. C'est exactement ce qu'il fallait lui dire.

14

Les préparatifs pour la chasse au mammouth, prévue au début de l'automne, mirent le clan en émoi. Tous les membres valides feraient partie de l'expédition, qui se dirigerait vers le nord de la péninsule. Pendant la période où les chasseurs seraient occupés à voyager, puis à traquer le mammouth, sans avoir la certitude d'en rencontrer ni même de réussir à en tuer un, ils délaisseraient tout autre gibier. Seule la perspective, en cas de succès, de rapporter au camp de la viande en suffisance pour plusieurs mois et de la graisse en grande quantité rendait le risque digne d'être connu.

Les chasseurs se livrèrent toutefois à de nombreuses chasses dès le début de l'été, afin de constituer un maximum de réserves de viande pour l'hiver. Ils ne pouvaient jouer leur avenir sur une chasse aléatoire, ni se dispenser de faire des provisions en vue de la saison froide. Le prochain Rassemblement du Clan devait avoir lieu l'été suivant et ils n'auraient alors guère l'occasion de chasser car il leur faudrait consacrer toute la saison à faire le voyage jusqu'à la caverne du clan hôte, participer à la grande fête et retourner chez eux. Une longue expérience de telles expéditions avait appris à Brun qu'il fallait prévoir à l'avance la constitution de réserves pour l'hiver qui suivait le Rassemblement. C'est ce qui le décida à organiser la chasse au mammouth. Si les fruits d'une chasse couronnée de succès venaient s'ajouter aux provisions déjà entreposées, ils pourraient faire face en toute tranquillité. Leurs réserves de viande séchée, de légumes, de fruits et de céréales leur permettraient facilement, s'ils se montraient vigilants, de tenir deux ans.

Toute la préparation de la chasse baignait dans une atmosphère rituelle. Le succès de l'entreprise dépendant pour une grande part de la chance, chacun avait tendance à voir un présage dans le moindre des événements et n'entreprenait les activités les plus quotidiennes qu'avec une extrême circonspection, veillant à ne pas susciter la colère d'un esprit et attirer ainsi sur lui et sur le clan une mauvaise fortune. Les femmes surveillaient attentivement la préparation des repas, car un plat brûlé pouvait être un mauvais présage.

A chaque stade des préparatifs, les hommes organisaient des cérémonies pour se concilier les forces invisibles qui les entouraient. Mog-ur s'affairait en pratiques magiques fabriquant des charmes puissants, le plus souvent à l'aide des ossements trouvés dans la petite caverne sacrée. Tout événement heureux était interprété comme un présage favorable, et toute difficulté suscitait l'inquiétude. Chacun se sentait nerveux et Brun ne connut plus aucune véritable nuit de repos à partir du moment où il prit la décision d'organiser cette expédition. Il lui arrivait parfois de regretter d'y avoir songé.

Le chef réunit les hommes afin de décider qui participerait à la chasse et qui resterait à la caverne. Il leur fallait aussi penser à protéger leur refuge.

— Je me demande s'il ne faudrait pas que l'un de nous reste à la caverne, commença-t-il en regardant les chasseurs. Nous serons absents pendant au moins une lune entière, peut-être même deux, et nous ne pouvons laisser notre demeure aussi longtemps sans protection.

Les chasseurs évitèrent le regard de Brun. Aucun ne voulait être exclu de la chasse, et chacun redoutait de voir les yeux du chef se poser sur lui.

— Brun, tu auras besoin de tous tes chasseurs, intervint Zoug. Si mes jambes sont trop faibles pour traquer le mammouth, mon bras peut encore lancer un épieu. La fronde n'est pas la seule arme dont je sache me servir. Quant à Dorv, si sa vue baisse, ses muscles sont encore puissants ; il est toujours capable de manier la massue ou l'épieu et de défendre la caverne avec moi. Tant que nous ne laisserons pas le feu mourir, aucun animal n'approchera. Bien sûr, la décision t'appartient, mais je pense que tu devrais emmener tous les chasseurs.

— Je suis d'accord avec Zoug, Brun, ajouta Dorv en clignant des yeux. Zoug et moi, nous protégerons la caverne pendant que vous serez partis.

Brun regarda attentivement Zoug et Dorv. Il n'avait aucune envie de se laisser démunir de l'un de ses chasseurs, et ne voulait rien faire qui pût compromettre ses chances de réussite.

— Tu as raison, Zoug, finit par répondre Brun. Ce n'est pas parce que Dorv et toi n'êtes plus capables de chasser le mammouth que vous ne pouvez défendre la caverne. C'est une chance pour le clan que de pouvoir compter sur vos capacités, et je suis heureux de profiter encore de tes sages conseils.

Brun avait voulu faire entendre au vieil homme combien celui-ci était encore utile à la communauté, et les autres chasseurs se sentirent soulagés. Ils partiraient donc tous. Il allait de soi que Mog-ur, n'étant pas chasseur, ne participerait pas à l'expédition. Mais Brun l'avait déjà vu brandir son gourdin avec une force certaine, et il le compta en son for intérieur parmi les défenseurs de la caverne. A eux trois, ils feraient certainement aussi bien qu'un seul chasseur.

— Et maintenant, quelles femmes allons-nous emmener ? demanda Brun. Ebra viendra.

— Uka aussi, ajouta Grod. Elle est forte, expérimentée, et n'a pas d'enfant en bas âge.

— C'est entendu, approuva Brun. Elle nous accompagnera ainsi qu'Ovra, dit-il en regardant Goov qui hocha la tête en signe d'approbation.

— Et Oga alors ? s'enquit Broud. Brac commence à marcher et il sera bientôt sevré. Il ne l'encombrera pas trop.

— Je n'y vois pas d'objection, répondit Brun après avoir réfléchi un moment. Les autres femmes l'aideront à s'occuper de Brac, et Oga est une excellente travailleuse. Elle nous sera utile.

Broud avait l'air ravi, heureux de la bonne opinion exprimée par le chef au sujet de sa compagne. C'était un compliment pour la manière dont il l'avait éduquée.

— Certaines femmes devront rester pour s'occuper des enfants, déclara Brun. On pourrait choisir Aga et Ika : Groob et Igra sont trop petits pour un si long voyage.

— Aba et Iza pourraient les surveiller, proposa Crug. Igra ne leur posera aucun problème.

La plupart des hommes préféraient que leurs compagnes les suivent lors des grandes expéditions afin de ne pas dépendre de la compagne d'un autre pour se faire servir.

— Je ne sais pas ce qu'il en est pour Ika, intervint Droog, mais je pense qu'Aga ferait mieux de rester au camp cette fois-ci. Elle a trois enfants encore petits.

— Aga et Ika resteront, décida Brun, ainsi que Vorn. Il n'est pas assez grand pour chasser, et il nous sera d'autant moins utile qu'il rechignera à aider les femmes, surtout en l'absence de sa mère pour le commander. Il aura bien le temps de participer à d'autres chasses au mammouth.

Mog-ur, qui n'était pas intervenu jusqu'à présent, sentit le moment propice venu.

— Iza est trop faible pour vous suivre, et elle doit rester pour s'occuper d'Uba, mais il n'y a aucune raison pour qu'Ayla ne vienne pas.

— Ce n'est même pas une femme, répliqua Broud, et cela pourrait déplaire aux esprits de voir cette étrangère parmi nous.

— Elle est plus grande qu'une femme et aussi forte, affirma Droog. C'est une bonne travailleuse, habile de ses mains et elle a la faveur des esprits. Souvenez-vous de la caverne. Souvenez-vous d'Ona. Je pense au contraire de toi qu'elle nous portera chance.

— Droog a raison, conclut Brun. Elle travaille vite et bien. Elle n'a pas d'enfant et possède quelques rudiments du savoir des guérisseuses qui pourront nous être utiles. Ayla viendra avec nous.

Ayla fut si heureuse d'apprendre qu'elle participerait à la chasse au mammouth qu'elle ne tint plus en place. Elle accabla Iza de questions sur ce qu'elle devait emporter et fit et refit plusieurs fois son panier au cours des jours précédant leur départ.

— N'emporte pas trop de choses, Ayla. Vous serez lourdement chargés au retour si la chasse a été bonne. Viens, j'ai ici quelque chose pour toi. Je viens juste de le terminer.

Des larmes de joie montèrent aux yeux d'Ayla en voyant la petite sacoche que lui tendait Iza. Elle avait été confectionnée dans une peau de loutre entière, dont on avait gardé intactes la fourrure, la tête, la queue et les pattes. Iza avait demandé à Zoug de lui tuer l'animal, dont elle avait caché la peau au foyer de Droog en mettant Aga et Aba dans le secret.

— Une trousse de guérisseuse, rien que pour moi ! s'écria Ayla, et elle sauta au cou d'Iza.

Elle s'assit aussitôt pour sortir ses petites bourses de remèdes et les aligna comme elle avait vu Iza le faire si souvent. Elle ouvrit chaque petit sac, en huma le contenu, puis le referma en veillant à refaire scrupuleusement le même nœud.

Il était en effet difficile de distinguer à leur odeur les herbes et les racines séchées, quoique les plus dangereuses fussent souvent mélangées à une herbe inoffensive mais très parfumée pour éviter les méprises. En fait, les bourses étaient classées selon la cordelette qui les fermait et le type de nœud utilisé. Ainsi étaient-elles fermées par différentes tresses faites de crin de cheval, de poils de bison ou de tout animal à la robe possédant une caractéristique, ou encore de tendons ou de ficelles confectionnées dans diverses tiges végétales nouées chacune de manière distinctive. Pour savoir où se trouvait tel ou tel remède, il suffisait donc de mémoriser le type de fermeture correspondante.

Ayla mit les bourses dans sa sacoche de guérisseuse et rangea celle-ci près de son panier avec les grands sacs destinés à transporter la viande de mammouth. Tout était prêt. Seule une chose la préoccupait encore. Que ferait-elle de sa fronde ? Elle craignait qu'Iza ou Creb la découvre si elle la laissait dans la caverne. Elle pensa la cacher dans les bois, mais y renonça de peur que les animaux et les intempéries viennent à l'abîmer. Elle décida finalement de l'emporter, cachée dans un repli de son vêtement. Il faisait encore nuit lorsque le clan s'éveilla le jour du départ des chasseurs. Ils se mirent en marche dès les premières lueurs, mais après avoir franchi l'escarpement qui protégeait la caverne, ils découvrirent le soleil levant illuminant la plaine de tous ses feux. Ils eurent tôt fait de gagner les steppes, et Brun adopta un pas rapide. Le fardeau des femmes était léger, mais leur manque d'habitude les obligeait à de grands efforts pour suivre le mouvement. Ils marchèrent ainsi jusqu'à la tombée de la nuit, couvrant autant de distance en un jour qu'ils l'avaient fait quand le clan errait en quête d'une nouvelle caverne. Les femmes n'eurent pas à préparer de repas chaud et se contentèrent de faire bouillir de l'eau pour l'infusion d'herbes. On ne chassait pas non plus durant le voyage, se contentant des rations que les chasseurs avaient coutume d'emporter en expédition : de la viande séchée, hachée menu, mélangée à de la graisse, et des fruits secs, le tout présenté sous forme de galettes. Ces aliments hautement nutritifs suffisaient amplement à leurs besoins énergétiques.

A mesure qu'ils avançaient vers le nord, le froid devenait plus vif, mais, réchauffés par la marche, ils ne s'en apercevaient que lors des étapes. Avec l'entraînement, les courbatures des premiers jours, surtout chez les femmes, disparurent, et la petite troupe repartait chaque matin d'un bon pas.

Le terrain se fit plus accidenté une fois qu'ils atteignirent la partie nord de la péninsule. De vastes plateaux butaient soudain contre de hautes falaises ou disparaissaient en de profonds ravins, résultats des convulsions qui continuaient encore d'agiter la terre. D'abruptes parois flanquaient d'étroits canyons, dont certains se terminaient en culs-de-sac. D'autres recevaient des cours d'eau allant des ruisseaux saisonniers aux torrents impétueux, aux bords desquels poussait une végétation composée de pins, de bouleaux et de saules rabougris qui brisaient quelque peu la monotonie des étendues herbeuses. En de rares endroits, où quelque contrefort protégeait des vents incessants une vallée arrosée par un cours d'eau, les arbres — des conifères et quelques espèces à petites feuilles caduques — avoisinaient leurs proportions habituelles.

Le voyage se déroula sans incident particulier. Pendant dix jours, ils avancèrent au même pas, jusqu'à ce que Brun décide d'envoyer des éclaireurs dans les alentours, ce qui ralentit leur progression au cours des jours suivants. Ils approchaient maintenant de leur destination, là où la péninsule s'étrécissait légèrement entre la grande mer et la mer intérieure. Ils ne devraient pas tarder à apercevoir des mammouths, s'il y en avait dans la région.

La petite troupe fit halte au bord d'une rivière. Brun avait envoyé Broud et Goov en éclaireurs plus tôt dans l'après-midi et il se tenait à l'écart, scrutant l'horizon dans la direction qu'ils avaient prise. Il faudrait bientôt décider s'ils allaient installer leur camp près de cette rivière ou continuer plus loin.

Brun, son long manteau de fourrure battant au vent coupant qui soufflait de l'est, continua de guetter les deux hommes, tandis que les ombres s'allongeaient insensiblement. Soudain, il eut l'impression d'apercevoir au loin un mouvement, et un instant plus tard il distingua la silhouette des deux chasseurs en train de courir. Peut-être s'agissait-il d'une intuition, peut-être était-ce la manière dont il percevait leur course, mais lorsqu'ils arrivèrent en agitant les bras, Brun connaissait déjà la nouvelle qu'ils apportaient.

— Mammouth ! Mammouth ! criaient les éclaireurs hors d'haleine en se précipitant vers leurs compagnons.

— Un grand troupeau vers l'est ! s'exclama Broud avec de grands gestes.

— A quelle distance ? demanda Brun.

— A quelques heures, indiqua Goov en décrivant avec son bras un court arc de cercle.

— Montrez-nous le chemin, dit Brun en faisant signe aux autres de se mettre en route.

Ils avaient encore le temps de se rapprocher du troupeau avant la nuit.

Le soleil déclinait à l'horizon lorsque les chasseurs aperçurent au loin une masse sombre en mouvement. C'est un grand troupeau, estima Brun en ordonnant la halte. Il leur faudrait se contenter de l'eau qu'ils avaient emportée du campement précédent car il faisait trop sombre pour se mettre en quête d'une rivière. Au matin, ils chercheraient un site plus hospitalier. L'important était d'avoir découvert les mammouths.

Le lendemain, après avoir établi le camp près d'un petit ruisseau serpentant entre deux haies de maigres buissons, Brun partit avec les chasseurs pour reconnaître les lieux. Il fallait élaborer une stratégie pour prendre au piège les lourds pachydermes. Brun et ses hommes explorèrent les ravins et les canyons des alentours, à la recherche d'une gorge ou d'un défilé bordé de rochers, se terminant de préférence en cul-de-sac, point trop éloigné du troupeau qui se déplaçait lentement.

A l'aube du second jour, Oga se présenta devant Brun, la tête baissée, tandis qu'Ovra et Ayla attendaient, inquiètes, derrière elle, l'issue de sa requête.

— Que veux-tu, Oga ? demanda Brun en lui tapant sur l'épaule.

— La femme qui est devant toi a une requête à te présenter, commença-t-elle avec hésitation.

— Oui ?

— La femme qui est devant toi n'a jamais vu de mammouth. Ovra et Ayla non plus. Le chef nous permettrait-il d'approcher le troupeau ?

— Et Ebra et Uka, est-ce qu'elles veulent elles aussi voir un mammouth ?

— Elles disent qu'elles verront assez de mammouth comme ça avant qu'on reparte. Elles n'ont pas envie de venir avec nous, répondit Oga.

— Ce sont des femmes sages, mais il est vrai qu'elles ont déjà vu des mammouths. Nous sommes sous le vent ; cela ne devrait pas affecter le troupeau si vous ne vous approchez pas trop.

— Nous ferons attention, promit Oga.

— Je crois que quand vous les aurez vus, vous n'aurez aucune envie de vous avancer trop près. Oui, vous pouvez y aller, décida-t-il.

Cela ne poserait pas de problème de laisser les jeunes femmes satisfaire leur curiosité, pensa-t-il. Elles avaient peu d'occupations pour le moment, et elles auraient bientôt tant à faire... si les esprits étaient avec eux.

Les trois jeunes femmes étaient tout excitées à l'idée de cette aventure. C'était Ayla qui avait convaincu Oga de formuler la demande. L'expédition leur avait fourni l'occasion de mieux se connaître ; Ovra, de nature calme et réservée, avait toujours considéré Ayla comme une enfant. Quant à Oga, elle n'avait pas encouragé leurs relations, connaissant les sentiments de Broud à l'égard de la jeune fille. Elles étaient adultes, vivaient en couple, possédaient un foyer, alors qu'Ayla était encore une enfant qui n'avait pas les mêmes responsabilités.

Ce n'était que depuis cet été-là que les femmes avaient commencé de considérer Ayla autrement que comme une enfant. Sa grande taille lui donnait l'apparence d'une adulte, et les chasseurs la traitaient d'ailleurs comme si elle était une femme. Crug et Droog particulièrement faisaient appel à ses services, car leurs compagnes étaient restées à la caverne, et la disponibilité d'Ayla leur évitait de demander aux autres chasseurs l'aide de leurs compagnes. Leur participation commune à la chasse avait créé entre les trois jeunes femmes des rapports plus amicaux. Ayla, qui n'avait jusqu'alors vraiment connu qu'Iza, Creb et Uba, découvrait avec bonheur la chaleur de l'amitié entre femmes.

Elles se mirent aussitôt en route comme pour une promenade, tout occupées par une conversation animée. Mais à l'approche des animaux,

Une neige légère et poudreuse balayée par les vents d'est accueillit la petite troupe quand elle s'extirpa au petit matin de ses abris de peaux. Mais ni le froid ni le ciel gris n'auraient pu faire obstacle à l'impatience des chasseurs : aujourd'hui ils allaient traquer le mammouth. Les femmes s'empressèrent de faire des infusions, car les chasseurs, tels des athlètes affûtés pour les jeux, n'absorberaient rien d'autre. En attendant que l'eau frémisse dans les écuelles de bois, ils entreprirent de s'échauffer, feignant de lancer leurs épieux afin d'assouplir leurs muscles engourdis par le sommeil. L'air était chargé d'une grande excitation.

Grod prit un charbon ardent dans le feu et le plaça dans la corne d'aurochs qu'il portait à la ceinture. Goov en fit autant. Ils troquèrent leurs épaisses fourrures contre de plus légères qui n'entraveraient pas leurs mouvements. Ils n'auraient pas froid une fois dans le feu de l'action. Brun exposa une dernière fois rapidement le plan d'attaque.

Chaque homme ferma les yeux en portant la main à son amulette, puis s'empara d'une torche éteinte confectionnée la veille au soir, et on se mit en route. Ayla les regarda partir en regrettant de ne pouvoir les accompagner, puis elle se joignit aux femmes qui ramassaient des herbes sèches, de la bouse et des branchages pour le feu.

Les hommes arrivèrent vite à proximité du troupeau. Les mammouths s'étaient déjà remis en marche après le repos de la nuit. Les chasseurs se tapirent dans l'herbe haute tandis que Brun examinait les animaux. Il remarqua le vieux mâle aux gigantesques défenses recourbées. Quel trophée cela ferait, se dit-il en éliminant néanmoins cette proie éventuelle dont les défenses constitueraient un fardeau excessif au cours de leur long voyage de retour. Il leur serait plus facile de transporter celles d'un animal plus jeune, dont la chair en outre serait plus tendre. Et cela importait plus que la gloire d'un beau trophée.

Les jeunes mâles étaient cependant plus dangereux. Leurs défenses, plus courtes, ne leur servaient pas seulement à déraciner les arbres : elles représentaient aussi des armes redoutables. Brun attendit patiemment. Il n'avait pas préparé aussi minutieusement cette chasse et entrepris ce long voyage pour agir avec précipitation au dernier moment. Il connaissait les conditions qui devaient se trouver réunies et préférait revenir le lendemain plutôt que de compromettre leurs chances de réussite. Les autres chasseurs attendaient, non sans impatience.

Le soleil avait fini par réchauffer le plafond bas, et les nuages s'éloignaient. La neige avait cessé, cédant la place à de belles éclaircies.

— Quand va-t-il se décider à donner le signal ? signifia silencieusement Broud à Goov. Regarde comme le soleil est déjà haut à présent. Pourquoi partir de si bonne heure pour rester ensuite à ne rien faire ? Mais qu'est-ce qu'il attend ?

Grod surprit les gestes de Broud.

— Brun attend le moment propice. Préférerais-tu rentrer les mains vides ? Sois patient, Broud, et apprends. Un jour, c'est toi qui devras choisir le moment opportun. Brun est un bon chasseur. Tu as de la chance de l'avoir pour maître.

Broud n'apprécia guère le sermon de Grod. Il ne sera pas mon second le jour où je serai chef, décida-t-il. De toute façon, il commence à se faire vieux.

Le soleil était haut dans le ciel quand Brun prévint enfin ses hommes de se tenir prêts et tous les chasseurs ressentirent un violent émoi. Une femelle, grosse d'un petit, se tenait à l'écart du troupeau. Son état en ferait assurément une proie plus facile ; quant au fœtus, sa chair délicate et tendre constituerait un régal pour tous.

La bête se dirigeait vers une belle touffe d'herbe, s'éloignant de ses congénères. Lorsqu'elle se trouva suffisamment isolée, Brun donna le signal de la chasse. Grod porta alors la braise à la torche qu'il tenait prête, et souffla dessus jusqu'à ce qu'elle s'enflamme. Droog en alluma deux autres à la première et en tendit une à Brun. Aussitôt Grod et Brun se précipitèrent vers le mammouth et mirent le feu aux herbes sèches de la prairie.

Les mammouths ne se connaissaient pas d'ennemis naturels, hormis l'homme. Seuls les très jeunes ou les très vieux risquaient de succomber sous les crocs des grands carnassiers. Mais ils redoutaient le feu. Les feux de prairie dus à des causes naturelles pouvaient parfois ravager la steppe durant des jours, détruisant tout sur leur passage. Le feu provoqué par l'homme n'était pas moins dévastateur.

Sitôt qu'elles humèrent l'odeur de la fumée, les bêtes affolées se regroupèrent instinctivement tandis que Grod et Brun prenaient position entre le troupeau et la femelle solitaire. Comme les flammes commençaient à crépiter, les paisibles mastodontes furent pris d'une panique indescriptible et leurs barrissements retentirent à travers la prairie. La femelle essaya de rejoindre le troupeau, mais il était trop tard ! Un mur de feu la séparait de ses congénères qui s'éloignaient en direction du couchant.

Barrissant d'effroi, le mammouth se rua dans la direction opposée. Droog courut à sa rencontre, en hurlant et en agitant sa torche pour le pousser dans le canyon. Puis Crug, Broud et Goov, les chasseurs les plus jeunes et les plus vigoureux, s'élancèrent à toutes jambes au-devant de l'animal, tandis que Brun, Grod et Droog couraient derrière. Une fois lancé, le mammouth fonça droit dans la direction qu'on voulait lui faire prendre.

Les trois jeunes chasseurs parvinrent à l'entrée du défilé. Fébrile et hors d'haleine, Goov saisit sa corne d'aurochs, priant son totem pour que la braise fût toujours incandescente. Le brandon rougeoyait encore mais personne n'ayant assez de souffle pour l'attiser, ce fut le vent qui s'en chargea. Brandissant leurs torches enflammées, les jeunes gens guettèrent l'arrivée de l'énorme pachyderme. Le mammouth terrorisé ne fut pas long à se présenter dans un vacarme de barrissements déchirants. Les courageux chasseurs se ruèrent alors au-devant de la bête qui fonçait sur eux et, agitant leurs torches, entreprirent la tâche dangereuse entre toutes de la faire pénétrer dans le canyon.

Pris de panique devant les torches, le mammouth chercha désespérément à s'échapper. Il fit un brusque écart, et fonça tête baissée dans l'étroit goulet sans issue, au bout duquel il se retrouva bloqué et, faute d'espace, dans l'impossibilité de se retourner.

Broud et Goov s'étaient précipités derrière la bête. Broud avait en main l'un des couteaux savamment taillés par Droog et consacrés par Mog-ur. D'un mouvement aussi vif que l'éclair, il se jeta sur les pattes arrière du pachyderme et lui trancha les tendons du pied gauche, tandis que Goov surgissait derrière lui pour blesser l'autre patte. Un horrible barrissement fendit l'air et la femelle tomba lourdement sur les articulations.

Caché derrière un rocher, Crug bondit devant l'animal et plongea son épieu dans la gueule ouverte. Mue par un dernier sursaut instinctif, la bête chercha à attraper l'homme, crachant du sang sur son assaillant désarmé qui s'empressa de se saisir d'une nouvelle lance. Au même instant, Brun, Grod et Droog pénétraient dans le défilé et, escaladant les rochers, encadraient le mammouth, dans les flancs duquel ils plongèrent les pointes effilées de leurs lances. Brun parvint à enfoncer un autre épieu dans l'un des yeux du pachyderme, qui ne tarda pas à s'écrouler en poussant un dernier barrissement déchirant.

Un silence soudain environna les hommes éreintés dont le cœur battait d'excitation. Ils se regardèrent quelques secondes, interloqués, et comprenant soudain l'exploit qu'ils venaient de réaliser, un fantastique hurlement de joie jaillit de leurs poitrines, couronnant leur victoire.

Six hommes, ridiculement petits comparés à leur proie, venaient, à force d'intelligence, de ruse et de courage, de tuer la puissante bête. Broud bondit sur le rocher à côté de Brun, puis grimpa sur la gigantesque femelle. En un clin d'œil, Brun le rejoignit, suivi de près par les quatre autres chasseurs qui donnèrent libre cours à leur joie en dansant sur le dos du mammouth terrassé.

— Nous devons remercier les esprits, déclara Brun à ses compagnons. A notre retour, Mog-ur organisera une cérémonie en leur honneur. En attendant, partageons-nous le foie et gardons-en une part pour Zoug, Dorv et Mog-ur. Nous en enterrerons également un morceau pour l'Esprit du Mammouth à l'endroit où nous l'avons abattu. Quant au cerveau, Mog-ur m'a bien recommandé de ne pas y toucher et de le laisser à sa place. Qui a porté le premier coup ? Broud ou Goov ?

— C'est Broud, répondit Goov.

— Eh bien, c'est lui qui recevra le premier morceau de foie, mais le mérite de la chasse revient également à tous.

Broud et Goov partirent chercher les femmes auxquelles incombait à présent la lourde tâche de découper et de préparer la viande. Les autres commencèrent à vider la bête et sortirent le fœtus parvenu pratiquement à terme. A l'arrivée des femmes, les hommes les aidèrent à dépecer le mastodonte, dont la taille gigantesque requérait la collaboration de tous. Ils en découpèrent certains morceaux de choix qu'ils mirent à l'abri dans des caches entre des pierres. Ensuite, ils allumèrent des feux autour de la carcasse pour éloigner les inévitables charognards et l'empêcher de geler.

Ce fut avec le plus grand soulagement que tout le monde se glissa, épuisé mais heureux, dans les chaudes fourrures, après un repas de viande fraîche, le premier depuis qu'ils avaient quitté la caverne. Le lendemain matin, les femmes s'attelèrent à l'ouvrage, pendant que les hommes se réunissaient pour revivre l'éprouvante chasse et se complimenter les uns les autres sur leur courage. Un cours d'eau coulait non loin de l'étroit cul-de-sac où gisait le mammouth, ce qui, dans un premier temps, obligea les femmes à de fatigantes allées et venues. Ce ne fut que lorsqu'elles eurent débité la chair de la bête en gros quartiers, ne laissant qu'un squelette sanglant aux charognards, qu'elles se transportèrent au bord de la rivière.

Presque tout le mammouth pouvait être utilisé. Sa peau épaisse servirait à confectionner de solides chausses, des coupe-vent, des récipients, des lacets. La sous-couche au poil chaud et doux entrerait dans la confection d'oreillers ou de paillasses ; les poils longs ou les tendons donneraient des cordes à toute épreuve ; la vessie, l'estomac et les intestins deviendraient des outres étanches. Il ne resterait presque plus rien sur la bête une fois le travail achevé. A tout cela, il fallait ajouter la graisse, denrée des plus précieuses pour le clan. Outre son utilité alimentaire, elle permettrait de faire prendre feu au bois mouillé ou de fabriquer des torches à combustion lente, des lampes de pierre qui procureraient chaleur et lumière ; Iza en aurait usage pour la fabrication d'onguents et d'émollients.

Chaque jour, en se mettant au travail, les femmes scrutaient le ciel. Si le temps se maintenait au beau, la viande sécherait en une semaine, avec l'aide du vent soufflant en permanence. Elles n'avaient nul besoin d'allumer des feux, afin de faire de la fumée, car le froid ambiant éliminait toute présence d'insectes, et c'était une bonne chose, car le combustible manquait dans ces étendues arides, d'où les arbres étaient pratiquement absents. Mais si les nuages et la pluie survenaient, il faudrait trois fois plus longtemps pour que la viande sèche. La neige légère que charriait parfois le vent n'était pas non plus un obstacle. Un réchauffement de l'atmosphère était beaucoup plus à craindre. C'est pourquoi les femmes souhaitaient que le temps reste sec et froid, et que les énormes quantités de chair de mammouth sèchent dans les meilleures conditions possibles, afin de pouvoir les transporter jusqu'à la caverne.

La peau couverte de poils drus, avec son épaisse couche de graisse et de vaisseaux sanguins, de nerfs et de follicules, fut raclée. Les femmes disposèrent de gros morceaux de graisse durcie par le froid dans une grande marmite de cuir suspendue au-dessus d'un feu afin de la faire fondre et d'en garnir des segments d'intestins préalablement nettoyés et liés comme des saucisses. Le cuir lui-même, avec ses poils, fut découpé en larges plaques roulées sur elles-mêmes et laissées à geler pour en faciliter le transport. Ce ne serait que plus tard à la caverne, pendant l'hiver, qu'il serait rasé et tanné. Les hommes avaient arraché les défenses du squelette, pour les disposer fièrement sur le campement, en attendant de les rapporter à la caverne.

Tandis que les femmes s'activaient, les hommes chassaient le petit gibier ou montaient la garde. Le fait de s'être rapproché du cours d'eau facilitait le travail, mais l'expédition devait maintenant faire face à une autre nuisance, celle des charognards attirés par la forte odeur de sang. Il leur fallait surveiller sans cesse la viande mise à sécher. Une grosse hyène particulièrement se montrait audacieuse. Chassée à plusieurs reprises, elle n'en continuait pas moins de rôder autour du camp, échappant aux timides tentatives des hommes pour la tuer. La bête, qui avait réussi par deux ou trois fois à voler un morceau de viande, était une véritable calamité.

Ebra et Oga se dépêchaient de découper en tranches fines les énormes quartiers de viande, afin de les mettre à sécher. Uka et Ovra étaient occupées à bourrer de graisse un gros intestin tandis qu'Ayla en lavait un autre à la rivière, dont les glaces commençaient à ralentir le cours. Quant aux hommes, installés auprès des défenses du mammouth, ils étaient en grande discussion pour savoir s'ils iraient chasser la gerboise à la fronde.

Assis près de sa mère, Brac jouait avec de petits cailloux. Se lassant bientôt de son jeu, il décida de trouver quelque chose de plus amusant et s'écarta des femmes qui, tout à leur besogne, ne le virent pas s'éloigner. Mais une autre paire d'yeux guettait.

Soudain, on entendit Brac pousser un terrible hurlement de frayeur.

— Mon enfant ! s'écria Oga. Une hyène emporte mon enfant !

L'horrible charognard, prédateur à ses heures et toujours prêt à fondre sur une vieille bête amoindrie ou un jeune égaré, avait attrapé le bambin par le bras et, le serrant dans ses redoutables mâchoires, l'entraînait au loin.

— Brac ! Brac ! hurla Broud en courant derrière le fils de sa compagne, suivi de tous les hommes.

Sortant sa fronde, il se baissa pour ramasser une pierre et se dépêcha de la lancer avant qu'il ne soit trop tard.

— Oh non ! gémit-il de rage comme il ratait la bête pour avoir tiré trop court. Brac ! Brac !

Et tout à coup, venant de la direction opposée, retentit le bruit mat de deux pierres projetées l'une après l'autre. Touchée à la tête, la hyène s'écroula.

Interdit, Broud vit alors Ayla se précipiter, la fronde à la main, vers l'enfant en larmes. En entendant crier Brac, sans songer un seul instant aux conséquences de son geste, elle avait saisi sa fronde et envoyé deux pierres. Ce fut seulement après avoir libéré l'enfant de l'emprise du charognard qu'elle mesura toute la portée de son acte, en voyant les visages consternés tournés vers elle. Son secret se trouvait dévoilé à la vue de tous. Ils savaient qu'elle pouvait chasser. Une peur glacée l'envahit. Que vont-ils me faire ? se demanda-t-elle.

Serrant l'enfant dans ses bras, elle se dirigea vers le camp en évitant les regards. Ce fut Oga qui se remit la première de son étonnement et courut à leur rencontre. A peine arrivée, Ayla entreprit d'examiner le petit garçon, non seulement pour se rendre compte de l'importance de ses blessures, mais aussi pour ne pas avoir à affronter le regard de sa mère. Elle constata que la bête lui avait déchiré le bras et l'épaule et cassé l'avant-bras. Si elle n'avait jamais eu l'occasion de remettre en place un bras cassé, Ayla avait observé Iza le faire. Elle ranima le feu sur lequel elle mit de l'eau à bouillir, et elle alla chercher son sac de guérisseuse.

Encore sous le choc de la découverte, les hommes demeuraient silencieux, peu désireux de se rendre à l'évidence. Pour la première fois de sa vie, Broud ressentait une certaine reconnaissance envers Ayla qui avait sauvé Brac d'une mort horrible, mais les pensées de Brun allaient beaucoup plus loin.

Le chef ne fut pas long à mesurer toutes les conséquences du geste d'Ayla et se vit brusquement confronté à un dilemme épouvantable. En effet le châtiment infligé aux femmes coupables d'avoir utilisé une arme n'était autre que la Malédiction Suprême. Ainsi le voulaient les usages du Clan, si profondément ancrés qu'on ne les mentionnait plus depuis longtemps. Les femmes se gardaient bien d'outrepasser cet interdit, mais la loi n'en subsistait pas moins. D'autre part, Ayla était née chez les Autres.

Brun adorait le fils de la compagne de Broud. Seul Brac avait le don de l'attendrir. L'enfant pouvait faire de lui tout ce qu'il désirait : lui tirer la barbe, lui mettre les doigts dans les yeux, lui baver dessus ; Brun acceptait tout. Comment pouvait-il condamner à mort la fillette qui venait de lui sauver la vie ?

Comment a-t-elle pu réussir son coup ? se demanda-t-il.

L'animal se trouvait hors de portée des hommes, et Ayla était encore plus éloignée qu'eux. Brun s'approcha du cadavre de la hyène et toucha le sang qui coulait encore de ses blessures. Ses yeux ne l'avaient pas trompé quand il avait cru voir filer deux pierres. Personne, pas même Zoug, n'était capable de tirer deux pierres à la fronde avec une telle rapidité, une telle précision et une telle force.

Jamais personne d'ailleurs n'avait tué de hyène à la fronde. Pourtant Zoug avait toujours prétendu l'entreprise réalisable, mais Brun n'y avait jamais cru. A présent, il détenait la preuve que le vieil homme disait vrai. Etait-il donc possible de tuer un loup, voire un lynx, à la fronde, comme il le prétendait également ? s'interrogea Brun, dont les yeux s'ouvrirent tout grands sous l'effet de la surprise. Un loup ou un lynx ? Ou alors un glouton, un chat sauvage, un blaireau, un furet ou tout autre prédateur trouvé mort récemment !

Mais c'est évident ! s'exclama-t-il en son for intérieur. C'est elle ! Et ce n'est pas d'hier qu'elle chasse ! Autrement, comment aurait-elle pu acquérir une telle adresse ? Elle est pourtant femme, et elle a parfaitement assimilé le savoir-faire propre à sa condition féminine. Alors comment a-t-elle pu en même temps apprendre à chasser ? Et pourquoi s'en prendre exclusivement aux carnassiers ? Des carnassiers dangereux. Pourquoi ?

Si elle avait été un homme, elle aurait fait l'envie de tous les chasseurs. Mais Ayla est une femme, pensa-t-il, et elle doit mourir pour avoir désobéi, sous peine de déplaire aux esprits et de provoquer leur colère. Leur déplaire ? Provoquer leur colère ? Il y a longtemps qu'elle chasse, manifestement, et ils n'ont jamais manifesté le moindre signe de mécontentement ou de réprobation, bien au contraire. Ne venons-nous pas de tuer un mammouth sans qu'aucun chasseur n'ait été blessé ? N'avons-nous pas eu jusqu'ici la faveur des esprits ?

Profondément décontenancé, Brun secoua la tête. Les esprits ! Je ne les comprendrai jamais. Ah, si Mog-ur était ici ! Droog prétend qu'Ayla porte chance. Il est vrai que nous n'avons jamais été aussi fortunés que depuis qu'Iza l'a recueillie. Si les esprits la protègent, seront-ils contrariés de la voir mourir ? Mais que faire avec les traditions du Clan ? Elle a beau nous porter chance, elle ne cesse de me poser des problèmes. Il faut que je parle à Mog-ur avant de prendre une décision.

Brun regagna le campement. Après avoir administré un analgésique à l'enfant qui finit par s'assoupir, Ayla entreprit de nettoyer la blessure avec une solution antiseptique et de réduire la fracture. Elle enveloppa son bras d'une écorce de bouleau mouillée qui, en séchant, durcirait et maintiendrait les os dans la bonne position. Elle veillerait toutefois à ce que l'attelle ne serre pas trop et n'entrave pas la circulation du sang. Elle frémit de peur en voyant Brun revenir, mais le chef passa devant elle sans mot dire. Elle comprit alors que son sort ne serait fixé qu'à leur retour à la caverne.

15

Les saisons semblaient se succéder à rebours et passer de l'hiver à l'automne, à mesure que le petit groupe de chasseurs se dirigeait vers le sud. Un ciel noir et l'odeur de la neige avaient précipité leur départ ; ils ne tenaient pas à essuyer le premier blizzard hivernal au nord de la péninsule. A présent, la douceur de la température leur donnait l'étrange impression que le printemps était proche, impression démentie par les tons chatoyants des frondaisons et la couleur dorée des steppes.

Les lourds fardeaux ralentissaient considérablement le voyage du retour ; on était loin du pas allègre de l'aller. Mais ce n'était pas le poids de la viande de mammouth qui oppressait Ayla. Une angoisse insupportable, un sentiment de culpabilité et un grand abattement l'accablaient. Si personne ne mentionnait jamais l'incident, elle faisait l'objet de regards furtifs et on lui adressait rarement la parole. Elle se sentait abandonnée de tous.

A la caverne, chacun guettait le retour de l'expédition et, depuis quelques jours, quelqu'un se postait en permanence sur la crête proche de la grotte d'où la vue s'étendait jusqu'aux steppes. La plupart du temps, l'un des enfants assumait cette tâche.

Un beau matin, de bonne heure, ce fut au tour de Vorn d'assurer la vigie. Il scruta, scrupuleux, le lointain pendant un moment, puis se lassa de son immobilité. Il n'aimait pas trop être seul sans Borg pour compagnon de jeu. S'imaginant à la chasse, il s'amusa à planter dans le sol un petit épieu dont la pointe ne tarda pas à s'émousser, et ce fut par le plus grand des hasards qu'il porta ses regards au pied de la colline, au moment précis où apparaissaient les chasseurs.

— Les défenses ! Les défenses ! s'écria Vorn en se précipitant vers la caverne.

— Les défenses ? s'étonna Aga. Qu'est-ce que tu racontes ?

— Ils arrivent ! insista-t-il, tout excité. Brun, Droog et tous les autres... Je les ai vus, ils portaient des défenses de mammouth !

Tout le monde courut accueillir les chasseurs victorieux, mais loin de jubiler, ils offraient des visages fermés. Brun arborait un air sombre, et un seul regard à Ayla suffit à Iza pour comprendre qu'il était survenu quelque grave incident auquel sa fille était mêlée.

Lorsque la petite troupe s'arrêta un moment pour se décharger des fardeaux sur ceux qui venaient à leur rencontre, Iza apprit ce qui s'était passé, tandis qu'Ayla poursuivait son chemin vers la caverne, la tête baissée, fuyant les regards. Si Iza s'attendait à tout de la part de sa fille adoptive, elle ne l'aurait jamais crue capable de se livrer à semblable transgression et elle frémit à la pensée du châtiment qu'elle encourait.

En arrivant à la caverne, Oga et Ebra amenèrent le petit Brac dans le foyer d'Iza, qui, après avoir ôté l'attelle de bouleau, examina la blessure.

— Il pourra se servir de son bras comme si de rien n'était, déclara-t-elle. Il conservera une cicatrice, mais la plaie est en bonne voie de guérison et la fracture se soude parfaitement. Je vais tout de même lui changer son pansement.

Les deux femmes se sentirent soulagées. Un chasseur avait besoin de ses deux bras, et si Brac en avait perdu un il n'aurait jamais pu devenir chef. Dans l'incapacité physique de chasser, il ne serait jamais devenu un homme, au vrai sens du terme, et aurait fini sa vie au stade intermédiaire où végétaient les jeunes gens qui, bien que physiquement mûrs, n'étaient pas en mesure d'abattre leur première bête.

Brun et Broud se sentirent eux aussi vivement soulagés. Mais Brun accueillit cette nouvelle avec un plaisir mitigé : elle lui rendait la tâche plus difficile encore. Ayla ne s'était pas contentée de sauver la vie de Brac, elle lui avait aussi assuré une existence normale. Mais il fallait prendre une décision différée depuis trop longtemps. Brun fit signe à Mog-ur et les deux hommes s'éloignèrent.

Creb resta consterné au récit de Brun. C'est lui qui avait assumé la lourde responsabilité de l'éducation et de la formation d'Ayla, et il avait lamentablement échoué dans sa tâche. Mais autre chose le troublait davantage. Quand il avait été informé des cadavres d'animaux que découvraient les hommes, il n'y avait pas vu une manifestation des esprits. Il s'était même demandé s'il n'y avait pas derrière cette histoire quelque facétie imaginée par Zoug ou un autre chasseur habile à la fronde, bien que cette supposition lui parût peu sérieuse. A présent qu'il connaissait la vérité, il se rappelait avoir remarqué un profond changement en Ayla, un changement qui aurait dû le mettre en garde. Les femmes n'avaient pas la démarche souple et feutrée du chasseur, elles faisaient au contraire du bruit sitôt qu'elles pénétraient dans un bois, et cela pour de bonnes raisons. Plus d'une fois, Ayla l'avait fait tressaillir en apparaissant à ses côtés, sans qu'il l'eût entendue approcher. D'autres détails lui venaient, qui auraient dû alors lui ouvrir les yeux.

Aveuglé par son affection pour Ayla, il s'était toujours refusé à la croire capable de chasser. Avait-il donc laissé ses sentiments personnels prendre le pas sur les intérêts spirituels du clan ? Méritait-il encore la confiance de son peuple ? Etait-il encore digne d'Ursus ? Pouvait-il décemment continuer d'être le mog-ur de ce clan ?

Pourtant ses regrets à l'égard de ce qu'il aurait dû faire ne lui épargnaient pas ce qu'il lui restait à accomplir à présent. Si la décision finale incombait à Brun, sa fonction exigeait que ce fût lui qui exécutât la sentence ; son devoir l'obligerait à sacrifier l'enfant qu'il adorait.

— Ce n'est qu'une supposition, dit Brun, mais je pense que c'est elle qui tuait les carnassiers aux alentours de la caverne. Il faudra le lui demander. Elle s'est forcément entraînée pour acquérir une telle adresse ; elle est plus adroite que Zoug, Mog-ur, et ce n'est qu'une fille ! Mais comment a-t-elle fait pour apprendre à tirer ? Je ne suis pas le seul à croire qu'il y a quelque chose de masculin en elle. Elle est aussi grande qu'un homme et n'est toujours pas une femme ! Penses-tu qu'elle le devienne jamais ?

— Ayla est une fille, Brun, et comme toutes les filles, elle deviendra femme un jour. Elle est tout simplement une femelle capable de se servir d'une arme, déclara le vieux sorcier.

— Bon, il me reste à savoir depuis combien de temps elle chasse. Nous sommes tous fatigués après ce long voyage. Dis à Ayla que je l'interrogerai demain.

Creb boitilla jusqu'à la caverne et ne s'arrêta devant son foyer que le temps de demander à Iza de transmettre le message de Brun. Puis il se dirigea vers la petite grotte sacrée où il passa toute la nuit.

Les femmes regardèrent en silence les hommes s'enfoncer dans les bois, Ayla sur leurs talons. Animées de sentiments contradictoires, elles ne savaient que penser. Ayla elle-même était profondément troublée. Elle avait toujours su qu'il était mal de chasser. Mais me serais-je abstenue si j'avais connu toute la portée de mon crime ? se demandait-elle. Non, je voulais chasser, et rien au monde ne m'en aurait empêchée. Mais elle n'en était pas moins terrifiée à la pensée de se voir bannie du clan, condamnée à errer dans le monde des esprits, qu'elle craignait autant qu'elle croyait au pouvoir des totems protecteurs.

Rien, pas même l'Esprit du Lion des Cavernes, ne pourrait-il la protéger contre les esprits maléfiques ? Quelle erreur ai-je faite en croyant que mon totem m'envoyait un signe favorable ! Jamais il n'aurait fait cela, sachant que je me condamnais moi-même à la Malédiction Suprême en chassant ! Mon totem protecteur m'a certainement abandonnée dès l'instant où j'ai mis la main sur cette fronde. Elle frémit à ce souvenir.

Arrivés dans une clairière, les hommes s'assirent autour de Brun sur des souches d'arbres, tandis qu'Ayla s'effondrait à ses pieds. Après lui avoir tapé sur l'épaule pour lui faire relever la tête, le chef commença de la questionner.

— Est-ce toi qui tuais les carnassiers que les chasseurs ont découverts ?

— C'est moi, acquiesça-t-elle.

Incapable de mentir, comme tous les autres membres du clan, Ayla, sachant son secret éventé, était prête à faire face à toutes les accusations.

— Comment as-tu appris à te servir d'une fronde ?

— C'est Zoug qui m'a appris, répondit-elle.

— Zoug ! s'exclama Brun, tandis que toutes les têtes se tournaient vers le vieux chasseur.

— Je ne lui ai jamais appris à se servir d'une fronde, se défendit Zoug avec énergie.

— Zoug ne savait pas qu'il était en train de m'apprendre, s'empressa d'ajouter Ayla, volant au secours du vieillard. Je l'observais quand il apprenait à Vorn.

— Depuis quand sais-tu tirer ? poursuivit Brun.

— Voilà deux étés que je chasse, et je me suis entraînée, sans chasser, l'été d'avant.

— Cela correspond bien au moment où Vorn a commencé son apprentissage, commenta Zoug.

— Oui, répondit Ayla, j'ai commencé le même jour que lui.

— Comment peux-tu savoir exactement quand Vorn a commencé ? demanda Brun, surpris de son assurance.

— Parce que je l'ai vu.

— Que racontes-tu là ? Où étais-tu ?

— Dans le pré où vous vous entraînez. Iza m'avait demandé de lui rapporter de l'écorce de merisier et, quand je suis arrivée, vous étiez déjà là, expliqua-t-elle. Iza avait grand besoin de cette écorce, c'est pourquoi j'ai préféré attendre, et j'ai regardé Zoug donner à Vorn sa première leçon.

— Tu as vu Zoug donner sa première leçon à Vorn ? répéta Broud. Es-tu bien sûre que c'était sa première leçon ?

Broud se sentait encore honteux au souvenir de son humiliation.

— Oui, Broud, j'en suis sûre, répondit Ayla.

— Et qu'as-tu vu d'autre ? ajouta-t-il sur un ton inquisiteur, tandis que Brun se rappelait l'incident survenu ce jour-là.

— J'ai vu les autres en train de s'entraîner, eux aussi, répondit Ayla, essayant d'échapper à la question, mais elle croisa le regard sévère de Brun. Et puis j'ai vu Broud faire tomber Zoug et Brun se mettre très en colère contre lui.

— Tu as vu ça ? Tu as assisté à toute la scène ? s'écria Broud, blême de rage et de honte.

De tous les membres du clan, pourquoi fallait-il que ce fût elle, le témoin de la dure réprimande que Brun lui avait adressée ! La façon désastreuse dont il avait manqué tous ses tirs lui revint en mémoire, de même que celle dont il avait raté la hyène, cette hyène qu'elle avait tuée, elle, une femelle.

Toute la reconnaissance qu'il éprouvait envers Ayla pour avoir sauvé le fils de sa compagne s'évanouit d'un seul coup. *Je serai bien content quand elle sera morte. Elle mérite d'être maudite.* Il ne pouvait supporter l'idée qu'elle vive, sachant qu'elle l'avait vu tremblant de peur comme une femme devant Brun.

Brun lut sur le visage du fils de sa compagne les sombres pensées qui l'agitaient. *Dommage,* pensa-t-il, *qu'il en soit ainsi alors qu'il y avait une chance pour que leur animosité cesse.*

— Tu prétends donc, poursuivit-il, avoir commencé à t'entraîner le même jour que Vorn. Raconte-moi comment.

— Après votre départ, j'ai trouvé la fronde que Broud avait jetée. Personne n'avait songé à la ramasser. Alors je me suis demandé si je serais capable de tirer, et j'ai essayé en appliquant les conseils que Zoug avait donnés à Vorn. Au début, j'ai eu beaucoup de mal, et je suis restée à m'entraîner tout l'après-midi, sans voir le temps passer. J'ai réussi à toucher le poteau une fois seulement, et j'ai cru que c'était un hasard. Mais j'ai pensé qu'en persévérant, je pourrais réussir encore, alors j'ai gardé la fronde.

— Et je suppose que c'est grâce à Zoug que tu as pu t'en fabriquer une autre ?

— Oui.

— Et tu t'es entraînée cet été-là ?

— Oui.

— Et ensuite tu as décidé de t'en servir pour chasser, mais pourquoi t'en prendre aux carnassiers ? C'est plus difficile et fort dangereux. Nous avons trouvé des loups et des lynx morts. Tu as donné raison à Zoug qui affirmait qu'on pouvait les tuer à la fronde. Pourquoi les as-tu choisis ?

— Je savais que je ne pourrais jamais rien apporter à la caverne, mais je désirais chasser ou du moins essayer. Comme les carnassiers n'arrêtent pas de nous voler de la viande, j'ai pensé qu'il serait utile de nous en débarrasser. Alors j'ai décidé de les chasser.

Si Brun se sentait satisfait par cette réponse, il ne comprenait toujours pas les motifs qui l'avaient poussée à chasser, à se servir d'une arme, elle, une femme.

— Tu sais que tu aurais pu toucher Brac et non la hyène en tirant d'aussi loin, dit Brun, curieux de connaître sa réaction.

Il s'était lui-même apprêté à lancer ses bolas, malgré le risque de tuer l'enfant avec l'une des grosses pierres. Mais une mort instantanée eût été préférable à celle qui attendait Brac, et au moins auraient-ils pu l'enterrer et permettre à son esprit de rejoindre le monde invisible selon les rites établis.

— Je savais que j'aurais la hyène, répondit calmement Ayla.

— Comment pouvais-tu en être aussi sûre ? La hyène se trouvait hors de portée.

— Pas pour moi, j'ai déjà tué des animaux à cette distance et en règle générale, je ne les ai pas ratés.

— Il me semble avoir vu la marque de deux pierres, ajouta Brun.

— C'est exact, répondit Ayla. J'ai appris à tirer deux pierres à la suite après m'être fait attaquer par un lynx.

— Tu t'es fait attaquer par un lynx ? s'étonna Brun.

— Oui, dit Ayla, et elle raconta l'épisode de son affrontement avec le félin.

— Et à quelle distance tires-tu ? s'enquit Brun. Montre-moi plutôt. Tu as ta fronde ?

Ayla acquiesça et se releva. Tout le monde se dirigea vers un petit ruisseau qui cascadait à l'autre bout de la clairière où la jeune fille choisit soigneusement quelques galets. Les ronds fendaient mieux l'air et donnaient de meilleurs résultats pour les tirs longs.

— Le petit rocher blanc à côté du gros, là-bas, indiqua-t-elle du doigt.

Brun hocha la tête pour donner son accord. La cible se situait près de deux fois plus loin que la portée courante. Ayla prit une profonde inspiration, glissa un caillou dans sa fronde, et tira deux projectiles coup sur coup. Zoug se précipita pour constater le résultat.

— Il y a deux encoches toutes fraîches dans le rocher blanc. Elle l'a bien touché deux fois, annonça-t-il en revenant, non sans une nuance admirative dans ses gestes, et même un soupçon de fierté.

C'était une femme, et elle n'avait pas le droit de toucher à une arme, pensait le vieux chasseur, mais, à en juger par le tir qu'il venait de voir, elle excellait. Et qu'elle eût appris à son insu confirmait en quelque sorte la valeur de son enseignement. Cette technique à deux pierres, se dit-il, voilà une chose que j'aimerais bien essayer. La fierté de Zoug était celle d'un maître envers un élève dont l'excellence rejaillit sur le maître lui-même. Par ailleurs, elle avait prouvé qu'il avait toujours dit vrai en ce qui concernait les possibilités de la fronde. Ayla redonnait à cette arme toute la noblesse qu'elle méritait.

Brun surprit du coin de l'œil un mouvement dans l'herbe au bout de la clairière.

— Ayla ! Le lapin, là-bas ! s'écria-t-il en désignant le petit animal qui fuyait.

Avec une rapidité déconcertante, Ayla repéra le lapin, ajusta son tir, et abattit l'animal. Point n'était besoin d'aller vérifier. Elle est vive, pensa-t-il en regardant la fillette avec admiration. Tout en sachant les convenances bafouées, le chef ne pouvait s'empêcher de songer à la prospérité de son clan et aux multiples bienfaits que lui apporterait la présence d'un chasseur supplémentaire. Non, c'est impensable, conclut-il après réflexion, c'est aller à l'encontre des traditions.

Creb ne voyait pas la démonstration avec les yeux d'un chasseur. Il n'était désormais convaincu que d'une seule chose : Ayla avait chassé.

— Pourquoi as-tu ramassé cette fronde la première fois ? demanda-t-il en la foudroyant du regard.

— Je n'en sais rien, répondit-elle en baissant les yeux, désespérée par la colère sourde du sorcier.

— Non contente de la toucher, tu as chassé avec, tu as tué des animaux avec, tout en sachant que tu n'en avais pas le droit.

— Mon totem m'a envoyé un signe, Creb, ou du moins j'ai cru que c'en était un, répondit Ayla en dénouant son amulette. Voilà ce que j'ai trouvé après avoir décidé de chasser, ajouta-t-elle en tendant le fossile à Mog-ur.

Un signe ? Son totem lui aurait envoyé un signe ? Les hommes tressaillirent. La révélation d'Ayla donnait à la situation une nouvelle dimension. Mais la question demeurait : pourquoi avait-elle décidé de chasser ?

Le sorcier examina la pierre avec intérêt. En effet, il s'agissait d'un caillou très étrange, évoquant par sa forme un coquillage marin, mais de toute évidence il s'agissait bien d'une pierre. Y avait-elle vu un encouragement à utiliser une fronde, l'arme qui lançait des pierres ? Mog-ur ne pouvait répondre à cette question. L'interprétation des signes envoyés par un totem à celui ou celle qu'il protégeait concernait exclusivement la personne et son totem. Mog-ur rendit le fossile à la fillette.

— Creb, ajouta-t-elle pour tenter de le convaincre, j'ai cru que mon totem voulait m'éprouver, et que cette épreuve consistait à endurer les mauvais traitements de Broud. Je me suis dit qu'il me laisserait chasser si je parvenais à les subir sans me plaindre.

Des regards interrogateurs se tournèrent vers le jeune homme qui semblait très mal à l'aise.

— Le jour où le lynx m'a attaquée, poursuivit Ayla, j'ai cru qu'il s'agissait d'une nouvelle épreuve. Après cela, j'ai failli arrêter de chasser pour toujours. Puis, j'ai eu l'idée de m'entraîner avec deux pierres, pour plus de sécurité. J'ai même cru que cette idée venait aussi de mon totem.

— Oui, je vois, répondit le sorcier. Brun, j'aimerais que l'on me laisse un peu de temps pour réfléchir à tout cela.

— Je crois que nous ferions bien d'y réfléchir tous, déclara le chef. Nous nous réunirons demain matin pour en discuter, sans la fille.

— Je ne vois pas la nécessité de réfléchir indéfiniment, rétorqua Broud. Nous savons tous le châtiment qu'elle mérite.

— Ce châtiment pourrait se révéler néfaste pour tout le clan, Broud. Avant de la condamner, je dois m'assurer que nous avons bien considéré tous les aspects du problème. Nous nous retrouverons demain.

Les hommes s'entretinrent entre eux en revenant à la caverne.

— Je n'ai jamais entendu parler d'une femme qui voulait chasser, dit Droog. Est-ce que son totem n'en serait pas la cause ? C'est un totem mâle.

— Je ne me suis pas permis de discuter le jugement de Mog-ur, quand il a annoncé son totem, dit Zoug, mais je me suis dit alors qu'un Lion des Cavernes, tout de même, c'était beaucoup pour une petite fille, même si les cicatrices sur sa cuisse sont sans aucun doute la marque d'un lion. Mais aujourd'hui, après l'avoir vue tirer à la fronde, ça ne m'étonne plus. Mog-ur avait raison... comme toujours.

— Est-ce qu'elle ne serait pas moitié homme, moitié femme ? avança Crug. Il y en a qui le pensent.

— C'est vrai qu'elle ne se comporte pas comme une femme doit le faire, ajouta Dorv.

— Non, c'est bien une femelle, dit Broud. Et la loi veut qu'on la tue. Tout le monde le sait bien.

— Tu as probablement raison, Broud, dit Crug.

— Même si elle était moitié homme, je n'aime pas l'idée d'une femme qui chasse, dit Dorv, l'air buté. Je n'aime pas non plus l'idée qu'elle fasse partie du clan. Elle est trop différente de nous.

— Tu sais que j'ai toujours eu le même sentiment, Dorv, dit Broud. Je ne sais pas pourquoi Brun veut qu'on en discute encore et encore. Si j'étais le chef, nous en aurions déjà fini avec elle.

— Ce n'est pas une décision à prendre à la va-vite, Broud, dit Grod. Pourquoi se presser ? Nous ne sommes pas à un jour près.

Broud accéléra le pas sans même daigner répondre. Ce vieux Grod, toujours à sermonner, toujours de l'avis de Brun, pensait-il, amer. Brun serait-il incapable de prendre une décision ? A quoi sert de réfléchir ? Décidément, je me demande s'il n'est pas devenu trop vieux pour être encore le chef.

En arrivant à la caverne, Ayla se dirigea droit vers le foyer de Creb et s'assit sur sa fourrure, le regard perdu dans le vague. Iza lui proposa de manger un peu, mais elle refusa d'un signe de tête. Uba, qui ne comprenait pas très bien ce qui troublait sa grande amie, qu'elle adorait par-dessus tout, se glissa gentiment sur ses genoux. Ayla serra contre elle la petite fille en la berçant tendrement, jusqu'à ce qu'elle s'endorme. Peu après, Iza coucha Uba et s'allongea à son tour. Mais, le cœur gros en pensant à l'étrangère qu'elle appelait sa fille et qui fixait d'un air absent les dernières braises du foyer, elle ne put trouver le sommeil.

L'aube pointa, claire et froide. Une mince couche de glace recouvrait la petite mare près de la caverne. L'hiver ne tarderait pas à confiner le clan dans la grotte.

A son lever, Iza trouva Ayla toujours assise au même endroit. La fillette était silencieuse, perdue dans son monde, figée dans l'attente de son sort. Pour la deuxième nuit consécutive, Creb n'avait pas regagné le foyer. Il ne quitterait pas son sanctuaire avant le matin. Quand les hommes furent partis, Iza apporta une infusion à Ayla, qui resta muette devant ses questions et refusa de boire. On dirait qu'elle est déjà morte, songea-t-elle, la gorge serrée par le chagrin.

Brun conduisit ses hommes à l'abri d'un gros rocher au pied duquel il fit allumer un feu. Il ne tenait pas à ce que le froid les fît se prononcer trop hâtivement, et il voulait sonder les sentiments et connaître le point de vue de chacun. Lorsqu'il commença, ce fut avec une grande solennité. Il s'adressa d'abord aux esprits puis précisa aux hommes qu'il s'agissait là d'une réunion extraordinaire.

— Une fille de notre clan, Ayla, s'est servie d'une fronde pour tuer la hyène qui emportait Brac. Elle a utilisé cette arme pendant trois ans. C'est une femelle ; et nos lois exigent le châtiment de toute femme ayant touché à une arme. Le châtiment suprême. Quelqu'un a-t-il quelque chose à dire ?

— Droog demande la parole, Brun.

— Droog a mon autorisation.

— Lorsque la guérisseuse a découvert cette fille, nous errions à la recherche d'une nouvelle caverne, car les esprits, mécontents de nous, avaient envoyé un tremblement de terre pour détruire notre ancienne demeure. Mais peut-être, après tout, n'étaient-ils pas si mécontents et voulaient-ils que nous découvrions l'enfant. Elle est aussi étrange et surprenante que les signes de nos totems. Depuis son arrivée parmi nous, la chance nous a toujours souri. Je suis persuadé que son totem nous est favorable. Si elle n'était pas différente de nous, si, par exemple, elle n'aimait pas autant se baigner dans la mer, elle n'aurait jamais pu sauver Ona de la noyade. Et, bien qu'Ona ne soit qu'une fille, je l'aime et je suis heureux qu'elle ne nous ait pas quittés pour le monde des esprits.

» Nous ne savons pas grand-chose des Autres. J'ignore ce qui l'a poussée à chasser, mais si elle n'avait pas su tirer à la fronde, Brac serait mort, lui aussi, et je préfère ne pas songer de quelle horrible façon. Qu'un chasseur tombe sous la griffe et la dent d'un carnassier, c'est dans l'ordre des choses, mais Brac n'est qu'un bébé...

» Sans compter ton affliction, Brun, et la tienne, Broud, le clan entier aurait eu à déplorer sa perte. Certes, nous ne serions pas ici à décider du sort de celle qui lui a sauvé la vie, mais nous aurions perdu un futur chef. Je pense qu'elle mérite une punition, mais comment pourrions-nous la condamner au châtiment suprême ? J'ai dit tout ce que j'avais à dire.

— Zoug demande la parole, Brun.

— Zoug a mon autorisation.

— Je suis d'accord avec tout ce que vient de dire Droog ; comment pouvez-vous condamner la fille qui a sauvé la vie de Brac ? Elle est différente, elle n'est pas née au sein du clan, et elle ne pense pas comme une femme, mais, exception faite de la fronde, elle s'est toujours conduite d'une manière correcte, obéissante, respectueuse...

— C'est faux ! Elle est insolente et rebelle ! l'interrompit Broud.

— C'est moi qui ai la parole, Broud, rétorqua avec colère Zoug, tandis que Brun intimait silence au jeune homme d'un regard courroucé. Il est vrai, poursuivit Zoug, qu'étant plus jeune, elle s'est montrée insolente à ton égard, Broud. Mais tu es entièrement responsable de cet état de fait. Comment voulais-tu qu'elle te traite en adulte ? Toute ton attitude envers elle était puérile. Elle s'est toujours bien comportée envers moi et n'a jamais fait montre d'insolence envers personne d'autre que toi.

Broud fulminait de rage aux saillies du vieux chasseur.

— En dépit de ses torts, poursuivit Zoug, je n'ai jamais vu manier la fronde avec tant d'adresse. Elle prétend tenir son savoir de mes propres enseignements. Je n'en ai jamais eu conscience, mais je dois avouer que j'aurais aimé former un élève aussi brillant, et je reconnais qu'elle pourrait à présent me donner des leçons. Comme il lui était interdit de chasser pour le clan, elle a découvert un autre moyen de contribuer à son bien-être. Elle est peut-être née chez les Autres, mais elle a toujours fait passer les intérêts du clan avant les siens. Elle n'a pas songé au danger en se portant au secours d'Ona, et j'ai vu combien elle était épuisée en regagnant le rivage. La mer aurait très bien pu l'emporter, elle aussi, toute grande nageuse qu'elle est. Elle savait qu'elle n'avait pas le droit de chasser et qu'elle devait protéger son secret aussi longtemps que possible, et pourtant elle s'est précipitée au secours de Brac, sans hésiter un seul instant.

» Elle excelle au tir à la fronde, et il serait regrettable pour tout le monde de laisser perdre une telle habileté. Je dirai en conséquence qu'il faut la laisser chasser...

— Non, non, non et non ! s'écria Broud, furieux. C'est une femelle, et les femelles n'ont pas le droit de chasser...

— Broud, rétorqua placidement le vieux chasseur, je n'ai pas encore terminé. Tu demanderas la parole quand j'aurai fini.

— Laisse parler Zoug, ajouta Brun. Si tu n'es pas capable de respecter les règles dans ce genre de débat, tu peux t'en aller !

Broud se rassit, ravalant de son mieux sa colère.

— La fronde n'est pas une arme très importante. Pour ma part, je n'ai commencé à l'utiliser qu'au moment où l'âge m'a empêché de chasser à la lance. Je disais donc qu'il faut la laisser chasser, mais à la fronde seulement. La fronde deviendra l'arme des vieillards et des femmes, à tout le moins de cette femme-là. J'ai terminé.

— Zoug, tu sais aussi bien que moi qu'il est plus difficile de manier une fronde qu'une lance. Ne sous-estime pas ta propre habileté pour sauver la fille. La chasse à la lance n'exige que de la force, déclara Brun.

— Il faut aussi un cœur solide et de bonnes jambes, sans parler d'une bonne dose de courage, répliqua Zoug.

— Je me demande s'il ne faut pas autrement de courage pour affronter un lynx, seul et muni d'une simple fronde, quand on s'est déjà fait attaquer par un lynx et qu'on s'en est tiré par miracle, intervint Droog. Je m'associe à la proposition de Zoug. Les esprits ne semblent pas s'y opposer et elle nous a encore porté chance lors de la chasse au mammouth.

— Je ne crois pas que nous puissions prendre ce genre de décision, dit Brun. Vous connaissez tous les traditions. Il n'y a aucun moyen de la laisser vivre et moins encore de la laisser chasser. Cela ne s'est jamais vu, et nous ignorons ce que pourrait être la réaction des esprits. Comment peux-tu penser à une chose pareille, Zoug ? Les femmes du Peuple du Clan ne chassent pas.

— Oui, les femmes du Peuple du Clan ne chassent pas, mais elle, oui. Je n'y aurais jamais songé si je ne l'avais vue à l'œuvre. Je propose simplement de la laisser continuer.

— Qu'as-tu à dire, Mog-ur ? demanda Brun au sorcier.

— Que veux-tu qu'il dise, elle vit dans son foyer ! s'exclama amèrement Broud.

— Broud ! se récria Brun. Accuserais-tu Mog-ur de faire passer ses intérêts personnels ou ses propres sentiments avant ceux du clan ? N'est-il pas Mog-ur ? Le grand Mog-ur ? Insinuerais-tu qu'il ne dit pas ce qui est vrai, ce qui est juste ?

— N'insiste pas, Brun. Broud a touché juste, dit Creb. Mes sentiments pour Ayla ne sont un mystère pour personne. N'oubliez pas d'en tenir compte car je ne suis pas certain d'être parvenu à faire abstraction de mon affection pour elle. La nuit dernière, Brun, au cours de ma méditation, j'ai réussi à rappeler à moi des souvenirs que je ne connaissais pas, peut-être parce que je n'avais pas pensé à les chercher.

» Il y a très, très longtemps de cela, bien avant la naissance du Peuple du Clan, les femmes chassaient avec les hommes, poursuivit Mog-ur à la grande stupeur de l'assemblée. C'est rigoureusement vrai. Je vous révélerai ces souvenirs à la prochaine cérémonie. Lorsque notre peuple ne connaissait encore que les premières ébauches de nos outils, les femmes et les hommes tuaient ensemble les animaux indispensables à leur survie. Les hommes n'étaient pas obligés de nourrir les femmes, qui chassaient pour elles et leurs enfants, comme les louves et les ours.

» C'est beaucoup plus tard que les hommes se mirent à chasser pour nourrir leur foyer. Avant, quand la mère mourait à la chasse, son petit mourait de faim. Puis le Peuple du Clan ne s'est constitué et développé réellement qu'au moment où les différents clans ont cessé de se combattre et ont appris à s'entraider et à chasser pour le bien commun. Au début, il y avait encore des femmes pour chasser ; c'étaient ces mêmes femmes qui communiquaient avec les esprits.

» Brun, tu te trompes en prétendant que l'on n'a jamais vu de femme chasser. Les femmes des clans chassaient, et les esprits approuvaient de telles pratiques. Ces esprits-là, fort anciens, étaient différents de ceux de nos totems. Ils étaient puissants. Ils ont depuis longtemps disparu. Je ne sais pas si l'on peut les appeler des esprits du Peuple du Clan, car ils étaient plus craints que vénérés, bien qu'ils ne fussent pas maléfiques, à proprement parler.

Tout le monde resta bouche bée devant de pareilles affirmations. Mog-ur faisait allusion à des temps si reculés que leur simple évocation suffisait à faire frémir son auditoire.

— Je serais fort surpris si aujourd'hui une femme du Peuple du Clan désirait chasser, poursuivit Mog-ur. Je ne suis même pas certain qu'elles en soient capables physiquement. Mais Ayla est différente de nous ; les Autres sont différents. Je crois que si nous lui donnions la permission de chasser, cela n'aurait aucune importance en ce qui concerne les autres femmes du clan. C'est tout ce que j'ai à dire.

— Quelqu'un veut-il ajouter quelque chose ? demanda Brun qui commençait à ne plus savoir que penser devant l'afflux de tant d'idées nouvelles.

— Goov demande la parole, Brun.

— Goov a mon autorisation.

— Je ne suis que le servant de Mog-ur et mon savoir est moins étendu, mais je crois que le sorcier a oublié quelque chose. Dans son désir de reléguer au second plan ses sentiments pour Ayla, il ne s'est pas assez penché sur la personnalité de la fille et a négligé son totem.

» Avez-vous songé aux raisons pour lesquelles un totem masculin aussi puissant choisit une fille ? Hors Ursus, le Lion des Cavernes est le totem le plus puissant. Le lion des cavernes est plus puissant que le mammouth ; le lion des cavernes chasse le mammouth, seulement les jeunes et les vieux, mais il le chasse néanmoins. Pourtant, le lion des cavernes ne chasse pas le mammouth !

— Tu dis n'importe quoi, Goov, dit Brun. Tu prétends d'abord que le lion des cavernes chasse le mammouth et ensuite tu affirmes le contraire !

— Ce n'est pas le lion, c'est la lionne qui le chasse ! C'est elle qui rapporte ses proies au mâle qui, de son côté, se charge de la protéger quand elle chasse.

» Personne n'a-t-il songé que son totem n'est peut-être pas le Lion des Cavernes, mais plutôt la Lionne ? La femelle ? Cela n'explique-t-il pas la raison pour laquelle elle désire tant chasser ? C'est aussi peut-être pourquoi elle est marquée à la cuisse gauche. Je ne sais pas si ce que j'avance est vrai, mais reconnaissez au moins que c'est logique. Que son totem soit le Lion des Cavernes ou la Lionne, il nous faut admettre qu'elle était destinée à chasser. Oserons-nous la condamner pour avoir obéi aux ordres de son totem ? conclut Goov. J'ai terminé.

Brun ne savait plus où il en était. Tournant et retournant les arguments dans sa tête, il ne parvenait pas à prendre son parti. Le chef devait tenir compte de l'avis de tous les chasseurs, mais il aurait préféré se donner le temps de la réflexion avant de prendre une décision. Néanmoins, l'heure n'était plus aux hésitations. Certes Goov avait raison, c'était la lionne qui chassait, mais qui avait jamais entendu parler d'un totem femelle ? Les esprits étaient mâles, non ? Seul un servant de mog-ur, habitué à s'interroger longuement sur les intentions des esprits, pouvait arriver à la conclusion que le totem de la fille qui chassait était l'animal chasseur dans l'espèce qui incarnait son totem. Brun aurait préféré que Goov ne soulève pas le risque qu'il y avait pour le clan à ne pas tenir compte des volontés d'un totem aussi puissant que celui de la fille. Ayla avait-elle chassé uniquement pour obéir à son totem ?

— Quelqu'un d'autre a-t-il quelque chose à ajouter ? demanda-t-il à la ronde.

— Broud demande la parole, Brun.

— Broud a mon autorisation.

— Tout cela est fort intéressant, et nous pourrions en débattre à notre aise durant les longues soirées d'hiver, mais les traditions sont parfaitement claires. Qu'elle soit née chez nous ou chez les Autres, elle fait partie du clan. Les femmes du Peuple du Clan n'ont pas le droit de toucher à une arme ou à un outil destiné à fabriquer une arme, et encore moins de s'en servir et de chasser. Nous savons tous le châtiment encouru : la Malédiction Suprême. Peu importe si les femmes chassaient dans le passé. Ce n'est pas parce que la lionne ou l'ourse chassent que la femme en a le droit. Nous ne sommes ni des ours ni des lions. Peu importe qu'elle possède un totem puissant et qu'elle porte chance au clan. Peu importe son adresse à la fronde et même qu'elle ait sauvé la vie du fils de ma compagne. Je lui en suis, certes, reconnaissant et je ne m'en suis pas caché, mais encore une fois, cela importe peu. Les traditions du clan sont formelles. Toute femme prise à se servir d'une arme doit mourir. Nous n'y pouvons rien changer. C'est ainsi.

» Nous perdons notre temps à tergiverser. Tu n'as pas le choix, Brun. J'ai terminé.

— Broud a raison, dit Dorv. Ce n'est pas à nous de changer les lois du clan. Une exception en entraînera forcément d'autres, et bientôt nous n'aurons plus aucune règle sur laquelle nous fonder. Le châtiment est la mort ; la fille doit mourir.

Deux hochements de tête vinrent saluer la déclaration de Dorv. Brun ne répondit pas tout de suite. Broud a raison, pensait-il. Quelle autre décision pourrais-je prendre ? Elle a sauvé la vie de Brac mais, ce faisant, elle a utilisé une arme. Brun ne se sentait pas plus avancé qu'au premier jour.

— Je tiendrai compte de vos avis respectifs, avant de prendre une décision, déclara-t-il. Mais auparavant, je voudrais connaître votre opinion définitive.

Assis en rond autour du feu, les hommes serrèrent leur poing sur leur poitrine. En le bougeant de haut en bas, ils exigeraient la mort pour Ayla, et un mouvement latéral signifierait la grâce.

— Grod, dit Brun en s'adressant d'abord à son second. Exiges-tu la mort pour Ayla ?

Grod hésitait. Les longues années au cours desquelles il avait appris à connaître Brun lui permettaient de deviner ses pensées et de mesurer toute l'ampleur de son dilemme. Mais cette fois-ci, il ne voyait guère d'autre alternative. Il leva le poing et l'abaissa.

— Quel autre choix y a-t-il, Brun ? ajouta-t-il.

— Grod a dit oui. Droog ? demanda Brun en se tournant vers le tailleur de pierre.

Sans hésiter, Droog bougea son poing de droite à gauche.

— Droog a dit non. Crug, à toi.

Crug regarda tour à tour Brun, puis Mog-ur et enfin Broud. Il leva le poing et le rabaissa.

— Crug dit oui, la fille doit mourir, confirma Brun. Goov ?

Le jeune servant de Mog-ur répondit aussitôt en bougeant son poing latéralement.

— C'est non pour Goov. Broud ?

Broud avait levé son poing avant même d'avoir entendu son nom et Brun n'eut aucun besoin de le regarder pour connaître sa réponse.

— Oui, Zoug ?

Le vieux chasseur, passé maître dans l'art de la fronde, se redressa fièrement et bougea son poing latéralement avec une assurance qui ne laissait planer aucun doute sur ses sentiments.

— Zoug estime qu'elle ne mérite pas la mort, qu'en penses-tu, Dorv ? Le poing du vieil homme se leva et, avant même qu'il fût retombé, tous les regards se tournèrent vers Mog-ur.

— Dorv a dit oui. Mog-ur, quel est ton avis ? demanda Brun, qui, s'il avait pu deviner le verdict de tous les autres, ne savait pas à quoi s'en tenir en ce qui concernait le vieux sorcier.

Creb était au supplice. Il connaissait les traditions du clan. Il s'en voulait d'avoir accordé trop de liberté à Ayla, et se sentait personnellement responsable de son crime. Il se reprochait son amour pour elle, redoutant qu'elle lui fît perdre la raison et oublier ses devoirs envers le clan. Tout le poussait à requérir la peine de mort, mais au moment où il s'apprêtait à lever le poing, celui-ci se déplaça latéralement, comme mû par une volonté propre qui échappait totalement à la sienne. Creb ne pouvait se résoudre à condamner la fillette, tout en sachant qu'il devrait se soumettre à la décision finale, dont le choix incombait à Brun et à lui seul.

— Les choix sont également partagés, annonça le chef. Quoi qu'il en soit, c'est à moi qu'il appartient de décider, mais je tenais à connaître votre opinion à tous. Je vais devoir consacrer quelque temps à peser vos avis respectifs et je vous ferai part de ma décision demain matin.

Après le départ des hommes, Brun resta un long moment seul devant le feu. Des nuages s'amoncelaient dans le ciel, poussés par des vents froids, et crevaient par intermittence en averses glaciales. Indifférent aux intempéries comme au feu moribond, Brun ne regagna la caverne qu'à la tombée de la nuit. Elle s'attend au pire, se dit-il en apercevant Ayla assise à la place où il l'avait vue le matin. A quoi d'autre peut-elle s'attendre ?

16

Le lendemain matin, le clan au grand complet se réunit devant la caverne. Il soufflait de l'est un vent glacial annonciateur des blizzards, mais le ciel était clair et le soleil se levait au-dessus de la crête, baignant les collines d'une lumière dorée. Le visage sombre et fermé, chacun prit place en silence pour apprendre le sort réservé à cette fille dont la présence était devenue familière à tous.

Uba sentait sa mère trembler, et sa main serrait si fort la sienne que la petite en avait mal. Elle se doutait bien que ce n'était pas le vent froid qui faisait ainsi frissonner sa maman. Creb se tenait à l'entrée. Jamais le grand sorcier n'avait arboré un air aussi austère et menaçant. Son visage ravagé avait la dureté du granit, son œil unique était plus opaque qu'une pierre. Sur un signe de Brun il se dirigea d'un pas lent vers son foyer, accablé par le chagrin, et au prix d'un suprême effort il s'approcha d'Ayla, toujours assise sur sa peau de bête.

— Ayla, Ayla, lui dit-il avec douceur, tandis qu'elle levait les yeux vers lui. Il faut que tu viennes, Ayla. Brun est prêt.

Ayla hocha la tête puis se leva avec difficulté, les jambes ankylosées pour être restée si longtemps sans bouger. Hagarde, elle suivit le vieux sorcier, notant les multiples empreintes de pieds au sol de la caverne, les marques du bâton de Creb, la trace d'un talon, d'orteils, jusqu'à ce qu'elle voie devant elle les chausses poussiéreuses de Brun et s'effondre à ses pieds. La tape qu'il lui donna sur l'épaule sembla soudain la réveiller.

Elle leva les yeux vers lui et vit le visage familier, le front fuyant, les larges arcades, le nez busqué, la barbe grisonnante, mais le regard dur, fier et impitoyable du chef avait fait place à une sincère compassion et à une tristesse évidente.

— Ayla, commença-t-il à voix haute en employant les gestes appropriés à des circonstances aussi dramatiques, fille du Peuple du Clan, nous respectons nos traditions depuis des générations, depuis la naissance du clan. Sans être née parmi nous, tu es aujourd'hui des nôtres, soumise à la même loi que nous tous. Quand nous étions dans le nord, à chasser le mammouth, tu as été surprise une fronde à la main et tu as avoué chasser depuis longtemps déjà. Selon nos coutumes, les femmes du clan n'ont pas le droit de se servir d'une arme. Le châtiment qu'elles encourent est également prévu par nos traditions. Rien ne peut les modifier.

Brun se pencha et plongea son regard pénétrant dans les yeux bleus de la jeune fille.

— Je sais pourquoi tu as fait usage de ta fronde, poursuivit Brun. Mais je ne comprends toujours pas ce qui t'a poussée la première fois à t'en servir. Néanmoins, le chef de ce clan t'est reconnaissant d'avoir sauvé le fils de la compagne du fils de ma compagne.

Les membres du clan échangèrent des regards surpris. C'était là un aveu très rare chez un homme, et encore plus de la part d'un chef, que de témoigner sa reconnaissance envers quiconque, et encore moins envers une fille.

— Mais nos traditions sont impitoyables, poursuivit-il en faisant un signe à Creb, qui disparut aussitôt dans la caverne. Je n'ai pas le choix, Ayla. Quand Mog-ur aura fini d'invoquer les esprits occultes, tu mourras. Ayla, fille du Peuple du Clan, tu es maudite !

Ayla blêmit, tandis qu'Iza poussait un cri strident qui se prolongea en une longue plainte déchirante, brutalement interrompue par un geste de Brun.

— Je n'ai pas encore terminé, ajouta-t-il devant un auditoire suspendu à ses lèvres et à ses gestes. Les traditions du Clan sont parfaitement claires et, en tant que chef, je dois les respecter. Mais si une femme doit encourir la Malédiction Suprême pour avoir utilisé une arme, il n'est dit nulle part que son châtiment doive demeurer éternel. Ayla, tu es maudite pour la durée d'une lune entière. Si les esprits te font la grâce de te laisser revenir de l'au-delà quand la lune aura accompli un cycle complet, nous t'accepterons de nouveau parmi nous.

Une émotion intense envahit l'assemblée. Personne ne s'attendait à une telle éventualité.

— C'est juste, approuva Zoug. Rien n'indique que la malédiction doive être éternelle.

— Mais quelle différence cela fait-il ? demanda Droog. Comment peut-on être mort aussi longtemps pour revivre ensuite ? Quelques jours peut-être, mais certainement pas une lune entière.

— Si la malédiction ne durait que quelques jours, il n'est pas sûr qu'elle soit une punition suffisante, dit Goov. Certains mog-ur croient que l'esprit ne pénètre jamais dans le monde invisible si la malédiction est trop courte. L'esprit rôde alors entre les deux mondes, attendant que le temps passe avant de pouvoir revenir à la vie. La sentence de Brun est juste, car la malédiction est assez longue pour qu'elle puisse devenir éternelle. La loi est ainsi respectée.

— Alors pourquoi ne se contente-t-il pas de la maudire une bonne fois pour toutes ! s'exclama Broud, furieux. Les traditions n'ont jamais fait allusion à une malédiction temporaire. La mort doit être le seul châtiment.

— Parce que tu crois qu'elle ne mourra pas, Broud ? Tu t'imagines qu'elle reviendra parmi nous ? demanda Goov.

— Je ne crois rien du tout. Je me demande simplement pourquoi Brun ne l'a pas maudite éternellement. Est-il donc désormais incapable de prendre une simple décision ?

Broud disait tout haut ce que tout le monde pensait en son for intérieur. Brun aurait-il condamné Ayla à une malédiction temporaire s'il ne pensait pas qu'elle avait une chance, fût-elle infime, de revenir d'entre les morts ?

Brun avait débattu toute la nuit de la sentence qu'il devait prononcer. Ayla avait sauvé Brac, et il n'était pas juste qu'elle doive le payer de sa vie. Les traditions exigeaient la mort, mais il existait d'autres lois, des lois qui disaient « une vie contre une vie ». Ayla portait en elle une partie de l'esprit de Brac ; elle méritait, avait droit à une compensation de valeur égale... sa propre vie.

Ce ne fut qu'au point du jour qu'il trouva enfin un compromis. Quelques âmes intrépides étaient revenues après une malédiction temporaire. L'espoir était mince, mais il ne pouvait lui offrir plus.

Soudain, un silence de mort tomba sur le clan. Mog-ur apparut à l'entrée de la caverne, les traits tirés et le visage couleur de cendres. Le sorcier avait accompli son devoir. Ayla était morte.

Iza poussa une longue plainte perçante, tandis qu'Ebra et Oga, puis toutes les autres femmes se portaient auprès d'elle et joignaient leurs cris aux siens. Devant la peine de la femme qu'elle aimait par-dessus tout, Ayla courut vers elle pour la réconforter, mais au moment même où elle s'apprêtait à la prendre dans ses bras, Iza se détourna. Tout se passait comme si elle ne la voyait pas. Ayla ne comprenait pas ce qui lui arrivait. Elle se tourna vers Ebra d'un air interrogatif, mais le regard de la compagne du chef ne la vit pas. Puis elle s'approcha d'Aga et ensuite d'Ovra. Personne ne la voyait plus. Tout le monde cherchait à l'éviter. Désespérée, elle courut alors auprès d'Oga.

— C'est moi, Ayla ! Tu ne me vois donc pas ? Je suis là, devant toi ! s'écria-t-elle.

Le regard d'Oga lui passait au-travers et la jeune femme se détourna sans un geste, sans un signe de reconnaissance, comme si Ayla était invisible.

Elle aperçut alors Creb qui se dirigeait vers Iza.

— Creb ! C'est moi, Ayla ! Je suis là, cria-t-elle en faisant de grands gestes.

Le vieux sorcier passa son chemin, s'écartant juste ce qu'il fallait pour éviter la jeune fille prosternée à ses pieds, comme il l'eût fait pour éviter une pierre.

— Creb ! hurla-t-elle. Pourquoi ne me vois-tu pas ? (Ayla se releva pour s'élancer de nouveau vers Iza.) Iza ! Maman ! Mamaaaaan ! Regarde-moi ! Mais regarde-moi donc, hurla-t-elle avec de grands gestes.

Mais Iza émit de nouveau une longue plainte en se frappant la poitrine.

— Mon enfant, mon Ayla, ma fille est morte. Elle n'est plus. Ma pauvre Ayla. Elle est partie, elle nous a quittés...

En voyant Uba s'accrocher désespérément aux jambes de sa mère, l'air effarouché, Ayla s'agenouilla auprès de la petite fille.

— Tu me vois, toi, Uba ? Je suis là, dit Ayla.

Mais Ebra se précipita aussitôt vers l'enfant et l'emporta dans ses bras.

— Je veux Ayla ! cria la petite fille en se débattant pour descendre.

— Ayla est morte, Uba. Ce n'est plus elle que tu vois, c'est son esprit. Laisse-le trouver son chemin vers l'autre monde. Si tu lui parles ou si tu le regardes, il t'emmènera avec lui. Ne le regarde surtout pas, Uba.

Ayla s'effondra sur le sol. Elle avait imaginé toutes sortes d'horreurs en pensant à la malédiction qui l'attendait, mais la réalité se révélait pire encore. Elle avait cessé d'exister aux yeux du clan. La vraie Ayla ne faisait plus partie de leur monde. Ils ne lui jouaient pas une sinistre comédie destinée à lui faire peur ; elle avait cessé d'exister. Elle n'était plus qu'un esprit qui donnait encore une apparence de vie à son corps, mais la vraie Ayla était morte. La mort pour le Peuple du Clan n'était qu'un changement d'état, un voyage vers une autre dimension. L'essence de la vie ne pouvait être qu'un esprit, une force invisible. Une personne pouvait être vivante et, l'instant d'après, morte sans qu'il y ait une modification notable, apparente. L'esprit d'Ayla ne faisait plus partie de leur monde ; il avait été chassé de leur réalité, et peu leur importait que le corps qui restait fût froid et immobile ou chaud et animé.

Par ailleurs, il leur paraissait évident que ce corps même cesserait bientôt d'exister, quand il saurait que l'esprit qui l'avait animé l'avait déserté pour le monde invisible. Personne ne croyait franchement qu'elle reviendrait jamais, pas même Brun. Son corps, cette enveloppe vide, ne pourrait jamais tenir jusqu'au retour de son esprit. Sans la vie spirituelle, le corps était incapable de manger, de boire, et il se détériorait rapidement. Quand une telle croyance était aussi fermement enracinée dans les mentalités, quand les êtres aimés ne reconnaissaient plus votre existence, il n'y avait plus de raison de manger, de boire ou de vivre.

Mais aussi longtemps que l'esprit restait à proximité de la caverne, animant un corps qui en était désormais détaché, les forces qui dirigeaient cet esprit représentaient un danger pour les membres du clan. On avait déjà vu la compagne ou le compagnon d'une personne condamnée à la Malédiction Suprême succomber à son tour peu de temps après. Aussi tout le monde désirait-il que l'esprit d'Ayla disparaisse au plus vite.

Dans un climat de tension, chacun retourna à ses occupations habituelles. Creb et Iza se dirigèrent vers la caverne, et Ayla les suivit. Personne n'essaya de l'en empêcher et l'on se contenta de tenir Uba à l'écart. Iza fit un ballot de toutes les affaires de la jeune fille, sans oublier sa couverture de fourrure et l'herbe de sa paillasse, qu'elle sortit avec l'aide de Creb de la caverne. Après en avoir fait un gros tas sur un bûcher prêt à être allumé, elle rentra précipitamment tandis que le sorcier y mettait le feu.

Avec un désespoir croissant, Ayla vit Creb nourrir les flammes de tous ses biens. Si son châtiment n'exigeait pas de cérémonie célébrant sa mort, toutes traces de son existence devaient être effacées ; rien de ce qui pouvait l'inciter à revenir ne devait subsister. Elle vit son bâton à fouir jeté au feu, puis son panier, ses vêtements de peau. Lorsque Creb saisit sa fourrure favorite, ses mains tremblèrent légèrement. Il la serra un instant contre son cœur avant de la jeter dans les flammes...

— Creb, je t'aime, s'écria Ayla, en larmes.

Le sorcier ne semblait pas la voir ; il ramassa la petite sacoche de guérisseuse qu'Iza avait confectionnée juste avant la fatale chasse au mammouth, et la jeta dans le bûcher.

— Non, Creb, non ! Pas mon sac de guérisseuse ! gémit Ayla, le cœur brisé.

Mais il était trop tard, le cuir commençait déjà à se roidir sous l'effet de la chaleur.

Incapable d'en supporter davantage, Ayla, aveuglée par les larmes, s'élança dans le sentier, puis s'enfonça dans la forêt en courant éperdument. Elle traversa comme une folle les epais taillis et les branches qui obstruaient le passage, indifférente aux égratignures qui lui striaient les bras et les jambes. Puis elle traversa la rivière glacée, insensible au froid qui lui engourdissait les pieds, et alla s'écrouler dans l'herbe mouillée, souhaitant de tout son cœur que la mort vienne au plus vite mettre un terme à ses souffrances.

La jeune fille risquait fort de voir se réaliser ce souhait. Isolée dans son monde de chagrin et de peur, elle n'avait ni mangé ni bu depuis son retour il y avait plus de deux jours. Elle ne portait aucun vêtement chaud, et ses pieds étaient bleuis de froid. Faible, déshydratée, l'hypothermie et la mort la guettaient. Mais du tréfonds d'elle-même monta le même désir qui l'avait poussée à survivre, quand elle avait erré seule, toute petite alors, après la disparition des siens dans un tremblement de terre. Elle parvint tant bien que mal à se relever, flageolant sur ses jambes, les pieds engourdis par le froid. Elle se laissa conduire par l'habitude et, sans y penser, emprunta le chemin familier qui conduisait à sa prairie. Dégageant l'épais feuillage qui dissimulait aux regards indiscrets l'entrée de la faille dans la paroi rocheuse, elle pénétra dans son antre.

Sa grotte lui parut beaucoup plus exiguë qu'à l'accoutumée. Elle y découvrit la vieille fourrure qu'elle avait apportée un jour et s'en enveloppa pour se réchauffer. Elle y trouva également une peau de bête qu'elle avait bourrée d'herbe pour s'en faire une couche, puis elle chercha son couteau. Elle réussit à le trouver, à demi enfoui dans la terre, et entreprit de se confectionner de nouvelles chausses dans la peau de bête pour remplacer les siennes, qu'elle put ainsi mettre à sécher.

Il faut que je fasse du feu, se dit-elle. Tiens, voilà mon écuelle en écorce de bouleau, elle me sera utile pour aller chercher de l'eau. Ma vieille fronde ! J'avais oublié que je l'avais laissée là. Elle est trop petite pour moi, maintenant, il faudra que je m'en confectionne une nouvelle. Les yeux sur la lanière de cuir craquelé, elle songea soudain à la malédiction qui l'avait frappée. Je suis morte, se dit-elle. Comment puis-je penser à faire du feu et à me confectionner une nouvelle fronde ? J'ai froid, j'ai faim... je ne me sens absolument pas morte ! A quoi ressemble la mort ? Mon esprit se trouve-t-il dans l'autre monde ? Je ne sais même pas à quoi peut ressembler mon esprit. Creb dit qu'on ne les voit jamais, mais qu'on peut s'adresser à eux. Pourquoi Creb ne me voyait-il plus ? Pourquoi personne ne faisait plus attention à moi ? Si je suis morte, pourquoi penser aux frondes et au feu ? Parce que j'ai faim ! Parce que sans fronde je ne pourrai jamais chasser, je ne pourrai jamais manger !

Le cuir de la vieille fourrure étant trop raide pour y tailler une fronde, elle se servit de son vêtement à la peau souple et fine. Il manquait à l'arme le renflement pour y loger les pierres, mais elle jugea qu'elle ferait néanmoins l'affaire.

C'était la première fois qu'elle allait tuer des animaux pour se nourrir. Si le lapin qu'elle visa était rapide, il ne le fut pas assez pour échapper à son tir précis. Elle se rappela avoir aperçu un castor près du ruisseau et l'abattit avant qu'il eût le temps de plonger dans l'eau. Puis elle rapporta son précieux butin à la grotte, ramassant en chemin un nodule de pierre grise qu'elle savait contenir du silex.

Il lui fallut du temps et un effort soutenu pour faire naître en frottant deux morceaux de bois sec l'un contre l'autre une petite étincelle qui bientôt mit le feu aux herbes sèches tirées de sa paillasse, auxquelles elle s'empressa d'ajouter des brindilles, puis des morceaux plus gros provenant de l'étagère sur laquelle elle disposait ses quelques ustensiles.

Il va falloir que je me fabrique un récipient pour faire la cuisine, décida-t-elle en embrochant le lapin après l'avoir dépecé. Il me faudra aussi un bâton à fouir et un panier. Creb a jeté les miens au feu, il a tout brûlé, même mon sac de guérisseuse.

Cette nuit-là, Ayla se félicita d'avoir fait du feu. Elle s'assura qu'il ne s'éteindrait pas avant le matin, s'enveloppa dans sa vieille couverture et s'allongea pour dormir. La fatigue l'emporta bientôt et elle sombra dans un sommeil agité et entrecoupé de cauchemars où elle appelait Iza et aussi une autre femme dans une langue qu'elle avait complètement oubliée.

Les journées d'Ayla étaient bien remplies. Elle se confectionna des récipients étanches pour transporter l'eau et faire la cuisine. Elle travailla la peau des animaux qu'elle tuait, pour s'en faire toutes sortes de vêtements d'hiver, se fabriqua des outils de silex et ramassa de l'herbe pour amollir sa couche.

La flore des hauts pâturages lui fournissait également de quoi manger. Elle fit provision de noisettes mais aussi de mûres et des dernières airelles. Elle cueillit de la vesce, dont les fèves étaient comestibles, ainsi que de petites pommes sauvages, des tubercules, des graminées. Une fois qu'elle eut ainsi ramassé tout ce qu'elle pouvait trouver de nutritif, elle décida qu'il lui fallait une nouvelle peau de bête. La température glaciale faisait déjà sentir sa morsure, et la neige ne semblait pas loin. Après avoir passé en revue tous les animaux dont la fourrure serait inutile, elle fixa son choix sur le daim, qui avait le mérite d'être comestible de surcroît. Une pierre lancée de près avec force abattit la bête qu'elle acheva d'un coup de massue taillée dans une branche noueuse.

La fourrure était douce et épaisse, et le ragoût qu'elle fit s'avéra excellent. Quand par l'odeur alléché un glouton s'approcha de la caverne, Ayla l'abattit d'une seule pierre et se rappela le premier qu'elle avait tué parce qu'il volait le clan... Voilà qui me fera un bonnet, décida-t-elle en traînant la dépouille dans la grotte.

Elle fit sécher le reste de la viande à la fumée de petits feux qu'elle alluma tout autour de l'entrée, afin d'éloigner les charognards, et entreposa ensuite la viande séchée dans un trou au fond du son antre, qu'elle recouvrit de grosses pierres. Elle fit une outre de l'estomac du daim, récupéra les tendons pour en faire des cordelettes et acheva d'assouplir la peau et de la tailler pour qu'elle la couvre du mieux possible.

Par une nuit où de lourds nuages cachaient la lune à ses regards, Ayla commença à se préoccuper de l'écoulement du temps. Elle se rappelait parfaitement ce que lui avait dit Brun. « Si les esprits te font grâce de te laisser revenir de l'au-delà, quand la lune aura accompli un cycle complet, nous t'accepterons de nouveau parmi nous. » Elle ne savait pas si elle se trouvait réellement dans l'au-delà, mais elle tenait absolument à retrouver le clan, et elle se raccrocha désespérément à la promesse de Brun.

Elle se souvint alors de la fois où elle s'était amusée à compter les jours que mettait la lune à parcourir sa révolution, mais sans parvenir à se rappeler le nombre exact. Elle se souvenait en revanche de la réprimande que lui avait adressée Creb, quand il avait découvert son petit jeu. Il lui fallut toute la journée pour que la manière de calculer lui revînt en mémoire et elle décida de faire tous les soirs une entaille dans un bout de bois. En dépit de tous ses efforts, elle ne pouvait s'empêcher de fondre en larmes chaque fois qu'elle ajoutait une encoche.

De fait, Ayla pleurait souvent. Un rien faisait affluer des milliers de souvenirs douloureux. Ainsi, le passage d'un lapin lui rappelait ses longues promenades avec Creb, une plante qu'elle avait cueillie avec Iza la faisait éclater en sanglots et le simple souvenir de son petit sac de guérisseuse jeté au feu avait le don de la faire redoubler de pleurs. Mais c'était la nuit qu'elle avait le plus grand mal à supporter. Seule dans la grotte, assise devant le feu dont les flammes projetaient des ombres dansantes sur les parois, elle pleurait l'absence des êtres qu'elle chérissait, et tout particulièrement celle d'Uba. Souvent elle étreignait sa fourrure contre sa poitrine et se balançait doucement en chantonnant tout bas, comme elle l'avait tant de fois fait avec l'enfant.

La première neige tomba durant la nuit. Ayla eut un cri de ravissement en sortant au matin de la grotte. Une blancheur cristalline adoucissait le relief, coiffant rochers et buissons de calottes blanches, chargeant les branches et les rameaux des sapins, dont les cimes blanchies se découpaient contre un ciel bleu éclatant. Elle s'était mise à suivre les traces d'un petit animal mais, mue par une impulsion soudaine, elle prit la direction de la crête dominant la prairie.

De là-haut elle avait vue sur toute la chaîne de montagnes étincelantes sous les premiers rayons du soleil. Au loin la mer d'un bleu vert moutonnait sous la brise. Les collines environnantes étaient enneigées, les steppes brunes et nues. Ayla aperçut de minuscules silhouettes en dessous d'elle. Il avait neigé devant la caverne. L'une de ces silhouettes semblait claudiquer en se déplaçant lentement. Soudain la magie déserta le paysage, et Ayla s'empressa de redescendre.

La deuxième chute de neige n'eut rien de ravissant. La température chuta brusquement. Pendant quatre jours, la tempête souffla, accumulant la neige devant la petite grotte dont l'entrée fut rapidement obstruée. En grattant avec ses mains, Ayla parvint à se frayer un passage pour aller chercher du bois. Si elle avait fait d'amples provisions de viande, elle s'était montrée moins prévoyante en ce qui concernait l'alimentation de son feu, et si la neige continuait à tomber au même rythme, elle n'était pas sûre de pouvoir dans quelque temps sortir de son abri.

Pour la première fois depuis le début de son isolement forcé, Ayla craignit pour sa vie. Si jamais elle se trouvait prisonnière, elle ne pourrait pas tenir longtemps. En rentrant dans la grotte, Ayla se promit de retourner chercher du bois dès le lendemain matin.

Le jour suivant, l'entrée était complètement obstruée après une nuit où le blizzard n'avait cessé de souffler avec violence. Terrorisée, elle se sentit prise au piège. Afin de savoir sous quelle épaisseur de neige elle se trouvait prisonnière, elle enfonça une longue branche dans le mur blanc et réussit à ménager une petite ouverture. La neige tombait toujours. Elle laissa la branche dans le trou, afin qu'il entre de l'air dans la faille et s'installa auprès du feu, mais elle ne fut pas longue à s'apercevoir qu'elle n'avait pas besoin d'entretenir son foyer pour avoir chaud, car la neige, enfermant de minuscules poches d'air, isolait parfaitement la grotte où régnait une douce chaleur. Mais comme il lui fallait de l'eau, elle attisa néanmoins le feu pour faire fondre la neige.

Seule dans son antre éclairé par les maigres flammes, Ayla ne pouvait distinguer le jour de la nuit qu'à la faible lueur qui filtrait quand elle retirait la branche de son trou. Et, chaque fois que la lumière déclinait, elle prenait grand soin de tailler une nouvelle encoche dans le morceau de bois.

Réduite à une inaction totale, Ayla se perdait dans ses pensées, contemplant le feu d'un regard fixe. Les flammes dansaient, vivantes, et elle les regardait dévorer lentement une bûche, jusqu'à ce que celle-ci ne soit plus qu'un tas de cendres. Est-ce qu'il existe un esprit du feu ? se demandait-elle. Et où peut bien aller l'esprit du feu quand il meurt ? Creb dit qu'à la mort de quelqu'un, son esprit part dans l'autre monde. Serais-je dans cet autre monde ? Il ne m'a pas l'air différent de celui que je suis censée avoir quitté. L'unique différence, c'est que j'y suis terriblement seule. Après tout, peut-être que mon esprit est parti ailleurs ? Comment le saurais-je ? Mon esprit est avec Creb, Iza, Uba. J'ai été maudite, mais suis-je morte ?

Les jours se suivaient et se ressemblaient tous. Un soir, après avoir nourri son feu exigeant, Ayla décida de compter les entailles. Elle commença par placer tous ses doigts de la main droite sur chacune des encoches, puis ceux de la main gauche, à nouveau ceux de la main droite et ainsi de suite jusqu'à ce qu'elle les eût toutes recouvertes. C'est hier que mon châtiment a pris fin, constata-t-elle. Demain, je pourrai rentrer à la caverne, mais comment faire avec toute cette neige ?

Quand elle se réveilla le lendemain, elle se précipita pour vérifier le temps qu'il faisait dehors. Mais le blizzard soufflait toujours. Désespérée de ne pouvoir sortir, elle se laissa aller à de sombres pensées. Elle se demanda si Brun n'avait pas entre-temps aggravé sa peine, et ne l'avait pas condamnée à une malédiction éternelle. Se pourrait-il que je ne puisse pas revenir, même si la tempête s'arrêtait ? C'est alors que j'en mourrais pour de bon. Non, je ne pourrai jamais tenir plus d'une lune ici. Elle s'interrogea sur la sentence de Brun. Pourquoi l'avoir maudite pour la durée d'une lune seulement ? Pourquoi cette condamnation temporaire, peu courante dans le Peuple du Clan ? Je ne m'y attendais pas. Mais aurais-je pu revenir si c'était mon corps, et non mon totem, qui avait disparu dans le monde invisible ? De toute façon, rien ne me dit que mon esprit m'ait quittée. Mon totem m'a tout de même bien protégée jusqu'à maintenant. Ce que je sais, c'est que je n'aurais jamais eu une seule chance de m'en sortir sans cette malédiction temporaire.

Ayla comprit soudain que le désir de Brun avait été de lui donner une chance. Il m'est reconnaissant d'avoir sauvé la vie de Brac. Il devait me maudire, car c'est la loi du clan, mais il a tenu à me laisser une possibilité de revenir parmi eux. Aurais-je lutté comme je l'ai fait, si je n'avais eu cet espoir de retour ? Non, il est probable que je n'aurais pas chassé à la fronde pour manger, que je n'aurais eu ni faim ni soif ni envie de faire un pas de plus. C'est pour cela, pour cette chance de retrouver ceux que j'aime, que j'ai eu envie de vivre. Et puis, je suis sûre que mon totem aussi était là pour m'aider.

Le lendemain, Ayla mit un grand moment à se convaincre qu'elle était bien éveillée. Elle chercha à tâtons la longue branche qui traversait la paroi glacée obstruant la grotte et poussa frénétiquement jusqu'au moment où des paquets de neige se détachèrent, laissant apparaître un lambeau de ciel bleu.

Une bouffée d'air frais lui fouetta le visage. Ça y est ! s'exclama-t-elle. Il ne neige plus ! Je peux retourner à la caverne ! La fillette entreprit d'élargir l'ouverture avec son bâton et fit tomber de grands blocs de neige compacte. Une fois l'entrée dégagée, elle se força à se calmer et à penser sérieusement à son départ. Tout en grignotant un morceau de viande fumée, elle passa en revue ce qu'elle désirait emporter. En réfléchissant, elle se mit à enfiler tous les vêtements qu'elle s'était confectionnés. Elle s'entortilla les jambes de fourrure de lapin, glissa à ses pieds les deux paires de chausses, jeta en travers de ses épaules une autre peau de lapin, et enfin s'emmitoufla dans sa fourrure de daim, dans les replis de laquelle elle serra ses outils. Après avoir mis son capuchon et ses moufles, elle entreprit de sortir de sa prison, non sans avoir jeté un dernier regard derrière elle.

Elle s'extirpa de la grotte par l'ouverture qu'elle avait pratiquée dans le mur de neige, mais la hauteur de ce dernier était encore telle qu'elle dut le franchir en se hissant aux branches du bouquet de noisetiers. Sa prairie était méconnaissable. L'épaisse couche de neige avait enseveli tous les repères. Dès qu'elle voulut avancer, Ayla s'enfonça profondément dans la neige, mais pas autant qu'elle le craignait, car ses larges chausses offraient une grande surface portante. La progression n'en était pas moins lente et difficile. Marchant à petits pas, elle réussit à se frayer un chemin vers ce qui avait été l'impétueux ruisseau. Elle s'y arrêta pour décider de la route à suivre : longerait-elle le cours d'eau gelé jusqu'à la rivière pour gagner la caverne en faisant un grand détour, ou emprunterait-elle le chemin le plus direct ? Impatiente d'arriver, elle opta pour le plus court, sans imaginer à quel point cet itinéraire pouvait être dangereux.

Quand le soleil parvint au zénith, elle avait à peine parcouru la moitié du chemin. Malgré la chaleur de ses rayons, il faisait un froid vif et Ayla commençait à se sentir fatiguée. En descendant une pente raide et verglacée, son pied glissa sur des éboulis. Dans leur chute, ceux-ci ébranlèrent des roches, entraînant avec elles une coulée de neige qui renversa la jeune fille et la précipita au bas de la pente dans un grondement formidable d'avalanche.

Creb était réveillé quand Iza s'approcha sans bruit, un bol d'infusion brûlante à la main.

— Je savais que tu ne dormais pas, Creb, et j'ai pensé que tu aimerais boire quelque chose de chaud avant de te lever. La neige s'est arrêtée de tomber cette nuit.

— Oui, je sais, j'ai vu le ciel bleu ce matin à l'entrée de la caverne.

Ils s'assirent tous deux pour boire leur infusion matinale, comme ils le faisaient souvent depuis la disparition d'Ayla, cherchant dans cette intimité un réconfort susceptible de remplir le vide créé par son absence. Uba n'avait plus goût à rien, personne n'avait su la convaincre de la mort de son amie et elle ne cessait de la réclamer. Elle rendait la vie difficile à Iza, qu'une toux persistante torturait de nouveau, l'empêchant de trouver le sommeil.

Creb avait terriblement vieilli. Pas une seule fois il n'était retourné dans la grotte sacrée, depuis le jour fatal où il s'était adressé aux esprits. Il avait alors disposé les os blanchis de l'ours des cavernes en deux rangées parallèles, l'une d'elles passant sur le crâne de l'animal. Il n'osait revoir la disposition des ossements et ne cherchait même plus à communiquer avec les esprits protecteurs. Il avait songé à se retirer de ses fonctions de mog-ur pour les confier à Goov, et Brun l'avait exhorté à n'en rien faire, quand Creb l'avait informé de son projet.

— Pourquoi ferais-tu cela, Mog-ur ? lui avait demandé le chef.

— Que peut faire un homme quand il devient trop vieux pour rester assis de longs jours dans la grotte sacrée ? Il y fait froid et mes rhumatismes me font de plus en plus souffrir.

— N'entreprends rien à la hâte, Creb, avait répondu Brun avec douceur. Réfléchis encore.

Creb avait réfléchi et pris la décision de nommer Goov à sa place en ce deuxième jour suivant la dernière lune.

— Je pense que je vais laisser Goov me remplacer, Iza, annonça-t-il à la femme assise à ses côtés.

— La décision n'appartient qu'à toi seul, Creb, dit Iza, sans chercher à le dissuader. (Elle savait qu'il n'avait plus le cœur à rien, depuis qu'il avait accompli la malédiction sur Ayla.) Le délai est dépassé, n'est-ce pas, Creb ? demanda la guérisseuse.

— Oui, il est dépassé, Iza.

— Mais comment pourrait-elle le savoir ? Comment aurait-elle pu voir la lune dans cette tempête ?

Creb se souvint du jour où il lui avait appris à compter les années, où il l'avait surprise à calculer toute seule les jours du cycle lunaire.

— Si elle est toujours en vie, elle le saura, Iza.

— Mais songe à la tempête, personne ne pourrait en réchapper.

— N'y pense plus, Ayla est morte.

— Je le sais bien, Creb, répondit Iza avec des gestes accablés.

Le chagrin de sa sœur poussa Creb à lui offrir le réconfort qu'il pouvait.

— Je ne devrais pas dire cela, Iza, mais à présent que son esprit a quitté ce monde et, avec lui, les esprits maléfiques, il n'y a plus de danger. Son esprit m'a parlé avant de partir. Il m'a dit qu'il m'aimait, et ses gestes étaient si réels que j'ai failli m'y laisser prendre. Mais un esprit qui a été maudit est très dangereux. Il essaie toujours de te tromper, pour pouvoir t'emmener avec lui. Je regrette presque de ne pas avoir suivi l'esprit d'Ayla.

— Je sais, Creb. Quand son esprit m'a appelée maman, je....

Bouleversée, Iza ne put poursuivre.

— Son esprit m'a supplié de ne pas brûler le sac de guérisseuse, Iza. L'eau lui est venue aux yeux, comme quand elle était vivante. Et là, j'avoue que si je n'avais pas déjà jeté le sac dans le feu, je le lui aurais donné. Cela a été sa dernière tentative pour nous égarer. Et puis il est parti.

Creb se leva, s'enveloppa dans sa fourrure et prit son bâton. Etonnée qu'il désire sortir, Iza le regarda se diriger vers l'entrée de la caverne où il resta, les yeux rivés sur l'étendue de neige étincelante. Il ne revint qu'au moment où Iza envoya Uba lui dire de venir manger. Il regagna aussitôt après son poste d'observateur, et Iza le rejoignit bientôt.

— Il fait froid, Creb. Tu ne devrais pas rester ainsi exposé au vent, lui signifia-t-elle.

— Voilà des jours que le ciel n'a pas été aussi limpide. C'est un soulagement que de revoir le paysage après toutes ces journées de blizzard.

— Oui, mais viens quand même te réchauffer un moment auprès du feu.

Creb fit plusieurs allers et retours entre son foyer et l'entrée de la caverne. Vers le soir, après dîner, il s'adressa à Iza.

— Je vais voir Brun à son foyer pour lui annoncer que Goov sera désormais notre mog-ur, déclara-t-il.

— Oui, Creb, dit-elle, la tête baissée.

Elle aussi n'avait plus aucun espoir.

Creb se levait de sa fourrure quand un cri perçant éclata au foyer de Brun. Iza leva la tête. Une étrange apparition se tenait dans l'entrée de la caverne, silhouette blanche de neige, qui battait la semelle pour se réchauffer.

— Creb, qu'est-ce que... ? demanda Iza, affolée.

Creb fixait d'un regard perçant l'apparition. Etait-ce l'incarnation de quelque mauvais esprit ? Soudain il ouvrit de grands yeux où dansait une lueur de joie.

— C'est Ayla ! cria-t-il.

Et il se porta vers elle aussi vite que son handicap le lui permettait.

Oubliant de prendre son bâton, oubliant sa dignité de mog-ur, oubliant la coutume réservant les manifestations affectives au foyer seul, il jeta son bras valide autour de la fillette et la serra contre sa poitrine.

17

— Ayla ? Es-tu bien sûr qu'il s'agisse d'Ayla et non pas de son esprit ? demanda Iza au vieil homme qui amenait Ayla à leur foyer.

Iza avait peur, peur que ce ne soit un mirage.

— C'est bien elle, répondit Creb. Elle a réussi à vaincre les esprits maléfiques et à revenir parmi nous.

— Ayla ! s'écria Iza en ouvrant les bras à sa fille qui pleurait de joie, tandis que la petite Uba, elle aussi, s'agrippait à elle.

— Ayla ! Ayla revenue ! Uba savoir Ayla pas morte ! déclara la petite avec l'autorité de quelqu'un convaincu d'avoir eu raison depuis toujours.

Ayla la prit dans ses bras et la serra à lui couper le souffle.

— Toi, mouillée ! lui signifia l'enfant en se dégageant de son étreinte.

— Ayla, change de vêtements, tu vas prendre froid, recommanda Iza, profitant de ce prétexte pour cacher son émotion.

Elle s'affaira à lui chercher une fourrure sèche et à mettre du bois dans le feu.

— Tu as raison, maman, je risque d'attraper froid, dit Ayla.

Elle entreprit de se défaire du tas de peaux dont elle s'était couverte, et enfila avec plaisir la fourrure chaude que lui tendait Iza.

— Je meurs de faim, je n'ai rien mangé de la journée, dit Ayla. J'aurais dû arriver plus tôt mais j'ai été emportée par une avalanche. Heureusement, elle ne m'a pas ensevelie trop profond. N'empêche qu'il m'a fallu longtemps pour me dégager.

La stupéfaction d'Iza ne dura qu'un moment. Ayla aurait pu lui dire aussi bien qu'elle avait traversé une rivière de flammes, elle l'aurait crue. Son retour était une preuve amplement convaincante de son invincibilité. Comme elle ramassait les fourrures mouillées de la fillette, la guérisseuse remarqua la peau de daim.

— Comment t'es-tu procuré cette peau, Ayla ? s'enquit-elle.

— Mais c'est moi qui l'ai faite.

— Mais... mais elle vient de... ce monde, le nôtre ? demanda Iza avec inquiétude.

— Tout à fait de ce monde, répondit Ayla en souriant. As-tu oublié que je savais chasser ?

— Ne dis pas ça, Ayla. (Iza vint se placer devant Ayla de façon à ce qu'on ne puisse comprendre sa question.) Tu n'as pas ta fronde avec toi, hein, dis-moi ?

— Non, je l'ai laissée derrière moi. Mais ça ne change pas grand-chose. Tout le monde le sait, maintenant, Iza. Il fallait bien que je me fabrique certaines choses après que Creb eut brûlé tout mon bien. Et la seule façon d'avoir une peau, c'est de la prendre à une bête. Les fourrures ne poussent pas sur les arbres.

Creb, pour sa part, la regardait en silence, sans croire encore tout à fait à la réalité de ce qu'il voyait. Certes, il avait entendu raconter que les morts pouvaient revenir après leur malédiction, mais il ne l'avait jamais constaté par lui-même. Il la trouvait changée, plus mûre, plus confiante en elle. Comment en aurait-il été autrement après l'épreuve dont elle venait de triompher ? A quoi peut bien ressembler le monde des esprits ?

Les esprits, songea-t-il soudain. Je dois rompre le maléfice en changeant l'ordonnance des ossements dans la grotte sacrée.

Il se rua vers le sanctuaire pour apporter les modifications nécessaires et, brandissant la torche qui brûlait à l'entrée de l'étroit passage, il pénétra dans la grotte et s'arrêta net. Le crâne de l'ours avait été déplacé, et les os blanchis dérangés.

De petits rongeurs nichaient dans la caverne, attirés par les restes de repas et la chaleur. L'un d'eux était sans doute responsable du déplacement des os. Creb n'en frissonna pas moins. Il fit un signe de protection et, ramassant les os, il alla les remettre sur la pile d'ossements dans un coin de la grotte. Quand il ressortit, Brun l'attendait au-dehors.

— Brun ! s'exclama le sorcier. Tu sais que personne ne s'est introduit dans le sanctuaire depuis la malédiction d'Ayla ? Eh bien, les ossements ont été déplacés !

— Que s'est-il donc passé ? demanda Brun, inquiet.

— Je pense que c'est son totem. La lune est passée, et il voulait nous signifier qu'elle pouvait revenir parmi nous.

— Tu dois avoir raison, répondit Brun, l'air hésitant, comme s'il désirait poursuivre la conversation.

— Tu désires me parler, Brun ?

— Je voudrais te parler en privé. (Il hésita de nouveau.) Pardonne mon intrusion. J'ai regardé dans ton foyer. Le retour de la fille est une surprise.

Tous les membres du clan n'avaient pu s'empêcher malgré la coutume de regarder ce qui se passait dans le foyer de Creb. Personne n'avait encore jamais vu quelqu'un revenir d'entre les morts.

— C'est compréhensible, vu les circonstances, et il ne faut pas en tenir compte, répondit Mog-ur.

Il s'apprêtait à regagner son foyer quand Brun le retint de la main.

— Ce n'est pas pour ça que je voulais te voir, dit-il, mais pour te parler des cérémonies. Enfin... d'une cérémonie pour son retour...

— Ce ne sera pas nécessaire, dit Mog-ur. Les esprits maléfiques se sont éloignés. Il n'y a plus de danger.

— Je ne pensais pas à ce genre de cérémonie.

— Que veux-tu dire alors ?

Brun parut incertain un instant, puis il choisit d'aborder le sujet par un autre biais.

— Je regardais Ayla tout à l'heure quand elle te parlait à toi et à Iza. As-tu remarqué un changement chez elle ?

— Quel genre de changement ? répondit Mog-ur, qui ne voyait pas du tout où Brun voulait en venir.

— Nous savons tous qu'elle possède un totem très puissant qui, non seulement la protège, mais lui porte chance. Droog l'a toujours pensé, et je crois qu'il a raison. Elle ne serait jamais revenue sans cela, et je pense qu'elle le sait aujourd'hui. Voilà ce qu'il y a de différent en elle.

— Oui, je m'en suis aperçu, mais je ne vois pas le rapport avec les cérémonies ?

— Tu te souviens de la fois où nous nous sommes réunis pour que chacun exprime ce qu'il pensait d'elle et du fait qu'elle avait osé chasser ? J'ai souvent repensé à cette réunion depuis qu'elle est partie. Je ne pensais pas qu'elle reviendrait jamais, mais je me disais que, si elle retrouvait le chemin de la caverne, nous devrions faire quelque chose.

— Que faudrait-il faire ? Nous n'avons rien à faire ! Elle est de retour, et il n'y a rien de changé. C'est toujours une fille, Brun.

— Et si je désirais changer quelque chose, moi, y a-t-il une cérémonie pour cela ?

— Mais une cérémonie pour quoi faire ? insista Mog-ur qui ne comprenait toujours pas. Tu n'as pas besoin de cérémonie pour modifier ton comportement envers elle. De quels changements veux-tu parler ? Je ne peux pas te répondre si tu n'en dis pas davantage !

— Voilà, je voudrais que tous les totems de notre clan soient heureux, Mog-ur, et que tu organises une cérémonie, mais je ne sais pas si une telle cérémonie existe.

— Je n'y comprends absolument rien ! s'exclama Mog-ur, exaspéré par les propos sybillins de Brun.

Brun baissa les yeux, découragé. Tout ce qu'il avait échafaudé pendant l'absence d'Ayla s'écroulait lamentablement, faute de pouvoir l'exprimer clairement.

— Moi-même, je ne comprends pas très bien, alors comment pourrais-je t'en parler ? Et qui aurait cru qu'elle allait revenir ? Je ne comprendrai jamais rien aux esprits, mais c'est pour ça que tu es là ! Tu ne m'aides pas beaucoup d'ailleurs. De toute façon, toute cette histoire est ridicule, et je ferais mieux d'y repenser sérieusement.

Brun tourna les talons, laissant le vieux sorcier dans la confusion la plus complète.

— Dis à la fille que je désire la voir, ajouta-t-il en se retournant une dernière fois avant de regagner son foyer.

Creb rentra chez lui perplexe.

— Brun veut voir Ayla, annonça-t-il en arrivant.

— Il veut la voir tout de suite ? demanda Iza en poussant un plat de viande vers la jeune fille. Il voudra bien attendre qu'elle ait fini de manger, n'est-ce pas ?

— Ça y est, j'ai fini. Je ne pourrais rien avaler de plus. J'y vais.

Ayla se présenta au foyer du chef aux pieds duquel elle s'assit, les yeux baissés. Il portait les mêmes chausses que le jour de la malédiction mais cette fois-ci, elle ne ressentit aucune crainte. Loin d'avoir peur du chef du clan, elle le respectait davantage. Elle attendit très longtemps qu'une tape sur l'épaule lui fît relever la tête.

— Je vois que tu es de retour, Ayla, commença-t-il maladroitement, sans savoir qu'ajouter.

— Oui, Brun.

— Je suis surpris de te voir. Je ne m'y attendais pas du tout.

— La fille qui se tient devant toi ne s'y attendait pas non plus.

Brun était complètement dérouté. Il désirait lui parler mais ne trouvait rien à lui dire et ne savait pas non plus comment mettre un terme à l'entretien. Ayla attendit un instant, puis lui demanda la parole.

— La fille qui est devant toi aimerait parler, Brun.

— Je te donne mon autorisation.

— La fille qui se tient devant toi, Brun, est heureuse d'être revenue. J'ai eu peur plus d'une fois et plus d'une fois j'ai cru ne jamais pouvoir rentrer à la caverne.

Brun émit un grognement. Il ne doutait pas qu'elle dise la vérité.

— Ce fut dur au début, poursuivit-elle, mais je pense que mon totem m'a protégée. J'étais trop occupée pour réfléchir, mais quand je me suis retrouvée bloquée, j'ai eu tout le temps alors de le faire.

Occupée ? Bloquée ? Que se passe-t-il donc dans le monde des esprits ? se demanda Brun qui faillit lui poser la question, mais préféra ne pas trop en apprendre.

— Brun !… poursuivit Ayla en hésitant légèrement.

Elle voulait lui exprimer sa gratitude pour lui avoir laissé une chance. Elle voulait lui dire qu'elle avait compris son dilemme, que sa sentence avait été juste et la plus humaine possible, mais cela n'était pas facile à dire.

— Brun, reprit-elle, la fille qui se tient devant toi t'est reconnaissante. Tu m'as dit un jour que tu m'étais reconnaissant d'avoir sauvé la vie de Brac… Aujourd'hui, c'est moi qui le suis envers toi, pour avoir sauvé la mienne.

Cette déclaration était bien la dernière à laquelle Brun s'attendait de la part d'une fille qu'il avait maudite. Il est vrai qu'elle ne prétend pas m'être reconnaissante pour avoir ordonné son châtiment, pensa-t-il. A-t-elle donc compris que je lui ai donné sa chance, la seule et unique chance que je pouvais lui accorder ? Cette étrange fille serait-elle capable de comprendre plus de choses que les chasseurs, et peut-être même que Mog-ur ? A n'en pas douter, décida-t-il. Et, pour la première fois, il regretta l'espace d'un instant qu'elle ne fût pas un garçon. Jamais une femme ne lui avait inspiré pareil sentiment. Il n'avait plus besoin de réfléchir à ce qu'il voulait demander à Mog-ur. Il le savait clairement à présent.

— Je ne sais pas ce qu'ils complotent, et je ne pense pas que les chasseurs eux-mêmes le sachent, disait Ebra. Tout ce que je sais, c'est que je n'ai jamais vu Brun aussi agité.

Les femmes étaient ensemble, s'occupant de préparer le festin que Brun leur avait demandé, un festin dont l'objet était un mystère pour tout le monde.

— Mog-ur a passé toute la journée et une partie de la nuit dans la grotte sacrée. Une cérémonie se prépare, c'est sûr. Quand Ayla n'était plus là, il n'y a jamais mis les pieds, et maintenant c'est tout juste s'il en sort de temps en temps, raconta Iza. Il a la tête tellement ailleurs qu'il en oublie de manger. Et quand ça lui arrive de le faire, il ne sait pas ce qu'il mange.

— Mais si c'est pour une cérémonie, pourquoi Brun a-t-il passé la moitié de la journée à dégager tout un espace au fond de la grotte ? demanda Ebra avec des gestes vifs. Quand je lui ai proposé de le faire à sa place, il m'a chassée. Ils ont déjà un lieu pour les cérémonies ; pourquoi travaillerait-il comme une femme là-bas derrière ?

— Ce ne peut être qu'une cérémonie, affirma Iza. Brun et Mog-ur projettent quelque chose, mais ils en font tout un mystère. J'ai vu Mog-ur transporter je ne sais quoi de la grotte sacrée à l'endroit que dégageait Brun.

Ayla se laissait aller dans la chaude compagnie des femmes. Elle avait parfois du mal à croire qu'elle se trouvait là, dans la caverne, à préparer la cuisine avec ses compagnes. Celles-ci n'étaient pas cependant très à l'aise en sa présence. Elles l'avaient crue morte, et son retour parmi elles était un miracle. Et elles ne savaient que dire à quelqu'un revenu du royaume des morts. Mais Ayla ne s'en préoccupait pas ; elle était seulement heureuse d'être là. Elle regardait Brac réclamer le sein à Oga.

— Comment va son bras ? demanda-t-elle à la jeune mère assise à côté d'elle.

— Vois toi-même, Ayla. (Elle écarta un pan de sa fourrure et montra à Ayla le bras de Brac.) Iza lui a enlevé son attelle la veille de ton retour. Son bras est guéri. Un peu plus maigre que l'autre, mais il deviendra plus fort quand il recommencera de s'en servir.

Ayla examina les cicatrices.

— Les cicatrices sont encore rouges, mais ça partira avec le temps. (Elle regarda l'enfant.) Est-ce que tu es fort, Brac ? (L'enfant hocha vigoureusement la tête.) Fort comment ? Montre-moi. (Elle tendit son avant-bras.) Non, pas avec cette main, l'autre. (Elle désigna le bras blessé. Brac changea de main et essaya d'abaisser l'avant-bras d'Ayla. Ayla éprouva un instant la force de sa poussée, puis laissa retomber son bras.) Tu es fort, Brac. Un jour, tu seras un grand chasseur, comme Broud.

Elle tendit les mains vers le petit garçon, qui d'abord hésita, puis avança le buste pour qu'elle le prenne dans ses bras. Elle le souleva dans les airs, puis se rassit en le prenant sur ses genoux.

— Brac a grandi. Il est lourd, et tellement costaud.

L'enfant resta quelques instants sur ses genoux sans broncher puis il parut se rappeler qu'il avait faim, et quitta Ayla pour retrouver le sein de sa mère.

— Tu as de la chance d'avoir un si beau garçon, Oga, dit Ayla.

— Grâce à toi, répondit Oga, abordant enfin un sujet qu'elle avait d'abord fui. Je ne t'ai jamais dit combien je te suis reconnaissante. Au début, j'étais tellement inquiète pour lui, et puis je ne savais que te dire. Je ne le sais toujours pas. Je ne m'attendais pas à te revoir ; c'est difficile à croire que tu es de retour. Tu as eu tort de toucher à une arme, et je ne sais pas pourquoi tu chasses, mais j'ai eu mal quand tu es partie, et je suis bien heureuse de te savoir de nouveau parmi nous.

— Moi aussi, ajouta Ebra, tandis que les autres femmes hochaient la tête en signe d'approbation.

Ayla fut profondément touchée par ces marques d'amitié, et elle s'efforça de contenir ses larmes, phénomène étranger aux membres du Peuple du Clan.

— Je suis heureuse d'être de retour, signifia-t-elle, et les larmes lui échappèrent.

Iza en connaissait maintenant la cause, les autres femmes en avaient une idée, et leurs hochements de tête exprimèrent leur compréhension.

— Comment c'était, Ayla ? demanda Oga, les yeux emplis de compassion.

— C'était une grande solitude, Oga, répondit-elle. Vous me manquiez tellement, tous. (Comme une grande tristesse se lisait sur les visages des femmes, Ayla essaya de détendre l'atmosphère.) Même Broud me manquait, ajouta-t-elle.

— Alors il fallait que ce soit vraiment une grande solitude, commenta Aga, en coulant un regard embarrassé vers Oga.

— Je sais bien que Broud n'a pas un caractère facile, reconnut Oga. Mais il est mon compagnon, et il ne me traite pas mal.

— Ne t'excuse pas pour lui, Oga, dit Ayla, qui éprouvait de l'amitié pour la jeune femme. Tout le monde sait que Broud tient à toi. Tu devrais être fière de lui. Il sera un jour chef, et c'est un chasseur courageux, c'est lui qui a frappé le premier le mammouth. Tu n'y peux rien s'il ne m'aime pas. C'est en partie ma faute ; je ne me suis pas toujours bien comportée envers lui. J'ignore comment tout cela a commencé ni pourquoi, et si je le pouvais, j'aimerais bien faire la paix avec lui. Mais quoi qu'il en soit, tu n'as pas à t'inquiéter de ça.

— Broud est d'une nature emportée, dit Ebra. Il n'est pas comme Brun. Mog-ur ne s'est pas trompé en lui attribuant comme totem le rhinocéros. Malgré toi, tu l'auras aidé à se contrôler, Ayla.

— Je ne sais pas, dit Ayla. Peut-être ne serait-il pas comme ça sans moi. Ma présence réveille en lui ce qu'il a de pire.

Un silence tendu suivit ces paroles. Il était rare que les femmes parlent aussi librement de leurs compagnons, mais la discussion avait cependant créé une intimité inattendue entre Ayla et ses compagnes. Iza décida sagement qu'il était temps de changer de sujet :

— Est-ce que quelqu'un sait où se trouvent les tubercules ? demanda-t-elle à la ronde.

— Ils étaient dans le fond, là où Brun a dégagé l'espace, répondit Ebra. Ça m'étonnerait qu'on les retrouve.

Broud avait vu Ayla en compagnie des femmes. Quand elle prit Brac dans ses bras, il se souvint que c'était grâce à elle que le fils de sa compagne était en vie. Il n'avait cependant pas oublié qu'elle avait été le témoin de son humiliation. Comme les autres, il avait été frappé de stupeur par son retour. Le premier jour, il ne put s'empêcher d'éprouver une certaine appréhension à chaque fois qu'il la croisait, puis il se mit à considérer comme une nouvelle insolence son changement d'attitude, que Creb interprétait comme une maturité naissante, et Brun comme la conscience d'être placée sous le signe de la chance.

Ayla ne mentait pas. Dans son extrême solitude, elle s'était surprise parfois à regretter Broud et ses exigences, plus supportables que le vide de ces regards qui ne la voyaient plus, que ce néant brutal auquel tous l'avaient réduite dès l'instant où la malédiction avait été prononcée. Durant les deux premiers jours qui suivirent son retour, elle s'avoua prendre grand plaisir à sentir le regard de Broud posé sur elle avec une insistance proche de la fascination.

Au troisième jour, les vieilles habitudes reprirent le dessus, et Broud recommença de la harceler. Mais Ayla répondait désormais à toutes ses demandes avec une soumission tellement sereine que le jeune homme enrageait. La patience d'Ayla semblait inépuisable. Elle s'acquittait des tâches qu'il lui imposait avec une indifférence royale. Et plus Broud s'acharnait, plus il tentait de la pousser à la faute, à provoquer en elle un geste de rébellion, plus elle lui opposait un calme que rien n'aurait pu ébranler.

Broud avait un besoin fondamental d'être reconnu et de s'imposer aux autres. L'indifférence d'Ayla le rendait fou de frustration. Pour lui, elle n'avait d'autre cause que le fait que la jeune fille l'avait vu se faire réprimander comme un petit garçon par Brun et qu'elle n'avait plus depuis aucun respect pour son autorité. En vérité, il la haïssait surtout parce qu'elle lui ravissait toujours l'attention qu'il se sentait en droit d'attendre.

Il suffisait à cette étrangère d'apparaître pour que tous les regards se tournent vers elle. Elle avait un totem très puissant ; elle vivait dans le foyer de Mog-ur, qui l'aimait de tout son cœur ; elle avait toutes les chances de devenir une grande guérisseuse ; elle avait sauvé Ona de la noyade, Brac des crocs d'une hyène, grâce à sa stupéfiante habileté à la fronde, et voilà que maintenant elle revenait saine et sauve du monde des esprits. A chaque fois que Broud avait fait preuve d'un grand courage, elle avait détourné à son profit l'admiration et la reconnaissance du clan.

Broud la fixait d'un regard sombre comme un ciel d'orage. Pourquoi a-t-il fallu qu'elle revienne ? Tout le monde ne parle plus que d'elle. Quand j'ai tué le bison, il n'y en avait que pour son totem. Est-ce qu'elle a risqué de se faire piétiner par un mammouth ? Non, elle a seulement jeté quelques pierres avec une fronde, et la vie du clan a tourné autour d'elle jusqu'à ce que Brun la maudisse. Temporairement ! S'il l'avait condamnée comme elle le méritait, elle ne serait pas de nouveau le centre de toutes les conversations. Pourquoi faut-il toujours qu'elle me gâche la vie ?

— Mais que t'arrive-t-il, Creb ? Je ne t'ai jamais vu aussi agité ! Tu fais penser à un jeune homme sur le point de prendre sa première compagne. Veux-tu que je te fasse une infusion pour te calmer ? demanda Iza au sorcier qui, pour la troisième fois, s'apprêtait à partir puis se rasseyait pour se lever de nouveau.

— Qu'est-ce qui te fait croire que je suis nerveux ? J'essaye simplement de ne rien oublier et de réfléchir un peu, rétorqua-t-il d'un air penaud.

— Ne rien oublier ? Mais ça fait des années que tu es mog-ur, et il n'est pas une cérémonie que tu ne puisses célébrer les yeux fermés ! Laisse-moi te préparer une tisane.

— Non, non, je n'en ai pas besoin. Où est Ayla ?

— Elle est sortie pour chercher des tubercules, pourquoi ?

— Pour savoir, répliqua Creb en se rasseyant.

Quelques instants plus tard, Brun se présenta au foyer de Creb et lui fit signe de le rejoindre au fond de la caverne. Mais que peuvent-ils bien manigancer ? se demanda Iza, perplexe.

— C'est maintenant ? demanda le chef quand ils se retrouvèrent à l'endroit qu'il avait dégagé. Tout est prêt ?

— Tout est prêt, mais je crois que le soleil devrait être plus bas.

— Comment ça, tu crois ? Tu m'as dit que tu savais parfaitement ce qu'il fallait faire, que tu avais médité et retrouvé le souvenir de cette cérémonie, dit Brun, réprobateur.

— J'ai médité, rétorqua Mog-ur. Mais ce que j'ai vu se passait il y a si longtemps. Il n'y avait pas de neige. Je sais seulement que le soleil était bas.

— Pourquoi ne m'en as-tu rien dit ? Si tu n'es pas sûr du déroulement de la cérémonie, on ferait mieux de tout arrêter.

— J'ai déjà parlé aux esprits. Les pierres sont en place. Ils nous attendent.

— Je n'aime pas non plus cette idée de bouger les pierres. Nous aurions peut-être mieux fait de célébrer dans la petite grotte. Es-tu certain que les esprits ne sont pas mécontents qu'on les déplace ainsi, Mog-ur ?

— Nous avons déjà discuté de cela, Brun. Nous avons bougé les pierres parce qu'il était risqué de convier les Esprits Séculaires dans la demeure des esprits de nos totems. Ils auraient peut-être eu envie d'y rester.

— Mais qui nous garantit que les Esprits Séculaires repartiront ? C'est trop dangereux, Mog-ur. On devrait tout annuler.

— Ils resteront peut-être un moment, dit Mog-ur, mais ils s'en iront quand ils verront qu'il n'y a pas de place pour eux. Nos totems leur demanderont de partir. Mais la décision t'appartient. Si tu veux tout annuler, je ferai de mon mieux pour apaiser les esprits. Ce n'est pas parce qu'ils s'attendent à ce qu'on tienne une cérémonie que nous sommes obligés de la célébrer.

— Non, non, finalement je préfère qu'on aille jusqu'au bout. Je ne tiens pas à contrarier les esprits. Et puis les hommes aussi ne seraient pas contents.

— C'est toi le chef, Brun.

— Es-tu sûr que nos totems n'en prendront pas ombrage ?

— Rien n'est jamais sûr, Brun, répondit Mog-ur, qui comprenait l'inquiétude du chef. Nous ne sommes que des hommes. Mais tu l'as dit toi-même, nous avons été chanceux jusqu'ici. Cela signifie que les esprits de nos totems sont satisfaits. S'ils ne l'étaient pas, crois-tu que nous aurions eu autant de chance ? Combien de fois un clan a-t-il tué un mammouth sans perdre un seul homme ? Même le petit Brac en est revenu sain et sauf, Brun.

Le chef considéra longuement le visage empreint de gravité du sorcier, et dans ses yeux se remit à briller une lueur de ferme résolution.

— Je vais chercher les hommes, dit-il.

On avait interdit aux femmes de s'approcher du fond de la grotte et même de regarder dans cette direction. Quand Iza vit Brun appeler ses hommes, elle fit comme si de rien n'était. Leurs manigances ne la regardaient pas, mais un pressentiment lui fit relever la tête juste au moment où deux hommes, le visage peint à l'ocre rouge, se précipitaient sur Ayla.

La fillette ne s'était rendu compte de rien, tout occupée à déballer le contenu de ses paniers, à l'autre bout de la caverne. La brutale apparition des deux hommes, et tout particulièrement la présence du chef, la fit sursauter.

— Pas un bruit, pas de résistance, lui signifia par gestes Brun.

Elle ne commença à s'inquiéter réellement qu'au moment où ils lui bandèrent les yeux et la soulevèrent dans leurs bras.

En voyant arriver Brun et Goov chargés de leur fardeau, les autres hommes ressentirent un pincement d'angoisse. Eux aussi ignoraient tout de la cérémonie qui allait se dérouler. Mog-ur s'était contenté de leur intimer silence lorsqu'ils avaient pris place en cercle autour des pierres que le sorcier avait apportées de la grotte sacrée. Et il n'eut pas besoin de réitérer son ordre quand il tendit à chacun deux ossements d'ours à croiser sur leur poitrine. Le danger devait être grand s'il leur fallait recourir à une telle protection.

Brun fit asseoir la fillette au centre du cercle, face à Mog-ur, et prit place derrière elle. Au signal du sorcier, il lui ôta son bandeau. La lueur des torches éblouit Ayla, lui révélant progressivement Mog-ur, assis derrière un crâne d'ours, et les autres hommes protégés par les os croisés. Atterrée, elle se recroquevilla sur le sol, tremblante de peur.

— Pas un mot, pas un geste ! l'avertit Mog-ur.

Les yeux écarquillés, elle vit le sorcier se lever pesamment et accomplir les signes rituels destinés à s'attirer la protection d'Ursus et des esprits totémiques. Elle connaissait bien le vieil homme, l'infirme aux gestes gauches, claudiquant à chaque pas, lourdement appuyé sur son bâton. Mais l'homme qui se dressait devant elle avait perdu toute maladresse. Mog-ur s'était transformé en un éloquent orateur aux gestes persuasifs. Il ne déployait jamais autant de grâce et d'assurance que lorsqu'il communiquait avec les puissances surnaturelles.

— O Esprits Séculaires que nous n'avons pas invoqués depuis l'aube de l'humanité, écoutez-nous ! Nous vous appelons pour vous rendre hommage et implorer votre protection. O puissants Esprits, si vénérables que vos noms ne sont qu'un chuchotement dans notre mémoire, éveillez-vous et laissez-nous vous honorer. Nous voulons offrir un sacrifice à vos cœurs séculaires. Ecoutez-nous, nous vous appelons.

» Esprit du Vent, Ooooha ! Esprit de la Pluie, Zheena ! Esprit des Brouillards, Eecha ! Prêtez-nous attention et soyez indulgents. L'un d'entre vous se trouve aujourd'hui parmi nous. Le Grand Lion des Cavernes en a décidé ainsi.

C'est de moi qu'il parle, comprit soudain Ayla, qui tremblait de peur. Pourquoi me font-ils participer à cette cérémonie ? Et qui sont ces esprits ? Je n'en ai jamais entendu parler. C'est étrange qu'ils portent des noms féminins ; je croyais que les esprits protecteurs étaient masculins.

Les hommes assis autour d'elle n'avaient jamais eu connaissance de ces anciens esprits que Mog-ur invoquait. Pourtant leurs noms réveillaient en eux de lointains souvenirs enfouis au fond de leur mémoire.

— O Esprits Séculaires, poursuivit Mog-ur, vos voies sont impénétrables, nous ne sommes que des humains ignorant la raison pour laquelle cette fille a été choisie par le plus puissant d'entre vous. Il l'a défendue contre les malins et nous l'a rendue pour se faire connaître de nous. O puissants Esprits du Passé, si nous vous avons longtemps négligés, nous vous vénérerons désormais en honneur de celle qui se trouve aujourd'hui parmi nous. Nous vous supplions de l'accueillir et de la protéger ainsi que son clan. (Puis se tournant vers Ayla :) Qu'on me l'amène, ordonna-t-il.

Ayla se sentit soulevée de terre et déposée devant le vieux sorcier. Se retenant de crier quand Brun lui tira la tête en arrière par les cheveux, elle vit du coin de l'œil Mog-ur brandir un long couteau au-dessus de son visage révulsé de peur et manqua de s'évanouir quand l'arme plongea vers sa gorge offerte.

La douleur aiguë ne lui arracha pas un seul cri. Mog-ur venait de lui faire une petite estafilade à la base du cou, dont le sang fut aussitôt absorbé par un morceau de peau de lapin. Brun attendit qu'il se teintât entièrement de rouge pour relâcher la jeune fille.

Fascinée, elle regarda Mog-ur déposer le petit carré imbibé de sang dans une écuelle à demi remplie d'huile à laquelle il mit le feu. Une fumée âcre s'éleva bientôt tandis que la peau de lapin se consumait en crépitant. Puis Brun exposa la cuisse nue d'Ayla et Mog-ur, trempant ses doigts dans le liquide résiduel de l'écuelle, dessina quatre traits noirs sur chacune des cicatrices. Ayla n'en crut pas ses yeux : on aurait dit les marques totémiques du rite de passage des jeunes hommes à l'âge adulte. Elle se sentit alors tirée en arrière, pendant que Mog-ur adressait une dernière prière aux esprits.

— Acceptez ce sacrifice du sang, ô Esprits vénérables, et sachez que c'est l'Esprit du Lion des Cavernes qui l'a choisie pour que nous suivions vos enseignements. Nous vous avons rendu hommage. Accordez-nous votre protection et retournez dans les ténèbres de vos demeures.

Ayla, qui ne comprenait toujours pas l'objet de cette cérémonie, crut qu'elle était terminée en voyant Mog-ur s'asseoir. Mais il n'en était rien. Brun lui fit signe de se lever et d'un repli de sa peau de bête sortit un petit morceau d'ivoire teint en rouge.

— Ayla, pour la première et la dernière fois, te voilà l'égale des hommes, déclara Brun. Mais à la fin de cette cérémonie, tu devras te considérer de nouveau comme une femme.

Ayla acquiesça sans vraiment comprendre ce qu'il entendait par ces paroles.

— Cet ivoire provient de la défense du mammouth que nous avons tué. Ce fut une excellente chasse au cours de laquelle personne ne fut blessé. Cet objet a été sanctifié par Ursus et teinté à l'ocre rouge sacré par Mog-ur. C'est le puissant talisman des chasseurs que tous les hommes ici réunis portent en amulette.

» Ayla, les garçons ne deviennent adultes qu'après leur première chasse. Il y a très longtemps de cela, les femmes du Peuple du Clan chassaient aussi. Nous ignorons la raison pour laquelle ton totem t'a poussée à suivre leurs traces, mais nous ne pouvons renier l'Esprit du Lion des Cavernes. Ayla, tu as fait ta première chasse ; tu dois désormais assumer les responsabilités des adultes. Mais tu es une femme et tu le resteras à tous égards, à l'exception d'un seul : tu auras le droit de te servir d'une fronde. Te voilà aujourd'hui la Femme-Qui-Chasse.

Ayla rougit de plaisir. Avait-elle bien compris les propos de Brun ? Après avoir frôlé la mort pour s'être servie d'une fronde, on l'autorisait maintenant à en faire usage ? A chasser ?

— Ce talisman est à toi, range-le avec tes amulettes, ajouta Brun en le tendant à Ayla qui défit le lacet de cuir noué à son cou, et glissa dans la petite bourse l'ovale d'ivoire à côté du morceau d'ocre rouge et du fossile marin. Ne parle de cela à personne pour l'instant, lui recommanda le chef. J'annoncerai la nouvelle au clan ce soir avant le festin, en l'honneur de ta première chasse. J'espère qu'à la prochaine, tu rapporteras quelque chose de plus comestible qu'une hyène, ajouta-t-il avec humour. Maintenant tourne-toi.

On lui remit le bandeau sur les yeux et les deux hommes la reconduisirent au centre de la caverne avant de retourner auprès de leurs compagnons.

La cérémonie avait amplement suffi à convaincre les hommes d'accorder à Ayla le privilège de chasser ; tous sauf un. Broud était fou de rage. S'il n'avait pas tant redouté Mog-ur, il aurait instantanément quitté l'assemblée et refusé obstinément de cautionner tout ce qui pourrait accorder à cette fille odieuse le moindre privilège. S'il en voulait à Mog-ur, sa hargne se dirigeait particulièrement contre Brun qu'il estimait directement responsable.

Il l'a toujours protégée et favorisée, pensa-t-il amèrement. Il aurait dû la maudire éternellement. Et voilà qu'au contraire il la laisse chasser. Comment a-t-il pu en arriver là ? Mais il commence à se faire vieux et ne sera pas toujours le chef. Un jour, ce sera mon tour, et alors nous verrons.

18

Ayla devint pleinement la Femme-Qui-Chasse au cours de l'hiver où elle entra dans sa dixième année. C'est avec soulagement et une satisfaction personnelle qu'Iza remarqua chez la jeune fille les signes avant-coureurs annonçant l'approche de ses menstruations. Des hanches plus pleines et deux seins naissants modifiaient la silhouette longiligne de la fillette et rassurèrent la guérisseuse ; sa fille adoptive n'était pas condamnée à demeurer éternellement impubère. Une légère pilosité au pubis et sous les bras ainsi que des tétons gonflés apparurent peu de temps avant ses premières règles et le premier combat que livra l'esprit de son totem.

A la vue du sang qui témoignait de l'affrontement entre son totem et un autre esprit, Ayla douta de jamais avoir un enfant : son totem était trop puissant. Mais elle se résigna et prit d'autant plus plaisir à s'occuper des enfants des autres, regrettant seulement de ne pouvoir les allaiter elle-même.

Elle ressentait une grande sympathie pour Ovra dont les fausses couches se succédaient. Le Castor, son totem, était lui aussi trop vindicatif et la jeune femme semblait destinée à ne jamais procréer. Depuis la chasse au mammouth, Ayla et Ovra s'étaient découvert de nombreuses affinités et il s'était noué entre elles des liens d'amitié desquels Goov n'était pas exclu. Personne n'ignorait l'attachement qu'éprouvait le jeune servant du mog-ur pour sa compagne, qui regrettait d'autant plus de ne pouvoir lui donner d'enfant.

A la grande satisfaction de Broud, Oga était de nouveau enceinte. Brac n'avait que trois ans et la jeune femme semblait suivre les traces d'Aga et d'Ika qui avaient donné le jour à une nombreuse progéniture. Droog eut l'assurance que le fils de sa compagne, Groob, âgé de deux ans, deviendrait un tailleur de pierre le jour où il le surprit à frapper des cailloux l'un contre l'autre. Il fabriqua au bambin un petit marteau et le laissa jouer près de lui pendant qu'il travaillait, s'amusant de voir l'enfant imiter ses gestes et taper sur les pierres avec le plus grand sérieux. Igra, la fille d'Ika, âgée elle aussi de deux ans, promettait d'être enjouée et chaleureuse comme l'était sa mère. Le clan de Brun ne cessait de s'accroître.

Conformément à la règle d'exclusion imposée à toutes les femmes lors de leurs premières menstruations, Ayla se retira au début du printemps dans sa grotte des hauts pâturages. Après les souffrances qu'elle y avait endurées, ce court séjour lui sembla une partie de plaisir. Elle consacra son temps à perfectionner son tir qu'elle n'avait plus pratiqué depuis l'hiver. Iza venait la voir tous les jours à un endroit convenu, non loin de la caverne, et lui apportait à manger. Mais surtout, elle lui tenait compagnie.

Elles restaient ensemble tard le soir, et c'est à la lueur d'une torche qu'Ayla retrouvait le chemin de sa retraite. La guérisseuse apprit à la jeune fille tout ce qu'une femme doit savoir, lui indiquant les signes symboliques qu'elle devait tracer sur les peaux de lapin souillées de sang avant de les enterrer profondément. Elle lui expliqua la manière de se comporter si un homme voulait assouvir avec elle ses désirs, lui montrant la position convenable, les mouvements qu'elle devrait faire et la façon de se purifier après. Elle lui indiqua également les positions et les gestes susceptibles de plaire aux hommes du clan, ainsi que les diverses manières de faire naître leur désir. Elle lui transmit tout le savoir qu'elle tenait elle-même de sa mère, doutant en son for intérieur que ces connaissances puissent un jour se révéler utiles à une jeune fille aussi laide.

Mais Iza se gardait bien d'aborder ce sujet. Parvenues à l'âge d'Ayla, la plupart des jeunes femmes se sentaient déjà attirées par un jeune homme en particulier. Ni la fille ni la mère n'avaient leur mot à dire dans l'histoire, mais cette dernière pouvait dans une certaine mesure s'en ouvrir à son compagnon qui, s'il le jugeait bon, pouvait à son tour en parler au chef auquel revenait la décision finale. Et si rien ne s'y opposait, le chef accédait aux désirs de la jeune femme.

Mais tous les jeunes gens du clan possédaient déjà un foyer, et même si tel n'avait pas été le cas, Iza demeurait persuadée que personne n'aurait voulu prendre Ayla pour compagne. Quant à la jeune fille, aucun homme ne l'intéressait, et elle n'y avait jamais pensé avant qu'Iza lui en parlât. Mais elle devait s'en préoccuper plus tard.

Par un beau matin de printemps, Ayla se rendit à la mare pour y remplir une outre. Personne n'était encore sorti. S'étant mise à genoux, elle se pencha vers l'eau, l'outre à la main, et s'arrêta soudain, pétrifiée d'horreur. Comme elle puisait de préférence l'eau à la rivière, et n'allait à la mare que lorsqu'elle était pressée, Ayla n'avait jamais eu l'occasion de voir son reflet sur la surface lisse du bassin.

La jeune femme observa attentivement son visage. Il était plutôt anguleux, terminé par des maxillaires très prononcés, mais adouci par la rondeur des hautes pommettes, et soutenu par un cou lisse. Une légère fossette creusait son menton, ses lèvres étaient charnues et son nez droit et fin. Ses grands yeux gris-bleu étaient réhaussés de longs cils un ton plus foncé que ses longs cheveux blonds, tombant en cascade sur ses épaules et brillant dans les rayons du soleil. L'arc de ses sourcils délicatement dessinés soulignait la courbe de son front. Quittant précipitamment la mare, Ayla se rua vers la caverne.

— Ayla, que se passe-t-il ? lui demanda Iza en la voyant bouleversée.

— Oh, maman ! Je me suis vue dans la mare. Pourquoi suis-je si laide ? répondit-elle sur un ton pathétique, avant de fondre en larmes.

Aussi loin que remontaient ses souvenirs, Ayla n'avait jamais vu personne d'autre que les membres du clan et son aspect provoqua en elle un choc douloureux.

— Ayla, Ayla, calme-toi, dit Iza en la serrant contre elle.

— Je ne savais pas que j'étais si vilaine, maman. Pourquoi suis-je si laide ?

— Mais tu n'es pas si vilaine que ça, Ayla. Tu es différente, c'est tout.

— Je suis laide ! Je suis laide ! répondit Ayla avec entêtement. Regarde-moi ! Je suis trop grande, je suis plus grande que Broud et Goov, je suis presque aussi grande que Brun ! Et je suis laide. Je suis grande et laide. Je n'aurai jamais de compagnon, personne ne voudra de moi ! s'écria-t-elle en redoublant de sanglots.

— Ayla, arrête ! lui ordonna Iza. Tu n'y peux rien changer. Tu n'es pas née au sein du clan, tu es née chez les Autres et tu leur ressembles. Tu dois te faire à cette idée. S'il est vrai que tu ne puisses jamais trouver de compagnon, tu dois te faire à cela aussi. Mais on ne sait jamais... Tu seras bientôt guérisseuse et tu ne seras pas sans statut ni sans valeur.

» Le Rassemblement du Clan se tiendra l'été prochain, il se pourrait fort bien que tu y rencontres un compagnon. Il ne sera peut-être ni jeune ni d'un rang très élevé, mais il sera ton compagnon. Zoug te tient en grande estime ; il a déjà prié Creb de te recommander auprès des autres clans. N'oublie pas que nous ne sommes pas le seul clan au monde, et qu'il existe d'autres hommes que ceux que tu connais.

— Zoug a dit ça ? Malgré ma laideur ? s'étonna Ayla dont les yeux brillèrent d'une lueur d'espoir.

— Exactement. Avec sa recommandation et le rang que je vais te transmettre, je suis certaine qu'il se présentera un homme pour t'accepter.

— Mais je ne serai pas obligée de m'en aller au moins ? demanda Ayla dont le sourire fugace avait disparu. Je ne veux pas vous quitter, ni toi, ni Creb, ni Uba.

— Ecoute, Ayla, je suis vieille. Creb n'est plus très jeune lui non plus, et d'ici quelques années, Uba sera en âge de vivre dans le foyer d'un homme. Que feras-tu alors ? Brun passera bientôt le pouvoir à Broud et je ne suis pas sûre que ce jour-là tu souhaiteras rester parmi nous. Profite du Rassemblement du Clan pour trouver le moyen de t'en aller à temps.

— Je crois que tu as raison. Je ne pourrais jamais supporter de vivre ici quand Broud sera le chef. Mais il me reste encore une année entière pour y penser, je ne vais pas m'inquiéter d'ici là !

Une année entière, pensa Iza. Ayla, ma pauvre enfant. Peut-être faudrait-il que tu aies mon âge pour savoir combien passe vite une année. Tu ne veux pas me quitter. Mais tu ne sais pas combien tu me manqueras. Si seulement il y avait dans le clan un homme disposé à te prendre pour compagne ! Si seulement Broud n'était pas destiné à devenir chef !

Mais Iza ne laissa pas deviner ses pensées. Ayla se frotta les yeux et retourna puiser de l'eau à la mare. Cette fois elle évita de regarder son reflet.

Un peu plus tard dans l'après-midi, Ayla, à la lisière du bois, observait de loin la caverne devant laquelle travaillaient et bavardaient plusieurs personnes. Elle disposa convenablement les deux lapins jetés en travers de son épaule, sortit sa fronde d'un repli de son vêtement pour se l'attacher à la taille, bien en vue, et, quelque peu nerveuse, elle se dirigea droit vers la caverne, la tête haute.

Brun a dit que j'avais le droit de chasser à la fronde, se dit-elle pour se rassurer. Je suis un chasseur, la Femme-Qui-Chasse.

Pendant un long moment, tous les regards se tournèrent vers la jeune fille qui, les joues en feu, passa son chemin et pénétra dans l'ombre accueillante de la caverne. Sa première surprise passée, Iza détourna les yeux sans rien dire. Creb semblait méditer, assis sur sa fourrure, mais il l'avait vue entrer et il s'abstint également de toute remarque quand elle déposa les deux lapins près du feu. Ce fut Uba qui, accourant de toute la vitesse de ses petites jambes, rompit le silence.

— C'est toi qui les as tués, toi toute seule ? demanda-t-elle.

— Oui, c'est moi, répondit Ayla.

— Ils ont l'air bien gras. On va les manger ce soir, maman ?

— Euh, oui, j'imagine... bafouilla Iza, encore sous le choc.

— Je vais les dépecer, s'empressa d'ajouter Ayla en sortant son couteau.

— Non, Ayla. Tu les as tués, c'est à moi de les dépecer, déclara Iza qui, après un instant d'hésitation, lui prit le couteau des mains.

Lorsque la jeune femme rapporta le produit de sa chasse la fois suivante, l'émoi fut déjà moindre et tout le monde s'habitua bientôt à cet état de fait. Creb comptait désormais un chasseur dans son foyer, et la part qu'il prélevait sur la chasse des autres s'en trouva réduite, à l'exception toutefois des animaux de grande taille que les hommes tuaient à la lance.

Ayla ne chôma pas ce printemps-là. Outre ses activités de chasseur, il lui fallait toujours accomplir sa part de travail féminin, et ramasser des herbes pour Iza. Mais elle aimait cette vie et se sentait plus dynamique et heureuse que jamais, heureuse de pouvoir chasser ouvertement, heureuse de vivre de nouveau au sein du clan, heureuse enfin d'être une femme et de se lier plus étroitement d'amitié avec les autres femmes.

Ebra et Uka l'avaient acceptée. Ika s'était toujours montrée amicale et l'attitude d'Aga et de sa mère avait changé du tout au tout depuis le sauvetage d'Ona. Ovra était devenue une confidente et quant à Oga, elle était, malgré l'hostilité de Broud, mieux disposée à son égard. En revanche, la haine de Broud envers Ayla avait encore grandi après son admission parmi les chasseurs, et il cherchait par tous les moyens à la persécuter. Ayla ne s'en émouvait plus et elle en était arrivée à penser que rien venant de lui ne pourrait jamais plus l'affecter.

Le printemps était à son apogée lorsqu'un jour Ayla décida d'aller chasser le lagopède, le gibier favori de Creb. Elle en profiterait pour recenser les plantes en herbe et commencer à cueillir les simples dont Iza avait besoin. Elle passa la matinée à parcourir les bois puis orienta ses pas vers une vaste prairie près des steppes. Elle abattit deux perdrix en plein vol, et se mit à chercher leur nid parmi les hautes herbes dans l'espoir d'y trouver des œufs dont Creb raffolait. Elle poussa une exclamation de joie en découvrant le nid et trois œufs à l'intérieur. Elle les enveloppa dans de la mousse et les glissa dans un repli de son vêtement. Heureuse jusqu'à l'exubérance, elle courut à perdre haleine à travers la prairie et s'arrêta, pantelante, au sommet d'un petit tertre couvert d'une herbe verte.

Elle se laissa choir à plat ventre, vérifia que les œufs étaient intacts, et calma sa faim d'un morceau de viande séchée. Elle observa une alouette à la gorge jaune vif qui, perchée sur un arbuste, lançait des trilles vibrantes vers l'azur. Des moineaux se chamaillaient dans les mûriers bordant la prairie. Ayla adorait ces moments de solitude où elle pouvait lézarder au soleil, détendue et heureuse sans penser à rien de particulier. C'est seulement au moment où une ombre se dessina à ses pieds qu'elle réalisa qu'elle n'était pas seule. Stupéfaite, elle leva les yeux pour découvrir le visage menaçant de Broud.

Aucune expédition de chasse n'avait été organisée ce jour-là, et Broud avait décidé de chasser en solitaire. Il n'avait encore rien tué, se contentant de se promener par cette belle journée. Il avait aperçu de loin Ayla étendue sur le tertre, et n'avait pu résister à la tentation de profiter de l'occasion pour aller lui reprocher sa paresse.

Ayla bondit sur ses pieds en le voyant, ce qui eut le don de l'exaspérer. Elle était plus grande que lui et il n'aimait pas devoir lever les yeux pour regarder une femme. Il la repoussa, se préparant à la corriger sévèrement, et le regard soumis et absent à la fois de la jeune fille le mit hors de lui. Il lui fallait trouver un moyen de l'obliger à réagir. A la caverne, il pouvait au moins la charger d'une tâche pour la voir s'empresser d'obéir.

Il la regarda, attendant à genoux qu'il la frappe à son gré puis s'en aille. Elle est pire que jamais depuis qu'elle est devenue une femme, pensa-t-il. La Femme-Qui-Chasse ! Comment Brun a-t-il pu lui permettre de chasser ? Il remarqua les deux perdrix. Et lui avait les mains vides. Que pourrais-je bien lui ordonner de faire ? Puisque la voilà femme, il y a tout de même une chose qu'elle peut faire.

Ce que Broud lui signifia d'un geste fit écarquiller les yeux d'Ayla. Elle ne se serait jamais attendue à cela. Iza lui avait dit que les hommes ne l'exigeaient que des femmes qu'ils trouvaient attirantes, et elle savait que Broud la trouvait affreuse. La surprise de la jeune fille n'échappa pas au garçon que cette réaction encouragea. Il lui fit à nouveau impérativement signe d'adopter la position qui lui permettrait d'assouvir ses désirs, la position du rapport sexuel.

Ayla savait ce qu'il attendait d'elle. Outre les explications d'Iza, elle avait souvent vu, comme tous les enfants, les adultes du clan se livrer à cette activité à laquelle on ne mettait aucune entrave. C'est en regardant faire leurs parents que les enfants apprenaient à se conduire en adultes, et ils imitaient volontiers entre eux leur comportement sexuel.

Parfois l'acte n'était pas seulement feint. Il arrivait souvent que des petites filles soient déflorées par de tout jeunes garçons pubères, et parfois même par un adulte, excité par une fillette plus délurée que les autres. Mais, en règle générale, les jeunes gens bientôt en âge d'accomplir leur première chasse dédaignaient ces jeux érotiques avec leurs amies d'enfance.

Il n'y avait eu que Vorn comme garçon de son âge autour d'Ayla, et ils n'étaient jamais devenus proches. Elle n'avait jamais apprécié qu'il imite le comportement de Broud à son égard. En dépit de l'incident avec Zoug, le garçon idolâtrait toujours Broud et se gardait bien de lui déplaire en sympathisant avec la jeune étrangère. Aussi se trouvait-elle encore vierge au sein d'un groupe où chacun se livrait aux activités sexuelles aussi naturellement qu'il respirait.

La jeune femme ne savait que faire, consciente qu'elle devait s'exécuter mais en proie à un effarement dont Broud jouissait. Il était ravi de son idée et tout excité de la voir ainsi prise de panique. Il se pressa contre elle quand elle fit mine de se relever et la força à se remettre à genoux. Dans son inexpérience, Ayla fut effrayée par la respiration haletante de l'homme.

Impatient, Broud la jeta à terre et se débarrassa de son vêtement, exhibant un sexe énorme et turgescent. Qu'est-ce qu'elle attend ? se demandait-il. Elle est si laide qu'elle devrait se sentir flattée de trouver un homme qui veuille d'elle.

Quand Broud se jeta sur Ayla, quelque chose se brisa en elle. Elle ne pouvait s'exécuter, cela lui était impossible. Elle sentit sa raison chavirer. Bondissant sur ses pieds, elle se mit à courir, mais Broud, plus rapide, la rattrapa, la fit tomber et la frappa au visage, lui ouvrant la lèvre d'un coup de poing. Il commençait à trouver ce jeu amusant. Trop souvent, il avait dû se retenir de la battre, mais cette fois personne ne pouvait l'en empêcher, et il avait une raison valable de le faire : elle lui désobéissait ouvertement.

Ayla était comme folle. Elle essaya de se relever et il la frappa de nouveau. Il allait enfin dompter cette femme insolente. Il cogna à coups redoublés, prenant un immense plaisir à la voir frémir chaque fois qu'il levait la main.

La tête en feu, le sang ruisselant de son nez et de la commissure des lèvres, elle essayait toujours de se relever, mais il la plaquait au sol. Elle se débattait, lui martelant la poitrine à coups de poing sans autre résultat que de l'exciter encore davantage : la violence déchaînait le désir du garçon, l'incitant à frapper de plus belle.

Elle était à moitié évanouie quand il la retourna face contre terre, la dépouilla de son vêtement et lui écarta les jambes pour la pénétrer profondément d'un seul coup violent. Elle hurla de douleur ; il s'enfonça de nouveau en elle, lui arrachant un autre cri de souffrance, et il recommença encore et encore. Son excitation atteignit bientôt une intensité insupportable et, en un dernier assaut, provoquant un dernier hurlement déchirant, il se libéra de la tension accumulée.

Broud s'écroula sur elle un instant, épuisé. Puis, toujours pantelant, il se retira. Ayla sanglotait nerveusement. Ses larmes salées avivaient les blessures de son visage maculé de sang ; l'un de ses yeux était tuméfié, à moitié fermé et commençait à virer au noir ; ses cuisses étaient couvertes de sang, et elle avait horriblement mal au ventre. Broud se leva et regarda la fille toujours à terre. Il se sentait bien. Il n'avait jamais pris autant de plaisir à pénétrer une femme. Ramassant ses armes, il reprit le chemin de la caverne.

Ayla resta face contre terre longtemps après avoir cessé de sangloter. Elle finit par se lever. Son corps n'était que souffrance. Voyant le sang couler entre ses cuisses et les taches dans l'herbe, elle se demanda si son totem n'était pas encore en train de se battre. Mais non, décida-t-elle, ce n'est pas le moment habituel. Broud a dû me blesser, mais je ne savais pas qu'il pouvait ainsi me faire mal. Pourtant, cela ne fait pas mal aux autres femmes. Est-ce moi qui ne suis pas normale ?

Elle se dirigea péniblement vers la rivière et s'y lava sans réussir à se débarrasser de la douleur lancinante ni de son trouble. Pourquoi Broud m'a-t-il fait ça ? Iza dit que les hommes désirent assouvir leurs besoins avec les femmes qui leur plaisent, or moi je suis laide. Et pourquoi un homme voudrait-il faire mal à une femme qui lui plaît ? Les femmes aussi semblent y prendre du plaisir, sinon pourquoi feraient-elles tant de gestes pour les encourager ? Cela ne gêne pas Oga quand Broud lui fait ça, au moins une fois par jour, si ce n'est plus.

Ayla fut soudain horrifiée à la pensée que Broud puisse recommencer de lui faire ça. Désespérée, elle songea un bref instant à ne pas revenir à la caverne. Elle se réfugierait dans sa grotte secrète. Mais celle-ci était trop proche de la caverne et puis elle ne pourrait jamais y tenir tout un hiver. Enfin, et surtout, elle ne pouvait quitter Iza, Creb et Uba. Elle ne savait que faire, consciente qu'elle ne pourrait se refuser à Broud. Il ne m'a jamais fait ça quand je n'étais pas encore une femme. Pourquoi ne suis-je pas restée une petite fille ? A quoi bon être une femme si on a un totem trop puissant pour avoir des enfants ? Surtout si un homme vous force de cette façon ? A quoi bon ?

Le soleil était déjà bas à l'horizon quand elle remonta chercher les deux perdrix qu'elle avait laissées sur le tertre. En regardant la rivière, elle se souvint combien elle avait été heureuse de chasser à cet endroit. Elle avait l'impression que cela faisait une éternité. Puis elle se traîna jusqu'à la caverne, souffrant le martyre à chaque pas.

Comme le soleil disparaissait derrière les arbres, Iza se sentait de plus en plus anxieuse. Elle s'était mise à la recherche d'Ayla dans tous les sentiers avoisinants et avait poussé jusqu'au promontoire rocheux pour scruter le chemin qui descendait vers les steppes. Creb, lui aussi, était préoccupé quoiqu'il s'efforçât de n'en rien laisser paraître. Quand la nuit tomba, Brun lui-même commença à s'inquiéter. Iza fut la première à la voir revenir. Elle s'apprêtait à la réprimander, mais elle se ravisa en la voyant.

— Ayla ! Tu es blessée ! Que s'est-il passé ?

— Broud m'a battue, répondit-elle d'un air accablé.

— Mais pourquoi ?

— Je lui ai désobéi, lui signifia la jeune femme en entrant dans la caverne.

Que pouvait-il s'être passé ? se demanda Iza. Cela faisait bien longtemps qu'Ayla ne désobéissait plus à Broud. Alors pourquoi s'était-elle révoltée aujourd'hui contre lui ? Et lui, pourquoi n'avait-il rien dit ? Il savait que j'étais inquiète. Il est rentré quand le soleil était au plus haut. Comment se fait-il qu'Ayla rentre seulement maintenant ? Iza jeta un regard furtif dans la direction du foyer de Broud et le vit, contre tous les usages, dévisager Ayla d'un air narquois.

La scène n'avait pas échappé à Creb : le visage tuméfié d'Ayla, son expression désespérée, le regard triomphant et mauvais que Broud fixait sur elle depuis qu'elle était entrée dans la caverne. Il savait que la haine de Broud n'avait fait que croître au cours des années et que l'impassible soumission de la jeune fille l'exaspérait encore plus que sa révolte enfantine. Mais cette fois un élément nouveau était intervenu, donnant à Broud le sentiment d'avoir barre sur elle. En dépit de sa perspicacité, Creb ne pouvait en deviner la nature.

Le lendemain, Ayla, redoutant de quitter le foyer, fit durer son repas matinal aussi longtemps que possible. Mais Broud l'attendait, excité par le souvenir de son plaisir de la veille. Quand il lui fit de nouveau le signe convenu, elle fut tentée de prendre la fuite, mais elle se résigna. Malgré ses efforts pour demeurer silencieuse, la souffrance lui arracha des cris qui suscitèrent la curiosité de tous ceux qui se trouvaient à proximité. Ils ne comprenaient pas plus ces cris de douleur que le soudain intérêt de Broud pour cette laideronne.

Broud jouissait du nouveau pouvoir qu'il exerçait sur Ayla et il en usait largement, à la grande surprise du clan qui le voyait délaisser son avenante compagne pour cette fille hideuse qu'il haïssait. Au bout de quelque temps, Ayla cessa de souffrir mais elle continua de détester cela. Et c'est justement ce qui plaisait à Broud. Il l'avait remise à sa place, il avait affirmé sa supériorité et enfin trouvé un moyen de la faire réagir. Il aimait la voir trembler à son approche, il se délectait de sa soumission forcée. Il lui suffisait d'y penser pour se sentir envahi d'un désir frénétique. Son activité sexuelle, déjà considérable, s'était encore accrue. Tous les matins où il ne partait pas à la chasse, il la prenait, puis de nouveau le soir et parfois même dans le courant de la journée. Il lui arrivait souvent de se réveiller la nuit dans un état de grande excitation, et il se soulageait alors sur sa compagne. Il était jeune et sain, au zénith de sa puissance sexuelle, et plus elle le haïssait pour ce qu'il lui faisait subir, plus il en tirait du plaisir.

Ayla perdit tout son entrain. Elle se sentait abattue, morose, sans plus de goût à rien. Un seul sentiment l'occupait : sa haine implacable pour Broud et le viol quotidien de son corps qu'il lui infligeait.

Si elle s'était toujours montrée propre et soignée, multipliant les ablutions à la rivière, ses cheveux à présent formaient une masse terne et emmêlée, et elle portait continuellement le même vêtement, sans jamais se préoccuper de le nettoyer. Elle renâclait à accomplir les corvées ménagères, obligeant les hommes les moins brutaux à la corriger. Elle perdit tout intérêt pour les plantes médicinales, cessa de parler, si ce n'est pour répondre à des questions directes, ainsi que d'aller à la chasse. Le malaise provoqué par son état gagna tout le monde au foyer de Creb.

Iza, qui ne comprenait pas les motifs de ce changement soudain, était fort inquiète. Elle savait que cela tenait à l'inexplicable intérêt que Broud portait à Ayla, mais il dépassait son entendement de voir une telle cause produire un tel effet. Elle surveillait attentivement Ayla, et quand la jeune femme commença à éprouver régulièrement au réveil un malaise, elle craignit qu'un mauvais esprit se fût emparé d'elle.

Mais Iza, en guérisseuse expérimentée, fut la première à remarquer qu'Ayla ne respectait pas l'isolement relatif auquel les femmes étaient astreintes lorsque leurs totems se battaient, et elle redoubla de vigilance envers sa fille adoptive. L'hypothèse qui lui vint à l'esprit lui parut d'abord extravagante. Mais après l'écoulement d'une autre lune, Iza se sentit sûre de son fait. Un soir, en l'absence de Creb, elle appela Ayla.

— Je voudrais te parler.

— Oui, répondit Ayla en se traînant auprès d'elle.

— Quand ton totem s'est-il battu pour la dernière fois, Ayla ?

— Je n'en sais rien.

— Je veux que tu fasses un effort pour y réfléchir. Les esprits se sont-ils battus en toi depuis que les arbres ont perdu leurs fleurs ?

La jeune fille rassembla avec peine ses souvenirs.

— Une fois, peut-être.

— C'est bien ce que je pensais, dit Iza. Tu as des nausées le matin, n'est-ce pas ?

— Oui.

Ayla croyait que ses malaises étaient dus aux assauts de Broud, si pénibles à supporter qu'elle en vomissait son repas du matin et même parfois celui du soir.

— Est-ce que tu as mal aux seins ?

— Oui, un peu.

— Et ils ont grossi, n'est-ce pas ?

— Je crois. Mais pourquoi poses-tu ces questions ?

— Ayla, dit-elle en la regardant avec sérieux, je ne comprends pas ce qui a pu se passer et j'ai même du mal à y croire, mais je suis sûre d'avoir raison.

— Et en quoi as-tu raison ?

— Ton totem a été vaincu, tu vas avoir un enfant.

— Un enfant, moi ? Mais je ne peux pas en avoir, protesta Ayla, mon totem est trop puissant.

— Je sais bien, Ayla, et je n'y comprends rien, mais tu vas quand même donner le jour à un enfant, répéta Iza.

Une lueur d'espoir apparut dans le regard morne de la jeune femme.

— Est-ce vrai ? Moi, avoir un enfant ? Oh, maman, c'est merveilleux !

— Ayla, tu n'as pas de compagnon, et aucun homme du clan ne voudra de toi, même comme seconde compagne. Or, tu ne peux avoir d'enfant sans compagnon, cela lui porterait malheur, déclara Iza avec fermeté. Il vaudrait mieux que tu essaies de t'en débarrasser. Je pense que le gui fera l'affaire. C'est une plante très efficace et, utilisée avec précaution, à peu près inoffensive. Je vais te faire une infusion de feuilles avec quelques baies seulement, cela aidera ton totem à expulser la vie naissante. Tu seras un peu malade, mais...

— Non, non, et non ! coupa Ayla en secouant vigoureusement la tête. Non, Iza, je ne prendrai rien du tout. Je veux un enfant. J'en ai toujours voulu un depuis la naissance d'Uba et je n'aurais jamais cru cela possible.

— Mais, Ayla, ça va porter malheur à l'enfant ! Il pourrait naître anormal.

— Mais non, tu verras, je ferai très attention. Ne dis-tu pas qu'un totem puissant contribue, après sa défaite, à favoriser une heureuse naissance ? Iza, il faut absolument que je garde cet enfant. Mon totem ne sera peut-être plus jamais vaincu. Je dois saisir cette chance !

Pour la première fois depuis longtemps, Iza perçut dans le regard implorant de la jeune fille une étincelle de vie. Elle savait qu'elle aurait dû insister pour qu'Ayla absorbe le breuvage, mais elle craignait que la jeune fille ne sombre alors dans une dépression encore plus profonde. Peut-être avait-elle raison, après tout, peut-être était-ce là son unique chance de procréer ?

— Parfait, si tel est ton désir. Mais n'en parle à personne pour l'instant, on le saura bien assez tôt.

— Oh, Iza ! s'écria Ayla en se jetant dans ses bras, le visage illuminé de joie.

Elle sembla retrouver soudain toute son énergie et ne plus tenir en place.

— Maman, que fais-tu à manger pour ce soir ? Laisse-moi t'aider.

— Un ragoût d'aurochs, répondit la guérisseuse, stupéfaite par la transformation soudaine de la jeune fille. Tu peux découper la viande, si tu veux.

Tandis que les deux femmes s'affairaient, Iza réalisa qu'elle avait presque oublié combien la présence d'Ayla lui apportait de joie. La jeune fille recommençait même à s'intéresser aux techniques de la guérisseuse.

— Je ne connaissais pas cet usage du gui, s'étonna-t-elle.

— Il y aura toujours des choses que je ne t'aurai pas dites, Ayla, mais tu en sais déjà assez. La tanaisie fait également l'affaire mais elle est d'un usage plus dangereux. Il faut utiliser toute la plante, les fleurs, les feuilles et les racines, et les faire bouillir. Si tu remplis d'eau cette écuelle jusqu'à hauteur de cette marque et si tu la fais réduire jusqu'à la contenance de ce bol-ci, tu obtiendras une quantité suffisante. Les fleurs de chrysanthèmes se révèlent parfois efficaces et sont beaucoup moins dangereuses que le gui ou la tanaisie, mais le résultat n'est pas garanti. Il est aussi autre chose dont je voudrais t'entretenir, Ayla, poursuivit Iza en s'assurant que Creb ne se trouvait pas dans les parages. Aucun homme ne doit apprendre ce secret, connu des guérisseuses seules. Tu promets de n'en parler jamais à personne, même pas aux autres femmes ?

— Oui, répondit Ayla.

— Je ne pense pas que tu en aies besoin un jour pour toi-même, mais il faut que tu le connaisses, en ta qualité de guérisseuse. Il est parfois souhaitable, après un accouchement difficile, que la femme n'ait plus d'autre enfant. Dans ce cas, la guérisseuse lui donne ce qu'il faut pour cela, sans lui dire de quoi il s'agit. Certaines plantes possèdent la propriété particulière de fortifier le totem d'une femme au point qu'il empêche toute vie de prendre naissance.

— Tu peux donc empêcher une femme de devenir enceinte ? Tu peux donner de la puissance à n'importe quel totem, même à un totem faible ? Et cela même si Mog-ur prépare un charme pour donner de la force au totem de l'homme ?

— Oui, Ayla. C'est pourquoi les hommes ne doivent jamais apprendre ce secret. C'est le sortilège dont je me suis servie moi-même pour inciter mon compagnon, que je n'aimais pas, à me donner à un autre homme. J'espérais qu'il ne voudrait plus de moi si je n'avais pas d'enfant, avoua Iza.

— Mais tu as eu Uba.

— Au bout d'un certain temps, la magie a dû perdre son pouvoir. Ou bien peut-être mon totem n'avait-il plus envie de lutter, ou encore peut-être voulait-il que j'aie un enfant ? Je n'en sais rien. Il existe des forces plus puissantes que la magie, Ayla. Personne ne pourra jamais connaître vraiment le monde des esprits, pas même Mog-ur. Qui aurait cru que ton totem pût s'avouer vaincu ? (Iza jeta un coup d'œil furtif autour d'elle avant de poursuivre.) Vite, que je termine avant le retour de Creb. Tu vois cette petite plante grimpante jaune avec des fleurs et des feuilles toutes petites ?

— Le fil d'or ?

— Exactement. On l'appelle aussi l'herbe-qui-étrangle, parce qu'elle tue la plante autour de laquelle elle s'enroule. Après l'avoir fait sécher, tu en fais bouillir une poignée, dans assez d'eau pour remplir l'écuelle d'os, jusqu'à ce qu'elle ait pris une couleur de foin mûr. Il faut en boire deux gorgées tous les jours durant lesquels ton totem ne se bat pas.

— Ne peut-on également en faire des emplâtres contre les piqûres et les démangeaisons ?

— Mais oui, et cela te fournira un excellent prétexte pour en avoir toujours en réserve. Il y a encore autre chose que l'on peut prendre, mais cette fois, quand ton totem se bat : la racine de sauge, fraîche ou séchée. Il faut la faire en infusion, et en boire une tasse par jour pendant tout le temps de ton isolement.

— N'est-ce pas la plante aux feuilles dentelées que tu donnes à Creb pour ses rhumatismes ?

— Oui, c'est elle. Je connais enfin un autre remède qui m'a été communiqué par la guérisseuse d'un autre clan. Tu sais, nous échangeons nos recettes entre nous. Je n'ai pu l'expérimenter moi-même car il s'agit d'un tubercule qui ne pousse pas dans nos régions. Il faut le couper en morceaux, le faire bouillir et l'écraser en pâte, que l'on réduit en poudre une fois séchée. Mais il faut en prendre une assez grande quantité, une moitié de bol de poudre délayée dans de l'eau, une fois par jour, pendant tout le temps où ton totem ne se bat pas.

A ce moment-là, Creb entra dans la caverne et surprit les deux femmes en grande conversation. Il se rendit compte au premier regard de la transformation d'Ayla. La jeune fille était à la fois éveillée, attentive et souriante.

Elle a dû se reprendre un peu, pensa-t-il en gagnant son foyer.

— Iza, cria-t-il pour attirer leur attention. Suis-je condamné à mourir de faim, aujourd'hui ?

La guérisseuse se leva précipitamment, l'air contrit, tandis qu'à la grande joie de Creb Ayla s'activait.

— Ce sera bientôt prêt, annonça-t-elle.

Et tandis qu'il s'installait sur sa natte, Uba fit irruption dans la caverne.

— J'ai faim ! s'exclama-t-elle.

— Toi, tu as toujours faim, Uba, dit Ayla en faisant tournoyer la petite fille.

Uba était aux anges ; c'était la première fois de tout l'été qu'Ayla était d'humeur à jouer avec elle.

Plus tard, après le dîner, Uba se pelotonna sur les genoux de Creb. Ayla chantonnait tout doucement en aidant Iza à faire le nettoyage. Le vieux sorcier poussa un soupir d'aise. Les garçons sont très importants pour le clan, pensa-t-il, mais je crois que je préfère les filles. Au moins, elles n'ont pas besoin de démontrer leur bravoure à tout bout de champ et ne craignent pas de se blottir dans vos bras pour s'endormir.

Le lendemain matin, Ayla s'éveilla étourdie de bonheur en se rappelant sa découverte de la veille. Soudain impatiente de se lever, elle pensa aller se laver les cheveux à la rivière. Elle se força toutefois à manger quelque chose avant de partir, et fut agréablement surprise de constater qu'elle ne rendait pas aussitôt ce qu'elle avalait, comme c'était le cas chaque matin ces derniers temps. Elle se hâta de quitter la caverne, mais elle n'avait pas fait trois pas en direction de la rivière qu'elle s'entendit appeler.

— Ayla ! lui cria Broud sur un ton méprisant en lui faisant le signe convenu.

La jeune fille s'arrêta, médusée. Elle avait complètement oublié l'existence de son tourmenteur et ne songeait plus qu'à bercer un bébé dans ses bras, son bébé. Espérons qu'il va se dépêcher, se dit-elle en adoptant la position que Broud attendait pour satisfaire ses désirs.

Mais Broud ne se sentait pas en forme. Il lui manquait quelque chose. La haine, la rage qu'elle n'était jamais parvenue à dissimuler complètement s'étaient évanouies. Ayla était ailleurs, calme, sereine, indifférente à tout ce qu'il pouvait lui faire, résignée à accepter ses caprices.

Or, ce qui procurait du plaisir à Broud, c'était plus de la dominer que l'acte sexuel en soi. Il s'aperçut qu'il ne ressentait à présent aucune excitation et, après plusieurs tentatives infructueuses, il abandonna la partie, fort humilié, et regagna son foyer.

Soulagée qu'il ait enfin cessé de ressentir cette attirance incompréhensible pour Ayla, Oga lui fit bon accueil. Elle n'avait jamais été jalouse, car il n'y avait aucun motif à cela. Broud était son compagnon, et ne semblait pas avoir l'intention de la quitter. Il était normal qu'un homme assouvisse ses désirs avec la femme de son choix. Mais ce qu'elle ne comprenait pas, c'était qu'il s'intéresse à une femme qui, de toute évidence et pour une raison mystérieuse, ne prenait aucun plaisir avec lui.

Quant à Broud, la soudaine indifférence d'Ayla à son égard l'exaspéra au plus haut point. Il croyait avoir découvert un moyen infaillible de la dominer, de briser une fois pour toutes sa résistance tout en savourant son plaisir, et il n'en fut que plus déterminé à la soumettre de nouveau par quelque autre moyen.

19

Tout le monde fut stupéfait d'apprendre qu'Ayla était enceinte. Les spéculations allaient bon train pour savoir à qui revenait le prestige d'avoir vaincu l'Esprit du Lion des Cavernes, et tous les hommes auraient aimé pouvoir s'en attribuer le mérite. Certains étaient enclins à y voir la manifestation collective de plusieurs esprits totémiques, voire ceux de toute la population mâle, mais d'une façon générale deux points de vue s'opposaient, celui des jeunes et celui des hommes plus âgés.

Toutefois il était admis dans le clan qu'une femme devait le plus souvent sa grossesse au totem de son compagnon. Il était possible que ce dernier fît appel à l'aide d'un autre esprit mâle, mais le mérite en revenait au premier totem. Or les deux hommes qui avaient été les plus proches d'Ayla depuis qu'elle était devenue une femme étaient Mog-ur et Broud.

— Je dis que c'est Mog-ur, affirmait Zoug. Il est le seul à posséder un totem plus puissant encore que le Lion des Cavernes. Et ne partage-t-elle pas son foyer ?

— Ursus ne permettrait jamais à une femme d'absorber son essence, répliqua Crug. L'Ours des Cavernes choisit ceux qu'il désire protéger, comme il le fit pour Mog-ur. Penses-tu que le Chevreuil pourrait battre le Lion des Cavernes ?

— Oui, avec l'aide de l'Ours. Mog-ur a deux totems, et le Chevreuil n'avait pas à chercher de l'aide bien loin. Personne n'a dit qu'Ursus avait perdu son essence, rétorqua Zoug avec force.

— Alors pourquoi n'a-t-elle pas été grosse l'hiver dernier ? Elle vivait alors au foyer de Mog-ur. Or elle est dans cet état depuis que Broud s'est intéressé à elle, quoique je me demande bien pourquoi. Le Rhinocéros aussi est puissant. Avec de l'aide, il aura fort bien pu vaincre le Lion des Cavernes, persista Crug.

— Je pense que le totem y est pour quelque chose, intervint Dorv. La question est de savoir qui la veut pour compagne ? Chacun voudrait être celui par qui c'est arrivé, mais qui veut d'elle ? Brun nous a posé la question. Si elle ne trouve pas de compagnon, cela portera malheur à l'enfant. Moi, je suis trop vieux, et je dois avouer que je ne le regrette pas.

— Je la prendrais volontiers si seulement j'avais encore un foyer, dit Zoug. Elle est peut-être laide mais elle est vaillante à l'ouvrage et respectueuse. Elle saurait s'occuper d'un homme, et finalement cela compte plus qu'une belle apparence.

— Moi, je ne voudrais pas de la Femme-Qui-Chasse à mon foyer, dit Crug. C'est bien pour Mog-ur, parce qu'il ne peut pas chasser et que cela lui est égal. Mais je me vois mal rentrer les mains vides de la chasse et manger la viande d'une bête que ma compagne aurait tuée. Et puis, mon foyer est au complet avec Ika et Borg, et maintenant Igra. Je suis bien content que Dorv puisse encore chasser. Quant à Ika, elle est encore assez jeune pour avoir un autre enfant...

— J'ai réfléchi à tout ça, dit Droog, et mon foyer aussi est complet. Aga, Aba, Vorn, Ona et Groob, ça en fait du monde. Comment pourrais-je prendre en plus une femme et son enfant ? Mais toi, Grod ?

— Non, à moins que Brun me l'ordonne, répondit Grod, sèchement.

Le chef en second n'avait jamais pu se défaire d'un certain sentiment de malaise en présence de la femme qui n'était pas née du clan, bien qu'il n'eût rien de particulier à lui reprocher.

— Et Brun ? demanda Crug. C'est tout de même lui qui l'a accueillie dans le clan.

— Il faut parfois penser à la première compagne avant de songer à en prendre une deuxième, fit remarquer Goov. Vous connaissez les sentiments d'Ebra envers Iza. Ayla est peut-être appelée à devenir une guérisseuse de la lignée d'Iza. Croyez-vous qu'Ebra verrait d'un bon œil une femme plus jeune, une deuxième compagne, avec un rang plus élevé que le sien, s'installer dans son foyer ? Je prendrais volontiers Ayla chez moi. Quand je serai mog-ur, je ne chasserai plus beaucoup, et ça me serait égal de voir la Femme-Qui-Chasse rapporter du petit gibier. Quant à Ovra, elle n'est pas du genre à jalouser le rang d'une autre, et d'ailleurs elle s'entend très bien avec Ayla. Mais hélas elle n'a pas encore d'enfant, et elle serait malheureuse de partager son foyer avec une femme plus comblée qu'elle dans ce domaine. Je pense que l'esprit du totem de Broud est responsable de l'état d'Ayla, et c'est dommage qu'il la déteste, car c'est lui qui devrait la prendre à son foyer.

— Je ne suis pas sûr que ce soit le totem de Broud, dit Droog. Et toi, Mog-ur ? Ne pourrais-tu la prendre pour compagne ?

Le vieux sorcier avait suivi attentivement la conversation.

— J'y ai pensé, répondit-il. Je ne crois pas que ce soit Ursus ou le Chevreuil ou même le Rhinocéros qui ait fait naître une vie dans le ventre d'Ayla. Son totem a toujours été un mystère, et qui sait ce qui se sera passé ? Mais elle a besoin d'un compagnon, et pas seulement pour que le malheur ne s'abatte pas sur son enfant. Elle aura aussi besoin d'un homme pour pourvoir à ses besoins. Je suis trop vieux, et si elle donne le jour à un garçon, je ne pourrai pas lui apprendre à chasser. Elle non plus ne pourra pas le faire, hormis à la fronde. De toute façon, il m'est impossible de la prendre pour compagne. Ce serait comme si Grod s'unissait à Ovra, avec Uka encore comme première compagne. Pour moi, Ayla est comme la fille d'une seule compagne, l'enfant d'un unique foyer, pas une femme pour une deuxième couche.

— Cela s'est pourtant déjà pratiqué, dit Dorv. La seule femme qu'un homme ne peut prendre pour compagne est sa sœur.

— Je n'ai jamais eu de compagne, et je suis trop vieux pour commencer aujourd'hui, dit Mog-ur. Iza prend soin de moi, et cela me suffit. Je me trouve bien avec ma sœur. Les hommes assouvissent de temps à autre leurs besoins avec leurs compagnes, et cela fait bien longtemps que je n'ai pas ressenti ces besoins. J'ai d'ailleurs appris à les contrôler depuis bien des lunes. Je ne serais pas le compagnon rêvé pour une jeune femme. Et puis il n'est pas dit qu'Ayla puisse garder son enfant. Iza dit qu'elle risque d'avoir des problèmes à l'accouchement. Je sais qu'elle veut ce bébé, mais ce serait mieux pour tout le monde si elle le perdait.

Et Mog-ur disait vrai, la grossesse d'Ayla ne se déroulait pas dans de bonnes conditions. La jeune femme était malade tous les matins et, au bout du quatrième mois, alors que son ventre commençait à s'arrondir, elle se mit à avoir des hémorragies. Aussi Iza décida-t-elle de demander à Brun de la dispenser de toute activité. Elle était persuadée qu'Ayla ferait mieux de se débarrasser de l'enfant, un acte qui ne devrait a priori pas poser de problèmes.

Elle était très inquiète pour la jeune femme, dont les bras et les jambes maigrissaient de façon alarmante, contrastant étrangement avec la rondeur de son ventre. De grands sillons noirs lui cernaient les yeux et ses cheveux devenaient plus ternes. Toujours transie, elle passait le plus clair de son temps blottie au coin du feu, emmitouflée dans des fourrures. Néanmoins, lorsque Iza lui demanda d'absorber le breuvage qui la débarrasserait définitivement de son enfant, elle s'y opposa avec une énergie farouche.

— Iza, je t'en supplie, aide-moi au contraire. Je veux cet enfant, implora-t-elle. Je sais que tu peux m'aider.

Iza sentit qu'elle ne pouvait lui refuser son assistance. Depuis un certain temps, elle comptait presque exclusivement sur Ayla pour se procurer les plantes dont elle avait besoin. Elle sortait elle-même rarement depuis que de violentes quintes de toux lui interdisaient tout effort. Néanmoins, elle quitta la caverne un beau matin pour se mettre en quête de certaine racine particulièrement indiquée pour éviter les fausses couches. Elle s'enfonça dans la forêt et s'engagea sur l'un des sentiers abrupts qui serpentaient au flanc de la colline. Elle se sentait beaucoup plus faible qu'elle ne l'aurait cru et, à bout de souffle, elle dut faire de nombreuses haltes en chemin.

Au milieu de la matinée, le temps changea subitement. Poussés par un vent glacial, de gros nuages s'amoncelèrent et une violente averse se mit à tomber. En quelques minutes, Iza fut trempée jusqu'aux os. Elle n'en poursuivit pas moins ses recherches et finit par découvrir la plante en question dans un bosquet de pins. Parcourue de frissons, elle arracha fébrilement quelques racines et se remit péniblement en marche, brisée par la toux et crachant le sang. Elle se trompa plusieurs fois sur le chemin du retour et c'est à la nuit tombée seulement qu'elle parvint en vue de la caverne.

— Maman, où étais-tu ? s'exclama Ayla. Tu es trempée. Viens vite près du feu.

— Tiens, Ayla, j'ai trouvé ces racines pour toi. Laves-en une et mâche-la... (Une quinte de toux l'interrompit.) Mâche-la crue, ça t'aidera à garder le bébé, poursuivit-elle les yeux brillants et les joues brûlantes de fièvre.

— Tu n'es pas sortie par ce vent et cette pluie uniquement pour me chercher cette plante, hein, maman ? Ne sais-tu donc pas que je préférerais perdre mon bébé plutôt que mettre ta vie en danger ? Tu es trop malade pour sortir comme ça, tu le sais bien.

Ayla savait Iza malade depuis longtemps, mais elle n'avait jamais pris conscience jusqu'alors de la gravité de son état. A dater de ce jour, oubliant sa grossesse et ses hémorragies, dédaignant même de manger, elle ne s'occupa plus que de sa mère adoptive avec l'assistance d'Uba qui ne perdait pas un seul de ses gestes.

C'était la première fois que la petite fille était confrontée à une maladie grave affectant la personne qu'elle aimait le plus au monde, en dehors d'Ayla et de Creb, et le fait d'assister Ayla dans ses soins lui faisait découvrir son propre héritage et sa propre destinée. Mais Uba n'était pas la seule à observer Ayla. Le clan tout entier était préoccupé par la santé de la guérisseuse et sceptique quant aux capacités de la jeune femme. Indifférente à leurs appréhensions, Ayla se consacrait exclusivement à celle qu'elle appelait sa mère.

Elle employa tous les remèdes que lui avait appris la guérisseuse, interrogeant Uba dont la mémoire recélait à l'état brut les connaissances de sa mère, et n'hésitant pas à recourir à de nouvelles méthodes. Comme Iza l'avait constaté, le talent d'Ayla résidait dans son habileté à découvrir la cause d'un mal. Elle savait porter un diagnostic.

A partir d'indices qu'elle relevait çà et là, elle reconstituait le tableau clinique, dont elle complétait les blancs par le raisonnement et l'intuition.

Et elle ne devait ce talent qu'à son cerveau seul, capacité qui restait totalement étrangère au Peuple du Clan.

L'action conjuguée de ses traitements et de ses soins attentifs ainsi que la propre volonté de vivre d'Iza eurent pour résultat qu'à l'entrée de l'hiver la guérisseuse était suffisamment remise pour s'occuper à nouveau de la grossesse d'Ayla. Il était plus que temps.

La santé de la jeune femme était préoccupante. Elle ne cessait de perdre du sang et souffrait de maux de reins constants. Iza s'étonnait que l'enfant continuât à se développer, malgré la faiblesse de la future mère. Et le fait est qu'il se développait considérablement, donnant au ventre d'Ayla d'étonnantes proportions. Il s'agitait si vigoureusement qu'elle en perdit pratiquement le sommeil. Iza n'avait jamais vu de femme souffrir autant lors d'une grossesse difficile.

Mais Ayla ne se plaignait jamais, de peur que la guérisseuse ne l'incite à se débarrasser du bébé. Sa grossesse était d'ailleurs beaucoup trop avancée pour qu'Iza y songeât.

Quant à Ayla, les souffrances qu'elle endurait la confortèrent dans l'idée que, si elle venait à perdre cet enfant, elle n'en aurait plus jamais d'autre. Elle vit de son lit les pluies printanières balayer la neige à l'entrée de la caverne. Uba lui apporta le premier crocus de la saison, et les bourgeons allaient éclore le jour où elle entra en couches.

Les premières contractions, annonciatrices d'une délivrance proche, furent comme un soulagement. Iza prépara une infusion d'écorce de saule et, si elle nourrissait des doutes quant à l'issue, elle n'en laissa rien paraître. Ayla était persuadée que d'ici le lendemain elle bercerait son bébé dans ses bras. La conversation s'orienta vers les plantes médicinales, comme c'était devenu depuis peu une habitude entre la guérisseuse et ses deux filles.

— Maman, quelle était cette racine que tu m'as apportée le jour où tu es sortie et que tu as pris froid ? demanda Ayla.

— On l'appelle la racine à serpent. On l'utilise peu car elle doit être consommée fraîche et cueillie à la fin de l'automne. Elle s'avère efficace en prévention des fausses couches, mais encore faut-il que ce risque survienne à la fin de l'automne, car la plante est sans effet une fois séchée.

— A quoi ressemble-t-elle ? s'enquit Uba.

Depuis la maladie de sa mère, la lignée des grandes guérisseuses semblait avoir trouvé en elle une descendante naturelle. Ayla et Iza avaient commencé de la former, mais, à la différence d'Ayla, sa formation requérait seulement le rappel des connaissances innées de sa mémoire héréditaire.

— Il s'agit en fait de deux plantes, une mâle et une femelle. Elle a une longue tige qui s'élève d'un bouquet de feuilles proche du sol, et une grappe de petites fleurs près du sommet de la tige. Celles du plant mâle sont blanches. C'est la racine du plant femelle qui contient le produit actif, et ses fleurs sont plus petites et vertes.

— Elles poussent dans les forêts de pins ? demanda Ayla.

— Oui, mais en terrain très humide. C'est une plante qui aime l'eau.

— Tu n'aurais jamais dû aller si loin, ce jour-là, Iza. J'étais tellement inquiète... Oh, attends, j'ai une nouvelle contraction !

La guérisseuse considéra le visage émacié et douloureux de la jeune femme. Oui, l'accouchement serait long et difficile, se dit-elle.

— Il ne pleuvait pas quand je suis partie, reprit-elle, désireuse de distraire Ayla. Je pensais qu'il ferait beau. Mais que veux-tu, le temps est parfois imprévisible. Il y a une chose que je voulais te demander, Ayla. Tu m'as bien appliqué un cataplasme d'herbes comme celui que j'emploie pour les rhumatismes de Creb, n'est-ce pas ?

— Oui.

— Mais je ne t'ai jamais appris cela.

— Je sais. Tu toussais tellement et tu crachais le sang. Je cherchais à te donner quelque chose qui calme les spasmes et en même temps te fasse cracher plus facilement. Ces cataplasmes pour Creb font pénétrer la chaleur et ils stimulent le sang. J'ai pensé qu'ils rendraient plus fluides les mucosités, et qu'ainsi la toux serait moins pénible. Et ensuite, je t'ai donné une décoction calmante. Il semble que ça t'a fait du bien.

— Oui, ç'était très efficace, acquiesça Iza qui se demanda si elle y aurait pensé elle-même.

Ayla était décidément une bonne guérisseuse, et son talent irait grandissant avec le temps et l'expérience. Elle est digne de ma lignée, pensa Iza. Il faut que j'en parle à Creb. Il se peut que je quitte ce monde plus tôt que je le prévoyais. Ayla est femme, maintenant, et elle est en mesure de me remplacer... si elle survit à son accouchement.

A la fin de l'après-midi, les contractions se firent plus fréquentes et Iza administra à Ayla une décoction analgésique pour la soulager. Etendue sur sa couche, le front en sueur, la jeune femme gémissait de douleur à chaque spasme, tandis qu'Iza, assistée d'Ebra, s'activait auprès d'elle.

Assis autour du feu dans le foyer de Brun, les hommes avaient interrompu leur conversation et fixaient le sol d'un air morne.

— Son bassin est trop étroit, Ebra, déclara Iza. L'enfant ne passera jamais.

— Ne penses-tu pas qu'il faudrait crever la poche des eaux ? Ça pourrait l'aider, proposa Ebra.

— J'y ai pensé, mais j'attendais le moment propice. Je vais le faire à la fin de cette contraction. Tu veux me passer le bâtonnet ?

Ayla se cambra violemment en saisissant la main des deux femmes et poussa un long cri déchirant.

— Ayla, je vais essayer de t'aider, signifia Iza après que la contraction fut passée. Tu me comprends ?

Ayla acquiesça sans un mot.

— Je vais crever la poche des eaux. Il faut que tu t'accroupisses, ça aidera le bébé à sortir. Tu vas y arriver ?

— Je vais essayer, murmura Ayla.

Iza inséra le bâtonnet, et les eaux surgirent, provoquant une nouvelle contraction.

— Lève-toi, maintenant, ordonna la guérisseuse.

Iza et Ebra soulevèrent la jeune femme et la soutinrent chacune par un bras tandis qu'elle essayait de s'accroupir sur la peau de bête.

— Vas-y, pousse maintenant, Ayla.

— Elle n'y arrive pas, dit Ebra. Elle n'a plus de force.

— Ayla, il faut que tu pousses plus fort, insista Iza.

— Je ne peux pas, répondit faiblement Ayla.

— Mais il le faut, Ayla ! Essaye, sans quoi ton bébé va mourir ! dit Iza, se gardant d'ajouter qu'elle aussi mourrait avec lui.

Faisant appel à des ressources d'énergie insoupçonnées, Ayla rassembla ses dernières forces, prit une grande inspiration et s'accrocha à la main d'Iza. Proche de l'évanouissement, le front emperlé de sueur sous l'effort, elle avait l'impression que tous ses os se brisaient.

— Vas-y, Ayla. Encore, encore, l'encourageait Iza. La tête commence à sortir, continue !

Prenant une autre inspiration, Ayla poussa de nouveau. Elle sentit sa peau et ses muscles se déchirer, mais elle continua à pousser de plus belle, jusqu'au moment où la tête du bébé émergea de l'étroit passage. Iza entreprit alors de le tirer délicatement. Le plus dur était fait.

— Encore un effort, Ayla, un dernier petit effort pour le délivrer.

La jeune femme se tendit une fois encore avant de perdre connaissance.

Iza attacha un morceau de nerf teint à l'ocre rouge au cordon ombilical du nouveau-né avant de le couper avec les dents. Puis elle lui donna des petites tapes sur les pieds jusqu'à ce que sa faible plainte se transforme en un puissant vagissement. Il est vivant, pensa-t-elle avec soulagement. Mais au moment où elle s'apprêtait à le nettoyer, le cœur lui manqua. Toute cette souffrance pour en arriver là... Elle emmaillota l'enfant dans la peau de lapin déjà préparée pour lui, puis elle confectionna pour Ayla un cataplasme de racines mâchées. La jeune mère gémit en ouvrant les yeux.

— Mon bébé, Iza... C'est un garçon ou une fille ? demanda-t-elle.

— C'est un garçon, Ayla, répondit la guérisseuse. (Elle s'empressa d'ajouter, pour ne pas lui laisser de vains espoirs :) Mais il est anormal.

Le faible sourire d'Ayla se mua en une grimace horrifiée.

— Non ! Ce n'est pas possible ! Montre-le-moi !

— C'est ce que je redoutais, dit Iza en lui apportant l'enfant. C'est hélas fréquent quand une femme a une grossesse difficile. Je suis navrée, Ayla.

La jeune femme écarta la peau de lapin et regarda son fils. Il avait les bras et les jambes plus grêles que ceux d'Uba à sa naissance, plus longs également, mais pourvus du nombre exact de doigts aux pieds et aux mains. Son minuscule pénis ne laissait aucun doute sur son sexe. Son crâne était quelque peu déformé par les épreuves de son entrée dans le monde, mais ce n'était pas le plus grave : Iza savait qu'il reprendrait une forme acceptable d'ici peu. C'étaient plutôt la conformation générale de sa tête, sa grosseur anormale, sans parler du petit cou maigre trop fragile pour supporter ce poids énorme, qui paraissaient bizarres.

A l'image des individus composant le Peuple du Clan, le nouveau-né avait des arcades sourcilières proéminentes mais, au lieu de s'interrompre brusquement, son front décrivait un renflement ressemblant à une bosse au-dessus des sourcils. Son crâne, de forme arrondie, n'avait pas la longueur voulue, et au lieu de se prolonger en une forme oblongue, il s'arrêtait net au niveau de la nuque bien arquée. Ses traits étaient le plus surprenant : de grands yeux ronds, un nez beaucoup plus petit que la normale, une grande bouche mais des mâchoires étroites comparées à celles du clan, et sous la bouche, une espèce de protubérance osseuse qui le défigurait irrémédiablement. Quand Iza avait pris le bébé dans ses bras, en voyant sa tête ballotter, elle avait sérieusement douté qu'il pût un jour parvenir à la tenir droite.

Blotti contre sa mère, le bébé cherchait déjà à téter, et Ayla l'aida à trouver son sein.

— Tu ne devrais pas, Ayla, lui dit Iza avec douceur. Ne lui donne pas de forces, car on va bientôt te t'enlever, et tu auras encore plus de peine à te séparer de lui.

— Me séparer de lui ? s'écria Ayla, interloquée. Mais c'est mon bébé ! Mon fils !

— Tu n'as pas le choix, Ayla. C'est la règle ici. Une mère doit se débarrasser de son enfant s'il est anormal. Alors, autant se dépêcher de le faire avant que Brun ne l'ordonne.

— Mais Creb était bien difforme et on l'a laissé vivre, protesta Ayla.

— Le compagnon de sa mère était le chef du clan, et il lui a permis de garder l'enfant. Mais toi tu n'as pas de compagnon, tu n'as personne pour défendre ton fils. Ayla, pourquoi laisser vivre un enfant destiné à être malheureux toute sa vie ? Finissons-en au plus vite, lui conseilla Iza.

A contrecœur, Ayla arracha son enfant de son sein et fondit en larmes.

— Oh, Iza, gémit-elle. Je désirais tellement ce bébé ! Je voulais tant en avoir un pour moi toute seule, comme les autres femmes. Ne me force pas à m'en débarrasser.

— Je sais que c'est pénible, Ayla, mais c'est ainsi, insista Iza, le cœur gros.

Le bébé cherchait désespérément la chaleur du sein dont il venait d'être brutalement privé. Il se mit à pleurnicher et bientôt poussa un hurlement sonore et insistant, le cri du nouveau-né affamé.

— Non, c'est tout simplement impossible ! s'exclama Ayla en lui redonnant le sein. Mon fils est vivant. Il respire. Il est peut-être mal formé, mais il est fort. Tu l'as entendu crier ? As-tu jamais entendu un nouveau-né pousser de pareils cris ? Tu l'as vu se débattre ? Regarde donc comme il tète ! Je veux le garder, Iza, et je le garderai. Je partirai plutôt que de le tuer. Je sais chasser. Je pourrai le nourrir et m'en occuper toute seule !

— Ayla, tu plaisantes ! dit Iza qui avait pâli. Où irais-tu ? Tu es beaucoup trop faible, tu as perdu tellement de sang.

— Je n'en sais rien, maman. Quelque part, n'importe où. Mais je ne l'abandonnerai pas.

Ayla se sentait résolument déterminée et Iza comprit alors qu'elle mettrait son projet à exécution. Mais elle était trop faible pour s'en aller vivre ailleurs. Elle mourrait assurément en essayant de sauver son enfant.

— Ayla, ne dis pas ça, supplia Iza. Si tu n'as pas la force de le faire, c'est moi qui vais m'en charger. Je dirai à Brun que tu es trop fatiguée. Laisse-moi le prendre, dit-elle en tendant les bras. Une fois qu'il ne sera plus là, il te sera facile de l'oublier.

— Non, non ! Iza, protesta Ayla en serrant le nouveau-né dans ses bras. Je le garderai. Peu importe comment. Et même si je dois m'en aller, je le garderai.

Uba n'avait rien perdu de la scène entre les deux femmes, pas plus d'ailleurs que de l'accouchement difficile d'Ayla. Rien n'était caché aux enfants, qui partageaient tout autant que leurs aînés le destin du clan. Uba adorait la jeune femme aux cheveux dorés, à la fois sa camarade de jeu, son amie, sa mère et sa sœur, et si la délivrance douloureuse l'avait effrayée, elle l'était plus encore en voyant Ayla signifier qu'elle quitterait le clan plutôt que de se défaire de son enfant. Cela rappelait à la petite fille la première fois où Ayla était partie et où tout le monde disait qu'elle ne reviendrait jamais.

— Ne t'en va pas, Ayla, s'écria la fillette. Maman, tu ne vas pas la laisser partir !

— Je n'en ai pas envie, Uba, mais je ne peux pas laisser mourir mon bébé, lui dit Ayla.

— Et pourquoi ne le déposes-tu pas au sommet d'un arbre, comme dans l'histoire d'Aba ? S'il survit pendant sept jours, Brun sera obligé de l'accepter, proposa Uba.

— L'histoire d'Aba est une légende, Uba, expliqua Iza. Aucun bébé ne pourrait résister au froid sans rien manger.   ·

Mais Ayla n'écoutait plus, une idée venait de germer dans son esprit.

— Maman, une partie de la légende est vraie, dit-elle enfin.

— Que veux-tu dire ?

— Si mon enfant est encore vivant au bout de sept jours, Brun sera obligé de l'accepter, n'est-ce pas ?

— Que vas-tu imaginer, Ayla ? Tu n'espères tout de même pas le retrouver vivant au bout de sept jours, si tu le laisses dehors sans nourriture ? Tu sais bien que c'est impossible.

— Je ne vais pas le laisser dehors, je vais l'emmener. Je connais un endroit où l'abriter. Je peux très bien y aller avec mon fils et ne revenir que le jour de la cérémonie. Brun devra alors lui donner un nom et me le laisser.

— Non ! Ayla, ne fais pas ça ! Ce serait aller à l'encontre des traditions du clan, et Brun serait furieux. Il te cherchera et finira bien par te trouver et te reconduire à la caverne. Non, ce n'est pas bien, lui reprocha Iza, fort agitée.

Jamais Iza ne s'était permis de transgresser la moindre règle, et la seule idée de s'y risquer lui coupait les jambes. Le projet d'Ayla constituait à lui seul une manifestation de révolte à laquelle elle n'aurait jamais songé et qu'elle pouvait encore moins approuver. Mais elle savait combien Ayla tenait à cet enfant et son cœur se serrait en pensant à tout ce qu'elle avait enduré pour le mener à terme et lui donner le jour. Elle a raison, pensa-t-elle en regardant le nouveau-né. Il est difforme, mais aussi fort et en bonne santé. Creb est né infirme, et pourtant cela ne l'a pas empêché de devenir Mog-ur. La pauvre, c'est son premier bébé. Si elle avait un compagnon, il se pourrait qu'il le laisse vivre.

Iza songea un instant à s'en ouvrir à Creb ou à Brun, comme elle aurait normalement dû le faire, mais elle ne put s'y résoudre. Elle déposa quelques pierres chaudes dans un bol d'eau pour faire une infusion d'ergot. Ayla dormait, le bébé dans ses bras, quand Iza lui présenta le breuvage.

— Bois ça, Ayla, dit-elle. J'ai enveloppé le placenta et l'ai mis là-bas, dans le coin. Tu peux te reposer cette nuit, mais il faudra t'en débarrasser demain avec l'enfant. Brun est déjà au courant, Ebra lui a tout dit. Il préférerait ne pas avoir à examiner le bébé et t'ordonner de t'en défaire. Il s'attend plutôt à ce que tu le fasses disparaître en même temps que la preuve de sa naissance.

Par ces propos, Iza venait de lui apprendre le temps qui lui restait pour mettre son projet à exécution.

Ayla demeura éveillée un long moment après le départ de la guérisseuse en réfléchissant à tout ce qu'il lui faudrait emporter dans sa fuite : une couverture pour dormir, des peaux de lapin pour le bébé, quelques bandes de cuir, sa fronde et des couteaux, et aussi de quoi manger et l'outre d'eau.

Le lendemain matin, Iza prépara de la nourriture en abondance. Creb, qui était rentré tard la veille, évita toute conversation avec Ayla, faute de savoir que lui dire.

Le vieux sorcier pensait que le totem de la jeune femme était trop puissant, qu'il ne s'était jamais avoué vaincu, ce qui expliquait ces pertes de sang pendant sa grossesse, ainsi que la malformation du bébé. Quelle pitié, se disait-il, elle voulait tellement cet enfant.

— Mais Iza, il y a là de quoi nourrir tout le clan ! remarqua-t-il. Nous ne pourrons jamais manger tout ça.

— C'est pour Ayla, répondit Iza en baissant la tête précipitamment.

Iza a le cœur maternel, pensa le vieil homme. Mais Ayla a effectivement grand besoin de reprendre des forces. Elle mettra du temps avant de se remettre complètement. Je me demande si elle pourra jamais avoir un enfant normal.

Quand Ayla se leva, elle sentit la tête lui tourner et un flot de sang chaud couler. Elle avait le plus grand mal à faire un pas. A se voir si faible, elle eut un instant de panique. Seule sa farouche détermination à sauver son enfant la poussa à poursuivre son projet.

Il tombait une pluie fine quand elle quitta la caverne. Elle avait rangé une partie de ses affaires au fond de son panier, en les cachant sous le paquet à l'odeur forte de placenta, et elle dissimula le reste sous la grande fourrure dans laquelle elle s'était enveloppée, après avoir installé son bébé sur sa poitrine, dans une peau suspendue à son cou. Si elle se sentit légèrement mieux en pénétrant dans les bois, la nausée persistait. Arrivée au plus profond de la forêt, elle entreprit de creuser un trou, avec la plus grande difficulté tant elle était faible, où elle enterra le paquet contenant le délivre ainsi qu'Iza lui avait appris à le faire, sans oublier les signes symboliques. Puis elle regarda son fils, profondément endormi, et décida que personne ne le mettrait jamais dans un trou comme celui qu'elle venait de creuser. Elle commença alors sa pénible ascension vers les hauts pâturages, sans s'apercevoir que quelqu'un la suivait.

A peine avait-elle quitté la caverne qu'Uba s'était glissée derrière elle. Connaissant l'état de faiblesse d'Ayla, elle craignait qu'elle ne s'évanouisse et qu'attirée par l'odeur du sang quelque bête féroce ne trouve en elle une proie facile. La petite fille avait perdu sa trace dans la forêt, mais elle la retrouva en la voyant gravir le sentier escarpé.

Ayla s'appuyait sur son bâton à fouir pour marcher et s'arrêtait souvent, luttant contre la nausée. Elle sentait le sang couler le long de ses jambes, et se prit à regretter le temps où elle pouvait gravir la colline sans le moindre essoufflement. Aujourd'hui, sa prairie lui paraissait infiniment loin. Au bord de l'évanouissement, elle se forçait à poursuivre son chemin, bien décidée à avancer tant qu'il lui resterait un soupçon de force et animée par une seule idée : gagner sa grotte.

Vers la fin de l'après-midi, quand le bébé se mit à pleurer, il lui sembla entendre ses cris à travers un épais brouillard. Elle ne s'arrêta pas pour lui donner le sein mais continua son ascension.

Uba suivait à distance, de peur qu'Ayla ne s'aperçoive de sa présence. Elle ignorait qu'Ayla ne marchait plus qu'à l'aveuglette depuis un moment. La tête lui tournait quand elle déboucha enfin sur le pré. Elle banda ses dernières forces pour avancer encore, écarter les branches masquant sa retraite et se laisser choir sur la peau de daim qu'elle avait laissée là lors de son dernier séjour. Elle ne se souvint pas d'avoir offert son sein au bébé en pleurs avant que, totalement épuisée, elle perde connaissance.

Si Uba n'était pas arrivée à hauteur de la prairie au moment même où Ayla se faufilait dans la faille, elle aurait pu croire que la jeune femme s'était évanouie dans les airs, tant les branchages enchevêtrés des noisetiers dissimulaient parfaitement l'entrée de la grotte. La fillette se dépêcha de regagner la caverne où elle avait laissé Iza dans l'ignorance de son dessein. Sa course l'avait entraînée beaucoup plus loin qu'elle ne l'imaginait, et elle craignait de se faire réprimander en arrivant. Mais Iza ne s'inquiétait aucunement. Elle avait vu sa fille s'élancer sur les traces d'Ayla et deviné ses intentions, sans pour autant chercher à en avoir le cœur net.

<h1 style="text-align:center">20</h1>

— Ne devrait-elle pas être rentrée, Iza ? s'inquiéta Creb qui avait passé tout l'après-midi à guetter le retour d'Ayla.

Iza hocha nerveusement la tête, sans lever les yeux du quartier de viande qu'elle était en train de débiter en morceaux.

— Aïe ! s'écria-t-elle soudain en se coupant avec l'instrument tranchant.

Creb leva les yeux, non seulement surpris par la maladresse mais aussi par son cri. Iza était si habile à manier les outils acérés qu'il ne se rappelait pas l'avoir jamais vue se blesser.

— Je viens de parler à Brun, Iza, déclara-t-il. Il ne croit pas nécessaire de commencer les recherches dès à présent. Personne ne doit savoir où une femme a décidé de... enfin où elle est allée. Mais par ailleurs elle est si faible qu'il se peut qu'elle se soit évanouie quelque part sous la pluie. Tu devrais aller la chercher, Iza, c'est toi la guérisseuse. Elle n'a pas dû aller bien loin. Et ne t'inquiète pas pour le dîner, je peux attendre encore un peu. Vas-y avant qu'il fasse nuit noire.

— Je ne peux pas, répondit Iza en suçant son doigt blessé.

— Comment tu ne peux pas ? s'étonna Creb.

Le vieux sorcier était perplexe. Pourquoi Iza ne veut-elle pas partir à sa recherche ? D'ailleurs, pourquoi ne l'a-t-elle pas déjà fait ? Et puis je la trouve bien nerveuse.

— Non, je ne pourrai pas la trouver.

— Comment peux-tu le savoir, tu n'as même pas commencé à la chercher ?

— Ça ne servirait à rien, je ne pourrais pas la trouver.

— Et pourquoi donc ? insista Creb.

— Parce qu'elle se cache, avoua la femme dont le regard reflétait l'angoisse et la peur.

— Elle se cache ! Mais de quoi se cache-t-elle ?

— De tout le monde. De Brun, de toi, de moi, de tous, répondit Iza.

Devant les réponses énigmatiques de sa sœur, Creb ne savait que penser.

— Iza, tu ferais mieux de m'expliquer pourquoi elle se cache ainsi de nous tous, et plus particulièrement de toi.

— Elle désire garder le bébé, Creb, déclara Iza précipitamment. Je lui ai bien dit que c'est le devoir d'une mère de se débarrasser d'un enfant anormal, mais elle n'a rien voulu entendre. Tu sais combien elle désirait ce petit. Elle m'a dit qu'elle allait se cacher avec lui jusqu'au jour de la Cérémonie du Nom. Alors, Brun sera obligé de l'accepter.

Creb ne fut pas long à comprendre toutes les implications de la fuite d'Ayla.

— Oui, Brun sera obligé d'accepter son fils dans le clan, Iza, mais il la condamnera pour sa désobéissance, et cette fois pour toujours. Tu sais bien que les hommes ne tolèrent pas de se voir contraints par une femme. Brun ne transigera pas, de peur que ses hommes cessent de le respecter. De toute façon, il va perdre la face. Et dire que le Rassemblement du Clan aura lieu l'été prochain ! Il ne pourra jamais faire front aux accusations des autres clans, et le nôtre sera ridiculisé à cause d'Ayla, répliqua le sorcier avec colère. Comment une telle idée a-t-elle pu lui traverser la tête ?

— C'est dans l'une des histoires d'Aba, celle où une mère dépose son enfant anormal au faîte d'un arbre, répondit Iza, désespérée de ne pas s'être montrée plus ferme envers Ayla.

— Des histoires de bonnes femmes, oui ! s'exclama Creb sur un ton méprisant. Aba aurait dû s'abstenir de mettre de telles sottises dans la tête d'une jeune fille.

— Aba n'est pas la seule responsable, Creb, tu l'es également.

— Moi ? Quand lui aurais-je raconté de pareilles sornettes ?

— Tu n'en as pas eu besoin. Tu es né infirme et on t'a néanmoins laissé vivre. Aujourd'hui tu es Mog-ur.

La révélation ébranla fortement le vieux sorcier manchot et boiteux.

Il connaissait le concours de circonstances qui l'avait soustrait à la mort à sa naissance. Seule la chance avait préservé l'homme qui était aujourd'hui le plus grand mog-ur de tous les clans réunis. La mère de sa mère lui avait dit qu'il devait sa vie à un pur miracle. Ayla avait-elle imaginé semblable miracle pour son fils ? Elle se trompait. Jamais elle ne réussirait à convaincre Brun de donner une chance à son fils.

— Et toi, Iza, tu n'as donc rien tenté pour la dissuader ?

— J'ai fait tout ce que j'ai pu. Je lui ai proposé de la débarrasser moi-même de l'enfant, mais elle ne m'a pas laissée m'en approcher. Oh, Creb, elle a tellement souffert pour le mettre au monde !

— Alors, ainsi, tu l'as laissée partir en espérant que son projet réussirait ! Et pourquoi ne pas en avoir parlé à Brun ou à moi ?

Iza se contenta de secouer la tête d'un air accablé.

Creg a raison, pensait-elle. Maintenant, la mort n'attend pas seulement le bébé d'Ayla, mais Ayla elle-même.

— Où est-elle allée ? demanda Creb d'un geste impératif.

— Je n'en sais rien. Elle m'a parlé d'une petite grotte dans la montagne.

Le sorcier lui tourna abruptement le dos et se dirigea vers le foyer du chef.

Les cris du nouveau-né finirent par tirer Ayla de sa torpeur. La nuit était tombée et la petite grotte était froide et humide. La jeune fille alla soulager sa vessie au fond de la faille et grimaça de douleur au feu provoqué par le liquide ammoniaqué sur ses chairs à vif et déchirées. Elle fouilla à tâtons dans son panier pour trouver de quoi changer son enfant ainsi qu'une bande de peau absorbante pour elle-même. Après s'être désaltérée, elle l'enveloppa dans la fourrure et donna le sein à son petit. Quand elle s'éveilla pour la seconde fois, les rayons du soleil filtraient à travers le réseau de branchages, illuminant la caverne. Elle se restaura un peu pendant que son bébé tétait.

Revigorée par le sommeil et le repas, Ayla, son enfant dans ses bras, songea à tout ce qu'elle devrait faire. Ramasser du bois, pour commencer, et trouver de quoi manger, car ce qu'elle avait ne durerait pas longtemps. La luzerne devait pousser dans les parages ; elle lui échaufferait le sang. Il devait y avoir du trèfle ; de la vesce, et elle pourrait recueillir de la sève de bouleau ; l'érable aurait été préférable mais il ne poussait pas à cette altitude. Enfin, elle trouverait bien de la bardane, du pas-d'âne et des pissenlits. Et il y avait assez d'écureuils, de castors et de lapins dans le coin pour qu'elle ne manque pas de viande.

Elle songea aux plaisirs du printemps, aux cueillettes et aux chasses qu'elle pourrait entreprendre d'ici peu, mais en se levant elle se sentit désemparée à la vue du sang qui lui souillait les jambes en même temps qu'elle éprouvait un léger vertige.

Quand la tête cessa de lui tourner, elle décida d'aller se laver et, par la même occasion, de ramasser du bois. Elle se demanda que faire du bébé. En règle générale, les femmes du clan ne laissaient jamais leur enfant sans surveillance, mais il lui fallait se laver et également remplir son outre d'eau, et elle pourrait rapporter davantage de bois.

Elle jeta un coup d'œil hors de la grotte avant d'en sortir et d'en obstruer l'entrée avec le rideau de branchages des noisetiers. Le sol était détrempé ; les abords du ruisseau, une mare de boue glissante. Frissonnant de froid dans le vent d'est, Ayla se déshabilla et entra dans l'eau glacée pour se rincer et nettoyer ses vêtements. Puis, renfilant ses fourrures humides, elle se dirigea vers les bois qui entouraient la prairie et se mit en devoir d'arracher les branches mortes au bas d'un sapin. Elle fut aussitôt prise d'un vertige, les jambes lui manquèrent et elle dut se retenir au tronc de l'arbre pour ne pas tomber. Il lui fallait pour le moment abandonner toute idée de chasser ou même de ramasser du bois. Sa grossesse difficile, son accouchement éprouvant, sa récente escalade avaient eu raison de ses dernières forces.

Le bébé criait quand elle regagna la caverne. Le froid, l'humidité et la disparition du contact rassurant de sa mère l'avaient réveillé. Elle le prit dans ses bras, et c'est alors qu'elle se souvint d'avoir oublié l'outre près du ruisseau. Elle avait absolument besoin d'eau. Elle reposa son enfant et ressortit de la grotte. Il commençait à pleuvoir. Quand elle revint enfin, elle se laissa tomber par terre et eut à peine la force de tirer la lourde couverture sur leurs deux corps blottis l'un contre l'autre avant de sombrer dans un sommeil lourd.

— Je vous l'ai toujours dit qu'elle était insolente, têtue ! s'exclama Broud, qui triomphait. S'est-il trouvé quelqu'un pour me croire ? Non, personne ! Vous avez tous pris son parti, vous lui avez trouvé des excuses, vous l'avez laissée agir à sa guise et même autorisée à chasser, sous prétexte qu'elle possède un totem puissant. Qu'importe, les femmes n'ont pas le droit de chasser ! Le Lion des Cavernes ne l'y a jamais incitée, ce n'était qu'une provocation ! Voyez ce qui arrive quand on est trop faible avec les femmes ! Quand on leur laisse trop de liberté ! Maintenant, elle s'imagine qu'elle pourra obliger le clan à accepter son fils anormal. Mais cette fois, personne ne pourra lui trouver de bonnes excuses. Elle a délibérément bafoué les coutumes du clan et c'est impardonnable !

Broud jubilait de pouvoir lancer à la face de chacun son « Je vous l'avais bien dit ! » et il retournait le couteau dans la plaie avec une satisfaction qui impatientait Brun. Ce dernier se trouvait dans une mauvaise posture, mais le fils de sa compagne ne lui facilitait pas la tâche.

— Tu viens de marquer un point, Broud, admit-il. Il est inutile d'insister davantage. Je m'occuperai d'elle à son retour. Personne ne m'a jamais impunément obligé à agir contre ma propre volonté. Quand nous poursuivrons les recherches demain matin, je propose que nous allions là où nous n'avons pas l'habitude de nous rendre. Iza a mentionné l'existence d'une petite grotte. L'un de nous en a-t-il vu dans les environs ? Ce doit être près d'ici car elle était trop faible pour aller bien loin. Malgré la pluie, on découvrira peut-être l'une de ses empreintes. Peu importe le temps que cela nous prendra, mais je veux qu'on la retrouve.

Iza attendait anxieusement la fin de la discussion entre Brun et les hommes. Prenant son courage à deux mains, elle avait décidé de lui demander un entretien et, quand elle vit que la réunion était terminée, elle se présenta au foyer du chef et s'assit à ses pieds, les yeux baissés.

— Que veux-tu, Iza ? lui demanda Brun après lui avoir tapé sur l'épaule.

— La femme indigne qui se tient devant toi désire te parler, commença Iza.

— Tu as mon autorisation.

— Cette femme a eu tort de ne pas prévenir le chef quand elle a su ce qu'Ayla avait l'intention de faire, dit Iza. Mais, Brun, elle désirait tellement cet enfant ! Personne ne croyait possible qu'elle pût jamais donner le jour à un enfant. Elle était si heureuse de l'avoir mené à terme et elle a tant souffert ! Cet enfant, même difforme, elle ne voulait pas l'abandonner. Elle n'avait plus tout à fait sa tête à elle, Brun. Elle ne savait plus très bien ce qu'elle faisait. Je sais que je n'ai pas le droit de t'en faire la demande, mais je te supplie de lui laisser la vie sauve.

— Pourquoi n'es-tu pas venue plus tôt, Iza ? Me suis-je montré si dur envers elle ? Les souffrances de son accouchement ne m'ont pas échappé. Un homme doit éviter de regarder ce qui se passe chez son voisin, mais il ne peut pas se boucher les oreilles. Personne ici n'ignore ce qu'Ayla a enduré pour donner le jour à son fils. Crois-tu donc que je n'aie pas de cœur ? Si tu étais venue me dire ce qu'elle avait l'intention de faire, ne penses-tu pas que j'aurais envisagé de lui laisser son enfant, si sa difformité n'avait pas été trop monstrueuse ? Mais tu ne m'en as pas donné la possibilité, et cela ne te ressemble pas.

» Je ne t'ai jamais vue faillir à tes devoirs, Iza. Tu as toujours été un exemple pour les autres femmes, et je préfère mettre ta conduite sur le compte de ta maladie. J'ai respecté ton silence à ce sujet, et je ne t'en ai jamais parlé, mais j'étais sûr que tu nous quitterais pour le monde des esprits l'automne dernier. Je savais également qu'Ayla croyait que c'était son unique chance d'avoir un enfant, et peut-être a-t-elle raison. Pourtant, je l'ai vue oublier ses problèmes et ses propres souffrances pour te soigner, Iza, et parvenir à te sortir de ce mauvais pas. J'ignore comment elle a fait. Peut-être Mog-ur est-il intervenu auprès des esprits pour qu'ils t'accordent de demeurer encore quelque temps parmi nous, mais le mérite de ta guérison ne lui revient qu'en partie.

» Je m'apprêtais justement à répondre à la requête du Mog-ur et à autoriser Ayla à devenir guérisseuse car j'en étais venu à la respecter autant que je te respecte, Iza. Elle s'est montrée plus d'une fois admirable de courage, et elle a été un modèle d'obéissance malgré le dur traitement que lui infligeait le fils de ma compagne. Il était indigne de lui de s'acharner ainsi sur une femme. Broud est un chasseur très courageux et je n'ai jamais compris pourquoi il sentait sa virilité menacée par une femelle. Mais peut-être a-t-il vu dans sa conduite des choses qui m'ont échappé ? Peut-être ai-je fait preuve d'aveuglement en ce qui la concerne ? Iza, si tu étais venue me parler plus tôt, j'aurais pu considérer ta requête, mais il est trop tard à présent. Quand elle reviendra avec son enfant, elle mourra et son fils avec elle.

Le lendemain, Ayla essaya d'allumer un feu avec le bois qui restait de son précédent séjour, mais elle n'eut pas la force suffisante pour provoquer une étincelle, et c'est précisément ce qui la sauva. Droog et Crug découvrirent le chemin qui menait à la prairie tandis que la mère et le fils dormaient, et s'ils avaient senti un feu ou même des cendres chaudes, ils les auraient surpris. Ils s'approchèrent si près de leur refuge qu'ils auraient entendu le nouveau-né s'il s'était mis à pleurer. Mais l'ouverture de la grotte était si bien dissimulée par le vieux buisson de noisetiers que ni l'un ni l'autre ne remarqua rien. Et la chance continua de sourire à Ayla. Les pluies printanières qui tombaient sans discontinuer avaient transformé les abords du ruisseau en un véritable marécage et effacé toute trace de passage d'un être humain. Les deux hommes possédaient une telle expérience de la chasse que non seulement ils étaient capables d'identifier les empreintes de tous les membres du clan, mais qu'ils auraient tout de suite repéré les pousses coupées ou les trous laissés par l'arrachage des racines si Ayla avait pu cueillir de quoi manger. Une fois encore, ce fut sa faiblesse qui la sauva.

Lorsqu'un peu plus tard, elle s'aventura dehors, elle eut un haut-le-cœur en découvrant les traces des deux hommes qui s'étaient arrêtés pour boire au ruisseau. Après cette découverte, elle n'osa plus sortir de la grotte, et elle tressaillait à chaque fois qu'un coup de vent agitait les branches des noisetiers.

Les provisions qu'elle avait apportées tiraient à leur fin. En fouillant dans le panier qu'elle avait laissé dans la grotte la fois précédente, elle ne récolta que quelques noisettes sèches ou gâtées, ainsi que les crottes des petits rongeurs qui ne s'étaient pas privés de puiser à satiété dans ses réserves. Elle se souvint alors qu'elle avait caché de la viande de daim séchée au fond de la caverne. Soulevant les pierres, elle s'aperçut avec joie que rien n'avait été touché et que la viande était en bon état, mais sa joie fut brutalement interrompue.

Un bruissement la fit se retourner et elle vit, le cœur battant, les branchages bouger.

— Uba ! s'écria-t-elle en voyant la petite fille se faufiler dans la caverne. Comment as-tu fait pour me trouver ?

— Je t'ai suivie quand tu es partie. Je craignais qu'il t'arrive quelque chose. Tiens, je t'ai apporté de quoi manger et une infusion pour faire monter le lait. C'est maman qui l'a préparée.

— Est-ce qu'Iza sait où je suis ?

— Non, mais elle sait que je le sais. Je crois qu'elle ne tient pas à le savoir directement, autrement elle serait obligée de le dire à Brun. Oh, Ayla, Brun est furieux contre toi. Les hommes te cherchent.

— Je sais, j'ai vu leurs empreintes, mais ils n'ont pas trouvé la grotte.

— Broud ne cesse de se vanter d'avoir toujours su que tu étais une rebelle. Je n'ai presque pas vu Creb depuis ton départ, il passe son temps là où il y a les esprits, et maman est très malheureuse. Elle te fait dire de ne pas revenir.

— Si elle ne t'a pas parlé de moi, comment a-t-elle pu te transmettre le message ? demanda Ayla.

— Elle a préparé plus de nourriture que nécessaire hier au soir et ce matin aussi, mais pas trop quand même de peur que Creb ne se doute que c'était pour toi. Après, elle a préparé l'infusion en se lamentant et en se parlant à elle-même.

» Elle me regardait droit dans les yeux en répétant : ''Ah, si quelqu'un pouvait dire à Ayla de ne pas revenir ! Ma pauvre enfant, ma pauvre fille, elle n'a rien à manger, elle est si faible. Elle a besoin de lait pour nourrir son bébé...''

» Ensuite elle est partie en laissant cette outre pleine et toute la nourriture enveloppée.

» Elle m'a certainement vue quand je suis partie derrière toi, poursuivit Uba. J'ai été étonnée qu'elle ne me crie pas après en me voyant rentrer si tard. Brun et Creb lui en veulent beaucoup de ne pas leur avoir dit ton intention de fuir. S'ils savaient qu'elle pouvait découvrir ta cachette en me suivant ou en m'obligeant à lui en parler, ils la puniraient très sévèrement. Mais ni elle ni personne ne m'a rien demandé. On ne fait jamais beaucoup attention aux enfants, surtout les filles. Ayla, je sais que je devrais dire à Creb où tu es, mais je ne veux pas que Brun te maudisse. Je ne veux pas que tu meures.

Ayla sentit son cœur battre à grands coups qui résonnaient jusqu'à ses tympans. Qu'avait-elle fait là ? Elle n'avait pas bien mesuré son état de faiblesse et la difficulté qu'elle aurait à survivre avec un bébé dans des conditions aussi dures. Elle avait projeté de revenir le jour de la Cérémonie du Nom. Que vais-je faire, maintenant ? Elle serra son enfant contre elle, le visage torturé d'inquiétude.

Elle n'avait pas eu le choix, pensa-t-elle encore. Comment aurait-elle pu consentir à éliminer son enfant ?

Uba regardait tendrement la jeune mère qui, perdue dans ses pensées, semblait avoir complètement oublié sa présence.

— Ayla, dit-elle timidement. Tu veux bien me le montrer ? Je n'ai pas encore eu l'occasion de le voir.

— Mais bien sûr, Uba, signifia la jeune femme, confuse d'avoir pendant un moment ignoré la petite fille qui venait de faire un si long chemin pour lui transmettre le message d'Iza, et qui risquait d'encourir un grave châtiment si l'on venait à s'apercevoir qu'elle connaissait la cachette. Tu veux le prendre dans tes bras ?

— Oh oui, si tu le permets.

Ayla lui déposa le bébé sur les genoux, et Uba commença à le démailloter, non sans en avoir demandé d'un geste la permission à Ayla, qui acquiesça avec un faible sourire.

Uba regarda tour à tour Ayla et le bébé, et Ayla de nouveau.

— Il n'est pas estropié comme Creb, dit-elle. Il est un peu maigre, mais c'est seulement sa tête qui est différente, presque comme la tienne. Après tout, toi, tu ne ressembles à personne du clan.

— Iza m'a adoptée quand j'étais petite. Elle dit que je suis née chez les Autres, mais je fais partie du clan maintenant, déclara Ayla fièrement avant de baisser la tête d'un air accablé. Mais plus pour longtemps, ajouta-t-elle.

— Tu ne regrettes jamais ta mère, pas Iza, ta vraie mère ? demanda Uba, curieuse.

— Iza est la seule mère que je me rappelle. Je ne me souviens de rien avant mon arrivée dans le clan, répondit Ayla qui pâlit soudain. Uba, où vais-je aller si je ne peux pas rentrer à la caverne ?

— Je ne sais pas, Ayla. Maman a dit que Brun perdrait la face si tu l'obligeais à accepter ton fils et c'est pour ça qu'il est tellement en colère. Il dit que quand une femme force un homme à faire quelque chose, cet homme n'est plus respecté par les autres hommes. Même s'il te maudit après, il perdra la face, parce que là encore tu l'auras forcé à faire une chose contre sa volonté. Je ne veux pas que tu t'en ailles, Ayla, mais si tu reviens, tu risques la mort.

La jeune femme contempla le visage bouleversé de la fillette sans s'apercevoir qu'elle-même était en larmes. Elles tombèrent dans les bras l'une de l'autre.

— Il vaut mieux que tu t'en ailles, Uba, sinon tu pourrais avoir des ennuis, lui conseilla Ayla en lui reprenant son enfant. Uba, je suis heureuse de t'avoir vue une dernière fois. Dis à Iza... dis à maman que je l'aime. Dis-le aussi à Creb, ajouta-t-elle en redoublant de sanglots.

— Je le ferai, Ayla.

La petite fille s'attarda encore un peu, puis, le cœur gros, quitta précipitamment la grotte.

Après le départ d'Uba, Ayla ouvrit le paquet de provisions. Il ne contenait pas grand-chose mais avec la venaison séchée, elle aurait de quoi tenir pendant quelques jours. Et ensuite, que se passerait-il ? L'esprit en proie à la plus extrême confusion, elle préféra ne pas penser à l'avenir. Elle mangea sans appétit, but un peu d'infusion et s'allongea de nouveau, son petit serré contre elle, pour trouver refuge dans le sommeil.

Elle se réveilla dans la nuit et but le reste d'infusion froid. Elle décida de profiter de l'obscurité pour aller chercher de l'eau, tâtonna à la recherche de l'outre puis se faufila à travers les branches en s'efforçant de ne faire aucun bruit.

Deux quartiers de lune que voilaient par intermittence des nuages poussés par le vent dispensaient une pénombre où chaque rocher, chaque arbre ceignant la prairie prenait une silhouette inquiétante.

Elle avança lentement, toute aux aguets, vers le ruisseau dont le chuintement troublait le silence nocturne. Elle savait qu'à cette heure les hommes dormaient encore dans la caverne et qu'ils ne reprendraient les recherches qu'au matin. Mais d'autres yeux la guettaient, des yeux habitués à percer l'ombre la plus dense. Les prédateurs et leurs proies venaient se désaltérer à la même source qu'Ayla.

La jeune femme aurait fait une proie facile pour tout félin attiré par son odeur. Mais Ayla avait su s'imposer dans cette partie de la montagne et des bois, et cette odeur même était devenue sa meilleure protection, car elle évoquait un danger pour tous les carnassiers que ses pierres, qui fendaient l'air en sifflant et frappaient si fort, avaient rendus craintifs.

Elle remplit son outre d'eau sans déceler le moindre mouvement et regagna son abri.

— Il y a bien une trace d'elle quelque part, dit Brun, qui ne décolérait plus. Même si elle a emporté des provisions, elles ne dureront pas éternellement. Il faudra bien qu'elle sorte de sa cachette. Vous allez battre encore les bois et la montagne, même là où vous êtes déjà passés. Si elle est morte, les charognards vous conduiront jusqu'à elle. Je veux qu'on la retrouve avant le jour de la Cérémonie du Nom. Sinon, je n'irai pas au Rassemblement du Clan.

— Eh voilà, elle va nous empêcher de retrouver ceux de notre peuple, maintenant, grogna Broud, méprisant. Pourquoi l'a-t-on accueillie dans le clan, je me le demande ! Elle n'est pas des nôtres. Si j'étais le chef, je n'aurais même pas laissé Iza la toucher. C'est incroyable que personne n'ait encore compris qui elle était vraiment. Une rebelle qui a toujours bafoué nos lois. Personne n'a rien dit quand elle a introduit un animal dans la caverne. On l'a laissée vagabonder dans la nature, et c'est comme ça qu'elle a pu espionner les hommes s'entraîner à l'art de la chasse, c'est comme ça qu'elle a osé non seulement toucher à une arme mais encore s'en servir ! Et quelle a été sa punition pour ce crime ? Maudite... pour la durée d'une lune ! Et quand elle est revenue, elle a été sacrée la Femme-Qui-Chasse ! Imaginez ce que les autres clans diront de nous au Rassemblement ! Ça ne m'étonne pas que ce soit à cause d'elle, si nous n'y allons pas.

— Broud, nous avons déjà entendu ce discours, répliqua Brun. Je te garantis que sa désobéissance ne restera pas impunie.

L'acharnement de Broud à dénoncer la tolérance excessive du clan mais surtout de son chef à l'égard de cette jeune étrangère irritait d'autant plus Brun qu'elle l'obligeait à interroger sa propre attitude envers cette enfant des Autres, qui avait su lui imposer sa différence. Mais peut-être Broud avait-il en partie raison. Peut-être avait-il été trop indulgent, trop faible, et sa faiblesse avait permis cette ultime désobéissance, pour laquelle il n'y avait plus de pardon possible.

L'insistance de Broud provoquait des réflexions semblables parmi les autres hommes du clan, et la plupart n'étaient pas loin de penser qu'Ayla les avait plus ou moins trompés, qu'elle avait d'une certaine façon trahi leur confiance, et enfin que seul Broud l'avait peut-être devinée avant tout le monde. Sitôt que Brun avait le dos tourné, Broud s'empressait de laisser entendre que leur chef se faisait vieux, qu'il n'avait plus la fermeté propre à mener un clan. Pour Brun, qui sentait le respect des hommes lui échapper, le coup était dur. Sa confiance en lui-même en était ébranlée et, dans sa situation présente, il ne pouvait se présenter la tête haute à un Rassemblement.

Ayla ne quittait la grotte que pour aller chercher de l'eau. Emmitouflée dans ses fourrures, elle avait assez chaud pour se passer de feu. Les provisions qu'Uba lui avait apportées ainsi que la viande de daim, sèche et dure comme du cuir mais hautement nourrissante, la dispensaient de chasser, lui laissant tout loisir de se reposer. Endurci par des années de travaux éreintants, son jeune corps se remettait rapidement et elle n'eut bientôt plus besoin de dormir autant. Mais à l'état de veille, des pensées funestes l'assaillaient.

Ayla était assise à l'entrée de la caverne, son fils endormi dans ses bras. Un soleil printanier, que cachaient par moments quelques nuages, réchauffait le seuil de son refuge. La jeune femme contemplait son enfant dont la paisible respiration était rassurante. Elle venait de lui donner le sein ; son lait coulait bien.

Uba a dit que tu n'es pas si vilain, pensa-t-elle en tournant doucement la tête du bébé pour examiner son profil. C'est en tout cas mon avis. Tu es un peu différent, c'est tout. Moins que moi, je te l'assure ! songea-t-elle au rappel douloureux de son reflet dans la mare. Mon front est aussi bombé que le sien et ce petit os sous la bouche, j'en ai un semblable. Mais je n'ai pas les arcades sourcilières aussi avancées. En fait, il ressemble un peu aux bébés du clan. C'est un mélange d'eux et de moi.

Je ne pense pas que tu sois anormal, mon fils. Si mon esprit s'est mêlé à celui d'un homme du clan, tu es le fruit de ce mélange. Mais je me demande quel est le totem qui t'a engendré. Le mien est tellement puissant que seul Ursus pourrait en être l'auteur. C'est le totem de Creb, et je vis à son foyer, mais il prétend que l'esprit d'Ursus ne se laisse jamais avaler par une femme. Si ce n'est Creb, qui cela pourrait-il être ?

L'image de Broud s'imposa soudain à elle. Non ! Elle secoua la tête, s'efforçant de chasser cette pensée. Broud ? Elle frissonna de dégoût au souvenir de ce qu'il l'avait forcée à subir. Elle le haïssait corps et âme. J'espère qu'il ne viendra plus jamais satisfaire ses besoins dans mon ventre. Comment Oga peut-elle aimer ça ? Pourquoi les hommes font-ils cela aux femmes ? Pourquoi faut-il qu'ils enfoncent leur organe là d'où viennent les bébés ? Cet endroit ne devrait être que pour les bébés, pas pour le membre poisseux de Broud...

La relation qu'elle venait de faire à son insu retint son attention, malgré toute la réticence qu'elle lui inspirait. Est-ce l'organe de l'homme qui provoque la vie dans le ventre d'une femme ? Ce n'est pas l'esprit de son totem ? Cela voudrait dire que le bébé est aussi le sien ? Je ne sais pas comment les femmes avalent l'esprit d'un totem, mais je les ai vues souvent se faire pénétrer par les hommes. Tout le monde disait que je ne pourrais jamais avoir d'enfant parce que mon totem était trop puissant.

Pourtant, j'ai un fils, et il s'est manifesté en moi quelque temps après que Broud eut pris un sale plaisir à me violenter.

Non ! Dans ce cas, mon enfant serait aussi celui de Broud ! songea Ayla avec horreur. Non, c'est impossible. Creb a raison, j'ai avalé un esprit qui a pu vaincre le mien avec le concours d'autres esprits, peut-être de tous. Tu es mon bébé, pas celui de Broud. Elle serra si fort contre elle son enfant qu'il se réveilla et se mit à pleurer. Elle le berça doucement pour le calmer.

Pourquoi mon totem aurait-il accepté cette vie nouvelle en sachant qu'elle était condamnée ? Tous les enfants que je pourrais mettre au monde ressembleraient toujours à celui-là. Ils seraient tous un mélange du clan et de moi ; ils seraient tous déclarés difformes, tous éliminés selon la loi.

Que vais-je faire ? se demanda Ayla avec désespoir. Si je reviens pour la cérémonie, Brun me maudira. Où puis-je aller ? Je ne me sens pas encore assez forte pour me remettre à chasser, et puis d'ailleurs comment chasser, si je dois t'emmener avec moi ? Enfin, on pourrait toujours se nourrir de baies et de racines. Et puis, où trouver une autre grotte ? Je ne peux pas rester ici, il y a trop de neige en hiver, et c'est trop près de la caverne. Tôt ou tard, les chasseurs finiront bien par me découvrir. Et même si je parvenais à fuir loin d'ici et à trouver un refuge, tu n'aurais aucun compagnon de jeu, aucun homme pour t'apprendre à chasser, personne pour veiller sur toi s'il m'arrivait malheur.

Je veux rentrer à la caverne, sanglotait Ayla, le visage enfoui dans la couverture de son enfant. Je veux revoir Creb et Uba. Je veux revoir ma mère. Si je rentre maintenant, je cours le risque que Brun me maudisse, mais je sais aussi que l'homme a bon cœur. Il m'a toujours donné une chance. Il m'a laissée chasser. Au lieu de le forcer à t'accepter en ne réapparaissant qu'au septième jour, je pourrais revenir tout de suite, et le supplier de te laisser la vie. Il reste deux jours avant la cérémonie. Brun ne perdrait pas la face. Il sera peut-être moins en colère contre moi.

Mais s'il refuse de t'accepter ? Si tu dois mourir, je mourrai avec toi. Je te promets que jamais je ne te laisserai aller seul dans le monde des esprits. On va partir sur-le-champ, et je demanderai à Brun l'autorisation de te garder. Que puis-je faire d'autre ?

Ayla fourra précipitamment toutes ses affaires dans son panier, enveloppa son enfant dans une couverture qu'elle noua sur l'épaule et s'emmitoufla dans sa grande fourrure avant de se glisser hors de la petite grotte. En sortant, son regard fut attiré par un objet brillant : une pierre grise qui étincelait de tous ses feux au soleil. Elle la ramassa, l'examina et vit qu'elle se composait en fait d'un agglomérat de trois petits nodules de pyrite. Depuis le temps qu'elle hantait la grotte et ses parages, elle n'avait jamais remarqué ce caillou insolite.

Le serrant dans ses poings, Ayla ferma les yeux. Etait-ce un signe de son totem ?

— Grand Lion des Cavernes, dit-elle avec des gestes solennels, veux-tu me faire savoir qu'il est temps que je rentre ? O Grand Lion des Cavernes, fais que ce signe soit la preuve que tu m'as trouvée digne de toi et que mon enfant vivra.

Les mains tremblantes, elle défit le nœud de la petite bourse de cuir qu'elle portait toujours pendue à son cou et ajouta la brillante pyrite de fer au morceau d'ivoire, au fossile de gastéropode et au fragment d'ocre rouge.

Le cœur battant de peur malgré cette faible lueur d'espoir, Ayla se mit en route vers la caverne du clan.

21

Uba se précipita vers la caverne en faisant de grands gestes.

— Maman ! Maman ! Ayla est de retour !

— Non, ce n'est pas possible ! s'écria Iza, le visage blême. Le bébé est-il avec elle, Uba ? Est-ce que tu es allée la voir ? Est-ce que tu l'as avertie ?

— Oui, maman, je l'ai vue. Je lui ai tout raconté.

Iza se rua à l'entrée de la caverne pour voir Ayla s'avancer lentement vers Brun et se jeter à ses pieds en protégeant son enfant de tout son corps.

— Elle est en avance, elle a dû se tromper, signifia Brun à l'adresse du sorcier qui s'était empressé de sortir à son tour.

— Elle ne s'est pas trompée, Brun. Elle sait très bien qu'elle est en avance. Elle est revenue trop tôt exprès, déclara Mog-ur avec assurance.

Le chef jeta un regard circonspect au vieux sorcier en se demandant comment celui-ci pouvait être aussi affirmatif et, après un bref coup d'œil à la jeune femme prosternée à ses pieds, il ajouta avec une visible appréhension :

— Es-tu bien sûr que les charmes destinés à nous protéger se montreront efficaces ? Elle devrait encore observer la réclusion imposée aux femmes après leur accouchement.

— Les charmes sont puissants, Brun. Je les ai préparés à partir des os d'Ursus. Tu es bien protégé. Tu peux la voir en toute tranquillité, répondit le sorcier.

Brun considéra la jeune femme tremblante, penchée par-dessus l'enfant qu'elle serrait dans ses bras. Si Mog-ur dit vrai, pourquoi est-elle revenue avant la date ? Et avec son petit ? Cela veut dire qu'il est encore vivant. Piqué de curiosité, il lui donna une tape sur l'épaule.

— Cette femme indigne a désobéi, commença Ayla en s'exprimant par gestes, le regard baissé. La femme qui se tient devant toi aimerait parler au chef, ajouta-t-elle, craignant qu'il refuse de lui répondre, car elle était encore en état d'impureté.

— Tu ne mérites pas la parole, femme, mais Mog-ur a invoqué exprès pour toi la protection des esprits. Si tu désires parler, ils t'y autorisent. En effet, tu as désobéi. Qu'as-tu à dire ?

— Cette femme t'est reconnaissante de lui accorder la parole. Elle connaît les coutumes du clan, et au lieu de se débarrasser de son enfant, comme le lui commandait la guérisseuse, elle s'est enfuie. Elle voulait revenir le jour de la Cérémonie du Nom pour obliger le chef à accepter l'enfant.

— Tu es revenue trop tôt, répliqua Brun, fort de son droit. Je peux encore demander à la guérisseuse de t'enlever ton fils.

Mais à peine venait-il de lui signifier ces paroles en quelques gestes tranchants qu'il se détendait, réalisant soudain qu'il échappait à l'obligation d'accepter et de nommer l'enfant et à la honte de devoir céder à une femme.

— Cette femme sait bien que le jour de la cérémonie n'est pas encore arrivé, répondit Ayla. Mais elle a compris qu'elle a tort de vouloir forcer le chef à accepter son fils. Ce n'est pas à elle de décider si son enfant doit vivre ou bien mourir. Seul le chef en a le droit, et c'est pour cela que cette femme est revenue.

Brun dévisagea Ayla dont l'expression reflétait la parfaite détermination. Elle est enfin revenue à la raison, pensa-t-il.

— Si tu connais les traditions du clan, pourquoi es-tu revenue avec ton enfant difforme ? Es-tu prête à t'en séparer à présent ? Préfères-tu que la guérisseuse s'en charge à ta place ?

Ayla hésita quelques instants, son enfant serré contre elle.

— Cette femme s'en séparera si le chef le lui ordonne, déclara-t-elle avec peine, très lentement. Mais cette femme a promis à son fils de ne pas le laisser partir seul dans le monde des esprits. Si le chef décide que l'enfant n'est pas digne de vivre, elle lui demande de la maudire. Brun, je te supplie de laisser la vie sauve à mon fils, ajouta Ayla, oubliant de respecter les formes. S'il doit mourir, je ne désire pas vivre.

La fervente prière d'Ayla surprit le chef. Il savait que certaines femmes désiraient garder leur enfant en dépit de leurs malformations. Néanmoins, la plupart étaient soulagées de s'en débarrasser au plus vite. Un enfant anormal jetait l'opprobre sur sa mère et la rendait moins désirable. Dans le cas où la difformité ne provoquait pas un handicap majeur, il fallait néanmoins prendre en considération les questions de hiérarchie dans le clan et songer aux futures unions. La vieillesse de la mère pouvait se révéler pénible si ses enfants ou les compagnons de ses enfants n'étaient pas capables de subvenir à ses besoins. La requête d'Ayla était un exemple sans précédent.

— Tu désires donc mourir avec ton enfant anormal, et pourquoi donc ? s'enquit Brun.

— Mon fils n'est pas anormal, répondit Ayla, sans la moindre intention de défi. Il est différent, tout simplement. Moi aussi, je suis différente. Si mon totem se laisse encore vaincre, tous les enfants que j'aurai lui ressembleront, et si on doit tous me les enlever, je préfère la mort.

Brun regarda Mog-ur.

— Quand une femme avale l'esprit du totem d'un homme, l'enfant ne doit-il pas ressembler à l'homme ? demanda-t-il au sorcier.

— En principe, oui. Mais n'oublie pas qu'elle possède un totem masculin. C'est pour ça que le combat fut si rude. Le Lion des Cavernes voulait peut-être sa part de cette vie nouvellement créée. Il faut que je médite sur ce point.

— Mais l'enfant est tout de même difforme.

— Cela arrive fréquemment quand le totem d'une femme ne veut pas se soumettre complètement. La grossesse est alors difficile et l'enfant mal conformé, répondit Mog-ur. Je suis encore plus étonné que ce soit un garçon. En général, quand le totem est puissant, c'est une fille qui naît. Mais nous n'avons toujours pas vu ce petit, Brun. Nous devrions peut-être l'examiner.

Pourquoi se donner ce mal ? se demanda Brun. Le retour avancé d'Ayla et sa repentance manifeste le réaffirmaient dans son autorité, mais il lui en voulait cependant de l'avoir mis dans une position aussi délicate vis-à-vis du clan, et puis ce n'était pas la première fois qu'elle lui causait un problème. Combien allait-elle lui en poser à présent qu'elle était de retour ? De plus, le Rassemblement du Clan approchait, comme Broud ne cessait de le lui rappeler. Brun y songeait aussi, à ce rendez-vous, et il s'était souvent interrogé dernièrement sur l'effet que produirait la présence au sein de leur clan d'une femme née chez les Autres. Une femme pour laquelle il avait pris des décisions peu conformes aux traditions. En leur temps, elles lui avaient paru de bon sens et équitables, même celle de la reconnaître comme la Femme-Qui-Chasse. Mais, ajoutées les unes aux autres, ces licences accordées pouvaient représenter pour un observateur étranger une formidable dérogation aux coutumes. Ayla avait désobéi gravement, elle devait être punie pour cela, et Brun était tenté de la maudire, ce qui le libérerait de ses soucis.

Mais on ne pouvait prononcer de malédiction à la légère et exposer une nouvelle fois le clan aux mauvais esprits. Son retour volontaire avait jeté quelque baume sur l'orgueil blessé de Brun. Iza avait raison, se dit-il, Ayla n'avait plus toute sa tête après un accouchement aussi difficile. Et n'avait-il pas dit à Iza qu'il aurait considéré la requête d'Ayla, si seulement on le lui avait demandé ? Eh bien, elle la posait enfin, sa requête, elle le suppliait de laisser la vie à son fils. Il commencerait par examiner cet enfant. Brun n'aimait pas prendre de décisions précipitées. Il fit signe à Ayla de regagner le foyer de Creb et s'éloigna. Ayla courut se jeter dans les bras d'Iza. Au moins avait-elle la consolation de revoir une dernière fois la seule mère qu'elle ait jamais connue.

— En temps normal, je ne vous aurais jamais demandé de prendre la peine d'examiner cet enfant, déclara Brun. J'aurais pris ma décision moi-même. Mais dans ce cas particulier, je voudrais connaître vos sentiments, car la Malédiction Suprême présente des dangers, et il me déplairait d'exposer le clan aux puissances maléfiques. Si vous jugez le garçon digne d'être accepté, je pourrais difficilement condamner la mère, parce qu'il faudrait alors confier le bébé à une autre femme en état d'allaiter. Si vous le laissez vivre, le châtiment d'Ayla sera donc moins rigoureux. La Cérémonie du Nom devrait avoir lieu demain. Je dois prendre une décision au plus vite car Mog-ur a besoin d'un délai pour organiser les rites de la malédiction, si tel doit être le châtiment.

— Il y a sa tête, commença Crug, dont la compagne, Ika, nourrissait encore son petit et qui n'avait aucun désir d'ajouter un nouveau venu à son foyer. Non seulement elle est difforme mais il ne peut même pas la soutenir. Quel homme fera-t-il ? Comment chassera-t-il ? Il sera toute sa vie durant une charge pour le clan.

— Ne pensez-vous pas que son cou finira par se muscler ? demanda Droog. Si Ayla meurt, elle emportera avec elle une partie de l'esprit d'Ona. Oga serait prête à prendre son fils, et moi aussi, mais à condition qu'il ne présente pas une charge pour le clan.

—Avec un cou aussi maigre et une tête aussi grosse, il serait étonnant qu'il parvienne à la tenir droite, remarqua Crug.

— Je n'en voudrais chez moi pour rien au monde ! s'exclama Broud. Je ne prendrais même pas la peine de consulter Oga à ce sujet. Il n'est pas question qu'il devienne le frère de Brac et de Grev. Si Ayla emporte avec elle une partie de l'esprit de Brac, il n'en mourra pas. Je ne comprends pas pourquoi tu hésites, Brun. Tu étais prêt à la maudire et, sous prétexte qu'elle est revenue avant la cérémonie, te voilà soudain enclin à lui pardonner et tu envisages même d'accepter son fils anormal !

» Elle a défié ton autorité en fuyant. Son retour ne peut excuser sa faute. A quoi bon discuter ? Le bébé est difforme, et la mère doit être maudite. Pourquoi toujours toutes ces palabres autour de cette rebelle, de cette étrangère qui n'apporte que la discorde dans notre clan et qui a mauvaise influence sur nos femmes ? Comment expliquer autrement le comportement fautif d'Iza ? (Broud se laissait emporter par sa haine, et ses gestes, tandis qu'il s'adressait à Brun, se faisaient plus violents.) Serais-tu donc aveugle, Brun, pour ne pas voir clair dans son jeu ? Si j'étais le chef, j'aurais commencé par ne pas la prendre avec nous. Oui, si j'étais le chef...

— Mais tu ne l'es pas encore, Broud, l'interrompit sèchement Brun, et tu n'es pas prêt à le devenir si tu te révèles incapable de te maîtriser. Ce n'est qu'une femme, Broud, en quoi te sens-tu menacé ? Que risques-tu ? Elle n'aura jamais d'autre choix que de t'obéir. « Si j'étais le chef... si j'étais le chef... » C'est tout ce que tu sais dire ! Quel chef digne de l'être sacrifierait la sécurité de son clan à son désir de tuer une femme ?

Les hommes se sentaient troublés et mal à l'aise. S'ils étaient habitués aux éclats de Broud, ils n'avaient jamais vu leur chef à ce point hors de lui. Jamais encore il n'avait publiquement mis en doute l'aptitude de Broud à lui succéder à la tête du clan.

Pendant un long moment, les regards de Broud et de Brun s'affrontèrent en un violent combat. Ce fut Broud qui baissa les yeux le premier. Brun tenait à nouveau la situation en main et le jeune homme comprit que sa position n'était pas aussi assurée qu'il se l'imaginait. Ravalant son amertume, il s'efforça de retrouver son calme.

— L'homme qui est devant toi regrette de ne pas avoir su se faire mieux comprendre, signifia-t-il avec une raideur formelle. L'homme qui est devant toi ne pense qu'aux chasseurs qu'il est appelé à commander un jour, si toutefois celui qui est notre chef aujourd'hui l'estime capable de commander. Comment un homme pourrait-il chasser avec une tête qui ne tient pas sur son cou ?

Brun jeta à Broud un regard chargé de colère. Il y avait une telle hypocrisie dans la politesse formelle que Broud adoptait à son égard que Brun y voyait comme une insulte à sa personne. Mais il était en même temps conscient de s'être lui-même laissé emporter, piqué au vif dans sa fierté par les allégations de Broud. Il décida de stopper là leur différend.

— Tu soulèves la bonne question, Broud, celle de l'intérêt du clan, répondit-il gravement. Je comprends qu'en grandissant l'enfant risque de devenir un réel fardeau pour le chef qui me succédera, mais la décision appartient à moi seul. Je ne dis pas que l'enfant sera accepté, Broud, et que sa mère ne sera pas maudite. Je vous ai demandé votre avis à tous, parce que je ne peux pas prendre cette décision à la légère, de peur que les esprits maléfiques se liguent contre nous. Ayla ne voit pas la difformité de son fils. Peut-être n'a-t-elle pas tous ses esprits. Quand elle est revenue, elle m'a supplié de la maudire si son enfant n'était pas accepté. Si je la maudis, je la punis mais je réponds en même temps à son désir. La question mérite réflexion.

Broud se détendit un peu. Il n'était pas dit que Brun prenne cette fois encore la défense d'Ayla.

— Tu as raison, Brun, approuva-t-il d'un air repentant. Un chef doit préserver son clan des dangers. Le jeune homme qui se tient devant toi est reconnaissant de recevoir d'aussi sages leçons.

— Je suis heureux que tu comprennes cela, Broud. Quand tu seras le chef, tu seras responsable de la sécurité de ton clan.

La réponse de Brun indiqua non seulement à Broud qu'il était toujours l'héritier en titre, mais soulagea le reste des chasseurs, rassurés de voir la tradition respectée et leurs rangs au sein du clan inchangés. Rien ne les troublait tant que l'incertitude face à l'avenir.

— Je pensais précisément au bien-être du clan en refusant la présence d'un enfant qui pourrait se révéler incapable de chasser, déclara Broud. Ayla a bafoué les traditions du Clan. Sa désobéissance mérite punition, et puisqu'elle demande elle-même la malédiction, n'hésitons plus. Quant à son fils, sa difformité lui interdit de vivre.

Un murmure approbateur parcourut l'assistance. Brun ne savait trop pourquoi les arguments de Broud n'avaient pas tout son assentiment, mais il ne voulait pas ranimer l'animosité entre eux. Il pensait que la proposition du fils de sa compagne était la plus conforme à la loi, pourtant il hésitait encore à trancher. Ses pensées allaient à Iza, au chagrin qu'elle en concevrait, et l'effet qu'il aurait sur son corps malade. Heureusement Uba grandissait, et elle était de la lignée d'Iza. Les guérisseuses, au Rassemblement du Clan, compléteraient sa formation.

Quant à Brac, Brun ne pensait pas que le garçon souffrirait de la perte de cette partie de son esprit qu'Ayla s'était appropriée. Quelle étrange femelle, pensa-t-il. Tant d'amour pour cet enfant n'est pas normal. Elle ne voit donc pas qu'il est difforme ? Elle a trop souffert durant son accouchement. La douleur lui a fait perdre la raison. J'aimerais bien savoir où elle s'est cachée, pour qu'aucun chasseur ne la trouve ? Elle ne pouvait pourtant aller bien loin dans l'état où elle était !

Si je lui permets de vivre, elle viendra au Rassemblement, avec son enfant anormal, et je ne sais pas ce que les autres clans en penseront. J'aurais sûrement moins de difficultés avec Broud si elle n'était pas là. Il est bon chasseur, et il pourrait être un chef capable. Peut-être s'épanouirait-il mieux sans la présence d'Ayla. Peut-être devrais-je pour le bien de tous maudire cette fille, décida Brun.

— Ma décision est prise, déclara-t-il. Demain, au petit jour, avant que le soleil...

— Brun ! l'interrompit Mog-ur, qui n'était pas encore intervenu dans la discussion.

On l'avait peu vu depuis la naissance de l'enfant d'Ayla. Il avait passé la majeure partie de son temps enfermé dans la petite grotte sacrée à la recherche d'une explication sur la conduite d'Ayla. Il savait combien elle s'était efforcée de se conformer aux traditions du Clan, et il estimait qu'elle y était parvenue. Aussi était-il convaincu qu'elle avait agi comme elle l'avait fait pour une autre raison, une raison qu'il finirait bien par découvrir.

— Avant que tu t'engages, Mog-ur demande la parole.

Brun regarda le sorcier dont l'expression était aussi énigmatique qu'à l'accoutumée.

— Mog-ur a mon autorisation.

— Ayla n'a pas de compagnon, et c'est moi qui me suis toujours chargé d'elle. Si tu m'y autorises, je parlerai donc comme son compagnon.

— Parle si tu le désires, Mog-ur, mais que pourrais-tu ajouter ? J'ai déjà pris en compte l'amour qu'elle porte à son enfant et tout ce qu'elle a enduré pour le mettre au monde. J'ai envisagé toutes les excuses possibles pour justifier ses actes, mais les faits sont là. Elle a transgressé les coutumes du Clan. Les hommes ne peuvent accepter son enfant et Broud a clairement exposé les raisons pour lesquelles ni l'un ni l'autre ne méritent de vivre.

Mog-ur se leva avec peine et laissa tomber son bâton. Drapé dans sa fourrure d'ours, il avait une allure des plus imposantes. Il était Mog-ur, le seul habilité à communiquer avec le monde des esprits, le sorcier le plus renommé dans tout le Peuple du Clan. Il émanait de sa personne une aura subtile qui ne le quittait jamais. Quand le regard terrifiant du sorcier se posa sur chacun, l'un après l'autre, aucun homme, pas même Broud, ne put s'empêcher de frémir en prenant soudain conscience que la femme qu'ils venaient de condamner à mort partageait le foyer de Mog-ur. Le vieil homme imposait rarement sa présence en dehors de ses fonctions, et son intervention n'en prenait que plus de force.

— Le compagnon d'une femme a le droit de défendre la vie d'un enfant anormal, déclara-t-il quand il fut tourné vers Brun. Je te demande de laisser la vie sauve au fils d'Ayla, et pour le bien de l'enfant, je te demande de laisser aussi la vie sauve à sa mère.

Mog-ur renvoyait à Brun l'écho de sa propre inclination à épargner Ayla et son enfant, ainsi qu'il s'en était ouvert à Iza. Les arguments en faveur de la malédiction, qu'il avait fini par faire siens pour ne pas s'aliéner son clan, lui paraissaient soudain sans fondement, fruit de la lâcheté plutôt que de l'audace. Mais il ne pouvait faire volte-face sans déconcerter les chasseurs.

Mog-ur avait compris le dilemme de Brun, observé le durcissement de son regard, après une fugitive lueur d'approbation. Il reprit la parole, avec la simplicité des gestes et des mots de tous les jours, le visage empreint d'une expression à la fois vulnérable et décidée.

— Brun, depuis son arrivée, Ayla vit dans mon foyer. Tout le monde sait parfaitement que les hommes et les enfants considèrent l'homme de leur foyer comme un modèle de ce que doit être un homme du Clan. Telle est la façon dont Ayla m'a toujours considéré. Or, je suis difforme, Brun. Qu'y a-t-il d'étrange à ce qu'une femme élevée par un homme difforme ne voie pas la difformité de son enfant ? Il me manque un œil et un bras, et la moitié de mon corps est atrophiée. Je ne suis que la moitié d'un homme, et pourtant Ayla m'a toujours vu comme un homme normal. Son fils a deux bras, deux jambes, comment peut-elle le trouver anormal ?

» Je suis celui qui l'a éduquée, et c'est à moi de répondre de ses fautes. Tu sais bien, Brun, que j'ai toujours défendu ses transgressions. Je ne les ai jamais jugées dangereuses pour le clan. Mais aujourd'hui, je me dis que j'aurais dû me montrer plus sévère à son égard.

» Je n'ai jamais pris de compagne. Et sais-tu pourquoi ? Sais-tu comment les femmes s'enfuient à mon approche ? Quand j'étais jeune, j'éprouvais moi aussi le besoin d'assouvir mes désirs, mais j'ai appris à me contrôler en voyant les femmes se détourner pour ne pas voir mon geste. Seule Ayla n'a jamais manifesté de répugnance à mon égard. Elle n'avait pas peur de moi, elle me serrait dans ses bras, m'embrassait. Comment aurais-je pu la punir de fautes qu'elle n'avait pas conscience de commettre ?

» Je n'ai jamais pu apprendre à chasser. J'étais une charge pour tout le monde, on se moquait de moi, on me traitait de femme. Aujourd'hui je suis Mog-ur et plus personne ne se moque de moi, mais aucune cérémonie rituelle de passage à l'âge adulte ne fut célébrée en mon honneur. Brun, je ne suis que la moitié d'un homme, je ne suis pas un homme du tout. Or, ce n'est pas que le sorcier qu'Ayla aime et respecte en moi, c'est l'homme, un homme à part entière. Et je l'aime comme l'enfant de la compagne que je n'ai jamais eue.

Creb se débarrassa de la fourrure qui dissimulait aux regards son corps difforme et atrophié et tendit le moignon qu'il avait toujours caché.

— Brun, voici celui qu'Ayla a toujours considéré comme un homme normal. Voici celui qui lui a servi de modèle. Voici celui qu'elle aime et auquel elle compare son fils. Regarde-moi, frère ! Ai-je mérité de vivre ? Le fils d'Ayla est-il moins digne de vivre ?

Le clan se rassemblait lentement à l'extérieur de la caverne. Le jour pointait à peine et une fine bruine jetait un vernis brillant sur les roches et les feuilles, perlait les barbes et les chevelures de minuscules gouttelettes. Seule la plus haute crête rocheuse à l'est émergeait de la mer de brume qui noyait le paysage alentour.

Ayla, allongée sur sa fourrure, regardait Iza et Uba s'affairer en silence auprès du feu. Le nourrisson, blotti à ses côtés, faisait de petits bruits de succion pendant son sommeil. Elle n'avait pas dormi de la nuit. A la joie de revoir les siens avait succédé l'angoisse et la longue attente du lendemain.

Creb n'était pas rentré à son foyer, mais Ayla croisa son regard quand il quitta son sanctuaire pour rejoindre les autres hommes que Brun avait conviés à se réunir. Le vieil homme détourna aussitôt les yeux mais pas assez vite pour qu'elle n'y lise tout l'amour et la compassion qu'il lui portait. Elle le vit revenir et regagner la petite grotte sacrée après qu'il se fut brièvement entretenu avec Brun.

Iza apporta à Ayla son infusion du matin dans le bol en os qui avait toujours été le sien, puis se tint en silence à côté d'elle pendant qu'elle buvait. Uba les avait rejointes, mais la petite ne pouvait rien apporter d'autre que sa présence muette.

— Ils sont tous dehors, il faut y aller, dit Iza.

Ayla se leva, enveloppa son fils dans la peau qui lui servait à le porter, puis jeta sur ses épaules la fourrure qui recouvrait sa couche. Au bord des larmes, elle lança un regard éploré à Iza, puis à Uba, avant de les serrer contre son cœur.

En se laissant tomber aux pieds de Brun, Ayla fixa d'un regard absent ses chausses maculées de boue. Le ciel pâlissait. Le soleil ne tarderait pas à se lever. Brun devait faire vite, pensa-t-elle. Au même moment, elle sentit une tape sur l'épaule et, lentement, releva la tête vers le visage du chef à demi dissimulé par une barbe épaisse.

— Femme, tu as délibérément transgressé les lois du Peuple du Clan et tu mérites un châtiment, commença-t-il sans plus de préliminaires, tandis qu'Ayla acquiesçait de la tête à son accusation. Ayla, femme du Clan, tu es maudite. Personne ne te verra, personne ne t'entendra. Tu es condamnée à subir l'isolement réservé aux femmes. Et, tant que la lune ne sera pas revenue dans sa position actuelle, tu n'auras pas le droit de franchir les limites du foyer de celui qui te nourrit.

Stupéfaite, Ayla jeta un regard incrédule au chef. L'isolement réservé aux femmes ! Elle n'était donc pas condamnée à la Malédiction Suprême ! Que lui importait d'être ignorée des autres membres du clan pendant une lune entière, du moment qu'elle n'était pas séparée d'Iza, d'Uba et de Creb.

Une fois ce délai écoulé, elle pourrait réintégrer le clan comme le faisaient toutes les femmes après leurs menstrues.

Mais Brun n'avait pas terminé.

— En outre, tu n'auras plus le droit de chasser ni même de parler de chasse jusqu'à notre retour du Rassemblement du Clan. Jusqu'à la chute des feuilles, tu n'auras pas le droit de t'éloigner sans motif valable. Quand tu auras besoin d'aller ramasser des herbes magiques, tu devras dire où tu vas et revenir le plus vite possible. Chaque fois que tu voudras quitter les alentours immédiats de la caverne, tu devras me demander la permission. Et tu me montreras à quel endroit se trouve la grotte où tu as trouvé refuge.

Ayla ne cessait d'acquiescer à tout ce que disait Brun tant elle était soulagée. Elle flottait dans un doux nuage d'euphorie d'où Brun l'arracha brutalement en déclarant :

— Reste le problème que pose ton fils anormal, qui t'a poussée à désobéir. N'essaie jamais plus de forcer un homme, encore moins un chef de clan, contre sa volonté.

Comme Brun faisait signe en direction de la caverne, Ayla, étreignant son enfant contre elle, tourna son regard dans la même direction. Elle vit Mog-ur sortir de la caverne, mais quand le sorcier rejeta en arrière sa peau d'ours, faisant apparaître un bol d'osier teinté de rouge, qu'il bloquait de son moignon contre sa ceinture, la jeune femme ne se tint plus de joie.

— Mog-ur attend, Ayla, dit Brun. Ton fils doit recevoir un nom pour être admis au sein du clan.

Ayla se releva et courut vers le sorcier auquel elle tendit l'enfant nu en se jetant à ses pieds. Son vagissement sonore fut salué par les premiers rayons du soleil perçant la brume matinale. Un nom ! Elle n'avait jamais songé au nom que Creb pourrait choisir pour son fils. Mog-ur invoqua la protection des esprits totémiques avant de plonger ses doigts dans le bol d'onguent rouge.

— Durc ! s'exclama-t-il bien haut pour couvrir les cris du nourrisson. Ce garçon s'appelle Durc, répéta-t-il en lui traçant une ligne rouge le long de l'arête du nez.

— Durc, répéta à son tour Ayla.

Durc, pensa-t-elle, comme celui de la légende. Creb a toujours su que c'était mon histoire préférée. Durc n'était pas un nom courant parmi le clan, il était trop ancien et trop chargé d'ambiguïté, mais peut-être convenait-il à cet enfant dont l'entrée dans le monde avait été tellement incertaine.

— Durc, prononça Brun à sa suite.

Ayla leva vers lui un visage empli de reconnaissance et elle crut déceler dans son regard une lueur de tendresse. Puis les visages de ceux du clan défilèrent devant elle à travers le voile de ses larmes. Les nodules de pyrite étaient bien un signe de son totem.

— Durc, dit Uba. (Et d'un geste bref, elle ajouta :) Je suis tellement contente !

— Durc.

Le ton méprisant de celui qui venait de parler surprit Ayla. Elle releva les yeux juste à temps pour voir Broud s'éloigner du groupe, la nuque raide, les poings serrés.

Elle se rappela soudain cette idée qui lui était venue : les hommes, et plus précisément leur membre viril, étaient peut-être responsables de la venue des bébés.

Elle ne put réprimer un frisson de dégoût à la pensée que Durc pût devoir la vie à cet homme odieux.

Comment a-t-il pu faire une chose pareille ? se demandait Broud en s'enfonçant dans les bois pour fuir cette scène qui l'avait mis en fureur. Il donna un grand coup de pied dans une souche, ramassa une branche morte qu'il lança avec rage contre un arbre. Comment a-t-il pu ? Le jeune homme ne cessait de répéter cette phrase en martelant des poings le tapis de mousse qui bordait le ruisseau.

Comment a-t-il pu non seulement la laisser vivre mais encore accepter son enfant ?

22

— Iza ! Iza ! Viens vite voir Durc ! s'écria Ayla en entraînant la guérisseuse vers la caverne.

— Que se passe-t-il ? s'inquiéta la femme en se hâtant avec peine. Il s'est encore étouffé ?

— Mais non, il n'a rien. Regarde ! dit fièrement Ayla quand elles arrivèrent au foyer de Creb. Il tient sa tête droite !

Couché sur le ventre, le nourrisson levait vers les deux femmes de grands yeux qui commençaient à prendre le ton marron foncé des hommes du Clan. Sa tête oscilla quelques instants avant que, lassé par l'effort, il ne la laisse retomber sur la fourrure. Inconscient de l'émoi que venaient de provoquer ses beaux efforts, il fourra son poing dans sa bouche et se mit à le sucer bruyamment.

— S'il arrive à faire ça maintenant, il la tiendra parfaitement droite quand il sera plus grand, dit Ayla.

— Ne te berce pas trop d'illusions, recommanda Iza. Mais c'est bon signe, néanmoins.

Mog-ur entra dans la caverne, le regard absent, perdu dans ses pensées.

— Creb ! s'écria Ayla en courant à sa rencontre. Durc tient sa tête tout seul, n'est-ce pas vrai, Iza ?

La guérisseuse acquiesça d'un hochement de tête.

— Hum ! fit le sorcier. Si c'est le cas, alors je crois qu'il est temps.

— Temps de quoi faire ?

— Eh bien, de célébrer les rites totémiques. Il est encore un peu jeune mais son totem s'est fait connaître à moi. Inutile d'attendre davantage. D'ici peu, nous serons occupés à organiser le départ et il vaut mieux que son totem possède une demeure avant qu'il entreprenne le voyage. Sinon, cela pourrait porter malheur à l'enfant. Euh... Iza, ajouta-t-il à l'adresse de la guérisseuse, à présent que je pense au Rassemblement, te reste-t-il suffisamment de racines pour la cérémonie ? Je ne sais pas encore combien de clans seront présents, mais assure-toi d'en avoir en quantité.

— Je n'irai pas au Rassemblement du Clan, Creb, annonça Iza, dont le visage exprimait tout son regret. Je ne peux plus me permettre d'entreprendre un voyage aussi long.

Que n'y ai-je pensé tout seul, se reprocha Creb en regardant la guérisseuse qui avait maigri et dont les cheveux avaient blanchi. C'est vrai, elle est beaucoup trop faible pour nous accompagner. Mais comment faire pour la cérémonie ? Seules les femmes de sa lignée connaissent la préparation du breuvage secret. Uba est trop jeune. Il faut que ce soit une adulte... Et Ayla, pourquoi pas Ayla ? Iza pourra l'initier avant notre départ. Il est grand temps d'ailleurs qu'elle devienne guérisseuse.

Creb observa d'un œil critique la jeune femme qui se penchait pour prendre son fils dans ses bras. Les autres clans vont-ils l'accepter ? Ses cheveux blonds tombaient en désordre de chaque côté de son visage plat au front bombé. Son corps était féminin, mais élancé, musclé, à l'exception du ventre, un peu mou. Elle avait de longues jambes, droites, et elle dominait tout le monde de la taille. Elle ne ressemble décidément pas aux femmes de notre peuple, pensa-t-il. Je crains fort qu'elle ne les intrigue trop. Les autres mog-ur pourraient refuser de boire le breuvage, si c'est elle qui le prépare. Enfin, nous verrons bien. Mais si je dois invoquer les esprits pour la cérémonie totémique, je ferais bien de célébrer en même temps l'accession d'Ayla au rang de guérisseuse.

— Il faut que j'aille voir Brun, annonça-t-il abruptement, en se dirigeant vers le foyer du chef. (Il se retourna vers Iza pour ajouter :) Je pense que tu devrais apprendre à Ayla et à Uba comment préparer le breuvage, bien que je doute que cela serve à grand-chose.

— Iza, je ne trouve plus le bol que tu m'as donné pour la guérisseuse du clan qui nous invite, se lamenta Ayla en fouillant frénétiquement dans la pile de fourrures, de provisions et d'affaires de toutes sortes entassées par terre. J'ai cherché partout.

— Mais tu l'as déjà rangé, Ayla. Calme-toi. Brun n'est pas encore prêt, il n'a pas fini de manger. Allez, viens t'asseoir, ton repas va refroidir. Toi aussi, Uba.

Creb, assis sur une natte, Durc sur ses genoux, regardait la scène d'un air amusé.

— Et toi-même, Iza, qu'attends-tu pour manger ? demanda-t-il.

— J'aurai tout le temps quand vous ne serez plus là, répondit-elle. Regarde comme Durc tient sa tête bien droite à présent. Donne-le-moi, je ne pourrai plus le tenir dans mes bras de tout l'été.

— C'est peut-être pour lui donner de la vigueur que le Loup Gris voulait que la cérémonie ait lieu plus tôt que de coutume, dit Creb.

Le sorcier regarda avec tendresse le petit garçon, heureux comme jamais de se sentir le patriarche de la famille. Bien qu'il ne l'eût jamais confié à personne, il avait souvent envié leur foyer aux autres hommes. Et voilà qu'au soir de sa vie il se retrouvait avec deux femmes pour veiller à tous ses besoins, une petite fille pour suivre leurs traces, et un petit garçon à cajoler. Il avait soulevé avec Brun la nécessité d'entraîner Durc à la chasse. Brun avait accueilli Durc dans le clan ; il en était désormais responsable. Aussi la joie d'Ayla avait-elle été grande quand Brun, lors de la cérémonie totémique de l'enfant, avait annoncé qu'il se chargerait lui-même de faire de Durc un chasseur, du moins quand celui-ci aurait l'âge et la force de chasser. Ayla ne pouvait souhaiter meilleur maître pour son fils.

Le Loup Gris est un excellent totem pour ce petit, songea Creb. Mais certains restent avec la meute et d'autres se comportent en loups solitaires. Quel peut bien être celui de son totem ?

Quand Ayla et Uba eurent chargé leurs affaires sur leur dos, Iza rejoignit avec elles le reste du clan rassemblé devant la caverne. Iza embrassa une dernière fois le bébé et tendit quelque chose à Ayla.

— Tiens, cela te revient à présent. Tu es la guérisseuse du clan, dit Iza en lui remettant une bourse teinte en rouge contenant les précieuses racines. Te souviens-tu de tout ce que tu dois faire ? Il ne faut surtout rien oublier. Je regrette de ne pas avoir pu te faire une démonstration, mais cela est interdit. Et n'oublie pas, les racines seules ne suffisent pas à la magie : vous devez vous préparer vous-mêmes aussi soigneusement que vous préparerez le breuvage.

Uba et Ayla acquiescèrent de concert tandis que la jeune femme rangeait la bourse dans la sacoche en peau de loutre qu'Iza lui avait donnée le jour où elle avait été reconnue guérisseuse du clan. Outre les quatre amulettes qu'elle portait à son cou, la pyrite de fer, l'ivoire de mammouth, le fossile de gastéropode et la particule d'ocre rouge, Ayla possédait désormais un fragment de pyrolusite noire, privilège exclusif des guérisseuses.

Le corps d'Ayla avait été peint de l'onguent noir, fait d'un mélange de graisse et de poussière de pyrolusite, quand elle était devenue la dépositaire d'une partie de l'esprit de chaque membre du clan et, à travers Ursus, de tout le Peuple du Clan. Une guérisseuse ne portait ces marques noires qu'à l'occasion des cérémonies les plus sacrées.

Ayla s'inquiétait de laisser Iza. De violents accès de toux avaient secoué la vieille femme ces derniers temps.

— Iza, es-tu sûre que ça va ? demanda Ayla après avoir serré sa mère adoptive dans ses bras. Tu tousses beaucoup.

— C'est l'hiver qui veut ça. Tu sais que ça s'améliore toujours en été. Et puis, Uba et toi, vous avez cueilli tellement de plantes et de racines de framboisier pour ma toux que je me demande si nous aurons une seule framboise l'an prochain. Ne t'inquiète pas, je sais me soigner, tenta de la rassurer Iza.

Mais Ayla avait remarqué que les remèdes d'Iza la soulageaient moins bien. La tuberculose dont elle souffrait avait évolué vers une phase que les plantes ne pouvaient plus combattre.

— Prends bien soin de toi, Iza, et repose-toi un peu, lui conseilla Ayla. Zoug et Dorv s'occuperont du feu pour éloigner les bêtes et les mauvais esprits. Et laisse Aba faire la cuisine.

— Oui, oui, dépêche-toi, dit Iza. Brun est prêt à partir.

Ayla prit place comme d'habitude au bout de la file, sans se rendre compte que tous les regards étaient rivés sur elle. Personne ne bougea.

— Ayla, chuchota Iza. Tout le monde attend que tu prennes la place qui te revient.

Ayla se glissa à la tête des femmes, confuse d'avoir oublié la position privilégiée que lui conférait son nouveau rang de guérisseuse. Et c'est en rougissant qu'elle se plaça devant Ebra, à qui elle adressa un signe d'excuse. Mais Ebra était accoutumée à son deuxième rang. Elle trouva seulement étrange de voir cette tête blonde devant elle à la place de celle d'Iza, et se demanda si elle se rendrait au prochain Rassemblement.

Iza, Zoug, Dorv et Aba, trop âgés pour faire le voyage, accompagnèrent les autres jusqu'au promontoire rocheux, d'où ils les regardèrent s'éloigner. Quand ils ne virent plus que de minuscules têtes d'épingles perdues dans la plaine, ils regagnèrent la caverne. Aba et Dorv qui, déjà, n'avaient pu se rendre au dernier Rassemblement se sentaient tout étonnés de se trouver encore en vie, mais c'était la première fois que Zoug et Iza devaient y renoncer. Zoug sortait encore chasser, mais il revenait le plus souvent les mains vides. Quant à Dorv, sa vue baissait au point qu'il ne s'aventurait que fort rarement dehors.

Malgré la douceur de la journée, ils se pressèrent tous les quatre autour du feu qui flambait devant la caverne, sans éprouver le moindre désir de converser. Soudain, Iza fut prise d'une quinte de toux qui lui arracha du sang. Elle alla se reposer dans son foyer, et les autres en firent bientôt autant, l'air désœuvré. Ils savaient que leur été allait être désespérément long et solitaire.

En ce début d'été, il faisait moins frais dans les plaines orientales que dans la zone tempérée où résidait le clan.

Au riche feuillage vert auquel chacun était habitué succédait une herbe haute qui déjà perdait sa verdeur pour se fondre dans cette mer végétale aux reflets pâles qui s'étendait jusqu'à l'horizon. Ils avançaient sur l'épais tapis, laissant derrière eux un étroit sillage d'herbes froissées. L'eau était rare, et ils s'arrêtaient pour remplir leurs outres à chaque cours d'eau rencontré, au cas où ils ne trouveraient pas d'autre source quand ils s'installeraient pour la nuit. Brun conduisait le clan à un pas que tous pouvaient suivre, mais néanmoins alerte. Ils avaient un long trajet à parcourir avant d'arriver à la caverne de leurs hôtes, dans les hautes montagnes de l'est. Creb, aiguillonné par la perspective du Rassemblement et des cérémonies dont il aurait la charge, suivait l'allure sans trop de mal. Le soleil et les décoctions d'Ayla soulageaient la douleur de ses articulations, et puis cette marche raffermissait ses muscles, même ceux de sa jambe déformée.

Les journées se firent monotones. Ils marchaient, s'arrêtaient de temps à autre pour se restaurer, et continuaient d'avancer en direction de l'est jusqu'à la nuit tombante où ils dressaient le camp, pour repartir à l'aube. La saison avançait mais le changement de temps était si graduel qu'ils ne s'étonnèrent pas de l'ardeur du soleil qui brunissait les grandes plaines. Pendant trois jours ils subirent la fumée et les cendres que les vents charriaient d'un lointain et gigantesque feu de prairie. Ils croisèrent des troupeaux de bisons, des daims géants, des chevaux, des onagres et des ânes, ainsi que quelques saïgas, tous ces milliers de bêtes que la steppe nourrissait.

Bien qu'ils n'eussent pas encore atteint l'isthme qui reliait la péninsule au continent et alimentait en eau salée la mer intérieure, ils aperçurent l'imposante chaîne de montagnes qui brillait devant eux. Une calotte de glace étincelante recouvrait le sommet des pics les plus hauts, immuable malgré la chaleur torride des plaines alentour.

Quand la prairie céda le terrain à de basses collines de terre rouge, cet ocre rouge qui en sanctifiait le sol, Brun sut que les marécages n'étaient pas loin.

Pendant deux jours, ils pataugèrent dans les marais putrides, infestés de moustiques, avant de parvenir enfin sur le continent. Ils pénétrèrent alors dans une région boisée, humide, aux arbres croulant sous les lianes, le lierre grimpant et les clématites. Le chêne dominait, aux côtés du hêtre et de l'if, dans cette région exposée aux précipitations marines.

Ils surprirent des daims, des cerfs et des élans. Ils virent également des sangliers, des renards, des loups, des lynx et des léopards, des chats sauvages et une multitude de petits animaux, mais pas un seul écureuil. Ayla se demandait précisément ce qui manquait à cette faune des montagnes, quand le spectacle qui s'offrit à elle détourna son intérêt.

Sur un signe de Brun, tout le monde s'était figé pour regarder l'énorme ours des cavernes qui se frottait le dos contre un arbre. Tout occupé à se gratter le long de l'écorce rugueuse, il ne prêta aucune attention au clan médusé. Sa taille immense paraissait à tous particulièrement imposante tant sa fourrure était épaisse et sa tête massive. Les ours bruns qu'on rencontrait dans ces montagnes pesaient près de deux cents kilos. Mais c'était un ours des cavernes qu'ils avaient devant eux, et l'animal, bien qu'au début de l'été, devait atteindre les six cents kilos. Sa force colossale le mettait à l'abri de tous les prédateurs, et seul un autre mâle à l'époque du rut, ou encore une femelle protégeant ses oursons, aurait osé le défier.

Mais, outre sa stature impressionnante, c'était son caractère sacré qui figeait tous les membres du clan en une attitude de muette révérence. C'était Ursus, la personnification même du Peuple du Clan, qui se dressait devant eux. Ses ossements avaient le pouvoir d'éloigner toutes les forces du mal, et son esprit unissait tous les clans en un seul : le Clan de l'Ours des Cavernes.

Lassé de son activité, ou satisfait du bien-être qu'elle lui avait apporté, l'ours se redressa de toute sa hauteur pour faire quelques pas, campé sur ses pattes de derrière, avant de se laisser retomber. Flairant le sol, il s'éloigna d'un trot pesant. L'ours des cavernes était un animal fondamentalement pacifique qui n'attaquait personne tant qu'on ne l'importunait pas.

— Etait-ce Ursus ? demanda Uba, émerveillée.

— Oui, c'était lui, affirma Creb. Et quand nous serons arrivés, tu verras un autre ours des cavernes.

— Le clan qui nous reçoit vit donc vraiment avec un ours des cavernes ? demanda Ayla. Un ours de cette taille ! (La jeune femme n'ignorait pas la coutume selon laquelle le clan qui accueillait les autres lors du Rassemblement devait capturer un ourson et l'élever dans sa caverne.)

— Il est maintenant probablement enfermé dans une cage devant la caverne, mais lorsqu'il est petit, il vit à l'intérieur et chaque foyer le nourrit. Quand il commence à grandir, on le met en cage pour plus de sûreté, mais tout le monde continue à lui donner à manger et à le caresser pour qu'il sache qu'on l'aime toujours. La plupart des clans prétendent même avoir appris quelques rudiments de notre langage à leur ours, mais je n'ai jamais pu le vérifier. J'étais très jeune quand notre clan reçut le Rassemblement, et je ne m'en souviens pas. Nous lui rendrons hommage pendant la Cérémonie de l'Ours, et il transmettra nos messages au monde des esprits, expliqua Creb.

— Quand recevrons-nous les autres clans et aurons-nous un ours à élever ? demanda Uba.

— Quand ce sera notre tour de le faire. C'est un grand honneur pour un clan, et les chasseurs sont prêts à braver tous les dangers pour capturer un ourson. Le clan qui nous reçoit a la chance d'habiter dans une région fréquentée par des ours des cavernes. Il doit en rester quelques-uns dans la montagne, près de notre caverne, comme le prouvent les ossements d'Ursus que nous avons trouvés, répondit Creb.

Au signal de Brun, tout le monde se remit en route. En passant près de l'arbre contre lequel l'ours s'était frotté, Creb s'arrêta pour recueillir une touffe de poils accrochés à l'écorce. Il les enveloppa soigneusement dans une feuille qu'il fourra dans l'un des plis de sa fourrure. Le poil d'un ours des cavernes vivant avait un grand pouvoir magique.

Les hauts conifères des contreforts cédèrent la place à une végétation plus rase et plus robuste à mesure qu'ils approchaient des sommets scintillants contemplés depuis les plaines. Des bouleaux firent leur apparition, ainsi que des genévriers et des azalées dont les fleurs roses venaient à peine d'éclore, parsemant le vert tendre des herbages de pimpantes taches de couleur. Une multitude de fleurs sauvages ajoutaient leurs teintes à cette palette chatoyante : l'orange tacheté des lis tigrés, le mauve et le rose des ancolies, le violet des vesces, le bleu lavande des iris, l'azur des gentianes.

Ils aperçurent quelques chamois et des mouflons aux cornes épaisses. Ils parvinrent bientôt à un sentier témoignant de passages fréquents. Le clan qui recevait devait accomplir un long chemin avant d'atteindre les plaines et leurs troupeaux de ruminants. Mais la proximité bénéfique des ours des cavernes compensait cet inconvénient, en même temps qu'il incitait les chasseurs à se rabattre sur le gibier fréquentant les forêts.

Tous ceux qui avaient couru au-devant des nouveaux venus s'arrêtèrent net en voyant Ayla. Tandis que le clan avançait en file indienne en direction de la caverne, Ayla en tête des femmes, les commentaires allaient bon train. Creb avait eu beau la prévenir, la jeune femme ne s'était pas attendue à provoquer un tel émoi, ni à se trouver en présence d'une telle multitude : plus de deux cents personnes s'étaient attroupées pour considérer l'étrangère et Ayla n'avait jamais vu tant de monde réuni.

Le clan s'arrêta près d'une immense cage aux épais montants de bois profondément enfoncés en terre, à l'intérieur de laquelle un ours gigantesque, encore plus grand que celui rencontré en route, se balançait paresseusement d'un pied sur l'autre. Le petit clan qui recevait avait dû déployer des trésors de dévotion pour nourrir aussi longtemps l'énorme animal, et des dons apportés par les autres clans ne pourraient jamais compenser le sacrifice qu'il avait consenti. Mais il n'était pas de clan qui n'attendît impatiemment son tour d'offrir l'hospitalité afin de recueillir la protection des esprits.

Uba, vivement impressionnée par la bête et tous ces gens, se rapprocha d'Ayla, tandis que le chef et le sorcier du clan-hôte s'avançaient vers eux avec des gestes d'accueil, avant de se tourner vers Brun d'un air courroucé.

— Pourquoi as-tu amené cette femme à notre Rassemblement, Brun ? demanda le chef.

— Elle fait partie de notre clan, Norg, et c'est une guérisseuse de la lignée d'Iza, répliqua Brun en s'efforçant de conserver son calme, alors que s'élevait un murmure de stupéfaction dans l'assistance.

— C'est impossible ! rétorqua le mog-ur. Comment peut-elle faire partie de ton clan ? Elle est née chez les Autres !

— Elle fait partie du clan, répéta Mog-ur sur un ton aussi assuré que celui de Brun, en fixant d'un regard glacé le chef du clan-hôte. Douterais-tu de ma parole, Norg ?

Norg, mal à l'aise, consulta d'un regard son sorcier, mais celui-ci, aussi désarçonné que lui, ne lui fut d'aucun secours.

— Norg, nous avons fait un long voyage et nous sommes fatigués, dit Brun. Ce n'est vraiment pas le moment d'aborder le sujet. Nous refuserais-tu l'hospitalité de ta caverne ?

L'atmosphère était tendue. Norg réfléchissait. S'il refusait son hospitalité, ses visiteurs n'auraient plus qu'à entreprendre un long voyage de retour. Ce serait un manquement grave aux lois ancestrales. Mais s'il laissait Ayla pénétrer dans la caverne, cela reviendrait à la reconnaître en tant que femme du Clan. La mise en demeure de Brun obligeait Norg à se prononcer sur-le-champ. Les regards de Norg passèrent de son mog-ur à celui qui était le plus puissant d'entre les mog-ur, puis au chef du premier des clans. Que lui restait-il à faire du moment que Mog-ur avait parlé ?

Norg fit signe à sa compagne de montrer au clan l'emplacement qui lui avait été réservé dans la caverne, puis entra à la suite de Brun et de Mog-ur, bien décidé à éclaircir le mystère de l'étrangère une fois tout le monde installé.

Au premier abord, la caverne de Norg leur parut plus petite que la leur, mais en pénétrant plus avant, ils découvrirent qu'elle se composait d'une série de grottes et de galeries qui s'enfonçaient sous la montagne. Il y avait assez de place pour héberger tous les clans, mais Brun et ses compagnons furent conduits dans une vaste alvéole située non loin de l'entrée de la caverne, bénéficiant ainsi de la lumière du jour. Leur rang élevé leur avait valu cet emplacement de faveur.

Le Peuple du Clan n'avait pas de grand chef à proprement parler, mais il n'en existait pas moins une hiérarchie entre les clans, et le chef du premier clan devenait de fait celui de tous. Il n'en tirait pas cependant une autorité absolue. De ce point de vue, les clans restaient autonomes, commandés par des hommes au caractère indépendant, peu enclins à se plier à une autorité supérieure, hormis dans le domaine des rites de la magie. La position de chaque clan dans la hiérarchie était décidée tous les sept ans lors du grand Rassemblement.

Outre les cérémonies, les compétitions constituaient une activité importante pour les clans. Elles les opposaient dans un cadre strict, leur évitant ainsi de s'affronter hors les lois régissant leur peuple. Elles leur permettaient également de se départager et de déterminer leurs rangs. Les hommes s'affrontaient alors en des tournois de lutte, de fronde, de bolas, de course à pied, de course à la lance, de fabrication d'outils, de danse, de déclamation de contes et de subtiles pantomimes retraçant des chasses particulièrement remarquables.

Quant aux femmes, si leurs joutes avaient moins de poids aux yeux des hommes, elles participaient néanmoins à la fête. Elles disposaient à la vue de tous les dons apportés au clan-hôte, fières de l'étalage de leur artisanat, de la beauté de leurs fourrures, de leurs ustensiles finement travaillés, astucieusement tressés, qui faisaient l'objet d'examens critiques et passionnés de la part des autres femmes.

La position relative au sein de chaque clan de la guérisseuse et du mog-ur entrait pour une large part dans la définition du statut final. Ainsi Iza et Creb avaient contribué d'une manière décisive à faire du clan de Brun le premier de tous. Mais le facteur capital résidait dans la capacité du chef à diriger son clan, les critères d'évaluation de cette capacité étant des plus subtils.

Ils reposaient d'une part sur les résultats des joutes, qui témoignaient de la façon dont le chef s'était révélé capable d'entraîner ses hommes et de les stimuler, et d'autre part, sur la manière dont les femmes travaillaient et se conduisaient, preuve de sa fermeté. Le respect de la tradition entrait également en ligne de compte ainsi que la force de caractère du chef. Brun savait que cette fois-ci la lutte serait serrée. La présence d'Ayla constituait déjà un sérieux désavantage.

Le Rassemblement du Clan était aussi l'occasion de renouer de vieilles connaissances, et d'engranger suffisamment d'histoires et de commérages pour plusieurs hivers. Les jeunes gens incapables de trouver des compagnes dans leur propre clan en profitaient pour faire de nouvelles rencontres. Les unions n'étaient scellées qu'à la condition que le chef du clan auquel appartenait l'homme accepte la femme. Pour celle-ci, c'était un honneur que d'être choisie par un homme d'un clan de rang supérieur.

Malgré les recommandations de Zoug et son statut de guérisseuse, Iza doutait qu'Ayla trouve un compagnon. La présence de son fils apparemment anormal lui en ôtait tout espoir. Mais Ayla était loin de pareilles préoccupations. Elle éprouvait déjà le plus grand mal à rassembler son courage pour affronter la foule de curieux qui se pressaient devant la caverne. Avec Uba, elle avait pris possession du foyer qui lui était alloué pour la durée de leur visite et avait immédiatement entrepris de disposer avec le plus grand soin les cadeaux destinés au clan-hôte, ainsi qu'Iza le lui avait recommandé. Chacun avait déjà remarqué la qualité de son travail. Elle s'était rafraîchie et changée avant d'allaiter son fils, pressée par Uba, impatiente d'explorer les environs de la caverne, mais qui n'osait pas s'y aventurer seule.

— Dépêche-toi, Ayla. Tous les autres sont déjà dehors ! Ne peux-tu nourrir Durc un peu plus tard ?

— Je n'ai pas envie qu'il se mette à pleurer. Tu sais comme il peut crier fort. Je ne voudrais pas passer pour une mauvaise mère, répondit Ayla. Inutile de les prévenir contre moi. Creb m'avait bien dit qu'ils seraient surpris en me voyant, mais je n'aurais jamais cru qu'ils me regarderaient comme si j'étais une bête curieuse.

— Ne t'inquiète pas, ils nous ont accueillis dans leur caverne, et Creb et Brun sauront leur prouver que tu es des nôtres. Viens, Ayla. Tu ne peux pas passer tout ton temps ici, il faudra bien que tu sortes. Ils feront comme nous, ils s'habitueront à toi.

— Eux me voient pour la première fois, Uba, mais tu as raison, je n'ai pas le choix, et autant y aller maintenant. N'oublie pas de prendre quelque chose pour donner à manger à l'ours.

Ayla se leva, Durc contre son épaule. En passant devant son foyer, Uba et elle adressèrent un signe respectueux à la compagne de Norg. La femme leur répondit et se dépêcha de retourner à ses occupations, pour ne pas faire preuve d'indiscrétion en les regardant avec trop d'insistance. Ayla prit une grande inspiration et redressa la tête au moment de sortir. Elle était bien décidée à ne pas se laisser impressionner par la curiosité qu'elle suscitait. Après tout, elle était une femme du Clan au même titre que les autres.

Sa détermination fut mise à rude épreuve quand elle s'avança en plein soleil. Tout le monde sans exception avait trouvé une raison de s'attarder aux abords de la caverne dans l'espoir de la voir sortir. Si la plupart essayaient de se montrer discrets, beaucoup, oublieux de la plus élémentaire correction, la contemplaient bouche bée. Ayla se sentit rougir et s'affaira auprès de Durc pour ne pas avoir à affronter les regards.

Mais ce faisant, elle détourna l'attention sur son fils que personne n'avait remarqué jusqu'ici. Les expressions et les gestes de tous ne laissaient aucun doute quant à leurs sentiments à l'égard de l'enfant. S'il avait ressemblé à sa mère, ils auraient eu moins de mal à l'accepter, mais Durc, à leurs yeux, n'était qu'un bébé difforme et indigne de vivre. Les traits qui l'assimilaient aux membres du clan étaient suffisamment évidents pour que ceux hérités de sa mère apparaissent comme de grossières malformations. Si l'image d'Ayla en souffrait, le prestige de Brun n'en pâtissait pas moins.

Ayla et Uba tournèrent le dos aux regards rivés sur elles pour se diriger vers la grande cage. En les voyant approcher, le gigantesque plantigrade s'assit et, quêteur, tendit une patte à travers les barreaux. Elles eurent toutes deux un mouvement de recul instinctif à la vue de l'énorme patte griffue, plus adaptée à fouiller la terre à la recherche des racines et des tubercules dont l'ours se nourrissait pour une grande part qu'à hisser son énorme corps dans un arbre. A la différence des ours bruns, l'ours des cavernes était bien trop lourd et volumineux pour un tel exercice. Ayla et Uba déposèrent chacune une pomme au pied des épais barreaux taillés dans des troncs d'arbres.

La créature se leva pour s'en emparer et les engloutir dans son énorme gueule, puis se rassit et tendit de nouveau la patte en se balançant sur son arrière-train. Ayla réprima de justesse un sourire.

— Maintenant, je sais pourquoi on dit qu'ils peuvent parler, dit-elle à Uba. Il en redemande. As-tu une autre pomme ?

Uba lui tendit un fruit, et cette fois Ayla s'approcha de la cage pour le lui donner. Il porta le fruit à sa gueule puis vint frotter sa tête contre les barreaux.

— On dirait que tu as envie de te faire gratter, vieil adorateur du miel, lui dit par gestes Ayla, en prenant soin de ne pas mentionner le nom d'ours des cavernes ou d'Ursus en sa présence, ainsi que Creb le lui avait recommandé.

En entendant son véritable nom, l'ours se rappellerait qui il était ; il saurait qu'il n'était pas seulement un membre du clan qu'il l'avait élevé. Il redeviendrait un ours sauvage, et il ne pourrait plus y avoir de Cérémonie de l'Ours ni de Rassemblement. Ayla le gratta vigoureusement derrière l'oreille.

— Tu aimes ça, hein, grand dormeur de l'hiver, dit Ayla en enfonçant son bras dans la cage pour lui gratter l'autre oreille. Tu es trop paresseux pour te gratter tout seul.

Ayla continua de cajoler ainsi l'animal jusqu'à ce que Durc tende à son tour la main vers l'épaisse toison brune. Elle se recula aussitôt. Protégée par les épais barreaux, elle n'avait pas peur de l'ours, mais à voir la minuscule main de son fils essayer de saisir une poignée de poils, l'énorme gueule et les longues griffes lui parurent soudain dangereuses.

— Comment peux-tu t'approcher si près de lui ? lui signifia Uba. J'aurais peur à ta place !

— Ce n'est jamais qu'un gros bébé, mais j'ai oublié Durc. Il pourrait lui faire mal sans le vouloir, répondit Ayla, tandis qu'elles s'éloignaient de la cage.

Uba n'avait pas été la seule à s'étonner de la hardiesse d'Ayla. Tout le clan en avait été témoin. La plupart des visiteurs évitaient plutôt les abords de la cage. Les jeunes garçons se lançaient des défis. C'était à qui oserait toucher du bout des doigts la fourrure de l'ours pour s'enfuir aussitôt. Les hommes, censés incarner le courage, répugnaient à se donner en spectacle près de la cage, qu'ils eussent ou non peur de l'ours. Et, parmi les femmes, rares étaient celles qui avaient seulement osé s'approcher des barreaux. Aussi la familiarité d'Ayla avec l'animal les étonnait grandement, même si elle ne changeait pas vraiment l'opinion qu'ils avaient d'elle.

A présent qu'ils avaient pu l'observer à loisir, les gens s'éloignaient. Seuls les enfants persistaient à la scruter, mais il n'y avait aucune espèce de jugement dans leurs regards. Ils étaient curieux, comme on l'est à cet âge.

Ayla et Uba s'en furent s'asseoir à l'ombre d'un gros rocher, non loin de la caverne, d'où elles pourraient observer les faits et gestes des uns et des autres sans paraître indiscrètes. Ayla et Uba s'entendaient à merveille, et leur affection s'était encore renforcée depuis que la fillette avait suivi Ayla jusqu'à son abri dans la montagne.

Allongé sur le ventre entre elles deux, Durc agitait bras et jambes tout en regardant ce qui se passait autour de lui. Ayla et Uba conversaient gaiement, quand une jeune femme se présenta et leur demanda timidement la permission de se joindre à elles. Elles acceptèrent avec plaisir. C'était le premier geste amical qu'on leur adressait depuis leur arrivée. La femme portait un bébé endormi au creux d'une peau de bête.

— Cette femme s'appelle Oda, dit-elle une fois assise, puis elle fit le signe usuel pour leur demander leurs noms.

— Cette fille s'appelle Uba, et la femme Ayla, répondit Uba.

— Aay... Aayghha ? Je n'ai jamais entendu ce nom, dit Oda avec des gestes légèrement différents de ceux de leur clan mais qu'Uba et Ayla purent comprendre.

— Ce n'est pas un nom du Clan, dit Ayla.

Elle comprenait la difficulté que semblait avoir la femme à le prononcer. Ceux de son propre clan n'y parvenaient pas mieux.

Oda esquissa un geste, hésita, soudain gênée, puis finit par montrer Durc du doigt.

— Cette femme voit que tu as un enfant, dit-elle. C'est un garçon ou une fille ?

— Un garçon. Il s'appelle Durc, comme celui de la légende. La connais-tu ?

— Oui, cette femme connaît la légende, mais le nom n'est pas commun dans mon clan.

— Dans le mien non plus, dit Ayla. Mais Durc aussi n'est pas commun, dans son genre.

— Cette femme a aussi un enfant, poursuivit-elle après avoir encore hésité un long moment. C'est une fille, elle s'appelle Ura.

Un silence pesant suivit ces propos.

— Cette femme aimerait voir Ura si la mère ne s'y oppose pas, demanda Ayla, qui ne savait plus que dire tant la femme semblait gênée.

Pendant un instant Oda parut réfléchir à la requête de l'étrangère, puis elle sortit son enfant de la couverture et le mit dans les bras d'Ayla, qui n'en crut pas ses yeux. Ura, qui ne devait pas avoir plus d'un mois, ressemblait à Durc ! Elle lui ressemblait comme une sœur ! Le bébé d'Oda aurait pu être le sien !

Ayla était bouleversée. Si une femme d'un autre clan pouvait donner naissance à un enfant ressemblant à ce point au sien, c'est que Durc était tout simplement difforme, comme l'avaient toujours pensé Creb et Brun. Contrairement à ce qu'elle avait toujours cru, son enfant n'était pas différent, mais anormal, tout comme la fille d'Oda. Ce fut Uba qui brisa le long silence.

— Ton enfant ressemble à Durc, Oda, dit-elle, oubliant les formules de politesse.

— Oui, cette femme a été surprise en voyant le bébé d'Aayghha, dit la jeune mère. C'est pour ça que je... que cette femme voulait te parler. J'espérais que l'enfant était un garçon.

— Pourquoi ? demanda Ayla.

Oda regarda son bébé sur les genoux d'Ayla.

— Ma fille est difforme, et elle ne pourra jamais trouver de compagnon. Qui voudrait d'elle ? (Elle leva des yeux implorants vers Ayla.) Alors quand j'ai vu ton enfant, j'ai souhaité que ce soit un garçon parce que... lui aussi aura du mal à trouver une compagne.

Ayla n'avait jamais encore songé à cette question. A la réflexion, Oda avait raison, sa différence isolerait Durc. Elle comprenait maintenant pourquoi cette femme était venue la voir.

— Est-ce que ta fille est en bonne santé ? demanda-t-elle.

— Elle n'est pas bien grosse, répondit Oda, mais elle se porte bien. C'est son cou qui est fragile, mais j'ai l'impression qu'il se renforce, ajouta-t-elle avec espoir.

— Cette femme peut ? demanda Ayla en écartant la peau qui recouvrait l'enfant.

Elle était plus carrée que Durc, un peu comme les bébés du clan. Mais l'ossature, le crâne, et les traits du visage, sans parler du cou, étaient semblables, la fille d'Oda présentant des arcades sourcilières moins prononcées que celles de Durc.

— Son cou se musclera, Oda. Durc était encore plus faible à la naissance, et regarde maintenant comment il se tient.

— Tu es sûre ? insista Oda. Cette femme aimerait demander à la guérisseuse du premier des clans de considérer cette petite fille comme la compagne de son garçon, déclara Oda en recourant aux formules d'usage en pareil cas.

— Je crois qu'Ura fera une excellente compagne pour Durc, Oda.

— Il faudra que tu demandes son consentement à ton compagnon.

— Je n'ai pas de compagnon, dit Ayla.

— Oh ! Mais alors ton fils est malheureux, répondit Oda, déçue. Qui se chargera de son éducation, si tu n'as pas de compagnon ?

— Durc n'est pas malheureux ! affirma Ayla. Je vis au foyer de Mog-ur, et Brun a promis de le former. Il fera un bon chasseur. Mog-ur lui a déjà révélé son totem : c'est le Loup Gris.

— Il vaut mieux que ma fille ait un compagnon malheureux que pas de compagnon du tout, dit Oda d'un air résigné. Nous ne connaissons pas encore le totem d'Ura, mais le Loup Gris est un totem assez puissant pour vaincre n'importe quel totem féminin.

— Sauf celui d'Ayla, intervint Uba. Le sien, c'est le Lion des Cavernes !

— Alors comment as-tu fait pour avoir un enfant ? demanda Oda, étonnée. Mon totem est le Hamster, et pourtant il a beaucoup lutté cette fois-ci. J'ai eu moins de mal avec ma première fille.

— Ma grossesse aussi a été dure. Tu as une autre fille ? Est-ce qu'elle est normale ?

— Oui, elle l'était. Mais elle a rejoint le monde des esprits, répondit tristement Oda.

— C'est donc pour ça qu'Ura a été autorisée à vivre ? Je me demandais comment tu avais pu la garder, remarqua Ayla.

— Je n'y tenais pas, mais mon compagnon m'y a obligée, pour me punir.

— Pour te punir ?

— Oui, j'avais tellement aimé mon premier bébé que je voulais une autre fille, alors que mon compagnon voulait un garçon. Il m'a forcée à le garder pour que tout le monde sache que j'avais eu de mauvaises pensées pendant que j'étais grosse, que si j'avais désiré avec lui un garçon, je n'aurais pas eu une enfant anormale. Mais il ne m'a pas abandonnée parce que personne n'aurait voulu de moi.

— Tu n'as rien fait de mal, Oda. Iza aussi désirait une fille. Tous les jours elle le demandait à son totem quand elle attendait Uba. Comment ta fille est-elle morte ?

— Elle a été tuée par un homme, dit Oda, mal à l'aise. Un homme qui te ressemblait. Un homme de chez les Autres.

— Un homme qui me ressemblait ? s'étonna Ayla qu'un frisson parcourut des pieds à la tête. Iza dit que je suis née chez les Autres, mais je ne me souviens de rien. Je suis du Peuple du Clan, maintenant. Comment est-ce arrivé ?

— Nous étions à la chasse avec deux autres femmes et nos compagnons. Nous habitons au nord d'ici, et cette fois nous étions remontés encore plus au nord. Les hommes sont partis de bonne heure ce jour-là. Il y avait beaucoup de mouches et il nous fallait entretenir de la fumée pendant que la viande séchait. Nous étions en train de ramasser du petit bois quand tout à coup les Autres sont arrivés. Ils voulaient assouvir leurs désirs avec nous, mais ils n'ont même pas fait le signe convenu. Ils se sont jetés sur nous et nous ont bousculées sans me laisser le temps de déposer mon bébé. Il est tombé, mais celui qui était sur moi ne s'en est pas aperçu.

» Quand il a eu fini, poursuivit Oda, un autre est venu prendre sa suite et c'est à ce moment-là qu'ils ont vu mon enfant, mais elle était morte. Elle s'était cogné la tête contre une pierre. Alors ils ont fait beaucoup de bruits avec leurs bouches et ils sont partis. Quand les chasseurs sont revenus, nous leur avons raconté ce qui s'était passé, et ils nous ont reconduites à la caverne. Mon compagnon s'est montré gentil envers moi, il était triste lui aussi. J'ai été très contente quand j'ai vu que mon totem avait été vaincu tout de suite après la mort de ma petite fille. J'ai cru qu'il voulait une autre fille pour remplacer la première.

— Je suis triste pour toi, dit Ayla. Je ne sais pas ce que je ferais si je perdais Durc. Je vais parler d'Ura à Mog-ur, et je suis sûre qu'il en parlera à Brun. Le chef approuvera certainement ton projet. Cela lui évitera d'avoir à trouver dans notre clan une compagne à donner à un homme difforme.

— Cette femme serait reconnaissante envers la guérisseuse. J'éduquerai du mieux possible ma fille. Le clan de Brun a le plus haut rang, et mon compagnon serait honoré. Et soulagé aussi ; il dit toujours qu'Ura ne trouvera jamais de compagnon, qu'elle n'aura jamais aucun statut. Quand elle sera grande, je lui dirai qu'elle n'a pas à s'inquiéter, qu'elle a déjà un compagnon. C'est dur pour une femme, quand pas un seul homme ne la veut, dit Oda.

— Je sais, répondit Ayla. Je parlerai à Mog-ur dès que possible.

Après le départ d'Oda, Ayla se sentit pensive et préoccupée. Elle songeait aux Autres. Quelles brutes ! Pourquoi n'avaient-ils pas fait le signe convenu ? Oda aurait pu sauver son bébé. Ces hommes étaient mauvais comme l'était Broud. Pires même, car Broud, lui, aurait fait d'abord déposer l'enfant. Avec leurs besoins, ils sont tous pareils, les hommes du Clan comme les Autres. Ayla ne se rappelait pas à quoi ces derniers ressemblaient. Elle n'avait en mémoire que son propre reflet dans la mare, près de la caverne. Soudain une pensée lui traversa l'esprit. Oda a donné naissance à Ura après que l'un des Autres eut assouvi ses désirs avec elle. Comme Broud avec moi ! Oda et Broud sont du Clan, comme cet homme et moi sommes de chez les Autres ! Ura n'est pas plus difforme que Durc. Comme Ura, il est une partie des Autres et une partie du Clan. C'est bien Broud qui m'a fait cet enfant... avec son organe, et non avec l'esprit de son totem !

Les autres femmes qui étaient avec Oda n'ont pas eu d'enfants anormaux. Creb dirait-il vrai quand il prétend que le totem d'une femme doit être vaincu ? Mais elle n'avale pas l'essence du totem, c'est l'homme qui la lui met dans le ventre avec son membre.

Mais pourquoi fallait-il que ce fût Broud ? Je voulais un bébé, mon totem en est témoin, mais Broud me déteste tant ! Il déteste Durc aussi. Il s'est soulagé avec moi uniquement parce qu'il savait que ça me faisait horreur. Mon totem savait-il que celui de Broud pourrait le vaincre ? Oga a déjà deux fils, Brac et Grev, et c'est Broud qui les a faits tous les deux, comme Durc.

Cela signifie-t-il qu'ils sont frères, comme Brun et Creb ? Brun aurait-il déclenché la naissance de Broud dans le ventre d'Ebra ? Oui, c'est probable, car les autres hommes ne se servent pas de la compagne du chef, c'est contraire aux usages. Broud n'aime pas partager Oga. Pendant la chasse au mammouth, Crug prenait toujours Ovra. Droog aussi l'a fait deux ou trois fois.

Si Brun a fait Broud qui a fait Durc, Durc est donc une partie de Brun ? Et une partie de Creb, puisque Brun et Creb sont de la même mère ? Et une partie d'Iza ? Ayla secoua la tête. Tout cela devenait trop confus.

Ah ! comme Broud serait fou de rage s'il savait qu'en assouvissant ses désirs avec moi par pure haine, il m'a donné ce que je désirais le plus au monde !

— Ayla, dit Uba en arrachant brusquement la jeune femme à ses pensées, je viens de voir Creb et Brun rentrer dans la caverne. Il se fait tard, il faut préparer à manger. Creb va avoir faim.

Durc, qui s'était endormi, s'éveilla quand sa mère le prit dans ses bras. Je suis sûre que Brun ne s'opposera pas à ce qu'Ura devienne la compagne de mon fils, pensa Ayla sur le chemin du retour. Ils sont faits l'un pour l'autre. Et moi ? Trouverai-je un jour un compagnon ?

                                    23

L'arrivée des deux derniers clans rappela à Ayla qu'elle restait un objet d'intense curiosité pour les deux cent cinquante membres des dix clans participant au Rassemblement. Elle était observée où qu'elle apparût, mais aussi anormale pût-elle paraître aux yeux des autres clans, personne ne trouvait la moindre critique à faire concernant son comportement.

Ayla veillait farouchement à ne pas rire ni même sourire. Pas d'yeux mouillés non plus, ni de ces grands pas qu'elle faisait d'ordinaire et de cette liberté d'allure si peu propre aux femmes. Elle était un exemple de tenue, mais seuls les membres de son propre clan pouvaient apprécier ses efforts, car pour les autres elle se comportait comme une femme digne du clan était censée le faire depuis des générations.

La discrétion de sa présence leur rendait celle-ci supportable, et comme Uba l'avait prédit, ils commençaient à s'habituer à elle. Enfin il y avait de trop nombreuses activités lors d'un Rassemblement pour que l'étrangère du clan de Brun mobilise longtemps l'attention.

L'organisation du Rassemblement du Clan, qui réunissait un aussi grand nombre d'individus, exigeait un grand sens pratique et beaucoup de doigté et d'esprit de conciliation. Les dix chefs de clan se virent confrontés à des problèmes de coordination sans commune mesure avec ceux qu'ils avaient coutume d'affronter.

Il fallait organiser des expéditions de chasse pour nourrir la horde, et si le statut de chacun au sein du même clan déterminait l'ordre de marche des chasseurs, la tâche se compliquait quand deux ou trois clans décidaient de chasser ensemble.

Les femmes aussi rencontraient des problèmes quand elles partaient à la cueillette de plantes et de légumes. En dépit de leur nombre, elles devaient s'efforcer de ne pas appauvrir excessivement les ressources locales. Or, si chaque clan avait apporté d'amples provisions, les légumes frais constituaient néanmoins un additif des plus prisés, et les réserves prévues par les membres du clan-hôte se révélaient toujours insuffisantes pour subvenir aux besoins de tous. Avant la fin de l'été, toutes les ressources naturelles des alentours seraient épuisées.

L'approvisionnement en eau était garanti par une rivière alimentée par la fonte du glacier, et le bois pour le feu était ce qui manquait le moins. Les femmes faisaient la cuisine devant la caverne, quand le temps le permettait, et tous les repas étaient préparés en commun.

Malgré cela, tout le bois mort et un grand nombre d'arbres sur pied seraient brûlés, bouleversant profondément les environs. Rien ne serait plus comme avant à la fin du Rassemblement.

Creb n'était pas le seul à se réjouir de cette réunion qui lui donnait l'occasion de retrouver ses pairs après sept ans d'éloignement. Brun l'était également, car il pouvait enfin se mesurer à des hommes d'une autorité comparable à la sienne. Les qualités d'un chef n'exigeaient pas seulement de lui qu'il sache prendre une décision et la mettre à exécution avec énergie, mais qu'il sût encore céder quand il le fallait. Et Brun n'avait pas usurpé son rang prééminent : il savait se montrer à la fois énergique, conciliant et capable de faire l'unanimité sur sa personne. Chaque fois que les clans se réunissaient, un homme fort se détachait de la masse. Brun était cet homme depuis qu'il était devenu le chef de son propre clan.

C'était cette combinaison d'autorité et de tolérance s'appuyant sur les solides traditions du clan qui lui avait permis d'accorder à Ayla des circonstances atténuantes. Une fois passée la menace de se voir contraint par Ayla d'accepter son fils, il avait considéré la jeune femme avec d'autres yeux.

Ayla avait pensé agir dans la tradition du clan et elle avait su mesurer à temps son erreur en revenant avant le jour de la Cérémonie du Nom. Quand elle lui avait montré la petite grotte dans la montagne, il s'était secrètement étonné qu'elle eût été capable de faire tout ce chemin dans la grande faiblesse où elle se trouvait alors. Un homme aurait-il pu en faire autant, s'était-il demandé, sachant que la ténacité et l'endurance à la douleur fondaient les vertus viriles qu'il admirait. Elles témoignaient de la force de caractère et, bien qu'Ayla fût une femme, Brun admirait son cran.

— Si Zoug avait été là, nous aurions gagné le concours de tir à la fronde, dit Crug. Personne n'aurait pu le battre.

— Sauf Ayla, répondit discrètement Goov. Dommage qu'elle n'ait pu entrer en lice.

— Nous n'avons pas besoin de l'assistance d'une femme pour gagner, répliqua Broud. Et puis l'épreuve de fronde ne compte pas tant que ça. Brun remportera certainement l'épreuve des bolas, comme d'habitude, et il nous reste encore la course au lancer.

— Voord a déjà remporté la course à pied ; il a de fortes chances de remporter aussi la course au lancer, dit Droog. Et Gorn s'est bien débrouillé à la massue.

— Attends un peu qu'on leur mime notre chasse au mammouth. Notre clan gagnera à coup sûr ! déclara Broud.

Il savait qu'il excellait à mimer les actions de chasse et à en transmettre toute l'intensité dramatique. Mais les pantomimes retraçant les expéditions des chasseurs ne constituaient pas seulement une exhibition, elles avaient un caractère éminemment instructif. Les clans dévoilaient en ces occasions des techniques et des tactiques de chasse dont ils pouvaient s'inspirer les uns les autres.

— Nous gagnerons si c'est toi qui mènes la danse, Broud, dit Vorn qui, à dix ans, continuait à idolâtrer le futur chef.

Broud, en contrepartie, l'invitait à participer aux discussions entre hommes à chaque fois qu'il le pouvait.

— Dommage que ta course n'ait pas compté, Vorn. Je t'ai observé ; tu étais largement en tête. Voilà un bon entraînement pour la fois prochaine, dit Broud, tandis que le garçon rougissait de plaisir.

— Nous restons bien placés, remarqua Droog, mais nous ne sommes pas assurés de gagner pour autant. Gorn est fort. Il s'est bien défendu à la lutte. Je n'étais pas sûr que tu parviendrais à le battre, Broud. Le second de Norg peut être fier du fils de sa compagne. Il a drôlement grandi depuis le dernier Rassemblement. A mon avis, c'est le plus fort de tous.

— C'est vrai qu'il est fort, dit Goov. On l'a bien vu quand il a gagné le tournoi à la massue, mais Broud est plus rapide et presque aussi solide.

— Et Nouz, vous avez vu comme il est habile à la fronde ? J'ai dans l'idée qu'il a observé Zoug la dernière fois, et qu'il a décidé d'imiter sa technique. Il n'a pas supporté l'idée de se faire battre de nouveau par un vieillard, ajouta Crug. S'il est aussi bien entraîné aux bolas, la lutte avec Brun risque d'être serrée. Quant à Voord, il court vraiment très vite, mais je croyais que tu arriverais à le rattraper, Broud.

— Droog fait les meilleurs outils, signifia Grod, dont les commentaires étaient aussi rares que laconiques.

— Choisir ses plus beaux outils et les présenter ici est une chose, Grod, mais les fabriquer devant tout le monde en est une autre qui demande de la chance. Le jeune homme du clan de Norg ne m'a pas l'air maladroit, répliqua Droog.

— C'est justement une épreuve où ton âge te donnera l'avantage, Droog, affirma Goov. Il se sentira sans doute nerveux, alors que toi, tu as déjà l'expérience de ces joutes. Il te sera plus facile de te concentrer.

— Oui, mais j'aurai quand même besoin d'un peu de chance.

— Nous en aurons tous besoin, dit Crug. Je continue à penser que le vieux Dorv est le meilleur conteur.

— C'est parce que tu as l'habitude de l'entendre, Crug, dit Goov. Il est très difficile de départager les conteurs. Il y a aussi des femmes qui racontent très bien.

— Mais leurs histoires ne sont pas aussi passionnantes qu'une danse de chasse, dit Crug. Sans le vouloir, j'ai vu les chasseurs du clan de Norg parler de leur chasse au rhinocéros, mais dès qu'ils m'ont aperçu ils se sont tus.

Oga s'approcha timidement des hommes pour leur annoncer que le repas était prêt. Ils la renvoyèrent avec impatience, et elle souhaita qu'ils ne tardent pas trop à venir manger. Plus les hommes tarderaient, plus leurs compagnes mettraient de temps à retrouver les autres femmes qui se réunissaient pour écouter des histoires. C'étaient les vieilles qui le plus souvent racontaient les légendes du Peuple du Clan, et elles étaient non seulement instructives pour les plus jeunes mais encore divertissantes : il y avait des histoires tristes à vous fendre le cœur, des histoires gaies qui vous transportaient de joie et des histoires drôles qui venaient à point pour dissiper les fortes émotions provoquées par les conteuses.

— Ils n'ont pas l'air d'avoir faim, dit Oga, de retour auprès du feu, devant la caverne.

— On dirait qu'ils se décident quand même, dit Ovra. J'espère qu'ils ne vont pas s'attarder trop longtemps après le repas.

— Brun aussi arrive, ajouta Ebra. La réunion des chefs doit être terminée, mais je ne sais pas où est Mog-ur.

— Il a disparu dans la caverne avec les autres mog-ur. Ils doivent être dans la grotte sacrée de ce clan. Impossible de dire quand ils en ressortiront. Faut-il attendre Mog-ur ? demanda Uka.

— Je lui laisserai quelque chose, dit Ayla. Il oublie toujours de manger quand il se prépare à des cérémonies. Il a l'habitude de manger froid. Il y a même pris goût. Il ne nous en voudra pas si nous ne l'attendons pas.

— Regarde, elles commencent déjà ! Nous allons manquer les premières histoires, signala Ona avec des gestes qui disaient toute sa déception.

— On n'y peut rien, répondit Aga. Nous ne pouvons pas y aller avant que les hommes aient fini de manger.

— Ne t'en fais pas, Ona, il y en aura pour toute la nuit, la consola Ika. Et demain, nous aurons le droit de regarder les hommes mimer leurs chasses les plus extraordinaires.

— Je préfère les histoires que racontent les femmes, dit Ona.

— Broud dit que notre clan mimera sa chasse au mammouth. Il est sûr que nous gagnerons. Brun va le laisser mener la danse, annonça Oga, les yeux brillants de fierté.

— Je me souviens quand Broud a mimé sa première chasse, dit Ayla. Je ne savais pas encore parler, et je ne comprenais personne, mais j'étais très impressionnée.

Après que le repas fut servi, elles attendirent en jetant des regards pleins d'envie vers les femmes rassemblées au bout de la clairière qui s'étendait devant la caverne.

— Ebra, appela Brun, vous pouvez aller écouter vos histoires, nous avons à discuter.

Ramassant leurs bébés au passage et poussant devant elles leurs jeunes enfants, les femmes rejoignirent leurs compagnes assises autour d'une vieille qui venait tout juste de commencer une nouvelle histoire.

— ... alors la mère de la Montagne de Glace...

— Dépêchez-vous, s'impatienta Ayla, c'est ma légende préférée ! L'histoire de Durc !

Elles trouvèrent une place où s'asseoir et furent vite prises par le récit merveilleux.

— Elle la raconte de façon un peu différente, commenta Ayla, quand la conteuse eut fini.

— Chaque clan y apporte sa note, brode sur l'histoire. Tu ne connais pas celle de Dorv. Comme c'est un homme, il met davantage l'accent sur Durc, alors que cette femme parle du chagrin de sa mère et des autres jeunes gens qui le voient partir, expliqua Uka.

Ayla se rappela qu'Uka avait perdu son fils pendant le tremblement de terre. Elle comprenait mieux la tristesse d'une mère. Mais cet aspect de la légende prit soudain un sens particulier pour elle. Son fils s'appelait Durc, et elle se demanda avec effroi si, comme le Durc de la légende, elle ne le perdrait pas un jour. Elle serra son enfant contre elle. Non, elle avait franchi le plus dur. Le danger était passé.

Brun jaugeait la distance qui le séparait d'une souche d'arbre plantée à l'extrémité de l'espace dégagé pour les tournois, devant la caverne. Une brise passagère agita quelques mèches de ses cheveux, rafraîchissant pour un instant son front emperlé de sueur.

Brun était aussi tendu que la foule qui le regardait en retenant son souffle. Le chef avait les yeux braqués sur la cible, les pieds légèrement écartés, le bras droit le long du corps tenant fermement la poignée des bolas. Les trois boules de pierre, entourées de cuir et attachées à des lanières tressées d'inégale longueur, reposaient par terre. Brun tenait à remporter cette épreuve, non seulement pour le plaisir de gagner, mais surtout pour montrer aux autres chefs qu'il n'avait rien perdu de sa vigueur ni de son efficacité au jeu.

Brun avait vu son prestige diminuer de manière sensible en raison de la présence d'Ayla au Rassemblement. Mog-ur lui-même était obligé de se battre pour conserver sa suprématie sans toutefois être parvenu à convaincre les autres mog-ur que la jeune femme était une guérisseuse de la lignée d'Iza. Pour l'instant, ils préféraient renoncer au breuvage magique plutôt que d'autoriser Ayla à le préparer. L'absence d'Iza ajoutait à la remise en cause de l'autorité de Brun.

Si son clan ne terminait pas premier aux joutes, il perdrait son statut. Or, si les hommes avaient réalisé de bonnes performances, l'issue demeurait incertaine. Le clan de Norg représentait une réelle menace. Il se trouvait en excellente position et risquait fort d'enlever au clan de Brun la première place. De ce fait, Brun allait rencontrer en Norg un rival acharné, conscient que sa victoire ne tenait qu'à un fil.

Brun cligna des yeux pour viser la souche d'arbre, et les spectateurs, attentifs au moindre signe, retinrent leur souffle. L'instant d'après, Brun faisait tournoyer au-dessus de sa tête les trois boules et les projetait sur la cible. Tout de suite, il sut qu'il avait raté son coup. Après avoir frappé la souche, les pierres rebondirent plus loin sans s'enrouler autour d'elle. Brun alla ramasser ses bolas pendant que Nouz prenait sa place. Si ce dernier manquait totalement la cible, Brun gagnerait. S'il la touchait, ils seraient à égalité et devraient recommencer. Mais si Nouz enroulait ses bolas autour du but, il remporterait l'épreuve.

Brun s'écarta, le visage impassible, résistant au désir de toucher son amulette. Nouz, que n'animait pas ce genre de scrupules, saisit la petite bourse en cuir, ferma les yeux quelques instants, puis visa la souche. En un mouvement de poignet aussi rapide que soudain, il lança les bolas. Il fallut à Brun un contrôle de lui-même exceptionnel, acquis au fil des ans, pour ne rien laisser paraître de sa déception quand les trois boules s'enroulèrent autour de la cible. Nouz avait gagné.

Brun ne bougea pas de sa place tandis qu'on apportait maintenant trois peaux de bêtes sur le terrain. Avec l'une on enveloppa une vieille souche d'arbre légèrement plus haute qu'un homme ; une autre fut jetée sur un gros rondin de bois couvert de mousse, et calée avec des pierres ; quant à la troisième, on l'étendit par terre où elle fut aussi maintenue avec des pierres. Les cibles délimitaient un vaste triangle aux côtés sensiblement égaux. Chaque clan choisit un homme pour participer à cette épreuve, et tous se mirent en file près de la peau étendue sur le sol, tandis que leurs coéquipiers, brandissant des lances taillées dans du bois d'if ou de saule ou encore de tremble dont ils avaient finement affûté les pointes, se plaçaient derrière les autres cibles.

Deux jeunes gens appartenant à des clans de rangs inférieurs s'avancèrent les premiers, leur arme à la main, et attendirent, les yeux rivés sur Norg. A son signal, ils se ruèrent sur la souche pour projeter leurs lances dans la peau de bête, à l'endroit où aurait dû se situer le cœur de l'animal. Puis, se saisissant promptement d'un deuxième épieu que leur tendaient leurs coéquipiers restés près de la cible, ils coururent le planter dans le rondin de bois. L'un des concurrents avait nettement distancé son camarade quand il put s'emparer de la troisième lance. Il s'élança vers la peau étendue à terre dans laquelle il enfonça son arme avant de lever les bras bien haut en signe de victoire.

Au terme des éliminatoires, il ne resta plus que trois hommes en lice : Broud, Voord et Gorn qui appartenait au clan de Norg. Des trois finalistes, Gorn était le seul à avoir dû participer à trois courses pour se classer, tandis que les deux autres n'en avaient couru que deux. Gorn avait remporté la première mais perdu la deuxième contre un adversaire appartenant à un clan de rang élevé. Seules sa détermination et sa grande résistance lui avaient permis de se rattraper et de se classer premier dans la dernière manche, provoquant ainsi l'admiration de toute l'assistance.

Alors que les trois jeunes gens prenaient place pour la finale, Brun s'avança sur le terrain.

— Norg, dit-il, je pense qu'il serait plus équitable de laisser Gorn se reposer quelques instants. Il me semble que le fils de la compagne de ton second le mérite amplement.

Un murmure d'approbation parcourut le public, au grand dam de Broud. L'offre de Brun lui ôtait l'avantage qu'il pouvait tirer de la fatigue du plus dangereux de ses adversaires. Par ailleurs, Norg ne pouvait refuser une proposition aussi généreuse. Brun avait eu vite fait d'effectuer son calcul : si Broud perdait, le clan perdrait son rang prééminent ; mais s'il gagnait, l'attitude généreuse de Brun augmenterait d'autant son prestige. En outre, il souhaitait une victoire indiscutable, où l'on ne pourrait insinuer par la suite que Gorn aurait remporté l'épreuve si on lui avait permis de récupérer.

A la fin de l'après-midi, tout le monde reprit place autour du terrain. Goov alla se placer près de la souche avec deux de ses compagnons, et Crug à côté du rondin avec deux autres hommes. Broud, Gorn et Voord se mirent en rang et attendirent que Norg donne le signal du départ. Le chef leva le bras, puis le baissa vivement, tandis que les trois concurrents s'élançaient.

Voord prit la tête, Broud sur ses talons, tandis que Gorn peinait derrière. Voord était déjà en train de saisir sa deuxième lance que Broud plantait seulement la sienne dans la souche. Dans un grand sursaut d'énergie, Gorn s'accrocha derrière Broud qui courait vers le rondin. Voord, toujours en tête, jeta son épieu sur la cible au moment où Broud arrivait. Mais son arme, heurtant un nœud caché sous la peau de bête, tomba à terre et, le temps de la ramasser pour la projeter de nouveau, Broud et Gorn l'avaient dépassé.

Pour lui, la course était perdue.

Haletants, Broud et Gorn se ruaient vers la dernière cible. Gorn commença à dépasser légèrement Broud, puis à le distancer. Broud crut que ses poumons allaient éclater mais, dans un suprême effort, il banda ses muscles et fonça éperdument. Gorn arriva près de la peau tendue par terre un instant seulement avant Broud mais, au moment où il levait le bras, Broud surgit et, sans ralentir sa course, planta sa lance au cœur de la peau de bête. L'arme de Gorn la transperça une fraction de seconde plus tard. Trop tard.

Comme Broud s'arrêtait, hors d'haleine, tous les chasseurs du clan s'élancèrent au-devant de lui. Les yeux brillants de plaisir, leur chef les regardait, le cœur battant aussi vite que celui du vainqueur. Il avait partagé tous les efforts et toutes les craintes de cette course décisive entre toutes. Je me fais vieux, pensa Brun. J'ai perdu l'épreuve des bolas, mais Broud a su gagner. Il est peut-être temps de lui confier le commandement du clan. Je pourrais lui transmettre le pouvoir ici même. Je vais d'abord combattre pour que notre clan conserve la première place, puis il nous reconduira à la caverne, comblé d'honneurs. Il le mérite bien, après une telle course. Je vais le prévenir tout de suite.

Brun attendit que les hommes aient fini de féliciter Broud pour s'approcher du jeune homme, impatient de voir sa joie lorsqu'il apprendrait l'honneur qu'il lui réservait. C'est le plus beau cadeau que je puisse faire au fils de ma compagne, se dit-il avec émotion.

— Brun ! s'exclama Broud en voyant le chef. Pourquoi as-tu retardé le départ de la course ? J'ai bien failli la perdre à cause de toi ! J'aurais battu Gorn sans problème si tu ne l'avais pas laissé se reposer. Ne veux-tu pas que ton clan soit le premier de tous ? s'écria-t-il avec impétuosité. Ou bien alors est-ce parce que tu te sais trop vieux pour participer au prochain Rassemblement ? De toute façon, la moindre des choses est de me laisser un clan qui tienne toujours le premier rang.

Brun recula de quelques pas, stupéfait par la brutalité de l'attaque. Tu n'as donc pas compris, Broud, pensa-t-il. Je me demande même si tu comprendras jamais. Notre clan est le premier, et je ferai toujours tout ce qui est en mon pouvoir pour qu'il le reste. Mais quand tu en deviendras le chef, Broud, sauras-tu le maintenir à cette place ? Toute la fierté qui avait fait briller son regard un instant auparavant s'évanouit, faisant place à une profonde tristesse. Mais Brun se força à n'en rien laisser paraître. Broud était encore jeune, se dit-il, et peut-être lui fallait-il encore apprendre. Il songea toutefois que personne ne lui avait appris, à lui, le métier de chef.

— Broud, si Gorn s'était présenté trop fatigué, ta victoire aurait-elle été aussi éclatante ? Que serait-il advenu si les autres clans avaient mis en doute tes capacités réelles à le battre s'il eût été en bonne forme ? C'était le seul moyen de rendre ta victoire indiscutable. Or tu as gagné, et je t'en félicite, fils de ma compagne, ajouta Brun avec tendresse.

Malgré son amertume, Broud éprouvait toujours le plus grand respect pour Brun, et rien n'avait jamais autant compté pour lui que de susciter son admiration.

— Je n'avais pas pensé à cela, Brun. Tu as raison, maintenant tout le monde sait que je suis plus fort que Gorn.

— Avec la course d'aujourd'hui et le succès qu'a remporté Droog en taillant ses outils, nous sommes sûrs de rester les premiers si notre reconstitution de la chasse au mammouth l'emporte ce soir ! s'exclama Crug avec enthousiasme. Et c'est toi, Broud, qui seras choisi pour la Cérémonie de l'Ours.

Toute une foule escorta Broud jusqu'à la caverne. Brun le suivit des yeux et aperçut Gorn qui, lui aussi, rentrait entouré par les hommes de son clan : le second de Norg avait raison d'être fier du fils de sa compagne, songea Brun, que la première réaction de Broud avait blessé plus profondément qu'il ne voulait se l'avouer.

— Les hommes de Norg sont de vaillants chasseurs, reconnut Droog. Quelle fameuse idée que de creuser un trou et de le camoufler avec des branches pour prendre le rhinocéros au piège. Quel courage ! Ces animaux sont beaucoup plus féroces et imprévisibles que les mammouths. Leur reconstitution de la chasse fut parfaitement menée.

— Oui, mais rien ne valait notre chasse au mammouth. Nous avons fait l'unanimité, répondit Crug. Pourtant, la lutte a été serrée entre Gorn et Broud. Il s'en est fallu de peu que nous ne perdions la première place. Le clan de Norg a bien mérité son deuxième rang. Mais que penses-tu de l'attribution de la troisième place, Grod ?

— Voord s'est bien battu, mais j'aurais choisi Nouz, répondit Grod. Je crois que Brun aussi préférait Nouz.

— C'était un choix difficile, mais Voord méritait d'être troisième à mon avis, remarqua Droog.

— Enfin, il ne nous reste plus qu'à attendre la Cérémonie de l'Ours, reprit Crug. Nous n'aurons pas tellement l'occasion de voir Goov d'ici là. Les servants ne vont plus quitter leurs mog-ur. Mais j'espère que les femmes soigneront leur cuisine en dépit du fait que Broud et Goov ne mangeront pas avec nous ce soir ! Ce sera notre dernier repas avant la fête de demain.

— Je ne crois pas que j'aurais grand faim si j'étais à la place de Broud, dit Droog. C'est un grand honneur que d'avoir été choisi pour la Cérémonie de l'Ours, mais s'il est une occasion où il devra faire preuve de courage, c'est bien demain matin.

Les premières lueurs de l'aube trouvèrent la caverne déserte. Les femmes étaient déjà au travail à la lumière des feux de bois, empêchant les hommes de dormir. Les préparatifs de la fête duraient déjà depuis plusieurs jours, et ce qui restait à accomplir demeurait encore considérable. Le soleil surgit bientôt de la crête orientale des montagnes, inondant le site de la caverne de la chaude lumière de ses rayons.

L'atmosphère était à la fois tendue et électrisée. Les hommes, oisifs depuis la fin des tournois, étaient en proie à une agitation extrême qui commençait à gagner les jeunes gens et les enfants, au grand dam des femmes qui avaient autre chose à faire que de surveiller leur progéniture.

L'effervescence tomba momentanément lorsque les femmes servirent des galettes de millet que tous dégustèrent gravement. Ces biscuits, préparés seulement à l'occasion de cette cérémonie une fois tous les sept ans, étaient la seule nourriture autorisée jusqu'au festin. Mais ces friandises peu consistantes ne firent qu'aiguiser l'appétit et, au milieu de la matinée, la faim devint une réelle torture qui transforma l'impatience de chacun en une excitation fébrile à mesure que l'heure approchait.

Ni Ayla ni Uba n'avaient reçu de Creb l'ordre de préparer le breuvage pour la cérémonie. Elles en conclurent que les mog-ur ne les en avaient pas jugées dignes. Creb avait pourtant déployé tous ses talents de persuasion pour tenter de convaincre les autres sorciers, mais en dépit de leur attachement à ce rite, ils avaient refusé, trouvant Uba trop jeune et déniant à Ayla son appartenance au Peuple du Clan ainsi que son statut de guérisseuse. La célébration d'Ursus, qui concernait chaque clan sans exception, entraînait des conséquences, bonnes ou mauvaises, qui retombaient sur tous, et les mog-ur ne voulaient prendre aucun risque.

La suppression de ce rite traditionnel contribuait encore à ternir le prestige de Brun et de son clan. Malgré les prouesses de ses hommes lors des joutes, la présence d'Ayla menaçait la prédominance de sa position. Seule la fermeté de Brun devant l'opposition croissante des autres laissait l'issue incertaine.

Quelque temps après la dégustation des galettes de millet, les chefs se réunirent devant la caverne et attendirent que le silence se fît dans l'assemblée. Les hommes s'empressèrent de se placer selon leurs rangs et leurs clans, tandis que les femmes faisaient taire les enfants et gagnaient leurs places en silence. La Cérémonie de l'Ours allait commencer.

Le premier coup de baguette frappé sur un tambour fait d'une grosse pièce de bois évidée résonna comme un fracas de tonnerre dans le silence attentif. Le rythme lent et régulier fut repris par le martèlement sourd des épieux qui heurtaient le sol, martèlement auquel se mêlait la cadence imprimée par des baguettes sur un long cylindre de bois fait d'un rondin évidé. La combinaison des divers tempos eut pour effet de faire monter la tension jusqu'aux limites du supportable et de créer une espèce d'hypnose collective.

Soudain, les battements s'interrompirent en même temps, et, comme par enchantement, les neuf mog-ur, vêtus de peaux d'ours, apparurent devant la cage de l'ours des cavernes. Mog-ur leur faisait face à quelques mètres de là. Il tenait une pièce de bois ovale et plate, attachée à une cordelette qu'il fit tournoyer au-dessus de sa tête jusqu'à ce qu'un sifflement se produise, qui se transforma bientôt en un mugissement sonore. C'était l'Esprit de l'Ours des Cavernes qui demandait à tous les autres esprits de se tenir à l'écart de cette cérémonie exclusivement consacrée à Ursus.

Une mélodie aigrelette s'éleva soudain, dont le son aigu, surnaturel et terrifiant glaça l'assistance. Il provenait d'un instrument dans lequel soufflait l'un des mog-ur. Sa flûte, fabriquée dans l'os creux de la patte d'un oiseau de grande taille, ne comportait pas de trous. Sa sonorité se modifiait selon qu'on en bouchait ou non l'extrémité. Le magicien qui en jouait l'avait fabriquée de ses propres mains, selon un procédé secret qui constituait l'apanage des sorciers de son clan, secret qui leur valait en général le premier rang. Il avait fallu les pouvoirs exceptionnels de Creb pour que le mog-ur qui jouait de la flûte fût relégué au deuxième rang, et il n'en demeurait pas moins un second très puissant. C'était lui qui s'était le plus farouchement opposé à l'admission d'Ayla au rang de guérisseuse.

Pour Ayla, comme pour les autres, c'était la magie qui créait ce son pentatonique, qui n'avait rien de terrestre. Cette musique venait du monde des esprits, à l'appel du sorcier, et de même que l'instrument agité par Creb un instant plus tôt imitait le mugissement de l'ours des cavernes, la flûte exprimait, elle, la voix spirituelle d'Ursus.

L'énorme ours tournait en rond dans sa cage. Il n'avait pas été nourri et, pour la première fois depuis sa capture, il connaissait la faim. On l'avait également privé d'eau, et il avait soif. La foule, dont il sentait la tension et l'excitation, le son des tambours et des instruments sacrés auxquels il n'était pas habitué, tout contribuait à l'inquiéter.

En voyant Mog-ur s'approcher de sa cage, il se dressa sur ses pattes de derrière en poussant un grognement. Creb sursauta, mais il reprit vite contenance, s'efforçant de faire passer son émoi pour un mouvement maladroit dû à son infirmité. Son visage noirci, comme celui des autres sorciers, ne laissait rien voir de son trouble quand il déposa aux pieds du malheureux animal une coupe remplie d'eau faite de la calotte crânienne d'un humain.

Pendant que la bête se désaltérait, vingt et un jeunes chasseurs encerclèrent sa cage, brandissant des lances toutes neuves. Broud, Gorn et Voord sortirent alors de la caverne et se postèrent devant la porte de la cage solidement fermée par des lanières de cuir. Ils étaient nus, à l'exception d'un pagne en peau qui leur ceignait les reins, et leurs corps étaient recouverts de signes rouges et noirs.

La coupe d'eau ne suffit pas à désaltérer le gros ours, mais la présence des hommes lui fit espérer en obtenir davantage sous peu. Il s'assit par terre et tendit la patte, geste qui était rarement demeuré sans réponse. Devant le peu de succès que remportaient ses efforts, il se leva lourdement et passa son museau entre les barreaux.

La flûte s'arrêta brusquement sur une note aiguë, accroissant le sentiment d'inquiétude qui s'était emparé de la foule muette. Creb retira le crâne vide avant de reprendre place devant les sorciers qui se mirent à exécuter de concert les gestes du langage cérémoniel.

— Accepte cette eau en gage de notre reconnaissance, ô Gardien Puissant. Ton Peuple du Clan n'a pas oublié tes enseignements. Cette caverne qui te protège de la neige et du froid est notre demeure. Tu as partagé notre vie et tu sais que nos mœurs sont les tiennes.

» Nous te vénérons, toi le premier d'entre les Esprits. Nous te demandons d'intercéder en notre faveur dans le monde des forces invisibles, en témoignant de la bravoure de nos chasseurs et de l'obéissance de nos femmes. Nous implorons ta protection contre les esprits maléfiques. Nous sommes ton peuple, Grand Ursus, nous sommes le Clan de l'Ours des Cavernes. Honneur à toi, le Plus Grand des Esprits.

Au moment où les mog-ur terminaient leur invocation, les vingt et un jeunes lancèrent leurs lances à travers les barreaux de la cage, en s'efforçant de transpercer l'énorme animal. Tous les traits ne l'atteignirent pas, car la cage était vaste, mais la douleur rendit l'ours des cavernes fou de rage. Un terrible grognement rompit le silence et tout le monde tressaillit d'effroi.

A cet instant, Broud, Gorn et Voord escaladèrent les barreaux de la cage jusqu'au sommet, coupant au passage les lanières de cuir. Broud arriva le premier en haut ; mais ce fut Gorn qui réussit à se saisir du rondin de bois qui y avait été placé au préalable. Eperdu de douleur, l'ours des cavernes se dressa sur ses pattes de derrière et avec un grognement furieux battit l'air de ses pattes en direction des trois hommes au-dessus de lui. Puis il se dandina lourdement vers la porte qui céda sous sa poussée. La cage était ouverte, et l'ours furieux en liberté !

Armés de leurs lances, les chasseurs accoururent pour faire un rempart de leurs corps entre la brute affolée et l'assistance terrifiée. Réprimant leur envie de s'enfuir, les femmes serraient leurs bébés contre leur sein, tandis que les enfants plus âgés s'accrochaient à elles, les yeux exorbités.

Les hommes pointèrent leurs épieux, prêts à défendre leur famille, mais personne ne recula ni ne bougea de sa place.

Quand l'ours blessé eut franchi la porte de la cage, Broud, Gorn et Voord se jetèrent sur lui par surprise. Broud lui sauta sur les épaules et s'agrippa à la fourrure de sa gueule qu'il tira de toutes ses forces vers le haut. Pendant ce temps, Voord, qui lui était tombé sur le dos, avait empoigné la peau flasque de son cou et pesait dessus de tout son poids. Leurs efforts combinés forcèrent l'animal à ouvrir la gueule et Gorn, à cheval sur une de ses épaules, lui fourra aussitôt le rondin de bois verticalement entre les mâchoires.

Mais cette ruse, tout en privant la bête d'une arme redoutable, ne suffit pas à la réduire à l'impuissance. L'ours enragé donnait de furieux coups de pattes aux hommes qui s'accrochaient à lui. Ses énormes griffes s'enfoncèrent sauvagement dans la cuisse de Gorn et l'arrachèrent de son perchoir pour le saisir entre ses bras puissants. Les hurlements de douleur du jeune chasseur furent brutalement interrompus, sa colonne vertébrale littéralement broyée par l'étreinte de l'ours. Une immense plainte monta des femmes, quand l'ours laissa choir à terre le corps inerte du courageux jeune homme.

Puis l'ours marcha droit sur le groupe d'hommes en armes qui le cernaient. D'un coup de patte, il ouvrit une brèche dans la muraille humaine, assommant trois hommes et déchirant jusqu'à l'os la jambe d'un quatrième. L'homme se plia de douleur, trop ébranlé par le choc pour crier, tandis que les autres chasseurs se ruaient vers la bête en furie, qui cherchait à piétiner le blessé.

Ayla, serrant Durc contre elle, observait la scène, pétrifiée de terreur. Mais quand l'homme tomba à terre, perdant abondamment son sang, elle agit sans réfléchir. Elle tendit son bébé à Uba et plongea dans la mêlée. Se frayant un chemin entre les hommes agglutinés en masse compacte, elle réussit à dégager le blessé, le tirant et le portant tant bien que mal, en appuyant fortement d'une main sur l'emplacement de l'artère, à la hauteur de l'aine. Puis elle trancha avec les dents le lacet de cuir qu'elle portait à la taille pour garrotter la cuisse et transporta l'homme dans la caverne avec l'aide de deux autres guérisseuses accourues à son aide.

Quand l'ours succomba enfin sous les traits des chasseurs, la compagne de Gorn échappa à ceux qui cherchaient à la réconforter pour se précipiter sur son corps disloqué, collant son visage sur sa poitrine velue, et le suppliant de se relever avec des gestes de démente. Lorsque les mog-ur s'approchèrent du cadavre, sa mère et la compagne de Norg tentèrent d'entraîner la jeune femme à l'écart. Le plus puissant des sorciers se pencha vers elle et lui dit, en lui relevant la tête avec douceur :

— Ne te lamente pas sur lui. Gorn a reçu le plus grand honneur. Il a été choisi par Ursus pour l'accompagner dans le monde des esprits. Il intercédera en notre faveur auprès du Grand Esprit. L'Esprit du Grand Ours des Cavernes choisit toujours le meilleur et le plus valeureux pour voyager avec lui. La Fête d'Ursus sera également celle de Gorn. Son courage et sa volonté de vaincre entreront dans la légende et on se les remémorera au cours de chaque Rassemblement. Quand Ursus reviendra parmi nous, l'esprit de Gorn fera de même. Il t'attendra pour que vous puissiez vous retrouver et vous unir à nouveau, mais tu dois te montrer aussi courageuse que lui. Oublie ton chagrin et partage la joie qui est celle de ton compagnon dans son voyage vers l'autre monde. Ce soir, les mog-ur lui rendront un hommage particulier afin que son courage soit transmis à l'ensemble du Clan et y demeure.

Ainsi lui parla Creb, et la jeune femme s'efforça de dominer son désarroi, comme le lui recommandait l'étrange sorcier au corps difforme, que tous redoutaient, et que soudain elle trouvait moins terrifiant. Elle leva vers lui un regard empli de gratitude, puis se releva et regagna dignement sa place. Elle devait faire honneur à son compagnon si courageux. Mog-ur ne lui avait-il pas dit que Gorn l'attendrait ? Qu'il reviendrait un jour ? S'accrochant à cet espoir, elle chassa de son esprit la sombre perspective d'un avenir solitaire.

Quand la tension fut tombée, les femmes des chefs et de leurs seconds se mirent à dépecer avec adresse l'ours des cavernes. Le sang fut recueilli dans des écuelles et après que les mog-ur eurent accompli les gestes symboliques, les servants passèrent dans la foule en présentant les coupes à chaque membre des clans. Hommes, femmes, enfants, tous trempèrent leurs lèvres dans le sang tiède, le fluide vital d'Ursus. Les mères introduisirent dans la bouche de leurs nourrissons un doigt trempé dans le sang frais.

On appela Ayla et les deux guérisseuses pour qu'elles aient leur part, et l'on fit boire une gorgée au blessé qui avait perdu lui-même tant de sang. Tous communiaient ainsi avec le Grand Ours qui les unissait en un seul peuple.

Les femmes travaillaient rapidement. Elles grattèrent soigneusement l'épaisse couche de graisse qui se trouvait sous la peau de l'animal, expressément suralimenté dans ce but. Une fois fondue, cette graisse avait des propriétés magiques et elle serait distribuée à tous les mog-ur. Elles laissèrent la tête attachée au reste de la peau et, tandis que la viande était déposée au fond de fosses remplies de pierres brûlantes où elle cuirait pendant une journée entière, les servants suspendirent la gigantesque dépouille sur des piquets à l'entrée de la caverne, d'où ses yeux aveugles pourraient contempler les festivités. L'Ours des Cavernes serait l'invité d'honneur de son propre festin. Une fois la peau d'ours dressée, les mog-ur portèrent avec solennité le cadavre de Gorn dans les tréfonds de la caverne. Après leur départ, sur un signe de Brun, la foule se dispersa. L'Esprit d'Ursus était parti pour l'au-delà après avoir reçu tous les honneurs qui lui étaient dus.

24

— Vous avez vu, personne n'a osé aller le chercher, mais elle, oui ; elle n'a pas eu peur, disait le mog-ur du clan auquel le blessé appartenait. On aurait dit qu'elle savait qu'Ursus ne lui ferait aucun mal, comme le jour de son arrivée. Je crois que Mog-ur a raison. C'est une femme du Clan. Notre guérisseuse affirme qu'elle a sauvé la vie de notre compagnon. Outre la formation qu'elle a reçue, elle semble posséder des dons naturels. Il faut croire qu'elle appartient effectivement à la lignée d'Iza.

Les mog-ur s'étaient réunis dans une caverne sacrée, profondément enfouie sous la montagne. Des lampes de pierre — des coupes remplies de graisse d'ours imprégnant une mèche de mousse sèche — formaient de petits îlots de lumière gardant les sorciers de l'obscurité profonde qui les entourait.

La faible lueur projetait un éclat vacillant sur les cristaux constellant la roche et sur les stalactites luisantes d'humidité qui pendaient de la voûte, à la rencontre de leurs parentes les stalagmites, qui s'élevaient en colonne sur le sol. Certaines s'étaient rejointes. Depuis le fond des âges, le goutte à goutte de calcaire avait décoré la grotte de piliers et de franges merveilleux.

— Il est vrai qu'elle n'a manifesté aucune crainte à l'égard d'Ursus, ce qui est assez surprenant, déclara un autre sorcier. Mais si nous nous mettons d'accord, aura-t-elle encore le temps de préparer le breuvage ?

— Oui, si nous nous hâtons, répliqua Mog-ur.

— Comment se peut-il qu'elle soit une femme du Clan si elle est née chez les Autres ? demanda le mog-ur qui avait joué de la flûte. Tu prétends que les marques de son totem existaient déjà le jour où vous l'avez découverte, mais comment pouvez-vous être sûrs que ce sont les marques du Clan ? Nos femmes n'ont jamais eu pour totem le Lion des Cavernes.

— Je n'ai jamais dit qu'elle était née avec, rétorqua Mog-ur. Et puis, oserais-tu insinuer que le Lion des Cavernes ne peut choisir une femme ? Il est libre de choisir qui il veut ! Elle était au bord de la mort quand nous l'avons trouvée. C'est Iza qui l'a sauvée. Crois-tu qu'un enfant puisse survivre sans la protection de son esprit ? Qu'elle puisse échapper à un lion des cavernes ? Il l'a marquée de ses griffes afin qu'il n'y ait pas de doute. Et que sa marque soit le signe d'un totem du clan, ça, personne ne peut le nier. Maintenant, pourquoi les esprits l'ont-ils destinée à devenir une femme du Clan, je l'ignore. Tout ce que je peux faire, comme chacun de vous, c'est interpréter les interventions des esprits. Je me contenterai de vous redire qu'elle connaît le rite. Iza lui a transmis le secret des racines sacrées, et elle ne l'aurait jamais fait si elle n'avait pas jugé Ayla digne de sa lignée. Je vous ai déjà fait part de tous mes arguments en sa faveur. C'est à vous de décider, maintenant, et sans tarder.

— Tu as dit que ton clan estime qu'elle a la chance avec elle, dit le mog-ur de Norg.

— Ce n'est pas tant qu'elle ait de la chance, mais il semble bien qu'elle porte chance. Nous avons été très chanceux depuis que nous l'avons recueillie. Droog pense qu'elle est à l'image de son totem, quelqu'un d'unique et de surprenant.

— Il est certainement unique et surprenant de voir une femme des Autres devenir une femme du Clan, commenta l'un des sorciers.

— Elle nous a porté chance aujourd'hui, en sauvant l'un de nos chasseurs, dit le mog-ur du clan du blessé. Moi, je l'accepte. Nous n'avons pas le droit de nous passer du breuvage d'Iza si nous avons le moyen de faire autrement.

Plusieurs acquiescements saluèrent sa proposition.

— Et toi, qu'en penses-tu ? demanda Mog-ur au sorcier le plus influent après lui. Persistes-tu à penser qu'Ursus sera contrarié de voir Ayla préparer notre breuvage cérémoniel ?

Tous les visages se tournèrent vers lui. Si le puissant sorcier maintenait son opposition, il pouvait entraîner avec lui assez de voix pour empêcher la cérémonie. Mais les sorciers ne pouvaient tolérer la moindre scission dans leurs rangs ; l'accord devait être unanime. Il baissa la tête et réfléchit quelques instants avant de regarder tous les mog-ur, l'un après l'autre.

— Je ne sais pas si Ursus en sera contrarié ou non. Je ne suis pas convaincu au sujet de cette femme. Il y a quelque chose en elle qui me gêne, bien que je ne sache dire quoi précisément. Mais il est clair que personne ne désire supprimer ce rite, et je ne vois personne d'autre qu'elle pour en assurer la célébration. J'aurais presque préféré la véritable fille d'Iza, malgré sa jeunesse. Si tout le monde est d'accord, je retire mon opposition. Cela ne me plaît pas beaucoup, mais je n'empêcherai pas cette cérémonie d'avoir lieu.

Tous les autres mog-ur acquiescèrent, chacun leur tour. Mog-ur se leva en poussant un soupir de soulagement et s'empressa de quitter la grotte. Il traversa plusieurs passages que des torches éclairaient par intervalles pour déboucher enfin dans les salles qu'occupaient les divers clans.

Ayla était assise auprès du blessé, Durc dans ses bras et Uba à ses côtés. La compagne du jeune homme, elle aussi présente, le regardait dormir et de temps à autre levait sur Ayla des yeux empreints de gratitude.

— Ayla, prépare-toi, vite. Il reste très peu de temps. (Creb gesticulait devant elle.) Dépêche-toi, mais ne laisse rien au hasard. Viens me voir quand tu seras prête. Uba, donne Durc à Oga pour qu'elle le nourrisse. Ayla n'aura pas le temps.

Il fallut à la femme et à la fillette un moment pour comprendre ce que leur disait Creb. Enfin Ayla acquiesça d'un signe de tête. Puis elle courut vers son foyer pour prendre un vêtement propre.

Mog-ur se tourna vers la jeune femme qui veillait son compagnon blessé.

— Mog-ur aimerait savoir comment va le chasseur ?

— Arrghha dit qu'il vivra et pourra marcher de nouveau. Mais sa jambe ne sera jamais plus comme avant.

La femme s'exprimait dans un dialecte inconnu d'Ayla et Uba, qui avaient communiqué avec elle en signes conventionnels. Le sorcier, qui connaissait les dialectes des autres clans, préféra toutefois s'adresser à elle de la même façon afin de mieux se faire comprendre.

— Mog-ur aimerait connaître le totem de cet homme.

— L'Ibex, répondit-elle.

— Cet homme a-t-il le pied aussi sûr que la chèvre des montagnes ?

— C'est ce qu'on dit de lui. Mais aujourd'hui, cet homme n'a pas été aussi agile. Est-ce qu'il pourra marcher de nouveau ? Chasser ? Comment veillera-t-il à mes besoins ? Que reste-t-il à un homme s'il ne peut plus chasser ?

— Cet homme est en vie. N'est-ce pas le plus important ? dit Mog-ur pour la consoler.

— Mais cet homme est fier. S'il ne peut plus chasser, il va peut-être regretter d'être en vie. C'était un bon chasseur. Il aurait pu être le second du chef un jour. Maintenant il n'aura plus de rang du tout, se plaignit-elle.

— Femme ! s'exclama Mog-ur, l'expression sévère. Un homme choisi par Ursus ne peut perdre son rang. Cet homme a prouvé son courage ; il a failli accompagner Ursus dans son voyage. Et l'Esprit d'Ursus ne choisit pas à la légère ses compagnons. Le Grand Ours des Cavernes lui a permis de vivre, mais il l'a marqué de sa griffe. Cet homme peut s'honorer d'un second totem, celui d'Ursus, dont il portera la marque avec fierté. Il veillera à tes besoins. Mog-ur parlera à ton chef ; ton compagnon a le droit de réclamer une part sur toutes les chasses. Et puis il pourra peut-être chasser de nouveau. Il n'aura plus l'agilité de l'ibex, il marchera un peu comme l'ours, mais ça ne veut pas dire qu'il ne chassera plus. Sois fière de lui, femme, sois fière de ton compagnon qu'Ursus a choisi.

— L'Ours des Cavernes est son totem ? demanda la femme, incrédule.

— Et l'Ibex aussi. Il peut prétendre aux deux, affirma Mog-ur.

Le ventre de la femme sous son vêtement témoignait d'un début de grossesse. Il n'est pas étonnant qu'elle soit aussi inquiète, pensa le vieux sorcier.

— La femme a-t-elle déjà des enfants ? demanda-t-il.

— Non, mais la vie a commencé, répondit-elle en portant la main à son ventre. J'espère avoir un fils.

— Tu es une femme généreuse, et une bonne compagne. Quand il se réveillera, transmets-lui les paroles de Mog-ur.

La jeune femme hocha la tête, puis elle jeta un coup d'œil à Ayla qui sortait en toute hâte de la caverne.

La petite rivière qui coulait près de la caverne du clan-hôte devenait au printemps un torrent impétueux emportant arbres et rochers sur son passage. L'eau qui, en été, courait sur le large lit caillouteux flanqué de rochers et de troncs d'arbres abattus avait cette couleur verte qu'ont les eaux de fonte des glaciers. Ayla et Uba avaient exploré les environs peu après leur arrivée et repéré les endroits où poussaient les plantes dont elles auraient besoin pour se purifier au cas où l'une d'elles se verrait chargée de préparer le breuvage.

Ayla courut cueillir des saponaires, des prêles et quelques ansérines, l'estomac noué par la nervosité. Puis elle attendit impatiemment que l'eau bouille pour y faire macérer les plantes avec la décoction desquelles elle se laverait les cheveux. Les nouvelles circulaient vite dans le clan et tout le monde savait déjà qu'elle était autorisée à accomplir le rite traditionnel. La décision des mog-ur modifia considérablement l'opinion que chacun avait d'elle et son prestige s'accrut en proportion. Les sorciers avaient confirmé sa filiation avec Iza en l'élevant au rang suprême des guérisseuses. Le chef du clan parmi lequel Zoug comptait des parents se sentit obligé de reconsidérer le refus clair et net qu'il avait opposé à la demande qui lui avait été faite. Après tout, il se pourrait fort bien qu'un de ses hommes accepte de la prendre, ne serait-ce que pour seconde compagne. Sa présence au sein du clan pourrait se révéler des plus utiles.

Mais Ayla était trop préoccupée pour prêter attention aux commentaires dont elle faisait l'objet. En réalité, elle était terrifiée. Je n'y arriverai jamais, se lamentait-elle en courant vers la petite rivière.

Je n'aurai jamais le temps de me préparer. Que se passera-t-il donc si j'oublie quelque chose ? Je déshonorerai Creb, et Brun également. Je déshonorerai tout le Rassemblement, si je commets la moindre erreur !

Les femmes s'activaient sans relâche, tout en houspillant leurs enfants que la mise à mort de l'ours avait plongés dans un état d'excitation extrême. En outre, n'ayant jamais connu la faim, ils avaient du mal à supporter les appétissants fumets qui s'élevaient des plats que l'on préparait autour d'eux.

Des monceaux de tubercules et de racines mijotaient doucement dans des récipients en peau suspendus au-dessus des feux. Des asperges, des oignons sauvages et des rhizomes d'iris, des légumineuses, des petites courges et des champignons étaient accommodés de diverses manières alléchantes. Une montagne de laitue sauvage, de bardane et de pissenlits n'attendait pour être servie que son assaisonnement de graisse d'ours chaude et de sel, ajouté au dernier moment.

L'un des clans avait pour spécialité un mélange d'oignons, de champignons et de petits pois de vesce, agrémenté d'une sauce tenue secrète faite d'herbes et de lichen. Un autre avait apporté des graines provenant du pin pignon, un pin à graines comestibles qui ne poussait que dans la région où vivait ce clan.

Les femmes du clan de Norg avaient passé au peigne fin tous les champs de framboisiers, de myrtilles et de fraises sauvages qu'elles connaissaient à des kilomètres à la ronde. A présent, le violet de la myrtille, le rose vineux de la framboise et le rouge pâle de la fraise remplissaient à ras bords de grandes coupes tressées que convoitaient les regards brillants de gourmandise des enfants... et des autres.

Les femmes du clan de Brun, elles, avaient passé des jours à moudre les glands séchés qu'elles avaient apportés, à les réduire en une pulpe rincée à l'eau pour en faire passer l'amertume, pour ensuite la cuire au four sous forme de galettes qu'elles trempaient alors dans du sirop d'érable et laissaient sécher au soleil. Le clan-hôte, qui récoltait également la sève d'érable pour en faire du sirop, fut vivement intéressé par cette recette de galettes qui lui était inconnue, et ses femmes décidèrent de l'essayer elles-mêmes plus tard.

Tout en surveillant Durc du coin de l'œil pendant qu'elle aidait les femmes, Uba admirait l'impressionnante quantité de nourriture, tout aussi variée qu'abondante, en se demandant s'ils seraient capables d'en venir à bout.

La fumée des brasiers s'élevait dans la nuit noire parsemée d'étoiles. C'était la nouvelle lune et, tournant le dos à la planète, l'astre réfléchissait sa lumière dans les froids abysses de l'espace. La nourriture avait été éloignée du cœur de la fournaise mais néanmoins maintenue au chaud, et les femmes étaient rentrées dans leur foyer pour mettre leur plus belle fourrure et prendre quelque repos.

En dépit de leur fatigue, cependant, l'approche des festivités les attira bientôt au-dehors, impatientes de voir commencer la cérémonie et d'entamer le festin. Un silence accompagna l'apparition des dix sorciers et de leurs servants, bientôt suivi d'une mêlée indescriptible lorsque les membres du Clan s'efforcèrent de prendre leurs places, en fonction de leurs rangs. Ils attachaient peu d'importance à l'ordonnance des assemblées ; il fallait seulement occuper la place qui revenait à chacun à l'intérieur de son propre clan. On était soit devant soit derrière tel ou tel, ou encore à droite ou à gauche de certains autres. Et il y avait toujours un clan ou deux qui changeait de place à la dernière minute, à la recherche d'un endroit offrant une meilleure vue du spectacle qu'était en soi la réunion de plus de deux cents des leurs.

On alluma avec toute la solennité voulue un gigantesque feu devant la caverne, avant d'ôter les pierres qui recouvraient les fosses où cuisait la viande. Les compagnes des chefs de rang élevé eurent le suprême privilège d'extraire du foyer les premiers quartiers de viande tendre et Brun vit avec fierté Ebra s'avancer à leur tête. L'acceptation d'Ayla par les mog-ur avait décidé de l'issue de la compétition. Brun et son clan se trouvaient de nouveau, plus forts que jamais, à la première place.

Puis les femmes de rang inférieur commencèrent à sortir la viande à l'aide de bâtons fourchus et à remplir les récipients en bois ou en os. Portant de grands plateaux, Broud et Voord s'approchèrent de Mog-ur, qui déclara solennellement :

— Cette Fête d'Ursus est également célébrée en l'honneur de Gorn, que le Grand Ours des Cavernes a choisi pour l'accompagner. Pendant son séjour au sein du clan de Norg, Ursus a vu que son peuple n'avait pas oublié ses leçons. Il a appris à connaître Gorn et l'a trouvé digne de l'escorter. Broud, et toi Voord, votre courage, votre force et votre endurance vous ont désignés pour lui démontrer le degré de bravoure des hommes de son Clan. Il vous a éprouvés de toute sa puissance, et il est content de vous. C'est pourquoi vous avez le privilège de lui apporter le dernier repas qu'il partagera avec son peuple jusqu'à son prochain retour du monde des esprits. Puisse l'Esprit d'Ursus nous accompagner toujours.

Les deux jeunes gens présentèrent leurs plateaux à toutes les femmes qui y déposèrent les meilleurs morceaux de tous les plats à l'exception de la viande, l'ours n'en ayant jamais été régalé durant sa captivité. Les deux jeunes hommes placèrent ensuite leurs plateaux devant la peau montée sur les piquets.

Puis Mog-ur poursuivit son discours.

— Vous avez bu de son sang, à présent mangez de sa chair et ne faites plus qu'un avec l'Esprit d'Ursus.

Ces mots marquaient le début des festivités. Broud et Voord reçurent les premières parts, suivis du reste des clans. Des soupirs d'aise et des grognements de plaisir s'élevèrent alors que chacun prenait place pour faire honneur au festin. La chair de l'animal végétarien était succulente, les légumes, les fruits et les céréales des plus savoureux, et l'aiguillon de la faim rendait tout cela plus délectable encore. Personne ne regrettait son jeûne forcé.

— Ayla, tu ne manges pas. Tu sais qu'il ne doit pas rester un seul morceau de viande.

— Je sais, Ebra, mais je n'ai pas faim.

— Ayla se fait du souci, signifia Uba, la bouche pleine. Je suis bien contente de ne pas être à sa place. Cette viande est tellement bonne que ça me déplairait d'avoir l'estomac noué en ce moment.

— Mange quand même un peu, insista Ebra. Tu as mis du jus de viande de côté pour Durc ? Cela lui fera le plus grand bien.

— Je viens juste de lui en donner, mais il n'a pas faim, Oga lui a donné le sein il n'y a pas longtemps. Oga, est-ce que Grev a faim ? J'ai une montée de lait, à en avoir mal aux seins.

— J'aurais dû attendre, mais ils avaient tellement faim tous les deux. Tu les nourriras demain, Ayla.

— Demain j'aurai de quoi allaiter dix bébés, dit Ayla. Cette nuit, ils dormiront comme des souches. Le somnifère au datura est prêt. Uba vous dira la quantité à leur faire boire car moi, je n'aurai pas le temps. Creb m'attend à la fin du repas, et je ne reviendrai qu'à la fin de la cérémonie.

— Ne tarde pas trop, notre danse commencera après que les hommes se seront réunis dans la caverne. Certaines guérisseuses sont expertes à donner le rythme. La danse des femmes au Rassemblement est un événement à ne pas rater, affirma Ebra avec des gestes empreints d'enthousiasme.

— Iza n'a pas eu le temps de me montrer grand-chose en matière de rythme, tu sais.

— Vous avez tellement de choses à apprendre, vous les guérisseuses, dit Ovra.

— Dommage qu'Iza n'ait pas pu venir, dit Ebra. Je suis heureuse qu'ils t'aient enfin acceptée, Ayla, mais Iza me manque. Il y a des moments où j'oublie qu'elle n'est pas ici, et je la cherche du regard.

— Moi aussi, j'aimerais bien qu'elle soit là, dit Ayla. Ça ne me plaisait pas du tout de la laisser. Elle est beaucoup plus malade qu'elle ne le laisse paraître. J'espère qu'elle prend beaucoup de soleil et se repose bien.

— Elle partira dans l'autre monde à son heure, comme chacun d'entre nous, dit Ebra, philosophe.

Ayla frissonna malgré la chaleur de la nuit. Il lui était venu soudain un sombre pressentiment, qui était comme un vent glacé soufflant au soir d'une belle journée d'été. Et puis Mog-ur apparut et, sur son signe, elle se leva rapidement pour regagner la caverne, sans parvenir à chasser une sourde inquiétude.

Dans la caverne, à son foyer, elle prit l'écuelle d'Iza qu'elle avait disposée sur sa couche, une écuelle patinée par des usages répétés depuis des générations. Elle sortit la petite bourse teintée de rouge de son sac de guérisseuse et en vida le contenu. A la lumière de la torche qui éclairait la grotte, elle examina les racines. Iza lui avait indiqué maintes fois comment évaluer la quantité appropriée, mais Ayla avait encore des doutes sur le dosage convenable pour les dix mog-ur. La force du breuvage ne dépendait pas seulement du nombre, mais aussi de la taille des racines et de leur âge.

Elle n'avait jamais vu Iza procéder, en raison du caractère sacré du breuvage interdisant de le préparer en dehors du rite. Les filles de guérisseuses apprenaient à le doser en observant leurs mères lors des cérémonies et plus encore grâce à leur mémoire ancestrale. Mais Ayla n'était pas née dans le Clan. Elle choisit plusieurs racines, puis en ajouta encore une pour faire bonne mesure. Elle se rendit ensuite à l'entrée de la caverne où Creb lui avait dit d'attendre. La cérémonie commençait.

Il y eut d'abord le son des tambours de bois, puis le martèlement des lances sur le sol, et enfin le staccato des battements sur le cylindre de bois creux. Les servants passèrent parmi les hommes avec les coupes d'infusion de datura, et bientôt tous se laissèrent porter par le rythme lancinant. Les femmes restèrent à l'écart, leur tour viendrait plus tard. Tandis que la danse des hommes se transformait en véritable transe, Ayla attendait anxieusement.

Une tape sur l'épaule la fit sursauter : elle n'avait pas entendu les mog-ur venir du fond de la caverne. Les sorciers sortirent silencieusement pour se placer en cercle autour de la peau d'ours. Mog-ur se tenait face à la bête qui se dressait de toute sa hauteur devant lui, dans un mouvement à jamais figé, simple simulacre de force et de sauvagerie, mais qui semblait néanmoins menaçante.

Ayla vit le grand sorcier faire un signe aux servants qui jouaient sur les instruments de bois, leur intimant de s'arrêter. Comme le silence se faisait soudain, les hommes levèrent les yeux, surpris de découvrir les mog-ur là où il n'y avait personne un instant auparavant.

Cette fois, Ayla comprit l'astucieux manège des sorciers, qui tenaient captivée l'assemblée.

Mog-ur attendit jusqu'au moment où il vit tous les regards rivés sur la gigantesque dépouille du Grand Ours des Cavernes, éclairée par le feu cérémoniel et entourée par les sorciers. Il fit à Ayla le signe discret qu'elle attendait. Elle se débarrassa en un clin d'œil de la fourrure qui l'enveloppait, remplit l'écuelle d'eau fraîche et, les racines à la main, elle se dirigea vers le grand sorcier borgne.

Quand Ayla pénétra dans le cercle de lumière, l'ébahissement fut général. Tant qu'elle était vêtue de sa peau de bête nouée à la taille par une longue lanière de cuir, elle parvenait à faire oublier combien elle était différente. Mais une fois débarrassée de ce vêtement informe, son corps fin et délié apparut dans toute son étrangeté, que rien ne pouvait dissimuler, pas même les lignes et les cercles rouges et noirs dessinés sur sa peau.

Il manquait à son visage les fortes mâchoires, et la platitude que lui donnaient son nez petit et son front haut ressortait étrangement à la lueur du feu. Les flammes jetaient un éclat d'or sur sa longue crinière blonde, qui brillait telle une splendide couronne sur la tête hideuse de cette femme née chez les Autres.

Mais sa taille, surtout, impressionnait. Ils ne s'en étaient pas vraiment rendu compte, quand elle allait et venait, l'attitude réservée, le plus souvent chargée d'un fagot de bois ou d'ustensiles de cuisine. A présent, debout devant les sorciers qu'elle dépassait tous d'une bonne tête, elle stupéfiait tout le monde par sa haute taille.

Mog-ur accomplit une série de gestes rituels, invoquant la protection de l'Esprit qui planait encore au-dessus d'eux. Alors Ayla mit dans sa bouche les racines séchées. Elle avait du mal à les mâcher car elle ne possédait pas les maxillaires vigoureux et la solide denture des membres du clan. Iza l'avait bien avertie de ne pas avaler la moindre goutte du jus qui se formait dans sa bouche, mais elle ne put s'empêcher de le faire. Il semblait à la jeune femme qu'il lui fallait mâcher sans fin pour ramollir les racines, et au moment où elle cracha la dernière bouchée de pulpe, la tête lui tournait. Elle remua ensuite le mélange jusqu'à ce qu'il devienne d'un blanc laiteux dans l'écuelle sacrée, et le tendit à Goov.

Les servants avaient attendu qu'elle ait fini de mastiquer les racines, une écuelle de datura longuement infusée à la main. Goov donna à Mog-ur le breuvage préparé par Ayla et en retour tendit à la guérisseuse une écuelle d'infusion, pendant que les autres servants faisaient de même avec les guérisseuses de leurs clans respectifs. Mog-ur but une gorgée de breuvage.

— Il est fort, fit-il remarquer à l'adresse de Goov. Donnes-en moins.

Goov approuva d'un signe de tête et tendit l'écuelle au mog-ur le plus important par le rang après Creb.

Ayla et les autres guérisseuses apportèrent leurs bols aux femmes et leur firent boire, ainsi qu'aux filles les plus âgées, une certaine quantité d'infusion. Ayla but ce qui restait au fond de son bol, mais elle ressentait déjà une étrange impression de distance, comme si une partie d'elle-même s'était détachée et la regardait de loin. Certaines guérisseuses parmi les plus âgées s'emparèrent des tambours et commencèrent à battre les rythmes de la danse des femmes. Ayla contemplait, fascinée, le mouvement des baguettes dont chaque coup était sec et précis. La guérisseuse du clan de Norg lui offrit un instrument. La jeune femme se mit à taper, doucement d'abord, s'imprégnant du tempo, puis elle s'abandonna au rythme qui naissait de sa frappe.

Le temps perdit toute signification. Quand elle releva les yeux, les hommes étaient partis et les femmes tournaient sur elles-mêmes, saisies d'une frénésie sauvage et sensuelle. Elle éprouva soudain le besoin de se joindre à elles et, comme elle reposait son tambour, celui-ci roula par terre. Elle le regarda, et la forme évasée de l'instrument lui rappela l'écuelle d'Iza, la précieuse relique qui lui avait été confiée. Où est le bol d'Iza ? se demanda-t-elle, soudain préoccupée par sa disparition. La dernière image qu'elle en avait était son doigt remuant le breuvage laiteux. Mais où l'ai-je mis ? Où est-il ?

Elle pensa à Iza, et les larmes lui vinrent aux yeux. J'ai perdu son bol. Cette merveille que les guérisseuses de sa lignée se sont transmise de mère en fille depuis des temps que l'esprit ne peut calculer. Elle vit Iza, et derrière Iza, il y avait une autre Iza, et une autre encore, et encore ; toute une file de guérisseuses dédoublant l'image d'Iza à l'infini, chacune d'elles tenant à la main l'écuelle sacrée. Puis la vision se dissipa, suivie d'une autre qui la foudroya : l'écuelle était brisée en deux morceaux. Elle tressaillit de tout son corps et, se frayant un chemin à travers les femmes en transe, trébuchant sur les coupes et les plats contenant les restes du festin, elle se mit en quête du précieux récipient. L'entrée de la caverne, faiblement éclairée par les torches, l'attirait, et elle s'en approcha en chancelant. Une silhouette gigantesque se dressa soudain devant elle, lui arrachant un hoquet de stupeur. La gueule monstrueuse de la dépouille de l'ours semblait se pencher sur elle. S'écartant d'un bond, elle franchit le seuil de la caverne.

Aussitôt, son regard fut attiré par une tache blanche, non loin de l'endroit où elle avait attendu le signal de Mog-ur. Elle s'agenouilla et saisit avec précaution l'écuelle d'Iza qu'elle serra contre son cœur. Il restait au fond un peu du liquide laiteux.

Ils n'ont pas tout bu, pensa-t-elle. J'en ai trop préparé. Que vais-je en faire ? Je ne peux pas le jeter, Iza m'a dit que c'était interdit. Mais qu'adviendra-t-il si quelqu'un s'en aperçoit ? On remettrait en question mon rang de guérisseuse. On me rejetterait comme une étrangère au Clan. On nous chasserait peut-être. Que faire ?

Je n'ai qu'à le boire moi-même. Comme cela, personne ne s'apercevra de rien. Ayla porta l'écuelle à ses lèvres et la vida. Le mystérieux breuvage était déjà fort, et les racines qui y avaient macéré l'avaient rendu plus puissant encore. Elle se dirigea vers la deuxième grotte avec la vague intention de mettre l'écuelle en lieu sûr mais, avant d'avoir atteint son foyer, elle commença à ressentir l'effet de la drogue.

Ayla était tellement désorientée qu'elle ne s'aperçut même pas qu'elle laissait tomber l'écuelle sacrée dans les limites du foyer. Elle avait dans la bouche le goût de la forêt ancestrale, celui de la mousse et des champignons, des souches pourrissantes et des feuilles perlées d'humidité. Les parois de la grotte s'écartaient, reculant de plus en plus loin. Elle eut l'impression d'être un insecte rampant sur le sol. Des détails infimes lui apparaissaient démesurément grossis : elle distinguait le contour d'une empreinte avec une incroyable netteté, voyait chaque petit caillou, chaque grain de poussière. Elle perçut un mouvement à la limite de son champ de vision et vit une araignée en train de grimper le long d'un fil de soie qui brillait dans la lumière d'une torche.

La flamme l'hypnotisa. Elle s'en approcha, puis en vit une autre qui l'attira. Mais quand elle l'atteignit, une autre torche l'appela, puis une autre, et Ayla s'enfonça de plus en plus profondément dans la montagne. Bientôt, sans qu'elle s'en rendît compte, les torches firent place aux petites lampes de pierre qui éclairaient la galerie menant vers le fond de la grotte. Personne ne la remarqua quand elle traversa une vaste salle où se trouvaient des hommes en transe, ni quand elle pénétra dans la salle plus petite où se déroulait sous la conduite des servants une cérémonie d'initiation réservée aux adolescents.

Elle allait d'une flamme à l'autre, comme attirée par une force invisible. La succession des lumignons lui fit traverser d'étroites galeries s'ouvrant de temps à autre sur de larges anfractuosités. Elle trébucha sur le sol inégal, et se raccrocha à la paroi humide pour ne pas tomber. Elle s'engagea dans un passage au bout duquel rougeoyait une faible lueur. Le passage était incroyablement long, et par moments elle avait l'impression de se voir elle-même de très loin, avançant à tâtons le long du tunnel obscur.

Elle finit par atteindre la lumière au bout du passage et distingua plusieurs silhouettes assises en cercle. Un réflexe de prudence enfoui au plus profond de son esprit hébété par le breuvage magique l'incita à se cacher derrière un pilier de pierre. Les dix mog-ur étaient absorbés dans la célébration d'une cérémonie secrète. Après qu'ils eurent commencé de célébrer celle des hommes, ils avaient laissé à leurs servants le soin de la conclure, et s'étaient retirés dans leur sanctuaire pour y accomplir entre mog-ur certains rites réservés à eux seuls.

Chaque homme, enveloppé dans sa peau d'ours, était assis devant le crâne d'un ours des cavernes. D'autres crânes occupaient les niches dans la paroi. Au centre du cercle se trouvait un objet recouvert de poils qui intrigua Ayla. Mais quand finalement elle en comprit la nature, seule son hébétude l'empêcha de pousser un cri. C'était la tête tranchée de Gorn.

Elle contempla avec une horreur fascinée le mog-ur du clan de Norg saisir la tête, la retourner et, à l'aide d'un instrument, élargir l'orifice à la base du cou. La masse grise et rose du cerveau apparut. Le sorcier traça des signes symboliques au-dessus de la tête de Gorn puis, plongeant la main dans l'orifice, arracha un morceau de la cervelle. Il garda dans sa main la matière tremblotante tandis qu'un autre mog-ur s'emparait à son tour du crâne.

Malgré l'effet de la drogue, Ayla ressentit une violente répulsion, mais elle resta comme envoûtée par le spectacle des sorciers fouillant l'un après l'autre dans l'horrible tête. Elle s'efforçait désespérément de résister au vertige qui s'emparait d'elle, mais quand elle vit les sorciers porter leurs mains à leur bouche et manger le cerveau de Gorn, elle sombra dans un abîme sans fond, où rien n'existait plus que la peur.

Elle pensait hurler sans fin mais ne s'entendait pas, elle ne pouvait rien voir, rien éprouver d'autre que cette terrifiante sensation de chuter dans un vide infini et glacial.

Et puis la sensation de chute s'atténua soudain, en même temps qu'elle sentait comme une décharge dans son cerveau, un influx mental qui lui donnait le sentiment de sortir lentement du gouffre où elle était tombée. Elle éprouva des émotions qui n'étaient pas les siennes : de l'amour, mais aussi une violente colère et une peur immense, ainsi qu'un soupçon de curiosité. Stupéfaite, elle s'aperçut que Mog-ur avait pris possession de son esprit : c'étaient ses pensées qui étaient en elle, ses sentiments qu'elle éprouvait.

Le suc des racines qu'Iza serrait dans son petit sac rouge poussait à son paroxysme une tendance naturelle des hommes du Clan : la capacité à communiquer par la méditation avec leur mémoire commune, leur mémoire ancestrale. Les mog-ur, quant à eux, possédaient à un degré particulièrement développé cette faculté naturelle grâce à un entraînement délibéré, mais chez Mog-ur, ce don était exceptionnel.

Il savait comme personne conduire les esprits à travers les pages du temps que leur faisait revivre la mémoire. C'est pourquoi la communauté de son propre clan était plus riche et plus complète que celle de tout autre clan. Avec les mog-ur, il parvenait d'emblée à instaurer une communication télépathique. Le breuvage d'Iza, qui aiguisait les sens et ouvrait les esprits, lui permettait également d'entrer en symbiose avec Ayla.

La naissance traumatique qui avait endommagé le cerveau de Mog-ur et l'avait privé d'une partie de ses moyens physiques n'avait pas altéré la formidable intelligence psychique qui faisait sa force. Mais l'homme boiteux était le dernier de sa race. A travers lui, le Peuple du Clan avait atteint l'apogée de son évolution. Comme la gigantesque créature qu'ils vénéraient, parmi d'autres qui partageaient leur environnement, ils étaient sur une terre encore en formation, alors que la leur était désormais achevée.

Cette race d'hommes qui avait assez de conscience sociale pour veiller sur les faibles et les malades, assez de spiritualité pour enterrer les morts et vénérer un grand totem, cette race d'hommes aux cerveaux volumineux mais démunis de lobes frontaux, qui ne réalisa guère de progrès pendant près de cent mille ans, était condamnée à disparaître, au même titre que le mammouth et le grand ours des cavernes.

Ayla eut soudain l'impression qu'un sang étranger coulait dans ses veines, se mêlant au sien. L'esprit puissant du grand sorcier explorait les tréfonds de son cerveau, cherchant à s'en rendre maître. Ayla comprit soudain que c'était lui qui l'avait sauvée de l'abîme où elle s'enfonçait peu avant, et qu'en outre il empêchait les autres mog-ur, eux-mêmes en relation télépathique avec lui, de prendre conscience de sa présence. Elle ne sentait rien du contact qu'ils avaient avec Mog-ur. Eux avaient senti que le grand sorcier avait établi un contact parallèle, mais ils en ignoraient la nature et étaient à cent lieues de se douter qu'il s'agissait d'Ayla.

Et en même temps qu'elle se rendait compte que Mog-ur l'avait sauvée et la protégeait, elle comprit la profonde dévotion avec laquelle les sorciers s'étaient livrés à l'acte qui l'avait tant révoltée. Elle n'avait pas réalisé qu'il s'agissait d'une communion. Le but du Rassemblement était de renforcer les liens entre clans, de se reconnaître comme Peuple du Clan de l'Ours des Cavernes. Les dix clans rassemblés ici étaient loin de représenter le peuple entier. Les clans absents étaient trop éloignés pour faire le voyage, mais ils partageaient tous le même héritage, la même mémoire, et toute cérémonie célébrée dans n'importe lequel des Rassemblements avait la même signification pour tous. Les mog-ur étaient convaincus, en absorbant le courage du jeune homme qui s'en était allé avec l'Esprit d'Ursus, d'accomplir un geste bénéfique pour tous les clans. Et, en leur qualité de sorciers, doués de capacités mentales particulières, ils communiquaient ensuite à tous le courage ainsi acquis.

Telle était la raison de la peur et de la colère de Mog-ur. La tradition ancestrale voulait que seuls les hommes participent aux cérémonies du Clan. Le fait qu'une femme assiste à une cérémonie ordinaire au sein d'un seul clan entraînait pour ce dernier la malédiction. Or, en la circonstance, il ne s'agissait pas d'une cérémonie ordinaire, mais d'un rite d'une importance extrême pour tout le Rassemblement. Ayla était une femme et sa présence allait provoquer un grand malheur pour tous.

Et Ayla n'était même pas une femme du Peuple du Clan.

Cela, Mog-ur le savait désormais sans la moindre équivoque.

Il le sut dès qu'il prit conscience de sa présence alors que le mal était déjà fait. Il lui fallut accepter l'inévitable, mais devant la gravité de son crime, il ne savait à quel parti se résoudre. Même le châtiment suprême serait insuffisant. Avant de prendre une décision, il désira en savoir davantage à son sujet et, à travers elle, au sujet des Autres.

Il avait été étonné en l'entendant appeler à l'aide. Les Autres étaient certes différents, mais il devait nécessairement y avoir des points communs. Mog-ur ressentait le besoin impérieux de connaître la vérité, d'abord pour le salut du Clan, mais aussi poussé par une profonde curiosité. Ayla l'avait toujours intrigué, et il voulait savoir en quoi résidait la différence. Il décida de tenter une expérience.

Assurant plus fermement son emprise sur les esprits, le puissant sorcier, qui contrôlait à la fois les neuf cerveaux semblables au sien et celui d'Ayla, identique et différent, les transporta dans les lointains du temps, à l'aube de l'humanité.

Ayla sentit lui venir à nouveau le goût de la forêt primitive, puis une impression de chaleur saline. Elle éprouvait la sensation de revivre la naissance de toute chose. Mog-ur constata que le tréfonds de son être, les couches les plus profondes, correspondaient aux siens. Nos commencements furent identiques, pensa-t-il. Ayla percevait dans leur unicité ses propres cellules, et revivait la manière dont elles s'étaient divisées et différenciées dans les eaux tièdes et nourrissantes, et cette évolution avait un sens. Une nouvelle mutation, et les timides pulsations de la vie se transformèrent en un organisme plus complexe.

Une autre mutation, et Ayla ressentit la souffrance de la première bouffée d'air respirée dans ce nouvel élément. Un autre bond, et ce fut la terre riche, l'apparition des premières pousses et la fuite devant les bêtes sauvages. Un bond, et ce fut la chaleur et la sécheresse qui la firent retourner vers la mer. Au bond suivant, la sensation d'avoir laissé un chaînon dans l'élément liquide, et de voir sa silhouette changer. Elle grandit et perdit sa fourrure originelle.

Désormais, elle se tenait debout, marchant sur deux jambes, les bras libres de leurs mouvements, les yeux découvrant un horizon plus vaste. Elle prenait une direction différente de Mog-ur ; mais pas si éloignée cependant qu'il ne pût continuer à avancer parallèlement à sa voie. Il interrompit la relation télépathique avec les autres sorciers qui se trouvaient à présent assez proches pour continuer sans lui. De toute façon, leur voyage à travers le temps se terminait bientôt.

Ils restèrent donc tous les deux, le vieil homme du Clan et la jeune femme qui venait de chez les Autres. Ce n'était plus lui qui guidait, mais chacun avançait sur sa propre voie tout en observant celle de l'autre. Elle vit la terre se recouvrir de glace, mais dans une région beaucoup plus éloignée, dans l'espace comme dans le temps, une région située au bord d'une mer infiniment plus vaste que celle qui bordait leur péninsule.

Elle vit une caverne, qui avait abrité quelque ancêtre du grand sorcier, un homme aux traits semblables. La vision était floue, vue à travers le vide qui séparait leurs races respectives. La grotte formait une large anfractuosité au pied d'une falaise abrupte qui faisait face à une rivière et, au-delà, à une vaste plaine. Un grand rocher coiffait le sommet de la paroi, un rocher de la forme d'un haut pilier dont l'inclinaison donnait l'illusion qu'il allait basculer dans le vide. La roche qui le composait était d'une nature différente de celle de la falaise.

Le déluge et les secousses terrestres l'avaient charrié là, juste au-dessus de la grotte dans la falaise. La vision disparut, mais son souvenir se grava dans la mémoire de la jeune femme.

Un chagrin bouleversant l'envahit soudain. Elle était seule. Mog-ur ne pouvait la suivre plus avant. Elle trouva son chemin jusqu'à son propre présent et même un peu au-delà. La caverne lui apparut, puis elle eut la vision kaléidoscopique d'une succession de paysages qui n'étaient pas soumis aux caprices de la nature mais organisés selon des schémas réguliers. Des structures cubiques sortaient de terre et de longs rubans de pierre se déroulaient, sur lesquels se déplaçaient à grande vitesse d'étranges animaux. De gigantesques oiseaux volaient sans agiter leurs ailes. Puis d'autres scènes suivirent, si étranges que leur sens lui resta totalement étranger. Tout cela ne dura que l'espace d'un instant. Dans sa course éperdue pour gagner le présent, elle avait été emportée au-delà de son but, au-delà de son temps. Puis la vision se dissipa et elle se trouva, cachée derrière le pilier, en train de regarder les dix hommes assis en cercle.

Mog-ur la regardait, et elle reconnut dans l'œil fixé sur elle le même chagrin qu'elle avait ressenti quand elle s'était retrouvée seule. Il avait tracé de nouvelles voies dans le cerveau d'Ayla, des voies qui lui permettaient d'entrevoir l'avenir, mais il ne pouvait en faire autant lui-même. Il n'avait perçu que l'impression fugitive d'une possibilité qui n'était pas pour lui, mais pour elle seule.

Mog-ur ne pouvait pratiquement pas concevoir d'idées abstraites et il lui fallait fournir un effort immense pour compter un peu au-delà de vingt. Son esprit, il le savait, était beaucoup plus puissant que celui d'Ayla, mais leurs génies étaient de nature différente. Il pouvait se remémorer leurs origines à tous les deux, mieux que quiconque dans tout le Peuple du Clan. Il pouvait même la faire se souvenir. Mais il sentait en elle la jeunesse et la vitalité d'un organisme nouveau : une mutation s'était à nouveau produite, dont il était exclu.

— Dehors !

Ayla sursauta à son ordre brutal, surprise qu'il ait crié si fort. Puis elle se rendit compte qu'il n'avait proféré aucun son. L'ordre lui avait été transmis de l'intérieur.

— Sors de la grotte ! Vite ! Sors de là !

Elle quitta sa cachette et s'enfuit en courant dans le tunnel. Certaines lampes s'étaient éteintes, mais il en restait suffisamment pour qu'elle retrouve son chemin. Un silence profond régnait dans la caverne où les hommes et les garçons dormaient d'un sommeil sans rêves. Elle se précipita dehors.

Il faisait encore nuit, mais l'aube commençait à poindre. Ayla ne ressentait plus l'effet du puissant breuvage mais elle était complètement épuisée. Elle vit les femmes étendues sur le sol, exténuées, et elle s'allongea à côté d'Uba.

Quand Mog-ur sortit de la caverne, quelques instants plus tard, elle était profondément endormie. Il contempla sa longue chevelure blonde, si différente de celle des autres femmes, comme l'était également toute sa personne, et une immense tristesse l'envahit. Il n'aurait pas dû la laisser partir. Il aurait dû au contraire la conduire devant les hommes et la faire mourir sur-le-champ. Mais à quoi cela aurait-il servi ? Cela n'aurait pas évité la catastrophe que sa présence à la cérémonie allait déclencher, cela n'aurait pas empêché la malédiction de s'abattre sur le Peuple du Clan. A quoi bon la tuer ? Ayla incarnait une autre espèce, et puis elle était celle qu'il aimait.

25

Goov sortit de la caverne, se frotta les yeux, ébloui par le soleil, et s'étira. Il vit Mog-ur, assis tout voûté sur une souche, fixant le sol d'un air absent, et songea à lui demander la permission de regarnir les lumignons de peur que quelqu'un ne se perde dans le dédale des tunnels. Mais à la vue de la mine défaite et accablée du grand sorcier, il préféra ne pas l'importuner. Je m'en occuperai tout seul, décida-t-il.

Mog-ur se fait vieux, songea le servant en regagnant la caverne, une vessie de graisse d'ours ainsi que de nouvelles mèches à la main. J'ai tendance à oublier son âge. Le voyage a été une rude épreuve pour lui, et la cérémonie l'a vidé de toute son énergie. Il doit appréhender le retour, c'est naturel. Etrange tout de même, se fit-il la remarque, je ne l'avais encore jamais à ce jour considéré comme un vieux.

Quelques hommes sortirent de la caverne en clignant leurs paupières alourdies par leur profond sommeil et contemplèrent le spectacle des femmes nues affalées par terre en se demandant, comme à chaque fois, ce qui avait bien pu les mettre dans cet état. Les premières femmes à se réveiller coururent à leurs vêtements et se mirent en devoir de secouer leurs compagnes avant que tout le monde soit sorti.

— Ayla, dit Uba, en tapant sur l'épaule de la jeune femme, Ayla, réveille-toi.

— Mmmmmm... geignit Ayla en se retournant.

— Ayla ! Ayla ! insista Uba, la secouant. Ebra, je n'arrive pas à la réveiller !

— Ayla ! s'exclama la femme en la bousculant sans ménagement.

Ayla ouvrit faiblement les yeux et esquissa un geste, puis les referma et se roula en boule.

— Ayla ! Ayla ! cria Ebra, qui parvint à lui faire ouvrir les yeux. Va finir ta nuit dans la caverne. Tu ne peux pas rester dehors, les hommes vont arriver.

La jeune femme tituba vers la grotte. Un instant plus tard, elle en ressortait, parfaitement réveillée, mais le visage décomposé.

— Que se passe-t-il ? s'inquiéta Uba. Tu es toute blanche. On dirait que tu as vu un esprit.

— Uba ! Oh, Uba ! L'écuelle ! gémit Ayla en se laissant tomber par terre, le visage enfoui dans ses mains.

— L'écuelle ? Quelle écuelle, Ayla ?

— Elle est cassée, répondit Ayla avec des gestes empreints de désespoir.

— Et tu te tracasses pour une écuelle cassée ? intervint Ebra. Tu en fabriqueras une autre, voilà tout.

— Non, c'est impossible. Il ne peut y en avoir deux comme celle-ci. C'est l'écuelle d'Iza, celle que sa mère lui a remise.

— Le bol cérémoniel ? demanda Uba, devenue blême.

Le bois sec et fragile de l'ancienne relique avait perdu toute sa solidité au fil des générations. Une imperceptible fissure avait commencé de se former sous le dépôt blanchâtre collé au fond. Le choc subi en échappant des mains d'Ayla lui avait été fatal. Elle s'était fendue en deux.

Creb avait relevé la tête quand Ayla s'était ruée hors de la caverne. La nouvelle que l'écuelle vénérable était cassée vint confirmer inexorablement les sombres pensées qui l'agitaient. Tout se vérifie, pensa-t-il. Nous ne boirons plus jamais le breuvage magique. Je n'accomplirai plus jamais les rites pour lesquels il était indispensable. Le Peuple du Clan les oubliera. Le vieil infirme s'appuya sur son bâton pour se relever. Toutes ses articulations le faisaient souffrir. Je suis trop vieux, c'est à Goov de prendre le relais. En intensifiant sa formation, il sera prêt d'ici un an ou deux. Il le faut. Qui sait combien de temps il me reste à vivre ?

Brun remarqua une nette transformation dans le comportement du sorcier et prit son accablement pour le contrecoup de la récente euphorie de ce Rassemblement. Néanmoins, il s'inquiéta de la difficulté que rencontrerait Creb pendant le voyage du retour ; il veillerait à ne pas forcer l'allure. Il organisa une dernière expédition avec ses chasseurs pour échanger de la viande fraîche contre des vivres puisées dans les réserves de leurs hôtes afin de reconstituer des provisions pour la route.

Un certain nombre de clans étaient déjà partis. Après une chasse heureuse, une fois les festivités terminées, Brun se sentit soudain impatient de regagner la caverne, sa demeure, et tous ceux qu'il y avait laissés. Jamais sa position ne s'était trouvée aussi menacée, et la victoire n'en avait que plus de saveur. Il était satisfait, content de son clan, content d'Ayla. Il avait de nouveau eu l'occasion de vérifier qu'elle était une authentique guérisseuse. A l'instar d'Iza, elle oubliait tout et fonçait à travers les dangers pour tenter de sauver la vie de quelqu'un. Il savait que Mog-ur avait considérablement contribué à faire accepter la guérisseuse par les autres sorciers, mais c'était elle seule qui avait réussi à s'imposer en sauvant le jeune chasseur.

Mog-ur ne fit jamais la moindre allusion à l'intrusion d'Ayla dans la grotte sacrée tout au fond de la caverne, à l'exception d'une unique fois. La veille du départ, il surgit dans la seconde caverne où Ayla était en train de ranger ses affaires. Il n'avait cessé de l'éviter jusqu'alors. Il s'arrêta net en la voyant et s'apprêtait à faire demi-tour quand elle se jeta à ses pieds. Il contempla sa tête baissée en poussant un profond soupir et lui tapa sur l'épaule.

Elle releva la tête et fut bouleversée en découvrant combien il avait vieilli au cours de ces derniers jours. La cicatrice qui le défigurait ainsi que la paupière qui recouvrait son orbite vide s'étaient creusées et semblaient disparaître dans l'ombre de ses fortes arcades sourcilières. Sa barbe grise pendait tristement et son front bas et fuyant était encore accentué par une calvitie croissante. Mais ce fut surtout le profond chagrin qui se lisait dans son œil unique qui l'affligea. Que lui avait-elle fait ? Elle aurait aimé pouvoir effacer cette terrible nuit dans la grotte.

— Qu'y a-t-il, Ayla ? demanda-t-il.

— Mog-ur... je... je... balbutia-t-elle avant de poursuivre précipitamment. Oh, Creb, je ne supporte pas de te voir souffrir ainsi. Que puis-je faire ? J'irai voir Brun si tu le désires, je ferai tout ce que tu voudras. Mais dis-moi...

Que pourrais-tu faire, Ayla, pensa-t-il. Tu ne peux pas changer ta nature. Tu ne peux pas réparer les dégâts que tu as causés. Le Clan va disparaître, et il ne restera plus que toi et tes semblables. Nous sommes un peuple très ancien. Nous avons conservé nos traditions, honoré les esprits et le Grand Ursus, mais notre temps est passé. Sans doute cela devait-il arriver. Sans doute n'es-tu pas responsable, Ayla. C'est ton peuple qui est responsable. Est-ce pour cela que tu nous as été envoyée ? Pour nous prévenir ? Le monde que nous laissons est beau et riche, il a satisfait tous nos besoins pendant des générations et des générations. Dans quel état le laisserez-vous quand votre tour viendra ?

— Il est une chose que tu peux faire, Ayla, dit Mog-ur en s'exprimant avec des gestes empreints de gravité et en la fixant d'un regard intense. C'est ne plus jamais faire allusion à cela.

Creb se tenait aussi droit que le lui permettait son unique jambe valide. Puis, faisant appel à toute sa fierté et à celle de son Peuple, il fit demi-tour avec raideur et sortit dignement de la caverne.

— Broud !

Le jeune homme se dirigea vers celui qui l'avait appelé. Les femmes du clan de Brun se dépêchaient de terminer le repas du matin, car le départ aurait lieu juste après, et les hommes profitaient de cette dernière occasion de s'entretenir avec ceux qu'ils ne reverraient plus que dans sept ans. Ils commentaient les divers aspects des festivités, comme pour en prolonger un instant le plaisir.

— Tu t'es montré valeureux, Broud, le félicita un homme du clan de Norg. Tu seras chef au prochain Rassemblement.

— La prochaine fois vous ferez peut-être aussi bien que nous, répondit Broud, gonflé d'orgueil. Nous avons simplement eu de la chance.

— C'est vrai que vous avez de la chance. Votre clan est le premier, votre mog-ur est le premier, et même votre guérisseuse est la première. Tu sais, Broud, vous êtes vraiment chanceux d'avoir Ayla parmi vous. Je connais peu de guérisseuses qui oseraient braver un ours des cavernes pour sauver un chasseur.

Broud se renfrogna légèrement et, apercevant Voord, il alla à sa rencontre.

— Voord ! le héla-t-il avec un salut de la main. Tu t'es surpassé cette fois. J'étais content qu'ils t'aient accordé la deuxième place. Nouz est bon, mais tu lui es nettement supérieur.

— Mais tu as bien mérité ta première place, Broud. Tu as fait une excellente course. Votre clan tout entier mérite bien son rang. Votre guérisseuse elle-même est la meilleure, quoi que j'en aie pensé au début.

J'espère seulement qu'elle ne grandira pas davantage. Entre nous, ça me fait un drôle d'effet d'avoir à lever la tête pour regarder une femme.

— Oui, c'est vrai, elle est bien trop grande, répondit Broud avec des gestes qui trahissaient sa réticence.

— Mais qu'importe, du moment qu'elle a des dons, n'est-ce pas ?

Broud fit un vague signe d'approbation et s'éloigna. Ayla, Ayla. Toujours Ayla, pensa-t-il, exaspéré.

— Broud ! Je voulais te voir avant ton départ, lui signifia un homme en se portant à sa rencontre. Tu sais qu'il y a dans mon clan une femme dont la fille présente les mêmes difformités que le fils de votre guérisseuse. J'en ai parlé à Brun, qui veut bien l'accepter pour être la compagne du garçon, mais il m'a demandé de te consulter. Tu seras sans doute le chef quand ils seront en âge de partager un foyer. La mère a promis de bien élever sa fille, pour en faire une femme digne du premier des clans et du fils de la première guérisseuse. Tu n'y vois pas d'objection, n'est-ce pas, Broud ? Ils seront bien assortis.

— Non, répondit Broud d'un geste cassant, et il tourna les talons.

S'il n'avait pas été aussi furieux, il aurait certes élevé des objections, mais il n'était pas d'humeur à se lancer dans une discussion au sujet de cette fille.

— A propos, c'était une belle course, Broud.

Le jeune homme, qui s'éloignait déjà, ne vit pas le commentaire flatteur. Comme il se dirigeait vers la caverne, il surprit deux femmes en grande conversation. Il savait qu'il devait détourner les yeux pour ne pas voir ce qu'elles disaient, mais il passa outre et, regardant droit devant lui, fit semblant de ne pas les avoir remarquées.

— ... Je ne pouvais pas croire qu'elle fût une femme du Clan, surtout quand j'ai vu son bébé... Mais quand elle a marché droit sur Ursus, sans la moindre peur, comme si elle avait été une femme du clan de Norg... Jamais je ne me serais risquée à m'approcher comme ça.

— Je lui ai parlé un peu. Elle est très gentille et elle se conduit tout à fait normalement. Crois-tu qu'elle arrivera à trouver un compagnon ? Je me le demande... Elle est tellement grande, pas un homme ne voudra d'une femme plus grande que lui, en dépit de son rang de première guérisseuse.

— Quelqu'un m'a dit qu'un des clans désirait considérer la question, mais je n'ai pu en savoir plus. Je crois qu'ils enverront un messager s'ils l'acceptent.

— On dit que le premier des clans a une nouvelle caverne. Il paraît que c'est la guérisseuse qui l'a découverte, qu'elle est très vaste et que les esprits la protègent.

— Je crois qu'elle est près de la mer et que les sentiers sont bien tracés. Un bon messager pourra les trouver facilement.

Broud dut faire un effort pour ne pas corriger ces deux commères bavardes et paresseuses. Il avait le droit de corriger toute femme, de tout clan, mais la politesse exigeait qu'on en demande la permission au chef du clan auquel elle appartenait, à moins que la faute n'ait été flagrante et publique. Or les raisons de sa colère paraîtraient probablement incompréhensibles à tout le monde.

— Notre guérisseuse prétend qu'elle est experte, était en train de dire Norg quand Broud pénétra dans la caverne.

— Elle est la fille d'Iza, qui l'a parfaitement formée, répondit Brun.

— Quel dommage qu'Iza n'ait pas pu venir. J'ai appris qu'elle était malade.

— Oui, et c'est une des raisons pour lesquelles je dois me dépêcher. Nous avons un long chemin à parcourir. Ton hospitalité a été parfaite, Norg. Ce fut un Rassemblement des plus réussis. Nous nous en souviendrons longtemps, dit Brun.

Broud leur tourna le dos, les poings serrés, et ne vit pas le compliment que Norg adressait à Brun au sujet du fils de sa compagne. Ayla, Ayla, Ayla. C'est tout ce qu'ils savent dire ! Ils n'ont que ce mot-là à la bouche ! On dirait vraiment que personne n'a rien fait, à part elle, au cours de cette fête ! Elle a peut-être sauvé la vie à ce chasseur, mais il ne pourra probablement plus marcher. Elle est laide, elle est trop grande, son fils est difforme et personne ne sait comme elle est insolente !

A cet instant, Ayla passa en courant, les bras chargés de ballots. Elle frémit en croisant le regard haineux que lui jeta Broud. Qu'ai-je bien pu lui faire ? se demanda-t-elle. Elle ne l'avait pratiquement pas vu de tout leur séjour.

Dès le repas du matin terminé, les femmes se dépêchèrent de ranger les derniers ustensiles de cuisine. Tout le monde était impatient de partir. Après avoir fait ses adieux aux autres guérisseuses et à la compagne de Norg, Ayla prit place dans le rang, à la tête des femmes du clan de Brun. Au signal de son chef, la petite colonne s'ébranla. Avant de disparaître au détour du chemin, les voyageurs s'arrêtèrent et se retournèrent une dernière fois vers la caverne. Norg et son clan au grand complet se tenaient sur le seuil.

— Qu'Ursus vous accompagne ! leur lança Norg avec de grands gestes.

Brun se remit en marche. Ils ne reverraient pas Norg avant sept ans, et peut-être même plus jamais. Seul l'Esprit du Grand Ours des Cavernes le savait.

Ainsi que l'avait prévu Brun, le voyage de retour se révéla particulièrement pénible pour Creb. Son vieux corps, usé par les ans, n'était plus stimulé par l'approche des festivités et le vieillard sentit ses forces lui manquer plus d'une fois. Il ne mettait plus le moindre entrain à accomplir les rites du soir, et ses gestes étaient raides, comme s'il officiait à contrecœur. Brun n'avait jamais vu le sorcier aussi abattu. Il avait remarqué que Creb et Ayla gardaient leurs distances, et si la jeune femme n'avait aucun mal à suivre, il était évident que sa démarche avait perdu toute sa vivacité. Il a dû se passer quelque chose entre eux, pensa-t-il.

Ils avaient traversé de vastes prairies aux herbes hautes et desséchées pendant une bonne partie de la matinée. Brun jeta un coup d'œil derrière lui. Creb n'était pas en vue. Il allait faire signe à l'un de ses hommes quand il changea d'avis et s'approcha d'Ayla.

— Retourne chercher Mog-ur, dit-il.

Etonnée, Ayla acquiesça. Confiant Durc à Uba, elle revint sur ses pas en courant et découvrit Creb qui marchait péniblement, courbé en deux sur son bâton. Elle n'avait su que lui dire depuis la réponse qu'il lui avait faite après qu'elle lui eut confié sa peine. Elle savait que ses articulations enflammées le faisaient durement souffrir, mais il avait refusé ses soins avec une telle obstination qu'elle n'osait plus rien lui proposer. Il s'arrêta net en la voyant.

— Qu'est-ce que tu fais là ? demanda-t-il.

— C'est Brun qui m'a envoyée.

Creb bougonna et se remit en route, Ayla sur ses talons. Après l'avoir observé qui avançait tout doucement et à grand-peine, la jeune femme, n'y tenant plus, le dépassa pour se jeter à ses pieds, en lui barrant le passage. Creb attendit un long moment avant de lui donner une tape sur l'épaule.

— Cette femme aimerait savoir pourquoi Mog-ur est en colère.

— Je ne suis pas en colère, Ayla.

— Alors, pourquoi refuses-tu que je te soigne ? s'écria-t-elle. Cela ne t'est jamais arrivé. Cette femme est guérisseuse, ajouta Ayla en s'efforçant de retrouver son calme. Elle ne supporte pas de voir Mog-ur souffrir. Oh ! Creb, laisse-moi t'aider ! Je te considère comme le compagnon de ma mère. Tu m'as nourrie, tu m'as défendue, je te dois la vie. Je ne sais pas pourquoi tu as cessé de m'aimer, mais moi, je t'aime toujours ! déclara Ayla, le visage baigné de larmes.

Pourquoi a-t-elle ce mal aux yeux à chaque fois qu'elle me soupçonne de ne plus l'aimer ? Et pourquoi à chaque fois suis-je prêt à faire n'importe quoi pour qu'elle n'ait plus mal ? Est-ce que tous les siens ont cette particularité ? Elle a raison, je l'ai toujours laissée me soigner, pourquoi l'en empêcherais-je maintenant ? Elle n'est pas une femme du Clan. Quoi que peuvent en penser les miens, elle ne pourra jamais se fondre dans notre peuple. Elle ne le sait pas elle-même. Elle se prend pour une du Clan, elle se prend pour une guérisseuse. Guérisseuse, je dois reconnaître qu'elle l'est, et avec un grand talent, même si elle ne descend pas de la lignée d'Iza, et j'ai pu voir avec quelle volonté elle s'est efforcée de devenir une femme selon les coutumes du Clan, aussi dur que cela ait pu l'être parfois pour elle. Ce n'est pas la première fois qu'elle a les yeux qui coulent, mais combien de fois a-t-elle retenu cette eau qui montait ? C'est surtout quand elle croit que j'ai perdu toute affection pour elle que le phénomène échappe à sa volonté. Son chagrin serait-il si grand ? Souffrirais-je moi-même à ce point à la pensée qu'elle ne m'aime plus ? Certainement plus que je ne voudrais me l'avouer. Comment peut-elle être si différente de moi, et de nous, si elle éprouve le même amour ? Creb avait beau essayer de la voir comme une étrangère, une femme née chez les Autres, elle resterait toujours pour lui Ayla, l'enfant de la compagne qu'il n'avait jamais eue.

— Nous ferions mieux de nous dépêcher, Ayla. Brun nous attend. Essuie tes yeux, et quand nous ferons une halte, tu pourras me préparer une infusion d'écorce de bouleau, guérisseuse.

Un large sourire apparut derrière les larmes. Au bout de quelques pas, Ayla vint se placer à hauteur du sorcier. Il la contempla un instant, puis hocha la tête d'un air résigné et s'appuya sur elle pour continuer sa route.

Brun remarqua immédiatement l'amélioration de leurs rapports et en profita pour accélérer le pas. Si le vieil homme avait toujours l'air un peu mélancolique, il faisait tous ses efforts pour le cacher. Je me doutais bien qu'il y avait quelque chose entre ces deux-là, se dit Brun, satisfait de sa perspicacité. Mais on dirait que ça s'est arrangé.

Creb ne s'opposa plus à ce qu'Ayla prenne à nouveau soin de lui comme elle avait toujours su si bien le faire. Mais une certaine distance demeurait entre eux. Le fossé qui les séparait était bien trop large pour qu'il pût l'ignorer.

Creb ne pouvait oublier la divergence des destinées de son peuple et de celui des Autres, et cette conscience douloureuse et cruelle de se savoir condamné à disparaître parasitait la douce et paisible harmonie de toutes ces années passées dans la compagnie d'Ayla.

Les journées étaient chaudes, mais les nuits se rafraîchissaient à mesure que le clan de Brun cheminait vers ses quartiers. A la vue des montagnes enneigées à l'ouest, leurs cœurs se réchauffèrent, mais dans cette immensité l'impression de ne pas avancer les fit rapidement se désintéresser du spectacle des pics étincelants. Comme ils continuaient toujours en direction de l'ouest, ils distinguèrent mieux les glaciers veinés du bleu translucide des crevasses et des tons mauves que prenaient les pentes verglacées.

Après avoir marché jusqu'à la tombée de la nuit, ils établirent enfin leur premier campement dans les steppes. Le lendemain matin tout le monde se réveilla aux aurores pour entreprendre la dernière étape. Ils croisèrent un rhinocéros paisiblement occupé à brouter dans une belle prairie verdoyante et la rencontre de cet animal familier leur mit du baume au cœur. Ils approchaient de leur demeure. En atteignant le sentier qui grimpait à travers la colline, ils pressèrent le pas et, le cœur battant, ils contournèrent l'escarpement qui dérobait la caverne à leur vue. Ils étaient enfin de retour chez eux.

Aba et Zoug se précipitèrent à leur rencontre. Aba accueillit sa fille et Droog, serra de joie les autres enfants avant de prendre Groog dans ses bras. Zoug fit un signe à Ayla tout en courant vers Grod et Uka, et Ovra et Goov.

— Où est Dorv ? demanda Ika.

— Il nous a quittés pour le monde des esprits, répondit Zoug. Ses yeux étaient devenus si faibles qu'il ne voyait plus rien de ce qu'on lui disait. Il n'avait même pas le courage d'attendre votre retour. Le jour où les esprits l'ont appelé, il les a suivis. Nous montrerons à Mog-ur l'endroit où il est enterré pour qu'il accomplisse les rites funèbres.

Prise d'une angoisse soudaine, Ayla regarda autour d'elle.

— Où est Iza ?

— Elle est très malade, Ayla, répondit Aba. Elle n'a pas quitté sa couche depuis la dernière lune.

— Iza ! Iza ! s'écria Ayla en s'élançant dans la caverne.

En arrivant au foyer de Creb, elle jeta par terre tous ses paniers et se précipita vers la femme allongée sous les fourrures. La vieille guérisseuse ouvrit faiblement les yeux.

— Ayla, murmura-t-elle d'une voix à peine audible. Les esprits ont exaucé mon souhait. Tu es de retour.

Elle tendit les bras, et Ayla serra contre elle le corps fragile et émacié. Les cheveux d'Iza étaient devenus tout blancs et la peau parcheminée de son visage accentuait les creux des joues et des orbites. Elle semblait parvenue à l'extrême vieillesse, alors qu'elle n'avait que vingt-huit ans.

Ayla avait le plus grand mal à distinguer ses traits à travers le voile de ses larmes.

— Pourquoi a-t-il fallu que j'aille à ce Rassemblement ! J'aurais dû rester ici et prendre soin de toi, se reprocha la jeune femme. Je savais que tu étais malade. Pourquoi suis-je partie ?

— Non, Ayla, non, tu n'as rien à te reprocher, lui dit Iza avec des gestes qui trahissaient une très grande faiblesse. Je savais que j'allais mourir, quand tu es partie. Tu n'aurais pas pu m'aider, personne ne l'aurait pu. Ce que je voulais seulement, c'était te revoir une dernière fois avant qu'il soit temps pour moi de rejoindre les esprits.

— Non, tu ne vas pas mourir ! s'écria Ayla. Je vais te guérir !

— Ayla, Ayla. Il existe des états contre lesquels la meilleure guérisseuse du monde ne peut rien.

L'effort que venait de faire Iza déclencha une terrible quinte de toux. Ayla l'aida à se soulever et roula en boule une fourrure pour la soutenir et lui permettre de respirer plus aisément. Puis elle se mit à fouiller parmi les remèdes rangés près de la couche de la malade.

— Où est l'aunée ? Je n'arrive pas à la trouver.

— Je ne pense pas qu'il en reste, dit Iza avec beaucoup d'effort. J'en ai fait une grande consommation ces derniers temps, et je n'ai pas eu la force d'aller en cueillir davantage. Aba n'a pas réussi à m'en trouver, elle ne m'a rapporté que des hélianthes.

— Je n'aurais jamais dû partir, se lamenta Ayla en sortant précipitamment de la caverne. (Comme elle croisait Creb et Uba, qui portait Durc dans ses bras, elle leur signifia en ralentissant à peine sa course :) Iza va très mal, et elle n'a même plus d'aunée ! Je vais en chercher. Uba, allume un feu dans le foyer, il n'y en a pas non plus. Ah ! jamais je n'aurais dû partir ! Jamais je n'aurais dû la laisser, malade comme elle l'était !

Et le visage blême sous la poussière du chemin, sillonné par les larmes, elle poursuivit sa course vers la rivière, tandis que Creb et Uba se précipitaient dans la caverne.

Elle traversa d'un bond la rivière, courut vers la prairie où poussait l'aunée, en arracha plusieurs pieds qu'elle lava sommairement en repassant le cours d'eau et se dépêcha de regagner le foyer.

Uba avait allumé un feu mais l'eau qu'elle avait mise à bouillir était à peine tiède. Creb, debout aux pieds d'Iza, invoquait les esprits avec des gestes empreints d'une ferveur qu'il n'avait pas éprouvée depuis bien des jours, les suppliant de donner à Iza la force de vivre et de ne pas la rappeler à eux. Uba avait installé Durc sur une natte, et le petit garçon se mit à ramper à quatre pattes vers sa mère occupée à couper en morceaux les racines d'aunée. Comme il essayait de grimper sur sa mère pour téter, elle le repoussa. Elle n'avait pas le temps de s'en charger. Elle plongea les racines dans l'eau et ajouta d'autres pierres pour qu'elle chauffe plus vite. Durc, délaissé et meurtri, se mit à pleurer.

— Montre-moi un peu Durc, dit Iza. Il a beaucoup grandi.

Uba prit l'enfant et l'installa sur les genoux d'Iza. Mais Durc, qui n'était pas d'humeur à se laisser cajoler par une vieille femme dont il n'avait conservé aucun souvenir, se débattit pour redescendre.

— Il est beau et fort, dit Iza. Et il tient sa tête bien droite à présent.

— Il a même une compagne, dit Uba, ou du moins une petite fille lui a été promise pour plus tard.

— Une compagne ? Quel clan a bien pu lui promettre une fille alors qu'il est si petit et difforme ?

— Il y avait une femme au Rassemblement du Clan, qui avait une fille anormale, expliqua Uba. Cette femme s'appelle Oda. Elle est venue nous parler dès le premier jour. Son enfant ressemble énormément à Durc et elle craignait de ne jamais pouvoir lui trouver de compagnon. Brun et le chef de l'autre clan se sont mis d'accord. Je crois que la fille viendra vivre avec nous après le prochain Rassemblement, même si elle n'est pas encore une femme. Ebra a dit qu'elle pouvait vivre à son foyer jusqu'à ce que tous les deux soient en âge d'être unis. Oda était ravie, surtout après qu'Ayla eut été autorisée à préparer le breuvage de la cérémonie.

— Alors, ils ont accepté Ayla en tant que guérisseuse de ma lignée. Je me demandais comment les choses allaient tourner, dit Iza, avant de s'interrompre.

Parler l'épuisait, mais le bonheur de revoir les siens lui redonnait une vigueur qu'elle savait éphémère et qu'elle économisait.

— Comment s'appelle la petite fille ? demanda-t-elle quand elle se fut reposée un peu.

— Ura, répondit Uba.

— C'est un joli nom... Et Ayla ? demanda-t-elle après un court silence. S'est-elle trouvé un compagnon ?

— Les parents que Zoug a dans un autre clan sont en train d'y réfléchir. Au début, ils ont refusé, mais après sa reconnaissance par les mog-ur de son rang de première guérisseuse, ils ont aussitôt retiré leur

refus. Le temps a manqué pour prendre une décision avant le départ.
Il se pourrait bien qu'ils acceptent Ayla, mais pas Durc en tout cas.

Iza hocha la tête, puis elle ferma les yeux.

Ayla hachait de la viande, dont elle ferait un bouillon pour Iza, tout
en jetant des coups d'œil impatients à l'infusion de racines qui frémissait.
Durc n'avait pas oublié sa tétée, mais sa nouvelle tentative pour parvenir
au sein de sa mère fut encore repoussée.

— Donne-le-moi, Uba, demanda Creb.

Une fois assis sur les genoux de Creb, le petit garçon se calma, tout
intrigué par la longue barbe du vieil homme. Mais il s'en lassa vite et,
après s'être longuement frotté les yeux, se débattit pour redescendre,
pour ramper derechef vers sa mère. Il était fatigué, il avait faim. Ayla
surveillait le feu, absente, indifférente à tout ce qui n'était pas l'urgence
de tenter de soulager Iza. Elle ne sentit même pas son bébé qui
s'agrippait à un pli de sa robe. Creb se leva, laissa tomber à terre son
bâton et fit signe à Uba de lui donner Durc à porter. Boitant pesamment
sans son soutien habituel, il gagna le foyer de Broud et déposa Durc
sur les genoux d'Oga.

— Durc a faim, et Ayla est trop occupée avec Iza. Veux-tu le nourrir,
Oga ?

Oga acquiesça et prit le bébé dans ses bras pour lui donner le sein.
Broud avait un air courroucé, qu'il s'efforça de cacher au plus vite
sous le regard noir que lui jeta Mog-ur. Sa haine d'Ayla ne pouvait
s'étendre à l'homme qui la protégeait et veillait à ses besoins. Broud
redoutait bien trop Mog-ur pour le haïr. Il avait découvert dès son
jeune âge que le puissant sorcier intervenait rarement dans les affaires
intérieures du clan, réservant ses activités au monde des esprits. Mog-
ur n'avait jamais empêché Broud d'exercer ses prérogatives sur la jeune
femme qui partageait son foyer, mais Broud n'avait nulle envie d'entrer
ouvertement en conflit avec le sorcier.

Mog-ur regagna son foyer pour y chercher la bourse de graisse d'ours
des cavernes, la part qui lui revenait de l'animal sacrifié, et qui devait
se trouver quelque part dans les bagages à moitié défaits. Uba le vit
commencer de fouiller d'un air agité, et elle se porta à son secours.
Creb s'en retourna ensuite à petits pas tordus dans son sanctuaire,
déterminé malgré son manque d'espoir à user de tous ses pouvoirs
magiques pour aider Ayla à maintenir Iza en vie.

Les racines avaient fini par bouillir le temps nécessaire, et Ayla était
maintenant impatiente que la décoction refroidisse. Le bouillon chaud
qu'elle avait fait prendre à Iza en lui soulevant la tête, comme la
guérisseuse l'avait fait avec elle, quand elle était toute enfant et près de
mourir, avait redonné quelque force à la vieille femme. Elle avait très
peu mangé depuis qu'elle s'était alitée. Souvent elle n'avait même pas
touché à la nourriture que ses compagnons lui apportaient. Elle avait
trouvé l'été interminable. Sans personne autour d'elle pour la surveiller
et s'assurer qu'elle s'alimentait, elle oubliait de le faire ou bien n'en
ressentait pas le besoin. Ses trois compagnons avaient bien tenté de

l'aider quand ils l'avaient vue faiblir à ce point, mais ils n'avaient su que faire, hors lui tenir compagnie.

Iza s'était levée quand la fin de Dorv avait été proche, mais le plus vieux membre du clan s'était éteint rapidement, et elle avait seulement essayé, à l'aide des puissants sédatifs qu'elle connaissait, de lui rendre moins pénibles ses derniers moments. La mort de Dorv avait assombri tout le monde. La caverne leur semblait plus vide encore sans lui, et ils mesuraient combien ils étaient eux aussi près de partir dans l'autre monde. C'était le premier décès depuis le tremblement de terre.

Assise auprès d'Iza, Ayla soufflait sur le bouillon dans la coupe en os, y trempant le doigt de temps à autre pour vérifier s'il avait suffisamment refroidi. Son attention était tout entière portée sur Iza, au point qu'elle n'avait pas remarqué que Creb avait confié Durc à Oga avant de disparaître de nouveau dans sa grotte, pas plus qu'elle ne s'était aperçue de la présence de Brun. Elle écoutait le sourd gargouillement que produisait la respiration courte et saccadée d'Iza. Elle savait que sa mère adoptive était en train de mourir, mais elle ne pouvait l'accepter. Il devait bien y avoir un traitement, se disait-elle, se remémorant tout ce qu'elle savait des plantes efficaces contre les affections de la gorge et des bronches. Elle était prête à préparer toutes les décoctions possibles, à ensevelir Iza sous les cataplasmes, à l'étouffer sous les inhalations de plantes balsamiques, à tout faire, à tout tenter pour prolonger le plus possible la vie de la seule mère qu'elle eût jamais connue. L'idée de sa mort lui était insupportable.

Uba aussi était bouleversée ; elle savait très bien que sa mère n'en avait plus pour longtemps. Elle avait vu Brun arriver. Il était rare qu'un homme se rende au foyer d'un autre homme en l'absence de ce dernier, et la présence de Brun l'intimidait d'autant plus qu'elle ne savait que faire ni que dire pour l'accueillir, car Iza avait les yeux fermés et Ayla la regardait, étrangère à tout ce qui l'entourait.

Brun observait les trois femelles, la vieille guérisseuse, la vive jeune femme qui n'avait aucun des traits du clan, et qui cependant en était la guérisseuse la plus élevée, et Uba qui, elle aussi, suivait les traces de ses deux aînées. Il avait toujours aimé sa sœur. Née après lui dans le foyer du chef, elle avait été accueillie avec d'autant plus de joie que son frère Brun, appelé à être chef un jour, promettait d'être un solide gaillard. Brun avait toujours protégé Iza. Il n'aurait jamais choisi cet homme qu'on lui avait donné pour compagnon, un bravache qui se moquait de son frère difforme. Iza n'avait pas eu le choix, mais elle avait finement joué son rôle. La mort de son compagnon l'avait libérée d'un grand poids, et depuis lors elle avait été manifestement plus heureuse. C'était une femme généreuse, courageuse, une excellente guérisseuse. Le clan la regretterait.

La fille d'Iza a bien grandi, pensa-t-il en l'observant. Elle sera bientôt une femme. Il serait temps que je voie quel compagnon lui donner. Il me faudrait trouver un garçon qui lui plaise, avec qui elle s'entende bien. Un chasseur est meilleur quand il a une compagne aimante. Mais qui, à part Vorn ? Il me faut également penser à Ona, et elle ne peut pas être unie à Vorn, car c'est son frère. Uba devra attendre que Borg devienne un homme. Si elle devient une femme plus tôt que prévu, elle pourrait bien avoir un enfant avant que Borg soit en âge d'avoir un foyer. Je devrais peut-être commencer à l'entraîner. Après tout, il est plus âgé qu'Ona. Quand il sera capable de chevaucher une femme, il sera alors capable d'accomplir sa première chasse. Et Vorn sera-t-il un bon compagnon pour Uba ? Droog a une bonne influence sur lui, et je l'ai vu se pavaner autour d'elle. Peut-être pourront-ils s'entendre, se dit-il.

L'infusion était tiède, et Ayla réveilla doucement la vieille femme qui s'était assoupie, pour lui soulever la tête et lui faire prendre le remède. Je ne crois pas que tu la tireras de là, cette fois, Ayla, pensa Brun, regardant le visage émacié de sa sœur. Comment a-t-elle pu vieillir si vite ? Elle était la plus jeune, et elle paraît aujourd'hui plus âgée que Creb. Je me souviens de la fois où elle a soigné mon bras cassé. Elle n'était pas tellement plus âgée qu'Ayla quand celle-ci a remis celui de Brac, mais déjà femme et unie à un homme. Elle aussi a fait du bon travail, cette fois-là. Je n'ai jamais eu à me plaindre de mon bras par la suite, sauf quelques tiraillements depuis peu, mais c'est l'âge qui veut ça. Mes jours de chasse sont comptés, et je devrai remettre bientôt les guides de notre clan à Broud.

Est-il prêt à être chef ? Il s'est vaillamment comporté au Rassemblement. J'ai même failli lui passer le commandement, là-bas. Il est courageux, tout le monde m'a dit que j'avais bien de la chance d'avoir un tel homme pour me succéder. J'ai de la chance, et j'ai eu peur qu'Ursus ne le choisisse pour l'accompagner dans l'autre monde. C'eût été un grand honneur, mais un honneur qu'heureusement je n'ai pas eu à accepter. Gorn était un homme valeureux, et c'est une perte pour le clan de Norg. Mais Ursus ne choisit jamais que les plus braves. Néanmoins, je suis heureux que le fils de ma compagne soit toujours de ce monde. C'est un garçon intrépide, trop peut-être. Il est bien qu'un homme jeune fasse preuve d'audace, mais un chef se doit à plus de mesure. Il lui faut penser à ses hommes. Il lui faut préparer soigneusement la chasse, si l'on veut qu'elle soit réussie, sans mettre en danger la vie des chasseurs. Je devrais peut-être lui confier la direction de quelques chasses, pour qu'il acquière un peu d'expérience. Il doit savoir que l'audace et la bravoure ne suffisent pas pour être un bon chef. Il faut se montrer responsable, avisé, capable de se dominer.

Pourquoi cette haine qu'il a d'Ayla ? se demanda Brun. Pourquoi s'abaisse-t-il comme il le fait, à vouloir rivaliser avec elle ? Malgré son courage et ses dons, Ayla ne sera jamais qu'une femme. Je me demande si le parent de Zoug la prendra pour compagne. Cela me manquera de ne plus la voir, maintenant que je suis habitué à elle. C'est une bonne guérisseuse, et elle renforcerait singulièrement tout clan qui l'accepterait. Je ferai de mon mieux pour les convaincre de sa valeur. Voyez comme elle est toute à Iza, à celle qui souffre ; pas même son fils ne parvient à l'arracher à sa mission. Et il y en a peu qui oseraient braver un ours des cavernes en furie pour sauver un chasseur. Elle s'est remarquablement tenue pendant le Rassemblement ; à la fin, tout le monde ne tarissait plus d'éloges à son sujet.

— Brun, chuchota Iza, soudain consciente de sa présence. Uba, apporte vite une infusion. Ayla, donne à Brun une fourrure pour s'asseoir. Cette femme regrette de ne pouvoir servir elle-même le chef, ajouta-t-elle en essayant de se redresser.

Elle restait la maîtresse du foyer de Creb.

— Iza, ne t'inquiète pas. Je ne suis pas venu pour boire une infusion, mais pour te voir, dit Brun en prenant place auprès d'elle.

— Depuis combien de temps es-tu là ? demanda Iza.

— Pas longtemps. Ayla était occupée, je ne voulais pas la déranger dans ses préparations. Tu nous as manqué au Rassemblement, Iza.

— Tout s'est-il bien passé ?

— Oui, notre clan est encore le premier de tous. Les chasseurs se sont montrés excellents ; Broud a été choisi pour la Cérémonie de l'Ours. Ayla aussi s'est très bien comportée. On lui a fait beaucoup de compliments.

— Des compliments ? Qui a besoin de compliments ? Les esprits vont être jaloux. Si elle a fait honneur au clan, cela seul suffit.

— Elle a très bien rempli son office. Elle a été acceptée et s'est conduite à la perfection. Elle est de ta lignée, Iza, on ne pouvait s'attendre à moins.

— Oui, tout autant qu'Uba. J'ai vraiment de la chance, car les esprits ont choisi de m'accorder deux filles qui toutes deux deviendront de bonnes guérisseuses. Ayla pourra achever l'éducation d'Uba.

— Non ! coupa Ayla. C'est toi qui le feras ! Tu vas te rétablir. Maintenant que nous sommes de retour, nous allons te soigner.

— Ayla, mon enfant, les esprits m'attendent. Je vais les rejoindre bientôt. Ils ont exaucé mon dernier souhait : revoir mes deux filles bien-aimées avant de partir, mais je ne peux pas les faire attendre plus longtemps.

Le bouillon et le remède avaient stimulé les dernières forces d'Iza dont la fièvre ne cessait d'augmenter, faisant briller ses yeux et rougir ses joues. Mais son visage avait un éclat translucide que Brun connaissait bien ; on l'appelait l'éclat de l'Esprit. C'était la dernière apparition de l'énergie vitale avant qu'elle disparaisse à tout jamais.

Oga avait gardé Durc au foyer de Broud et ne l'avait ramené que longtemps après que le soleil se fut couché. Uba l'allongea sur les fourrures d'Ayla. La fillette se sentait complètement perdue, sans personne vers qui se tourner. Elle n'osait détourner l'attention d'Ayla, qui veillait Iza. Creb n'avait passé que quelques instants dans son foyer pour tracer sur le corps d'Iza des symboles magiques à l'ocre rouge et à la graisse d'ours. Puis il avait gagné la petite grotte sacrée pour ne plus en bouger.

Uba avait tout rangé dans le foyer, préparé un repas que personne n'avait pris et qu'elle avait fini par mettre de côté. Ne sachant que faire, elle s'assit à côté du bébé qui dormait. S'activer lui avait permis de contenir tant bien que mal son angoisse, mais à présent il n'y avait qu'un grand vide devant elle et sa mère qui mourait. Elle se rapprocha de l'enfant endormi et se coucha contre lui, pour trouver quelque chaleur et une présence dans cette solitude désespérante.

Ayla ne quittait pas Iza des yeux. Elle la veilla toute la nuit, sans oser la laisser un seul instant de peur qu'elle s'éteigne en son absence. Cette nuit-là, elle ne fut pas la seule à rester éveillée. Si les petits enfants dormaient, dans tous les foyers, les hommes et les femmes contemplaient d'un air absent les braises des feux mourants ou bien restaient allongés sur leurs fourrures, les yeux grands ouverts.

Dehors, la nuit était noire, le ciel sans étoiles. La pénombre régnait dans la caverne, et un mur de ténèbres cachait toute vie au-delà des faibles lueurs des feux couvant sous la cendre. Dans le profond silence qui précéda l'aube, Ayla sursauta, brusquement tirée d'un moment de somnolence.

— Ayla, répéta Iza, en un murmure rauque.

— Qu'y a-t-il ?

— J'ai quelque chose à te dire avant de partir, dit la vieille femme qui avait à peine la force de faire les gestes indispensables pour se faire comprendre.

— N'essaie pas de parler, maman. Repose-toi. Tu te sentiras mieux au matin.

— Non, mon enfant, il faut que je parle maintenant ; je ne serai plus là au matin.

— Mais bien sûr que tu seras là ! Il le faut. Tu ne peux pas t'en aller, répondit Ayla.

— Ayla, mon heure est venue, et il te faut l'accepter. Laisse-moi finir, je n'ai pas beaucoup de temps.

Iza se tut quelques instants sous le regard douloureux d'impuissance d'Ayla, puis elle reprit :

— Ayla, je t'ai toujours aimée plus que personne. Je ne sais pas pourquoi, mais c'est ainsi. J'ai voulu que tu restes près de moi avec le clan, mais je vais bientôt partir. D'ici peu, ce sera le tour de Creb de rejoindre le monde des esprits, et Brun aussi se fait vieux... Alors Broud sera le chef. Ayla, tu ne pourras pas rester ici le jour où Broud sera le chef.

Iza se tut de nouveau et ferma les yeux en essayant de rassembler ses dernières forces.

— Ayla, ma fille, mon étrange enfant, j'ai fait de toi une guérisseuse afin que tu aies un rang dans le clan, même si tu ne trouvais pas de compagnon. Mais tu es une femme, il te faut un homme, et un homme comme toi. Tu n'es pas du Clan, tu appartiens aux Autres. Tu dois partir, mon enfant, et retrouver les tiens.

— Partir ? gémit Ayla, bouleversée. Mais où donc pourrais-je aller, Iza ? Je ne connais pas les Autres, et je ne saurais même pas où les chercher.

— Il y en a beaucoup au nord, au-delà de la péninsule, sur la terre ferme. Tu ne peux pas rester ici, Ayla. Trouve ton propre peuple, trouve ton compagnon.

Les mains d'Iza retombèrent brusquement et ses yeux se fermèrent. Mais elle lutta pour prendre une dernière inspiration et rouvrit les yeux.

— Dis à Uba que je l'aime, Ayla. Mais tu as été mon premier enfant, la fille de mon cœur. Je t'ai toujours aimée... préférée... dit Iza dans un dernier geste.

Sa main retomba en même temps qu'un long soupir s'échappait de ses lèvres. Il n'y en eut pas d'autre.

— Iza ! Iza ! s'écria Ayla. Ne pars pas, maman ! Ne pars pas !

Les gémissements d'Ayla réveillèrent Uba qui se précipita vers la couche.

— Maman ! Oh, non ! Ma maman est morte ! Ma maman est morte !

La petite fille et la jeune femme se regardèrent.

— Elle m'a dit de te dire qu'elle t'aimait, Uba, dit Ayla.

Encore sous le choc, elle ne pleurait pas. Puis Creb s'avança vers elles. Il avait quitté sa grotte avant même d'entendre les cris d'Ayla. Secouée par un violent sanglot, la jeune femme tendit les bras vers la petite fille et le vieil homme, et les étreignit de toute la force de son désespoir, les baignant tous les trois de ses larmes.

26

— Oga, voudrais-tu nourrir Durc encore une fois ?

Malgré son handicap et le bébé gigotant sous son seul bras valide, Mog-ur s'était exprimé clairement. La jeune femme pensa qu'Ayla ne devrait pas rester aussi longtemps sans allaiter son fils. Le visage de Mog-ur reflétait toute la peine consécutive à la mort d'Iza et son désarroi face à l'effondrement d'Ayla. Bien entendu, elle ne pouvait refuser ce que lui demandait le vieux sorcier.

— Bien sûr, répondit Oga en prenant Durc du bras de Mog-ur.

Creb regagna son foyer en boitant pesamment. Il remarqua qu'Ayla n'avait pas bougé, bien qu'Ebra et Uka eussent enlevé le corps d'Iza pour l'apprêter selon la tradition avant de le mettre en terre. Les cheveux emmêlés, le visage défait, maculé par la poussière du voyage et les larmes, elle portait la même peau mise au départ du voyage de retour. Creb lui avait posé son enfant affamé sur les genoux, mais elle était restée sourde à ses pleurs, aveugle aux petites mains qu'il tendait vers elle. Une femme se serait dit que, malgré l'immensité de son chagrin, Ayla finirait à la longue par entendre son enfant. Mais Creb connaissait mal les mères et les bébés. Il savait que les femmes nourrissaient leurs enfants les unes des autres, et il ne supportait pas de voir cet enfant affamé quand d'autres femmes pouvaient lui donner le sein. Il avait confié Durc à Aga et Ika, mais leur progéniture serait bientôt sevrée, et il ne leur restait que fort peu de lait. Grev avait un tout petit peu plus d'un an, et Oga, avec sa santé généreuse, avait toujours les seins gorgés ; cela faisait plusieurs fois qu'elle nourrissait le bébé d'Ayla. Quant à Ayla, toute à sa douleur, elle ne sentait pas le durcissement de ses seins et de ses mamelons crevassés.

Mog-ur prit son bâton et se rendit au fond de la caverne où l'on avait creusé une fosse étroite. Le rang élevé d'Iza dans la hiérarchie du clan lui conférait le privilège d'être enterrée à l'intérieur. Ainsi les esprits protecteurs qui veillaient sur elle ne s'éloigneraient pas du clan et ses ossements ne risquaient pas d'être dispersés par les charognards.

Le sorcier saupoudra d'ocre rouge le fond de la fosse puis souleva la peau de bête sous laquelle reposait le corps nu et gris de la vieille guérisseuse. On lui avait attaché les bras et les jambes avec un nerf teint à l'ocre rouge sacré, en les lui ramenant vers le visage dans la position fœtale. Le sorcier entreprit alors d'enduire le corps inerte d'un baume à base d'ocre rouge et de graisse d'ours. C'est ainsi qu'Iza pénétrerait dans le monde des esprits, de la même façon qu'elle était venue au monde.

Jamais il n'avait été aussi douloureux pour Mog-ur d'accomplir son office. Iza avait été plus qu'une sœur pour lui. Elle le connaissait mieux que quiconque. Elle savait toutes les souffrances qu'il avait endurées sans plainte, la honte qu'il avait eue de sa difformité. Elle connaissait sa gentillesse, sa sensibilité, et respectait son pouvoir, son génie, et sa volonté de puissance. Elle l'avait nourri, soigné. Il avait pu jouir grâce à elle d'une vie de famille. Bien qu'il ne l'eût jamais touchée intimement comme il le faisait à présent, passant un baume sur son corps froid, elle avait été pour lui une véritable compagne. Sa mort le bouleversait.

Quand il regagna son foyer, Creb était aussi pâle que le cadavre de sa sœur. Ayla était toujours assise auprès de la couche d'Iza, mais elle sortit de sa torpeur en le voyant fouiller dans les affaires de la guérisseuse.

— Qu'est-ce que tu fais ? demanda-t-elle, réticente à ce qu'on touche aux possessions de sa mère défunte.

— Je cherche les écuelles et tous les ustensiles dont Iza se servait afin de les enterrer avec elle, expliqua Creb.

La jeune femme rassembla sur sa couche les bols en bois et les écuelles en os dans lesquels Iza confectionnait ses mixtures et dosait ses remèdes, la pierre ronde qu'elle utilisait pour réduire en poudre ou broyer les ingrédients, ses plats personnels et son sac de guérisseuse. Puis elle contempla le petit tas d'objets, si peu représentatif de la vie et des activités de la morte.

— Ce n'est pas avec ça qu'opère une guérisseuse ! s'exclama rageusement Ayla, avant de sortir en courant de la caverne, laissant Creb éberlué.

La jeune femme s'élança vers la prairie où elle avait coutume de se rendre avec Iza. Elle s'arrêta devant un bouquet de roses trémières, et en cueillit une brassée de différentes teintes. Puis elle ramassa des achillées, utilisées pour les emplâtres contre la douleur. Elle parcourut ainsi les bois et les prés à la recherche de toutes les plantes dont Iza avait eu à se servir pour préparer ses remèdes : des chardons aux fleurs et aux piques jaunes ; de grands et brillants séneçons ; une poignée de muscaris d'un bleu si profond qu'il en était presque noir.

Chacune des plantes qu'elle cueillait était entrée à un moment ou à un autre dans la pharmacopée de la guérisseuse, mais Ayla ne choisissait que les plus belles, les plus colorées, les plus embaumées. Elle pleurait quand elle s'arrêta en bordure d'un pré, où Iza et elle étaient souvent venues. Sa cueillette était si abondante qu'elle avait du mal à la porter sans panier. Plusieurs fleurs lui échappèrent et, comme elle se baissait pour les ramasser, elle vit les longues tiges de plusieurs prêles en fleur, et manqua sourire à l'idée qui lui vint.

Elle déposa dans l'herbe sa brassée pour sortir un couteau d'un des plis de son vêtement, et alla couper quelques prêles. Puis elle s'assit en bordure du pré au bon soleil des premiers jours d'automne et, après avoir noué les tiges de prêles en une trame circulaire, elle entreprit d'y entrelacer les plantes aux fleurs colorées, jusqu'à ce que se dessine une éblouissante palette de corolles.

Lorsqu'elle revint à la caverne avec sa couronne de fleurs, la stupéfaction fut générale. Elle se dirigea droit vers le fond de la grotte et déposa son présent auprès du corps couché dans la petite fosse tapissée de pierres.

— Voilà les véritables outils d'Iza ! lança-t-elle avec des gestes défiant quiconque de la contredire.

Elle a raison, se dit le vieux sorcier en hochant la tête. C'est avec ça qu'Iza a travaillé toute sa vie. Elle sera peut-être contente de les avoir avec elle dans le monde des esprits, car je me demande s'il y pousse des plantes.

Comme on s'apprêtait à recouvrir de pierres la dépouille et que Mog-ur commençait d'invoquer l'Esprit du Grand Ours des Cavernes et son totem l'Antilope Saïga pour qu'ils guident l'esprit d'Iza jusqu'à l'autre monde, Ayla fit un signe au sorcier.

— Attends, Mog-ur ! s'écria-t-elle. J'ai oublié quelque chose.

Elle courut à son foyer, fouilla dans son sac de guérisseuse, et revint avec les deux moitiés de ce qui avait été une écuelle en bois, l'écuelle sacrée d'Iza, qu'elle disposa à côté du corps.

— J'ai pensé qu'elle aimerait l'emporter avec elle, maintenant qu'elle est inutilisable, signifia-t-elle.

Mog-ur acquiesça. Une fois la dernière pierre déposée, les femmes recouvrirent de bois le tumulus. Le feu sur lequel devait cuire le festin funéraire fut allumé à l'aide d'une braise. Les repas devraient être préparés sur la tombe pendant sept jours. La chaleur du bûcher dessécherait le cadavre en le momifiant.

Alors que les flammes s'élevaient, Mog-ur proféra des lamentations dont l'accent dépassait largement leur caractère conventionnel, tant l'émotion étreignait le vieux sorcier.

S'adressant au monde des esprits, il leur dit combien le clan avait aimé sa guérisseuse qui s'était toujours dévouée sans compter pour le bien-être de chacun, toujours prompte à accourir au chevet du malade ou du blessé.

Les yeux secs, Ayla observait à travers les flammes les mouvements suggestifs de l'infirme, si éloquents que personne ne pouvait résister à l'emprise de son désespoir. Mog-ur exprimait toute sa douleur, et elle s'identifiait totalement à lui, comme s'il avait été en elle, souffrant avec son cœur à elle. Elle n'était pas la seule à faire sienne la peine du sorcier. Ebra poussa une longue plainte gutturale, que reprirent les autres femmes. Mais Ayla ne se joignit pas à leurs lamentations ; elle demeura le regard vide, confinée dans une détresse muette, fixant des yeux les flammes qu'elle ne voyait pas, jusqu'à ce qu'Ebra la secoue pour la faire revenir à elle.

— Ayla, il faut que tu manges un peu. C'est le dernier repas que nous allons partager avec Iza.

La jeune femme se servit, porta machinalement un morceau de viande à sa bouche et, prise d'un haut-le-cœur, le recracha. Elle se leva brusquement et se précipita hors de la caverne. Se frayant un chemin à travers les broussailles et trébuchant sur les pierres, elle se dirigea tout d'abord vers la petite grotte qui lui avait si souvent servi de refuge. Puis elle se ravisa. Depuis qu'elle avait dévoilé à Brun l'emplacement de sa cachette, elle s'en sentait dépossédée, et puis son dernier séjour là-bas était un souvenir pénible. Elle préféra grimper au sommet de l'escarpement qui, l'hiver, protégeait la caverne des vents du nord et détournait les bourrasques de l'automne.

Fouettée par des rafales de vent, elle se laissa tomber à genoux et là, elle s'abandonna à son chagrin, laissant la douleur s'exprimer en une longue plainte déchirante, se balançant au rythme de ses sanglots. Creb, qui avait quitté la caverne quelques instants après elle, aperçut sa frêle silhouette qui se détachait dans le couchant.

Il n'arrivait pas à comprendre comment elle pouvait préférer la solitude au réconfort des autres. En dépit de sa perspicacité habituelle, il ne se doutait pas que la peine n'était pas l'unique raison de la détresse de la jeune femme.

Car Ayla était rongée de remords, et ne cessait de se reprocher d'avoir abandonné sa mère malade pour se rendre au Rassemblement du Clan, ce qui lui semblait indigne d'une guérisseuse. C'était encore à cause d'elle qu'Iza, malade, était allée loin pour lui trouver la racine qui l'aiderait à garder cet enfant qu'elle désirait tant. Elle avait trahi Creb en surprenant la cérémonie secrète des mog-ur et avait causé beaucoup de chagrin à celui qui l'avait élevée avec tant d'amour. Enfin, outre la douleur du deuil, elle était affaiblie par son jeûne et par la fièvre qui accompagnait sa rétention de lait, laissant ses seins gonflés et crevassés. Iza l'aurait soignée si elle avait été encore de ce monde.

Durc lui manquait cruellement. Elle avait besoin de le nourrir, de répondre à ses demandes afin de revenir à la réalité, de comprendre que la vie continuait. Mais quand elle regagna la caverne, elle trouva son enfant endormi auprès d'Uba. Creb l'avait confié à Oga, qui l'avait allaité. Ayla se coucha mais elle ne put trouver le sommeil, sans songer un instant que sa fièvre et ses douleurs aux seins étaient responsables de son insomnie. Toute à son désespoir, elle n'entendit pas le signal d'alarme que lui transmettait son corps.

Le lendemain matin, quand Creb se leva, elle avait repris sa position au sommet de l'escarpement.

— Dois-je aller la chercher ? demanda Brun, aussi déconcerté que le vieux sorcier devant la réaction d'Ayla.

— Laissons-la, on dirait qu'elle préfère rester seule, répondit Creb.

Le vieil homme ne commença à s'inquiéter sérieusement qu'à la nuit tombée, et il demanda à Brun de se rendre auprès d'elle. Quand il vit Brun la reconduire à la caverne, il regretta de ne pas l'avoir envoyé plus tôt. La fatigue et la fièvre avaient achevé ce que l'affliction et le découragement avaient commencé. C'est Uba et Ebra qui s'occupèrent de la guérisseuse du clan. Ayla délirait, secouée de frissons et brûlante de fièvre, et hurlait de douleur dès qu'on lui frôlait les seins.

— Elle va perdre son lait, dit Ebra à la petite fille. Il est trop tard, Durc ne pourra plus la téter. Son lait a tourné.

— Mais on ne peut pas le sevrer déjà, il est trop petit. Que va-t-il devenir ? Et elle, que peut-on faire pour la soulager ?

Quelque chose aurait pu être tenté si Iza avait été là, ou si Ayla avait conservé ses sens. Uba elle-même savait qu'il existait des cataplasmes et des remèdes efficaces, mais elle était encore trop jeune et trop peu sûre d'elle. Quand la fièvre tomba, le sein d'Ayla était complètement tari. Elle se trouvait désormais incapable de nourrir son propre fils.

— Je ne veux pas de ce sale avorton chez moi, Oga ! Je ne veux pas qu'il devienne le frère de tes fils !

Broud était fou de rage, tandis qu'Oga, à ses pieds, s'efforçait de le convaincre.

— Mais Broud, ce n'est qu'un bébé. Aga et Ika n'ont pas assez de lait, alors que moi j'en ai pour deux, j'en ai toujours eu trop. Autrement, il va mourir de faim.

— Ça m'est complètement égal. On n'aurait jamais dû le laisser vivre dans ce clan, le premier de tous les clans. Il n'habitera pas dans mon foyer.

Oga cessa de trembler devant son compagnon et le regarda droit dans les yeux. Elle s'était attendue à ce qu'il peste et tempête tant et plus, mais elle avait cru qu'il finirait par se laisser fléchir. Comment pouvait-il se montrer aussi cruel, quelle que fût la haine qu'il portait à la mère de Durc ?

— Broud, Ayla a sauvé Brac, comment peux-tu laisser mourir son fils ?

— N'en a-t-elle pas été amplement récompensée ? On l'a autorisée à vivre et même à chasser. Je ne lui dois rien.

— On ne l'a pas autorisée à vivre, on l'a condamnée à la Malédiction Suprême. C'est à son totem protecteur qu'elle doit d'être revenue du monde des esprits, protesta Oga.

— Si on l'avait maudite une bonne fois pour toutes, elle ne serait pas revenue pour donner naissance à ce laideron. Et si son totem est si puissant, pourquoi n'a-t-elle plus de lait ? Tout le monde a dit que son fils était voué au malheur, et quel plus grand malheur pour lui que de perdre le lait de sa mère ? Veux-tu donc attirer le mauvais sort sur notre foyer ? Je te l'interdis, Oga, un point c'est tout !

Oga jeta à Broud un regard froid et déterminé.

— Non, Broud, ce n'est pas tout, répliqua-t-elle sans manifester la moindre peur envers son compagnon, dont la surprise se peignit sur son visage. Tu peux empêcher Durc d'habiter chez toi, c'est ton droit le plus strict et je ne peux pas m'y opposer. Mais tu ne peux m'interdire de l'allaiter. Ayla a sauvé mon fils, je ne laisserai pas mourir le sien. Durc sera le frère de mes fils, que tu le veuilles ou non.

Broud était abasourdi. Jamais il n'aurait cru sa compagne capable de lui désobéir, elle qui s'était toujours montrée soumise et respectueuse. Sa stupeur se transforma vite en fureur.

— Comment peux-tu oser me tenir tête, femme ? Je vais te chasser d'ici ! menaça-t-il en gesticulant comme un forcené.

— Eh bien, dans ce cas, je partirai avec mes fils, Broud, et je demanderai à un autre homme de me prendre avec lui. Si personne ne veut de moi, Mog-ur acceptera peut-être de me laisser vivre chez lui. Mais je nourrirai l'enfant d'Ayla.

Pour toute réponse, Broud se contenta de lui envoyer dans la figure un grand coup de poing, qui la jeta à terre. Fou de rage, il tourna les talons et se rua vers le foyer de Brun, en se promettant qu'une telle désobéissance ne resterait pas impunie.

— Avec son esprit de rébellion, elle a commencé par contaminer Iza, et maintenant c'est le tour de ma compagne ! s'exclama Broud en franchissant les pierres qui délimitaient le foyer du chef. J'ai dit à Oga que je ne voulais pas du fils d'Ayla et sais-tu ce qu'elle m'a répondu ? Qu'elle le nourrirait quand même ! Que rien ne l'en empêcherait ! Qu'il serait le frère de ses fils, que je le veuille ou non ! Tu te rends compte ?

— Elle a raison, répondit Brun avec calme. Tu ne peux pas l'en empêcher. Ce n'est pas à un homme de s'occuper de ce genre de choses, il a mieux à faire que de surveiller les tétées des bébés du clan.

Brun n'appréciait pas du tout l'esclandre de Broud. Il trouvait indigne d'un homme de se laisser aller à de tels éclats sur des sujets qui ne le concernaient guère. Et qui d'autre qu'Oga aurait pu se charger de nourrir Durc ? L'enfant faisait partie du Peuple du Clan, et le clan avait toujours pris soin des siens. Une femme, fût-elle d'un autre clan et sans enfant, recevait toujours de quoi manger à la mort de son compagnon. On ne laissait personne mourir de faim.

Broud pouvait refuser d'accepter Durc dans son foyer, car cela l'aurait obligé à l'éduquer avec les fils d'Oga. Mais pourquoi refuserait-il que sa compagne allaite un enfant du clan ?

— Tu insinues donc qu'Oga peut me désobéir en toute impunité ?

— Mais qu'est-ce que cela peut bien te faire ? Tu veux que l'enfant meure, c'est bien ça ? demanda Brun au fils de sa compagne qui rougit à cette question directe. Il fait partie du clan, Broud. En dépit de la forme de sa tête, il ne semble pas attardé. Quand il sera grand, il deviendra chasseur, dans ce clan qui est le sien. On lui a déjà trouvé une compagne et tu as donné ton accord. Pourquoi réagir si violemment au fait que ta compagne nourrisse l'enfant d'une autre ? C'est encore Ayla qui te met dans cet état ? Tu es un homme, Broud, et tu sais bien que, si tu lui commandes, elle doit obéir. Et c'est d'ailleurs ce qu'elle fait. A moins que je ne me trompe ? Tu t'abaisses en t'acharnant ainsi contre une femme. Es-tu vraiment un homme, Broud ? L'es-tu assez pour prendre la tête de ce clan ?

— Je ne veux pas qu'un enfant difforme soit le frère des fils de ma compagne, c'est tout, se défendit Broud, qui n'avait pas été sans remarquer l'allusion menaçante.

— Broud, quel est le chasseur qui n'a sauvé un jour la vie d'un autre ? Quel homme ne possède une partie de l'esprit de chacun des autres ? Quel homme n'est le frère de tous les autres ? Qu'importe que Durc devienne maintenant ou plus tard le frère des fils de ta compagne ! Pourquoi t'y opposes-tu ?

Broud n'avait rien à répondre à cela, ou du moins rien d'acceptable. Il ne pouvait avouer sa haine féroce pour Ayla. Il aurait démontré ce faisant qu'il était incapable de se maîtriser, qu'il n'était pas digne d'être chef. Il regrettait d'être allé trouver Brun. J'aurais dû me rappeler, se dit-il, qu'il prend toujours sa défense. Il était pourtant bien fier de moi au Rassemblement. Et maintenant, une fois de plus à cause d'elle, le voilà qui doute à nouveau de moi.

— Bon, qu'elle le nourrisse après tout, dit-il avec des gestes qui trahissaient son dépit et son amertume. Mais je ne veux pas de lui dans mon foyer. (Sur ce point, il se savait dans son droit et il était bien décidé à ne pas céder.) Quoi que tu en dises, je le crois attardé, moi. Je ne veux pas me charger de son éducation, et je doute qu'il devienne jamais chasseur.

— Comme tu veux, Broud. Je me suis engagé, moi, à assumer la responsabilité de son éducation. Durc fait partie du clan et il deviendra chasseur, j'en fais mon affaire.

Broud s'apprêtait à regagner son foyer quand il vit Creb apporter Durc à Oga, et il préféra quitter la caverne. Il ne donna libre cours à sa colère qu'au moment où il fut bien assuré que Brun ne pouvait plus le voir. Tout cela est la faute de ce vieil infirme, se dit-il, en essayant de chasser rapidement cette idée de son esprit, tant il craignait que le sorcier puisse lire dans ses pensées.

Plus peut-être qu'aucun des autres hommes du clan, Broud redoutait les esprits et sa crainte s'étendait à celui qui était en relations si intimes avec eux. Au cours du Rassemblement du Clan, il avait eu maintes fois l'occasion d'entendre les jeunes gens des autres clans chercher à s'effrayer en se racontant des histoires de mauvais sorts jetés par des mog-ur en colère : des lances se détournant au dernier moment de la proie visée, de terribles maladies accompagnées de mille souffrances, toutes sortes de calamités étaient imputées à la vengeance des mog-ur.

Or, le mog-ur du clan de Broud était le plus puissant de tous les sorciers.

Bien que Broud eût parfois trouvé que la difformité de Mog-ur était plus source de ridicule que de respect, il devait s'avouer que le corps tourmenté et le visage atrocement défiguré du sorcier ajoutaient à sa stature. Mog-ur apparaissait à tous ceux qui le rencontraient pour la première fois comme moitié homme, moitié démon. Broud s'était vanté auprès des autres jeunes hommes de ne pas avoir peur du grand Mog-ur, jouissant de la stupeur incrédule que suscitaient ses vantardises. Mais de même qu'il avait été impressionné malgré lui par les récits terrifiants courant sur les pouvoirs des mog-ur, de même la révérence craintive que tous les clans manifestaient à l'homme qui boitait avait encore renforcé la peur secrète que ce dernier lui avait toujours inspirée.

Chaque fois qu'il songeait au jour où il serait chef, Broud imaginait qu'il aurait Goov pour mog-ur, trouvant moins redoutable le futur sorcier, plus proche de lui par l'âge et par leurs aventures communes de chasseurs. S'il comptait bien amadouer ou intimider le servant pour le faire se conformer à ses décisions, il ne pouvait envisager d'en faire autant avec Mog-ur.

Tandis que Broud s'enfonçait dans la forêt, il prit une décision ferme et arrêtée : jamais plus il ne donnerait à Brun l'occasion de douter de lui ; jamais plus il ne compromettrait son accession à un rang qu'il était si près d'obtenir. Quand je serai chef, c'est moi qui prendrai les décisions, se dit-il avec une impatience rageuse. Quand je serai chef, Brun aura beau prendre sa défense, il ne pourra plus la protéger. Elle a retourné Brun contre moi, et même Oga, ma propre compagne. Broud s'abandonna au plaisir malsain de se remémorer tous les torts, toutes les insolences d'Ayla à son égard, toutes les fois où elle lui avait volé ses légitimes moments de triomphe, toutes les fois où il s'était senti insulté, diminué par sa seule présence. Mais il saurait attendre sa vengeance. Un jour, un jour proche, se promit-il, Ayla regretterait d'être venue vivre au sein de ce clan.

Broud n'était pas le seul à blâmer le vieil infirme : Creb lui-même se considérait comme responsable de la perte du lait d'Ayla, même s'il avait agi en pensant bien faire. Il n'entendait rien au corps des femmes, qu'il n'avait pas, ou si peu, fréquentées. Il lui avait fallu atteindre son grand âge pour vivre auprès d'une mère et de son bébé. Il n'avait ainsi pas compris que si une femme allaitait l'enfant d'une autre, ce n'était jamais pour s'acquitter d'un devoir communautaire, mais toujours pour répondre à un besoin ou une urgence. Creb comprenait maintenant qu'Ayla aurait fini par nourrir Durc et qu'elle n'aurait pas perdu son lait.

Il se demandait pourquoi il arrivait un tel malheur à la jeune femme. Creb se mit à en chercher les raisons, et ses réflexions l'amenèrent à douter des motifs qui l'avaient guidé lui-même. Derrière ses bonnes intentions, n'avait-il pas voulu inconsciemment lui rendre le mal qu'elle lui avait fait elle-même involontairement ? Dans ce cas, comment pouvait-il désormais se considérer comme digne d'avoir pour totem le Grand Ours des Cavernes ? S'il incarnait le plus grand sorcier du clan, alors le clan méritait probablement de disparaître. La conviction qu'il avait de la fin prochaine de sa race, la mort d'Iza ainsi que la mauvaise conscience d'avoir cruellement meurtri Ayla plongèrent Creb dans une profonde tristesse.

Ce n'était pas à Mog-ur qu'Ayla en voulait mais à elle-même de voir une autre femme allaiter son fils alors qu'elle en était incapable. Oga, Aga et Ika étaient venues toutes trois lui proposer de nourrir Durc et elle avait accepté avec reconnaissance. Mais la plupart du temps, c'était Uba qui apportait Durc à l'une d'elles, auprès de qui elle restait jusqu'à ce que le bébé eût fini. En perdant son lait, Ayla perdit en même temps une partie de la vie de son fils. Mais chaque nuit, en prenant Durc auprès d'elle, elle remerciait Broud pour son refus de recueillir l'enfant dans son foyer : ainsi n'en était-elle pas complètement séparée.

Tandis que les jours raccourcissaient avec l'automne, Ayla reprit sa fronde, saisissant ce prétexte pour sortir seule. Elle avait si peu chassé l'année précédente qu'elle avait perdu de son habileté, mais bien vite elle retrouva toute sa précision et sa rapidité. La plupart du temps elle partait tôt le matin et rentrait tard le soir, confiant Durc à Uba, et son seul regret était que l'hiver approchât si vite.

Si la chasse lui redonnait des forces et occupait l'esprit d'Ayla tant qu'elle s'y livrait, elle n'était pas pour autant débarrassée du poids de son chagrin. Il semblait à Uba que toute joie avait déserté le foyer de Creb. Sa mère lui manquait et une infinie tristesse se dégageait de Creb comme d'Ayla. Seul Durc, dans son inconscience enfantine, perpétuait un peu de ce bonheur qui, autrefois, lui avait paru être son dû. A l'occasion, il parvenait même à tirer Creb de sa léthargie.

Ce matin-là, Ayla était partie de bonne heure. Uba s'était éloignée du foyer pour chercher quelque chose au fond de la caverne quand Oga vint rapporter Durc dont elle confia la surveillance à Creb. L'enfant était rassasié et satisfait, mais il semblait peu disposé à dormir. Il rampa vers le vieillard et se dressa sur ses jambes flageolantes en se retenant au vêtement de Creb.

— Toi, tu vas bientôt marcher, dit Creb. Avant la fin de l'hiver, tu courras partout dans la caverne, mon bonhomme !

Creb lui chatouilla le ventre. Durc ouvrit la bouche en étirant les lèvres et un rire gargouilla dans sa gorge. Creb ne connaissait qu'une seule personne dans le clan capable de produire un son pareil. Il le chatouilla encore, et l'enfant rit de plus belle au point d'en perdre l'équilibre et de se retrouver les fesses par terre. Creb le releva et l'examina d'un regard attentif.

Les jambes de Durc étaient arquées, mais moins que celles des autres enfants du clan et, quoique grassouillettes, Creb pouvait voir que leurs os étaient plus longs et plus fins. J'ai l'impression que ses jambes seront droites comme celles d'Ayla, et qu'il sera aussi grand qu'elle. Et son cou, si maigre et si fragile à la naissance qu'il n'arrivait pas à tenir la tête droite, ressemble à présent à celui d'Ayla. Et sa tête donc ? Ce grand front, c'est celui d'Ayla. Creb tourna Durc de profil. Le front, oui, mais les sourcils et les yeux, ce sont bien ceux du clan, ainsi que sa nuque.

Ayla avait raison. Il n'est pas difforme mais le résultat d'un mélange entre la conformation de sa mère et celle du clan. Je me demande si ça se passe toujours ainsi. Les esprits se mélangent-ils ? La vie commence-t-elle par un mélange de l'esprit des totems mâles et des totems femelles ? Creb n'en savait rien, mais tout cela lui donna à penser. Le vieux sorcier médita souvent au sujet de Durc tout au long de cet hiver solitaire. Il avait l'impression que le petit garçon serait appelé à jouer un rôle important dans le futur, mais il était bien incapable de dire lequel.

27

— Mais Ayla, je ne suis pas comme toi, moi. Je ne peux pas chasser. Où irai-je quand il fera nuit ? se lamenta Uba. Ayla, j'ai peur.

L'inquiétude qui se lisait sur le visage de la jeune fille fit regretter à Ayla de ne pouvoir l'accompagner. Uba n'avait pas tout à fait huit ans, et la perspective de passer quelques jours seule, loin de la sécurité de la caverne, l'effrayait. Mais l'esprit de son totem s'était battu pour la première fois et elle n'avait pas d'autre choix que de s'isoler.

— Tu te souviens de la petite grotte dans laquelle je me suis cachée à la naissance de Durc ? Eh bien, vas-y, Uba. Ce sera moins dangereux que de rester dehors. Je viendrai te voir tous les jours pour t'apporter à manger, et le temps passera très vite, tu verras. Prends une fourrure pour dormir et une braise pour allumer le feu. Tu trouveras de l'eau tout à côté. Bien sûr, ce sera dur de te retrouver toute seule, surtout la nuit, mais ne t'inquiète pas, tout ira bien. Et n'oublie pas, tu es une femme à présent. Tu auras bientôt un compagnon et peut-être même un bébé d'ici peu.

— Sais-tu quel homme Brun choisira pour moi ?

— Quel homme penses-tu qu'il te choisisse, Uba ?

— Vorn est le seul homme à ne pas avoir de compagne, et Borg aussi sera bientôt homme. Evidemment, Brun pourrait me donner comme seconde compagne à l'un des autres... Mais je crois que je préfère Borg. Nous avons beaucoup joué à nous accoupler, jusqu'au jour où il a voulu assouvir ses désirs avec moi pour de vrai. Ça n'a pas très bien marché, et depuis il est tout timide. Et puis il ne veut plus jouer avec les filles parce qu'il va devenir un homme. Il faut penser à Ona aussi, et Brun ne peut la donner à Vorn puisque c'est sa sœur. Il ne peut donc que lui donner Borg. Alors je crois que c'est Vorn qui deviendra mon compagnon.

— Ça fait un certain temps qu'il est un homme, et il doit se sentir impatient de prendre une compagne, dit Ayla, qui était arrivée elle aussi à la même conclusion. Cela te ferait plaisir de l'avoir pour compagnon ?

— Il fait comme si je n'existais pas, mais de temps en temps il me regarde. Après tout, il n'est peut-être pas si méchant que ça.

— Broud l'aime bien et en fera sans doute son second. Tu n'as pas d'inquiétude à te faire pour ton propre statut dans le clan, mais tu dois y penser pour tes fils. Je crois que tu as raison, il se donne l'air plus méchant qu'il ne l'est. Il lui arrive même d'être gentil avec Durc quand Broud n'est pas dans les parages.

— Tout le monde est gentil avec Durc, sauf Broud, remarqua Uba. Tout le monde l'aime beaucoup.

— Ça, on peut dire qu'il est à l'aise dans tous les foyers. Il a tellement l'habitude d'aller d'une femme à l'autre pour téter qu'il se sent partout chez lui et appelle toutes les femmes maman, répondit Ayla, l'air légèrement contrarié. (Mais elle chassa bien vite son ressentiment.) Tu te souviens du jour où il est entré dans le foyer de Grod, comme s'il était né là ?

— Oui, je m'en souviens, j'ai bien essayé, mais je n'ai pas pu m'empêcher de regarder, se rappela Uba. Il est passé devant Uka, qu'il a appelée maman, et il s'est dirigé droit vers Grod pour lui grimper sur les genoux.

— Je sais, répondit Ayla. De ma vie je n'ai vu Grod aussi stupéfait. J'étais sûre qu'il allait se mettre en colère quand Durc s'est mis à jouer avec sa grande lance. Mais il s'est contenté de la lui enlever des mains en disant : « Plus tard, Durc chasser comme Grod ! »

— Je crois que, si Grod l'avait laissé faire, il serait parti avec sa lance !

— Il ne se couche jamais sans le petit épieu qu'il lui a taillé, dit Ayla, qui souriait, attendrie par le rappel de ces petites scènes dont Durc était le héros. Tu sais combien Grod est peu loquace, poursuivit-elle avec des gestes allègres. J'ai été surprise de le voir arriver l'autre jour. Il m'a à peine saluée, est allé tout droit à Durc et lui a mis dans les mains cet épieu ; il lui a aussi montré comment le tenir. Et tout ce qu'il a dit en repartant, c'est : « Puisque le petit a tellement envie de chasser, il faut qu'il ait une arme à lui. »

— Quel dommage qu'Ovra n'ait jamais eu d'enfant. Grod aurait été si heureux ! dit Uba. C'est peut-être pour ça qu'il aime autant Durc. Brun aussi d'ailleurs, j'en suis certaine. Quant à Zoug, il commence déjà à lui montrer comment se servir d'une fronde. J'ai l'impression qu'il n'aura aucune difficulté à apprendre à chasser. A voir la façon dont ils se comportent avec Durc, on dirait que tous les hommes du clan sont les compagnons de sa mère, à l'exception de Broud... Et c'est peut-être la vérité, Ayla. Dorv a toujours prétendu que leurs totems à tous s'étaient ligués pour vaincre ton Lion des Cavernes.

— Je crois que tu ferais bien d'y aller, Uba, déclara Ayla pour changer de sujet. Je vais t'accompagner une partie du chemin. Il s'est arrêté de pleuvoir. Les fraises sauvages doivent être mûres. Tu en trouveras un vrai champ à mi-chemin sur le sentier. Je monterai te voir plus tard.

Goov traça à l'ocre jaune le symbole du totem de Vorn sur celui d'Uba.

— Acceptes-tu cette femme pour compagne ? demanda Creb avec des gestes solennels.

Vorn tapa Uba sur l'épaule et la jeune femme le suivit dans la caverne. Puis Creb et Goov accomplirent le même rituel pour Borg et Ona qui, à leur tour, gagnèrent le nouveau foyer où ils allaient passer une longue période d'isolement. Une brise légère faisait frissonner les feuilles des arbres, dont le vert prenait des couleurs tendres dans la lumière matinale. Quand l'assemblée se dispersa, Ayla prit Durc dans ses bras pour le ramener à la caverne, mais l'enfant se mit à gigoter pour descendre.

— D'accord, Durc, dit Ayla. Tu marches tout seul, mais tu viens manger un peu de bouillie.

Tandis que sa mère préparait le repas du matin, Durc s'échappa pour aller retrouver Uba et Vorn. Ayla eut juste le temps de le rattraper.

— Durc veut voir Uba, dit le petit garçon.

— Non, Durc. Personne n'a le droit de leur rendre visite pendant quelque temps. Mais si tu es bien gentil et que tu manges bien ta soupe, je t'emmènerai chasser avec moi.

— Durc bien gentil. Pourquoi Durc peut pas voir Uba ? demanda l'enfant, radouci par la promesse d'aller à la chasse avec sa mère. Pourquoi Uba mange pas avec nous ?

— Elle ne vivra plus dans ce foyer, Durc. Elle est la compagne de Vorn, maintenant, tu comprends ?

Durc n'était pas le seul à regretter le départ d'Uba. Le foyer paraissait vide depuis qu'elle l'avait quitté, laissant Creb, Ayla et l'enfant seuls. Dès lors, la tension entre le vieil homme et la jeune femme se manifesta de plus en plus clairement. Aucun des deux n'avait réussi à oublier les remords qu'il éprouvait à l'égard de l'autre. Plus d'une fois, en voyant le vieux sorcier sombrer dans la mélancolie, Ayla avait voulu lui passer les bras autour du cou et le serrer contre elle comme elle le faisait autrefois ; mais elle s'était retenue, répugnant à s'imposer à lui.

Creb ressentait le même manque d'affection et la même retenue, sans savoir que son isolement affectif ne faisait qu'aggraver son abattement. A chaque fois qu'il avait surpris la douleur d'Ayla, regardant son fils au sein d'une autre femme, il aurait voulu aller la prendre dans ses bras. Iza aurait su trouver les mots et les gestes appropriés mais Iza n'était plus, et chacun se désespérait de ne pouvoir exprimer à l'autre tout l'amour qu'il lui gardait. Ils se sentirent très mal à l'aise lors du premier repas matinal sans Uba.

— Tu as encore faim, Creb ? demanda Ayla.

— Non, non. J'ai assez mangé, répondit le sorcier.

Il la regarda débarrasser les restes du repas, pendant que Durc se reservait allégrement des deux mains. Bien qu'il eût à peine plus de deux ans, le garçon était tout à fait sevré. Toutefois, il allait encore téter Oga et Ika, qui venait de mettre au monde un autre enfant, mais c'était pour le plaisir du contact chaud et rassurant des femmes qui l'avaient nourri, et aussi parce qu'elles voulaient bien le laisser faire. La venue d'un nouveau-né contraignait d'ordinaire la femme à refuser son lait aux enfants plus âgés, à plus forte raison déjà sevrés, mais Ika faisait exception pour Durc. Le garçon, cependant, savait ne pas abuser de ce privilège. Il ne tétait jamais longtemps et s'abstenait de demander quand elle venait d'allaiter son nourrisson.

Oga aussi se montrait fort indulgente envers lui, et il en profitait. Grev, qui était pratiquement sevré, sautait alors sur l'occasion, et on les voyait parfois tous les deux dans les bras d'Oga, tétant chacun un sein, jusqu'à ce que la curiosité de l'un pour l'autre les arrache aux mamelles. Durc était aussi grand que Grev, mais un peu moins fort. Quand ils luttaient ensemble, Grev avait le plus souvent le dessus, mais Durc le battait aisément à la course. La paire était inséparable, et ils se retrouvaient à la moindre occasion.

— Tu emmènes le petit avec toi ? s'enquit-il après un silence pesant.

— Oui, acquiesça-t-elle en essuyant les mains et le visage de son fils. Je lui ai promis de l'emmener chasser et je dois également ramasser quelques plantes. Il fait si beau aujourd'hui ! Tu devrais sortir, toi aussi, Creb, ajouta-t-elle. Le soleil te fera le plus grand bien.

— Oui, oui, plus tard.

L'espace d'un instant, elle hésita à lui proposer de faire une promenade le long de la rivière, comme par le passé, mais le vieil homme était absorbé dans ses pensées. Creb, après s'être assuré qu'elle avait bien quitté les lieux, saisit son bâton mais, trouvant trop fatigant de se lever, le reposa.

Ayla prit la direction de la rivière, Durc sur sa hanche et son panier de cueillette dans le dos. Creb l'inquiétait beaucoup. Ses facultés mentales, pourtant considérables, déclinaient doucement. Il était plus distrait que jamais, et il lui reposait souvent des questions auxquelles elle avait déjà répondu. Il sortait rarement de la caverne, même quand le temps était beau et ensoleillé. Il restait assis des heures durant, prétendant méditer et finissant par s'endormir sur place.

Dès qu'elle se fut éloignée de la caverne, Ayla se détendit et retrouva ses grandes et souples enjambées de coureuse des bois. Sa liberté d'allure ainsi que la beauté de l'été dissipèrent toutes les préoccupations qui l'agitaient. En arrivant dans une clairière, elle laissa Durc marcher tout seul et s'arrêta pour cueillir des plantes. Il la regarda faire, puis arracha une poignée d'herbe et de luzerne qu'il lui apporta fièrement dans son petit poing serré.

— C'est très bien, Durc, dit Ayla en déposant les herbes dans son panier.

— Durc chercher encore, babilla l'enfant qui s'éloigna en courant.

Accroupie sur ses talons, Ayla observait son fils aux prises avec une grosse touffe. L'herbe céda brusquement et le petit garçon retomba brutalement sur le derrière. Il fronça son visage pour crier, plus surpris qu'endolori, mais Ayla s'empressa de le soulever dans ses bras et le fit sauter plusieurs fois en l'air. Durc gloussa de plaisir et la jeune femme s'amusa à le chatouiller rien que pour l'entendre rire.

La mère et le fils ne riaient que lorsqu'ils étaient seuls. Durc apprit très vite que personne d'autre n'appréciait ni n'approuvait ses sourires et ses éclats de rire. S'il faisait à toutes les femmes du clan le geste traditionnel pour dire « maman », il savait bien qu'Ayla n'était pas comme les autres. Il se sentait beaucoup plus heureux avec elle et adorait se promener en sa compagnie. Mais ce qu'il aimait par-dessus tout, c'était le nouveau jeu qu'ils avaient inventé tous les deux.

— Ba-ba-na-ni-ni, ânonna Durc.

— Ba-ba-na-ni-ni, répéta Ayla.

— No-na-ni-gou-la, ajouta Durc.

Ayla l'imita encore une fois en le chatouillant gentiment, uniquement pour le plaisir de l'entendre rire de nouveau. Puis elle articula une série de sons, des sons qu'elle aimait tout particulièrement l'entendre répéter car ils faisaient naître en elle une impression de tendresse telle qu'elle en pleurait presque.

— Ma-ma-ma-ma, dit-elle.

— Ma-ma-ma-ma, répéta Durc.

Ayla le prit dans ses bras et le serra contre elle.

— Ma-ma, dit à nouveau le garçonnet.

Il gigota pour se libérer. Il préférait les longs câlins le soir quand il se blottissait contre elle en se couchant. Elle essuya une larme. Les pleurs étaient une particularité qu'il ne partageait pas avec elle. Il avait de grands yeux marron, enfoncés sous de larges arcades sourcilières, les yeux du clan.

— Ma-ma, dit Durc, qui l'appelait souvent ainsi quand ils étaient seuls, surtout après qu'on lui eut rappelé le mot de deux syllabes. Tu vas chasser maintenant ? demanda-t-il, adoptant de nouveau le langage gestuel du clan.

Depuis qu'elle emmenait Durc chasser avec elle, Ayla avait commencé par lui apprendre à tenir une fronde, et elle s'apprêtait à lui en fabriquer une quand Zoug la prit de vitesse. Le vieil homme ne chassait plus du tout, mais il prenait plaisir à faire l'apprentissage de Durc. Malgré son jeune âge, le bambin montrait déjà d'excellentes dispositions au maniement de cette arme, dont il était aussi fier que de sa petite lance.

Il aimait bien l'attention qu'il suscitait en se promenant avec sa fronde passée dans sa ceinture et sa lance à la main. Il fallut fabriquer des armes pour Grev aussi. Les deux gamins, ainsi armés, provoquaient l'amusement du clan, et ses compliments envers d'aussi braves petits hommes. Des hommes, ils avaient déjà certains privilèges. Ainsi quand Durc découvrit que commander aux petites filles était non seulement permis mais de règle, il n'hésita pas longtemps à user des prérogatives masculines envers les femelles du clan, adultes comprises car elles aussi, il l'avait vérifié, exécutaient parfois ses volontés, sinon ses caprices. Mais avec sa mère il avait d'autres rapports.

Il savait qu'Ayla était différente. Elle était la seule avec laquelle il pouvait rire, jouer à faire des bruits avec la bouche, la seule qui avait ces longs cheveux d'or qu'il adorait toucher. Il ne pouvait se rappeler s'il lui avait tété le sein, mais il n'aurait dormi avec personne d'autre qu'elle. Il savait qu'elle était une femme parce que sa place dans le clan était parmi les femmes, mais elle était plus grande que les autres hommes, et elle chassait. Il n'avait qu'une très vague idée de ce qu'était la chasse, mais elle était réservée aux hommes, de cela il était sûr. Sa mère était la seule femme qui chassait. Elle était unique. Le nom qu'elle lui avait appris, et qu'il aimait tant répéter, lui allait bien. Elle était Mama, la déesse blonde qu'il aimait et qui n'acquiesçait pas la tête baissée quand il se hasardait à la commander.

Ayla lui plaça convenablement la fronde entre les mains et, sans le lâcher, lui montra comment s'en servir. Puis, après avoir ramassé quelques cailloux, elle prit sa propre fronde, qu'elle portait toujours à la ceinture, et tira sur un gros rocher peu éloigné. Au bout de plusieurs tirs, Durc trouva le jeu amusant et se dépêcha de lui apporter de nouveaux cailloux pour qu'elle puisse continuer. Mais l'enfant se lassa vite, et Ayla se remit à ramasser des plantes, tout en s'arrêtant pour manger des fraises des bois.

— Comme tu es barbouillé, mon fils ! s'exclama-t-elle à la vue du petit garçon maculé du jus rouge et poisseux.

Le prenant sous le bras, elle le conduisit jusqu'au ruisseau pour le laver. Puis, roulant une grande feuille en cône, elle alla puiser de l'eau pour eux deux. Durc bâilla en se frottant les yeux. Sa mère étendit par terre la peau dans laquelle elle le portait, le coucha à l'ombre d'un grand chêne et s'assit à ses côtés, adossée à l'arbre.

Par ce bel après-midi d'été, dans le bourdonnement incessant des milliers d'insectes et le gazouillement des oiseaux, Ayla se laissa aller à la rêverie. Elle repensa aux événements de la matinée. J'espère qu'Uba sera heureuse avec Vorn, se dit-elle. Le foyer va paraître si vide sans elle. Elle a beau ne pas être loin, ce ne sera pas la même chose. C'est elle qui devra faire la cuisine pour son compagnon à présent, et elle dormira avec lui après la période d'isolement. J'espère qu'elle aura un bébé bientôt !

Et moi ? Personne n'est venu me réclamer pour l'autre clan. Ils ne trouvent peut-être pas notre caverne. En fait, je ne crois pas les intéresser tant que ça. J'en suis heureuse d'ailleurs. Je ne veux pas pour compagnon un homme que je ne connais pas. Je ne veux déjà pas de ceux que je connais ! Et eux non plus ils ne veulent pas de moi... Ils disent que je suis trop grande. Droog m'arrive à peine au menton... Iza se demandait si j'arrêterais jamais de grandir. Je commence à en douter moi-même. Broud ne peut supporter ça. Il ne tolère pas qu'une femme soit plus grande que lui. C'est étrange, il ne m'a pas ennuyée une seule fois depuis notre retour du Rassemblement du Clan. Pourquoi suis-je prise d'un frisson à chaque fois qu'il pose les yeux sur moi ?

Brun se fait vieux. Il a mal aux articulations. Il va bientôt demander à Broud de lui succéder. Je le sais. Et c'est Goov qui sera mog-ur. Il assume déjà la célébration de la plupart des cérémonies. J'ai l'impression que Creb ne veut plus être mog-ur depuis la nuit où je les ai surpris dans la grotte sacrée. Pourquoi a-t-il fallu que j'entre dans la caverne, cette nuit-là ? Je ne me rappelle même pas comment je suis arrivée jusqu'à cette salle. Je n'aurais jamais dû me rendre à ce Rassemblement. Si j'étais restée, j'aurais soigné Iza, et elle serait encore parmi nous. Elle me manque tellement, et je n'ai pas de compagnon vers qui me tourner. Ce ne sera pas le cas de Durc.

Je suis étonnée qu'ils aient laissé la petite Ura en vie. Peut-être était-elle destinée à devenir la compagne de Durc. Des hommes de chez les Autres, a dit Oda. Qui sont-ils ? Iza dit que je suis née chez eux, mais je ne me souviens de rien. Qu'est-il arrivé aux miens ? Avais-je des frères, des sœurs ? Elle éprouva soudain le sentiment d'avoir oublié quelque chose... qui concernait Iza. Soudain elle se rappela, et elle fut prise d'un violent frisson. Les dernières paroles d'Iza ! Elle n'y avait plus pensé, après qu'elle se fut efforcée heure après heure de chasser de ses pensées cette affreuse nuit.

Iza m'a dit de partir ! Elle m'a dit que je n'étais pas du Clan et que je devais aller retrouver les miens. Elle était sûre que Broud s'acharnerait de nouveau sur moi, et, cette fois, ce serait lui le chef. Les Autres vivent vers le nord, m'a dit Iza. Au-delà de la péninsule, sur la terre ferme.

Comment pourrais-je partir ? C'est ici, chez moi. Je ne peux pas laisser Creb, et Durc a besoin de moi. Et que se passera-t-il si je ne trouve pas les Autres ? Et même si je les trouve, il se pourrait qu'ils ne veuillent pas de moi. Personne ne veut d'une femme laide.

Creb se fait vieux. Que m'arrivera-t-il quand il ne sera plus là ? Qui pourvoira à mes besoins ? Je ne peux pas vivre seule avec Durc, il faudra qu'un des hommes me prenne dans son foyer. Mais qui ? Broud ! Il sera chef, et si aucun autre homme ne veut de moi, il sera contraint de me prendre avec lui. Cette perspective le révoltera autant que moi, mais il le fera uniquement parce qu'il saura que cela me fera horreur. Non, jamais je ne pourrai supporter de vivre avec Broud. Je préférerais encore vivre avec un homme d'un autre clan, si l'on veut bien de moi.

Peut-être devrais-je partir. Avec Durc. Mais s'il m'arrivait quelque chose, il se retrouverait seul, comme je l'ai été. Il n'est pas dit qu'il aurait autant de chance que moi, car Iza passait par là. Non, il est exclu que je l'emmène. Il est né ici, il fait partie du Clan. Une compagne lui est promise. Que deviendrait la pauvre Ura si Durc n'était plus là ? Et lui aussi aura besoin d'elle. Il lui faudra une compagne quand il sera devenu grand, et Ura est parfaite pour lui.

De toute façon, comment pourrais-je quitter Durc ? Je me résignerai à vivre au foyer de Broud plutôt que de m'en séparer. Je dois rester ici, je n'ai pas le choix. Même en compagnie de Broud, s'il le faut. Ayla considéra son enfant endormi en se pénétrant de ses devoirs de femme du Clan et de la nécessité d'accepter son destin. Une mouche se posa sur le nez de Durc. Il fronça les narines, se frotta le nez dans son sommeil et, l'insecte envolé, cessa de s'agiter.

Et puis, aller dans quelle direction vers le nord ? Ici, tout est vers le nord, il n'y a que la mer pour être au sud. En outre, les Autres m'ont plutôt l'air de brutes. Forcer Oda sans même lui permettre de poser son bébé ! Il vaut mieux rester avec un Broud que je connais que d'aller à la rencontre d'un homme qui pourrait être pire encore.

Il se faisait tard. Ayla réveilla son fils et, tout en regagnant la caverne, elle essaya de chasser de son esprit tout ce qui se rapportait aux Autres. Mais à présent qu'elle y avait pensé, il lui fut impossible de les oublier complètement.

— Tu es très occupée, Ayla ? s'enquit Uba d'un air timide et mutin à la fois.

Ayla, qui avait deviné de quoi il s'agissait, décida de laisser à Uba la joie de lui apprendre la nouvelle.

— Non, pas vraiment. J'ai fait un mélange de luzerne et de menthe poivrée, et j'allais y goûter. Je vais mettre de l'eau à chauffer pour une infusion.

— Où est Durc ? demanda Uba tandis qu'Ayla attisait le feu et y ajoutait du bois et d'autres pierres à chauffer.

— Il est dehors avec Grev. Oga les surveille, répondit Ayla. Ces deux-là sont tout le temps fourrés ensemble.

— C'est peut-être parce qu'ils ont été nourris ensemble. Ils sont plus proches que des frères, on dirait presque des jumeaux.

— Oui, mais en général les jumeaux se ressemblent, ce qui n'est pas leur cas. Te souviens-tu de ceux qu'il y avait au Rassemblement ? Je n'arrivais pas à les distinguer l'un de l'autre.

— Ça peut porter malheur d'avoir des jumeaux, et quant aux triplés ils ne survivent jamais. Comment une femme pourrait-elle nourrir trois enfants à la fois, alors qu'elle n'a que deux seins ? demanda Uba.

— Il faut l'assistance d'une nourrice. Heureusement pour Durc, Oga a toujours eu du lait en abondance.

— J'espère que moi aussi j'aurai beaucoup de lait, dit Uba. Je pense que je vais avoir un enfant, Ayla.

— Je m'en doutais, Uba. Tu n'as pas eu besoin de t'isoler depuis que tu as eu un compagnon, n'est-ce pas ?

— Non, je pense que le totem de Vorn attendait depuis longtemps déjà. Il doit être très puissant.

— Tu lui as annoncé la nouvelle, Uba ?

— Je voulais attendre d'en être sûre, mais il a deviné, répondit Uba. Il a dû s'apercevoir que je ne m'isolais pas. Il est très content, ajouta-t-elle avec fierté.

— C'est un bon compagnon. Tu es heureuse ?

— Oh, oui, Ayla, je suis heureuse avec Vorn. Quand il a su que j'allais avoir un enfant, il m'a dit qu'il m'attendait depuis longtemps et qu'il était heureux que le bébé arrive si vite. Il m'a dit aussi qu'il m'avait demandée avant même que je devienne une femme.

— C'est merveilleux, Uba.

Ayla songea à part elle que Vorn n'avait guère eu lui-même le choix d'une compagne. Uba était la seule fille nubile du clan. Certes il aurait pu me prendre, moi, mais pourquoi aurait-il voulu d'une femme deux fois plus grande que lui, et laide de surcroît, quand il pouvait avoir une fille aussi charmante qu'Uba, appelée à être par ailleurs une guérisseuse de la lignée d'Iza ? Pourquoi penser une chose pareille, se reprocha-t-elle. Je n'ai jamais envisagé d'avoir Vorn pour compagnon. C'est la perspective de me retrouver seule quand Creb aura disparu qui me donne ces pensées. Je vais m'occuper sérieusement de Creb. Je voudrais qu'il vive encore longtemps mais il a hélas perdu le goût de vivre. Il ne sort presque plus jamais de la caverne. S'il ne prend pas un peu d'exercice chaque jour, il n'aura bientôt plus la capacité de se déplacer.

— A quoi penses-tu, Ayla ? Tu as l'air toute soucieuse, remarqua Uba.

— Je m'inquiète au sujet de Creb.

— Oui, il se fait vieux. Il est beaucoup plus âgé que maman, et elle n'est plus là. Elle me manque toujours, Ayla. Et quand le moment viendra pour Creb de nous quitter pour le monde des esprits, je serai très malheureuse, tu sais.

— Moi aussi, Uba, je serai très malheureuse, répondit Ayla, visiblement émue.

Ayla ne tenait pas en place. Elle partait chasser aussi souvent que possible et, le reste du temps, s'activait avec une énergie inlassable. Elle ne pouvait supporter de n'avoir rien à faire. Elle se livra à un inventaire méticuleux de toute sa pharmacopée, qu'elle entreprit de renouveler, parcourant les prés et les bois à la recherche de toutes les plantes médicinales dont Iza lui avait appris les vertus. Elle tissa des nattes, tressa des paniers, fabriqua des bols et des plats en bois, toutes sortes de récipients en écorce de bouleau, elle sala et tailla des peaux pour en faire des bonnets, des moufles et des chausses en prévision de l'hiver. Elle prépara des panses d'animaux pour en faire des outres, se tailla des couteaux, des grattoirs, des tranchoirs dans des nodules de silex. Elle évida des pierres plates pour en faire des lampes à graisse, confectionna des mèches de mousse séchée, se rendit jusqu'au bord de la mer pour y ramasser des coquillages qui serviraient de cuillers, de louches et de soucoupes. Elle accompagna les chasseurs dans leurs expéditions, sécha la viande, quand elle ne cueillait pas avec les femmes les baies, les fruits et les plantes dont le clan se nourrissait. Elle moulut les graines de sa propre réserve en une fine farine plus facile à consommer pour Creb et Durc. Et pourtant, rien ne semblait assouvir son besoin d'activité.

Elle se consacra à Creb, le cajola et prit soin de lui comme elle ne l'avait jamais fait auparavant. Elle lui confectionnait des mets particuliers pour stimuler son appétit, lui préparait des tisanes et des cataplasmes, l'obligeait à se reposer au soleil et l'entraînait dans de longues promenades. Il parut apprécier sa compagnie et son empressement, et retrouver un peu de sa vigueur et de sa bonne humeur. Mais l'intimité et la confiance de leurs conversations d'antan avaient disparu et ils se promenaient le plus souvent sans mot dire.

Brun aussi vieillissait. Ayla prit soudain conscience du changement qui s'était opéré en lui le jour où elle le vit observant du haut du promontoire les chasseurs qui s'éloignaient vers les steppes jusqu'à ce qu'ils ne fussent plus que de minuscules silhouettes se fondant dans les hautes herbes. Sa barbe et ses cheveux étaient devenus presque blancs, de profondes rides sillonnaient son visage, et ses muscles, quoique encore vigoureux, se relâchaient. Il rentra lentement à la caverne et passa le reste de la journée à son foyer. Il accompagna les chasseurs à leur expédition suivante, mais quand il resta seul pour la deuxième fois, Grod, fidèle second, lui tint compagnie.

Un beau jour, vers la fin de l'été, Durc arriva en courant à la caverne.

— Maman ! Maman ! Un homme ! Il arrive !

Ayla se précipita à l'entrée ainsi que tout le clan, pour regarder l'étranger gravir la côte.

— Tu crois qu'il vient te chercher, Ayla ? demanda Uba, tout excitée.

— Je n'en sais pas plus que toi, Uba.

Ayla, extrêmement tendue, éprouvait des sentiments mitigés. Elle souhaitait et redoutait à la fois que le visiteur fasse partie du clan des parents de Zoug. L'homme s'arrêta pour parler à Brun, puis le suivit jusqu'à son foyer. Peu après, Ebra vint chercher la jeune femme.

— Brun veut te voir, lui dit la compagne du chef.

Le cœur battant la chamade, elle crut que ses jambes ne la soutiendraient jamais jusqu'au foyer de Brun. Elle se laissa tomber à ses pieds. Il lui tapa sur l'épaule.

— Voici Vond, Ayla, dit-il en désignant le visiteur. Il vient du clan de Norg pour te voir. Sa mère est malade, et leur guérisseuse n'arrive pas à la soigner. Elle a pensé que tu connaîtrais peut-être un remède.

Ayla s'était fait une renommée d'habile guérisseuse lors du Rassemblement. L'homme avait fait seul ce long chemin pour solliciter sa compétence ; il n'était pas venu pour elle. Le soulagement l'emporta sur sa déception. Vond ne resta que quelques jours, mais donna force nouvelles de son clan. Le jeune homme blessé par l'ours des cavernes avait passé l'hiver avec eux, et il était reparti au printemps, sur ses deux jambes et boitant à peine. Sa compagne avait donné le jour à un beau garçon qu'on avait baptisé Creb. Après avoir interrogé l'homme sur le mal dont souffrait sa mère, Ayla lui remit au moment du départ un petit paquet et lui donna des instructions précises à l'intention de leur guérisseuse.

Après le départ de Vond, Brun réfléchit de nouveau au problème que lui posait Ayla. Il avait différé toute décision à son sujet tant qu'il subsistait quelque espoir de la voir acceptée par un autre clan. Mais à présent que Vond avait fait la preuve que tout émissaire désirant les trouver pouvait y parvenir, il n'y avait plus rien à espérer. Il fallait chercher une solution à l'intérieur du clan.

Le jour où Broud serait le chef, ce serait à lui de prendre Ayla dans son foyer, mais Brun préférait lui laisser l'initiative de cette décision, et puis tant que Mog-ur vivrait, il n'y avait pas lieu de précipiter les choses. Broud semblait avoir dominé l'excessive aversion qu'il éprouvait envers la jeune femme ; il ne la harcelait plus jamais et lui commandait rarement une tâche. Peut-être est-il prêt enfin pour me succéder, pensa Brun. Mais un doute subsistait encore dans son esprit.

L'été prit fin, l'automne passa et le clan s'installa dans l'hiver. La grossesse d'Uba suivait son cours. Mais aux environs du septième mois, les signes de vie en elle ne se firent plus sentir. Elle essaya de ne pas faire cas des crampes et des violentes douleurs qu'elle éprouvait dans les reins, mais quand elle commença à perdre du sang, elle se dépêcha d'aller trouver Ayla.

— Depuis combien de temps a-t-il cessé de remuer, Uba ? demanda Ayla, le visage grave.

— Depuis quelques jours, Ayla. Que vais-je faire ? Vorn était si content. Je ne veux pas perdre mon enfant. Qu'est-ce qui a bien pu se passer ? Il restait si peu de temps avant la naissance.

— Je n'en sais rien, Uba. Te souviens-tu d'être tombée ou d'avoir peiné pour soulever quelque chose de lourd ?

— Je ne crois pas, Ayla.

— Va t'allonger, Uba. Je vais t'apporter une infusion d'écorce de bouleau et je vais essayer de trouver une meilleure idée. Penses-y toi aussi, tu en sais à peu près autant qu'Iza.

— J'y ai déjà réfléchi, Ayla. Je ne me souviens de rien qui puisse faire bouger de nouveau un bébé.

Ayla ne put rien lui répondre. Elle savait parfaitement bien qu'il n'y avait pas le moindre espoir, et elle partageait toute l'angoisse d'Uba.

Les jours suivants, Uba resta allongée dans l'espoir qu'un miracle se produirait. Ses douleurs dans les reins devenaient insupportables et seuls la soulageaient les remèdes qui la faisaient dormir d'un sommeil agité. Mais les crampes ne se transformaient toujours pas en contractions.

Ovra passait la plus grande partie de son temps au chevet d'Uba. Elle avait traversé la même épreuve tant de fois qu'elle comprenait mieux que toute autre les souffrances qu'endurait la jeune femme dans sa chair comme dans son cœur. La compagne de Goov n'avait jamais pu mener à terme ses grossesses successives et, n'ayant toujours pas conçu d'enfant, sa tristesse s'était accrue avec le temps. Ayla trouvait noble et bon de la part de Goov qu'il continuât d'entourer sa compagne d'affection. D'autres hommes auraient pris une seconde femme, quand ils n'auraient pas chassé la compagne stérile de leur foyer. Mais Goov aimait Ovra, et jamais il n'aurait alourdi sa peine en lui imposant la présence d'une autre à leurs côtés. Ayla avait commencé à faire prendre à Ovra la secrète décoction dont Iza lui avait transmis la recette et qui empêcherait le totem d'Ovra d'être vaincu. La guérisseuse ne pouvait laisser une femme continuer d'avoir des grossesses qui se terminaient invariablement en fausses couches. Ayla s'était bien gardée de lui révéler les propriétés contraceptives de la décoction, mais à la longue Ovra le devina toute seule en constatant que l'esprit du totem de Goov ne parvenait plus à vaincre le sien, ce qui était mieux ainsi.

Par un matin glacial, vers la fin de l'hiver, Ayla, accompagnée d'Ovra, examina la fille d'Iza et prit une décision.

— Uba, appela-t-elle doucement. (La jeune femme ouvrit les yeux, des yeux que des cernes sombres faisaient paraître encore plus profondément enfoncés dans les orbites.) Il est temps que tu prennes de l'ergot pour déclencher les contractions. Rien ne peut plus sauver ton enfant. Si tu ne l'expulses pas, tu mourras avec lui. Tu es jeune, tu peux en avoir d'autres.

Uba regarda tour à tour Ayla puis Ovra.

— Très bien, accepta-t-elle. Vous avez raison, il n'y a plus d'espoir, mon enfant est mort.

L'accouchement d'Uba fut difficile. Les contractions mirent long-temps à venir, et Ayla n'osait plus donner d'analgésiques trop forts de peur de contrarier l'effet de l'ergot. Les autres femmes du clan vinrent l'encourager et l'assurer de leur soutien, mais aucune ne resta longtemps. Elles savaient toutes que les efforts et les souffrances d'Uba seraient vaines. Seule Ovra resta pour aider Ayla.

Quand l'enfant mort-né fut délivré, Ayla s'empressa de l'envelopper avec le placenta dans la peau disposée pour l'accouchement.

— C'était un garçon, dit-elle à Uba.

— Puis-je le voir ? demanda la jeune femme d'une voix faible.

— Non, Uba, je ne pense pas que ce serait une bonne chose. Cela ne pourra que te rendre encore plus triste. Repose-toi, je m'en occupe. Tu n'aurais pas la force de te lever.

Ayla dit à Brun qu'Uba était trop faible et qu'elle se chargerait d'enterrer l'enfant, mais elle se garda d'en dire davantage. Uba n'avait pas accouché d'un seul enfant, mais de deux, deux jumeaux qui n'étaient pas parvenus à se séparer, effroyable fœtus à peine humain aux bras et aux jambes multiples, attachés à un corps monstrueux surmonté d'une tête trop grosse. Ovra s'était retenue à grand-peine de vomir à la vue de la chose, et Ayla elle-même avait eu un haut-le-cœur.

C'était un cas extrême de difformité, et non le résultat naturel de deux types humains différents, celui du Peuple du Clan et celui des Autres, comme Durc en était l'exemple. Ayla savait qu'elle pouvait compter sur le silence d'Ovra. Il valait mieux que le clan crût qu'Uba avait eu un enfant mort-né, mais normal. Cela valait mieux surtout pour Uba.

Ayla s'enveloppa dans une chaude couverture et sortit dans la neige profonde où elle s'enfonçait à chaque pas. Quand elle fut assez éloignée de la caverne, elle ouvrit le paquet et en abandonna le contenu dans la nature. Il vaut mieux s'assurer qu'il ne subsistera aucune trace, pensa-t-elle. A peine se fut-elle détournée qu'elle perçut un mouvement furtif du coin de l'œil. L'odeur du sang attirait déjà les carnassiers.

28

— Ça te ferait plaisir de dormir cette nuit avec Uba, Durc ? demanda Ayla.

— Non ! répondit énergiquement le petit garçon. Durc dort avec mama !

— Ça n'a pas d'importance, Ayla, je prévoyais cela. Nous avons déjà passé toute la journée ensemble, dit Uba. D'où sort-il ce nom qu'il te donne ?

— Oh, il a pris l'habitude de m'appeler comme ça, répondit Ayla d'un air évasif.

La réprobation du clan envers tout mot ou son inutile était si profondément ancrée dans l'esprit d'Ayla qu'elle se sentait coupable du jeu auquel elle s'adonnait avec son fils. Uba n'insista pas, bien qu'elle eût remarqué le léger embarras d'Ayla.

— Parfois, quand je vais me promener seule avec Durc, nous nous amusons à produire des sons tous les deux, finit par avouer Ayla à celle qu'elle considérait comme sa petite sœur. Il a choisi ces deux sons pour m'appeler, mais il est capable d'en inventer bien d'autres, tu sais.

— Toi aussi, tu peux faire plein de sons avec ta bouche. Maman disait que tu n'arrêtais pas quand tu étais petite, avant que tu apprennes à t'exprimer correctement. Et je me rappelle encore le bruit que tu faisais en me berçant quand j'étais bébé. Ça me plaisait bien.

— C'est possible. Je ne m'en souviens pas très bien, dit Ayla. Il s'agit simplement d'un jeu entre Durc et moi.

— Qu'importe, répondit Uba, ce n'est pas comme s'il était incapable de s'exprimer. Quel dommage que ces racines soient pourries, ajouta-t-elle en jetant l'une d'elles. Le festin de demain n'aura rien d'extraordinaire. Nous n'avons en tout et pour tout que de la viande et du poisson séché, et des légumes à moitié avariés. Si Brun voulait seulement attendre un peu plus longtemps, il y aurait au moins des légumes frais et de jeunes pousses.

— Brun n'est pas seul en cause, remarqua Ayla. Creb prétend que la première lune après le début du printemps est le moment propice.

— Je me demande comment il peut savoir que le printemps a commencé, dit Uba. Pour moi, les jours de pluie se ressemblent tous.

— Je crois qu'il le sait en observant les couchers du soleil. Cela fait des jours qu'il n'en manque pas un. Même par temps de pluie, on arrive toujours à voir où le soleil se couche, et il y a eu plusieurs nuits claires où l'on voyait la lune. Creb sait tout cela.

— Je regrette sa décision de nommer Goov mog-ur à sa place, dit Uba.

— Oui, moi aussi. Que fera-t-il de son temps quand il n'aura plus de cérémonies à célébrer ? Je savais bien que cela devait arriver un jour, mais cette perspective ne me réjouit guère.

— Quel changement cela va faire ! Il y a si longtemps que Brun est le chef et Creb le mog-ur ! Mais Vorn dit qu'il est temps de laisser la place aux jeunes, et que Broud a attendu son tour assez longtemps.

— Il a sans doute raison, répondit Ayla. Vorn a toujours éprouvé une vive admiration envers Broud.

— Il est gentil avec moi. Il ne s'est pas mis en colère quand j'ai perdu le bébé. Je crois qu'il t'aime bien aussi, Ayla. C'est lui qui voulait que Durc vienne dormir chez nous. Je crois qu'il sait combien j'aime avoir ton fils près de moi, lui confia Uba. Et ces temps derniers, Broud ne s'est pas montré trop désagréable avec toi.

— Non, il ne m'ennuie plus depuis quelque temps, reconnut Ayla, qui ne pouvait expliquer la crainte qu'elle ressentait à chaque fois qu'elle croisait son regard, éprouvant même un picotement à la nuque quand il l'observait à la dérobée.

Ce soir-là, Creb demeura longtemps avec Goov dans la grotte sacrée. Ayla prépara un repas léger pour Durc et elle-même et mit de côté la part de Creb, qui aurait peut-être faim en revenant, bien qu'elle en doutât. Elle s'était réveillée au matin avec une sourde angoisse qui n'avait fait que croître au fil de la journée. A présent, il lui semblait étouffer dans la caverne, et elle avait la gorge sèche comme une vieille écorce. Incapable d'avaler une bouchée de plus, elle se leva brusquement et courut jusqu'à l'entrée de la caverne, pour scruter le ciel de plomb, d'où tombait une pluie diluvienne qui transformait les abords de la caverne en un champ de boue. Durc s'était couché et il dormait déjà quand elle rentra. Mais dès qu'il la sentit qui s'allongeait à côté de lui, il se blottit contre elle en murmurant ma-ma avant de replonger dans le sommeil.

Ayla passa son bras autour du petit corps, écouta battre le cœur de son fils assoupi contre elle. Elle resta les yeux grands ouverts, examinant les moindres détails de la paroi que le feu mourant éclairait faiblement. Ce fut seulement quand elle entendit le pas de Creb lui indiquant qu'il allait se coucher qu'elle put trouver le sommeil.

Elle se réveilla dans la nuit en hurlant.

— Ayla ! Ayla ! appela Creb, en la secouant pour la sortir de la terreur qui se lisait dans son regard fixe. Que se passe-t-il, ma petite ? demanda-t-il, l'air inquiet.

— Oh, Creb, sanglota-t-elle en lui jetant les bras autour du cou. J'ai encore fait cet horrible cauchemar. Ça ne m'était pas arrivé depuis des années...

Le vieillard, ému, serra la jeune femme tremblante dans ses bras.

— Qu'est-ce qu'elle a, mama ? demanda Durc, qui s'était redressé sur sa couche, les yeux agrandis de peur.

Il n'avait jamais entendu sa mère crier ainsi. Ayla passa son bras autour de lui.

— Quel rêve, Ayla ? Celui du Lion des Cavernes ? demanda Creb.

— Non, l'autre, celui que je n'arrive jamais à me rappeler après, expliqua-t-elle en frémissant. Creb, je croyais en avoir fini avec ces cauchemars...

Creb la serra de nouveau contre lui, elle lui rendit son étreinte, et ils restèrent tous les deux enlacés un long moment, Durc blotti entre eux.

— Oh, Creb, il y a si longtemps que je désirais te serrer dans mes bras ! Mais j'avais peur que tu me repousses comme tu le faisais autrefois quand j'avais été insolente. Et il y a autre chose que je voulais te dire, Creb. Je t'aime.

— Ayla, à cette époque, je devais me forcer pour te repousser ; il fallait bien que je réagisse, sinon Brun s'en serait chargé lui-même. Mais je t'aimais trop pour me mettre vraiment en colère contre toi. Et je t'aime encore beaucoup trop ! J'ai cru que tu m'en voulais quand tu as perdu ton lait.

— Ce n'était pas ta faute, Creb, mais la mienne, entièrement. Je ne t'en ai jamais voulu.

— Je me le suis reproché longtemps. J'aurais dû savoir qu'il ne faut jamais laisser une mère s'éloigner de son bébé. Mais tu semblais avoir tellement besoin de rester seule avec ton chagrin, tu avais tellement mal...

— Comment aurais-tu pu savoir ce qu'il fallait faire ou pas ? Les hommes n'entendent rien à ces choses. Ils aiment tenir les enfants dans leurs bras et s'amuser avec eux quand ceux-ci commencent à gambader et s'ils sont en bonne santé. Mais au moindre cri du petit, ils s'empressent de le redonner à sa mère. Et puis, Durc n'en a pas souffert. Il commence sa première année de sevrage, et il est grand et vigoureux, même s'il a été trimballé de foyer en foyer.

— Mais cela t'a fait du mal, je le sais.

— Mama, tu as mal ? intervint Durc, qui n'était pas encore tout à fait rassuré.

— Non, Durc, mama n'a pas mal, c'est fini.

— Comment a-t-il appris ce nom qu'il te donne, Ayla ?

— Il nous arrive de jouer à faire des sons ensemble, et il a choisi celui-là pour s'adresser à moi, expliqua Ayla en rougissant légèrement.

— Il appelle toutes les autres femmes « maman » ; il a sans doute eu envie de trouver quelque chose de particulier pour toi.

— C'est comme ça que je le comprends aussi.

— Quand tu es arrivée parmi nous, tu émettais toi aussi toutes sortes de sons. J'imagine que ton peuple doit s'exprimer ainsi.

— Mon peuple, c'est le Clan. Je suis une femme du Clan.

— Non, Ayla, rectifia Creb d'un air las. Tu ne fais pas partie du Clan, tu appartiens aux Autres.

— C'est ce qu'Iza m'a dit la nuit où elle est morte.

— Je ne pensais pas qu'elle aussi avait compris, dit Creb d'un air surpris. Moi, je ne l'ai compris qu'en te voyant pénétrer dans notre sanctuaire.

— Je n'avais pas l'intention de le faire, Creb. Je ne sais même pas comment je me suis trouvée là. Mais j'ai cru que tu avais cessé de m'aimer parce que j'avais pénétré dans la grotte sacrée.

— Non, Ayla, je n'ai jamais cessé de t'aimer.

— Durc a faim ! s'écria le petit garçon que la conversation entre sa mère et Creb ennuyait fort.

— Tu as faim ? s'étonna Ayla. Je vais voir si je peux te trouver quelque chose.

Creb la regarda s'affairer. Je me demanderai toujours pourquoi elle s'est trouvée sur notre chemin, songea-t-il. Elle est née chez les Autres, et le Lion des Cavernes l'a toujours protégée, alors pourquoi l'a-t-il conduite auprès de nous ? Pourquoi pas auprès des Autres ? Et pourquoi s'est-il avoué vaincu, lui permettant d'avoir un enfant, pour accepter ensuite qu'elle perde son lait ? Tout le monde y voit la malchance qui marque le destin de son fils. Malchanceux, Durc ? Il est robuste, il est heureux, il est aimé de tous ici. Peut-être Dorv avait-il raison, peut-être les esprits des totems de tous les hommes du clan se sont-ils ligués pour battre le Lion des Cavernes. Ayla avait raison également, son fils n'est pas difforme, il est un mélange. Il est même capable de produire des sons, comme elle. Il est une partie d'Ayla et une partie du Clan.

Creb tressaillit. Une partie d'Ayla et une partie du Clan ! Etait-ce dans ce but qu'elle nous fut envoyée ? Pour Durc ? Pour son fils ? Le Clan est condamné, il disparaîtra, seuls les Autres survivront. Je le sais, je l'ai senti au plus profond de moi. Durc aussi survivra parce qu'il est une moitié d'Autre, mais l'autre moitié est du Clan. Et Ura, qui ressemble tellement à Durc, est née peu de temps après cet incident avec des hommes de chez les Autres. Leurs totems seraient-ils assez puissants pour vaincre celui d'une femme en si peu de temps ? C'est possible. Si leurs femmes peuvent avoir le Lion des Cavernes pour totem, les hommes aussi probablement. Ura est-elle un mélange comme Durc ? Il doit y avoir d'autres enfants comme eux, des enfants d'esprits mêlés, des enfants destinés à survivre et à maintenir vivante la partie du Clan qui est en eux. Je doute toutefois qu'ils soient très nombreux.

Le Clan était peut-être déjà condamné avant qu'elle ne surprenne notre cérémonie sacrée. Et c'est pour me le faire savoir qu'elle a été conduite dans notre grotte. Nous ne serons bientôt plus rien. Mais Durc et Ura perpétueront notre peuple. Ayla, mon enfant bien-aimée, c'est toi qui nous as porté chance. Je comprends enfin pourquoi tu es venue parmi nous : pour nous donner la possibilité de survivre. Rien désormais ne sera exactement comme avant, mais au moins nous ne disparaîtrons pas de la surface de la terre.

Ayla apporta un morceau de viande froide à son fils puis se rassit à côté de Creb.

— Tu sais, Creb, dit-elle d'un air rêveur, j'ai souvent l'impression que Durc n'est pas uniquement mon fils. Tous les foyers l'ont nourri depuis que j'ai perdu mon lait. Il me fait penser à un petit ours des cavernes. On dirait qu'il est le fils de tout le clan.

Ayla sentit une grande tristesse fondre sur le vieux sorcier.

— Durc est bien le fils de tout le clan, Ayla. Il est le fils unique du Clan.

La première lueur de l'aube s'infiltra doucement à l'intérieur de la caverne. Ayla, éveillée, regardait son fils dormir à côté d'elle dans la lumière naissante. Elle pouvait voir également Creb sur sa couche, et son souffle régulier indiquait qu'il dormait. *Comme je suis soulagée que Creb et moi nous ayons pu parler comme nous l'avons fait.* Mais l'angoisse qu'elle avait ressentie la veille ne s'était pas dissipée, loin de là. De nouveau Ayla avait la gorge sèche et elle pensa suffoquer si elle restait un instant de plus dans la caverne. Elle se glissa avec précaution hors de sa fourrure, et, une couverture sur les épaules et des chausses aux pieds, quitta sans bruit le foyer.

Sitôt franchie l'entrée de la grotte, elle prit avidement une grande bouffée d'air frais. Son soulagement était tel qu'elle se dirigea vers le ruisseau sans se soucier de la pluie glacée qui la trempait ni de la profonde boue dans laquelle elle pataugeait. Ses chausses glissèrent sur la terre rouge et grasse, et elle s'affala de tout son long sur la pente détrempée par les eaux conjuguées de la fonte des neiges et des pluies de ce début de printemps. Elle se releva et parcourut prudemment la courte distance qui la séparait du ruisseau. La pluie ruisselait sur elle, délavant la boue qui maculait la couverture qui l'enveloppait. Elle resta longtemps à contempler les eaux vives charriant des glaçons.

Elle claquait des dents quand elle remonta avec peine la pente glissante. Le ciel semblait s'éclaircir un peu par-delà la crête orientale. Elle eut l'impression à l'approche de la caverne qu'une invisible barrière en défendait l'entrée et, sitôt qu'elle l'eut franchie, elle ressentit de nouveau la même sensation de malaise.

— Ayla, tu es toute trempée. Pourquoi es-tu sortie par ce temps ? lui signifia Creb, l'air soucieux. (Il ajouta une bûche au feu qu'il avait lui-même rallumé.) Enfile vite quelque chose de sec et viens te réchauffer, si tu ne veux pas attraper mal.

La jeune femme se changea puis alla s'asseoir à côté de Creb devant les flammes, heureuse que leur silence soit redevenu paisible et doux, comme par le passé.

— Creb, je suis tellement contente que nous ayons parlé, hier au soir. Je suis allée voir le ruisseau. La glace fond. La belle saison approche. Nous allons pouvoir reprendre nos longues promenades ensemble.

— Oui, Ayla, la belle saison approche, et si cela te fait plaisir, nous irons nous promener au bord de l'eau. Quand l'été sera là.

Ayla frissonna. Elle avait le terrible pressentiment qu'ils ne se promèneraient plus jamais ensemble, et elle sentait que Creb aussi le savait. Elle se pencha vers lui, et ils s'étreignirent longuement comme s'ils n'allaient plus se revoir.

Vers le début de l'après-midi, un pâle soleil réussit à percer les nuages, mais se révéla impuissant à sécher la terre gorgée d'eau.

L'agitation était grande au sein du clan, malgré le mauvais temps et la pénurie. Le départ d'un chef était déjà un événement assez rare, mais que le mog-ur changeât le même jour, voilà qui rendait cette fête véritablement exceptionnelle. Oga et Ebra avaient elles aussi un rôle à jouer dans la cérémonie, ainsi que Brac qui, à l'âge de sept ans, devenait l'héritier présomptif.

Oga avait les nerfs à fleur de peau. Elle ne cessait de s'agiter, passant d'un feu à l'autre pour surveiller la cuisson du festin tandis qu'Ebra essayait de la calmer, en dépit de sa propre nervosité. Brac, quant à lui, donnait des ordres aux femmes et aux petits enfants, en essayant de se faire passer pour un grand, jusqu'au moment où Brun l'appela pour lui faire répéter une dernière fois son rôle avant la cérémonie. Ayla participait à la cuisine. Elle avait aussi à préparer une infusion de datura pour les hommes.

Dans la soirée, seuls quelques nuages épars cachaient par instants le clair de lune. Tout au fond de la caverne flambait un grand feu, entouré d'un cercle de torches.

Ayla s'accordait un moment de repos à son foyer. Assise sur sa fourrure, elle contemplait le petit feu qui crépitait. Elle n'avait pu chasser cette sourde inquiétude dont elle ignorait la cause. Elle décida d'aller jusqu'à l'entrée pour voir la lune avant que la cérémonie commence, mais juste au moment où elle se levait, Brun donna le signal du rassemblement. Elle suivit les autres d'un pas lourd. Quand chacun eut gagné la place qui lui était assignée, Mog-ur apparut, sortant de la grotte sacrée, Goov à sa suite. Ils avaient revêtu tous deux leurs peaux d'ours des cavernes.

Pour la dernière fois, le puissant sorcier se mit à invoquer les esprits, exécutant les gestes rituels avec une ferveur et une intensité toutes particulières. Il captiva l'assemblée avec une virtuosité de chef d'orchestre, sachant comment faire naître en chacun l'émotion et transmettre sa propre exaltation. Goov, à ses côtés, ne semblait qu'un pâle comparse. Si le jeune homme offrait toutes les apparences du bon mog-ur, il était loin d'égaler Mog-ur, le sorcier vénéré de tous les clans, en train de célébrer sa plus belle et aussi sa dernière cérémonie. Au moment où il se tourna vers Goov pour lui transmettre ses pouvoirs, Ayla n'était pas la seule à pleurer, le clan entier pleurait avec son cœur.

Tandis que Goov accomplissait les gestes propres à retirer le pouvoir à Brun pour élever Broud au rang de chef du clan, Ayla laissa vagabonder son esprit. En regardant Creb, elle repensait à la première fois qu'elle avait vu ce visage balafré où ne brillait qu'un seul œil. Elle se souvint de la patience qu'il avait déployée à son égard pour lui apprendre à communiquer par gestes et de l'instant où elle avait soudain compris ce qu'il lui expliquait. En saisissant son amulette, elle sentit la petite cicatrice sur sa gorge, là où il avait entaillé la chair pour offrir son sang en sacrifice aux esprits ancestraux qui l'autorisaient à chasser. Et elle frémit en repensant à son intrusion dans la grotte sacrée. Puis elle se rappela son regard chargé d'amour et de tristesse ainsi que ses paroles énigmatiques de la veille.

Ayla mangea du bout des lèvres au cours du festin qui célébrait l'accession au pouvoir de la nouvelle génération. Une fois les hommes réunis dans le sanctuaire pour y achever leur cérémonie, elle prit part à contrecœur à la danse des femmes et se retira dès qu'elle s'y crut autorisée. Elle s'était contentée de tremper les lèvres dans l'infusion de datura réservée aux femmes, et elle n'avait pratiquement pas ressenti d'effets. De retour au foyer de Creb, elle se coucha sans attendre le sorcier, et s'endormit d'un sommeil agité. Quand Mog-ur rentra, il resta un long moment à contempler la mère et l'enfant endormis avant de s'étendre sur sa couche.

— Mama chasser ? Durc chasser avec mama ? demanda le petit garçon, à peine levé.

Seuls quelques membres du clan commençaient à sortir de leur torpeur, mais Durc était parfaitement réveillé.

— Pas avant d'avoir mangé, répondit Ayla en se levant à son tour. Mais je ne te promets rien. Le printemps est arrivé, mais il fait encore froid.

Une fois la dernière bouchée avalée, Durc aperçut Grev et se précipita dans le foyer de Broud, oubliant toute idée de chasse pour aller retrouver son petit compagnon. Ayla le suivit des yeux avec une tendresse amusée. Mais le regard haineux que jeta Broud à son fils suffit à la faire frémir. Les deux petits garçons sortirent en courant de la caverne. L'impression d'étouffement ressentie depuis deux jours revint soudain avec une telle force qu'elle bondit jusqu'à l'entrée, où elle s'arrêta, le cœur battant, pour respirer profondément.

— Ayla !

Elle sursauta en s'entendant appeler par son nom et, faisant demi-tour, alla se présenter devant le nouveau chef en baissant la tête.

— Cette femme salue le chef, dit-elle avec les gestes de rigueur.

Broud ne lui faisait jamais face en s'adressant à elle. Il ne comptait pas parmi les hommes les plus grands du clan, et il arrivait tout juste à l'épaule de la jeune femme, qui savait bien qu'il n'aimait pas lever la tête vers elle pour la regarder.

— Ne t'éloigne pas d'ici. J'ai une déclaration à faire devant tout le clan.

Ayla acquiesça d'un air soumis.

Le clan se réunit lentement. Le soleil brillait, et ils étaient contents que Broud ait décidé de tenir la réunion dehors, malgré le sol boueux. Ils attendirent patiemment que Broud fît son apparition, marchant vers la place autrefois occupée par Brun, l'air grave et pénétré de sa fonction.

— Comme vous le savez déjà, je suis votre nouveau chef, commença-t-il.

Cette affirmation suffit, par son inutilité, à trahir aux yeux de tous la nervosité et l'appréhension de Broud sur le point de prononcer sa première harangue.

— Puisque le clan a désormais un nouveau chef ainsi qu'un nouveau mog-ur, le moment est enfin venu d'annoncer d'autres changements, poursuivit-il. Je veux que vous sachiez que c'est Vorn qui sera, à compter d'aujourd'hui, mon second.

Certains hochèrent la tête d'un air entendu car ils s'attendaient à cette nouvelle. Brun regretta que Broud n'ait pas laissé passer quelque temps avant d'élever Vorn à un rang qui le plaçait au-dessus de chasseurs plus expérimentés, mais il vit là l'impatience de la jeunesse à prendre la relève.

— Il y a d'autres changements, continua Broud. Une femme dans ce clan n'a pas de compagnon.

Ayla se sentit rougir.

— Quelqu'un doit la prendre en charge, et je ne veux pas imposer ce fardeau à mes chasseurs. Je suis chef à présent, et c'est moi qui serai responsable d'elle. Je vais prendre Ayla dans mon foyer comme seconde compagne.

Ayla s'y attendait, mais la satisfaction de constater qu'elle ne s'était pas trompée dans ses pronostics lui fut une piètre consolation. Quant à Brun, il estima que le fils de sa compagne ne faisait que son devoir en agissant de la sorte. Il regarda Broud avec fierté. Le fils de sa compagne se comportait en chef.

— Ayla a un enfant difforme, reprit Broud. Je tiens à ce que l'on sache que ce clan n'acceptera plus jamais d'enfant mal formé. Je ne veux pas que l'on croie que mes sentiments personnels entrent en jeu au cas où le prochain bébé d'Ayla serait refusé. Si son enfant est normal, je l'accepterai.

Creb, qui se tenait à l'entrée de la caverne, vit Ayla pâlir et baisser la tête pour dissimuler son trouble. Tu peux être sûr que je n'aurai plus jamais d'enfant, Broud, tant que le remède magique d'Iza opérera, pensa la jeune femme. Que les bébés soient créés par les totems ou les organes des hommes, tu n'en créeras plus dans mon ventre. Penses-tu que je courrais le risque d'enfanter un petit être que tu t'empresserais de condamner à mort parce que tu le trouverais mal formé ?

— Je tenais à ce que les choses soient bien claires à ce sujet, enchaîna Broud, pour que ma décision ne vous surprenne pas. Je n'accepterai jamais aucun enfant difforme dans mon foyer.

Ayla releva brusquement la tête. Que veut-il dire ? Si je dois aller vivre chez lui, mon fils me suivra.

— Vorn est d'accord pour prendre Durc. Sa compagne éprouve une passion pour cet enfant, en dépit de sa malformation. Ils sauront veiller sur lui.

Un murmure d'étonnement parcourut le clan. Les gestes précipités qui s'échangeaient dans les rangs trahissaient la perplexité. Les enfants étaient censés rester avec leurs mères jusqu'à l'âge adulte. Pourquoi Broud acceptait-il de prendre Ayla tout en refusant son fils ? Ayla quitta sa place pour se jeter aux pieds du nouveau chef.

— Je n'ai pas encore terminé, femme, lui dit-il après lui avoir tapé sur l'épaule pour qu'elle relève la tête. C'est un manque de respect que d'interrompre le chef, mais je ne t'en tiendrai pas rigueur pour cette fois. Tu peux parler.

— Broud, tu n'as pas le droit de m'enlever mon fils. Où qu'elle aille, une femme doit emmener son enfant avec elle, plaida Ayla, oubliant dans son émoi d'utiliser les formules d'usage qu'exigeait le rang de Broud.

Brun enrageait. L'orgueil qu'il avait ressenti l'instant d'avant devant le fils de sa compagne disparut d'un seul coup.

— As-tu la prétention, femme, de dicter au chef ce qu'il doit faire ou ne pas faire ? demanda Broud d'un air sarcastique, ravi que son projet depuis si longtemps caressé provoque exactement la réaction qu'il escomptait. Tu n'es pas une mère pour lui. Oga l'est plus que toi. Qui l'a nourri ? Pas toi. Il ne sait même pas qui est sa mère, et il appelle maman toutes les femmes du clan. Peu importe le foyer dans lequel il vivra, il a l'habitude de se faire nourrir un peu partout.

— Il est vrai que je n'ai pas pu l'allaiter, mais nieras-tu qu'il soit mon fils, Broud ? Il dort toutes les nuits avec moi.

— Eh bien, il ne dormira pas chez moi. Oserais-tu prétendre que la compagne de Vorn n'est pas une véritable mère pour ton fils ? J'ai déjà demandé à Goov... enfin, au mog-ur, de célébrer à la fin de cette réunion la cérémonie qui consacrera ces deux décisions : tu viendras habiter dans mon foyer dès ce soir, et Durc ira chez Vorn. Maintenant, retourne à ta place, ordonna Broud, avant de chercher Creb des yeux.

Le vieil homme se tenait toujours à l'entrée de la caverne, appuyé sur son bâton, l'air mauvais.

Mais la fureur du sorcier n'était rien comparée à celle de Brun, qui se sentait envahi par la colère et le désespoir, tandis qu'il regardait Ayla regagner sa place. Le fils de ma compagne, se lamentait-il. Lui que j'ai élevé et formé, lui à qui je viens à peine de passer mes pouvoirs, profite de sa nouvelle position pour se venger. Et se venger d'une femme, pour des torts imaginaires.

Comment ai-je pu m'aveugler à ce point ! Je comprends mieux maintenant pourquoi il a élevé si vite Vorn au rang de second. La promotion de Vorn n'est qu'un marché que Broud a passé avec lui. Le garçon prenait Durc, et il devenait second. Est-ce ainsi que doit se comporter un nouveau chef ?

Nommer un jeune homme inexpérimenté pour commander à des chasseurs confirmés, et cela pour satisfaire un besoin de vengeance contre une femme ? Quel plaisir cela t'apporte-il, Broud, de séparer une mère de son fils, après qu'elle a déjà tant souffert. Tu n'as donc pas de cœur, fils de ma compagne ? Tout ce qu'il lui reste de son fils, c'est de dormir avec lui la nuit.

— Je n'ai pas terminé, dit Broud en essayant de regagner l'attention des membres du clan encore sous l'effet de la stupeur. L'homme qui vous parle n'est pas le seul à avoir accédé à un rang plus élevé. Nous avons un nouveau mog-ur, et je veux lui accorder certains privilèges qui découlent de sa fonction. J'ai décidé que Goov... enfin, que le mog-ur, vivrait désormais dans le foyer réservé au sorcier du clan. Creb s'installera tout au fond de la caverne.

Brun jeta un coup d'œil à Goov, curieux de savoir si l'ex-servant s'était lui aussi ligué avec Broud. L'expression de stupeur et de consternation de Goov chassa sur-le-champ les soupçons de Brun.

— Mais je ne veux pas m'installer dans le foyer de Mog-ur ! s'exclama Goov. C'est son foyer depuis que nous avons découvert cette caverne.

Le clan se sentait de plus en plus mal à l'aise devant les décisions du nouveau chef.

— J'ai décidé que tu t'y installeras ! s'écria Broud avec des gestes cassants, exaspéré par le refus de Goov.

Quand il avait surpris le regard furieux que posait sur lui le vieil infirme appuyé sur son bâton, il avait soudain pris conscience que le grand Mog-ur n'était plus le sorcier du clan. Qu'avait-il donc à redouter d'un boiteux difforme ? Et il lui était venu cette idée d'installer le servant au foyer de son ancien mog-ur, s'attendant à ce que Goov saute de joie, comme l'avait fait Vorn. Il s'était dit également qu'il s'assurerait ainsi la loyauté du nouveau mog-ur, à tout le moins sa reconnaissance. Mais dans son calcul simpliste, il avait méconnu la fidélité et l'affection que Goov avait toujours manifestées à l'égard de son mentor. Incapable de se contenir plus longtemps, Brun allait parler quand Ayla le prit de vitesse.

— Broud ! hurla-t-elle depuis sa place. Tu ne peux pas faire ça ! Tu ne peux pas chasser Creb de son foyer ! (Elle s'avança vers lui, vibrante d'une juste colère.) Tu sais combien il souffre en hiver. Il a besoin d'un endroit bien abrité. (Ce n'était plus la femme du clan qui parlait mais la guérisseuse protégeant son malade.) C'est moi que tu veux atteindre à travers Creb ! Tu essaies de te venger de lui parce qu'il a pris soin de moi. Fais de moi ce que tu veux, Broud, mais laisse-le tranquille !

Elle se tenait maintenant devant lui, le dominant de toute sa haute taille en gesticulant furieusement.

— Qui t'a autorisée à parler, femme ? vociféra Broud.

Il lui envoya son poing fermé en direction de la figure, mais elle réussit à esquiver le coup. Furieux d'avoir battu l'air sans résultat, Broud se jeta sur elle.

— Broud ! (Le cri de Brun figea sur place le nouveau chef, trop habitué à obéir à cette voix, tout particulièrement quand elle était lourde de colère.) Le foyer de Mog-ur restera le sien jusqu'à sa mort, qui surviendra bien assez tôt pour que tu n'aies pas besoin de t'en charger personnellement. Mog-ur a bien mérité cette place après avoir si longtemps et si bien servi le clan. Quel chef es-tu donc ? Quel homme es-tu pour profiter de ta position dans le misérable but de te venger d'une femme ? Une femme qui ne t'a jamais rien fait, Broud, et qui ne pourrait rien te faire, même si elle le voulait. Tu n'es pas un chef !

— Non, c'est toi qui n'es pas un chef, Brun, tu ne l'es plus. (Son premier réflexe de crainte passé, Broud avait repris conscience de sa position, et de celle de Brun.) C'est mon tour à présent ! C'est moi qui décide ! Tu as toujours pris son parti contre moi, tu l'as toujours protégée. Eh bien désormais, c'est terminé ! (Broud avait complètement perdu son sang-froid et gesticulait furieusement, décomposé par la rage.) Elle m'obéira ou elle sera maudite ! Et sa malédiction n'aura rien de temporaire ! Tu viens de voir une nouvelle preuve de son insolence et tu persistes à prendre sa défense. Non, Brun, tu ne peux rien pour elle. Elle mérite d'être maudite, et je vais la maudire ! Que dis-tu de ça, Brun ? Goov ! Maudis-la ! Maudis-la immédiatement ! Personne ne dira au nouveau chef ce qu'il a à faire, et surtout pas cette horrible femme. As-tu compris, Goov ? Maudis-la !

Creb avait bien essayé d'attirer l'attention d'Ayla quand elle s'était mise à invectiver Broud. Le vieillard se doutait de ce qui l'attendait et il lui était tout à fait indifférent de vivre au fond de la grotte. C'était Broud lui-même qui avait réveillé ses soupçons dès qu'il avait déclaré qu'il prendrait Ayla dans son foyer. C'était là une attitude trop responsable, trop conciliante pour ne pas cacher un coup bas. Mais malgré ses soupçons, Creb n'aurait jamais imaginé la terrible scène qui se déroulait sous ses yeux. Et quand il vit Broud ordonner à Goov de la maudire, toute velléité de résistance s'évanouit en lui. Il ne désirait pas en voir davantage. Il alla se réfugier d'un pas incertain à l'intérieur de la caverne. Ayla leva les yeux au moment même où il disparaissait dans la pénombre de la grotte.

Mais Creb n'était pas le seul à se sentir bouleversé ; le clan tout entier était en proie à la confusion la plus totale. Accoutumés à une vie trop ordonnée, trop assurée, trop liée aux traditions et aux habitudes, ils ne pouvaient concevoir le drame qui se déroulait devant eux. Ils étaient choqués par les décisions de Broud ; elles étaient contraires aux usages. Jamais on n'avait séparé un enfant de sa mère chez le Peuple du Clan. Le conflit ouvert entre Ayla et le nouveau chef les stupéfiait tout autant que la décision prise par Broud d'enlever à Creb son foyer pour le proposer à Goov... qui n'en voulait pas ! Enfin le sévère déni de Brun, ne reconnaissant plus sa qualité de chef à l'homme à qui il venait de remettre ses pouvoirs, les jetait dans un désarroi d'autant plus grand que Broud venait dans sa fureur d'ordonner à Goov de maudire Ayla !

Ayla tremblait de tous ses membres. Elle ne s'aperçut que la terre se mettait à trembler sous ses pieds qu'en voyant ses compagnons vaciller et perdre l'équilibre. Elle entendit alors le grondement terrifiant qui venait des entrailles de la terre.

— Duuuurc ! hurla-t-elle, et elle vit Uba se jeter sur l'enfant pour le protéger de son corps.

Ayla s'élançait vers eux quand soudain elle se rappela.

— Creb ! Il est à l'intérieur !

Elle courut vers la caverne en chancelant sur le sol frémissant. Au moment où elle allait atteindre l'entrée triangulaire de la grotte, tout un pan de roche se détacha de la paroi et vint s'écraser près d'elle. Ayla ne s'en aperçut même pas. Elle était en état de choc. Tous les souvenirs enfouis depuis sa prime enfance resurgissaient pêle-mêle. Dans le vacarme assourdissant du tremblement de terre, elle ne s'entendit pas crier le mot venu d'une langue depuis longtemps oubliée.

— Mamaaan !

Le sol se déroba sous ses pieds, puis se souleva de nouveau. Elle roula par terre, essayant désespérément de se relever quand, soudain, elle vit s'écrouler la voûte de la caverne. Tout autour d'elle, des blocs de roche se détachaient de la paroi, dévalant la pente à grand fracas jusqu'au ruisseau.

Dans la caverne, ce n'était qu'une pluie de pierre et de poussière, que ponctuait de temps à autre la chute de tout un pan de paroi ou d'un morceau de voûte. Dehors, les grands conifères se balançaient comme des géants ivres.

Une fissure dans la falaise, à l'est de l'entrée, face à la petite mare, s'ouvrit dans un grognement déchirant, et un torrent d'énormes pierres dévala la colline, arrachant tout sur son passage, dans un vacarme noyant les hurlements de terreur du clan.

Puis le tremblement de terre se calma. Quelques pierres se détachèrent encore de la montagne, rebondirent, roulèrent et finirent par s'arrêter. Hébétés, les membres du clan se relevèrent tant bien que mal et se mirent à errer au hasard en s'efforçant de retrouver leurs esprits. Mais ils ne tardèrent pas à se diriger tous vers Brun, autour duquel ils se regroupèrent. Il avait toujours représenté la sécurité et la stabilité à leurs yeux.

Mais Brun ne réagit pas. Il savait maintenant que, de toutes les décisions qu'il avait prises en tant que chef, celle de transmettre le pouvoir à Broud était de loin la plus mauvaise. Il mesurait à quel point il avait été aveugle. Même les qualités du garçon, son audace, sa témérité, Brun les voyait à présent comme la marque de son égoïsme et de son indifférence aux autres. Mais ce n'était pas à cause de cela que Brun s'abstenait d'intervenir. Broud était désormais le chef, pour le meilleur et pour le pire. Il était trop tard pour qu'il reprenne le commandement et forme un autre homme, bien qu'il sût que le clan le soutiendrait. Broud a dit qu'il n'y avait qu'un chef ici ; eh bien, montre-nous donc ce qu'est un chef, Broud, pensa Brun. Broud prendrait toutes les décisions qu'il voudrait, aussi dénuées de bon sens fussent-elles, Brun se promettait de ne pas s'en mêler.

Quand les membres du clan eurent compris que Brun n'avait pas l'intention de reprendre le commandement, ils finirent par se tourner vers Broud. Ils étaient habitués à leur hiérarchie, et Brun avait été un chef juste, dévoué à son clan, un homme fort et sage, qui ne prenait jamais une décision sans avoir longuement réfléchi mais qui savait aussi réagir promptement dans les moments difficiles. Ils n'avaient jamais eu à décider eux-mêmes de ce qu'ils allaient entreprendre ou pas. Même Broud s'était attendu à ce que Brun reprenne le commandement, mais quand il comprit ce qu'on attendait de lui, il essaya d'assumer ses responsabilités.

— Qui manque-t-il ? Quelqu'un est-il blessé ? demanda-t-il.

Il y eut quelques soupirs de soulagement. Quelqu'un se décidait enfin à faire quelque chose. Des groupes se formèrent par foyer, et miraculeusement, il sembla qu'il ne manquait personne. La plupart n'avaient que des blessures légères dues aux chutes de pierres. Il n'y avait pas une seule fracture.

— Où est Ayla ? s'écria soudain Uba.

— Je suis là, répondit la jeune femme qui se trouvait près de l'entrée de la caverne, comme hébétée.

— Mama ! hurla Durc en se dégageant vivement de l'étreinte d'Uba. Ayla courut à lui et le serra dans ses bras.

— Tu n'as pas de mal, Uba ?

— Non, non, rien de grave.

— Où est Creb ?

Alors qu'elle posait cette question, Ayla se souvint. Tendant Durc à Uba, elle se rua vers la caverne.

— Ayla ! Où vas-tu ? N'entre pas dans la caverne ! Il peut se produire de nouvelles secousses !

Négligeant cet avertissement, Ayla courut droit au foyer de Creb. Des cailloux et des gravillons tombaient encore de temps à autre, formant de petits amoncellements, mais leur foyer n'avait pas trop souffert du tremblement de terre. Cependant, Creb n'y était pas. Ayla le chercha dans tous les foyers, entièrement détruits pour certains. Creb restait introuvable. Elle voulut s'aventurer dans la grotte des esprits, mais il y faisait beaucoup trop sombre et elle décida d'inspecter d'abord le reste de la caverne.

Des gravillons lui tombèrent dessus, et elle s'écarta d'un bond pour se coller contre la paroi. Bien lui en prit car aux gravillons succéda un gros bloc, qui s'écrasa lourdement sur le sol à deux pas d'elle. Tout en continuant de longer les parois, elle fouilla à tâtons derrière les grands paniers à provisions et les éboulis. Elle s'apprêtait à aller chercher une torche quand elle songea à inspecter un dernier endroit.

Elle découvrit Creb auprès de la sépulture d'Iza. Il était couché sur son côté déformé, les jambes repliées sur le visage, comme si on l'avait déjà attaché dans la position fœtale. Le grand crâne qui avait abrité son puissant cerveau avait été fracassé par un lourd rocher. Il était mort sur le coup.

Ayla s'agenouilla auprès du corps et se mit à pleurer.

— Creb, Creb, pourquoi es-tu entré dans la caverne ? gémit-elle en se balançant d'avant en arrière sur ses genoux.

Puis, pour quelque raison inexplicable, elle se leva et se mit à accomplir les gestes rituels qu'elle lui avait vu faire au-dessus de la tombe d'Iza. Pleurant à chaudes larmes, la grande femme blonde, seule dans la caverne jonchée de pierres, célébrait les rites ancestraux avec une grâce et une finesse dignes du plus grand des mog-ur. Telle fut sa dernière offrande au seul père qu'elle eût jamais connu.

— Il est mort, annonça Ayla en émergeant de la caverne.

Tous les regards étaient tournés vers elle. Broud frémit, envahi par une peur soudaine. C'était elle qui avait découvert la caverne, elle qui avait la faveur des esprits. Et sitôt après qu'il l'eut maudite, ils avaient ébranlé la terre et détruit la grotte. Les esprits s'étaient-ils déchaînés contre lui parce qu'il avait maudit leur protégée ? Que se passerait-il si le clan le croyait responsable des calamités qui s'abattaient sur lui ? Dans les tréfonds de son âme superstitieuse, Broud, tremblant devant le lugubre présage, se prit à redouter la colère des esprits. C'est alors que sa perversité lui souffla de prendre les devants et d'accuser Ayla avant que quelqu'un ne songe à le désigner comme étant le coupable.

— C'est elle ! C'est sa faute ! s'écria-t-il tout à coup. C'est elle qui a déchaîné la colère des esprits. Elle a bafoué les traditions. Vous l'avez tous vue. Elle s'est montrée insolente et irrespectueuse envers le chef. Elle doit être maudite ! Alors seulement les esprits seront satisfaits. Alors seulement ils sauront combien nous les respectons, et ils nous conduiront vers une nouvelle caverne, encore plus belle ! Maudis-la, Goov ! Maudis-la ! Maudis-la immédiatement !

Tous les regards se tournèrent vers Brun. Il regardait droit devant lui, les mâchoires et les poings serrés, les muscles de son dos frémissant de tension. Mais il se refusa à intervenir, et les membres du clan, abasourdis, se regardèrent les uns les autres, avant de reporter leur attention sur Goov et Broud. Le nouveau mog-ur, quant à lui, fixait Broud d'un air incrédule. Comment osait-il condamner Ayla ! S'il y avait un coupable, c'était bien lui. Puis Goov comprit que Broud se déchargeait sur Ayla d'un crime dont il se savait le seul auteur.

— C'est moi le chef, Goov ! hurla Broud de nouveau. Tu es mog-ur et je t'ordonne de la maudire. Jette sur elle la Malédiction Suprême !

Goov tourna sèchement les talons et se dirigea vers la caverne après avoir pris un tison enflammé au feu qu'on venait d'allumer. Il franchit l'entrée plongée dans la pénombre et se fraya prudemment un chemin parmi les décombres, sachant que toute nouvelle secousse, fût-elle infime, l'ensevelirait sous les tonnes de pierre suspendues au-dessus de lui en équilibre précaire, un destin qu'il se surprit à espérer la venue avant qu'il n'accomplisse l'injuste besogne qu'on lui avait ordonnée. Il pénétra enfin dans la grotte des esprits et disposa les ossements sacrés de l'Ours des Cavernes en lignes parallèles. Puis il invoqua les esprits maléfiques, dont les mog-ur étaient seuls à connaître le nom.

Ayla était toujours assise sur le seuil de la caverne quand le mog-ur en ressortit sans la voir.

— Je suis le mog-ur. Tu es le chef. Tu m'as ordonné de punir Ayla de la Malédiction Suprême, c'est chose faite, déclara Goov, et il se détourna avec ostentation.

Les événements s'étaient passés si vite que chacun avait du mal à y croire. On n'agissait pas de cette façon. Brun aurait longuement pesé et préparé le clan avant de prononcer pareille sentence. Il n'aurait jamais agi de la sorte. Pourquoi Broud l'avait-il maudite ? Elle s'était peut-être montrée insolente, mais elle n'avait fait que défendre Creb. On ne condamnait pas une femme à mort pour une insolence, par ailleurs compréhensible. Et Broud, qu'avait-il fait à Ayla ? Il lui avait pris son enfant et avait déplacé Creb de son foyer pour se venger d'elle. Maintenant, plus personne n'avait de foyer. Pourquoi Broud avait-il fait une chose pareille ? Les esprits avaient toujours protégé la jeune femme, qui avait porté chance au clan, jusqu'à ce que Broud ordonne à Goov de la maudire. Broud avait attiré sur eux le malheur. Il avait mécontenté les esprits protecteurs et déchaîné les forces maléfiques. Et Mog-ur était mort. Le vieux sorcier, le grand Mog-ur ne pourrait plus rien pour eux.

Ayla eut du mal à comprendre ce qui lui arrivait. Elle toisait avec un étrange détachement tous les membres du clan qui passaient devant elle sans la voir, le regard perdu dans le vague, et ne sortit de son abattement que devant la réaction d'Uba, qui s'était mise à pleurer la mort d'Ayla et à se lamenter sur le sort du petit garçon qu'elle tenait dans ses bras.

Durc ! Mon enfant ! Mon petit ! Il ne reverra jamais sa mère. Que va-t-il devenir ? Il ne lui reste plus qu'Uba. Elle s'occupera bien de lui, mais que pourra-t-elle faire contre Broud ? Broud hait Durc parce qu'il est mon fils. Frénétiquement, Ayla regarda autour d'elle et aperçut Brun non loin de là. Brun ! C'était lui et lui seul qui pourrait protéger Durc.

Ayla courut vers l'homme fort et sensé qui commandait le clan la veille encore et elle se jeta à ses pieds en baissant la tête. Puis elle comprit qu'il ne lui taperait jamais sur l'épaule. Quand elle releva la tête, il fixait le feu, derrière elle. Il peut me voir et m'entendre, s'il le désire, pensa Ayla. Je sais qu'il le peut. Creb et Iza se souvenaient parfaitement de tout ce que je leur avais dit la première fois que j'ai été maudite.

— Brun, je sais que tu me crois morte, et que tu penses que je ne suis qu'un esprit. Je vais m'en aller, je te le promets, mais j'ai peur pour Durc. Broud le déteste, tu le sais. Que lui arrivera-t-il à présent que Broud est le chef ? Durc fait partie du clan, Brun, tu l'as accepté. Je t'en supplie, Brun, protège-le. Tu le peux. Ne laisse pas Broud lui faire du mal !

Lentement, Brun se détourna de la femme qui l'implorait, d'une manière qui se voulait naturelle et non comme s'il évitait de la regarder. Mais elle avait vu dans ses yeux une brève lueur d'acquiescement. Cela lui suffisait. Elle savait qu'il l'avait entendue et qu'il protégerait Durc. Il l'avait promis à l'esprit de la mère du petit garçon. Tout s'était passé si vite, si brutalement, qu'elle n'avait pas eu le temps de lui adresser cette poignante requête plus tôt. Elle n'aurait jamais pu partir dans l'incertitude du sort de Durc. Elle pouvait à présent s'éloigner, certaine que Brun ne laisserait pas le fils de sa compagne faire du mal à son enfant.

Ayla se releva et se dirigea vers la caverne d'un pas assuré. Avant de parler à Brun, elle n'avait rien décidé quant à son départ, mais à présent sa résolution était prise. Elle relégua dans un coin de son esprit le chagrin que lui causait la mort de Creb, pour ne plus penser qu'à sa survie. Qu'elle prenne la direction du monde invisible ou une autre, elle ne se trouverait pas démunie de tout.

Elle ne s'était pas rendu compte de l'importance des dégâts à l'intérieur de la caverne, quand elle y avait pénétré la première fois. A présent, elle s'immobilisa un instant, tant les lieux étaient méconnaissables. Le sol n'était qu'un chaos de pierres et de roches. Le clan avait eu de la chance de se trouver assemblé dehors. S'arrachant à sa stupeur, elle se hâta vers le foyer de Creb. Si elle n'emportait pas tout ce qu'il lui fallait, elle mourrait à coup sûr. Elle déplaça une pierre tombée sur sa couche, secoua sa fourrure et se mit à empiler ses affaires dessus : son sac de guérisseuse, sa fronde, deux paires de chausses, des jambières, des moufles et un capuchon fourré ; son bol et une écuelle, une outre et des outils. Puis elle se rendit au fond de la caverne pour puiser dans les réserves des biscuits, de la viande séchée, des fruits et des graisses. En fouillant dans les décombres, elle découvrit des paquets enveloppés d'écorce de bouleau dans lesquels se trouvaient du suc d'érable, des noix, des fruits secs, des céréales pilées, des morceaux de viande et de poisson séchés ainsi que quelques légumes. Il n'y avait pas grand choix, si tard dans la saison, mais cela ferait l'affaire. Elle rangea toutes ces provisions dans son panier.

Elle ramassa la couverture dans laquelle elle portait Durc et y enfouit son visage, les larmes aux yeux. Elle n'en avait aucun besoin, mais elle la prit néanmoins pour emporter avec elle un objet qui lui rappellerait son fils. Elle s'habilla chaudement car le printemps venait à peine de commencer et il ferait froid dans les steppes. Elle n'avait pas encore réfléchi à la direction qu'elle prendrait, mais elle savait qu'elle se dirigerait vers le nord de la péninsule.

Au dernier moment, elle décida d'emporter aussi la tente en peaux qu'elle utilisait lorsqu'elle accompagnait les hommes à la chasse. Elle l'enroula sur le dessus de son grand panier, qu'elle attacha sur son dos avec des lanières, pour le maintenir bien en place. Elle regarda tout autour de ce foyer qui avait été le sien. Elle ne le reverrait plus jamais, pensa-t-elle en refoulant ses larmes. Un flot de souvenirs lui revint. La dernière image était celle de Creb. J'aurais bien aimé savoir ce qui te causait tant de peine, Creb. Peut-être comprendrai-je un jour. Mais je suis heureuse que nous ayons pu parler tous les deux l'autre nuit, avant que tu nous quittes pour le monde des esprits.

Quand Ayla sortit de la caverne, tout le monde s'aperçut de sa présence, mais personne ne la regarda. Elle s'arrêta à la rivière pour y remplir son outre et cela éveilla un souvenir en elle. Avant de troubler la surface de l'eau, elle se pencha pour se regarder. Elle étudia soigneusement ses traits et ne se trouva pas aussi laide que la première fois. Mais ce n'était pas ce qui l'intéressait : elle voulait voir le visage des Autres.

Quand elle se releva, Durc essaya d'échapper à Uba.

Il se passait quelque chose concernant sa mère. Il ne savait pas quoi, mais cela ne lui plaisait pas. D'une secousse, il se libéra et courut vers Ayla.

— Tu t'en vas, lui reprocha-t-il, indigné de ne pas avoir été prévenu. Tu t'es préparée et tu t'en vas.

Ayla n'hésita qu'une fraction de seconde puis elle ouvrit les bras dans lesquels il se rua. Elle le souleva, le serra contre elle en refoulant ses larmes puis le reposa à terre en s'accroupissant pour être à sa hauteur. Elle le regarda droit dans ses grands yeux noirs.

— Oui, Durc, je m'en vais. Il faut que je m'en aille.

— Emmène-moi, mama. Emmène-moi ! Ne me laisse pas !

— Je ne peux pas t'emmener, Durc. Il faut que tu restes ici avec Uba. Elle prendra bien soin de toi, et Brun aussi.

— Je ne veux pas rester ici ! s'écria Durc avec violence. Je veux venir avec toi !

Uba venait vers eux pour éloigner Durc de l'esprit de sa mère. Ayla serra à nouveau son fils contre elle.

— Je t'aime, Durc. Ne l'oublie jamais. (Elle le prit et le mit dans les bras d'Uba.) Veille bien sur mon fils, Uba, dit-elle, captant le regard plein de tristesse de la jeune femme. Prends bien soin de lui... ma sœur.

Broud contemplait la scène avec une fureur grandissante. Cette femme était morte, elle n'était plus qu'un esprit. Pourquoi ne se comportait-elle pas comme un esprit ? Pourquoi certains membres de son clan ne la traitaient-ils pas comme l'esprit qu'elle était devenue ?

— C'est un esprit, dit-il avec rage. Elle est morte. Vous ne le savez donc pas ?

Ayla se dirigea droit sur lui, le toisant de toute sa hauteur. Lui-même avait du mal à ne pas la voir. Il essaya de l'ignorer, et il y serait peut-être parvenu si elle avait été assise à ses pieds comme toute autre femme.

— Je ne suis pas morte, Broud, lui dit-elle avec défi. Je ne mourrai pas. Tu ne peux pas me faire mourir. Tu peux me chasser, me prendre mon fils, mais tu ne peux pas me faire mourir !

Broud était partagé entre la rage et la terreur. Il leva le poing, animé d'une violente envie de la frapper, mais il interrompit son geste, craignant de la toucher. C'est une ruse, se dit-il. La ruse d'un esprit. Elle est morte. Elle a été maudite.

— Frappe-moi, Broud. Vas-y, frappe-moi, et tu verras que je ne suis pas morte.

Broud se tourna vers Brun pour éviter de la regarder. Il rabaissa son bras, gêné de ne pouvoir donner à son geste un air plus naturel. Il ne l'avait pas touchée, mais il craignait que le simple fait d'avoir levé le poing sur elle ne constitue une manière de reconnaître son existence. Il essaya de détourner le mauvais sort sur Brun.

— Ne crois pas que je ne t'ai pas vu, Brun. Tu lui as répondu quand elle t'a parlé avant d'entrer dans la caverne. C'est un esprit. Tu vas nous porter malheur à tous, lança-t-il, accusateur.

— A moi seul, Broud, et j'ai eu plus que ma part de malheur, répondit Brun. Mais quand l'as-tu vue me parler ? Quand l'as-tu vue entrer dans la caverne ? Pourquoi as-tu fait mine de frapper l'esprit ? Tu ne comprends toujours pas, n'est-ce pas ? Tu as reconnu son existence, Broud. Elle t'a vaincu. Tu l'as accablée autant que tu le pouvais, tu es allé jusqu'à la maudire. Elle est morte, et c'est pourtant elle qui gagne. C'était une femme, mais elle était plus courageuse que toi, Broud, plus déterminée, plus maîtresse d'elle-même. Elle méritait d'être un homme plus que toi. C'est elle qui aurait dû être le fils de ma compagne.

Ayla fut surprise par la sortie de Brun. Durc se débattait tant et plus pour la suivre et l'appelait. Elle ne put le supporter davantage et s'empressa de partir. En passant devant Brun, elle lui fit un signe de tête et un geste de gratitude. Quand elle eut atteint l'escarpement, elle se retourna une dernière fois. Elle aperçut Brun qui levait la main comme pour se gratter le nez, mais cela ressemblait fort à un geste d'adieu, celui que leur avait fait Norg quand ils l'avaient quitté après le Rassemblement du Clan. C'était comme si Brun lui avait dit : « Qu'Ursus t'accompagne. »

La dernière chose qu'Ayla entendit avant de disparaître derrière l'énorme rocher fracassé par le tremblement de terre, ce fut la plainte déchirante de Durc.

— Maama... ! Maaama... ! Maamaaa... !

LA VALLÉE DES CHEVAUX

The Valley of Horses
1982
Traduit par Catherine Pageard

Elle était morte. Peu importait la pluie glaciale qui lui cinglait les joues et les violentes rafales de vent qui plaquaient contre ses jambes la peau d'ours dont elle était vêtue. Son capuchon en fourrure de glouton rabattu sur le visage, la jeune femme continuait à avancer en jetant des coups d'œil autour d'elle pour essayer de se repérer.

Se dirigeait-elle bien vers cette rangée d'arbres irrégulière qu'elle avait aperçue un peu plus tôt, se détachant sur l'horizon ? Elle aurait dû y prêter plus d'attention et regrettait que sa mémoire ne fût pas aussi bonne que celle du Peuple du Clan. Pourquoi raisonnait-elle comme si elle faisait encore partie du Clan ? Elle savait bien qu'elle était née étrangère et qu'aujourd'hui, aux yeux de tous, elle était morte.

Tête baissée, elle se courbait sous le vent. Depuis que la tempête venue du nord avait fondu sur elle en hurlant, elle cherchait désespérément un endroit où s'abriter. Elle ne connaissait pas la région. La lune avait parcouru un cycle complet depuis qu'elle avait quitté le clan de Broud, mais elle ne savait toujours pas où elle allait.

« Dirige-toi vers le nord », lui avait conseillé Iza trois ans auparavant. La nuit où elle était morte, la guérisseuse avait parlé du continent situé au-delà de la péninsule. Elle avait insisté pour qu'elle parte. Le jour où Broud serait le chef, avait-elle dit, il trouverait un moyen de la faire souffrir. Iza ne s'était pas trompée ! Broud l'avait fait souffrir et il avait même réussi à l'atteindre dans ce qu'elle avait de plus cher au monde.

Durc est mon fils, pensa Ayla. Broud n'avait pas le droit de nous séparer. Il n'avait aucune raison de me maudire. C'est lui qui a provoqué la colère des esprits et le tremblement de terre qui a suivi. Ayla avait déjà été maudite : elle savait donc à quoi s'en tenir. Mais, cette fois, tout s'était passé si vite que les membres du Clan eux-mêmes avaient eu du mal à se faire à l'idée qu'elle n'existait plus. Ils n'avaient pourtant pas pu empêcher Durc de la voir au moment où elle avait quitté la caverne.

Alors que Broud l'avait maudite dans un mouvement de colère, Brun, au contraire, avait consulté les membres du Clan avant de lancer sa malédiction. Il avait pourtant de bonnes raisons de la maudire, mais il lui avait laissé une chance de revenir.

Relevant la tête, Ayla s'aperçut qu'il commençait à faire sombre : la nuit n'allait pas tarder à tomber. Malgré les touffes de carex qu'elle avait glissées à l'intérieur de ses chausses en peau pour les isoler de l'humidité, la neige avait fini par les détremper et elle avait les pieds tout engourdis. La vue d'un pin tordu et rabougri la rassura.

Dans les steppes, les arbres étaient peu nombreux : ils ne poussaient qu'aux endroits où le sol était humide. En général, une double rangée de pins, de bouleaux ou de saules, aux troncs tordus par les rafales de vent, signalaient la présence d'un cours d'eau. Durant la saison sèche, dans cette région où les eaux souterraines étaient rares, la vue de ces arbres était toujours bon signe. Et quand le vent, venu des grands glaciers du Nord, soufflait en tempête sans qu'aucune végétation ne l'arrête, ces rideaux d'arbres offraient une protection — aussi maigre soit-elle.

Ayla fit encore quelques pas avant d'atteindre le bord du ruisseau, un mince filet d'eau qui courait entre les berges prises par les glaces. Elle obliqua alors vers l'ouest, dans l'espoir qu'en aval la végétation serait plus dense que les broussailles environnantes.

Elle avançait avec difficulté, le visage toujours protégé par son capuchon, quand, soudain, le vent cessa de souffler. Levant les yeux, elle s'aperçut que de l'autre côté du ruisseau, la berge se relevait pour former un petit escarpement. Aussitôt, elle s'engagea afin de traverser l'eau glacée. Les touffes de carex étaient impuissantes contre la morsure de l'eau glaciale mais, au moins, elle ne sentait plus le vent. La berge, creusée par le courant, formait une saillie qui abritait un tapis de racines et de broussailles emmêlées, et Ayla se dirigea vers cette sorte d'auvent sous lequel la terre était à peu près sèche.

Après avoir défait les courroies du panier qu'elle portait sur le dos, Ayla le posa par terre, puis elle en retira une lourde peau d'aurochs et une branche débarrassée de ses rameaux. Avec la peau d'aurochs, elle dressa une tente basse et pentue, maintenue sur le sol par des pierres et des morceaux de bois flotté, et elle se servit de la branche pour y ménager une ouverture.

En s'aidant de ses dents, elle dénoua les lanières en cuir de ses moufles. De forme à peu près ronde, celles-ci étaient faites d'une peau retournée, resserrée à la hauteur du poignet et fendue à l'intérieur, côté paume, pour permettre le passage de la main ou du pouce lorsqu'elle désirait attraper quelque chose. Les peaux qui recouvraient ses pieds étaient du même modèle — sauf qu'elles étaient dépourvues de fente — et elle dut pas mal batailler avant de réussir à dénouer les courroies mouillées qui les tenaient fermées à hauteur de la cheville. Quand elle se fut déchaussée, elle retira les touffes de carex qui se trouvaient à l'intérieur de ses chausses et les mit de côté.

Elle étala alors sa peau d'ours à l'intérieur de la tente, face mouillée contre le sol, puis posa par-dessus ses moufles, ses chausses en peau et les touffes de carex. Elle pénétra en rampant sous la tente, pieds en avant, et en bloqua l'entrée à l'aide de son panier. Après avoir frotté ses pieds glacés, elle s'enveloppa dans la fourrure. Dès que celle-ci lui eut communiqué sa chaleur, elle se roula en boule et ferma les yeux.

L'hiver n'en finissait pas de mourir. Ce n'est qu'à contrecœur qu'il cédait la place à la saison nouvelle. Et le printemps lui-même semblait hésiter à s'installer : un jour, il faisait froid comme au plein cœur de l'hiver et le lendemain, le soleil brillait, annonciateur des chaleurs de l'été.

Durant la nuit, le temps changea à nouveau et la tempête s'arrêta net. Quand Ayla se réveilla, le soleil se réverbérait sur les plaques de glace et les amas de neige de la rive, et le ciel était d'un bleu profond et lumineux. Quelques nuages s'effilochaient vers le sud.

Elle se glissa en rampant hors de la tente et, pieds nus, courut vers le ruisseau. Elle avait emporté une vessie recouverte de peau qui lui servait de gourde et qu'elle plongea dans le cours d'eau glacial. Après l'avoir remplie, elle but une longue gorgée et se précipita à nouveau sous la tente pour se réchauffer.

Mais elle ne resta pas longtemps à l'intérieur. Maintenant que la tempête s'était calmée et que le soleil brillait, elle n'avait plus qu'une hâte : reprendre sa route. Ses chausses ayant séché pendant la nuit, elle les enfila, attacha sa peau d'ours par-dessus le vêtement en peau qu'elle avait gardé pour dormir et, après avoir fouillé dans son panier pour y chercher un morceau de viande séchée, y rangea sa tente et ses moufles. Tout en mastiquant la viande séchée, elle se remit en route.

Le cours du ruisseau était à peu près droit, en pente légère, et elle n'eut aucun mal à le suivre. Elle marchait en fredonnant toujours le même son d'une voix sans timbre. De temps en temps, elle apercevait des petites taches vertes sur les buissons de la rive et quand elle vit que, tel un visage minuscule, une fleur avait réussi à percer l'épaisse couche de neige, cela la fit sourire. A un moment donné, un gros morceau de glace se détacha soudain de la berge et, après avoir ricoché à côté d'elle, s'éloigna à toute vitesse, entraîné par le courant.

Quand Ayla avait quitté le Clan, le printemps était déjà arrivé. Mais à l'extrême sud de la péninsule, il faisait plus chaud qu'ailleurs et l'hiver durait moins longtemps. Abritée des vents glacials par une chaîne de montagnes, réchauffée et arrosée par les brises venues de la mer intérieure, cette étroite bande côtière orientée au sud bénéficiait d'un climat tempéré. Plus au nord, dans les steppes, le climat était plus rude. Et Ayla, après avoir longé la chaîne de montagnes, avait voyagé dans cette direction. Si bien que, pour elle, c'était toujours le début du printemps.

Alors qu'elle cheminait le long du cours d'eau, elle entendit soudain les cris rauques des hirondelles de mer. Elle leva les yeux et aperçut, tournoyant au-dessus d'elle, ces oiseaux qui ressemblaient à de petites mouettes. La mer ne devait pas être loin. Et les hirondelles étaient certainement en train de nicher. Ce qui voulait dire : des œufs. Mais aussi : des moules sur les rochers, des clams, des bernicles et des flaques pleines d'anémones de mer. Elle accéléra aussitôt l'allure.

Le soleil était presque au zénith lorsqu'elle arriva dans la baie formée par la côte sud du continent et l'extrémité nord-ouest de la péninsule. Elle avait enfin atteint le large goulet qui reliait l'un à l'autre.

Après s'être débarrassée de son panier, Ayla escalada une falaise qui dominait le paysage environnant. Au pied de la paroi se trouvaient de gros rochers arrachés par le ressac. Des hirondelles de mer et des mergules nichaient en haut de l'éperon rocheux et, quand elle ramassa leurs œufs, les oiseaux poussèrent des cris perçants. Elle en goba quelques-uns, encore tièdes de la chaleur du nid, et fourra les autres dans un repli de son vêtement. Puis elle redescendit vers le rivage.

Elle retira alors ses chausses et pénétra dans l'eau pour y rincer les moules légèrement sableuses qu'elle venait de ramasser sur les rochers. Quand, penchée sur une flaque laissée par la marée descendante, elle avança la main pour arracher des anémones de mer, celles-ci replièrent leurs tentacules chatoyants qui ressemblaient à des pétales de fleur. Leur forme et leur couleur lui étant inconnues, elle préféra terminer son repas avec des clams qu'elle dénicha en fouillant dans le sable à un endroit où une légère dépression trahissait leur présence.

Rassasiée par les œufs et les coquillages, la jeune femme se reposa un moment sur le rivage, puis elle escalada à nouveau la falaise. Arrivée en haut, elle s'assit, les genoux entre les mains, respirant à pleins poumons l'air du large.

D'où elle était, elle apercevait parfaitement le doux arc de cercle que traçait en direction de l'ouest la côte sud du continent. A peine masqué par un étroit rideau d'arbres, elle voyait aussi le vaste pays des steppes qui ressemblait en tout point aux froides prairies de la péninsule. Nulle part il n'y avait trace de vie humaine.

Me voilà arrivée sur le continent, se dit-elle, cette terre immense qui se trouve au-delà de la péninsule. Et où dois-je aller maintenant, Iza ? Tu m'as dit que c'était ici que vivaient les Autres. Mais je ne vois personne.

Ayla se souvenait parfaitement des paroles prononcées par Iza la nuit où elle était morte, trois ans auparavant :

— Tu n'appartiens pas au Clan, lui avait rappelé la guérisseuse. Tu es née chez les Autres. Tu dois partir et retrouver les tiens.

— Partir ! Mais où irais-je, Iza ? Je ne connais pas les Autres et je ne saurais même pas où les chercher.

— Dirige-toi vers le nord, lui avait alors conseillé Iza, vers les vastes terres qui se trouvent au-delà de la péninsule : c'est là que vivent les Autres. Va-t'en, Ayla ! avait-elle ajouté. Trouve ton peuple et ton compagnon.

Ayla n'était pas partie au moment où Iza le lui avait conseillé car elle ne s'en sentait pas capable. Mais maintenant, elle n'avait plus le choix : elle était seule au monde et devait trouver les Autres. Il lui était impossible de revenir sur ses pas et elle savait qu'elle ne reverrait jamais son fils.

A la pensée de Durc, ses joues se mouillèrent de larmes. Depuis qu'elle avait quitté le Clan, il avait fallu qu'elle se batte pour rester en vie et avoir du chagrin était un luxe qu'elle ne pouvait pas se permettre. Mais maintenant qu'elle avait commencé à pleurer, elle ne pouvait plus s'arrêter.

Elle versa des larmes sur les membres du Clan qu'elle avait laissés derrière elle et sur Iza, la seule mère dont elle eût gardé le souvenir. Elle pleura en pensant à la solitude qui était la sienne et aux dangers qui l'attendaient dans ce pays inconnu. En revanche, elle fut incapable de verser des larmes sur Creb, l'homme qui l'avait considérée comme sa propre fille. La blessure était trop fraîche : il était trop tôt pour qu'elle puisse affronter le fait que Creb était mort, lui aussi.

Quand ses larmes cessèrent de couler, Ayla se rendit compte qu'elle avait les yeux fixés sur les vagues qui déferlaient au pied de la falaise avant de venir mourir autour des rochers déchiquetés.

Ce serait tellement facile, songea-t-elle.

Non ! ajouta-t-elle aussitôt en hochant vigoureusement la tête. Je lui ai dit qu'il pouvait prendre mon fils, m'obliger à partir et lancer sur moi la Malédiction Suprême, mais que jamais il ne pourrait me faire mourir !

Elle se passa la langue sur les lèvres et, au goût de sel de ses larmes, se prit à sourire. Iza et Creb avaient toujours été étonnés qu'elle puisse pleurer. Les membres du Clan ne pleuraient jamais, sauf lorsque leurs yeux étaient irrités. Durc lui-même avait hérité des yeux bruns du Clan : même s'il lui ressemblait par bien des côtés et était capable d'imiter les sons qu'elle émettait, jamais il ne versait une larme.

Ayla se dépêcha de redescendre. Au moment où elle remettait son panier sur son dos, elle se demanda si les yeux des Autres versaient eux aussi des larmes ou si ses propres yeux étaient simplement fragiles comme le disait Iza. Puis elle se répéta le conseil de la guérisseuse : « Trouve ton peuple et ton compagnon. »

Longeant la côte, la jeune femme s'engagea en direction de l'ouest et traversa sans difficulté de nombreux cours d'eau qui allaient se jeter dans la mer intérieure. Mais un jour, elle se retrouva devant une rivière plus large que les autres. Dans l'espoir de trouver un gué, elle obliqua alors vers le nord, suivant le cours d'eau qui s'enfonçait à l'intérieur des terres. Tant que la rivière avait coulé le long de la côte, elle n'était bordée que de pins et de mélèzes plus ou moins hauts. Mais, dès que le cours d'eau pénétra dans les steppes, aux conifères vinrent s'ajouter des bouquets de saules, de bouleaux et de trembles.

La rivière faisait des tours et des détours et, au fur et à mesure que les jours passaient, l'inquiétude d'Ayla grandissait. La direction générale suivie par le cours d'eau était le nord-est et elle ne souhaitait pas aller vers l'est. Elle savait en effet que les membres du Clan remontaient parfois dans cette partie du continent pour chasser. Et elle ne voulait pas courir le risque de les rencontrer — pas avec la malédiction qui pesait sur elle ! Il fallait absolument qu'elle traverse la rivière.

Quand le cours d'eau s'élargit, se divisant en deux bras autour d'une petite île sablonneuse bordée de rochers et de buissons, elle décida de tenter sa chance. Le lit de galets qu'elle apercevait de l'autre côté de l'île ne semblait pas trop profond et elle estima qu'elle devait pouvoir passer à pied. Elle aurait très bien pu traverser la rivière à la nage mais elle ne voulait mouiller ni le contenu de son panier ni ses vêtements en fourrure. Ceux-ci mettraient du temps à sécher et les nuits étaient encore trop froides pour qu'elle puisse se passer d'eux.

Elle fit quelques aller et retour le long de la berge avant de découvrir un endroit où l'eau semblait moins profonde qu'ailleurs. Elle se déshabilla alors entièrement, rangea ses vêtements dans son panier et, tenant celui-ci à bout de bras, pénétra dans l'eau. Les pierres sur lesquelles elle marchait étaient glissantes, le courant avait tendance à la déséquilibrer et, au milieu du premier bras, l'eau lui arrivait à la taille. Malgré tout, elle réussit à atteindre l'île sans encombre.

Le second bras était plus large et elle doutait de pouvoir le traverser aussi facilement. Elle s'y engagea pourtant, car elle n'avait aucune envie de faire demi-tour. Plus elle avançait et plus le lit de la rivière se creusait, si bien qu'arrivée au milieu, l'eau lui montait déjà jusqu'au cou. Elle posa son panier sur sa tête et continua à avancer sur la pointe des pieds. Mais soudain le sol se déroba. Sa tête s'enfonça dans l'eau et elle but la tasse. Aussitôt ses jambes se mirent en mouvement et, tenant son panier d'une seule main, elle se servit de son autre bras pour essayer de gagner la rive. Elle lutta un court instant contre le courant qui essayait de l'entraîner puis sentit à nouveau des pierres sous ses pieds. Un moment plus tard, elle atteignait la rive.

Après avoir traversé la rivière, Ayla s'enfonça à nouveau dans les steppes. Les pluies s'espacèrent, les journées ensoleillées devinrent plus nombreuses : la belle saison était enfin arrivée. Les buissons et les arbres étrennaient leurs nouvelles feuilles et l'extrémité des branches de conifères se couvrait d'aiguilles d'un vert doux et lumineux. Ayla, qui aimait bien leur saveur légèrement piquante, en cueillait au passage et les mâchonnait tout en marchant.

Elle prit l'habitude de voyager toute la journée et de ne s'arrêter qu'à la tombée de la nuit au bord d'un ruisseau ou d'un torrent. Elle n'avait aucun mal à trouver de l'eau. Sous l'action conjuguée des pluies printanières et de la fonte des neiges, les rivières débordaient et le moindre ruisseau, la moindre ravine se remplissait. Plus tard, ces cours d'eau éphémères s'assécheraient complètement ou, dans le meilleur des cas, ne seraient plus qu'un mince filet de liquide boueux. Toute cette humidité allait être rapidement absorbée par la terre. Mais avant que cela se produise, les steppes auraient eu le temps de refleurir.

Presque du jour au lendemain, le pays se couvrit de fleurs. Blanches, jaunes ou pourpres — plus rarement rouge vif ou d'un bleu lumineux —, elles émaillaient le vert tendre des immenses prairies. Le printemps avait toujours été la saison préférée d'Ayla et, une fois de plus, elle était émue par sa beauté.

Maintenant que les steppes renaissaient à la vie, elle avait de moins en moins besoin de puiser dans les réserves de nourriture qu'elle avait emportées avec elle et commençait à vivre sur le pays. Cette activité la ralentissait à peine : comme toutes les femmes du Clan, elle avait appris à cueillir des fleurs, des feuilles, des bourgeons et des baies tout en continuant à marcher. Pour déterrer rapidement les racines et les bulbes, elle se servait d'un bâton à fouir. Il s'agissait d'une branche débarrassée de ses rameaux et de ses feuilles et dont une des extrémités avait été taillée en pointe avec une lame en silex. La cueillette lui semblait facile maintenant qu'elle n'avait plus qu'elle à nourrir.

En plus, elle avait un avantage sur les autres femmes du Clan : elle pouvait chasser. Uniquement avec une fronde, bien sûr ! Mais dans ce domaine, elle était de loin la plus habile du Clan. Les hommes eux-mêmes avaient été obligés de le reconnaître. Ils avaient eu beaucoup de mal à se faire à l'idée qu'une femme puisse chasser et Ayla avait payé très cher le droit d'user de ce privilège.

Quand les écureuils fossoyeurs, les hamsters géants, les grandes gerboises, les lapins et les lièvres quittèrent leurs gîtes d'hiver, attirés par l'herbe tendre, elle reprit l'habitude de porter sa fronde suspendue à la lanière en cuir qui tenait sa fourrure fermée, à côté de son bâton à fouir. En revanche, son sac de guérisseuse était comme toujours accroché à la ceinture du vêtement qu'elle portait sous sa fourrure.

Si la nourriture était abondante, il était un peu plus difficile de trouver du bois et de faire du feu. Les buissons et les arbres qui s'efforçaient de pousser le long des cours d'eau saisonniers fournissaient à Ayla du bois mort. Elle trouvait aussi sur place des excréments d'animaux. Mais cela ne suffisait pas pour faire du feu chaque soir. Parfois, au moment où elle s'arrêtait, elle ne trouvait pas le bois dont elle avait besoin, ou alors celui-ci était vert ou humide. Il arrivait aussi qu'elle soit trop fatiguée pour avoir le courage d'allumer un feu.

Dormir en plein air, sans feu pour se protéger, ne lui souriait guère. Les vastes prairies qu'elle traversait attiraient de grands troupeaux d'herbivores dont les rangs étaient décimés par toutes sortes de prédateurs. Seul un feu pouvait les tenir à distance. Les membres du Clan le savaient et, lorsqu'ils voyageaient, l'un d'eux avait le privilège de transporter un charbon ardent qui, chaque soir, servait à allumer un nouveau feu. Jusqu'alors, Ayla n'avait pas eu l'idée de faire la même chose. Et quand elle y pensa, elle se demanda pourquoi elle n'y avait pas songé plus tôt.

Même en utilisant une drille à feu et une sole en bois, il était très difficile d'allumer un feu quand le bois était vert ou humide. Le jour où elle trouva un squelette d'aurochs, elle se dit que le problème était résolu.

La lune avait à nouveau parcouru un cycle complet et la chaleur de l'été était en train de remplacer l'humidité printanière. Ayla traversait toujours la large plaine côtière qui descendait en pente douce vers la mer intérieure. Les limons charriés par les inondations saisonnières formaient de larges estuaires barrés en partie par des amas de sable, ou même des mares et des étangs.

C'est au bord d'un petit étang de ce genre qu'Ayla s'arrêta au milieu de la matinée. La veille, elle n'avait pu camper près d'un cours d'eau et sa gourde était presque vide. L'eau semblait stagnante et elle n'était pas sûre qu'elle fût potable. Elle y plongea la main, goûta une gorgée et recracha aussitôt le liquide saumâtre. Puis elle se rinça la bouche avec l'eau de sa gourde.

Est-ce que l'aurochs a bu de cette eau ? se demanda-t-elle en remarquant le squelette blanchi que prolongeait une longue paire de cornes effilées. Puis elle s'empressa de quitter ces eaux croupies où la mort semblait encore rôder. Mais elle ne réussit pas à chasser l'aurochs de ses pensées : elle avait beau s'éloigner, elle continuait à penser à ce squelette et à ses longues cornes incurvées.

Il était près de midi quand elle s'arrêta au bord d'un ruisseau. Elle décida alors de faire du feu pour cuire le lapin qu'elle venait de tuer. Assise au soleil, elle était en train de faire tourner entre ses paumes la drille à feu sur la sole en bois quand elle se surprit à souhaiter que Grod soit là pour lui tendre le charbon ardent enveloppé de mousse ou de lichen qu'il transportait toujours dans une... corne d'aurochs !

Elle sauta ausssitôt sur ses pieds, rangea la drille et la sole dans son panier, plaça le lapin par-dessus et rebroussa chemin. Arrivée au bord de l'étang, elle s'approcha du squelette et commença à tirer sur une de ses cornes.

Mais soudain, elle fut prise de remords : dans le Clan, les femmes n'avaient pas le droit de transporter le feu ! Si je ne le fais pas, qui le fera à ma place ? se demanda-t-elle. Et, d'un coup sec, elle détacha la corne. Puis elle se dépêcha de quitter les lieux comme si le simple fait de penser à l'acte interdit avait suffi pour qu'elle sente braqués sur elle des regards désapprobateurs.

Il y avait eu une époque où, pour pouvoir vivre au sein du Clan, il avait fallu qu'elle se conforme à un mode de vie qui ne correspondait pas à sa nature. Maintenant, si elle voulait rester en vie, il fallait au contraire qu'elle surmonte les interdits de son enfance et qu'elle pense par elle-même. La corne d'aurochs était un premier pas dans cette direction et le signe qu'elle était sur la bonne voie.

Ayla se rendit compte très vite que le fait d'avoir une corne d'aurochs n'était pas suffisant, en soi, pour transporter du feu. Le lendemain matin, quand elle voulut ramasser de la mousse sèche pour envelopper le charbon ardent, elle s'aperçut qu'il n'y en avait nulle part. La mousse, si abondante dans les sous-bois autour de la caverne, ne poussait pas dans les steppes, faute de l'humidité nécessaire. Finalement, elle enveloppa le charbon dans de l'herbe. Mais quand elle voulut s'en resservir, la braise s'était éteinte. Elle ne se découragea pas pour autant. Plus d'une fois, elle avait recouvert le feu de cendres pour qu'il dure toute la nuit. Elle savait donc en gros comment s'y prendre. Après moult essais et échecs, elle trouva le moyen de conserver le feu d'un campement à l'autre. Elle portait la corne d'aurochs accrochée à sa ceinture, à côté de son sac de guérisseuse.

Depuis plusieurs jours, Ayla remontait un fleuve trop large pour être traversé à pied. Plus elle avançait, plus le fleuve s'élargissait et, après un brusque crochet, il se dirigeait nettement vers le nord-est.

La jeune femme était trop éloignée maintenant pour risquer de rencontrer les chasseurs du clan de Broud. Malgré tout, elle ne voulait pas aller vers l'est : l'est, c'était le retour vers le Clan. Il n'était pas question non plus qu'elle s'installe dans les vastes plaines qui bordaient le fleuve. Il fallait donc qu'elle trouve un moyen de traverser.

Excellente nageuse, elle aurait très bien pu franchir le fleuve à la nage. Malheureusement, avec un panier sur la tête, la chose devenait impossible. Que faire ?

Elle était assise à l'abri d'un arbre mort dont les branches dénudées traînaient dans l'eau. Le soleil de l'après-midi se reflétait dans le mouvement incessant du courant qui, de temps en temps, charriait quelques débris. Cela lui rappelait le cours d'eau qui coulait près de la caverne. A l'endroit où il se jetait dans la mer intérieure, il regorgeait de saumons et d'esturgeons que le clan pêchait. Ayla allait souvent y nager en dépit des craintes d'Iza. Elle avait toujours su nager bien que personne ne lui ait appris.

Je me demande pourquoi les gens du Clan n'aiment pas nager, pensa-t-elle. Ils disaient toujours que pour m'éloigner autant de la rive, il fallait que je ne sois pas comme les autres. Jusqu'au jour où Ona a failli se noyer...

Ce jour-là, tout le monde lui avait été reconnaissant d'avoir sauvé la petite fille. Brun l'avait même aidée à sortir de l'eau. Elle avait eu l'impression que les membres du Clan la considéraient enfin comme une des leurs. Le fait que ses jambes ne soient pas arquées, qu'elle soit trop mince et trop grande, qu'elle ait les cheveux blonds, les yeux bleus et un haut front, soudain tout cela n'avait plus eu d'importance. Après qu'elle eut sauvé Ona de la noyade, certains membres du Clan avaient essayé d'apprendre à nager. Mais ils n'y étaient pas vraiment arrivé : ils flottaient difficilement et prenaient peur dès qu'ils perdaient pied.

Durc pourrait-il apprendre à nager ? se demanda Ayla. Quand il est né, il était moins lourd que les bébés du Clan et il ne sera jamais aussi musclé que la plupart des hommes. Oui, il y a des chances qu'un jour il puisse nager.

Mais qui lui apprendra ? Uba l'aime autant que s'il était son propre fils et elle prendra soin de lui mais elle ne sait pas nager. Brun non plus. Il lui apprendra à chasser et le prendra sous sa protection. Il ne laissera pas Broud lui faire du mal. Il me l'a promis au moment de mon départ.

Est-ce que Broud est responsable du fait que Durc ait grandi à l'intérieur de mon ventre ? se demanda encore Ayla qui se rappelait en frissonnant comment Broud l'avait forcée. Iza disait que les hommes font ça aux femmes qu'ils aiment mais Broud a agi ainsi parce qu'il savait que je le haïssais. Tout le monde dit que ce sont les esprits des totems qui mettent en route les bébés. Mais aucun homme du Clan ne possédait un totem assez fort pour vaincre mon Lion des Cavernes. Pourtant, ce n'est qu'après avoir été violée par Broud que je suis tombée enceinte. Et tout le monde a été surpris : on pensait que je n'aurais jamais de bébé.

J'aimerais bien voir Durc quand il sera devenu adulte. Il était déjà grand pour son âge, comme moi, et il dépassera tous les hommes du Clan, j'en suis sûre...

Non ! je n'en sais rien ! Et je ne le saurai jamais ! Jamais je ne reverrai mon fils.

Arrête de penser à lui ! s'intima-t-elle en ravalant ses larmes et, quittant l'endroit où elle était assise, elle s'approcha du bord de l'eau.

Plongée dans ses pensées, Ayla n'avait pas remarqué le tronc d'arbre fourchu qui flottait tout près de la rive. Quand celui-ci se trouva emprisonné dans l'enchevêtrement des branches mortes qui se déployaient au ras de l'eau, elle lui jeta un coup d'œil indifférent. Il roulait d'un côté et de l'autre pour se libérer, sous le regard absent d'Ayla. Soudain, elle le vit vraiment et découvrit du même coup tout ce qu'elle pouvait en tirer.

Elle s'avança dans l'eau et hissa le tronc sur la rive. Il s'agissait de la partie supérieure d'un arbre de belle taille qui avait dû être coupé net par une violente inondation en amont du fleuve et qui n'était pas encore trop imbibé d'eau. Ayla fouilla dans un des replis de son vêtement en peau pour en sortir son coup-de-poing. A l'aide de l'instrument, elle coupa la plus longue des deux branches afin qu'elle ait à peu près la même taille que l'autre, puis elle les élagua toutes les deux.

Après avoir jeté un coup d'œil autour d'elle, elle se dirigea vers un bosquet de bouleaux couvert de clématites. Elle tira sur la plante pour en détacher une jeune tige, souple et résistante. Tout en la débarrassant de ses feuilles, elle revint sur ses pas et s'approcha de son chargement. Elle commença par étendre sa tente en peau sur le sol, puis y vida le contenu de son panier. Le moment était venu de dresser l'inventaire de ce qu'elle possédait et de tout ranger à nouveau.

Au fond du panier, elle plaça ses jambières, ses moufles en fourrure, ainsi que le vêtement en peau retourné dont elle n'aurait pas besoin avant l'hiver prochain. Où serai-je à ce moment-là ? se demanda-t-elle en marquant un temps d'arrêt. Balayant d'un geste cette question à laquelle elle ne pouvait pas répondre, elle continua son rangement. Mais à nouveau elle s'arrêta à la vue de la couverture en cuir souple dans laquelle elle plaçait Durc, petit, pour le transporter confortablement calé contre sa hanche.

Pourquoi l'avait-elle emportée ? Elle n'était pas indispensable à sa survie. Mais elle n'avait pas voulu s'en séparer, elle était comme imprégnée de son fils. Après avoir pressé la peau douce contre sa joue, elle la plia avec soin et la rangea au fond du panier. Par-dessus, elle plaça les bandes en peau absorbante qu'elle utilisait pendant ses règles. Puis elle ajouta sa seconde paire de chausses en peau. Elle marchait maintenant pieds nus et ne se chaussait que quand il faisait froid ou humide. Mais elle se félicitait d'avoir emporté les deux paires car elle en avait déjà usé une.

Elle s'occupa ensuite de ses réserves de nourriture. Il lui restait encore une portion de sucre d'érable emballée dans une écorce de bouleau. Elle en cassa un morceau et le mit dans sa bouche en se demandant si elle aurait à nouveau l'occasion de manger du sucre d'érable quand celui-ci serait fini.

Elle avait encore plusieurs galettes de voyage, de celles que les hommes du clan emportaient quand ils partaient chasser, faites d'un mélange de graisse fondue, de viande séchée broyée et de fruits secs. En pensant à la graisse qu'elles contenaient, l'eau lui vint à la bouche. La plupart des animaux qu'elle tuait avec sa fronde ne fournissaient que de la viande maigre et, si elle n'avait pas pu équilibrer ses menus grâce aux végétaux qu'elle cueillait, ce régime ne lui aurait pas permis de vivre longtemps. La graisse, sous quelque forme que ce soit, était nécessaire à sa survie.

Malgré son envie d'en manger une, elle rangea les galettes de voyage dans son panier sans y toucher : mieux valait les garder pour le jour où elle en aurait vraiment besoin. Elle y ajouta les tranches de viande séchée qui lui restaient — aussi dures que du cuir mais nourrissantes —, quelques pommes sèches, une poignée de noisettes, quelques petits sacs de grains ramassés dans les hautes herbes des steppes autour de la caverne et jeta un tubercule pourri. Par-dessus la nourriture, elle posa son bol, son capuchon en fourrure et la paire de chausses usée.

Après avoir détaché de sa ceinture son sac de guérisseuse, elle caressa la peau de loutre brillante et imperméable et sentit sous ses doigts les os des pattes arrière et de la queue. La peau de l'animal avait été incisée à la hauteur du cou. Une lanière en cuir, enfilée à cet endroit, permettait de fermer le sac et la tête de la loutre, toujours attachée au dos et étrangement aplatie, servait de rabat. Iza avait fait ce sac pour elle-même et Ayla en avait hérité le jour où elle était devenue à son tour la guérisseuse du Clan.

Ce sac en loutre lui rappelait son premier sac de guérisseuse, fabriqué lui aussi par Iza, et que Creb avait brûlé, il y a bien des années de cela, lorsqu'elle avait été maudite pour la première fois. Brun avait été obligé d'agir ainsi : les femmes du Clan n'avaient pas le droit d'utiliser des armes et cela faisait des années qu'Ayla se servait en cachette d'une fronde. Malgré tout, Brun lui avait donné une chance de revenir — à condition qu'elle soit capable de rester en vie.

Ce jour-là, il a fait plus que de me donner une chance, songea Ayla. Si je n'avais pas su à quel point le fait d'être maudite pouvait donner envie de mourir, peut-être n'aurais-je pas réussi à rester en vie lorsque Broud à son tour m'a chassée. Même s'il m'a été très difficile de quitter Durc pour toujours, la malédiction de Broud m'a moins touchée que la première. Le jour où Creb a brûlé tout ce qui m'appartenait, j'ai vraiment voulu mourir.

Elle avait aimé Creb, le frère de Brun et d'Iza, au moins autant qu'Iza. Comme il lui manquait un œil et la moitié d'un bras, il n'avait jamais pu chasser mais il était de loin le plus grand magicien de tout le Clan : Mog-ur, craint et respecté de tous. Son vieux visage, borgne et défiguré par une cicatrice, inspirait de l'effroi aux chasseurs les plus courageux. Mais Ayla savait qu'il pouvait aussi refléter une grande douceur. Creb l'avait protégée, s'était occupé d'elle et l'avait aimée comme si elle était la fille de la compagne qu'il n'avait jamais eue.

La mort d'Iza remontait à trois ans, elle avait donc eu le temps de s'y faire. Et, même si elle était séparée de son fils, elle savait qu'il était toujours vivant. Mais la mort de Creb était si récente...

La douleur qu'elle avait gardée au fond d'elle-même depuis le tremblement de terre qui avait tué le vieux magicien resurgit soudain. « Creb... Oh, Creb ! cria-t-elle. Pourquoi es-tu retourné dans la caverne ? Pourquoi fallait-il que tu meures ? »

Éclatant en sanglots, elle enfouit son visage dans la fourrure de son sac, puis elle poussa un gémissement aigu, venu du plus profond d'elle-même. Elle se mit alors à se balancer d'avant en arrière et son gémissement se transforma en une lamentation funèbre qui exprimait son angoisse, son chagrin, son désespoir. Mais il n'y avait personne pour se lamenter avec elle et partager son chagrin. Elle était seule avec sa peine et elle pleurait sur sa propre solitude.

Quand ses sanglots et ses gémissements se calmèrent, elle était épuisée, mais comme délivrée. Au bout d'un moment, elle s'approcha de l'eau et se rafraîchit le visage. Puis elle rangea son sac de guérisseuse dans le panier sans en vérifier le contenu qu'elle connaissait parfaitement. La douleur qu'elle avait éprouvée un peu plus tôt avait maintenant fait place à la colère. Broud ne me fera pas mourir ! dit-elle en jetant rageusement son bâton à fouir.

Puis elle respira à fond et s'approcha à nouveau de son panier. Après y avoir rangé sa drille à feu, sa sole en bois et la corne d'aurochs, elle fouilla dans un des replis de son vêtement et en sortit quelques outils en silex. Dans un autre repli se trouvait un caillou rond qu'elle lança en l'air avant de le rattraper dans le creux de sa main. A condition d'avoir la bonne taille, n'importe quel caillou pouvait être projeté avec une fronde. Mais le tir était bien plus précis lorsqu'on utilisait des projectiles ronds et lisses. Ayla en avait toujours quelques-uns d'avance et elle décida que mieux valait les garder.

Ensuite, elle prit sa fronde, une bande en peau de daim, renflée au milieu pour servir de logement à une pierre et dont les longues extrémités effilées étaient entortillées par l'usage, et la posa à côté des cailloux. Puis elle défit la longue lanière en cuir qui retenait son vêtement en peau de chamois. Cette lanière était enroulée autour d'elle de manière à faire des plis à l'intérieur desquels elle transportait toutes sortes de choses et quand elle l'eut dénouée, la peau de chamois tomba sur le sol. Elle ne portait plus qu'un petit sac suspendu par un cordon autour de son cou — son amulette. Quand elle passa le cordon par-dessus sa tête, elle frissonna : sans amulette, elle se sentait vulnérable. Pour se rassurer, elle toucha du doigt les petits objets durs placés au fond du sac.

Tout était là, tout ce qu'elle possédait, tout ce dont elle avait besoin pour rester en vie — auquel il fallait ajouter : l'intelligence, le savoir, l'habileté, l'expérience, la détermination et le courage.

Elle déposa son amulette, sa fronde et ses outils à l'intérieur de son vêtement en peau, replia celui-ci et le rangea à l'intérieur du panier. Puis elle enveloppa le panier dans la peau d'ours, attacha le tout à l'aide de la lanière en cuir et, après avoir empaqueté son baluchon dans la peau d'aurochs, elle le fixa à l'arrière du tronc fourchu en se servant de la tige de clématite.

Pendant un court instant, elle contempla le large fleuve et la berge opposée qui semblait si lointaine. Elle recouvrit son feu de sable, eut une rapide pensée pour son totem et poussa le tronc d'arbre dans l'eau, en aval de l'arbre mort. Après quoi elle se logea entre les deux branches et, s'y agrippant solidement, lança son radeau dans le courant.

L'eau du fleuve, chargée de la fonte des neiges, était glaciale et Ayla se mit à haleter, le corps engourdi. Le courant était puissant et il entraînait le tronc, bien décidé, semblait-il, à l'emmener jusqu'à la mer. L'arbre tanguait, mais ne se retournait pas grâce aux deux branches qui l'équilibraient. Ayla luttait contre le courant en agitant frénétiquement les pieds pour se frayer un chemin dans cette masse d'eau tourbillonnante. Ses efforts finirent par être récompensés : elle réussit à virer de bord et commença à se diriger vers la rive opposée.

Elle poussait le tronc en travers du courant, sa progression était mortellement lente et chaque fois qu'elle levait les yeux la rive lui semblait désespérément lointaine. A un moment donné, elle crut pouvoir aborder, mais le fleuve l'entraîna et elle s'éloigna à nouveau de la berge. Elle était épuisée. Au contact de l'eau, la température de son corps s'était abaissée et elle frissonnait violemment. Ses muscles étaient douloureux comme si elle avait nagé avec une pierre attachée à chacun de ses pieds.

Trop fatiguée pour lutter, elle finit par s'abandonner à la force inexorable du courant. Heureusement, un peu plus loin, le fleuve faisait un coude et, au lieu de continuer en direction du sud, il obliquait brusquement vers l'ouest, infléchissant son cours au contact d'une avancée rocheuse qui lui barrait la route. Avant de céder au courant, Ayla avait déjà traversé les trois quarts du fleuve et, quand elle aperçut la rive, elle mobilisa toutes ses forces et reprit le contrôle du radeau.

Accélérant ses battements de pieds, elle essaya d'atteindre la berge avant que le fleuve ait fini de contourner cette saillie providentielle. Elle ferma les yeux et se concentra sur les mouvements de ses jambes. Soudain le tronc eut une secousse : il venait de racler le fond et ne tarda pas à s'immobiliser.

Incapable de faire un mouvement, à moitié submergée, Ayla s'accrochait toujours aux deux branches quand un fort remous libéra soudain le tronc des rochers qui le retenaient. Prise de panique, elle se mit à genoux, poussa le tronc devant elle jusqu'à ce qu'il se retrouve sur le sable et retomba dans l'eau.

Même si elle était à bout de forces, elle ne pouvait pas rester là. Tremblant violemment, elle se mit à ramper vers la rive sablonneuse et s'y hissa. Elle tripota maladroitement les nœuds de la tige de clématite, réussit à les défaire et tira son ballot sur le sable.

Ses doigts ne lui obéissaient plus et elle n'arrivait pas à défaire la lanière en cuir. Heureusement, celle-ci finit par casser net et elle put alors récupérer la peau d'ours. Repoussant le panier, elle s'allongea sur la fourrure et la rabattit sur elle. Quand, un instant plus tard, ses tremblements cessèrent, elle s'était endormie.

Après cette traversée périlleuse, Ayla se dirigea à nouveau vers le nord et légèrement à l'ouest. Les journées d'été étaient de plus en plus chaudes, les fleurs des steppes avaient fané et l'herbe lui arrivait à la taille. Elle ne remarquait toujours aucune trace de vie humaine.

Elle ajouta le trèfle et la luzerne à ses menus, ainsi que des tubercules légèrement sucrés qu'elle déterrait après avoir suivi sur le sol le trajet de leurs tiges rampantes. L'astragale lui offrait ses gousses pleines de pois, verts et ovales, en plus de sa racine et elle n'avait aucune difficulté à distinguer l'espèce comestible de ses cousines toxiques. Même s'il était trop tard pour cueillir les bourgeons de l'hémérocalle, les bulbes de cette variété de lis étaient encore tendres. Certaines variétés précoces de groseilles rampantes avaient commencé à prendre couleur et, quand elle voulait ajouter un peu de verdure à ses menus, elle trouvait toujours quelques feuilles tendres d'ansérine, de moutarde ou d'ortie.

Elle ne manquait pas non plus d'occasion d'utiliser sa fronde. Les pikas des steppes, les marmottes, les grandes gerboises et toutes sortes de lièvres, qui avaient échangé leur blanche fourrure d'hiver pour un pelage gris-brun, abondaient dans les steppes. Il y avait aussi, bien que plus rarement, des hamsters géants, omnivores et grands amateurs de souris. La perdrix des neiges et le lagopède des saules au vol lourd étaient un vrai régal même si Ayla, en mangeant de ce dernier, ne pouvait s'empêcher de penser à Creb. L'oiseau dodu et aux pattes recouvertes de plumes était en effet le mets préféré du vieux magicien.

Ces petites créatures n'étaient pas les seules à profiter de la libéralité des vastes plaines et à y festoyer durant l'été. Il y avait aussi des troupeaux de cervidés — rennes, cerfs communs, cerfs géants aux andouillers gigantesques —, des chevaux des steppes trapus, des ânes et des onagres qui se ressemblaient tellement qu'on avait du mal à les distinguer. Parfois Ayla croisait un bison énorme ou une famille de saïgas. Elle rencontrait aussi des troupeaux de bovidés au pelage brun-roux : les mâles atteignaient deux mètres sous le garrot et les veaux, nés au printemps, étaient encore accrochés au pis gonflé de leur mère. Rien que de penser à leur viande nourrie de lait, Ayla avait l'eau qui lui venait à la bouche. Malheureusement, ce n'est pas avec une fronde qu'elle pouvait s'attaquer à un aurochs. Elle aperçut aussi des mammouths laineux en train d'émigrer, des bœufs musqués, en troupe serrée et les petits à l'arrière, qui faisaient face à une bande de loups, et une famille de rhinocéros laineux qu'elle évita avec soin, connaissant leur caractère irascible. Le rhinocéros était le totem de Broud et elle songea qu'il lui convenait parfaitement.

Alors qu'elle continuait à avancer vers le nord, le paysage commença à changer : il devint plus sec et plus désolé. Elle avait atteint l'extrême limite des steppes continentales humides et enneigées en hiver. Au-delà s'étendaient des steppes arides et recouvertes de lœss qui se prolongeaient jusqu'aux vertigineux à-pics des immenses glaciers de l'époque glaciaire.

Les glaciers, ces épaisses couches de neige transformées en glace, enserraient alors le continent et recouvraient l'hémisphère nord. Près d'un quart de la terre était enfoui sous leur masse incommensurable. L'eau emprisonnée dans les glaciers provoquait une baisse du niveau des océans, faisant progresser les côtes et modifiant l'aspect du littoral. Aucune portion du globe n'échappait à leur influence : les pluies inondaient les régions équatoriales et les zones désertiques se raréfiaient. Mais plus on se rapprochait des glaciers, plus les effets en étaient sensibles.

L'immense champ de glace suscitait un phénomène de condensation et l'humidité ainsi produite retombait sous forme de neige. Près du centre, la haute pression étant constante, le froid devenait extrêmement sec et repoussait les chutes de neige aux confins des glaciers. C'est donc là que ceux-ci progressaient. La couche de glace était presque uniforme sur toute son étendue et avoisinait deux milles mètres d'épaisseur.

Comme les franges du glacier recevaient la plupart des chutes de neige, les régions qui le jouxtaient au sud étaient sèches — et gelées. La haute pression régnant au centre du glacier créait un couloir atmosphérique qui canalisait l'air froid et sec vers les zones de basse pression. Le vent venu du nord soufflait sans interruption sur les steppes, charriant des particules de roches pulvérisées qui avaient été broyées par le front du glacier. A peine plus grosses que celles qui composent l'argile, ces particules — ou lœss — se déposaient sur des centaines de kilomètres et sur une épaisseur de plusieurs mètres.

En hiver, les terres nues et glacées étaient balayées par le vent qui poussait devant lui de rares chutes de neige. La terre poursuivait sa rotation et à nouveau les saisons changeaient. Mais la formation d'un glacier étant provoquée par un abaissement de quelques degrés de la moyenne des températures annuelles, les rares journées chaudes avaient bien peu d'effet si elles ne modifiaient pas cette moyenne.

Au printemps, la fine couche de neige qui s'était déposée sur le sol fondait, la croûte extérieure du glacier se réchauffait et les eaux s'infiltraient à travers les steppes. Elles ramollissaient superficiellement le sol et permettaient à quelques plantes aux racines peu profondes de pousser. L'herbe croissait rapidement, sachant que ses jours étaient comptés. Au cœur de l'été, cette herbe ayant séché sur pied, le continent n'était plus qu'une immense réserve de fourrage parsemée d'îlots de forêt boréale et bordée de toundra près des océans.

En lisière des glaciers, là où la couche de neige était peu épaisse, ces pâturages attiraient tout au long de l'année d'innombrables troupeaux d'herbivores et de granivores qui s'étaient adaptés aux rigueurs du climat — ainsi que des prédateurs, capables de supporter n'importe quel climat à condition que celui-ci convienne à leurs proies. Un mammouth pouvait très bien brouter au pied d'un immense mur de glace blanc bleuté qui s'élançait à deux mille mètres au-dessus de lui.

Les cours d'eau saisonniers alimentés par la fonte des glaces se frayaient un passage à travers le lœss et même souvent à travers les roches sédimentaires, atteignant alors la plate-forme granitique qui se trouvait sous le continent. Il n'était pas rare de rencontrer dans ce paysage plat à perte de vue des ravins à pic et des rivières encaissées dans des gorges. Les rivières apportaient de l'humidité et les gorges abritaient du vent : même au cœur des steppes arides, il existait des vallées verdoyantes.

On était maintenant au cœur de l'été et, plus les jours passaient, moins Ayla avait envie de poursuivre sa route. Elle en avait assez de la monotonie des steppes, du soleil implacable, du vent incessant. Sa peau était sèche, rugueuse, et pelait, ses lèvres étaient gercées, ses yeux enflammés et sa gorge constamment irritée par la poussière. Les rares vallées qu'elle rencontrait sur sa route étaient plus verdoyantes que les steppes et ombragées par des arbres, mais elle n'avait pas pour autant envie de s'y arrêter. Et aucune d'elles n'était habitée par l'homme.

Il n'y avait aucun nuage dans le ciel et pourtant l'ombre de l'hiver semblait déjà planer sur les steppes. Ayla était inquiète, elle pensait aux journées glaciales qui n'allaient pas tarder à revenir. Pour les affronter, il fallait des réserves de nourriture et trouver un abri. Elle s'était mise en route au début du printemps et, comme ses recherches n'avaient pas abouti, elle en venait à se demander si elle était condamnée à errer à jamais — ou alors mourir.

Au soir d'un jour qui ressemblait au précédent, elle établit son camp dans un endroit où il n'y avait pas d'eau. La braise de bois qu'elle transportait s'était éteinte et le bois était si rare alentour qu'elle n'eut pas le courage d'allumer du feu. Elle avait tué une marmotte dont elle mangea un morceau cru, et sans aucun appétit. Puis elle jeta ce qui restait de l'animal bien que le gibier se fît rare. La cueillette, elle aussi, devenait de jour en jour plus difficile, car le sol disparaissait sous les plantes sèches. Sans parler du vent qui n'arrêtait pas de souffler.

Cette nuit-là, elle dormit mal, fit de mauvais rêves et se réveilla fatiguée. Ce qui restait de la marmotte avait disparu pendant son sommeil et elle n'avait rien à manger. Elle but un peu d'eau de sa gourde, saisit son panier et se remit en route, toujours en direction du nord.

A midi, elle s'arrêta au bord d'un torrent presque à sec dans le lit duquel il y avait encore quelques flaques et, malgré le goût un peu âcre de l'eau, remplit sa gourde. Elle déterra quelques racines de massettes, douceâtres et filandreuses, qu'elle mâchonna en repartant. Elle n'avait pas particulièrement envie de marcher, mais que faire d'autre ? Déprimée et fatiguée, elle avançait sans regarder où elle allait quand elle fut soudain rappelée à l'ordre par le rugissement d'un lion des cavernes qui se dorait au soleil au milieu de ses congénères.

Son sang ne fit qu'un tour et, revenant aussitôt sur ses pas, elle obliqua vers l'ouest pour quitter le territoire des lions. Fini de voyager en direction du nord ! Elle était sous la protection de l'esprit du Lion des Cavernes — mais non à l'abri de l'animal lui-même. Et, si ce dernier avait l'occasion de se jeter sur elle, il n'hésiterait pas une seconde.

Ayla avait déjà été attaquée par un lion des cavernes et depuis, elle portait quatre longues cicatrices parallèles sur la cuisse gauche. C'est grâce à ces cicatrices que Creb avait pu déterminer quel était son totem. Elle revoyait d'ailleurs régulièrement en rêve la gigantesque patte armée de griffes qui s'était avancée dans l'anfractuosité du rocher où elle s'était cachée alors qu'elle avait cinq ans. Elle avait à nouveau fait ce rêve la nuit précédente. Creb lui avait expliqué que sa rencontre avec le lion était une mise à l'épreuve : elle avait été jugée digne de ce totem et les marques qu'elle portait sur la jambe en étaient le témoignage.

Je me demande pourquoi le Lion des Cavernes m'a choisie ? se dit-elle en touchant sans y penser ses cicatrices.

Le soleil se couchait, Ayla marchait maintenant vers l'ouest, aveuglée par ses derniers rayons. Elle avait suivi une longue déclivité dans l'espoir de découvrir une rivière mais n'avait trouvé aucune trace d'eau. Elle se sentait fatiguée, affamée et était encore sous le coup de sa rencontre avec les lions. Etait-ce un signe ? Est-ce que ses jours étaient comptés ? Comment avait-elle pu croire qu'elle était capable d'échapper à la Malédiction Suprême ?

Elle était tellement éblouie par le soleil qu'elle faillit ne pas voir que le plateau donnait sur un à-pic. Elle s'arrêta et, se protégeant les yeux de la main, regarda en bas du ravin. Tout au fond coulait une petite rivière aux eaux étincelantes, bordée d'arbres et de buissons. La gorge taillée dans les falaises rocheuses s'ouvrait sur une vallée verdoyante et abritée. A mi-pente, dans un pré baigné par les derniers rayons du soleil, une petite horde de chevaux broutait en toute quiétude.

2

— Pourquoi as-tu décidé de m'accompagner ? demanda le jeune homme brun au moment où il s'apprêtait à démonter la tente de peaux lacées ensemble. Tu as dit à Marona que tu allais simplement rendre visite à Dalanar et que tu en profiterais pour m'indiquer le chemin. Ce ne devait être qu'un court Voyage avant de te ranger. Tu étais censé aller à la Réunion d'Été avec les Lanzadonii et arriver là-bas juste à temps pour la Cérémonie de l'Union. Marona va être furieuse et c'est le genre de femme dont je n'aimerais pas provoquer la colère. Tu es sûr que tu n'es pas tout simplement en train de la fuir à toutes jambes ?

Thonolan avait parlé d'un ton léger que démentait son regard sérieux.

— Pourquoi serais-tu le seul de la famille à avoir envie de voyager, Petit Frère ? demanda le blond Jondalar. Si je t'avais laissé partir tout seul, au retour tu n'aurais pas manqué de te vanter au sujet de ton long Voyage. Il faut que quelqu'un t'accompagne pour vérifier la véracité de tes histoires. Et aussi pour t'éviter des ennuis.

Jondalar se baissa pour rentrer sous la tente. Celle-ci était suffisamment haute pour qu'on puisse s'y tenir assis ou à genoux et assez grande pour contenir, en plus de leurs fourrures de couchage, tout leur équipement. La tente s'appuyait sur trois perches, placées en ligne et fichées au centre. Au milieu, à côté de la perche la plus haute, était ménagé un trou muni d'un rabat qui pouvait être ouvert quand on faisait du feu ou fermé en cas de pluie. Jondalar enleva les trois perches et sortit de la tente à reculons.

— M'éviter des ennuis ! s'exclama Thonolan. Tu ferais mieux de penser à toi ! Attends un peu que Marona découvre que tu n'as pas accompagné Dalanar et les Lanzadonii à la Réunion... Elle serait bien capable de se transformer en donii et de voler par-dessus le glacier que nous venons de traverser pour te rattraper.

Saisissant chacun une des extrémités de la tente, ils la replièrent.

— Ça fait drôlement longtemps qu'elle a des vues sur toi, continua Thonolan. Et, juste au moment où elle croit que c'est gagné, toi, tu décides de faire un Voyage. A mon avis, tu n'as aucune envie de glisser ta main dans la lanière de cuir et de laisser notre zelandoni y faire un nœud. L'union te fait peur, Grand Frère. (Les deux hommes posèrent la tente à côté de leurs sacs.) A ton âge, la plupart des hommes ont déjà un ou deux petits dans leur foyer, ajouta Thonolan en baissant la tête pour éviter le coup de poing amical de son frère, ses yeux gris pétillant de malice.

— La plupart des hommes de mon âge ! s'écria Jondalar, feignant d'être en colère. Quand je pense que je n'ai que trois ans de plus que toi ! ajouta-t-il en éclatant de rire.

Il se laissait aller si rarement à rire que ses accès de gaieté surprenaient toujours un peu.

Les deux frères étaient aussi différents que le jour et la nuit. D'humeur insouciante, aimant plaisanter et rire, Thonolan était le bienvenu partout en se faisant facilement des amis. Jondalar était plus sérieux que son frère, plus réfléchi et il fronçait souvent les sourcils d'un air inquiet. Il appréciait la compagnie de son frère, qui l'amusait.

— Qui te dit que, quand nous rentrerons, Marona n'aura pas déjà ramené un petit à mon foyer ? fit-il en aidant son frère à rouler le tapis de sol en cuir qui, tendu sur une seule perche, pouvait leur servir également d'abri.

— Qui te dit qu'elle n'aura pas décidé que mon insaisissable frère n'est pas le seul homme digne de profiter de ses charmes bien connus ? Elle sait comment y faire pour plaire à un homme — quand elle veut. Dommage qu'elle ait aussi mauvais caractère... Même si elle n'est pas commode, Doni seule sait le nombre d'hommes qui auraient bien voulu d'elle ! Mais il n'y a que toi qui sois capable de la mettre au pas, Jondalar. Pourquoi ne t'es-tu pas uni à elle ? Tout le monde attend ça depuis des années.

Jondalar fronça les sourcils et le bleu vif de ses yeux s'assombrit.

— Peut-être justement parce que c'était tout ce que tout le monde attendait, répondit-il. Je n'en sais rien, Thonolan, honnêtement, j'espère toujours m'unir à elle. Qui d'autre pourrais-je choisir comme compagne ?

— Qui ? Celle que tu veux, Jondalar ! Dans toutes les Cavernes, il n'y a pas une femme libre qui laisserait passer la chance de s'unir à Jondalar des Zelandonii, frère de Joharran, chef de la Neuvième Caverne, et de Thonolan, le courageux et fougueux aventurier.

— Tu oublies : fils de Marthona, fondatrice de la Neuvième Caverne, et frère de Folara, qui promet d'être une belle fille dès qu'elle aura grandi, ajouta Jondalar en souriant. Et si tu as décidé de faire la liste de toutes mes attaches, n'oublie pas les élues de Doni...

— Qui pourrait les oublier ? demanda Thonolan en s'approchant des fourrures de couchage coupées à la taille d'un homme, lacées par deux sur les côtés et au fond et munies d'un lacet autour de l'ouverture.

Les deux hommes se mirent alors à remplir leurs sacs. Rigides et évasés vers le haut, ils avaient été fabriqués avec du cuir brut et épais, fixé sur des lames de bois et ils étaient munis de deux courroies en cuir que l'on passait sur les épaules. Sur chacune de ces courroies, il y avait une rangée de boutons en ivoire qui permettaient d'en régler la longueur. Chaque bouton était fixé grâce à un lacet enfilé dans le trou central et noué à un second lacet qu'on faisait passer à travers le même trou, et ainsi de suite.

— A un moment donné, reprit Thonolan, j'ai pensé que tu t'unirais à Joplaya.

— Tu sais bien que je ne peux pas m'unir à elle, rappela Jondalar. Joplaya est ma cousine. En plus, elle est tellement taquine qu'il est impossible de la prendre au sérieux. Nous sommes devenus très bons amis quand je suis allé vivre chez Dalanar pour apprendre mon métier. Il lui apprenait à tailler le silex en même temps qu'à moi. Elle est une des meilleures tailleuses de silex que je connaisse. Mais ne va surtout pas lui répéter ! Entre nous, c'était toujours à qui surpasserait l'autre et elle ferait des gorges chaudes de ce que je viens de te dire.

Jondalar était en train de soulever la lourde poche en cuir qui contenait ses outils de tailleur de silex et quelques rognons de silex d'avance. Il pensait à Dalanar et à la nouvelle Caverne qu'il avait fondée. Les Lanzadonii étaient de plus en plus nombreux. Depuis que Jondalar était parti, leur nombre s'était encore accru. Ils ne vont pas tarder à fonder une Deuxième Caverne, songea-t-il en plaçant la poche en cuir dans son sac. Puis il y rangea les ustensiles de cuisine et la nourriture. Il plaça ses fourrures de couchage et la tente sur le dessus et glissa deux perches dans un étui fixé à gauche de son sac. La troisième perche, c'est Thonolan qui s'en chargeait, ainsi que du tapis de sol. Les deux frères portaient chacun quelques sagaies, glissées dans un étui spécial, à droite de leur sac.

Les sacs prêts, Thonolan remplit de neige sa gourde. Lorsqu'il faisait très froid, comme cela avait été le cas alors qu'ils traversaient le haut plateau glaciaire, Thonolan était obligé de transporter cette gourde à l'intérieur de sa pelisse, directement contre son corps, pour que son contenu ne gèle pas : sur un glacier, en effet, il n'y avait rien pour faire du feu. Ils avaient maintenant laissé le glacier derrière eux mais ils étaient encore trop haut pour espérer trouver un cours d'eau qui ne soit pas pris par les glaces.

— Je suis drôlement content que Joplaya ne soit pas ma cousine, dit Thonolan en levant la tête vers son frère. Franchement, je m'unirais bien à elle. Tu ne m'avais pas dit à quel point elle était belle. Il n'y a pas une femme qui lui arrive à la cheville et, quand elle est là, tous les hommes ont les yeux fixés sur elle. Heureusement que Marthona, notre mère, avait pour compagnon Willomar quand je suis né et qu'elle ne vivait plus avec Dalanar. Au moins, ça me laisse une chance...

— C'est vrai qu'elle est devenue très belle. Cela faisait trois ans que je ne l'avais pas vue. Je pensais qu'elle avait déjà trouvé un compagnon. Je suis content que Dalanar ait décidé d'emmener cette année les Lanzadonii à la Réunion d'Été des Zelandonii. Avec une seule Caverne, les Lanzadonii n'ont pas beaucoup de choix. La Réunion devrait permettre à Joplaya de rencontrer d'autres hommes.

— Marona va avoir une sacrée rivale ! Je regrette presque de ne pas pouvoir assister à la rencontre de ces deux-là. Marona a l'habitude d'être la plus belle de la bande et elle ne va pas tarder à haïr Joplaya. Comme, en plus, tu ne seras pas là, elle risque de ne pas tellement apprécier la Réunion d'Été cette année.

— Tu as raison, Thonolan. Elle va souffrir et elle sera furieuse, et je la comprends. Même si elle a mauvais caractère, c'est une femme de qualité et elle mérite un bon compagnon. Et elle sait s'y prendre pour plaire à un homme. Je crois que j'étais vraiment décidé à nouer le lien, mais maintenant que je ne la vois plus, je ne sais plus très bien... conclut Jondalar en attachant une ceinture autour de sa pelisse après y avoir placé sa gourde.

— J'aimerais que tu me dises quelque chose, intervint Thonolan, l'air soudain sérieux. Quel effet cela te ferait-il si elle décide de s'unir à quelqu'un d'autre pendant ton absence ? Tu sais que c'est très possible.

— Cela me fera de la peine et mon orgueil en souffrira aussi, reconnut Jondalar. Mais je ne lui en voudrai pas. Je pense qu'elle mérite de rencontrer quelqu'un de mieux que moi. Quelqu'un qui ne la laissera pas tomber pour accomplir le Voyage au dernier moment. Et si elle est heureuse, j'en serai content pour elle.

— C'est bien ce que je pensais, dit Thonolan. (Il ajouta avec un sourire malicieux :) Si nous voulons échapper à la donii qui nous court après, nous avons intérêt à nous mettre en route.

Thonolan finit de charger son sac. Puis, relevant sa pelisse, il sortit son bras de la manche et suspendit sa gourde à son épaule.

La pelisse en fourrure des deux frères avait été fabriquée selon un modèle très simple. Deux morceaux de peau à peu près rectangulaires, attachés ensemble sur les côtés et aux épaules, auxquels étaient cousus deux rectangles plus petits, pliés et cousus pour former deux tubes qui faisaient office de manches. Les pelisses avaient un capuchon, attaché aussi dans le dos et bordé de fourrure de glouton pour que la condensation provoquée par la respiration n'y reste pas accrochée sous forme de glace. Elles étaient richement décorées de perles en os, d'ivoire, de coquillages, de dents d'animaux, ainsi que de queues d'hermine, blanches à bout noir. Elles s'enfilaient par-dessus la tête, pendaient en plis lâches, comme des tuniques, et descendaient jusqu'au milieu des cuisses. Une ceinture permettait de les resserrer à la hauteur de la taille.

Sous leur pelisse, Thonolan et son frère portaient une peau de daim taillée sur le même modèle et des pantalons en fourrure, avec un rabat sur le devant, qu'une lanière en cuir retenait autour de la taille. Leurs moufles en peau retournée étaient attachées à un long cordon passé dans une boucle cousue au dos de la pelisse, si bien qu'ils pouvaient les enlever rapidement sans risquer de les perdre. Leurs bottes avaient une semelle épaisse qui, comme pour les mocassins, se rabattait autour du pied. Sur cette semelle était attachée une peau plus souple qui épousait les contours de la jambe et qui, rabattue, était maintenue en place à l'aide d'une lanière. A l'intérieur de leurs bottes, ils glissaient une doublure de laine de mouflon, mouillée et foulée jusqu'à obtenir du feutre. Lorsque le temps était particulièrement humide, ils portaient par-dessus leurs bottes un boyau d'animal, imperméable et adapté à la forme de leur pied. Cette protection s'usant très vite, ils ne s'en servaient que rarement, en cas d'absolue nécessité.

Jondalar venait de prendre une hache en silex, au manche court et solide, et il était en train de la passer dans une boucle de sa ceinture, à côté de son couteau en silex au manche en os, quand il demanda à son frère :

— Jusqu'où comptes-tu aller ? Quand tu as dit que tu comptais descendre la Grande Rivière Mère jusqu'à son embouchure, tu ne parlais pas sérieusement ?

— Mais si ! répondit Thonolan, qui était en train d'enfiler ses bottes.

Pour une fois, il ne plaisantait pas.

— Mais alors nous risquons de ne pas être rentrés pour la Réunion d'Été de l'année prochaine !

— Es-tu en train de changer d'avis, Frère ? Tu n'es pas obligé de m'accompagner. Je ne t'en voudrai pas si tu décides de rebrousser chemin. De ta part, c'était une décision de dernière heure. Et tu sais aussi bien que moi que nous risquons de ne jamais rentrer chez nous. Si tu veux me quitter, fais-le maintenant ! En plein hiver, tu ne pourras jamais retraverser le glacier.

— Ce n'était pas une décision de dernière heure, Thonolan. Je songeais depuis longtemps à entreprendre un Voyage et le moment m'a semblé particulièrement bien choisi.

Le ton adopté par Jondalar laissait entendre qu'il ne reviendrait pas sur sa décision mais on y sentait aussi une légère trace d'amertume qui n'échappa pas à son frère.

— Je n'ai encore jamais fait un vrai Voyage, reprit Jondalar, sur un ton plus léger. C'est maintenant ou jamais. Mon choix est fait, Petit Frère. Tu ne te débarrasseras pas de moi comme ça.

Le ciel était dégagé et le soleil, qui se reflétait sur la neige immaculée, aveuglant. On était au printemps mais, compte tenu de l'altitude, le paysage n'en laissait rien paraître. Jondalar fouilla dans un des petits sacs suspendus à sa ceinture pour y prendre une paire de lunettes protectrices. Taillées dans du bois, elles recouvraient complètement les yeux à l'exception d'une étroite fente horizontale et s'attachaient derrière la tête. Après avoir mis ses lunettes, Jondalar, d'un rapide mouvement de pied, enfila ses raquettes, dont il attacha les courroies autour de ses orteils et de la cheville. Puis il saisit son sac.

Les raquettes avaient été faites par Thonolan. Son métier consistait à fabriquer des sagaies. Il avait d'ailleurs emporté avec lui son redresseur de sagaie favori, un merrain débarrassé de ses andouillers à l'extrémité duquel il avait percé un trou. Il avait décoré cet outil de tout un fouillis d'animaux et de plantes printanières, en partie pour honorer la Grande Mère et La prier d'attirer l'esprit des animaux vers les sagaies de sa fabrication, mais aussi parce qu'il prenait plaisir à graver. Le redresseur était indispensable pour remplacer les sagaies perdues à la chasse. Il servait tout particulièrement pour l'extrémité — là où la main n'avait pas de prise suffisante — qui, insérée dans le trou, était rectifiée par effet de levier. Thonolan savait travailler le bois, chauffé au contact de pierres brûlantes ou à la vapeur, pour redresser ses traits comme pour, au contraire, cintrer des tiges destinées à faire des raquettes.

Jondalar se retourna pour voir si son frère était prêt. Celui-ci hocha la tête et ils s'engagèrent alors sur une pente qui, tout en bas, aboutissait à une rangée d'arbres. Sur leur droite, au-delà des terres couvertes de forêts, ils apercevaient les contreforts montagneux recouverts de neige et, plus loin, les hauts sommets déchiquetés de l'immense chaîne de montagnes. Au sud-est, un pic solitaire et plus haut que ses voisins étincelait au soleil.

En comparaison, la région montagneuse qu'ils venaient de traverser avait presque l'air d'une colline. Elle appartenait à un massif largement érodé et bien plus ancien que la chaîne dont ils apercevaient les sommets dentelés. Ce massif était malgré tout suffisamment élevé pour être lui aussi couvert de glace en altitude tout au long de l'année. Plus tard, quand le glacier continental aurait rejoint son habitat polaire, cette région montagneuse serait recouverte de sombres forêts. Pour l'instant, elle formait un plateau glaciaire, une version en miniature de l'épaisse couche de glace qui recouvrait le nord.

Quand les deux frères furent arrivés à la hauteur des arbres, ils enlevèrent leurs lunettes qui protégeaient de la réverbération du soleil mais limitaient la visibilité. Un peu plus bas, ils rencontrèrent un petit torrent. Né de la fonte des glaces, il s'était infiltré dans des crevasses rocheuses, avait coulé sous terre et émergeait à cet endroit, débarrassé de sa boue. Son eau limpide étincelait sous le soleil printanier.

— Qu'en penses-tu ? demanda Thonolan en montrant le torrent à son frère. C'est à peu près là que Dalanar a dit qu'elle devait se trouver.

— Nous n'allons pas tarder à le savoir. Dalanar a dit que le jour où nous aurons atteint l'endroit où convergent trois rivières qui se dirigent vers l'est, nous saurions que nous suivons la Grande Rivière Mère. D'après moi, la plupart de ces petits cours d'eau ont des chances de nous mener dans la bonne direction.

— Tu as raison. Restons du côté gauche. Plus tard, ce sera peut-être plus difficile de traverser.

— Les Losadunaï vivent sur la rive sud, rappela Jondalar. Et nous pourrions peut-être nous arrêter dans une de leurs Cavernes. La rive nord est censée être le territoire des Têtes Plates.

— Ne nous arrêtons pas chez les Losadunaï, proposa Thonolan. Ils vont nous demander de rester chez eux et nous nous sommes déjà suffisamment attardés chez les Lanzadonii. Si nous ne les avions pas quittés à temps, la saison aurait été trop avancée, et au lieu de traverser le glacier, nous aurions été obligés de le contourner par le nord. Et là, en effet, nous aurions croisé le territoire des Têtes Plates. Je tiens à continuer et je pense que nous sommes maintenant suffisamment au sud pour ne plus risquer de les rencontrer. De toute façon, quelle importance ? Tu ne vas pas me dire que tu as peur de quelques malheureux Têtes Plates. Il paraît que tuer un Tête Plate, c'est comme de tuer un ours.

— Je n'ai pas particulièrement envie de me retrouver nez à nez avec un ours, répondit Jondalar en fronçant les sourcils. J'ai entendu dire que les Têtes Plates étaient intelligents et qu'ils étaient presque humains.

— Intelligents, peut-être... Mais pas humains puisqu'ils sont incapables de parler.

— Ce ne sont pas les Têtes Plates qui m'inquiètent, Thonolan. Je pense simplement que les Losadunaï connaissent la région et qu'ils peuvent nous indiquer la bonne route. Nous pouvons faire halte chez eux juste le temps qu'ils nous fournissent quelques points de repère et nous expliquent ce qui nous attend. D'après Dalanar, certains d'entre eux parlent le zelandonii. Nous n'aurons aucun mal à nous comprendre.

— D'accord ! Si tu penses que ça vaut mieux.

Le torrent était déjà trop large pour qu'ils puissent le franchir. Ils aperçurent alors un tronc d'arbre tombé en travers du cours d'eau et qui formait un pont naturel, et s'en approchèrent, Jondalar en tête. Il s'engageait sur des racines apparentes de l'arbre quand soudain Thonolan, qui regardait autour de lui en attendant son tour, lui cria :

— Jondalar ! Attention !

Une pierre lui frôla la tête en sifflant. Aussitôt, il se laissa tomber et saisit une de ses sagaies. Thonolan s'était accroupi, les yeux fixés sur l'endroit d'où était partie la pierre. Lorsque les branches nues et enchevêtrées d'un buisson tout proche bougèrent, il lança son arme. Il s'apprêtait à jeter une seconde sagaie quand six êtres émergèrent des broussailles.

— Des Têtes Plates ! cria-t-il en reculant pour mieux viser.

— Attends ! cria son frère. Ils sont trop nombreux.

— Le costaud a l'air d'être le chef de la bande. Si je réussis à l'atteindre, les autres prendront peut-être la fuite.

— Non ! Ils vont se ruer sur nous avant que nous ayons le temps de les viser à nouveau. Pour l'instant, ils se tiennent à distance et ne font pas mine d'avancer. (Jondalar se releva, tenant toujours sa sagaie.) Ne bouge pas ! conseilla-t-il à son frère. Attendons. Et ne quitte pas le costaud des yeux. Il a très bien compris que c'est lui que tu vises.

Jondalar dévisageait le costaud et avait l'impression déconcertante que les grands yeux bruns étaient aussi en train de l'étudier. C'était la première fois qu'il voyait des Têtes Plates d'aussi près et il était surpris car ils ne correspondaient pas à l'idée qu'il s'en faisait. Les yeux qui l'observaient étaient enfoncés dans des orbites proéminentes, accentuées par des sourcils broussailleux. Le nez aux larges narines, mais étroit en haut, comme une sorte de bec, les faisait apparaître encore plus enfoncés. Le visage disparaissait sous une barbe épaisse et légèrement bouclée. En observant un autre Tête Plate, plus jeune et dont la barbe commençait juste à pousser, Jondalar s'aperçut qu'il n'avait pas de menton, simplement une mâchoire saillante. Quant à leurs cheveux, bruns, ils étaient tout emmêlés, comme leur barbe. Et ils semblaient très poilus, surtout en haut du dos.

C'était facile à voir puisque leur vêtement en fourrure ne couvrait que le torse, laissant les bras et les épaules nus malgré la température presque glaciale. Ce qui surprenait Jondalar, ce n'était pas qu'ils soient aussi peu sensibles au froid, mais le fait qu'ils portent des vêtements. Avait-on jamais vu un animal se vêtir et porter des armes ? Car les Têtes Plates étaient armés. Ils avaient des lances en bois, certainement utilisées pour porter un coup plutôt que comme armes de jet, mais dont l'extrémité pointue ne laissait aucun doute sur leur efficacité. Certains portaient sur l'épaule le tibia d'un herbivore de grande taille, qui leur servait de massue.

Ils n'ont pas une mâchoire d'animal, pensa Jondalar. Elle est simplement plus puissante que la nôtre. Et leur nez est large, sans plus. Par contre leur tête est vraiment différente.

Au lieu d'avoir le front haut comme lui et Thonolan, les Têtes Plates avaient un front bas qui fuyait sur un crâne large et étiré.

Jondalar, qui mesurait un bon mètre quatre-vingt-quinze, dépassait d'au moins trente centimètres le plus grand d'entre eux et même Thonolan, avec son mètre quatre-vingts, semblait un géant comparé au costaud qui devait être leur chef.

Les deux frères étaient bien bâtis, mais la musculature des Têtes Plates était tellement puissante qu'à côté d'eux, ils paraissaient presque efflanqués. Les Têtes Plates avaient des torses de taureau, des membres étonnamment musclés. Leurs jambes étaient arquées, mais ils se tenaient parfaitement droits et marchaient normalement. Plus Jondalar les regardait, plus il trouvait qu'ils ressemblaient à des hommes — mais des hommes comme il n'en avait jamais vu.

Pendant un long moment, personne ne bougea. Thonolan était toujours accroupi, la sagaie à la main. Jondalar se tenait debout, prêt à lancer la sienne en même temps que son frère. Les six Têtes Plates étaient d'une immobilité de pierre mais on les sentait prêts à passer à l'action avec la rapidité de l'éclair. Chacun campait sur ses positions et Jondalar se demandait comment faire pour sortir de cette impasse.

Soudain, le costaud émit un grognement et fit un mouvement du bras. Thonolan arma son bras. Jondalar l'arrêta d'un geste. Seul le jeune Tête Plate avait bougé : il venait de disparaître derrière le buisson qui, un moment plus tôt, avait servi de cachette à toute la bande. Il réapparut presque aussitôt, portant la sagaie de Thonolan, et, à la grande surprise de ce dernier, la lui rapporta. Puis il s'approcha du tronc d'arbre qui enjambait la rivière et ramassa une pierre. Il revint alors vers le costaud et, tenant toujours la pierre, inclina la tête d'un air contrit. La seconde d'après, ils avaient disparu tous les six derrière le buisson sans aucun bruit.

— J'ai bien cru que nous n'arriverions pas à nous en sortir, avoua Thonolan en poussant un soupir de soulagement. Je m'étais juré d'en avoir un ! Il n'empêche que je n'y comprends rien...

— A mon avis, le plus jeune a commencé quelque chose que le costaud n'a pas voulu finir. Mais ce n'est pas parce qu'il avait peur de nous. Il fallait un sacré sang-froid pour faire ce geste en sachant que tu le visais.

— Peut-être n'avait-il pas compris ce qu'il risquait.

— Il avait parfaitement compris, oui ! Il t'avait vu lancer ta première sagaie. Sinon, pourquoi demander au jeune d'aller la chercher et de te la rendre ?

— Crois-tu vraiment qu'il lui ait dit de faire ça ? Mais comment ? Puisqu'ils ne savent pas parler.

— Je n'en sais rien. Mais je suis sûr que le costaud a ordonné au jeune de te rapporter ta sagaie et d'aller rechercher sa pierre. Comme ça, on était quitte. Personne n'a été blessé et je pense que c'est ce qu'il voulait. C'était drôlement futé de sa part. Tu sais, j'ai l'impression que ces Têtes Plates ne sont pas vraiment des animaux. Je ne savais pas qu'ils portaient des fourrures, avaient des armes et marchaient comme nous.

— En tout cas, je comprends pourquoi on les appelle les Têtes Plates ! Et quelle force ! Je n'aimerais pas avoir à me battre à mains nues avec l'un d'eux.

— Oui... J'ai l'impression qu'ils doivent te casser un bras aussi facilement que s'il s'agissait d'une brindille. Et moi qui les imaginais tout petits...

— Courts sur pattes, peut-être... mais pas petits ! Je dois reconnaître, Grand Frère, que tu avais raison : allons rendre visite aux Losadunaï. Ils vivent tous près d'ici et ils doivent en savoir plus que nous sur les Têtes Plates. A mon avis, la Grande Rivière Mère constitue une sorte de frontière. Et j'ai comme l'impression que ces fichus Têtes Plates préféreraient nous voir de l'autre côté.

Pendant plusieurs jours, les deux hommes continuèrent à marcher dans l'espoir de découvrir les points de repère dont leur avait parlé Dalanar. Ils suivaient toujours le même torrent qui, à ce stade, ne semblait guère différent des autres petits ruisseaux qui dévalaient le long des pentes. S'agissait-il de la source de la Grande Rivière Mère ? En réalité, la plupart de ces ruisselets se rejoignaient pour former le cours supérieur de cet immense fleuve qui allait traverser plaines et collines sur près de trois mille kilomètres avant de décharger son énorme cargaison d'eau et de vase dans la mer intérieure du sud-est.

Le massif de roches cristallines qui donnait naissance à ce puissant fleuve était un des plus anciens de la terre. Le large lit avait été creusé par les poussées gigantesques qui avaient soulevé et plissé la chaîne de montagnes aux contours accidentés que les deux frères avaient aperçue scintillant dans toute sa splendeur. Plus de trois cents affluents, de larges rivières pour la plupart, après avoir drainé les pentes montagneuses le long de leur parcours, viendraient grossir ses flots tumultueux.

La région que traversaient Jondalar et son frère subissait l'influence océanique et continentale — modifiée par la présence des montagnes. La flore et la faune étaient un mélange de ce qu'on trouvait dans la toundra-taïga de l'ouest et dans les steppes de l'est. Les versants les plus élevés étaient le domaine des bouquetins, des chamois et des mouflons. Dans les régions boisées, on rencontrait surtout des cerfs. Le tarpan, un cheval sauvage qui, plus tard, serait domestiqué, broutait dans les plaines abritées ou sur les terrasses fluviales. Les loups, les lynx et les léopards des neiges se coulaient dans l'ombre sans faire aucun bruit. Il y avait aussi des ours bruns omnivores, sortant à peine de leur période d'hibernation. L'ours des cavernes, énorme et végétarien, n'avait pas encore fait son apparition. Et de nombreux petits mammifères commençaient à pointer leur museau hors de leurs gîtes d'hiver.

Sur les pentes boisées poussaient surtout des pins, mais aussi parfois des épicéas, des sapins argentés et des mélèzes. Près des rivières, on trouvait en majorité des aulnes, de temps en temps des saules et des peupliers, et beaucoup plus rarement des chênes pubescents et des hêtres nains, si peu développés qu'ils dépassaient tout juste la taille d'arbustes.

La rive gauche du cours d'eau s'élevant graduellement, Jondalar et Thonolan l'escaladèrent et ils se retrouvèrent bientôt au sommet d'une haute colline. Ils aperçurent alors un paysage magnifique, sauvage et accidenté qu'adoucissaient les couches de blanc qui s'étaient déposées dans les creux et nivelaient les affleurements rocheux.

Ils n'avaient pas rencontré un seul groupe de ces gens qu'on appelait les Losadunaï, une peuplade qui faisait, elle aussi, partie des Cavernes — ce qui ne signifiait pas obligatoirement que ces hommes vivaient dans ce type d'habitat. Jondalar en venait à penser qu'ils les avaient ratés.

— Regarde ! s'écria soudain Thonolan en tendant le bras.

Jondalar aperçut une mince volute de fumée qui s'élevait au-dessus de buissons touffus. Les deux frères se précipitèrent dans cette direction et ils ne tardèrent pas à rejoindre un petit groupe de gens rassemblés autour d'un feu.

Ils s'approchèrent à grands pas et levèrent les mains devant eux, paumes en l'air, pour saluer l'assemblée et bien montrer leurs intentions amicales.

— Je suis Thonolan des Zelandonii. Voici mon frère, Jondalar. Nous faisons notre Voyage. Y a-t-il quelqu'un parmi vous qui parle notre langue ?

Aussitôt un homme d'âge moyen fit un pas en avant et leva les mains de la même manière que les deux frères.

— Je suis Laduni des Losadunaï. Au nom de Duna, la Grande Terre Mère, je vous souhaite la bienvenue.

Il prit alors les deux mains de Thonolan dans les siennes. Après avoir renouvelé son geste de bienvenue vis-à-vis de Jondalar, il leur proposa :

— Venez vous asseoir près du feu. Nous n'allons pas tarder à manger. Voulez-vous partager notre repas ?

— C'est très généreux de ta part, répondit cérémonieusement Jondalar.

— Pendant mon Voyage, expliqua Laduni, j'ai marché vers l'ouest et j'ai séjourné dans une de vos Cavernes. C'était il y a bien des années, mais les Zelandonii sont toujours les bienvenus.

Il conduisit les deux jeunes gens vers un tronc d'arbre placé près du feu, protégé par une sorte de brise-vent.

— Débarrassez-vous de votre chargement et reposez-vous, proposa Laduni. Vous devez juste sortir du glacier ?

— Il y a quelques jours, répondit Thonolan en posant son sac.

— Vous l'avez traversé bien tard, remarqua Laduni. Le foehn ne va pas tarder à se lever.

— Le foehn ? demanda Thonolan.

— Le vent du printemps. Chaud et sec. Il vient du sud-ouest. Il souffle tellement fort qu'il déracine les arbres et arrache les branches. Grâce à lui, la neige fond très rapidement. En quelques jours, tout cela sera parti, expliqua Laduni en montrant la neige d'un large geste, et les bourgeons apparaîtront. S'il se met à souffler quand vous êtes sur le glacier, cela peut être fatal. La glace fond tellement rapidement qu'il se forme des crevasses. Des ponts et des corniches de neige s'effondrent brusquement sous vos pieds. Des torrents et même des rivières se mettent soudain à couler sous la glace.

— Et il apporte toujours le Malaise, commenta une jeune femme.

— Le Malaise ? fit Thonolan en se tournant vers elle.

— Les mauvais esprits qui volent dans le vent. Ce sont eux qui rendent tout le monde irritable. Des gens qui ne se battent jamais d'habitude se mettent à se disputer. Ceux qui sont heureux n'arrêtent pas de pleurer. Les mauvais esprits peuvent vous rendre malade et, si vous l'êtes déjà, ils vous donnent envie de mourir. Quand on le sait, c'est plus facile à supporter. Mais il n'empêche que tout le monde est de mauvaise humeur.

— Où as-tu appris à parler le zelandonii ? demanda Thonolan, en lançant à la jeune femme un coup d'œil approbateur.

Celle-ci ne détourna pas les yeux mais, au lieu de lui répondre, elle se retourna vers Laduni.

— Thonolan des Zelandonii, voici Filonia des Losadunaï, la fille de mon foyer, dit Laduni, en s'empressant de répondre à la muette requête de la jeune femme.

En demandant à Laduni de faire les présentations, celle-ci laissait entendre à Thonolan qu'elle n'était pas n'importe qui et que ce n'était pas son genre de discuter avec des inconnus, aussi beaux et excitants soient-ils.

Thonolan leva les deux mains, paumes en l'air, pour la saluer et lui lança à nouveau un regard admiratif. La jeune femme hésita un court instant, comme si elle réfléchissait, puis elle tendit ses deux mains que Thonolan s'empressa de serrer dans les siennes. Il l'attira vers lui.

— Filonia des Losadunaï, Thonolan des Zelandonii est honoré que la Grande Terre Mère l'ait gratifié du Don de ta présence, dit-il avec un sourire entendu.

Filonia rougit légèrement. L'allusion au Don que dispensait la Grande Mère ne lui avait pas échappé même si la phrase prononcée par Thonolan semblait aussi protocolaire que son geste. Le contact des mains de Thonolan la troublait et dans ses yeux se lisait une discrète invite.

— Et maintenant, dis-moi où tu as appris le zelandonii, demanda à nouveau Thonolan.

— Mon cousin et moi avons traversé le glacier durant notre Voyage et nous avons vécu quelque temps dans une Caverne zelandonii. Laduni nous avait déjà un peu appris à parler votre langue. Il parlait souvent zelandonii avec nous pour ne pas l'oublier, car, presque tous les ans, il traverse le glacier pour faire du troc.

— Il est rare qu'une femme fasse un aussi long et dangereux Voyage, remarqua Thonolan qui n'avait toujours pas lâché les mains de Filonia. Que se serait-il passé si Doni t'avait bénie ?

— Ce n'était pas si long que ça, dit-elle, toute fière de l'admiration dont elle était l'objet. Si Doni m'avait bénie, je m'en serais rendue compte très vite et j'aurais fait demi-tour.

— Peu d'hommes entreprennent un Voyage aussi long, insista Thonolan.

Voyant son manège, Jondalar se tourna vers Laduni et lui dit en souriant :

— Mon frère ne manque jamais d'accaparer la plus jolie femme de l'assistance et il a vite fait de la tenir sous son charme.

— Filonia est encore jeune, dit Laduni en riant. Ce n'est que l'an dernier qu'elle a été initiée aux Rites des Premiers Plaisirs. Mais depuis, elle a eu suffisamment d'admirateurs pour que ça lui tourne la tête. Ah... être à nouveau jeune ! Et recevoir pour la première fois le Don du Plaisir de la Grande Mère ! Encore que je n'aie pas à me plaindre : je suis très bien avec ma compagne et j'éprouve moins qu'avant le besoin de nouvelles expériences. Nous avons emmené peu de femmes, ajouta-t-il en se tournant vers Jondalar, car il ne s'agit que d'une partie de chasse. Mais je pense que, parmi les élues de Duna, tu n'auras aucun mal à en trouver une qui veuille partager le Don du Plaisir avec toi. Si aucune ne te plaît, ne t'inquiète pas. Notre Caverne est grande et, lorsque nous avons des visiteurs, nous en profitons pour organiser une fête en l'honneur de la Mère.

— Je doute que nous puissions t'accompagner jusqu'à ta Caverne, Laduni. Nous ne sommes qu'au début de notre Voyage et, comme celui-ci risque d'être long, Thonolan est impatient de continuer. Peut-être pourrons-nous passer vous voir sur le chemin du retour, si tu nous expliques où se trouve votre Caverne.

— Dommage ! J'aurais été heureux de vous accueillir. Ces derniers temps, nous n'avons pas eu beaucoup de visites... Jusqu'où comptez-vous aller ?

— Thonolan a l'intention de suivre la Grande Rivière jusqu'à son embouchure. Mais au départ d'un Voyage, on imagine toujours qu'on va aller très loin. Qui peut dire jusqu'où nous irons ?

— Je croyais que les Zelandonii vivaient près de la Grande Eau. C'est là en tout cas qu'ils étaient installés lorsque j'ai fait mon Voyage. J'ai marché longtemps en direction de l'ouest, puis j'ai obliqué au sud. Mais tu m'as dit que vous veniez de partir.

— Je vais t'expliquer. Notre Caverne se trouve en effet à quelques jours de marche de la Grande Eau. Mais, quand je suis né, Dalanar des Lanzadonii était le compagnon de ma mère et dans sa Caverne, je suis comme chez moi. J'ai vécu trois ans chez lui pendant que j'apprenais mon métier. Mon frère et moi, nous avons donc séjourné chez les Lanzadonii. Notre Voyage a vraiment commencé au moment où nous les avons quittés. Nous avons alors traversé le glacier, et marché quelques jours avant de vous rencontrer.

— Dalanar ! Bien sûr ! Je me disais que tu me rappelais quelqu'un que je connaissais. Tu dois être le fils de son esprit, car tu lui ressembles. Et toi aussi tu es tailleur de silex. Si tu lui ressembles aussi dans ce domaine, tu dois être excellent. Jamais je n'ai rencontré aussi bon tailleur de silex. Je suis allé le voir l'an dernier pour chercher des silex de la mine des Lanzadonii. Il n'y a pas de meilleures pierres que les leurs.

Les gens s'approchaient du feu, leur bol à la main. En humant le délicieux fumet du repas, Jondalar se rendit compte qu'il avait faim. Il s'apprêtait à repousser son sac qui gênait le passage quand, soudain, il eut une idée.

— J'ai emporté quelques silex lanzadonii avec moi, dit-il. Au cas où nous abîmerions des outils en voyageant. Mais ces silex sont lourds et je ne serais pas mécontent de me débarrasser d'une ou deux pierres. Je serais heureux de te les offrir si cela te fait plaisir.

Les yeux de Laduni s'animèrent.

— Je les accepterai avec plaisir, mais à condition de t'offrir quelque chose en retour. Je ne crache jamais sur une bonne affaire, mais je ne voudrais pas escroquer le fils du foyer de Dalanar.

— Tu allégerais mon chargement et tu vas m'offrir un repas chaud, répondit Jondalar en souriant.

— Ce n'est pas assez. Les pierres des Lanzadonii valent plus que ça. Je me sens blessé dans mon orgueil.

Il y avait maintenant un certain nombre de gens autour d'eux et quand Jondalar éclata de rire, tout le monde l'imita.

— Si tu le prends comme ça, Laduni, je ne vais pas te faciliter les choses. Pour l'instant, je n'ai besoin de rien — je ne cherche qu'à alléger mon chargement. Ce que tu me dois pour ces pierres, je te le demanderai plus tard. Es-tu d'accord ?

— Là, c'est lui qui m'escroque ! s'écria Laduni avec un petit rire en se tournant vers les autres pour les prendre à témoin. Dis-moi au moins ce que tu me demanderas.

— Pour l'instant, je n'en sais rien. Mais je viendrai chercher ce que tu me dois quand je repasserai par ici.

— Qui dit que je serai en mesure de te le donner ?

— Je ne te demanderai pas l'impossible.

— Tes conditions sont dures, Jondalar. Mais si je peux, je te donnerai ce que tu me demanderas. D'accord.

Jondalar ouvrit son sac puis, après avoir enlevé ce qui se trouvait dessus, il sortit la poche qui contenait les silex et tendit à Laduni deux rognons de silex déjà dégrossis.

— C'est Dalanar qui les a choisis et préparés, expliqua Jondalar.

A voir son expression, Laduni n'éprouvait aucun embarras à accepter les deux silex que Dalanar avait offerts au fils de son foyer. Malgré tout il grommela, assez fort pour que tout le monde l'entende :

— Dire que je suis en train de troquer ma vie contre deux malheureux silex.

— Est-ce que tu comptes discuter jusqu'à la fin des temps ? demanda Thonolan avec un grand sourire. Nous avons été invités à partager un repas et ce gibier sent bigrement bon.

— La nourriture est prête, dit Filonia, qui se tenait à côté de lui. Et la chasse a été tellement bonne que nous n'avons presque pas eu besoin d'utiliser la viande séchée que nous avions apportée. Maintenant que ton sac est moins lourd, tu trouveras bien un coin pour en emporter.

C'est à Jondalar qu'elle s'adressait, mais elle regardait Laduni.

— Il serait peut-être temps, Laduni, de me présenter la ravissante fille de ton foyer, intervint Jondalar.

— Où allons-nous si la fille de son propre foyer vient saper les affaires, maugréa celui-ci. (Puis il ajouta avec un sourire empli de fierté :) Jondalar des Zelandonii, voici Filonia des Losadunaï.

Filonia se tourna vers Jondalar et elle se sentit aussitôt prise au piège des grands yeux bleus qui lui souriaient. Attirée maintenant par le frère aîné, elle baissa la tête pour cacher son trouble.

— Si tu crois que je n'ai pas vu la lueur qui vient de s'allumer dans tes yeux, Jondalar ! plaisanta Thonolan. Et n'oublie pas que c'est moi qui ai fait sa connaissance en premier. Allons, viens, Filonia. Partons d'ici. Tu n'as rien à faire avec mon frère. Et je suis persuadé que tu n'as aucune envie de rester avec lui... (Il se tourna vers Laduni, l'air faussement outragé.) A chaque fois c'est la même chose. Un seul regard, et c'est dans la poche ! Comme j'aurais aimé hériter des mêmes dons que mon frère...

— De ce côté-là, tu n'as pas trop à te plaindre, il me semble, Petit Frère ! remarqua Jondalar en éclatant de rire.

Filonia se tourna vers Thonolan et fut soulagée de découvrir qu'il était aussi attirant qu'elle l'avait pensé au premier abord. Le jeune homme la prit par l'épaule et l'emmena de l'autre côté du feu. Elle se laissa faire mais ne put s'empêcher de tourner la tête pour jeter un coup d'œil à Jondalar.

— Quand nous avons des visiteurs, confia-t-elle avec un sourire, nous organisons toujours une fête en l'honneur de Duna.

— Ils préfèrent continuer à voyager plutôt que venir à la Caverne, Filonia, prévint Laduni.

La jeune femme parut désappointée mais cela ne l'empêcha pas de sourire à nouveau à Thonolan.

— Ah, être jeune à nouveau ! dit Laduni avec un petit rire. J'ai l'impression, ajouta-t-il, que quand les femmes choisissent des hommes jeunes, elles sont plus souvent bénies par Duna. La Grande Mère accorde plus facilement ses faveurs à ceux qui apprécient le Don du Plaisir.

Jondalar plaça son sac derrière le tronc d'arbre puis se tourna vers le feu. Le ragoût de gibier était en train de cuire dans une peau suspendue au-dessus du feu, soutenue par une armature faite d'os attachés ensemble. Une femme tendit à Jondalar un bol en bois rempli de bouillon et de gibier et s'assit à côté de lui sur le tronc. Pour piquer les morceaux de viande ou de légumes — des tubercules que les Losadunaï avaient apportés avec eux — Jondalar utilisa son couteau en silex, puis il but le bouillon qui restait dans le bol. Quand il eut fini de manger, la femme lui apporta un bol plus petit qui contenait une infusion de plantes. Il la remercia d'un sourire. Elle avait quelques années de plus que lui, juste l'âge voulu pour avoir troqué la grâce de la jeunesse contre la beauté de la maturité. Elle lui sourit en retour et s'installa de nouveau à côté de lui.

— Est-ce que tu parles zelandonii ? demanda-t-il.

— Parle un petit peu, dit-elle. Comprends plus.

— Dois-je demander à Laduni de nous présenter ou puis-je me permettre de te demander ton nom ?

La femme sourit à nouveau, avec cet air de supériorité que donne l'expérience.

— Seules les jeunes filles ont besoin que quelqu'un dise le nom, répondit-elle. Moi, Lanalia. Toi, Jondalar.

— Oui, répondit-il.

Le contact de la jambe de cette femme contre la sienne l'excitait et cela se voyait clairement dans son regard. Dans les yeux de Lanalia se lisait la même attente. Il avança sa main vers sa cuisse. Lanalia se serra encore plus contre lui. Il vit là non seulement un encouragement à aller plus loin mais aussi la promesse d'une femme expérimentée. Bien que ce fût inutile, il hocha la tête en signe d'acquiescement. Lanalia regarda alors par-dessus son épaule. Jondalar suivit son regard et aperçut Laduni qui s'approchait d'eux. Lanalia s'écarta légèrement de lui : il faudrait qu'il attende un peu avant qu'elle puisse tenir sa promesse.

Laduni s'installa près d'eux et, peu après, Thonolan les rejoignit avec Filonia. Très vite il y eut foule autour des deux visiteurs et on échangea des plaisanteries que Laduni traduisait au fur et à mesure pour ceux qui ne comprenaient pas le zelandonii. Finalement, Jondalar décida qu'il était temps d'aborder des questions plus sérieuses.

— Laduni, que sais-tu à propos de ceux qui vivent en aval du fleuve ? demanda-t-il.

— Parfois, il arrive qu'un S'Armunaï nous rende visite, répondit celui-ci. Mais il y a longtemps que nous n'en avons pas vu. Tu sais ce que c'est, Jondalar... Les jeunes qui partent en Voyage choisissent souvent le même itinéraire. Au bout d'un certain temps, comme tout le monde le connaît, cet itinéraire ne présente plus d'intérêt et on l'abandonne. Au bout d'une génération ou deux, seuls les anciens s'en souviennent et, pour les jeunes, cela redevient une aventure. Leurs ancêtres les ont précédés sur ce chemin, mais ils ont l'impression d'innover.

— Pour eux, c'est nouveau, fit remarquer Jondalar, dans l'espoir de couper court à ces considérations philosophiques. (Ce dont il avait besoin, c'était de renseignements pratiques et il demanda :) Connais-tu leurs coutumes ? Ou quelques mots de leur langue ? Comment souhaitent-ils la bienvenue ? Y a-t-il des choses à ne pas faire pour éviter de les offenser ?

— Je ne sais pas grand-chose d'eux, avoua Laduni. Et rien de récent. Il y a quelques années, un homme est parti en direction de l'est, mais il n'est jamais revenu. Peut-être s'est-il fixé là-bas... Il y en a qui disent que leurs dunaï sont faites avec de la boue. Mais, à mon avis, ce sont des racontars. Je ne vois pas pourquoi on se servirait de boue pour reproduire l'image sacrée de la Grande Mère. Tout le monde sait que la boue s'effrite en séchant.

— Peut-être choisissent-ils la boue car c'est plus proche de la terre, observa Jondalar. Certaines personnes aiment la pierre pour cette raison.

Tandis qu'il parlait, Jondalar ne put s'empêcher de tâter la petite statuette en pierre qui se trouvait dans une poche attachée à sa ceinture. Cette statuette représentait une femme obèse : elle avait une énorme poitrine, un ventre proéminent, des fesses et des cuisses impressionnantes. Ses bras et ses mollets étaient insignifiants et à peine esquissés car ce qui comptait, c'était qu'elle possède les attributs de la Mère. Sa tête formait une bosse en haut du corps, ses traits n'étaient pas représentés et ses cheveux, simplement suggérés, recouvraient presque entièrement son visage.

Personne n'avait jamais contemplé le visage grandiose et terrifiant de Doni, la Grande Terre Mère, l'Aïeule Ancestrale, la Première Mère, Créatrice et Soutien de toute vie, Celle qui bénissait les femmes en leur transmettant Son pouvoir de créer et d'engendrer la vie. Et aucune donii, ces petites représentations à Son image et porteuses de Son Esprit, ne suggérait les traits de Son visage. Même quand on la voyait en rêve, Son visage n'apparaissait jamais clairement, bien qu'à en croire les hommes, elle possédât un corps jeune et nubile. Certaines femmes prétendaient qu'elles pouvaient prendre la forme de Son esprit et voler alors aussi vite que le vent pour porter chance ou assouvir une vengeance, et Sa vengeance pouvait être terrible.

Quand on provoquait Sa colère ou qu'on La déshonorait, Elle était capable de commettre des actes effrayants, le plus terrible consistant à reprendre le merveilleux Don du Plaisir, qu'elle offrait aux femmes qui choisissaient de s'ouvrir à un homme. La Grande Mère, et même, prétendait-on, Ceux Qui La Servaient pouvaient donner à un homme le pouvoir de partager Son Don avec autant de femmes qu'il le désirait et aussi souvent qu'il le voulait mais Elle pouvait aussi lui retirer ce pouvoir et l'homme alors ne pouvait plus donner de Plaisir à aucune femme ni en prendre lui-même.

Machinalement, Jondalar caressait les seins pendants de sa donii en espérant que la chance serait de leur côté durant tout leur Voyage. Certains ne revenaient jamais, mais cela faisait partie de l'aventure. Il avait cessé d'écouter ce qui se disait mais quand Thonolan parla des Têtes Plates, il dressa à nouveau l'oreille.

— Que savez-vous des Têtes Plates qui vivent non loin d'ici ? était en train de demander son frère. Nous en avons rencontré une bande il y a quelques jours et j'ai bien cru que c'était la fin de notre Voyage.

Soudain attentifs, tous se tournèrent vers Thonolan.

— Que s'est-il passé ? demanda Laduni d'une voix tendue.

Thonolan raconta ce qui leur était arrivé avec les Têtes Plates.

— Charoli ! s'écria Laduni.

— Qui est Charoli ? demanda Jondalar.

— Un jeune homme de la Caverne des Tomasi. Il dirige une bande de brutes et ils ont décidé de s'amuser avec les Têtes Plates. Jusque-là, nous n'avions eu aucun problème avec eux. Ils vivaient d'un côté de la rivière et nous de l'autre. Quand nous traversions, ils ne s'approchaient jamais de nous, sauf lorsque nous nous attardions. Et même alors, ils se contentaient de nous faire comprendre qu'ils étaient en train de nous observer. Et cela suffisait pour que nous fassions demi-tour. On se sent toujours un peu nerveux quand une bande de Têtes Plates vous observe.

— Absolument vrai ! reconnut Thonolan. Mais que veux-tu dire par « s'amuser avec les Têtes Plates » ? Ça ne me viendrait pas à l'idée d'aller leur chercher des ennuis.

— Au début, c'était histoire de plaisanter. Un des jeunes de la bande a dû en mettre un autre au défi d'attraper un Tête Plate. Et eux, ils ne sont pas commodes quand on les ennuie. Alors les jeunes se sont mis à plusieurs et chaque fois qu'ils rencontraient un Tête Plate isolé, ils l'encerclaient, se moquaient de lui, puis le pourchassaient quand il s'enfuyait. Les Têtes Plates ont du souffle, mais ils ont les jambes courtes. Un homme peut les dépasser à la course, mais il a quand même intérêt à ne pas s'arrêter. J'ignore comment ça a commencé mais les amis de Charoli ont fini par se battre contre eux. Un des Têtes Plates a dû se rebiffer et en attraper un. Les autres lui sont tombés dessus pour venir au secours de leur ami. Quoi qu'il en soit, c'est devenu une habitude. Mais même en se mettant à plusieurs pour attaquer un Tête Plate, il leur est arrivé plus d'une fois d'encaisser des coups.

— Je veux bien te croire, dit Thonolan.

— Mais ce qu'ils ont fait ensuite est encore pire, intervint Filonia.

— Filonia ! C'est dégoûtant ! Je ne veux pas t'entendre parler de ça ! s'écria Laduni qui semblait vraiment en colère.

— Qu'ont-ils fait ? demanda Jondalar. Si nous devons traverser le territoire des Têtes Plates, nous avons besoin de le savoir.

— Je suppose que tu as raison, Jondalar. Mais je n'aime pas parler de ça devant Filonia.

— Je suis une femme maintenant, fit remarquer Filonia, d'un ton qui manquait de conviction.

Après l'avoir observée d'un air pensif, Laduni se décida.

— Quand les mâles ont commencé à se déplacer par deux ou en groupe, Charoli et sa bande n'ont plus osé les attaquer. Ils s'en sont donc pris aux femelles. Mais la femelle Tête Plate ne se défend pas quand on l'attaque : elle essaie de se cacher et elle s'enfuit. Charoli et ses gars n'ont pas dû trouver ça drôle et ils sont passés avec elles à un autre genre de sport. Je ne sais pas qui a commencé... Ce doit être Charoli qui a eu cette brillante idée. C'est tout à fait son genre.

— Quelle idée ? demanda Jondalar.

— Ils ont obligé les femelles à... commença Laduni. (Incapable de continuer, il se leva d'un bond, fou de rage.) C'est une abomination ! s'écria-t-il. Ils déshonorent la Mère ! Ils abusent de Son Don ! Ils se conduisent comme des animaux ! Pire que les animaux ! Pire que les Têtes Plates !

— Tu veux dire qu'ils prennent leur Plaisir avec des femelles Têtes Plates ? demanda Thonolan. Qu'ils les violent ?

— Non seulement ils le font, mais ils s'en vantent ! intervint Filonia. Jamais je ne me laisserai approcher par un homme qui a pris son Plaisir avec une Tête Plate !

— Filonia ! Je ne veux pas entendre ces mots-là de ta bouche ! Tu n'as pas à en parler ! dit-il, le visage figé par la colère.

— Bien, Laduni, fit Filonia, toute honteuse, en baissant la tête.

— Je me demande ce qu'ils en pensent, dit Jondalar. A mon avis, c'est ce qui a poussé le jeune à m'attaquer. Je suppose qu'ils étaient furieux. J'ai entendu dire qu'ils étaient peut-être humains — et si c'est le cas...

— Moi aussi, j'ai déjà entendu ça ! dit Laduni en essayant de retrouver son calme. Mais ne va pas croire des bêtises pareilles !

— Le chef de la bande avec laquelle nous nous sommes retrouvés nez à nez avait l'air débrouillard et ils marchent sur leurs deux jambes, exactement comme nous.

— Les ours aussi marchent sur leurs pattes de derrière parfois. Les Têtes Plates sont des animaux ! Des animaux intelligents mais des animaux ! (Conscient du malaise du groupe, Laduni ajouta d'une voix plus calme :) Les Têtes Plates sont inoffensifs, sauf quand on les embête. Je ne pense pas que le jeune qui vous a attaqués ait agi ainsi à cause des femelles. A mon avis, ils ne savent pas à quel point l'attitude de Charoli et de sa bande déshonore la Mère. On les harcèle et ils se défendent. Exactement comme les animaux : quand on les embête trop, ils finissent par vous attaquer.

— J'ai l'impression, dit Thonolan, que la bande de Charoli ne nous simplifie pas les choses. Nous avions l'intention de passer sur l'autre rive avant que le cours d'eau que nous suivons devienne la Grande Rivière Mère. Car, plus nous avancerons, plus il sera difficile de traverser.

Laduni sourit. Maintenant qu'ils avaient changé de sujet, il avait oublié sa colère.

— La Grande Rivière Mère a de nombreux affluents, Thonolan, expliqua-t-il, et la plupart sont de larges cours d'eau qu'il vous faudra bien traverser si vous comptez suivre la Rivière jusqu'à son embouchure. Si je peux me permettre un conseil : restez sur cette rive jusqu'à ce que vous arriviez à un grand tourbillon. A cet endroit, la Rivière coule dans une région plate et elle se sépare en plusieurs bras ; vous aurez alors beaucoup moins de mal. Par ailleurs, il fera plus chaud. Si vous voulez rendre visite aux S'Armunaï, dirigez-vous vers le nord après avoir traversé.

— Où se trouve le tourbillon ? demanda Jondalar.

— Je vais vous faire une carte, proposa Laduni en sortant son couteau. Passe-moi un morceau d'écorce, Lanalia. Il est possible qu'en chemin d'autres puissent ajouter de nouveaux repères sur cette écorce. En comptant le temps qu'il vous faut pour atteindre l'autre rive et pour chasser, ce devrait être l'été quand vous arriverez à l'endroit où le fleuve bifurque vers le sud.

— L'été, répéta Jondalar d'un air rêveur. J'en ai assez de la glace et de la neige. Je ne sais pas si je pourrai tenir jusqu'à l'été. J'ai besoin de chaleur.

Lanalia rapprocha à nouveau sa jambe de la sienne. Il posa sa main sur sa cuisse et, cette fois-ci, l'y laissa.

3

Quand Ayla amorça sa descente le long de la paroi rocheuse et escarpée qui surplombait la rivière, les premières étoiles apparaissaient dans le ciel du soir. Dès qu'elle eut franchi le bord du ravin, le vent tomba brusquement et elle s'arrêta un court instant pour savourer l'accalmie. Mais la paroi interceptait aussi les dernières lueurs du jour. Et lorsqu'elle parvint au fond, les buissons qui bordaient la rivière n'étaient plus qu'un amas confus se découpant sur le ciel parsemé de myriades d'étoiles.

Après s'être arrêtée au bord du cours d'eau pour boire, elle se dirigea vers la paroi, là où il faisait le plus sombre. La falaise lui donnait un sentiment de sécurité qu'elle n'avait jamais éprouvé dans les immenses plaines et elle ne jugea pas utile de monter sa tente. Elle étendit sa fourrure sur le sol, s'y coucha et rabattit les pans sur elle. Avant de s'endormir, elle aperçut la lune dont le disque presque plein se détachait en haut du ravin.

Elle se réveilla en poussant un cri. Terrorisée, le cœur battant à tout rompre, elle se leva brusquement et tenta de percer les épaisses ténèbres qui l'entouraient. Il y eut comme une détonation et, au même instant, la lueur d'un éclair l'aveugla. Tremblante de peur, elle bondit sur ses pieds. Elle vit alors la cime d'un grand pin, qui venait d'être frappé par la foudre, glisser lentement vers le sol, retenue dans sa chute par la partie du tronc à laquelle elle s'accrochait encore. Aussitôt l'arbre se mit à flamber, projetant des ombres grotesques sur la paroi rocheuse.

Puis il se mit soudain à pleuvoir. Le feu qui, l'instant d'avant, crépitait, chuinta sous l'assaut de la pluie diluvienne et finit par s'éteindre. Blottie contre la paroi, ne sentant ni les larmes qui lui mouillaient le visage ni la pluie, Ayla était encore sous le coup du cauchemar qui l'avait réveillée. Semblable au grondement d'un tremblement de terre, le premier coup de tonnerre avait réactivé un rêve fréquent, dont elle ne se souvenait jamais très bien au réveil mais qui provoquait chez elle un sentiment nauséeux d'inquiétude et une tristesse accablante. Un autre éclair illumina la nuit et Ayla aperçut à nouveau le tronc brisé par la foudre.

Terrorisée, elle saisit son amulette. Le tonnerre et les éclairs n'étaient qu'en partie responsables de la crainte irraisonnée qu'elle éprouvait. Elle n'avait jamais aimé les orages, mais elle y était habituée. Elle savait qu'ils étaient plus bénéfiques que destructeurs. Plus encore que l'orage, c'est le cauchemar qu'elle venait de faire qui l'avait bouleversée. Au cours de sa vie, chaque fois que la terre avait tremblé, elle avait été séparée de ceux qu'elle aimait : à l'âge de cinq ans, elle s'était soudain retrouvée seule au monde et plus récemment, elle avait perdu Creb pour toujours.

Elle finit par se rendre compte qu'elle était mouillée et sortit sa tente de son panier. Elle la posa par-dessus la fourrure, se glissa à l'intérieur et cacha sa tête sous la peau d'aurochs. Le contact de la fourrure la réchauffa mais elle avait toujours aussi peur. Elle attendit que l'orage se calme pour oser se rendormir.

Quand elle se réveilla, toutes sortes d'oiseaux pépiaient, gazouillaient ou croassaient dans l'air matinal. Repoussant la couverture en peau, Ayla contempla avec délice cet univers verdoyant qui, encore humide de pluie, étincelait sous le soleil. Elle se trouvait sur une grande plage rocheuse. A cet endroit, la petite rivière, dont le cours était orienté vers le sud, obliquait légèrement vers l'est.

Sur la rive opposée poussaient des pins vert sombre dont la cime atteignait le haut de la paroi mais sans jamais la dépasser. Toutes les tentatives qu'ils avaient faites pour la dominer avaient été arrêtées net par le vent qui soufflait dans les steppes. Les arbres les plus grands avaient donc une curieuse forme aplatie et, comme la croissance de leurs branches était stoppée en hauteur, celles-ci bifurquaient sur les côtés. La symétrie presque parfaite d'un immense pin était ainsi rompue par sa cime qui avait poussé à angle droit par rapport au tronc. Non loin de là, la cime d'un autre pin s'était carrément retournée, poussant en direction du sol, et formait une sorte de moignon déchiqueté et charbonneux. Tous ces arbres avaient poussé sur une étroite bande de terre entre la paroi et la berge et si près de l'eau parfois que leurs racines se trouvaient à découvert.

Sur la rive où se tenait Ayla, un peu en amont, des saules pleureurs se penchaient au-dessus de la rivière. Un peu plus haut, agitées par une douce brise, les feuilles des trembles bruissaient. Il y avait aussi des bouleaux à écorce blanche et des aulnes à peine plus gros que des arbustes. Des lianes grimpaient et s'enroulaient autour des arbres et la rivière était bordée de buissons couverts de feuilles.

Ayla avait voyagé si longtemps dans les steppes qu'elle avait presque oublié à quel point la nature pouvait être belle quand elle était aussi verdoyante. La rivière étincelait sous le soleil et semblait lui tendre les bras. Ses peurs nocturnes s'étaient envolées : elle bondit sur ses pieds et s'approcha de l'eau. Dans un premier temps, elle ne songeait qu'à se rafraîchir mais très vite elle détacha la longue lanière qui retenait son vêtement, enleva son amulette et plongea. Puis elle se mit à nager en direction de la rive opposée.

Le contact de l'eau froide lui fit du bien et la débarrassa de la poussière des steppes qui lui collait à la peau. Elle nagea à contre-courant jusqu'à ce qu'elle arrive à un étroit goulet formé par les deux parois abruptes. A cet endroit, le lit était moins large, le courant plus fort et l'eau beaucoup plus froide. Elle se retourna sur le dos, fit la planche et se laissa porter par le courant qui la ramenait vers son point de départ. Elle était en train de contempler la bande d'azur du ciel quand, un peu avant d'arriver à la plage, elle remarqua une cavité creusée dans la paroi qui surplombait la rive opposée. Est-ce que par hasard ce serait une caverne ? se demanda-t-elle, toute excitée à cette idée. Je me demande si je pourrais l'atteindre…

Elle regagna la plage et s'assit sur les pierres pour se sécher au soleil. Non loin d'elle, des oiseaux sautillaient sur le sol, tirant sur des vers que la pluie nocturne avait ramenés à la surface, tandis que d'autres voletaient de branche en branche, picorant au passage les baies dont regorgeaient les buissons.

Des framboises ! se dit Ayla. Et elles sont énormes ! Quand elle s'approcha des buissons, les oiseaux battirent frénétiquement des ailes avant d'aller se percher un peu plus loin. Elle cueillit une pleine poignée de baies juteuses et les mangea aussitôt. Puis elle s'approcha à nouveau de la rivière et, après s'être rincé les mains, remit son amulette. Au moment d'enfiler son vêtement en peau, sale et poussiéreux, elle ne put s'empêcher de froncer le nez. Malheureusement, elle n'en avait pas d'autre. Quand elle s'était précipitée dans la caverne, juste après le tremblement de terre, pour y prendre de la nourriture, des vêtements et une tente, elle n'avait emporté que ce qui était indispensable à sa survie. Comment imaginer qu'un jour elle aurait besoin d'une seconde tenue d'été !

Au fond, cela n'avait guère d'importance. Le désespoir qu'elle avait éprouvé à force de voyager dans les steppes arides s'était envolé. Au contact de cette vallée fraîche et verdoyante, elle retrouvait le goût de vivre. Les framboises qu'elle venait de manger lui avaient ouvert l'appétit et elle ressentait le besoin d'une nourriture plus substantielle. Elle retourna donc près de son panier pour y prendre sa fronde et en profita pour étendre sur les pierres chauffées par le soleil la tente et la fourrure trempées par la pluie. Après avoir remis son vêtement en peau, elle se mit en quête de cailloux lisses et ronds.

Très vite elle se rendit compte qu'il n'y avait pas que des pierres sur la rive. Il y avait aussi des bois flottés de teinte grisâtre et des os blanchis qui s'étaient amoncelés contre une avancée de la paroi jusqu'à former un énorme tas. Les violentes crues printanières avaient déraciné des arbres et entraîné des animaux imprudents, les projetant avec violence dans l'étroit goulet qui se trouvait en amont, puis les abandonnant dans le cul-de-sac formé par la saillie de la paroi, là où la rivière faisait une boucle. Ayla découvrit dans le tas d'ossements des andouillers géants, des cornes de bison et quelques énormes défenses en ivoire. Le mammouth lui-même n'avait pu résister à la violence de la crue. Il y avait là aussi des galets et des pierres d'un gris crayeux qui attirèrent aussitôt son attention.

Ça, c'est un silex ! se dit-elle. Pour pouvoir m'en assurer, il faut que j'en fende un avec un percuteur. Mais je suis sûre que c'est un silex !

Très excitée par sa découverte, elle se mit aussitôt à la recherche d'une pierre ovale et lisse qu'elle puisse facilement tenir en main. Lorsqu'elle en eut trouvé une, elle s'en servit pour frapper sur la pierre crayeuse. L'enveloppe blanchâtre finit par se fendre et à l'intérieur apparut une pierre gris foncé à l'éclat sombre.

C'est bien un silex ! se dit-elle. J'avais vu juste ! Et imaginant aussitôt les outils qu'elle allait pouvoir fabriquer, elle ajouta pour elle-même : Je vais faire provision de silex. Si je casse ceux que j'ai emportés, je n'aurai plus à m'inquiéter. Elle mit aussitôt de côté quelques-unes de ces lourdes pierres qui avaient été arrachées en amont de la rivière à des affleurements calcaires et transportées par le courant jusqu'au pied de la paroi. Cette découverte la poussa à poursuivre son exploration.

En temps de crue, la saillie de la paroi formait une barrière contre laquelle les eaux tumultueuses venaient buter mais la rivière avait repris son niveau normal et Ayla n'eut aucun mal à la contourner. Une fois arrivée de l'autre côté, elle s'arrêta pour contempler la vallée qu'elle avait aperçue d'en haut la veille au soir.

Après cette boucle, la rivière s'élargissait et comme elle était moins profonde, le fond rocheux émergeait par endroits. Elle se dirigeait vers l'est, longeant une des parois à pic de la gorge. Sur la rive où se trouvait Ayla, les arbres et les buissons, protégés par cette barrière naturelle, avaient atteint leur plein développement. Sur sa gauche, au-delà de la barrière rocheuse, la paroi de la gorge s'abaissait graduellement et finissait par rejoindre, au nord comme à l'est, la vaste étendue des steppes. En face d'elle, la large vallée formait une luxuriante prairie dont les hautes herbes ondulaient comme des vagues chaque fois que le vent venu du nord soufflait en rafales. Et, à mi-pente, la petite horde de chevaux paissait.

Cette scène était si belle et il en émanait une telle quiétude qu'Ayla en eut le souffle coupé. Elle avait du mal à croire qu'en plein cœur des steppes arides et ventées un tel endroit puisse exister. Cachée par une faille, la vallée formait une oasis, un petit monde luxuriant, comme si la nature, obligée d'économiser ses bienfaits dans les steppes arides, devenait soudain prodigue dès que l'occasion lui en était donnée.

De loin, la jeune femme observa les chevaux. Robustes et massifs, ils avaient des pattes assez courtes, une encolure épaisse, une grosse tête, des naseaux proéminents qui faisaient penser aux narines de certains hommes du Clan. Leur crinière était courte mais fournie, leur pelage long et épais, gris chez certains et chez les autres couleur chamois, allant du beige au jaune doré. Un peu à part se tenait un étalon à la robe couleur de foin et Ayla remarqua que plusieurs poulains avaient le même pelage. Quand l'étalon, relevant la tête, secoua sa crinière et hennit, elle lança en souriant :

— Tu es fier de ton clan, n'est-ce pas ?

Revenant sur ses pas, Ayla s'engagea dans les taillis qui bordaient la rivière, notant machinalement les diverses variétés de plantes qu'elle rencontrait, aussi bien alimentaires que médicinales. Distinguer et ramasser les plantes qui avaient le pouvoir de soigner avait fait partie de son apprentissage de guérisseuse et il en existait très peu qu'elle ne soit pas capable d'identifier instantanément. Mais pour l'instant, elle pensait avant tout à se nourrir.

Au passage, elle remarqua les feuilles et les fleurs en ombelle qui dénotaient la présence de carottes sauvages, enfouies sous le sol, mais elle continua son chemin comme si de rien n'était. Elle avait parfaitement enregistré l'endroit où elles se trouvaient. Pour l'instant, ce qui l'intéressait avant tout, c'était les traces qu'elle venait de découvrir et qui trahissaient la présence d'un lièvre.

Comme tout chasseur digne de ce nom, elle se mit à avancer sans faire de bruit, guidée par des crottes fraîches, une touffe d'herbe couchée, une légère empreinte dans la poussière, et bientôt elle distingua droit devant elle la forme d'un animal tapi dans un fourré où il se dissimulait. Elle détacha la fronde pendue à sa ceinture et sortit d'une des poches de son vêtement deux pierres rondes. Quand le lièvre prit brusquement la fuite, elle était prête. Avec une habileté consommée, acquise grâce à des années de pratique, elle lança une première pierre puis, aussitôt après, une seconde. Clac ! clac ! Le bruit faisait plaisir à entendre et les deux projectiles atteignirent leur but.

En ramassant l'animal, Ayla repensa à l'époque où elle avait appris, toute seule, cette technique du double jet de pierre. Peu de temps avant, elle avait raté un lynx et pris conscience de sa vulnérabilité : une seule pierre ne suffisait pas toujours à tuer un animal. Mais il avait fallu qu'elle s'entraîne énormément pour réussir à positionner la seconde pierre pendant le mouvement de descente du premier lancer. Grâce à cette technique, elle pouvait lancer deux projectiles à intervalles très rapprochés.

Sur le chemin du retour, elle cassa une branche d'arbre dont elle appointa l'une des extrémités à l'aide d'un outil de silex dont la face coupante portait une encoche triangulaire. Elle utilisa ce bâton à fouir pour déterrer les carottes sauvages remarquées un peu plus tôt. Elle fourra les carottes dans un repli de son vêtement, cassa encore deux branches, fourchues celles-là, et regagna la plage. Là, elle déposa le lièvre et les carottes à côté de son panier et retira de celui-ci sa drille à feu et sa sole en bois. Elle retourna alors près de la saillie rocheuse et, après avoir soulevé quelques troncs, fit provision de bois flottés bien secs auxquels elle ajouta des branches mortes ramassées au pied des arbres. Utilisant à nouveau l'outil qui avait servi à appointer le bâton à fouir, elle racla un morceau de bois sec pour en détacher des copeaux d'écorce. Ensuite elle retira l'écorce velue de quelques tiges sèches d'armoise et la bourre que contenaient des cosses d'onagraire.

Quand elle eut trouvé un endroit où elle pouvait s'asseoir à l'aise, elle tria le bois qu'elle avait ramassé — bois d'allumage, bois flotté et grosses bûches — et le disposa autour d'elle. Elle prit sa sole, taillée dans une tige de clématite, et sa drille à feu, une tige de massette de l'année précédente. A l'aide d'un perçoir en silex, elle fit une entaille sur un des côtés de la sole et y inséra la tige de massette afin de vérifier que la cavité avait bien la taille voulue. Elle disposa alors la bourre d'onagraire sous l'entaille qu'elle venait de pratiquer, ajouta les écorces tout autour et bloqua le tout avec son pied. Elle inséra à nouveau la tige de massette dans la cavité et prit une profonde inspiration. Faire du feu exigeait une grande concentration.

Plaçant le haut de la drille entre ses deux paumes, elle commença à la faire tourner tout en exerçant une pression vers le bas. Au fur et à mesure qu'elle la faisait tourner, ses mains descendaient tout en bas de la tige, presque jusqu'à toucher la sole. Si elle n'avait pas été seule, au moment où ses mains se seraient retrouvées en bas, quelqu'un d'autre aurait placé ses paumes en haut de la drille et continué à la faire tourner. Comme elle ne pouvait pas compter sur l'aide de qui que ce soit, chaque fois qu'elle arrivait en bas de la drille, elle était obligée de replacer le plus vite possible ses mains en haut pour ne pas interrompre le mouvement de rotation et exercer une pression constante sur la sole. Dans le cas contraire, la chaleur dégagée par le frottement ne manquerait pas de se dissiper et n'atteindrait jamais le degré suffisant pour que le bois s'embrase.

Prise par le rythme, Ayla ne se rendait pas compte que la sueur ruisselait sur son front. Grâce au mouvement continu, la cavité était en train de se creuser et la sciure de bois tendre s'accumulait. Elle avait mal aux bras mais, quand elle sentit une odeur de bois brûlé et qu'elle vit que l'entaille noircissait puis qu'elle laissait échapper un mince ruban de fumée, cela l'encouragea à continuer. Pour finir, un petit charbon de bois incandescent se détacha de la sole et tomba dans les écorces et la bourre qui se trouvaient en dessous. Tout dépendait maintenant du prochain stade : si le charbon de bois s'éteignait, elle serait obligée de tout recommencer depuis le début.

Elle se pencha, le visage si près de la sole qu'elle sentait la chaleur dégagée par le bois incandescent, et commença à souffler sur celui-ci. Chaque fois qu'elle soufflait, le charbon de bois devenait plus brillant, et quand elle reprenait son souffle, il diminuait comme s'il allait s'éteindre. Elle approcha quelques copeaux de la braise : ils s'enflammèrent immédiatement, puis noircirent aussi vite. Et soudain, il y eut une flamme minuscule. Elle souffla de plus belle, approcha d'autres copeaux et quand ceux-ci formèrent un petit tas rougeoyant, elle ajouta du bois d'allumage.

Quand le feu eut bien pris, elle l'alimenta avec les morceaux de bois flotté. Il n'y avait plus de risque qu'il s'éteigne et elle en profita pour aller chercher d'autres bouts de bois qu'elle plaça tout près du foyer. Elle saisit un autre outil, doté d'une entaille légèrement plus large, et s'en servit pour retirer l'écorce du bâton qu'elle avait utilisé pour déterrer les carottes sauvages. Puis elle planta les deux branches fourchues de chaque côté du feu de manière à pouvoir y poser le bâton. Elle s'occupa alors de dépiauter le lièvre.

Dès que l'animal fut prêt, elle l'embrocha et le mit à rôtir au-dessus des braises. Elle plaça les entrailles dans la dépouille et s'apprêtait à jeter le tout un peu plus loin quand soudain elle changea d'avis. Je pourrais utiliser la fourrure, se dit-elle. Cela ne me prendrait qu'un jour ou deux...

Avant de mettre son projet à exécution, elle rinça les carottes sauvages dans la rivière, les enveloppa dans des feuilles de plantain et les déposa à côté des braises.

En attendant que son repas soit prêt, elle commença à préparer la peau. A l'aide d'un grattoir, elle se mit à racler l'intérieur de la fourrure pour la débarrasser des vaisseaux sanguins, des follicules pileux et de la membrane interne.

Tout en travaillant, ses pensées vagabondaient. Peut-être pourrais-je rester ici quelques jours, se disait-elle. Juste le temps de terminer cette peau. J'en profiterais aussi pour faire quelques outils en silex. Les miens sont abîmés... J'aimerais aussi explorer cette cavité que j'ai aperçue dans la paroi. Si c'est une caverne, je pourrais m'y installer pour quelques nuits... Ce lièvre commence à sentir bon...

Elle se leva pour tourner la broche et reprit son travail. Je ne peux pas rester ici très longtemps, songeait-elle. Il faut que je trouve ceux que je cherche avant l'hiver. Elle s'arrêta soudain de racler la peau en se demandant à nouveau, comme elle n'avait cessé de le faire tous ces derniers temps : Où sont-ils ? Iza m'a dit que les Autres vivaient sur le continent. Si c'est le cas, pourquoi ne les ai-je pas rencontrés ? Où sont-ils, Iza ? En pensant à la vieille guérisseuse, elle fondit en larmes. Comme tu me manques, Iza ! Et comme Durc me manque, lui aussi ! Durc, mon bébé... Dire que j'ai eu tant de mal à te mettre au monde ! Mais tu n'es pas difforme, simplement différent. Comme moi.

Non, pas comme moi, corrigea-t-elle aussitôt. Tu fais partie du Clan. Tu seras simplement un peu plus grand que les autres et ta tête sera légèrement différente. Et tu deviendras un grand chasseur. Toi aussi, un jour, tu sauras manier la fronde. Et tu courras plus vite que tout le monde. Tu gagneras toutes les courses organisées pour le Rassemblement du Clan. Et même si tu n'es pas assez fort pour triompher dans un corps à corps, tu seras malgré tout un homme costaud.

Mais qui s'amusera à t'apprendre de nouveaux sons ? Qui jouera à te les faire répéter ?

Arrête ! s'intima-t-elle en essuyant ses larmes. Je devrais me réjouir qu'il y ait des gens qui t'aiment, Durc. Quand tu seras grand, Ura deviendra ta compagne. Elle non plus, elle n'est pas vraiment difforme. Simplement un peu différente, comme toi. Et moi, se demanda Ayla, est-ce que je trouverai un jour un compagnon ?

Quand elle s'approcha à nouveau du feu, le lièvre n'était pas tout à fait cuit. Elle en mangea quand même un morceau, ne serait-ce que pour se changer les idées. Les carottes sauvages étaient tendres et leur chair jaune pâle avait une saveur un peu piquante. Après avoir déjeuné, elle se sentit mieux. Elle replaça le lièvre au-dessus des braises pour qu'il finisse de cuire et continua à racler la peau de l'animal.

Le soleil était déjà haut dans le ciel quand elle décida qu'il était temps d'aller explorer la cavité qu'elle avait aperçue dans la matinée. Elle se déshabilla à nouveau et traversa la rivière. Puis elle s'accrocha aux racines d'un pin pour sortir de l'eau. La paroi était presque verticale et difficile à escalader. Quand elle atteignit enfin l'étroite corniche qui se trouvait au-dessous de la cavité, elle regretta d'avoir fait autant d'efforts : ce n'était pas une caverne mais un simple trou creusé dans le rocher. Dans un coin, elle aperçut les excréments d'une hyène. Comme l'animal ne pouvait pas avoir escaladé la paroi, il devait exister un autre accès du côté des steppes. Quoi qu'il en soit, cette cavité ne présentait aucun intérêt pour elle.

Elle venait de faire demi-tour et s'apprêtait à descendre quand soudain elle s'immobilisa. D'où elle était, elle apercevait de l'autre côté de la rivière le haut de la saillie rocheuse qu'elle avait contournée dans la matinée. Le surplomb formait une large corniche au fond de laquelle il y avait une autre cavité qui semblait plus profonde que celle qu'elle venait d'explorer. D'en bas, il semblait possible d'y accéder. Son cœur se mit à battre plus vite. S'il s'agissait bien cette fois d'une caverne, elle avait trouvé un endroit où passer la nuit. Elle était tellement pressée de s'en assurer qu'arrivée à mi-parcours, elle plongea dans la rivière.

J'ai dû passer devant hier soir sans la voir, se dit-elle au moment où elle atteignait la rive. Il faisait trop sombre. Se souvenant qu'une caverne inconnue devait toujours être approchée avec prudence, elle alla chercher sa fronde et quelques projectiles.

Lorsque Ayla atteignit la corniche, elle arma sa fronde et avança avec précaution. Tous ses sens étaient en alerte. Elle tendait l'oreille, à l'affût d'un bruit de respiration ou du moindre piétinement, regardait autour d'elle au cas où des traces trahiraient une occupation récente, humait l'air pour tenter d'y détecter l'odeur facilement reconnaissable des carnivores, celle des excréments frais ou de la viande en décomposition, essayait de déterminer si l'intérieur de la grotte ne dégageait aucune chaleur et faisait avant tout confiance à son intuition. Elle s'approcha sans bruit de l'entrée et risqua un coup d'œil à l'intérieur. La grotte était vide.

L'ouverture, orientée au sud-ouest, était relativement petite. En levant le bras, Ayla pouvait toucher la voûte. Le sol commençait par descendre en pente douce, puis se nivelait. Inégal et rocheux à l'origine, il était maintenant recouvert d'une couche de terre sèche et compacte, formée de lœss apporté par le vent et de débris abandonnés par les animaux qui avaient occupé la caverne à différentes époques.

Certaine qu'elle n'avait pas été habitée récemment, Ayla y pénétra. A l'intérieur, il faisait beaucoup plus froid que sur la corniche ensoleillée et elle attendit pour avancer que ses yeux se soient habitués à l'obscurité. Elle avait pensé qu'il ferait beaucoup plus sombre. Mais il y avait juste au-dessus de l'entrée un trou qui laissait entrer la lumière. Elle se dit que cette ouverture serait bien pratique si elle s'installait pour quelques jours dans la caverne : la fumée dégagée par le feu pourrait s'échapper par là.

La caverne était de taille moyenne et avait en gros la forme d'un triangle. A partir de l'entrée — le sommet du triangle — les parois partaient en diagonale, jusqu'à la paroi du fond à peu près droite. La paroi située à l'est étant plus longue que l'autre, l'angle qu'elle formait avec le mur du fond était l'endroit le plus sombre de la caverne. C'est donc celui-là qu'Ayla choisit d'explorer en premier.

Longeant la paroi est, elle s'assura que celle-ci n'avait ni brèche ni passage pouvant communiquer avec d'autres salles. En arrivant au fond, elle s'aperçut qu'à cet endroit le sol était couvert de blocs de rocher détachés de la paroi. Elle grimpa sur les rochers, tâta la paroi, découvrit une saillie et, un peu en retrait, une cavité.

Dans un premier temps, elle songea qu'il serait plus prudent d'aller chercher une torche. Puis elle se dit qu'elle n'avait ni vu, ni entendu, ni senti aucun signe de vie et qu'elle ne risquait donc pas grand-chose à explorer cette cavité. Tenant fermement sa fronde dans une main, elle se hissa sur la saillie.

L'ouverture n'était pas très haute et elle dut se baisser pour y pénétrer. Elle s'aperçut aussitôt que ce n'était qu'un simple renfoncement dans la paroi. Au fond s'empilaient des os. Ayla en prit un et revint dans la caverne. Elle inspecta attentivement la paroi du fond et la paroi ouest et, satisfaite, se dirigea à nouveau vers l'entrée. La caverne lui plaisait : elle ne comportait qu'une seule salle, n'avait qu'une entrée et aucune galerie, si bien qu'elle s'y sentait en sécurité.

Elle sortit de la caverne et, la main en visière sur les yeux pour se protéger de l'éclat du soleil, se dirigea vers l'extrême bord de la corniche et regarda autour d'elle. En bas, sur sa droite, elle apercevait l'amas d'os et de bois flottés et la plage où elle avait passé la nuit. Sur la gauche, elle avait une vue plongeante sur la vallée. La rivière faisait un nouveau coude vers le sud longeant le pied de la falaise qui bordait la rive opposée alors que sur la rive gauche la paroi rocheuse s'abaissait et rejoignait les steppes.

Baissant les yeux, Ayla examina l'os qu'elle tenait toujours à la main. Il s'agissait du tibia d'un cerf géant qui portait encore la marque des crocs qui l'avaient sectionné. La manière dont cet os avait été rongé était éloquente. Ayla était certaine d'avoir affaire à un félin. Elle connaissait parfaitement les carnivores pour les avoir longtemps chassés quand elle faisait encore partie du Clan mais elle ne s'était attaquée qu'à des animaux de taille moyenne. La marque que portait cet os avait été faite par un félin nettement plus gros.

Un lion des cavernes ! s'écria-t-elle soudain. Cette caverne avait dû servir de tanière à des lions et la niche qu'elle avait découverte tout au fond avait certainement été occupée par une lionne et ses lionceaux. Est-il prudent d'y passer la nuit ? se demanda-t-elle. A nouveau, elle regarda le tibia et se sentit aussitôt rassurée : cet os était très vieux et il y avait de grandes chances que la caverne n'ait pas été occupée depuis des années. De toute façon, un bon feu allumé devant l'entrée découragerait les fauves.

C'est une très bonne caverne, songea Ayla. La salle est vaste et le sol parfaitement sec. Les crues du printemps ne doivent pas monter aussi haut. Et il y a même un trou d'évacuation pour la fumée. Je vais aller chercher ma fourrure et mon panier et allumer un feu. Elle redescendit aussitôt vers la plage et revint avec son chargement. Après avoir étendu sa fourrure et sa tente sur les rochers ensoleillés de la corniche, elle posa son panier à l'intérieur de la caverne et alla chercher du bois. Pourquoi ne pas remonter aussi quelques pierres pour le foyer, se dit-elle.

Elle allait descendre à nouveau, mais s'arrêta net. Des pierres pour le foyer ? Pour quoi faire ? Je ne suis là que pour quelques jours. Il va falloir que je reparte si je veux trouver les Autres avant l'hiver...

Mais que va-t-il se passer si je ne les trouve pas ? Cette éventualité l'angoissait tellement qu'elle n'avait jamais osé l'envisager. Que vais-je faire si je n'ai toujours rencontré personne quand l'hiver arrivera ? Je ne pourrai plus me nourrir et rien ne me dit que je trouverai un abri pour me protéger de la neige et du froid. Tandis que cette caverne...

Elle se retourna pour jeter un coup d'œil à la caverne, regarda la vallée, puis à nouveau la caverne. Cette caverne me convient parfaitement, se dit-elle. Il faudra que je voyage longtemps avant d'en retrouver une comme celle-là. En plus, elle est très bien placée : je vais pouvoir chasser, cueillir des végétaux, faire des provisions avant l'hiver. Il y a de l'eau et suffisamment de bois pour se chauffer pendant l'hiver — pendant plusieurs hivers. Il y a même des silex. Et pas de vent. Je trouverai ici tout ce dont j'ai besoin — sauf des gens...

Je ne sais pas si je pourrai supporter de rester seule ici pendant tout l'hiver. Mais la saison est déjà bien avancée. Et si je veux faire des réserves, il faut que je m'y mette dès maintenant. Je n'ai pas réussi à découvrir où habitaient les Autres et rien ne me dit que j'y parviendrai. Et en admettant que je les rencontre, comment m'accueilleront-ils ? Il y a parmi eux des êtres aussi malfaisants que Broud. Oda m'a raconté que les hommes qui l'avaient violée faisaient partie des Autres et qu'ils me ressemblaient. A quoi bon partir à leur recherche ?

Ayla se mit à marcher de long en large sur la corniche, donna un coup de pied dans une pierre, puis s'arrêta en face de la vallée et regarda les chevaux. Elle venait de prendre une décision. Chevaux, dit-elle, je vais m'installer un certain temps dans votre vallée. Au printemps prochain, je repartirai à la recherche des Autres. Si je ne me prépare pas pour affronter l'hiver, quand le printemps reviendra, je serai morte.

Pour s'adresser aux chevaux, elle avait utilisé un langage gestuel, riche, complexe et nuancé, ponctué de quelques sons brefs et gutturaux qui lui permettaient de désigner les êtres ou les choses ou de mettre l'accent sur un point particulier. C'était le seul langage dont elle se souvenait.

Maintenant qu'elle avait pris une décision, Ayla se sentait mieux. Elle n'avait aucune envie de quitter cette agréable vallée pour recommencer à voyager dans les steppes arides. Voyager à nouveau ? Alors qu'elle était si bien ici...

Elle regagna la plage rocheuse et se baissa pour prendre son vêtement en peau et son amulette. Elle allait saisir la poche en peau quand soudain son regard fut attiré par un petit bloc de glace.

Comment peut-il y avoir de la glace en plein été ? se demanda-t-elle, en le prenant dans sa main. Le bloc de glace n'était pas froid, il avait des angles vifs et réguliers, ses différentes faces étaient planes et lisses. Quand Ayla le fit tourner entre ses doigts, elle s'aperçut que ses facettes brillaient de mille feux au soleil. A force de le faire tourner, elle le présenta par hasard sous un angle tel que le prisme décomposa la lumière en ses couleurs fondamentales. En voyant cet arc-en-ciel, Ayla eut tellement peur qu'elle le jeta par terre. Jamais encore elle n'avait vu de cristal de roche.

Comme les silex qu'elle avait découverts un peu plus tôt sur la plage, ce cristal avait été arraché à son lieu d'origine par un élément qui lui ressemblait d'aspect — la glace — et entraîné par la fonte, il avait fini par échouer dans le lit de ce torrent glaciaire.

Bouleversée par sa trouvaille, Ayla se mit à trembler et elle dut s'asseoir sur un rocher. Cette pierre lui rappelait quelque chose que Creb lui avait dit quand elle était enfant...

On était alors en hiver et Dorv venait de raconter une des légendes du Clan. Toujours aussi curieuse, Ayla avait posé des questions à Creb et celui-ci lui avait expliqué ce qu'étaient les totems.

— Les totems sont comme nous : pour vivre, ils ont besoin d'un endroit où ils se sentent chez eux. Quand quelqu'un voyage trop longtemps, son totem l'abandonne.

— Mon totem ne m'a jamais abandonnée, Creb, avait dit Ayla. Et pourtant j'étais seule et je n'avais pas de foyer.

— Il te mettait à l'épreuve, lui avait expliqué Creb. Et finalement, il t'a trouvé un foyer, non ? Le Lion des Cavernes est un totem très puissant, Ayla. Il t'a choisie et a décidé de te protéger quoi qu'il arrive — mais les totems sont toujours plus heureux quand ils ont un foyer. Si tu te montres attentionnée, il t'aidera. Il te dira ce que tu dois faire.

— Mais comment s'y prendra-t-il, Creb ? Je n'ai jamais vu l'esprit du Lion des Cavernes. Comment pourrai-je savoir qu'il est en train de me dire quelque chose ?

— L'esprit de ton totem est invisible : il fait partie de toi. Mais cela ne l'empêche pas de te parler. Il faut que tu apprennes à le comprendre.

Si tu dois prendre une décision importante, il t'aidera. Il t'enverra un signe pour te dire que tu as fait le bon choix.

— Quel genre de signe ?

— C'est difficile à dire. En général, c'est toujours quelque chose d'un peu particulier ou d'inhabituel. Par exemple une pierre que tu n'as encore jamais vue ou alors une racine dont la forme sort de l'ordinaire. Dans un cas comme celui-là, tes yeux et tes oreilles ne te serviront à rien. C'est ton cœur et ton esprit qu'il faut écouter. Et si un jour tu découvres que ton totem vient de s'adresser à toi, ramasse le signe qu'il t'a laissé et place-le dans ton amulette.

Lion des Cavernes, demanda Ayla, me protèges-tu toujours ? M'as-tu envoyé un signe ? Essaies-tu de me dire que j'ai raison de vouloir rester dans cette vallée ?

Elle posa le cristal dans le creux de sa main, ferma les yeux et essaya de méditer comme tant de fois elle avait vu Creb le faire, écoutant ce que lui disait son esprit et son cœur afin de savoir si son puissant totem ne l'avait pas abandonnée. Elle repensa à la manière dont elle avait quitté le Clan et au long et harassant voyage qu'elle avait entrepris dans l'espoir de retrouver son peuple, marchant toujours en direction du nord comme lui avait conseillé Iza, jusqu'au jour où...

Jusqu'au jour où elle avait rencontré les lions des cavernes ! C'est mon totem qui me les a envoyés, songea-t-elle, pour que je me dirige vers l'ouest. Il voulait me conduire jusqu'à cette vallée. Il en avait assez de voyager et, lui aussi, il voulait retrouver un foyer. Ce lieu a servi de tanière à des lions des cavernes, il s'y sent bien. Il est toujours à mes côtés ! Il ne m'a pas abandonnée !

Ayla ressentit soudain un immense soulagement. Elle essuya ses larmes et défit en souriant le cordonnet qui fermait le petit sac. Après l'avoir vidé sur ses genoux, elle examina un à un les talismans qu'il contenait.

Pour commencer, il y avait un morceau d'ocre rouge. Tous les membres du Clan possédaient un fragment de la pierre sacrée dont ils héritaient le jour où Mog-ur révélait leur totem. D'habitude, ils n'étaient encore que des nourrissons quand cette cérémonie avait lieu. Tandis qu'Ayla avait cinq ans quand elle avait appris quel était son totem. La cérémonie s'était tenue peu après qu'Iza l'eut recueillie et que Creb eut annoncé qu'elle faisait partie du Clan.

Elle possédait aussi l'empreinte fossilisée d'un gastéropode. On aurait dit un coquillage, mais en pierre. Ce fossile était le premier signe envoyé par son totem pour lui dire qu'elle avait le droit de chasser avec sa fronde, à condition de ne s'attaquer qu'aux prédateurs. Elle n'avait pas le droit de tuer des animaux comestibles car, comme elle chassait en cachette, elle ne pouvait les rapporter à la caverne. Cette règle avait eu du bon : les prédateurs étant rusés et dangereux, ils l'avaient obligée à une plus grande habileté.

Le troisième objet qu'elle conservait précieusement était un talisman de chasse, une petite rondelle découpée dans de l'ivoire de mammouth et teintée d'ocre, que Brun lui avait donné lors de l'impressionnante cérémonie qui avait fait d'elle la Femme Qui Chasse. Ce jour-là, Creb lui avait incisé la gorge et avait recueilli son sang en signe de sacrifice aux Anciens et elle avait encore à la base du cou une petite cicatrice.

Quand elle saisit les trois nodules de pyrite de fer, elle dut faire un immense effort pour ne pas pleurer et les tint serrés un long moment dans son poing fermé. Ces pierres avaient une signification toute particulière : son totem les lui avait envoyées pour lui dire que son fils vivrait.

La dernière pierre qu'elle examina était de couleur noire et il s'agissait d'un morceau de pyrolusite. C'est Mog-ur lui-même qui la lui avait remise quand elle était devenue guérisseuse et en la recevant Ayla avait hérité d'une partie de l'esprit de chaque membre du Clan. En repensant à cette cérémonie, elle fut soudain bouleversée. Cela signifie-t-il qu'en me maudissant Broud a maudi du même coup tous les membres du Clan ? se demanda-t-elle. Quand Iza est morte, Creb a rappelé les esprits pour qu'elle ne les emporte pas avec elle. Mais, dans mon cas, personne ne les a rappelés.

Un sinistre pressentiment l'envahit brusquement. Elle se sentait aussi désorientée que la nuit où elle avait assisté à la cérémonie présidée par Creb lors du Rassemblement du Clan, quand le grand sorcier avait compris à quel point elle pouvait être différente. Elle avait les oreilles bourdonnantes, des fourmillements dans les membres, envie de vomir. Elle avait une peur atroce de ce que sa mort pouvait signifier pour l'ensemble du Clan.

S'efforçant de chasser ce malaise, elle replaça tous ses talismans dans le sac et y ajouta le cristal de roche. Creb lui ayant dit qu'elle mourrait, si elle perdait son amulette, elle vérifia la solidité de la lanière avant de la remettre autour de son cou.

Elle resta un long moment encore assise au soleil à se demander ce qu'avait été sa vie avant qu'elle soit recueillie par le clan. Elle n'avait gardé aucun souvenir de cette période. La seule chose qu'elle savait, c'est qu'elle était différente : trop grande, trop pâle et avec un visage qui ne ressemblait pas à celui des membres du Clan. Un jour, en se regardant dans un étang, elle avait réalisé à quel point elle était laide. Broud lui avait souvent dit qu'elle était affreuse et tous pensaient la même chose. Elle n'était qu'une grande femme laide : aucun homme ne voudrait jamais d'elle. Mieux vaut rester dans cette vallée, songea-t-elle. A quoi bon repartir à la recherche des Autres ? Laide comme je suis, aucun homme ne voudra de moi comme compagne.

4

Accroupi à l'abri des hautes herbes, Jondalar observait la horde de chevaux. Il s'était placé face au vent pour que les animaux ne puissent pas déceler sa présence et s'était enduit le corps et les aisselles de crottin afin que les chevaux ne sentent pas son odeur au cas où le vent tournerait.

Ses épaules en sueur et couleur de vieux bronze brillaient au soleil. Une longue mèche blonde, échappée de la lanière en cuir qui retenait ses cheveux sur la nuque, lui balayait le front à chaque coup de vent et il était entouré d'un nuage de mouches qui, attirées par le crottin, se posaient sur son dos. A force de garder la même position, il commençait à avoir une crampe dans la cuisse gauche.

Insensible à tout ça, il ne quittait pas des yeux l'étalon qui piaffait et reniflait nerveusement comme si quelque sens mystérieux venait de l'avertir du danger qui menaçait son harem. Les juments continuaient à paître comme si de rien n'était. Elles devaient pourtant être inquiètes car elles s'étaient déplacées et se retrouvaient maintenant entre leurs poulains et les deux hommes.

A quelques mètres de là, accroupi lui aussi, Thonolan se tenait prêt, une sagaie à la hauteur de l'épaule droite, l'autre dans sa main gauche. Quand il jeta un coup d'œil à Jondalar, celui-ci leva la tête et regarda en direction d'une jument brune. Thonolan acquiesça en silence et équilibra avec soin son arme.

Avec un ensemble parfait, les deux frères bondirent et se ruèrent sur la horde. L'étalon se cabra et poussa un long hennissement. Thonolan visa la jument tandis que Jondalar se précipitait vers l'étalon en poussant des hurlements pour l'effrayer. La ruse marcha. Habitué à des prédateurs silencieux et furtifs, l'étalon prit peur : il hennit à nouveau, fit quelques pas en direction de Jondalar, puis, après un brusque écart, partit au galop pour rejoindre la horde en fuite.

Les deux frères se précipitèrent à sa suite. Quand l'étalon s'aperçut que la jument blessée ralentissait l'allure, il s'approcha d'elle et lui mordit les flancs pour l'obliger à continuer. Les deux hommes crièrent à nouveau en agitant les bras. Mais cette fois-ci, l'étalon tint bon : il s'interposa entre eux et la jument, ruant pour les empêcher d'approcher. Celle-ci fit encore quelques pas hésitants, puis elle s'immobilisa, la tête pendante. A l'endroit où la sagaie de Thonolan s'était enfoncée dans son flanc, le sang ruisselait sur son pelage et tombait goutte à goutte de ses poils emmêlés.

Jondalar s'approcha le plus près possible et lui porta un coup. La jument eut un sursaut, puis elle trébucha. Quand elle s'effondra, la sagaie de Jondalar vibrait encore à la base de son cou. L'étalon s'approcha d'elle, il la flaira, se cabra et hennit craintivement. Faisant demi-tour, il repartit au galop pour rejoindre la horde et protéger sa fuite.

— Je vais aller chercher nos sacs, proposa Thonolan lorsqu'ils se furent approchés de la jument. Mieux vaut apporter l'eau dont nous avons besoin plutôt que de traîner cette jument jusqu'à la rivière.

— Nous n'avons pas besoin de faire sécher toute cette viande, intervint Jondalar. Prenons ce qu'il nous faut et emportons-le au bord de la rivière. Cela nous évitera de charrier de l'eau.

— Pourquoi pas ? Je vais chercher une hache pour rompre les os.

Quand Thonolan fut parti, Jondalar prit son couteau à manche d'os et, après avoir dégagé les sagaies, il s'en servit pour trancher la gorge de la jument.

— Puisque tu retournes à la Grande Terre Mère, remercie-La, dit-il à l'animal dont la tête baignait dans une mare de sang.

D'un geste inconscient, il caressa la statuette en pierre qu'il portait toujours sur lui. Zelandoni a raison, songea-t-il. Si les enfants de la Terre oublient qui subvient à leurs besoins, un jour ils risquent de s'apercevoir qu'ils n'ont plus de foyer. Reprenant son couteau, il se dit que le moment était venu de puiser dans les réserves de Doni.

— Je viens d'apercevoir une hyène, annonça Thonolan, qui était de retour. J'ai l'impression que nous n'allons pas être les seuls à manger.

— La Mère n'aime pas le gaspillage, rappela Jondalar en levant ses deux bras couverts de sang jusqu'aux épaules. D'une façon ou d'une autre, tout retourne à la Terre. Donne-moi un coup de main, fit-il à l'adresse de son frère.

— Qu'allons-nous faire quand l'hiver arrivera ? demanda Jondalar en ajoutant un morceau de bois dans le feu.

Quelques étincelles jaillirent et disparurent aussitôt dans l'air nocturne.

— L'hiver est encore loin. Avant qu'il ne s'installe, nous aurons obligatoirement rencontré des gens.

— En rebroussant chemin maintenant, nous aurions toutes les chances d'en trouver. Au pire, nous pourrions toujours demander l'hospitalité aux Losadunaï... De ce côté-ci des montagnes, l'hiver risque d'être rude, continua Jondalar en jetant un coup d'œil à son frère. Il y a peu d'endroits où s'abriter et pas tellement d'arbres pour faire du feu. Peut-être aurions-nous dû essayer de trouver les S'Armunaï. Ils nous auraient expliqué ce qui nous attendait et nous auraient parlé des peuplades qui vivent par ici.

— Si tu veux, tu peux faire demi-tour, répondit Thonolan. Je comptais faire ce Voyage tout seul, de toute façon. Ce qui ne veut pas dire que je n'apprécie pas ta compagnie.

— Peut-être que ça vaudrait mieux en effet, reconnut Jondalar. Je ne m'étais pas rendu compte à quel point ce fleuve était long... Regarde-moi ça ! ajouta-t-il en montrant à son frère l'eau qui miroitait sous la lune. Je comprends pourquoi on l'appelle la Grande Rivière Mère. Je n'ai jamais vu un cours d'eau aussi capricieux. Au début, il coulait vers l'est. Maintenant, il se dirige vers le sud et il a tellement de bras que je me demande parfois si nous suivons toujours le bon. J'ai du mal à croire que tu veuilles aller jusqu'au bout... Quant aux hommes que nous risquons de rencontrer, qui te dit qu'ils vont nous faire bon accueil ?

— Si on savait d'avance ce qui nous attend, voyager ne présenterait plus aucun intérêt. Il faut prendre des risques, Grand Frère ! Mais comme je te l'ai dit, tu n'es pas obligé de m'accompagner.

Le regard fixé sur les flammes, Jondalar frappait en cadence le creux de sa main avec un petit morceau de bois. Soudain, il bondit sur ses pieds et jeta le bois dans le feu. Puis il s'approcha des cordes en fibres tressées tendues entre des piquets presque au ras du sol, sur lesquelles des morceaux de viande étaient en train de sécher.

— Je n'ai aucune raison de faire demi-tour, avoua-t-il. Mais si je continue à voyager, qu'est-ce qui m'attend ?

— Le prochain coude de la rivière, le prochain lever de soleil, la prochaine femme qui te tombera dans les bras.

— Est-ce tout ce que tu demandes à la vie ?

— Que lui demander de plus ? On naît, on vit le mieux qu'on peut tant qu'on est là et un beau jour on retourne vers la Mère.

— La vie ne peut pas se résumer à ça ! Elle doit avoir un sens...

— Réfléchis à la question et si tu trouves la réponse, dis-le-moi, proposa Thonolan en bâillant. Pour l'instant, il est temps d'aller dormir. Mais il faut que l'un de nous reste éveillé. Sinon, demain matin, la viande aura disparu.

— Va te coucher. Je reste près du feu. De toute façon, je ne pourrai pas m'endormir.

— Tu te fais trop de soucis, Jondalar. Réveille-moi quand tu seras fatigué.

Quand Thonolan sortit de la tente en se frottant les yeux, il faisait jour.

— Tu n'as pas dormi de la nuit ! s'étonna-t-il. Je t'avais pourtant dit de me réveiller.

— J'avais besoin de réfléchir, lui répondit son frère. J'ai fait une infusion de sauge. Sers-toi. Elle doit être encore chaude.

— Merci, dit Thonolan, en remplissant son bol en bois.

L'air matinal était encore frais et l'herbe humide de rosée. Thonolan, les reins couverts d'un pagne, s'accroupit près du feu. Tout en buvant son infusion, il regardait les oiseaux qui se précipitaient en gazouillant sur les rares buissons et les arbres le long du fleuve. Les grues qui nichaient dans l'île, au milieu du bras d'eau, avaient quitté l'abri des saules et elles prenaient, elles aussi, leur petit déjeuner, composé de poisson.

— As-tu fini par trouver ? demanda Thonolan.

— Trouver quoi ?

— Si, oui ou non, la vie a un sens ? Hier soir, quand je suis allé me coucher, tu étais en train d'y réfléchir. J'espère que tu as trouvé la réponse. A quoi bon, sinon, rester éveillé toute la nuit ? S'il y avait une femme, encore, je comprendrais... Peut-être qu'une des élues de Doni se cache derrière ces saules.

— Si c'était le cas, je ne te le dirais pas, répondit Jondalar avec un sourire contraint. (Puis il ajouta, en souriant franchement cette fois :) Inutile de faire des mauvaises plaisanteries pour me dérider, Petit Frère. J'ai bien l'intention de continuer à voyager avec toi, jusqu'à l'embouchure du fleuve s'il le faut. J'aimerais simplement savoir ce que nous ferons là-bas.

— Tout dépendra de ce que nous découvrirons. Pour l'instant, je ferais mieux d'aller me recoucher. Quand tu broies du noir, ta compagnie n'a rien d'agréable. Il n'empêche que je suis content que tu aies décidé de m'accompagner. J'ai fini par m'habituer à ta présence et même à tes mauvaises humeurs.

— En cas de danger, mieux vaut être deux.

— Du danger, je n'en vois pas beaucoup pour l'instant. Dommage ! Au moins on aurait de quoi s'occuper en attendant que cette viande ait fini de sécher.

— Il faudra compter quelques jours avant de pouvoir repartir, fit remarquer Jondalar. Mais puisque tu ne tiens pas en place, inutile que je te dise ce que j'ai vu...

— Vas-y ! De toute façon, tu finiras toujours par me le raconter.

— Il y a dans le fleuve un esturgeon tellement gros... commença Jondalar. Mais à quoi bon essayer de le pêcher ? Il faudrait attendre qu'il sèche et ça, tu...

— Gros comment ? coupa Thonolan en se levant aussitôt.

— Il est tellement gros que je ne suis pas sûr qu'à nous deux nous réussissions à le sortir de l'eau.

— Montre-le-moi.

— Pour qui me prends-tu ? Je ne suis pas la Grande Mère, moi ! Je ne peux pas demander aux poissons de sortir de l'eau sous tes yeux. (Comme Thonolan semblait déçu, il ajouta :) Suis-moi, je vais te montrer où je l'ai vu.

Les deux frères firent quelques pas le long de la rive et s'arrêtèrent près d'un arbre effondré dont une partie était à moitié immergée dans l'eau. Au moment où ils se penchaient pour regarder, une ombre impressionnante remonta sans bruit le courant puis s'immobilisa sous les branches de l'arbre, tout près du fond, ondulant légèrement à contre-courant.

— Ça doit être la grande mère de tous les poissons, murmura Thonolan.

— Crois-tu que nous arriverions à le sortir de l'eau ?

— Nous pouvons toujours essayer !

— Il y a de quoi nourrir toute une Caverne ! Qu'allons-nous en faire si nous l'attrapons ?

— C'est toi-même qui m'as dit que la Grande Mère n'aimait pas le gaspillage. Les hyènes et les gloutons se partageront les restes. Allons chercher nos sagaies, proposa Thonolan pressé de passer à l'action.

— Elles ne nous serviront à rien. Nous avons besoin d'une gaffe.

— Il faut du temps pour fabriquer une gaffe, intervint Thonolan, et cet esturgeon risque de ne plus être là quand nous aurons fini.

— Si tu utilises la sagaie, il va filer. Il nous faut une perche avec un croc. Nous n'aurons aucun mal à en fabriquer une. Regarde cet arbre là-bas. Il suffit de choisir une belle branche fourchue et de la couper au-dessous de la fourche. Nous n'aurons pas besoin de la consolider puisque nous ne nous en servirons qu'une fois. Quant au croc, continua Jondalar en accompagnant ses explications des gestes appropriés, nous n'avons qu'à raccourcir une des deux bifurcations de la fourche et la tailler en pointe...

— A quoi bon se donner tout ce mal si l'esturgeon n'est plus là ? l'interrompit Thonolan.

— Il est déjà venu deux fois à cet endroit — il doit aimer s'y reposer. Même s'il s'en va, je suis sûr qu'il reviendra.

— N'empêche... ça va nous prendre du temps.

— Au moins, ça nous occupera.

— D'accord ! Tu as gagné ! Occupons-nous de cette gaffe.

Les deux frères s'apprêtaient à rejoindre leur tente quand soudain ils s'immobilisèrent : un groupe d'hommes les entouraient et leur attitude était pour le moins hostile.

— D'où sortent-ils ? chuchota Thonolan.

— Ils ont dû apercevoir notre feu. A mon avis, ça fait un bon bout de temps qu'ils nous guettent. Avant de s'approcher, ils ont attendu que nous ne soyons plus sur nos gardes. Je te signale que nos sagaies sont restées dans la tente.

— Ils n'ont pas l'air très sociables. Aucun d'eux ne nous a salués. Que faisons-nous ?

— Fais-leur un grand sourire, le plus amical possible, et le geste de bienvenue, Petit Frère.

Thonolan s'obligea à sourire d'un air qu'il espérait engageant. Puis, levant les deux mains en signe de bienvenue, il se mit à avancer vers les inconnus.

— Je suis Thonolan des Zelan...

Il s'interrompit brusquement : un épieu venait de se ficher à ses pieds.

— Pas d'autres suggestions, Jondalar ?

— Je crois que nous n'avons pas le choix.

Un des inconnus prononça quelques mots dans une langue qu'ils ne connaissaient pas. Deux hommes se détachèrent aussitôt du groupe. Ils placèrent la pointe de leurs épieux dans le dos des deux frères pour les obliger à avancer.

— Inutile de faire le méchant, dit Thonolan à l'homme qui le poussait. C'est justement là que je comptais aller.

Les hommes les emmenèrent jusqu'au feu de camp et les firent asseoir sans ménagement. Le chef de la troupe donna un nouvel ordre. Ses hommes se faufilèrent à l'intérieur de la tente et sortirent tout ce qu'elle contenait. Ils se saisirent des sagaies et vidèrent le contenu des deux sacs sur le sol.

— De quel droit faites-vous ça ! cria Thonolan en essayant de se lever.

On le fit rasseoir de force et il sentit un filet de sang couler le long de son bras.

— Calme-toi, conseilla Jondalar. Ils ont l'air furieux. Ils ne semblent pas d'humeur à discuter.

— Est-ce que c'est une façon de traiter les Visiteurs ? Pourquoi ne respectent-ils pas le droit de passage de ceux qui voyagent ?

— Rappelle-toi ce que tu as dit, Thonolan.

— Qu'est-ce que j'ai dit ?

— Qu'il fallait prendre des risques. Que sans risques, voyager ne présentait aucun intérêt.

— Merci, répondit Thonolan en jetant un coup d'œil à la longue estafilade qu'il portait sur le bras. Un peu plus, et je l'oubliais.

Un nouvel ordre fusa. Les deux frères se retrouvèrent debout. Thonolan, qui ne portait qu'un pagne, eut droit à une inspection rapide. En revanche, ils fouillèrent Jondalar. Un des hommes lui retira son couteau en silex. Puis il voulut prendre la sacoche attachée à sa ceinture. Jondalar avança la main pour l'en empêcher. Aussitôt après, il ressentit une vive douleur derrière la tête et s'effondra sur le sol.

Quand il ouvrit les yeux, il avait les mains attachées dans le dos. Thonolan était penché sur lui et le regardait d'un air inquiet.

— C'est toi qui l'as dit, lui rappela-t-il.

— Qu'est-ce que j'ai dit ?

— Qu'ils ne semblent pas d'humeur à discuter.

— Merci, répondit Jondalar en remuant avec précaution sa tête douloureuse. (Puis il ajouta :) Un peu plus, et je l'oubliais.

— Que vont-ils faire de nous ? demanda Thonolan avec inquiétude.

— S'ils voulaient nous tuer, ça serait déjà fait.

— Peut-être nous réservent-ils un traitement spécial...

— Nous verrons bien.

Allongés sur le sol, les mains ligotées, les deux frères ne pouvaient qu'attendre la suite des événements. Les étrangers s'activaient dans leur camp et bientôt ils sentirent une odeur de viande grillée qui leur fit venir l'eau à la bouche. La chaleur accompagnait la course du soleil et la soif commença à les tarauder. En fin d'après-midi, Jondalar, qui n'avait pas dormi de la nuit et souffrait toujours de la tête, ferma les yeux et finit par s'endormir. Il fut réveillé par une agitation intense et des cris. Quelqu'un venait d'arriver.

On les remit debout et ils aperçurent alors les nouveaux venus : un homme robuste s'avançait vers eux, portant sur son dos une vieille femme toute ratatinée. Le destrier humain s'arrêta et se mit à quatre pattes. Un homme s'approcha avec respect de la vieille femme et l'aida à descendre de sa monture.

— Ce doit être un personnage important, chuchota Jondalar.

Un coup de poing dans les côtes lui rappela que le silence était de mise.

S'appuyant sur un bâton de commandement dont l'extrémité supérieure était sculptée, la femme vint vers eux. Jamais encore Jondalar n'avait vu une femme aussi vieille. Voûtée par l'âge, elle n'était pas plus grande qu'une gamine. Ses cheveux blancs étaient si fins qu'ils laissaient voir la peau de son crâne et son visage si ridé qu'il n'avait plus rien d'humain. Son regard, par contre, n'avait rien de sénile : ses yeux, au lieu d'être éteints et chassieux, brillaient d'intelligence. Une autorité indéniable émanait de toute sa personne et Jondalar se dit, avec quelque crainte, que l'événement devait être important puisqu'elle s'était déplacée.

Elle s'adressa au chef de la troupe d'une voix chevrotante mais encore étonnamment puissante. Ce dernier répondit en lui montrant Jondalar. Elle se tourna alors vers lui pour lui adresser ce qui semblait être une question.

— Je suis désolé, répondit-il, je ne comprends pas.

La femme recommença à parler et, se frappant la poitrine de son poing noueux, elle répéta à plusieurs reprises un mot qui semblait être : « Haduma ». Puis elle pointa son index en direction de Jondalar.

— Je m'appelle Jondalar des Zelandonii, fit-il à tout hasard.

Elle dressa l'oreille comme si elle venait d'entendre un son familier et répéta à voix lente :

— Zel-an-don-yee.

Jondalar hocha la tête et se passa nerveusement la langue sur les lèvres.

Pendant un court instant, la femme l'observa en réfléchissant, puis elle lança un ordre bref et, lui tournant le dos, se dirigea vers le feu. Un des hommes sortit alors un couteau. Les deux frères se regardèrent : ils éprouvaient tous les deux les mêmes craintes. S'armant de courage, Jondalar adressa une prière silencieuse à la Grande Terre Mère et ferma les yeux.

Il les rouvrit presque aussitôt en sentant qu'on le débarrassait de ses liens. Un homme s'approchait d'eux portant une outre pleine d'eau. Jondalar but une longue gorgée et passa l'outre à son frère qui avait maintenant lui aussi les mains libres. Il voulut parler puis, se souvenant du coup qu'il avait reçu dans les côtes, se dit qu'il était plus sage de garder le silence.

Toujours sous bonne escorte, ils furent conduits près du feu. L'homme qui, un peu plus tôt, transportait la vieille femme sur son dos, alla chercher une bûche, étendit une fourrure par-dessus et s'immobilisa, la main droite sur le manche de son couteau. La vieille femme s'installa sur la bûche et les deux frères s'assirent en tailleur en face d'elle, en prenant bien garde à ne faire aucun mouvement qui puisse être interprété comme une menace dirigée contre la vieille femme. Il était clair qu'au moindre geste inconsidéré, les hommes n'hésiteraient pas à faire usage de leurs lances.

Les yeux de la vieille femme se posèrent à nouveau sur Jondalar. Elle ne disait rien. Il soutint son regard mais, comme son silence se prolongeait, il finit par se sentir mal à l'aise. Soudain, les yeux brillant de colère, elle se mit à déverser un flot de mots — incompréhensibles mais disant clairement sa fureur — et, après avoir fouillé dans un des replis de son vêtement, brandit la donii de Jondalar, cette petite statuette en pierre qui représentait la Mère. L'homme qui surveillait de près Jondalar tressaillit fortement, comme si la vue de cette statuette l'offusquait.

La vieille femme termina sa tirade et, levant le bras d'une manière dramatique, jeta la statuette sur le sol. Fou de rage, Jondalar bondit en avant pour la saisir. Insensible à la sagaie pointée dans son dos, il récupéra la statuette et la cacha à l'intérieur de ses deux mains.

La vieille femme lança un ordre bref. L'homme retira sa sagaie. Jondalar fut surpris de voir qu'elle souriait et qu'une lueur d'amusement dansait au fond de ses prunelles.

Quittant le tronc sur lequel elle était installée, la femme s'approcha de lui. Debout, elle n'était pas plus grande que lui assis. Elle le regarda longuement dans les yeux, puis recula un peu pour l'examiner sous toutes les coutures. Après avoir tâté les muscles de ses bras et évalué sa largeur d'épaules, d'un geste elle lui fit comprendre qu'il devait se mettre debout. Jondalar obéit. Elle renversa sa tête en arrière et le regarda de bas en haut puis vérifia que les muscles de ses jambes valaient ses biceps. Jondalar avait l'impression d'être jaugé comme une marchandise de prix et il rougit soudain en réalisant qu'il était en train de se demander si cet examen serait à son avantage.

Thonolan fut invité à se mettre debout. Après lui avoir jeté un bref coup d'œil dans le but de le comparer à son frère, la vieille femme reporta son attention sur Jondalar. Quand elle lui fit signe d'ouvrir son pantalon, il rougit à nouveau, hocha la tête en signe de refus et lança un regard noir à son frère qui souriait d'un air moqueur. Sur l'ordre de la femme, un des hommes le ceintura et un autre, visiblement embarrassé, se pencha pour défaire le rabat de son pantalon.

D'un mouvement brusque, Jondalar desserra l'étreinte et montra à la vieille femme ce qu'elle désirait voir. Il tourna la tête et lança un regard farouche à Thonolan qui se mordait les lèvres dans le vain espoir de réprimer son fou rire. La tête légèrement penchée sur le côté, la vieille femme examina son sexe, puis elle le toucha.

De rouge Jondalar devint écarlate quand il s'aperçut qu'il était en érection. La femme gloussa, les hommes eurent un sourire en coin, mais l'assistance semblait néanmoins saisie d'une crainte respectueuse. Plié en deux, Thonolan riait sans retenue. Jondalar s'empressa de refermer son pantalon. Il était furieux et avait l'impression de passer pour un imbécile.

— Pour réussir à bander devant cette vieille sorcière, il faut vraiment que tu aies besoin d'une femme, Grand Frère, lança Thonolan entre deux hoquets.

— J'espère que la prochaine fois, ce sera ton tour, rétorqua Jondalar dans l'espoir de le faire taire.

La vieille femme fit signe à l'homme qui les avait arrêtés et se mit à parler avec lui. La discussion semblait animée. A plusieurs reprises, Jondalar entendit la femme prononcer le mot « Zelandonyee » et, à chaque fois, l'homme lui montrait la viande qui était en train de sécher à côté du feu. Finalement, elle lança un ordre impérieux. Après avoir

432LA VALLÉE DES CHEVAUX

jeté un coup d'œil à Jondalar, l'homme fit signe à un adolescent et lui dit quelques mots. Ce dernier quitta le camp à toute vitesse.

Les deux frères furent ramenés près de leur tente et on leur remit leurs sacs, sans pour autant leur rendre leurs sagaies et leurs couteaux. Debout à quelque distance, un homme armé les surveillait. On leur apporta à manger et quand ils eurent terminé leur repas, ils se faufilèrent à l'intérieur de la tente. Thonolan n'avait nulle envie de dormir. Il dut pourtant s'y résoudre car Jondalar n'était pas d'humeur à discuter avec quelqu'un qui éclatait de rire chaque fois qu'il le regardait.

Lorsqu'ils se réveillèrent, le camp semblait en pleine effervescence. Au milieu de la matinée, des cris de bienvenue saluèrent l'arrivée d'un important groupe de gens. Ils se mirent aussitôt à dresser leurs tentes, et le camp des deux frères, réduit à sa plus simple expression la veille encore, finit par prendre des allures de Grande Réunion d'Été. Ils assistèrent avec intérêt au montage d'une grande tente de forme circulaire dont les parois verticales étaient en peau et qui était surmontée par un toit en dôme couvert de chaume. Les différentes parties étant préassemblées, le montage eut lieu dans un temps record.

Tout le temps que dura la préparation du repas, il y eut une accalmie. Puis, en début d'après-midi, la foule commença à se rassembler autour de la grande tente. La bûche qui servait de siège à la vieille femme fut placée devant l'entrée de la tente et à nouveau couverte avec la fourrure. Dès que l'aïeule apparut, la foule fit silence et forma un cercle autour d'elle, mais à distance respectable. Elle appela aussitôt un homme en lui montrant Thonolan et Jondalar.

— A mon avis, elle veut que tu recommences à lui montrer à quel point tu la désires, dit Thonolan en souriant malicieusement.

— Plutôt mourir ! s'écria Jondalar.

— Tu veux dire que tu n'as pas l'intention de te taper cette beauté ? demanda Thonolan, feignant d'être surpris. A te voir hier, j'aurais plutôt pensé le contraire...

Comme il se remettait à rire, Jondalar lui tourna carrément le dos.

Les deux frères furent conduits devant la vieille femme, qui les invita à s'asseoir en face d'elle.

— Zel-an-don-yee ? demanda-t-elle en regardant Jondalar.

— Oui, répondit-il. Je m'appelle Jondalar des Zelandonii.

La femme tapota le bras du vieil homme assis à côté d'elle.

— Je... Tamen... dit-il avant de prononcer quelques mots incompréhensibles pour Jondalar. Hadumaï... reprit-il. Tamen... longtemps... (encore un mot incompréhensible) ouest... Zelandonii.

Jondalar avait saisi au vol les quelques mots prononcés dans sa langue.

— Tu t'appelles Tamen, commença-t-il. Tu fais partie des Hadumaï. Tu as fait il y a longtemps un Voyage vers l'ouest. Tu as rencontré les Zelandonii ! s'écria-t-il, tout fier d'avoir réussi à décrypter le message du vieil homme. Parles-tu zelandonii ?

— Voyage, oui, répondit le vieil homme. Pas parler... Trop longtemps...

Il s'interrompit pour écouter ce que la vieille femme avait à lui dire, puis se tourna à nouveau vers les deux frères.

— Haduma, dit-il en désignant du doigt la femme assise à côté de lui. Mère, ajouta-t-il en montrant d'un large geste la foule qui les entourait.

— Tu veux dire qu'Haduma fait partie de Ceux Qui Servent La Mère ? demanda Jondalar.

L'homme hocha la tête en signe de dénégation. Il réfléchit un court instant, puis fit signe à quelques personnes de s'approcher et les disposa en ligne à côté de lui.

— Haduma... Mère... Mère... Mère... dit-il en montrant du doigt la vieille femme, puis lui-même, puis chacun de ceux qui étaient alignés.

Jondalar observa avec attention le groupe qui se trouvait en face de lui. Bien que vieux, Tamen était moins âgé qu'Haduma. L'homme à droite était d'âge mûr. Ensuite venait une jeune femme qui tenait par la main un enfant en bas âge. Et soudain, il comprit.

— Il y a là cinq générations ! s'écria-t-il en écartant les cinq doigts de sa main. Cet enfant est son arrière-arrière-petit-fils...

— Cinq... générations... répéta Tamen.

— Grande Doni ! s'exclama Jondalar. (Il se tourna vers son frère.) Imagine l'âge qu'elle doit avoir !

— Haduma... Enfants... reprit Tamen en montrant son ventre.

Puis il se mit à tracer des marques dans la poussière.

— Un, deux, trois... compta Jondalar au fur et à mesure. Seize ! s'écria-t-il quand le vieil homme eut terminé. Haduma a donné naissance à seize enfants ?

Tamen acquiesça. Puis montrant les marques au sol, il reprit :

— Beaucoup fils... Beaucoup filles... Vivants... Tous vivants... Six Cavernes... Hadumaï.

— Je comprends mieux leur attitude d'hier, intervint Thonolan. Si nous avions eu le malheur de la regarder de travers, ils nous auraient tués sur-le-champ. Elle est leur mère à tous : la Première Mère des Hadumaï. Et toujours vivante...

Jondalar était aussi impressionné que Thonolan mais il y avait malgré tout quelque chose qui lui échappait.

— Je suis honoré d'avoir fait la connaissance d'Haduma, dit-il à Tamen. Mais il y a quelque chose que je ne comprends pas. Pourquoi nous avoir faits prisonniers ?

Tamen montra du doigt la viande en train de sécher au-dessus du feu, puis le jeune chef qui les avait capturés.

— Jeren chasser... dit-il. Faire...

Il s'interrompit soudain pour dessiner sur le sol un cercle incomplet qui s'ouvrait en V vers l'extérieur.

— Hommes zelandonii faire... faire fuir... (A nouveau il s'interrompit, réfléchit un long moment, puis ajouta tout fier de lui :) Faire fuir cheval.

— Ça y est, j'ai compris ! s'écria Thonolan. Ils avaient dû construire un piège circulaire et ils attendaient que les chevaux s'en approchent. En tuant cette jument, nous avons fait fuir toute la horde.

— Je comprends que Jeren et ses hommes aient été furieux, dit Jondalar en s'adressant à Tamen. Mais nous ne savions pas que nous étions sur votre territoire de chasse. Nous allons chasser pendant quelques jours et vous restituer ce que vous avez perdu à cause de nous. Il n'empêche que ce n'est pas une façon de traiter les Visiteurs. Jeren ne sait-il pas qu'il y a un droit de passage pour ceux qui font le Voyage ?

Le vieil homme n'avait pas dû comprendre tous les mots employés par Jondalar, mais il avait saisi le sens général.

— Pas beaucoup Visiteurs... Pas voyager ouest depuis longtemps... Coutumes oubliées.

— Il faudra les lui rappeler, dit Jondalar. Jeren est jeune. Un jour peut-être, lui aussi, il voudra faire le Voyage.

Jondalar n'avait toujours pas digéré la manière dont ils avaient été traités. Mais il jugea plus sage d'arrêter là la discussion. Pour l'instant, il désirait savoir ce que les Hadumaï leur voulaient et le moment semblait mal choisi pour les offenser.

— Pourquoi Haduma s'est-elle déplacée ? demanda-t-il à Tamen. Comment avez-vous pu accepter qu'elle fasse un aussi long parcours à son âge ?

— Pas le choix, répondit Tamen en souriant. Haduma a décidé... Jeren... trouver dumai... Mauvais sort ?

Jondalar hocha la tête pour indiquer que le mot employé par Tamen était correct. Pour le reste, il n'y comprenait rien.

— Jeren donner dumai... continua Tamen. Homme courir... Demander Haduma chasser mauvais sort... Haduma venir.

— Dumai ? Dumai ? répéta Jondalar. Tu veux dire ma donii ? demanda-t-il en sortant la statuette de sa bourse.

Les gens qui se trouvaient autour de lui reculèrent et un murmure de colère s'éleva de la foule. Haduma leur dit quelques mots et aussitôt ils se calmèrent.

— Mais cette donii est un porte-bonheur ! protesta Jondalar.

— Porte-bonheur... femme, oui. Homme... continua Tamen en essayant de retrouver le mot dans sa mémoire... sacrilège, conclut-il.

— Si ma donii est un porte-bonheur pour les femmes, pourquoi Haduma l'a-t-elle jetée ? demanda Jondalar en levant le bras comme s'il allait lui aussi jeter la statuette sur le sol.

En voyant son geste, Haduma se pencha vers Tamen et lui dit quelques mots.

— Haduma... vivre très longtemps, tenta d'expliquer Tamen. Beaucoup de chance... Grande magie... Haduma dire coutumes zelandonii... pas pareilles coutumes hadumaï. Haduma demander homme zelandonii pas content ?

Jondalar hocha la tête.

— A mon avis, elle a voulu te mettre à l'épreuve, intervint Thonolan.

Elle savait que nos coutumes n'étaient pas les mêmes que les leurs et elle se demandait comment tu réagirais en voyant qu'elle déshonorait...

— Déshonorer, oui, coupa Tamen, saisissant le mot au vol. Haduma... voulait savoir.

— Cette donii est très ancienne, protesta aussitôt Jondalar. C'est ma mère qui me l'a donnée. Elle a été transmise de génération en génération.

— Oui, oui, convint Tamen. Haduma savoir... Très sage... Vivre très longtemps... Grande magie... Chasser le mauvais sort. Haduma savoir homme zelandonii bon... Haduma vouloir... homme zelandonii honore la Mère, conclut-il.

Thonolan commença à s'esclaffer. Jondalar, lui, était au supplice.

— Haduma vouloir yeux bleus, expliqua Tamen en montrant du doigt les yeux de Jondalar. Homme zelandonii honorer la Mère. Esprit zelandonii faire enfants avec des yeux bleus.

— Tu viens encore de séduire ! s'écria Thonolan. Et toujours à cause de ces fameux yeux bleus ! Elle est amoureuse ! continua-t-il. (Il avait une folle envie de rire et essayait de se retenir pour ne pas offenser les deux vieillards assis en face d'eux.) Eh bien ! Rien que pour raconter ça, j'aimerais que nous soyons déjà rentrés chez nous. Jondalar, l'homme que toutes les femmes désirent ! Es-tu toujours décidé à faire demi-tour ? Parce que, dans ce cas, je rentre avec toi...

Incapable de continuer, il éclata de rire.

— Je... heu... commença Jondalar en se raclant la gorge. Est-ce qu'Haduma pense que la Grande Mère... heu... peut encore... la bénir avec un enfant ? réussit-il à demander.

Tamen regarda Jondalar d'un air perplexe. Puis il jeta un coup d'œil à Thonolan qui, plié en deux, continuait à rire. Un grand sourire illumina son visage. Il parla à la femme assise à côté de lui, suffisamment fort pour être entendu de tous. Aussitôt, un énorme éclat de rire secoua la foule. Et Haduma riait au moins aussi fort que les autres. Seul Jondalar restait insensible à la folle gaieté qui régnait autour de lui.

— Non, non, homme zelandonii, dit Tamen dès qu'il eut retrouvé son sérieux. Noria, appela-t-il en faisant signe à quelqu'un d'approcher.

Une jeune fille se détacha du groupe et vint se placer en face de Jondalar, un timide sourire aux lèvres. Ce n'était plus une enfant mais elle était tout juste nubile.

— Noria, cinquième génération, précisa Tamen en montrant les cinq doigts de sa main droite. Noria avoir enfant... sixième génération. (Il leva un autre doigt.) Homme zelandonii honorer la Mère. Premiers Rites, dit-il, tout fier de se souvenir de ces deux mots.

Jondalar se sentait mieux. Il avait à nouveau le visage détendu et un léger sourire aux lèvres.

— Haduma bénir, expliqua Tamen. Esprit faire enfant Noria avec yeux zelandonii.

Jondalar se mit à rire. Puis il se tourna vers son frère qui, lui, ne riait plus.

— Toujours aussi pressé de rentrer pour raconter à tout le monde avec quelle vieille sorcière j'ai couché ? demanda-t-il. (Puis il ajouta à l'intention de Tamen :) Dis à Haduma que ce sera un plaisir pour moi d'honorer la Mère et de partager les Premiers Rites de Noria.

Il adressa un grand sourire à la jeune fille qui le regarda timidement. Incapable de résister au charme de ses grands yeux bleus, elle finit par lui rendre son sourire.

Après avoir écouté ce que lui disait Tamen, Haduma hocha la tête et fit signe aux deux frères de se lever. Elle examina une dernière fois Jondalar, plongea son regard dans le sien, gloussa et, lui tournant le dos, pénétra à l'intérieur de la grande tente circulaire. La foule se dispersa. Tout le monde discutait de la méprise dont Jondalar avait été victime et nombreux étaient ceux qui en riaient encore.

Plutôt que de regagner leur tente, Jondalar et Thonolan continuèrent à discuter avec Tamen.

— Quand as-tu rendu visite aux Zelandonii ? demanda Thonolan. Te souviens-tu de quelle Caverne il s'agissait ?

— Très longtemps, répondit le vieil homme. Tamen, homme jeune. Comme homme zelandonii.

— Tamen, intervint Jondalar, cet homme s'appelle Thonolan. C'est mon frère. Et moi, je m'appelle Jondalar des Zelandonii.

— Bienvenue, Jondalar, répondit Tamen en souriant. Bienvenue, Thonolan. Moi, Tamen, troisième génération des Hadumais.

— Troisième génération ? s'étonna Jondalar. Je pensais que tu étais le fils d'Haduma.

— Tamen n'est pas le fils d'Haduma, corrigea l'intéressé. Haduma avoir une fille... première fille...

— Sa fille aînée, corrigea Jondalar.

— Fille aînée, répéta Tamen. Fille aînée avoir fils aîné. Fils aîné : Tamen, expliqua-t-il en pointant son index vers sa propre poitrine. Compagne de Tamen... (Il attendit de voir la réaction de Jondalar avant de continuer. Celui-ci hocha la tête pour montrer qu'il avait compris.)... mère de la mère de Noria.

— Je crois que je m'y retrouve, dit Jondalar. Tu es le fils aîné de la fille aînée d'Haduma et ta compagne est la grand-mère de Noria.

— Grand-mère, oui. Noria faire... grand honneur à Tamen. Sixième génération !

— C'est aussi un grand honneur pour moi d'avoir été choisi pour les Premiers Rites.

— Noria avoir bébé avec yeux zelandonii. Haduma très heureuse. Haduma dit grand homme zelandonii... posséder esprit puissant... faire forts Hadumaï.

— Il se peut que Noria n'ait pas d'enfant de mon esprit, crut bon de rappeler Jondalar.

— Si Haduma bénit, Noria avoir enfant, expliqua Tamen en souriant. Grande magie. Femme n'a pas d'enfant, Haduma...

Incapable de trouver le mot, Tamen montra du doigt l'aine de Jondalar.

— ... touche, dit Jondalar, finissant la phrase à sa place.

L'humiliation éprouvée la veille était encore si cuisante qu'il rougit à nouveau.

— Haduma toucher, femme avoir des enfants. Femme pas de... lait. Haduma toucher, femme avoir du lait. Haduma faire grand honneur à Jondalar. Beaucoup d'hommes vouloir cet honneur. Très virils après, précisa-t-il avec un sourire. Beaucoup de femmes. Très souvent, Haduma, grande magie. (Il se tut un court instant et, sans sourire cette fois, ajouta :) Pas mettre Haduma... en colère. Magie terrible quand Haduma en colère.

— Et moi qui ai osé rire ! s'écria Thonolan. Crois-tu qu'elle accepterait de me toucher, moi aussi ?

— Tu n'as nullement besoin qu'Haduma te touche, Petit Frère. Le regard d'invite de n'importe quelle jolie femme te fera exactement le même effet.

— Toi non plus tu n'en avais pas besoin. Qui est-ce qui va partager les Premiers Rites ? Certainement pas ton jeune frère qui a eu le malheur de naître avec des yeux gris...

— Comme je te plains ! Dire qu'il y a tellement de femmes dans ce camp et que tu vas malgré tout passer la nuit tout seul. Ce sera bien la première fois de ta vie.

Ils rirent tous deux de bon cœur. Et Tamen, qui avait compris de quoi il était question, se mit à rire, lui aussi.

— Peut-être faudrait-il que tu m'expliques quelles sont vos coutumes pour les Premiers Rites, proposa Jondalar dès qu'il eut retrouvé son sérieux.

— Avant que vous parliez de ça, intervint Thonolan, j'aimerais que Tamen donne des ordres pour qu'on nous rende nos couteaux et nos armes. Je crois que j'ai une idée, expliqua-t-il au vieil homme. Pendant que mon frère s'occupera de séduire cette jeune beauté, moi, je vais me débrouiller pour me réconcilier avec le jeune chasseur.

— Comment t'y prendras-tu ? demanda Jondalar.

— Je vais lui montrer la grande mère de tous les poissons, expliqua Thonolan.

Tamen n'avait rien compris. Il haussa les épaules en mettant ça sur le compte de la langue.

Le soir même et pendant toute la journée du lendemain, les deux frères eurent à peine le temps de se voir car Jondalar devait accomplir les rites de purification. Même quand Tamen était présent, sa méconnaissance de la langue hadumaï constituait un terrible handicap. Et, quand il se retrouvait tout seul avec les vieilles femmes renfrognées, il avait bien envie de tout planter là. Heureusement, Haduma venait souvent le voir. En sa présence il se sentait plus détendu car elle faisait tout son possible pour aplanir les difficultés.

Ses désirs étaient des ordres et personne n'osait lui refuser quoi que ce soit. Elle était crainte et respectée à la fois. L'aura magique qui l'entourait venait surtout du fait qu'elle avait conservé toutes ses facultés mentales malgré son grand âge. Elle avait d'ailleurs le don d'intervenir chaque fois que Jondalar était en difficulté. A un moment donné, alors qu'il était certain d'avoir transgressé un tabou sans le vouloir, les yeux brillants de colère, elle brandit son bâton et se mit à rosser les vieilles femmes qui se trouvaient là. Maintenant qu'elle avait décidé que la sixième génération hériterait des yeux bleus de Jondalar, il n'était pas question qu'elle s'en prenne à lui.

En fin de journée, quand les rites purificatoires furent terminés, on le conduisit vers la grande tente circulaire. Dès qu'il eut pénétré à l'intérieur, il s'immobilisa pour regarder autour de lui. La tente était divisée en deux parties. Celle où il se trouvait, bien plus grande que l'autre, était éclairée par deux lampes en pierre, remplies de graisse et dans lesquelles brûlaient des mèches de mousse sèche. Le sol était recouvert de fourrures et les murs décorés de tentures formées de bandes d'écorce entrelacées. Derrière l'estrade couverte de fourrures était suspendue la peau d'un cheval blanc, décorée de têtes rouges de jeunes pics épeiches. Noria était assise tout au bord de l'estrade et elle semblait perdue dans la contemplation de ses deux mains posées sur ses genoux.

Des peaux suspendues et couvertes de signes ésotériques servaient de cloison entre les deux parties. L'une de ces peaux, découpée en fines lanières, formait une sorte de rideau. Quand Jondalar regarda de ce côté, il aperçut une main qui écartait les bandes de cuir et reconnut aussitôt les yeux brillants d'intelligence d'Haduma. Il poussa un soupir de soulagement. Lors des Premiers Rites, il y avait toujours au moins une gardienne pour veiller à ce que la transformation de la jeune fille en femme soit menée jusqu'à son terme et sans brutalité. Comme il était un étranger, il avait craint qu'on ne lui délègue un important groupe de gardiennes qui, ensuite, n'hésiteraient pas à le critiquer. Maintenant qu'il avait reconnu Haduma, il n'éprouvait plus aucune inquiétude. Il se demanda s'il devait la saluer ou faire comme s'il ne l'avait pas vue. Avant qu'il ne prenne une décision, les lanières en cuir retombèrent et le visage de la vieille femme disparut.

Levant les yeux, Noria l'aperçut et aussitôt elle se mit debout. Jondalar s'avança vers elle en souriant. Elle n'était pas très grande et ses longs cheveux châtain clair lui encadraient le visage. Elle était pieds nus et portait une jupe en fibre végétale, serrée à la taille, et dont les bandes de couleurs descendaient au-dessous de ses genoux. Son buste était couvert d'une chemise en daim souple ornée de plumes ébarbées et teintes, fermée de haut en bas par des lacets en cuir et suffisamment ajustée pour mettre en valeur sa poitrine.

Quand Jondalar s'approcha, elle tenta vainement de lui sourire et lui lança un regard effrayé. Il alla s'asseoir sur l'estrade en prenant bien garde à ne faire aucun mouvement brusque. Noria se détendit un peu et finit par s'asseoir à côté de lui, pas assez près malgré tout pour que leurs genoux se touchent.

Si nous parlions la même langue, ce serait plus facile, songea-t-il. Elle a peur de moi. Et c'est normal : non seulement elle ne me connaît pas, mais je suis un étranger.

Il avait soudain envie de la protéger et commençait à la trouver attirante.

Il aperçut sur un socle tout proche un récipient en bois et deux bols, et voulut se lever pour aller se servir. Mais Noria le devança et remplit un des bols. Il toucha la main qui lui tendait le liquide ambré. Elle sursauta, voulut retirer sa main et finalement la laissa. Jondalar la lui pressa tendrement, puis il prit son bol et en but une gorgée. C'était une boisson fermentée au goût doux-amer, plutôt agréable. Craignant qu'elle lui tourne la tête, il préféra ne pas en abuser.

— Merci, Noria, dit-il.

— Jondalar ? demanda-t-elle en levant les yeux vers lui.

Noria avait les yeux clairs mais les lampes n'éclairaient pas assez pour qu'il puisse dire s'ils étaient bleus ou gris.

— Oui, répondit-il aussitôt. Jondalar des Zelandonii.

— Jondalar... homme zelandonyee.

— Noria, femme hadumaï.

— Fem-me ?

— Femme, répéta Jondalar en touchant sa jeune et ferme poitrine.

Noria fit un bond en arrière.

Jondalar délaça la lanière qui fermait sa tunique et montra le haut de sa poitrine couvert de poils blonds.

— Pas femme, expliqua-t-il. Homme.

Noria eut un petit rire.

— Noria, femme, reprit Jondalar en lui touchant à nouveau la poitrine.

Elle ne recula pas et sourit d'un air plus détendu.

— Noria, femme, répéta-t-elle. (Puis avec un regard malicieux, elle montra l'aine de Jondalar et ajouta :) Jondalar, homme.

A nouveau, elle eut l'air effrayée comme si elle craignait d'être allée trop loin et se précipita pour remplir le bol de Jondalar.

Quand elle le lui tendit, ses mains tremblaient un peu. Il but quelques gorgées puis l'invita à boire à son tour. D'un signe de tête elle accepta, Jondalar approcha le bol de ses lèvres et elle referma ses mains sur les siennes pour faire couler la boisson entre ses lèvres. Il posa ensuite le bol sur le sol, s'empressa de lui reprendre les mains et embrassa l'intérieur de ses paumes. Elle parut surprise mais ne se recula pas. Il se pencha alors vers elle et l'embrassa dans le cou. Noria le laissa faire : elle était encore tendue mais éprouvait aussi de la curiosité et se demandait ce qui allait suivre.

Jondalar en profita pour emprisonner un de ses seins et il l'embrassa à nouveau dans le cou. Puis il remonta le long de sa gorge, mordilla une de ses oreilles et trouva sa bouche. Il glissa sa langue entre ses deux lèvres et tout doucement les entrouvrit.

Quand il se recula, Noria avait les yeux fermés, la bouche ouverte et elle respirait plus vite. A nouveau il l'embrassa et commença à délacer la lanière qui fermait sa chemise. Elle se raidit aussitôt. Jondalar la regarda, sourit et, sans se presser, continua à délacer sa chemise. Noria ne bougeait pas et le regardait, fascinée, tandis qu'il retirait jusqu'au dernier lacet.

Son corsage s'ouvrit, dévoilant sa jeune poitrine : deux globes fermes aux aréoles gonflées. Le sexe soudain durci, Jondalar repoussa son corsage et lui embrassa les épaules à pleine bouche. Puis il posa ses lèvres sur l'un de ses seins et, après en avoir fait doucement le tour, emprisonna l'extrémité du mamelon. Noria se mit à gémir. Lui reprenant la bouche, il la poussa avec douceur en arrière jusqu'à ce qu'elle s'allonge sur l'estrade.

Nichée dans la fourrure, Noria ouvrit les yeux et dévisagea l'homme penché au-dessus d'elle. Ses pupilles étaient dilatées et ses yeux lumineux. Ceux de Jondalar étaient maintenant d'un bleu profond et si attirants qu'elle ne pouvait en détacher son regard.

— Jondalar, homme, Noria, femme, dit-elle.

Il répéta la phrase à son tour et se débarrassa de sa tunique. Penché sur elle, il recommença à la caresser et quand à nouveau elle gémit, sa propre respiration s'accéléra.

Cela fait si longtemps que je ne me suis pas trouvé avec une femme, se dit-il, tenaillé par le désir de la prendre sur-le-champ. Un peu de patience ! s'intima-t-il. Il ne faut pas l'effrayer. Pour elle, c'est la première fois. Tu as toute la nuit devant toi. Attends qu'elle soit prête, elle aussi.

Il se redressa et effleura du bout des doigts la peau nue de la jeune femme en dessous de ses seins. Il descendit jusqu'à sa taille et défit la lanière en cuir qui retenait sa jupe. Noria tressaillit. Jondalar s'immobilisa un court instant. Quand il sentit qu'elle était à nouveau détendue, il glissa sa main à l'intérieur de la jupe, effleura au passage la douce toison de son pubis, et comme elle le laissait faire, il laissa sa main descendre un peu plus bas.

Ne voulant pas l'effaroucher, il retira sa main presque aussitôt et fit glisser sa jupe le long de ses hanches. Il laissa tomber la jupe sur le sol et contempla les douces courbes de son corps éclatant de jeunesse. Il défit la ceinture de son pantalon et quand il se retrouva nu devant elle, Noria sursauta et un éclair de crainte passa à nouveau dans ses yeux.

Elle avait déjà eu maintes fois l'occasion d'écouter les femmes qui parlaient des Rites des Premiers Plaisirs. On lui avait expliqué que, même si ce n'était pas toujours agréable, les femmes devaient faire en sorte que les hommes prennent du plaisir avec elles car c'était là le seul moyen qu'elles aient de se les attacher. Quand leurs désirs étaient assouvis, les hommes allaient chasser, ils rapportaient de la nourriture et des peaux pour faire des vêtements. Les femmes pouvaient alors mettre au monde des enfants et les allaiter sans inquiétude. Celles qui avaient parlé à Noria des Premiers Rites ne lui avaient pas caché que c'était toujours douloureux pour la femme. Et la jeune fille se demandait avec inquiétude comment elle pourrait accueillir le sexe énorme qu'elle avait maintenant sous les yeux.

Jondalar n'était pas étonné par sa réaction. Il savait que c'était l'instant critique. Pour qu'une femme s'éveille aux Plaisirs du Don de la Mère, il fallait faire preuve de délicatesse et de doigté. Peut-être un jour pourrai-je donner du plaisir à une femme pour la première fois sans craindre de lui faire mal, songea-t-il. Malheureusement, ce rêve était irréalisable : pour la femme, les Rites des Premiers Plaisirs ne pouvaient être que douloureux.

Jondalar s'assit à côté de Noria. Il lui prit tendrement la main et la posa sur son sexe. La jeune fille le laissa faire. Quand le sexe de Jondalar, doux et chaud et comme animé d'une vie propre, remua entre ses doigts, elle éprouva une sensation de picotement agréable à l'intérieur des cuisses. Elle essaya de sourire, mais la crainte assombrissait encore ses yeux.

Il s'allongea à côté d'elle et l'embrassa. Noria plongea son regard dans le sien. Elle y lut sa tendresse, son désir — mais aussi une force irrésistible. Fascinée, submergée, anéantie par le bleu insondable de ses yeux, elle éprouva à nouveau la même sensation agréable. Elle le désirait. Elle avait peur d'avoir mal, mais elle le désirait. Elle ferma les yeux, ouvrit la bouche et se pressa contre lui.

Jondalar l'embrassa et, quand elle eut exploré sa bouche, il se mit à descendre le long de sa gorge, de ses seins, puis, du bout de la langue il lui effleura le ventre, les cuisses, et remonta vers la poitrine. Il attendit pour lui prendre le sein qu'elle place elle-même sa bouche à cet endroit. Il avança alors la main entre ses cuisses et saisit le petit renflement érectile. Noria poussa un cri.

Il suça et mordit gentiment son sein tout en la caressant. Noria gémit. Jondalar descendit plus bas, effleura son nombril du bout de la langue, puis il se laissa glisser en bas de l'estrade jusqu'à ce que ses genoux touchent le sol. Il écarta alors les jambes de Noria et goûta pour la première fois à la saveur salée et légèrement piquante. Noria frémit et laissa échapper un cri. Elle gémit à nouveau en balançant la tête d'avant en arrière et leva les hanches vers lui.

La langue de Jondalar avait atteint le clitoris. Les cris que poussait Noria ne faisaient qu'accroître son propre désir et il luttait pour ne pas y céder. Quand la respiration de Noria se fit haletante, il releva le buste, et guida son sexe gonflé vers cette tendre ouverture que personne n'avait encore pénétrée. Il serra les dents pour se contrôler au fur et à mesure qu'il s'enfonçait dans ces étroites profondeurs, humides et chaudes.

Quand Noria lui entoura la taille de ses jambes, il sentit une obstruction à l'intérieur. Il commença à bouger tout doucement d'avant en arrière jusqu'à ce que les gémissements de Noria se transforment en cri de douleur. Il se retira, puis la pénétra à nouveau, plus fort cette fois, et sentit qu'il forçait le barrage tandis que Noria poussait des cris de plaisir et de douleur et que lui-même laissait échapper un cri étouffé au moment où, le corps secoué par des spasmes, il laissait libre cours à son désir refoulé. Il se retira, puis la pénétra à nouveau le plus loin possible, et quand il sentit qu'il avait laissé s'écouler toute l'essence de son plaisir, se laissa retomber sur Noria.

La tête sur la poitrine de Noria, il attendit que sa respiration se calme, puis s'allongea à côté d'elle. Complètement abandonnée, la jeune femme avait fermé les yeux et il fit de même.

Un instant plus tard, deux mains se posèrent sur son front. Il rouvrit les yeux et aperçut le visage d'Haduma penché au-dessus de lui. Elle lui sourit aussitôt, hocha la tête pour lui montrer qu'elle était satisfaite, puis entonna un chant. Noria ouvrit les yeux à son tour et parut tout heureuse de voir que la vieille femme plaçait ses mains sur son ventre. Sans cesser de chanter, Haduma continua à faire des gestes au-dessus d'eux. Puis elle récupéra la fourrure blanche tachée de sang qui recouvrait l'estrade. Noria lui lança un regard reconnaissant : pour une femme, le sang de ses Premiers Rites était chargé d'un pouvoir magique.

La vieille femme s'approcha de Jondalar et toucha son sexe en souriant. Celui-ci se redressa un court instant, puis retomba aussitôt. Haduma gloussa, puis elle sortit de la tente, les laissant seuls.

Ils restèrent allongés l'un près de l'autre jusqu'à ce que Noria s'assoie et regarde Jondalar d'un air langoureux.

— Jondalar, homme. Noria, femme, lui rappela-t-elle avant de se pencher vers lui pour l'embrasser.

Jondalar sentit qu'il la désirait à nouveau. Un peu étonné, il se demanda si ce n'était pas dû au dernier geste d'Haduma. Mais il n'eut pas le temps de s'appesantir sur cette question : le moment était venu d'initier Noria à de nouveaux plaisirs.

Quand Jondalar se leva, l'esturgeon géant avait été pêché. Au lever du jour, Thonolan avait passé la tête dans l'ouverture de la tente et montré à son frère les gaffes qu'il tenait à la main. Celui-ci l'avait chassé d'un geste et, enlaçant Noria, il s'était rendormi. A son réveil, Noria n'était plus là. Il enfila son pantalon et se dirigea vers la rivière. Son frère s'y trouvait en compagnie de Jeren et de quelques jeunes Hadumaï. Ils avaient l'air de beaucoup s'amuser et, en les entendant rire, Jondalar regretta un peu de ne pas être venu pêcher avec eux.

— Enfin debout ! s'écria Thonolan en l'apercevant. Il faut avoir les yeux bleus pour rester coucher pendant que les autres se démènent pour sortir de l'eau cette vieille Haduma, ajouta-t-il en montrant à son frère le gigantesque esturgeon.

— Haduma ! Haduma ! répéta Jeren en riant aux éclats.

Il se pavana autour du poisson et s'immobilisa en face de sa tête qui ressemblait à celle d'un requin. Mais, contrairement au requin, l'esturgeon n'était pas dangereux : il portait des barbillons comme tous les poissons qui se nourrissent au fond de l'eau. C'était surtout sa taille qui avait fait de cette partie de pêche un réel exploit : il devait bien mesurer cinq mètres de long.

Avec un sourire polisson, le jeune chasseur se mit à balancer son bassin d'avant en arrière devant la gueule ouverte du poisson, en criant : « Haduma ! Haduma ! » comme s'il suppliait l'esturgeon de le toucher. Sa prestation fut saluée par des éclats de rire obscènes et même Jondalar sourit. Les autres Hadumaï se mirent à danser eux aussi autour du poisson, balançant le bassin à qui mieux mieux et criant : « Haduma ! »

C'était à qui réussirait à s'approcher de la tête du poisson. Ils se poussaient les uns les autres et Jeren finit par tomber dans l'eau. Il en sortit aussitôt et attrapant un jeune Hadumaï, l'entraîna à sa suite. Très vite, tout le monde se retrouva dans l'eau. Seul Jondalar était encore debout sur la rive. Quand Thonolan s'en aperçut, il se hissa sur la berge et empoigna son frère.

— Ne crois pas que tu vas rester là bien au sec ! lui cria-t-il. (Puis, comme Jondalar résistait, il lança :) Viens m'aider, Jeren ! Nous allons lui faire boire la tasse.

En entendant son nom, Jeren accourut aussitôt. Les autre Hadumaï s'approchèrent. Les uns tiraient, les autres poussaient et quand ils arrivèrent à l'extrémité de la berge, ils sautèrent tous dans l'eau, Jondalar avec eux. Ruisselant d'eau et riant toujours, ils regagnèrent la rive et aperçurent alors la vieille femme, debout à côté de l'esturgeon.

— Haduma, hein ? dit-elle en leur lançant un regard sévère.

L'air penaud, ils baissèrent la tête comme des gamins pris en faute. Haduma se mit à rire et, debout en face de l'esturgeon, elle balança son bassin d'avant en arrière comme ils l'avaient fait un peu plus tôt. Les jeunes éclatèrent de rire et se précipitèrent autour d'elle. Chacun d'eux se mit à quatre pattes et la supplia de monter sur son dos.

Ce n'était certainement pas la première fois qu'ils jouaient à ce petit jeu avec elle et, en les voyant faire, Jondalar ne put s'empêcher de sourire. C'était un plaisir de voir que non seulement la tribu révérait cette aïeule, mais que tous ses membres l'aimaient et s'amusaient avec elle. Quand, de la main, elle indiqua que c'était sur le dos de Jondalar qu'elle désirait monter, les jeunes gens firent de grands gestes pour inviter celui-ci à s'approcher et aidèrent aussitôt la vieille femme à s'installer. Jondalar, qui s'était mis à quatre pattes, se releva tout doucement. La vieille femme ne pesait presque rien, mais elle s'agrippait fermement à ses épaules et, malgré son grand âge, ne semblait rien avoir perdu de sa poigne.

Comme les jeunes Hadumaï couraient et prenaient de l'avance, elle lui tapa sur l'épaule pour qu'il accélère l'allure. Il se mit à courir lui aussi, traversa la plage et ne s'arrêta, hors d'haleine, qu'à l'entrée du camp. Haduma descendit, reprit son bâton, et elle se dirigea dignement vers les tentes.

— Quelle femme exceptionnelle ! s'écria Jondalar à l'adresse de Thonolan. Seize enfants, cinq générations et toujours en forme. Je suis sûr qu'elle va vivre assez longtemps pour voir naître la sixième génération.

— Sixième génération, Haduma mourir.

Jondalar tourna la tête et reconnut Tamen.

— Que veux-tu dire ? demanda-t-il.

— Haduma dire : Noria avoir fils aux yeux bleus, puis Haduma mourir. Elle dire longtemps ici, temps de partir. Nom du bébé : Jondal, sixième Hadumaï. Haduma contente de l'homme zelandonii. Haduma dire : Premiers Rites pour une femme, difficiles. Plaisir avec homme zelandonii. Homme zelandonii, très bien.

— Si elle pense que le moment est venu pour elle de partir, personne ne peut l'en empêcher, reconnut Jondalar. Mais j'en suis très triste.

— Tous les Hadumaï tristes, dit Tamen.

— Ai-je le droit de revoir Noria si peu de temps après les Premiers Rites ? demanda Jondalar. Est-ce que vos coutumes le permettent ?

— Coutumes, non. Mais Haduma dire oui. Jondalar et Thonolan partir bientôt ?

— Si Jeren pense que l'esturgeon suffit à payer notre dette pour avoir fait fuir les chevaux, je pense que nous n'allons pas tarder à vous quitter.

Tamen ne semblait nullement surpris.

— Haduma dire hommes zelandonii nous quitter, dit-il.

Durant l'après-midi, tout le monde s'occupa de découper en fines tranches la chair de l'esturgeon et celles-ci furent aussitôt mises à sécher. Le soir même, un repas fut organisé pour fêter l'exploit des pêcheurs.

Quand Jondalar put enfin revoir Noria, la nuit était tombée depuis longtemps. La jeune femme était escortée par deux vieilles femmes qui les suivirent discrètement quand ils se dirigèrent vers le fleuve. Cette rencontre tout de suite après les Premiers Rites était une entorse aux coutumes et il était hors de question qu'elle ait lieu sans témoins.

La tête basse, les deux jeunes gens s'arrêtèrent près d'un arbre sans rien dire. Prenant le menton de Noria, Jondalar l'obligea gentiment à le regarder. Le visage de la jeune femme était baigné de larmes. Jondalar lui caressa tendrement la joue et porta son index mouillé à ses lèvres.

— Oh... Jondalar ! s'écria-t-elle en s'approchant de lui.

Il la prit dans ses bras et l'embrassa, tendrement au début, puis avec passion.

— Noria, dit-il. Noria femme. Noria belle femme.

— Jondalar faire... faire une femme... de Noria, dit-elle avant de laisser échapper un sanglot.

Elle aurait tellement aimé connaître le zelandonii pour lui dire ce qu'elle ressentait.

— Je sais, Noria, je sais...

Desserrant son étreinte, Jondalar se recula un peu et tapota gentiment le ventre de Noria. La jeune femme sourit aussitôt.

— Noria avoir Zelandonyee, dit-elle en touchant les yeux de Jondalar. Jondal, continua-t-elle avec fierté.

— Je sais. Tamen me l'a dit. Le premier représentant de la sixième génération hadumaï s'appellera Jondal. (Jondalar ouvrit le petit sac suspendu à sa ceinture et en sortit la donii en pierre.) Je te la donne, dit-il à Noria. C'est pour toi.

Il aurait aimé pouvoir expliquer à la jeune femme à quel point il tenait à cette statuette qui lui avait été remise par sa mère après avoir été transmise de génération en génération. Comme elle risquait de ne rien comprendre à ses explications, il préféra lui dire :

— Cette donii est mon Haduma. L'Haduma de Jondalar. Maintenant, elle est devenue l'Haduma de Noria.

— Haduma de Jondalar ? fit-elle tout étonnée. Haduma de Jondalar pour Noria ?

Jondalar hocha la tête. La jeune femme ne put retenir ses larmes. Prenant la statuette dans ses deux mains, elle l'approcha de ses lèvres et y déposa un baiser.

— Haduma de Jondalar, dit-elle entre deux sanglots.

Elle serra Jondalar dans ses bras, l'embrassa avec passion, puis faisant soudain demi-tour, s'enfuit en courant pour rejoindre le campement.

Au moment du départ, tout le monde était là. Noria était debout à côté d'Haduma. Jondalar s'immobilisa un court instant en face des deux femmes. Haduma lui sourit et hocha la tête pour lui montrer qu'elle était satisfaite. Noria avait les larmes aux yeux. Quand Jondalar lui effleura tendrement la joue, elle réussit à sourire. Non loin d'elle se trouvait le jeune garçon aux cheveux bouclés qui, sur l'ordre de Jeren, était allé prévenir les Hadumaï de l'arrivée des étrangers. Il couvait Noria du regard et quand Jondalar s'en aperçut, il fut tout heureux pour la jeune femme.

Noria était une vraie femme maintenant. Son fils, béni par Haduma, serait accueilli à bras ouverts dans le foyer de n'importe quel homme. Très vite le bruit courrait qu'elle avait éprouvé du plaisir durant les Premiers Rites et qu'en conséquence elle ferait une bonne compagne. Elle n'aurait aucun mal à trouver un compagnon parmi les jeunes gens de la tribu.

— Crois-tu vraiment que Noria sera enceinte d'un enfant de ton esprit ? demanda Thonolan dès qu'ils eurent quitté le camp.

— Je ne le saurai jamais, répondit Jondalar. Mais je pense qu'Haduma est une vieille femme très sage. Le nombre de choses qu'elle sait doit être inimaginable. Elle possède une « grande magie », comme dit Tamen. Si c'est en son pouvoir, elle se débrouillera pour que Noria ait un enfant aux yeux bleus.

Les deux frères suivaient à nouveau le fleuve et ils marchèrent un long moment sans échanger un mot jusqu'à ce que Thonolan dise :

— Il y a quelque chose que j'aimerais bien savoir...

— Ne te gêne pas, lui conseilla Jondalar.

— Tu dois avoir un don surnaturel, dit Thonolan. Même si la plupart des hommes se vantent d'avoir été choisis pour les Premiers Rites, il y en a beaucoup que cela effraie. J'en connais quelques-uns qui ont carrément refusé. Moi, je n'ai jamais refusé, mais cela me met toujours un peu mal à l'aise. Tandis qu'avec toi, c'est toujours une réussite. Elles tombent toutes amoureuses. Comment te débrouilles-tu ?

— Je n'en sais rien, avoua Jondalar, visiblement embarrassé. J'essaie simplement de faire très attention.

— Tous les hommes font comme toi. Mais cela ne suffit pas. Comme le disait Tamen : « Premiers Rites difficiles pour une femme. » Comment fais-tu pour qu'elles éprouvent du plaisir ? Moi, quand j'ai réussi à ne pas trop leur faire mal, je m'estime déjà heureux. Tu dois avoir une recette miracle. Et tu devrais la partager avec ton jeune frère. J'avoue que cela ne me déplairait pas si toute une bande de jeunes beautés me couraient après...

— Tu t'en lasserais très vite, fit remarquer Jondalar. C'est en partie à cause de ça que je me suis promis à Marona. Cela me fournissait une excuse, avoua-t-il en fronçant les sourcils. Il faut imaginer ce que représentent les Premiers Rites pour la femme. Souvent, celle qu'on initie n'est encore qu'une jeune fille. Elle ignore la différence entre courir après les garçons et s'offrir à un homme. Il est très difficile de lui faire comprendre sans la peiner qu'après l'avoir initiée aux Premiers Rites, un homme a besoin de se détendre avec une femme plus expérimentée. Toutes, elles veulent vous accaparer ! Et moi je ne peux tout de même pas tomber amoureux de toutes les femmes avec lesquelles je passe une nuit.

— Amoureux, tu ne l'es jamais, fit remarquer Thonolan.

— Que veux-tu dire ? demanda Jondalar qui s'était mis à marcher plus vite. J'ai aimé beaucoup de femmes...

— Tu les as aimées, comme tu dis. Mais ce n'est pas la même chose.

— Comment le sais-tu ?

— Je suis déjà tombé amoureux, rappela Thonolan. Et même si ça n'a pas duré, je sais ce que c'est. Inutile de marcher aussi vite ! ajouta-t-il. Si tu préfères que je me taise, dis-le-moi.

— Tu as raison, reconnut Jondalar en ralentissant. C'est vrai que je n'ai jamais été réellement amoureux...

— Comment ça se fait ? Toutes ces femmes que tu as rencontrées, que leur manquait-il ?

— Si je le savais, crois-tu que... commença Jondalar d'une voix coléreuse. (Puis, après avoir réfléchi, il ajouta :) Je crois que je demande trop. J'aimerais rencontrer une femme, une vraie, et que malgré tout elle soit comme une jeune fille lors des Premiers Rites. Une femme ardente, au cœur sincère. Une femme pour qui l'amour sera une chose totalement neuve mais à qui je ne craindrai pas de faire mal. Je la veux à la fois jeune et vieille, naïve et sage.

— Ça fait beaucoup, remarqua Thonolan.

— C'est vrai. Mais je pense avoir répondu à ta question.

Les deux frères marchèrent en silence.

— A ton avis, quel âge a Zelandoni ? demanda soudain Thonolan. Elle doit être légèrement plus jeune que notre mère, non ?

— Pourquoi ? demanda Jondalar, soudain sur ses gardes.

— Il paraît qu'elle était extraordinairement belle quand elle était plus jeune, et même il y a peu d'années encore. Les anciens disent qu'aucune femme ne pouvait lui être comparée. Même si cela semble incroyable, ils disent aussi qu'elle est jeune pour être la Grande Prêtresse Zelandoni, la Première parmi Ceux Qui Servent La Mère. (Thonolan se tut pendant un court instant comme s'il hésitait à continuer. Puis il ajouta :) Est-ce que c'est vrai ce qu'on dit sur toi et Zelandoni ?

Jondalar s'arrêta et se retourna lentement pour regarder son frère :

— Que dit-on sur moi et Zelandoni ? demanda-t-il, les dents serrées.

— Désolé, s'excusa aussitôt Thonolan. Je suis allé trop loin. N'y pense plus.

5

Ayla sortit de la caverne en se frottant les yeux, puis elle fit quelques pas sur la corniche. Il faisait grand jour, mais le soleil n'était pas encore très haut. Comme chaque matin au réveil, elle jeta un coup d'œil dans la vallée pour voir si les chevaux étaient là. Grâce à eux, elle se sentait un peu moins seule.

A force de les observer, elle commençait à connaître leurs habitudes : elle savait à quel endroit de la rivière ils allaient boire durant la matinée et à l'ombre de quels arbres ils aimaient stationner dans l'après-midi. Et elle les distinguait parfaitement les uns des autres. Il y avait un poulain dont la robe grise était si claire qu'elle semblait presque blanche. Il portait le long de l'échine une rayure plus foncée, de la même couleur que le bas de ses jambes, et une épaisse crinière. Il y avait aussi une jument à la robe brun grisâtre et une jeune pouliche couleur de foin comme l'étalon. Et puis l'étalon lui-même, chef incontesté de la horde jusqu'au jour où il serait supplanté par l'un des poulains que pour l'instant il tolérait tout juste.

— Bonjour, clan des chevaux.

Pour s'adresser aux chevaux, Ayla avait fait un geste communément utilisé en signe de bienvenue mais qu'elle avait légèrement modifié pour bien montrer qu'il s'agissait d'un salut matinal.

— Je me suis levée bien tard ce matin, ajouta-t-elle, toujours avec des gestes. Vous avez déjà dû aller boire à la rivière — et moi, je vais faire comme vous.

Elle se mit à courir en direction de la rivière, le pied fermement assuré sur l'étroit sentier qu'elle connaissait bien maintenant. Aussitôt après s'être rafraîchie, elle enleva son vêtement en peau et plongea dans l'eau. C'était toujours le même vêtement, mais elle l'avait lavé, puis elle avait travaillé la peau pour qu'elle retrouve toute sa souplesse. Ayla avait toujours aimé l'ordre et la propreté. Cette tendance, naturelle chez elle, avait été renforcée par l'éducation d'Iza. Les nombreuses plantes qu'utilisait la guérisseuse étaient toujours parfaitement rangées et Iza faisait la chasse à la poussière et à la saleté à cause des risques d'infection. Ayla avait hérité de ses qualités et maintenant qu'elle ne voyageait plus et vivait près d'une rivière, elle prenait soin d'elle-même comme lorsqu'elle vivait avec le Clan.

Ce matin, je vais me laver les cheveux, se dit-elle en passant ses mains dans son abondante chevelure blonde qui lui descendait jusqu'au milieu du dos. La veille, elle avait découvert des plants de saponaire juste après le coude que faisait la rivière, et elle alla chercher quelques rhizomes. En revenant, elle remarqua un large rocher qui émergeait de l'eau et dont la surface était creusée de cuvettes. Elle choisit un galet sur la plage et s'approcha du rocher. Après avoir rincé les rhizomes, elle les déposa dans une des cuvettes qu'elle remplit d'eau puis se servit du galet pour les écraser. Aussitôt, l'eau se mit à mousser. Elle mouilla alors ses cheveux, puis les lava avec l'eau pleine de saponine. Elle se frotta le corps avec l'eau qui restait au fond de la cuvette et plongea dans la rivière pour se rincer.

Un gros rocher, qui s'était détaché il y a bien longtemps de la falaise, émergeait en partie de l'eau, formant une petite île, séparée de la rive par un bras d'eau étroit et peu profond. Une partie du rocher se trouvait au soleil, l'autre était ombragée par un saule dont les racines à nu plongeaient dans le courant comme autant de doigts noueux. Ayla grimpa sur l'îlot et s'installa au soleil pour faire sécher ses cheveux. Elle arracha une petite branche à un buisson tout proche et, après l'avoir écorcée avec ses dents, s'en servit comme d'un peigne pour démêler sa chevelure.

Elle contemplait rêveusement le reflet du saule dans le courant quand soudain un léger mouvement accrocha son regard. Elle se pencha un peu et aperçut l'éclair argenté d'une grosse truite qui se trouvait sous les racines à nu. Elle n'avait pas pêché depuis longtemps et se dit que cette truite ferait un excellent petit déjeuner.

Elle se laissa glisser sans bruit dans l'eau, fit quelques brasses dans le sens du courant, puis revint à pied vers l'île. La main droite dans l'eau, les doigts ballants, elle avançait avec d'infinies précautions et finit par apercevoir la truite qui ondulait légèrement dans le courant pour que celui-ci ne l'entraîne pas hors de l'abri que lui offraient les racines.

Même si les yeux d'Ayla brillaient d'excitation, elle faisait très attention à ne pas glisser et plus elle approchait de la truite, plus elle devenait prudente. Elle glissa sa main en dessous du ventre du poisson, la fit remonter tout doucement et effleura la truite pour trouver les ouïes. Elle l'agrippa brusquement, la sortit de l'eau et la lança sur la berge. Echouée sur le sable, la truite se débattit pendant quelques instants, puis elle cessa de lutter.

Ayla, qui avait eu beaucoup de mal à apprendre à pêcher à la main quand elle était enfant, eut un sourire fier, comme si c'était la première fois qu'elle réussissait à sortir une truite de l'eau. Elle se promit de surveiller l'endroit, certaine d'y trouver d'autres truites. Celle-ci était de belle taille et suffirait amplement pour deux repas. A la pensée du goût exquis de la truite cuite sur des pierres chaudes, Ayla sentit l'eau lui venir à la bouche.

En attendant que son repas cuise, elle commença à fabriquer un panier avec du yucca qu'elle avait cueilli la veille. Ce panier serait purement utilitaire, mais elle en modifiait parfois le motif, juste pour le plaisir des yeux. Non seulement ce panier serait joli mais elle le tressait si serré qu'il serait aussi étanche. En le remplissant de pierres chaudes, elle pourrait y cuire des aliments. Pour l'instant, elle comptait l'utiliser pour conserver des provisions et, tout en travaillant, elle fit la liste de ce qui lui restait à faire avant que la mauvaise saison arrive.

Les groseilles que j'ai ramassées hier seront sèches dans quelques jours, se dit-elle en jetant un coup d'œil aux baies qu'elle avait étalées sur des nattes tout près de l'entrée de la caverne. Je vais aussi pouvoir faire provision de myrtilles et ramasser quelques pommes. Il y a aussi un merisier, couvert de fruits, mais ils risquent d'être trop mûrs. Il faudra que je m'en occupe aujourd'hui. Et que je ne tarde pas trop à ramasser des graines de tournesol, sinon les oiseaux vont tout manger. Près du pommier, j'ai cru voir des noisetiers, mais ils sont beaucoup plus petits que ceux qui poussaient près de la caverne du clan. Il faudra que je vérifie s'ils portent bien des noisettes. Quant à ces grands pins, je suis sûre que c'est la variété qui donne des pignons. Eux peuvent attendre.

Par contre, il va falloir que je commence à faire sécher des bulbes, des lichens, des champignons et des racines. Certaines racines se conserveront parfaitement au fond de la caverne sans qu'il soit nécessaire de les faire sécher. Il faudra aussi que je fasse provision de grains. J'ai vu qu'il y avait déjà dans la prairie des épis bien mûrs. C'est toujours une cueillette un peu longue mais qui vaut le coup. Aujourd'hui, je vais m'occuper des merises et des grains. Le problème, c'est qu'il me faudrait d'autres paniers... Je peux toujours fabriquer quelques récipients en écorce de bouleau. Mais l'idéal serait d'avoir de grandes peaux pour tout envelopper.

Dire que quand je vivais avec le Clan, nous ne manquions jamais de peaux. Aujourd'hui, si j'avais simplement une autre fourrure pour l'hiver, je m'estimerais heureuse. Les lapins et les hamsters sont trop petits pour que je puisse m'en servir pour fabriquer des vêtements. Et puis leur chair est si maigre... Mon rêve, ce serait de tuer un mammouth. Le mammouth est si gras que j'aurais même de quoi alimenter une lampe pendant tout l'hiver.

Ayla interrompit sa rêverie pour aller surveiller la cuisson de la truite. Elle écarta une des feuilles qui entouraient le poisson et piqua la chair à l'aide d'un bâtonnet : la truite n'était pas encore tout à fait cuite.

J'aimerais bien avoir un peu de sel, se dit-elle. Mais la mer est trop loin. Le pas-d'âne donne un goût salé et il y a aussi bien d'autres plantes qui permettent d'aromatiser la nourriture. Dommage qu'Iza ne soit plus là ! Grâce aux herbes qu'elle utilisait, ses repas étaient toujours un régal.

En songeant à la vieille guérisseuse, Ayla sentit sa gorge se nouer. Elle secoua la tête pour chasser ses larmes et s'obligea à revenir à des préoccupations plus matérielles.

Pour faire sécher des plantes aromatiques et médicinales, je vais avoir besoin de claies, se dit-elle. Pour les montants, je peux toujours abattre quelques arbustes, mais il me faudrait des boyaux frais pour les attacher ensemble. En séchant, les boyaux se resserreraient et mes claies ne bougeraient plus. Les arbres morts et les bois flottés me suffiront pour faire du feu. J'utiliserai aussi du crottin. Dès qu'il est sec, il brûle très bien. Il faudra que je commence à entreposer du bois dans la caverne et aussi que je fabrique quelques outils. Quelle chance d'avoir trouvé des silex !

Ayla mangea la truite sur les pierres de cuisson et elle se dit qu'elle ferait bien de fouiller dans le tas d'os pour voir s'il ne s'y trouvait pas des omoplates ou des os de la hanche qu'elle pourrait utiliser en guise d'assiettes. Elle versa l'eau que contenait sa gourde dans un récipient et quand celle-ci commença à frissonner sous l'action des pierres chaudes qu'elle avait ajoutées, elle y lança une poignée de cynorrhodons sortis de son sac de guérisseuse. Ces fruits de l'églantier, cueillis secs, étaient excellents pour soigner un rhume et permettaient aussi de faire de délicieuses infusions.

Ayla continua à tresser son panier tout en réfléchissant à ce qu'elle devait faire avant l'hiver. L'ampleur de la tâche ne lui faisait pas peur. Au contraire ! Plus elle était occupée et moins elle pensait à sa solitude. Malgré tout, il y avait un problème qu'elle n'arrivait pas à résoudre : où trouver la viande et la graisse dont elle aurait besoin durant la saison froide ? Sans parler d'une seconde couverture en fourrure pour dormir au chaud dans la caverne, des boyaux qui lui manquaient pour fabriquer ses claies. Il lui faudrait aussi une outre beaucoup plus grande que sa gourde, pour conserver de l'eau à l'intérieur de la caverne, et seul l'estomac d'un animal de grande taille pouvait convenir à cet usage. Soudain, elle lâcha son panier et fixa un point dans l'espace comme si la réponse à la question qu'elle se posait venait de se matérialiser sous ses yeux. Il suffisait qu'elle tue un animal de grande taille ! Un seul ! Et tous ses problèmes seraient résolus.

Quand elle eut terminé le petit panier, elle le plaça à l'intérieur de celui dont elle se servait quand elle voyageait et fixa ce dernier sur son dos. Elle rangea ses outils dans les replis de son vêtement, prit sa fronde et se dirigea vers la prairie. En arrivant près du merisier, elle se débarrassa de son panier, cueillit tous les fruits qu'elle pouvait atteindre et monta dans l'arbre pour compléter sa récolte. Elle en profita aussi pour manger ces cerises sauvages qui, bien que trop mûres, gardaient un goût aigrelet.

En redescendant, elle décida de faire provision d'écorce de merisier, un excellent remède contre la toux. A l'aide de son coup-de-poing, elle retira un morceau d'écorce et se servit de son couteau pour détacher l'aubier du bois dur. Cela lui rappela le jour où, alors qu'elle était encore une petite fille, Iza l'avait envoyée chercher de l'écorce de merisier. Ce jour-là, elle avait espionné les hommes du Clan qui étaient en train de s'entraîner au maniement des armes dans une clairière. Elle savait que c'était défendu, mais craignant d'être surprise au moment où elle s'en irait, elle avait préféré rester tapie et avait écouté les explications de Zoug sur le maniement de la fronde.

Elle savait que les femmes n'avaient pas le droit de toucher aux armes, mais en voyant la fronde que Broud avait oubliée, elle n'avait pas pu résister et l'avait emportée, cachée à l'intérieur de son vêtement. Si je n'avais pas pris cette fronde, serais-je encore en vie aujourd'hui ? se demanda-t-elle. Si je ne l'avais pas utilisée, peut-être que Broud ne m'aurait pas autant détestée. Peut-être ne m'aurait-il pas maudite...

Peut-être ! Peut-être ! songea-t-elle avec colère. Cela ne sert à rien de réfléchir après coup à ce qui aurait pu se passer. La seule chose qui importe, c'est qu'avec cette fronde je ne peux pas chasser un gros animal. Il me faudrait un épieu !

Elle traversa un bosquet de jeunes trembles et s'approcha de la rivière pour boire et laver ses mains tachées par le jus des merises. Elle allait repartir quand soudain elle s'immobilisa pour regarder les troncs parfaitement droits des jeunes arbres. Elle venait de trouver de quoi fabriquer un épieu !

Si Brun était là, il serait furieux, songea-t-elle aussitôt. Il m'a dit que je n'avais pas le droit de me servir d'une autre arme que la fronde. Il...

Elle s'interrompit soudain. Il ne peut plus me punir, reprit-elle. Je suis déjà morte ! Et à part moi, il n'y a pas un seul être humain dans cette vallée.

Comme une corde trop tendue finit par se rompre, quelque chose se brisa à l'intérieur d'Ayla. Elle se laissa tomber à genoux. Comme j'aimerais qu'il y ait quelqu'un près de moi ! Quelqu'un... N'importe qui ! Même Broud serait le bienvenu. S'il me donnait la permission de revenir et de revoir mon fils, je lui promettrais de ne plus toucher une fronde de ma vie. Cachant sa tête entre ses mains, elle se mit à sangloter.

Les petites créatures qui vivaient dans la prairie et dans les bois ne prêtèrent aucune attention à ces sons incompréhensibles. Il n'y avait personne dans cette vallée capable de comprendre la tristesse d'Ayla. Tant qu'elle avait voyagé, elle avait été soutenue par l'espoir de rencontrer d'autres êtres humains, des hommes et des femmes qui lui ressemblaient. Cet espoir, maintenant qu'elle s'était installée dans la vallée, il fallait qu'elle y renonce : elle devait accepter sa solitude et apprendre à vivre avec elle.

Pleurer lui avait fait du bien : elle se releva et, prenant son coup-de-poing, se mit à entailler rageusement la base du jeune tronc. Puis elle s'attaqua à un second tremble. J'ai souvent vu les hommes fabriquer des épieux, se dit-elle en débarrassant les deux arbres de leur feuillage. Ça n'avait pas l'air si difficile que ça. Quand elle eut fini, elle mit de côté les deux perches et se dirigea à nouveau vers la prairie. Elle passa le reste de l'après-midi à ramasser des grains de blé épeautre et de seigle et, après avoir récupéré les deux perches, reprit le chemin de la caverne.

En arrivant, elle mit à sécher les merises qu'elle avait ramassées, fit cuire une poignée de seigle qu'elle mangea avec le reste de la truite et, après avoir écorcé les deux troncs, elle les débarrassa de toutes leurs aspérités jusqu'à ce qu'ils soient parfaitement lisses. Ensuite, comme elle l'avait tant de fois vu faire par les hommes du Clan, elle prit un des épieux et, s'en servant comme d'une toise, y porta une marque juste au-dessus de sa tête. Elle pénétra dans la caverne et plaça l'extrémité qui portait la marque dans le feu. Elle fit tourner plusieurs fois l'extrémité de l'épieu et quand celle-ci fut bien noire, elle se servit de son grattoir denticulé pour faire sauter la partie carbonisée. Elle renouvela l'opération jusqu'à ce qu'elle obtienne une pointe durcie au feu. Elle fit de même pour le second épieu.

Quand Ayla eut terminé, il faisait nuit depuis longtemps. Elle était fatiguée et s'en félicita : elle aurait moins de mal à s'endormir. Elle couvrit son feu et se dirigea vers l'ouverture de la caverne. Elle contempla un court instant la voûte étoilée en cherchant une bonne raison de ne pas aller se coucher car, pour elle, c'était le moment le plus difficile de la journée. N'en trouvant pas, elle se dirigea à pas lents vers sa couche. Elle avait creusé près d'une des parois une fosse peu profonde qu'elle avait remplie d'herbes sèches et c'est là qu'elle dormait, enveloppée dans sa fourrure. Elle s'y allongea et, les yeux fixés sur la faible lueur du feu, tendit l'oreille.

Autour d'elle, tout était silencieux. Personne ne faisait bruire les herbes de sa couche, aucun couple ne gémissait dans un foyer tout proche, pas le moindre ronflement ou grognement. Elle ne percevait que le souffle de sa propre respiration. N'y tenant plus, elle alla chercher le vêtement qu'elle utilisait pour porter Durc, en fit une boule qu'elle serra contre sa poitrine et, le visage baigné de larmes, s'allongea. A force de pleurer, elle finit par s'endormir.

Le lendemain matin, quand Ayla se réveilla, elle s'aperçut qu'il y avait du sang sur ses jambes. Elle fouilla dans ses affaires pour y chercher les bandes absorbantes et la ceinture qui lui permettait de les maintenir en place. A cause de nombreux lavages, les bandes avaient perdu toute souplesse. Elle aurait dû les brûler la dernière fois qu'elle s'en était servi. Mais par quoi les remplacer ? Elle songea soudain à la peau du lapin qu'elle avait préparée le lendemain de son arrivée dans la vallée. Elle l'avait mise de côté en pensant l'utiliser lorsque l'hiver serait là. Mais elle aurait l'occasion de tuer d'autres lapins. Alors, autant s'en servir tout de suite.

Après avoir découpé la peau en larges bandes, elle descendit vers la rivière pour se baigner. J'aurais dû savoir que cela allait venir, se disait-elle. Et j'aurais dû prendre des précautions. Maintenant que je saigne, je ne vais plus rien pouvoir faire, excepté...

Elle s'interrompit soudain et éclata de rire. La malédiction qui pesait sur les femmes du Clan pendant quelques jours par mois n'avait plus aucune importance ici. Personne n'allait lui rappeler qu'elle n'avait pas le droit de lever les yeux sur les hommes, de préparer les repas ou d'aller ramasser quoi que ce soit. Maintenant qu'elle vivait seule, elle n'avait plus à se préoccuper de ce genre d'interdits.

Il n'empêche que j'aurais dû le savoir ! se dit-elle à nouveau. Mais le temps a passé si vite... Depuis quand suis-je installée dans cette vallée ? Elle essaya de s'en rappeler, mais les jours se ressemblaient tellement qu'elle dut y renoncer. Est-il possible que l'hiver soit beaucoup plus proche que je ne le pense ? se demanda-t-elle, soudain épouvantée. C'est impossible, corrigea-t-elle aussitôt. Jamais la neige n'arrive avant que les arbres aient perdu leurs feuilles. Quoi qu'il en soit, il faut désormais que je tienne un compte exact des jours que je vais passer dans cette vallée.

Il y a longtemps de ça, Creb lui avait expliqué comment s'y prendre : il suffisait de faire une entaille dans un bâton pour chaque jour passé. A l'époque, il avait été surpris qu'Ayla suive avec autant de facilité ses explications. Et il lui avait fait jurer de garder le secret : jamais il n'aurait dû partager avec elle cette connaissance qui était l'apanage du sorcier et de ses servants. Et le jour où il avait découvert qu'elle se servait d'un bâton pour compter les jours entre deux pleines lunes, il s'était mis très en colère.

— Si tu me regardes du monde des esprits, je t'en prie, ne te fâche pas, Creb ! dit-elle. Tu dois savoir que je ne peux pas faire autrement.

Elle alla chercher une longue branche parfaitement lisse et y fit une entaille avec son couteau en silex. Après avoir réfléchi, elle ajouta encore deux entailles. Elle posa un doigt dans chaque encoche et regarda sa main. Je pense que ça fait un peu plus longtemps que ça, se dit-elle. Mais je ne saurais pas dire combien de jours de plus. Je referai une marque ce soir et j'en ajouterai une chaque soir. Elle étudia le bâton qu'elle avait sous les yeux et, après avoir réfléchi, creusa un peu plus profondément la troisième entaille : comme ça elle saurait quand elle avait commencé à saigner.

La lune avait parcouru la moitié de son cycle depuis qu'Ayla avait fabriqué ses épieux et elle n'avait toujours aucune idée de l'animal qu'elle allait chasser.

La veille au soir, alors qu'elle prenait le frais devant l'ouverture de la caverne, elle avait décidé de partir de bon matin pour les steppes. Depuis quelques jours, elle portait une tenue mieux adaptée aux grosses chaleurs que son lourd vêtement en peau : elle avait attaché autour de sa taille des peaux de lapin débarrassées de leurs poils et une autre peau lui couvrait la poitrine. Cette tenue était bien plus pratique pour chasser et marcher.

Au petit jour, elle prit ses deux épieux et partit en direction des steppes. Sachant qu'elle ne pourrait pas franchir la haute falaise qui longeait la rivière à l'ouest, elle suivit la douce déclivité qui, à l'est du cours d'eau, rejoignait les vastes plaines. Arrivée là, elle aperçut des troupeaux de cerfs et de bisons, des hordes de chevaux et même un petit troupeau de saïgas. Mais jamais elle ne put s'approcher suffisamment des animaux pour utiliser ses épieux. Finalement, elle regagna la caverne avec des lagopèdes et une grande gerboise.

Les jours suivants, elle ne cessa de réfléchir à ce problème et, dans l'espoir de le résoudre, essaya de se rappeler les conversations des hommes du Clan qui, en général, portaient exclusivement sur la chasse. A force de les avoir écoutés raconter leurs exploits, elle savait comment ils s'y prenaient. Leur technique favorite, semblable à celle des loups, consistait à isoler un des animaux du troupeau et à le poursuivre, en se relayant à plusieurs, jusqu'à ce qu'il soit complètement épuisé. Les hommes s'approchaient alors et le tuaient. Mais pour utiliser ce genre de tactique, il fallait chasser en groupe et Ayla était seule.

Il arrivait aussi qu'ils parlent de la manière dont les félins chassaient. Soit ils se postaient à l'affût, puis bondissaient sur leur proie toutes griffes dehors, soit ils profitaient de leur formidable détente pour la clouer au sol avant qu'elle ait pu s'enfuir. Mais Ayla n'avait ni griffes, ni crocs et, pour la détente, elle ne pouvait rivaliser avec un félin.

Elle se creusa la cervelle et finit par avoir une idée. A cause de la nouvelle lune, elle ne cessait de penser au Rassemblement du Clan, la Fête de l'Ours des Cavernes, qui avait toujours lieu quand la lune tournait le dos à la terre. A l'occasion de cette fête, chaque clan proposait la reconstitution d'une partie de chasse. L'année où Ayla avait pris part au Rassemblement, c'est Broud qui dirigeait la danse de leur clan et il avait mimé avec beaucoup de talent une chasse au mammouth, poursuivant sa proie imaginaire avec des torches jusqu'au fond d'un canyon sans issue. Bien que sa prestation eût été très appréciée, il avait dû se contenter de la seconde place, la première revenant au clan qui les recevait cette année-là. Celui-ci avait reconstitué une chasse au rhinocéros laineux : après avoir creusé une fosse sur le trajet qu'empruntait habituellement l'animal pour aller boire, les chasseurs avaient harcelé leur proie jusqu'à ce qu'elle se précipite droit dans le piège. Ayla n'avait nullement l'intention de s'attaquer à un rhinocéros laineux, animal imprévisible et dangereux. En revanche, grâce à ces deux épisodes de chasse, elle tenait enfin une idée qui, à son avis, devrait marcher.

Le lendemain matin, lorsqu'elle sortit de la caverne, pour la première fois depuis qu'elle habitait dans la vallée, elle ne salua pas les chevaux. Ils lui tenaient compagnie et étaient devenus presque des amis mais, si elle voulait rester en vie, elle n'avait pas le choix.

Elle passa la majeure partie des jours suivants à les observer, étudiant tous leurs mouvements. Quand elle sut à quel endroit de la rivière ils allaient boire, quel endroit ils choisissaient pour dormir et où ils aimaient brouter, un plan commença à germer dans son esprit. Elle travailla les détails, examina l'une après l'autre toutes les éventualités et finalement se mit à l'œuvre.

Il lui fallut une journée entière pour constituer la réserve de bois dont elle aurait besoin. Elle commença par abattre des petits arbres et couper des buissons qu'elle transporta tout près de la rivière. Ensuite, elle ramassa quelques brassées d'herbe sèche, des écorces de pin et de sapin toutes poisseuses de résine et de grosses branches de pin bien sèches, prélevées sur de vieux arbres morts et qui s'enflammeraient donc facilement. En attachant ensemble les écorces et l'herbe autour des branches de pin, elle prépara des torches.

Le lendemain matin, elle sortit sa tente de la caverne, ainsi que la corne d'aurochs. En fouillant parmi les ossements, elle trouva un grand os plat dont elle affûta une des extrémités pour la rendre tranchante. Elle sortit de ses affaires toutes les lanières et les cordes qu'elle put trouver, y ajouta des lianes, prises sur les arbres avoisinants, et en fit un tas qu'elle laissa sur la plage rocheuse. Elle alla chercher du bois mort et des bois flottés qu'elle apporta au même endroit.

En fin de journée, tout était prêt. En attendant que la nuit tombe, Ayla faisait les cent pas sur la plage et regardait avec inquiétude les nuages qui s'amoncelaient dans le ciel à l'est. Si jamais ils se rapprochaient, ils obscurciraient la lune et elle serait obligée de renoncer à son expédition nocturne.

Juste avant de partir, elle fouilla à nouveau dans le tas d'ossements et choisit l'humérus d'un cerf, un os long à l'extrémité arrondie. Le prenant par un bout, elle s'en servit pour frapper sur une défense de mammouth avec une telle force qu'elle en eut mal au bras. L'os tint bon : il ferait une excellente massue.

Un peu avant que le soleil se couche, la lune apparut dans le ciel : le moment était venu de se mettre en route. Ayla aurait aimé connaître les rites de chasse pratiqués par le Clan. Malheureusement, les femmes n'y avaient pas accès car les chasseurs pensaient qu'elles risquaient de leur porter malheur.

Jusqu'ici, bien que je sois une femme, j'ai toujours eu de la chance à la chasse, songea-t-elle. Mais je ne me suis jamais attaquée à un animal de grande taille. Pour se rassurer, elle saisit son amulette et pensa à son totem. Au fond, c'était le Lion des Cavernes qui l'avait poussée à chasser la première fois. Sans lui, jamais elle n'aurait pu devenir aussi habile à la fronde et même surpasser les hommes du Clan. Elle espérait que son puissant totem allait lui venir en aide cette nuit.

Quand Ayla atteignit le coude de la rivière près duquel les chevaux passaient la nuit, le soleil se couchait. Elle avait emporté avec elle sa tente en peau et l'os plat à bord tranchant. Elle se dirigea sans bruit vers la trouée où, la veille, elle était allée porter du bois. C'est à cet endroit que les chevaux venaient boire au lever du jour. Pour l'instant, c'était le crépuscule, le feuillage des arbres prenait une teinte grisâtre dans la lumière déclinante et, un peu plus loin, on apercevait des arbres dont les troncs noirs se détachaient sur le ciel rougeoyant. Ayla étendit sa tente sur le sol et se mit à creuser avec sa pelle en os.

En surface, le sol était dur, mais dès qu'elle eut entamé cette couche superficielle, elle creusa avec plus de facilité. Au fur et à mesure qu'elle retirait de la terre, elle la lançait sur la peau et, quand celle-ci fut entièrement recouverte, elle la tira vers les bois et y déversa la terre. Lorsque la fosse fut plus large et plus profonde, elle posa la peau au fond du trou et s'en servit pour sortir la terre au fur et à mesure. Elle y voyait tout juste et c'était une tâche épuisante. Bien plus dure que quand elle aidait les femmes du Clan à creuser une fosse qui servait à rôtir des quartiers de viande. Cette fois-ci, elle était seule à travailler et les dimensions de la fosse étaient bien plus importantes.

Les bords de la fosse lui arrivaient à la taille quand soudain elle sentit de l'eau sous ses pieds. Elle avait creusé trop près de la rivière ! L'eau montait rapidement et le fond était déjà tout boueux quand elle se précipita hors de la fosse, sa tente à la main.

Pourvu que ce soit assez profond, songea-t-elle. De toute façon, elle devait s'arrêter là : plus elle creuserait et plus l'eau monterait. Relevant la tête, elle regarda la lune et fut surprise de voir à quel point elle était déjà haute. Si elle voulait avoir fini ses préparatifs avant le lever du jour, elle devait se dépêcher.

Elle courut vers l'endroit où elle avait empilé du bois, trébucha sur une racine qu'elle n'avait pas vue, et tomba de tout son long sur le sol. C'est le moment d'être prudente, se dit-elle en frottant son menton douloureux. Les paumes de ses mains et ses genoux la brûlaient et un filet de sang coulait le long de sa jambe droite.

Et si je m'étais cassé la jambe ? se demanda-t-elle, soudain paniquée. Qu'est-ce que je fais ici en pleine nuit ? Sans feu pour me protéger au cas où un animal m'attaquerait ? Se souvenant soudain d'un lynx qui, une fois, l'avait attaquée, elle crut voir deux yeux briller sous le couvert des arbres. Elle toucha la fronde qu'elle portait attachée à sa ceinture et ce contact la rassura un peu. De toute façon, je suis déjà morte, se dit-elle. Ce qui doit arriver arrivera. Si je commence à m'inquiéter, je ne serai jamais prête quand le soleil se lèvera.

Elle s'approcha du bois qu'elle avait empilé au bord de la rivière et commença à le transporter aux abords de la fosse. Elle savait que si elle se précipitait sans crier gare sur les chevaux, ceux-ci s'éparpilleraient dans la nature. Elle savait aussi qu'il n'existait dans la vallée aucun endroit sans issue où elle puisse acculer un des chevaux, comme Broud avait fait avec le mammouth. Mais, à force de réfléchir, elle avait fini par avoir un éclair de génie — comme il lui était déjà arrivé d'en avoir lorsqu'elle faisait partie du Clan. Il n'y a pas ici de canyon sans issue, s'était-elle dit, mais je peux peut-être en créer un.

A ses yeux, c'était une trouvaille sans grande valeur. Elle avait simplement l'impression d'adapter une des techniques de chasse du Clan à ses propres besoins. En réalité, c'était une invention majeure car elle allait permettre à une femme seule de tuer un animal qu'aucun homme du Clan n'aurait jamais osé chasser sans l'aide de ses congénères.

Avec les troncs et les branches ramassés la veille, Ayla construisit deux palissades qui, par rapport à deux des côtés de la fosse, formaient une sorte d'entonnoir. Elle en boucha tous les trous pour qu'il n'y ait aucune brèche et les suréleva légèrement en rajoutant des branches sur le faîte. Quand elle eut terminé, le ciel commençait à s'éclaircir et les oiseaux pépiaient pour saluer la venue du jour.

Elle contempla alors son travail. La fosse était légèrement plus longue que large. Ses bords étaient boueux à cause des dernières pelletées de terre qu'Ayla y avait jetées et légèrement en pente. Le triangle formé par les deux palissades convergeait vers l'entrée de la fosse. Quand on se plaçait de ce côté-là, on apercevait au fond de la trouée la rivière qui commençait à scintiller sous les premiers rayons du soleil. Sur l'autre rive, on commençait tout juste à distinguer dans le lointain les sommets de la falaise qui barrait la vallée au sud.

Ayla regarda autour d'elle pour déterminer exactement la position des chevaux. L'autre versant de la vallée remontait en pente douce vers l'ouest et formait la haute barrière rocheuse qui se trouvait en face de sa caverne. Puis celle-ci redescendait graduellement pour rejoindre à l'est le fond de la vallée où dormaient les chevaux. Bien qu'il fît encore très sombre à cet endroit, Ayla eut l'impression qu'ils commençaient à bouger.

Elle reprit sa tente et l'os qui lui avait servi de pelle et revint en courant vers la plage. Elle rajouta du bois sur son feu qui était en train de mourir, se servit d'un bâton pour aller pêcher au centre du foyer une braise qu'elle plaça dans la corne d'aurochs. Elle ramassa au passage les torches qu'elle avait préparées, les deux épieux et sa massue en os et, toujours courant, revint vers la fosse. Elle posa un des épieux d'un côté de la fosse, l'autre de l'autre côté avec la massue, puis elle décrivit une large boucle pour se retrouver derrière les chevaux avant qu'ils ne se mettent à bouger.

Maintenant, il ne lui restait plus qu'à attendre. Mais cette attente était plus difficile à supporter que la longue nuit passée à faire tous les préparatifs. Elle se demandait avec inquiétude si elle n'avait rien oublié, repassait dans sa tête toutes les phases de son plan en espérant qu'il marcherait. Elle vérifia si le charbon de bois brûlait toujours, examina les torches. Les chevaux commencèrent à remuer. Elle fut tentée de se précipiter derrière eux pour qu'ils avancent plus vite, mais se ravisa. Il fallait encore attendre.

Au lieu d'avancer normalement, les chevaux tournaient en rond. Ayla se dit qu'ils semblaient bien nerveux. Finalement, la jument prit la tête de la petite troupe et se dirigea vers la rivière. Les autres suivirent, s'arrêtant ici et là pour brouter. Plus ils approchaient de la rivière et plus ils semblaient inquiets. Ils avaient dû sentir l'odeur de la terre retournée et celle d'Ayla. Quand la jeune femme, qui ne les quittait pas des yeux, vit que la jument allait faire demi-tour, elle se dit que le moment était venu de passer à l'attaque.

Elle se servit de son charbon de bois pour allumer les deux torches. Lorsque celles-ci se furent enflammées, elle abandonna derrière elle la corne d'aurochs et s'élança en direction des chevaux en agitant les torches au-dessus de sa tête et en poussant des cris stridents. Malheureusement, elle était encore trop loin pour que les chevaux la voient. En revanche, ils avaient senti l'odeur de la fumée et, craignant d'instinct un feu de prairie, ils partirent au galop. En arrivant près de la rivière et de la fosse creusée par Ayla, ils réalisèrent qu'un nouveau danger les guettait et une partie de la horde amorça un mouvement vers l'est. Ayla prit la même direction dans l'espoir de leur couper la route. Arrivée à hauteur de la horde, elle s'aperçut que la plupart des chevaux faisaient un large détour pour éviter le piège et elle courut au milieu d'eux en hurlant. Ils s'écartèrent aussitôt. Les oreilles basses, les naseaux dilatés, hennissant de terreur, ils essayaient de s'échapper. Et s'ils réussissaient à s'enfuir ? A cette seule idée, Ayla sentait, elle aussi, la panique l'envahir.

Elle se trouvait à l'extrémité est de la palissade quand elle aperçut soudain la jument qui venait vers elle. Tenant toujours ses deux torches à bout de bras, elle se précipita à sa rencontre en hurlant de plus belle. Le choc semblait inévitable. Au dernier moment, la jument fit un écart pour l'éviter. Puis elle partit au galop. Malheureusement pour elle, du mauvais côté. Arrêtée par la palissade, elle la longea au galop dans l'espoir de sortir du piège. Hors d'haleine et les jambes en feu, Ayla courait derrière elle.

Quand la jument aperçut la rivière tout au bout de la trouée, elle se crut sauvée. Puis elle vit la fosse. Trop tard ! Elle ramassa ses pattes sous elle pour sauter, mais les bords de la fosse étaient glissants, et, entraînée par son élan, elle tomba au fond du piège.

Ayla, qui était à bout de souffle, continua pourtant à courir jusqu'à ce qu'elle arrive au bord de la fosse. Elle aperçut alors la jument qui, les yeux fous, remuait la tête en poussant des hennissements déchirants. Elle s'était cassé une jambe et se débattait dans la boue pour s'extraire de la fosse. Bien campée sur le sol, Ayla saisit son épieu à deux mains et le plongea dans la fosse. Elle s'aperçut trop tard qu'elle avait visé le flanc de la jument. Le coup qu'elle venait de lui porter n'était pas mortel. Elle courut de l'autre côté de la fosse pour aller chercher son second épieu, glissa sur la terre humide et manqua rejoindre la jument.

Cette fois-ci, elle prit le temps de viser. Quand l'épieu s'enfonça dans le cou de la jument, celle-ci fit vaillamment un dernier effort pour s'échapper, avant de lancer un hennissement de douleur qui ressemblait à un gémissement. Un coup de massue, appliqué sur le sommet du crâne, mit fin à ses souffrances.

Ayla était trop hébétée pour réaliser ce qui arrivait. Debout à côté de la fosse, elle s'appuyait de tout son poids sur la massue qu'elle tenait toujours à la main et, le souffle court, contemplait sans bien comprendre la jument qui gisait au fond de la fosse. Sa robe grisâtre tachée de sang et maculée de boue, elle ne bougeait plus.

Petit à petit, Ayla sentit monter en elle une émotion qu'elle n'avait encore jamais ressentie. Venu du plus profond d'elle-même, un cri de victoire franchit ses lèvres. Elle avait réussi !

A cette seconde, dans une vallée solitaire nichée au cœur d'un vaste continent, à la frontière entre les steppes arides du nord et les prairies plus verdoyantes du sud, une jeune femme, armée d'une massue en os, mesurait pour la première fois l'étendue de son pouvoir. Elle était capable de rester en vie ! Elle resterait en vie.

L'exaltation d'Ayla fut de courte durée. Un coup d'œil lui suffit pour comprendre qu'elle ne pourrait jamais sortir l'animal de la fosse. Elle devrait découper la jument sur place et transporter la viande jusqu'à la plage avant que l'odeur du sang n'attire les prédateurs. Seul le feu saurait les éloigner et il faudrait qu'elle l'entretienne jusqu'à ce que la viande ait fini de sécher.

Même si elle était épuisée par la nuit qu'elle venait de passer, elle ne pouvait pas se permettre de se reposer. C'était bon pour les hommes du Clan d'aller s'allonger après la chasse en laissant aux femmes le soin de découper le gibier et de le transporter. Pour Ayla, le travail ne faisait que commencer.

Après avoir tranché la gorge de la jument, elle retourna à la plage pour prendre sa tente en peau d'aurochs et ses outils en silex. En revenant vers la fosse, elle aperçut la horde de chevaux qui, galopant toujours, se trouvait maintenant à l'extrême limite de la vallée.

Aussitôt, elle se mit à l'ouvrage. Pataugeant dans la boue et le sang, elle commença à découper l'animal en essayant de ne pas abîmer la peau plus qu'elle ne l'était déjà. Au fur et à mesure, elle plaçait les morceaux de viande dans la peau d'aurochs. Quand celle-ci fut pleine, les charognards étaient déjà arrivés et ils arrachaient des lambeaux de chair aux os de la jument qu'elle avait mis de côté. En arrivant à la plage, Ayla déchargea la viande le plus près possible du feu et alimenta celui-ci avec de grosses branches.

Cette fois-ci, lorsqu'elle s'approcha de la fosse, elle tenait sa fronde à la main et s'en servit aussitôt contre un renard qui s'enfuit en poussant un glapissement. Ayla l'aurait bien tué, mais elle n'avait plus de cailloux. Elle s'avança jusqu'au bord de la rivière pour en choisir quelques-uns et en profita pour se rafraîchir avant de se remettre au travail.

Lorsqu'elle revint pour la seconde fois sur la plage, elle se servit à nouveau de sa fronde et tua un glouton qui s'était approché du feu et était en train d'emporter un énorme quartier de viande. Avant de repartir, elle récupéra la dépouille du glouton et la plaça près du feu, comme la viande, en se disant que la fourrure de l'animal lui serait bien utile pendant l'hiver.

Elle eut moins de chance en revanche avec une hyène qui s'était approchée de la fosse et qui réussit à emporter un des jarrets de la jument. Jamais, depuis qu'elle vivait dans la vallée, elle n'avait vu autant de carnassiers. Il n'y avait pas que les renards, les hyènes et les gloutons qui s'intéressaient à son gibier. Des loups et, plus cruels qu'eux encore, des dholes tournaient autour de la fosse en restant hors de portée de la fronde. Les faucons et les milans se montraient beaucoup plus téméraires et ne s'enfuyaient d'un coup d'aile qu'à l'approche d'Ayla. Elle s'attendait à tout moment à voir apparaître un lynx, un léopard ou le terrible lion des cavernes.

Quand elle eut terminé de transporter la totalité de la viande jusqu'à la plage, l'après-midi était bien avancé. Elle se laissa tomber près du feu. Elle n'avait pas dormi de la nuit, pas eu le temps de manger et elle était épuisée. Finalement, ce furent les mouches qui l'obligèrent à se relever. En les entendant bourdonner autour d'elle, elle se rendit compte à quel point elle était sale : son corps et ses vêtements étaient couverts de boue et de sang. Elle se dirigea vers la rivière et y plongea tout habillée.

L'eau fraîche lui fit du bien. Elle remonta vers la caverne, mit ses vêtements mouillés à sécher devant l'ouverture, enfila son vêtement en peau et alla chercher sur sa couche la fourrure sous laquelle elle dormait. Avant de redescendre, elle s'avança au bord de la corniche et jeta un coup d'œil dans la vallée. Les chevaux avaient disparu, par contre une intense activité semblait régner autour de la fosse.

Soudain, Ayla se souvint des deux épieux qu'elle avait laissés là-bas. Devait-elle prendre le risque d'aller les rechercher ? Se souvenant du temps qu'elle avait mis pour les fabriquer, elle se dit que mieux valait les récupérer. Elle déposa sa fourrure sur la plage, reprit sa fronde qu'elle avait enlevée pour se baigner et remplit les replis de son vêtement de cailloux avant de repartir.

Quand elle arriva sur place, elle tomba en plein carnage. Une partie de la palissade avait été renversée par les animaux impatients de s'approcher, l'herbe était piétinée et la fosse, rougie de sang, faisait penser à une blessure béante. Deux loups étaient en train de grogner autour de ce qui restait de la tête de la jument. Des renardeaux se disputaient en glapissant la jambe de devant de l'animal, tirant sur les longs poils et s'attaquant même au sabot.

Quand Ayla s'approcha, une hyène releva la tête, soudain sur ses gardes, les milans s'enfuirent à tire-d'aile, mais le glouton qui se trouvait juste à côté de la fosse ne bougea pas. Je ferais bien de me dépêcher, se dit-elle en lançant une pierre sur le glouton qui s'enfuit aussitôt. Il va falloir que j'allume plusieurs feux pour protéger la viande. La hyène recula hors de portée de sa fronde en ricanant. Fiche le camp de là, affreuse ! songea Ayla qui détestait les hyènes. Elle ne pouvait pas voir une hyène sans songer aussitôt à celle qui avait essayé d'emporter le bébé d'Oga et qu'elle avait tuée avec sa fronde.

Alors qu'elle se penchait pour ramasser ses épieux, un mouvement derrière une des brèches de la palissade attira soudain son attention. Elle aperçut alors des hyènes qui s'approchaient sans bruit de la jeune pouliche couleur de foin.

Je suis désolée pour toi, songea Ayla. Je n'avais pas l'intention de tuer ta mère. Mais comme c'est elle qui est tombée dans le piège, je n'avais pas le choix. Elle n'éprouvait aucune culpabilité. Dans le monde où elle vivait, il y avait les chasseurs et les chassés. Et les chasseurs pouvaient devenir des proies. Si Ayla n'avait eu ni feu ni armes, cela aurait été son cas. La chasse faisait partie de la vie.

Elle savait que, sans sa mère, la jeune pouliche était condamnée et elle éprouvait de la pitié pour cet animal sans défense. Que de fois avait-elle ramené à Iza des animaux blessés pour que la guérisseuse les soigne, et provoqué du même coup la colère de Brun !

Les hyènes étaient en train d'encercler la jeune pouliche. Celle-ci leur lançait des regards apeurés et essayait de leur échapper. S'il n'y a plus personne pour s'occuper d'elle, autant qu'elle meure tout de suite, se dit Ayla. Mais, quand une hyène s'élança vers la pouliche et lui entailla le flan, elle ne put s'empêcher d'intervenir. La fronde à la main, elle s'avança dans la trouée et bombarda de pierres les assaillants. Une des hyènes s'effondra sur le sol, les autres s'éloignèrent. Ayla n'avait pas l'intention de les poursuivre : leur peau tachetée ne l'intéressait pas. Elle voulait seulement qu'elles laissent la jeune pouliche tranquille. Celle-ci s'était reculée en la voyant, mais elle n'était pas allée loin. Elle avait encore plus peur des hyènes que d'Ayla.

La jeune femme s'approcha peu à peu de la pouliche, la main tendue en avant et en chantonnant d'une voix douce, comme elle l'avait déjà fait avec d'autres animaux apeurés. D'instinct, elle savait s'y prendre avec les animaux. La pitié qu'elle éprouvait pour les créatures sans défense s'étendait à tous les êtres vivants et son activité de guérisseuse n'avait fait que la renforcer. Iza était comme elle : elle aussi, elle n'avait pas hésité à recueillir une petite fille blessée et affamée, malgré la désapprobation du clan.

Quand la jeune pouliche avança la tête pour renifler les doigts d'Ayla, celle-ci en profita pour s'approcher un peu plus et lui caresser l'encolure. Le jeune animal s'enhardit et se mit à sucer bruyamment le bout de ses doigts.

Pauvre bébé ! songea-t-elle en faisant un effort pour ne pas pleurer. Tu as faim et ta mère n'est plus là pour te nourrir. Ce n'est pas moi qui vais te donner du lait, je n'en avais déjà pas assez pour nourrir Durc. Cela n'a pas empêché mon fils de grandir. Je trouverai bien quelque chose pour te nourrir. Toi aussi, il va falloir te sevrer. Viens avec moi, bébé, ajouta-t-elle en entraînant la jeune pouliche vers la plage.

En arrivant près du feu, Ayla aperçut un lynx qui était en train de lui voler un morceau de cette viande si difficilement gagnée. Lâchant la pouliche, elle saisit sa fronde et, quand le lynx releva la tête, lança deux pierres coup sur coup.

Avec une fronde, tu peux tuer un lynx, lui avait dit Zoug un jour. Mais ne t'attaque jamais à un animal plus gros que le lynx. Et Ayla avait eu maintes fois l'occasion de vérifier que Zoug avait raison.

Elle replaça la viande près du feu et y traîna le corps sans vie du félin. En voyant son tableau de chasse — l'imposant tas de viande, la peau couverte de boue de la jument, la fourrure du glouton et celle du lynx — elle éclata soudain de rire. J'avais besoin de viande, se dit-elle. J'avais besoin de fourrure. Et maintenant, je n'aurai pas assez de mes deux mains pour m'occuper de tout ça.

Effrayée par le feu, la jeune pouliche s'était légèrement éloignée. Ayla alla chercher une longue lanière et, s'approchant avec précaution de l'animal, elle la lui passa autour du cou et la ramena vers la plage où elle l'attacha au tronc d'un arbuste. Elle retourna prendre ses épieux qu'elle avait laissés près de la fosse et, à son retour, comme la jeune pouliche recommençait à lui sucer les doigts, elle se demanda ce qu'elle pourrait lui donner à manger.

Elle lui proposa une brassée d'herbes, mais le petit cheval ne semblait pas savoir ce que c'était. Elle songea alors aux céréales qu'elle avait fait cuire la veille au soir et auxquelles elle avait à peine touché. Si les petits des chevaux étaient comme les bébés du Clan, ils devaient pouvoir manger la même nourriture que leur mère à condition que celle-ci soit liquide. Ayla ajouta de l'eau dans le récipient qui contenait les céréales et les écrasa pour obtenir une bouillie qu'elle proposa à la jeune pouliche. Celle-ci renifla la bouillie, puis recula quand Ayla lui enfonça le museau dans le récipient.

Comme elle recommençait à sucer les doigts d'Ayla, la jeune femme plongea ses deux mains dans le récipient. La jeune pouliche accepta alors d'y goûter. La bouillie dut lui plaire car, sans qu'Ayla ait besoin d'insister, elle nettoya le contenu du récipient.

J'ai l'impression qu'il va falloir que je ramasse plus de grains que prévu, songea Ayla. Dire qu'elle avait tué la mère de ce poulain pour pouvoir se nourrir et que maintenant, elle serait obligée de faire provision de grains pour nourrir le bébé ! Si les membres du Clan étaient là, ils ne manqueraient pas de dire qu'elle se conduisait d'une manière bien étrange. Maintenant que je suis seule, je fais ce que je veux, se dit-elle en enfonçant l'extrémité d'une petite branche dans un morceau de viande qu'elle plaça au-dessus des braises. Dès qu'elle eut fini de manger, elle se mit au travail.

Quand la lune apparut à nouveau dans le ciel, elle était toujours en train de découper la viande en fines tranches. Autour de la plage brûlaient de nombreux feux qu'elle avait disposés en cercle et qu'elle alimentait régulièrement avec des bois flottés. A l'intérieur de ce cercle, la viande, placée sur des cordes, était en train de sécher. Roulées un peu à l'écart se trouvaient la fourrure fauve du lynx et celle, marron, du glouton, dont elle ne pourrait s'occuper que plus tard. Elle avait lavé la peau de la jument et l'avait mise à sécher sur des pierres. Après avoir nettoyé l'estomac de l'animal, elle l'avait rempli d'eau pour qu'il reste souple et posé à côté de la peau. Elle avait aussi mis à sécher les tendons, nettoyé les intestins, rangé en tas les os et les sabots et mis de côté la graisse qu'elle ferait fondre plus tard et verserait à l'intérieur des intestins pour la conserver. En dépiautant les deux carnassiers, elle avait réussi à récupérer un peu de graisse qu'elle utiliserait pour des lampes ou pour imperméabiliser des peaux. Elle s'était débarrassée de leur chair, dont le goût lui déplaisait.

Elle allait retourner à la rivière pour y laver un dernier quartier de viande quand soudain elle changea d'avis. Ce travail pouvait attendre. Jamais elle ne s'était sentie aussi fatiguée. Elle alimenta à nouveau les feux pour qu'ils continuent à brûler pendant son sommeil et se roula dans sa couverture en fourrure.

La petite pouliche, qui avait réussi à se détacher, s'approcha pour la renifler et vint s'étendre à côté d'elle. A moitié endormie, Ayla posa son bras sur l'encolure du cheval et, bercée par sa respiration et les battements de son cœur, sombra aussitôt dans un sommeil sans rêve.

6

Jondalar frotta son menton rugueux et allongea le bras pour prendre son sac posé contre le tronc d'un pin rabougri. Après avoir fouillé à l'intérieur, il en sortit une pochette en cuir souple, défit le lacet qui la tenait fermée, la déplia devant lui, choisit une fine lame de silex, au bord plat et tranchant.

Un coup de vent agita soudain les branches du vieux pin couvert de lichen. La rafale souleva le rabat en peau à l'entrée de la tente, s'engouffra à l'intérieur, tira sur les cordes et ébranla les piquets, puis, changeant d'avis, plaqua à nouveau le rabat contre l'ouverture. Haussant les épaules d'un air fataliste, Jondalar rangea la lame dans la pochette et referma celle-ci.

— Le moment est venu de laisser pousser sa barbe ? demanda Thonolan.

Jondalar, qui ne l'avait pas entendu arriver, le regarda d'un air surpris.

— En été, je n'aime pas porter la barbe, dit-il. Dès qu'on transpire, ça vous démange. Par contre, l'hiver, la barbe tient chaud. Et j'ai bien l'impression que l'hiver arrive.

Thonolan s'approcha du feu qu'ils avaient allumé tout près de la tente, s'assit en tailleur à côté du foyer et approcha ses mains des flammes pour les réchauffer.

— A part un buisson ici ou là dont les feuilles sont encore rouges, tout le reste tourne au jaune et au brun, annonça-t-il en montrant à son frère les immenses prairies qui se trouvaient derrière eux. Même les pins ont légèrement jauni. Il y a de la glace sur les flaques et les cours d'eau gèlent en surface. Les feuilles ne vont pas tarder à tomber.

— Il n'y en a plus pour longtemps en effet, reconnut Jondalar en s'installant en face de son frère. Au lever du jour, j'ai vu passer un rhinocéros qui se dirigeait vers le nord.

— La neige ne devrait pas tarder.

— Tant que les mammouths et les rhinocéros ne seront pas partis, nous ne risquons pas d'être surpris par une tempête de neige. De petites chutes de neige ne les gênent pas mais dès qu'ils sentent venir une tempête, ils filent en direction du glacier. « Quand le mammouth va vers le nord, ne te mets pas en route. » C'est vrai aussi pour les rhinocéros. Mais celui que j'ai aperçu ce matin ne semblait nullement pressé.

— Je me souviens d'une chasse qui a tourné court sans que nous ayons tué quoi que ce soit, simplement parce que les rhinocéros se ruaient vers le nord, fit remarquer Thonolan. Je me demande s'il neige beaucoup ici...

— L'été a été sec. Si l'hiver est pareil, il ne devrait pas tomber beaucoup de neige. Les mammouths et les rhinocéros resteront sur place. Mais, pour l'instant, on ne peut rien dire. Nous sommes descendus très bas et l'hiver risque d'être plus humide que dans le nord. S'il y a des gens dans les montagnes qui se trouvent à l'est, ils doivent savoir. Peut-être aurions-nous dû rester chez ceux qui nous ont fait traverser le fleuve en radeau. Nous avons absolument besoin de trouver un endroit où passer l'hiver. Et vite !

— Tu sais ce qui me ferait plaisir ? dit Thonolan en souriant. Une Caverne agréable où nous serions reçus à bras ouverts et qui serait remplie de belles femmes.

— Qu'une Caverne nous reçoive à bras ouverts et je m'estimerai déjà heureux.

— Tu n'as pas plus envie que moi de passer l'hiver sans la réconfortante présence d'une femme, non ?

— L'hiver sera moins froid avec une femme, reconnut Jondalar. Mais ce n'est pas en restant ici que nous en trouverons. Il est temps de se mettre en route, dit-il en se levant.

— Tout à fait d'accord, répondit Thonolan.

Tournant le dos au feu, il s'apprêtait lui aussi à se lever quand soudain il se figea.

— Jondalar ! chuchota-t-il. Ne bouge pas et regarde de l'autre côté de la tente. Tu verras ton ami de ce matin, ou un autre qui lui ressemble comme un frère.

Jondalar risqua un coup d'œil prudent de l'autre côté de la tente. Il aperçut alors un énorme rhinocéros laineux à deux cornes qui se balançait d'un pied sur l'autre, comme s'il avait du mal à équilibrer sa masse imposante. La tête de côté, il regardait Thonolan. S'il avait conservé la tête droite, il n'aurait pas pu le voir car ses yeux étaient situés tellement en arrière de son crâne que, dans cette position, il était quasiment aveugle. Son ouïe et son odorat très développés compensaient largement sa vision déficiente.

C'était un animal parfaitement adapté aux grands froids. Il possédait deux fourrures : un fin duvet bien fourni, caché sous de longs poils brun-roux. Et, en dessous de son pelage, une couche de graisse épaisse de huit centimètres. Il avançait toujours la tête basse, une de ses cornes pratiquement au ras du sol, pour déblayer le terrain. Quand la neige qui recouvrait les pâturages n'était pas trop épaisse, cette corne lui servait à se frayer un passage. A cause de sa fourrure, il ne pouvait pas supporter la chaleur qui régnait dans le sud durant l'été ni affronter un froid humide car, alors, ses longs poils auraient gelé. Il arrivait donc à l'automne pour paître dans les immenses prairies et emmagasiner de la graisse en prévision de la saison froide. Il ne s'attardait pas et repartait en direction du nord, au début de l'hiver, avant les grosses chutes de neige, et rejoignait les steppes froides et sèches au pied du glacier.

Sa longue corne antérieure ne lui servait évidemment pas qu'à déblayer la neige et pour l'instant, son extrémité effilée se trouvait à courte distance de Thonolan.

— Ne bouge pas ! dit Jondalar entre ses dents.

D'un geste vif, il se baissa pour attraper les sagaies qui se trouvaient près de son sac.

— Nos sagaies sont trop légères, fit remarquer Thonolan sans se retourner. (Il n'avait pas besoin de regarder Jondalar pour savoir ce qu'il était en train de faire.) Tu sais bien que pour tuer un rhinocéros, il faut l'atteindre à l'œil. Tu auras beau lancer ton arme, tu ne toucheras jamais une cible aussi petite. Il faudrait une sagaie plus robuste, capable de lui porter un coup mortel. Malheureusement, nous n'en avons pas...

— Tais-toi, conseilla Jondalar. Tu vas finir par attirer son attention. Peut-être que je n'ai pas l'arme qu'il faut, mais toi, tu n'as rien du tout. Je vais faire le tour de la tente et tenter le coup.

— Attends, Jondalar ! Avec ta sagaie, tu vas le rendre furieux, c'est tout ! Je te parie que tu n'arriveras même pas à le blesser. J'ai une idée... continua Thonolan. Est-ce que tu te souviens comment nous harcelions les rhinocéros quand nous étions enfants ? L'un de nous se mettait à courir devant l'animal, puis faisait brusquement un mouvement de côté tandis que quelqu'un d'autre attirait l'attention du rhino. Nous l'obligions à courir jusqu'à ce qu'il n'en peuve plus. C'est ce que nous allons faire. Je vais partir en courant pour qu'il me charge et toi, tu prendras le relais.

— Non ! hurla Jondalar.

Mais il était trop tard, son frère courait déjà à toute vitesse.

Impossible de prévoir les réactions d'un rhinocéros ! Au lieu de se lancer à la poursuite de Thonolan, celui-ci se rua vers la tente dont les peaux remuaient sous le vent. Il donna un coup de corne dedans, fendit les peaux, rompit les cordes et finit par s'y empêtrer. Quand il réussit enfin à se libérer, il dut se dire que l'endroit n'était guère hospitalier, car il repartit au petit trot sans faire de mal à qui que ce soit.

Jetant un coup d'œil derrière son épaule, Thonolan s'aperçut que le rhinocéros n'était plus là et il se dépêcha de rejoindre son frère.

— Imbécile ! s'écria celui-ci en jetant sa sagaie sur le sol avec une telle force que la hampe en bois se brisa net au-dessus de la pointe en os. Tu avais envie de te faire tuer ? Grande Doni, Thonolan ! Il faut être nombreux pour harceler un rhinocéros ! A deux, jamais nous n'y serions arrivés ! Que se serait-il passé s'il s'était élancé à ta poursuite ? Qu'aurais-je fait, hein, s'il t'avait donné un coup de corne ?

Surpris par cette sortie, Thonolan faillit se mettre en colère. Mais finalement, il sourit à son frère.

— Alors, comme ça, tu t'es fait du souci pour moi... Peut-être ai-je eu tort de tenter une sortie mais il était hors de question que je te laisse attaquer le rhinocéros avec une sagaie aussi légère. Qu'aurais-je fait, hein, s'il t'avait donné un coup de corne ? demanda-t-il avec un grand sourire. (Il ajouta, les yeux pétillant de malice, comme un enfant tout fier de vous avoir joué un bon tour :) De toute façon, il ne m'a même pas couru après.

Jondalar n'en voulait pas vraiment à son frère. Il était surtout soulagé de voir qu'il s'en était sorti sans mal.

— Tu as eu de la chance, dit-il en soupirant. Nous en avons eu tous les deux. Mais nous aurions intérêt à fabriquer deux sagaies mieux adaptées à ce genre de gibier.

— Il n'y a pas d'ifs par ici, fit remarquer Thonolan en commençant à ranger la tente. Mais nous trouverons facilement des frênes ou des aulnes sur notre route.

— Même un saule ferait l'affaire. Et mieux vaudrait s'occuper de ces sagaies avant de partir.

— Ne restons pas ici, Jondalar. Nous avions décidé d'atteindre les montagnes avant la nuit.

— L'idée de voyager sans une arme capable d'arrêter les rhinocéros qui se baladent par ici ne me plaît pas tellement.

— Nous pourrons nous arrêter plus tôt que d'habitude. De toute façon, il faudra réparer la tente. Nous en profiterons pour chercher les arbres dont nous avons besoin. Inutile d'attendre sur place que ce rhinocéros revienne.

— Tu oublies qu'il peut aussi nous suivre... rappela Jondalar qui savait très bien que chaque matin son frère était impatient de se remettre en route. D'accord ! convint-il finalement. Nous allons essayer d'atteindre les montagnes. Mais nous nous arrêterons bien avant la nuit.

— D'accord, Grand Frère.

Les deux frères s'étaient remis en route et suivaient la rive du fleuve. Tout naturellement, ils avaient adopté la même allure et savouraient cette marche silencieuse. Ce Voyage en commun les avait beaucoup rapprochés. Chacun connaissait maintenant la force et les faiblesses de l'autre. Ils se partageaient tout naturellement les tâches quand venait le moment d'établir leur camp et dépendaient étroitement l'un de l'autre en cas de danger. Ils étaient jeunes, forts, en parfaite santé et si sûrs d'eux qu'ils étaient persuadés de pouvoir faire face à n'importe quelle situation.

Vivant en parfaite harmonie avec la nature, ils réagissaient instinctivement à n'importe quel changement dans leur environnement. Et à la moindre menace, ils se tenaient sur leurs gardes. En revanche, ils prêtaient peu d'attention au vent froid qui, ce jour-là, remuait les branches, aux nuages qui s'amoncelaient sur les premiers contreforts enneigés de la montagne située en face d'eux ou même aux eaux profondes qui coulaient le long de la berge.

Le parcours de la Grande Rivière Mère était canalisé par les hautes chaînes montagneuses du continent. Après être sortie des montagnes septentrionales aux sommets couverts de glace, elle coulait d'abord en direction de l'est. De l'autre côté se trouvait un haut plateau et, plus à l'est, une seconde chaîne en arc de cercle. A l'endroit où les confins montagneux rencontraient les premiers contreforts de ce second massif, le fleuve se frayait un passage à travers la barrière rocheuse et obliquait brusquement vers le sud.

Après s'être glissé entre les plateaux karstiques, le fleuve dessinait des méandres dans les steppes verdoyantes et se divisait alors en plusieurs bras, qui finissaient par se rejoindre en un seul coulant vers le sud. Pendant la traversée des plaines, le fleuve lent et paresseux donnait l'impression de ne subir aucun changement. En réalité, avant qu'elle n'atteigne, à l'extrême sud de ces immenses plaines, la région montagneuse qui allait à nouveau l'obliger à obliquer vers l'est, la Grande Rivière Mère avait reçu tous les cours d'eau venus des faces nord et est de la première chaîne de montagnes.

Gros de tous ces affluents, le fleuve faisait alors une grande boucle pour contourner l'extrémité sud du second massif. Les deux frères avaient suivi la rive gauche, traversant les bras du fleuve au fur et à mesure que ceux-ci leur barraient la route. Sur la rive droite, le pays était très escarpé. De leur côté, la berge du fleuve s'élevait graduellement et formait des collines moutonnantes.

— Je ne pense pas que nous atteindrons l'embouchure du fleuve avant l'hiver, fit remarquer Jondalar.

— Et moi, je suis sûr du contraire, répliqua Thonolan. Regarde comme il est large, continua-t-il en montrant le cours d'eau à son frère. Je n'aurais jamais cru qu'il puisse atteindre une telle taille. Je ne serais pas étonné que nous soyons tout près de l'embouchure.

— C'est impossible ! Nous n'avons pas encore rencontré la Rivière Sœur. Tamen nous a dit que cet affluent était aussi large que la Grande Rivière Mère.

— A force de parler de la Sœur, on a dû exagérer sa taille. Comment imaginer.qu'il puisse y avoir un autre cours d'eau aussi large que celui-là !

— Tamen n'a pas dit qu'il avait vu la Sœur. Mais ça m'étonnerait qu'il se soit trompé. Tous les indications qu'il nous a données se sont révélées justes. Il nous avait dit que le fleuve obliquait à nouveau vers l'est et nous avait parlé des gens qui nous ont aidés à traverser le bras le plus large sur un radeau.

— On a toujours tendance à exagérer les merveilles qui sont loin de chez soi, rappela Thonolan. Je pense que la fameuse « Sœur » dont nous a parlé Tamen n'est qu'un autre bras du fleuve, beaucoup plus loin à l'est.

— Souhaitons que tu aies raison, Petit Frère. Car si la Sœur existe vraiment, nous serons obligés de la traverser pour atteindre ces montagnes.

— Tant que je ne l'aurai pas vue, je n'y croirai pas.

Un gros nuage noir surgi à l'horizon attira soudain l'attention de Jondalar. En entendant le bruit que faisait cet étrange nuage qui se déplaçait dans le sens contraire du vent, il sut aussitôt que c'était des oies sauvages. Quand elles arrivèrent à l'aplomb des deux frères, leur formation dessinait dans le ciel un V parfait et leurs cris étaient assourdissants. Virant de bord toutes ensemble, elles obscurcirent un instant le ciel, descendirent en piqué et s'éparpillèrent en approchant du sol, battant des ailes pour freiner. Elles s'étaient posées derrière le coude que faisait le fleuve, hors de vue des deux frères.

— Ces oies sauvages ne se sont pas arrêtées par hasard ! s'écria aussitôt Thonolan. Il doit y avoir un marais. Peut-être même un lac ou une mer. Je parie que nous avons atteint l'embouchure du fleuve.

— Montons en haut de cette colline, proposa Jondalar, sur un ton qui indiquait clairement qu'il ne partageait pas l'avis de son frère. Nous verrons bien.

La montée était rude, les deux frères respiraient bruyamment et, quand ils arrivèrent au sommet, la perspective qu'ils découvrirent acheva de leur couper le souffle. Au-delà de la boucle, le fleuve s'élargissait et son cours devenait de plus en plus tumultueux au fur et à mesure qu'il approchait d'une vaste étendue d'eau boueuse qu charriait toutes sortes de débris. Des branches brisées, des cadavres d'animaux et même des arbres entiers tournoyaient à la surface de l'eau, agités en tous sens par des courants contraires.

Les deux frères n'avaient pas atteint l'embouchure de la Grande Rivière Mère mais l'endroit où la Sœur se jetait dans l'immense fleuve.

La Sœur avait pris naissance tout en haut des montagnes qui se trouvaient en face d'eux. Elle n'était d'abord que torrents et ruisseaux. Puis ces petits cours d'eau se transformaient en rivières, dévalant le long des pentes de la face ouest de la seconde chaîne de montagnes. Comme aucun lac, aucune retenue ne venait freiner leur course, les eaux tourbillonnantes gagnaient en force et en vitesse au fur et à mesure qu'elles s'approchaient de la plaine où elles se réunissaient enfin. Le seul frein que rencontrait la Sœur turbulente était la Grande Rivière Mère dans laquelle elle venait se jeter.

L'affluent était presque aussi large que le fleuve et, à l'endroit où ces deux géants se rencontraient, ils luttaient l'un contre l'autre de toute la force de leurs courants antagonistes. Vaincu par le fleuve, l'affluent reculait, puis repartait à l'assaut, jetant dans la bataille toute la panoplie de ses courants. Les tourbillons entraînaient les débris vers le fond, puis les rejetaient à la surface un peu plus loin en aval. La confluence des deux cours d'eau créait un lac aux contours changeants et si vaste que les deux frères ne pouvaient apercevoir la rive opposée.

Avec la fin des crues, le niveau des eaux avait baissé. Les berges boueuses formaient un vaste marécage qui offrait un spectacle de désolation : amas de bois flottés, branches brisées net, arbres entiers dont les racines étaient tournées vers le ciel, poissons morts gisant le ventre en l'air et cadavres d'animaux échoués. Les oiseaux aquatiques festoyaient et une hyène était en train de se régaler des restes d'un cerf, insensible aux battements d'ailes des cigognes noires qui se posaient autour d'elle.

— Grande Doni ! s'écria Thonolan, abasourdi.

— Ce doit être la Sœur, dit Jondalar, trop ému pour rappeler à son frère qu'une fois de plus c'est lui qui avait raison.

— Comment allons-nous faire pour traverser ?

— Je n'en sais rien. Nous serons obligés de remonter l'affluent.

— Remonter ? Jusqu'où ? La Sœur est aussi large que la Grande Rivière Mère.

— Nous aurions dû suivre les conseils de Tamen, dit Jondalar en fronçant les sourcils d'un air soucieux. La saison est si avancée qu'il peut se mettre à neiger du jour au lendemain. Même si nous rebroussons chemin, nous ne pourrons pas nous permettre d'aller très loin. Je n'ai aucune envie d'être surpris par une tempête de neige alors que nous nous trouvons encore à découvert dans les plaines.

Une brusque rafale de vent rabattit le capuchon de Thonolan en arrière. Il le remit aussitôt en place et ne put réprimer un frisson. Pour la première fois depuis qu'ils s'étaient mis en route, il se demandait comment ils allaient se débrouiller pour rester en vie durant la saison froide.

— Et maintenant, que faisons-nous ? demanda-t-il à son frère.

— Il faut trouver un endroit pour établir notre campement, répondit celui-ci. (Après avoir observé attentivement les abords du cours d'eau, il ajouta :) Nous allons nous installer là-bas, un peu en amont, au pied de cette rangée d'aulnes. Il y a là un petit torrent qui rejoint la Sœur. Son eau doit être bonne à boire.

— Nous pourrions attacher nos deux sacs sur un tronc, proposa Thonolan, puis passer la corde autour de nos poitrines, comme ça nous serions sûrs de traverser sans que le courant nous sépare.

— Je te savais intrépide, Petit Frère, mais pas imprudent. Même sans chargement, je ne suis pas sûr de pouvoir traverser à la nage. Cette rivière doit être très froide. Si elle n'est pas prise par les glaces, c'est uniquement à cause de la force de son courant. Ce matin au réveil, elle était gelée en surface. Et que ferons-nous si nous nous trouvons empêtrés dans les branches d'un arbre ? Nous pouvons alors être entraînés par le courant ou, encore pire, au fond de la rivière.

— Est-ce que tu te souviens de cette Caverne près de la Grande Eau ? Ils se servent de troncs évidés pour traverser les rivières.

— Les troncs dont tu me parles proviennent d'arbres de grande taille, rappela Jondalar. Jamais nous n'en trouverons ici. Regarde comme les arbres sont petits et rabougris.

— J'ai entendu parler d'une Caverne qui fabriquait des coques en écorce de bouleau. Mais ce doit être très fragile...

— J'ai déjà vu ce genre de coques, mais je ne sais pas comment on les fabrique et quel type de colle on utilise pour que l'embarcation ne prenne pas l'eau. De toute façon, les bouleaux qu'ils utilisent sont beaucoup plus gros que par ici.

Thonolan regarda autour de lui dans l'espoir de trouver une idée que son frère ne pourrait pas démolir à coups d'arguments logiques. Il observa un court instant la rangée d'aulnes qui poussait en haut de la butte au sud et se mit à sourire.

— Et si nous construisions un radeau ? Il suffirait d'attacher plusieurs rondins ensemble. Les aulnes qui se trouvent en haut de ce monticule feraient parfaitement l'affaire. Regarde comme ils ont poussé droit et haut.

— En admettant que nous arrivions à construire un radeau avec ces aulnes, je ne vois pas de branche suffisamment longue et solide pour que nous puissions en faire une perche capable d'atteindre le fond de la rivière. Tu sais bien que même sur une rivière beaucoup plus petite, il est toujours difficile de conserver le contrôle d'un radeau.

Le sourire plein d'assurance de Thonolan s'effaça aussitôt. Il était incapable de déguiser ses sentiments. Il possédait une nature candide et impulsive, caractéristique qui le rendait particulièrement sympathique, notamment aux yeux de son frère. Devant son air déçu, ce dernier réprima un sourire.

— Ton idée n'est pas si mauvaise que ça, dit-il autant pour faire plaisir à son frère que parce qu'il ne voyait pas d'autre solution. Mais il va falloir que nous remontions la rivière. Plus haut, elle doit être plus large, donc moins profonde et moins rapide. Nous traverserons plus facilement.

— Mettons-nous en route tout de suite, proposa Thonolan.

— Je veux d'abord aller voir ces aulnes. Nous avons absolument besoin de sagaies plus solides que les nôtres. Nous aurions dû nous en occuper hier soir.

— Tu t'inquiètes encore à cause de ce rhinocéros ? s'étonna Thonolan. Il doit être loin maintenant.

— Je vais couper le bois, ce sera toujours ça de fait.

— Coupes-en donc pour moi. Pendant ce temps-là, je prépare la tente.

Jondalar prit son coup-de-poing en silex et, après en avoir vérifié le tranchant, partit en direction de la colline où poussaient les aulnes. Il examina avec attention les arbres et en choisit finalement un au tronc haut et droit. Il l'avait abattu et débarrassé de ses branches et était en train d'en sélectionner un second pour Thonolan quand, soudain, il entendit un grondement, puis des grognements, non loin de là. Son frère se mit à crier. L'instant d'après, il hurlait de douleur. Puis ce fut le silence, un silence qui laissait présager le pire.

— Thonolan ! Thonolan ! hurla Jondalar en dévalant la colline.

Tenant toujours le jeune arbre qu'il venait de couper, il courut comme un fou : il vit un énorme rhinocéros laineux qui poussait devant lui la forme inanimée d'un homme. La bête semblait ne pas savoir quoi faire de sa victime. Jondalar ne perdit pas de temps à réfléchir. Se servant du tronc de l'aulne comme d'une massue, il fonça sur l'animal et lui en assena un coup sur le groin, juste au-dessous de sa longue corne incurvée. Puis, à nouveau, il le frappa au même endroit. Le rhinocéros recula. Il s'immobilisa, comme s'il hésitait à charger ce fou furieux qui venait de lui faire mal, et partit au petit trot avant que Jondalar ait pu le frapper une troisième fois. Les coups n'avaient pas dû lui faire grand mal mais l'incitaient à décamper.

La longue hampe en aulne traversa l'air en sifflant, ratant de peu l'arrière-train de l'énorme bête. Jondalar courut la ramasser, puis il se précipita vers son frère qui gisait toujours sur le ventre dans la position où le rhinocéros l'avait abandonné.

— Thonolan ? Thonolan ! cria Jondalar en retournant son frère sur le dos.

Les pantalons en peau de Thonolan étaient déchirés à la hauteur de l'aine et couverts de sang.

— Thonolan ! Oh, Doni !

Posant l'oreille sur la poitrine de son frère, Jondalar eut l'impression que son cœur battait toujours. Mais peut-être n'était-ce qu'une illusion ? Quand il vit que la poitrine du blessé se soulevait régulièrement, il poussa un soupir de soulagement.

— Il est vivant ! Mais que vais-je faire de lui ? se demanda-t-il à haute voix en soulevant avec précaution son frère inanimé. Oh, Doni ! Oh, Grande Terre Mère ! Ne le prends pas encore ! Laisse-le vivre, je T'en prie... supplia-t-il, un sanglot dans la voix.

Laissant tomber son visage contre l'épaule de son frère, il pleura sans retenue. Puis il releva la tête et transporta Thonolan à l'intérieur de la tente.

Après l'avoir déposé avec précaution sur une des fourrures, il prit son couteau et découpa les pantalons et la tunique de son frère. La seule blessure visible était celle qu'il portait en haut de la jambe gauche : la corne du rhinocéros avait déchiré la chair et pénétré jusqu'au muscle. Mais Thonolan avait dû aussi être touché plus haut, car sa poitrine était violacée du côté gauche. Jondalar tâta avec précaution l'endroit tuméfié et s'aperçut aussitôt qu'il avait plusieurs côtes cassées.

En voyant que la blessure de la jambe continuait à saigner, il fouilla dans son sac et en sortit sa tunique d'été. Il épongea le sang qui imprégnait la peau sur laquelle Thonolan était couché et posa la tunique sur la blessure.

— Doni ! Doni ! Je ne sais pas quoi faire, s'écria-t-il en passant nerveusement ses mains pleines de sang dans ses cheveux. Je ne suis pas un Homme Qui Guérit, je ne suis pas un zelandoni...

De l'écorce de saule, je vais faire une infusion d'écorce de saule, se dit-il. Comme tout le monde, il savait qu'on utilisait l'écorce de saule chaque fois qu'on avait mal à la tête ou pour soulager d'autres douleurs mineures. L'écorce de saule était-elle efficace en cas de blessure grave ? Il l'ignorait mais ne perdrait rien à essayer.

Il mit de l'eau à chauffer au-dessus du feu, revint vers la tente pour jeter un coup d'œil à Thonolan et ressortit à nouveau. Comme l'eau tardait à bouillir, il ajouta une énorme brassée de bois et faillit mettre le feu au cadre sur lequel était posé le récipient.

Je n'ai pas d'écorce de saule ! se dit-il soudain. Après avoir jeté un nouveau coup d'œil à son frère, il se précipita vers la rivière, s'approcha d'un arbre dont les longues branches traînaient à la surface de l'eau, y préleva l'écorce dont il avait besoin et revint en courant vers la tente.

En son absence, l'eau s'était mise à bouillir, débordait et risquait d'éteindre le feu. Jondalar prit un bol pour prélever un peu de liquide, puis il mit les écorces de bouleau dans le récipient et ajouta du petit bois sur le feu. Passant la tête dans l'ouverture de la tente, il vit alors que la tunique qu'il avait posée sur la blessure de Thonolan était maintenant imbibée de sang. Complètement terrifié, il fouilla à l'intérieur du sac de son frère et, comme il n'arrivait pas à trouver ce qu'il cherchait, vida carrément le contenu du sac sur le sol.

Il saisit la tunique d'été de son frère et retourna auprès de lui. Thonolan n'avait toujours pas ouvert les yeux, mais il gémissait. Jondalar songea à l'infusion en train de bouillir. Il se précipita dehors et vida ce qui restait d'infusion dans un bol en espérant que le mélange ne serait pas trop fort. Après avoir posé le bol dans un coin, il s'approcha de son frère et retira la tunique qu'il avait placée sur la blessure. Il recula, épouvanté : la peau sur laquelle Thonolan était couché était, elle aussi, couverte de sang !

Il est en train de se vider de tout son sang ! se dit-il. Oh, Grande Doni ! Il a absolument besoin d'un zelandoni. Que faire ? Il faut que j'aille chercher de l'aide ! Mais où ? Où trouver un zelandoni ? Je ne peux pas traverser la Sœur, même à la nage. Et je ne peux pas non plus le laisser seul. Il risque d'être dévoré par des hyènes ou des loups attirés par l'odeur du sang.

Et cette tunique ! songea-t-il encore. Elle aussi, elle va les attirer ! Il roula la peau en boule et alla la jeter dehors. Qu'est-ce que je suis en train de faire ? se demanda-t-il aussitôt. C'est encore pire ! Il ramassa la tunique et regarda autour de lui dans l'espoir de découvrir un endroit où il pourrait la déposer, le plus loin possible de leur camp.

Il était insensé de croire que cette tunique ensanglantée attirerait les carnassiers et que, du coup, ceux-ci laisseraient Thonolan tranquille. Mais Jondalar était sous le choc et fou de chagrin à la pensée qu'il ne pouvait rien faire pour sauver son frère. Plutôt que de l'admettre, il préférait se raccrocher à cette idée saugrenue.

Voulant à tout prix se débarrasser de la tunique, il courut vers la colline au sommet de laquelle poussaient les jeunes aulnes et accrocha le vêtement ensanglanté à la cime d'un des arbres. Puis il revint vers la tente et se pencha vers Thonolan.

Son frère gémissait toujours. Au bout d'un moment, il remua la tête et ouvrit les yeux. En apercevant Jondalar, agenouillé auprès de lui, il eut un pâle sourire.

— Encore une fois, c'est toi qui avais raison, Grand Frère, dit-il. Jamais nous n'aurions dû laisser ce rhinocéros derrière nous.

— Je préférerais mille fois m'être trompé, Thonolan ! Comment te sens-tu ?

— Tu veux que je te réponde franchement ? Je souffre. A ton avis, c'est grave ?

Thonolan voulut se relever, mais il en était incapable et grimaça de douleur.

— Ne bouge pas, lui conseilla son frère. Je vais te faire boire un peu d'écorce de saule.

Jondalar souleva la tête de son frère et approcha le bol de ses lèvres. Thonolan réussit à avaler quelques gorgées puis il laissa retomber sa tête sur la fourrure. Non seulement il souffrait, mais il commençait à avoir peur.

— Dis-moi la vérité, Jondalar, exigea-t-il. Est-ce grave ?

— Ce n'est pas beau à voir, admit Jondalar.

— Ça, je m'en doute, répondit Thonolan. (Il baissa les yeux et aperçut les mains couvertes de sang de son frère.) Est-ce mon sang ? demanda-t-il aussitôt. Tu ferais mieux de me dire la vérité.

— Tu es blessé à l'aine et tu as perdu beaucoup de sang. Mais le rhinocéros a dû aussi te piétiner car tu as plusieurs côtes cassées. Pour le reste, je n'en sais rien. Je ne suis pas zelandoni...

— Et pour en trouver un, il faudrait que tu puisses traverser cette rivière. Ce qui est impossible !

— Exact, Petit Frère !

— Aide-moi à me relever, dit Thonolan. Je veux voir ce que j'ai.

Jondalar faillit refuser, mais finalement accepta et le regretta aussitôt. Au moment où Thonolan voulut s'asseoir, il cria de douleur et retomba, inconscient, sur la fourrure.

— Thonolan ! hurla Jondalar.

La blessure de son frère qui, l'instant d'avant, saignait un peu moins, s'était rouverte. Il alla chercher la tunique propre et, après l'avoir pliée en quatre, la posa sur la plaie. Puis il sortit de la tente et s'occupa du feu qui était en train de mourir. Il l'alimenta, remit de l'eau à chauffer et coupa du bois pour en avoir d'avance.

Quand il revint voir son frère, il s'aperçut que la tunique qui lui servait de pansement était à nouveau pleine de sang. Cette fois-ci, il ne s'affola pas. Il écarta le pansement, examina la blessure et se rendit compte aussitôt qu'elle avait cessé de saigner. Il alla chercher dans son sac un vêtement dont il se servait quand il faisait très froid, l'étendit sur la blessure et rabattit la couverture en fourrure sur son frère. Puis, prenant la tunique ensanglantée, il se dirigea vers la rivière pour la laver. Il en profita pour se nettoyer les mains et, repensant à cette tunique qu'il était allé porter en haut de la colline dans l'espoir qu'elle attirerait les carnassiers, il se sentit un peu ridicule. Comment avait-il pu céder aussi facilement à la panique ?

Jondalar ne savait pas que, dans certaines situations extrêmes, quand tous les moyens rationnels ont échoué, la panique peut se révéler bonne conseillère. Parfois, un acte irrationnel ouvre une solution à laquelle on n'aurait jamais pensé et qui peut vous sauver la vie.

Ayant recouvré son sang-froid, Jondalar revint près du feu, alla chercher l'aulne qu'il avait coupé avant que son frère soit blessé, s'assit près de la tente et commença à l'écorcer rageusement. Même si ça ne rimait plus à rien de fabriquer cette sagaie, au moins ce travail l'occupait et il se sentait moins inutile.

La journée suivante fut un véritable cauchemar pour Jondalar. Il avait passé une très mauvaise nuit. Il s'était levé pour aller voir son frère chaque fois que celui-ci, à moitié inconscient, gémissait, et lui avait fait boire de l'infusion de saule, la seule chose qu'il puisse lui offrir. Dans la matinée, il lui avait préparé un bouillon, mais le blessé y avait à peine touché. Il grelottait de fièvre, sa blessure était brûlante, son côté gauche tout contusionné et il supportait à peine le contact de la fourrure sur son corps douloureux.

En fin de journée, alors que le soleil venait de disparaître à l'horizon, il ouvrit à nouveau les yeux. Jondalar se trouvait à côté de lui car, un moment plus tôt, il l'avait entendu gémir dans son sommeil. Il commençait à faire sombre à l'intérieur de la tente, mais pas assez pour qu'il ne remarque pas à quel point le regard de Thonolan était vitreux.

— Comment te sens-tu ? demanda-t-il avec un sourire qu'il espérait encourageant.

Thonolan souffrait trop pour lui rendre son sourire et l'inquiétude qu'il lisait dans le regard de son frère n'était pas faite pour le rassurer.

— Je ne me sens pas en état de chasser le rhinocéros, répondit-il.

Les deux frères restèrent silencieux un long moment. Thonolan avait refermé les yeux en soupirant. Il n'en pouvait plus de lutter contre la douleur. Sa poitrine le faisait souffrir chaque fois qu'il respirait et la douleur qu'il ressentait au niveau de l'aine irradiait maintenant dans tout son corps. S'il avait eu la moindre chance de s'en sortir, il aurait supporté plus facilement son état mais il voyait bien à quel point la situation était désespérée : plus Jondalar restait de ce côté-ci du fleuve et plus il avait de chance d'y être surpris par une tempête de neige. Thonolan se savait perdu mais ce n'était pas une raison pour que son frère meure, lui aussi.

— Jondalar, dit-il en ouvrant les yeux, nous savons tous les deux que sans aide, je ne m'en sortirai pas. Ce n'est pas une raison pour que tu...

— Tu es jeune et fort, l'interrompit Jondalar. Il n'y a aucune raison que tu ne t'en remettes pas.

— La saison est trop avancée. Si jamais il y a une tempête de neige, nous sommes perdus. Il faut que tu partes, Jondalar !

— Tu délires !

— Non, je...

— Si tu n'avais pas de fièvre, tu ne dirais pas des choses pareilles. Essaie de retrouver des forces et laisse-moi m'occuper du reste. Nous ne resterons pas longtemps ici. J'ai trouvé une solution.

— Quelle solution ?

— Il faut encore que je réfléchisse à certains détails. Dès que mon plan sera au point, je te l'expliquerai. Veux-tu manger quelque chose ?

Thonolan ne voulait rien manger, il voulait en finir le plus vite possible pour que son frère puisse repartir.

— Je n'ai pas faim, dit-il. (Voyant qu'il faisait de la peine à Jondalar, il ajouta aussitôt :) Je boirais bien un peu d'eau.

Après lui avoir fait boire l'eau qui restait au fond de la gourde, Jondalar annonça :

— Il n'y en a plus. Je vais aller la remplir.

Ce n'était qu'une excuse pour quitter la tente et échapper au regard de son frère. Il lui avait menti : il n'avait trouvé aucune solution. Mais il n'avait pas renoncé pour autant à sauver Thonolan. Il faut absolument que je trouve un moyen de traverser cette rivière pour aller chercher de l'aide, se dit-il.

Longeant la berge, il aperçut soudain une branche coincée dans l'anfractuosité d'un rocher, juste au niveau de l'eau. Il resta un long moment à la regarder, éprouvant de la peine pour elle. Elle aussi, elle était prisonnière. Sans réfléchir, il s'approcha du rocher et libéra la branche. Puis il la regarda filer dans le courant en se demandant jusqu'où elle irait avant d'être arrêtée par un nouvel obstacle.

Finalement, il s'approcha du torrent qui se jetait dans la Sœur et lui apportait son minuscule tribut d'eau. Il avait rempli sa gourde et s'apprêtait à rebrousser chemin quand soudain, sans raison précise, il leva la tête et regarda en amont de la rivière. Il s'immobilisa alors, bouche bée.

Un monstrueux oiseau aquatique glissait sur l'eau, se dirigeant droit vers la rive où il se trouvait. Son long cou incurvé se terminait par une tête fière et crêtée et il possédait deux grands yeux aveugles. Quand

l'oiseau se rapprocha, Jondalar aperçut les petites créatures qui se trouvaient sur son dos. L'une d'elles agita la main et cria :
— Holà !
Jamais encore Jondalar n'avait été aussi heureux d'entendre une voix humaine.

7

Ayla essuya du dos de la main son front couvert de sueur. Puis elle sourit au petit cheval qui venait de pousser son coude pour essayer d'insinuer son museau dans le creux de sa main. La jeune pouliche ne supportait pas d'être loin d'elle et la suivait partout. Et Ayla la laissait faire car elle était heureuse d'avoir de la compagnie.
— Quelle quantité de grains veux-tu que je ramasse pour toi ? demanda-t-elle en remuant les mains.
La jeune pouliche la regardait, attentive à chacun de ses gestes. Son attitude rappela à Ayla l'époque où, enfant, elle apprenait le langage par signes du Clan.
— Es-tu en train d'apprendre à parler ? Comme tu n'as pas de mains, tu ne pourras pas t'exprimer. Mais je suis sûre que tu essaies de me comprendre.
Chaque fois que, pour accompagner ses gestes, Ayla émettait un son, le jeune animal dressait les oreilles.
— Tu m'écoutes, n'est-ce pas, petite pouliche ? Je t'appelle petite pouliche ou petit cheval, mais ça ne va pas. Il faudrait que je te trouve un nom. Je me demande comment ta mère t'appelait ? Malheureusement, même si je connaissais le nom qu'elle te donnait, je ne serais pas capable de le dire...
La jeune pouliche n'avait pas quitté Ayla des yeux. Elle savait que la jeune femme était en train de s'adresser à elle et, quand les mains d'Ayla s'immobilisèrent, elle hennit comme si elle voulait lui répondre.
— Es-tu en train de me répondre ? Whiiinneeey [1] !
Ayla avait essayé de reproduire approximativement le son émis par la pouliche. Celle-ci remua aussitôt la tête pour montrer qu'elle avait reconnu le son familier et hennit à nouveau.
— Est-ce que c'est ton nom ? demanda Ayla en souriant.
A nouveau, la pouliche remua la tête, puis elle fit un saut de côté et revint vers Ayla.
— Si c'est le cas, tous les petits chevaux doivent porter le même nom, remarqua Ayla en éclatant de rire.
Elle recommença à hennir et à nouveau la petite pouliche lui répondit. Cela lui rappela le jeu auquel elle jouait avec Durc qui, lui, était capable de répéter tous les sons que sa mère émettait. Creb avait expliqué à Ayla que lorsque Iza l'avait recueillie, elle s'exprimait à l'aide d'une gamme de sons nettement plus étendue que celle utilisée par le Clan. Et

1. En anglais *whinny* signifie : hennissement. *(N.d.T.)*

elle avait été heureuse de découvrir que son fils pouvait reproduire ces sons.

Ayla reprit sa cueillette, toujours suivie par la jeune pouliche. Elle ramassait du blé épeautre et une variété de seigle semblable à celle qui poussait près de la caverne du Clan. Tout en récoltant des grains, elle réfléchissait au nom qu'elle pourrait donner au petit cheval. Je n'ai encore jamais donné de nom à qui que ce soit, pensa-t-elle. Que diraient les membres du Clan s'ils savaient ça ? Et s'ils apprenaient que je vis avec cette jeune pouliche ? Elle jeta un coup d'œil à l'animal qui était en train de gambader non loin de là. Je suis tellement heureuse qu'elle vive maintenant avec moi ! se dit-elle, la gorge serrée par l'émotion. Je me sentais si seule avant. Je ne sais pas ce que je ferais si elle venait à me quitter.

Quand Ayla s'immobilisa et leva la tête, le soleil était en train de décliner. Le ciel était vide, immense, sans aucun nuage et d'un bleu qui semblait immuable. A l'ouest pourtant, il commençait à rougir. Pour évaluer le temps qui la séparait de la tombée de la nuit, Ayla observa la distance que le soleil devait encore parcourir avant de disparaître derrière le sommet de la falaise. Elle décida qu'il était temps de rentrer.

La jeune pouliche avait remarqué qu'elle s'était arrêtée et elle s'approcha aussitôt en hennissant joyeusement.

— Allons boire, proposa Ayla en posant sa main sur l'encolure du cheval et en l'entraînant vers la rivière.

Tel un kaléidoscope qui aurait reflété les couleurs changeantes des différentes saisons, la végétation qui poussait au bord de la rivière avait enrichi sa palette de toutes les teintes automnales : au vert sombre des pins et des sapins s'ajoutaient maintenant des ors lumineux, des bruns, quelques touches de jaune pâle et de rouge feu. Sans ce brillant échantillonnage de couleurs qui tranchait sur le beige monotone des steppes, on se serait cru au cœur de l'été, car il faisait encore très chaud dans la vallée protégée du vent par les falaises. Mais ce n'était qu'une illusion : l'hiver n'était pas loin.

— Il faudra aussi que je ramasse de l'herbe, rappela Ayla à sa jeune compagne. La dernière fois que j'ai changé ta litière, tu en as mangé une partie.

Lorsque la jeune pouliche se rendit compte de la direction que prenait Ayla, elle se mit à trotter un peu en avant.

— Whinney ! Whinney ! appela Ayla en reproduisant presque parfaitement le hennissement du jeune animal.

Tournant la tête, la pouliche regarda du côté d'Ayla et revint vers elle.

Ayla lui frotta la tête et lui gratta les flancs. La jeune pouliche était en train de perdre son pelage hirsute de bébé et ses longs poils d'hiver poussaient. Cela la démangeait et elle appréciait qu'Ayla lui gratte les flancs.

— J'ai l'impression que ce nom te plaît, dit-elle, et qu'il te va parfaitement. Nous allons faire une cérémonie pour t'attribuer un nom. Je ne pourrai pas te porter dans mes bras et Creb ne sera pas là pour tracer à l'ocre rouge le signe de ton totem. J'ai l'impression que c'est moi qui vais faire office de mog-ur.

Un mog-ur femme... On aura tout vu ! songea-t-elle en souriant.

En arrivant en vue du piège, elle fit un large détour pour l'éviter. Bien qu'elle l'eût rempli de terre, la jeune pouliche reniflait et grattait le sol avec ses sabots, chaque fois qu'elle s'en approchait, comme si elle sentait une odeur qui l'inquiétait ou qui lui rappelait quelque chose. Chassée par le feu et le bruit qu'avait faits Ayla, la petite troupe de chevaux n'était jamais revenue.

Ayla emmena donc la pouliche boire un peu plus près de la caverne. Les berges de la rivière étaient boueuses, et, s'approchant de l'eau, Ayla fit gicler de la boue. Quand elle vit la longue traînée qui maculait une de ses jambes, cela lui rappela la marque à l'ocre rouge que Creb avait tracée sur le front de son fils le jour où il lui avait attribué un nom. Il était inutile qu'elle cherche de l'ocre rouge : cette boue ferait parfaitement l'affaire.

Fermant les yeux, elle essaya de se remémorer ce que Creb avait fait lors de la cérémonie. Elle revoyait, comme si c'était hier, son vieux visage ravagé, le morceau de chair qui recouvrait l'emplacement où aurait dû se trouver son œil, son large nez et son front bas aux arcades proéminentes. Même si, à cette époque, sa barbe commençait à se clairsemer, même si ses tempes s'étaient dégarnies, même s'il n'était plus tout jeune, il n'avait rien perdu de son immense pouvoir.

En repensant à ce visage taillé à la serpe qu'elle avait tant aimé, les émotions qu'elle avait éprouvées ce jour-là l'envahirent à nouveau. La peur qu'elle avait eu de perdre son fils et la joie à la vue du bol qui contenait la pâte d'ocre rouge. La gorge nouée, elle essuya les larmes qui lui montaient aux yeux. Et quand la jeune pouliche s'approcha d'elle, sentant son besoin d'affection, elle se laissa tomber à genoux et, entourant l'animal de ses bras, posa son front contre son encolure.

Cette cérémonie a pour but de te donner un nom, dit-elle en s'adressant par la pensée à la pouliche. Elle se servit de sa main gauche pour ramasser une pleine poignée de boue et leva son bras droit vers le ciel comme Creb levait son bras atrophié chaque fois qu'il voulait invoquer les esprits. Ayla allait les invoquer à son tour quand soudain elle s'arrêta : les esprits du Clan verraient peut-être d'un mauvais œil qu'on fasse appel à eux pour attribuer un nom à un animal. Après avoir plongé ses doigts dans la boue, elle traça une ligne qui partait du crâne de la pouliche et s'arrêtait à la hauteur de ses naseaux, imitant le geste qu'avait fait Creb sur le front de son fils.

— Whinney, prononça-t-elle distinctement. (Puis elle ajouta, à l'aide de gestes cette fois :) Cette jeune pouliche s'appelle Whinney.

Le jeune animal remua la tête pour se débarrasser de la boue mouillée.

— Ne t'inquiète pas, Whinney, lui dit Ayla en riant. Cela ne va pas tarder à sécher.

Après avoir lavé ses mains dans la rivière, elle remit son panier sur ses épaules et se dirigea vers la caverne. Elle marchait lentement et sans regarder autour d'elle, perdue dans ses pensées. La cérémonie qui venait d'avoir lieu lui rappelait douloureusement la vie du Clan. Comme elle se sentait seule ! Bien sûr Whinney marchait maintenant à ses côtés, mais ce n'était qu'un animal : la jeune pouliche ne pouvait pas savoir qu'elle était en train de pleurer.

Quand elles arrivèrent sur la plage rocheuse, Ayla dut cajoler la pouliche et la guider pour que celle-ci accepte de la suivre sur l'étroit sentier qui menait à la caverne.

— Allez Whinney, un petit effort. Je sais bien que tu n'es pas une antilope saïga, mais tu es malgré tout capable de grimper là-haut.

Quand elles eurent atteint la corniche, elles pénétrèrent à l'intérieur de la caverne. Ayla commença par s'occuper du feu qui était en train de mourir, puis elle mit des grains d'épeautre à cuire. La jeune pouliche mangeait aussi de l'herbe, mais Ayla continuait à lui préparer de la bouillie car elle savait qu'elle aimait ça.

Pendant que l'épeautre cuisait, elle prit les deux lapins qu'elle avait tués un peu plus tôt dans la journée et s'installa dehors pour les dépiauter. Quand elle eut fini de les préparer, elle mit les lapins à cuire et les peaux de côté pour s'en occuper plus tard. Elle avait maintenant toutes sortes de peaux en réserve : peaux de lapin, de lièvre, de hamster et d'autres animaux qu'elle avait eu l'occasion de tuer. Elle ne savait pas encore très bien ce qu'elle en ferait et comptait les travailler durant l'hiver. Comme les jours raccourcissaient et que les nuits devenaient de plus en plus froides, elle ne cessait de songer à l'hiver. Et ce soir-là, bien qu'elle sût parfaitement ce que contenait la caverne, elle éprouva le besoin de vérifier ses réserves.

Elle commença par examiner les paniers et les récipients en écorce qu'elle avait remplis de viande séchée, de fruits et de légumes secs, de grains de céréales, de noix et de graines. Puis elle jeta un coup d'œil aux tubercules et aux fruits qu'elle avait entreposés au fond de la caverne, dans l'endroit le plus sombre, et s'assura qu'ils ne portaient aucune trace de moisissure.

Contre le mur du fond, elle avait empilé du bois, du crottin de cheval sec qu'elle était allée ramasser dans la vallée et un énorme tas d'herbes sèches. Dans l'angle opposé, elle avait placé des paniers remplis de grains destinés à Whinney.

Ayla revint près du foyer pour retourner les deux lapins. Puis elle longea l'endroit où elle avait installé sa couche et alla voir les claies sur lesquelles étaient en train de sécher plantes, racines et écorces. Elle avait enfoncé les montants en bois dans le sol non loin du feu pour que les aromates puissent bénéficier durant le séchage de la chaleur dégagée par le foyer.

De l'autre côté des claies, elle avait entreposé des matériaux divers : morceaux de bois, petites branches, plantes et écorces, peaux, os, cailloux et même un sac de sable qu'elle avait prélevé sur la plage. Ces matériaux lui permettraient de s'occuper durant l'hiver. Elle savait que durant la saison froide il n'y aurait ni fête ni veillée autour du feu, ni conversation ni ragot ni discussion avec Iza ou Uba au sujet des mérites comparés des plantes médicinales, ni possibilité de tendre l'oreille pour écouter les hommes racontant leurs parties de chasse. Elle ne pourrait supporter de rester inactive et fabriquerait donc toutes sortes d'objets — et plus ils seraient difficiles à faire, mieux cela vaudrait.

Avec les morceaux de bois, elle ferait des bols de différentes tailles. Pour creuser le bois, elle se servirait de son coup-de-poing comme d'une gouge et d'un couteau. Ensuite, elle polirait l'intérieur du bol avec le sable et un galet rond. Les peaux qu'elle avait mises de côté lui permettraient de faire des moufles, des jambières et des chausses. Celles qu'elle n'utiliserait pas pour se protéger du froid, elle les débarrasserait de leur fourrure et les travaillerait jusqu'à ce qu'elles deviennent aussi douces et souples que la peau d'un bébé. Elle s'en servirait comme bandes absorbantes.

Avec le yucca, les tiges de massette, les joncs, les branches de saule qu'elle avait ramassés, elle confectionnerait des paniers qu'elle utiliserait comme récipients de cuisson ou de cuisine, des tamis à grains, des nattes qui, selon leur taille, lui serviraient soit pour s'asseoir, soit pour faire sécher ou présenter de la nourriture. Elle tresserait aussi des cordes de diamètres différents en utilisant des fibres végétales, des écorces, des tendons ou les crins de queue de la jument. Elle voulait aussi faire des lampes : elle creuserait un trou à l'intérieur d'une pierre, le remplirait de graisse et y placerait une mèche en mousse sèche qui se consumerait sans faire de fumée. C'est dans ce but qu'elle avait mis de côté la graisse des quelques carnivores qu'elle avait tués.

Elle avait aussi récupéré des os plats pour faire des assiettes, d'autres qui pourraient servir de louches ou de cuillers afin de remuer soupes et bouillies. Elle utiliserait la bourre de certaines plantes pour allumer son feu ou comme rembourrage, en y ajoutant des plumes et du crin. Elle profiterait aussi de l'hiver pour fabriquer une série d'outils en silex.

Parmi tous ces objets, il y en avait beaucoup qu'elle avait déjà fabriqués pendant les longues soirées d'hiver passées au sein du clan. Mais elle avait décidé de s'attaquer aussi à quelque chose de tout nouveau pour elle : des armes de chasse.

Elle voulait faire des lances, des massues qu'elle aurait bien en main et de nouvelles frondes. Peut-être se lancerait-elle aussi dans la fabrication des bolas, comme celles qu'utilisait Brun. Il s'agissait d'un travail de précision. Il fallait façonner trois boules, les attacher chacune à une corde et ensuite les fixer ensemble de telle sorte que l'arme soit parfaitement équilibrée. Le maniement des bolas exigeait autant d'habileté que la fronde.

Est-ce que Brun apprendra à Durc ? se demanda Ayla en revenant près du feu.

La nuit tombait et son feu était presque éteint. Les céréales étaient cuites. Elle s'en servit un plein bol et allongea le reste avec de l'eau pour Whinney. Elle plaça la bouillie dans un panier étanche qu'elle alla déposer contre le mur du fond près de l'endroit où Whinney dormait.

Les premiers jours, Ayla avait dormi avec la jeune pouliche au bord de la rivière. Puis elle avait décidé que l'animal pouvait passer la nuit à l'intérieur de la caverne. Bien entendu, Whinney avait tenu à dormir à côté d'elle. Mais Ayla, qui utilisait pourtant du crottin sec pour allumer son feu, n'appréciait guère la présence d'excréments frais sur sa fourrure. Elle savait aussi que son lit serait bientôt trop petit pour les contenir toutes les deux. Quand venait le moment de se coucher, elle poussait donc gentiment la jeune pouliche vers sa litière et l'obligeait à y rester.

— J'espère que les réserves que j'ai faites pour toi seront suffisantes, dit-elle à Whinney. J'aimerais bien savoir combien de temps dure l'hiver dans cette partie du continent...

Cette incertitude la déprimait un peu. S'il n'avait pas fait nuit, elle serait bien allée marcher pour se changer les idées.

Lorsqu'elle vit que Whinney était en train de mordiller le panier dans lequel elle avait placé la bouillie, elle alla chercher une brassée de foin.

— Halte-là, Whinney ! Tu n'es pas censée manger le récipient dans lequel se trouve ta nourriture.

Sentant que le petit cheval avait besoin d'affection, Ayla lui gratta gentiment la tête. Quand elle s'arrêta, Whinney approcha son museau de sa main et lui présenta son flanc.

— J'ai l'impression que ça te démange, dit Ayla en la grattant à nouveau. Attends ! Je crois que j'ai une idée.

Elle alla fouiller dans le coin où elle avait placé les divers matériaux qu'elle comptait utiliser durant l'hiver et en sortit une touffe de cardères. Quand la fleur de cardère est sèche, il reste un capitule épineux, allongé, de forme ovoïde. Ayla en détacha un de sa tige et s'en servit pour brosser le flanc de Whinney. Elle la brossa à un autre endroit et, comme la jeune pouliche semblait apprécier le traitement, finit par l'étriller entièrement.

Lorsqu'elle eut terminé, elle prit tendrement Whinney par l'encolure et se laissa tomber à côté d'elle.

Ayla se réveilla en sursaut. Elle resta sans bouger, les yeux ouverts. Quelque chose clochait. Pourquoi sentait-elle un courant d'air froid ? Elle avait aussi l'impression d'avoir entendu un reniflement. Venait-il du fond de la caverne ou de dehors ? Il faisait tellement sombre qu'elle n'arrivait pas à voir quoi que ce soit.

Il faisait tellement sombre... Mais oui ! Elle savait ce qui clochait : aucune lueur provenant du foyer n'éclairait l'intérieur de la caverne. Et puis elle n'était pas couchée à l'endroit habituel. La paroi contre laquelle elle se trouvait n'était pas du bon côté. Et voilà que ça recommençait ! A nouveau ce reniflement ! Pourquoi suis-je couchée sur la litière de Whinney ? se demanda-t-elle. J'ai dû m'endormir près d'elle et j'ai oublié de couvrir le feu. Et maintenant il est éteint. C'est la première fois que ça m'arrive depuis que je vis dans la vallée.

Ayla frissonna et sentit ses cheveux se dresser sur sa tête. Elle aurait été incapable de définir avec des mots ou des gestes le pressentiment qui venait de l'envahir, mais elle était persuadée de l'imminence du danger. Quelque chose allait arriver. Quelque chose qui était lié à l'absence de feu. Elle le sentait.

Ce n'était pas la première fois qu'elle éprouvait ce genre de pressentiment. Elle était douée de cette faculté depuis la nuit où elle avait assisté à la cérémonie nocturne que présidait Creb. Cette nuit-là, Creb ne pouvait pas la voir, mais il avait senti sa présence à l'intérieur de la caverne. Et elle-même avait senti qu'il prenait possession de son esprit. Elle avait alors eu la vision de choses qu'elle ne pouvait pas expliquer. Ensuite, il lui était arrivé de faire preuve de prescience dans certaines situations. Par exemple, elle savait que Broud était en train de la regarder même lorsqu'elle lui tournait le dos et elle n'ignorait plus rien de la haine qu'il éprouvait à son égard. Avant le tremblement de terre, elle savait d'avance qu'il allait se passer quelque chose qui entraînerait la mort et la destruction dans la caverne du clan.

Mais jamais ce sentiment n'avait été aussi fort que maintenant. Elle éprouvait à la fois de l'anxiété et de la peur — non pas à cause de l'absence de feu, elle s'en rendait compte soudain, ni pour elle-même, mais pour un être qu'elle chérissait.

Sans faire de bruit, elle se mit debout et se dirigea vers le foyer dans l'espoir qu'il y restait encore une braise qu'elle pourrait ranimer. Le feu était bien mort. Eprouvant tout d'un coup un besoin naturel, elle s'approcha de la paroi de la caverne et la suivit en tâtonnant jusqu'à ce qu'elle se retrouve devant l'entrée. Au moment où elle allait sortir, une rafale de vent glacial s'engouffra à l'intérieur, faisant voler les cendres froides.

Au lieu de se diriger vers le sentier qui permettait d'accéder à la caverne, Ayla prit la direction opposée et s'arrêta à l'extrémité de la corniche pour y faire ses besoins.

Il n'y avait pas d'étoiles dans le ciel et une épaisse couche nuageuse obscurcissait en partie la lueur de la lune. On y voyait à peine plus qu'à l'intérieur de la caverne. Ce fut l'ouïe d'Ayla et non sa vue qui l'avertit du danger. Elle entendit un bruit de respiration et un reniflement. Puis elle entrevit un mouvement furtif.

Quand elle voulut saisir sa fronde, elle se rendit compte qu'elle ne la portait pas sur elle. Elle avait compté sur le feu pour éloigner les prédateurs des environs immédiats de la caverne et maintenant que celui-ci était éteint, elle devait reconnaître qu'elle avait fait preuve de négligence. Sans feu pour la protéger, la jeune pouliche était une proie facile pour la plupart des carnivores.

Soudain, elle entendit un rire saccadé, aussitôt suivi par un hennissement craintif. Whinney était prisonnière à l'intérieur de la caverne et les hyènes en bloquaient l'entrée.

Encore elles ! songea Ayla. Elle détestait ces animaux dont le pelage tacheté était affreux et le ricanement fou. Chaque fois qu'elle en rencontrait, elle ne pouvait s'empêcher de repenser aux cris de détresse qu'avait poussés Oga en voyant que les hyènes emportaient son bébé. Cette fois-ci, c'est à Whinney qu'elles s'en prenaient.

Ayla n'avait pas sa fronde, mais cela ne l'arrêta pas. Ce n'était pas la première fois qu'elle oubliait sa propre sécurité pour voler au secours d'un être sans défense. Elle se précipita aussitôt vers la caverne.

— Sortez de là ! Fichez-moi le camp ! hurla-t-elle en brandissant le poing.

Les hyènes détalèrent. L'assurance d'Ayla y était pour quelque chose. Il y avait aussi l'odeur du feu qui, même après que celui-ci se fut éteint, persistait encore à l'intérieur de la caverne. En plus, les hyènes devaient se souvenir des pierres qu'Ayla leur avait lancées juste après la mort de la jument.

La voie étant libre, la jeune femme se précipita à l'intérieur de la caverne pour y prendre sa fronde. Elle ne se souvenait pas où elle l'avait mise et, dans l'obscurité presque absolue, elle n'avait aucune chance de la retrouver.

En revanche, elle savait où se trouvaient les pierres du foyer et, sans plus attendre, se baissa pour en ramasser une. Quand une des hyènes se hasarda suffisamment pour que sa silhouette se découpe dans l'ouverture de la caverne, elle s'aperçut aussitôt que, même sans sa fronde, Ayla était capable de viser juste. La jeune pouliche n'était pas une proie si facile et les hyènes préférèrent décamper.

Ayla ne dormit pas de la nuit et monta la garde, assise près de Whinney. Dès qu'un peu de jour pénétra dans la caverne, elle se mit à la recherche de sa fronde. Quand elle l'eut retrouvée, elle sortit sur la corniche. Les hyènes avaient disparu. Elle revint aussitôt à l'intérieur pour enfiler son vêtement en fourrure et mettre ses chausses. La température avait considérablement baissé. Durant la nuit, le vent avait changé de direction. Venant du nord-est, il s'engouffrait dans la vallée pour buter sur la haute falaise et la boucle de la rivière puis s'écrasait par rafales désordonnées à l'intérieur de la caverne.

Ayla descendit au bord de la rivière avec sa gourde et brisa le léger film transparent qui recouvrait le cours d'eau. Elle se demanda, étonnée, comment il pouvait faire si froid alors qu'il avait fait si chaud la veille. Non seulement le ruisseau avait gelé mais il y avait aussi dans l'air une odeur bien particulière, annonciatrice de neige. Comme le temps avait changé en l'espace d'une nuit ! Elle devrait désormais redoubler de vigilance.

Jamais je n'aurais pensé que le vent puisse s'engouffrer à l'intérieur de la caverne, se dit-elle. C'est peut-être en partie à cause de ça que mon feu s'est éteint. Bien entendu, j'aurais dû le couvrir avant d'aller me coucher. Mais il faut reconnaître aussi que le bois flotté brûle très rapidement quand il est sec. Il faudrait peut-être que je coupe un peu de bois vert. Il aura plus de mal à prendre mais il se consumera plus lentement. J'en profiterai pour fabriquer un brise-vent avec des pieux. Je vais prendre mon coup-de-poing et aller couper quelques jeunes arbres. Inutile d'allumer du feu si le vent l'éteint l'instant d'après.

Avant de remonter, Ayla ramassa quelques morceaux de bois flotté. Whinney l'attendait sur la corniche et, après l'avoir saluée d'un joyeux hennissement, elle approcha sa tête de la main d'Ayla pour se faire caresser. Ayla, qui avait les deux mains pleines, lui sourit et entra dans la caverne pour y déposer le bois qu'elle portait.

Whinney l'avait suivie à l'intérieur et à nouveau elle approcha son museau de la main d'Ayla.

— D'accord, Whinney, dit-elle en se débarrassant de son fardeau.

Elle caressa la jeune pouliche, puis remplit son panier de grains. En guise de petit déjeuner, elle termina les restes du lapin et but un peu d'eau. Il faisait froid dans la grotte et elle aurait aimé pouvoir préparer une infusion. Mais ce serait pour plus tard.

Après avoir réchauffé ses mains glacées en les plaçant sous ses aisselles, Ayla alla chercher le sac qui contenait ses outils et qu'elle rangeait à la tête de son lit.

Au début de son séjour dans la vallée, elle avait fabriqué quelques outils neufs, puis elle avait négligé cette activité car il y avait toujours quelque chose de plus important à faire. Elle ne possédait qu'un seul coup-de-poing, celui qu'elle avait emporté avec elle le jour où elle avait quitté le Clan. Elle sortit dehors pour l'examiner à la lumière du jour. Quand on savait s'en servir, le coup-de-poing était un outil extrêmement tranchant car, à chaque utilisation, de minuscules éclats se détachaient du bord si bien que celui-ci était toujours coupant. En revanche, quand on le maniait mal, on risquait de détacher de gros éclats, voire de le briser.

Ayla était tellement habituée à la présence de la jeune pouliche que, quand celle-ci s'approcha d'elle, elle n'y fit pas attention et continua à examiner l'outil. Toujours avide de caresses, Whinney approcha son museau du coude d'Ayla et releva brusquement la tête. Le coup-de-poing tomba sur la corniche en pierre et se brisa en plusieurs morceaux.

— Whinney ! s'écria Ayla. C'était mon seul coup-de-poing ! Comment vais-je faire pour couper les arbres dont j'ai besoin ?

Il y a quelque chose qui ne va pas, songea-t-elle aussitôt. Mon feu s'éteint juste au moment où il commence à faire froid. Les hyènes en profitent pour attaquer Whinney. Et maintenant, voilà que mon coup-de-poing se casse... Ce n'est pas de bon augure.

Quoi qu'il en soit, il fallait qu'elle fabrique un nouveau coup-de-poing si elle voulait couper des arbres. Après avoir récupéré les morceaux de silex susceptibles de lui être encore utiles, elle alla les mettre à côté du feu. Puis elle s'approcha de la niche qui se trouvait derrière son lit et en sortit un paquet enveloppé dans une peau de hamster géant et l'emporta sur la plage rocheuse.

Whinney l'avait suivie. Mais quand elle vit Ayla trop occupée pour la caresser, elle s'éloigna et partit faire un tour dans la vallée.

Pour ouvrir le paquet, Ayla adopta une attitude pleine de respect comme le conseillait Droog, qui fabriquait les outils du clan et enseignait la taille du silex. Elle prit un galet de forme ovale qui lui servait de percuteur. La première fois qu'elle avait voulu tailler un silex, elle avait cherché un galet qui soit assez dur pour résister aux chocs et qu'elle ait bien en main. Tous les outils servant à la taille avaient leur importance, mais le percuteur jouait un rôle fondamental.

Celui d'Ayla était ébréché par endroits. Mais beaucoup moins que celui de Droog qui, lui, s'en servait continuellement. Aussi endommagé soit-il, jamais Droog n'aurait accepté de se séparer de son percuteur. Expert dans son domaine et capable de fabriquer des outils de précision, il prenait grand soin de tous ses instruments et savait comment rendre heureux l'esprit qui habitait le percuteur. Ayla en serait-elle capable maintenant qu'il n'y avait plus personne pour la guider dans ce domaine ? Elle savait qu'il existait des rituels pour conjurer le mauvais sort lorsqu'on cassait un percuteur, d'autres capables d'apaiser l'esprit d'une pierre ou de persuader un esprit d'aller habiter dans une nouvelle pierre. Malheureusement, elle ne les connaissait pas.

Elle plaça le percuteur à côté d'elle et sortit de son paquet un morceau de tibia d'herbivore. Elle examina ce percuteur en os pour voir s'il ne s'était pas fendu depuis qu'elle l'avait utilisé pour la dernière fois. Il était en excellent état et elle le posa à côté de l'autre. Elle prit alors une canine de félin qu'elle avait dénichée dans le tas d'ossements situé au pied de la saillie rocheuse et qui allait lui permettre de retoucher le futur outil en silex. Elle possédait aussi un retouchoir en pierre qu'elle plaça à côté des autres outils et fit le compte des rognons de silex qu'elle avait ramassés depuis qu'elle habitait dans la vallée.

Ayla avait appris à tailler en observant le travail de Droog, en écoutant ses conseils et en s'exerçant longuement. Droog suivait avec intérêt ses progrès, mais il n'intervenait jamais directement : Ayla ne faisait pas partie de ses apprentis. A ses yeux, cela ne valait pas la peine d'enseigner le métier à une femme car le nombre d'outils qu'elles avaient le droit de fabriquer était limité. Elles n'avaient pas le droit de tailler des silex qui seraient utilisés à la chasse ou pour fabriquer des armes. Aux yeux d'Ayla, il n'y avait pas de réelle différence : qu'il soit fabriqué par un homme ou par une femme, un couteau restait un couteau et une lame denticulée pouvait aussi bien être employée pour tailler l'extrémité d'un bâton à fouir que celle d'une lance.

Elle allait se mettre au travail quand elle s'aperçut qu'il lui manquait quelque chose. Elle avait besoin d'une enclume pour poser le silex qu'elle allait tailler. Lorsque Droog taillait un coup-de-poing, il ne se servait jamais d'une enclume et n'utilisait celle-ci que lorsqu'il s'attaquait à des outils dont la taille était plus délicate. Mais Ayla préférait travailler sur un support. Il fallait que celui-ci soit plat, solide, et pas trop dur pour que le silex ne se fracasse pas lorsqu'elle le frapperait avec le percuteur. Sachant que Droog utilisait toujours un os de pied de mammouth comme enclume, elle décida d'aller fouiller dans le tas d'ossements pour voir si elle en trouvait un.

Parmi les os, il y avait des défenses de mammouths. Logiquement il devait aussi y avoir des os de pied. Afin de s'en assurer, Ayla alla chercher une grosse branche qui lui servit de levier pour déplacer les ossements les plus lourds. Elle finit par trouver ce qu'elle cherchait tout au fond de la pile, près de la paroi.

En revenant vers la plage, son regard fut soudain attiré par une pierre grisâtre qui brillait au soleil. Intriguée par ce morceau de pyrite de fer qui lui rappelait quelque chose, elle s'arrêta pour le ramasser.

Mon Lion des Cavernes m'a donné une pierre exactement semblable à celle-là pour m'annoncer que mon fils vivrait, se souvint-elle dès qu'elle eut la pierre en main. Elle se rendit compte pour la première fois que la plage était couverte de pierres du même genre. Quand j'ai trouvé la mienne, se dit-elle, il n'y en avait pas d'autres autour. Ici, elles sont si nombreuses que le fait d'avoir trouvé cette pierre ne signifie rien de particulier.

Elle jeta la pierre qu'elle venait de trouver et retourna s'asseoir sur la plage. Elle plaça l'os de mammouth entre ses jambes et posa la peau de hamster sur ses genoux. Puis elle prit le silex qu'elle désirait façonner et le tourna d'un côté et de l'autre afin de choisir l'angle de frappe le mieux approprié. Elle n'arrivait pas à se décider. Pourquoi ne parvenait-elle pas à se concentrer ? Le rocher sur lequel elle était installée était-il trop dur ou trop froid ?

Elle alla chercher une natte dans la caverne et en profita pour prendre sa sole, sa drille à feu et un petit tas d'herbes sèches qui s'enflammeraient facilement. Elle ne serait pas mécontente d'allumer un feu. La matinée était déjà bien avancée et il faisait toujours aussi froid.

Lorsqu'elle revint sur la plage, elle s'installa sur la natte, replaça l'os entre ses jambes, la couverture sur ses genoux et plaça le silex sur le support en os. Elle saisit son percuteur et le soupesa pour l'avoir bien en main. Mais, au lieu de s'en servir, elle le laissa retomber. Qu'est-ce qui m'arrive ? se demanda-t-elle. Pourquoi suis-je aussi nerveuse ? Droog invoquait toujours l'aide de son totem avant de se mettre au travail. Je ferais bien de faire la même chose.

Etreignant son amulette, elle ferma les yeux et s'obligea à respirer profondément pour retrouver son calme. Elle ne demanda rien de précis à son totem et tenta simplement d'entrer en communication par l'esprit et le cœur avec le Lion des Cavernes.

Quand elle ouvrit à nouveau les yeux, elle se sentait parfaitement détendue et, après avoir remué plusieurs fois les doigts, reprit son percuteur.

Dès qu'elle eut appliqué quelques coups pour faire sauter l'enveloppe crayeuse, elle s'arrêta pour examiner l'intérieur du silex. Il était gris foncé et brillant : la couleur était bonne. Son grain, en revanche, n'était pas des plus fins. Heureusement, il n'avait aucune inclusion et, puisqu'il s'agissait de fabriquer un coup-de-poing, il ferait l'affaire. Ayla reprit son travail. Les larges éclats qu'elle détachait à l'aide de son percuteur ne seraient pas perdus : elle les destinait à d'autres usages. Chacun d'eux portait à la base un petit renflement — le bulbe de percussion — à l'endroit qui avait été frappé par le percuteur. Ils étaient de forme conique et se terminaient en pointe. Un grand nombre d'entre eux s'étaient brisés selon une ligne de fracture semi-circulaire, si bien qu'ils ne pourraient être utilisés que pour des gros travaux. Ayla s'en servirait pour découper une peau épaisse ou de la viande ou alors, en guise de faucille, pour couper de l'herbe.

Lorsqu'elle eut obtenu en gros la forme qu'elle désirait, elle abandonna le percuteur en pierre pour celui en os. Les chocs transmis allaient être moins violents et, avec l'outil en os, elle pourrait mieux contrôler son travail. Elle risquait moins d'abîmer le bord fin, tranchant et légèrement tremblé du silex. Calculant très exactement son angle de frappe, elle recommença à donner des coups le plus près possible du bord. Les éclats qu'elle détachait maintenant étaient plus fins, plus longs et plus rarement de forme semi-circulaire ; le bulbe de percussion était plus petit. En moins de temps qu'il lui avait fallu pour dégrossir le silex, le coup-de-poing fut prêt.

Il mesurait à peu près douze centimètres. Il avait la forme allongée d'une poire mais il était plat et se terminait en pointe. Son extrémité pointue et ses deux bords étaient parfaitement tranchants. Sa base en revanche était arrondie pour qu'on puisse l'avoir bien en main. Il pourrait être utilisé comme une hache pour couper des arbres — ou alors pour creuser l'intérieur d'un morceau de bois et fabriquer un bol. Ayla pourrait aussi s'en servir pour sectionner une défense de mammouth ou découper un animal qu'elle aurait tué. C'était un outil solide qui lui rendrait de nombreux services.

Ayla avait retrouvé sa confiance en elle et elle décida de s'attaquer à un autre outil, plus difficile à fabriquer. Elle choisit un autre rognon de silex, reprit son percuteur en pierre et attaqua l'enveloppe extérieure. Elle se rendit compte très vite que le silex était défectueux : la couche de calcaire qui le recouvrait avait pénétré jusqu'au cœur du rognon. Cette inclusion rendait la pierre inutilisable.

Quel manque de chance ! se dit Ayla que cette interruption dans son travail énervait au plus haut point. La série noire continuait. Refusant de s'avouer vaincue, elle examina le silex de plus près pour voir si elle ne pourrait pas au moins en utiliser certaines parties. Elle se servit de son percuteur en pierre pour détacher un éclat. Comme celui-ci exigeait des retouches, elle posa son percuteur à côté d'elle et tendit la main pour attraper son retouchoir en pierre. Au lieu de regarder là où elle avait posé ses outils, elle avait toujours les yeux fixés sur le rognon de silex, si bien qu'au lieu de prendre le retouchoir, elle saisit une des pierres qui se trouvaient sur la plage — déclenchant du même coup un événement qui allait changer sa vie.

Les découvertes sont parfois fortuites et provoquées par un événement imprévu. Tout le problème est d'en tirer parti. Il ne suffit pas que tous les éléments nécessaires à cette découverte soient réunis, encore faut-il que le hasard les agence comme il faut. C'est lui qui joue alors un rôle essentiel. Si le hasard ne s'en était pas mêlé, personne — et moins que quiconque la jeune femme assise sur cette plage au cœur d'une vallée solitaire — n'aurait eu l'idée de faire une telle expérience.

Au moment où Ayla avait voulu prendre son retouchoir en pierre, sa main s'était posée sur un morceau de pyrite de fer qui était sensiblement de même taille. Quand elle frappa l'éclat de silex qu'elle désirait retoucher avec la pyrite de fer, il se produisit une étincelle qui tomba sur le petit tas d'herbes sèches qu'Ayla avait apporté un peu plus tôt sur la plage dans le but d'allumer du feu. Le hasard voulut qu'Ayla soit justement en train de regarder à cet endroit : elle vit l'étincelle retomber sur l'herbe sèche. Durant un court instant, l'herbe brûla sans faire de flamme, puis elle laissa échapper un mince filet de fumée et finit par s'éteindre.

L'événement imprévu avait eu lieu. Il fallait maintenant qu'Ayla en tire parti. Elle connaissait parfaitement le processus qui permettait de faire du feu. Pour elle c'était une nécessité vitale et elle n'avait pas peur d'innover. Il lui fallut tout de même un certain temps avant de comprendre ce qui avait provoqué le phénomène qu'elle venait d'observer. Elle commença par se demander d'où pouvait bien venir le filet de fumée qu'elle avait aperçu. Elle réfléchit et finit par se dire qu'il y avait un rapport entre la fumée et l'étincelle qu'elle avait entrevue juste avant. Mais l'étincelle posait un problème plus ardu encore. Qu'est-ce qui avait bien pu la provoquer ? Tout en réfléchissant, Ayla baissa les yeux et regarda la pierre qu'elle tenait à la main.

Ce n'était pas la bonne pierre ! Au lieu de prendre son retouchoir, elle avait saisi une de ces pierres brillantes qui se trouvaient sur la plage. Il n'empêche que c'était une pierre et qu'une pierre ne pouvait pas brûler. Pourtant, quelque chose avait fait jaillir une étincelle, puisqu'elle avait observé un filet de fumée. L'herbe avait bien laissé échapper de la fumée, non ?

Pour s'en assurer, Ayla passa son doigt dans le trou creusé à l'intérieur du petit tas d'herbes sèches. Quand elle vit que son doigt ressortait noir de suie, elle se dit qu'elle n'avait pas rêvé. Elle reprit le morceau de pyrite de fer et l'examina avec attention. Comment une étincelle avait-elle pu sortir de cette pierre ? Qu'avait-elle fait exactement ? Tenant toujours la pyrite de fer dans sa main droite, elle saisit de la main gauche l'éclat de silex. Puis elle cogna les deux pierres l'une contre l'autre. Rien ne se produisit.

A quoi est-ce que je m'attendais ? se dit-elle. Elle recommença pourtant à les cogner l'une contre l'autre, plus violemment que la première fois. Elle vit alors une étincelle jaillir. Et soudain elle eut une idée. Une idée qui lui fit un peu peur et l'excita à la fois.

Elle posa avec précaution les deux pierres sur la peau qui recouvrait l'os de pied de mammouth et réunit les matériaux qui lui servaient à faire du feu : le tas d'herbes sèches, quelques écorces et du petit bois. Quand elle fut prête, elle reprit les deux pierres et les frotta l'une contre l'autre tout près de l'herbe. Une étincelle jaillit, puis mourut aussitôt. Ayla recommença à frapper sous un angle différent. Elle aperçut une étincelle qui, après être retombée à peu près au centre du tas, roussit quelques herbes et laissa échapper un filet de fumée. Le feu s'éteignit aussitôt. Mais elle était sur la bonne voie. Elle recommença à nouveau et cette fois, elle eut de la chance : une brusque rafale de vent fit s'enflammer les herbes avant qu'à nouveau le feu ne s'éteigne.

Pourquoi n'y ai-je pas pensé plus tôt ? se dit-elle. Si je veux que le feu prenne, il faut que je souffle dessus. Elle changea de position et refit une étincelle. Quand celle-ci atterrit en plein milieu du tas, elle se mit à souffler sur les herbes jusqu'à ce qu'une flamme apparaisse. Elle ajouta aussitôt des écorces et du petit bois. Avant qu'elle ne se rende compte de ce qui arrivait, le feu avait pris.

C'était si simple qu'elle avait encore du mal à y croire. Elle éprouva le besoin de se le prouver à nouveau. Elle disposa un peu plus loin de quoi allumer un feu et recommença l'expérience. Elle alluma ensuite un troisième feu, puis un quatrième. Toute à la joie de la découverte, elle recula pour mieux contempler les quatre feux qui brûlaient séparément. Elle éprouva alors un mélange de crainte et de respect et un profond étonnement.

Attirée par l'odeur du feu qui, pour elle, représentait maintenant la sécurité, Whinney arrivait en trottant. Ayla se précipita à sa rencontre.

— Whinney ! cria-t-elle. Regarde ! Regarde tous ces feux ! Je les ai allumés avec des pierres ! Avec des pierres, Whinney !

Au moment où la jeune femme tentait de partager avec la jeune pouliche la joie qu'elle éprouvait, le soleil perça les nuages et la plage se mit à étinceler. J'ai eu tort de penser que ces pierres n'avaient rien de spécial, songea Ayla. Puisque mon totem m'avait fait cadeau de l'une d'elles, j'aurais dû me douter que ce n'était pas sans raison. Maintenant que je sais à quoi elles servent, je vois le feu qui vit à l'intérieur de chacune d'elles.

Après avoir réfléchi à ce qui venait d'arriver, elle se demanda : Pourquoi moi ? Dans quel but mon totem m'a-t-il montré ça ? La première fois, le Lion des Cavernes m'a donné cette pierre pour me dire que mon fils vivrait. Que désire-t-il me faire comprendre maintenant ?

Repensant à l'étrange prémonition qu'elle avait eue lorsque son feu s'était éteint la nuit précédente, elle se mit à frissonner. A nouveau, elle éprouvait le même sentiment. Mais il lui suffit de jeter un coup d'œil aux quatre feux qui brûlaient sur la plage pour oublier aussitôt ses craintes.

8

— Holà ! Holà ! cria Jondalar en courant vers la rive.

Il se sentait si soulagé ! Il avait failli renoncer mais, en entendant cette voix inconnue, il avait aussitôt repris espoir. Il ne se posait même pas la question de savoir si ces étrangers risquaient de se montrer hostiles. Tout valait mieux que de se retrouver seul et sans aide alors que Thonolan était en train de mourir.

L'homme qui l'avait salué ne semblait nullement mal disposé : il était en train de soulever un rouleau de cordage fixé à l'une des extrémités de l'étrange oiseau aquatique. Maintenant que celui-ci s'était rapproché, on voyait clairement qu'il s'agissait d'une embarcation.

L'homme lança la corde à Jondalar. Celui-ci la rata et il entra dans la rivière pour la récupérer. Deux autres hommes sautèrent alors dans l'eau qui leur arrivait en haut des cuisses et halèrent le bateau à l'aide d'une seconde corde. Voyant que Jondalar ne savait pas quoi faire de l'amarre, l'un d'eux la lui prit des mains et, après avoir rapproché l'embarcation de la rive, il l'enroula autour d'un arbre. L'autre amarre fut fixée à la branche d'un grand arbre tombé au bord de l'eau et à demi submergé.

Quittant l'embarcation, un quatrième homme sauta sur le tronc d'arbre pour vérifier sa stabilité et prononça quelques mots incompréhensibles. On lui fit passer une passerelle qui ressemblait à une échelle et il la posa sur le tronc. Un curieux personnage s'approcha alors de la passerelle. Soutenu d'un côté par une femme, de l'autre par le quatrième homme, il descendit sur le rivage.

Manifestement, il inspirait le plus grand respect et son maintien était impérieux, mais il y avait en lui, de plus, quelque chose d'insaisissable, d'ambigu qui étonna Jondalar. Ses longs cheveux blancs étaient attachés à hauteur de la nuque, son visage ridé par les ans était glabre — ou rasé de près — mais il avait le teint frais et lumineux, comme seuls ont les êtres jeunes. Il possédait de fortes mâchoires et un menton saillant. Mais peut-être n'était-ce que le reflet de sa force de caractère ?

Sur un signe de ce mystérieux personnage, Jondalar sortit de l'eau et s'approcha. Il s'arrêta en face de l'inconnu et examina à nouveau ce visage qui lui souriait d'un air compatissant et ces yeux à la couleur indéfinissable, ni gris ni bruns. Quelque chose lui échappait. Et soudain il réalisa ce qu'impliquait la présence de ce personnage dont il essayait vainement de déterminer le sexe.

Sa taille intermédiaire — il était trop grand pour être une femme, un peu petit pour être un homme — ne lui apprenait rien. Les détails anatomiques de son corps étaient cachés sous des vêtements informes et volumineux. Rien dans sa démarche ne permettait de répondre à la question que Jondalar se posait. Mais plus il était perplexe, et plus il se sentait soulagé. Il avait déjà entendu parler de ces êtres qui héritaient d'un certain sexe à la naissance, mais qui possédaient les penchants de l'autre. Ils n'appartenaient à aucun des deux sexes ou aux deux à la fois et, en général, allaient rejoindre les rangs de Ceux Qui Servent La Mère. Possédant à la fois les éléments masculins et féminins, ils bénéficiaient des pouvoirs appartenant aux deux sexes et avaient la réputation d'avoir d'extraordinaires dons pour guérir.

Jondalar était loin de chez lui et il ignorait les coutumes de ce peuple mais, pour lui, il ne faisait aucun doute que ce mystérieux personnage était un Homme Qui Guérit. Qu'il soit ou non de Ceux Qui Servent La Mère n'avait aucune espèce d'importance. Thonolan avait besoin d'un Homme Qui Guérit et l'Homme Qui Guérit était là.

Comment ces inconnus avaient-ils pu savoir qu'il avait besoin de soins ? Comment avaient-ils appris qu'il avait besoin d'aide ?

Après avoir ajouté un bout de bois dans le feu, Jondalar glissa ses fesses nues à l'intérieur de ses fourrures de couchage et s'allongea pour contempler la voûte étoilée. Une forme indécise apparut soudain dans son champ visuel, obscurcissant le peu de clarté que dispensaient les étoiles. Lorsque ses yeux se furent adaptés à l'obscurité, il discerna le visage d'une jeune femme qui se penchait vers lui et lui tendait un bol d'infusion.

Jondalar se redressa aussitôt. Puis il s'aperçut que ses fourrures avaient glissé, laissant voir le haut de ses cuisses. Il se dépêcha de les remonter et jeta un coup d'œil à ses pantalons qui étaient en train de sécher à côté du feu.

La jeune femme se mit à sourire. Un sourire radieux illumina son joli visage un peu grave et lui conféra soudain une beauté éclatante. Jamais encore Jondalar n'avait assisté à une transformation aussi étonnante et, lorsqu'il lui sourit à son tour, son expression indiquait clairement à quel point il la trouvait attirante. La jeune femme ne s'en aperçut pas car elle avait baissé vivement la tête pour réprimer son fou rire de crainte de blesser cet étranger. Lorsqu'elle le regarda à nouveau, seuls ses yeux pétillaient encore de malice.

— Tu as un très beau sourire, lui dit Jondalar en prenant le bol qu'elle lui tendait.

La jeune femme hocha la tête, puis elle dit quelques mots qui, d'après Jondalar, devaient signifier qu'elle ne l'avait pas compris.

— Même si tu ne peux pas me comprendre, continua-t-il, je tiens à ce que tu saches à quel point je suis heureux que tu sois là.

La jeune femme semblait aussi désireuse que lui de communiquer et il continua à parler, ne serait-ce que pour qu'elle ne s'en aille pas. Après avoir goûté à l'infusion, il reprit en montrant le bol et en hochant la tête d'un air appréciateur :

— C'est délicieux. J'ai l'impression qu'il s'agit d'une infusion de camomille.

Après avoir hoché la tête pour lui montrer qu'elle avait compris qu'il appréciait l'infusion, la jeune femme s'assit à côté du feu et dit quelques mots incompréhensibles. Jondalar trouvait sa voix agréable et goûtait sa compagnie.

— Je ne sais pas ce que je serais devenu si vous n'étiez pas arrivés, reprit-il en fronçant les sourcils d'un air soucieux. Je me demande comment vous avez su que nous campions près de la rivière et que nous avions besoin d'un zelandoni. Ou d'un Homme Qui Guérit, si tu préfères...

La jeune femme lui montra la tente qui avait été montée non loin de là et qu'illuminait le feu allumé à l'intérieur. Puis elle lui expliqua quelque chose. Jondalar remua la tête en signe d'impuissance. Il se sentait très frustré : la jeune femme semblait comprendre à peu près ce qu'il lui disait alors que lui était incapable de saisir un mot.

— J'aimerais que votre Homme Qui Guérit me donne la permission de rester avec Thonolan, dit-il. Ce n'est pas que je doute de ses dons. Mais j'aimerais être auprès de mon frère.

Sensible à la gravité qui se lisait au fond de ses yeux, la jeune femme lui posa la main sur le bras pour le rassurer. Jondalar lui sourit d'un air un peu contraint. Le rabat de la tente s'ouvrit alors, livrant passage à une vieille femme.

— Jetamio ! appela-t-elle, avant d'ajouter quelques mots inconnus.

La jeune femme bondit sur ses pieds. Jondalar lui prit la main pour la retenir.

— Jetamio ? demanda-t-il en pointant le doigt vers elle. (Et comme elle acquiesçait, il ajouta en tapant sur sa poitrine :) Jondalar.

— Jondalar, répéta-t-elle lentement.

Après avoir jeté un coup d'œil en direction de la tente, elle tapota sa poitrine, puis celle de Jondalar et lui montra du doigt la tente.

— Thonolan, répondit-il. Mon frère s'appelle Thonolan.

— Thonolan, répéta la jeune femme en se dépêchant de gagner la tente.

Jondalar, qui la suivait des yeux, remarqua qu'elle boitait légèrement. Mais cela n'avait pas l'air de la gêner.

Jondalar enfila ses pantalons qui étaient encore humides et, sans prendre la peine de les fermer ou de mettre ses bottes, il s'élança vers les taillis tout proches.

Depuis son réveil, il s'était retenu de satisfaire un besoin naturel car ses autres pantalons se trouvaient dans son sac, à l'intérieur de la tente où l'on soignait Thonolan. Il se souvenait du sourire amusé qu'avait eu Jetamio la veille au soir et n'avait aucune envie de se balader dans le camp simplement vêtu de sa courte tunique. Il ne voulait pas non plus violer les coutumes et les tabous de ces gens qui était en train de s'occuper de son frère. S'il n'y avait eu que des hommes encore... Mais il craignait d'offusquer les deux femmes.

Il avait d'abord essayé de se lever et d'avancer sans sortir de ses fourrures de voyage. Il lui avait fallu un certain temps avant de se rendre compte que c'était irréalisable et de songer à enfiler ses pantalons humides. Il était alors tellement pressé de gagner l'abri des taillis qu'il remarqua à peine le rire de Jetamio qui fusait derrière lui.

— Ne te moque pas de lui, Tamio. Ce n'est pas gentil.

Incapable de garder son sérieux plus longtemps, la vieille femme éclata de rire à son tour.

— Je ne me moque pas de lui, Rosh. Mais c'est tellement drôle ! L'as-tu vu lorsqu'il essayait d'avancer dans ses fourrures ? Pourquoi n'est-il pas allé derrière ces taillis dans la tenue où il était ?

— Peut-être ses coutumes sont-elles différentes des nôtres. J'ai l'impression que ces deux hommes viennent de loin. C'est la première fois que je vois des vêtements comme les leurs. La langue qu'il parle n'a rien à voir avec la nôtre. Je serais incapable de prononcer un mot.

— Tu dois avoir raison, Rosh. Pour lui, cela doit être inconvenant d'être vu sans vêtements. Hier soir, quand il s'est aperçu que je pouvais voir ses cuisses, il est devenu tout rouge. Quoi qu'il en soit, il était drôlement heureux que nous soyons là.

— Je comprends son soulagement.

— Comment va l'autre ? demanda Jetamio. Le shamud a-t-il dit quelque chose ?

— Il n'a plus de fièvre, son côté gauche est beaucoup moins enflé et il dort d'un sommeil calme. Le shamud pense qu'il a reçu un coup de corne de rhinocéros. Il a bien de la chance de ne pas avoir été tué sur le coup. Si l'homme qui l'accompagne n'avait pas pensé à signaler sa présence, en indiquant qu'il avait besoin qu'on vienne à son secours, il serait mort. Ils ont eu de la chance que nous les trouvions. Mudo devait les protéger. La Mère accorde toujours sa grâce aux hommes jeunes et beaux.

— Cela n'a pas empêché celui qui s'appelle Thonolan d'être blessé... Quel coup de corne il a reçu ! Crois-tu qu'il pourra à nouveau marcher ?

Roshario sourit tendrement à la jeune femme.

— S'il fait preuve d'autant de détermination que toi, je peux t'assurer qu'il remarchera.

Jetamio rougit et, pour cacher sa gêne, elle s'empressa de dire :

— Je crois que je vais aller voir si le shamud n'a pas besoin de moi.

Elle se dirigeait vers la tente en essayant de boiter le moins possible quand Roshario lui cria :

— Profites-en pour rapporter son sac au grand gars. Comme ça, la prochaine fois, il n'aura pas besoin de mettre des culottes mouillées.

— Il y a deux sacs dans la tente et je ne sais pas lequel est le sien.

— Apporte-lui les deux. Ça fera de la place. Et demande au shamud à quel moment nous pourrons transporter... Comment s'appelle-t-il déjà ? Thonolan ?

Jetamio hocha la tête.

— Si nous devons rester ici un certain temps, continua Roshario, il va falloir que Dolando organise une partie de chasse. Nous n'avons pas emporté beaucoup de nourriture et je ne pense pas que les Ramudoï puissent pêcher quand la rivière est comme ça. Encore que si on les écoutait, ceux-là, on passerait sa vie sur l'eau... Moi, je préfère sentir le sol sous mes pieds.

— Tu dirais exactement le contraire si tu étais la compagne d'un Ramudoï au lieu d'être celle de Dolando, rappela Jetamio.

La vieille femme lui lança un coup d'œil perçant.

— Est-ce que par hasard un de ces rameurs t'a fait des avances ? Même si je ne suis pas ta vraie mère, Jetamio, tout le monde sait que je te considère comme ma fille. Laisse-moi te dire une bonne chose : un homme qui n'a même pas la politesse de te demander si tu désires vivre avec lui ne mérite pas que tu t'y intéresses. Tu ne peux pas faire confiance à ces hommes du fleuve...

— Ne t'inquiète pas, Rosh. Je n'ai pas l'intention de m'enfuir avec un homme du fleuve. Pas encore... ajouta-t-elle avec un sourire malicieux.

— Je connais bien des Shamudoï qui seraient heureux de venir vivre chez nous. Qu'est-ce qui te fait rire ? demanda soudain la vieille femme.

Les deux mains plaquées sur la bouche, Jetamio était en train de pouffer de rire. Quand Roshario se tourna pour regarder dans la même direction, elle dut se retenir à deux fois pour ne pas éclater de rire, elle aussi.

— J'ai intérêt à aller chercher ces deux sacs, réussit finalement à dire Jetamio. Notre grand ami a besoin de vêtements secs. On dirait un gamin qui s'est oublié, ajouta-t-elle en recommençant à rire.

Quand elle entra dans la tente, elle riait toujours et le guérisseur lui demanda :

— Puis-je connaître la cause de cette hilarité ?

— Je m'excuse, répondit aussitôt Jetamio. C'est simplement...

— Ou bien je suis dans l'autre monde ou bien tu es une donii et c'est toi qui m'as transporté ici. Aucune femme ne pourrait être aussi belle. Malheureusement, je ne comprends rien à ce que tu dis.

Jetamio et le shamud se retournèrent pour regarder le blessé. Celui-ci réussit à sourire à Jetamio. Le sourire de la jeune femme s'effaça aussitôt.

— C'est moi qui ai troublé son sommeil ! s'écria-t-elle en s'agenouillant près de Thonolan.

— Continue à sourire, ma belle donii, dit Thonolan en lui prenant la main.

— Oui, ma chère, tu as troublé son sommeil, intervint le shamud. Mais ne t'en fais pas. Ce n'est rien en comparaison du trouble qu'il va éprouver si tu continues à t'occuper de lui.

Jetamio, qui n'avait pas compris l'allusion, jeta un coup d'œil intrigué au shamud.

— J'étais venue demander si je pouvais être utile à quoi que ce soit, expliqua-t-elle.

— C'est déjà fait, répondit le shamud.

Jetamio parut encore plus perplexe. Que voulait dire le shamud ?

Le regard perçant de celui-ci s'adoucit, mais il restait néanmoins légèrement ironique.

— J'ai fait tout ce que j'ai pu. C'est à lui de faire le reste. Mais, à ce stade, tout ce qui peut lui redonner le goût de vivre ne peut qu'aider à son rétablissement. Et c'est ce que tu viens de faire avec ton merveilleux sourire, ma chère petite.

Jetamio rougit et baissa la tête. Elle se rendit compte alors que Thonolan tenait toujours sa main dans la sienne. Levant à nouveau les yeux, elle rencontra le regard du blessé. Et, voyant que celui-ci lui souriait, elle ne put s'empêcher de sourire à son tour.

Le shamud se racla la gorge. Jetamio lâcha aussitôt la main du blessé. Elle se sentait confuse d'avoir regardé si longtemps l'étranger.

— Si tu veux te rendre utile, tu pourrais lui apporter un peu de bouillon maintenant qu'il est réveillé, proposa le shamud. Si c'est toi qui le fais boire, je suis sûr qu'il acceptera.

— Bien sûr, répondit Jetamio en se précipitant dehors pour cacher son embarras.

Elle aperçut alors Roshario qui tentait de communiquer avec Jondalar. Debout en face d'elle, ce dernier ne semblait pas très à l'aise, même s'il faisait tout son possible pour avoir l'air ravi. Se souvenant soudain de la mission dont on l'avait chargée, Jetamio revint dans la tente.

— Je vais prendre leurs sacs, dit-elle au shamud. (Puis elle ajouta :) Roshario aimerait savoir dans combien de temps Thonolan pourra être transporté.

— Quel nom as-tu dit ?

— Thonolan. C'est l'autre qui m'a dit qu'il s'appelait ainsi.

— Dis à Roshario qu'il faut attendre un jour ou deux avant de repartir. Il n'est pas encore en état de supporter les secousses d'un trajet sur l'eau.

— Comment sais-tu mon nom, belle donii ? demanda Thonolan.

Jetamio, qui allait quitter la tente avec les deux sacs, se retourna pour lui sourire.

Thonolan allait à nouveau fermer les yeux quand il prit soudain conscience de la présence du shamud à ses côtés. En apercevant pour la première fois ce visage énigmatique, il ne put réprimer un léger frisson. Le shamud lui souriait d'un air entendu et plein de sagesse — mais aussi comme un félin qui se délecte à l'avance de sa proie.

— L'amour naissant est toujours une chose magnifique, commenta-t-il.

Même si Thonolan était incapable de comprendre, il perçut clairement le sarcasme qui perçait sous ces paroles. La voix qu'il venait d'entendre l'intriguait. Elle n'était ni franchement grave ni franchement aiguë et pouvait aussi bien appartenir à une femme qu'à un homme. Rien dans les vêtements ou l'allure de cet énigmatique personnage ne pouvait trancher la question. Aussi intrigué soit-il, Thonolan éprouva un certain soulagement. Il savait qu'il était entre de bonnes mains.

Jondalar, quant à lui, sembla si soulagé lorsque Jetamio lui apporta les deux sacs que la jeune femme s'en voulut un peu de ne pas l'avoir fait plus tôt. Après l'avoir remerciée avec des mots qu'elle ne pouvait pas comprendre mais qui exprimaient clairement sa gratitude, il disparut derrière une rangée d'arbres pour enfiler ses vêtements secs.

Quand il revint vers le feu, il se sentait tellement mieux qu'il n'en voulait plus à Jetamio de s'être moquée de lui. Je devais avoir l'air passablement ridicule, pensa-t-il. Mais ces pantalons étaient si humides et si froids... Ces gens-là m'ont rendu un tel service que je peux bien les laisser s'amuser à mes dépens. Sans eux, je ne sais pas ce que j'aurais fait... Comment ont-ils su que j'avais besoin d'aide ? Leur Homme Qui Guérit possède-t-il ce genre de pouvoir ? S'il est capable de soigner Thonolan, le reste n'a pas d'importance... Mais en est-il vraiment capable ? se demanda-t-il soudain. Je n'ai pas revu Thonolan. Je ne sais pas s'il va mieux. Je pense que le moment est venu d'aller voir ce qui se passe. Thonolan est mon frère. Ils ne peuvent pas m'empêcher de le voir.

Jondalar déposa ses deux sacs puis, après avoir mis ses vêtements à sécher bien en évidence à côté du feu, il se dirigea vers la tente.

Au moment où il allait y pénétrer, l'Homme Qui Guérit en sortait et ils faillirent se heurter. Avant qu'il ait pu dire quoi que ce soit, le shamud sourit d'un air prévenant, fit un pas de côté et d'un geste exagérément gracieux lui proposa d'entrer.

Pendant un court instant, ils se mesurèrent du regard. Celui du shamud, toujours aussi perçant, n'avait rien perdu de son autorité. Mais il était difficile d'y discerner une intention précise. Il demeurait aussi ambigu que la couleur indéfinissable de ses yeux. Et à y regarder de plus près, son sourire prévenant avait quelque chose d'un peu ironique. Jondalar sentit que, comme la plupart de ses pairs, ce guérisseur pouvait être un ami puissant ou un ennemi implacable.

Il hocha la tête, comme s'il réservait son jugement, sourit rapidement en signe de remerciement et pénétra dans la tente. Il fut un peu surpris de voir que Jetamio s'y trouvait déjà. Tenant la tête de Thonolan, elle était en train d'approcher un bol de ses lèvres.

Fou de joie de voir que son frère était réveillé et qu'il semblait aller mieux, Jondalar lui lança :

— J'aurais dû m'en douter. Tu as encore fait des tiennes.

— Qu'est-ce que j'ai fait, Grand Frère ?

— Il a suffi que tu ouvres les yeux pour que la plus belle femme du coin accoure à ton chevet.

— Tu as raison de dire qu'elle est la plus belle, répondit Thonolan en regardant tendrement Jetamio. Mais que viens-tu faire dans le monde des esprits ? Au cas où tu l'ignorerais, je tiens à te rappeler que cette ravissante personne est ma donii personnelle. Inutile d'essayer sur elle le fameux pouvoir de tes grands yeux bleus.

— Ne t'inquiète pas pour ça, Petit Frère. Mes grands yeux bleus ont sur elle un drôle d'effet : chaque fois qu'elle me voit, elle se moque de moi et éclate de rire.

— Elle peut rire de moi autant qu'elle veut, dit Thonolan en souriant à la jeune femme. (Et comme Jetamio lui souriait à son tour, il ajouta, d'un air extasié :) Sortir des griffes de la mort et ouvrir les yeux pour voir ça !

Un peu étonné que son frère soit tombé amoureux d'une femme avec laquelle il n'avait pu échanger un mot, Jondalar examina de plus près Jetamio en essayant de faire preuve d'objectivité.

La jeune femme avait les cheveux châtain clair et elle était plus petite et plus mince que les femmes qui, en général, attiraient Thonolan. Elle aurait pu facilement passer pour une jeune fille. Avec son visage en forme de cœur et ses traits assez réguliers, elle était plutôt jolie, mais n'avait rien d'exceptionnel — jusqu'au moment où elle souriait.

Une sorte de transformation alchimique se produisait alors, un changement subtil, une mystérieuse redistribution de la lumière et des ombres et elle devenait belle, totalement belle. Il suffisait qu'elle sourie pour donner cette impression. Jondalar lui-même en avait fait l'expérience. Malgré tout, elle ne devait pas sourire souvent et, au début, il l'avait trouvée plutôt timide et réservée. Il avait bien du mal à la reconnaître maintenant : elle était rayonnante et débordante de vie. Thonolan ne la quittait pas des yeux et, languissant d'amour, lui souriait d'un air un peu idiot.

Ce n'est pas la première fois qu'il tombe amoureux, se dit Jondalar. J'espère qu'elle ne souffrira pas trop quand nous partirons.

Allongé dans sa tente, les yeux grands ouverts, Jondalar regardait en direction du trou percé tout en haut pour laisser échapper la fumée. Le rabat semblait mal fermé. Ce n'était pourtant pas ça qui l'avait réveillé.

Immobile, aux aguets, il essayait de déterminer ce qui lui avait donné ce sentiment de danger imminent. Ne percevant rien d'inhabituel, il se glissa hors de ses fourrures de couchage et alla jeter un coup d'œil dehors.

Les quelques personnes assemblées autour du feu de camp ne semblaient nullement inquiètes. Pourquoi se sentait-il aussi nerveux ? Etait-ce à cause de Thonolan ? Non, son frère allait beaucoup mieux. Grâce aux soins du shamud — et à l'attentive présence de Jetamio. Qu'est-ce donc qui le tracassait ?

— Holà, dit-il en apercevant Jetamio.

La jeune femme lui sourit aussitôt d'un air amical. Bien qu'ils ne puissent communiquer que par gestes ou à l'aide des quelques mots que Jondalar avait appris, le fait qu'elle ait pris si à cœur la guérison de Thonolan les avait beaucoup rapprochés.

Jetamio lui apporta un bol plein de liquide et Jondalar la remercia avec le mot qui convenait. Il goûta la préparation et fronça les sourcils, un peu étonné. Le matin, en général, la jeune femme lui proposait un bouillon de viande. Mais aujourd'hui il s'agissait d'autre chose. D'après l'odeur, le récipient en bois placé au-dessus du feu devait contenir un bouillon de racines et de céréales. Et la raison en était bien simple : il n'y avait plus de viande et personne n'était allé chasser.

Quand Jondalar eut fini de boire, il se précipita vers sa tente. En attendant que son frère aille mieux, il n'était pas resté inactif et avait fini de fabriquer deux robustes sagaies. Leur manche était en bois d'aulne, la pointe en silex. Il alla les chercher à l'arrière de sa tente et décida aussi de prendre quelques lances plus légères. Puis il revint vers le feu. Il n'avait pas besoin de connaître la langue de ses hôtes pour communiquer son désir de partir à la chasse. Sa proposition fit très vite le tour du camp et les chasseurs affluèrent bientôt autour du feu.

Jusqu'au dernier moment, Jetamio hésita. Elle aurait bien aimé rester auprès de l'étranger blessé dont le regard malicieux la faisait sourire chaque fois qu'elle levait les yeux vers lui et elle avait aussi très envie de partir à la chasse. Finalement, c'est Roshario qui la décida :

— Ne t'inquiète pas, lui dit-elle. Le shamud s'occupera de lui en ton absence. Et moi aussi, je reste là.

Les chasseurs s'étaient déjà mis en marche et Jetamio dut les appeler pour qu'ils l'attendent. Quittant le camp à la hâte, elle courut pour les rattraper. Jondalar ne fut pas étonné qu'elle se joigne à eux. Les femmes zelandonii chassaient elles aussi lorsqu'elles étaient jeunes. Elles cessaient lorsqu'elles avaient des enfants et restaient alors au campement en attendant le retour des chasseurs. Néammoins, lorsqu'une battue était organisée, tous les individus valides, hommes et femmes, y participaient car il fallait être nombreux pour acculer un troupeau dans un piège ou au bord d'une falaise.

Jondalar appréciait les femmes qui chassaient — sentiment partagé par la plupart des hommes des Cavernes mais dont il avait appris qu'il n'était pas universellement répandu. Chez les Zelandonii, on disait qu'une femme qui avait chassé connaissait les difficultés rencontrées par les hommes et qu'elle était en conséquence une compagne plus compréhensive. La mère de Jondalar était connue pour lever le gibier et elle n'aurait jamais raté une partie de chasse, même après qu'elle eut fait des enfants.

Dès que Jetamio les eut rejoints, la petite troupe se remit en route. Jondalar avait l'impression que la température avait baissé mais comme ils marchaient d'un bon pas, il n'en était pas sûr. Cette impression devint une certitude lorsqu'ils atteignirent un petit ruisseau qui se frayait un chemin dans la steppe avant d'aller se jeter dans la Rivière Mère. En se penchant pour remplir d'eau sa gourde, il remarqua l'épaisse couche de glace qui recouvrait les rives.

Un des chasseurs ayant repéré des traces en amont du ruisseau, il s'approcha pour les examiner. Une famille de rhinocéros s'était arrêtée là pour boire et les traces étaient toutes fraîches. Avec un bâton, Jondalar dessina sur le sable de la rive un plan d'attaque. Dolando, le compagnon de Roshario, lui posa une question en se servant lui aussi d'un bâton. Jondalar ajouta un détail au plan qu'il avait dessiné et, quand les deux hommes furent tombés d'accord, la petite troupe se remit en route.

Suivant les traces, ils marchaient à vive allure. Jondalar repoussa son capuchon en arrière. Au contact de l'air glacé, ses longs cheveux blonds se mirent à crépiter et s'accrochèrent dans la fourrure de glouton. Il leur fallut plus de temps qu'ils ne le pensaient pour rattraper les rhinocéros. Quand Jondalar aperçut enfin une croupe laineuse loin en avant, il comprit pourquoi. Les animaux avançaient plus vite que d'habitude — et ils fonçaient vers le nord.

Jondalar regarda le ciel avec inquiétude. A l'exception de quelques nuages qui fuyaient à l'horizon, le ciel était bleu et aucune tempête de neige ne semblait se préparer. Malgré tout, il aurait aimé faire demi-tour, rentrer au camp pour rejoindre Thonolan et partir aussitôt. Les autres chasseurs ne paraissaient pas partager son inquiétude. Maintenant qu'ils avaient aperçu les rhinocéros, ils n'avaient aucune envie de rentrer. Est-ce qu'ils savent que la fuite des rhinocéros vers le nord annonce la neige ? se demanda Jondalar.

C'est lui qui avait proposé de partir à la chasse. Comment leur dire maintenant qu'il voulait faire demi-tour ? Ne connaissant pas leur langue, jamais il ne parviendrait à leur expliquer qu'une tempête de neige s'annonçait bien qu'il n'y eût pratiquement aucun nuage dans le ciel. La seule solution, c'était de tuer un rhinocéros. Ils pourraient alors regagner le campement.

Quand ils eurent rejoint les animaux, Jondalar se porta en avant dans le but de dépasser un jeune rhinocéros qui était un peu à la traîne et semblait avoir du mal à suivre ses congénères. Courant devant lui, il se mit à hurler et à agiter les bras dans l'espoir de le faire changer de direction ou ralentir. Uniquement préoccupé par sa course en direction du nord, le jeune animal ne lui prêta aucun attention. Il en déduisit aussitôt que la tempête de neige allait arriver encore plus tôt que prévu.

Jetant un coup d'œil autour de lui, il aperçut Jetamio qui arrivait à sa hauteur. La jeune femme avait beau boiter, cela ne l'empêchait pas de courir aussi vite que les autres et Jondalar hocha la tête pour lui montrer qu'il appréciait sa performance. Le reste des chasseurs essayait d'encercler un des animaux et de semer la panique parmi les autres. Mais les rhinocéros ne ressemblaient en rien aux herbivores vivant en troupeaux : ce n'était pas des animaux grégaires qui prenaient peur dès qu'ils étaient séparés de leurs congénères. Le rhinocéros était un animal solitaire et agressif, qui supportait tout juste la compagnie de sa propre famille, un animal dangereux car imprévisible. Les chasseurs qui s'en approchaient avaient intérêt à se méfier.

Sans avoir besoin de se concerter, ils concentrèrent leurs efforts sur le jeune animal qui était à la traîne. Mais ils avaient beau l'encercler en hurlant, le rhinocéros ne modifiait pas son allure. Finalement Jetamio réussit à attirer son attention en faisant des moulinets avec son capuchon qu'elle venait d'enlever. L'animal ralentit et tourna la tête en direction de la fourrure qui voltigeait dans le vent, hésitant quant à la marche à suivre.

Sautant sur l'occasion, les chasseurs se déployèrent en cercle autour de lui. Ceux qui étaient armés de lourdes lances étaient les plus proches du rhinocéros. Les autres, aux lances plus légères, se tenaient un peu en retrait, pour prêter main-forte aux attaquants si besoin était. Le rhinocéros s'immobilisa sans se rendre compte qu'il se coupait du reste de la horde qui continuait à avancer. Virant de bord, il partit au pas de course en direction du capuchon qui tournoyait dans le vent. Jondalar se rapprocha de Jetamio et Dolando fit de même.

A ce moment-là, l'homme du fleuve qui avait hélé Jondalar du haut de l'embarcation prit le relais : il brandit son capuchon et se précipita à la rencontre du rhinocéros. Surpris, l'animal, qui fonçait tête baissée sur la jeune femme, changea de direction et se lança à la poursuite de l'homme. Ne pouvant plus faire confiance à son odorat à cause des nombreux chasseurs qui l'encerclaient, il préféra suivre cette cible qui était plus grande que la précédente. Mais, au moment où il allait l'atteindre, une autre silhouette s'interposa. A nouveau il s'immobilisa, incapable de décider laquelle des deux cibles il allait pourchasser.

La seconde étant plus proche de lui, c'est celle-là qu'il finit par charger. Mais un autre chasseur s'interposa en faisant voltiger la fourrure qui lui servait de manteau. Le jeune rhinocéros chargea de ce côté, mais au dernier moment, un quatrième chasseur jaillit devant lui, si près que la fourrure rousse lui frôla le visage. L'animal était maintenant fou furieux. Il reniflait et grattait le sol du pied et quand une autre silhouette apparut dans son champ visuel, il se rua sur elle à toute allure.

L'homme du fleuve avait bien du mal à tenir la distance. Quand il fit un crochet, le rhinocéros l'imita, sans ralentir l'allure. Heureusement, il commençait à être fatigué. Quand un autre capuchon voltigea devant lui, au lieu de se lancer à sa poursuite, il s'arrêta, baissa la tête jusqu'à ce que la plus longue de ses cornes touche le sol et concentra toute son attention sur la silhouette claudicante qui bougeait non loin de lui, tout en restant hors d'atteinte.

Jondalar arriva en courant, la sagaie levée, et bien décidé à frapper avant que l'animal n'ait retrouvé son souffle. Dolando devait avoir eu la même idée car il avançait lui aussi en brandissant sa lance. Tous les chasseurs se rapprochaient. Jetamio ne cessait de faire voltiger son capuchon au-dessus de sa tête pour continuer à capter l'attention du rhinocéros tout en progressant avec prudence. Jondalar espérait que le jeune animal était aussi fatigué qu'il en avait l'air.

Tout le monde avait les yeux fixés sur Jetamio et sur le rhinocéros. Jondalar ne sut jamais ce qui l'amena à regarder en direction du nord — peut-être perçut-il un mouvement à la limite de son champ visuel.

— Attention ! hurla-t-il en se précipitant en avant. Là, au nord ! un rhinocéros !

Il avait beau crier, les autres chasseurs ne comprenaient rien à ce qu'il disait et pourquoi il gesticulait ainsi. Aucun d'eux n'avait aperçu le rhinocéros femelle qui leur fonçait dessus.

— Jetamio ! Jetamio ! là, au nord ! hurla à nouveau Jondalar en pointant sa sagaie en direction de la femelle.

Jetamio regarda vers le nord et se mit à crier à son tour pour avertir le jeune chasseur que la femelle était en train de charger. Tous les chasseurs partirent dans cette direction pour lui prêter main-forte, oubliant un instant le jeune mâle. Sans doute stimulé par l'odeur de la femelle toute proche, celui-ci chargea soudain en direction de ce capuchon qui continuait à voltiger juste devant lui.

Jetamio eut de la chance que l'animal soit aussi près. Sans élan, sans avoir eu le temps de prendre de la vitesse, le rhinocéros attaquait en reniflant bruyamment, ce qui attira aussitôt son attention, ainsi que celle de Jondalar. Au moment où l'animal arrivait sur elle, elle fit un bond de côté, évitant de justesse la corne du rhinocéros.

L'animal ralentit, cherchant la cible qui venait de disparaître, et il ne prit pas garde à l'homme qui s'approchait de lui à grandes enjambées. Et il fut trop tard. L'un de ses yeux minuscules perdit soudain toute acuité visuelle : Jondalar venait d'enfoncer sa sagaie dans ce point particulièrement vulnérable et l'extrémité en silex pénétra jusqu'au cerveau. L'instant d'après, l'animal ne voyait plus rien : Jetamio avait planté son arme dans l'autre œil. Le rhinocéros sembla surpris, puis il trébucha, tomba à genoux et finit par s'affaler sur le sol, privé de vie.

Quelqu'un poussa un cri. Les deux chasseurs levèrent les yeux et s'éloignèrent à toute vitesse, chacun dans une direction différente. Le rhinocéros femelle se précipitait sur eux à toute allure. En arrivant près du jeune mâle, elle ralentit, le dépassa de quelques foulées avant de réussir à s'arrêter et fit alors demi-tour pour s'en approcher. Elle lui donna quelques coups de corne pour l'obliger à se relever. Voyant qu'il ne bougeait pas, elle tourna la tête d'un côté puis de l'autre, balança sa masse imposante sur la droite puis sur la gauche, comme si elle n'arrivait pas à se décider.

Certains chasseurs essayèrent d'attirer son attention en brandissant

leur capuchon ou leur manteau, mais rien n'y fit. Après avoir poussé
une dernière fois le jeune mâle du bout de sa corne, elle obéit à un
instinct profondément ancré en elle et reprit la direction du nord.

— Nous l'avons échappé belle, expliqua Jondalar. Mais cette femelle
n'avait qu'une idée en tête : filer vers le nord.

— Tu penses que la neige ne va pas tarder à tomber ? demanda
Thonolan en jetant un coup d'œil à l'emplâtre posé sur sa poitrine
avant de regarder à nouveau son frère qui semblait très inquiet.

Jondalar hocha la tête.

— Je ne sais pas comment expliquer à Dolando que nous aurions
intérêt à partir avant que la tempête arrive. Même si je savais parler
leur langue, ils ne me croiraient pas : il n'y a pas un seul nuage dans le
ciel.

— Cela fait plusieurs jours que ça sent la neige. C'est une sacrée
tempête qui se prépare.

Jondalar était sûr que la température était en train de baisser et il en
eut une preuve de plus le lendemain matin lorsqu'il découvrit que
l'infusion qu'il avait laissée près du feu durant la nuit était recouverte
d'une mince couche de glace. Il essaya à nouveau de communiquer ses
inquiétudes à Dolando, mais sans succès.

Quand le compagnon de Roshario lui annonça qu'ils allaient lever le
camp, il se sentit soulagé et s'occupa aussitôt de ranger sa tente et de
préparer son sac, ainsi que celui de son frère. Dolando lui sourit pour
lui montrer qu'il était content de sa vélocité. Puis son sourire s'effaça
pour laisser place à une expression inquiète et il montra la rivière à
Jondalar. Le cours d'eau était agité par de forts remous et l'embarcation
en bois oscillait d'un côté et de l'autre en tirant sur les cordes qui la
retenaient. Jondalar comprit aussitôt pourquoi Dolando semblait si
nerveux. Lui-même n'en menait pas large à l'idée de la traversée qui
les attendait. Les hommes qui vinrent chercher les deux sacs et les
déposèrent à côté de la carcasse du rhinocéros ne montraient aucun
signe de nervosité. Jondalar n'en fut pas rassuré pour autant. Il était
content de partir, mais inquiet quant au moyen de transport qu'ils
allaient utiliser. Et comment s'y prendraient-ils pour transporter Thonolan jusqu'au bateau ? Il s'approcha de la tente où se trouvait son frère
pour voir s'il pouvait donner un coup de main.

Quand il se rendit compte que les hommes démontaient le camp avec
rapidité et efficacité, il se dit que, sous prétexte de les aider, il risquait
plutôt de les gêner. Il se contenta donc de les regarder travailler. Grâce
à de légères variantes dans leurs vêtements, Jondalar était maintenant
capable de différencier les Shamudoï, qui habitaient à terre, des
Ramudoï qui vivaient sur des bateaux.

Bien qu'appartenant à deux tribus différentes, Ramudoï et Shamudoï
semblaient parfaitement s'entendre. Ils se connaissaient trop bien pour
faire assaut de politesse et plaisantaient entre eux. Ils parlaient la même
langue, prenaient leurs repas ensemble et se partageaient toutes les

tâches. A terre, c'est Dolando qui paraissait commander. Mais sur le bateau, c'était un autre homme qui donnait des ordres.

Le shamud sortit de la tente, suivi par deux hommes qui portaient Thonolan sur une civière très ingénieuse. Pour la fabriquer, ils s'étaient servis de deux troncs de jeunes aulnes et d'une des cordes qui leur servait à amarrer le bateau. Enroulée autour des montants et passant de l'un à l'autre, cette corde formait un solide support sur lequel était couché Thonolan. Pour plus de sécurité, le blessé avait même été attaché sur la civière.

Dès qu'ils furent sortis, Rosario se dépêcha de défaire la tente en jetant des coups d'œil inquiets en direction du ciel et de la rivière. Jondalar comprit qu'elle n'en menait pas large, elle non plus, à l'idée du voyage qui les attendait. Sans plus attendre, il courut rejoindre son frère.

— Ces nuages m'ont l'air pleins de neige, fit remarquer Thonolan quand son frère se retrouva à sa hauteur. On ne voit plus les sommets des montagnes. Il doit déjà neiger là-haut. Je peux t'assurer, ajouta-t-il, qu'on ne voit plus le monde de la même manière quand on le regarde dans la position où je suis.

Levant la tête, Jondalar aperçut les nuages qui s'amoncelaient sur les montagnes et cachaient les pics enneigés. Ils se poussaient, roulaient les uns par-dessus les autres, se bousculaient, comme s'ils avaient hâte de remplir le ciel bleu. Malgré son inquiétude, Jondalar réussit à plaisanter.

— Tu dis ça car tu as besoin d'une excuse pour rester couché, dit-il en souriant.

Lorsqu'ils arrivèrent près du tronc d'arbre qui s'avançait dans l'eau, il s'effaça pour laisser passer les deux Ramudoï. S'équilibrant mutuellement, ils montèrent sur le tronc instable avec leur fardeau et réussirent à hisser à bout de bras le brancard en haut de la passerelle. En les voyant faire, Jondalar comprit pourquoi ils avaient pris la peine d'attacher son frère. Il s'engagea à son tour sur le tronc et eut bien du mal à garder l'équilibre. Il en éprouva d'autant plus d'admiration pour les deux hommes.

Le ciel était maintenant complètement couvert et, au moment où Rosario et le shamud rejoignaient le bateau, portant la tente qui avait abrité Thonolan, quelques flocons se mirent à tomber. Après que deux Ramudoï les eurent débarrassés de leur chargement, ils s'engagèrent à leur tour sur le tronc.

La rivière reflétait les sautes d'humeur du ciel : elle était trouble, agitée de violents remous, et le tronc qui bougeait sans cesse avait tendance à s'éloigner de l'embarcation. Se penchant par-dessus le bord du bateau, Jondalar tendit la main à Rosario. La vieille femme la prit avec reconnaissance et se laissa pratiquement hisser jusqu'au dernier échelon de la passerelle, puis à l'intérieur du bateau. Le shamud accepta lui aussi l'aide de Jondalar et, dans le regard de gratitude qu'il lui lança, il n'y avait plus trace de sarcasme.

Il restait encore un homme sur le rivage. Il détacha une des amarres, courut à toute vitesse sur le tronc et grimpa à l'intérieur de l'embarcation.

La passerelle fut remontée rapidement. La lourde embarcation qui essayait de s'éloigner de la rive pour s'engager dans le courant n'était plus retenue que par une seule corde et les pagaies à long manche que maniaient les rameurs. La seconde amarre lâcha brutalement et, profitant de sa soudaine liberté, l'embarcation bondit en avant. Elle se mit à tanguer si fort que Jondalar dut agripper le bord du bateau qui filait maintenant au beau milieu de la Rivière Sœur.

La tempête faisait rage et la neige réduisait la visibilité. Les eaux de la Sœur charriaient toutes sortes de débris : de lourds troncs d'arbres gorgés d'eau, des arbustes enchevêtrés, des cadavres d'animaux boursouflés et même un petit iceberg qui faillit entrer en collision avec le bateau. Jondalar contemplait le rivage qui s'éloignait quand soudain son regard fut attiré par quelque chose qui se trouvait à la cime d'un des aulnes, tout en haut de la colline, et claquait dans le vent. Une brusque rafale réussit à l'emporter vers la rivière, dans l'eau. En voyant de plus près cette peau tachée de brun, Jondalar réalisa alors qu'il s'agissait de sa tunique d'été. La tunique flotta un court instant en surface, avant de disparaître dans les flots.

Repensant à son mouvement de panique, juste après l'accident de Thonolan, Jondalar fronça les sourcils. Puis il se souvint de la joie qu'il avait éprouvée lorsqu'il avait aperçu le bateau. Comment ont-ils pu savoir que nous étions là ? se demanda-t-il à nouveau. Une pensée lui traversa l'esprit : peut-être était-ce cette tunique ensanglantée qui avait signalé leur présence. Mais comment expliquer que les Shamudoï et les Ramudoï soient justement passés par là ? Et pourquoi avaient-ils amené avec eux leur shamud ?

L'important, se disait Jondalar, c'est que Thonolan ait été sauvé. Il n'était plus sur son brancard et on l'avait adossé contre le bord de l'embarcation. Son visage était très pâle, il devait souffrir et semblait effrayé par la traversée. Mais cela ne l'empêchait pas de sourire à Jetamio qui se trouvait juste à côté de lui.

Etonné par les performances de cette solide embarcation qui bondissait sur l'eau agitée, Jondalar l'examina avec curiosité. Le fond, d'une seule pièce, avait été creusé dans un arbre de grande taille. Il était renflé au milieu. Il s'élargissait ensuite grâce à des rangées de planches qui se chevauchaient et étaient solidement fixées les unes aux autres sur les deux côtés du bateau. Ces planches formaient les flancs de l'embarcation et se rejoignaient à la hauteur de la proue. A l'intérieur du bateau, il y avait des appuis placés à intervalles réguliers sur lesquels étaient posées des planches qui servaient de bancs pour les rameurs. Trois d'entre eux étaient assis à l'avant du bateau sur le premier banc.

Jondalar s'absorbait toujours dans la contemplation de l'embarcation quand son regard fut attiré par un tronc d'arbre, poussé par le courant contre la proue. Son cœur fit un bond dans sa poitrine. Il regarda à nouveau pour s'assurer qu'il ne rêvait pas. Mais non. A l'avant de la proue, prise dans les branches de l'arbre, il y avait sa tunique d'été souillée de sang.

9

— Ne sois pas si gourmande, Whinney, conseilla Ayla en voyant que la jeune pouliche était en train de lécher les quelques gouttes d'eau qui restaient encore au fond du récipient en bois. Si tu bois tout, je vais être obligée de faire fondre à nouveau de la glace.

Whinney s'ébroua, secoua la tête et replongea son museau dans le récipient.

— Bon, puisque tu es vraiment assoiffée, il va falloir descendre chercher de la glace. Tu viens avec moi ?

Vivant seule avec la jeune pouliche, Ayla avait pris l'habitude de converser avec elle. Au début, elle avait surtout utilisé les gestes, les mimiques et les différentes postures qui composaient le langage du Clan. Puis elle s'était rendue compte que Whinney était aussi très sensible aux sons qu'elle émettait et cela l'avait amenée à communiquer plus souvent de cette manière avec elle.

Contrairement aux membres du Clan, Ayla n'avait aucune difficulté à utiliser toute une série de sons et d'inflexions. Son fils en était lui aussi capable et pour eux deux, c'était devenu un jeu d'imiter les syllabes dépourvues de sens qu'ils émettaient chacun à leur tour. Et, à force, certaines de ces syllabes avaient fini par acquérir une signification précise.

Depuis qu'Ayla conversait avec le jeune cheval, sa tendance à verbaliser s'était encore accrue. Elle imitait les sons émis par l'animal et inventait de nouveaux mots en combinant des sons dépourvus de sens qu'elle s'amusait à prononcer devant son fils. Comme il n'y avait plus personne pour lui reprocher d'émettre des sons inutiles, son vocabulaire oral était plus étendu qu'avant. Mais ce langage n'était compréhensible que pour elle — et dans une certaine mesure pour Whinney.

Après avoir enfilé ses jambières taillées dans la peau de la jument, elle mit son capuchon et enfila ses moufles. Passant les mains à travers la fente de ses moufles, elle attacha sa fronde à sa ceinture et plaça son panier sur son dos. Puis elle alla chercher l'os qu'elle utilisait pour casser la glace. Pour fabriquer ce pic à glace, elle avait utilisé un des fémurs de la jument : après en avoir retiré la moelle, elle l'avait taillé en pointe et meulé contre une pierre.

— En route, Whinney, dit-elle en écartant la lourde peau d'aurochs qui, avant, lui servait de tente, et faisait maintenant office de brise-vent à l'entrée de la caverne, solidement attachée à des pieux enfoncés dans le sol.

La pouliche trottant derrière elle, elle emprunta le sentier qui menait à la rivière. En arrivant près du cours d'eau, elle baissa un peu la tête pour se protéger du vent qui soufflait avec violence. Dès qu'elle eut trouvé un endroit où la glace semblait moins épaisse, elle s'y attaqua avec son pic.

— Il est plus facile de ramasser de la neige que de casser la glace, Whinney, expliqua-t-elle à la jeune pouliche en plaçant les blocs de glace à l'intérieur de son panier.

Elle s'arrêta au pied de la falaise pour prendre quelques morceaux de bois flottés dans la pile qui se trouvait là et remonta vers la caverne.

— L'hiver est sec par ici, expliqua-t-elle à la pouliche. Plus froid aussi. La neige me manque, Whinney. Les petites chutes de neige que nous avons eues jusqu'ici ne me suffisent pas. Elles n'ont apporté que du froid.

Ayla plaça les blocs de glace dans un grand bol qu'elle posa à côté du feu. Il fallait que la glace fonde légèrement avant qu'elle puisse la transvaser dans un récipient en peau pour la mettre à chauffer au-dessus du feu. Sans eau au fond, le récipient en peau risquait de brûler.

Puis elle jeta un coup d'œil autour d'elle et examina différents objets en cours de fabrication. Lequel allait-elle choisir aujourd'hui ? Aucun de ces travaux ne la tentait.

Et si j'allais chasser ? se dit-elle en apercevant les épieux qu'elle avait fabriqués récemment. Cela fait un bon bout de temps que je ne suis pas allée dans les steppes. Inutile de les emporter, ajouta-t-elle aussitôt en fronçant les sourcils. Jamais je ne pourrai m'approcher suffisamment d'un animal pour pouvoir m'en servir. Je vais simplement emporter ma fronde et faire un tour. Cela me fera du bien.

Elle choisit quelques cailloux arrondis parmi ceux qu'elle avait entreposés dans la caverne au cas où les hyènes s'aventureraient à nouveau jusque-là, les fourra dans les replis de son vêtement et ajouta un peu de bois sur le feu.

Lorsqu'elle s'engagea dans la montée escarpée qui reliait la caverne et les steppes, Whinney voulut la suivre et hennit derrière elle.

— Ne t'inquiète pas, Whinney. Je ne serai pas absente longtemps. Tu ne risques rien.

En arrivant en haut, Ayla dut resserrer les cordons de son capuchon car le vent soufflait si fort qu'il faillit arracher la fourrure de glouton qui lui couvrait la tête. Elle s'arrêta un instant pour regarder autour d'elle. Aussi arides et desséchées soient-elles en été, les steppes semblaient alors pleines de vie si on les comparait à l'aspect désolé qu'elles présentaient en hiver. Le vent soufflait en rafales, émettant une mélopée funèbre aux accents discordants. Sa plainte déchirante s'enflait jusqu'au cri perçant, puis diminuait jusqu'à n'être plus qu'un gémissement étouffé. Il balayait sans relâche la terre brun grisâtre et allait chercher les cristaux de neige qui se trouvaient au fond des creux, projetant à nouveau dans l'air ces flocons glacés.

La neige balayée par le vent avait la consistance des grains de sable et sous sa morsure, Ayla eut bientôt le visage en feu. Elle rapprocha le plus possible les pans de son capuchon, baissa la tête et continua à avancer face au vent qui venait du nord-est. L'herbe gelée crissait sous ses pas. Chaque fois qu'une nouvelle rafale de vent chargée de neige l'atteignait, ses narines se pinçaient et sa gorge lui faisait mal. Sa respiration était devenue sifflante et elle se mit à tousser.

Mais qu'est-ce que je fais là ? se demanda-t-elle. Jamais je n'aurais pensé qu'il fasse aussi froid. Je ferais mieux de rentrer.

Elle allait faire demi-tour quand, soudain, elle s'immobilisa en dépit du froid intense. De l'autre côté du ravin, un petit groupe de mammouths laineux avançait à pas pesants, énormes tertres ambulants à la fourrure brun-roux et aux longues défenses incurvées. Ils vivaient dans cette morne région en se nourrissant exclusivement d'herbe gelée sur pied. En s'adaptant à cet environnement, ils avaient perdu toute capacité d'évoluer dans un milieu différent. Leurs jours étaient comptés et ils s'éteindraient dès qu'il n'y aurait plus de glaciers.

Ayla attendit que les formes indistinctes aient disparu de sa vue, happées par la neige tourbillonnante, pour se remettre en route. Elle ne traîna pas en chemin et poussa un soupir de soulagement lorsque, après avoir franchi la crête, elle se retrouva à nouveau à l'abri du vent. Elle se sentait aussi heureuse que le jour où elle avait découvert pour la première fois son sanctuaire. Que serais-je devenue si je n'avais pas trouvé cette vallée ? se dit-elle. Quand elle atteignit la corniche, qui se trouvait en face de la caverne, elle étreignit Whinney, puis s'avança tout au bout du piton rocheux pour regarder la vallée. La couche de neige était légèrement plus épaisse que dans les steppes et, là où le vent avait soufflé, il y avait même quelques congères.

Debout sur la corniche, Ayla entendit le hurlement d'un loup. Baissant les yeux, elle aperçut un renard polaire qui était en train de traverser le cours d'eau gelée. Sa fourrure blanche se confondait si bien avec la neige que, lorsqu'il s'immobilisa sur l'autre rive, elle le perdit pratiquement de vue. Elle nota alors un mouvement en bas de la vallée et reconnut la silhouette d'un lion des cavernes. Son pelage épais et fourni était si clair qu'il semblait presque blanc. Tous ces prédateurs quadrupèdes s'adaptaient à l'environnement de leur proie. A l'inverse, Ayla et ses semblables faisaient en sorte que l'environnement s'adapte à eux.

La jeune femme allait partir quand elle entendit un ricanement au-dessus d'elle. Levant la tête, elle aperçut alors une hyène qui se penchait par-dessus le bord de la corniche. Elle saisit aussitôt sa fronde. Mais, avant qu'elle ait pu s'en servir, la hyène s'éloigna de son pas traînant et disparut en direction des steppes. Whinney s'approcha d'Ayla en hennissant doucement et la poussa de la tête. Prenant la jeune pouliche par l'encolure, Ayla se dirigea vers la caverne.

Allongée sous sa fourrure, Ayla regardait la voûte de la caverne en se demandant ce qui avait bien pu la réveiller. Elle tourna la tête pour regarder Whinney : la pouliche avait, elle aussi, les yeux ouverts mais on n'y lisait aucune inquiétude. Pourtant, il y avait quelque chose de changé.

Ayla se blottit frileusement sous ses fourrures et, profitant de la lumière qui entrait par le trou placé au-dessus de l'entrée, elle jeta un coup d'œil à ses claies auxquelles étaient maintenant suspendues, à côté des herbes et des racines, des petites saucisses blanches qu'elle avait fabriquées en remplissant les intestins de la jument avec la graisse de l'animal, puis en pinçant et en faisant tourner la membrane à intervalles réguliers.

En voyant les saucisses, elle se mit à penser à son petit déjeuner. Un bouillon de viande séchée, un peu de graisse, quelques plantes pour assaisonner, une poignée de céréales et des raisins secs. Elle était trop réveillée pour rester plus longtemps au lit et repoussa les couvertures. S'enveloppant dans la fourrure de lynx qui gardait encore la chaleur de son corps, elle courut vers l'entrée de la caverne, écarta le brise-vent et s'arrêta, médusée.

Les contours escarpés de la corniche étaient recouverts d'une épaisse couche de neige tombée durant la nuit, qui brillait uniformément au soleil et reflétait le ciel d'un bleu transparent où subsistaient encore quelques nuages floconneux. L'air était immobile, il n'y avait plus trace de vent.

Située à cheval entre les steppes continentales plus humides et les steppes sèches, arides et recouvertes de lœss, la vallée subissait l'influence des deux types de climats. Le froid était donc sec par moments, humide à d'autres. L'épaisse couche de neige tombée pendant la nuit rappelait à Ayla les conditions climatiques qui régnaient autour de la caverne du clan. Elle avait soudain l'impression de se retrouver chez elle.

— Whinney ! appela-t-elle. Viens voir ! Il a neigé ! De la vraie neige pour une fois.

Si Ayla s'était précipitée dehors un instant plus tôt, c'était avant tout pour satisfaire un besoin naturel, aussi se dépêcha-t-elle de gagner l'extrémité de la corniche. Quand elle revint vers la caverne, elle aperçut la jeune pouliche qui avançait avec précaution une de ses pattes dans cette substance immatérielle. Baissant la tête, Whinney renifla la surface gelée, puis elle s'ébroua. En voyant Ayla, elle se mit à hennir plaintivement.

— Approche-toi, Whinney ! Tu ne risques rien.

C'était la première fois que la jeune pouliche voyait autant de neige. Quand, avançant un peu plus, elle sentit son sabot s'enfoncer dans l'épaisse couche, elle hennit à nouveau en direction d'Ayla comme si elle éprouvait le besoin d'être rassurée. Celle-ci s'approcha et l'aida à avancer sur la corniche enneigée jusqu'à ce qu'elle se sente plus à l'aise. La curiosité naturelle de la jeune pouliche et son goût du jeu finirent par prendre le dessus et elle se mit à gambader joyeusement autour d'Ayla.

— Je vais faire chauffer une infusion et préparer à manger, dit-elle en sentant qu'elle commençait à avoir froid. Je n'ai presque plus d'eau. Il va falloir casser de la glace. (S'interrompant soudain, elle éclata de rire.) Je n'ai pas besoin de glace ! Il suffit que je remplisse un bol avec de la neige. Que dirais-tu ce matin d'une bouillie chaude, Whinney ?

Quand elles eurent fini de manger, Ayla s'habilla chaudement et quitta la caverne. L'air avait une douceur inhabituelle à cause de l'absence de vent. Mais ce qu'elle appréciait surtout, c'était le plaisir de marcher dans la neige. Après avoir rempli de neige des bols et des paniers, elle plaça ceux-ci près du feu pour que leur contenu fonde.

C'était tellement plus facile que de casser de la glace qu'elle se dit qu'elle allait en utiliser une partie pour se laver. Quand elle vivait encore au sein du Clan, elle se lavait régulièrement avec de la neige fondue. Dans la vallée, elle avait tellement de mal à se procurer la glace dont elle avait besoin simplement pour boire et cuisiner qu'elle avait dû renoncer à se laver. Mais le moment était venu de renouer avec cette saine habitude.

Elle ajouta du bois dans le feu en piochant dans les réserves qui se trouvaient à l'intérieur de la caverne, puis elle ressortit et se mit à dégager la pile de bois de chauffe qui se trouvait près de l'entrée.

Si je pouvais empiler de la neige comme j'empile du bois, ce serait bien pratique, se dit-elle. Le vent risque de se remettre à souffler et alors, fini la neige...

Elle transporta à l'intérieur de la caverne une partie du bois qu'elle venait de dégager et en profita pour prendre un bol afin de retirer plus rapidement la neige.

Elle venait de remplir son bol et d'en déverser le contenu à côté de la pile de bois quand elle remarqua que le petit tas de neige conservait la forme du bol lorsqu'elle retirait le récipient. Pourquoi ne pas empiler de la neige comme ça ? Exactement comme j'empile mon bois...

Pleine d'enthousiasme à cette idée, elle se mit aussitôt à ramasser la neige qui recouvrait la corniche et l'entassa contre la paroi à côté de l'entrée de la caverne. Quand elle eut terminé, elle s'attaqua à l'étroit sentier qui descendait vers la rivière. Whinney profita du fait que la voie était dégagée pour aller faire un tour dans la vallée.

Les yeux brillants et les joues rougies par le froid, Ayla s'arrêta et sourit d'un air satisfait en contemplant l'imposant tas de neige qui se trouvait près de l'entrée. Jetant un coup d'œil autour d'elle, elle s'aperçut qu'il restait encore un peu de neige à l'extrémité de la corniche et se dirigea aussitôt de ce côté. De loin, elle vit Whinney en train de se frayer un chemin au milieu de ces masses de neige inhabituelles, levant bien haut les pattes.

Lorsqu'elle eut complètement dégagé la corniche et qu'elle s'arrêta pour examiner à nouveau le tas de neige, la forme de celui-ci la fit sourire. D'où elle était, les diverses bosses faites par le bol suggéraient les contours d'un visage.

Pour que ça ressemble vraiment à Brun, il faudrait que le nez soit un peu plus gros, songea-t-elle en ajoutant un peu de neige à l'endroit voulu. Puis elle approfondit un creux, aplatit légèrement une bosse et se recula pour contempler son œuvre.

— Bonjour, Brun, dit-elle avec un sourire malicieux en utilisant les gestes appropriés.

Mais son sourire s'effaça aussitôt. Brun n'apprécierait peut-être pas tellement que l'on se serve de son nom pour s'adresser à un tas de neige. Le nom qu'on portait revêtait trop d'importance pour qu'on l'utilise à tort et à travers. Ce visage ressemble pourtant à celui de Brun, se dit Ayla avec un petit rire étouffé. Mais je devrais être plus polie lorsque je m'adresse à lui. Quand on est une femme, il n'est pas correct de parler au chef de la tribu avant que celui-ci vous en donne la permission. Se prenant au jeu, elle s'assit en face du tas de neige et baissa les yeux, dans la position qu'adoptaient les femmes du Clan lorsqu'elles demandaient à un homme la permission de s'adresser à lui.

Immobile, les yeux fixés sur le sol, Ayla attendait comme s'il y avait quelque chance que Brun lui tape sur l'épaule pour lui indiquer qu'elle avait le droit de lui parler. Rien ne se produisait et le silence devenait de plus en plus pesant. Le sol rocheux sur lequel elle était assise était glacé et elle commençait à se sentir un peu ridicule dans cette position. Ce tas de neige avait beau ressembler à Brun, jamais il ne lui taperait sur l'épaule. Brun lui-même était resté insensible à sa requête la dernière fois qu'elle s'était assise en face de lui, juste après avoir été injustement maudite, alors qu'elle voulait lui demander de prendre Durc sous sa protection. Le vieux chef s'était détourné d'elle car il était trop tard — elle était déjà morte aux yeux du clan.

Au souvenir des événements qui l'avaient obligée à partir, son humeur changea du tout au tout. Bondissant sur ses pieds, elle s'approcha du visage sculpté dans la neige et se mit à le bourrer de coups de poing et de pied.

— Tu n'es pas Brun ! dit-elle en tentant de détruire toute ressemblance avec l'original. Tu n'es pas Brun ! Jamais plus je ne le reverrai ! Jamais je ne reverrai Durc ! Jamais plus je ne reverrai qui que ce soit ! Je suis toute seule ! ajouta-t-elle en laissant échapper un gémissement de désespoir. Oh ! pourquoi suis-je si seule ?

Elle s'effondra à genoux en pleurant et se laissa tomber dans la neige. Ramenant celle-ci sur elle, elle se blottit au creux de cette humidité glaciale, essayant de s'y enterrer et appelant de tous ses vœux l'engourdissement mortel dans l'espoir qu'il mette fin une fois pour toutes à ses souffrances et à sa solitude. Quand son corps commença à être parcouru de frissons, elle ferma les yeux et essaya d'oublier la sensation de froid qui la pénétrait maintenant jusqu'aux os.

Elle sentit soudain quelque chose de chaud et d'humide sur son visage et entendit le hennissement d'un cheval. Comme elle ne bougeait toujours pas, la pouliche se mit à la pousser de la tête. Ouvrant les yeux, elle aperçut les deux grands yeux noirs du petit cheval. Levant les bras, elle entoura le cou de l'animal et cacha son visage dans ses longs poils.

— Tu veux que je me lève, n'est-ce pas, Whinney ? demanda-t-elle en lâchant la pouliche.

Whinney leva la tête, puis la baissa comme si elle avait compris la question d'Ayla et y répondait par l'affirmative. Cela suffit pour que la jeune femme reprenne courage. C'est vrai qu'elle se sentait seule. Mais ce n'était pas une raison suffisante pour renoncer à la vie. Même lorsqu'elle vivait au sein du clan, entourée d'affection, elle était si différente des autres qu'elle avait appris très vite ce que c'était que la solitude. Et sa seule force avait été l'amour qu'elle prodiguait aux autres. A Iza, quand elle était tombée malade, à Creb, dans sa vieillesse, à son jeune fils. Le fait qu'ils aient besoin d'elle lui avait toujours fourni des raisons de continuer de vivre.

— Tu as raison, Whinney. Il vaut mieux que je me lève. Je ne peux pas te laisser seule. Que deviendrais-tu sans moi ? Regarde comme je suis mouillée, ajouta-t-elle. Je vais mettre d'autres vêtements et te préparer une bouillie bien chaude. Cela te fera plaisir, n'est-ce pas ?

Ayla observait deux renards polaires en train de se montrer les dents et de se mordre. Ils se battaient pour une renarde et leur odeur de mâles en rut était si forte qu'elle parvenait jusque sur la corniche où la jeune femme se trouvait. Leur pelage était magnifique en hiver alors qu'en été il était d'un brun terne. Si je veux une fourrure blanche, c'est le moment ou jamais, se dit Ayla. Mais au lieu de prendre sa fronde, elle continua à les regarder. Le combat était terminé et le mâle victorieux exigeait son dû. Quand il grimpa sur la femelle, celle-ci lança un cri perçant.

Je me demande si elle aime ça, se dit Ayla. Moi, même quand cela a cessé de me faire mal, je n'ai jamais aimé ça. Les autres femmes m'ont dit qu'elles éprouvaient du plaisir. Pourquoi ne suis-je pas comme les autres ? Est-ce parce que je n'aimais pas Broud ? Peut-être est-ce différent quand on aime un homme. Cette renarde aime-t-elle le mâle qui la monte ? Apprécie-t-elle ce qu'il est en train de lui faire ? En tout cas, elle n'essaie pas de lui échapper.

Ce n'était pas la première fois qu'Ayla se retenait de chasser pour pouvoir observer des renards ou d'autres carnivores. Elle avait passé des journées entières à observer les proies que son totem lui avait donné la permission de chasser, afin de connaître leurs coutumes et leurs habitats, et elle s'était rendu compte que c'était des animaux intéressants et attachants. Les hommes du Clan chassaient presque exclusivement des herbivores, pour se nourrir, et ne tuaient des carnivores que pour se procurer des fourrures. Ils les connaissaient donc beaucoup moins bien qu'Ayla.

En regardant les deux renards en train de s'accoupler, elle pensait à ce qui allait suivre. Elle savait que l'accouplement avait toujours lieu à la fin de l'hiver et que la renarde mettait bas au printemps quand son pelage tournait au brun. Je me demande si elle va s'installer tout près d'ici à l'abri du tas d'ossements et de bois flotté ou si elle va creuser sa renardière ailleurs, songeait-elle. J'espère qu'elle leur fera manger de la viande qu'elle régurgitera pour eux. Ensuite elle leur apportera des proies mortes, des souris, des taupes, des oiseaux et, de temps à autre, des lapins. Dès qu'ils seront un peu plus grands, elle leur amènera des proies encore vivantes et leur apprendra à chasser. A l'automne, les renardeaux seront devenus adultes et, l'hiver prochain, les renardes se mettront à nouveau à glapir quand un mâle les approchera.

Pourquoi font-ils ça ? se demanda Ayla. Qu'est-ce qui les pousse à s'accoupler ? Je pense que ce mâle met en train les petits renards. Si, pour avoir des petits, il suffisait que la femelle avale un esprit, comme Creb me l'a toujours dit, pourquoi ces renards s'accouplent-ils ainsi ?

Tout le monde croyait que je n'aurais jamais d'enfant, car l'esprit de mon totem était trop fort. Mais j'en ai eu un. Si Durc a été mis en train quand Broud m'a fait ce qu'est en train de faire ce renard, la force de mon totem n'avait plus d'importance.

Mais les êtres humains ne sont pas comme les renards. Ils peuvent en avoir toute l'année. Et les femmes n'ont pas d'enfant chaque fois qu'elles vont avec un homme. Peut-être Creb disait-il vrai... Peut-être faut-il que l'esprit du totem de l'homme pénètre à l'intérieur de la femme. Mais elle ne l'avale pas. A mon avis, elle reçoit l'esprit du totem quand l'homme la pénètre avec son organe. Soit le totem de la femme repousse celui de l'homme, soit elle attend un enfant.

Je crois que je vais me passer de cette fourrure blanche, continua Ayla. Si je tue un de ces renards, les autres vont partir et je ne saurai jamais combien de petits la renarde a mis bas. Je vais plutôt tuer cette hermine que j'ai aperçue en aval de la rivière. Sa fourrure est blanche et douce et le bout de sa queue noir. C'est vraiment très joli.

Mais que vais-je faire d'une peau aussi petite ? Il y aura à peine de quoi fabriquer une moufle. Et l'hermine aura elle aussi des petits au printemps. Autant attendre l'hiver prochain quand elles seront plus nombreuses. Je n'irai pas chasser aujourd'hui. Je pense que je vais plutôt terminer le bol que j'ai commencé hier.

Ayla ne se rendait pas compte qu'elle était en train de penser aux animaux qui seraient là l'hiver prochain alors qu'elle avait décidé de quitter la vallée au printemps. Au fond, elle avait fini par s'habituer à sa solitude. Celle-ci ne lui pesait que le soir, quand elle faisait une nouvelle entaille dans un bâton et apercevait alors la pile de bâtons accumulés depuis son arrivée dans la vallée.

D'un geste vif, Ayla repoussa la mèche de cheveux qui lui tombait dans les yeux. Elle était en train de fendre une racine secondaire d'un arbre dans le but de confectionner un panier à larges mailles. Depuis le début de l'hiver, elle avait expérimenté de nouvelles techniques de vannerie : elle utilisait toutes sortes de matériaux et les associait pour obtenir des textures différentes et des mailles de différentes tailles. Elle éprouvait un tel intérêt pour les travaux de vannerie — tressage, tissage, nouage des fibres végétales — et la fabrication des cordes, sangles et cordons, que cette tâche l'absorbait plus que toute autre. Même si le résultat était parfois décevant, cela ne l'empêchait pas de continuer à innover et elle en venait à entrelacer ou à tresser tout ce qui lui tombait sous la main.

Elle avait commencé à travailler en début de matinée sur un procédé de vannerie particulièrement compliqué et il fallut que Whinney pousse de la tête le brise-vent qui se trouvait à l'entrée pour qu'elle s'aperçoive que la nuit était tombée.

— Je ne m'étais pas rendu compte qu'il était si tard, Whinney, dit-elle en se levant aussitôt. Il faut que je prépare quelque chose à manger.

Ayla commença par nourrir Whinney, puis elle changea sa litière. En revenant vers la caverne, elle s'arrêta pour ramasser de la neige. Le tas avait beaucoup diminué et elle se dit que dans peu de temps, elle serait à nouveau obligée de descendre chercher de l'eau à la rivière. Après avoir pesé le pour et le contre, elle décida de se laver les cheveux avant que cette opération devienne trop compliquée.

Elle mit de la neige à fondre près du feu pendant que son repas cuisait et attendit d'avoir mangé pour se laver les cheveux. Quand sa chevelure fut propre, elle commença à la démêler en se servant comme d'habitude de ses doigts et d'une brindille. Puis soudain son regard tomba sur la cardère sèche dont elle s'était servie le matin même pour démêler les fibres d'une écorce qu'elle comptait tresser. C'était le fait d'étriller régulièrement Whinney qui lui avait donné l'idée d'utiliser les capitules de cardère pour démêler des fibres végétales et tout naturellement elle songea à s'en servir pour peigner ses cheveux.

Le résultat lui plut beaucoup. Ses longs cheveux blonds et fournis étaient maintenant souples et doux au toucher. Elle les ramena en avant pour les examiner à la lueur du feu et trouva que leur couleur était plutôt belle. Elle ne se lassait pas de les toucher et, avant qu'elle réalise ce qu'elle était en train de faire, elle en saisit une partie et se mit à la tresser.

Quand elle eut terminé, elle attacha l'extrémité de la tresse avec un tendon et recommença l'opération jusqu'à ce que sa tête soit couverte de longues tresses. Elle remua alors la tête en souriant, étonnée par cette sensation toute nouvelle. Les tresses qui encadraient son visage la gênaient un peu et, comme elle n'arrivait pas à les faire tenir derrière ses oreilles, elle finit par les replier et les attacha sur le devant, un peu au-dessus de son front. Celles qui retombaient sur ses épaules et dans son dos ne la gênaient pas et elle les laissa pendre librement.

Au début, ce fut la nouveauté de la chose qui lui plut. Mais très vite elle se rendit compte que porter des tresses était aussi bien pratique : ses cheveux restaient en place et elle n'était plus sans cesse obligée de repousser en arrière les mèches qui lui tombaient dans les yeux.

Peu de temps après qu'elle eut adopté cette nouvelle coiffure, elle dut s'occuper à nouveau de son approvisionnement en eau car elle avait entièrement utilisé le tas de neige qui se trouvait à côté de la caverne. Il était inutile qu'elle recommence à casser de la glace car la neige était tombée en si grande quantité qu'il y avait maintenant un peu partout des congères. Quand elle examina celles qui se trouvaient juste en dessous de la caverne, elle s'aperçut qu'à cet endroit la neige était couverte de cendres et de suie qui provenaient de son feu. Elle se mit alors à remonter la rivière pour trouver un endroit où la neige serait propre.

Elle avançait avec précaution sur la surface gelée du cours d'eau et, lorsqu'elle se retrouva à l'entrée de l'étroite gorge, au lieu de ramasser la neige qu'elle était venue chercher, elle continua à marcher, poussée par la curiosité. C'était la première fois qu'elle explorait cette partie de la rivière. Le courant y étant plus fort, elle ne s'y était encore jamais aventurée. A l'intérieur de la gorge, le froid avait gelé l'eau projetée contre les parois, construisant des édifices de glace fantastiques, dignes d'un pays de rêve. Ayla souriait de plaisir en contemplant ces formations merveilleuses, sans savoir qu'elle allait bientôt découvrir un spectacle encore plus étonnant.

Cela faisait déjà un bon moment qu'elle marchait et elle songeait à faire demi-tour car il faisait très froid au fond de cette gorge privée de soleil. Elle décida donc qu'elle n'irait pas plus loin que la prochaine boucle de la rivière. Mais arrivée là, elle ne put s'empêcher de jeter un coup d'œil de l'autre côté et s'arrêta, médusée. Les deux parois de la gorge se rejoignaient, formant une haute falaise rocheuse dont le sommet arrivait à la hauteur des steppes et le long de laquelle descendait une cascade gelée d'un blanc éblouissant.

Cette sculpture de glace était d'une telle splendeur qu'Ayla en eut le souffle coupé. Elle avait l'impression que la force de l'eau emprisonnée par la main de l'hiver était sur le point de se précipiter sur elle. La tête lui tournait et elle restait pourtant sans bouger, clouée au sol par la magnificence du spectacle et le corps parcouru de frissons. Avant de faire demi-tour, elle crut apercevoir une goutte d'eau à l'extrémité d'une des chandelles de glace et frissonna de plus belle.

Ce fut le vent qui réveilla Ayla. Ouvrant les yeux, elle regarda vers l'entrée de la caverne et constata alors que la peau d'aurochs s'était en partie détachée et battait contre un des pieux. Après avoir réparé le brise-vent, elle avança la tête au-dehors pour voir quel temps il faisait.

— Il fait meilleur, Whinney, annonça-t-elle. Je suis sûre que le vent est un peu moins froid.

Whinney remua les oreilles et la regarda avec l'air d'attendre quelque chose. Mais Ayla ne proposait rien de précis, elle ne faisait que lui parler. Elle n'avait pas fait de geste ni produit de son qui exigeât une réponse de la pouliche : elle ne lui avait pas fait signe de s'approcher ou de s'en aller, elle ne lui annonçait pas qu'il était temps de venir manger, et le message qu'elle venait d'émettre n'indiquait pas qu'elle ait l'intention de l'étriller ou de la caresser. Considérant Whinney comme une amie et une compagne, Ayla ne l'avait pas dressée. Mais celle-ci commençait à comprendre que certains sons et signaux étaient associés à des activités bien particulières et elle s'était mise à y répondre de la manière qui convenait.

Et Ayla, elle aussi, commençait à comprendre le langage de Whinney. Ayant l'habitude du langage par signes, il lui suffisait d'observer l'attitude et l'expression de la jeune jument pour savoir aussitôt ce que celle-ci ressentait ou désirait lui dire. L'hiver, en les obligeant à vivre côte à côte, avait renforcé le lien qui les unissait et leur avait permis d'atteindre un haut niveau de communication et de compréhension. Ayla savait maintenant quand Whinney était heureuse, contente, nerveuse ou bouleversée et elle était en mesure de répondre aux demandes de l'animal, que Whinney ait soif, faim ou besoin d'affection. Intuitivement, c'est elle qui avait assumé depuis le début le rôle dominant, qui avait commencé à donner des directives à l'animal et à émettre des signaux auxquels Whinney répondait.

Debout à l'entrée de la caverne, elle était en train d'examiner la peau qui servait de brise-vent. Elle devrait refaire des trous un peu au-dessous de ceux qui s'étaient déchirés pour y enfiler une longue lanière afin de pouvoir réattacher la peau sur la traverse horizontale. Soudain, elle sentit quelque chose d'humide à la base de son cou.

— Arrête, Whinney, dit-elle en se retournant.

Ce n'était pas Whinney car celle-ci n'avait pas bougé. Quand une deuxième goutte lui tomba dans le cou, Ayla releva la tête et aperçut la longue pointe de glace qui pendait dans le trou à fumée. La buée dégagée par la respiration des deux occupantes et la cuisson des aliments était transportée par la chaleur du feu vers la voûte de la caverne et, en rencontrant l'air froid qui rentrait par le trou, se transformait en glace. Mais le vent sec qui soufflait sans relâche chassait suffisamment l'humidité pour que, durant l'hiver, le sommet du trou à fumée n'ait été décoré que d'une frange de glace. Ayla fut donc très surprise de voir la longue chandelle, grise de cendres et de suie, qui pendait à cet endroit.

Une troisième goutte d'eau tomba sur le sommet de son crâne avant qu'elle ait eu le temps de se reculer. Elle alla s'essuyer et poussa un cri de joie.

— Whinney ! Whinney ! dit-elle en se précipitant vers la jeune jument pour la prendre par le cou. La glace commence à fondre ! Le printemps n'est pas loin ! Bientôt les arbres vont bourgeonner et tout va reverdir. Tu vas pouvoir manger de l'herbe tendre. Je suis sûre que tu adoreras ça !

Lâchant le cou de Whinney, Ayla courut sur la corniche, comme si elle espérait y découvrir un paysage déjà verdoyant. La neige n'avait nullement disparu durant la nuit et le vent était si froid qu'elle rentra prestement à l'intérieur de la caverne.

Les jours suivants, elle fut bien déçue : au lieu du printemps tant attendu, le blizzard se mit à souffler. Il fit encore plus froid qu'au cœur de l'hiver. Malgré tout, le printemps arrivait, talonnant sans relâche l'hiver, et le soleil, déjà plus chaud, faisait fondre la croûte gelée qui recouvrait le sol. Les gouttes qui étaient tombées dans le cou d'Ayla annonçaient bien que la glace allait se transformer en eau — et les effets de la fonte seraient plus impressionnants qu'elle n'aurait jamais osé l'imaginer.

Non seulement la neige et la glace fondaient, mais il se mit aussi à pleuvoir, ce qui accéléra encore le processus de la fonte, et les steppes bénéficièrent de cet apport d'humidité. Il ne s'agissait nullement d'un phénomène localisé. La source de la rivière qui coulait dans la vallée était alimentée par la fonte de l'immense glacier, et toutes sortes d'affluents, qui étaient déjà à sec lorsque Ayla était arrivée dans la vallée, venaient s'y jeter aussi.

Ces torrents dévalant des lits qui, l'instant d'avant, étaient encore à sec, surprenaient les animaux qui avaient le malheur de s'y trouver et les entraînaient en aval. Leur force et leur violence étaient telles que les cadavres qu'ils charriaient étaient broyés et dénudés jusqu'à l'os.

Parfois, négligeant d'anciens tracés, l'eau de la fonte choisissait un nouveau parcours, déracinant au passage les arbres et les buissons qui avaient vaillamment réussi à pousser depuis des années dans un environnement hostile. Des pierres, des galets et même de gros rochers étaient entraînés au passage par cette marée de débris.

Les parois de la gorge en amont de la caverne bridaient le flot furieux qui se déversait par-dessus la cascade. La résistance que rencontrait la rivière lui donnait encore plus de force et faisait monter le niveau des eaux. Les renards qui avaient installé leur terrier sous le tas d'ossements et de bois flottés étaient maintenant inondés.

Le spectacle de la crue était si impressionnant qu'Ayla passait une partie de la journée sur la corniche à observer ces eaux tumultueuses et couvertes d'écume dont le niveau montait un peu plus chaque jour. Surgissant de l'étroite gorge, l'eau se précipitait avec violence contre la saillie rocheuse, déposant à la base de celle-ci son lot de débris variés. Ayla comprenait enfin pourquoi autant d'os, de bois flottés et de blocs erratiques avaient pu s'accumuler à cet endroit et elle se félicitait que la caverne soit située aussi haut.

Lorsqu'un gros rocher ou un arbre venait s'écraser contre la saillie rocheuse, le choc se répercutait jusque sur la corniche. A chaque fois, Ayla sursautait, effrayée. Puis elle oubliait ses craintes. Elle était devenue fataliste. Si le moment était venu pour elle de mourir, tant pis ! De toute façon, elle était morte le jour où Broud l'avait maudite. Elle n'était pas de taille à combattre les forces qui présidaient à son destin. Même si la corniche où elle se trouvait devait être emportée par les eaux, elle ne pouvait rien faire pour empêcher cela. Et elle était fascinée par la violence aveugle de la nature.

La crue était si forte qu'un jour elle finit par entraîner un des arbres qui poussaient au pied de la paroi rocheuse sur la rive opposée. En tombant, l'arbre heurta violemment la corniche, puis il fut entraîné à toute vitesse par le cours d'eau qui, de l'autre côté de la boucle, avait formé un lac long et étroit dans la partie basse des prés, inondant les berges et submergeant la végétation qui y poussait. Pendant un court instant, le géant entraîné par la crue fut retenu par les branches des arbres qui, sous l'eau, s'accrochaient au sol de toute la force de leurs racines. Puis le courant l'arracha brutalement à leur étreinte, déracinant au passage les arbres qui tentaient vainement de résister.

Le jour où Ayla entendit un craquement qui se répercuta le long des parois de la gorge, elle comprit que la chute d'eau venait enfin de se délivrer de l'emprise de l'hiver. Entraînés par les remous qui les faisaient s'entrechoquer, les blocs de glace vinrent buter contre la saillie rocheuse, puis ils la contournèrent. Lorsqu'ils disparurent, ils avaient déjà en partie fondus et allèrent grossir les eaux du lac qui se trouvait en contrebas.

Lorsque le niveau des eaux eut baissé suffisamment pour qu'elle puisse à nouveau emprunter l'étroit sentier qui conduisait à la rivière, Ayla s'aperçut que la plage avait changé d'aspect. Le tas boueux qui se trouvait à la base de la saillie rocheuse était plus important qu'avant.

En plus des os et des bois flottés, il y avait aussi maintenant des arbres entiers et des cadavres d'animaux. La forme de la plage avait changé et certains arbres avaient disparu, entraînés par le courant. Mais une partie de la végétation avait réussi à résister à la force de la crue. Dans cette région au climat essentiellement sec, les racines des arbres et des buissons s'enfonçaient profondément dans la terre, surtout lorsque ceux-ci poussaient un peu en retrait des berges. Habitués aux inondations annuelles, la plupart d'entre eux étaient solidement ancrés dans le sol.

Dès que les framboisiers se couvrirent de petites baies vertes, Ayla se mit à songer aux fruits qu'elle mangerait et cela lui posa un problème. Pourquoi penser à des baies qui ne seraient pas mûres avant le début de l'été quand elle savait qu'à cette époque elle aurait depuis longtemps quitté la vallée ? L'arrivée du printemps l'obligeait à prendre une décision : quand exactement allait-elle se remettre en route et partir à la recherche des Autres ?

Elle était en train d'y réfléchir, assise à l'extrémité de la corniche, un endroit où elle aimait s'installer parce qu'il était plat et qu'elle pouvait poser ses pieds un peu plus bas sur une légère saillie. Là où elle était, elle apercevait la vallée et, en tournant la tête, elle pouvait voir le début de la gorge en amont de la rivière. Pour l'instant, elle regardait vers la vallée et elle venait d'apercevoir Whinney qui rentrait après une promenade dans la prairie. Quand la jument arriva à la hauteur de la saillie rocheuse, elle disparut à la vue d'Ayla mais celle-ci entendit bientôt le bruit de ses sabots sur l'étroit sentier.

Elle sourit en apercevant la tête épaisse du cheval, ses oreilles noires et sa crinière brune et fournie. Le pelage jaune s'ornait maintenant d'une rayure brun foncé qui courait le long de l'échine, et la longue queue était aussi sombre que les oreilles. Les jambes de devant, brun foncé dans leur partie inférieure, portaient plus haut de légères zébrures, à peine perceptibles. Whinney jeta un coup d'œil à Ayla et hennit doucement, pour demander si elle désirait quelque chose, puis gagna la caverne. Bien qu'elle n'en eût pas encore tout à fait la carrure, elle avait atteint sa taille adulte.

Se retournant vers la vallée, Ayla réfléchit à nouveau au problème qui l'avait préoccupée ces derniers jours. Je ne peux pas partir maintenant, se dit-elle. Il faut d'abord que je chasse un peu pour faire des réserves de viande et que j'attende que certains fruits soient mûrs. Et que vais-je faire de Whinney ? Je ne peux pas la laisser ici. Mais que se passera-t-il quand je rencontrerai les Autres ? Me laisseront-ils la garder ? Jamais Brun n'aurait accepté que je garde un jeune cheval à la chair si tendre. Si les Autres décident de tuer Whinney, elle ne s'enfuira pas et les laissera faire. Et il n'est pas certain qu'ils m'écoutent si je leur demande de la laisser en vie. S'ils sont comme Broud, ils ne m'écouteront pas. Qui me dit qu'ils ne sont pas comme lui ? Ou même pire ? Après tout, même s'ils ne l'ont pas fait exprès, ils ont tué le bébé d'Oga.

Même si je dois partir à la recherche des Autres, je peux très bien rester un peu plus longtemps ici. Jusqu'à ce que j'aie reconstitué des réserves de viande et de tubercules. J'attendrai que ceux-ci aient suffisamment poussé, puis je m'en irai.

Soulagée d'avoir pris une décision, Ayla se leva et se dirigea vers l'autre côté de la corniche. Elle y fut accueillie par l'odeur de viande en putréfaction que dégageait le tas de débris récemment amoncelés à la base de la saillie rocheuse. Elle aperçut alors une hyène qui serrait dans ses mâchoires puissantes la patte avant de ce qui avait dû être un cerf. De tous les prédateurs et nécrophages, la hyène était la seule à posséder une telle force dans les mâchoires et dans le train avant. Cette dernière particularité lui conférait d'ailleurs une allure déséquilibrée.

La première fois qu'Ayla avait aperçu une hyène en train de renifler le tas de débris, il avait fallu qu'elle se retienne à deux fois pour ne pas la tuer avec sa fronde. En voyant la hyène extraire un morceau de charogne de dessous le tas, elle préféra lui laisser la vie sauve, consciente du service que l'animal rendait. Elle connaissait parfaitement ces animaux et savait que lorsqu'ils chassaient, ils s'attaquaient directement au bas-ventre ou aux glandes mammaires de leur proie, faute de posséder une détente suffisante comme les félins et les loups.

Mais leur menu habituel restait la charogne. Pour les hyènes, c'était un plat de roi. Elles ne se gênaient pas d'ailleurs pour fouiller les amoncellements d'ordures des humains et s'attaquaient aux morts lorsque ceux-ci n'avaient pas été enterrés assez profondément. Leur morsure était souvent mortelle pour l'homme et elles s'attaquaient aux enfants en bas âge.

Ayla frissonna de dégoût en observant la hyène en train de festoyer en bas de la corniche. Elle n'était plus toute seule, un glouton venait de s'approcher, attiré lui aussi par la charogne. Le glouton ressemblait à un ourson, mais il possédait une longue queue et des glandes aussi nauséabondes que celles du putois. Nécrophages, comme la hyène, les gloutons pénétraient parfois dans les campements en plein air ou les cavernes et se comportaient alors en véritables vandales. D'humeur batailleuse et intelligents, ils étaient très courageux et n'hésitaient pas à s'attaquer à n'importe quelle proie, même un cerf géant, alors qu'ils auraient pu se contenter de souris, d'oiseaux, de grenouilles, de poissons et de baies. Ayla avait déjà vu des gloutons se battre avec des animaux beaucoup plus gros qu'eux pour défendre la proie qu'ils venaient de tuer. Ils étaient dignes de respect et leur fourrure était très recherchée car elle était la seule à protéger efficacement du gel.

En entendant des battements d'aile, Ayla leva la tête et aperçut un couple de milans qui venaient de quitter leur nid installé à la cime d'un arbre sur la rive opposée. Lorsqu'ils se posèrent sur la plage, elle admira leurs ailes brunâtres largement ouvertes et leur queue fourchue. Même s'ils se nourrissaient eux aussi de charognes, cela ne les empêchait pas de chasser des petits mammifères et des reptiles. La femelle était un peu plus grande que le mâle et leur plumage était si beau qu'Ayla ne se lassait pas de les regarder.

Quant aux vautours, malgré leur tête chauve et hideuse, et leur odeur pestilentielle, elle les tolérait car elle aimait observer leur vol majestueux.

C'était toujours très impressionnant de les voir planer sans effort et se laisser porter par les courants, jusqu'à ce que, apercevant une proie, ils plongent vers le sol et se précipitent sur le cadavre en allongeant le cou et en refermant à moitié les ailes.

Tous ces nécrophages festoyaient et il y avait même maintenant parmi eux quelques corneilles noires. Ayla se félicitait d'une telle aubaine : plus vite ils nettoieraient le charnier et mieux cela vaudrait. L'odeur écœurante qui s'en dégageait finit par tellement l'incommoder qu'elle décida de changer d'air.

— Whinney ! appela-t-elle.

En entendant son nom, le cheval passa la tête par l'entrée de la caverne.

— Je vais marcher, expliqua Ayla. Viens-tu avec moi ?

Reconnaissant le signal, Whinney s'approcha en remuant la tête de bas en haut.

Elles s'engagèrent sur l'étroit sentier, firent un détour pour éviter la plage et ses bruyants occupants et, après avoir contourné la paroi rocheuse, marchèrent le long de la rivière qui avait retrouvé son aspect habituel. Whinney semblait plus détendue maintenant qu'elles avaient laissé derrière elles le charnier et surtout les hyènes qui lui inspiraient une crainte irraisonnée depuis qu'elles avaient tenté de la dévorer.

Après être restée si longtemps enfermée, Ayla appréciait de pouvoir marcher librement au soleil, même si l'air était encore piquant et chargé d'humidité. A un moment donné, elle ralentit pour observer un couple de pics épeiches qui se livraient à des acrobaties aériennes, frappaient du bec sur une souche et se poursuivaient dans les arbres. Le mâle était facilement reconnaissable à la bande cramoisie à l'arrière de la tête. Connaissant les pics épeiches, Ayla savait qu'ils nichaient dans un vieil arbre creux et se servaient de copeaux pour faire leur nid. La femelle y pondrait six œufs environ qu'elle couverait avec soin. Mais dès que les petits seraient élevés, le couple se séparerait. Chacun repartirait de son côté et, cramponné à un tronc d'arbre, en frapperait l'écorce pour en faire sortir des larves. Dans les bois résonnerait alors leur appel qui ressemblait à un rire strident.

Les alouettes étaient bien différentes. Ces oiseaux vivaient en volées et ne formaient des couples qu'au moment de la reproduction. Le mâle défendait alors son territoire contre ses amis d'antan comme un véritable coq de combat. Pour l'instant, un couple s'élevait verticalement dans les airs et Ayla entendait son chant glorieux. Le volume était tel que même lorsque les oiseaux ne furent plus que deux petits points se balançant loin au-dessus d'elle, elle le percevait encore. Brusquement, ils se laissèrent retomber, comme des pierres, puis remontèrent en chantant à nouveau.

Ayla était arrivée à l'endroit où elle avait creusé la fosse. Du moins en avait-elle l'impression, car il n'en restait plus aucune trace. La crue avait emporté les buissons qui bordaient le piège et nivelé la dépression. Elle s'avança alors vers la rivière et but un peu d'eau. Quand elle se releva, elle aperçut une bergeronnette qui courait sur la rive. Elle ressemblait à l'alouette, en plus élancé, et le dessous de son corps était jaune. Pour ne pas mouiller sa longue queue, elle ne cessait de l'agiter de haut en bas.

Un flot de notes limpides attira alors l'attention d'Ayla sur un autre couple qui n'avait pas peur, lui, de se mouiller. Deux merles d'eau, en pleine parade, se faisaient des révérences. Une fois de plus, la jeune femme se demanda comment ils se débrouillaient pour garder leur plumage sec lorsqu'ils sortaient de l'eau où ils avaient plongé.

Lorsqu'elle regagna la prairie, Whinney était en train de brouter. Elle sourit en entendant le *chick-chick* de deux troglodytes mignons qu'elle venait de déranger en passant un peu trop près de l'arbuste où ils étaient perchés. Dès qu'elle se fut éloignée, un chant clair et mélodieux remplaça le cri d'alerte. Puis le mâle se tut et aussitôt après, la femelle s'exprima à son tour.

Ayla s'arrêta et alla s'asseoir sur un tronc pour écouter tranquillement les oiseaux. A un moment donné, quand une fauvette des buissons se joignit au concert en imitant le chant des autres oiseaux, elle fut extrêmement surprise. Impressionnée par la virtuosité de la petite créature, elle aspira l'air qui se trouvait dans ses poumons pour manifester son admiration et fut plus surprise encore d'entendre le sifflement qu'elle venait d'émettre. Le bruant qui se trouvait tout près d'elle lui répondit en lançant une note qui ressemblait à un sifflement aspiré et la fauvette imita le bruant.

Ayla était tellement heureuse de participer au concert qu'elle voulut recommencer. Aspirant l'air à nouveau, elle n'émit qu'un sifflement asthmatique. La fois suivante, elle prit une telle inspiration qu'elle fut contrainte d'expirer avec force, émettant alors un sifflement digne de ce nom. Ce son se rapprochait beaucoup plus du chant des oiseaux et l'incita à continuer. Après bien des essais, elle réussit à émettre un sifflement plus aigu même s'il manquait encore de volume.

Elle était tellement absorbée par ses efforts qu'elle ne remarqua pas que Whinney dressait les oreilles chaque fois qu'elle réussissait à siffler. Étonné par ce son nouveau, le cheval ne savait comment y répondre. Il finit par s'approcher d'Ayla en dressant les oreilles d'une manière cocasse.

— Cela t'étonne, n'est-ce pas, Whinney, que je puisse imiter le chant des oiseaux ? Moi aussi, j'avoue que je suis surprise. Je ne savais pas que j'étais capable de chanter comme eux. Enfin, presque comme eux... Je suis sûre qu'avec un peu d'entraînement, je finirai par y arriver. Voyons voir ce que ça donne.

Ayla prit une inspiration, pinça les lèvres, puis laissa échapper un long sifflement. Whinney remua la tête, hennit et se mit à piaffer. Quittant le tronc où elle était assise, Ayla s'approcha d'elle et la prit par le cou.

— Comme tu as grandi, Whinney ! s'étonna-t-elle. Tu as presque atteint ta taille adulte. Tu dois courir drôlement vite, maintenant. (Elle donna une claque sur la croupe de la jument.) Allez, Whinney, cours avec moi ! proposa-t-elle en se mettant elle-même à courir.

Whinney eut vite fait de la distancer et, allongant le pas, se mit à galoper. Ayla la suivit pour le plaisir de courir. Elle continua jusqu'à épuisement et s'arrêta pour reprendre son souffle. Après avoir galopé jusqu'en bas de la vallée, la jument fit une large boucle et revint vers Ayla au petit galop. Comme j'aimerais pouvoir courir ainsi ! se disait la jeune femme. Nous pourrions partir ensemble partout où ça nous chanterait. Je me demande si je serais plus heureuse si j'étais un cheval ? Au moins, je ne serais pas toute seule.

Je ne suis pas toute seule, corrigea-t-elle aussitôt. Whinney me tient compagnie. Je n'ai qu'elle et elle n'a que moi. Malgré tout, j'aimerais bien pouvoir la suivre quand elle court comme elle le fait.

Elle éclata soudain de rire en voyant que Whinney, qui était couverte d'écume, se roulait dans l'herbe en agitant ses pattes en l'air et en poussant des petits gémissements de plaisir. Après s'être ébroué, l'animal s'éloigna pour aller brouter un peu plus loin.

Quand Ayla, qui avait repris son entraînement, émit un sifflement perçant, Whinney s'approcha aussitôt au petit galop. La jeune femme la prit par le cou, tout heureuse qu'elle ait répondu, puis elle se demanda à nouveau comment elle pourrait faire pour courir avec Whinney.

Et soudain, elle eut une idée.

Jamais cette idée ne lui serait venue à l'esprit si elle n'avait pas considéré Whinney comme une compagne et une amie avec laquelle elle venait de vivre pendant tout l'hiver ou si elle avait encore fait partie du Clan. Mais depuis qu'elle vivait seule, elle faisait confiance à ses impulsions.

Est-ce qu'elle va accepter et me laisser faire ? se demanda-t-elle en emmenant la pouliche près d'un tronc d'arbre qui se trouvait sur le sol. Elle grimpa sur le tronc, attrapa Whinney par l'encolure et leva une de ses jambes. Emmène-moi avec toi quand tu cours, Whinney, songea-t-elle en se hissant sur le dos de la jument.

Whinney, qui n'avait pas l'habitude de sentir un poids sur son dos, baissa les oreilles et se mit à piaffer nerveusement. Même si ce poids l'incommodait, la présence d'Ayla lui était familière et les bras de la jeune femme autour de son cou finirent par la rassurer. Elle se cabra un peu, puis, voyant qu'elle ne pouvait se débarrasser de son fardeau, elle partit au galop vers le bas de la vallée.

Menant une vie sédentaire, n'appartenant pas à une horde qui l'aurait entraînée dans son sillage, n'ayant jamais eu à échapper à des prédateurs, Whinney n'avait pas l'habitude de galoper longtemps et lorsqu'elle arriva au fond de la vallée, elle ralentit l'allure et s'immobilisa. Ses flancs palpitaient sous l'effort et elle laissa retomber sa tête.

— C'était merveilleux, Whinney ! dit Ayla en descendant du cheval.

Les yeux brillant d'excitation, elle prit le museau de Whinney et y posa sa joue. Puis elle serra affectueusement la tête de l'animal sous son bras, comme elle le faisait quand Whinney était encore toute jeune. Cette marque d'affection était réservée aux grandes occasions.

Ayla était folle de joie. Elle trouvait merveilleux d'avoir pu galoper sur le dos de Whinney. Jamais elle n'aurait imaginé que ce fût possible. Personne encore ne l'avait imaginé.

10

Ayla éprouvait une joie inexprimable à monter Whinney, surtout lorsque la jeune jument galopait à toute vitesse. Jamais encore elle n'avait ressenti une émotion si vive. Et Whinney elle-même semblait.y prendre plaisir maintenant qu'elle avait l'habitude de porter Ayla sur son dos. Très vite, la vallée leur sembla trop petite et elles allèrent chevaucher dans les steppes à l'est de la rivière.

Ayla savait que bientôt elle devrait se remettre à chasser, à cueillir et à engranger les réserves que lui offrait la nature. Mais on n'était qu'au début du printemps et la terre tardait à s'éveiller : il n'y avait encore ni tubercule ni bourgeon et elle s'estimait heureuse quand elle pouvait ramasser un peu de verdure pour varier son menu d'hiver. Elle profitait de ces loisirs forcés pour monter Whinney le plus souvent possible et la plupart du temps, elle partait le matin avec la jument et ne revenait que tard le soir.

Au début, elle s'était laissé porter passivement par sa monture, allant où l'humeur de Whinney l'entraînait. Il ne lui était pas venu à l'idée de donner des directives à la jument pour une raison très simple : les signaux auxquels Whinney répondait étaient principalement visuels et elle ne pouvait pas les capter quand la jeune femme était juchée sur son dos. Mais pour Ayla, les mouvements du corps constituaient un mode de communication aussi important que les gestes. Maintenant qu'elle montait Whinney, elle était en étroit contact physique avec l'animal.

Dès qu'elle eut pris l'habitude des longues randonnées et cessa d'avoir des courbatures, elle commença à remarquer le jeu des muscles de sa monture et Whinney, accoutumée à son fardeau, devint sensible au fait que les muscles d'Ayla soient tendus ou en état de relaxation. Lorsque Ayla désirait aller dans une direction précise, inconsciemment elle se penchait de ce côté et le mouvement de ses muscles se transmettait à sa monture. Whinney réagissait à ces messages en changeant de direction ou d'allure.

Ce fut une période d'apprentissage réciproque : chacune apprenait au contact de l'autre. Mais très vite, Ayla prit la direction des opérations. Le mode de communication qu'elles avaient établi était si subtil et, pour Ayla, le passage d'une attitude passive à un comportement directif si naturel, qu'elle ne se rendit pas compte de ce changement. Les longues randonnées en compagnie de Whinney prirent l'allure de séances d'entraînement intensif. Leur relation devint si étroite et les réactions de Whinney si bien adaptées qu'il suffisait qu'Ayla *désire* aller dans une certaine direction pour qu'aussitôt la jument réponde, comme si elle était une extension de son propre corps. La jeune femme ne réalisait pas que ses nerfs et ses muscles avaient émis des signaux qui s'étaient transmis à la peau hautement sensible de sa monture.

Ayla n'avait nullement l'intention de dresser Whinney. Si elle y parvint, ce fut grâce à l'amour et à l'attention qu'elle témoignait à la jument et en raison aussi des différences innées qui existent entre le cheval et l'homme. Whinney était curieuse, intelligente et capable d'apprendre, elle possédait une mémoire à long terme, mais son cerveau était moins évolué que celui d'Ayla et organisé d'une manière différente. Les chevaux étant des animaux sociaux, qui vivent habituellement en horde et ont besoin de la présence et de la chaleur de leurs congénères, chez Whinney, le sens du contact était particulièrement développé. De plus, son instinct la poussait à aller dans la direction qu'on lui indiquait. Quand une horde de chevaux cédait à la panique, même les étalons qui se trouvaient en tête prenaient la fuite.

Jamais gratuites, les actions d'Ayla étaient dictées par un cerveau où les facultés d'anticipation et d'analyse étaient en interaction constante avec le savoir et l'expérience. Sa position vulnérable aiguisait ses réflexes et l'obligeait à être constamment sur le qui-vive pour tout ce qui touchait à son environnement. Ces deux facteurs précipitèrent et accélérèrent le processus de dressage. Même quand elle montait Whinney pour le plaisir, il suffisait qu'elle aperçoive un lièvre ou un hamster géant pour qu'aussitôt elle saisisse sa fronde et brûle d'envie de se lancer à la poursuite de l'animal. Whinney ne tarda pas à interpréter son désir, et la première fois qu'elle s'y plia marqua le début d'un contrôle total sur la jument. Ayla n'en prit vraiment conscience que le jour où elle tua un hamster géant.

On était encore au début du printemps quand Ayla et Whinney débusquèrent l'animal sans le vouloir. Apercevant le hamster qui s'enfuyait, Ayla se pencha dans cette direction et saisit sa fronde tandis que Whinney se précipitait derrière l'animal. Lorsqu'elles le rattrapèrent, Ayla, qui voulait descendre, changea de position et Whinney s'arrêta aussitôt, lui permettant de mettre pied à terre et de lancer son projectile.

Ce sera bien agréable de manger de la viande fraîche ce soir, se dit-elle en rejoignant Whinney qui l'attendait. Je devrais chasser plus souvent. Mais c'est tellement plus amusant de monter Whinney...

Mais je montais Whinney ! corrigea-t-elle. Elle s'est lancée à la poursuite du hamster. Et elle s'est arrêtée quand j'ai voulu ! Dire qu'au début c'est elle qui m'entraînait où elle voulait...

Et comme Whinney s'était éloignée pour brouter quelques touffes d'herbe tendre, elle l'appela :

— Whinney !

La jument releva la tête et dressa les oreilles. Ayla était stupéfaite. Elle se sentait incapable d'expliquer ce qui venait de se passer. Non seulement elle montait Whinney, mais voilà que la jument allait où elle désirait aller et qu'elle lui obéissait !

Comme Whinney s'était approchée, elle la prit par l'encolure.

— Oh, Whinney ! dit-elle, d'une voix étranglée par les sanglots, sans savoir pourquoi elle était aussi émue.

La jument souffla de l'air par les naseaux et posa sa tête sur l'épaule d'Ayla.

Quand vint le moment de repartir, au lieu de sauter directement sur le dos de sa monture comme d'habitude, Ayla se sentait si gauche qu'elle éprouva le besoin de monter sur un rondin comme elle le faisait au tout début. Après un moment d'hésitation, Whinney reprit le chemin de la caverne.

Comprenant que Whinney répondait mieux lorsqu'elle la montait d'une manière détendue, elle recommença à se fier à ses propres réflexes. La saison s'avançant, elle chassait de plus en plus. Au début, elle arrêtait Whinney et sautait à terre avant d'utiliser la fronde. Mais très vite elle essaya de chasser sans quitter sa monture. Le fait qu'elle rate ses proies la poussa à continuer car elle y voyait un nouveau défi. Elle avait appris seule le maniement de la fronde, qu'elle considérait plutôt comme un jeu. Elle s'amusait toujours autant, ce qui ne l'empêchait pas de prendre au sérieux cette nouvelle activité. Son habileté était déjà telle qu'il ne fallut pas longtemps pour que son tir devienne aussi précis lorsqu'elle était à cheval qu'au sol. Mais même alors, elle ne pouvait imaginer tous les bénéfices potentiels de cette méthode de chasse.

Au lieu de placer les proies qu'elle venait de tuer dans un panier fixé sur son dos, comme elle faisait lorsqu'elle chassait seule, elle commença par les poser en travers de l'échine de Whinney. Dans un second temps, elle eut l'idée de fabriquer un panier spécial que la jeune jument pouvait transporter sur son dos. Puis, après avoir longuement réfléchi, elle finit par trouver un système encore plus pratique : deux paniers placés contre les flancs de l'animal, reliés par une large lanière attachée autour du ventre de Whinney. Le jour où elle ajouta un second panier au premier, elle commença à réaliser quels avantages elle pouvait tirer de sa monture. Pour la première fois, elle était en mesure de ramener à la caverne un chargement plus important qu'à l'ordinaire.

Une fois qu'Ayla eut compris ce qu'elle pouvait accomplir grâce à l'aide de la jument, ses méthodes changèrent. Et son mode de vie changea lui aussi. Elle restait dehors plus longtemps, s'aventurait beaucoup plus loin et rentrait avec plus d'animaux et de plantes qu'auparavant. Puis elle passait quelques jours d'affilée à la caverne pour apprêter les produits de ses raids.

Le jour où elle s'aperçut que les fraises sauvages étaient en train de mûrir, au lieu de les cueillir sur place, elle chercha un endroit où ces fruits poussaient en grande quantité afin d'en rapporter le plus possible. Elle s'aventura si loin et eut tellement de difficultés à trouver des fruits mûrs que quand elle se remit en route, le soleil se couchait. De jour, elle n'avait aucun mal à se repérer mais, quand elle arriva dans la vallée, il faisait nuit noire, si bien qu'elle dut s'en remettre à l'instinct de Whinney pour regagner la caverne.

Le lendemain, au moment de partir, elle emporta la fourrure dans laquelle elle dormait, au cas où la nuit la surprendrait. Et un soir, comme il était trop tard pour rentrer, elle décida de coucher dehors, tout heureuse de dormir à nouveau à la belle étoile. Elle alluma un feu et s'allongea à côté de Whinney. Elle aurait pu se passer de feu car, enroulée dans sa fourrure et réchauffée par la jument, elle n'avait nullement froid. Mais l'odeur de la fumée avait l'avantage de tenir à distance les prédateurs qui craignaient les feux de prairie.

Ayla prit l'habitude de dormir de temps à autre à la belle étoile et il lui arriva même de ne pas rentrer durant deux nuits. Profitant de ces randonnées, elle se mit à explorer toujours plus loin la région qui se trouvait à l'est de la caverne.

Même si elle ne se l'avouait pas, elle recherchait les Autres, espérant et craignant à la fois de les trouver. Cela lui permettait aussi de repousser sa décision de quitter la vallée. Elle n'avait aucune envie de partir, elle s'y sentait chez elle. En plus, elle était inquiète pour Whinney. Elle ignorait comment les Autres réagiraient vis-à-vis de la jument. Si jamais elle réussissait à les dénicher, se disait-elle, elle les observerait d'abord de loin avant de se montrer, histoire d'en savoir un peu plus sur eux.

Elle était peut-être née chez les Autres, mais ne gardait aucun souvenir de sa vie parmi eux. Elle savait seulement qu'on l'avait trouvée au bord d'une rivière, inconsciente, affamée et brûlante de fièvre. Blessée par un lion, elle était pratiquement mourante quand Iza l'avait recueillie. Dès qu'elle tentait de remonter dans sa mémoire, elle était envahie par une peur nauséeuse et l'impression déconcertante que la terre bougeait sous ses pieds.

Le tremblement de terre qui avait privé une petite fille de cinq ans de sa famille, l'abandonnant à la merci du destin — et à la pitié d'un peuple totalement différent du sien —, avait été trop traumatisant pour son jeune esprit. Ayla n'avait aucun souvenir du tremblement de terre ni de ceux chez qui elle était née. Pour elle, comme pour les membres du Clan, cela se résumait à un mot : les Autres.

A l'instar du printemps, qui passait sans transition des averses glaciales aux journées ensoleillées, Ayla était d'une humeur capricieuse. Durant la journée, comme elle était toujours occupée, tout allait bien. Son seul désir était de rester dans la vallée avec Whinney. Mais le soir, de retour dans la caverne, avec pour seule compagnie son feu et Whinney, elle aurait bien aimé qu'un être humain soit là pour adoucir sa solitude. Celle-ci lui pesait plus maintenant que le printemps était arrivé. Ses pensées se tournaient alors vers le Clan et ceux qu'elle aimait et elle souffrait de ne pouvoir serrer son fils dans ses bras. Chaque soir, elle se promettait de commencer dès le lendemain ses préparatifs de départ, et chaque matin elle oubliait ses résolutions de la veille et repartait vers les steppes.

A force d'explorer la région qui se trouvait à l'est de la vallée, elle finit par connaître parfaitement les vastes prairies et les animaux qui y vivaient. Les troupeaux d'herbivores avaient commencé à émigrer et en les voyant passer, Ayla se dit que le moment était venu de chasser à nouveau un animal de grande taille. Cette idée ne tarda pas à occuper toutes ses pensées et lui permit, dans une certaine mesure, d'oublier sa solitude.

Bien qu'elle ne sût pas encore comment les utiliser, elle décida d'emporter les épieux fabriqués durant l'hiver. Ces longs épieux étant encombrants, elle eut l'idée de fabriquer des supports qu'elle plaça dans chacun des paniers que portait la jument.

Elle vit passer des hordes de chevaux, mais aucune ne vint s'installer dans la vallée. C'était sans importance : Ayla n'avait pas l'intention de chasser à nouveau des chevaux. En revanche, une idée germa dans son esprit lorsqu'elle aperçut un troupeau de rennes. Notant leur courte ramure, elle crut dans un premier temps avoir affaire à des rennes mâles. Puis elle s'aperçut que le troupeau comptait de nombreux petits. Évoquant soudain les récits de chasse des hommes du Clan, elle se souvint alors que parmi les femelles de cervidés, celle du renne était la seule à porter une ramure. Il s'agissait donc d'un troupeau de rennes femelles.

Faisant à nouveau appel à sa mémoire, elle se souvint aussi d'une chose que les hommes du Clan disaient : les rennes, quand ils émigraient vers le nord au printemps, suivaient toujours la même voie, comme s'ils empruntaient un sentier qu'ils étaient les seuls à voir, et ils se séparaient pour voyager. Les femelles partaient en premier avec les petits, puis les jeunes mâles se mettaient en route et, lorsque la saison était plus avancée, les vieux mâles s'en allaient à leur tour par petits groupes.

Ayla chevauchait sans se presser, suivant un troupeau de rennes femelles accompagnées de leurs petits. Ces rennes avaient quitté les régions plus chaudes du sud, pour fuir les mouches et les moustiques qui s'installaient dans leur fourrure, plus particulièrement autour des yeux et des oreilles, et ils remontaient vers le nord où, sous un climat plus froid, ces insectes étaient moins abondants.

Quand Ayla avait quitté la caverne, il y avait encore des poches de brouillard dans les creux et les dénivellations. Les rayons du soleil les avaient dissipées mais, à cause de ces brouillards matinaux, il faisait plus humide dans les steppes que d'ordinaire. Elle n'avait aucun mal à suivre le troupeau de rennes qui avaient l'habitude des chevaux et ne faisaient pas attention à Whinney et à son passager humain, sauf lorsqu'ils s'approchaient trop près.

Tout en les observant, Ayla pensait à la chasse. Si les jeunes mâles suivent les femelles, se disait-elle, ils ne vont pas tarder à apparaître. Puisque je connais d'avance leur itinéraire, je vais peut-être pouvoir en tuer un. Encore faut-il que je m'approche assez près pour utiliser mes épieux. Et si j'essayais le coup de la fosse ? Le problème, c'est qu'ils n'auront aucune difficulté à l'éviter et qu'il n'y a pas assez de buissons pour construire une barrière suffisamment haute. Sans barrière, je peux peut-être les poursuivre dans l'espoir que l'un d'entre eux tombe dans le piège.

Et que se passera-t-il alors ? Je ne veux plus découper d'animal au fond d'une fosse. En plus, il faudra faire sécher la viande sur place. A moins que je trouve un moyen de la transporter jusqu'à la caverne...

Ayla et sa monture continuèrent à suivre le troupeau de rennes, s'arrêtant de temps à autre pour se reposer ou manger, jusqu'au moment où les nuages prirent une couleur rose et où le bleu du ciel commença à foncer. Ayla n'était jamais allée aussi loin au nord et la région où elle se trouvait maintenant lui était inconnue. De loin, elle avait remarqué une ligne de végétation. Quand elle l'atteignit, le ciel rouge vermillon se reflétait dans un cours d'eau bordé d'arbustes touffus. Les rennes avancèrent à la file indienne pour s'engager dans l'étroit passage qui menait à la rivière et s'arrêtèrent pour boire.

Dans la lumière crépusculaire, les vertes prairies prenaient une teinte terne et grisâtre alors que le ciel s'embrasait à l'ouest, comme si la couleur volée par la nuit à la terre était restituée au ciel pour lui donner encore plus d'éclat. Ayla se demanda si ce cours d'eau était le même que celui qu'elle avait traversé à plusieurs reprises avec Whinney. On avait parfois l'impression d'avoir affaire à des torrents et des ruisseaux différents alors qu'il s'agissait souvent d'une seule et même rivière qui serpentait à travers les prairies, rebroussant chemin pour former des bras morts et se divisant en canaux. Si c'était le cas, une fois sur la rive opposée, elle pourrait regagner la vallée sans avoir à franchir d'autre cours d'eau de cette taille.

Les rennes avaient traversé et broutaient. Ils semblaient décidés à passer la nuit là. Ayla décida de les imiter. La nuit n'allait pas tarder à tomber et elle était trop loin de la vallée pour songer à faire demi-tour. Elle se laissa glisser au sol, débarrassa Whinney de ses paniers et, pendant que la jument batifolait, elle établit son campement. Grâce à la pierre à feu et au silex qu'elle avait emportés, elle n'eut aucun mal à faire une flambée qu'elle alimenta avec des branches sèches et des bois flottés. Pour son repas, elle fit griller des tubercules enveloppés dans des feuilles et un hamster géant farci d'herbes comestibles. Puis elle monta sa tente. Elle siffla alors Whinney et se glissa sous sa fourrure, laissant juste dépasser sa tête hors de l'abri.

Les nuages s'étaient retirés à l'horizon et il y avait tellement d'étoiles qu'on aurait cru une seule source de lumière, d'un éclat extraordinaire, tentant de traverser l'écran noir du ciel nocturne. Creb disait que ce sont des feux allumés dans le ciel, songeait Ayla en regardant les étoiles, les foyers du monde des esprits et aussi les foyers des totems. Voici le foyer d'Ursus et, un peu au-dessus, celui de mon totem, le Lion des Cavernes. Comme il est étrange que ces foyers bougent dans le ciel mais qu'ils conservent toujours le même dessin. Je me demande si les totems partent chasser, puis s'ils retournent ensuite à leurs cavernes...

Moi, en tout cas, il faut que je trouve le moyen de chasser un renne. Et le plus vite possible. Les rennes mâles ne vont pas tarder à émigrer. Eux aussi traverseront la rivière à cet endroit.

— Tu as senti quelque chose, Whinney ? demanda Ayla en voyant que la jument se rapprochait d'elle et du feu.

Pour s'adresser à Whinney, elle venait d'utiliser et d'assembler des sons qui ne ressemblaient en rien à ceux utilisés par le Clan. Elle était capable de pousser un hennissement, impossible à distinguer de celui de Whinney, de glapir comme un renard, de hurler comme un loup et elle était presque arrivée à siffler comme certains oiseaux. Elle s'était libérée de l'interdit qui, au sein du Clan, frappait l'usage des sons inutiles et son langage personnel s'était beaucoup enrichi. La capacité qu'avaient les êtres de son espèce à articuler des mots était en train de reprendre ses droits.

Recherchant un maximum de sécurité, la jument s'était installée entre le feu et Ayla.

— Pousse-toi, Whinney, lui dit celle-ci. Tu me prives de la chaleur du feu.

Comme la jument ne semblait nullement décidée à bouger, ce fut Ayla qui se leva. Elle rajouta un peu de bois dans le feu et entoura de son bras l'encolure de Whinney pour la rassurer. Je crois qu'au lieu de me recoucher je vais entretenir le feu, se dit-elle. Quel que soit l'animal qui a fait peur à Whinney, j'ai l'impression qu'il s'attaquera de préférence aux rennes avant de s'en prendre à elle si elle reste à côté du feu. J'ai donc intérêt à ce qu'il ne s'éteigne pas avant un certain temps.

Elle s'accroupit en face du feu et regarda les flammes, suivant des yeux les étincelles qui disparaissaient dans la nuit chaque fois qu'elle ajoutait un nouveau morceau de bois. Quand elle entendit du bruit de l'autre côté de la rivière, elle se dit qu'un renne venait d'être la proie d'un félin quelconque. Et elle, comment s'y prendrait-elle pour en tuer un ? Elle était en train d'y réfléchir quand, à un moment donné, elle fut obligée de pousser Whinney pour prendre du bois. Cela lui donna soudain une idée.

Elle attendit pour se recoucher que Whinney fût détendue, ce qui lui donna tout loisir pour méditer. Quand elle se glissa sous sa fourrure, son idée de départ s'était transformée en un plan dont elle possédait déjà les grandes lignes. Au moment de s'endormir, elle se mit à sourire en songeant à quel point cette idée était audacieuse et quelles merveilleuses possibilités elle offrait.

Le lendemain matin, quand elle traversa la rivière, le troupeau de rennes s'était déjà remis en route. Ayla n'avait nullement l'intention de les suivre. Elle revint vers la vallée au triple galop. Elle avait beaucoup à faire si elle voulait être prête à temps.

— Avance, Whinney ! disait Ayla en guidant patiemment la jument. Ce n'est pas si lourd que ça.

Le poitrail et le dos harnachés de cordes et de courroies, Whinney tirait un lourd rondin. Pour commencer, Ayla avait placé ces lanières sur le front de la jument, imitant la sangle frontale dont se servaient les femmes du Clan lorsqu'elles transportaient un lourd chargement. Puis elle s'était rendue compte que la jument avait besoin de pouvoir remuer la tête et qu'elle traînait plus facilement un poids à l'aide de son poitrail et de ses reins. Malgré tout, le cheval des steppes n'avait pas l'habitude de traîner quoi que ce soit et il était encore gêné par son harnachement. Ayla était pourtant décidée à continuer car c'était la seule manière d'exécuter son plan.

Elle en avait eu l'idée au moment où elle repoussait Whinney pour prendre du bois. Remarquant à quel point la jument avait grandi et était maintenant pleine de force, elle s'était dit qu'elle serait peut-être capable de sortir un renne mort de la fosse.

Ensuite, elle avait réfléchi au problème que lui posait la préparation de la viande. Si elle découpait le renne sur place, l'odeur du sang ne manquerait pas d'attirer les inévitables carnivores. Peut-être n'était-ce pas un lion des cavernes qui, cette nuit-là, s'était attaqué au troupeau de rennes, mais il s'agissait certainement d'un félin. Et même si les tigres, les panthères et les léopards étaient deux fois moins grands que le lion des cavernes, la fronde d'Ayla serait inefficace en face d'eux. Elle pouvait tuer un lynx, mais pas ces grands félins, surtout en plein air. En revanche, si elle se trouvait à proximité de la caverne et d'une paroi rocheuse pour protéger ses arrières, elle pourrait toujours les éloigner avec sa fronde. Si Whinney était capable de sortir un renne du piège, pourquoi ne le ramènerait-elle pas jusqu'à la caverne ?

Pour que cela soit possible, elle devait faire de Whinney un cheval de trait. Elle avait d'abord pensé qu'il suffisait qu'elle trouve un moyen d'attacher avec des cordes et des lanières le renne mort à la jument. Il ne lui était pas venu à l'idée que Whinney puisse se dérober. Elle s'en rendit compte aussitôt qu'elle lui mit un harnais. Whinney finit par s'y faire. Mais cela n'était pas suffisant : encore fallait-il lui apprendre à traîner un poids derrière elle. En usant de patience et après bien des tentatives infructueuses, Ayla y parvint. Elle se dit alors que le plan qu'elle avait imaginé avait des chances de réussir.

Tout en observant la jument en train de tirer le lourd rondin, elle songeait aux hommes du Clan. S'ils savaient que je vis avec un cheval, ils trouveraient déjà cela bizarre, se disait-elle. Mais je me demande ce qu'ils penseraient s'ils voyaient ce que je suis en train de faire maintenant. Mais eux, ils partent toujours chasser à plusieurs et les femmes sont là pour transporter la viande et la faire sécher. Tandis que moi, je suis toute seule.

Spontanément, elle se serra contre Whinney. Jamais je n'aurais pensé que tu puisses me rendre de tels services ! Sans toi, je ne sais pas ce que je deviendrais. Jamais je ne laisserai qui que ce soit te faire du mal. (Puis, après avoir débarrassé la jument de son harnachement, elle ajouta :) Il est temps d'aller jeter un coup d'œil sur ce troupeau de jeunes rennes mâles.

Les rennes mâles s'étaient mis en route peu de jours après les femelles. Ils émigraient à une allure tranquille. Dès qu'Ayla les eut repérés, il ne lui fut pas difficile de vérifier qu'ils suivaient bien la même voie et encore moins de réunir son équipement et de partir au galop afin d'arriver avant eux à l'endroit qui l'intéressait. Elle commença par installer son camp un peu en amont de l'endroit où les rennes femelles

avaient traversé la rivière. Puis elle prit son bâton à fouir pour ameublir
le sol, l'os plat aux bords tranchants qui allait lui servir de pelle pour
creuser la fosse, sa tente en peau d'aurochs pour retirer la terre et la
transporter, et elle rejoignit le lieu de passage des rennes femelles.

Deux voies principales et deux sentiers secondaires traversaient les
buissons qui bordaient le cours d'eau. Elle décida de creuser la fosse
dans une des deux voies, pas trop loin de la rivière pour être certaine
que les rennes avanceraient alors en file indienne et pas trop près afin
que l'eau ne remonte pas dans le profond trou qu'elle allait creuser.

Lorsqu'elle eut fini, le soleil de fin d'après-midi n'était pas loin
d'atteindre l'horizon. Elle siffla Whinney, revint en arrière pour vérifier
la position du troupeau et estima qu'il atteindrait la rivière à un moment
quelconque de la journée du lendemain.

Elle retourna alors à l'endroit où elle avait creusé la fosse et se rendit
compte que, même à la nuit tombante, le piège était bien trop évident.
Les rennes vont le voir, se dit-elle, complètement découragée, et ils
feront un détour pour l'éviter. Il est trop tard pour faire quoi que ce
soit. Peut-être aurai-je une idée demain matin.

Mais quand elle se réveilla, elle en était toujours au même point. Le
ciel s'était couvert de nuages pendant la nuit et elle fut réveillée par
une grosse goutte de pluie qui tomba sur son visage. La veille, comme
sa peau d'aurochs était humide et boueuse, elle l'avait mise à sécher
non loin de là et ne s'en était pas servie pour monter sa tente. Pour se
protéger de l'averse, elle s'enveloppa dans la fourrure où elle avait
dormi, rabattant un des pans sur sa tête, et recouvrit à la hâte les restes
noircis du feu.

Un éclair crépita et illumina les vastes plaines jusqu'à l'horizon. Un
instant plus tard, un lointain grondement de tonnerre se fit entendre en
guise d'avertissement. Comme s'ils obéissaient à ce signal, les nuages
déversèrent aussitôt un veritable déluge. Ayla attrapa la peau d'aurochs
et s'en enveloppa.

La lumière du jour chassa peu à peu les ombres qui se trouvaient au
fond des creux et le paysage émergea de la nuit. Une pâleur grise
s'installa sur les steppes, comme si les nimbus avaient effacé toutes les
couleurs printanières. Le ciel lui-même était d'une teinte indéfinissable,
ni blanc, ni bleu, ni franchement gris.

Lorsque la fine couche de sol perméable, qui recouvrait le permafrost,
fut saturée, l'eau commença à s'accumuler en surface. En dessous de
la couche de terre arable, le sol était gelé en permanence et aussi dur
que le mur de glace qui se trouvait au nord. Pour cette raison, les eaux
de pluie ne pouvaient être drainées en profondeur. Dans certaines
conditions, le sol gorgé d'eau pouvait se transformer en véritables
fondrières, capables d'engloutir traîtreusement un mammouth adulte.
Et si cela arrivait au pied du glacier, il suffisait qu'il se mette à geler
juste après ces pluies torrentielles pour que le mammouth soit alors
conservé dans la glace pour des millénaires.

Le ciel plombé laissait tomber de grosses gouttes d'eau à l'endroit
où, précédemment, Ayla avait allumé son feu. En voyant la pluie

creuser des cratères dans cette mare noirâtre, puis s'étaler en cercles concentriques, la jeune femme aurait tout donné pour se retrouver bien au sec à l'intérieur de la caverne. Elle avait eu beau graisser la peau épaisse de ses chausses et remplir celles-ci de touffes de carex, le cuir laissait passer l'humidité et elle finissait par avoir froid aux pieds. Le marécage que formaient maintenant les rives du cours d'eau avait considérablement refroidi son désir de tuer un renne.

Quand les mares se mirent à déborder et que le trop-plein d'eau commença à ruisseler en direction de la rivière, emportant au passage des branches, des herbes et les feuilles de l'automne précédent, Ayla alla se réfugier sur un tertre. Pourquoi ne pas rentrer ? se demandat-elle en grimpant là-haut avec ses deux paniers. Elle jeta un coup d'œil sous les couvercles et s'aperçut que les paniers en tiges de massette n'avaient pas laissé passer l'eau : le contenu était sec. Cela ne l'avançait pas à grand-chose. Je ferais mieux de rentrer, se dit-elle. Jamais je n'arriverai à prendre un renne au piège. Aucun d'eux ne va se précipiter dans cette fosse simplement parce que j'en ai envie. Ce sera pour une autre fois. J'essaierai de tuer un des vieux retardataires quand ils passeront par là. Sa viande sera beaucoup moins tendre et sa peau toute couturée, mais tant pis.

En soupirant, Ayla s'installa en haut du tertre et ramena sa fourrure et la peau d'aurochs autour d'elle. Il m'a fallu tellement de temps et d'effort pour mettre mon plan au point, se dit-elle, que ce n'est pas une petite pluie qui va m'arrêter. Peut-être n'arriverai-je pas à tuer de renne, mais ce ne sera pas la première fois qu'un chasseur rentre bredouille. De toute façon, je ne risque rien à essayer.

Quand l'inondation commença à saper la base du monticule en terre sur lequel elle s'était réfugiée, elle s'installa sur une formation rocheuse et essaya de percer des yeux le rideau de pluie pour voir si une éclaircie s'annonçait. Les prairies plates à perte de vue n'offraient aucun abri : ni arbre de belle taille, ni rochers sous lesquels elle aurait pu trouver refuge. Tout comme la jeune jument ruisselante d'eau qui se trouvait à ses côté, Ayla resta assise sous la pluie en attendant que celle-ci s'arrête. Elle espérait que les rennes faisaient comme elle. Elle n'était pas prête pour les prendre au piège. En milieu de matinée, elle faillit flancher à nouveau, mais finalement resta sur place.

Capricieux comme il l'est toujours au printemps, le temps changea brusquement à la mi-journée : la couverture nuageuse se disloqua et le vent se mit à souffler. En début d'après-midi, il n'y avait plus trace de nuages et les steppes humides de pluie resplendissaient sous le soleil printanier. Le vent sec qui avait chassé les nuages absorba avidement l'humidité de l'air, comme s'il craignait que le glacier lui confisque sa part.

Même si elle ne se faisait aucune illusion sur l'issue de la chasse, Ayla retrouva un peu de courage. Elle étendit la peau d'aurochs détrempée sur des buissons dans l'espoir qu'elle commence à sécher et revint vers l'endroit où les rennes devaient passer. Quand elle s'aperçut que la fosse qu'elle avait creusée la veille avait disparu, son cœur fit un bond dans sa poitrine. En regardant de plus près, elle finit par retrouver le trou, transformé par la pluie en une mare pleine de branches, de feuilles et de débris végétaux de toutes sortes.

Nullement démoralisée, elle alla chercher un panier dont elle se servait pour puiser de l'eau. Comme elle revenait avec cet ustensile, elle se rendit compte que, de loin, il était très difficile de voir la fosse. Cette constatation la fit sourire. Si j'ai du mal à apercevoir ce piège à cause des feuilles et des branches qui s'y trouvent, il y a des chances pour qu'un renne arrivant à vive allure ne le voie pas du tout, se dit-elle. Le problème, c'est qu'il faut que je le vide. Mais peut-être existe-t-il un autre moyen de le cacher...

Pourquoi ne pas utiliser des branches de saule ? Ces branches seraient assez longues pour s'appuyer d'un bord à l'autre et je pourrais les recouvrir de feuilles et de rameaux.

Et soudain Ayla éclata de rire. Whinney lui répondit en hennissant joyeusement.

— Peut-être que cette pluie n'était pas une si mauvaise chose, Whinney.

Après avoir écopé l'eau, elle trouva que la fosse était moins profonde qu'avant et voulut la creuser à nouveau. Mais elle dut s'arrêter presque aussitôt car elle se remplissait d'eau au fur et à mesure. Non seulement la pluie avait fait monter le niveau de la rivière, mais elle avait ramolli en surface la couche de sol gelé qui se trouvait au-dessous de la terre arable.

Camoufler le piège ne fut pas aussi facile qu'elle le pensait. Les buissons de saule étaient tellement rabougris qu'elle dut suivre la rivière pendant un certain temps avant de réussir à ramasser une brassée de branches et, comme ce n'était pas suffisant, elle y ajouta des roseaux. Elle eut beau entrecroiser les branches, le camouflage végétal s'affaissait au centre et elle fut obligée de le bloquer sur les bords. Quand elle l'eut recouvert de feuilles et de brindilles, il s'affaissa à nouveau. Ayla n'était pas entièrement satisfaite mais elle ne pouvait faire mieux.

Elle retourna alors vers son campement et retira avec un soupir de soulagement ses vêtements humides et maculés de boue ainsi que ses chausses. Après s'être baignée, elle étendit ses vêtements sur un rocher qui affleurait près de la rive et se trouvait en plein soleil. C'était l'endroit rêvé pour allumer un feu.

En général, les branches mortes qui se trouvaient à la base des pins restaient sèches même quand il pleuvait à verse et celles du pin rabougri qui se trouvait près de son campement ne faisaient pas exception à la règle. Ayla emportait toujours avec elle les écorces et herbes sèches dont elle avait besoin pour allumer un feu et, avec son silex et sa pyrite de fer, elle eut vite fait de les enflammer. Au début, elle alimenta son feu avec des brindilles et des petites branches, disposant les branches humides au-dessus du foyer pour les faire sécher avant de les utiliser. Grâce à cette méthode, elle pouvait faire du feu même quand il pleuvait, à condition qu'il ne s'agisse pas d'une pluie diluvienne.

Après avoir mangé des galettes de voyage, elle se fit une infusion qu'elle but avec plaisir. Comme sa tente était toujours mouillée, elle la plaça près du feu pour qu'elle finisse de sécher pendant la nuit. Pourvu qu'il ne se remette pas à pleuvoir, se dit-elle en jetant un coup d'œil aux nuages qui, à l'ouest, masquaient les étoiles. Et après avoir donné à Whinney une tape affectueuse, elle s'enveloppa dans sa fourrure.

Il faisait sombre. Ayla était étendue sans bouger et elle était tout ouïe. Whinney remuait et soufflait doucement. La jeune femme s'assit pour regarder autour d'elle. Le son qu'elle entendit lui fit courir un frisson dans le dos. Et elle comprit ce qui l'avait réveillée. Bien qu'elle l'eût rarement entendu, elle sut aussitôt que le rugissement appartenait à un lion des cavernes, qui se trouvait de l'autre côté de la rivière. Whinney se mit à hennir nerveusement et Ayla se leva.

— Tout va bien, Whinney, dit-elle en ajoutant du bois dans le feu. Ce lion est loin d'ici.

Ce devait être un lion que j'ai entendu la dernière fois que nous étions ici, songea-t-elle. Ils doivent vivre non loin de l'autre rive. Eux aussi vont chasser le renne quand le troupeau traversera. Heureusement qu'il fera jour quand nous serons obligées de traverser leur territoire. J'espère que les rennes nous auront précédées et que les lions seront rassasiés. Je vais faire une infusion et me préparer.

Le ciel était en train de rosir à l'est quand Ayla eut terminé de tout ranger à l'intérieur de ses paniers et de sangler Whinney. Elle plaça un épieu dans chaque panier et serra les attaches qui les retenaient. Puis elle monta sur Whinney et s'installa devant son chargement entre les deux épieux en bois dont les extrémités pointaient vers le ciel.

Elle revint sur ses pas et fit un grand cercle pour se retrouver à l'arrière du troupeau de rennes qui s'approchait de la rivière. Elle poussa Whinney jusqu'à ce qu'elle aperçoive les jeunes mâles, puis elle ralentit et adopta la même allure que les rennes. Installée sur le dos de la jument, elle voyait parfaitement l'ensemble du troupeau. Elle remarqua que le renne de tête ralentissait l'allure en s'approchant de la rivière et qu'il reniflait la voie où elle avait creusé la fosse. Un courant d'anxiété se propagea dans le troupeau, gagnant les bêtes qui se trouvaient à l'arrière si bien qu'Ayla elle-même en eut conscience.

Lorsqu'elle vit que le renne de tête pénétrait au milieu des buissons qui bordaient la berge et qu'il allait s'engager dans la seconde voie, elle se dit que le moment était venu d'agir. Elle respira profondément, se pencha en avant pour que Whinney accélère et poussa un hurlement féroce.

Le dernier renne du troupeau bondit en avant, dépassant les bêtes qui se trouvaient devant lui. En voyant arriver ce cheval au galop et en entendant les cris que poussait Ayla, les autres rennes firent de même et se précipitèrent vers la rivière. Aussi effrayés soient-ils, la plupart évitaient d'emprunter la voie où elle avait creusé la fosse et ceux qui s'y aventuraient sautaient par-dessus ou faisaient un bond de côté pour éviter le piège.

Ayla pensait avoir perdu la partie quand, soudain, elle remarqua une agitation au sein du troupeau en fuite. Puis elle crut voir une des ramures disparaître et elle s'aperçut qu'à cet endroit les rennes s'agitaient et s'écartaient de plus belle. Tirant d'un coup sec ses deux épieux de leurs supports, elle se laissa glisser de sa monture et courut à toute vitesse vers cet endroit. Les yeux fous, enfoncé jusqu'à mi-corps dans la boue au fond de la fosse, un renne essayait vainement de sauter. Cette fois-ci, Ayla prit le temps de viser. Elle enfonça son épieu dans le cou du renne et sectionna une artère. Le jeune mâle à la magnifique ramure s'affaissa au fond du trou, tué sur le coup.

C'était fini. Terminé. Et tellement plus facile qu'Ayla l'avait imaginé ! Les préparatifs avaient été longs et lui avaient demandé beaucoup de réflexion et d'efforts. La chasse, en revanche, ne lui avait posé aucune difficulté et elle sentait encore en elle un trop-plein d'énergie et une tension qu'elle avait besoin d'extérioriser.

— Whinney ! Nous avons réussi ! lança-t-elle à la jument en criant et en gesticulant.

Puis elle sauta sur le dos de Whinney et se lança dans une course effrénée à travers les plaines.

Ses longues tresses volant derrière elle, les yeux brillants d'excitation, un sourire fou sur le visage, elle était en proie à une sorte d'ivresse. Mais le plus impressionnant, c'était qu'un animal sauvage, dont le regard fiévreux et les oreilles rabattues dénotaient une frénésie d'une autre nature, partage avec elle cette folle équipée.

Quand, après avoir parcouru un large cercle, elles revinrent vers la rivière, Ayla arrêta Whinney, puis, sautant au bas de sa monture, elle termina le trajet en courant.

Lorsqu'elle eut retrouvé son souffle, elle s'approcha de la fosse, récupéra l'épieu planté dans le cou du renne et siffla Whinney. La jument montrait des signes d'inquiétude et Ayla dut la calmer avant de pouvoir lui passer le harnais. Puis elle la guida jusqu'au bord de la fosse. N'ayant ni bride, ni licou, elle était obligée de cajoler la jument pour l'inciter à obéir. Quand Whinney se tint tranquille, elle attacha l'extrémité des cordes aux bois du renne.

— Tire, Whinney, dit-elle pour encourager la jument. Comme lorsque tu tirais le rondin.

Whinney fit quelques pas en avant, sentit la résistance et recula aussitôt. Ayla insistant, elle recommença à avancer et se pencha en avant quand les cordes du harnais commencèrent à se tendre. Petit à petit, Ayla l'aidant du mieux qu'elle pouvait, la jument réussit à sortir le renne de la fosse.

Ayla était folle de joie : au moins, elle ne serait pas obligée de découper le renne à l'intérieur de la fosse. Whinney allait-elle accepter de ramener le renne jusque dans la vallée et en aurait-elle la force ? La jeune femme n'en savait rien et elle désirait agir par étapes. Elle commença donc par emmener la jument au bord de la rivière pour qu'elle puisse se rafraîchir, puis elle plaça un des paniers à l'intérieur de l'autre, attacha les épieux et arrima le tout sur son dos. Gênée par son chargement, elle dut grimper sur un rocher pour pouvoir monter sur Whinney. Elle avait retiré ses chausses et releva le bas de son vêtement en fourrure au moment où elle s'engageait avec Whinney dans la rivière.

En temps normal, à cet endroit, il était facile de traverser à gué et c'est d'ailleurs pour cette raison que les rennes avaient instinctivement choisi ce passage. Mais le niveau de la rivière avait monté à cause de la pluie et le courant était si rapide que Whinney dut faire attention où elle posait les pieds. Une fois dans l'eau, le renne se mit à flotter, ce qui facilita la progression de la jument. Ce bain eut aussi l'avantage de débarrasser l'animal de la boue et du sang qui le recouvraient et arrivé sur l'autre rive, le renne était propre.

Lorsque Whinney sentit à nouveau une résistance, elle refusa d'avancer. Ayla descendit et l'aida à tirer le renne sur une courte distance. Elle défit alors les cordes qui le retenaient à la jument. Avant de se mettre en route pour rejoindre la vallée, elle devait accomplir une tâche qui ne pouvait attendre. Avec une lame en silex, elle trancha la gorge du renne, puis elle fit une longue incision en ligne droite qui partait de l'anus et rejoignait la gorge en passant par l'estomac, la poitrine et le cou. L'index posé sur le dos de la lame, elle avait introduit le bord tranchant juste en dessous de la peau. Si cette première incision était faite correctement, sans toucher à la chair, il serait beaucoup plus facile ensuite de dépouiller l'animal.

L'incision suivante, plus profonde, lui permit d'enlever les entrailles. Elle lava dans la rivière les organes qu'elle comptait utiliser — l'estomac, l'intestin et la vessie — et les replaça dans la cavité abdominale avec les parties comestibles.

Elle alla chercher une grande natte roulée dans l'un des paniers, la déploya sur le sol et, non sans mal, réussit à y placer le renne. Elle rabattit les deux extrémités de la natte par-dessus la carcasse et la ficela solidement avec des cordes. Puis elle attacha les deux extrémités du harnais de Whinney à ces cordes. Elle remit les paniers en place sur les flancs de la jument, plaça les épieux dans leur support et vérifia que le tout était solidement arrimé. Puis elle remonta sur le dos de Whinney.

Quand, pour la troisième fois, elle dut descendre de sa monture pour libérer son chargement d'un obstacle qui entravait sa progression — rocher ou buisson — elle se dit qu'il valait mieux marcher à côté de Whinney. A un moment donné, comme elle ne cessait de faire des allées et venues pour dégager le renne, elle voulut remettre ses chausses et remarqua alors la bande de hyènes qui la suivait. Les pierres qu'elle lança obligèrent les nécrophages à se replier mais ne les dissuadèrent pas pour autant de la suivre.

La présence des hyènes perturbait Whinney et accroissait sa nervosité et Ayla se demandait avec inquiétude si la jument parviendrait à regagner la vallée avant la nuit.

Arrivées à un endroit où la rivière faisait une boucle, elles s'arrêtèrent pour se reposer. Ayla remplit d'eau sa gourde et un grand panier étanche et elle donna à boire à Whinney. Elle prit une galette de voyage et s'assit sur un rocher pour la manger. Les yeux baissés, elle était en train de réfléchir à un moyen plus pratique pour transporter le renne quand soudain elle remarqua que la terre avait été remuée en surface. Le sol avait été piétiné, l'herbe foulée et les traces semblaient toutes fraîches. En les examinant de plus près, elle finit par reconstituer ce qui s'était passé.

D'après les empreintes laissées dans la boue sèche au bord de la rivière, elle se trouvait sur le territoire d'une bande de lions des cavernes. Il devait y avoir non loin de là une petite vallée avec des parois rocheuses escarpées et une caverne bien abritée où une lionne avait certainement mis au monde deux lionceaux un peu plus tôt dans l'année. Les lions devaient aimer venir se reposer à cet endroit. Par jeu, les lionceaux se battaient entre eux pour arracher avec leurs dents de lait des lambeaux de chair à un quartier de viande sanguinolente, tandis que les mâles rassasiés paressaient sous le soleil matinal et que les femelles au poil lisse regardaient d'un œil indulgent leurs petits en train de s'amuser.

Ces énormes félins étaient les rois incontestés de leur domaine. Ne risquant pas d'être attaqués par d'autres animaux, ils ne craignaient rien. Normalement, jamais les rennes n'auraient dû s'aventurer aussi près de leurs prédateurs naturels. Mais l'intervention d'Ayla avait semé la panique dans le troupeau et la rivière n'avait nullement ralenti sa fuite éperdue. Fonçant droit devant eux, les rennes avaient dû faire irruption en plein milieu de la bande de lions. Se rendant compte trop tard qu'en fuyant un danger ils venaient d'en rencontrer un autre, pire encore, ils s'étaient alors éparpillés dans toutes les directions.

Suivant toujours les traces, Ayla finit par découvrir ce qui constituait la conclusion de l'histoire : trop lent pour éviter ce déferlement de sabots, un des lionceaux avait été piétiné par le troupeau.

Ayla s'agenouilla à côté du bébé lion et, en bonne guérisseuse, elle l'examina pour voir s'il vivait encore. Le lionceau était chaud, et il avait certainement les côtes cassées. Il semblait mal en point mais respirait encore. D'après les traces laissées autour de lui dans la poussière, sa mère avait dû l'encourager à se relever avant de se rendre compte que cela ne servait à rien. Suivant la loi de la nature selon laquelle les plus faibles sont amenés à disparaître pour que l'espèce survive, elle avait abandonné le petit blessé pour rejoindre le reste de la bande.

Seul l'homme faisait exception à cette règle. Pour lui, la survivance de l'espèce ne dépendait pas uniquement de la force et de la bonne santé de ses membres. Chétifs en comparaison de ces carnivores, il fallait que les hommes s'entraident et fassent preuve de compassion.

Pauvre bébé, songeait Ayla. Ta mère ne pouvait rien faire pour toi. Ce n'était pas la première fois que la jeune femme avait pitié d'une créature blessée et sans défense. Pendant un court instant, elle se dit qu'elle allait ramener le lionceau à la caverne, puis elle y renonça. Lorsqu'elle vivait au sein du clan, Brun et Creb l'avaient autorisée à ramener des animaux blessés afin qu'elle apprenne son métier de guérisseuse en les soignant. Mais Brun lui avait interdit de soigner un louveteau. Ce lionceau avait déjà presque la taille d'un loup et un jour prochain, il serait aussi grand que Whinney.

Après un dernier coup d'œil au lionceau mourant, Ayla se releva en hochant la tête et s'approcha de Whinney. Au moment où elle repartait, elle nota que les hyènes recommençaient à la suivre. Elle allait saisir une pierre quand elle s'aperçut que la petite troupe avait changé d'avis. Les hyènes venaient de découvrir le lionceau et s'apprêtaient à lui faire un sort. Ce qui était logique. Sauf aux yeux d'Ayla, incapable de conserver son calme dès que les hyènes étaient en cause.

— Fichez-moi le camp, saletés ! Et laissez ce bébé tranquille !

Courant pour s'approcher du lionceau, Ayla lança une grêle de pierres. En entendant un hurlement, elle comprit que son tir avait porté et vit que les hyènes se repliaient devant elle.

Elles n'oseront pas s'approcher, se dit-elle en se plaçant devant le lionceau, les jambes écartées pour le protéger. Qu'est-ce que je suis en train de faire ? se demanda-t-elle aussitôt. A quoi sert de les tenir à distance d'un lionceau qui, de toute façon, va mourir ? J'ai tout intérêt à ce que les hyènes s'occupent de lui, elles cesseront alors de me suivre.

Je ne peux pas emmener ce lionceau. Il est trop lourd pour que je puisse le porter. J'ai déjà suffisamment à faire avec le renne sans m'occuper en plus de lui. C'est vraiment ridicule de songer à une chose pareille.

Est-ce vraiment si ridicule que ça ? Que me serait-il arrivé si Iza ne m'avait pas recueillie ? Creb m'a dit que c'était l'esprit d'Ursus ou celui du Lion des Cavernes qui m'avait placée à l'endroit où elle devait passer car, elle mise à part, personne d'autre dans le Clan ne se serait arrêté. Iza ne pouvait supporter de voir un malade ou un blessé sans lui venir aussitôt en aide. C'est pour ça qu'elle était une aussi bonne guérisseuse.

Moi aussi, je suis guérisseuse et je tiens mon savoir d'Iza. Peut-être que ce lionceau a été placé là pour que je m'occupe de lui. Le jour où j'ai ramené pour la première fois un lapin blessé, Iza m'a dit que cela signifiait que j'étais faite pour être guérisseuse. Ce lionceau est blessé et je ne peux pas laisser les hyènes le dévorer.

Mais comment faire pour le transporter ? S'il a les côtes cassées, il faut d'abord que je le bande, sinon il risque de mourir. Je n'ai qu'à utiliser cette large lanière que j'ai emportée avec moi et poser le lionceau sur le dos de Whinney.

Ayla siffla Whinney et fut toute surprise de voir que, pour une fois, le fardeau de la jument n'était arrêté par aucun obstacle. Préoccupée par le sort du lionceau, elle ne remarqua pas à quel point Whinney était nerveuse. La jument avait déjà du mal à accepter ce chargement qui l'empêchait d'avancer normalement et sa nervosité s'était encore accrue depuis qu'elle avait pénétré avec Ayla sur le territoire des lions.

Lorsque la jeune femme, qui venait de bander le lionceau, voulut le poser sur le dos de la jument, Whinney fit un bond de côté. Complètement affolée, elle se cabra, remua la tête de bas en haut dans l'espoir de se débarrasser de son harnais et de son chargement, puis elle se mit à caracoler à travers les steppes. Le renne, toujours enveloppé dans la natte, rebondissait et tressautait derrière la jument jusqu'au moment où il resta coincé contre un rocher. Contrainte de s'arrêter, Whinney s'affola de plus belle et recommença à se cabrer.

Brusquement, les lanières auxquelles le renne était attaché se rompirent et, sous la secousse, les deux paniers, déséquilibrés par les épieux, basculèrent. Libérée de ses entraves, la jument partit au triple galop et le contenu des paniers se déversa sur le sol. Les deux épieux, toujours attachés aux paniers, traînaient maintenant derrière elle, pointes en bas, et ne semblaient nullement la ralentir.

Ayla, qui avait observé toute la scène, vit aussitôt le parti qu'elle pouvait en tirer. Elle avait enfin trouvé le moyen de transporter jusqu'à la caverne à la fois le renne et le lionceau blessé. Elle appela Whinney et la siffla. Répondant à ce signal, qui était pour elle synonyme d'affection et de sécurité, la jument fit un grand cercle pour revenir vers la jeune femme.

Quand, épuisée et couverte d'écume, la jument s'approcha, Ayla ne put s'empêcher de la serrer dans ses bras tellement elle était soulagée. Elle retira le harnais et les sangles et l'examina avec soin pour voir si elle n'était pas blessée. Les pattes avant écartées, reniflant bruyamment et tremblant de tout son corps, Whinney se pencha vers Ayla avec un hennissement plaintif.

— Repose-toi, lui conseilla Ayla quand elle cessa de trembler. De toute façon, il faut que je m'occupe de ce harnais.

Il ne serait pas venu à l'idée d'Ayla de réprimander la jument sous prétexte que celle-ci s'était cabrée, qu'elle s'était enfuie et avait renversé son chargement. Elle n'avait pas le sentiment que Whinney lui appartienne ou qu'elle doive lui obéir. La jument était une amie et une compagne. Si elle s'était affolée, c'est qu'elle avait des raisons, Ayla avait trop exigé d'elle. Elle devait apprendre à connaître les limites de la jument plutôt que d'essayer de modifier son comportement. A ses yeux, lorsque Whinney l'aidait c'est qu'elle le voulait bien, et elle-même se sentait libre vis-à-vis de l'animal.

Après avoir ramassé ce qui était tombé des paniers, Ayla remania complètement tout son système de sangles et de harnais, fixant solidement les deux épieux aux paniers dans la position où ils avaient basculé, pointes en bas. Puis elle posa et attacha la natte qui lui avait servi à envelopper le renne sur les deux longues perches en bois, suffisamment haut pour qu'elle ne touche pas le sol. Elle hissa la carcasse du renne sur ce travois et y posa avec précaution le lionceau blessé. Whinney ayant retrouvé son calme, elle la harnacha à nouveau.

Quand tout fut prêt, elle monta sur la jument et se remit en route. Alors qu'elle avançait en direction de la vallée, elle songeait avec étonnement à l'efficacité de ce nouveau système de transport. Comme seules les pointes des épieux touchaient le sol, la carcasse du renne ne heurtait plus les obstacles et Whinney traînait bien plus facilement son chargement. Néanmoins, Ayla ne se sentit vraiment tranquille que lorsqu'elles eurent atteint la vallée.

Elle s'arrêta au pied de la caverne pour que Whinney se repose et alla lui chercher à boire. Elle en profita aussi pour examiner le lionceau. Même s'il respirait toujours, elle n'était pas sûre qu'il vive encore longtemps. Pourquoi a-t-il été placé sur mon chemin ? se demanda-t-elle. Au moment où elle avait aperçu le lionceau, elle avait pensé à son totem. L'esprit du Lion des Cavernes voulait-il qu'elle prenne soin de lui ?

Puis une autre idée lui traversa l'esprit. Si elle n'avait pas décidé d'emmener le lionceau, jamais elle n'aurait pensé à fabriquer ce travois. Son totem avait-il choisi ce moyen pour l'amener à faire cette découverte ? Etait-ce un présent de sa part ? En tout cas, présent ou pas, elle ferait tout ce qu'elle pourrait pour sauver la vie du lionceau.

11

— Ce n'est pas parce que je reste ici que tu es obligé de faire la même chose, Jondalar.

— Qui te dit que c'est à cause de toi que je reste ? demanda Jondalar sans réussir à dissimuler l'irritation qu'il éprouvait.

La remarque de son frère le touchait plus qu'il ne voulait l'avouer, car elle contenait une part de vérité.

Il avait longtemps refusé de croire que Thonolan puisse effectivement s'unir à Jetamio et s'installer chez les Sharamudoï. Mais cela ne faisait plus aucun doute. Et du coup, lui aussi, il allait rester. Il n'avait aucune envie de repartir seul. Sans son frère, le voyage du retour risquait de lui sembler bien long.

— Tu n'aurais jamais dû partir avec moi, reprit Thonolan. J'ai toujours pensé que je ne reviendrais jamais chez nous. Je ne savais pas alors que j'allais rencontrer la femme de ma vie, mais j'avais l'impression qu'il fallait que je voyage jusqu'à ce que je trouve une bonne raison de m'arrêter. Les Sharamudoï me plaisent. Ça ne me gêne pas de m'installer chez eux et de devenir un des leurs. Tandis que toi, Jondalar, tu resteras toujours un Zelandonii où que tu ailles. Jamais tu ne te sentiras chez toi ailleurs. Retourne là-bas, Grand Frère. Choisis une de ces femmes qui te courent après et rends-la heureuse. Fonde une famille et raconte aux enfants de ton foyer le long Voyage que tu as fait avec ton frère. Qui sait ? Peut-être qu'un des enfants de ton foyer, ou un du mien, décidera-t-il un jour de prendre la route à son tour pour retrouver des parents...

— Qu'est-ce qui te fait penser que je suis plus zelandonii que toi ? Pourquoi ne serais-je pas heureux moi aussi en restant ici ?

— Toi, tu n'es pas tombé amoureux. Et même si tu l'étais, tu ferais des projets pour emmener l'élue de ton cœur avec toi au lieu de rester ici avec elle.

— Pourquoi ne rentrerions-nous pas avec Jetamio ? Elle est intelligente, débrouillarde et indépendante. Elle sait même chasser. Elle ferait une parfaite Zelandonii.

— Je ne veux pas perdre une année à voyager. Je suis pressé de vivre avec la femme que j'aime et j'ai envie qu'elle ait des enfants le plus vite possible.

— Qu'est donc devenu le Thonolan qui voulait voyager jusqu'à l'embouchure de la Grande Rivière Mère ?

— Un jour, j'irai. Rien ne presse. Ce n'est pas si loin que ça. Je pense que je demanderai à Dolando de m'emmener la prochaine fois qu'il ira troquer du sel. Je proposerai à Jetamio de m'accompagner. Je pense que ça lui fera plaisir. A condition, bien entendu, que nous ne soyons pas absents trop longtemps. N'ayant jamais connu sa mère, elle est très attachée à sa tribu. C'est quelque chose que je comprends très bien. Toi aussi, tu es comme elle, Grand Frère.

— Pourquoi en es-tu si sûr ? demanda Jondalar en baissant les yeux pour éviter le regard de Thonolan. Qui te dit que je ne suis pas, moi aussi, amoureux ? Serenio est très belle. Quant à Darvo, ajouta-t-il en souriant pour la première fois, il a absolument besoin qu'un homme s'occupe de lui. Je suis sûr qu'il fera un excellent tailleur de silex plus tard.

— Je te connais trop bien, Grand Frère. Ce n'est pas parce que tu vis avec une femme que tu l'aimes pour autant. Je sais que tu adores cet enfant, mais ce n'est pas suffisant pour que tu t'engages vis-à-vis de sa mère et surtout pour que tu décides de t'installer ici. Rentre chez toi et choisis une femme d'un certain âge, qui ait déjà pas mal d'enfants. Comme ça, tu seras assuré de pouvoir former toute une ribambelle de tailleurs de silex.

Avant que Jondalar ait pu répondre, un gamin de douze ans arriva en courant. Il était grand pour son âge et élancé, et les traits de son visage étaient fins et délicats, comme ceux d'une fille. Ses cheveux châtain clair étaient raides et ses yeux couleur noisette brillaient d'intelligence.

— Jondalar ! s'écria-t-il en essayant de retrouver son souffle. Je t'ai cherché partout ! Dolando est prêt et les hommes du fleuve attendent.

— Va dire que nous arrivons, Darvo, répondit Jondalar dans le langage des Sharamudoï.

Le jeune garçon repartit à toute vitesse. Les deux frères s'apprêtaient à le suivre quand soudain Jondalar s'arrêta.

— J'ai l'impression que le moment est venu de te souhaiter tout le bonheur possible, Petit Frère, dit-il avec un grand sourire. Je dois avouer que je ne m'attendais pas à ce que tu fasses ça dans les formes. Mais n'essaie pas d'en profiter pour te débarrasser de moi. Ce n'est pas tous les jours que le frère d'un homme trouve la femme de sa vie. Je ne raterai pas votre Union, même pour l'amour d'une donii.

Un sourire illumina le visage de Thonolan.

— Sais-tu, Jondalar, que quand j'ai vu Jetamio pour la première fois, j'ai cru qu'il s'agissait d'un esprit envoyé par la Mère pour agrémenter mon Voyage vers l'autre monde. Je n'avais aucune envie de résister et j'étais prêt à la suivre n'importe où...

Emboîtant le pas à son frère, Jondalar ne dit rien, mais fronça les sourcils. Cela l'inquiétait que Thonolan soit prêt à mourir pour suivre Jetamio.

Les deux frères grimpèrent par un sentier qui descendait en zigzaguant à travers une forêt à l'ombre profonde. Le sentier débouchait sur une trouée. Quand Jondalar et Thonolan y parvinrent, ils s'approchèrent du sommet de la falaise. La paroi avait été laborieusement entaillée et l'étroit passage pratiqué permettait tout juste à deux hommes de s'avancer de front. Par mesure de prudence, Jondalar préféra marcher derrière son frère. Bien qu'il eût déjà passé tout l'hiver chez les Shamudoï, chaque fois qu'empruntant ce passage il apercevait tout en bas de la corniche les eaux de la Grande Rivière Mère, la tête lui tournait. Et pourtant ce sentier à pic constituait l'accès le plus commode pour atteindre la Caverne de Dolando.

Tous les hommes des Cavernes ne vivaient pas dans ce type d'habitat. Ils habitaient aussi des abris construits en plein air. Malgré tout, les caches naturelles creusées dans le rocher avaient à leurs yeux une valeur inestimable, surtout pendant la saison froide. Bien souvent, ils choisissaient d'habiter un endroit qui normalement n'aurait pas dû les intéresser pour l'unique raison que celui-ci possédait une caverne ou un abri sous roche. Et pour pouvoir s'y installer, ils étaient prêts à affronter des difficultés quasi insurmontables. Ce n'était pas la première fois que Jondalar séjournait dans une caverne située près d'une falaise à pic mais celle où les Shamudoï avaient choisi de vivre dépassait tout ce qu'il avait vu jusqu'ici.

A une très lointaine époque, l'écorce terrestre, constituée de sédiments calcaires, de grès et de schiste, s'était soulevée et avait formé de hauts sommets coiffés de glace. Ces roches tendres s'étaient alors mélangées à des roches cristallines plus dures rejetées par les volcans en éruption. Ces montagnes entouraient une vaste mer intérieure dont le bassin, asséché, deviendrait un jour l'immense plaine que les deux frères avaient traversée durant l'été. Pendant des millions d'années, le déversoir de cette mer intérieure avait creusé un passage à travers les montagnes qui, à l'époque, reliait les hautes chaînes du nord à celles du sud, finissant par assécher complètement cette mer intérieure.

Mais l'eau n'avait pu attaquer que les parties tendres des montagnes et, comme les roches plus dures lui résistaient, le passage qu'elle s'était frayée ne constituait qu'un étroit défilé. C'est par là que s'engouffraient les eaux de la Grande Rivière Mère, grossies de celles de la Sœur et de tous les autres affluents. Long d'environ cent kilomètres, ce défilé se terminait par une succession de quatre gorges et, après être passé à travers ces portes, la Grande Rivière Mère se dirigeait vers sa destination finale. Alors qu'à certains endroits de son parcours le fleuve atteignait près de deux kilomètres de large, dans ce défilé il ne mesurait plus parfois que cent soixante dix mètres et coulait alors entre de hautes falaises aux parois nues.

Au cours du processus qui avait permis de traverser de part en part cent kilomètres de chaîne montagneuse, l'eau qui se déversait de la mer intérieure avait formé des torrents, des chutes d'eau et les lacs qui, bien après l'assèchement de cette mer, avaient laissé des traces dans toute la région.

En haut de la paroi rocheuse qui bordait la rive gauche du fleuve, non loin de l'étroit passage emprunté par les deux frères, se trouvait un vaste renfoncement : une large plate-forme dont la base était parfaitement plane. Il y avait eu précédemment à cet endroit une petite baie, l'anse protégée d'un lac qui s'était vidé au cours du temps. En disparaissant, ce lac avait laissé derrière lui une terrasse en forme de U, bien plus haute que le niveau des eaux existantes. Si haute que, même pendant les crues printanières, les eaux du fleuve n'atteignaient jamais cette plate-forme rocheuse.

La terrasse était recouverte d'une couche de terre suffisamment épaisse pour que l'herbe pousse jusqu'à l'extrême bord de la corniche. A partir du milieu apparaissaient des buissons et des arbustes qui se cramponnaient dans les anfractuosités rocheuses. Près du mur du fond, les arbres atteignaient une taille respectable et les buissons, plus épais, s'accrochaient le long de la forte pente. Sur une des parois latérales, à l'arrière, se trouvait un surplomb en grès, profondément creusé par en dessous, qui faisait tout l'intérêt de cette haute terrasse. Sous ce surplomb, il y avait plusieurs abris en bois, qui constituaient autant d'habitations, et une aire circulaire avec un grand foyer et d'autres plus petits, servant à la fois d'entrée et de lieu de rassemblement.

Cette terrasse possédait un autre atout : dans l'angle opposé se trouvait une cascade. Jaillissant au-dessus d'un éperon rocheux, elle bondissait parmi des rochers déchiquetés, puis coulait sur un petit surplomb avant de former une retenue d'eau. Ensuite, ce torrent longeait la paroi rocheuse et passait par-dessus le bord de la corniche. C'est là que Dolando et quelques hommes attendaient les deux frères.

Dès que Thonolan et Jondalar, qui venaient de contourner la saillie rocheuse, s'avancèrent sur la terrasse, Dolando les héla. Puis, sans les attendre, il enjamba le rebord de la corniche pour descendre vers le fleuve. Thonolan traversa la terrasse en petites foulées, suivi par Jondalar, et lorsqu'il arriva à l'endroit où Dolando se trouvait l'instant d'avant, il enjamba à son tour le rebord de la corniche et s'engagea dans le sentier périlleux qui longeait l'itinéraire emprunté par le petit torrent. Celui-ci rebondissait sur une succession de saillies rocheuses et rejoignait le fleuve. A certains endroits du parcours, aucun homme n'aurait pu passer, aussi avait-on taillé la roche pour former des marches étroites, et placé le long de la descente une solide corde qui servait de garde-corps. Le torrent et les projections d'eau permanentes rendaient cette descente traîtreusement glissante, même en été. En hiver, lorsque l'eau gelait, cet accès devenait impraticable.

Au printemps, bien que ce sentier fût inondé par les crues et qu'il y eût encore des plaques de glace, les Sharamudoï — les chasseurs de chamois Shamudoï et les Ramudoï qui habitaient sur le fleuve — y circulaient allégrement, telles les antilopes qui vivaient dans cette région accidentée. En regardant son frère s'engager dans la descente avec la même insouciance que ceux qui étaient nés ici, Jondalar se dit que

Thonolan avait raison sur un point au moins. Même s'il passait toute sa vie ici, jamais il ne s'habituerait à cette descente. Après avoir jeté un coup d'œil aux eaux turbulentes de l'énorme fleuve, il serra les dents, respira un bon coup et enjamba le rebord de la corniche.

Chaque fois que son pied glissait sur une plaque de glace invisible, il avait une pensée reconnaissante pour la corde qui lui permettait de ne pas tomber et quand il arriva à la hauteur du fleuve, il poussa un soupir de soulagement. Le ponton flottant, fabriqué avec des troncs d'arbre attachés ensemble, qui oscillait au gré du courant, lui parut presque stable, comparé à la descente. Une bonne moitié du ponton supportait une plate-forme surélevée, sur laquelle on avait construit une succession d'abris en bois semblables à ceux qui se trouvaient sous le surplomb rocheux.

Au passage, Jondalar salua quelques-uns des habitants, puis il rejoignit Thonolan qui, arrivé à l'extrémité du ponton, venait de monter dans un des bateaux amarrés à cet endroit. Dès que Jondalar fut monté à bord, ils s'éloignèrent et commencèrent à remonter le fleuve. Les Ramudoï maniaient leurs rames à long manche tandis que Dolando et ses hommes ne quittaient pas des yeux les débris qui flottaient sur le fleuve en crue. Jondalar, à l'arrière de l'embarcation, réfléchissait à l'exemple, unique, d'interrelation atteint par les Sharamudoï.

Dans toutes les peuplades qu'il avait eu l'occasion de rencontrer, il y avait toujours un partage des tâches, variable, et il s'était souvent demandé ce qui amenait les gens à choisir un mode de vie plutôt qu'un autre. Chez certains, les coutumes cantonnaient les hommes dans telles tâches et les femmes dans telles autres si bien qu'à la longue aucune femme ne pouvait accomplir les fonctions réservées aux hommes et vice versa. Dans d'autres, le partage des tâches et des corvées dépendait de l'âge : les individus les plus jeunes accomplissaient les travaux les plus durs, tandis que les plus âgés étaient chargés des corvées à l'intérieur du camp. Dans certains groupes, c'était exclusivement les femmes qui s'occupaient des enfants, dans d'autres l'éducation était confiée aux anciens, hommes et femmes.

Chez les Sharamudoï, le partage des tâches s'était fait sur d'autres bases. Les Shamudoï chassaient le chamois sur les flancs escarpés des montagnes, tandis que les Ramudoï pêchaient les énormes esturgeons, longs de neuf mètres, qui remontaient le fleuve, ainsi que des carpes, des perches et des brochets. Cette division du travail les avait amenés à se séparer en deux tribus distinctes, mais qui collaboraient étroitement.

Les Shamudoï étaient experts dans le travail de la peau de chamois. Ces peaux magnifiques et aussi souples que du velours étaient uniques en leur genre et on venait de très loin pour s'en procurer. Le secret de fabrication était bien gardé, mais Jondalar avait cru comprendre que le procédé employé supposait l'utilisation de certaines huiles de poisson. Les Shamudoï avaient donc tout intérêt à conserver des liens avec les Ramudoï. Et réciproquement. Les Ramudoï avaient besoin de chêne pour fabriquer leurs embarcations, de hêtre et de pin pour les assemblages, et pour river les longs madriers placés sur les flancs de leurs bateaux ils se servaient d'if et de saule. Pour se procurer les arbres adéquats, ils faisaient appel aux Shamudoï qui, à force d'y chasser, connaissaient parfaitement la forêt.

Au sein de la tribu des Sharamudoï, chaque famille shamudoï était jumelée avec une famille ramudoï. Entre ces deux familles existaient des liens de parenté complexes, bien qu'elles ne soient pas obligatoirement parentes par le sang. Ainsi, quand Jetamio serait devenue la compagne de Thonolan, Jondalar allait soudain se retrouver une ribambelle de « cousins » shamudoï et ramudoï, même si Jetamio n'avait pas de famille à proprement parler. Cette union impliquait un certain nombre d'obligations mutuelles qui se résumeraient, pour Jondalar, à employer des titres de respect quand il s'adresserait à certains membres de sa parenté.

Etant célibataire, il serait libre de s'en aller s'il le désirait, mais personne ne le pousserait à partir. Les liens entre les deux groupes étaient si forts que lorsque la place manquait et qu'une famille shamudoï décidait de fonder une nouvelle Caverne, la famille ramudoï avec laquelle elle était jumelée était obligée de partir avec elle.

Des rites particuliers étaient prévus pour échanger les liens de parenté quand une famille jumelée ne voulait pas partir et qu'une autre famille était prête à le faire à sa place. Néanmoins, les Shamudoï étant maîtres à terre, ils pouvaient obliger leurs parents ramudoï à les suivre. Mais les Ramudoï étant maîtres sur le fleuve, ils pouvaient alors refuser de transporter leurs parents sur leur embarcation et ne pas les aider à trouver un nouveau lieu de vie. Dans la pratique, la décision de fonder une nouvelle Caverne était donc presque toujours prise d'un commun accord.

Entre Shamudoï et Ramudoï s'étaient développés des liens supplémentaires, à la fois pratiques et rituels, qui n'avaient fait que renforcer la collaboration des deux groupes, en particulier pour tout ce qui concernait les bateaux. Toutes les décisions touchant à l'usage des bateaux étaient prises par les Ramudoï. Mais ces mêmes bateaux appartenaient également aux Shamudoï. Ils avaient donc droit à une part sur ce que rapportaient les bateaux, calculée en fonction des services rendus aux Ramudoï. Dans la pratique, les litiges étaient rares, chaque groupe respectant tacitement les droits de l'autre et n'empiétant pas sur son domaine.

La construction des bateaux était le résultat d'un travail en commun : les Shamudoï apportaient leur connaissance de la forêt et les Ramudoï leur pratique du fleuve. Cela permettait aux Shamudoï de revendiquer un droit sur les bateaux utilisés par les Ramudoï. Un homme qui n'aurait pas su se prévaloir de ce droit ne pouvait espérer s'unir avec une femme appartenant à l'un des deux groupes. Avant de prendre Jetamio pour compagne, il fallait donc que Thonolan participe à la construction ou à la remise en état d'une embarcation.

Jondalar attendait ce moment avec impatience. Les bateaux des Sharamudoï l'intriguaient beaucoup et il se demandait comment ils étaient fabriqués. Même s'il n'était pas enchanté que Thonolan ait choisi de prendre pour compagne une femme shamudoï, depuis le début ces gens l'intéressaient au plus haut point. La facilité avec laquelle ils se déplaçaient sur le large fleuve et pêchaient les énormes esturgeons dépassait les capacités de toutes les tribus dont il avait entendu parler.

En plus, ils faisaient preuve d'une ingéniosité exceptionnelle. En hiver, lorsque le passage qui reliait la terrasse au fleuve était gelé et que les Ramudoï n'étaient pas encore montés rejoindre leurs parents shamudoï sous le surplomb rocheux, les échanges entre les deux tribus se faisaient au moyen de longues cordes et de monte-charge en vannerie. Suspendus par-dessus le rebord de la terrasse, ces paniers pouvaient être descendus jusqu'à sur le ponton flottant ou remontés selon les besoins.

Le jour de l'arrivée de Thonolan et de Jondalar, l'accès qui longeait le torrent n'était pas encore gelé, mais Thonolan n'était pas en état de l'emprunter. Les deux frères avaient donc été hissés en haut de la terrasse à l'intérieur d'un de ces paniers.

Quand Jondalar, arrivé presque en haut de la falaise, avait contemplé pour la première fois le fleuve dans toute son étendue et les montagnes aux sommets arrondis qui se trouvaient de l'autre côté, il était devenu très pâle et les battements de son cœur s'étaient accélérés. Emerveillé par ce spectacle et plein de respect pour l'extraordinaire pouvoir de création de la Mère, il L'avait remerciée d'avoir donné naissance à un fleuve aussi majestueux.

Depuis, il avait appris qu'il existait un autre accès pour rejoindre la terrasse, plus long, plus aisé et bien moins impressionnant. Il s'agissait d'un des tronçons de la piste tracée d'ouest en est à travers la montagne qui, après avoir emprunté les cols et franchi la porte la plus à l'est, finissait par rejoindre la vaste plaine où coulait le fleuve. Le tronçon oriental de cette piste traversait la région montagneuse qui conduisait à l'entrée des gorges et il était donc beaucoup plus accidenté, mais, à certains endroits, il redescendait vers le fleuve. C'est vers un de ces endroits que le bateau se dirigeait.

L'embarcation quittait le milieu du lit pour s'approcher de la rive où, debout sur une plage de sable gris, des gens saluaient leur arrivée en faisant de grands gestes de la main, quand, soudain, Jondalar entendit un cri de stupéfaction.

— Regarde ! s'écria Thonolan en lui montrant l'énorme iceberg qui fonçait sur eux.

L'iceberg filait au milieu du lit, là où le fleuve était le plus profond. Les facettes de ses bords translucides réfléchissaient la lumière, le nimbant d'une lueur immatérielle tandis qu'un sombre abîme bleu-vert emprisonnait son cœur qui n'avait pas fondu. Avec une habileté consommée, les rameurs accélérèrent leur mouvement et changèrent de direction. Puis, ramenant leurs avirons à plat, ils s'immobilisèrent pour regarder la masse de glace glisser à côté du bateau et s'éloigner avec une redoutable indifférence.

— Il ne faut jamais tourner le dos au fleuve, rappela l'homme qui se trouvait en face de Jondalar.

— A mon avis, c'est la Rivière Sœur qui l'a amené, Markeno, précisa son voisin.

— Comment... un morceau de glace aussi gros... vient jusqu'ici, Carlono ? demanda Jondalar.

— Cet iceberg peut venir d'un glacier en mouvement dans l'une de ces montagnes, expliqua Carlono en montrant du menton les pics d'une blancheur étincelante qui se trouvaient derrière son épaule. Ou alors il vient de beaucoup plus loin au nord et c'est la Sœur qui l'a amené, continua-t-il en se remettant à ramer. A cette époque de l'année, elle est particulièrement profonde à cause des crues. Et il faut qu'elle le soit pour charrier une telle masse de glace. La partie de l'iceberg que tu as vue est beaucoup moins importante que celle qui se trouve dans l'eau.

— C'est difficile à croire, dit Jondalar. Un iceberg aussi gros... venir de si loin.

— Nous en voyons passer chaque année. Mais ils ne sont pas toujours aussi gros que celui-là. Il n'en a plus pour longtemps d'ailleurs, la glace est complètement rongée. Un bon choc et il se brisera. Il y a un rocher un peu en aval qui affleure à la surface, il va certainement le heurter. Ça m'étonnerait qu'il arrive entier jusqu'à la porte, conclut Carlono.

— Le choc aurait pu être pour nous, intervint Markeno, et notre bateau se serait brisé. C'est pourquoi il ne faut jamais tourner le dos au fleuve.

— Markeno a raison, dit Carlono. Avec le fleuve, ce n'est jamais gagné. Si on ne s'occupe pas de lui, il trouve aussitôt le moyen de se rappeler à votre bon souvenir.

— Cela me rappelle certaines femmes, intervint Thonolan. Pas toi, Jondalar ?

Jondalar pensa aussitôt à Marona. En voyant le sourire entendu de son frère, il se rendit compte qu'ils avaient eu tous les deux la même idée. Il n'avait pas pensé à la jeune femme depuis un certain temps. La reverrait-il un jour ? Elle était vraiment très belle. Mais Serenio l'était aussi. Peut-être devrait-il lui demander de devenir sa compagne. Elle était plus âgée que lui, mais cela ne faisait qu'ajouter à l'attirance qu'il éprouvait pour elle. Pourquoi ne pas profiter de l'Union de Jetamio et de Thonolan pour lui proposer de devenir sa compagne et s'installer chez les Sharamudoï ?

Depuis combien de temps sommes-nous partis ? se demanda Jondalar. Plus d'une année. Nous avons quitté la Caverne de Dalanar au printemps dernier. Et Thonolan ne veut plus rentrer. Tout le monde est très excité et attend le grand jour avec impatience. Mieux vaut attendre avant de proposer quoi que ce soit à Serenio. Elle pourrait penser qu'il s'agit d'une réflexion après coup. Je verrai plus tard...

— Pourquoi avez-vous mis si longtemps ? demanda un des hommes qui se trouvaient sur le rivage. Nous sommes venus par la piste, qui est le chemin le plus long, et c'est nous qui sommes arrivés les premiers.

— Il a fallu attendre ces deux-là. J'ai l'impression qu'ils se cachaient, répliqua Markeno en riant.

— Il est trop tard pour se cacher, Thonolan, lança un autre homme en pénétrant dans l'eau pour tirer le bateau vers le rivage. Jetamio t'a harponné, ajouta-t-il en faisant mine de lancer un harpon, puis de tirer d'un coup sec pour engager l'hameçon.

Jetamio, qui s'était, elle aussi, approchée du bateau, ne put s'empêcher de rougir.

— Reconnais, Barono, que c'est une belle prise, dit-elle en souriant.

— Toi, bon pêcheur, renchérit Jondalar. Avant, Thonolan toujours s'enfuir.

Tout le monde éclata de rire. Même si Jondalar ne maîtrisait pas encore parfaitement leur langue, les Sharamudoï étaient contents qu'il puisse plaisanter avec eux.

— Qu'est-ce qu'il faut pour attraper un gros poisson comme toi, Jondalar ? demanda Barono.

— Le bon appât ! lança Thonolan avec un grand sourire.

On tira le bateau sur une étroite bande de sable et de graviers et, quand les occupants furent descendus, on le hissa jusqu'à une clairière située au milieu d'une dense forêt de chênes pubescents. A l'évidence, cet endroit était utilisé depuis des années. Le sol était jonché de bouts de bois et de copeaux et on ne devait avoir aucune difficulté à alimenter le foyer qui se trouvait en face d'un vaste abri servant de coupe-vent. C'est là que les Sharamudoï fabriquaient leurs embarcations et presque tout l'espace était occupé par des bateaux en cours d'achèvement.

Le bateau déposé, les nouveaux arrivants s'approchèrent du feu. Les Sharamudoï qui étaient en train de travailler tout autour se joignirent à eux. Chacun s'approcha d'un récipient en bois qui contenait une infusion odorante et plongea son bol à l'intérieur de la bûche évidée, sans en laisser une goutte.

Deux hommes prirent alors la bûche et la renversèrent sur le sol pour la débarrasser des feuilles qui avaient servi à faire l'infusion, tandis qu'un troisième homme plaçait des pierres dans le foyer. On refit une infusion afin que chacun puisse se resservir quand il en aurait envie et on laissa les pierres dans le foyer pour qu'elles servent à réchauffer un bol dont le liquide aurait refroidi.

Après avoir échangé de nombreuses plaisanteries sur le futur jeune couple, chacun posa son bol et s'apprêta à reprendre le travail. Le moment était venu pour Thonolan de s'initier à la fabrication des bateaux et aujourd'hui, il allait commencer par le plus facile, à savoir : couper un arbre.

Comme il s'éloignait en compagnie d'un groupe de Sharamudoï, Jondalar en profita pour demander à Carlono :

— Quels arbres font les bons bateaux ?

Heureux de voir que ce jeune étranger s'intéressait à leur travail, Carlono se lança aussitôt dans des explications détaillées.

— Le mieux, répondit-il, c'est le chêne vert. C'est un bois résistant et flexible à la fois, et pas trop lourd. Quand il est sec, il est moins facile à travailler. Mais on peut le couper en hiver et mettre les troncs en réserve dans un marécage ou une mare pendant un an ou deux. Il ne faut pas le conserver plus longtemps, car si le bois est imbibé d'eau, il est plus difficile à travailler et le bateau risque d'être mal équilibré. Mais le plus important, c'est le choix de l'arbre.

— Il faut qu'il soit grand ? demanda Jondalar.

— Ce n'est pas qu'un problème de taille. Pour la partie inférieure du bateau et les madriers, il faut des arbres avec des troncs parfaitement droits.

Carlono entraîna Jondalar à la lisière de la forêt et lui montra des arbres qui avaient poussé serrés les uns contre les autres.

— Dans les forêts très denses, les arbres sont obligés de pousser très haut car ils cherchent le soleil...

— Jondalar ! appela soudain Thonolan.

Levant la tête, Jondalar aperçut son frère au pied d'un chêne énorme.

— Ton jeune frère a besoin de toi, expliqua Thonolan. Avant de pouvoir m'unir à Jetamio, il faut que je construise un bateau et pour construire un bateau, il paraît qu'il faut que j'abatte cet arbre. C'est lui qui va servir à faire les « bordages » comme ils disent. Je n'ai rien compris, mais ça ne fait rien. Regarde ce monstre ! continua-t-il en montrant l'immense chêne. J'en ai pour une éternité à l'abattre. A ce train-là, je risque d'avoir les cheveux blancs le jour où j'aurai enfin le droit de prendre Jetamio pour compagne.

— Les bordages, ce sont les madriers qui sont utilisés pour fabriquer les flancs des grandes embarcations, précisa Jondalar. Si tu dois devenir sharamudoï, il faudrait tout de même que tu saches ça.

— Je serai un Shamudoï et je laisserai les bateaux aux Ramudoï. Chasser le chamois est une activité dans mes cordes. Il m'est déjà arrivé de chasser le mouflon et l'ibex dans les montagnes et ça ne me fait pas peur. Par contre, j'aimerais bien que tu me donnes un coup de main. Tes fameux biceps seront les bienvenus.

— Si je ne veux pas que Jetamio attende trop longtemps, j'ai en effet l'impression qu'il faut que je t'aide, fit remarquer Jondalar. (Il se tourna vers Carlono et ajouta en sharamudoï :) Jondalar aider à abattre l'arbre. Parler plus tard.

Carlono hocha la tête en signe d'assentiment, puis il se recula pour attendre Jondalar. Mais il comprit très vite qu'ils en avaient pratiquement pour toute la journée et il retourna à son propre travail en se disant qu'il reviendrait comme tout le monde au moment où l'arbre serait prêt à tomber.

Pour abattre cet énorme chêne, il fallait l'entailler en biseau et en faire le tour. Les haches en pierre n'étaient pas très efficaces pour ce genre de travail. Pour résister aux chocs, le tranchant de la lame devait être assez épais, ce qui réduisait considérablement son pouvoir de pénétration. Au fur et à mesure qu'ils approchaient du centre, le tronc de l'arbre semblait plutôt grignoté par leurs outils que réellement coupé. Malgré tout, chaque copeau qui tombait sur le sol creusait un peu plus dans le cœur du géant.

La journée touchait à sa fin et tous, dans la clairière, s'étaient rassemblés autour de l'arbre quand Thonolan donna les derniers coups de hache. Il se recula en entendant le tronc craquer et vit qu'il commençait à osciller. Le chêne s'écroula doucement au début, puis de plus en plus vite au fur et à mesure qu'il se rapprochait du sol, arrachant au passage des branches à ses voisins et même quelques jeunes chênes. Puis dans un grondement de tonnerre, il atterrit sur le sol. Il rebondit une dernière fois, ses feuilles frissonnèrent, et il s'immobilisa définitivement.

Le silence envahit la forêt et même les oiseaux cessèrent de chanter, comme si la mort du vieux chêne exigeait cette marque de respect. L'arbre majestueux avait été abattu, séparé à jamais de ses racines, et dans ce sous-bois aux teintes terreuses et sourdes sa souche fraîchement coupée semblait une cicatrice encore à vif. S'approchant avec dignité, Dolando s'agenouilla à côté de la souche, puis, creusant un trou dans la terre avec sa main, il y déposa un gland.

— Puisse la Bienheureuse Mudo accepter notre offrande et donner la vie à un autre arbre, dit-il en recouvrant le gland de terre et en l'arrosant d'un peu d'eau.

Lorsqu'ils s'engagèrent sur la piste qui rejoignait la terrasse, les derniers rayons du soleil éclairaient l'horizon embrumé, transformant les nuages en autant de flammèches dorées. Durant le trajet, les ors et les bronzes du ciel tournèrent au rouge, puis au mauve. Au moment où il contournait la paroi rocheuse, Jondalar s'arrêta soudain, frappé par la beauté du panorama. Les eaux calmes de la Grande Rivière Mère, à peine agitées en surface par le courant, reflétaient les teintes changeantes du ciel et les montagnes aux sommets arrondis. Uniquement préoccupé par ce paysage d'une beauté à couper le souffle, Jondalar s'avança sur la corniche, oubliant pour une fois ses craintes.

— C'est beau, n'est-ce pas ?

Reconnaissant la voix de Serenio, Jondalar tourna la tête et sourit à la femme qui s'était approchée de lui.

— Très beau, Serenio.

— Il y a une grande fête ce soir, rappela-t-elle. Pour célébrer la future Union de Jetamio et de Thonolan. Ils t'attendent pour commencer. Allons-y.

Elle allait repartir. Mais Jondalar lui prit la main pour la retenir et contempla les derniers rayons du soleil qui se reflétaient dans ses yeux.

Serenio, qui n'avait que quelques années de plus que Jondalar, était une femme douce et complaisante. Jamais elle n'exigeait quoi que ce soit des autres. Mais elle n'était pas pour autant une femme soumise. Elle savait ce qu'était la souffrance, car elle en avait eu plus que sa part : son premier compagnon était mort, puis un second amour, auquel elle n'avait pas eu le temps de s'unir, et elle avait alors fait une fausse-couche. Tous ces deuils l'avaient rendue apte à comprendre et à soulager les souffrances d'autrui. Ceux qui avaient de la peine se tournaient tout naturellement vers elle et repartaient soulagés car elle n'exigeait jamais rien en retour de la compassion qu'elle leur témoignait.

Compte tenu de l'effet apaisant qu'elle pouvait avoir sur les patients anxieux et angoissés, elle aidait souvent le shamud et, grâce à cette association, elle avait acquis certaines connaissances médicales. Quand Thonolan était arrivé chez les Sharamudoï, elle s'était occupée de lui avec le shamud et c'est ainsi que Jondalar avait fait sa connaissance. Dès que Thonolan avait été rétabli, il était allé vivre dans le foyer de Dolando et de Roshario, pour se rapprocher de Jetamio, et Jondalar s'était installé dans le foyer de Serenio et de son fils Darvo. Cela s'était fait tout naturellement : Jondalar n'avait rien demandé et Serenio n'avait rien exigé de lui en retour.

Il est impossible de lire quoi que ce soit au fond de ses yeux, songeait-il en l'embrassant tendrement avant de se diriger vers le feu. Peut-être cela valait-il mieux. Il avait parfois l'impression que Serenio le connaissait mieux qu'il ne se connaissait lui-même. Elle devait savoir qu'il était incapable de s'abandonner complètement et de tomber amoureux comme Thonolan. Elle avait peut-être même compris que l'habileté consommée qu'il montrait lorsqu'il lui faisait l'amour était une manière de cacher son manque de sentiments. Elle s'en accommodait parfaitement, de même qu'elle acceptait qu'il soit parfois déprimé. Et dans ces cas-là, jamais elle ne lui en tenait rigueur.

Elle n'était pas à proprement parler réservée — elle souriait facilement et parlait sans se gêner — mais toujours discrète et difficilement accessible. Les seules fois où Jondalar l'avait vue se laisser aller, c'est quand elle regardait son fils.

— Qu'est-ce qui vous a retenu si longtemps ? demanda Darvo en les voyant arriver. Le repas est prêt, mais tout le monde vous attend pour commencer.

Darvo avait aperçu de loin Jondalar et sa mère, mais il n'avait pas voulu les interrompre. Au début, il n'avait pas apprécié de devoir partager l'affection que lui témoignait sa mère avec cet étranger qui venait de s'installer dans leur foyer. Mais très vite il s'était aperçu que ce désavantage était largement compensé par le fait que quelqu'un d'autre s'occupe de lui. Jondalar racontait les aventures qui lui étaient arrivées durant son Voyage, lui parlait de la chasse ou des coutumes de son peuple et il écoutait avec un intérêt évident tout ce que l'enfant lui disait. En plus, il avait commencé à lui enseigner la taille du silex. Et Darvo se montrait un élève très doué.

Le jeune garçon avait été tout heureux d'apprendre que Thonolan allait s'unir à Jetamio et s'installer chez les Sharamudoï car il avait aussitôt pensé que Jondalar allait faire de même et s'unir à sa mère. Depuis, il se tenait à l'écart chaque fois que Serenio et Jondalar se trouvaient ensemble pour ne pas les gêner et, sans le savoir, il les encourageait.

En fait, Jondalar n'avait cessé de penser à Serenio tout au long de la journée. Physiquement, elle lui plaisait. Ses cheveux étaient plus clairs que ceux de son fils : blond foncé au lieu d'être châtain. Sa haute taille la faisait paraître plus mince qu'elle ne l'était en réalité. Debout, elle arrivait à la hauteur du menton de Jondalar. Elle avait les yeux couleur noisette comme son fils et les mêmes traits fins, qui conféraient une grande beauté à son visage.

Je pourrais être heureux avec elle, songeait Jondalar. Pourquoi ne pas m'unir à elle ?

— Serenio... commença-t-il.

La jeune femme se retourna pour le regarder et aussitôt elle fut prise au piège de ces yeux incroyablement bleus. Le charme de Jondalar, d'autant plus puissant qu'il en était inconscient, était en train de battre en brèche les défenses qu'elle avait mises en place pour ne plus souffrir. Elle se sentait invinciblement attirée par lui et totalement vulnérable.

— Jondalar...

Le ton de sa voix disait clairement qu'elle était prête d'avance à accepter tout ce qu'il lui proposerait.

— Je... réfléchis beaucoup aujourd'hui, reprit Jondalar qui avait bien du mal à trouver les mots capables d'exprimer ce qu'il pensait. Thonolan... mon frère... voyager loin ensemble. Maintenant, il aime Jetamio, il veut rester... Si tu... Je veux...

— Venez tous les deux ! cria Thonolan. Tout le monde a faim et le repas...

Il s'interrompit en voyant à quel point Serenio et Jondalar étaient proches l'un de l'autre.

— Désolé, s'excusa-t-il aussitôt. J'ai l'impression que je tombe mal.

Jondalar et Serenio se séparèrent. Le moment était passé.

— Ce n'est pas grave, Thonolan, dit Jondalar. Nous n'allons pas faire attendre tout le monde. Nous pourrons reparler de ça plus tard.

Jetant un coup d'œil à Serenio, il s'aperçut que la jeune femme était surprise et gênée, comme si elle ne comprenait pas très bien ce qui venait de lui arriver, et qu'elle faisait un effort pour retrouver son sang-froid habituel.

Ils s'approchèrent du grand feu qui brûlait dans le foyer central sous le surplomb rocheux. Dès qu'ils furent là, tous les assistants se disposèrent en cercle autour de Jetamio et de Thonolan qui se tenaient debout dans l'espace laissé libre derrière le feu. La Fête de la Promesse marquait le début de la période rituelle qui culminerait avec la Cérémonie de l'Union. Durant cet intervalle, les deux jeunes gens auraient très peu de contacts, lesquels seraient sévèrement réglementés.

Pour l'instant, Jetamio et Thonolan se tenaient par la main et ils attendaient avec impatience de pouvoir confirmer leur engagement mutuel. Quand le shamud s'approcha d'eux, ils s'agenouillèrent pour que le guérisseur et guide spirituel des Sharamudoï puisse poser sur leur tête une couronne d'aubépines en boutons. On leur fit faire trois fois le tour du feu et de l'assemblée, toujours la main dans la main, puis on les ramena à leur place, refermant ainsi le cercle que leur amour venait de tracer autour de la Caverne des Sharamudoï.

Le shamud se retourna pour leur faire face et, levant les bras, il se mit à prononcer les formules rituelles.

— Tout cercle commence et se termine au même endroit, dit-il. La vie est un cercle qui commence avec la Mère et finit avec Elle. (La voix vibrante du shamud couvrait sans mal les crépitements du feu et chacun se taisait pour l'écouter.) La bienheureuse Mudo, créatrice de toute vie, se trouve au commencement et à la fin. D'Elle nous venons, et vers Elle nous retournons. C'est Elle qui subvient à tous nos besoins. Nous sommes Ses Enfants et Elle nous octroie sans compter tout ce qu'Elle possède. Son corps nous fournit ce qui est nécessaire à notre subsistance : l'eau, la nourriture et les abris. Son esprit nous offre sagesse et chaleur : le talent et l'habileté, le feu et l'amitié. Mais le plus grand de Ses Dons, c'est l'amour qu'Elle porte à tous les êtres.

« La Grande Mère de la Terre se réjouit de voir Ses enfants heureux. C'est pourquoi Elle nous a offert Son merveilleux Don du Plaisir. Partager ce Don, c'est L'honorer et faire preuve de respect à Son égard. Mais, parmi nous, les Bénies de Mudo ont reçu un Don plus grand encore : la Mère les a dotées de Son merveilleux pouvoir de donner la Vie.

Le shamud se tut un court instant. Puis, se tournant vers Jetamio, il reprit :

— Jetamio, tu fais partie des Bénies de Mudo. Si tu L'honores, tu seras dotée du Don de Vie de la Mère et tu donneras naissance à ton tour. N'oublie jamais que l'esprit de Vie qui te permet de mettre des enfants au monde vient uniquement de la Grande Mère.

« Et toi, Thonolan, continua-t-il, au moment où tu t'engages à assurer la subsistance d'un autre être, n'oublie pas que tu deviens semblable à Celle qui assure la subsistance de tous. En voyant que tu L'honores, Elle peut te doter, toi aussi, du pouvoir de créer : l'enfant mis au monde par la femme dont tu prends soin sera alors l'enfant de ton esprit.

Quittant des yeux le jeune couple, le shamud s'adressa au groupe assemblé en face de lui.

— Chacun de nous, conclut-il, quand il prend soin des autres et assure leur subsistance, honore la Mère et tous, en retour, nous profitons de Ses innombrables bienfaits.

Jetamio et Thonolan se sourirent et, quand le shamud recula, ils s'assirent sur des nattes tissées. La fête pouvait commencer. On apporta au jeune couple une boisson fermentée à base de miel et de fleurs de pissenlit, qui avait été préparée lors de la dernière pleine lune. Quand Jetamio et Thonolan en eurent bu chacun une coupe, la boisson passa à la ronde.

Markeno et Tholie, qui représentaient la famille jumelée ramudoï du jeune couple, s'approchèrent alors pour leur présenter le premier plat du repas. Il s'agissait d'un filet de corégone, cuit près du feu et servi avec une sauce à l'oseille sauvage.

Ce goût, tout nouveau pour Jondalar, lui plut immédiatement et il trouva que cette sauce à l'oseille convenait parfaitement au poisson. Quand on passa à la ronde, pour accompagner le poisson, des paniers remplis de petits oléagineux, il se pencha vers Tholie pour lui demander ce que c'était.

— Des faînes, répondit-elle. Ramassées à l'automne dernier.

Tholie poursuivit en lui expliquant que le fruit du hêtre contenait une amande comestible. On commençait par débarrasser cette amande de l'enveloppe dure comme du cuir qui l'entourait à l'aide d'une petite lame en silex. Puis on faisait griller les amandes en les plaçant avec des braises chaudes dans des paniers à fond plat que l'on ne cessait de remuer pour que les amandes ne soient pas roussies. Pour finir, les amandes grillées étaient roulées dans du sel marin.

— Tholie a apporté le sel, intervint Jetamio. C'est un de ses cadeaux de noce.

— Tous les Mamutoï vivent près de la mer ? demanda Jondalar.

— Non, répondit Tholie. Notre camp est le plus proche de la mer. La plupart des Mamutoï vivent plus au nord. Les Mamutoï sont des chasseurs de mammouths, ajouta-t-elle non sans une pointe de fierté. Tous les ans, nous quittons notre camp pour aller chasser.

— Comment tu as fait pour avoir une compagne mamutoï, Markeno ? interrogea Jondalar.

— Je l'ai enlevée, répondit celui-ci, avec un clin d'œil à la jeune femme bien en chair.

— C'est vrai, confirma Tholie en souriant. Bien entendu, cet enlèvement était arrangé d'avance.

— Nous nous sommes rencontrés lors de ma première expédition vers l'est. Pour faire du troc, j'ai descendu la Grande Rivière Mère jusqu'au delta. C'est là que j'ai rencontré Tholie. Je me moquais de savoir si elle était sharamudoï ou mamutoï et j'ai décidé que je ne rentrerai pas sans elle.

Markeno et Tholie racontèrent à Jondalar toutes les difficultés soulevées par leur Union. Il avait fallu de longues négociations avant d'arriver à un arrangement et comme certaines coutumes restaient incontournables, Markeno avait été obligé d'enlever Tholie. Avec son accord, bien entendu. Pareille situation s'était déjà produite. Les cas étaient rares mais il existait des précédents.

Les peuplements humains étaient très clairsemés et si espacés que l'on empiétait rarement sur le territoire du voisin. Comme les contacts étaient peu fréquents, l'arrivée d'un étranger constituait un événement. Même si les gens se montraient un peu méfiants au début, l'étranger était généralement bien accueilli. La plupart des peuples de chasseurs avaient l'habitude de voyager loin et régulièrement puisqu'ils suivaient les migrations des troupeaux d'herbivores, et chez eux il y avait souvent une forte tradition de Voyages individuels.

Quand il y avait des désaccords, ils se produisaient plutôt au sein même de la communauté. Mais ce genre de frictions étaient, elles aussi, assez rares. Les tempéraments violents étaient refrénés par un code de bonne conduite et par des coutumes ritualisées. Les Sharamudoï et les Mamutoï entretenaient de bonnes relations commerciales et leurs mœurs comme leur langage se ressemblaient sur bien des points. Chez les Sharamudoï, la Grande Terre Mère s'appelait Mudo, chez les Mamutoï Mut, mais quel que soit son nom, elle restait l'Aïeule Ancestrale, la Première Mère et la Divinité.

Les Mamutoï avaient une très haute idée d'eux-mêmes, ce qui ne les empêchait pas d'être ouverts et amicaux. En groupe, ils ne craignaient personne — ce qui semblait logique pour des chasseurs de mammouths. Ils avaient tellement confiance en eux qu'ils étaient souvent présomptueux et se montraient parfois un peu naïfs. Ils avaient tendance à croire que la haute idée qu'ils avaient d'eux-mêmes était partagée par tous.

Tholie était une Mamutoï typique : ouverte, chaleureuse et persuadée que tout le monde l'appréciait. Et c'est vrai qu'il était difficile de résister à son enthousiasme dénué d'arrière-pensées. Personne ne s'offusquait lorsqu'elle posait des questions personnelles car il était évident qu'elle le faisait sans mauvaises intentions. Elle s'intéressait simplement aux gens et ne voyait pas de raison de ne pas satisfaire sa curiosité.

Une petite fille s'approcha d'elle pour lui apporter un bébé.

— Shamio vient de se réveiller, Tholie. Je crois qu'elle a faim.

Après avoir remercié la fillette, Tholie donna le sein au bébé, sans que pour autant le repas soit interrompu. On fit passer à la ronde des samares qui avaient été mises à tremper dans un mélange d'eau et de cendres de bois, puis conservées dans de la saumure, ainsi que des tubercules semblables à des carottes sauvages. Ils avaient d'abord un goût de noisette, puis un arrière-goût plus épicé de radis. Il s'agissait d'un des mets favoris des Sharamudoï que Jondalar, pour sa part, n'appréciait qu'à moitié. Quand Dolando et Rosharion eurent offert au jeune couple le second plat — un ragoût de chamois, servi avec un vin de myrtille — Jondalar se pencha vers son frère et lui dit :

— J'ai trouvé le poisson délicieux, mais ce chamois est vraiment superbe.

— Jetamio m'a dit que c'était le plat traditionnel des Shamudoï. Le ragoût est aromatisé avec des feuilles sèches de myrte des marais. L'écorce de cette plante est utilisée pour tanner les peaux de chamois et c'est elle qui leur donne cette teinte jaune. Nous avons eu de la chance que les Sharamudoï ramassent cette plante à la fin de l'automne dans les marais qui se trouvent là où la Sœur se jette dans la Grande Rivière car, sinon, jamais ils ne nous auraient trouvés.

— Tu as raison, répondit Jondalar en fronçant les sourcils au souvenir de cet épisode. Nous avons vraiment eu de la chance.

— Ce vin est un des cadeaux de noce de Jetamio, expliqua Serenio.

Jondalar saisit sa coupe, but une gorgée et hocha la tête d'un air appréciateur.

— C'est bon, dit-il. Beaucoup bon.

— Très bon, corrigea Tholie. C'est très bon.

Ayant eu elle-même quelques difficultés à apprendre le sharamudoï, elle trouvait normal de reprendre Jondalar.

— Très bon, répéta Jondalar en souriant à la femme petite et trapue qui nourrissait son bébé au sein.

Il appréciait le franc-parler de Tholie et sa nature extravertie qui triomphaient si facilement de la timidité et de la réserve des autres.

— Elle a raison, Thonolan, ajouta-t-il en se tournant vers son frère. Ce vin est vraiment excellent. Même notre mère serait d'accord là-dessus. Et pourtant, elle est une spécialiste en ce qui concerne la fabrication des vins. Je suis certain qu'elle aurait donné son accord en ce qui concerne Jetamio.

Jondalar regretta aussitôt ce qu'il venait de dire. Jamais Thonolan ne présenterait sa compagne à Marthona. Jamais sans doute il ne la reverrait...

— Jondalar, tu devrais parler sharamudoï, intervint Tholie. Quand tu parles zelandonii avec ton frère, personne ne comprend ce que tu dis. Si tu ne parlais que sharamudoï, tu apprendrais cette langue beaucoup plus vite.

Jondalar rougit et eut un sourire d'excuse. Il n'en voulait pas à Tholie. Elle n'avait pas tort de lui faire cette remarque : en parlant une langue que personne ne comprenait, il se montrait impoli.

Voyant la mine déconfite de Jondalar, Tholie essaya aussitôt d'arranger les choses.

— Il faudrait que je t'apprenne le mamutoï et toi, tu m'apprendrais le zelandonii, dit-elle. A force de ne pas parler notre propre langue, nous risquons de l'oublier. J'aimerais savoir parler zelandonii. C'est une langue si musicale...

— Même si toi, tu as envie d'apprendre le zelandonii, il se peut qu'ils n'aient pas envie d'apprendre à parler mamutoï, intervint Markeno. Tu n'y as pas pensé ?

— Non, reconnut Tholie en rougissant à son tour.

— J'aimerais apprendre le zelandonii et le mamutoï, dit Jetamio. Je trouve que c'est une bonne idée.

— Moi aussi, dit Jondalar.

— Nous faisons un sacré mélange tous les quatre, fit remarquer Markeno en souriant à sa compagne. Un Ramudoï à moitié mamutoï et une Shamudoï qui ne pas tarder à être à moitié zelandonii.

Même s'ils sont aussi différents physiquement, Markeno et Tholie sont bien assortis, se dit Jondalar. Markeno était presque aussi grand que lui et, par comparaison, Tholie semblait plus petite et plus ronde encore qu'elle ne l'était en réalité.

— Est-ce que vous accepteriez que d'autres se joignent à vous ? demanda Serenio. Je serais heureuse d'apprendre le zelandonii et je pense que si Darvo veut faire du troc plus tard, il aurait tout intérêt à parler mamutoï.

— Pourquoi pas ? s'écria Thonolan en riant. A l'est comme à l'ouest, quand on est en Voyage, la connaissance des autres langues n'est jamais inutile. Mais même quand on ignore une langue, continua-t-il en se tournant vers son frère, ça ne vous empêche pas de comprendre ce qu'attend de vous une belle femme, n'est-ce pas, Jondalar ? Surtout quand on a de grands yeux bleus.

— Tu devrais parler sharamudoï, Thonolan, fit remarquer Jondalar en faisant un clin d'œil à Tholie.

Prenant son couteau de la main gauche — chez les Sharamudoï, la coutume voulait qu'on se serve de cette main pour manger — il sortit une tige qui se trouvait dans son bol et demanda ce que c'était.

554 LA VALLÉE DES CHEVAUX

— De la bardane, répondit Jetamio.

Comprenant soudain que pour Jondalar ce mot ne voulait rien dire, elle alla fouiller dans le tas de détritus qui se trouvait près de l'endroit où l'on cuisinait et lui montra les grandes feuilles gris-vert et duveteuses qui avaient été arrachées de la tige. Jondalar reconnut aussitôt la plante dont elle parlait. Quand Jetamio lui fit sentir l'odeur de longues tiges vertes qu'elle avait aussi apportées, il dit à son frère :

— Je me doutais bien qu'il y avait de l'ail dans ce plat. Comment appelez-vous ça ?

Après lui avoir répondu, Jetamio lui montra des tiges sèches et, cette fois, c'est Tholie qui intervint :

— Ce sont des algues que j'ai apportées. On trouve ces algues dans la mer et on les utilise pour épaissir la sauce du ragoût.

Tholie expliqua à Jondalar que cet ingrédient inhabituel avait été ajouté au plat traditionnel, non seulement dans un but culinaire, mais aussi pour montrer les liens de parenté qu'elle avait avec le jeune couple.

— Cela faisait aussi partie de mon cadeau de noce, conclut-elle en tapotant le dos de son bébé qui avait fini de téter. (Se tournant vers Jetamio, elle demanda :) As-tu déjà fait ton offrande à l'Arbre de la Bénédiction, Tamio ?

Jetamio baissa la tête et sourit d'un air un peu gêné. En général, on ne posait pas ce genre de question d'une manière aussi directe.

— J'espère que la Mère bénira mon union en me donnant un bébé en aussi bonne santé et aussi heureux que le tien, répondit-elle.

— Veux-tu me la garder un instant ? demanda Tholie. J'ai besoin d'aller faire un petit tour.

Quand Tholie revint, le ton de la conversation avait changé. Le repas était terminé, les bols débarrassés et on venait de resservir du vin. Un des convives était en train de frapper en rythme sur un tambour formé d'une seule peau et improvisait les paroles d'une chanson. Dès que Tholie eut récupéré son bébé, Thonolan et Jetamio se levèrent et tentèrent de s'éclipser. En vain. Plusieurs personnes les entourèrent en souriant.

En général, le couple dont on fêtait la future Union était censé s'en aller le plus tôt possible pour profiter des derniers moments avant la séparation qui allait lui être imposée pendant la période qui précédait la cérémonie. Mais comme ils étaient les invités d'honneur et qu'il aurait été impoli de s'en aller alors qu'il y avait des gens désireux de leur parler, ils devaient essayer de s'esquiver sans qu'on le remarque. Tout le monde étant au courant, ce départ devenait un jeu : le jeune couple s'enfuyait alors que tout le monde faisait semblant de regarder ailleurs, puis, quand on l'avait rattrapé, il s'excusait poliment. Après un échange de plaisanteries, les deux promis avaient le droit de s'en aller et la fête continuait sans eux.

L'homme qui se trouvait le plus près de Thonolan lui demanda :

— Tu n'es pas pressé de partir, n'est-ce pas ?

— Il se fait tard, répondit Thonolan en souriant.

— Pas si tard que ça ! Je suis sûr que Jetamio aimerait bien encore manger un morceau.

— J'ai tellement mangé que je ne pourrai pas avaler une bouchée de plus.

— Une coupe de vin, alors ? Tu ne vas tout de même pas refuser une coupe de ce merveilleux vin de myrtille, n'est-ce pas, Thonolan ?

— D'accord... un petit peu de vin.

— Une coupe pour toi aussi, Tamio ?

S'approchant de Thonolan, Jetamio jeta un coup d'œil derrière son épaule avec un air de conspirateur.

— Juste une gorgée, répondit-elle. Mais il va falloir que quelqu'un aille chercher nos coupes. Elles doivent être restées à l'endroit où nous étions assis.

Une femme se détacha du groupe pour aller chercher les coupes et tous les assistants tournèrent la tête avec un bel ensemble pour la regarder. Thonolan et Jetamio en profitèrent pour se glisser dans l'ombre, derrière le feu.

— Thonolan, Jetamio ! appela l'homme qui avait discuté avec eux. Je croyais que vous alliez boire une coupe avec nous.

— Nous allons revenir, promit Jetamio. Nous avons juste besoin d'aller faire un petit tour. Tu sais ce que c'est après un bon repas...

Jondalar, qui avait assisté de loin à la scène, se rapprocha de Serenio. Il désirait reprendre avec elle la conversation interrompue avant le dîner et lui proposer de partir dès que le jeune couple aurait réussi à s'éclipser. S'il voulait s'engager vis-à-vis d'elle, il avait intérêt à le faire maintenant, avant que sa répugnance habituelle à s'engager durablement ne reprenne le dessus.

La gaieté était maintenant générale. Le vin de myrtille, plus fort que d'habitude, y était pour beaucoup. Les plaisanteries fusaient, on continuait à taquiner Jetamio et Thonolan et tout le monde riait. Quelques personnes chantaient. Quelqu'un voulait qu'on réchauffe le ragoût. Quelqu'un d'autre était en train de faire chauffer de l'eau pour une infusion. Les enfants, nullement pressés d'aller dormir, se pourchassaient autour du feu. La fête battait son plein.

Au moment où des cris fusaient pour saluer le couple qui avait enfin réussi à s'échapper, un des enfants bouscula un homme qui tenait à peine debout. L'homme trébucha et heurta une femme qui passait à côté de lui, un bol d'infusion brûlante à la main.

Même si personne n'entendit le premier cri, les vagissements insistants du bébé mirent rapidement fin à l'agitation qui régnait autour du feu.

— Mon bébé ! cria Tholie. Elle est brûlée !

— Grande Doni ! s'écria Jondalar.

Serenio et lui se précipitèrent à l'endroit où se trouvait Tholie. Le bébé criait, la mère pleurait, tout le monde voulait les aider et la confusion était à son comble.

— Laissez approcher le shamud, conseilla Serenio. Poussez-vous.

Le shamud déshabilla le bébé.

— De l'eau froide, Serenio. Vite ! Non ! Attends ! Darvo, va me chercher de l'eau. Et toi, Serenio, de l'écorce de tilleul. Tu sais où elle est ?

— Oui, répondit Serenio en se dépêchant d'aller chercher ce qu'on lui demandait.

— Y a-t-il de l'eau sur le feu, Roshario ? demanda le shamud. S'il n'y en a pas, mets-en à chauffer. Il faut faire une décoction d'écorce de tilleul pour le bébé mais aussi pour Tholie. Elle aussi, elle a été ébouillantée.

Darvo revint avec un récipient plein d'eau qu'il était allé chercher à la cascade.

— C'est bien, fils, tu as fait vite, dit le shamud en aspergeant les brûlures avec de l'eau fraîche. Nous aurions besoin d'un pansement en attendant que la tisane soit prête, ajouta-t-il en voyant les cloques en train de se former.

Apercevant les feuilles de bardane que Jetamio avait apportées un peu plus tôt pour les montrer à Jondalar, le shamud s'exclama :

— Ces feuilles de bardane, est-ce qu'il en reste ?

— Oui, beaucoup, répondit aussitôt Jetamio. Pour le ragoût, nous n'avons utilisé que les tiges.

— Va m'en chercher ! Vite !

Quand Jetamio les lui apporta, le shamud les trempa dans l'eau et les posa sur les brûlures à vif du bébé et de la mère. Sous l'effet apaisant des feuilles de bardane, les cris déchirants du bébé cessèrent, pour laisser place à quelques sanglots entrecoupés de hoquets.

— Cela fait du bien, dit Tholie.

Sur le coup, elle ne s'était même pas rendu compte qu'elle était elle aussi brûlée. Elle était assise par terre et, pour pouvoir parler tranquillement, avait remis son bébé au sein. Quand l'infusion bouillante s'était répandue sur elles, elle avait uniquement pensé à Shamio.

— Est-ce grave pour le bébé ? demanda-t-elle au shamud.

— Shamio va avoir des cloques. Mais je ne pense pas que ça laisse des cicatrices, répondit celui-ci.

— C'est terrible ! intervint Jetamio. Pauvre Shamio ! J'ai vraiment de la peine pour elle.

— Pourquoi êtes-vous encore ici, toi et Thonolan ? demanda Tholie. C'est votre dernière nuit ensemble.

— Je n'ai pas le cœur à partir alors que Shamio et toi, vous êtes dans cet état, expliqua Jetamio.

Comme le bébé recommençait à crier, le shamud demanda :

— Est-ce que la tisane est prête, Serenio ?

Les feuilles de bardane posées sur les brûlures avaient cessé de faire effet et il les remplaça par des feuilles fraîches.

— L'écorce de tilleul a bouilli suffisamment longtemps, mais la tisane est trop chaude pour qu'on la fasse boire au bébé, répondit Serenio. Je ne sais pas ce que je pourrais faire pour qu'elle refroidisse plus vite...

— Moi, je sais ! s'écria Thonolan.

En le voyant disparaître, Jetamio demanda à Jondalar :

— Où va-t-il ?

Jondalar haussa les épaules et secoua la tête en signe d'ignorance. Mais la réponse ne se fit pas attendre. Thonolan revint un moment plus tard avec des morceaux de glace qu'il était allé chercher sur les premières marches du passage qui descendait vers le fleuve.

— Est-ce que cela peut être utile ? demanda-t-il.

— Ce garçon est vraiment intelligent, fit remarquer le shamud avec, comme toujours, une pointe d'ironie.

Non seulement l'écorce de tilleul soulageait la douleur, mais elle avait un effet sédatif : Tholie et Shamio avaient fini par s'endormir. On avait réussi à convaincre Jetamio et Thonolan de se retirer. Mais l'insouciance et la gaieté de la Fête de la Promesse s'étaient évanouies. Bien que personne n'osât l'avouer, cet accident semblait de mauvais présage pour l'Union du jeune couple.

Tout le monde était allé se coucher et il ne restait plus autour du feu mourant que Jondalar, Serenio, Markeno et le shamud. Ils parlaient à voix basse en buvant une dernière coupe de vin. Serenio essayait de convaincre Markeno d'aller se coucher.

— Tu ne peux plus rien faire pour elles, disait-elle. Va donc dormir. Je vais passer la nuit à leur chevet.

— Elle a raison, Markeno, intervint le shamud. Tout va bien maintenant. Même toi, Serenio, tu peux aller te coucher.

Tout le monde se leva. Après avoir tendrement caressé la joue de Jondalar, Serenio entraîna Markeno vers les abris en bois.

— S'il y a un problème, je vous réveillerai, dit-elle en les quittant.

Quand ils eurent disparu, Jondalar remplit deux coupes et en offrit une au personnage énigmatique qui attendait dans l'obscurité maintenant silencieuse. Le shamud accepta la coupe, montrant par là qu'il avait compris qu'ils avaient encore un certain nombre de choses à se dire. Jondalar rassembla les braises rougeoyantes au sommet du cercle noirci du foyer presque éteint et ajouta du bois jusqu'à ce que le feu recommence à flamber. Les deux hommes s'assirent à côté du feu et restèrent là un court instant à boire du vin sans échanger un mot.

Lorsque Jondalar releva la tête, il s'aperçut que les yeux du shamud, dont la couleur indéfinissable semblait plus foncée à la lueur du feu, étaient fixés sur lui. Impressionné par l'intelligence et la force qu'il y lisait, Jondalar s'obligea néanmoins à soutenir ce regard. A cause de l'ombre projetée par les flammes, il avait du mal à distinguer les traits de son visage, mais il savait que, même en plein jour, ce visage ne livrait à aucun moment son secret. Même l'âge du shamud restait un mystère.

Son air ferme et résolu, apanage de la jeunesse, contrastait singulièrement avec ses cheveux blancs et les rides qui marquaient son visage. Malgré ses vêtements informes, on voyait bien qu'il était maigre et fluet, mais il avait conservé une démarche de jeune homme. Ses mains elles-mêmes, parcheminées et déformées par l'arthrite, semblaient appartenir à un être très âgé. Malgré tout, alors qu'il portait la coupe à sa bouche, aucun tremblement ne les agitait.

Au moment où le fond de la coupe escamotait le regard scrutateur du shamud, Jondalar se demanda si ce dernier ne l'avait pas fait exprès dans le but de faire baisser la tension qui régnait entre eux. Après avoir bu une gorgée, il dit :

— Le shamud, grand talent pour guérir.

— C'est un don de Mudo, répondit-il.

Jondalar avait beau concentrer toute son attention sur le timbre de voix du shamud, il ne parvenait pas à décider s'il avait affaire à un homme ou à une femme. Mais quel que soit le sexe de cet énigmatique personnage, une chose était sûre : il n'était pas resté toute sa vie célibataire. Ses reparties moqueuses et ses regards entendus en étaient la meilleure preuve. Jondalar mourait d'envie de le questionner à ce sujet, mais il ne savait comment formuler sa question et craignait de manquer de tact.

— La vie du shamud, pas facile, dit-il. Il a dû renoncer à beaucoup de choses. L'Homme Qui Guérit a jamais désiré s'unir à quelqu'un ?

L'espace d'un instant, le shamud ouvrit de grands yeux. Puis il éclata d'un rire sardonique.

— Qui aurait accepté de s'unir avec moi, Jondalar ? demanda-t-il. Si *tu* avais croisé ma route lorsque j'étais plus jeune, peut-être me serais-je laissé tenter... Mais toi, aurais-tu succombé à mes charmes ? Si j'avais offert à l'Arbre de la Bénédiction un collier de perles, aurais-tu pour autant partagé ma couche ?

Tout en parlant, le shamud avait penché la tête d'un air un peu effarouché. L'imitation était si parfaite que Jondalar était persuadé que c'était une jeune femme qui venait de s'adresser à lui.

— Mais peut-être aurait-ce été une erreur de te faire des avances, reprit le shamud. Je ne sais pas si j'aurais réussi à satisfaire tes appétits sexuels et à éveiller ta curiosité envers d'autres formes de plaisir ?

Jondalar piqua un fard. Il s'était trompé. Cela ne l'empêchait pas de se sentir maintenant attiré par le regard sensuel et lascif de son vis-à-vis et par la grâce féline de son corps. C'est un homme, se dit-il, mais il a les goûts sexuels d'une femme. A nouveau, le shamud éclata de rire.

— La vie de Celui Qui Guérit est déjà difficile, continua-t-il, mais c'est encore pire pour celle qui vit avec lui. La compagne d'un homme est ce qui compte le plus à ses yeux. Comment abandonner en pleine nuit une femme comme Serenio, par exemple, pour aller soigner quelqu'un ?

Non seulement c'est un homme, mais il a les mêmes goûts que moi, se dit Jondalar en remarquant la petite lueur qui s'était allumée au fond des yeux du shamud quand il avait été question de la ravissante Serenio. Il n'y comprenait plus rien. Mais soudain, la virilité du shamud sembla prendre une tout autre tournure.

— Je ne crois pas que j'aurais supporté de la laisser seule avec tous ces hommes en train de lui tourner autour comme des rapaces, ajouta-t-il, presque avec rage.

Pour éprouver une telle animosité envers les hommes, le shamud est une femme, se dit Jondalar. Mais une femme d'un genre très particulier. Une femme avec des goûts d'homme. Mais ne se trompait-il pas encore une fois ?

S'adressant pour la première fois à Jondalar comme à un égal, capable de le comprendre, l'Homme Qui Guérit reprit :

— J'aimerais bien que tu me dises lequel de ces visages est vraiment le mien, Jondalar. Et avec lequel tu aimerais t'unir. Certains d'entre nous essaient d'avoir une relation suivie avec un autre être, mais cela ne dure jamais longtemps. Les dons dont nous héritons ne sont pas une bénédiction sans mélange. Celui Qui Guérit n'a pas d'identité, sauf au sens le plus large du terme. Le shamud n'a plus de nom, son moi s'est effacé, il ne vit plus que dans l'essence. Même s'il en tire certains bénéfices, il est rare que l'Union en fasse partie. Quand on est jeune, il est parfois difficile d'accepter son destin. On supporte mal d'être différent des autres et on n'a pas toujours envie de perdre son identité. Mais cela n'a pas d'importance : on ne peut échapper à sa destinée. Ceux qui possèdent physiquement à la fois l'essence de l'homme et de la femme n'ont pas d'autre choix.

A la lueur du feu mourant, le shamud semblait aussi vieux que la Terre elle-même. Il regardait les braises sans les voir, comme s'il contemplait un lieu éloigné dans le temps et dans l'espace qu'il était le seul à voir. Jondalar se leva pour ajouter un peu de petit bois et il attendit que le feu ait repris avant de se rasseoir.

Le shamud s'était ressaisi et il avait retrouvé son expression légèrement ironique.

— Tout ça s'est passé il y a très longtemps. Et depuis, il y a eu des... compensations. J'ai découvert mon talent pour guérir et j'ai acquis des connaissances. Quand on répond à l'appel de la Mère, cela n'implique pas que des sacrifices.

— Le shamud, entré très jeune au service de la Mère, intervint Jondalar. Chez les Zelandonii, ce n'est pas toujours comme ça. Moi aussi, j'ai voulu servir Doni. Mais tout le monde n'est pas appelé...

L'amertume contenue dans les propos de Jondalar n'échappa pas au shamud. Aussi favorisé par le sort soit-il, ce grand garçon blond cachait de secrètes blessures.

— C'est vrai qu'il ne suffit pas de le désirer pour être appelé et que ceux qui sont appelés n'ont pas tous les mêmes talents — ou les mêmes dispositions. Mais lorsque la vocation n'est pas certaine, il existe des moyens de le découvrir, de mettre sa foi et sa volonté à l'épreuve. Avant d'être initié, il faut passer un certain temps dans la plus complète solitude. Je conseille toujours à ceux qui veulent entrer au service de la Mère de vivre seuls pendant un certain temps. Si on en est incapable, inutile de persévérer : jamais on ne pourra affronter les épreuves plus sévères qui viendront ensuite.

— Quel genre d'épreuves ? demanda Jondalar qui était fasciné par les propos du shamud.

— Des périodes d'abstinence pendant lesquelles nous renonçons à tous les Plaisirs. Des périodes de silence où nous n'avons pas le droit d'adresser la parole à quiconque. Des périodes de jeûne où il nous est interdit de dormir. Et d'autres épreuves encore. Nous apprenons à utiliser ces méthodes pour tâcher d'obtenir des réponses ou des révélations de la Mère, en particulier durant notre initiation. Au bout d'un certain temps, on est capable de provoquer l'état propice par la seule force de la volonté. Mais il est bénéfique pour un shamud de continuer à se soumettre à ce genre d'épreuves.

Il y eut un long silence. Le shamud savait que Jondalar désirait lui poser une question. S'il lui avait si longuement parlé, c'était aussi pour lui faciliter les choses.

— Le shamud pourrait-il dire ce que tout cela signifie ? finit par demander Jondalar en montrant d'un grand geste la terrasse et les abris construits sous le surplomb de la falaise.

— Je crois comprendre ce que tu aimerais savoir, répondit le shamud. Tu es inquiet pour ton frère après ce qui s'est passé ce soir et, plus largement, quant à son avenir avec Jetamio — quant à ton avenir donc.

Jondalar hocha la tête en signe d'acquiescement.

— Rien n'est jamais certain... Tu le sais ?

A nouveau, Jondalar hocha la tête. Le shamud l'étudiait pour savoir ce qu'il pouvait lui révéler. Puis il tourna son visage vers le feu et, les yeux perdus dans le vague, il commença à parler d'une voix qui semblait venir de très loin.

— L'amour que tu éprouves pour ton frère est très fort, dit-il. Cela t'effraie car tu as l'impression de le suivre dans la voie qu'il a choisie au lieu de vivre ta propre vie. Mais tu te trompes. Ton frère te guide dans la direction où tu dois aller et que tu n'emprunterais pas sans lui. Tu suis ta propre destinée et non la sienne. Pour l'instant, vous formez un tandem, mais cela ne durera pas. Vous êtes très différents l'un de l'autre. Tu possèdes un très grand pouvoir lorsque le besoin s'en fait sentir. J'ai su que tu avais besoin de moi pour sauver ton frère bien avant que nous découvrions la tunique ensanglantée qui était accrochée à la cime de l'arbre pour signaler votre présence.

— Je ne l'ai pas accrochée là-haut pour ça, corrigea Jondalar. C'était un coup du hasard.

— Le hasard n'a rien à voir là-dedans. Je ne suis pas le seul à avoir senti que tu avais besoin qu'on te porte secours. On ne peut rien te refuser. La Mère Elle-même ne le pourrait pas. Tu as ce don... Mais méfie-toi des Dons de la Mère ! A cause de ce don, tu as une dette vis-à-vis d'Elle. Pour t'avoir fait cadeau d'un don aussi puissant, c'est qu'Elle a des visées sur toi. On n'a jamais rien sans rien. Le Don du Plaisir lui-même n'est pas une simple largesse de Sa part. Il obéit à un dessein plus large, même si celui-ci nous reste impénétrable...

Le shamud se tut pendant un court moment, puis il reprit :

— Rappelle-toi ceci : tu suis le dessein de la Mère. Tu n'as pas besoin d'être appelé, car c'est ta destinée. Mais tu seras mis à l'épreuve. Tu feras souffrir et tu souffriras. (Comme Jondalar le regardait d'un air étonné, il répéta :) Tu souffriras. Tu te sentiras frustré dans l'accomplissement de tes désirs et, au lieu de la certitude attendue, tu rencontreras l'indécision. Tu as été très avantagé : tu es beau physiquement, intelligent, doué de nombreux talents et tu as hérité d'une sensibilité hors du commun. C'est trop pour un seul homme et cela explique tes difficultés. Mais, dans l'épreuve, tu apprendras à faire bon usage de toutes tes capacités. N'oublie jamais que le service de la Mère n'implique pas que des sacrifices. Tu trouveras ce que tu cherches, car c'est ta destinée.

— Et Thonolan, alors ?

— J'aperçois une rupture. Ta propre destinée t'entraînera dans une voie différente. Thonolan fait partie des favoris de Mudo.

Jondalar fronça les sourcils d'un air inquiet. Chez les Zelandonii, on disait que la Mère était jalouse de Ses favoris et qu'Elle les rappelait à Elle le plus tôt possible. Pour Thonolan, ce n'était pas particulièrement bon signe.

Il attendit un long moment dans l'espoir que le shamud reprenne la parole. Il aurait aimé le questionner au sujet de Thonolan et aussi lui demander ce qu'il entendait par ce « pouvoir » qu'il était censé posséder et ce « dessein » de la Mère à son égard. Mais le moment était passé et, comme le shamud continuait à se taire, il finit par se lever. Alors qu'il se dirigeait vers les abris situés sous le surplomb rocheux, il entendit soudain le shamud crier dans l'obscurité :

— Non ! Pas la mère et l'enfant...

Aussitôt Jondalar songea à Tholie et à sa fille. Etaient-elles brûlées plus gravement qu'il le pensait ? Ce cri qui semblait venir de l'autre monde lui fit courir un frisson dans le dos.

12

— Jondalar ! appela Markeno.

Le jeune Zelandonii attendit que Markeno l'ait rattrapé.

— Essaie de trouver un moyen de retenir Thonolan ce soir, lui dit Markeno. Depuis la Fête de la Promesse, il a été soumis à un dur régime : il a besoin de se détendre.

Markeno retira le bouchon de la gourde qu'il avait apportée avec lui et, avec un sourire malicieux, il lui fit respirer le vin de myrtille qu'elle contenait. Jondalar hocha la tête en souriant.

Même s'il existait des différence entre son peuple et les Sharamudoï, certaines coutumes semblaient universelles. Il n'était donc pas étonné que les jeunes gens aient organisé un « rituel » à leur manière pour enterrer la vie de garçon de Thonolan.

Les deux hommes repartirent d'un bon pas sur la piste.

— Comment vont Tholie et Shamio ? demanda Jondalar.

— Elles sont presque guéries. Mais Tholie a peur que Shamio garde des cicatrices. Serenio lui a dit que les brûlures ne laisseraient pas de marques. Mais ni elle ni le shamud n'en sont vraiment sûrs.

Au détour de la piste, les deux hommes rejoignirent Carlono, qui sourit en les apercevant. Quand il souriait, cela accentuait encore sa ressemblance avec Markeno. Il était un peu plus petit que le fils de son foyer, mais il avait comme lui un corps mince et nerveux.

— Cet arbre ne me plaît pas, annonça-t-il en montrant aux deux hommes l'arbre qu'il était en train d'examiner à leur arrivée.

— Pourquoi ? demanda Jondalar.

— Aucune de ses branches, même émondée, ne s'adaptera à la forme intérieure du bateau, répondit Carlono.

— Comment tu sais ? Le bateau n'est pas terminé.

— Il le sait, assura Markeno. Carlono trouve toujours les branches qui conviennent. Tu peux rester avec lui, il t'expliquera tout ça. Je descends vers la clairière.

Dès que Markeno eut disparu, Carlono expliqua à Jondalar :

— Cette fois-ci, ce n'est pas un tronc parfaitement droit qu'il nous faut, mais un arbre aux branches maîtresses incurvées. Il faut donc trouver un arbre qui n'ait pas été gêné dans sa croissance par ses voisins. Les arbres ressemblent aux hommes. Certains ont besoin de compagnie pour pousser : cela les oblige à dépasser leurs voisins. D'autres, au contraire, poussent mieux lorsqu'ils sont isolés. Ce qui n'enlève rien à la valeur des uns et des autres.

Quittant la piste principale, Carlono s'engagea dans un sentier. Jondalar l'y suivit.

— Il y a aussi des arbres qui poussent par paire comme ceux-là, continua Carlono en montrant à Jondalar deux arbres étroitement entrelacés. Nous appelons ça des couples d'amoureux. Si on coupe un des deux arbres, il arrive que l'autre meure.

Pris d'une soudaine inquiétude, Jondalar fronça les sourcils.

Les deux hommes avaient atteint une clairière et Carlono se dirigea alors vers un chêne énorme et noueux qui poussait en haut d'une pente ensoleillée. Au fur et à mesure qu'ils s'en approchaient, Jondalar était de plus en plus étonné par les étranges fruits que portait le chêne. Lorsqu'il se retrouva au pied de l'arbre, il se rendit compte que les fruits en question étaient en réalité des objets, suspendus au bout des branches. Il y avait des petits paniers tressés et décorés de plumes peintes, des petits sacs en peau ornés de perles de coquillages, des cordes tressées avec motif. Un long collier avait été suspendu autour du fût énorme à une si lointaine époque qu'il était en partie serti dans le tronc. En l'examinant de plus près, Jondalar s'aperçut qu'il était constitué de perles de coquillages, taillées avec soin et percées au milieu, qui alternaient avec des vertèbres de poissons, enfilées par le conduit de la moelle épinière. Il remarqua aussi, décorant les branches, de minuscules bateaux sculptés, des canines attachées à de longues lanières en cuir, des plumes d'oiseaux et des queues d'écureuil.

— C'est l'Arbre de la Bénédiction, lui expliqua Carlono en voyant son étonnement. Je suppose que Jetamio y a déjà suspendu son offrande. C'est ce que font les femmes qui désirent que Mudo les bénisse avec un enfant. Mais cet Arbre n'est pas pour autant réservé aux femmes. Certains hommes y suspendent, eux aussi, une offrande pour que Mudo leur porte chance lors de leur première partie de chasse, ou alors pour qu'Elle protège un nouveau bateau ou une future Union. On ne fait pas appel à Mudo très souvent et uniquement la veille d'événements importants.

— Qu'il est grand ! s'écria Jondalar.

— Il s'agit de l'Arbre de la Mère. Il n'est pas question de le couper, mais je voulais te le montrer car c'est exactement le genre d'arbre que je cherche pour fabriquer les appuis du bateau. Lorsque j'en aurai trouvé un qui lui ressemble, je l'étudierai afin de choisir les branches les mieux à même de s'adapter à l'intérieur de la coque.

Reprenant un autre sentier, Carlono et Jondalar rejoignirent la clairière où l'on construisait les bateaux. Markeno et Thonolan étaient en train d'évider à l'herminette un tronc dont la circonférence et la longueur étaient énormes. L'extérieur du tronc avait été grossièrement taillé à la hache et le travail n'était pas assez avancé pour qu'on devine déjà la forme élancée du futur bateau. La proue et la poupe ne seraient sculptées qu'une fois l'intérieur de l'embarcation terminé.

— Jondalar s'intéresse beaucoup à la construction des bateaux, dit Carlono en s'approchant du fils de son foyer.

— Nous devrions essayer de lui trouver une femme du fleuve pour qu'il devienne ramudoï, plaisanta Markeno. Ce serait normal maintenant que son frère va faire partie des Shamudoï. Si j'en crois les regards que j'ai surpris, nous n'aurons aucun mal à persuader une de nos Ramudoï de se dévouer.

— Tant que Serenio se trouvera à proximité, aucune Ramudoï n'osera aller très loin, dit Carlono en faisant un clin d'œil à Jondalar. Sans compter que, parfois, les meilleurs constructeurs de bateaux sont shamudoï. Pour être un homme du fleuve, ce qui compte ce n'est pas de construire un bateau, mais de savoir naviguer.

— Si la construction des bateaux t'intéresse tellement, pourquoi ne prends-tu pas une herminette pour nous donner un coup de main ? demanda Thonolan. (Ses mains étaient couvertes de suie et une longue traînée noire maculait une des ses joues.) Je vais même te prêter la mienne, ajouta-t-il en lançant l'outil à son frère.

Jondalar attrapa l'herminette au vol — une robuste lame en pierre sur laquelle était fixé, à angle droit, un manche —, se noircissant les mains au passage.

Thonolan sauta sur le sol et s'approcha du feu, un tas de braises rougeoyantes que léchaient ici et là des flammes orange. Il alla chercher un bout de madrier, dont le dessus était criblé de trous carbonisés et y fit glisser des braises à l'aide d'une branche. Il revint vers le tronc et déversa les braises à l'intérieur de la cavité qu'ils étaient en train de creuser. Markeno ajouta quelques morceaux de bois dans le feu, puis il s'approcha avec un récipient plein d'eau. Il fallait que l'intérieur du tronc brûle, mais sans prendre feu pour autant.

Thonolan étala les braises à l'aide d'un bâton, puis il les arrosa avec un filet d'eau. Le chuintement de la vapeur et l'odeur du bois brûlé témoignèrent du combat qu'étaient en train de se livrer les deux éléments. L'eau finit par gagner la bataille. Après avoir retiré les morceaux de charbon de bois humides, Thonolan réintégra l'intérieur du bateau et recommença à racler le bois carbonisé, creusant et élargissant à la fois la cavité.

— Laisse-moi te remplacer, proposa Jondalar après avoir observé comment s'y prenait son frère.

— Je me demandais quand tu allais enfin t'y mettre, fit remarquer Thonolan avec un sourire.

Lorsque les deux frères se retrouvaient ensemble, ils ne pouvaient s'empêcher de parler leur langue. Mais ils faisaient tous deux des progrès rapides en sharamudoï et Thonolan le parlait déjà presque couramment.

Après avoir donné quelques coups d'herminette, Jondalar s'arrêta pour examiner la lame de l'outil. Il essaya de l'utiliser selon un angle différent, en vérifia à nouveau le tranchant et finit par trouver le rythme approprié. Les trois hommes travaillèrent un long moment sans échanger un mot, puis ils s'arrêtèrent pour se reposer.

— Jamais vu encore utiliser des braises pour creuser le fond du bateau, remarqua Jondalar alors qu'ils se dirigeaient vers l'auvent. D'habitude, seulement une herminette.

— Le feu permet d'aller plus vite, fit remarquer Markeno. Le chêne est un bois dur. Certaines de nos embarcations sont en pin. C'est un bois plus tendre, plus facile à travailler. Mais, même alors, nous utilisons des braises.

— Beaucoup de temps pour faire un bateau ? demanda Jondalar.

— Cela dépend à quel rythme on travaille et du nombre d'hommes qui participent à la construction. Ce bateau va être fini très vite. Thonolan y tient beaucoup, puisqu'il doit avoir terminé avant de s'unir à Jetamio. (Markeno ne put s'empêcher de sourire.) J'ai rarement vu quelqu'un travailler aussi dur et il pousse les autres à faire comme lui. Il n'a pas tort de s'y atteler ainsi. Mieux vaut finir le bateau le plus vite possible. Comme ça, le bois n'a pas le temps de sécher. Cet après-midi, nous allons fendre l'arbre qui va servir à faire les bordages. Est-ce que tu comptes nous aider ?

— Il a intérêt ! s'écria Thonolan.

Le chêne énorme, que Thonolan et Jondalar avaient coupé le jour de la Fête de la Promesse, avait été débarrassé de ses branches et transporté de l'autre côté de la clairière. La plupart des hommes valides avaient donné un coup de main pour le transport et ils étaient encore là pour fendre le tronc. Jondalar, quant à lui, n'aurait manqué ça pour rien au monde.

Pour ce genre de travail, les Sharamudoï se servaient de coins en andouillers. Ils commencèrent par les placer en ligne le long du tronc en suivant le fil du bois. Puis ils les enfoncèrent avec de gros maillets en pierre. Sous l'action des coins le tronc commença à se fendre. Ils sectionnèrent alors les fibres qui, entre les coins, offraient encore une résistance, tout en continuant à enfoncer les coins triangulaires jusqu'à ce que le tronc s'ouvre en deux avec un claquement.

Jondalar hocha la tête d'un air admiratif. Mais ce n'était que le début. Les coins furent placés au centre des deux moitiés du tronc, les maillets entrèrent de nouveau en action et le tronc fut fendu en quatre. Les Sharamudoï répétèrent l'opération autant de fois que nécessaire et, en fin de journée, l'énorme tronc était réduit à un tas de madriers, effilés vers le cœur du bois et plus épais côté écorce. Il y avait beaucoup plus de madriers que ce dont on avait besoin pour fabriquer les bordages du bateau. Le surplus serait utilisé à la construction d'un abri pour le jeune couple sous le surplomb en pierre de la terrasse, relié à celui de Roshario et Dolando, et suffisamment grand pour accueillir Markeno, Tholie et Shamio au moment le plus froid de l'hiver. Le fait que le même arbre serve à la fois pour un bateau et un logement avait aussi une signification symbolique : la solidité du chêne était un gage de durée pour la future relation du jeune couple.

Au fur et à mesure que le jour baissait, la plupart des jeunes gens qui avaient aidé à fendre le chêne disparurent dans les bois et Jondalar, sur un signe de Markeno qui désirait s'éclipser lui aussi, proposa à Thonolan de reprendre l'évidage du tronc. Ils ne tardèrent pas à se retrouver seuls à travailler dans la clairière. Finalement Thonolan reconnut qu'on n'y voyait plus assez pour continuer.

— Il va faire encore plus sombre dans un instant ! lança une voix moqueuse.

Avant que Thonolan ait pu voir qui l'interpellait, on lui glissa un bandeau sur les yeux et on le ceintura.

— Que se passe-t-il ? cria-t-il en se débattant.

Pour toute réponse, il entendit un rire étouffé. Il fut alors soulevé de terre, transporté sur une courte distance et débarrassé de ses vêtements au moment où on le remettait sur ses pieds.

— Arrêtez ! cria-t-il à nouveau. Qu'est-ce qui vous prend ? Il fait froid !

— Tu ne vas pas avoir froid longtemps, lança Markeno au moment où on lui enlevait son bandeau.

Thonolan aperçut alors une douzaine de jeunes gens, nus comme lui, et qui lui souriaient. Il ne connaissait pas le lieu où on l'avait amené, mais il savait qu'ils se trouvaient près du fleuve.

Autour de lui, la forêt formait une masse dense et sombre, sauf à un endroit où elle s'éclaircissait, laissant voir quelques arbres isolés qui se profilaient sur le ciel bleu lavande. Au-delà de ces arbres, dans une trouée créée par un sentier assez large, on apercevait le reflet des eaux calmes de la Grande Rivière Mère. Tout près du sentier se trouvait un abri en bois rectangulaire, petit et bas, dont les fentes laissaient filtrer la lueur d'un feu. Appuyé contre un des angles, un tronc d'arbre, dans lequel on avait taillé des marches, permettait d'accéder à l'ouverture située dans le toit de la hutte. Empruntant ce passage, les jeunes gens se faufilèrent à l'intérieur, entraînant Thonolan et Jondalar avec eux.

Une fosse occupait le centre de la hutte et servait de foyer. Des

pierres avaient été mises à chauffer au-dessus du feu. Autour de la
fosse, le sol était recouvert de planches poncées qui servaient de
banquettes. Quand tous les jeunes gens furent à l'intérieur, on referma
l'ouverture du toit presque hermétiquement. La fumée continuerait à
s'échapper par les fentes des parois en bois.

Thonolan dut reconnaître que Markeno avait raison : il n'avait plus
froid. Un des hommes arrosa les pierres avec de l'eau et la hutte
s'emplit aussitôt de vapeur, rendant indistincts les visages des hommes
assemblés à l'intérieur.

— Où est-elle ? demanda un des hommes assis à côté de Markeno.

— La voilà, répondit celui-ci en brandissant la gourde qui contenait
le vin de myrtille.

— Fais-la passer, proposa l'homme. Tu as bien de la chance de
t'unir à une femme qui fabrique un aussi bon vin, Thonolan, ajouta-
t-il.

Tout le monde éclata de rire et se déclara satisfait du vin qui passait
à la ronde.

— J'ai aussi apporté autre chose, annonça Chalono en montrant un
sac en cuir.

— Je me demandais pourquoi on ne t'avait pas vu de la journée,
remarqua un autre homme. Tu es sûr qu'ils sont bons au moins ?

— Ne t'inquiète pas, Rondo, répondit Chalono. Je m'y connais en
champignons.

— Je ne sais pas si tu t'y connais, mais tu devrais ! Tu ne rates pas
une occasion de cueillir des champignons.

A nouveau des rires fusèrent.

— Peut-être veut-il devenir shamud, plaisanta Rondo.

— Ce ne sont pas les champignons que ramasse le shamud, n'est-ce
pas ? demanda Markeno. Les siens sont rouges avec des points blancs
et ils sont mortels si on ne les prépare pas correctement.

— Ces petits champignons sont sans danger, expliqua Chalono.
Quand on en mange, on se sent bien, c'est tout. Je ne m'amuse pas à
essayer ceux du shamud. Je n'ai pas envie qu'une femme se glisse à
l'intérieur de moi... Je préfère me glisser à l'intérieur d'une femme,
précisa-t-il en ricanant.

— Qui a le vin ? demanda Tarluno.

— Je l'ai fait passer à Jondalar.

— Reprends-lui. Grand et fort comme il est, il risque de tout boire.

— Je l'ai fait passer à Chalono, dit Jondalar.

— Et ces champignons, alors ? demanda Rondo.

— Laisse-moi le temps d'ouvrir ce fichu sac, répondit Chalono. Ça
y est ! A toi l'honneur, Thonolan.

— Est-ce vrai, Markeno, que les Mamutoï préparent une boisson
meilleure encore que le vin et les champignons réunis ? demanda
Tarluno.

— Je ne sais pas si c'est vraiment meilleur. Je n'en ai goûté qu'une
fois.

— Encore un peu de vapeur, proposa Rondo, qui, sans attendre l'assentiment des autres, aspergea les pierres avec de l'eau.

— Certaines tribus de l'ouest mettent quelque chose dans la vapeur, dit Jondalar.

— Nous avons visité une Caverne qui aspirait la fumée d'une plante, ajouta Thonolan. Ils nous ont fait essayer mais ne nous ont pas dit de quelle plante il s'agissait.

— Vous deux, vous avez dû essayer presque tout durant votre Voyage, remarqua Chalono. J'aimerais bien faire comme vous : essayer tout ce qui existe.

— J'ai entendu dire que les Têtes Plates buvaient quelque chose... commença Tarluno.

— Les Têtes Plates sont des animaux, intervint Chalono. Ils boiraient n'importe quoi...

— Ne viens-tu pas de dire que tu aimerais faire la même chose ? railla Rondo, provoquant une nouvelle explosion de rires.

Rondo avait le chic pour faire rire les autres, parfois même à ses dépens. Pour ne pas être en reste, Chalono rappela une histoire bien connue de tous.

— Vous connaissez celle du vieil homme aveugle qui a couché avec une Tête Plate en croyant que c'était une femme ? demanda-t-il à la cantonade.

— Il a dû débander vite fait ! lança Rondo. Tu me dégoûtes, Chalono, avec tes histoires ! Jamais un homme ne pourrait faire une telle erreur.

— Pas toujours une erreur, intervint Thonolan. Certains hommes le font exprès. Des hommes d'une lointaine Caverne de l'ouest. Ils prennent leur Plaisir avec des Têtes Plates. Beaucoup d'ennuis pour la Caverne.

— Tu plaisantes !

— Pas une plaisanterie, intervint Jondalar à son tour. Une bande de Têtes Plates nous cernaient. Très en colère. Après, nous avons appris que des hommes avaient violé des femelles Têtes Plates.

— Comment avez-vous fait pour vous en sortir ?

— Ils nous ont laissés partir, répondit Jondalar. Le chef de la bande, très dégourdi. Les Têtes Plates sont plus intelligents que ce qu'on pense.

— J'ai entendu parler d'un homme qui a couché avec une Tête Plate parce qu'on l'avait mis au défi de le faire, dit Chalono.

— Cet homme, ce serait pas toi, par hasard ? demanda Rondo. Tu as dit que tu voulais tout essayer.

Chalono voulait se défendre, mais il riait tellement qu'il dut attendre que son fou rire soit passé avant de reprendre la parole.

— Quand j'ai dit ça, je voulais parler du vin, des champignons et de ce genre de choses, dit-il. Beaucoup de jeunes gens, qui ne connaissent pas encore les femmes, racontent des tas d'histoires sur les femelles Têtes Plates. L'un d'eux m'a dit qu'il avait couché avec une Tête Plate.

— Les jeunes gens racontent n'importe quoi, fit remarquer Markeno.

— Et les filles, de quoi crois-tu qu'elles parlent ? demanda Tarluno.

— Peut-être qu'elles parlent des mâles Têtes Plates, dit Chalono.

— Arrêtez vos bêtises, intervint Rondo.

— Toi aussi, tu parlais de ça quand tu étais plus jeune, Rondo, lui rappela Chalono.

— D'accord ! Mais j'ai vieilli depuis. Et j'imagine que tu es dans le même cas. Tu me dégoûtes, Chalono, avec tes histoires de Têtes Plates.

Chalono bondit sous l'insulte et, comme il était un peu ivre, il décida de lui en donner pour son argent.

— Si c'est comme ça, Rondo, laisse-moi te raconter l'histoire de cette femme qui avait pris son plaisir avec un Tête Plate et qui a mis au monde un enfant d'esprit mêlé.

— Quelle horreur ! s'écria Rondo avec un frisson de dégoût. Il ne faut pas plaisanter avec ces choses-là, Chalono. Qui l'a invité à notre petite réunion ? demanda-t-il en se tournant vers les autres. Fichez-le dehors. J'aime bien plaisanter, mais, lui, il va trop loin.

— Rondo a raison, dit Tarluno. Tu devrais t'en aller, Chalono.

— Non, intervint Jondalar. Ne l'obligez pas à partir. Il dit vrai. Bébés à l'esprit mêlé ne sont pas une plaisanterie. Mais qui sait vraiment quelque chose là-dessus ?

— Des enfants mi-humain mi-animal, quelle abomination ! s'écria Rondo. Je ne veux pas parler de ça. Il fait trop chaud ici. Si je ne sors pas tout de suite, je sens que je vais être malade.

— Cette réunion a été organisée pour que Thonolan se détende, rappela Markeno. Je vous propose d'aller faire un petit plongeon dans le fleuve, puis de revenir ici pour continuer la soirée. Il reste encore pas mal de vin. Je ne vous l'ai pas encore dit, mais j'ai apporté une deuxième gourde.

— J'ai l'impression que les pierres ne sont pas assez chaudes, dit Markeno, soudain inquiet.

— Il ne faut pas laisser de l'eau dans le bateau trop longtemps, rappela Carlono. La coque risque de gonfler alors que nous voulons simplement que le trempage l'assouplisse. Thonolan, ajouta-t-il, est-ce que tu as mis les entretoises près du bateau afin de pouvoir nous les passer quand nous en aurons besoin ?

— Tout est prêt, répondit Thonolan en montrant les perches en aulne, coupées à la longueur voulue et posées sur le sol à côté de la coque remplie d'eau.

— Nous ferions mieux de nous y mettre, Markeno. Espérons que les pierres seront suffisamment chaudes.

Le travail avait considérablement avancé. L'intérieur du tronc avait été creusé à la gouge et poncé et, extérieurement, il possédait maintenant les lignes gracieuses d'un long canoë. La coque n'était pas plus épaisse que la longueur d'une phalange, sauf à l'endroit de la poupe et de la proue. Jondalar avait observé Carlono lorsque celui-ci travaillait avec son herminette et il avait été émerveillé de voir qu'il était capable de détacher des copeaux aussi fins qu'une brindille. Après s'y être essayé, il avait mesuré l'habileté et la dextérité du Sharamudoï. La proue du bateau se terminait par un éperon, qui s'avançait loin en avant. La poupe était moins effilée que la proue et la carène du bateau légèrement aplatie. C'était une embarcation très allongée.

Les quatre hommes se dépêchèrent de placer les galets brûlants dans l'eau qui remplissait à ras bords le bateau. Celle-ci se mit à bouillonner et à lancer de longs jets de vapeur. Markeno et Carlono se placèrent alors au milieu de l'embarcation, chacun d'un côté de la coque, puis ils se mirent à tirer sur les flancs pour les écarter l'un de l'autre, en prenant bien soin de ne pas faire éclater le bois. Lorsque le milieu de l'embarcation eut atteint la largeur voulue, Jondalar et Thonolan leur firent passer les entretoises les plus longues, qui furent aussitôt placées en diagonale à l'intérieur du bateau. Les quatre hommes retenaient leur respiration. Le bateau tenait le coup : c'était gagné !

Après avoir placé les entretoises centrales, ils fixèrent les autres, de taille décroissante, sur toute la longueur de l'embarcation. Puis ils écopèrent une partie de l'eau, retirèrent les pierres et renversèrent la coque pour la débarrasser de l'eau qui restait au fond. Pour finir, ils placèrent le bateau sur les cales pour qu'il sèche.

Les quatre hommes se reculèrent pour admirer leur travail. Le bateau mesurait près de quinze mètres de long et plus de deux mètres de large. La traction exercée sur ses flancs avait modifié ses lignes : au fur et à mesure que la section centrale s'élargissait, l'avant et l'arrière du bateau se relevaient. Ce procédé de construction avait un double avantage. Non seulement l'accroissement sensible de la largeur de l'embarcation lui donnait plus de stabilité, mais sa proue et sa poupe surélevées allaient lui permettre de fendre l'eau plus facilement, surtout par gros temps.

— Maintenant, c'est le bateau du paresseux, dit Carlono alors qu'ils se dirigeaient tous les quatre vers un autre endroit de la clairière.

— Paresseux, tu en as de bonnes ! s'écria Thonolan en songeant au travail accompli.

Nullement surpris par sa réaction, Carlono lui expliqua aussitôt :

— Chez nous, on raconte l'histoire d'un homme paresseux qui avait laissé son bateau dehors tout l'hiver. Quand il voulut le récupérer, le bateau était plein d'eau et, sous l'action de la neige et de la glace, il s'était élargi. Tout le monde se dit que le bateau était fichu. Mais comme cet homme n'en avait pas d'autre, après l'avoir fait sécher, il le remit à l'eau et s'aperçut alors qu'il était beaucoup plus facile à manœuvrer. C'est à partir de cette époque que les Ramudoï, conquis par ce procédé, se mirent à fabriquer des bateaux sur le modèle de celui du paresseux.

— C'est vraiment une drôle d'histoire, dit Markeno.

— A mon avis, elle contient une part de vérité, reprit Carlono. Même nos petits bateaux sont fabriqués ainsi. Par contre, ils ne comportent pas de bordages.

Ils venaient de rejoindre le groupe de gens qui étaient en train de percer des trous sur les bords des madriers à l'aide de forets en os. Ce travail difficile avançait vite du fait qu'ils étaient nombreux et, animé par les conversations, il leur paraissait moins fastidieux.

— Si j'avais eu la chance de pouvoir construire un petit bateau, nous aurions déjà fini, et Jetamio serait ma compagne, fit remarquer Thonolan qui venait d'apercevoir l'élue de son cœur.

— Vous avez l'air contents, dit la jeune femme. (Elle s'adressait à Carlono, mais ne pouvait s'empêcher de regarder Thonolan.) Cela veut dire que ça s'est bien passé.

— Avant de se prononcer, il faut attendre que le bois ait séché, répondit prudemment Carlono pour ne pas tenter le sort. Où en sont les bordages ?

— Nous avons terminé et nous travaillons sur les madriers de la maison, répondit une vieille femme qui ressemblait à Carlono et aussi à Markeno. Un bateau n'est pas tout dans la vie. Un jeune couple a aussi besoin d'autre chose, mon cher frère.

— Ton frère est aussi pressé que toi de les voir s'unir, Carolio, intervint Barono en jetant un coup d'œil aux deux jeunes gens qui se souriaient amoureusement sans échanger un mot. Mais, quand on n'a pas de bateau, à quoi sert une maison ?

Carolio lança à Barono un regard chagriné. Cet aphorisme ramudoï, tant de fois répété, en devenait assommant.

— Ah ! s'exclama Barono. Je viens encore d'en casser un !

— Il est bien maladroit aujourd'hui ! dit Carolio. Cela fait le troisième foret qu'il casse. J'ai l'impression qu'il cherche une excuse pour pouvoir nous fausser compagnie.

— Tu es bien dure pour ton compagnon, dit Carlono. Tout le monde casse des forets. Il est impossible de faire autrement.

— Elle n'a pas tout à fait tort, dit Barono. Je ne rêve que d'une chose : pouvoir lui fausser compagnie, ajouta-t-il en faisant un clin d'œil à Carlono.

— Et il se croit drôle, en plus ! s'écria Carolio.

Tout le monde sourit. Carolio et Barono avaient beau se chamailler, cela ne les empêchait pas de s'aimer profondément.

— S'il reste un foret, je pourrais peut-être percer des trous, proposa Jondalar.

— Ce garçon doit avoir un grain, remarqua Barono en se levant aussitôt pour céder sa place. Il ne sait pas qu'il n'y a rien de plus ennuyeux que de percer des trous.

— Jondalar s'intéresse à la construction de nos bateaux, dit Carlono. Il a mis la main à tout ce que nous avons fait jusqu'ici.

— Peut-être finirons-nous par en faire un Ramudoï ! dit Barono. J'ai toujours pensé que c'était un garçon intelligent. Je ne sais pas si on peut en dire autant de son frère, ajouta-t-il en souriant à Thonolan qui, uniquement préoccupé de Jetamio, n'avait nullement suivi la conversation. J'ai l'impression que même si un arbre lui tombait dessus, il ne s'en rendrait pas compte. Est-ce que nous ne pourrions pas lui proposer de faire quelque chose pendant que son frère perce des trous ?

— Il peut écorcer les branches de saule qui vont servir à fixer les bordages, répondit Carlono. Dès que la coque sera sèche et que nous y aurons percé des trous, nous cintrerons les bordages et les mettrons en place. A ton avis, dans combien de temps aurons-nous fini, Barono ? Il faudrait peut-être prévenir le shamud pour qu'il décide du jour de la Célébration... Et le dire à Dolando pour qu'il envoie des messagers prévenir les autres Cavernes.

— Que reste-il à faire ? demanda Barono en se dirigeant vers un autre endroit de la clairière où de solides pieux étaient enfoncés dans le sol.

— Les montants de la proue et de la poupe doivent encore être assemblés et... Tu viens, Thonolan ?

— Oh... Oui, j'arrive.

Quand ils furent partis, Jondalar prit un foret en os emboîté dans un manche en andouiller et, après avoir regardé comment Carolio s'y prenait, il se mit au travail.

— Pourquoi ces trous ? demanda-t-il après en avoir percé un certain nombre.

La sœur jumelle de Carlono s'y connaissait en bateau au moins autant que son frère et elle était aussi experte dans l'assemblage et l'ajustage du bois que lui pour creuser un tronc à la gouge et le façonner. Plutôt que de se lancer dans de longues explications, elle préféra emmener Jondalar vers une autre aire de travail de la clairière où se trouvait un bateau en partie dégréé.

A la différence des radeaux qui flottaient sur l'eau parce qu'ils étaient construits avec des bois insubmersibles, le principe de construction des bateaux sharamudoï consistait à enfermer une poche d'air à l'intérieur d'une coque en bois. Grâce à ce procédé, leurs embarcations étaient plus maniables et pouvaient transporter d'importants chargements. Les madriers utilisés pour transformer le tronc évidé en un bateau plus large étaient d'abord cintrés à chaud de manière à s'ajuster à la forme incurvée de la coque, puis littéralement « cousus » avec des branches de saule passées dans des trous et enfin solidement chevillés aux montants de la proue et de la poupe. Des appuis, placés à intervalles réguliers le long des flancs du bateau, permettaient de renforcer l'assemblage et de fixer des bancs.

Même soumises aux tractions et aux tensions que supposait un usage intensif, ces embarcations duraient de nombreuses années. Lorsque les tiges de saule étaient abîmées, le bateau était démantelé et entièrement reconstruit. On en profitait alors pour changer les madriers défectueux. Ce qui accroissait considérablement la longévité de l'embarcation.

— Regarde l'endroit où les bordages ont été retirés, dit Carolio en montrant à Jondalar le bateau démantelé. Tu dois apercevoir les trous qui ont été percés sur le bord supérieur du tronc creusé.

Puis Carolio lui montra un madrier cintré pour s'adapter à la forme de la coque.

— Voici le premier bordage, expliqua-t-elle. Les trous percés dans la partie la plus mince du madrier tombent juste en face de ceux percés dans la coque. Regarde... On les fait se chevaucher comme ça. Puis on coud le madrier au bord supérieur du tronc creusé. Ensuite le madrier du dessus est cousu à celui-là.

Faisant le tour de l'embarcation, Carolio montra à Jondalar l'autre flanc du bateau qui n'avait pas encore été démantelé.

— Il y a longtemps que ce bateau aurait dû être réparé, mais tu peux voir comment les bordages se chevauchent. Sur les petites embarcations, il n'y en a pas. Elles sont donc moins maniables en cas de mauvais temps et on risque plus facilement d'en perdre le contrôle.

— Comment vous cintrez les madriers ? demanda Jondalar.

— Nous utilisons le même procédé que pour élargir la coque du bateau : la vapeur et la tension. Les pieux que tu vois là-bas, là où se trouvent ton frère et Carlono, sont utilisés pour les cordages de serrage qui maintiennent en place les bordages contre la coque pendant que nous les fixons avec les branches de saule. Une fois que les trous ont été percés, cette opération ne prend pas beaucoup de temps car tout le monde donne un coup de main. Le plus difficile, c'est de percer les trous. Nous avons beau affûter nos forets, ils cassent facilement.

Le soir, lorsqu'ils eurent tous réintégré la haute terrasse, Thonolan, remarquant que son frère se taisait et semblait réfléchir, lui demanda :

— A quoi penses-tu ?

— A la construction des bateaux, répondit Jondalar. Jamais je n'aurais cru que c'était aussi compliqué. Les Ramudoï sont vraiment très ingénieux. Et ils font preuve d'une habileté surprenante. J'ai examiné leurs outils de près et j'ai l'impression que si j'arrivais à détacher un éclat de lame de l'herminette qu'utilise Carlono, elle aurait alors une face interne de forme concave et serait plus facile à utiliser. Je pense aussi que je pourrais fabriquer un burin en silex qui leur permettrait de percer les trous beaucoup plus vite.

— Quand je pense qu'ils sont tous persuadés que tu t'intéresses à la construction de leurs bateaux ! s'écria Thonolan en riant. J'aurais dû m'en douter. Ce ne sont pas les bateaux qui t'intéressent mais les outils qu'ils utilisent pour les fabriquer. Tu es vraiment tailleur de silex dans l'âme !

Jondalar sourit en songeant que Thonolan avait raison. Aussi fascinante que soit la fabrication des bateaux, c'était surtout les outils qui le captivaient. Il y avait de bons tailleurs de silex chez les Sharamudoï, mais aucun d'eux ne s'était vraiment spécialisé dans ce domaine et il ne leur venait pas à l'idée qu'on puisse améliorer un outil en le modifiant, même légèrement. Jondalar avait toujours eu plaisir à fabriquer des outils adaptés à des tâches bien précises et il imaginait d'avance les améliorations qu'il pourrait apporter dans l'équipement des Sharamudoï. Grâce à son savoir-faire unique en son genre, il s'acquitterait ainsi de la dette qu'il avait contractée envers ces gens.

— Mère ! Jondalar ! cria Darvo en faisant irruption dans l'abri. Il y a encore des gens qui viennent d'arriver. Avec toutes les tentes qu'il y a déjà, je ne sais pas où ils vont pouvoir s'installer.

Darvo n'était entré que pour annoncer ce qui se passait dehors. Il était si excité par l'agitation qui régnait sur la terrasse qu'il ressortit aussitôt en courant.

— Il y a encore plus de monde que pour l'Union de Markeno et de Tholie, dit Serenio. Dire qu'à l'époque j'avais trouvé que c'était déjà beaucoup ! Il faut dire que les gens connaissaient les Mamutoï, au moins de nom. Tandis que personne n'a jamais entendu parler des Zelandonii.

— Est-ce qu'ils imaginent que nous n'avons pas deux yeux, deux bras et deux jambes comme eux ? demanda Jondalar.

Il était atterré par le nombre d'invités. La Réunion d'Été des Zelandonii réunissait plus de monde encore, mais ici, à l'exception des membres de la Caverne de Dolando et du Ponton de Carlono, il s'agissait d'étrangers. La nouvelle de cette union s'était répandue si vite que même les autres Cavernes sharamudoï avaient tenu à venir. Il y avait aussi tous les parents et amis de Tholie, plus quelques curieux qui s'étaient joints à eux. Sans parler de ceux qui habitaient en amont du fleuve et même en amont de la Rivière Sœur.

Chez les Zelandonii, la coutume voulait que plusieurs Unions soient célébrées en même temps. Il était donc étonné que tant de gens se déplaçent pour l'Union d'un seul couple. En plus, comme il était le seul parent de Thonolan, il allait jouer un rôle important dans le déroulement de la cérémonie, ce qui le rendait nerveux.

— Pas mal de gens seraient étonnés de voir que tu n'es pas toujours aussi sûr de toi que tu en as l'air, lui dit Serenio, en s'approchant de lui et en le prenant par le cou. Ne t'inquiète pas, tu vas être parfait. Tu l'es toujours.

Ces paroles rassurantes lui firent du bien et il pressa ses lèvres contre les siennes, tout heureux de pouvoir oublier un instant ses appréhensions. Mais dès qu'il se sépara de Serenio, son inquiétude reprit le dessus.

— Tu crois que je suis correctement habillé ? demanda-t-il. Ma tenue de voyage n'est pas très adaptée à ce genre de cérémonie...

— Personne ne saura qu'il s'agit de vêtements de voyage. Les gens qui sont là n'ont encore jamais vu ce type de vêtement, ils trouveront ça très original. Si tu étais habillé comme nous, ils seraient déçus. Ils se sont déplacés autant pour toi que pour Thonolan. Tu te sentiras plus à l'aise si tu portes tes propres vêtements. Et cette tenue te va parfaitement.

Jondalar s'approcha d'une des cloisons de l'abri et jeta un coup d'œil à travers les fentes. En voyant la foule qui se pressait sur la terrasse, son inquiétude ne fit qu'augmenter et il se mit à faire les cent pas à l'intérieur de l'abri.

— Je vais te préparer une infusion, proposa Serenio. Un mélange spécial que m'a enseigné le shamud. Grâce à cette infusion, tu te sentiras moins nerveux.

— J'ai l'air nerveux ?

— Un peu, reconnut gentiment Serenio. Et cela se comprend. Tu as quelques raisons de l'être.

Après avoir rempli d'eau une boîte en bois de forme rectangulaire,

Serenio y ajouta des pierres chaudes. Jondalar s'assit sur un tabouret en bois. Perdu dans ses pensées, il contemplait d'un air absent les dessins géométriques gravés sur le récipient : une série de lignes obliques et parallèles tracées au-dessus d'une seconde rangée de lignes qui partaient dans l'autre sens, si bien que l'ensemble faisait penser à des arêtes de hareng.

Les côtés de ces boîtes étaient fabriqués à partir d'un morceau de bois d'un seul tenant, dans lequel étaient pratiquées trois rainures verticales. On chauffait alors le bois à la vapeur pour le rendre flexible, puis on le pliait à l'endroit des rainures pour former trois des angles de la boîte et on chevillait le quatrième angle. Une rainure était pratiquée en bas de la boîte dans laquelle on engageait une pièce de bois rectangulaire qui constituait le fond du récipient. Le bois gonflait dès que le récipient était rempli d'eau et ces boîtes étaient donc parfaitement étanches. Elles possédaient toutes un couvercle démontable si bien qu'on pouvait les utiliser soit comme ustensiles de cuisine, soit pour conserver des provisions.

En contemplant cette boîte, Jondalar pensa à son frère. Thonolan avait rapidement compris les méthodes employées par les Sharamudoï pour cintrer et façonner le bois car, lorsqu'il fabriquait des sagaies, il employait des techniques semblables. Qu'il s'agisse de redresser un bois de lance ou de cintrer celui qui servirait à fabriquer des raquettes, le principe était le même. En pensant aux raquettes qu'ils portaient tous deux au début de leur Voyage, Jondalar éprouva une poignante nostalgie. Reverrait-il un jour son pays ?

Il se leva brusquement, renversant le tabouret sur lequel il était assis. En se penchant pour le ramasser, il faillit heurter Serenio qui s'approchait, un bol d'infusion chaude à la main. L'accident évité de justesse rappela à Jondalar celui qui avait eu lieu pendant la Fête de la Promesse. Même si Tholie et Shamio étaient maintenant parfaitement remises, il ne pouvait s'empêcher de repenser à sa conversation avec le shamud et les derniers mots prononcés par le guérisseur ne cessaient de le hanter.

— Bois ton infusion, lui conseilla Serenio. Cela te fera du bien.

Jondalar avala une gorgée de liquide. L'infusion avait un goût agréable, sans doute à base de camomille. Très vite, il se sentit moins tendu.

— Serenio a raison, dit-il. Nettement mieux.

— Ce n'est pas tous les jours qu'un frère prend une compagne. Je comprends que tu sois un peu nerveux.

Il prit la jeune femme dans ses bras et l'embrassa avec passion, regrettant de devoir partir aussi vite.

— Ce soir, lui murmura-t-il tendrement à l'oreille.

— Ce soir, il y a une Fête en l'honneur de la Mère, lui rappela Serenio. Avec tant de visiteurs, mieux vaut ne pas prendre d'engagement. Chacun de nous sera libre de faire ce qu'il veut.

Jondalar hocha la tête en signe d'acquiescement. Mais il avait l'impression que Serenio repoussait ses avances. Comme c'est étrange, se dit-il. C'est la première fois que j'éprouve ce genre de sentiment. D'habitude, lorsqu'il y avait une fête, c'était toujours lui qui insistait pour reprendre sa liberté. Pourquoi se sentait-il blessé que Serenio lui ait facilité les choses ? Sur le moment, il se dit qu'il passerait la nuit avec elle — Fête ou pas.

— Jondalar ! appela Darvo qui venait à nouveau de faire irruption dans l'abri. Ils t'attendent ! s'écria-t-il, tout fier qu'on lui ait confié une tâche d'une telle importance. Dépêche-toi !

— Calme-toi, Darvo, lui conseilla Jondalar en souriant. Je viens. Pas manquer la Cérémonie de l'Union de mon frère.

Darvo sourit d'un air penaud en réalisant qu'en effet la cérémonie ne commencerait pas sans Jondalar. Incapable de réprimer son impatience, il repartit en courant. Jondalar prit une profonde inspiration et sortit de l'abri.

Lorsqu'il s'avança sur la terrasse, un murmure parcourut la foule. Heureusement pour lui, Roshario et Tholie l'attendaient et l'emmenèrent aussitôt vers un tertre situé près d'une des parois latérales. Debout en haut de ce tertre, dominant de la tête et des épaules la foule qui s'était assemblée là, se trouvait le shamud aux cheveux blancs, la moitié du visage cachée par un masque représentant une tête d'oiseau.

En apercevant son frère, Thonolan sourit nerveusement. Jondalar lui retourna son sourire d'un air compréhensif. Il était lui-même si tendu qu'il n'avait aucun mal à imaginer dans quel état devait se trouver Thonolan et il déplorait que les coutumes des Sharamudoï ne lui permettent pas de se tenir à ses côtés. Constatant que Thonolan ne détonnait pas dans cette foule, qu'au contraire il y semblait parfaitement à sa place, Jondalar éprouva un sentiment de regret d'autant plus poignant qu'il n'y était pas préparé. Jamais deux hommes n'avaient été aussi proches que son frère et lui durant leur Voyage et, maintenant qu'ils avaient pris chacun une route différente, Jondalar se sentait privé d'une partie de lui-même et il en souffrait terriblement.

Il ferma les yeux et serra les poings pour retrouver son calme. Dans le flot de paroles échangées autour de lui par les invités, il crut saisir le mot « grand » et « vêtements ». Lorsqu'il ouvrit à nouveau les yeux, il réalisa soudain que si Thonolan semblait si parfaitement à sa place, c'est parce qu'il était entièrement habillé de vêtements sharamudoï.

J'ai l'impression que ma tenue suscite beaucoup de commentaires, se dit-il en pensant qu'il aurait peut-être mieux fait de suivre l'exemple de son frère. Mais non, au fond, il avait eu raison : Thonolan avait été adopté par les Sharamudoï, tandis que lui restait zelandonii.

Jondalar rejoignit le groupe formé par la nouvelle parenté de son frère, qui était aussi la sienne, même s'il n'était pas officiellement sharamudoï. C'était eux, ainsi que les parents de Jetamio, qui avaient fourni la nourriture et les cadeaux qui allaient être distribués aux invités. Plus il y avait de monde et plus cette contribution était importante. Ces nombreux visiteurs ne pouvaient que rehausser le statut du jeune couple, ou le rabaisser au contraire si les invités repartaient insatisfaits.

Un silence soudain amena la foule assemblée sur le tertre à tourner la tête en direction du groupe qui approchait.

— Est-ce que tu la vois ? demanda Thonolan en se dressant sur la pointe des pieds.

— Non, répondit Jondalar. Mais elle arrive. Cela ne fait aucun doute.

En arrivant à la hauteur de Thonolan, le groupe se scinda soudain, révélant son trésor, et Thonolan, la gorge sèche, aperçut alors une beauté parée de fleurs qui lui adressait le plus radieux sourire qu'il ait jamais vu. Son bonheur était si évident que Jondalar eut un sourire amusé. Comme une abeille attirée par une fleur, Thonolan se dirigea vers la femme qu'il aimait, entraînant dans son sillage le cortège de sa parenté.

Les deux groupes fusionnèrent, puis des couples se formèrent tandis que le shamud jouait d'un flageolet, tirant de son instrument une série de sifflements répétitifs, semblables à ceux lancés par les oiseaux. Pour soutenir le rythme, une autre personne, le visage à demi caché par un masque figurant un oiseau, tapait en cadence sur un grand tambour à une seule peau. Un autre shamud, se dit Jondalar. Il avait l'impression d'avoir déjà vu cette femme quelque part. Ce qui n'avait rien d'étonnant : tous Ceux Qui Servaient la Mère se ressemblaient.

Alors que les membres des deux parentés formaient et reformaient toutes sortes de figures, apparemment compliquées, mais réduites en réalité à quelques variations sur une unique série de pas, le shamud aux cheveux blancs continuait à jouer de sa petite flûte. Il s'agissait d'un long bout de bois parfaitement droit, alésé à l'aide d'un charbon de bois, muni d'une embouchure, percé de trous sur toute sa longueur et dont l'extrémité était sculpté en forme de bec d'oiseau ouvert. Certains sons tirés de l'instrument ressemblaient à s'y méprendre à ceux émis par les oiseaux.

Les deux groupes finirent par se placer face à face, formant deux rangées. Tout le monde leva les bras et joignit les mains afin de former une longue arche. Le couple qui se trouvait au début s'engagea sous l'arche, les autres suivirent au fur et à mesure jusqu'à ce que le cortège, shamud en tête, gagne l'extrémité de la terrasse et contourne la paroi de la falaise. Thonolan et Jetamio se trouvaient juste derrière le joueur de flûte, suivi par Markeno et Tholie, puis par Jondalar et Roshario, leurs parents les plus proches. Ensuite venaient, par ordre, le reste de la parenté, la totalité des membres de la Caverne et les invités. Le shamud en visite, jouant toujours du tambour, suivait avec les membres de sa propre Caverne.

Le shamud aux cheveux blancs leur fit descendre le sentier qui menait à la clairière où l'on fabriquait les bateaux, mais un peu avant d'y arriver, il obliqua dans un sentier latéral et les emmena vers l'Arbre de la Bénédiction. Pendant que la foule prenait place dans la clairière autour de l'énorme chêne, le shamud s'adressa à Thonolan et Jetamio, leur donnant des conseils pour qu'ils soient heureux et qu'ils appellent sur leur couple les bienfaits de la Mère. Seuls les parents les plus intimes se trouvaient assez près pour entendre cette partie de la cérémonie. Le reste des invités se tenait un peu à l'écart et les gens discutaient entre eux.

Lorsque les invités s'aperçurent que le shamud attendait tranquillement que le brouhaha se calme, ils se turent aussitôt. Le cri rauque d'un geai troua le silence et le staccato d'un pic épeiche résonna dans les bois, suivi aussitôt par le chant plus doux d'une alouette qui prenait son vol.

Comme s'il leur donnait la réplique, le personnage au masque d'oiseau invita les deux jeunes gens à s'approcher. Puis il présenta une corde, qu'il noua de manière à former une boucle. Les yeux dans les yeux, Jetamio et Thonolan unirent leurs deux mains et les glissèrent à l'intérieur de la boucle.

— Jetamio et Thonolan, Thonolan et Jetamio, je vous lie l'un à l'autre, dit le shamud en attachant leurs deux poignets à l'aide d'un nœud serré. Ce nœud que je viens de faire vous engage non seulement l'un vis-à-vis de l'autre mais aussi envers votre parenté et la Caverne tout entière. A l'occasion de cette Union, vous complétez le carré formé par Markeno et Tholie. (Les deux autres jeunes gens s'approchèrent à leur tour et joignirent leurs mains à celles de Jetamio et Thonolan.) De même que les Ramudoï partagent les dons de la terre et les Shamudoï ceux de l'eau, en tant que Sharamudoï, vous vous devez pour toujours assistance mutuelle.

Tholie et Markeno se reculèrent et, accompagnés par les sons de la flûte du shamud, Thonolan et Jetamio se mirent à tourner à pas lents autour du vénérable chêne. Lorsqu'ils repassèrent pour la seconde fois devant les invités, ceux-ci leur souhaitèrent tout le bonheur et lancèrent sur eux du duvet d'oiseaux, des pétales de fleurs et des aiguilles de pin.

Quand ils entamèrent leur troisième circuit autour de l'Arbre de la Bénédiction, les invités se joignirent à eux en riant et en faisant grand bruit. L'un d'eux entama un chant traditionnel, rapidement repris en chœur, d'autres sortirent leur flûte pour accompagner les chanteurs. D'autres encore tapaient en mesure sur des tambours et des tubes creux. Avec un maillet, un des Mamutoï frappa sur une omoplate de mammouth. Le son retentissant surprit les assistants et tous cessèrent de chanter et de jouer pour écouter cet instrument étonnant, capable, selon l'endroit où on le frappait, de produire un timbre différent et des sons de hauteur variable et donc d'accompagner la mélodie jouée par le shamud. Sans cesser de jouer, celui-ci entraîna à sa suite la foule vers la clairière proche de la rivière.

Jondalar, qui n'avait pas assisté aux dernières finitions, ne put retenir une exclamation de surprise en apercevant le bateau amarré sur le fleuve. Sa longueur était maintenant parfaitement équilibrée par ses hauts flancs garnis de madriers incurvés et par un étambot qui s'élevait fièrement à l'arrière du bateau. Mais c'était surtout la proue qui provoquait les exclamations émerveillées des invités. Elle se prolongeait pour former la tête d'un oiseau aquatique au long cou, sculpté dans du bois et dont les joints biseautés étaient solidement chevillés.

La proue était peinte avec de l'ocre jaune et de l'ocre rouge, du noir de manganèse et de la chaux blanche. Les yeux peints en bas de la coque regardaient sous l'eau afin d'éviter les dangers qui risquaient de menacer l'embarcation. La proue et la poupe étaient couvertes de dessins géométriques. On avait installé des bancs pour les rameurs, placés dans le sens de la largeur, et des rames toutes neuves, à long manche et à large pale, étaient prêtes à entrer en action. Une tente en peau de chamois protégeait la partie centrale de l'embarcation de la pluie et de la neige et le bateau tout entier était décoré de fleurs et de plumes d'oiseaux.

Ce bateau était splendide et, en le regardant, on était saisi d'une crainte émerveillée. Jondalar se sentit tout fier et très ému d'avoir participé à sa construction.

Ce n'était pas tous les jours que les Sharamudoï se lançaient dans la construction d'un bateau d'une telle taille et d'une telle splendeur. Le hasard avait voulu qu'au moment où Jetamio et Thonolan déclaraient leur intention de s'unir, le besoin d'un bateau d'un fort tonnage s'était fait sentir. Compte tenu du nombre de visiteurs qui s'étaient déplacés pour assister à l'Union, ce choix semblait particulièrement judicieux.

Le couple nouvellement uni monta dans le bateau et alla s'installer sur le siège du milieu, au-dessous de la tente en peau de chamois. La plupart des parents les plus proches prirent place sur le bateau et quelques-uns parmi eux saisirent les rames toutes neuves. Pour empêcher le bateau de tanguer, on l'avait calé contre la rive avec des troncs d'arbre. Les visiteurs qui se trouvaient sur le rivage le libérèrent de ses cales et l'embarcation fut lancée à l'eau.

Au début, on navigua près du rivage pour éprouver la qualité du bateau. Mais dès que celui-ci eut fait ses preuves, les rameurs prirent la direction du ponton des Ramudoï, situé en aval de la clairière. Des bateaux de tailles variées vinrent rejoindre l'énorme oiseau aquatique et filèrent dans son sillage comme autant de canetons.

L'assistance restée sur la berge se dépêcha d'emprunter la piste qui menait à la terrasse dans l'espoir d'y arriver avant l'accostage du jeune couple. Quelques Ramudoï, qui se trouvaient déjà sur le ponton, grimpèrent à toute vitesse le passage creusé dans la falaise et se préparèrent à descendre le grand panier plat qui avait servi à remonter Thonolan et Jondalar le jour de leur arrivée et allait maintenant être utilisé pour hisser le jeune couple en haut de la terrasse.

Une fois tout le monde installé, on servit de la nourriture, arrosée de vin de pissenlit, et chaque visiteur reçut le cadeau qui lui était destiné. En fin de journée, les invités commencèrent à affluer dans le nouvel abri du jeune couple. Ils y entraient sans se faire remarquer et laissaient tous un « petit quelque chose » avant de ressortir. Ces cadeaux étaient offerts d'une manière anonyme pour ne pas éclipser l'opulence dont faisait preuve la Caverne qui vous recevait. Mais en réalité la valeur des cadeaux reçus serait comparée à celle des marchandises offertes au jeune couple et comptabilisée dans le détail. Ce genre de calcul était facile à faire car ces cadeaux étaient beaucoup moins anonymes qu'ils n'en avaient l'air.

La forme, le dessin et les motifs peints ou gravés sur les objets permettaient de déterminer le donateur aussi infailliblement que si le cadeau avait été offert au vu et au su de tous, non pas l'individu qui avait fabriqué l'objet, ce qui importait peu, mais la famille, le groupe ou la Caverne qui était à l'origine de ce don. A travers un système de valeurs connu et reconnu de tous, les présents offerts et reçus auraient des répercussions sur le prestige des différents groupes et leurs statuts respectifs. Bien que non violente, la lutte pour le prestige était néanmoins acharnée.

— J'ai l'impression qu'il ne va pas rester seul longtemps, dit Jetamio en jetant un coup d'œil aux jeunes femmes qui tournaient autour de Jondalar, adossé pour l'instant contre un arbre près du surplomb rocheux.

— C'est toujours comme ça, répondit Thonolan en tendant à Jetamio une gourde de vin de myrtille qu'il avait réussi à soustraire aux invités. Ses grands yeux bleus attirent les femmes comme... la lueur du feu attire les papillons. Il ne t'a jamais attirée ?

— C'est toi qui m'as souri le premier, lui rappela-t-elle. Mais je crois comprendre ce que tu veux dire. Ce n'est pas dû qu'à ses yeux. Il a fière allure, surtout avec ces vêtements. Ils lui vont vraiment bien. En plus les femmes doivent sentir qu'il cherche... ou qu'il attend quelqu'un. Il est tellement sensible. Et puis il est grand et très bel homme. C'est vrai aussi que ses yeux sont très spéciaux. As-tu remarqué qu'ils devenaient violets à la lueur du feu ?

— Je croyais que tu avais dit qu'il ne t'attirait pas... intervint Thonolan qui semblait consterné.

Jetamio lui fit un clin d'œil, puis elle demanda gentiment :

— Est-ce que tu es jaloux de lui ?

— Non, répondit Thonolan après avoir réfléchi. Jamais. Beaucoup d'hommes jaloux de lui. Quand on le voit, on croit qu'il a tout. Bel homme, comme tu disais. Mais intelligent aussi. Et habile de ses mains. Tout le monde l'aime. Les hommes, les femmes. Il devrait être heureux. Il ne l'est pas. Il faudrait qu'il trouve quelqu'un comme toi, Jetamio...

— Non, pas quelqu'un comme moi. Quelqu'un, simplement. J'aime beaucoup ton frère, Thonolan. Je serais heureuse qu'il trouve la femme qu'il cherche. Peut-être une de celles qui lui tournent autour ce soir...

— Je ne crois pas. J'ai déjà vu ça avant. Il fera l'amour avec une femme. Ou plusieurs. Mais il ne trouvera pas celle qu'il cherche.

Après avoir bu une dernière gorgée de vin, Thonolan et Jetamio se dirigèrent vers l'endroit où se trouvait Jondalar.

— Et Serenio, alors ? demanda Jetamio. Il semble avoir de l'affection pour elle et elle, elle l'aime plus qu'elle ne le dit.

— De l'affection aussi pour Darvo. Mais jamais amoureux d'une femme. Peut-être court-il après un rêve ou après une donii... La première fois que tu m'as souri, j'ai cru que tu étais une donii.

— Les Sharamudoï disent que la Mère prend la forme d'un oiseau.

Qu'Elle éveille le soleil avec Son chant et que c'est Elle qui ramène le printemps quand Elle revient du sud. En automne, les oiseaux qui restent là le font pour que nous n'oubliions pas la Mère. Les oiseaux de proie, les cigognes, tous les oiseaux représentent Mudo.

Jetamio et Thonolan s'arrêtèrent un instant pour laisser passer une bande d'enfants qui se pourchassaient en riant.

— Les enfants désobéissants craignent les oiseaux, reprit Jetamio. Ils croient que c'est la Mère qui les observe et qu'Elle voit tout. C'est ce que leur disent parfois leurs mères. Il paraît qu'il y a même des adultes qui avouent leurs mauvaises actions en apercevant certains oiseaux. On dit aussi que la Mère vous aide à retrouver votre chemin quand on est perdu.

— Chez nous, on dit : l'esprit de la Mère se transforme en donii, Elle vole sur le vent. Peut-être Elle ressemble à un oiseau, en effet, reconnut Thonolan. (Se penchant vers Jetamio, il ajouta dans un murmure :) Je suis tellement heureux de t'avoir rencontrée.

Il voulut la prendre dans ses bras mais s'aperçut que leurs poignets étaient toujours attachés.

— Quand allons-nous pouvoir couper cette corde ? demanda-t-il. Je veux pouvoir te serrer dans mes bras.

— Peut-être sommes-nous censés découvrir que nous sommes trop attachés l'un à l'autre, répondit Jetamio en riant. Nous n'allons pas tarder à quitter la fête. Apportons un peu de vin à ton frère avant qu'il n'y en ait plus et allons-nous-en.

— Peut-être qu'il n'en veut pas. Il n'aime pas être ivre, ne plus savoir ce qu'il fait.

Au moment où ils allaient s'approcher de Jondalar, une jeune femme les interpella. Thonolan ne la connaissait pas car elle appartenait à une autre Caverne de Ramudoï. Elle était jeune et pleine de vivacité.

— Vous voilà enfin ! dit-elle. Je voulais te présenter tous mes vœux de bonheur, Jetamio. Tu as bien de la chance ! J'aimerais que d'aussi beaux visiteurs viennent passer l'hiver chez nous, ajouta-t-elle en souriant d'un air engageant à Jondalar qui, malheureusement pour elle, ne regardait pas de son côté.

— Tu as raison, j'ai bien de la chance, reconnut Jetamio en souriant d'un air attendri à son compagnon.

— Ils sont tellement beaux tous les deux que je crois que j'aurais été incapable d'en choisir un, soupira la jeune femme après avoir jeté un coup d'œil à Thonolan.

— Et tu n'aurais eu ni l'un ni l'autre, Cherunio, intervint une autre jeune femme qui s'appelait Radonio. Si tu veux faire comme Jetamio, il va bien falloir que tu te décides.

Tout le monde éclata de rire. Jondalar tourna la tête pour voir ce qui se passait. Cherunio sauta aussitôt sur l'occasion.

— Je n'ai encore jamais rencontré un homme auquel j'ai envie de m'unir, dit-elle en souriant à Jondalar.

Jusqu'alors Jondalar n'avait pas fait particulièrement attention à elle. Mais maintenant qu'il l'avait en face de lui, cette petite jeune femme vive et enjouée l'attirait. Elle était à peu de chose près le contraire de Serenio. Le regard qu'il lui lança disait clairement qu'elle l'intéressait.

Soudain, Cherunio tourna la tête et tendit l'oreille.

— On commence à danser, dit-elle. Viens, Jondalar.

— Pas connaître les pas, dit-il.

— Ce n'est pas difficile, je vais te montrer, proposa Cherunio en l'entraînant vers l'endroit d'où venait la musique.

Jondalar ne se fit pas prier pour la suivre.

— Attendez-nous, leur dit Jetamio.

Les autres jeunes femmes étaient dépitées de voir que Cherunio avait réussi à attirer aussi vite l'attention de Jondalar.

— C'est aussi simple que ça... pour l'instant ! lança Radonio dans le dos des deux jeunes gens.

— Voici la dernière gourde de vin, Jondalar, annonça Thonolan lorsqu'ils furent arrivés près du lieu où l'on dansait. Elle est pour toi. Jetamio et moi, nous n'allons pas tarder à partir. Nous ouvrirons le bal puis nous nous éclipserons.

— Tu ne veux pas la garder avec toi ? Pour fêter l'événement en privé...

— Nous en avons déjà mis une de côté, avoua Thonolan en souriant. Mais je ne crois pas que nous en aurons besoin. Le fait de me retrouver seul avec Jetamio me suffira amplement.

— Leur langue est vraiment agréable à entendre, n'est-ce pas Jetamio ? dit Cherunio. Est-ce que tu comprends ce qu'ils disent ?

— Un peu, répondit Jetamio. Je finirai par savoir parler zelandonii. Et aussi mamutoï. Grâce à Tholie. C'est elle qui a lancé l'idée d'apprendre la langue des autres Cavernes.

— Tholie dit : meilleur moyen d'apprendre le sharamudoï, c'est de parler tout le temps, intervint Jondalar. Désolé, Cherunio. Pas poli parler zelandonii.

— Ça ne me gêne pas, mentit Cherunio.

Même si elle n'était pas très contente de ne pas pouvoir participer à la conversation entre les deux frères, elle était touchée que Jondalar ait pris la peine de s'excuser et le fait de se retrouver aux côtés du jeune et beau Zelandonii compensait largement cette impolitesse. Elle avait d'ailleurs parfaitement conscience des regards envieux que lui lançaient les autres jeunes femmes.

On passa la gourde à la ronde, puis un groupe de danseurs se forma non loin du feu de joie et les deux jeunes femmes montrèrent aux deux frères les pas de base de la danse. Les flûtes, les tambours et les crécelles commencèrent à jouer un morceau entraînant, que rythmaient les coups frappés sur l'os de mammouth.

Très vite, Jondalar remarqua que les pas de base variaient en fonction de l'imagination et de l'habileté des danseurs. D'ailleurs, lorsque la prestation d'un couple devenait exceptionnelle, les autres s'arrêtaient de danser et, tout en les encourageant de la voix, tapaient du pied en cadence sur le sol. Des gens s'étaient approchés et ils entouraient les danseurs, en chantant et en se balançant sur place. La musique ne s'arrêtait jamais et le changement de tempo se faisait sans que les musiciens marquent une pause. De nouveaux danseurs entraient dans le cercle, d'autres s'en allaient, les musiciens eux-mêmes confiaient leurs instruments à d'autres invités pour pouvoir aller danser à leur tour, les chanteurs devenaient danseurs et vice versa, d'où d'innombrables variations de timbre, de pas, de rythme et de mélodie qui dureraient aussi longtemps qu'il y aurait des gens désireux de prendre la relève.

Cherunio était une merveilleuse partenaire et Jondalar, qui avait bu plus de vin que d'habitude, était maintenant parfaitement dans l'ambiance. Quelqu'un entonna une chanson connue de tous. Un autre invité prit la suite. Un peu surpris au début, Jondalar finit par comprendre que les paroles de la chanson étaient improvisées au fur et à mesure pour s'adapter à la situation présente et qu'elles avaient pour but de faire rire l'assemblée grâce à des sous-entendus qui, presque tous, avaient trait au Don du Plaisir. C'était à qui serait le plus amusant et certains des chanteurs n'hésitaient pas à ajouter des grimaces aux paroles pour obtenir l'effet désiré. A un moment donné, un des participants s'avança au milieu du cercle de ceux qui se balançaient en frappant du pied et il lança en chantonnant :

— Jondalar est si grand et si fort qu'aucune femme ne lui résiste. Cherunio est mignonne, mais toute petite. S'il veut l'embrasser, il va falloir qu'il se plie en deux.

La plaisanterie eut l'effet escompté : tout le monde se mit à rire à gorge déployée.

— Comment vas-tu faire, Jondalar ? demanda un autre invité.

— Pas plier en deux, répondit Jondalar en soulevant Cherunio du sol pour l'embrasser tandis que la foule l'acclamait.

Les pieds battant l'air, la jeune femme le prit par le cou et l'embrassa à son tour passionnément. Jondalar, qui avait remarqué que certains couples avaient déjà quitté la fête pour s'isoler dans les tentes ou sur les nattes placées à l'écart, se dit qu'il n'allait pas tarder à les imiter.

S'ils partaient maintenant, tout le monde se moquerait d'eux. Jondalar attendit donc que de nouveaux arrivants se joignent au groupe des chanteurs et des danseurs et que le pas de danse change à nouveau pour quitter la fête. Poussant Cherunio devant lui, il avait presque atteint les derniers rangs de la foule massée autour des danseurs quand Radonio fit soudain irruption devant lui.

— Tu l'as eu pour toi toute seule toute la soirée, Cherunio, dit-elle. Ne crois-tu pas que le moment est venu de partager ? Je te rappelle qu'il s'agit d'une fête en l'honneur de la Mère et que nous sommes censés partager le Don du Plaisir.

Sans attendre la réponse de Cherunio, Radonio s'insinua entre elle et Jondalar, et, plaquant ses lèvres contre celles du jeune homme, se mit à l'embrasser. Puis d'autres femmes l'enlacèrent et se mirent à le caresser. Au début, Jondalar se laissa faire, mais quand une main essaya de s'insinuer entre les lanières qui fermaient son pantalon, il commença à changer d'avis. En matière de Plaisir, il tenait à avoir le choix. Il entendit quelques bruits étouffés, comme si on se battait à côté de lui mais il ne put voir ce qui se passait, occupé qu'il était à se débarrasser des mains qui tiraient sur son pantalon. C'en était trop.

Il repoussa brutalement les jeunes femmes qui s'agrippaient à lui. Quand elles comprirent qu'il ne se laisserait pas faire, elles reculèrent en minaudant. Brusquement, Jondalar constata que Cherunio n'était plus là.

— Où Cherunio est ? demanda-t-il.

Les jeunes femmes se regardèrent d'un air surpris en poussant de hauts cris.

— Où Cherunio est ? répéta-t-il.

Et comme, au lieu de lui répondre, les jeunes femmes se mettaient à ricaner bêtement, il s'avança vers Radonio et lui saisit le bras.

— Nous avons pensé qu'elle devait partager avec nous, répondit Radonio avec un sourire forcé. Tout le monde a envie du beau et fort Zelandonii.

— Zelandonii envie de personne... Où Cherunio est ?

Le bras de Radonio commençait à lui faire mal, mais elle était bien décidée à ne pas répondre et elle tourna la tête.

— Envie du fort Zelandonii ? s'écria Jondalar d'une voix furieuse. Tu vas l'avoir !

Faisant pression sur le bras de Radonio, il l'obligea à s'agenouiller.

— Tu me fais mal ! dit-elle. Aidez-moi, au lieu de rester plantées là ! ajouta-t-elle à l'intention des autres jeunes femmes.

Mais ces dernières n'avaient aucune envie de s'approcher. Lâchant le bras de Radonio, Jondalar la prit par les épaules et la poussa jusqu'à ce qu'elle s'effondre sur le sol non loin du feu. La musique s'était tue et les gens regardaient en souriant, ne sachant pas très bien s'il fallait intervenir ou non. Radonio voulut se lever, mais Jondalar la maintint fermement par terre.

— Tu veux fort Zelandonii, tu l'as ! lança-t-il. Et maintenant : dire où est Cherunio.

— Je suis là, intervint Cherunio en s'approchant. Elles me tenaient et m'avaient mis quelque chose dans la bouche. Elles m'ont dit que c'était pour te faire une farce.

— Mauvaise farce, dit Jondalar en aidant Radonio à se lever.

La jeune femme avait les larmes aux yeux et elle frottait son bras douloureux.

— Tu m'as fait mal au bras ! cria-t-elle.

Réalisant soudain qu'il pouvait très bien s'agir d'une plaisanterie, Jondalar se dit qu'il ne s'était pas montré à la hauteur. N'ayant pas été à proprement parler agressé, jamais il n'aurait dû faire mal à Radonio. Sa colère se mua aussitôt en chagrin.

— Je... je ne voulais pas faire mal, dit-il.

— Tu ne lui as pas fait aussi mal qu'elle le dit, Jondalar, intervint un des jeunes gens qui avaient assisté à la scène. De toute façon, c'est bien fait pour elle. Il faut toujours qu'elle fasse des avances aux hommes et après, elle s'étonne qu'il y ait des histoires.

— Tu aimerais bien qu'elle t'en fasse des avances, non ? dit une des jeunes femmes — maintenant que le rapport de forces était mieux équilibré, elle pouvait se permettre de prendre la défense de Radonio.

— Vous croyez peut-être que ça fait plaisir à un homme qu'on lui saute dessus comme ça, rétorqua le jeune homme. Eh bien, ce n'est pas le cas.

— Tu mens ! lança Radonio. Comme tous les hommes ! Si tu crois que je ne connais pas les plaisanteries que vous faites sur les femmes lorsque vous vous croyez seuls. Une fois, je vous ai entendus dire que vous aimeriez faire l'amour avec plusieurs femmes à la fois. Vous avez même dit que vous rêviez de coucher avec des jeunes filles qui n'auraient pas encore participé aux Premiers Rites alors que vous savez très bien que c'est strictement interdit.

Le jeune homme rougit de honte et Radonio, voyant son embarras, en profita pour décocher une nouvelle flèche.

— Certains d'entre vous parlent même de coucher avec des femelles Têtes Plates.

Surgissant brusquement de l'ombre, une femme de haute taille et monstrueusement obèse s'approcha d'eux. Même si elle était originaire d'une lointaine contrée, comme le laissaient supposer ses yeux bridés et son visage tatoué, elle portait la tunique en peau des Shamudoï.

— Radonio ! dit-elle. Ce n'est pas bien de tenir des propos de ce genre lors d'une fête en l'honneur de la Mère.

— Je m'excuse, shamud, dit la jeune femme.

En la voyant baisser la tête et rougir comme une gamine prise en faute, Jondalar se rendit compte soudain à quel point elle était jeune. Quelle bourde il avait fait !

— Un homme ne doit pas être pris d'assaut comme une forteresse, ma chère petite, insista la shamud.

— Mais nous ne lui avons pas fait de mal ! se défendit Radonio. Nous pensions qu'il aimerait ça...

— C'est peut-être ce qui se serait produit si vous aviez fait preuve d'un peu plus de subtilité. Personne n'aime qu'on lui force la main. Toi-même, quand tu t'es rendue compte qu'il voulait t'obliger à répondre à sa question, tu n'as pas tellement apprécié.

— Il m'a fait mal !

— En es-tu vraiment sûre ? J'ai l'impression que ce qui t'a fait surtout souffrir c'est qu'il t'oblige à faire quelque chose contre ta volonté. Et Cherunio, alors ? Avez-vous pensé un instant à ce qu'elle pouvait éprouver ? Vous ne pouvez obliger personne à partager les Plaisirs. Ce n'est pas ainsi qu'on honore la Mère. Et c'est même abuser de son Don.

— Shamud, c'est à toi de jouer... intervint un des invités.

— J'arrive, répondit la shamud. Allons-y, Radonio ! Le soir de la Fête, Mudo désire que Ses enfants soient heureux. Ce n'est qu'un incident sans importance — cela ne doit pas gâcher ta soirée, ma chère petite. La danse a repris. Va vite rejoindre les danseurs.

Dès que la femme eut fait demi-tour pour rejoindre ceux qui jouaient aux dés, Jondalar s'approcha de Radonio.

— Je... m'excuse, commença-t-il. Je ne pensais pas. Je ne voulais pas faire mal. J'ai honte... Je t'en prie... Pardonner ?

La première réaction de Radonio fut de repousser Jondalar. Mais quand elle vit l'expression d'honnêteté que reflétaient son visage et ses grands yeux violets, elle oublia aussitôt sa colère et, ne songeant même plus à bouder, répondit d'une voix douce :

— C'était vraiment idiot de notre part. Une plaisanterie de gamines.

Incapable de résister à cet homme si séduisant, elle se pencha vers lui et Jondalar en profita pour la serrer dans ses bras et lui donner un long baiser.

— Merci, Radonio, dit-il avant de s'en aller de son côté.

— Jondalar ! appela Cherunio. Où vas-tu ?

Je l'avais oubliée ! se dit-il, non sans honte. Il revint sur ses pas pour rejoindre cette petite femme ravissante et si désirable, la souleva de terre comme il l'avait fait un peu plus tôt et l'embrassa ardemment — et avec une pointe de regret.

— Déjà engagé vis-à-vis de quelqu'un, Cherunio, dit-il. Si facile d'oublier la promesse quand tu es là... J'espère... Une autre fois. S'il te plaît, ne sois pas en colère.

Faisant demi-tour, Jondalar se dirigea vers les abris qui se trouvaient sous le surplomb rocheux. Dans son dos, il entendit Cherunio demander à Radonio :

— Pourquoi a-t-il fallu que tu t'en mêles et que tu gâches tout ?

Le rabat en peau à l'entrée de l'abri que Jondalar partageait avec Serenio était baissé mais aucune planche ne barrait l'accès à l'intérieur. Jondalar poussa un soupir de soulagement. Au moins, elle ne se trouvait pas à l'intérieur avec quelqu'un d'autre. Quand il poussa le rabat en peau, il s'aperçut qu'il faisait noir. Peut-être Serenio n'était-elle pas rentrée. Peut-être passait-elle la soirée avec quelqu'un. Maintenant qu'il y repensait, il se rendait compte qu'il ne l'avait pas vue depuis la fin de la cérémonie. C'est elle qui, la première, lui avait rendu sa liberté. Et s'il s'était promis de passer la nuit avec elle, il ne lui en avait rien dit. Peut-être avait-elle des projets de son côté. Ou alors elle l'avait aperçu en compagnie de Cherunio...

Jondalar se dirigea à tâtons vers le fond de l'abri, là où se trouvait une plate-forme surélevée, recouverte d'un matelas de plumes et de fourrures. En passant à côté du lit de Darvo, il vit que celui-ci était vide. Cela ne le surprit pas. Le jeune garçon avait dû profiter de la fête pour se faire de nouveaux amis et il passerait certainement la nuit avec eux sans fermer l'œil.

En s'approchant de la plate-forme, Jondalar écouta de toutes ses oreilles. Était-ce bien le bruit d'une respiration ? Il avança la main vers la plate-forme et en reconnaissant le bras qui pendait sous la fourrure, un sourire de joie illumina son visage.

Il se recula, alla chercher une petite lampe en pierre et alluma la mèche en mousse en se servant d'une braise qui rougeoyait encore dans le foyer central. Puis il s'approcha du seuil et y posa deux bouts de bois, placés en croix, pour indiquer à un éventuel visiteur qu'il ne désirait pas être dérangé. La lampe à la main, il s'approcha du lit et regarda la femme endormie. Devait-il la réveiller ? Oui, se dit-il, mais doucement et tendrement.

Il retira ses vêtements et se glissa sous les fourrures, lovant son corps contre celui de Serenio.

Serenio marmonna dans son sommeil et se retourna vers le mur. Jondalar commença à la caresser, heureux de sentir sous sa main la chaleur de son corps et de respirer son odeur de femme. Il explora tous les contours de son corps : ses bras jusqu'à l'extrémité de ses doigts, ses omoplates saillantes, sa colonne vertébrale jusqu'au bas du dos, si sensible aux caresses, le renflement de ses fesses, puis ses cuisses, le creux de ses genoux, ses mollets et ses chevilles. Serenio recula ses pieds quand il en caressa la plante. La main de Jondalar remonta vers sa poitrine et il sentit la pointe de son sein durcir à l'intérieur de sa paume. Il avait envie de lui sucer les seins, mais se retint, se contentant de se presser contre son dos pour embrasser ses épaules et son cou.

Il aimait la toucher et explorer son corps. Pas seulement celui de Serenio, il le savait. Il aimait le corps de toutes les femmes, pour eux-mêmes et à cause des sensations que son propre corps en tirait. Son sexe était en érection, mais il contrôlait son désir. Il préférait se retenir encore.

— Jondalar ? demanda une voix ensommeillée.

— Oui, dit-il.

Serenio se retourna et ouvrit les yeux.

— La fête est finie ?

— Non, répondit Jondalar. Mais j'ai décidé d'honorer la Mère avec toi.

— Laisse-moi le temps de me réveiller, dit Serenio en lui souriant. Est-ce qu'il reste encore un peu d'infusion ? J'ai la bouche pâteuse à cause du vin.

— Je vais voir, dit Jondalar en se levant.

Alors qu'il revenait avec un bol, Serenio lui sourit d'un air languide. Parfois, le simple fait de le regarder lui suffisait. Elle aimait contempler les muscles de son dos qui jouaient sous la peau lorsqu'il marchait, son torse puissant couvert de poils blonds et bouclés, son ventre dur et ses longues jambes musclées. Son visage était presque trop parfait : un menton carré, le nez droit, une bouche sensuelle. Mais Jondalar était trop viril pour qu'on puisse dire de lui qu'il était beau, le mot *beauté* s'appliquant plutôt aux femmes. Ses mains étaient puissantes et sensibles à la fois. Quant à ses yeux d'un bleu invraisemblable, ils étaient si expressifs et si irrésistibles qu'il suffisait qu'il jette un coup d'œil à une femme pour que le cœur de celle-ci batte plus vite et qu'elle désire aussitôt faire l'amour avec lui.

La première fois que Serenio avait vu le membre viril de Jondalar dressé devant elle, elle avait été un peu effrayée par sa taille exception-nelle. Mais Jondalar était si expert dans l'art de faire l'amour à une femme qu'elle n'avait jamais eu à en souffrir, bien au contraire.

Elle s'assit sur le lit et but l'infusion qu'il venait de lui apporter.

— Il faut que j'aille faire un tour dehors, dit-elle. Dois-je m'habiller ? Ou les gens sont-ils déjà allés se coucher ?

— Encore tôt, répondit Jondalar. Invités en train de danser. Personne ne fera attention.

Quand elle vint le rejoindre, Jondalar en profita pour la regarder. Comme elle était belle ! Un visage ravissant encadré par une longue chevelure, des jambes longues et fines, des seins petits mais parfaits — comme ceux d'une jeune fille. Les quelques vergetures sur son ventre étaient les seules marques que lui avait laissées la maternité et les petites rides qu'elle avait au coin des yeux le seul signe de son âge.

— Je pensais que tu rentrerais plus tard, dit-elle. A cause de la fête en l'honneur de la Mère.

— Pourquoi es-tu là ? Tu as dit : « Pas d'engagement. »

— Je n'ai rencontré personne d'intéressant et j'étais fatiguée.

— Toi, intéressante... Pas fatiguée, dit Jondalar en souriant.

Il la prit dans ses bras, plaqua ses lèvres contre les siennes et la serra contre lui. En sentant son sexe dur palpiter contre son ventre, Serenio fut inondée par un flot de désir.

Jondalar avait compté se contrôler et attendre le plus longtemps possible mais au lieu de ça il lui prit avidement la bouche, puis lui suça les seins. Sa main descendit vers sa toison et pénétra dans la fente chaude et humide. Serenio poussa un léger cri quand il toucha le petit organe dur à l'intérieur des chauds replis. Elle se releva et se pressa contre lui tandis qu'il caressait cet endroit qui, il le savait, lui donnait du plaisir.

Il sentit ce qu'elle désirait cette fois-ci. Ils changèrent de position — Jondalar roula sur le côté et Serenio s'allongea sur le dos. Elle leva une de ses jambes et la mit sur la hanche de Jondalar et plaça l'autre entre ses jambes. Et tandis qu'il continuait à caresser le centre de son plaisir, elle saisit son membre viril et le guida vers les profondeurs de son sexe. Elle poussa un cri passionné quand il la pénétra et éprouva le plaisir exquis de deux sensations à la fois.

Il se sentit enveloppé par sa chaleur intime tandis qu'elle se glissait vers lui pour l'accueillir le plus loin possible. Il ressortit, puis la pénétra à nouveau jusqu'à ce qu'il ne puisse pas aller plus loin. Elle prit sa main et il la caressa de plus belle en plongeant le plus loin possible. Il était sur le point de jouir et Serenio poussait des cris en sentant que le moment approchait. Transportés par de puissantes vagues houleuses, ils furent soulevés à une hauteur insupportable et atteignirent ensemble une merveilleuse libération. Quelques instants plus tard, un frisson les parcourut, avant l'extase totale.

Le souffle court, les jambes encore enlacées, ils restèrent allongés sans bouger. Maintenant seulement, juste avant que son membre encore dur se détende complètement, Serenio pouvait l'accueillir entièrement à l'intérieur d'elle-même. Il semblait toujours lui donner plus que ce qu'elle pouvait lui offrir. Jondalar n'avait pas envie de bouger — il était prêt à s'endormir, mais il n'en avait aucune envie. Il se retira de Serenio et se blottit contre elle.

Il laissa son esprit vagabonder et repensa soudain à Cherunio et à Radonio et aux autres jeunes femmes. Il aurait certainement été très excitant de sentir autour de soi ces jeunes corps nubiles, ces cuisses brûlantes de désir, ces jeunes seins qui se seraient gonflés sous ses caresses. Rien que d'y penser, il avait à nouveau envie de faire l'amour. Pourquoi les avait-il repoussées ? Parfois, il se comportait vraiment comme un idiot...

Est-ce que Serenio s'était endormie ? Il lui souffla dans l'oreille. Elle le regarda en souriant tendrement. C'était vraiment une femme merveilleuse. Pourquoi ne puis-je pas tomber amoureux ? se demanda Jondalar.

                                    13

Quand Ayla se retrouva aux abords de la caverne, un nouveau problème se posa à elle. Elle avait prévu de dépecer et de faire sécher la viande sur la plage comme la première fois. Mais le lionceau blessé ne pouvait pas être soigné en plein air. Il fallait qu'elle l'installe dans la caverne. Elle n'aurait aucune difficulté à le transporter là-haut dans ses bras : il était un peu plus gros et trapu qu'un renard. Mais le renne, c'était une autre histoire... Les épieux qui servaient de supports au travois étaient trop écartés pour que Whinney puisse s'engager avec son chargement dans l'étroit sentier. Et pourtant, il faudrait bien hisser le renne jusque là-haut. Il n'était pas question de le laisser sur la plage alors que des hyènes se trouvaient à proximité.

Ayla avait raison de s'inquiéter. Quand elle redescendit de la caverne, après y avoir déposé le lionceau blessé, les nécrophages étaient en train de renifler la natte qui enveloppait le renne, en dépit des ruades de Whinney. Ayla n'attendit pas d'être arrivée en bas pour se servir de sa fronde et elle fit mouche du premier coup. Surmontant le dégoût que lui inspirait cet animal, elle saisit la hyène morte par les pattes arrière et alla la déposer de l'autre côté de la saillie rocheuse. Elle se lava les mains dans la rivière pour chasser l'odeur infecte que dégageait la bête et rejoignit Whinney.

Tremblante et couverte de sueur, Whinney battait l'air de sa queue. Elle avait eu tellement peur en voyant les hyènes qu'elle avait tenté de fuir, mais une des perches du travois s'était coincée entre deux rochers. Elle était complètement paniquée.

— Tu as eu une dure journée, n'est-ce pas, Whinney ? dit Ayla en entourant de ses bras l'encolure de la jument, comme elle aurait serré contre elle un enfant apeuré.

La présence d'Ayla finit par calmer Whinney, elle cessa de trembler et sa respiration reprit un rythme régulier. Ayla la lâcha et décida que mieux valait la débarrasser de son chargement, même si elle ne savait toujours pas comment faire pour transporter le renne jusqu'à la caverne. Après avoir desserré un des épieux, elle s'aperçut qu'il se rapprochait de celui qui restait en place, réduisant du même coup la largeur du travois. Son problème était résolu. Elle bloqua la perche qu'elle avait desserrée le plus près possible de l'autre et s'engagea avec Whinney dans le sentier. Le chargement manquait de stabilité, mais la distance à parcourir était très courte.

Le renne pesait à peu près le même poids que Whinney et la montée était rude : la jument peina pour arriver jusqu'en haut, fournissant une fois de plus la preuve des services qu'elle pouvait rendre. Lorsqu'elle s'arrêta en face de l'entrée de la caverne, Ayla la débarrassa de son harnachement et lui donna une tape amicale. Elle allait pénétrer à l'intérieur de la caverne quand un hennissement plaintif de Whinney la fit se retourner.

— Que se passe-t-il ? demanda-t-elle.

Le lionceau ! se dit-elle aussitôt. Whinney avait senti l'odeur du félin et n'osait pas la suivre à l'intérieur.

— Tout va bien, Whinney, dit-elle en posant son bras sur l'encolure de la jument et en la poussant gentiment à l'intérieur. Ce lionceau ne peut pas te faire de mal.

Ayla s'approcha avec Whinney du petit lion toujours étendu sur le sol. La jument le renifla, puis elle recula en poussant un hennissement peureux. Ayla ne l'avait pas lâchée et sa présence était si rassurante que Whinney, après avoir à nouveau reniflé le lionceau, finit par se diriger vers son emplacement habituel. Oubliant l'intrus, elle s'attaqua aussitôt au foin qui se trouvait dans son panier.

Ayla s'approcha alors du lionceau. Sa livrée beige très clair était marquée de taches légèrement plus foncées. Il semblait tout jeune. Mais elle était incapable de déterminer son âge exact. Les lions des cavernes hantaient les steppes ; elle avait seulement étudié les carnivores qui vivaient dans les régions boisées proches de la caverne du Clan. A cette époque-là, elle ne chassait pas en terrain ouvert.

Elle tenta de se rappeler ce qui disaient les chasseurs du Clan de ces animaux. Ils conseillaient aux femmes de se méfier des lions car leur pelage, de la même teinte que l'herbe sèche ou que la poussière, se confondait si bien avec leur environnement que l'on risquait de ne les apercevoir qu'au dernier moment — quand il était trop tard. Une bande de lions, endormis à l'ombre des buissons ou au milieu des pierres et des affleurements rocheux à quelques pas de leur repaire, pouvaient très bien passer pour des rochers.

Ainsi s'expliquait le fait que la livrée de ce lionceau soit légèrement plus claire que celle des lions qui vivaient plus au sud. Son pelage beige très clair s'harmonisait parfaitement avec la teinte qui dominait dans les steppes.

D'une main exercée, Ayla explora le corps du lionceau pour voir où il était blessé. Une de ses côtes était cassée. Quand elle toucha l'endroit qui le faisait souffrir, il émit un petit miaulement plaintif. Pour l'instant, il était impossible de dire s'il souffrait de blessures internes. Il avait à la tête une plaie ouverte, provoquée par un coup de sabot.

Le feu était éteint depuis longtemps mais elle s'empressa de le rallumer et mit aussitôt de l'eau à chauffer. Après avoir entouré les côtes du lionceau avec une bande en cuir souple, elle retira la peau noire qui recouvrait les racines de consoude qu'elle avait déterrées sur le chemin du retour et récupéra le mucilage visqueux qui s'en échappait. Elle jeta des fleurs de soucis dans l'eau bouillante et quand la décoction eut pris une belle teinte dorée, elle la laissa refroidir, puis y trempa un morceau de peau absorbante afin de laver la blessure que le lionceau portait à la tête.

Lorsqu'elle retira le sang séché, la blessure se remit à saigner, mais elle avait eu le temps de voir que la boîte crânienne était fêlée et non écrasée. Après avoir fendu en deux la racine de consoude, elle appliqua directement sur la plaie la substance gluante — qui arrêterait le saignement et faciliterait la consolidation de la boîte crânienne. Puis elle enveloppa la tête du lionceau avec une autre bande en cuir souple.

Ce n'était pas la première fois qu'elle soignait un animal blessé mais jamais elle n'aurait pensé exercer un jour son talent de guérisseuse sur un lionceau. Brun serait drôlement surpris s'il pouvait me voir, se dit-elle. Lui qui m'avait interdit de ramener à la caverne un louveteau blessé, que dirait-il s'il savait que je soigne un lionceau ! Il n'empêche que si ce bébé s'en sort, j'apprendrai beaucoup de choses sur les lions des cavernes.

Bien qu'ignorant comment faire pour que le lionceau absorbe ce remède, Ayla remit de l'eau à bouillir et elle prépara une infusion de camomille et de feuilles de consoude. Puis elle ressortit pour s'occuper du renne. Elle avait écorché l'animal et commencé à découper la viande en fines lanières quand elle réalisa soudain qu'elle aurait bien du mal à la faire sécher. Comment ferait-elle pour planter dans la roche les bouts de bois auxquels elle fixait ses cordes ?

Énervée par ce nouveau contretemps, elle jeta rageusement le bout de bois qu'elle tenait à la main. Elle était exténuée et inquiète aussi à l'idée d'avoir ramené le lionceau à la caverne. N'était-ce pas une erreur ? Au lieu de préparer son futur départ de la vallée, il faudrait qu'elle s'occupe maintenant de l'animal blessé. Elle ferait aussi bien de le ramener dans les steppes et de l'abandonner à son destin... Jamais je ne pourrais faire une chose pareille ! se dit-elle. Abandonné à lui-même, il mourra ! Il n'empêche que si elle décidait de garder le lionceau, elle ne pourrait pas quitter la vallée comme elle avait prévu de le faire.

Elle revint à l'intérieur de la caverne pour jeter un coup d'œil au blessé. Il n'avait toujours pas bougé. Sa poitrine était chaude et il respirait normalement. Sa fourrure toute frisottée faisait penser au pelage de Whinney quand Ayla l'avait recueillie. Il était si mignon ce bébé lion et si drôle avec ce bandage qui lui couvrait la tête qu'elle ne put s'empêcher de sourire. Ce mignon bébé va devenir un lion énorme, se dit-elle. Mais tant pis ! Maintenant que je l'ai ramené, je ne peux pas le laisser mourir.

Ayla alla rechercher le bâton qu'elle avait jeté et regarda autour d'elle dans l'espoir de trouver un endroit où le planter. Tout au bout de la corniche, il y avait un tas de pierres qui s'étaient détachées de la paroi rocheuse. Elle y enfonça le bout de bois. Il tenait droit mais jamais il ne pourrait supporter la traction que la viande exercerait sur les cordes. Malgré tout, Ayla tenait là une idée. Elle alla chercher un panier, descendit vers la plage et remonta avec un chargement de pierres.

Après quelques essais infructueux, elle découvrit qu'il fallait qu'elle donne au tas de pierres la forme d'une pyramide et qu'elle utilise un bâton plus long que d'habitude. Elle fit quelques corvées supplémentaires jusqu'à la plage pour rapporter plus de pierres, coupa des bâtons à la longueur voulue et tendit les cordes en travers de la corniche. Avant de se remettre à découper la viande, elle alluma un petit feu sur la corniche et en profita pour y griller une épaisse tranche de renne qu'elle mangea aussitôt.

Qu'allait-elle donner à manger au lionceau ? Les bébés absorbaient la même nourriture que les adultes, se souvint-elle, à condition que celle-ci soit réduite en bouillie pour qu'ils puissent l'avaler sans avoir à mâcher. Le mieux, c'était de préparer un bouillon de viande en coupant très finement des tranches de renne. Et pourquoi ne pas mettre la viande à cuire dans l'infusion qu'elle venait de préparer ?

Aussitôt, Ayla se mit au travail. Elle coupa la viande en petits morceaux et la mit à cuire dans l'infusion de camomille et feuilles de consoude.

Un moment plus tard, quand elle jeta un coup d'œil dans la caverne, elle s'aperçut que le lionceau était réveillé. Incapable de se relever, il poussait des miaulements plaintifs. En la voyant s'approcher, il se mit à grogner et à siffler et essaya de reculer. Nullement impressionnée, Ayla se pencha vers lui en souriant.

Pauvre petite chose apeurée, songeait-elle. Comme je te comprends ! Ouvrir les yeux et se retrouver dans un endroit qu'on ne connaît pas et en face de quelqu'un qui ne ressemble pas à sa mère. (Elle approcha sa main du museau de l'animal.) Ouille ! Tes petites dents sont drôlement pointues ! Vas-y, ne te gêne pas. Goûte ma main et renifle mon odeur. Comme ça, tu auras moins de mal à t'habituer à moi. C'est moi qui vais être ta mère maintenant, car ta vraie mère ne saurait pas prendre soin de toi. Je ne connais pas très bien les lions des cavernes. Mais cela n'a pas d'importance. Un bébé est un bébé et j'ai déjà élevé une petite pouliche. As-tu faim ? Je ne peux pas te donner de lait. Mais je t'ai préparé un bouillon de viande.

Ayla se releva pour aller chercher le récipient dans lequel avait cuit le bouillon. En refroidissant, celui-ci avait pris une consistance épaisse qui l'étonna beaucoup. Elle le remua avec l'os qui lui servait de cuillère et s'aperçut que les morceaux de viande formaient un bloc compact et gélatineux au fond du récipient. Et soudain, elle comprit ce qui s'était passé et éclata de rire.

Je comprends pourquoi la consoude est bonne pour les blessures, se dit-elle. Si elle rapproche l'une de l'autre les chairs déchirées comme elle a figé ce bouillon autour des morceaux de viande, cela doit en effet faciliter la cicatrisation.

— Veux-tu un peu de ce bouillon, bébé ? demanda-t-elle, par gestes, au lionceau.

Elle versa un peu de bouillon gélatineux dans un petit récipient en écorce de bouleau et le plaça sous le museau du lionceau qui avait réussi à se remettre debout. Celui-ci recula en sifflant.

Ayla entendit le bruit des sabots de Whinney et, l'instant d'après, la jument pénétra dans la caverne. Le lionceau était parfaitement réveillé et comme il bougeait, Whinney s'approcha pour le renifler. Effrayé par cet animal de grande taille qu'il ne connaissait pas, le bébé lion recula en grognant et alla se réfugier entre les jambes d'Ayla. Un peu rassuré par la chaleur de son corps et cette odeur qu'il commençait à connaître, il se blottit contre elle. Il se passait vraiment de drôles de choses dans cette caverne.

Ayla souleva le lionceau et le posa sur ses genoux. Puis elle l'entoura de ses bras et commença à le bercer en chantonnant d'une voix apaisante — comme elle aurait fait pour n'importe quel bébé.

— Tout va bien. Tu vas t'habituer à nous.

Whinney remua la tête et poussa un hennissement. Maintenant que le lionceau était niché dans les bras d'Ayla, elle n'en avait plus peur. Le fait de vivre avec un être humain avait déjà modifié son comportement. Il y avait des chances qu'elle finisse par accepter la présence du jeune félin.

Rassuré par les caresses d'Ayla, le lionceau fourrait son museau dans les replis de son vêtement, cherchant à téter.

— Tu as faim, n'est-ce pas, bébé ? demanda Ayla en récupérant le récipient où elle avait versé le bouillon.

Comme le lionceau reniflait l'épais bouillon sans y toucher, elle y trempa ses doigts et les fourra dans la gueule de l'animal. Il comprit tout de suite ce qu'on attendait de lui et, comme n'importe quel bébé, se mit à téter.

Assise sur le sol de la petite caverne, se balançant d'avant en arrière pour bercer le lionceau tandis que celui-ci continuait à sucer le bout de ses doigts, Ayla était tellement absorbée par le souvenir de son fils qu'elle ne se rendit pas compte que des larmes coulaient le long de ses joues et tombaient sur la fourrure de l'animal niché sur ses genoux.

Pendant ces premiers jours — et ces premières nuits où le jeune lion s'endormait contre elle en suçant le bout de ses doigts —, entre la jeune femme solitaire et le lionceau des cavernes, un lien se forma, un lien très différent de celui qu'aurait eu le jeune animal avec sa mère naturelle. Les lois de la nature sont sans pitié, tout particulièrement à l'égard des petits du plus puissant des prédateurs. Même si la lionne nourrissait ses petits à la mamelle durant les premières semaines — et qu'elle les laissait encore téter, occasionnellement, jusqu'à ce qu'ils aient atteint l'âge de six mois — dès que les lionceaux ouvraient les yeux, ils commençaient à manger de la viande. Mais, dans une troupe de lions, il existait une hiérarchie très stricte et ces animaux ne s'embarrassaient pas de sentiments.

La lionne chassait et, contrairement aux autres félins, elle ne chassait jamais seule, mais en compagnie de deux ou trois autres lionnes. La petite bande constituait une fantastique équipe de prédateurs. Les lionnes n'hésitaient pas à s'attaquer à un cerf géant ou à un jeune aurochs mâle. Seul le mammouth était à l'abri de leurs attaques, à condition d'être adulte ou de ne pas être affaibli par l'âge. Mais les lionnes ne chassaient pas pour nourrir leurs petits. Les proies qu'elles ramenaient étaient destinées au mâle. Le mâle dominant avait droit à « la part du lion » : pour que les lionnes puissent manger, il fallait d'abord qu'il soit rassasié. Quand elles avaient eu leur part, les jeunes mâles de la bande s'approchaient à leur tour. Les lionceaux se disputaient les restes — quand il y en avait.

Si un des lionceaux affamés avait le malheur de s'emparer d'un morceau de viande avant que ce soit son tour, il recevait aussitôt un coup de patte, qui pouvait lui être fatal. Les lionnes empêchaient donc leurs petits de s'approcher, quitte à ce qu'ils meurent de faim. Les trois quarts des lionceaux n'atteignaient pas l'âge adulte. Ceux qui échappaient à cette sélection impitoyable étaient souvent exclus de la bande à l'âge adulte et devenaient alors des nomades rejetés de partout, à plus forte raison s'il s'agissait de mâles. Les femelles étaient moins mal loties : une bande qui manquait de chasseurs acceptait qu'une lionne nomade rejoigne ses rangs, à condition que celle-ci reste en marge de la troupe.

Pour un mâle, le seul moyen de se faire accepter était de se battre, parfois jusqu'à ce que mort s'ensuive. Quand un mâle dominant était âgé ou blessé, il était chassé par un jeune membre de la bande ou, plus vraisemblablement, par un vagabond, qui prenait aussitôt sa place. Le mâle assurait alors deux fonctions : défendre le territoire de la troupe — marqué par ses glandes à sécrétion odoriférante et par l'urine des lionnes — et assurer la reproduction.

Il arrivait parfois qu'un mâle et une femelle nomades s'accouplent pour former le noyau d'une nouvelle bande. Mais cela les obligeait à se tailler à coups de griffe un territoire chèrement gagné sur celui de leurs congénères. C'était là une existence bien précaire.

Mais Ayla n'était pas une lionne. Comme tous les humains, elle ne se contentait pas de protéger ses petits, elle assurait aussi leur subsistance. Bébé, comme elle continuait à l'appeler, était traité comme aucun lionceau ne l'avait été jusque-là. Il n'avait pas besoin de se battre avec ses congénères pour un morceau de viande et ne risquait pas de recevoir un coup de griffes de ses aînés. C'est Ayla qui chassait pour lui. Mais, si elle lui laissait sa part, elle n'abandonnait pas pour autant la sienne. Elle lui permettait de sucer ses doigts chaque fois qu'il en éprouvait le besoin et le laissait dormir avec elle.

Dès que le lionceau avait été rétabli et avait pu sortir de la caverne, il avait pris tout naturellement des habitudes de propreté. Même lorsqu'il faisait ses besoins dehors, la vue de son urine déclenchait chez lui une telle grimace de dégoût qu'Ayla ne pouvait s'empêcher de sourire. Il lui arrivait aussi de rire aux éclats devant les farces du jeune lion. Une de ses plaisanteries préférées consistait à la suivre furtivement. Ayla faisait semblant de ne pas s'en apercevoir, puis simulait la surprise quand il lui sautait sur le dos. Parfois, elle se retournait au dernier moment et recevait le lionceau dans ses bras. Ce jeu les amusait autant l'un que l'autre.

Au sein du Clan, les enfants étaient rarement punis. Quand l'un d'eux faisait une bêtise pour se faire remarquer, on se contentait de l'ignorer. Au fur et à mesure que les enfants grandissaient, ils devenaient plus sensibles au statut accordé à leurs aînés et aux adultes. Ils renonçaient progressivement à se faire dorloter comme des bébés et se mettaient à imiter les adultes. Comme ce comportement leur valait l'approbation générale, ils continuaient dans cette voie.

Au début, Ayla avait choyé le lionceau comme un bébé. Mais comme celui-ci grandissait, il arrivait qu'il lui fasse mal sans faire exprès en jouant avec elle. Quand il la griffait ou qu'il la faisait tomber sur le sol, elle cessait aussitôt de jouer et pour se faire clairement comprendre, elle utilisait le geste du Clan qui signifiait : « Arrête ! » Bébé percevait ce geste et, quand Ayla l'utilisait, il essayait aussitôt de se faire pardonner : il lui suçait le bout des doigts ou adoptait une attitude qui, il le savait, ne manquerait pas de la faire sourire.

Le lionceau se mit à répondre au signal « Arrête ! » en adoptant une attitude qui correspondait à l'ordre qui lui était donné. Sensible aux gestes et aux postures, à cause du langage du Clan, la jeune femme remarqua très vite ce comportement. Chaque fois qu'elle désirait que le lionceau cesse immédiatement de faire quelque chose, elle utilisait ce signal. Pour Ayla, il ne s'agissait pas de dressage. Il n'empêche que le lionceau apprenait vite. Il fut bientôt capable de s'arrêter en pleine course ou d'interrompre un de ses bonds à la simple vue de ce signal. Quand l'ordre lancé par Ayla était particulièrement impératif, il éprouvait le besoin, après avoir obéi, d'aller lui sucer les doigts comme s'il avait quelque chose à se faire pardonner.

Ce signal d'arrêt mis à part, Ayla n'exigeait rien du lionceau qui était aussi libre de ses mouvements qu'elle et Whinney. Jamais il ne lui serait venu à l'idée d'attacher ou d'enfermer dans un enclos les deux animaux qui vivaient avec elle. Ils représentaient sa famille et sa tribu. Ils étaient ses seuls amis.

Elle était tellement habituée à vivre avec des animaux qu'elle ne s'étonnait plus d'une situation qui aurait fait pousser les hauts cris aux membres du Clan. En revanche, elle était très surprise par la relation de la jument et du jeune lion. Lorsqu'elle avait ramené le lionceau à la caverne, elle n'était pas sûre que les deux animaux puissent vivre ensemble. Pour le cheval, le lion, c'était l'ennemi, le prédateur dont la proie se méfiait instinctivement. Non seulement les deux animaux cohabitaient, mais ils s'entendaient à merveille.

Au début, Whinney avait fait mine d'ignorer la présence du lionceau. Mais elle n'avait pas pu conserver longtemps cette attitude. Quand elle avait vu qu'Ayla tirait sur un des côtés d'une vieille peau tandis que le bébé lion tenait l'autre côté entre ses dents et qu'il tirait de toutes ses forces en grognant et en remuant la tête, cela avait aussitôt attiré sa curiosité. Elle n'avait pu s'empêcher de s'approcher et, après avoir reniflé la peau, elle en avait saisi à son tour un bout entre les dents. Lorsque Ayla arrêtait de jouer, la jument et le lion continuaient à tirer chacun de leur côté.

A un moment donné, Bébé prit l'habitude de traîner une peau — sous son corps et entre ses pattes antérieures, comme, plus tard, il traînerait une proie — et d'aller la placer sur le passage de la jument pour l'inciter à en saisir une des extrémités et à jouer avec lui. Et en général, Whinney se pliait à ses désirs.

Le lionceau avait inventé un autre jeu que la jument appréciait moins, même si lui le trouvait irrésistible : il jouait à lui attraper la queue. Il commençait par s'approcher furtivement de la jument. Accroupi derrière elle, il regardait cette queue qui battait l'air et bougeait d'une manière si tentante tandis qu'il se relevait sans bruit, tremblant d'excitation. Il frétillait à l'idée de ce qui allait suivre, puis bondissait, ravi de pouvoir refermer la gueule sur une grosse touffe de poils. Parfois, Ayla aurait juré que la jument était partie prenante de ce jeu et que, parfaitement consciente de l'intense désir que provoquait sa queue, elle faisait semblant de ne rien remarquer. La jeune jument était joueuse, elle aussi. Et, avant que le lionceau arrive, il n'y avait personne pour s'amuser avec elle. Ayla aurait été bien incapable d'inventer des jeux : elle ne savait pas ce que c'était.

Quand Whinney en avait assez de ce jeu, elle se retournait contre l'attaquant et lui mordait la croupe. Même si elle était patiente, il n'était pas question qu'elle renonce à son rôle dominant. Bébé avait beau être un lion des cavernes, il était encore tout jeune. Si Ayla était sa mère, Whinney devint sa nurse. Jouer ensemble les avait déjà rapprochés, mais l'attitude tolérante de Whinney se transforma bientôt en une prise en charge beaucoup plus active. Et ce, pour une raison bien précise : Bébé adorait le crottin.

Les excréments des carnivores ne l'intéressaient pas. En revanche, il aimait les excréments des herbivores et quand ils allaient tous les trois dans les steppes, il se roulait dans tous ceux qu'il trouvait. Pour l'instant, c'était avant tout un jeu. Mais cette habitude l'aiderait plus tard à chasser : l'odeur des excréments de sa proie masquerait sa propre odeur. Cela n'empêchait pas Ayla de rire aux éclats chaque fois que le lionceau découvrait un nouveau tas d'excréments. Il avait une prédilection pour les crottes de mammouth qu'il désagrégeait avec ses pattes avant de se coucher dedans.

Mais il y avait encore mieux que les crottes de mammouth : c'était le crottin de Whinney. Le jour où il découvrit la réserve de crottin sec qu'Ayla conservait, en plus de son bois, pour alimenter le feu, ce fut une véritable révélation. Il éparpilla le crottin partout, se roula dedans, joua avec et finit par s'enfouir au fond du tas — ou plutôt, de ce qu'il en restait. Quand Whinney revint à la caverne, elle renifla le lionceau et reconnut sa propre odeur. A partir de ce moment-là, elle abandonna toute nervosité à son égard et l'adopta complètement. Elle se mit à l'emmener avec elle, veilla sur lui et même si parfois certains comportements du lionceau l'étonnaient, cela ne l'empêcha pas de continuer à prendre soin de lui.

Cet été-là, Ayla fut plus heureuse qu'elle ne l'avait jamais été depuis qu'elle avait quitté le Clan. Whinney avait été pour elle plus qu'une amie et elle ne savait pas ce qu'elle serait devenue si elle avait dû passer l'hiver sans la réconfortante présence de la jument. Mais grâce au lionceau, Ayla découvrit que, dans la vie, on pouvait aussi rire et s'amuser.

Par une chaude journée d'été, ils étaient tous les trois dans la prairie, non loin de la rivière. Whinney et Bébé venaient d'inventer un nouveau jeu. Ils se pourchassaient en formant un grand cercle. D'abord, le lionceau ralentissait l'allure juste assez pour que la jument puisse le rattraper. Il restait en tête et, tandis que Whinney ralentissait, il parcourait le cercle à vive allure jusqu'à ce qu'il se retrouve derrière elle. Whinney filait devant, parcourait le cercle à son tour tandis que Bébé réglait son allure sur la sienne avant de la dépasser, et la jument finissait par se retrouver à nouveau derrière lui. Le jeu alors recommençait. Ayla n'avait jamais rien vu d'aussi drôle et elle riait tellement qu'elle dut s'appuyer contre un arbre en se tenant les côtes.

Quand ses hoquets se calmèrent, elle se demanda, tout étonnée, ce qui lui arrivait. Quel était ce bruit qu'elle faisait quand quelque chose l'amusait ? Que se passait-il alors ? Était-ce normal ? Si oui, comment expliquer que les membres du Clan lui aient toujours dit que cette manifestation de gaieté n'était pas convenable ? A l'exception de son fils, dans le Clan, personne ne riait ni ne souriait. Et pourtant ils étaient sensibles à l'humour. Mais quand quelqu'un racontait une histoire drôle, ils se contentaient de hocher la tête pour montrer qu'ils appréciaient la plaisanterie et le plaisir qu'ils éprouvaient se lisait dans leurs yeux. Il leur arrivait parfois de faire une grimace qui ressemblait à un sourire, mais celle-ci exprimait soit une menace, soit une nervosité craintive, jamais la joie qu'Ayla ressentait lorsqu'elle riait.

Pourquoi les membres du Clan jugeaient-ils que c'était mal de rire alors qu'à elle, cela lui faisait tellement plaisir ? Les gens comme elle riaient-ils eux aussi ? Le fait de repenser aux Autres mit fin à son accès de gaieté. N'était-ce pas une erreur d'avoir cessé toutes recherches ? Non seulement elle avait désobéi à Iza mais, en vivant seule, elle prenait des risques. Que se passerait-il si elle tombait malade ou si elle avait un accident ?

Pourtant, elle était si heureuse dans cette vallée avec sa petite famille d'animaux ! Whinney et Bébé ne lui lançaient pas de regards désapprobateurs quand elle courait. Ils ne lui interdisaient pas de sourire ou de pleurer. Ils ne lui disaient pas ce qu'elle devait chasser et quelle arme elle devait utiliser. Elle faisait ce qu'elle voulait et se sentait entièrement libre. Le temps qu'elle passait à subvenir à ses besoins ne limitait pas sa liberté. Au contraire. Comme elle était capable de se débrouiller seule, elle avait de plus en plus confiance en elle.

Avec le temps, la tristesse qu'elle éprouvait à vivre séparée de ceux qu'elle aimait avait beaucoup diminué. Même si elle souffrait du manque de contacts humains, elle s'était si bien habituée à cette situation qu'elle la trouvait normale. Tout ce qui pouvait atténuer sa solitude était une véritable joie et les deux animaux avec lesquels elle vivait comblaient en grande partie le vide de sa vie. A ses yeux, Whinney et elle jouaient le rôle que Creb et Iza avaient tenu auprès d'elle lorsqu'elle était enfant. Et quand le soir, avant de s'endormir, Bébé rentrait ses griffes et la serrait entre ses pattes de devant, elle s'imaginait parfois que Durc était à nouveau blotti contre elle.

Elle n'avait pas particulièrement envie de repartir à la recherche des Autres. Elle craignait de devoir à nouveau se plier à des coutumes inconnues et à des interdits. Les Autres risquaient de la priver de cette merveilleuse faculté de rire. Je ne les laisserai pas faire, se dit-elle. Personne, à l'avenir, ne m'empêchera de rire quand j'en ai envie.

Les deux animaux s'étaient lassés de leur jeu. Whinney était en train de brouter et Bébé se reposait, la langue pendante. Ayla siffla. La jument s'approcha aussitôt, suivie par le lionceau qui avançait à pas feutrés.

— Il faut que j'aille chasser, Whinney, annonça Ayla, par gestes. Ce lion mange énormément et il est de plus en plus gros.

Dès que ses blessures avaient été guéries, le lionceau s'était mis à suivre Ayla et Whinney dans leurs déplacements : les lionceaux n'étaient jamais laissés seuls dans une troupe de lions. Il en était de même pour les bébés du Clan, et Ayla avait donc trouvé ça tout à fait normal. En revanche, elle s'était dit que cela allait lui poser un problème pour chasser. Finalement, grâce à l'attitude protectrice de Whinney, le problème avait été résolu de lui-même. De même que lorsque la lionne chassait, elle confiait ses petits à une lionne plus jeune qui en avait alors la garde, Bébé avait très facilement accepté que ce soit Whinney qui joue ce rôle. Ayla savait qu'aucune hyène, ou animal du même genre, n'oserait braver les ruades de Whinney lorsque celle-ci avait la garde du jeune lionceau. Mais cet arrangement supposait qu'elle recommence à chasser seule et à pied.

Ses expéditions dans les steppes proches de la caverne à la recherche d'animaux qu'elle puisse tuer avec sa fronde eurent un avantage inattendu. Alors que jusque-là, elle avait toujours évité le territoire des lions des cavernes, situé à l'est de la vallée, elle commença à s'y aventurer et se dit que le moment était venu de mieux connaître cet animal qui incarnait son totem.

Cette nouvelle occupation n'était pas sans risque. De chasseur, elle pouvait très bien devenir une proie. Comme elle avait déjà observé des prédateurs, elle savait se montrer discrète. Les lions étaient conscients de sa présence, mais, très vite, ils choisirent de l'ignorer. Ayla savait qu'elle n'était pas à l'abri d'une saute d'humeur des félins. Néanmoins, elle était tellement fascinée qu'elle ne pouvait s'empêcher de les observer.

Ils passaient une grande partie de leur temps à se reposer ou à dormir au soleil, mais quand ils chassaient, ils faisaient preuve d'une rapidité et d'une violence extraordinaires. Les loups, qui ne chassaient qu'en bande, pouvaient tuer un grand cerf. Une lionne à elle toute seule arrivait au même résultat et beaucoup plus rapidement. Les lions ne chassaient que lorsqu'ils avaient faim et ils pouvaient rester sans manger plusieurs jours d'affilée. Ils n'avaient pas besoin de faire, comme Ayla, des réserves de nourriture : ils chassaient toute l'année.

En été, comme il faisait chaud dans la journée, ils chassaient de préférence la nuit. Pendant la saison froide, quand ils avaient retrouvé leur épais pelage d'hiver, d'une blancheur d'ivoire, qui leur permettait de se fondre dans le paysage, ils chassaient durant la journée. Le froid intense leur évitait de s'échauffer trop malgré la prodigieuse énergie qu'ils dépensaient à la chasse. La nuit, quand la température tombait, ils dormaient, entassés les uns contre les autres, dans une grotte ou sous un surplomb rocheux à l'abri du vent ou encore sur les moellons d'un canyon, qui restituaient la nuit la chaleur qu'ils avaient emmagasinée le jour.

Plus Ayla observait les lions et plus elle respectait ces animaux qui incarnaient l'esprit de son totem. Un jour elle vit que les lionnes n'avaient pas hésité à s'attaquer à un vieux mammouth dont les défenses étaient si longues qu'elles s'étaient recourbées et croisées. Toute la troupe festoya sous ses yeux. En fin de journée, sur le chemin du retour, elle se demanda comment elle avait fait pour échapper à un tel prédateur lorsqu'elle avait cinq ans. Elle comprenait mieux maintenant l'étonnement du Clan à la vue des quatre cicatrices qu'elle portait sur la jambe. Pourquoi ai-je été choisie par le Lion des Cavernes ? se demanda-t-elle. Pour toute réponse, elle éprouva soudain un étrange pressentiment. Rien de bien précis. Si ce n'est que ce pressentiment avait quelque chose à voir avec Durc.

Au moment où elle rejoignait la vallée, elle abattit à la fronde un lièvre destiné à Bébé et, une fois encore, elle se demanda s'il était bien sage d'avoir ramené ce lionceau à la caverne. Qu'allait-il se passer quand Bébé serait devenu un lion adulte ? Ses craintes s'envolèrent quand le lionceau, tout heureux de la voir rentrer, se précipita vers elle pour lui lécher le bout des doigts avec sa langue râpeuse.

En fin de soirée, après avoir dépouillé le lièvre qu'elle coupa en morceaux pour Bébé, après avoir changé la litière de Whinney à qui elle donna du foin frais, Ayla se prépara à dîner et, quand elle eut fini de manger, elle s'installa en face du feu pour boire une infusion. Le lionceau s'était endormi au fond de la caverne, à bonne distance du foyer. Les yeux fixés sur les flammes, Ayla se demanda à nouveau pourquoi elle avait adopté le jeune animal. Elle se dit qu'en agissant ainsi, elle n'avait fait qu'obéir au désir de son totem. Elle n'en connaissait pas les raisons, mais l'esprit du Lion des Cavernes lui avait envoyé un de ses représentants pour qu'elle l'élève.

Elle saisit son amulette, toujours suspendue autour de son cou par une lanière, et s'adressa à son totem, en utilisant le langage solennel et silencieux du Clan :

Cette femme ignorait à quel point le Lion des Cavernes était puissant. Cette femme est reconnaissante de le savoir. Cette femme ne sait toujours pas pourquoi elle a été choisie, mais elle est reconnaissante pour le bébé et le cheval. (Ayla se tut pendant un instant, puis elle reprit :) Un jour cette femme saura pourquoi le lionceau lui a été envoyé... si le Grand Lion des Cavernes choisit de le lui dire.

Maintenant qu'Ayla avait décidé de rester dans la vallée, elle devait à nouveau faire des réserves en prévision de l'hiver. Le renne ne suffirait pas à assurer ses besoins en viande et ceux du lionceau. Car Bébé était uniquement carnivore et sa croissance rapide exigeait d'importantes quantités de viande. Il fallait qu'elle tue un autre animal de grande taille et pour ce faire, elle avait besoin de Whinney.

Le jour où Ayla, après avoir sifflé Whinney, lui remit son harnachement, Bébé comprit qu'il se passait quelque chose. Le travois avait fait ses preuves, mais Ayla désirait y apporter quelques améliorations avant de s'en resservir. Elle voulait trouver un autre moyen d'attacher les deux longues perches aux paniers placés contre les flancs de la jument afin de pouvoir continuer à se servir de ceux-ci. Elle voulait aussi qu'une des deux perches soit mobile pour que Whinney puisse monter le chargement jusqu'à la caverne. Pour elle, c'était bien plus pratique de faire sécher la viande sur la corniche.

Quand tout fut prêt, Ayla grimpa sur le dos de Whinney et se mit en route. Bébé les suivait, un peu en arrière, comme il aurait suivi sa mère à la trace. C'était tellement plus pratique de rejoindre la région située à l'est de la vallée qu'à l'exception de quelques randonnées d'exploration, jamais Ayla n'allait chasser à l'ouest. De ce côté, la falaise continuait sur plusieurs kilomètres jusqu'à une pente escarpée et caillouteuse qui permettait d'accéder aux plaines de l'est. Grâce à Whinney, Ayla aurait pu facilement atteindre cette trouée, mais elle préférait se cantonner dans les plaines de l'est où elle était maintenant comme chez elle.

Pour les avoir tant de fois observés, elle connaissait les itinéraires suivis par les troupeaux, les endroits où ils traversaient la rivière et à quelle époque de l'année ils émigraient vers le nord. En revanche, elle était toujours obligée de creuser une fosse pour pouvoir les prendre au piège, une tâche particulièrement difficile maintenant qu'elle devait l'accomplir en compagnie d'un lionceau à l'énergie débordante et persuadé que sa mère adoptive venait d'inventer un nouveau jeu rien que pour lui.

Il s'approchait en rampant de la fosse, effritait les bords avec ses griffes, s'amusait à sauter par-dessus, se laissait tomber au fond du trou et en ressortait aussi facilement. Il se roulait aussi dans la terre qu'Ayla venait de sortir de la fosse et qu'elle avait placée sur la peau d'aurochs. Quand la jeune femme commença à tirer sur la peau pour aller en vider le contenu plus loin, Bébé, persuadé qu'elle voulait jouer comme d'habitude, tira de son côté, éparpillant la terre sur le sol.

— Bébé ! Comment vais-je faire pour creuser cette fosse ! s'écria Ayla, exaspérée. (Elle n'avait pu s'empêcher de sourire, encourageant du même coup le lionceau à continuer ses facéties.) Je vais te donner quelque chose que tu pourras traîner.

Elle alla chercher une couverture en peau qu'elle avait emportée au cas où il pleuvrait.

— Voilà de quoi t'amuser, Bébé, dit-elle en traînant la couverture sur le sol devant le lionceau qui s'en empara aussitôt, tout heureux de pouvoir saisir quelque chose entre ses pattes avant.

Ayla en profita pour finir de creuser la fosse, puis elle plaça une peau sur le trou, la maintint en place à l'aide de quatre piquets et la recouvrit d'une fine couche de terre. Bébé, qui s'était approché pour voir ce qu'elle faisait, tomba dans le piège. Il en ressortit aussitôt, l'air indigné et, se le tenant pour dit, resta à l'écart.

Dès que le piège fut prêt, Ayla siffla Whinney et fit une grande boucle pour se retrouver derrière le troupeau d'onagres. Jamais elle n'avait recommencé à chasser des chevaux et elle se sentait un peu mal à l'aise à l'idée de tuer un âne sauvage, car ces animaux ressemblaient beaucoup aux chevaux des steppes. Mais la position du troupeau était telle que les onagres ne pourraient pas éviter le piège et elle ne voulait pas laisser passer une pareille occasion.

Le comportement de Bébé changea du tout au tout lorsqu'ils se retrouvèrent tous les trois derrière le troupeau d'onagres. Ayla avait craint qu'il continue à s'amuser comme il l'avait fait un peu plus tôt autour de la fosse. Mais son instinct de prédateur prit aussitôt le dessus et il se mit à suivre furtivement les onagres, comme s'il allait plaquer au sol un des ânes, adoptant la même attitude que lorsqu'il voulait attraper la queue de Whinney. Les jeux du lionceau constituaient une version en miniature de l'habileté de chasseur dont il ferait preuve lorsqu'il serait devenu adulte. Il était un chasseur-né et adoptait instinctivement l'approche furtive qui lui permettrait, plus tard, de surprendre ses proies.

Ayla découvrit à sa grande surprise que la présence du lionceau, au lieu de la gêner, l'aidait au contraire. Quand les onagres se retrouvèrent suffisamment près du piège pour sentir son odeur et celle du lionceau et qu'ils voulurent faire un crochet, elle lança Whinney en avant en poussant des hurlements pour semer la panique dans le troupeau. Le lionceau comprit que le moment était venu de passer à l'attaque et se lança, lui aussi, à la poursuite des animaux. L'odeur du lion des cavernes accrut encore la panique des onagres qui se jetèrent tête baissée dans le piège.

Ayla se laissa glisser par terre et, un épieu à la main, se précipita vers la fosse, guidée par les braiments de l'onagre qui était tombé au fond. Mais Bébé fut plus rapide qu'elle. Même s'il ne savait pas encore comment s'y prendre pour étouffer une proie, il sauta sur le dos de l'onagre et planta ses dents de lait, trop petites pour avoir un quelconque effet, à l'arrière du cou de l'animal.

Si Bébé avait fait partie d'une troupe de lions, jamais il n'aurait pu s'approcher d'une proie. Et s'il avait eu le malheur de le faire, un coup de patte meurtrier l'aurait stoppé net. Aussi rapides soient les lions, ils étaient des sprinters alors que leurs proies étaient des coureurs de fond. Si le lion ne tuait pas sa proie en début de course, celle-ci avait de grandes chances de lui échapper. Ils ne pouvaient donc pas laisser un lionceau s'entraîner à la chasse et cet entraînement n'avait lieu, sous forme de jeu, que lorsque les lions étaient pratiquement adultes.

Mais Ayla était un être humain. Elle ne pouvait courir ni comme un lion ni comme ses proies. Elle n'avait ni griffes ni crocs. Sa seule arme, c'était son intelligence. Grâce à celle-ci, elle avait inventé un moyen qui remédiait à son manque de dons pour la chasse. Le piège — en permettant à un être humain lent et faible de chasser — fournissait aussi au lionceau la possibilité de s'y essayer.

Quand Ayla, à bout de souffle, s'approcha de la fosse, l'onagre, prisonnier au fond du trou et attaqué par un petit lion des cavernes qui feulait et tentait de le tuer avec ses dents de lait, était fou de terreur. Elle mit fin à sa lutte d'un coup d'épieu. L'onagre s'affala au fond de la fosse, les dents du lionceau toujours plantées à la base de son cou. Bébé n'abandonna sa proie que lorsque celle-ci eut cessé tout mouvement. Telle une mère fière de l'exploit de son rejeton, Ayla sourit en voyant que le lionceau, debout sur un animal beaucoup plus gros que lui et persuadé que c'était lui qui l'avait tué, essayait de rugir.

Puis elle sauta dans la fosse et repoussa le lionceau.

— Pousse-toi Bébé. Il faut que j'attache cette corde autour de son cou pour que Whinney puisse le sortir de là.

Tandis que Whinney hissait l'onagre hors de la fosse, le lionceau ne tenait pas en place : il ne cessait de sauter dans le piège pour en ressortir aussitôt. Lorsque l'animal se retrouva sur le sol, il bondit sur son dos, puis en sauta. Il ne savait pas quoi faire de lui-même. Le lion qui venait de tuer une proie était, en général, le premier à prélever sa part. Mais les lionceaux ne chassaient jamais. Et, suivant les lois de la dominance, ils étaient toujours les derniers à se nourrir.

Ayla s'approcha de l'onagre pour l'inciser de l'anus à la gorge. Un lion aurait ouvert l'animal de la même manière, en partant du bas. Tandis qu'elle incisait la partie inférieure de l'animal, Bébé la regardait avidement. Quand elle eut fini, elle fit basculer l'animal et lui écarta les pattes pour pouvoir continuer à couper.

Incapable d'attendre plus longtemps, Bébé se précipita sur l'abdomen ouvert et saisit les viscères sanguinolents qui s'en échappaient. Il réussit à planter ses dents piquantes comme des aiguilles dans ces tissus tendres et se mit à tirer sur quelque chose. Serrant les mâchoires, il commença à reculer exactement comme s'il tirait sur une peau dont Ayla aurait tenu l'autre extrémité.

Ayla termina l'incision et se retourna pour regarder le lionceau. Bébé avait saisi un morceau d'intestin et, comme il ne rencontrait aucune résistance, il continuait à reculer, déroulant sur le sol plusieurs mètres d'entrailles. Son air surpris était si drôle qu'Ayla fut prise de fou rire. Elle riait tellement qu'elle finit par s'affaler sur le sol en se tenant les côtes.

Etonné de la voir allongée sur le sol, Bébé lâcha le morceau d'intestin pour s'approcher d'elle. La jeune femme lui prit la tête dans les mains et frotta sa joue contre la fourrure du lionceau. Puis elle le gratta derrière les oreilles et caressa ses babines tachées de sang. Bébé se coula contre ses jambes et, pressant alternativement ses pattes avant sur ses cuisses, il se mit à lui sucer les doigts en émettant un grondement sourd et continu.

Je ne sais pas ce qui t'a amené, Bébé, songea Ayla. Mais je suis vraiment heureuse que tu sois là.

14

A l'automne, le lion des cavernes était plus grand qu'un loup de belle taille. Le bébé trapu était devenu une bête élancée, avec des muscles puissants et de longues pattes qui lui donnaient une démarche dégingandée. Pour le reste, c'était encore un lionceau, toujours aussi joueur, et Ayla arborait parfois un bleu ou des égratignures. Elle ne le frappait jamais — car, pour elle, il restait un bébé. Mais il lui arrivait de le réprimander.

— Arrête, Bébé ! lui intimait-elle en le repoussant. Ça suffit, ajoutait-elle en s'en allant. Tu es vraiment trop brutal !

C'était assez pour que le lionceau la suive en adoptant une posture de soumission, comme le faisaient ses congénères vis-à-vis des lions dominants de la troupe. Ayla se laissait aussitôt attendrir. Les manifestations de joie exubérante qui suivaient son pardon étaient plus inoffensives. Bébé rentrait ses griffes avant de poser ses pattes sur ses épaules et il la faisait tomber en douceur — au lieu de la plaquer au sol — pour pouvoir la serrer entre ses pattes antérieures. Ayla était obligée de le serrer à son tour contre elle et même si, alors, il montrait les crocs et prenait son épaule ou son bras dans sa mâchoire — comme plus tard il mordrait la lionne avec laquelle il s'accouplerait — il faisait preuve de douceur et ne lui entamait jamais la peau.

Ayla acceptait ces démonstrations d'affection et elle les lui rendait. Mais, dans le Clan, tant qu'un garçon n'était pas capable de chasser seul, il n'était pas considéré comme un adulte et obéissait à sa mère. Le lionceau devait donc faire pareil. Puisque Ayla était sa mère, elle trouvait tout à fait normal qu'il lui obéisse.

La jeune femme et la jument lui tenaient lieu de bande. Les rares fois où il avait rencontré d'autres lions alors qu'il se trouvait avec Ayla dans les steppes, dès qu'il s'était approché, il avait été repoussé à grand bruit, comme le prouvait la cicatrice qu'il portait sur le museau. Après que Bébé eut reçu ce coup de griffe, Ayla évita de s'aventurer en sa compagnie sur le territoire des lions. Mais cela ne l'empêcha pas de continuer à les observer quand elle était seule.

Elle en profitait pour comparer Bébé aux lionceaux sauvages. Il semblait grand pour son âge. Contrairement aux autres lionceaux, il ignorait ce qu'était la faim, il n'avait jamais, comme certains d'entre eux, les côtes saillantes ou un pelage terne et râpé. Avec Ayla pour veiller sur lui et assurer sa subsistance, il allait pouvoir atteindre son plein développement physique. Semblable à une femme du Clan fière de son bébé bien nourri et en bonne santé, elle était tout heureuse de voir que le lionceau avait un beau poil et qu'il était énorme comparé à ses congénères du même âge.

Bébé ne se contentait pas de dépasser en taille les autres lionceaux, il était aussi un chasseur précoce. Depuis que l'onagre avait été pris au piège, jamais Ayla ne partait à la recherche de gibier sans l'emmener avec elle. Il pouvait ainsi s'entraîner sur des proies réelles, alors que sa mère naturelle l'en aurait empêché. Ayla, au contraire, l'encourageait à chasser car elle appréciait son aide. Les méthodes instinctives de Bébé s'accordaient si bien avec les siennes qu'à eux deux ils formaient une excellente équipe.

Une fois pourtant, Bébé avait déclenché trop vite les hostilités et dispersé le troupeau qui se dirigeait vers le piège. Ayla avait alors été si fâchée qu'il avait compris qu'il venait de commettre une faute grave. La fois suivante, il n'avait pas quitté des yeux la jeune femme, avançant à la même allure qu'elle jusqu'à ce qu'elle lance Whinney au galop. Même si jusqu'ici il n'avait pas encore réussi à tuer un animal pris au piège avant elle, Ayla savait que cela n'allait pas tarder.

Bébé aimait aussi l'accompagner quand elle partait chasser avec sa fronde. Si elle en profitait pour cueillir des plantes, activité qui ne l'intéressait pas, il s'amusait à poursuivre tout ce qui bougeait ou alors il faisait la sieste. En chassant avec Ayla, il apprit à se figer sur place comme elle le faisait dès qu'elle voyait du gibier. Il attendait qu'elle ait sorti sa fronde et une pierre et se précipitait en avant au moment où elle lançait le projectile. Souvent, il se contentait de lui rapporter le gibier. Mais parfois, il plantait ses crocs dans la gorge de l'animal. Elle se demandait alors si c'était son tir qui avait tué la bête ou si Bébé l'avait achevée en bloquant la trachée-artère, comme le faisaient les lions pour tuer leurs proies. Enfin le jour arriva où il tua sa première proie.

Ce matin-là, il avait joué avec un morceau de viande qu'Ayla venait de lui donner, puis il s'en était désintéressé et était allé dormir. Il s'était réveillé un peu plus tard en entendant Ayla grimper l'étroit sentier qui conduisait aux steppes au-dessus de la caverne. Whinney n'était pas là. Il n'était pas question que le lionceau aille seul dans les steppes. Pour les hyènes et autres prédateurs, la chasse était ouverte et Bébé le savait. Il décida donc de suivre Ayla. Il marchait à côté d'elle et Ayla le vit s'immobiliser avant d'apercevoir le hamster géant qui s'enfuyait. Bébé bondit à la poursuite de l'animal avant qu'elle n'ait eu le temps de lancer son projectile. Tout se passa si vite qu'elle ne fut pas certaine d'avoir visé juste.

Quand elle s'approcha du hamster, Bébé avait déjà les crocs plongés dans les entrailles sanguinolentes. Ayla le repoussa pour voir si l'animal portait la marque de son projectile. Il résista un instant seulement — le temps pour Ayla de lui faire les gros yeux — puis recula sans insister. Même après avoir examiné le hamster, la jeune femme ne réussit pas à déterminer de quoi il était mort. Mais elle l'abandonna au lionceau, pour le récompenser d'avoir si bien chassé. Bébé en profita aussitôt pour dépecer le hamster, ce qui était pour lui le fin du fin.

Le jour où elle rata un lièvre, elle fut alors certaine que c'était Bébé qui l'avait tué. Elle avait mal lancé son projectile — ce qui était rare — et la pierre avait atterri à quelques pas seulement d'elle. Mais le mouvement de la fronde avait servi de signal pour le lionceau. Il s'était précipité sur la proie et, à l'arrivée d'Ayla, il était déjà en train de la déviscérer.

— Tu es merveilleux, Bébé ! dit Ayla en utilisant un mélange de sons et de gestes qui n'appartenait qu'à elle, exactement comme elle aurait félicité un garçon du Clan venant de tuer son premier gibier.

Le jeune lion comprit tout de suite qu'elle était contente de lui. Le sourire, l'attitude et la posture d'Ayla exprimaient clairement ce sentiment. Bien que tout jeune encore, il avait satisfait son instinct de chasseur et provoqué du même coup l'approbation du membre dominant de sa troupe : il avait bien agi et le savait.

Quand les vents froids, annonciateurs de l'hiver, se mirent à souffler et que la rivière se couvrit d'une fine pellicule de glace, Ayla commença à se faire du souci. Elle avait fait suffisamment de réserves de nourriture pour elle, mais la viande séchée mise de côté pour Bébé ne durerait pas tout l'hiver. Elle avait aussi ramassé des céréales et du foin pour Whinney. Ce fourrage était un luxe. En hiver, les chevaux sauvages broutaient ce qu'ils pouvaient trouver. Quand la couche de neige était trop épaisse, ils avaient bien du mal à s'alimenter et certains d'entre eux mouraient avant que les beaux jours ne reviennent.

Durant la saison froide, les prédateurs ne restaient pas inactifs. Ils débarrassaient les troupeaux des éléments les plus faibles, si bien que les autres avaient plus à manger. Le nombre des proies et des prédateurs augmentait et diminuait d'une manière cyclique, mais en général ces deux populations s'équilibraient. Certaines années, quand les herbivores et les ruminants étaient en petit nombre, il arrivait que les prédateurs eux-mêmes meurent de faim. Pour tous les habitants des steppes, la saison froide était la plus dure.

L'inquiétude d'Ayla augmenta encore quand l'hiver s'installa. Elle ne pouvait pas chasser d'animal de grande taille lorsque le sol était gelé car il devenait impossible de creuser une fosse. La plupart des animaux qu'elle pouvait atteindre avec sa fronde hibernaient ou restaient au fond de leur gîte avec des réserves de nourriture. Ne possédant pas le flair des prédateurs, Ayla ne pouvait espérer les déloger.

Elle avait profité du début de la saison froide pour chasser le plus d'animaux possible et, comme il faisait suffisamment froid pour congeler de la viande, elle avait entassé ces réserves à l'abri sous des pierres empilées qui lui servaient de caches. C'était la première fois qu'elle chassait en hiver et, connaissant mal les mouvements hivernaux des troupeaux d'herbivores, il lui arrivait souvent de rentrer les mains vides. Même si elle était parfois inquiète au point de ne pas dormir de la nuit, jamais pourtant elle ne regrettait d'avoir adopté le lion des cavernes. Bébé continuait à la faire rire et, grâce à lui et à Whinney, elle supportait parfaitement la longue claustration de l'hiver.

Chaque fois qu'elle fouillait dans l'une de ses caches, Bébé essayait de tirer sur le cadavre gelé dès qu'elle se mettait à déplacer les pierres.

— Bébé ! Attends que j'aie fini !

Mais au lieu d'attendre, le lion essayait de se faufiler sous l'amas de pierres. C'est lui qui transportait l'animal tout raide jusqu'à la caverne et, arrivé là, il l'emmenait dans la niche creusée dans la paroi. Sans savoir qu'elle avait déjà été utilisée par des lions des cavernes, il en avait fait instinctivement sa tanière. Installé au fond de la niche, il s'attaquait aussitôt à un morceau de viande gelé qu'il rongeait avec délice. Ayla attendait que l'animal soit dégelé pour prélever le morceau qui lui était destiné.

Quand elle se rendit compte que ses réserves avaient considérablement diminué, elle se dit que le moment était venu de repartir à la chasse — ou, au moins d'essayer. Elle choisit pour son expédition une froide journée d'hiver où le ciel était dégagé. Elle ne savait pas comment elle allait s'y prendre pour tuer un animal et ne désirait pas y réfléchir à l'avance. Elle se disait qu'elle finirait bien par avoir une idée. Même si elle ne ramenait rien, elle profiterait de cette sortie pour examiner le terrain de plus près.

Elle n'eut pas plus tôt placé les paniers sur le dos de la jument que Bébé comprit qu'ils partaient chasser. Il se précipita dehors, revint à toute allure dans la caverne et continua ses allées et venues pendant toute la durée des préparatifs en grognant d'impatience. Whinney remuait la tête et hennissait, aussi heureuse que lui à l'idée de sortir. Dès qu'ils se retrouvèrent dans les steppes, les inquiétudes d'Ayla s'envolèrent, remplacées par la joie de prendre de l'exercice.

Les steppes étaient couvertes d'une fine couche de neige qu'effleurait un vent léger. L'air était si froid qu'il y aurait aussi bien pu ne pas y avoir de soleil. A chaque fois qu'ils respiraient, ils exhalaient un jet de vapeur et quand Whinney s'ébrouait, le givre qui recouvrait son museau était projeté dans l'air. Ayla ne regrettait pas d'avoir chassé autant d'animaux : les fourrures qu'elle portait ce jour-là n'étaient pas de trop et elle se félicitait d'avoir mis son capuchon en glouton.

Jetant un coup d'œil au souple félin qui avançait sans bruit à ses côtés, elle réalisa soudain que Bébé était presque aussi long, des épaules à l'arrière-train, que Whinney et qu'il n'allait pas tarder à avoir la même stature que la jument. Ce n'était plus un lionceau, mais un jeune lion et sa crinière rousse commençait à pousser.

Soudain déterminé, Bébé fila devant elle, la queue droite. Ayla avait beau ne jamais avoir chassé en plein cœur de l'hiver, elle remarqua aussitôt les traces laissées dans la neige par une bande de loups. Les empreintes n'avaient pas eu le temps d'être effacées par la neige ou le vent. Elles étaient très nettes et indubitablement fraîches. Elle partit au galop et, au moment où elle allait rattraper Bébé, elle aperçut une bande de loups qui s'approchaient d'un vieux mâle à la traîne derrière un troupeau de saïgas.

Le jeune lion les avait vus, lui aussi, et il était tellement excité qu'il fondit au milieu de toute la bande, dispersant le troupeau et interrompant l'attaque des loups. En voyant l'air surpris et furieux de ceux-ci, Ayla faillit éclater de rire. Mais elle se retint car elle ne voulait pas encourager Bébé. Il est simplement un peu énervé, se dit-elle. Il y a longtemps que nous n'avons pas chassé.

Bondissant de tous côtés, complètement paniquées, les antilopes filaient à travers les steppes. Les loups se regroupèrent et suivirent le troupeau à une allure plus raisonnable : ils économisaient leurs forces en vue de l'attaque finale tout en gagnant régulièrement du terrain.

Quand Ayla eut retrouvé son sérieux, elle jeta un regard sévère à Bébé qui se glissa aussitôt derrière elle.

Tandis qu'ils suivaient tous trois la bande de loups, une idée commença à germer dans l'esprit d'Ayla. Elle se dit que, même si elle ne pouvait blesser une antilope avec sa fronde, elle pouvait tuer un loup. Si Bébé était suffisamment affamé, il pourrait toujours se repaître de l'animal.

Les loups venaient d'accélérer l'allure. Et à nouveau le vieux mâle se retrouvait à la traîne du troupeau d'antilopes, trop fatigué pour les suivre. Ayla se pencha en avant pour que Whinney augmente sa vitesse. Les loups étaient en train d'encercler l'antilope, à bonne distance malgré tout de ses cornes et de ses sabots. Ayla se rapprocha d'eux et dès qu'elle eut choisi le loup qu'elle voulait tuer, elle lança deux pierres coup sur coup.

Elle avait visé juste. Le loup s'effondra. Une agitation s'ensuivit qu'Ayla attribua d'abord à la chute du loup. Puis elle comprit ce qui se passait. En la voyant utiliser sa fronde, Bébé s'était dit que le moment était venu de foncer sur la proie. Mais le loup ne l'intéressait pas. Pourquoi s'occuper d'un loup alors qu'il avait à portée de ses crocs une antilope à la chair autrement plus délectable ? La bande de loups s'effaça devant la jument lancée au galop, sa cavalière armée d'une fronde, et le lion qui semblait déterminé à charger.

Mais Bébé n'était pas un chasseur émérite — pas encore. Il n'avait pas la puissance et la ruse du lion adulte. Non, Bébé ! se dit Ayla. Ce n'est pas le bon animal ! Puis elle corrigea aussitôt : Bien sûr qu'il a choisi le bon. Cramponné à la vieille antilope, à qui la peur donnait des ailes, le lion essayait d'asphyxier sa proie.

Ayla sortit un épieu du panier placé derrière elle. Whinney se précipita à la suite de la vieille antilope. La pointe de vitesse de celle-ci fut de courte durée. L'animal ralentissait. La jument en profita pour la rattraper. Ayla équilibra son arme et, dès qu'elle se retrouva à la hauteur de l'antilope, elle frappa en poussant un exubérant cri de joie.

Après avoir fait volte-face, elle revint au trot et trouva Bébé installé sur le dos de l'antilope. Pour la première fois, le jeune lion éprouvait le besoin de proclamer sa victoire. Même si le rugissement qu'il poussa n'avait pas encore toute la puissance de celui d'un mâle adulte, il était sur la bonne voie. En l'entendant rugir, même Whinney eut peur, et elle broncha.

Ayla se laissa glisser sur le sol et tapota l'encolure de la jument pour la rassurer.

— Tout va bien, Whinney. Ce n'est que Bébé.

La jeune femme repoussa le lion pour pouvoir vider l'antilope. Il ne lui vint pas à l'idée qu'il pouvait se rebeller et qu'il risquait de la blesser gravement. Bébé s'écarta. Il trouvait normal de lui obéir, mais il s'inclinait aussi devant autre chose : l'assurance que donnait à Ayla l'amour qu'elle lui portait.

Ayla décida d'aller chercher le loup et de le dépecer, car la fourrure de ces animaux était chaude. Quand elle eut fini, elle s'aperçut que Bébé était en train de traîner l'antilope. Il semblait bien décidé à ramener le gibier jusqu'à la caverne, malgré son poids. Si Ayla le laissait faire, la peau de l'animal risquait d'être abîmée. Les antilopes vivaient aussi bien dans les montagnes que dans les plaines mais elles étaient peu nombreuses, et c'était la première fois qu'Ayla avait l'occasion d'en tuer une. En plus, l'antilope était le totem d'Iza. La jeune femme avait donc très envie de cette peau.

— Arrête ! intima-t-elle.

Bébé hésita un court instant avant de lâcher « sa » proie. Il fit les cent pas autour du travois tout le temps que dura le voyage du retour jusqu'à la caverne et il ne quitta pas des yeux l'animal tandis qu'Ayla le dépeçait. Dès qu'elle le laissa faire, il emporta l'antilope au fond de la niche. Même quand il fut rassasié, il continua à veiller sur sa proie et s'endormit à côté d'elle.

Son manège amusa Ayla. Elle avait l'impression que, pour Bébé, cette antilope avait quelque chose de spécial. Elle éprouvait le même genre de sentiment, mais pour d'autres raisons. Ce qui l'avait excitée, ce n'était pas seulement la vitesse, la poursuite et la chasse mais surtout le fait qu'elle venait de découvrir une nouvelle manière de chasser. Avec l'aide de Whinney et de Bébé, elle pouvait maintenant chasser en toutes saisons et son Bébé ne manquerait jamais de viande.

Sans bien savoir pourquoi, elle se tourna vers Whinney. La jument était tranquillement couchée à son endroit habituel, nullement inquiète malgré la présence toute proche du lion des cavernes. Ayla la caressa et s'étendit près d'elle. Whinney souffla doucement, tout heureuse de la sentir près d'elle.

Chasser en plein hiver sans avoir besoin de creuser une fosse devint rapidement un jeu. Et même un sport. Depuis qu'Ayla s'était servie pour la première fois d'une fronde, elle avait toujours aimé chasser. Chaque fois qu'elle parvenait à maîtriser une nouvelle technique — dépistage du gibier, double jet de pierres, prise d'un animal au piège pour le tuer d'un coup d'épieu — elle avait l'impression d'avoir accompli un réel progrès. Mais jamais elle n'avait éprouvé autant de plaisir que depuis qu'elle chassait avec la jument et le lion des cavernes. Un plaisir que partageaient les deux animaux. Quand Ayla faisait les préparatifs, Whinney remuait la tête et piaffait d'impatience, les oreilles dressées et la queue levée, tandis que Bébé allait et venait dans la caverne en grognant.

En général, le trio se mettait en route au lever du jour. S'ils trouvaient rapidement le gibier, ils étaient souvent rentrés avant midi. Leur méthode consistait à le suivre et à l'approcher à la bonne distance. Ayla donnait le signal en brandissant sa fronde. Impatient de passer à l'attaque, Bébé bondissait aussitôt en avant. Pressée par Ayla, la jument galopait à sa suite. Avec un jeune lion des cavernes accroché sur son dos, les crocs plantés à la base de sa gorge, l'animal totalement paniqué était facile à rattraper. Quand Ayla arrivait à sa hauteur, elle lui donnait le coup de grâce.

Au début, ces expéditions n'étaient pas toujours couronnées de succès. Parfois, ils choisissaient un animal trop rapide ou alors Bébé lâchait prise et retombait sur le sol. Il fallait aussi qu'Ayla apprenne à manier son lourd épieu tout en chevauchant Whinney. Il lui arrivait de rater son coup. Parfois aussi Whinney n'arrivait pas à serrer d'assez près le gibier. Mais même quand ils échouaient, le sport se révélait très excitant et ils étaient prêts à recommencer dès le lendemain.

A force de pratique, ils firent des progrès. Dès que chacun des membres du trio devint conscient des besoins et des capacités des autres, ils se mirent à former une équipe très efficace — si efficace que le jour où Bébé tua une proie sans l'aide de qui que ce soit, le fait faillit passer inaperçu.

Fonçant au grand galop, Ayla vit le cerf vaciller. Quand elle arriva à sa hauteur, il était tombé. Whinney ralentit et le dépassa. Ayla mit pied à terre avant que la jument se soit immobilisée et revint en courant vers l'animal. Elle brandissait son épieu pour l'achever quand elle s'aperçut que Bébé avait fini le travail.

Elle avait déjà installé le cerf sur le travois quand elle réalisa soudain ce qui venait de se passer. Aussi jeune fût-il, Bébé était maintenant capable de chasser sans l'aide de quiconque ! Au sein du Clan, une telle prouesse aurait fait de lui un adulte. De même qu'Ayla avait été appelée la Femme Qui Chasse avant d'être une femme, Bébé était devenu adulte avant sa maturité. Pour lui aussi, il faudrait une cérémonie, se dit-elle. Mais comment faire pour que cette cérémonie ait un sens à ses yeux ? La réponse ne se fit pas attendre et Ayla sourit en pensant à la surprise qu'elle allait lui faire.

Elle s'approcha du travois et tira le cerf sur le sol. Puis elle rangea la natte et les deux longues perches dans les paniers placés sur le dos de la jument. C'est lui qui a tué ce gibier, se dit-elle. Ce cerf lui appartient. Bébé ne comprit pas tout de suite ce qui se passait. Il commença par faire des allées et venues entre le cerf et la jeune femme. Quand il vit qu'Ayla s'en allait sans emporter la dépouille, il planta ses crocs dans le cou du cerf et, plaçant l'animal sous lui, il le tira jusqu'à la plage, puis le long de l'étroit sentier, jusqu'à l'intérieur de la caverne.

Après cet épisode, Ayla ne nota pas tout de suite de changement notable. Ils partaient toujours chasser tous les trois. Mais la poursuite de la jument était bien souvent un simple exercice et le coup d'épieu d'Ayla de moins en moins nécessaire. Si elle voulait un morceau de viande, elle se servait la première. Si la peau l'intéressait, Bébé la laissait dépecer l'animal. Dans une troupe de lions, le mâle dominant avait toujours le droit aux plus beaux morceaux et il se servait le premier. Mais Bébé était encore jeune. Il n'avait jamais eu faim et était habitué à ce qu'Ayla ait le rôle dominant.

Malgré tout, à l'approche du printemps, il commença à quitter la caverne et à partir en exploration. Ses absences ne duraient pas longtemps, mais elles étaient fréquentes. Un jour, quand il rentra, il était blessé à l'oreille. Ayla en déduisit qu'il avait rencontré d'autres lions. Elle se dit que Whinney et elle ne lui suffisaient plus : il avait maintenant besoin de ses congénères. Elle soigna l'oreille blessée. Le lendemain, Bébé ne la quitta pas d'une semelle et, le soir, lorsqu'elle fut couchée, il vint se blottir contre elle et chercha ses doigts pour les sucer.

Il ne va pas tarder à me quitter, se dit Ayla. Il a besoin de vivre en bande, que des lionnes chassent pour lui et qu'elles lui donnent des lionceaux qu'il puisse dominer. Cette constatation lui remit en mémoire les paroles d'Iza. « Pars à la recherche de ton peuple et du compagnon qui t'est destiné », lui avait dit la guérisseuse. Le printemps sera bientôt là, se disait Ayla. Moi aussi, il va falloir que je parte. Mais pas tout de suite. Bébé a beau être énorme et beaucoup plus développé que les lions du même âge, ce n'est pas un adulte. Il a encore besoin de moi.

Les crues printanières réduisirent soudain leur liberté d'action. C'est Whinney qui en souffrit le plus. Quand Ayla voulait sortir, elle empruntait le raidillon qui menait aux steppes au-dessus de la caverne. Bébé n'avait aucun mal à la suivre dans son escalade. En revanche, ce passage était trop escarpé pour Whinney. Elle dut attendre la décrue pour pouvoir emprunter à nouveau le sentier qui menait à la rivière. Mais, même alors, elle restait irritable.

Ayla se rendit compte que quelque chose n'allait pas le jour où Bébé reçut un coup de sabot. C'était vraiment surprenant. La jument avait toujours fait preuve d'une patience d'ange à l'égard du jeune lion. Il lui arrivait parfois de le mordre pour le rappeler à l'ordre, mais jamais encore elle n'avait rué pour le chasser. Ayla pensa d'abord que ce comportement étrange était lié à la longue période d'inactivité que venait de connaître la jument. Puis elle se dit qu'il n'était pas normal que Bébé se soit permis une incursion sur le territoire de Whinney qu'habituellement il respectait. Il avait dû être attiré par quelque chose d'inhabituel. En s'approchant de la jument, la jeune femme prit conscience d'une forte odeur qu'elle avait vaguement notée depuis qu'elle était réveillée. La jument avait la tête basse, les jambes arrière écartées, la queue relevée sur le côté gauche. Son orifice vaginal était gonflé et agité de contractions. Après avoir jeté un coup d'œil à Ayla, elle poussa un cri perçant.

Dans un premier temps, la jeune femme se sentit soulagée. Voilà donc le problème, se dit-elle. Elle savait que les femelles avaient un cycle et qu'en général, chez les herbivores, l'accouplement avait lieu une fois par an. Pendant la saison des amours, les mâles se battaient souvent pour avoir le droit de s'accoupler et c'était la seule époque de l'année où mâles et femelles se mélangeaient, même ceux qui, en temps normal, chassaient séparément ou vivaient dans des troupeaux différents.

La saison des amours intriguait Ayla, au même titre que d'autres comportements qu'elle avait observés chez les animaux, comme, par exemple, le fait que chaque année le cerf perde ses bois et que ceux-ci repoussent, plus grands encore que l'année précédente. Quand elle était enfant, Creb se plaignait toujours qu'elle pose trop de questions au sujet de ce genre de choses. Il ne savait pas pourquoi les animaux s'accouplaient, même si, une fois, il s'était avancé jusqu'à dire que les mâles affirmaient ainsi leur domination sur les femelles ou que, comme les hommes, ils satisfaisaient leurs besoins.

Au printemps précédent, Whinney avait déjà réagi aux hennissements de l'étalon qui se trouvait dans les steppes, au-dessus de la caverne, mais elle n'avait pu aller le rejoindre. Cette fois-ci, son besoin de s'accoupler semblait beaucoup plus fort et Ayla avait beau la caresser, elle continuait à pousser des cris perçants.

Comprenant soudain ce que cela signifiait, Ayla sentit son estomac se contracter. Elle s'appuya contre la jument, exactement comme le faisait Whinney quand elle était inquiète ou effrayée. Whinney allait la quitter ! C'était tellement inattendu ! Préoccupée par l'avenir de Bébé et ses propres projets, Ayla n'avait pas eu le temps de s'y préparer. Elle avait oublié que la saison des amours allait revenir pour Whinney et qu'elle aurait alors besoin de trouver un étalon.

Le cœur déchiré, Ayla quitta la caverne et fit signe à Whinney de venir avec elle. Lorsqu'elles se retrouvèrent sur la plage, elle enfourcha la jument. Bébé s'apprêtait à les suivre mais Ayla fit le geste : « Arrête ! » Elle ne voulait pas que le lion des cavernes les accompagne. Bébé ne pouvait pas savoir qu'elle ne partait pas chasser et elle dut à nouveau refaire le même geste. Impressionné par sa détermination, le lion s'immobilisa et les regarda s'éloigner.

Dans les steppes, il faisait chaud et humide à la fois. Le soleil avait réussi à percer le brouillard matinal. Il brillait maintenant au centre d'un halo brumeux et son éclat faisait paraître le bleu du ciel plus pâle encore qu'il ne l'était déjà. Les légères brumes, provoquées par la neige en train de fondre, adoucissaient les contours sans limiter la visibilité et des poches de brouillard s'accrochaient encore au fond des endroits les plus humides. La perspective s'en trouvait modifiée, et tout semblait ramené au premier plan, ce qui donnait au paysage une immédiateté étonnante, le sentiment de vivre dans le présent, ici et maintenant, comme si l'univers se limitait à cet endroit. Les objets éloignés paraissaient tout proches et néanmoins il aurait fallu marcher interminablement pour les atteindre.

Ayla se laissait guider par sa monture, notant inconsciemment au passage les repères qui lui permettraient de regagner la caverne. La direction prise par Whinney lui importait peu et elle ne se rendait pas compte que son visage, déjà humide à cause de la brume, ruisselait de larmes. Elle repensait à ce jour lointain où elle avait découvert la vallée et aperçu pour la première fois la horde de chevaux dans la prairie. Elle se rappelait sa décision de s'installer dans cette vallée accueillante, ce qui l'avait obligée à tuer un des chevaux de la horde. Elle se souvenait de cette fameuse nuit où elle avait ramené Whinney avec elle pour la protéger des hyènes. Elle aurait dû se douter que cela ne pouvait pas durer indéfiniment, qu'un beau jour Whinney rejoindrait les siens, comme elle-même allait être aussi obligée de le faire.

Un changement dans l'allure de la jument la rappela à la réalité. Whinney avait trouvé ce qu'elle cherchait : une petite horde de chevaux à quelques pas de là.

Le soleil avait fait fondre la neige sur une petite colline, découvrant les pousses minuscules qui émergeaient du sol. Les chevaux étaient en train de manger ces jeunes pousses, qui les changeaient agréablement du fourrage sec de l'année précédente. Quand les chevaux de la horde, remarquant sa présence, levèrent la tête, Whinney s'arrêta. Ayla entendit le hennissement d'un étalon. Occupé à brouter sur un monticule un peu à l'écart, il avait une robe brun-rouge foncé. Sa crinière, sa queue et la moitié inférieure de ses jambes étaient noires. La jeune femme n'avait encore jamais vu un cheval au pelage aussi coloré. La plupart des chevaux sauvages avaient des robes brun grisâtre ou couleur de foin comme celle de Whinney.

L'étalon releva la tête en hennissant et retroussa sa lèvre supérieure. Puis il s'approcha au galop et s'arrêta à quelques pas de Whinney, piaffant sur place. Le cou cambré, la queue dressée, son érection était magnifique.

Whinney lui répondit en hennissant à son tour et Ayla se laissa glisser sur le sol. Elle étreignit une dernière fois la jument et commença à s'éloigner. Whinney tourna la tête pour regarder la jeune femme qui avait pris soin d'elle et l'avait élevée.

— Tu as trouvé ton compagnon, lui dit Ayla. Va le rejoindre.

Whinney se retourna vers l'étalon en hennissant doucement. Celui-ci vint se placer derrière elle et, baissant la tête, se mit à lui mordiller les jarrets pour qu'elle se rapproche de la horde, comme s'il ramenait au bercail une brebis égarée. Incapable de partir, Ayla regarda la jument s'éloigner. Quand l'étalon la monta, elle ne put s'empêcher de repenser à Broud et à la terrible douleur qu'elle avait éprouvée la première fois qu'il lui avait fait ça. Ensuite, cela avait seulement été désagréable. Jamais elle n'avait aimé qu'il la chevauche et le jour où Broud s'était désintéressé d'elle, elle en avait éprouvé un vif soulagement.

Même si Whinney poussait des cris perçants, elle n'essayait pas de repousser l'étalon et, en la regardant, Ayla se sentit agitée par d'étranges sensations. Elle ne pouvait détacher ses yeux de l'étalon qui, les pattes avant posées sur le dos de la jument, remuait rythmiquement son arrière-train en poussant des cris perçants. Elle sentit une chaude humidité entre ses jambes, une pulsation en accord avec les mouvements rythmiques de l'étalon et un désir incompréhensible. Le souffle court, le cœur battant à tout rompre, elle souffrait de désirer quelque chose dont elle n'avait pas idée.

Quand tout fut fini et que la jument suivit l'étalon, sans même un regard en arrière, Ayla ressentit un sentiment de vide insupportable. Elle réalisa soudain à quel point le monde qu'elle s'était construit dans la vallée était fragile, combien éphémère avait été son bonheur et à quel point son existence était précaire. Elle fit demi-tour et partit en courant vers la vallée. La gorge en feu et souffrant d'un point de côté, elle continuait à courir, comme si cette course éperdue avait le pouvoir de lui faire oublier son cœur meurtri et l'insupportable sentiment de solitude qu'elle éprouvait.

En descendant la pente qui rejoignait la prairie, elle trébucha, roula jusqu'en bas et resta un moment à essayer de retrouver son souffle. Même quand sa respiration eut repris un rythme régulier, elle ne se releva pas. Elle n'avait pas envie de bouger. Elle en avait assez de lutter, plus aucune envie de se battre et même de vivre. Elle avait été maudite, non ?

Puisque je suis déjà morte aux yeux du Clan, pourquoi ne puis-je pas tout simplement mourir ? se demanda-t-elle. Pourquoi faut-il toujours que je perde ceux que j'aime ? Un souffle chaud et un coup de langue râpeuse l'obligèrent à ouvrir les yeux.

— Bébé ! Oh, mon Bébé ! s'écria-t-elle en éclatant en sanglots.

Bébé rampa à côté d'elle et, rentrant les griffes, posa une de ses pattes antérieures sur elle. Roulant sur elle-même, Ayla le prit par le cou et enfouit son visage dans sa crinière.

Quand ses sanglots se furent calmés et qu'elle voulut se relever, elle fut forcée de reconnaître qu'elle avait fait une sacrée chute. Elle s'était ouvert les mains, écorché les coudes et les genoux, sa hanche et son menton étaient tout tuméfiés et elle portait une plaie à la joue droite. Traînant la jambe, elle rentra à la caverne.

Elle était en train de soigner ses blessures et ses contusions quand soudain elle se demanda : Que se serait-il passé si je m'étais cassé quelque chose ? Sans personne pour me porter secours, cela aurait été encore pire que de mourir... Et pourtant, il ne m'est rien arrivé de grave. Une fois de plus, mon totem m'a protégée. Il est possible que l'esprit du Lion des Cavernes m'ait envoyé Bébé parce qu'il savait que Whinney allait me quitter.

Bébé va partir, lui aussi, pensa-t-elle aussitôt. Il ne va pas tarder à chercher une compagne. Même s'il n'a pas été élevé au sein d'une troupe de lions, il en trouvera une sans difficulté. Il va devenir si grand et si fort qu'il n'aura aucune difficulté à défendre son territoire. En plus, c'est un excellent chasseur. Il ne mourra jamais de faim.

Je suis en train de parler de lui comme le ferait une mère du Clan réalisant que son fils est devenu un chasseur courageux, se dit-elle avec un sourire un peu forcé. Après tout, Bébé n'est pas mon fils... Ce n'est qu'un lion, un lion des cavernes comme les autres. Non, il n'est pas comme les autres ! corrigea-t-elle. Il est déjà aussi grand qu'un lion adulte et très en avance pour chasser. Il n'empêche qu'il ne va pas tarder à me quitter...

Durc et Ura doivent avoir grandi maintenant, eux aussi. Oda sera triste quand Ura la quittera pour venir vivre avec Durc dans le clan de Brun... Ce n'est plus le clan de Brun, mais celui de Broud maintenant. Je me demande dans combien de temps aura lieu le prochain Rassemblement du Clan ?

Ayla s'approcha de sa couche pour aller chercher le paquet de bouts de bois sur lesquels, chaque soir, elle faisait une entaille. Elle défit la lanière qui les entourait et les éparpilla sur le sol. Puis elle essaya de faire le compte des jours qu'elle avait passés dans la vallée. Elle eut beau placer les doigts de ses deux mains sur les entailles, il y en avait tellement qu'elle était incapable de s'y retrouver. Finalement, elle se dit qu'elle n'avait pas besoin de ces bouts de bois : en comptant les printemps, elle saurait combien d'années avaient passé. Durc est né au printemps qui a précédé le dernier Rassemblement du Clan, se dit-elle. Le printemps suivant a marqué la fin de son année de naissance, continua-t-elle en faisant une marque dans la poussière. Ensuite, c'est l'année où il a marché. (Elle fit une deuxième marque.) Il aurait dû être sevré au printemps suivant, calcula-t-elle en faisant une troisième marque. Mais comme je n'avais pas de lait, j'ai cessé de le nourrir bien avant.

C'est ce même printemps que je suis partie, poursuivit-elle en fermant à demi les yeux pour mieux se concentrer. Et cet été-là, j'ai découvert la vallée et Whinney. Le printemps d'après, j'ai trouvé Bébé. (Elle ajouta une quatrième marque.) Et ce printemps-ci... Ayla hésita un court instant. Elle n'avait aucune envie que le départ de Whinney lui serve de repère pour marquer le début d'une nouvelle année. Et pourtant, les faits étaient là. Elle fit une cinquième marque sur le sol.

Cela représente tous les doigts d'une main, se dit-elle en levant sa main gauche après avoir placé tous les doigts sur les marques. C'est l'âge de Durc aujourd'hui. (Elle tendit le pouce et l'index de sa main droite et replia les autres doigts). Voilà le nombre d'années avant le Rassemblement, ils emmèneront Ura avec eux pour qu'un jour elle devienne la compagne de Durc. Bien sûr, les deux enfants seront encore trop jeunes pour s'accoupler. Mais en la voyant, tout le monde comprendra qu'elle est destinée à Durc. Est-ce que mon fils se souvient de moi ? se demanda-t-elle soudain. A-t-il hérité des souvenirs du Clan ? A qui ressemblera-t-il le plus ? A moi ou à Broud ? Aux Autres ou à ceux du Clan ?

En rassemblant les bouts de bois, Ayla nota une régularité dans le nombre de marques entre les entailles plus profondes qu'elle faisait chaque fois que son esprit se battait et qu'elle saignait. Tant que je reste dans cette vallée, jamais le totem d'un homme ne se battra avec le mien, se dit-elle. Même si j'avais pour totem une souris, jamais je ne pourrais être enceinte. Pour mettre en train un bébé, il faut qu'un homme vous pénètre. C'est mon avis en tout cas.

Whinney ! songea-t-elle soudain. Etait-ce cela que l'étalon était en train de faire ? Mettrait-il un bébé dans le ventre de Whinney ? Oh, Whinney, ce serait tellement merveilleux !

En repensant à Whinney et à l'étalon, la respiration d'Ayla s'accéléra.

Puis elle pensa à Broud et la sensation agréable disparut aussitôt. Il n'empêche que c'était le membre de Broud qui avait mis Durc en train. S'il avait su qu'il allait me donner un enfant, jamais il ne m'aurait forcée, se dit Ayla. Durc prendra Ura comme compagne. Cette petite Ura n'est pas difforme. Je suis sûre qu'elle a commencé à grandir dans le ventre d'Oda après que celle-ci a été forcée par les Autres. D'après Oda, ces hommes me ressemblaient. Un jour, je saurai si c'est vrai...

Ayla ne tenait pas en place. Bébé avait quitté la caverne et elle décida de faire comme lui. Elle suivit les buissons qui bordaient la rivière et s'aventura jusqu'au fond de la vallée. Jamais encore elle n'était allée aussi loin à pied. Maintenant que la jument était partie, il lui faudrait reprendre l'habitude de marcher et de porter un panier sur le dos. Quand elle se retrouva tout au bout de la vallée, elle continua à suivre la rivière qui, arrêtée par l'escarpement de la falaise, obliquait alors vers le sud. Juste après cette boucle, le cours d'eau tourbillonnait autour de rochers disposés si régulièrement qu'on pouvait aisément y marcher. A cet endroit, la haute falaise s'élevait par paliers si bien qu'Ayla n'eut aucun mal à l'escalader. Elle se retrouva alors dans les steppes de l'ouest.

Il n'y avait pas de réelles différences entre l'est et l'ouest, sauf que de ce côté-là le terrain était légèrement plus accidenté. Ayla connaissait beaucoup moins bien cette région et en conséquence, elle était décidée à se diriger vers l'ouest le jour où elle quitterait la vallée. Elle fit demi-tour et reprit le chemin de la caverne.

Quand elle arriva, la nuit tombait et Bébé n'était toujours pas rentré. Le feu s'était éteint et il faisait froid. La caverne semblait plus vide encore que quand elle s'y était installée. Elle alluma un feu et fit chauffer de l'eau pour une infusion. Elle n'avait pas le courage de cuisiner et se contenta, pour dîner, d'un morceau de viande séchée et de merises sèches. Cela faisait bien longtemps qu'elle ne s'était pas retrouvée toute seule dans la caverne. Quand vint le moment de se coucher, elle alla fouiller dans son vieux panier de voyage et en sortit la couverture en peau qui lui avait servi à porter Durc. Avant de s'endormir, elle s'y enveloppa.

A peine avait-elle fermé les yeux qu'elle commença à rêver. Elle rêva que Durc et Ura avaient grandi et qu'ils vivaient maintenant ensemble. Puis elle rêva de Whinney : la jument était en compagnie d'un poulain au pelage bai, comme celui de l'étalon. Elle finit par s'éveiller en sueur après avoir fait un cauchemar. Elle venait à nouveau de rêver de ce tremblement de terre qui la terrifiait. Pourquoi ce rêve revenait-il régulièrement ?

Elle se leva, ranima le feu et fit réchauffer le reste de l'infusion. Bébé n'était toujours pas rentré. Assise en face du feu, la couverture en peau roulée dans son giron, Ayla repensa à l'histoire que lui avait racontée Oda. D'après elle, l'homme qui l'avait forcée lui ressemblait. Mais que voulait-elle dire par là ?

Ayla tenta d'imaginer le visage d'un homme qui ressemblerait au sien en essayant de se souvenir de sa propre image quand elle s'était regardée dans l'eau de l'étang. Mais la seule chose qu'elle se rappelait, c'était la longue chevelure qui lui encadrait alors le visage, jaune comme le pelage de Whinney, mais d'une teinte plus chaude et plus dorée que la robe de la jument.

Chaque fois qu'elle tentait d'imaginer un visage masculin, celui de Broud s'interposait, déformé par un ricanement triomphant. De guerre lasse, elle retourna se coucher. A nouveau elle rêva de Whinney et de l'étalon. Puis d'un homme qu'elle n'avait encore jamais vu. Ses traits étaient indistincts. Une seule chose était certaine : il avait de longs cheveux blonds.

15

— Tu te débrouilles très bien, Jondalar, dit Carlono. Nous finirons par faire de toi un homme du fleuve. Sur une grande embarcation, ce n'est pas grave de rater un coup de pagaie. Comme il y a d'autres pagayeurs, tu risques seulement de casser le rythme. Mais sur les petits bateaux, comme celui-ci, tu ne peux pas te permettre de perdre le contrôle. Rater un coup de pagaie peut être dangereux ou même fatal. Ne quitte jamais le fleuve des yeux. Tu ne sais pas quelle surprise il te réserve. Le fleuve est profond à cet endroit, c'est pourquoi il a l'air calme. Mais ne t'y fie pas. Tu n'as qu'à enfoncer ta pagaie dans l'eau pour sentir la force du courant. C'est contre lui que tu luttes.

Carlono continua ses explications tandis qu'ils faisaient prendre au canoë la direction du ponton des Ramudoï. Jondalar ne l'écoutait que d'une oreille. Il essayait avant tout de manœuvrer correctement sa pagaie. Mais cela ne l'empêchait pas d'enregistrer au niveau de ses muscles les conseils de Carlono.

— Il est faux de croire qu'il est plus facile de naviguer dans le sens du courant, disait Carlono. Quand on remonte le fleuve et qu'on lutte contre le courant, on fait très attention à ce qu'on fait. On sait que si on relâche un instant son effort, on va perdre ce qu'on a gagné. En plus, on peut voir ce qui vous arrive dessus et l'éviter. Tandis que quand le courant vous porte, l'attention se relâche. On risque alors d'être précipité sur un de ces gros rochers qui se trouvent au milieu du fleuve ou d'être heurté par un tronc. Il ne faut jamais tourner le dos à la Grande Rivière Mère, rappela-t-il. Quand on croit savoir à qui on a affaire et qu'on se dit que c'est gagné, c'est justement là que le fleuve vous réserve des surprises.

Carlono sortit sa pagaie de l'eau et se recula un peu sur son banc pour observer Jondalar. Le jeune Zelandonii se concentrait sur les mouvements de sa pagaie. Ses longs cheveux blonds étaient attachés par une lanière à hauteur de la nuque, une excellente précaution. Il portait la tenue des Ramudoï : un pantalon et une tunique en peau de chamois, coupés sur le même modèle que ceux des Shamudoï, mais adaptés à la vie sur le fleuve.

— Veux-tu que je descende quand nous serons arrivés au ponton ?

proposa Carlono. Tu pourrais aller faire un tour sans moi. Ça fait une différence quand on se retrouve tout seul avec le fleuve.

— Crois-tu que j'en sois capable ?

— Pour quelqu'un qui n'est pas né ici, tu as appris drôlement vite.

Jondalar avait très envie de voir s'il était capable de se débrouiller seul sur le fleuve. Les jeunes Ramudoï possédaient leur propre pirogue bien avant d'être adultes. Jondalar, lui aussi, avait fait ses preuves en tant que jeune Zelandonii. Il était à peine plus âgé que Darvo quand il avait tué son premier cerf. Il était maintenant capable de jeter une sagaie plus loin et plus fort que la plupart des hommes. Malgré tout, il ne se sentait pas l'égal des Sharamudoï. Pour être considéré comme un homme, un Ramudoï devait avoir harponné un esturgeon et un Shamudoï devait avoir chassé un chamois dans les montagnes sans l'aide de quiconque.

Il avait décidé qu'il ne s'unirait pas à Serenio tant qu'il ne se serait pas prouvé à lui-même qu'il pouvait être à la fois ramudoï et shamudoï. Dolando avait essayé de le convaincre qu'il était inutile de vouloir faire les deux. Personne ne doutait de sa valeur et tous ceux qui avaient chassé le rhinocéros avec lui étaient convaincus de ses qualités de chasseur.

Jondalar aurait été bien incapable de dire pourquoi il ressentait le besoin d'être meilleur que les autres. C'était bien la première fois que cela lui arrivait. Jamais encore il n'avait ressenti le besoin de surpasser d'autres hommes à la chasse. Son seul intérêt dans la vie, la seule tâche où il désirait exceller, était la taille du silex. Il s'y appliquait non pas pour surpasser les autres, mais parce qu'il éprouvait une intense satisfaction à perfectionner ses techniques de taille. Finalement, le shamud avait parlé en privé à Dolando et il lui avait dit qu'il fallait que le grand Zelandonii se prouve à lui-même qu'il pouvait faire partie de leur Caverne.

Jondalar vivait depuis si longtemps avec Serenio qu'il trouvait que le moment était venu de s'unir officiellement avec elle. Elle était pratiquement sa compagne. C'est en tout cas comme ça que la plupart des gens voyaient la chose. Tous les Sharamudoï avaient à la fois du respect et de l'affection pour lui et, aux yeux de Darvo, il était l'homme du foyer. Mais depuis cette lointaine soirée où Tholie et Shamio avaient été brûlées, une chose ou une autre s'en mêlant, il avait toujours repoussé sa décision. En outre, il était facile de s'installer dans la routine avec Serenio.

La jeune femme n'exigeait rien de lui et continuait à garder ses distances. Mais récemment Jondalar l'avait surprise en train de lui lancer un regard très étrange, presque halluciné, qui venait du fond de l'âme. Il avait décidé que le moment était venu de se prouver qu'il pouvait être un vrai Sharamudoï. Comme il avait fait part de son intention autour de lui, certaines personnes avaient pensé qu'il n'allait pas tarder à s'unir à Serenio bien que, pour l'instant, aucune Fête de la Promesse ne soit prévue.

— Ne va pas trop loin, lui conseilla Carlono au moment où il quittait la pirogue. Contente-toi d'apprendre à naviguer tout seul.

— Je vais emporter un harpon, dit Jondalar en prenant l'instrument qui se trouvait sur le ponton. J'en profiterai pour m'entraîner à le lancer.

Après avoir placé la longue hampe en bois au fond de la pirogue sous les bancs, il enroula la corde à côté et fixa l'extrémité en os garnie de pointes dans le support placé sur le flanc du bateau. La pointe du harpon, un dard barbelé et acéré, n'était pas le genre d'instrument qu'on puisse laisser traîner au fond d'un bateau. En cas d'accident, il était aussi difficile de l'extraire d'un homme que d'un poisson — sans parler de la difficulté qu'on avait à tailler un os avec des outils en silex. Il était rare que les pirogues des Ramudoï coulent, mais cela ne les empêchait pas de tanguer parfois dangereusement et il valait mieux attacher le matériel.

Tandis que Carlono tenait le bateau, Jondalar s'installa sur le siège arrière. Il prit la pagaie à double pale et s'éloigna du ponton. Maintenant que l'embarcation n'était plus équilibrée par un second passager, l'avant de la pirogue se soulevait davantage et elle était plus difficile à manœuvrer. Malgré tout, dès que Jondalar se fut adapté à ce changement, il glissa sans difficulté dans le courant en rasant l'eau et se servit de sa pagaie comme gouvernail, en la plaçant un peu à l'écart de la poupe. Au bout d'un certain temps, il se dit que le moment était venu d'essayer d'avancer à contre-courant.

Il avait descendu la rivière plus loin qu'il ne le pensait et, quand il arriva en vue du ponton, il songea un instant à rentrer. Mais changeant soudain d'avis, il continua à pagayer. Il s'était promis à lui-même d'égaler l'habileté des Ramudoï sur le fleuve et ce n'était pas le moment de flancher. Il sourit à Carlono qui le saluait de la rive et dépassa le ponton.

En amont, le fleuve s'élargissant, le courant était moins fort et il était plus facile de pagayer. Apercevant une petite plage, ombragée par des saules, Jondalar se dirigea vers elle. Il réussit sans mal à s'en approcher car la pirogue était une embarcation si légère qu'elle pouvait voguer dans des eaux peu profondes. Jondalar en profita pour se reposer un peu, se contentant de barrer avec sa pagaie pour ramener le bateau vers la berge chaque fois qu'il s'en éloignait. Il regardait distraitement le fleuve quand, soudain, son attention fut attirée par une longue forme silencieuse qui se déplaçait sous la surface de l'eau.

C'était encore un peu tôt pour les esturgeons. Habituellement, ils remontaient le fleuve au début de l'été. Mais le printemps avait été précoce et chaud, et les crues plus impressionnantes encore que d'habitude. En regardant de plus près, Jondalar aperçut d'autres poissons glissant silencieusement dans l'eau. Les esturgeons migraient ! Quelle chance il avait ! Il allait pouvoir pêcher le premier esturgeon de la saison !

Il posa sa pagaie au fond de la pirogue et se mit à assembler les différentes parties du harpon. En l'absence de tout gouvernail, la pirogue pivota sur elle-même. Elle fila légèrement dans le courant, puis lui présenta son flanc. Au moment où Jondalar fixait la corde du harpon à l'avant de la pirogue, l'embarcation avait retrouvé son assiette et s'était pratiquement immobilisée en travers du courant. Jondalar fouillait du regard l'eau du fleuve. Et il ne fut pas déçu. Une forme énorme et sombre se dirigeait vers lui en ondulant de la queue — il comprit alors d'où venait l'Haduma que son frère avait pêchée avec les jeunes Hadumaï.

Pour avoir déjà pêché avec les Ramudoï, il savait que l'eau modifiait la position réelle du poisson. L'esturgeon était légèrement décalé — une ruse employée par la Rivière pour cacher ses créatures. Quand le poisson s'approcha de l'embarcation, Jondalar modifia légèrement son angle de visée pour compenser la réfraction de l'eau. Penché par-dessus le flanc de la pirogue, il attendit un court instant et lança avec violence le harpon en direction de l'esturgeon.

Tout aussi violemment, la petite embarcation fut projetée dans la direction opposée et, se retrouvant dans le sens du courant, elle quitta aussitôt l'abri de la rive. Jondalar avait bien visé. La pointe du harpon s'était enfoncée dans la chair de l'esturgeon géant — mais sans lui faire grand mal. Il n'était nullement hors de combat et filait à toute vitesse vers le milieu du lit, là où l'eau était plus profonde. La corde se déroula rapidement, puis se tendit avec une secousse quand il n'y eut plus de mou.

Projeté en avant, Jondalar faillit passer par-dessus bord. Alors qu'il s'agrippait au flanc de la pirogue, sa pagaie rebondit et tomba dans l'eau. Comme il se penchait pour essayer de la rattraper, l'embarcation déséquilibrée manqua de chavirer. Par miracle, l'esturgeon qui se trouvait maintenant au milieu du courant commença à remonter le fleuve, redressant du même coup la pirogue et repoussant violemment Jondalar, complètement affolé, au fond de l'embarcation. Jondalar voyait passer à toute vitesse sous ses yeux les rives du fleuve. Il se pencha en avant et essaya de donner une secousse à la corde tendue dans l'espoir de déloger le harpon. L'avant de la pirogue piqua du nez et celle-ci commença à se remplir d'eau. L'esturgeon se jeta de côté et le bateau fit de même. Ballotté, secoué, Jondalar se cramponna de plus belle à la corde.

Il ne remarqua pas qu'il venait de dépasser la clairière où on fabriquait les bateaux et ne vit pas non plus les gens qui, debout sur le rivage, le regardaient passer, bouche bée, alors qu'il continuait à tirer des deux mains sur la corde dans l'espoir de déloger le harpon.

— Vous avez vu ? fit Thonolan. J'ai l'impression que mon frère a attrapé un poisson volant ! Moi qui croyais avoir tout vu ! continua-t-il en pouffant de rire. Avez-vous remarqué comme il tirait sur cette corde dans l'espoir de libérer le poisson ? (Plié en deux à force de rire, il se tapa sur la cuisse avant d'ajouter :) Ce n'est pas lui qui a attrapé un poisson mais le poisson qui l'a attrapé !

— Ce n'est pas drôle, Thonolan ! dit Markeno, qui avait bien du mal à garder son sérieux. Ton frère a des ennuis.

— Je sais. Je sais. Mais toi aussi tu l'as vu, non ? Remorqué par un poisson en amont du fleuve ! Reconnais qu'il y a de quoi rire.

Riant toujours, Thonolan aida Markeno et Carlono à mettre un bateau à l'eau. Quand Dolando et Carolio les eurent rejoints, ils s'engagèrent sur le fleuve en pagayant le plus vite possible. Les ennuis de Jondalar pouvaient très bien mettre sa vie en danger.

L'esturgeon commençait à s'épuiser. Le harpon enfoncé dans sa chair et cette longue course avec son fardeau finissaient par avoir raison de ses forces. Il était en train de ralentir.

Jondalar en profita pour réfléchir. Il ne savait pas où il était. Depuis la lointaine traversée en pleine tempête de neige, jamais il n'était remonté aussi haut. Comment faire pour s'arrêter ? Il eut soudain une idée : il suffisait de couper la corde.

Il venait de sortir son couteau en silex de son fourreau quand, brusquement, l'esturgeon, dans un dernier combat mortel, essaya d'échapper au dard planté dans sa chair. Il se battait avec une telle violence que, chaque fois qu'il s'enfonçait dans l'eau, il entraînait la pirogue avec lui. Même retourné, le canoë en bois aurait flotté facilement. Mais rempli d'eau, il risquait de sombrer au fond du fleuve. Tandis que Jondalar essayait de couper la corde, le bateau dansait sur l'eau, piquait du nez et était ballotté d'un côté et de l'autre. Jondalar ne vit pas le tronc qui, poussé par le courant, avançait sous l'eau, jusqu'au moment où celui-ci heurta de plein fouet la pirogue, lui faisant sauter le couteau des mains.

Le premier instant de surprise passé, Jondalar essaya de tirer la corde en hauteur pour lui donner du mou afin que la pirogue se redresse. Dans un dernier effort désespéré pour se libérer, l'esturgeon se précipita vers la rive et réussit finalement à déloger le harpon. Mais il était trop tard. Le peu de vie qui lui restait s'échappa par la blessure béante. L'énorme créature coula au fond de l'eau, puis réapparut à la surface, le ventre en l'air, secouée par un dernier mouvement convulsif qui témoignait du prodigieux combat mené par ce poisson des premiers âges.

A l'endroit où le poisson était venu mourir, le fleuve faisait un léger coude, créant un tourbillon, si bien qu'entraîné par les remous, l'esturgeon se retrouva dans le bras de décharge, tout près du rivage. Le bateau suivit le mouvement, ballotté à gauche et à droite, heurtant le tronc et le poisson qui lui barraient le passage.

Profitant de cette accalmie, Jondalar se dit qu'il avait eu bien de la chance de ne pas réussir à couper la corde. Sans pagaie, jamais il n'aurait pu manœuvrer le bateau et il aurait été entraîné par le courant. Le rivage était tout proche : une étroite plage caillouteuse qui s'interrompait net après le coude du fleuve pour faire place à une berge à pic, couverte d'arbres qui poussaient si près du bord que leurs racines étaient à nu. Peut-être pourrait-il trouver là de quoi fabriquer une nouvelle pagaie. Il prit une longue inspiration pour se préparer à plonger dans l'eau glaciale et se laissa glisser hors du bateau.

Le fleuve était plus profond qu'il ne le pensait : il n'avait pas pied.

Quand il sauta dans l'eau, la pirogue changea de position et fut aussitôt entraînée par le courant. L'esturgeon, lui, se rapprocha du rivage. Jondalar se mit à nager à la suite du bateau, avançant la main pour saisir la corde. Mais le léger canoë, rasant à peine la surface de l'eau, filait trop vite pour qu'il puisse le rattraper.

Le corps tout engourdi par l'eau glacée, il se dirigea vers le rivage. Arrivé à la hauteur de l'esturgeon, il le saisit par la gueule ouverte et le hala vers la plage. Après tout le mal qu'il s'était donné pour attraper ce poisson, il n'était pas question de l'abandonner. Mais l'esturgeon était si lourd qu'après l'avoir traîné sur quelques mètres, il l'abandonna sur la plage. « Je n'ai plus besoin de pagaie, maintenant que je n'ai plus de pirogue, se dit-il. Mais peut-être vais-je trouver un peu de bois pour faire du feu ». Trempé comme il l'était, il grelottait.

Quand il voulut prendre son couteau, il s'aperçut que le fourreau était vide. Il se souvint que le couteau lui avait échappé des mains au moment où il tentait de couper la corde. Et il n'en avait pas d'autre. Peut-être trouverait-il de quoi fabriquer une drille à feu et une sole, mais sans couteau il ne pourrait jamais fendre du bois ou récupérer sur les arbres l'écorce dont il avait besoin pour allumer son feu. Je peux toujours ramasser du bois, se dit-il.

Il regarda autour de lui et entendit une galopade dans les fourrés. Le sol était couvert de branches gorgées d'eau et pourrissantes, de feuilles et de mousse. Pas un morceau de bois sec à la ronde. Jondalar se dit que s'il trouvait des conifères il pourrait toujours détacher les branches sèches qui restaient à la base du tronc, mais il n'y avait pas sur les rives du fleuve de grandes forêts de conifères comme dans la région dont il était originaire. Subissant moins l'influence des grands glaciers du nord, le climat était plus doux et plus humide. Au lieu de la forêt boréale, c'était une forêt de feuillus, caractéristique des régions à climat tempéré.

Jondalar se trouvait dans une forêt de chênes et de hêtres où poussaient aussi quelques charmes et quelques saules. Au pied de ces arbres à l'écorce épaisse et brune, ou grise et lisse, pas de petites branches sèches qui lui auraient permis d'allumer un feu. On était au printemps et tous ces feuillus bourgeonnaient. Et sans le secours d'une hache en pierre, comment couper un de ces arbres ? Le corps agité de frissons et claquant des dents, Jondalar se mit à courir sur place dans l'espoir de se réchauffer. Mais il avait beau s'activer, se frotter les mains et se donner des claques dans le dos, il avait toujours aussi froid. Entendant à nouveau une galopade dans les fourrés, il se dit qu'il avait dû déranger un animal.

Brusquement, il se rendit compte de la gravité de sa situation. En voyant qu'il ne rentrait pas, allait-on partir à sa recherche ? Il n'était pas sûr que Thonolan remarque son absence. Ils se voyaient peu ces derniers temps, car son frère partait chasser le chamois avec les Shamudoï alors que lui passait la plupart de ses journées avec les hommes du fleuve. Il ne savait même pas ce que son frère devait faire ce jour-là.

Carlono va-t-il partir à ma recherche ? se demanda-t-il. Il sait que je remontais le fleuve en bateau. Le bateau ! se dit-il, en frissonnant, mais de crainte cette fois. Quand ils verront que la pirogue est vide, ils penseront que je me suis noyé. S'ils me croient noyé, pourquoi partiraient-ils à ma recherche ?

Hors d'haleine à force de courir sur place et de sauter, Jondalar se laissa tomber sur le sol et se roula en boule pour conserver sa chaleur. A nouveau, il entendit une galopade. Mais il n'eut pas le courage d'aller voir ce qui se passait. Et soudain il aperçut deux pieds — deux pieds nus, sales, mais incontestablement humains.

Il sursauta et leva les yeux. Debout en face de lui, si près qu'il lui aurait suffi d'allonger le bras pour le toucher, se trouvait un enfant aux grands yeux bruns enfoncés sous des arcades proéminentes. Un Tête Plate ! se dit Jondalar. Un jeune Tête Plate !

Muet d'étonnement, il se dit que maintenant qu'il avait surpris ce jeune animal, celui-ci allait disparaître derrière les buissons. Mais pas du tout : le jeune Tête Plate ne bougeait pas. Ils restèrent pendant un long moment face à face à se regarder, puis le Tête Plate lui fit un signe de la main, comme s'il voulait qu'il vienne avec lui. C'est en tout cas l'impression qu'avait Jondalar, même s'il n'arrivait pas à y croire. Le Tête Plate renouvela son geste et fit un pas en arrière.

Que me veut-il ? se demanda Jondalar. Me propose-t-il de le suivre ? Jondalar se leva et commença à avancer vers lui, persuadé que le Tête Plate allait déguerpir. Mais la jeune créature se contenta de reculer en renouvelant son geste. Jondalar le suivit, lentement au début, puis il accéléra l'allure.

Un moment plus tard, le jeune Tête Plate écarta des buissons et Jondalar aperçut une clairière au milieu de laquelle brûlait un feu qui laissait échapper très peu de fumée. En voyant Jondalar s'approcher du feu, la femelle qui se trouvait là sursauta et s'écarta, apeurée. Jondalar s'installa à croupetons devant le feu, heureux de pouvoir se réchauffer. Non loin de là, la femelle et le jeune Tête Plate émettaient des sons gutturaux et remuaient les mains, comme s'ils étaient en train de se dire quelque chose.

Jondalar, uniquement occupé à se réchauffer, leur prêtait peu d'attention.

Il se rendit à peine compte que la femelle se faufilait derrière lui et fut d'autant plus surpris quand il sentit qu'on posait une fourrure sur ses épaules. Il eut le temps de surprendre le regard qu'elle lui lançait avant qu'elle ne baisse la tête et qu'elle ne batte précipitamment en retraite. Il était incontestable qu'elle avait peur de lui.

Même mouillés, les vêtements en peau de chamois qu'il portait tenaient encore un peu chaud et, grâce à la fourrure et à la chaleur du feu, il cessa de trembler. Il réalisa alors où il se trouvait. Grande Doni ! C'était un camp de Têtes Plates ! Il approchait ses mains du feu pour les réchauffer quand il comprit tout d'un coup ce que ce simple geste impliquait. Il fut tellement surpris qu'il recula brusquement comme s'il venait de se brûler.

Du feu dans un camp de Têtes Plates ! Ils savaient donc faire du feu ! Il n'en croyait pas ses yeux et approcha à nouveau ses mains du feu comme s'il avait besoin que ses autres sens lui donnent la preuve qu'il n'était pas en train de rêver. Puis il saisit un des bouts de la fourrure posée sur ses épaules et la tâta du bout des doigts. Il s'agissait d'une peau de loup, tannée, et dont l'intérieur était étonnamment doux. Jondalar se dit que les Sharamudoï n'auraient pas fait mieux. En revanche, cette peau n'avait pas été taillée. Il s'agissait simplement de la dépouille d'un loup de belle taille.

Dès que Jondalar se sentit un peu réchauffé, il se releva et se plaça dos au feu. Il aperçut alors le jeune mâle qui le regardait. Qu'est-ce qui lui donnait à penser que c'était un mâle ? La peau dont il était vêtu ne laissait pas deviner ses formes. Mais son regard direct, aussi méfiant soit-il, ne trahissait aucune crainte. D'après les Losadunaï, les femelles Têtes Plates n'osaient pas affronter les hommes et elles s'enfuyaient à leur approche.

Ce jeune Tête Plate était plutôt un adolescent qu'un enfant, remarqua Jondalar en l'observant de plus près. Sa petite taille l'avait induit en erreur au début. Il possédait déjà une forte musculature et sa face commençait à se couvrir de poils.

Le jeune Tête Plate fit entendre un grognement et la femelle se précipita vers un tas de bois pour alimenter le feu. Jondalar en profita pour la regarder de plus près. Ce doit être sa mère, se dit-il. La femelle ne semblait pas supporter qu'il la regarde. Elle recula en baissant la tête. Jondalar la suivait des yeux mais, quand elle atteignit la limite de la clairière, il tourna la tête l'espace d'une seconde et quand il regarda à nouveau de son côté elle avait disparu. Elle s'était si bien cachée que s'il n'avait pas su qu'elle était à cet endroit jamais il n'aurait deviné sa présence.

Elle a peur de moi, se dit-il. Je me demande pourquoi elle ne s'est pas enfuie au lieu d'apporter du bois quand le jeune lui a dit de le faire. Qu'est-ce que je raconte ? se demanda-t-il. Comment ce jeune mâle a-t-il pu lui dire quelque chose ? Les Têtes Plates ne parlent pas ! Ce coup de froid m'a donné de la fièvre et je délire...

Jondalar avait beau se dire le contraire, il éprouvait la nette impression que le jeune mâle avait effectivement ordonné à la femelle d'aller chercher du bois. D'une manière ou d'une autre, il avait transmis cet ordre. Quand Jondalar se tourna à nouveau vers lui, le regard du jeune était nettement hostile. Il comprit que le Tête Plate n'avait pas apprécié qu'il regarde la femelle avec autant d'insistance et qu'il n'avait pas intérêt à s'approcher d'elle. J'ai l'impression qu'il ne fait pas bon s'intéresser aux femelles Têtes Plates quand il y a un mâle autour, de quelque âge que ce soit, se dit-il.

Quand Jondalar cessa de regarder dans la direction de la femelle, la tension baissa. Malgré tout, il avait la pénible impression que, debout l'un en face de l'autre, ils étaient en train de se jauger mutuellement, exactement comme l'auraient fait deux hommes. Cependant cet homme, si c'en était un, ne ressemblait en rien à ceux qu'il connaissait. Durant ses voyages, les gens qu'il avait rencontrés parlaient des langues différentes de la sienne, avaient des coutumes et des habitats différents — mais ils étaient tous humains.

Ce jeune Tête Plate était différent. Mais était-ce pour autant un animal ? Il était plus petit et plus trapu que Jondalar, mais ses pieds nus ressemblaient aux siens. Malgré ses jambes un peu arquées, il se tenait droit et marchait normalement. Il était plus poilu que la moyenne des hommes, surtout autour des bras et des épaules, mais on ne pouvait pas pour autant appeler cela un pelage. Jondalar avait déjà rencontré des hommes aussi poilus que lui. En dépit de sa jeunesse, il avait déjà un torse de taureau et une musculature puissante qui enlevaient toute envie de se bagarrer avec lui. Même chez les mâles adultes que Jondalar avaient précédemment rencontrés, cette musculature, aussi prodigieuse soit-elle, ne différait pas de celle des humains. Ce qui faisait vraiment la différence, c'était le visage et la tête. Mais quelle différence exactement ? Des arcades plus proéminentes, un front moins haut et qui fuyait vers l'arrière. Le jeune mâle avait le cou très court, pas de menton, simplement une mâchoire forte et un nez busqué. Même si son visage diffère de ceux des hommes que j'ai rencontrés jusqu'ici, c'est un visage humain, se dit Jondalar. Et ils savent faire du feu.

Mais ils ne parlent pas. Je me demande... s'ils ne communiquent pas entre eux ? Grande Doni ! Bien sûr que si, puisque ce jeune Tête Plate a réussi à me faire comprendre qu'il voulait que je le suive. Comment a-t-il su que j'avais besoin de me réchauffer ? Et comment se fait-il qu'un Tête Plate soit venu en aide à un homme ? Jondalar était complètement dérouté. Il n'empêche que ce Tête Plate lui avait probablement sauvé la vie.

Le jeune mâle semblait avoir pris une décision.

Utilisant le même geste qu'un peu plus tôt, il invita Jondalar à le suivre. Dès qu'ils s'éloignèrent du feu, Jondalar recommença à avoir froid, car ses vêtements étaient toujours humides, et il se félicita d'avoir conservé la fourrure de loup sur ses épaules. Ils traversèrent la clairière en sens inverse et quand ils arrivèrent en vue du fleuve, le Tête Plate se précipita en avant en émettant des sons aigus et en remuant les mains. Le petit animal qui avait commencé à s'attaquer à l'esturgeon disparut aussitôt dans les fourrés. Le poisson, aussi gros soit-il, n'allait pas tarder à être dévoré si on ne le surveillait pas.

En voyant avec quelle rage le jeune Tête Plate avait fait fuir le prédateur, Jondalar eut une soudaine intuition. Si ce jeune mâle l'avait aidé, n'était-ce pas à cause du poisson ? En voulait-il un morceau ?

Après avoir fouillé dans un des replis de la peau qui le couvrait, le Tête Plate sortit un éclat de silex et, se plaçant au-dessus de l'esturgeon, fit semblant de le couper en deux. Puis il fit des gestes qui signifiaient qu'une partie du poisson était pour lui et l'autre pour Jondalar. Il s'immobilisa alors et attendit. Sa proposition était on ne peut plus claire. Mais elle amenait Jondalar à se poser à nouveau toutes sortes de questions.

Où ce jeune Tête Plate avait-il trouvé cet outil ? Même s'il n'était pas aussi perfectionné que le sien — il s'agissait d'un éclat de silex épais et non d'une lame fine — ce couteau à bords tranchants semblait parfaitement fontionnel. Il avait été fabriqué par quelqu'un dans un but bien précis. Mais plus encore que cet outil, ce qui l'intriguait c'est que ce jeune ait réussi à lui faire comprendre ses intentions.

Le jeune mâle attendait toujours. Jondalar opina du bonnet en se demandant si ce mouvement allait être correctement interprété. Toute son attitude indiquait qu'il était d'accord. Pour le Tête Plate, cela avait plus de signification que le hochement de tête et il se mit donc aussitôt au travail.

Tout en le regardant faire, le jeune Zelandonii se disait : Il ne réagit pas du tout comme un animal. Un animal se serait précipité sur ce poisson pour en manger un morceau. Un animal plus évolué se serait dit que je représentais un danger pour lui et il aurait attendu que je sois parti avant de toucher à l'esturgeon. Jamais un animal n'aurait compris que j'avais froid et n'aurait pu me proposer de venir me réchauffer. Et surtout, jamais il ne m'aurait demandé de partager ce poisson avec lui ! Seuls les humains sont accessibles à la pitié et ce jeune Tête Plate a eu à mon égard un comportement humain.

Toutes les croyances de Jondalar — ancrées en lui depuis sa plus tendre enfance — étaient en train de vaciller. Les Têtes Plates étaient des animaux. C'était en tout cas ce que tout le monde disait. Cette évidence s'appuyait sur le fait que les Têtes Plates étaient incapables de parler. Etait-ce là la seule chose qui les différenciait des hommes ?

Jondalar aurait de bon cœur accepté que le jeune mâle emporte la totalité du poisson. Il était curieux de voir comme il allait s'y prendre pour le partager en deux. De toute façon, ce poisson était si gros que quatre hommes auraient eu du mal à le porter et, d'une manière ou d'une autre, il aurait fallu le découper.

Le jeune Tête Plate releva brusquement la tête.

Avait-il entendu quelque chose ?

— Jondalar ! Jondalar !

Le Tête Plate semblait interloqué. Jondalar écarta les buissons et se précipita vers la rive.

— Ici ! cria-t-il. Je suis ici, Thonolan !

Son frère était parti à sa recherche ! En apercevant le bateau qui voguait au milieu du fleuve, Jondalar recommença à crier. Les rameurs le saluèrent de la main et obliquèrent en direction de la rive.

En entendant un grognement dans son dos, Jondalar se retourna. L'esturgeon avait été partagé en deux sur toute sa longueur et le jeune Tête Plate était en train de placer la moitié qui lui revenait sur une peau étendue sur le sol. Il réunit les bords de la peau et posa le chargement sur son dos. La demi-tête et la demi-queue dépassant de son sac, il disparut dans les bois.

— Attends ! cria Jondalar en se précipitant à sa suite.

Il le rattrapa au moment où il atteignait la clairière. La femelle, qui portait un grand panier sur son dos, recula en le voyant. Il ne restait dans la clairière aucune trace de leur passage et même les traces de feu avaient disparu. Si Jondalar n'avait pas eu l'occasion de s'y réchauffer un peu plus tôt, jamais il n'aurait cru qu'il y avait eu un feu à cet endroit.

Enlevant la fourrure de loup de ses épaules, il la tendit à la femelle. Sur un grognement du mâle, celle-ci prit la fourrure, puis ils s'enfoncèrent tous deux dans les bois.

Jondalar frissonna dans ses vêtements mouillés et retourna vers la petite plage. Quand il y arriva, le bateau était en train d'accoster. Son frère sauta sur la rive et, tombant dans les bras l'un de l'autre, ils s'étreignirent longuement.

— Je suis tellement heureux de te voir, Thonolan ! s'écria Jondalar. Je craignais qu'en découvrant la pirogue, vous pensiez que je m'étais noyé.

— Combien de rivières avons-nous traversées ensemble, Grand Frère ? Je savais que tu étais un bon nageur. Quand nous avons découvert la pirogue, nous nous sommes doutés que tu ne devais pas être bien loin et nous avons continué à remonter le fleuve.

— Qui a pris la moitié de ce poisson ? demanda Dolando.

— J'en ai fait cadeau.

— Tu en as fait cadeau ! A qui ?

— A un Tête Plate.

— Un Tête Plate ! s'écrièrent en chœur les hommes debout sur le rivage.

— Pourquoi as-tu donné la moitié d'un aussi gros poisson à un Tête Plate ? demanda Dolando.

— Il m'a donné un coup de main et, en échange, m'a demandé la moitié de l'esturgeon.

— Qu'est-ce tu racontes ? demanda Dolando avec colère. Comment un Tête Plate peut-il demander quoi que ce soit ? Où est-il ?

Le chef des Sharamudoï semblait furieux, ce qui surprit beaucoup Jondalar. Habituellement, Dolando ne perdait jamais son sang-froid.

— Il est parti dans les bois, expliqua Jondalar. Quand je l'ai rencontré, j'étais trempé et je n'arrivais pas à me réchauffer. Il m'a emmené jusqu'à son feu et...

— Son feu ! le coupa Thonolan. Depuis quand savent-ils faire du feu ?

— J'ai déjà vu des Têtes Plates faire du feu, dit Barono.

— Moi aussi, il m'est arrivé d'en apercevoir quelques-uns de loin sur cette rive du fleuve, fit remarquer Carolio.

— Je ne savais pas qu'ils étaient revenus, intervint Dolando. Combien étaient-ils ?

— Juste un jeune mâle et une femelle. J'ai pensé que c'était peut-être sa mère.

— S'ils ont emmené des femelles avec eux, ils doivent être plus nombreux que ça, reprit Dolando en jetant un coup d'œil vers les bois. Ce serait une bonne idée d'organiser une chasse aux Têtes Plates et de débarrasser la forêt de toute cette vermine.

Dolando avait parlé d'un ton nettement menaçant. Jondalar savait, pour l'avoir déjà entendu faire quelques remarques à ce sujet, qu'il ne portait pas les Têtes Plates dans son cœur. Mais c'était la première fois qu'il laissait éclater une telle haine à leur égard.

Si Dolando était tacitement reconnu comme le chef des Sharamudoï, ce n'était pas parce qu'il était plus intelligent ou plus fort que les autres, mais parce qu'il possédait les qualités nécessaires pour ce poste de commandement et un réel pouvoir de persuasion. Il avait le don de s'attirer la sympathie de tous et de résoudre les problèmes qui se présentaient. Jamais il ne donnait d'ordres. Il cajolait, enjôlait, persuadait et transigeait. Il se débrouillait pour mettre de l'huile dans les rouages afin d'amortir les frictions qui s'élevaient inévitablement entre gens vivant ensemble. Il était astucieux et efficace, si bien que ses décisions étaient habituellement acceptées. Mais personne n'était tenu de s'y soumettre et cela entraînait parfois des discussions pour le moins animées.

Dolando avait suffisamment confiance en lui pour défendre son point de vue lorsqu'il était sûr d'avoir raison et pour demander l'avis de quelqu'un d'autre, possédant un savoir ou une expérience supérieurs à la sienne, quand le besoin s'en faisait sentir. Il avait tendance à ne pas intervenir dans les querelles personnelles et, quand il le faisait, c'était toujours à la demande de quelqu'un. Même s'il était plutôt calme, la cruauté, la bêtise ou la négligence pouvaient néanmoins le faire sortir de ses gonds, surtout lorsque ce type de comportement faisait courir des risques à la Caverne tout entière ou était dirigé contre un être faible et sans défense. Il y avait encore une chose qu'il ne supportait pas : c'était les Têtes Plates. Il leur vouait une véritable haine. A ses yeux, les Têtes Plates étaient des animaux vicieux et dangereux qui devaient être éliminés.

— J'étais gelé, rappela Jondalar, et ce jeune Tête Plate m'a aidé. Il m'a amené près de son feu et m'a donné une fourrure pour que je me réchauffe. S'il avait voulu emporter la totalité du poisson, j'aurais été bien incapable de l'en empêcher. Mais il n'a pas profité de la situation et m'en a laissé la moitié. Je n'ai nullement envie de lui donner la chasse.

— En général, ils ne font pas grand mal, dit Barono. Mais j'aime bien savoir quand ils recommencent à traîner par ici. Ils sont malins. Mieux vaut ne pas se laisser surprendre par eux lorsqu'ils sont en groupe.

— Ce ne sont que des brutes assassines... dit Dolando.

Barono ne releva pas cette remarque.

— Tu as eu de la chance de tomber sur un jeune Tête Plate et une femelle. Les femelles ne se battent pas.

Thonolan, qui n'appréciait pas le tour pris par la conversation, demanda :

— Comment allons-nous faire pour ramener cette magnifique demi-prise dans la maison de mon frère ? (Repensant soudain aux conditions dans lesquelles l'esturgeon avait été pêché, il ajouta en souriant :) Après tout le mal que ce poisson t'a donné, je suis étonné que tu en aies si facilement fait cadeau de la moitié.

Des rires fusèrent, encore teintés d'une certaine nervosité.

— Est-ce que ça veut dire que Jondalar est maintenant à moitié ramudoï ? demanda Markeno.

— Nous devrions l'emmener chasser avec nous, proposa Thonolan. S'il réussit à ramener un demi-chamois, il sera alors à moitié shamudoï et cela fera le compte.

— Je me demande laquelle des deux moitiés préférera Serenio ? demanda Barono en clignant de l'œil.

— J'en connais beaucoup qui se contenteraient de la moitié d'un pareil homme, renchérit Carolio.

Son sourire moqueur signifiait clairement qu'elle faisait référence à autre chose qu'à la haute stature de Jondalar. Pour ceux qui habitaient les abris proches du sien, ses exploits sexuels n'étaient plus un secret. Quand tout le monde éclata de rire, Jondalar rougit, mais il n'en voulut pas à Carolio car elle avait réussi à détendre l'atmosphère. Tout le monde semblait avoir oublié la nervosité provoquée par les propos de Dolando.

Ils allèrent chercher dans le bateau un filet en fibres qu'ils étendirent sur le sol à côté du poisson. Après y avoir placé l'esturgeon, ils le halèrent dans l'eau et attachèrent le filet à la poupe de l'embarcation.

Profitant du fait que tout le monde était en train de s'activer autour du poisson, Carolio s'approcha de Jondalar et lui expliqua à voix basse :

— Le fils de Roshario a été tué par les Têtes Plates. Il était encore tout jeune et n'avait pas encore pris de compagne. C'était un garçon plein d'humour et courageux. Dolando adorait le fils de son foyer et, après sa mort, il a embarqué tous les hommes de la Caverne avec lui et il a donné la chasse aux Têtes Plates qui se trouvaient dans la forêt. Plusieurs ont été tués et les autres ont filé. Déjà avant, Dolando ne les portait pas dans son cœur, mais depuis...

— Je comprends, dit Jondalar en hochant la tête.

Au moment où ils allaient embarquer, Thonolan lui demanda :

— Comment le Tête Plate a-t-il fait pour emporter la moitié de ce poisson ?

— Il l'a placée dans une peau et l'a embarquée sur son dos.

— Il l'a transportée sans l'aide de qui que ce soit !

— Et ce n'était qu'un jeune adolescent, précisa Jondalar.

Thonolan se dirigea vers l'abri en bois qu'habitaient Serenio, Jondalar et Darvo. Cet abri était construit avec des madriers appuyés sur une poutre faîtière qui s'inclinait vers le sol, si bien qu'il ressemblait à une tente. La paroi de devant, triangulaire, était beaucoup plus haute que celle du fond et les deux parois latérales avaient la forme d'un trapèze. On utilisait la même technique que pour les bordages des bateaux : les madriers se chevauchaient, le bord le plus épais recouvrant le bord le plus mince, et étaient reliés ensemble à l'aide de branches de saule.

C'était des abris solides, confortables et étanches. Il fallait qu'ils soient anciens pour que les parois en bois se fendent et qu'on aperçoive alors le jour au travers. Le surplomb en grès les protégeait en partie du mauvais temps et ils nécessitaient beaucoup moins d'entretien que les bateaux. L'ouverture pratiquée dans la paroi de devant laissait entrer la lumière pendant la journée et, lorsque la nuit tombait, le foyer, délimité par des pierres, éclairait l'intérieur de l'abri.

Thonolan passa la tête dans l'ouverture pour voir si son frère était réveillé.

— Entre, lui dit Jondalar, qui parlait du nez.

Il était assis sur la plate-forme qui servait de lit, emmitouflé dans des fourrures, et tenait un bol rempli d'un liquide fumant.

— Comment va ton rhume ? demanda Thonolan en s'asseyant sur le bord de la couche.

— Mon rhume va mal, mais moi, je me sens mieux.

— Personne n'a pensé que tes vêtements étaient mouillés et que tu devais grelotter avec le vent qui soufflait dans les gorges au moment où nous sommes rentrés.

— J'étais tellement heureux que vous m'ayez retrouvé que je ne me suis même pas rendu compte que j'avais froid.

— Et moi, je suis content que tu ailles mieux.

Thonolan semblait ne plus trop savoir quoi dire. Il se leva, fit quelques pas en direction de l'ouverture de l'abri, puis faisant soudain demi-tour, revint vers son frère.

— Est-ce que tu as besoin de quelque chose ? demanda-t-il.

Jondalar hocha la tête et attendit. Son frère avait quelque chose à lui dire, mais il n'arrivait pas à se décider.

— Jondalar... commença-t-il. (Il se tut pendant un court instant avant de continuer :) Cela fait un certain temps maintenant que tu vis avec Serenio.

Jondalar se dit que son frère allait lui conseiller de régulariser sa situation. Mais il se trompait.

— Quel effet cela fait-il d'être l'homme d'un foyer ? demanda Thonolan.

— Depus que tu t'es uni à Jetamio, toi aussi, tu es l'homme de ton foyer, lui rappela Jondalar.

— Je sais bien ! Mais je voulais te demander si cela fait vraiment une différence d'avoir un fils dans son foyer ? Jetamio a tant de fois essayé d'avoir un enfant et... elle vient encore d'en perdre un autre, Jondalar.

— Je suis désolé...

— Je m'en fiche qu'elle ait ou non un bébé ! s'écria Thonolan. Mais j'ai peur de la perdre. J'aimerais bien qu'elle arrête d'essayer.

— Je pense qu'elle n'a pas le choix. La Mère donne...

— Si c'est le cas, pourquoi ne la laisse-t-Elle pas en garder un seul ! hurla Thonolan en se précipitant vers la sortie.

Au passage, il frôla Serenio qui entrait.

— Il t'a dit pour Jetamio ? demanda cette dernière.

Jondalar hocha la tête.

— Elle a gardé cet enfant un peu plus longtemps que les précédents, reprit-elle. Mais pour elle, cela a été encore plus douloureux de le perdre. Je suis contente qu'elle soit heureuse avec Thonolan. Elle le mérite, la pauvre !

— Est-ce qu'elle va s'en sortir ?

— Ce n'est pas la première fois qu'une femme perd un enfant, Jondalar, rappela Serenio. Ne t'inquiète pas pour Jetamio — elle va bien. Je vois que tu as trouvé une boisson que j'avais préparée, ajouta-t-elle avec un sourire. C'est une infusion de menthe poivrée, de bourrache et de lavande. Le shamud m'a dit que ça serait bon pour ton rhume. Comment te sens-tu ? Je suis juste venue voir si tu étais réveillé.

— Je vais bien, répondit-il en essayant d'avoir l'air plus en forme qu'il ne l'était réellement.

— Dans ce cas, je retourne au chevet de Jetamio.

Dès qu'elle fut ressortie, Jondalar posa son bol et il s'allongea. Il avait le nez plein et la tête douloureuse. Il n'aurait pas su dire pourquoi, mais la réponse de Serenio l'inquiétait. Rien que d'y penser, son estomac se contracta douloureusement. Ce doit être le rhume, se dit-il.

16

L'été arriva, et avec lui une profusion de fruits que la jeune femme ramassa au fur et à mesure qu'ils mûrissaient. Elle obéissait là plutôt à une habitude qu'à un réel besoin. Il lui restait suffisamment de fruits secs de l'année d'avant, mais elle ne supportait pas de rester inactive.

Durant l'hiver, malgré les expéditions de chasse en compagnie de Bébé et de Whinney, elle avait eu du mal à trouver de quoi s'occuper. Elle avait bien tanné toutes les peaux des animaux qu'ils tuaient, continué à fabriquer des paniers, des nattes et des récipients en bois et accumulé assez d'outils et d'instruments pour satisfaire les besoins de tout un clan. Mais c'est avec impatience qu'elle avait attendu le retour de la belle saison pour reprendre la cueillette et le ramassage des plantes.

Elle continuait aussi à chasser en compagnie de Bébé, comme elle l'avait fait durant tout l'hiver, en modifiant un peu la méthode qu'elle avait employée jusque-là, du fait que Whinney était partie. Mais le lion était devenu un si bon chasseur qu'elle aurait pu facilement éviter de chasser. Non seulement elle avait d'importantes réserves de viande séchée, mais quand Bébé partait chasser seul et qu'il revenait avec du gibier — ce qui était le cas la plupart du temps — elle n'hésitait jamais à prélever un morceau de sa proie. Elle pouvait se le permettre à cause du rapport tout à fait exceptionnel qu'elle entretenait avec le lion. Elle était sa mère, donc, pour lui, un animal dominant. Elle chassait avec lui, elle était donc son égal. Et il était le seul être qu'elle puisse aimer.

En regardant vivre les lions sauvages, elle avait fait un certain nombre d'observations sur leurs habitudes de chasse, qui se trouvaient maintenant confirmées par celles de Bébé. Les lions des cavernes étaient des chasseurs diurnes pendant l'hiver et nocturnes en été. Bien que Bébé eût perdu son pelage d'hiver au printemps, son pelage d'été restait épais et, durant la journée, il faisait trop chaud pour la chasse. La seule chose qui l'intéressait, c'était de dormir, de préférence dans la niche située au fond de la grotte, qui restait fraîche tout l'été. Même en hiver, quand ils avaient retrouvé leur poil dru, les lions appréciaient de pouvoir se réfugier dans une caverne, à l'abri du vent glacial qui soufflait sur les steppes. Ces carnassiers possédaient d'étonnantes facultés d'adaptation. L'épaisseur et la couleur de leur pelage ainsi que leurs habitudes de chasse évoluaient en fonction des conditions climatiques — tant qu'il y avait assez de gibier pour les nourrir.

Le lendemain du départ de Whinney, quand Ayla s'était réveillée et qu'elle avait aperçu Bébé dormant à côté de la carcasse d'un faon tacheté — le petit d'un cerf géant —, elle avait pris une décision. Il fallait qu'elle quitte la vallée, cela ne faisait aucun doute, mais pas cet été. Bébé avait encore besoin d'elle, il était encore trop jeune pour vivre seul. Jamais il ne se ferait accepter dans une troupe de lions sauvages et le mâle dominant risquait de le tuer. Jusqu'à ce qu'il soit assez âgé pour s'accoupler et fonder sa propre troupe, il avait besoin de la sécurité de la caverne.

Iza lui avait conseillé de partir à la recherche de son peuple et elle était bien résolue à lui obéir. Mais, en même temps, la décision de temporiser la soulageait : elle avait peur de devoir échanger sa liberté contre la compagnie de gens dont elle ignorait tout. Une autre raison, qu'elle ne s'avouait pas, la poussait à rester le plus longtemps possible dans la vallée : elle ne voulait pas s'en aller avant d'être sûre que Whinney ne reviendrait jamais. La jument lui manquait terriblement. Elle avait partagé sa vie depuis le début de son installation dans la vallée et Ayla l'adorait.

— Debout, gros paresseux ! dit Ayla. Allons nous promener et voir si nous ne pouvons pas trouver quelque chose à chasser. Tu n'es même pas sorti la nuit dernière.

Après avoir donné une tape au lion, Ayla sortit de la caverne en faisant le geste qui signifiait : « Suis-moi ! » Bébé souleva la tête, bâilla en découvrant ses crocs et se mit à la suivre à contrecœur. Il n'était pas plus affamé qu'Ayla et aurait préféré continuer à dormir.

La veille, la jeune femme avait ramassé des plantes médicinales, une tâche qui lui plaisait beaucoup car elle lui rappelait de bons souvenirs. Quand elle était enfant, elle aimait qu'Iza l'envoie cueillir des plantes car cette activité lui permettait d'échapper à la surveillance des autres membres du clan, si prompts à désapprouver les actes qu'ils jugeaient malséants. Elle profitait de ces instants de liberté pour suivre ses tendances naturelles. Plus tard, elle avait continué à cueillir des plantes, tout heureuse d'apprendre son métier de guérisseuse, et ce savoir faisait maintenant intimement partie d'elle-même.

Pour elle, les plantes et leurs propriétés médicinales étaient si étroitement associées que pour les distinguer les unes des autres, elle se référait autant à leur usage qu'à leur aspect. Par exemple, les bouquets d'aigremoine suspendus tête en bas dans la partie la plus sombre de la caverne, non loin du foyer, étaient autant une infusion de fleurs et de feuilles sèches utilisée pour les blessures et les contusions internes qu'une plante vivace aux feuilles dentelées et aux minuscules fleurs jaunes poussant sur une tige piquante.

Le pas-d'âne en train de sécher sur des nattes tressées avait plusieurs usages. Avec les feuilles sèches, on préparait d'excellentes inhalations pour soulager l'asthme, on les utilisait aussi, mélangées à d'autres ingrédients, en infusion pour soigner la toux, et enfin, comme assaisonnement. Quand elle regardait les larges feuilles duveteuses et les racines de consoude qu'elle avait mises à sécher au soleil, elle songeait aussitôt au rôle que cette plante jouait dans la consolidation des fractures et la cicatrisation des blessures. Les fleurs de soucis qu'elle avait cueillies permettaient de soigner les plaies, les ulcères et les irritations de la peau. La camomille était une plante digestive, utilisée aussi pour nettoyer les blessures. Quant aux pétales d'aubépine qui flottaient dans un bol rempli d'eau et placé au soleil, elle s'en servait comme lotion astringente et rafraîchissante pour la peau.

Elle avait ramassé ces plantes pour remplacer celles qui lui restaient de l'an passé. Même si elle avait bien peu l'occasion d'utiliser toute cette pharmacopée, cela lui faisait plaisir de s'en occuper et lui permettait de ne pas perdre la main. Mais, compte tenu du nombre impressionnant de feuilles, de fleurs, de racines et d'écorces en train de sécher un peu partout, elle ne pouvait plus se permettre de ramasser quoi que ce soit et, n'ayant rien de précis à faire, elle se sentait désœuvrée.

Une fois sur la plage, elle contourna la saillie rocheuse et suivit la rangée de buissons qui bordaient la rivière. Le lion avançait à pas feutrés derrière elle en grognant, ce qui était sa manière à lui de parler. Les autres lions émettaient le même genre de son. Mais chaque lion avait une manière bien à lui de grogner, si bien qu'Ayla était capable de reconnaître le grognement caractéristique de Bébé, même lorsqu'il était loin d'elle. Elle identifiait aussi sans difficulté son rugissement. Il démarrait du plus profond de son poitrail par une série de grognements, puis s'enflait jusqu'à atteindre la résonance d'un coup de tonnerre.

Quand elle arriva à la hauteur d'un rocher où elle avait l'habitude de se reposer, elle s'arrêta. Elle n'avait pas vraiment envie de chasser et ne savait pas très bien quoi faire. Aussitôt Bébé s'approcha d'elle. Ayla gratta le pourtour de ses oreilles et l'intérieur de sa crinière. Son poil d'été était d'un beige légèrement plus foncé qu'en hiver et sa crinière, devenue rousse, évoquait l'ocre rouge. Bébé leva la tête pour qu'Ayla puisse le gratter sous le menton et se mit à grogner de contentement. Quand Ayla avança le bras pour le caresser de l'autre côté, elle s'aperçut que le lion lui arrivait maintenant juste au-dessous de l'épaule et qu'il avait presque atteint la taille de Whinney, en plus massif. Vivant continuellement avec lui, elle ne s'était pas rendu compte à quel point il avait encore grandi.

Les lions des cavernes qui vivaient dans les steppes de cette région froide et bordée par les glaciers avaient trouvé là un environnement idéal, qui convenait parfaitement à leur manière de chasser. Dans ces immenses prairies, le gibier était abondant et varié. Certains animaux atteignaient une taille énorme : les bisons et les bovidés étaient une fois et demie plus grands que le seraient plus tard leurs semblables, les cerfs géants possédaient des bois de trois mètres d'envergure et il y avait aussi des rhinocéros laineux et des mammouths laineux. Toutes les conditions étaient réunies pour qu'une espèce au moins de carnassiers se développe jusqu'à atteindre la taille requise pour chasser ce genre de gibier. Les lions qui viendraient ensuite n'atteindraient que la moitié de leur taille et sembleraient presque chétifs comparés à eux. Le lion des cavernes était le plus gros félin qui eût jamais vécu.

Bébé était l'exemple le plus abouti de ces prédateurs inégalés — énorme, puissant, plein de santé et de vigueur, comme en témoignait son poil luisant — et il se laissait caresser avec un plaisir évident. S'il avait décidé d'attaquer Ayla alors qu'elle lui grattait le flanc, la jeune femme n'aurait rien pu faire, mais il n'était pas plus dangereux pour elle qu'un chaton.

Ayla n'avait pas conscience de l'autorité qu'elle exerçait sur lui et l'obéissance de Bébé était du même ordre. Levant la tête ou la tournant de côté pour lui montrer où il désirait qu'elle le gratte, le lion s'abandonnait au plaisir sensuel que provoquaient en lui ces caresses. Et Ayla était tout heureuse de lui faire plaisir. Au moment où elle montait sur le rocher pour lui caresser l'autre flanc, elle eut soudain une idée. Sans réfléchir aux possibles conséquences, elle s'installa sur le dos du lion, comme elle l'avait fait tant de fois avec Whinney.

Même si Bébé fut un peu surpris, les bras posés sur son cou étaient familiers et le poids d'Ayla négligeable. Pendant un long moment, ils ne bougèrent ni l'un ni l'autre. Lorsqu'ils chassaient ensemble, pour donner à Bébé le signal du départ, Ayla faisait un large mouvement du bras, comme si elle allait lancer un projectile avec sa fronde, et criait un mot qui, pour elle, signifiait : « Vas-y ! » Comme elle avait très envie que le lion se mette en mouvement, elle refit le même geste et cria le même mot.

Sentant qu'il tendait ses muscles, elle saisit sa crinière à deux mains et Bébé bondit en avant. Il fonça à toute vitesse vers le fond de la vallée. Ayla ferma à demi les yeux à cause du vent qui soufflait sur son visage et faisait voler les longues mèches de cheveux qui s'échappaient de ses tresses. Elle ne pouvait pas diriger le lion comme elle faisait avec Whinney. Elle se laissait porter par lui, allant où il voulait et s'abandonnant au plaisir que provoquait chez elle cette course sans but.

La pointe de vitesse de Bébé fut de courte durée, exactement comme lorsqu'il chassait. Il ralentit, fit un large cercle et reprit le chemin de la caverne. Portant toujours la jeune femme sur son dos, il s'engagea sur l'étroit sentier et s'arrêta en arrivant à l'intérieur de la grotte. Ayla descendit et le serra dans ses bras, ne sachant pas comment exprimer autrement ce qu'elle éprouvait. Bébé fit claquer sa queue, puis il se dirigea vers le fond de la caverne. Dès qu'il eut rejoint sa place favorite, il s'étira et s'endormit presque aussitôt.

Tu m'as offert une sacrée balade, se dit Ayla en regardant le lion, et tu te dis que ça suffit pour aujourd'hui, n'est-ce pas, Bébé ? Maintenant tu peux dormir aussi longtemps que tu en as envie.

A la fin de l'été, les absences de Bébé commencèrent à s'allonger. La première fois qu'il resta absent plus d'une journée, Ayla se fit du souci et, la seconde nuit, elle était tellement inquiète qu'elle ne put fermer l'œil. Elle était au moins aussi fatiguée que lui quand, au petit jour, il regagna enfin la caverne. Il ne rapportait aucun gibier et, lorsqu'elle lui donna de la viande séchée, il la dévora avec tant d'appétit qu'elle alla chercher sa fronde et, malgré sa fatigue, partit chasser dans la vallée. Quand elle revint avec deux lièvres, Bébé se réveilla et, après avoir manifesté sa joie de la voir rentrer, il prit un des deux lièvres et l'emporta au fond de la caverne. Ayla mit l'autre bête de côté et elle alla se coucher.

La fois suivante, lorsqu'il s'absenta pendant trois jours, elle se fit moins de souci — mais elle se rendit compte en revanche à quel point la caverne semblait vide quand il n'y était pas. Quand il revint, il avait reçu quelques bons coups de griffe et elle en déduisit qu'il avait dû se battre avec d'autres lions pour une femelle. Contrairement aux chevaux qui s'accouplaient toujours au printemps, les lionnes pouvaient être en chaleur à n'importe quel moment de l'année.

Au fur et à mesure que l'automne avançait, les longues absences de Bébé devinrent de plus en plus fréquentes et, quand il rentrait à la caverne, c'était en général pour dormir. Ayla était certaine qu'il dormait aussi ailleurs, mais qu'à cet endroit, il se sentait moins en sécurité qu'à l'intérieur de la caverne. Elle ne savait jamais quand il allait rentrer, ni d'où il allait surgir. Parfois il empruntait l'étroit sentier qui menait à la caverne, apparaissant brusquement à côté d'elle, ou alors, plus impressionnant encore, il bondissait soudain sur la corniche, venant des steppes situées au-dessus de la grotte.

Ayla était toujours heureuse de le revoir, même si les manifestations d'affection de Bébé dépassaient parfois un peu les bornes. Quand s'élançant vers elle, il posait ses pattes avant sur ses épaules et la jetait au sol, elle se dépêchait de faire le geste qui signifiait « Arrête ! » pour mettre un frein à son enthousiasme débordant.

En général, il restait avec elle durant quelques jours et ils en profitaient pour chasser ensemble. De temps à autre, il rapportait aussi à la caverne une proie qu'il venait de tuer. Ayla était certaine que Bébé chassait pour son propre compte et qu'il devait défendre ses proies contre les hyènes, les loups ou les charognards qui essayaient de les lui voler. Quand il commençait à faire les cent pas à l'intérieur de la caverne, elle savait qu'il n'allait pas tarder à partir. La caverne semblait si vide sans lui qu'Ayla commençait à appréhender la venue de l'hiver et la perspective de le passer dans une complète solitude.

L'automne était très différent cette année-là : chaud et sec. Les feuilles avaient jauni, puis viré au brun sans aborder les lumineuses teintes automnales que les premières gelées réduisaient à néant. Brunes et flétries, elles s'agrippaient encore aux branches, tremblaient sous le souffle du vent qui aurait dû depuis longtemps les éparpiller sur le sol. Ni humide ni froid, sans bourrasques ni averses soudaines, cet automne troublant finirait par succomber à une attaque surprise de l'hiver. Inquiète à cette idée, Ayla s'attendait chaque matin à un changement brutal de température et était régulièrement surprise de découvrir que le ciel était toujours aussi bleu et clair. Elle passait la soirée assise sur la corniche à regarder le soleil sombrer derrière la terre, nimbé d'une légère brume qui lui retirait une partie de son éclat, au lieu d'assister à de splendides couchers de soleil sur fond de nuages chargés d'eau. Dès que la nuit était tombée, il y avait tellement d'étoiles qu'on avait l'impression qu'elles allaient faire voler en éclats le ciel noir.

Ayla ne s'était pas éloignée de la caverne depuis plusieurs jours et quand elle s'aperçut qu'il allait à nouveau faire une belle journée, elle se dit qu'elle avait tort de ne pas en profiter. L'hiver viendrait toujours assez vite, la confinant à l'intérieur de la grotte.

Dommage que Bébé ne soit pas là, se dit-elle. Je serais bien allée chasser avec lui. Pourquoi ne pas chasser seule ? se demanda-t-elle en prenant ses épieux. Non, corrigea-t-elle aussitôt. Sans Whinney et sans Bébé, ils ne me serviront à rien. Je vais juste prendre ma fronde. Faut-il que j'emporte une fourrure ? Il fait tellement chaud que je risque de transpirer. Je n'ai qu'à mettre une fourrure dans un panier que je porterai sur mon dos. Mais qu'est-ce que je vais faire d'un panier ? Je n'ai pas besoin de cueillir ou de ramasser quoi que ce soit. J'ai largement de quoi manger pour tout l'hiver. J'ai seulement envie de marcher. Je ne prendrai ni panier ni fourrure. Si je marche d'un bon pas, je n'aurai pas froid.

Ayla s'engagea dans l'étroit sentier qui menait à la rivière, un peu surprise d'être aussi libre de ses mouvements. Elle n'avait aucun chargement à porter, pas d'animal à nourrir, une caverne bien remplie. Elle n'avait à s'inquiéter de rien, sauf d'elle-même. Elle aurait préféré qu'il en soit autrement. Elle éprouvait à la fois un sentiment de liberté inhabituel et une étrange frustration.

Quand elle eut atteint la prairie, elle s'engagea dans la montée qui menait aux steppes de l'est et commença à marcher d'un bon pas, sans destination précise, se laissant simplement guider par sa fantaisie. Dans les steppes, la sécheresse était encore plus sensible que dans la vallée. L'herbe était si grillée que lorsque Ayla en cueillit un brin et le froissa entre ses doigts, il se désagrégea. Le vent emporta aussitôt la fine poussière que contenait sa paume ouverte.

Le sol sous ses pieds était dur comme de la pierre et tout craquelé. Elle devait faire attention où elle mettait les pieds pour ne pas trébucher sur une motte de terre ou se casser la cheville dans un trou. Jamais encore elle n'avait vu une telle aridité dans les steppes et l'air était tellement sec qu'il semblait absorber la buée de sa respiration. Elle n'avait emporté qu'une petite gourde en se disant qu'elle pourrait toujours la remplir dans les cours d'eau qu'elle connaissait, mais la plupart de ceux-ci étaient à sec et, en fin de matinée, la moitié de sa gourde était vide.

Arrivée près d'un ruisseau où elle était certaine de pouvoir trouver de l'eau mais qui était à sec, lui aussi, elle se dit que mieux valait rebrousser chemin. Elle remonta le lit du ruisseau et arriva bientôt en vue d'une mare boueuse, tout ce qui restait d'un trou profond et habituellement rempli d'eau. En se baissant pour voir si ce qui restait au fond de la mare était buvable, elle aperçut des empreintes de sabots toutes fraîches. Il ne faisait aucun doute qu'une horde de chevaux s'était arrêtée à cet endroit il y a peu de temps. Quelque chose de familier dans l'une de ces empreintes l'amena à l'examiner de plus près. Ayla avait maintes fois pisté le gibier et elle connaissait trop bien l'empreinte des sabots de Whinney pour ne pas avoir remarqué les différences infimes dans le contour et la pression qui rendaient cette empreinte identifiable entre toutes. Elle était certaine que Whinney s'était arrêtée au bord du cours d'eau quelque temps plus tôt. Son cœur se mit à battre plus vite : la jument ne devait pas être bien loin.

Elle n'eut aucun mal à suivre la piste. En quittant la mare boueuse, un des chevaux avait glissé sur le bord d'une crevasse, laissant une trace de son passage dans la terre meuble, et plus loin, l'herbe était couchée dans le sens de leur progression. Ayla, tout excitée, se lança à leur poursuite. Cela faisait tellement longtemps que Whinney l'avait quittée ! La jument allait-elle la reconnaître ?

La horde était partie beaucoup plus loin qu'elle ne le pensait. Un animal avait dû lui donner la chasse car les chevaux s'étaient mis soudain à galoper à travers les steppes. Ayla entendit tout un remue-ménage, ponctué de grognements, avant de tomber sur une bande de loups occupés à dévorer une proie. Elle battit aussitôt en retraite. Elle s'était approchée assez près pour savoir que le cheval couché sur le sol n'était pas Whinney. A la vue de sa robe brun-rouge, elle se sentit soulagée. Mais cette teinte assez inhabituelle lui rappela celle de la robe de l'étalon et elle se dit que l'animal devait appartenir à la même horde.

Tout en continuant à suivre les chevaux à la piste, elle se mit à penser aux chevaux sauvages, se rendant compte pour la première fois à quel point ces animaux étaient vulnérables. Même si Whinney était jeune et en bonne santé, n'importe quoi pouvait lui arriver. En songeant aux dangers qu'elle courait, Ayla avait bien envie de la ramener avec elle.

Il n'était pas loin de midi quand elle aperçut enfin les chevaux. Ils étaient encore nerveux et, comme Ayla marchait dans le sens du vent, dès qu'ils sentirent son odeur, ils recommencèrent à avancer. Elle dut faire une large boucle pour pouvoir les aborder en marchant contre le vent. Elle put s'approcher alors suffisamment près pour reconnaître Whinney. Son cœur se serra et elle faillit éclater en sanglots.

Elle a l'air en pleine forme, se dit-elle, et elle a drôlement grossi. Non, corrigea-t-elle aussitôt. Elle est pleine ! Oh, Whinney, c'est merveilleux ! Ayla était folle de joie. Elle se demanda si Whinney se souvenait d'elle. Et, ne pouvant plus y tenir, elle siffla.

En entendant le son familier, la jument tourna la tête dans sa direction. Ayla recommença à siffler. Whinney s'approcha d'elle. Incapable d'attendre, Ayla se précipita à sa rencontre. Mais soudain une jument beige s'interposa. Arrivant au galop, elle mordit les flancs de Whinney et l'obligea à faire demi-tour pour rejoindre la horde. Rassemblant les autres chevaux, la jument de tête les entraîna à sa suite, fuyant cette femme qu'elle ne connaissait pas et qui pouvait représenter un danger.

Ayla avait le cœur brisé. Elle ne pouvait se lancer à la poursuite de la horde : les chevaux avançaient trop vite pour elle et elle ne s'était déjà que trop éloignée de la vallée. Si elle voulait être rentrée avant la nuit, elle avait intérêt à se remettre en route dès maintenant et à marcher d'un bon pas. Elle siffla à nouveau, tout en sachant que c'était trop tard. Puis, faisant demi-tour, elle reprit le chemin de la caverne. Le vent s'était levé et il était si froid que, pour s'en protéger, elle remonta la peau qu'elle portait sur les épaules.

Elle était tellement déprimée qu'elle ne pensait qu'à sa tristesse et à sa déception. Un grognement d'avertissement la ramena rapidement à la réalité. Elle venait de tomber sur la bande de loups qui, le museau couvert de sang, étaient en train de se repaître du cheval brun-rouge.

Je ferais mieux de regarder où je vais, se dit-elle en reculant prestement. Tout est de ma faute. Si je n'avais pas été aussi impatiente de revoir Whinney, peut-être que cette jument n'aurait pas entraîné la horde loin de moi. Tout en faisant un large détour pour éviter les loups, Ayla en profita pour jeter un nouveau coup d'œil à l'animal qui gisait sur le sol. Son pelage était bien foncé pour un cheval. Il était du même brun que celui de l'étalon qui avait couvert Whinney. Après avoir observé plus attentivement la forme de sa tête et de son corps, Ayla sentit un frisson lui courir dans le dos. C'était l'étalon à la robe baie ! Comment un cheval aussi jeune et fringant avait-il pu tomber dans les griffes des loups ?

L'angle anormal que faisait sa patte antérieure gauche lui fournit aussitôt la réponse. Même un pur-sang aussi vigoureux que celui-là pouvait se casser une patte en galopant sur un sol aussi traître. Une profonde crevasse avait permis aux loups de savoir quel goût avait un jeune étalon. Ayla hocha tristement la tête. C'est vraiment trop bête, se dit-elle, il avait encore tant de belles années devant lui ! Au moment où elle dépassait la horde de loups, elle finit par prendre conscience du danger qui la menaçait.

Le ciel, si dégagé pendant toute la matinée, était devenu une masse figée de nuages menaçants. Les hautes pressions qui avaient réussi jusque-là à tenir l'hiver à distance venaient de céder et le front d'air froid en profitait pour s'imposer. Le vent aplatissait l'herbe sèche, projetant en l'air les brins qu'il lui arrachait. La température baissait à toute vitesse. Ayla sentait que la neige n'allait pas tarder à tomber. Et elle était encore très loin de la caverne ! Elle regarda autour d'elle et se mit à courir. Pourrait-elle rentrer avant que la tempête de neige fasse rage ?

Elle n'eut pas cette chance. Elle se trouvait à plus d'une demi-journée de la caverne et l'hiver attendait son heure depuis trop longtemps. Au moment où elle atteignait le cours d'eau à sec, de gros flocons se mirent à tomber. Dès que le vent recommença à souffler, ces flocons se transformèrent en aiguilles de glace qui la pénétraient jusqu'à l'os, puis en rafales de neige plus glaciales encore quand le blizzard se leva. Les vents tourbillonnaient, changeaient de direction au gré des déplacements des masses d'air et ballottaient Ayla dans tous les sens.

Elle savait que son salut résidait dans le fait de continuer à avancer, mais elle commençait à se demander si elle se dirigeait toujours du bon côté. Le paysage était indistinct et elle avait de plus en plus de mal à se repérer. Elle s'arrêta pour essayer de déterminer où elle était et dans l'espoir aussi de faire taire le sentiment de panique qui l'étreignait. Comment avait-elle pû être assez stupide pour quitter la caverne sans emporter une fourrure ? Elle aurait dû prendre un panier et sa tente : au moins elle aurait pu s'abriter. Ses oreilles étaient glacées, ses pieds tout engourdis et elle claquait des dents.

Soudain, elle dressa l'oreille. Etait-ce le sifflement du vent qu'elle entendait ou autre chose ? Le même son se fit entendre à nouveau. Plaçant ses deux mains autour de sa bouche, Ayla siffla aussi fort qu'elle put. Puis elle écouta.

Le hennissement aigu d'un cheval résonna non loin de là. Elle siffla de nouveau et quand la silhouette de la jument se dessina dans la tempête, telle une apparition, Ayla se précipita vers elle, le visage inondé de larmes.

— Whinney ! Oh, Whinney ! dit-elle, répétant inlassablement le nom de la jument, la tête enfouie dans ses longs poils d'hiver et serrant dans ses bras son épaisse encolure.

Puis elle monta sur le dos de la jument et se baissa le plus possible pour profiter de sa chaleur.

Suivant son instinct, Whinney prit la direction de la caverne. C'est là qu'elle se rendait lorsqu'elle avait rencontré Ayla. La mort de l'étalon avait complètement désorganisé la horde. Grâce à la jument de tête, tous les chevaux étaient restés ensemble et Whinney les aurait certainement suivis si elle n'avait pas entendu le sifflement familier. Ce sifflement lui avait rappelé non seulement la jeune femme qui l'avait élevée, mais aussi la sécurité qu'elle représentait. N'ayant pas grandi dans cette horde, la jument de tête avait moins d'importance pour elle. Quand la tempête avait éclaté, Whinney s'était souvenue d'une caverne où elle avait vécu à l'abri des vents violents et de la neige aveuglante, et de l'affection que lui avait prodiguée une jeune femme.

Quand elles atteignirent la caverne, Ayla tremblait si fort qu'elle parvint tout juste à allumer du feu. La chaleur qui s'en dégageait n'aurait jamais suffi à la réchauffer et, prenant les fourrures de sa couche, elle les plaça à côté de Whinney et s'endormit contre la jument.

Les jours suivants, elle put à peine apprécier le retour de son amie.

Elle se réveilla avec de la fièvre et des quintes de toux qui lui raclaient la poitrine. Elle vécut alors d'infusions, quand elle avait le courage de se lever pour en préparer une. Whinney lui avait sauvé la vie mais elle ne pouvait pas l'aider à guérir une pneumonie.

Très affaiblie par la maladie, Ayla délirait. Mais l'affrontement qui eut lieu quand Bébé revint à la caverne la tira brusquement de son sommeil fiévreux.

Surgissant la plupart du temps des steppes situées au-dessus de la caverne, le lion avait bondi sur la corniche et il s'apprêtait à entrer quand une sommation retentissante l'arrêta net. Réveillée par les hennissements que poussait Whinney, Ayla vit que la jument avait les oreilles couchées de colère et qu'elle avait tellement peur qu'elle reculait en piaffant nerveusement. Quant au lion, il avait les babines retroussées, grognait sourdement et s'apprêtait à bondir. Ayla sauta de son lit et vint se placer entre le prédateur et sa proie.

— Arrête, Bébé ! Tu fais peur à Whinney ! Tu devrais être content qu'elle soit de retour ! (Puis se tournant vers la jument, elle ajouta :) C'est Bébé, Whinney ! Tu n'as rien à craindre. Arrêtez tous les deux ! leur intima-t-elle, persuadée qu'il n'y avait aucun danger puisque les deux animaux avaient été élevés ensemble.

Les odeurs de la caverne leur étaient familières et cela suffit à les calmer. Bébé s'approcha d'Ayla pour lui dire bonjour et se frotta contre elle. Whinney s'avança à son tour, soulevant le coude d'Ayla pour avoir des caresses. Puis elle hennit, non pas de peur ou de colère, mais de ce même hennissement qu'elle avait lorsqu'elle s'occupait du bébé lion. Bébé reconnut aussitôt sa nurse.

— Je t'avais dit que ce n'était que Bébé, dit Ayla à la jument en se remettant à tousser.

Après avoir ranimé le feu, elle alla chercher sa gourde et se rendit compte que celle-ci était vide. Elle s'enveloppa dans une fourrure, sortit sur la corniche et alla ramasser un bol de neige. Tout en attendant que l'eau bouille, elle essaya de contrôler les quintes de toux qui lui déchiraient la poitrine. Finalement, grâce à une décoction de racines d'aunée et d'écorce de merisier, sa toux se calma et elle retourna se coucher. Bébé s'était installé confortablement et Whinney était étendue à sa place habituelle contre la paroi du fond.

En fin de compte, la vitalité naturelle d'Ayla et sa robustesse eurent raison de la maladie. Mais elle mit du temps à guérir. Elle était folle de joie que les deux animaux soient à nouveau réunis, même si cette petite famille n'était plus tout à fait la même. Les deux animaux avaient changé. Whinney attendait un poulain et elle avait vécu au sein d'une horde de chevaux sauvages qui savaient quel danger représentaient les prédateurs. Elle se montrait plus réservée vis-à-vis du lion dont elle avait partagé les jeux dans le passé et Bébé, lui, avait cessé d'être un amusant petit lionceau. Il quitta la caverne dès que le blizzard se fut calmé et, au fur et à mesure qu'on avançait dans l'hiver, ses visites se firent plus rares.

Ayla eut encore des accès de toux jusqu'au milieu de l'hiver et elle continua à se soigner. Elle dorlota aussi la jument et lui donna à manger les céréales qu'elle avait ramassées et vannées à son intention. Elle avait recommencé à monter Whinney, mais sortait rarement. Un jour pourtant, elle se réveilla pleine d'énergie et, voyant qu'il faisait un froid sec et que le ciel était dégagé, elle se dit qu'un peu d'exercice ne lui ferait pas de mal.

Elle attacha avec une courroie les deux paniers sur la jument, prit ses épieux et les perches du travois, de la nourriture et des gourdes pleines d'eau, des vêtements de rechange, le panier qu'elle portait sur son dos, sa tente — tout ce dont elle pourrait avoir besoin au cas où elle serait à nouveau prise dans une tourmente. La seule fois où elle s'était montrée négligente, cela avait failli lui être fatal. Mieux valait être prudente. Avant de se mettre en route, elle plaça sur le dos de Whinney une peau tannée, une innovation qui datait du retour de la jument. Comme elle avait perdu l'habitude de monter Whinney, quand elle avait recommencé à aller se promener à cheval, elle était rentrée avec des cuisses douloureuses et irritées. C'est ce qui lui avait donné l'idée d'utiliser une couverture en peau.

Tout heureuse de prendre l'air et de se sentir à nouveau en pleine forme maintenant qu'elle ne toussait plus, Ayla laissa la jument avancer à sa propre allure jusqu'à ce qu'elles atteignent les steppes. Installée confortablement sur son dos, elle était en train de songer à la fin de l'hiver quand, soudain, elle sentit que Whinney tendait les muscles. Quelque chose venait à leur rencontre — quelque chose qui s'avançait furtivement, comme un prédateur. Whinney était beaucoup plus vulnérable maintenant qu'elle était pleine. Bien qu'Ayla n'eût encore jamais tué un lion des cavernes, elle saisit son épieu.

Dès que l'animal fut plus près, Ayla reconnut la crinière rousse et la cicatrice sur le nez. Elle se laissa glisser sur le sol et courut à sa rencontre.

— Bébé ! Où as-tu été ? Tu sais bien que je suis inquiète quand tu restes longtemps sans revenir.

Bébé semblait aussi heureux qu'elle de ces retrouvailles et il se frotta contre Ayla avec tant d'affection qu'il faillit la faire tomber. Le prenant par le cou, la jeune femme le gratta derrière les oreilles et sous la tête tandis qu'il grognait de plaisir.

Soudain, elle entendit le grognement d'un autre lion des cavernes. Bébé adopta aussitôt une position qu'Ayla ne lui avait encore jamais vue. Venant derrière lui, une lionne s'approcha avec précaution. Bébé émit un son rauque et elle s'immobilisa net.

— Tu as trouvé une compagne ! s'écria Ayla. Je savais que tu y arriverais ! Une lionne solitaire, ajouta-t-elle en regardant l'animal de plus près. Certainement une nomade. Tu vas être obligé de te battre pour avoir un territoire. Mais c'est déjà un bon début. Et un jour tu seras à la tête d'une magnifique bande de lions, Bébé !

Le lion se détendit un peu et avança la tête pour qu'Ayla le caresse à nouveau. Elle lui gratta le front et, après une dernière tape affectueuse, revint vers Whinney. La jument était excessivement nerveuse : elle connaissait l'odeur de Bébé mais pas celle de cette lionne étrangère. Ayla monta sur la jument et, quand Bébé voulut s'approcher, elle fit le geste qui signifiait : « Arrête ! » Le lion s'immobilisa, puis il fit demi-tour. En deux bonds, il rejoignit la lionne et disparut avec elle.

Bébé est parti maintenant, songea Ayla sur le chemin du retour. Il a rejoint les siens. Il viendra peut-être me faire une visite de temps en temps, mais jamais il ne reviendra vivre avec moi, comme l'a fait Whinney. (Elle se pencha en avant et caressa affectueusement l'encolure de la jument.) Je suis tellement heureuse que tu sois revenue, Whinney !

Le fait d'avoir vu Bébé avec une lionne rappela à Ayla à quel point son propre futur était incertain. Bébé a trouvé une compagne. Whinney, elle aussi, a eu un compagnon. Mais moi, en trouverai-je jamais un ?

17

Jondalar sortit de dessous le surplomb en grès et, depuis la terrasse couverte de neige, contempla les doux contours blancs de neige des collines érodées, de l'autre côté du fleuve. Darvo lui fit signe en agitant le bras. Le jeune garçon l'attendait près d'une souche placée non loin de la paroi, presque au bout de la terrasse, là où Jondalar avait l'habitude de tailler ses silex. Il avait choisi cet emplacement à l'extérieur du surplomb rocheux et à l'écart du passage qui menait aux abris pour bénéficier d'un maximum de lumière et aussi afin que personne ne risque de se blesser sur les éclats. Jondalar allait se diriger vers le jeune garçon quand il entendit la voix de Thonolan.

— Attends-moi, Jondalar !

Dès que son frère l'eut rejoint, ils firent un petit tour dans la neige suffisamment tassée pour qu'on puisse y marcher sans difficulté.

— J'ai promis à Darvo de lui enseigner quelques techniques de taille un peu particulières, expliqua Jondalar. Comment va Shamio ?

— Elle va mieux. Elle avait pris froid, mais c'est fini. Nous étions inquiets pour elle. Elle toussait tellement que parfois Jetamio restait éveillée toute la nuit. Nous avons l'intention d'agrandir notre abri avant l'hiver prochain.

Jondalar jeta un coup d'œil à Thonolan pour voir si les responsabilités de famille pesaient à son frère qui avait toujours été plutôt insouciant. Mais Thonolan paraissait parfaitement à l'aise et heureux de ce nouveau rôle et, voyant que son frère le regardait, il lui dit avec un sourire plein de fierté :

— J'ai une bonne nouvelle à t'annoncer, Grand Frère. As-tu remarqué que Jetamio avait pris du poids ? Je croyais que c'était simplement un signe de bonne santé. Mais je me suis trompé. Elle a de nouveau été bénie.

— C'est formidable ! Surtout qu'elle désire tellement avoir un bébé.

— Elle le sait depuis longtemps. Mais elle n'a rien voulu me dire de crainte que je me fasse du souci. Cette fois-ci, il semble qu'elle ait des chances de le garder. Le shamud a dit que rien n'était sûr encore mais que, si tout allait bien, elle devrait accoucher au printemps. Jetamio m'a dit qu'elle était sûre que c'était un enfant de mon esprit.

— Il se peut qu'elle ait raison. Qui eût cru que mon Petit Frère, libre et sans entraves, se retrouve un jour avec une compagne qui attend un bébé !

Le sourire de Thonolan devint radieux. Son bonheur crevait les yeux.

Il a l'air tellement content, se dit Jondalar en souriant à son tour, qu'on croirait que c'est lui qui attend un bébé.

— Là, à gauche ! dit Dolando à voix basse en montrant du doigt une saillie rocheuse qui se trouvait sur le flanc de la crête accidentée située au-dessus d'eux et dont la masse imposante bouchait toute la vue.

Jondalar regarda dans la direction indiquée sans rien apercevoir de précis, tellement il était impressionné par la majesté du paysage. Ils étaient arrivés à la limite des arbres et la forêt qu'ils venaient de traverser se trouvait à leurs pieds. Au début de leur ascension, elle était surtout composée de chênes. Ceux-ci avaient cédé la place à des hêtres, puis à des conifères : pins de montagne, sapins et épicéas. Jondalar avait aperçu de loin les sommets imposants, résultat de l'énorme poussée subie par la croûte terrestre et à peine avaient-ils laissé les arbres derrière eux qu'il n'avait pu s'empêcher de sursauter tellement cette vue, qui lui était pourtant familière, continuait à l'impressionner.

Les hauts sommets étaient si proches qu'on avait l'impression de pouvoir les toucher. On éprouvait alors une crainte respectueuse devant la force déployée par la nature pour donner naissance à ces hauts pics dénudés. Dépouillée de la forêt, la Grande Terre Mère exposait son squelette blanchi sur ces pentes arides. Au-dessus, le ciel était d'un bleu sublime — profond et uni —, une toile de fond parfaite pour les reflets aveuglants des rayons de soleil qui venaient se briser sur la glace recouvrant les crêtes et le fond des crevasses au-dessus des prairies de montagne balayées par le vent.

— Je le vois ! cria Thonolan. Un peu plus sur la droite, Jondalar. Là, sur cet affleurement rocheux.

Jondalar tourna légèrement la tête et aperçut à son tour un petit chamois plein de grâce qui se tenait en équilibre juste au-dessus du précipice. Son pelage d'hiver noir et épais dessinait des taches sur ses flancs alors que le reste de sa robe, gris-beige, se confondait avec la roche. Sur le sommet de la tête, deux petites cornes droites qui, à leur extrémité, s'incurvaient vers l'arrière.

— Je le vois, dit Jondalar. Et j'ai l'impression que c'est un mâle.

— Il se peut très bien que ce soit une femelle, corrigea Dolando. Elles aussi, elles portent des cornes.

— Ils ressemblent aux bouquetins de nos régions, n'est-ce pas, Thonolan ? En un peu plus petit. Mais, vu d'ici, on croirait presque un bouquetin.

— Comment les Zelandonii chassent-ils le bouquetin, Jondalar ?

demanda une toute jeune femme, les yeux brillants de curiosité, d'excitation et d'amour.

Elle n'avait que quelques années de plus que Darvo et s'était entichée de Jondalar. Elle était née chez les Shamudoï, mais avait été élevée par les Ramudoï car sa mère avait eu comme second compagnon un homme du fleuve. Puis elle était revenue chez les Shamudoï quand la relation entre sa mère et son second compagnon s'était terminée d'une manière orageuse. Contrairement aux jeunes Shamudoï, elle n'était pas habituée à la montagne. Récemment, en apprenant que Jondalar appréciait les femmes qui chassaient, elle s'était découvert une passion pour la chasse. A sa plus grande surprise, elle trouvait cela très excitant.

— Je ne suis pas très au courant, Rakario, répondit Jondalar en lui souriant gentiment. (Il savait qu'il ne pouvait pas empêcher Rakario d'être amoureuse de lui, mais il ne faisait jamais rien qui puisse l'encourager.) Même s'il y a des bouquetins dans les montagnes qui se trouvent au sud de chez nous, et plus encore dans celles qui se trouvent à l'est, nous n'allons jamais chasser dans ces montagnes car elles sont trop éloignées de notre Caverne. De temps à autre, on profite d'une Réunion d'Eté pour organiser une partie de chasse dans les montagnes. Il m'est arrivé d'y aller, mais c'était simplement pour le plaisir et je suivais les directives des chasseurs qui s'y connaissaient mieux que moi. Je suis comme toi, Rakario : moi aussi j'apprends. Si tu veux l'avis d'un spécialiste, adresse-toi plutôt à Dolando.

Le chamois sauta d'un bond du roc où il se trouvait sur un autre rocher, plus haut encore, puis profita de sa position pour observer les alentours.

— Comment arrivez-vous à chasser un animal capable de faire de tels bonds ? demanda Rakario, stupéfaite par la grâce et l'agilité de l'animal. Comment le chamois fait-il pour conserver son équilibre ?

— Quand nous aurons tué une de ces bêtes, tu observeras ses sabots, répondit Dolando. Seule la partie externe est dure. La partie interne est aussi souple que la paume de ta main. C'est pourquoi les chamois ne glissent pas et qu'ils ont le pied aussi sûr. La partie la plus souple de leur sabot s'agrippe au sol et la partie la plus dure leur permet de conserver leur assise. Quand on les chasse, le plus important c'est de se rappeler que le regard des chamois est toujours dirigé vers le bas. Ils regardent où ils vont et ils savent tout ce qui se passe au-dessous d'eux. Leurs yeux sont situés assez loin à l'arrière de la tête, si bien qu'ils voient aussi ce qui est autour d'eux. Par contre, ils n'ont pas les moyens de voir ce qui vient de plus haut et de derrière. Et il faut en profiter. Le mieux c'est de les encercler en montant le plus haut possible et de les aborder par-derrière. En faisant bien attention et en étant très patient, on peut ainsi s'approcher d'eux à les toucher.

— Que va-t-il se passer s'ils partent avant que nous nous soyons approchés ? demanda Rakario.

— Regarde là-haut, lui conseilla Dolando. Est-ce que tu vois cette touche de vert sur les pâturages ? Pour les chamois, ces pousses de printemps constituent un véritable régal après le fourrage d'hiver. Le

chamois solitaire que tu as vu est en train de faire le guet. Les autres
— mâles, femelles et petits — sont cachés plus bas parmi les rochers et
les buissons. Si ce pâturage leur plaît, je peux t'assurer qu'ils n'iront
pas plus loin.

— Pourquoi restons-nous là à parler ? demanda Darvo. Allons-y !

Cela l'ennuyait que Rakario ne quitte pas Jondalar d'un pas et il
était impatient que la chasse commence. Ce n'était pas la première fois
qu'il y participait car Jondalar l'emmenait toujours avec lui lorsqu'il se
joignait aux Shamudoï. Mais jusque-là il n'avait fait que traquer le
gibier et observer les autres chasseurs. Tandis qu'aujourd'hui il avait la
permission de tuer un animal. S'il réussissait, ce serait sa première prise
et tout le monde le féliciterait. Mais ce n'était nullement une obligation.
S'il ne tuait rien aujourd'hui, il pourrait essayer à nouveau une autre
fois. Chasser une proie aussi agile et qui vivait dans un environnement
auquel elle était parfaitement adaptée était difficile même pour les
chasseurs les plus chevronnés. Quiconque réussissait à s'approcher
suffisamment de l'animal pouvait tenter de le tuer, mais il fallait faire
très attention à ne pas l'effrayer, car, lorsque les chamois prenaient
peur et s'enfuyaient, personne n'était capable de les suivre de rocher en
rocher ou de bondir comme eux par-dessus les précipices.

Dolando commença à gravir une formation rocheuse dont les strates
parallèles étaient inclinées. Sur la face exposée aux intempéries, les
couches les plus tendres des dépôts sédimentaires avaient été érodées et
formaient des prises pour le pied qui facilitaient l'escalade. L'ascension
qui allait leur permettre d'encercler les chamois et de les approcher par-
derrière serait fatigante mais non périlleuse.

Suivant leur chef, les chasseurs se mirent en marche. Jondalar était
parmi les derniers. Presque tous avaient commencé l'ascension du rocher
escarpé quand il entendit la voix de Serenio. Il se retourna, très surpris.
Serenio n'aimait pas chasser et en général, elle restait toute la journée
à proximité des abris. Il se demandait ce qui avait pu la pousser à venir
les rejoindre et, quand il aperçut son visage, un frisson de crainte le
parcourut.

— Besoin... Thonolan... réussit à dire Serenio, encore tout essoufflée
par sa longue course. Jetamio... Travail...

— Thonolan ! Thonolan ! appela Jondalar en mettant ses mains en
porte-voix.

Une des silhouettes qui se trouvaient au-dessus de lui se retourna et
il fit un grand geste pour que son frère comprenne qu'il fallait qu'il
redescende.

En l'attendant, ni Serenio ni lui n'osaient parler. Jondalar avait très
envie de demander si Jetamio allait bien, mais quelque chose le retenait
de le faire.

— Quand les douleurs ont-elles commencé ? demanda-t-il finalement.

— Elle a eu mal au dos la nuit dernière, répondit Serenio. Mais elle
n'a rien dit à Thonolan. Il avait prévu de partir à la chasse et elle avait
peur qu'il décide de rester près d'elle si elle lui en parlait. Elle a dit
qu'elle n'était pas certaine que ce soit le début du travail. Mais, à mon

avis, elle voulait lui faire la surprise et qu'il trouve le bébé à son retour. Elle ne voulait pas qu'il s'inquiète ou qu'il se sente nerveux alors qu'elle était en train d'accoucher.

Cela ressemble bien à Jetamio, se dit Jondalar. Elle tient toujours à ménager Thonolan car elle sait qu'il est fou d'elle. Si Jetamio voulait faire la surprise à Thonolan, pourquoi Serenio est-elle montée à toute vitesse pour le prévenir ? se demanda-t-il soudain avec inquiétude.

— Il y a eu un problème, n'est-ce pas ?

Serenio baissa les yeux et prit une grande inspiration avant de répondre :

— Le bébé s'est présenté par le siège. Jetamio était trop étroite pour qu'il puisse passer. Le shamud pense que c'est à cause de la paralysie qu'elle a eue quand elle était jeune. Il m'a dit d'aller chercher Thonolan. Et de te demander de l'accompagner... pour l'aider... dans cette épreuve.

— Oh, non ! Grande Doni, non !

— Non ! Ce n'est pas possible ! Pourquoi ? Pourquoi la Mère l'a-t-Elle bénie avec un enfant pour les emporter ensuite tous les deux ?

Thonolan faisait les cent pas à l'intérieur de l'abri qu'il avait partagé avec Jetamio, en frappant rageusement sa paume ouverte de son poing. Jondalar était près de lui et il se sentait complètement impuissant. Mis à part le réconfort de sa présence, que pouvait-il lui proposer ? Personne d'ailleurs n'aurait pu faire plus. Un moment plus tôt, fou de douleur, Thonolan avait exigé en hurlant que tout le monde sorte de l'abri.

— Pourquoi la Mère l'a-t-Elle emportée, Jondalar ? Pourquoi elle, justement ? Elle avait si peu profité de la vie et déjà tellement souffert ! Etait-ce trop demander que de vouloir un enfant ? Un être de sa propre chair et de son propre sang ?

— Je ne sais pas, Thonolan. Même un zelandoni ne pourrait pas répondre à cette question.

— Pourquoi est-elle partie comme ça ? Dans de telles douleurs ? demanda Thonolan en s'arrêtant en face de son frère avec un regard suppliant. Elle m'a à peine reconnu quand je suis arrivé. Et j'ai lu dans ses yeux à quel point elle souffrait. Pourquoi fallait-il qu'elle meure ?

— Personne ne sait pourquoi la Mère donne la vie et la reprend.

— La Mère ! La Mère ! La Mère s'en moque ! Jetamio et moi nous L'honorions. Et cela ne L'a pas empêchée de reprendre Jetamio. Je La hais ! s'écria Thonolan en recommençant à faire les cent pas.

— Jondalar... appela Roshario.

Elle attendait à l'entrée de l'abri et n'osait pas entrer. Jondalar s'approcha d'elle.

— Le shamud a pratiqué une incision pour essayer de récupérer l'enfant dès que Jetamio a été... (Roshario se tut un court instant, incapable de continuer.) Il espérait pouvoir sauver l'enfant, reprit-elle en ravalant ses larmes. Parfois, c'est possible. Mais là, il était trop tard. C'était un garçon. Je ne sais pas s'il faut le dire à Thonolan ou non...

Comme elle souffre, elle aussi ! songea Jondalar. Roshario considérait Jetamio comme sa fille. C'est elle qui l'avait élevée, qui l'avait soignée lorsqu'elle avait été atteinte de paralysie et qui s'était occupée d'elle pendant sa longue guérison. Et bien entendu, elle était restée à ses côtés tout le temps qu'avaient duré l'accouchement et l'agonie finale.

Brusquement, Thonolan les repoussa et, prenant au passage son vieux sac, il se dirigea au pas de course vers le sentier qui contournait la corniche.

— Je crois que ce n'est pas le moment, répondit Jondalar en se lançant à la poursuite de son frère.

Au moment où il arrivait à sa hauteur, il lui demanda :

— Où vas-tu ?

— Je pars. Jamais je n'aurais dû m'arrêter. Je n'ai pas encore atteint le but de mon Voyage.

— Tu ne peux pas partir maintenant, dit Jondalar en l'attrapant par le bras.

Thonolan se dégagea d'un geste brusque.

— Pourquoi pas ? Qu'est-ce qui me retient encore ici ? demanda-t-il en éclatant en sanglots.

Jondalar l'arrêta à nouveau et, pivotant pour se retrouver en face de lui, il regarda ce visage si ravagé par la douleur qu'il en était méconnaissable. La peine de son frère était si profonde qu'il en était lui-même ébranlé jusqu'au fond de l'âme. Il y avait eu une époque où il enviait le bonheur de Thonolan et où il se demandait de quel genre d'imperfection il souffrait pour être incapable de connaître l'amour. Maintenant il en venait à se dire que cela valait peut-être mieux. A quoi bon aimer si on devait ensuite éprouver une telle angoisse et un chagrin aussi amer ?

— Tu ne peux pas partir avant que Jetamio et son fils aient été enterrés, dit-il.

— Son fils ? Comment sais-tu que c'était un garçon ?

— Le shamud a essayé de sauver le bébé. Malheureusement, il était trop tard.

— Je ne veux pas voir le fils qui l'a tuée !

— Thonolan, voyons ! Jetamio a demandé à être bénie avec un enfant. Et elle était tellement heureuse d'être enceinte ! Qui aurait osé la priver de ce bonheur ? Aurais-tu préféré qu'elle vive dans la tristesse toute sa vie ? Sans enfant et désespérant de ne jamais en avoir ? Elle a eu à la fois l'amour, en s'unissant à toi, et le bonheur d'être bénie par la Mère. Cela n'a pas duré longtemps, mais elle m'a dit un jour que jamais elle n'aurait cru qu'on puisse être aussi heureuse, que sa plus grande joie c'était que tu l'aimes et qu'elle soit enceinte. Elle disait toujours que c'était ton enfant, l'enfant de ton esprit. Peut-être la Mère savait-Elle que Jetamio ne pourrait jamais mettre un enfant au monde, peut-être a-t-Elle décidé de lui accorder cette ultime joie.

— Elle ne m'a même pas reconnu... remarqua Thonolan d'une voix brisée.

— Le shamud lui a donné quelque chose à la fin, Thonolan. Il n'y avait plus d'espoir qu'elle puisse accoucher, mais elle n'a pas trop souffert. Elle savait que tu étais à ses côtés.

— La Mère m'a tout pris en m'enlevant Jetamio, Jondalar. Je l'aimais tellement que, maintenant qu'elle n'est plus là, il ne me reste plus rien. Comment a-t-elle pu me quitter ? demanda-t-il encore en vacillant.

Jondalar s'avança aussitôt pour le soutenir et son frère s'effondra dans ses bras. Il laissa tomber sa tête sur l'épaule de son aîné, le corps secoué par des sanglots de désespoir.

— Pourquoi ne pas rentrer chez nous, Thonolan ? demanda Jondalar, incapable de cacher son propre désir. Si nous partons maintenant, nous aurons atteint le glacier quand l'hiver arrivera, et nous serons chez nous au printemps prochain. Pourquoi veux-tu que nous nous dirigions vers l'est ?

— Tu peux rentrer, Jondalar. Il y a longtemps que tu aurais dû le faire. Je t'ai déjà dit que tu étais un Zelandonii et que tu le resterais toute ta vie. Moi, je me mets en route vers l'est.

— Tu as dit que tu ferais un Voyage jusqu'à l'embouchure de la Grande Rivière Mère. Quand tu auras atteint la mer de Beran, que feras-tu ?

— Qui sait ? Peut-être que j'en ferai le tour ou que je partirai plus au nord pour chasser le mammouth avec la tribu de Tholie. Les Mamutoï disent qu'il y a une autre chaîne de montagnes plus loin à l'est... Rentrer chez moi ne signifie rien à mes yeux. Je préfère partir à la recherche de quelque chose de nouveau. Le moment est venu de nous séparer, Grand Frère. Tu vas aller vers l'ouest et moi, vers l'est.

— Si tu ne veux pas rentrer, pourquoi ne pas rester ici ? proposa Jondalar.

— Oui, pourquoi ne restes-tu pas avec nous ? demanda Dolando qui venait de les rejoindre. Et toi aussi, Jondalar. Shamudoï ou Ramudoï, cela n'a aucune importance. Vous faites partie de notre Caverne maintenant. Vous avez de la famille ici et des amis. Nous serions très tristes si l'un de vous partait.

— Dolando, tu sais que j'étais prêt à passer le reste de ma vie ici, rappela Thonolan. Mais maintenant, c'est impossible. Tout me rappelle Jetamio et j'ai sans cesse l'impression que je vais la voir apparaître. Chaque fois que je me réveille, je dois faire un effort pour me souvenir que je ne la reverrai jamais. Je suis désolé. Vous allez tous beaucoup me manquer, mais il faut que je parte.

Dolando hocha la tête. Il ne pouvait les obliger à rester mais il avait tenu à leur dire qu'ils faisaient partie de la famille.

— Quand nous quitterez-vous ?

— Dans quelques jours, je pense, répondit Thonolan. J'aimerais passer un marché avec toi, Dolando. A l'exception de mon sac et de mes vêtements, je compte vous laisser tout ce que je possède et j'aimerais qu'en échange tu me donnes un petit bateau.

— Je suis sûr que cela peut s'arranger. Vous allez descendre le fleuve. Et ensuite ? Vous diriger vers l'est ou rentrer chez vous ?

— Je pars vers l'est, répondit Thonolan.

— Et toi, Jondalar ?

— Je ne sais pas encore. Il y a Darvo et Serenio...

A nouveau, Dolando hocha la tête. Même si Jondalar ne s'était jamais uni officiellement à Serenio, cela ne lui simplifiait pas pour autant les choses. Il avait autant de raisons de rentrer chez lui, de rester chez les Sharamudoï ou de partir avec son frère. Et, pour l'instant, il aurait été bien difficile de dire laquelle de ces solutions il allait choisir.

— Roshario a cuisiné toute la journée, dit Dolando. Je crois qu'elle a besoin de s'occuper, cela lui évite de trop penser. Vous lui feriez très plaisir si vous veniez manger avec nous. Elle aimerait aussi inviter Serenio et Darvo, Jondalar. Et si Thonolan acceptait d'avaler un petit quelque chose, je crois qu'elle serait contente. Elle se fait du souci pour toi, conclut-il.

Pour Dolando aussi, cela a dû être terrible, se dit Jondalar. Il s'était fait tellement de tracas pour son frère qu'il n'avait pas pensé à la douleur des membres de la Caverne. Dolando avait autant aimé Jetamio que les autres enfants de son foyer. Jetamio comptait de nombreux amis. Tholie et Markeno faisaient, eux aussi, partie de la famille. Serenio, elle-même, avait pleuré. Et Darvo était si affecté par ce deuil qu'il refusait de lui parler.

— Je vais demander à Serenio, dit Jondalar. Darvo sera tout heureux de manger avec vous. Peut-être viendra-t-il sans nous. Il faudrait que je parle avec Serenio...

— Envoie-le-nous, proposa Dolando, en se disant qu'il ferait coucher l'enfant chez lui pour que sa mère et Jondalar puissent discuter tranquillement.

Les trois hommes se dirigèrent vers le surplomb en grès et s'approchèrent du foyer central où brûlait un feu. Ils restèrent là un bon moment sans pratiquement échanger un mot, appréciant de se retrouver tous les trois — même si ce plaisir avait un goût doux-amer. La séparation était proche et tous trois le savaient.

L'ombre portée des parois de la terrasse fraîchissait l'air sous le surplomb, même si les rayons du soleil pénétraient encore à flots dans les gorges. Réunis autour du feu, comme tant d'autres fois, c'était presque pour eux comme si rien n'avait changé, comme si cette accablante tragédie n'avait jamais eu lieu. Ils restèrent un long moment, debout dans le crépuscule, et même s'ils ne disaient rien, tous trois partageaient les mêmes pensées. Ils songeaient aux événements qui avaient amené deux jeunes Zelandonii à partager la vie des Sharamudoï et chacun se demandait s'il reverrait un jour les deux autres.

— Est-ce que vous allez enfin vous décider à venir manger ? demanda Roshario, incapable d'attendre plus longtemps.

Elle n'avait pas voulu intervenir avant, respectant ce dernier instant de communion entre les trois hommes. Au moment où elle les appelait, le shamud et Serenio sortirent d'un autre abri, Darvo se sépara du groupe de jeunes avec lequel il se trouvait pour s'approcher d'eux et d'autres gens s'avancèrent vers le foyer central, brisant irrévocablement l'intensité du moment. Roshario emmena tout son monde vers son propre abri, y compris Jondalar et Serenio. Mais ces derniers s'éclipsèrent peu après.

Ils se dirigèrent en silence vers le bord de la terrasse et, après avoir contourné la paroi rocheuse, allèrent s'asseoir sur un arbre couché pour contempler le coucher du soleil en amont du fleuve. Le spectacle, tout en teintes métalliques, incitait au silence. Au fur et à mesure que l'astre en fusion déclinait à l'horizon, les nuages gris plombé se rehaussèrent de reflets argentés, puis ils prirent une teinte dorée qui illumina la surface du fleuve. L'embrasement du ciel transforma l'or du ciel en cuivre brillant, puis en bronze plus mat et, pour finir, les nuages reprirent leur nuance argentée.

Au moment où ils redevenaient gris plombé, avant de s'assombrir encore, Jondalar avait pris une décision. Il se retourna pour regarder Serenio. Elle est belle, se dit-il, et facile à vivre. Il ouvrit la bouche pour parler.

— Rentrons, Jondalar, proposa Serenio avant lui.

— Serenio... commença-t-il. Je... Nous avons vécu...

La jeune femme posa un doigt sur ses lèvres.

— Nous parlerons plus tard.

Il lut dans ses yeux le désir qu'elle éprouvait et, prenant sa main, il la retourna et posa un baiser au creux de sa paume. Puis il fit courir ses lèvres sur son poignet et remonta le long de son bras vers son aisselle.

Serenio soupira, ferma les yeux et laissa tomber sa tête en arrière, l'invitant à continuer ses caresses. Une main posée à la base de son cou pour soutenir sa tête, Jondalar embrassa l'endroit où sa gorge palpitait, puis remonta le long de son cou et, après avoir mordillé son oreille, chercha sa bouche. Serenio attendait, tremblante de désir. Il l'embrassa si longuement et avec tant de passion que quand il se sépara d'elle, elle avait du mal à respirer.

— Rentrons, dit-elle à nouveau, d'une voix enrouée.

— Pourquoi pas là ? demanda Jondalar.

— Si nous restons dehors, ce sera fini trop vite. Je préfère être bien au chaud, avec un bon feu et des fourrures, et que nous prenions notre temps.

Récemment, leur manière de faire l'amour était devenue un peu routinière. Chacun d'eux savait ce qui faisait plaisir à l'autre et ils avaient tendance à reproduire toujours les mêmes caresses. Mais, cette nuit, Jondalar sentait que Serenio désirait autre chose que la simple routine et il était prêt à le lui donner. Il prit son visage entre ses deux mains, embrassa ses yeux et le bout de son nez. Puis, approchant ses deux lèvres de son oreille, il murmura :

— Je crois que nous ferions mieux de rentrer.

— C'est bien ce que je t'avais dit.

Marchant l'un à côté de l'autre, le bras de Jondalar posé sur l'épaule de Serenio et celui de la jeune femme lui enserrant la taille, ils contournèrent la paroi rocheuse. Pour une fois, Jondalar ne s'effaça pas pour avancer sur une seule file. Il ne fit même pas attention au précipice qui se trouvait sur sa droite. Sur la terrasse, il faisait nuit noire car les hautes parois interceptaient la lueur de la lune et les nuages cachaient la plupart des étoiles. Il était plus tard qu'ils ne l'auraient cru. Il n'y avait personne autour du foyer central, où des bûches continuaient à brûler, léchées par les flammes. En passant devant un des abris, ils aperçurent Dolando, Roshario et quelques autres, en train de discuter à l'intérieur, ainsi que Darvo qui, assis en face de Thonolan, était en train de lui lancer des dés en os. Jondalar sourit. C'était un jeu qu'il connaissait bien pour y avoir souvent joué avec son frère durant les longues nuits d'hiver, le genre de partie qui exigeait qu'on reste éveillé des heures entières, et mobilisait l'attention, vous faisant oublier tout le reste.

Dans l'abri qu'il partageait avec Serenio, il faisait sombre. Il mit du bois dans le foyer délimité par des pierres, puis alla chercher un morceau de bois rougeoyant dans le foyer central pour allumer le feu. Il posa deux planches en croix devant l'entrée et rabattit la peau pour fermer l'ouverture, créant ainsi un monde plein d'intimité et de chaleur.

Tandis que Jondalar enlevait ses vêtements de dessus, Serenio alla chercher deux coupes. Prenant la gourde en peau, il remplit les coupes avec du vin de myrtille. Le désir qu'il avait éprouvé un peu plus tôt était passé et, sur le chemin du retour, il avait eu le temps de réfléchir. Serenio est une femme jolie et passionnée, se disait-il en buvant. Il y a longtemps que j'aurais dû m'unir officiellement à elle. Peut-être accepterait-elle de rentrer avec moi si nous emmenions Darvo. Mais que nous restions ici ou que nous rentrions chez moi, je veux qu'elle devienne ma compagne.

Maintenant qu'il s'était décidé, il se sentait soulagé et content de lui. Pourquoi avoir attendu si longtemps ?

— Serenio, j'ai pris une décision, annonça-t-il. Je ne sais pas si je t'ai déjà dit ce que tu représentes pour moi...

— Pas maintenant, l'interrompit Serenio en le prenant par le cou et en posant ses lèvres sur les siennes.

Ce baiser passionné dura si longtemps que Jondalar se dit : Elle a raison, nous discuterons plus tard.

L'abri s'étant maintenant réchauffé, il l'entraîna vers la plate-forme qui leur servait de lit. Et très vite, il oublia le feu, uniquement occupé à explorer et à redécouvrir le corps de Serenio. Elle avait toujours réagi à ses caresses, mais cette nuit-là, elle s'y abandonna totalement. Bien qu'elle éprouvât à chaque fois du plaisir, elle semblait ne jamais se lasser de lui. Quand Jondalar, qui lui avait fait plusieurs fois l'amour, pensa avoir atteint la limite de ses possibilités, elle réussit à éveiller à nouveau son désir. Dans un dernier effort extatique, ils atteignirent une délivrance joyeuse, ayant enfin assouvi leur passion.

Ils s'endormirent tels qu'ils étaient, nus et couchés par-dessus les fourrures, et ce fut le froid qui, un peu avant l'aube, les réveilla. Le feu s'était éteint et Serenio en alluma un autre tandis que Jondalar, après avoir enfilé sa tunique, allait remplir sa gourde au bout de la terrasse. Il en profita pour se tremper dans l'eau froide et apprécia au retour la chaleur qui régnait à l'intérieur de l'abri. Il se sentait en pleine forme, rafraîchi par ce bain matinal, et si complètement assouvi qu'il était prêt à tout. Après avois mis les pierres à chauffer, Serenio sortit à son tour et revint bientôt toute mouillée, elle aussi.

— Tu trembles, dit Jondalar en posant une fourrure sur ses épaules.

— Tu avais l'air tellement heureux de ta baignade que j'ai voulu essayer. Mais c'est drôlement froid ! avoua Serenio en riant.

— L'infusion est presque prête. Je vais t'en apporter un bol. Assieds-toi là, lui proposa Jondalar en la poussant vers le lit et en la recouvrant d'une telle quantité de fourrures qu seul son visage restait visible.

Vivre avec une femme comme Serenio ne serait pas désagréable du tout, se dit-il. Je me demande si j'arriverai à la persuader de rentrer avec moi ? A peine s'était-il posé cette question qu'une pensée désagréable lui traversa l'esprit. Et Thonolan, alors ? Comment le persuader de nous accompagner ? Je ne comprends pas pourquoi il veut partir vers l'est. Jondalar servit l'infusion de bétoine, un bol pour Serenio et un pour lui, puis s'installa au bord de la plate-forme.

— As-tu jamais pensé faire un Voyage ? demanda-t-il.

— Tu veux dire voyager dans des endroits que je ne connais pas et rencontrer des étrangers qui ne parlent pas la même langue que moi ? Non, Jondalar. Jamais je n'ai éprouvé le besoin de partir pour le Voyage.

— Mais tu comprends parfaitement le zelandonii. Quand nous avons décidé avec Tholie de nous enseigner mutuellement d'autres langues, j'ai été surpris de voir avec quelle rapidité tu apprenais. En plus, ce n'est pas comme si tu devais apprendre une langue inconnue...

— Où veux-tu en venir ?

— J'aimerais que tu rentres avec moi quand nous serons unis. Je suis sûr que les Zelandonii te plairaient...

— Qu'entends-tu par : quand nous serons unis ? Qui te dit que je vais m'unir à toi ?

Jondalar était interloqué. Nul doute qu'il aurait dû lui poser cette question avant de lui proposer de faire le Voyage en sa compagnie. Les femmes aimaient qu'on leur demande leur avis. Il ne fallait pas leur donner l'impression que c'était gagné d'avance.

— J'ai pensé que le moment était venu d'officialiser notre arrangement, dit-il avec un sourire penaud. Tu es belle et aimante, Serenio. Et Darvo est un garçon épatant. Je serai fier de le considérer comme le fils de mon foyer. Mais j'espérais que tu serais d'accord pour rentrer avec moi chez les Zelandonii. Bien entendu, si ce n'est pas le cas...

— Il n'est pas question d'officialiser quoi que ce soit, Jondalar. Je ne serai jamais ta compagne. C'est quelque chose que j'ai décidé il y a bien longtemps.

Jondalar était tellement embarrassé qu'il devint tout rouge. Jamais il n'aurait pensé que Serenio puisse refuser de devenir sa compagne. Il n'avait pensé qu'à lui, qu'à ses propres sentiments, sans imaginer un seul instant que Serenio puisse ne pas le juger digne d'elle.

— Je... je suis désolé, Serenio. Je pensais que tu étais attachée à moi. Jamais je n'aurais cru... Tu aurais dû me le dire avant... Je serais parti et je serais allé vivre ailleurs.

Jondalar se leva et commença à ranger ses affaires.

— Que fais-tu ?

— Je rassemble mes affaires pour pouvoir m'en aller.

— Pourquoi veux-tu partir ?

— Je n'en ai aucune envie, mais si tu ne veux pas que je reste ici...

— Après la nuit que nous avons passée ensemble, comment peux-tu imaginer que je ne veux plus de toi ? Cela n'a rien à voir avec le fait que je refuse de devenir ta compagne.

Jondalar revint vers elle et, après s'être assis sur le bord de la plate-forme, il essaya de lire au fond de son regard énigmatique.

— Pourquoi ne veux-tu pas t'unir à moi ? demanda-t-il. Est-ce que je ne suis pas assez... viril pour toi ?

— Pas assez viril ! s'écria Serenio. Oh, Mère ! Si toi, tu n'es pas assez viril, alors aucun homme sur terre ne l'est ! C'est justement ça le problème. Non seulement tu es viril mais tu as aussi toutes les qualités ! C'est trop, Jondalar ! Je ne peux pas vivre avec quelqu'un comme toi.

— Je ne comprends pas. Je te propose l'Union et toi, tu as l'air de dire que je suis trop bien pour toi.

— Vraiment, tu ne comprends pas ? Tu m'as donné plus que... n'importe quel autre homme. Si j'acceptais de devenir ta compagne, je serais plus heureuse que toutes les femmes que je connais. Elles m'envieraient. Elles souhaiteraient que leur compagnon soit aussi généreux, aussi prévenant et aussi bon que toi. Elles savent déjà qu'il suffit que tu touches une femme pour qu'aussitôt elle se sente plus vivante, plus... Jondalar, tu es tout ce qu'une femme désire.

— Si je suis... comme tu dis, pourquoi refuses-tu de devenir ma compagne ?

— Parce que tu n'es pas amoureux de moi.

— Serenio, tu sais bien que...

— Oui, je sais que tu m'aimes à ta manière. Tu as de l'affection pour moi, jamais tu ne ferais quelque chose qui risque de me blesser et tu as toujours été bon et même merveilleux. Mais j'ai toujours su que ce n'était pas suffisant. Même si parfois j'ai essayé de me convaincre du contraire. Il m'est arrivé aussi de me demander ce qui n'allait pas chez moi, ce qui me manquait pour que tu m'aimes vraiment.

— Tous les couples ne s'aiment pas à la folie, fit remarquer Jondalar en baissant les yeux. Si deux êtres ont des choses en commun et éprouvent de l'affection l'un pour l'autre, ils peuvent très bien vivre heureux ensemble.

— C'est vrai, reconnut Serenio. Et il est possible qu'un jour, je m'unisse à nouveau à un homme. Si d'autres choses nous rapprochent, nous n'aurons pas besoin d'être follement amoureux l'un de l'autre. Mais toi, ce n'est pas ton cas.

— Pourquoi ne pas tenter la chose avec moi ? demanda Jondalar.

Son regard exprimait une telle tristesse que Serenio faillit flancher.

— Parce que je t'aime, dit-elle. Je ne peux pas m'en empêcher. Aucune femme ne le pourrait. Et comme je t'aime, je souffrirais tous les jours un peu plus en voyant que tu ne partages pas mon amour. Je me flétrirais, je deviendrais une coquille vide et je trouverais le moyen de rendre ton existence aussi malheureuse que la mienne. Et toi, tu continuerais à être affectueux, bon et généreux car tu saurais parfaitement pourquoi je suis devenue comme ça. Mais tu finirais par te détester d'agir ainsi. Et tout le monde se demanderait comment tu fais pour supporter une femme aussi acariâtre. Je ne veux pas qu'une chose comme ça se produise. Ni pour toi, ni pour moi.

Quittant brusquement la couche où il était assis, Jondalar se dirigea vers l'ouverture de l'abri, puis, arrivé là, il fit demi-tour et revint vers Serenio.

— Pourquoi suis-je incapable d'aimer une femme, Serenio ? Les autres hommes tombent amoureux... Qu'est-ce qui ne va pas chez moi ?

Son regard exprimait une telle angoisse que Serenio en eut mal pour lui.

— Je n'en sais rien, Jondalar. Peut-être n'as-tu pas trouvé la femme qui te convient. Il se peut que le destin que te réserve la Mère sorte de l'ordinaire. Peu d'hommes héritent, comme toi, d'autant de qualités à la naissance. La femme avec laquelle tu vivras devra être capable d'assumer cela. Pour qu'elle ne soit pas complètement annihilée par ton amour, il faudra qu'elle ait reçu de la Mère autant de dons que toi. Même si tu m'aimais, je ne suis pas certaine que j'aurais supporté de vivre longtemps avec toi. Si un jour tu aimes une femme autant que tu aimes ton frère, il faudra qu'elle soit très forte.

— Je ne peux pas tomber amoureux mais, si j'en étais capable, aucune femme ne pourrait supporter mon amour, dit-il avec un sourire désabusé. « Méfions-nous des Dons de la Mère. » (Ses yeux, violets dans la lueur du feu, se remplirent d'appréhension.) Es-tu en train de me dire que si les femmes ne sont pas assez fortes pour supporter le genre d'amour que je porte à mon frère, il va falloir que je me tourne vers... un homme ?

— Je n'ai pas voulu dire que tu aimais ton frère comme si c'était une femme, corrigea Serenio en souriant. Tu n'es pas comme le shamud. Tu ne possèdes pas comme lui un certain sexe et les inclinations de l'autre. Si c'était le cas, il y a longtemps que tu le saurais et tu n'aimerais pas autant faire l'amour à une femme. Par contre, je peux t'assurer que tu aimes plus ton frère que les femmes que tu as rencontrées jusqu'ici. C'est pour ça que je voulais passer cette dernière nuit d'amour avec toi. Je sais que tu vas partir avec lui et je ne te reverrai pas.

A peine Serenio avait-elle fini de dire cela que Jondalar sut qu'elle avait raison. Jamais il n'abandonnerait son frère.

— Comment as-tu fait pour deviner ça ? demanda-t-il. J'étais persuadé que j'allais m'unir à toi et m'installer définitivement chez les Sharamudoï si tu refusais de rentrer avec moi.

— Je crois que tout le monde sait que tu vas suivre ton frère. Le shamud dit que c'est ton destin.

Jondalar, dont la curiosité n'avait jamais été satisfaite, demanda soudain :

— Le shamud est-il un homme ou une femme ?

— Tiens-tu vraiment à le savoir ?

— Non, reconnut Jondalar. Je pense que cela n'a pas d'importance. Le shamud n'a pas voulu me le dire... Peut-être ce mystère est-il important — à ses yeux, en tout cas.

Ils se turent tous les deux. Quand je me souviendrai d'elle, c'est ainsi que je la verrai, songea Jondalar en regardant Serenio. Les cheveux de la jeune femme étaient encore humides et tout emmêlés et comme maintenant elle avait chaud, elle avait repoussé la plupart des fourrures.

— Et toi, Serenio, que vas-tu faire ? demanda-t-il.

— Je t'aime, Jondalar, affirma à nouveau la jeune femme. Il ne me sera pas facile de t'oublier. Mais tu m'as apporté une chose essentielle. Quand je t'ai rencontré, j'avais perdu tant d'êtres aimés que je refusais tout ce qui pouvait ressembler à l'amour. Je savais que j'allais te perdre, mais cela ne m'a pas empêchée de t'aimer. Maintenant, je sais que je peux aimer à nouveau. C'est toi qui me l'as appris. Et tu m'as peut-être donné plus encore, ajouta-t-elle en souriant d'un air mystérieux. Dans quelque temps, un autre être va entrer dans ma vie. Même s'il est encore un peu tôt pour le dire en toute certitude, j'ai l'impression que la Mère m'a bénie. Je pensais que ce n'était plus possible après le dernier enfant que j'ai perdu. Cela faisait des années que je n'avais pas été bénie et ce sera peut-être un enfant de ton esprit. Je le saurai si le bébé a des yeux bleus.

— Si c'est le cas, je reste, annonça Jondalar en fronçant les sourcils. Pour m'occuper de toi et de l'enfant. Tu dois avoir un homme dans ton foyer.

— Ne t'inquiète pas, Jondalar. Mudo a dit que toutes celles qu'Elle bénissait devaient être secourues. C'est pourquoi elle a créé les hommes, afin qu'ils apportent aux mères et à leurs enfants les Dons de la Grande Terre Mère. La Caverne pourvoira à mes besoins, comme la Mère pourvoit aux besoins de tous Ses enfants. Il faut que tu suives ta destinée, et moi, la mienne. Je ne t'oublierai pas et si j'ai un enfant de ton esprit, je penserai à toi, exactement comme j'ai conservé le souvenir de l'homme que j'aimais quand Darvo est né.

Serenio avait changé, mais elle continuait à ne rien exiger de lui. Quand Jondalar la prit dans ses bras, elle le regarda au fond des yeux. Son regard ne dissimulait rien de ce qu'elle éprouvait : ni son amour pour lui, ni la tristesse qu'elle éprouvait à l'idée de le perdre, ni sa joie d'être enceinte.

Se frayant un chemin à travers une des fentes de l'abri, la pâle lueur de l'aube annonçait un nouveau jour. Jondalar se leva.

— Où vas-tu ? demanda Serenio.

— J'ai bu trop d'infusion, répondit-il en souriant. Mais garde le lit bien chaud. La nuit n'est pas finie. (Il se pencha vers elle et l'embrassa avant d'ajouter d'une voix enrouée par l'émotion :) Tu comptes plus à mes yeux que toutes les femmes que j'ai rencontrées jusqu'ici.

Et pourtant, ce n'était pas suffisant. Jondalar allait partir. Si Serenio lui avait demandé de rester, il l'aurait fait. Mais elle ne le lui demanda pas et, lorsqu'il revint, il lui offrit tout ce qu'il était en son pouvoir de lui donner. La plupart des femmes s'en seraient largement contentées.

18

— Mère m'a dit que tu voulais me voir.

Darvo était tendu et il regardait Jondalar d'un air méfiant. Tous ces derniers jours, il l'avait évité. Jondalar pensait savoir pourquoi. Il lui sourit d'un air tendu. Il hésitait à parler et cela ne faisait qu'accroître la nervosité du jeune garçon qui n'avait aucune envie que ses craintes soient confirmées. Jondalar n'avait pas plus envie que lui d'aborder le sujet. Finalement, il alla chercher un vêtement rangé sur une étagère et le déplia devant Darvo.

— Je pense que tu es assez grand maintenant pour porter ça, Darvo, dit-il, et j'aimerais t'en faire cadeau.

Quand Darvo aperçut la tunique zelandonii, richement décorée, ses yeux pétillèrent de plaisir. Mais, aussitôt après, son regard redevint méfiant.

— Tu t'en vas, n'est-ce pas ? demanda-t-il sur un ton accusateur.

— Thonolan est mon frère, Darvo...

— Et moi, je ne suis rien.

— C'est faux. J'ai beaucoup d'affection pour toi, et tu le sais. Mais Thonolan souffre tellement qu'il ne sait plus ce qu'il fait. J'ai peur qu'il fasse une bêtise. Je ne peux pas le laisser partir tout seul. Si ce n'est pas moi qui l'accompagne, qui le fera ? Essaie de comprendre, Darvo... Je n'ai aucune envie de repartir vers l'est.

— Est-ce que tu reviendras ?

Jondalar hésita un court instant avant de répondre.

— Je ne peux rien te promettre, dit-il. Je ne sais pas où nous allons et combien de temps nous voyagerons. C'est pourquoi je veux t'offrir cette tunique, ajouta-t-il en tendant le vêtement à Darvo. Comme ça, tu auras quelque chose qui te rappellera l'homme zelandonii. Je veux que tu saches qu'à mes yeux tu resteras toujours le premier fils de mon foyer.

Le jeune garçon jeta un coup d'œil à la tunique brodée. Des larmes jaillirent de ses yeux.

— Je ne suis pas le fils de ton foyer ! cria-t-il.

Faisant brusquement demi-tour, il sortit en courant.

Au lieu de se précipiter derrière lui comme il en avait d'abord eu l'intention, Jondalar replia la tunique et alla la déposer sur la couche de Darvo. Puis il sortit à pas lents de l'abri.

Carlono fronça les sourcils d'un air inquiet en regardant le ciel couvert de nuages.

— Je ne pense pas que le temps change, dit-il. Mais si jamais vous essuyez un grain, dirigez-vous aussitôt vers la rive. Vous aurez certainement du mal à trouver un endroit où aborder avant d'avoir passé la porte. Une fois de l'autre côté, vous verrez que la Grande Rivière Mère se divise en plusieurs bras en arrivant dans la plaine. N'oubliez pas de suivre la rive gauche. Avant d'atteindre la mer, le fleuve change de direction : il oblique vers le nord, puis à l'est. Juste après, il reçoit son dernier grand affluent, un large cours d'eau qui le rejoint sur la gauche. Non loin de là commence le delta, son débouché sur la mer. Mais il faudra que vous naviguiez encore longtemps et vous ne serez pas au bout de vos peines. Ce delta est immense et très dangereux. Il y a là des ensablements, des marais et des marécages. La Rivière se sépare à nouveau en plusieurs bras, quatre habituellement, mais parfois plus, car il y a aussi des bras secondaires. Il faut absolument que vous empruntiez le bras le plus à gauche, celui qui part vers le nord. Tout près de l'embouchure, sur la rive septentrionale, il y a un camp mamutoï.

Ce n'était pas la première fois que l'homme du fleuve leur donnait ces explications. Il avait même dessiné sur le sol une carte pour qu'ils aient une idée claire de leur itinéraire. Il répétait une dernière fois ses conseils pour plus de sûreté, sachant qu'ils en auraient besoin pour prendre des décisions rapides. Carlono n'était pas particulièrement heureux que les deux jeunes gens, qui ne connaissaient pas le fleuve, entreprennent ce voyage sans guide expérimenté. Mais ils avaient insisté pour partir seuls. Thonolan en tout cas avait été inflexible. Quant à Jondalar, il n'avait pas eu le choix. Il n'était pas question qu'il abandonne son frère. Il avait appris à manœuvrer un bateau, ce qui n'était déjà pas mal.

Les deux frères étaient debout sur le ponton et leur équipement était déjà rangé à l'intérieur de la petite embarcation. Mais leur départ ne provoquait pas la joyeuse excitation qui, d'ordinaire, accompagne ce genre d'aventure. Thonolan partait uniquement parce qu'il ne pouvait plus rester, et Jondalar aurait préféré prendre la direction opposée.

Depuis la mort de Jetamio, Thonolan avait beaucoup changé. Alors qu'il avait toujours été gai et sociable, il était devenu maussade. Sa morosité était ponctuée d'éclats coléreux. Dans ces cas-là, plus rien ne semblait compter à ses yeux et il pouvait faire preuve d'une témérité presque suicidaire. Quand, pour la première fois, il s'en était pris à son frère, si la dispute n'avait pas dégénéré, c'était uniquement parce que Jondalar avait refusé l'affrontement. Thonolan avait reproché à son frère de le couver comme un bébé et exigé le droit de mener sa vie comme il l'entendait. Lorsqu'il avait appris que Serenio était enceinte, il était entré en fureur, reprochant à son frère d'abandonner une femme qui portait peut-être un enfant de son esprit pour le suivre vers une destination inconnue. Il avait insisté pour que Jondalar reste chez les Sharamudoï et subvienne aux besoins de Serenio, comme le ferait tout homme digne de ce nom.

Bien que Serenio eût refusé de devenir sa compagne, Jondalar était d'accord avec son frère. Depuis sa plus tendre enfance, on lui avait seriné que l'unique but d'un homme dans la vie était de subvenir aux besoins d'une femme et de ses enfants, tout particulièrement quand cette femme attendait un enfant qui, d'une manière mystérieuse, avait de grandes chances d'avoir absorbé son propre esprit. Mais Thonolan refusait de rester. Et comme Jondalar craignait qu'il fasse une bêtise, il avait insisté pour l'accompagner. Leurs rapports s'en ressentaient, ils étaient extrêmement tendus.

Jondalar ne savait pas comment faire pour dire au revoir à Serenio et il était effrayé à l'idée de devoir affronter son regard. Mais, quand il se pencha vers elle pour l'embrasser, la jeune femme souriait et, même si elle avait les yeux rouges et gonflés, son regard n'exprimait aucune émotion particulière. Jondalar chercha Darvo et il fut déçu de voir que le jeune garçon ne s'était pas joint au groupe de ceux qui étaient descendus sur le ponton pour assister à leur départ. Pratiquement tous les Sharamudoï étaient là.

Thonolan était déjà installé à l'intérieur du petit bateau et Jondalar alla s'asseoir sur le siège arrière. Il prit une pagaie et, au moment où Dolando larguait la corde qui retenait l'embarcation, il jeta un dernier coup d'œil à la haute terrasse. Un jeune garçon se trouvait tout au bord. La tunique qu'il portait risquait d'être trop grande pour lui, pendant quelques années encore, mais les motifs qui la décoraient étaient sans conteste zelandonii. Jondalar sourit et brandit sa pagaie pour saluer le jeune garçon. Darvo répondit d'un signe de la main. Jondalar plongea alors sa pagaie à double pale dans l'eau du fleuve.

Quand les deux frères se retrouvèrent au milieu du courant, ils se retournèrent pour jeter un dernier regard au ponton noir de monde — à tous les amis qui avaient tenu à assister à leur départ. Alors qu'ils commençaient à descendre le fleuve, Jondalar se demanda s'il reverrait un jour les Sharamudoï ou même les Zelandonii. Ce Voyage avait perdu tout intérêt à ses yeux maintenant qu'il était entraîné, pratiquement contre sa volonté, si loin de chez lui. Qu'espérait donc trouver Thonolan en partant vers l'est ? Et lui, qu'est-ce qui l'attendait ?

Sous le ciel gris et bas, les hautes gorges avaient un aspect oppressant. Les montagnes aux flancs dénudés prenaient pied au fond de l'eau et formaient de véritables remparts qui enserraient le fleuve des deux côtés. Sur la rive gauche, une série d'escarpements rocheux au profil anguleux s'élevaient jusqu'aux lointains sommets couverts de glace. La rive droite était plus érodée et les montagnes aux sommets arrondis auraient pu passer pour des collines. Mais pour les deux hommes, assis au fond de la petite embarcation, elles restaient impressionnantes. Autour des gros rochers qui émergeaient de l'eau se formaient des tourbillons frangés d'écume.

Les deux frères faisaient intimement partie de l'élément liquide au sein duquel ils voyageaient et leur embarcation était entraînée par le fleuve au même titre que les débris qui flottaient à sa surface ou les limons qu'il remuait dans ses profondeurs. Ils n'étaient maîtres ni de leur vitesse ni de leur direction et se contentaient de manœuvrer pour éviter les obstacles. Lorsque le fleuve atteignait presque deux kilomètres de large et que leur petite embarcation se soulevait et s'enfonçait comme s'il y avait eu de la houle, ils avaient l'impression d'être en pleine mer. Quand les parois rocheuses se rapprochaient, ils sentaient la résistance que rencontrait le fleuve. Le courant devenait beaucoup plus fort au fur et à mesure que le même volume d'eau se frayait un passage entre les gorges.

Ils avaient parcouru plus d'un quart de leur route, environ quarante kilomètres, quand le grain que Carlono avait prévu éclata, fouettant la surface de l'eau avec une telle violence qu'ils craignirent que le bateau finisse par être submergé par les vagues. Les parois abruptes qui bordaient le fleuve rendaient impossible toute tentative d'accostage.

— Je n'ai pas besoin de toi pour manœuvrer, Thonolan, dit Jondalar. Mieux vaudrait que tu écopes.

Depuis qu'ils étaient partis, les deux frères n'avaient pas beaucoup parlé. Mais une partie de la tension qui régnait entre eux au moment du départ s'était dissipée alors qu'ils pagayaient de concert pour que l'embarcation ne change pas de cap.

Thonolan déposa sa pagaie au fond du bateau, saisit un outil carré en bois qui ressemblait à une pelle et s'en servit pour vider l'eau qui remplissait l'embarcation.

— Le bateau se remplit aussi vite que je le vide, lança-t-il par-dessus son épaule.

— Je ne pense pas que ça dure longtemps, répondit Jondalar qui continuait à lutter contre les vagues. Si tu continues à ce rythme-là, je crois que nous nous en sortirons.

L'averse s'arrêta brusquement et, bien que le ciel restât menaçant, ils réussirent à sortir des gorges sans autre incident.

Dès que le fleuve eut atteint les plaines, son cours s'élargit. Après avoir été si longtemps comprimé par les gorges, il profitait de la liberté qui lui était offerte. Des îles apparurent, couvertes de saules et de roseaux où nichaient des hérons et des grues, des oies et des canards migrateurs et quantité d'autres oiseaux.

La première nuit, les deux frères installèrent leur campement dans une prairie située sur la rive gauche. Les premiers contreforts des hauts pics montagneux s'étaient maintenant éloignés de la berge. Mais, sur la rive droite, la chaîne de sommets arrondis obligeait le fleuve à obliquer vers l'est.

Jondalar et Thonolan reprirent si rapidement leurs habitudes de voyage que jamais on n'aurait cru qu'ils s'étaient arrêtés pendant plusieurs années chez les Sharamudoï. Cependant, quelque chose d'essentiel avait changé. Ils avaient perdu leur insouciance et ce goût de l'aventure qui les poussait à aller de l'avant pour l'unique joie de la découverte. La fuite en avant de Thonolan avait, au contraire, un côté désespéré.

Jondalar avait tenté une fois encore de convaincre son frère de rebrousser chemin, mais comme Thonolan avait très mal réagi, il avait préféré ne pas insister. Il espérait qu'avec le temps sa souffrance s'apaiserait et qu'un beau jour il déciderait de rentrer et de recommencer sa vie. Tant que ce ne serait pas le cas, il était décidé à rester avec lui.

Portés par le courant, les deux frères voyageaient plus vite dans leur petite embarcation que s'ils avaient marché le long de la rive. Comme leur avait expliqué Carlono, lorsque le fleuve atteignit la barrière d'une ancienne chaîne de montagnes, bien antérieure aux massifs entre lesquels il avait coulé jusqu'ici, il obliqua vers le nord. Bien que cette vénérable chaîne montagneuse eût subi les outrages du temps, elle s'interposait encore entre le fleuve et la mer intérieure qu'il tâchait d'atteindre.

Nullement découragé, le cours d'eau avait cherché un autre passage et s'était recourbé vers le nord. Mais, alors qu'il obliquait à nouveau vers l'est pour atteindre la mer intérieure, il recevait un dernier affluent, une large rivière, qui augmentait encore le volume déjà énorme des eaux et des limons qu'il charriait. Maintenant que rien n'arrêtait plus sa course, la Grande Rivière Mère ne pouvait plus se contenter de son lit. Elle se divisait en plusieurs bras et formait un delta en éventail.

Ce delta n'était qu'un gigantesque marécage plein de sables mouvants, de marais salants et de dangereuses petites îles. Certaines îles limoneuses demeuraient en place pendant plusieurs années, suffisamment longtemps pour que des arbres rabougris réussissent à y pousser. Cela ne les empêchait pas d'être sapées par les infiltrations ou entraînées un beau jour par les crues saisonnières. Le fleuve comptait quatre embouchures, mais le cours de ces quatre bras principaux restait instable. Sans raison apparente, il arrivait que l'eau cesse de couler dans son lit habituel et qu'elle choisisse brusquement un autre parcours, déracinant les buissons et abandonnant derrière elle un bras mort rempli de sable encore humide.

La Grande Rivière Mère — longue de près de trois mille kilomètres et grosse des eaux de deux chaînes de montagnes couvertes de glaciers — n'allait pas tarder à atteindre sa destination finale. Mais le delta, avec ses deux mille cinq cents kilomètres carrés de boue, de limon, de sable et d'eau, constituait le tronçon le plus dangereux du fleuve.

Tant que Jondalar et Thonolan avaient suivi le plus profond des bras de gauche, ils n'avaient eu aucun mal à naviguer. Au moment où le fleuve remontait en direction du nord, il leur avait suffi de se laisser porter par le courant et quand le large cours d'eau avait reçu son dernier affluent, ils avaient simplement été déportés au milieu du lit. Mais les deux frères n'avaient pas prévu qu'aussitôt après le fleuve se divisait en plusieurs bras. Avant qu'ils aient eu le temps de s'en rendre compte, leur bateau se retrouva dans le bras central.

Même s'ils étaient familiarisés avec le maniement du petit bateau, ils étaient loin d'être des navigateurs aussi émérites que les Ramudoï. Ils tentèrent de faire faire demi-tour à leur pirogue pour remonter à contre-courant et entrer dans le bras de gauche qu'ils avaient manqué. La proue ayant à peu près la même forme que la poupe, il leur aurait suffi de se retourner sur leur siège et de pagayer dans le sens contraire, mais cela ne leur vint pas à l'idée.

Leur embarcation était maintenant en travers du courant, Jondalar criait des instructions à son frère pour qu'il fasse tourner l'avant du bateau et Thonolan commençait à perdre patience. Un tronc d'arbre, lourd et imbibé d'eau, descendait le fleuve, entraîné par le courant, et ses racines tentaculaires ratissaient tout ce qui passait à leur portée. Quand les deux hommes le virent, il était trop tard.

Dans un craquement de bois qui éclate, l'extrémité déchiquetée et noircie de l'arbre, qui avait été frappé par la foudre avant d'être enlevé par le flot, éperonna le flanc de la frêle embarcation. L'eau s'engouffra aussitôt dans la brèche et submergea la pirogue. Au moment où l'arbre fondait sur eux, une de ses longues racines s'enfonça dans les côtes de Jondalar, lui coupant la respiration. Une autre racine faillit crever un œil à Thonolan et lui laissa une longue estafilade sur la joue.

Soudain plongés dans l'eau glacée, les deux frères se raccrochèrent au tronc et ils virent de petites bulles se former à la surface de l'eau alors que leur embarcation, lestée de tout ce qu'ils possédaient, sombrait au fond du fleuve.

— Est-ce que ça va, Jondalar ? demanda Thonolan, qui avait entendu le cri de douleur poussé par son frère.

— Une des racines m'est rentrée dans les côtes. J'ai un peu mal mais je ne pense pas que ce soit grave.

Suivi par Jondalar, qui progressait moins vite que lui, Thonolan essaya de contourner le tronc d'arbre. Mais à chaque fois qu'ils tentaient de s'en dégager, le courant les ramenait vers lui, comme il le faisait des autres débris prisonniers de ses racines. Brusquement, le tronc vint buter contre un ensablement qui le stoppa net.

Contournant le tronc et se frayant un passage à travers le réseau des racines en partie découvertes, le fleuve expulsa les débris qui avaient été jusque-là maintenus sous l'eau par la force du courant. La carcasse toute boursouflée d'un renne remonta à la surface, juste devant Jondalar. Il fit un mouvement de côté pour l'éviter, réveillant la douleur qui lui taraudait les côtes.

Libérés du tronc, les deux frères gagnèrent à la nage une petite île qui se trouvait au milieu du bras. Même si quelques saules y poussaient, cette île était provisoire et condamnée à disparaître. Les arbres qui se trouvaient le plus au bord étaient déjà en partie submergés et ils ne portaient pas de bourgeons. Les racines de certains d'entre eux pendaient dans le vide et leurs troncs s'inclinaient dangereusement vers le fleuve qu'ils n'allaient pas tarder à rejoindre. Le sol était spongieux comme un marécage.

— Je crois que nous ferions mieux de continuer et de trouver un endroit plus sec, dit Jondalar.

— Tu souffres, n'est-ce pas ?

Jondalar reconnut que ça n'allait pas très fort, puis il ajouta :

— Nous ne pouvons pas rester là.

Ils se laissèrent glisser dans l'eau et, dès qu'ils eurent dépassé la barre de sable de l'île, le courant les entraîna en aval beaucoup plus vite qu'ils ne l'auraient cru et les transporta jusqu'à la terre ferme. Fatigués et frigorifiés, ils furent bien déçus quand ils virent qu'il s'agissait à nouveau d'une île, plus large et plus longue que la précédente et légèrement plus haute par rapport au niveau des eaux. Le sol était saturé d'humidité et il n'y avait pas un morceau de bois sec.

— Ce n'est pas ici que nous pourrons allumer un feu, dit Thonolan. D'après toi, où se trouve le camp mamutoï dont nous a parlé Carlono ?

— Au nord du delta, tout près de la mer, répondit Jondalar en regardant avec envie dans cette direction.

Il souffrait de plus en plus et n'était pas certain de pouvoir traverser à la nage un autre bras. Aussi loin que portait son regard, il n'apercevait que les remous qui agitaient le fleuve, des monceaux de débris et, çà et là, quelques arbres qui marquaient l'emplacement des îles.

— Il ne nous a pas dit à quelle distance du fleuve se trouvait ce camp, ajouta-t-il.

Ils pataugèrent dans la vase jusqu'à l'extrémité nord de l'étroite langue de terre et plongèrent à nouveau dans l'eau glacée. Remarquant une rangée d'arbres qui se trouvaient en aval et de l'autre côté du bras d'eau, Jondalar se dirigea de ce côté. Cette traversée les avait fatigués. Le souffle court, ils grimpèrent d'un pas chancelant sur une plage de sable gris. Leurs longs cheveux ruisselaient et leurs vêtements en cuir étaient trempés.

Le soleil de fin d'après-midi, qui avait réussi à percer les nuages, illumina le paysage sans les réchauffer pour autant. Tant qu'ils s'étaient activés, ils n'avaient pas eu froid mais quand le vent venu du nord commença à souffler, ils se mirent à trembler dans leurs vêtements mouillés et allèrent s'abriter derrière une rangée d'aulnes clairsemés.

— Nous n'avons qu'à camper ici, proposa Jondalar.

— Il fait encore jour. Mieux vaudrait continuer.

— Le temps que nous construisions un abri et allumions un feu, il fera nuit.

— Si nous repartons tout de suite, nous pourrons peut-être trouver le camp mamutoï avant la nuit.

— Je ne crois pas que j'en serai capable, avoua Jondalar.

— Montre-moi ta blessure.

Jondalar souleva sa tunique. L'endroit où il avait été blessé par la racine était en train de changer de couleur et il portait une entaille qui avait dû saigner. Le cuir de sa tunique avait fait office de pansement et arrêté le saignement. Mais la tunique avait été perforée et il se demanda s'il n'avait pas une côte cassée.

— M'asseoir près d'un feu ne me ferait pas de mal, dit-il.

Ils regardèrent autour d'eux l'eau boueuse agitée de remous, les bancs de sable en mouvement et toute cette végétation charriée en tous sens par le fleuve. Des fouillis de branches entrelacées à des troncs étaient entraînés par le courant vers la mer, s'accrochant de-ci de-là aux prises que leur offrait le fond. Dans le lointain, on apercevait des arbres et des buissons couverts de bourgeons qui avaient réussi à s'ancrer dans des îlots plus stables.

Partout où ils avaient pu s'enraciner poussaient des roseaux et des herbes des marais. Non loin de là, des touffes de carex hautes de un mètre et couvertes de feuilles vertes paraissaient plus vigoureuses qu'elles ne l'étaient en réalité. Des lis des marais, aux feuilles en forme de glaive, de la même hauteur, étouffaient les joncs aigus qui émergeaient péniblement du sol. Dans le marais près de la rive, les prêles, les roseaux et les scirpes atteignaient trois mètres et semblaient gigantesques comparés aux deux hommes. Des phragmites, couronnés de balais pourpre, les dépassaient encore d'un bon mètre.

Les deux frères avaient tout perdu quand leur embarcation avait sombré au fond du fleuve, emportant même les deux sacs qu'ils transportaient depuis le début de leur Voyage. Ils n'avaient plus que les vêtements qu'ils portaient sur le dos. Heureusement, depuis sa pêche à l'esturgeon mouvementée et sa rencontre avec les Têtes Plates, Jondalar transportait toujours sur lui une petite sacoche remplie d'outils.

— Je vais voir si ces massettes n'ont pas de tiges de l'an dernier suffisamment sèches pour fabriquer une drille à feu, dit-il en essayant de ne pas penser à la douleur qui lui taraudait le flanc. Essaie de trouver un peu de bois sec.

Non seulement les tiges de massette leur permirent de fabriquer une drille à feu mais, en entrelaçant les longues feuilles des roseaux et en les posant sur un cadre en bois d'aulne, ils confectionnèrent aussi un abri au toit en pente qui leur permit de bénéficier pleinement de la chaleur dégagée par le feu. Les extrémités vertes et les racines tendres de cette plante cuites sur les braises avec quelques rhizomes de lis et la base immergée des scirpes constituèrent le premier plat de leur repas. Un jeune aulne, taillé en pointe et lancé avec précision, leur permit de tuer deux canards sauvages qui furent cuits à leur tour sur le feu. Avec les longues tiges flexibles des scirpes, ils eurent vite fait de fabriquer des nattes qu'ils utilisèrent pour se protéger de l'humidité pendant que leurs vêtements séchaient, puis pour dormir.

Jondalar passa une mauvaise nuit. Sa blessure le faisait souffrir et il sentait que quelque chose n'allait pas à l'intérieur. Mais il n'était pas question qu'ils s'arrêtent tant qu'ils ne seraient pas sur la terre ferme.

Le matin, ils pêchèrent du poisson à la seine grâce à de grands paniers tressés, fabriqués avec des branches d'aulne et des feuilles de massette. Ils ramenèrent ces nasses vers la rive à l'aide de cordes faites d'écorce filandreuse. Ils rangèrent le matériel qui leur avait permis de faire du feu et les souples paniers à l'intérieur des nattes qu'ils attachèrent avec la corde. Portant chacun une natte en bandoulière et tenant chacun une lance, ils se remirent en route. Ces lances n'étaient que des bâtons dont l'extrémité avait été taillée en pointe mais elles leur avaient permis de dîner la veille au soir et, grâce aux paniers, ils avaient pu se procurer un second repas. Leur survie dépendait moins de leur équipement que de leur savoir-faire.

Les deux frères n'étaient pas tout à fait d'accord sur la direction à prendre. Thonolan était persuadé qu'ils avaient traversé le delta et il voulait se diriger vers l'est pour rejoindre la mer. Jondalar voulait aller vers le nord car il était sûr qu'il leur restait encore un bras à traverser. Ils choisirent finalement un compromis et se dirigèrent vers le nord-est. Il s'avéra que Jondalar avait raison et aux environs de midi, ils atteignirent le bras du fleuve situé le plus au nord.

— J'ai l'impression qu'il va falloir recommencer à nager, annonça Thonolan. En seras-tu capable ?

— Je n'ai pas le choix.

Ils s'apprêtaient à plonger dans l'eau quand soudain, Thonolan s'arrêta.

— Et si nous attachions nos vêtements sur un tronc d'arbre comme nous avons l'habitude de le faire ? proposa-t-il. Comme ça, nous ne les mouillerons pas.

— Je ne sais pas... commença Jondalar. (Plonger tout nu dans cette eau glaciale ne lui plaisait guère. Mais la proposition de son frère était raisonnable et il ne voulait pas recommencer à discuter avec lui.) D'accord, convint-il en haussant les épaules.

Sans vêtement, il faisait plutôt frisquet. Jondalar se dit qu'il ferait mieux de conserver autour de sa taille la sacoche dans laquelle il portait ses outils, mais Thonolan l'avait déjà rangée à l'intérieur de sa tunique et il était en train d'attacher tout ce qu'ils possédaient sur un tronc. Dès que Jondalar se retrouva dans l'eau, il eut l'impression que le fleuve était encore plus froid que la veille et il dut serrer les dents pour ne pas crier quand, après avoir plongé, il se mit à nager. L'eau glacée finit par engourdir ses côtes douloureuses. Nageant d'un côté seulement, il se laissa distancer par son frère qui poussait le tronc devant lui.

Lorsqu'ils sortirent de l'eau et se retrouvèrent debout sur le banc de sable qu'ils avaient choisi de rallier, l'embouchure de la Grande Rivière Mère était en vue et ils aperçurent pour la première fois la mer intérieure. Ils avaient atteint le but qu'ils s'étaient fixé au début de leur périple, et pourtant ils ne ressentaient aucune émotion particulière. Depuis qu'ils avaient quitté les Sharamudoï, leur Voyage n'avait plus de sens et ils le savaient. En outre, ils n'avaient toujours pas gagné la terre ferme. L'ensablement sur lequel ils se tenaient s'était trouvé jadis au milieu du lit. L'eau avait changé de parcours, laissant derrière elle un bras mort qu'il fallait maintenant traverser.

De l'autre côté de l'ancien lit, une berge haute et boisée leur tendait les bras. Sa base, sapée précédemment par le courant, était couverte de racines qui pendillaient à l'air libre. Le bras mort n'était pas resté vide longtemps : au milieu, il y avait encore de l'eau bourbeuse et un début de végétation avait commencé à pousser. Les insectes eux aussi avaient découvert l'eau stagnante et pour l'instant, ils s'acharnaient sur les deux hommes.

Thonolan, qui était en train de détacher leurs vêtements, changea bien vite d'avis.

— Il va falloir que nous traversions ce lit boueux, dit-il. Mieux vaudrait attendre d'avoir atteint la berge pour nous rhabiller.

Jondalar acquiesça d'un signe de tête. Il souffrait trop pour avoir la force de discuter. Il avait l'impression de s'être claqué un muscle en nageant et il tenait tout juste debout.

Après avoir écrasé un moustique, Thonolan commença à descendre le long de la déclivité qui, auparavant, reliait le haut de la berge au fond du lit.

Combien de fois leur avait-on répété qu'il ne fallait jamais tourner le dos à la Grande Rivière Mère et sous-estimer les dangers qu'elle recelait ? Même si le fleuve ne coulait plus à cet endroit, ce bras en faisait encore partie et pouvait réserver des surprises. Chaque année des millions de tonnes de limon entraînées vers la mer intérieure étaient déversées dans ce delta de deux mille six cent kilomètres carrés. Ce bras mort, régulièrement inondé par les marées de la mer intérieure, formait un marais salant, saturé d'humidité et mal drainé. Les herbes et les roseaux qui avaient réussi à y pousser enfonçaient leurs racines dans de la vase.

Dès qu'ils s'y engagèrent, les deux hommes se mirent à glisser le long de la pente et quand ils arrivèrent en bas, leurs pieds s'enfoncèrent dans la vase. Thonolan fila devant, oubliant que son frère n'était pas en état d'adopter sa longue foulée habituelle. Même s'il était encore capable de marcher, la descente le long de cette pente glissante n'avait pas arrangé sa blessure. Il avançait avec précaution et commençait à se sentir un peu ridicule de marcher tout nu dans ce marais alors que les insectes en profitaient pour le dévorer.

Son frère s'était tellement éloigné qu'il voulut l'appeler. Mais au moment où il relevait la tête, il vit Thonolan s'enfoncer et entendit le cri qu'il poussait pour appeler à l'aide. Oubliant sa blessure, il se mit à courir. Quand il fut assez près pour voir que son frère était en train de se débattre dans des sables mouvants, il fut pris de panique.

— Grande Doni, Thonolan ! cria-t-il en se précipitant vers lui.

— Reste où tu es ! hurla son frère. Sinon tu vas y avoir droit, toi aussi.

Plus Thonolan se débattait pour se libérer, plus il s'enfonçait. Jondalar jeta des coups d'œil frénétiques autour de lui dans l'espoir de lui tendre quelque chose qu'il pourrait attraper. Ma tunique ! se dit-il soudain. Il s'accrochera à une des extrémités et moi, je tiendrai l'autre. Puis il se rendit compte que c'était imposssible : le ballot de vêtements avait disparu. Il s'approcha d'un tronc d'arbre en partie enfoui dans la boue et tenta de lui arracher une de ses racines. Mais ses efforts ne servirent à rien : toutes les racines qui auraient pu venir facilement avaient été arrachées au tronc pendant son turbulent trajet dans le courant.

— Thonolan, où sont nos vêtements ? J'ai besoin de quelque chose pour te sortir de là.

Le désespoir que laissait percer la voix de Jondalar eut sur son frère un effet qu'il n'avait nullement désiré : s'infiltrant dans son esprit complètement paniqué, il lui rappela son propre désespoir. Un sentiment de calme acceptation envahit soudain Thonolan.

— Si la Mère a décidé que je devais La rejoindre, il faut La laisser faire, dit-il.

— Non, Thonolan ! Non ! Tu ne peux pas renoncer aussi facilement. Oh, Doni, oh Grande Doni, ne le laisse pas mourir ! implora-t-il en se laissant tomber à genoux. (Puis il s'étendit de tout son long dans la vase et tendit sa main à son frère en le suppliant :) Attrape ma main, Thonolan, je t'en prie, essaie de l'attraper.

Thonolan fut surpris par la douleur et la souffrance qu'exprimait le visage de son frère. Ce n'était pas la première fois que Jondalar le regardait ainsi. Et soudain, il comprit. Son frère l'aimait, il l'aimait autant que lui-même avait aimé Jetamio. D'un amour différent, mais aussi fort que le sentiment qu'il éprouvait pour Jetamio. Il comprit cela intuitivement et, alors qu'il avançait sa main vers celle de son frère, il sut aussi que, même si cette main tendue n'était pas en mesure de le sortir de ce bourbier, il ne pouvait pas refuser de s'y accrocher.

Sans qu'il en soit conscient, dès qu'il cessa de se débattre, il s'enfonça moins vite. Pour pouvoir atteindre la main de son frère, il adopta une position presque horizontale, répartissant le poids de son corps sur les sables mouvants, un peu comme s'il flottait sur l'eau. Quand il réussit enfin à toucher les doigts de son frère, celui-ci s'avança de quelques centimètres pour agripper fermement sa main.

— C'est comme ça qu'il faut faire ! lança en mamutoï une voix derrière lui. Tiens bon ! Nous arrivons !

Jondalar poussa un soupir de soulagement et relâcha ses muscles tendus par la peur et l'effort. Il réalisa alors qu'il tremblait de tous ses membres. Il ne lâcha pas pour autant la main de Thonolan. Un instant plus tard, on lui passa une corde pour qu'il l'attache autour des poignets de son frère.

— Détends-toi, conseilla-t-on à Thonolan. Etends-toi de tout ton long comme si tu voulais nager. Tu sais nager ?

— Oui, répondit Thonolan.

— Parfait ! Détends-toi. Nous allons te sortir de là.

Jondalar sentit des mains qui le tiraient en arrière. Un instant plus tard, son frère était debout à côté de lui. Ils suivirent alors une femme qui tâtait le sol à l'aide d'une longue perche afin de vérifier qu'il n'allait pas s'enfoncer sous leurs pieds. Personne ne sembla se formaliser du fait qu'ils ne portaient pas de vêtements jusqu'à ce qu'ils aient atteint la berge.

La femme qui avait dirigé l'opération de sauvetage se retourna alors vers eux pour les examiner de plus près. C'était une femme à la robuste carrure et dont le maintien imposait le respect.

— Comment se fait-il que vous voyagiez sans vêtement ? demanda-t-elle.

Les deux frères regardèrent leurs corps couverts d'une épaisse croûte de boue.

— Nous nous sommes engagés dans le mauvais bras et notre bateau a été heurté par un tronc d'arbre... commença Jondalar qui avait du mal à tenir sur ses jambes.

— Après le naufrage, nous avons réussi à faire sécher nos vêtements et nous avons pensé qu'il valait mieux ne pas les remettre pour nager puis traverser ce bras mort plein de boue, continua Thonolan. C'est moi qui les transportais car Jondalar était blessé...

— Blessé ? l'interrompit la femme. L'un de vous est blessé ?

— Oui, mon frère, répondit Thonolan.

Jondalar, qui souffrait terriblement, était pâle comme un mort.

— Il faut que le mamut s'occupe de lui, intervint la femme. Vous n'êtes pas mamutoï. Où avez-vous appris à parler notre langue ?

— Nous avons appris le mamutoï avec une femme qui vit chez les Sharamudoï et qui fait partie de ma parenté.

— Tholie ?

— Oui. Tu la connais ?

— Moi aussi, je suis parente avec elle. Tholie est la fille d'un de mes cousins. Nous sommes donc parents par alliance toi et moi. Je m'appelle Brecie des Mamutoï et je dirige le Camp du Saule.

— Je m'appelle Thonolan des Sharamudoï et voici mon frère, Jondalar des Zelandonii.

— Zel-an-donii ? demanda Brecie, étonnée. Je n'ai jamais entendu parler de ce peuple. Si vous êtes frères, comment se fait-il que tu sois sharamudoï et qu'il soit... zelandonii ? Il n'a pas l'air dans son assiette, continua-t-elle en regardant Jondalar. (Décidant qu'il valait mieux remettre cette discussion à plus tard, elle ajouta à l'intention d'un des hommes qui l'accompagnaient :) Aide-le. Je ne suis pas sûre qu'il puisse marcher.

— Je peux encore marcher, dit Jondalar qui faisait tout son possible pour ne pas s'évanouir. A condition que ce ne soit pas trop loin...

Il se sentit soulagé quand un des Mamutoï prit son bras tandis que Thonolan le soutenait de l'autre côté.

— Je serais parti depuis longtemps, Grand Frère, si je ne t'avais pas promis d'attendre que tu ailles mieux pour me remettre en route. Je m'en vais. Je pense que tu ferais mieux de rentrer, mais je ne veux pas recommencer à discuter de ça avec toi.

— Pourquoi veux-tu aller vers l'est, Thonolan ? Nous avons atteint l'embouchure de la Grande Rivière Mère et nous sommes maintenant au bord de la mer. Pourquoi ne pas rentrer chez nous ?

— Je ne vais pas vers l'est, mais plutôt en direction du nord. Brecie m'a dit qu'ils n'allaient pas tarder à partir chasser le mammouth dans cette région. Je pars devant et je les retrouverai dans un autre camp mamutoï. Je ne compte pas rentrer chez nous, Jondalar. J'ai l'intention de voyager jusqu'à ce que la Mère me rappelle à Elle.

— Ne dis pas des choses pareilles ! cria Jondalar. On dirait que tu vas mourir !

— Et alors ? cria Thonolan à son tour. Maintenant que Jetamio n'est plus là, la vie ne m'intéresse plus, avoua-t-il la gorge nouée par l'émotion qui l'étouffait.

— Comment faisais-tu avant de la rencontrer ? Tu es jeune, Thonolan. Tu as encore toute la vie devant toi. Il te reste encore plein de choses à découvrir. Peut-être rencontreras-tu un jour une femme comme Jetamio.

— Tu ne comprends pas. Tu n'as jamais été amoureux. Jamais je ne retrouverai une femme comme Jetamio.

— Tu vas donc la suivre dans le monde des esprits et m'entraîner avec toi !

Ce n'était pas de gaieté de cœur que Jondalar employait un tel argument. Mais s'il fallait culpabiliser Thonolan pour qu'il continue à vivre, il était prêt à le faire.

— Personne ne t'a demandé de me suivre ! Fiche-moi la paix et rentre de ton côté !

— Tous les gens souffrent lorsqu'ils perdent un être qu'ils aiment, Thonolan, mais ils ne le suivent pas pour autant dans l'autre monde.

— Un jour, cela risque de t'arriver à toi aussi, Jondalar. Un jour, tu aimeras tellement une femme que tu préféreras la suivre dans le monde des esprits plutôt que de vivre sans elle.

— Si les rôles étaient inversés, si je venais de perdre la femme que j'aimais et que je veuille mourir, est-ce que tu me laisserais tout seul ? Dis-moi la vérité. Est-ce que tu le ferais ? Est-ce que tu m'abandonnerais en sachant que je suis fou de douleur ?

Thonolan baissa les yeux pour échapper au regard anxieux de son frère.

— Non, reconnut-il, je suppose que je ne te laisserais pas tout seul si tu étais fou de douleur. Mais, tu sais, Grand Frère... (Il essaya de sourire et ne réussit qu'à crisper un peu plus son visage ravagé par la douleur.) Si je décide de voyager jusqu'à la fin de mes jours, tu ne pourras tout de même pas passer ta vie à me suivre. Tu en as déjà par-dessus la tête de voyager. Il faudra bien que tu rentres un jour ou l'autre, non ?

— C'est vrai, reconnut Jondalar. Mais si j'insiste pour que tu viennes avec moi, ce n'est pas simplement parce que j'ai envie de rentrer. C'est avant tout parce que je pense que tu as besoin de te retrouver au sein de ta Caverne, dans ta famille, parmi des gens que tu connais depuis toujours et qui t'aiment.

— Tu n'as toujours pas compris, Jondalar ! C'est en cela que nous sommes différents. Toi, tu te sens chez toi dans la Neuvième Caverne des Zelandonii, tandis que moi, je suis chez moi partout. Je me sens autant sharamudoï que zelandonii. Quand j'ai quitté les Sharamudoï, j'ai eu l'impression de prendre congé de ma propre famille. Et ça ne veut pas dire que les Zelandonii ne m'intéressent pas. J'aimerais bien savoir si Joharran a maintenant des enfants dans son foyer et si, en grandissant, Folara est devenue aussi belle qu'elle promettait de l'être. J'aimerais revoir Willomar, lui raconter notre Voyage et lui demander où il a l'intention de partir la prochaine fois. Je me souviens encore à quel point j'étais excité chaque fois qu'il rentrait d'expédition. J'écoutais ses récits et je rêvais de l'imiter. Il rapportait toujours un petit cadeau pour chacun. Pour toi, pour Folara et pour moi. Et toujours un cadeau magnifique pour notre mère. Quand tu rentreras, il faudra que tu fasses pareil, qui tu lui rapportes un cadeau.

Tous ces prénoms familiers éveillaient chez Jondalar des souvenirs poignants.

— Ce cadeau, c'est toi qui pourrais le lui rapporter, Thonolan. Ne crois-tu pas que notre mère serait heureuse de te revoir ?

— Elle savait que je ne rentrerais pas, Jondalar. Quand nous sommes partis, elle m'a simplement souhaité : Bon Voyage ! Si elle était inquiète, c'était à cause de toi.

— Pourquoi se serait-elle plus inquiétée pour moi que pour toi ?

— Je suis le fils du foyer de Willomar. Je pense qu'elle savait que je serais, moi aussi, un voyageur. Même si cela ne lui plaisait pas, elle l'acceptait. Elle connaît parfaitement tous ses fils — c'est pour cela qu'elle a demandé à Joharran de lui succéder à la tête de la Neuvième Caverne. Elle sait que tu es zelandonii dans l'âme. Si tu étais parti tout seul, elle aurait été certaine de te revoir. Mais tu es venu avec moi et elle savait que je ne reviendrais pas. Même si moi je ne le savais pas au départ, notre mère l'avait deviné. Elle a très envie que tu rentres car tu es le fils du foyer de Dalanar.

— Quelle différence cela fait-il ? Ils se sont séparés il y a très longtemps. Quand ils se rencontrent à la Réunion d'Eté, ils n'ont plus que des relations purement amicales.

— Même s'ils sont maintenant simplement amis, les gens continuent à parler de Marthona et de Dalanar. Leur amour a dû avoir quelque chose d'exceptionnel pour que les gens s'en souviennent encore aujourd'hui. Si Marthona te chérit autant, c'est parce que tu lui rappelles son premier amour. Tu es le fils du foyer de Dalanar et certainement le fils de son esprit. Tu lui ressembles tellement ! Il n'y a que là-bas que tu te sentiras chez toi. Marthona le sait et toi aussi. Promets-moi de rentrer un jour, Grand Frère.

Jondalar hésitait à faire une telle promesse. Qu'il continue à voyager avec son frère ou qu'il décide de rentrer, dans les deux cas il faudrait qu'il renonce à quelque chose qui lui tenait à cœur. Pour l'instant, il espérait encore pouvoir concilier les deux. S'il promettait à Thonolan de rentrer, cela impliquait que ce retour aurait lieu sans son frère.

— Promets-moi, Jondalar, insista Thonolan.

Quels arguments pouvait-il employer pour refuser ?

— Je te promets qu'un jour je rentrerai, dit-il.

— Il faut bien que quelqu'un revienne pour leur dire que nous sommes allés jusqu'à l'embouchure de la Grande Rivière Mère, dit Thonolan en souriant. Comme je n'y serai pas, c'est à toi de le faire.

— Pourquoi n'y seras-tu pas ? Tu pourrais rentrer avec moi...

— Si tu ne L'avais pas implorée, je pense que j'aurais rejoint la Mère quand je me suis enfoncé dans ces sables mouvants. Je sais que c'est quelque chose que tu n'arrives pas à admettre, mais je suis certain qu'Elle ne va pas tarder à venir me chercher. Et je ne me ferai pas prier pour La suivre.

— Tu ne vas tout de même pas essayer de te tuer ?

— Non, Grand Frère, répondit Thonolan en souriant. Il est inutile que je fasse quoi que ce soit. Je suis certain que la Mère va venir me chercher. Et je tiens à ce que tu saches que je suis prêt.

Depuis qu'il avait failli être entraîné par les sables mouvants, Thonolan avait la certitude qu'il n'allait pas tarder à mourir. Il n'avait pas peur et ne se rebellait pas. Son calme et son fatalisme effrayaient Jondalar. Son frère avait cessé de lutter : il n'avait plus envie de vivre.

— Ne crois-tu pas que nous ayons une dette vis-à-vis de Brecie et du Camp du Saule ? demanda-t-il dans l'espoir de le mettre en colère. Ils nous ont nourris, ils nous ont fourni des vêtements et des armes. Est-ce que tu aurais le front d'accepter tout ça sans rien leur donner en échange ? (Jondalar s'en voulait d'avoir promis à son frère de rentrer sans lui. Maintenant que Thonolan lui avait extorqué cette promesse, il ne se sentait plus aucune obligation envers qui que ce soit.) Tu es tellement persuadé du destin que te réserve la Mère que tu te fiches de ce qui peut arriver aux autres ! s'écria-t-il. J'ai raison, n'est-ce pas ?

Thonolan sourit à nouveau. Il comprenait la colère de son frère. Il aurait réagi exactement de la même manière si Jetamio lui avait annoncé qu'elle allait bientôt mourir.

— Je tiens à te dire quelque chose, Jondalar. Nous étions très proches l'un de l'autre...

— Nous le sommes toujours, non ?

— En effet. Tu pourrais en profiter pour te laisser aller quand tu es avec moi. Tu n'es pas obligé d'être parfait en toutes occasions et de te montrer aussi attentionné...

— J'ai si peu de défauts que Serenio a refusé de devenir ma compagne ! s'écria Jondalar d'une voix amère.

— Elle savait que tu allais partir. Si tu t'étais déclaré plus tôt, elle aurait certainement accepté. Et si tu avais insisté un peu plus, elle t'aurait certainement dit oui — tout en sachant que tu ne l'aimais pas. Tu n'avais pas envie de t'unir à elle, Jondalar.

— J'aurais tant aimé être amoureux d'elle !

— Je sais. Et c'est pourquoi je désire te dire quelque chose que j'ai appris grâce à Jetamio. Pour tomber amoureux, il faut être capable de se laisser aller à sa passion et il faut renoncer à tout maîtriser. On en souffre parfois, mais si on refuse de prendre ce risque, on ne peut pas être heureux. Celle dont tu tomberas amoureux ne ressemblera peut-être pas à la femme de tes rêves. Mais ça n'a pas d'importance. Tu l'aimeras pour ce qu'elle est vraiment.

— Je me demandais où vous étiez, intervint Brecie en s'approchant des deux frères. Nous avons organisé une petite fête pour votre départ.

— Je me sens votre obligé, Brecie, dit Jondalar. Vous vous êtes occupés de nous et vous nous avez fourni tout ce dont nous avions besoin. Je ne crois pas qu'il serait correct de vous quitter sans rembourser ce que je vous dois.

— Ton frère s'en est déjà chargé, Jondalar. Pendant ta convalescence, il a chassé tous les jours. Il a pris beaucoup de risques, mais c'est un chasseur chanceux. Tu ne nous dois rien.

Jondalar jeta un coup d'œil à son frère et vit que celui-ci souriait.

19

Dans la vallée, le printemps provoqua une explosion de couleurs flamboyantes avec une nette prédominance de verts tendres, mais ses premiers jours avaient été horribles, refroidissant sensiblement l'enthousiasme qu'éprouvait habituellement Ayla pour la nouvelle saison. L'hiver tardif avait été marqué par d'importantes chutes de neige et les premières crues furent d'une rare violence.

Après avoir été comprimé par l'étroite gorge située en amont, le torrent tumultueux se précipitait avec une telle force sur la saillie rocheuse que la caverne en tremblait à la base. Le niveau des eaux atteignait pratiquement la corniche et Ayla avait commencé à se faire du souci pour Whinney. En cas d'inondation, la jeune femme avait toujours la possibilité de rejoindre les steppes, mais ce passage était trop escarpé pour Whinney, d'autant qu'elle n'allait pas tarder à pouliner. Ayla avait passé plusieurs jours à surveiller anxieusement la rivière dont les flots tourbillonnants montaient toujours plus haut puis refluaient en léchant le bord de la corniche. En aval, la moitié de la vallée était inondée et les buissons qui, en temps normal, bordaient la rivière, disparaissaient sous l'eau.

Au pire moment de la crue, Ayla fut réveillée en pleine nuit par une détonation sourde, semblable à un coup de tonnerre, qui ébranla le sol de la caverne et la paralysa de terreur. Elle ne comprit ce qui s'était passé que quand la rivière retrouva son niveau habituel. Un énorme bloc de pierre, charrié par le cours d'eau, avait heurté la paroi et l'onde de choc s'était propagée à l'intérieur de la caverne. Sous l'impact, tout un pan de la paroi rocheuse s'était effondré et se trouvait maintenant en travers de la rivière.

L'obstacle avait dévié le cours de la rivière. La brèche dans la paroi formait une dérivation, bien pratique pour le cours d'eau, mais qui rétrécissait la plage. La majeure partie des ossements, des bois flottés et des galets avait disparu, entraînée par la crue. Et le bloc de pierre, arraché à l'étroite gorge située en amont, s'était logé non loin de la paroi.

Certains arbres et buissons, plus fragiles que d'autres, n'avaient pu résister à la force des eaux. Mais la plupart d'entre eux étaient toujours enracinés dans le sol. Quant aux cicatrices à vif que portait la terre après l'inondation, elles disparurent rapidement sous la végétation. Très vite, le paysage donna l'impression d'avoir toujours été ainsi.

Ayla fit comme la nature : elle s'adapta à ces changements, et n'eut aucun mal à trouver ailleurs les galets et les morceaux de bois flottés dont elle avait besoin. Malgré tout, à cause de cet événement, elle se sentait moins en sécurité qu'avant dans la vallée et dans sa caverne. Comme chaque année à la même époque le moment était venu de prendre une décision. Si elle choisissait de quitter la vallée, il fallait qu'elle parte au printemps pour pouvoir voyager pendant la belle saison et trouver un nouvel endroit où vivre avant l'hiver, au cas où elle ne rencontrerait pas ceux qu'elle cherchait.

Cette année, elle avait plus de mal encore que d'habitude à se décider. Depuis qu'elle avait été malade, elle craignait de se faire surprendre par la mauvaise saison dans une région inconnue. Elle avait mieux réalisé le danger qu'elle courait en vivant seule, et avait durement ressenti, aussi, à quel point la compagnie de ses semblables lui manquait. Whinney et Bébé, aussi affectueux soient-ils, ne lui suffisaient plus. Elle ne pouvait pas leur communiquer ses idées ou partager ses expériences avec eux. Elle ne pouvait pas leur raconter une histoire ou exprimer son émerveillement devant une découverte qu'elle venait de faire. Quand elle était malheureuse, ils ne pouvaient pas la consoler, ni la rassurer lorsqu'elle avait peur. Mais était-elle prête à sacrifier une partie de sa liberté et de son indépendance pour satisfaire son besoin de sécurité et de compagnie ?

A vivre seule dans cette vallée, elle avait pris conscience des contraintes auxquelles elle avait été soumise lorsqu'elle vivait au sein du Clan. Elle n'avait aucun souvenir de sa petite enfance, elle ignorait tout des Autres, elle se demandait avec inquiétude ce qu'ils allaient exiger d'elle. Elle savait qu'après avoir goûté à la liberté, il y avait certaines choses auxquelles elle refuserait maintenant de renoncer. Jamais elle n'accepterait de se séparer de Whinney, par exemple. Et que se passerait-il si les Autres lui interdisaient de chasser ou, pire encore, de rire quand elle en avait envie ?

Mais il y avait une question plus grave encore, qu'elle osait à peine se poser. Que ferait-elle si jamais les Autres ne voulaient pas d'elle sous prétexte qu'elle avait pour compagne une jument, qu'elle chassait et qu'elle aimait rire ? Tant qu'elle ne les avait pas rencontrés, elle conservait encore de l'espoir. Elle pouvait se dire qu'elle n'allait pas être obligée de vivre seule jusqu'à la fin de ses jours.

Pour l'instant, les circonstances lui permettaient d'ajourner sa décision. Tant que Whinney n'aurait pas mis bas, elle ne quitterait pas la vallée. Elle savait que les juments poulinaient au printemps. En tant que guérisseuse, elle avait si souvent joué le rôle de sage-femme qu'elle savait aussi que ce poulinage pouvait avoir lieu d'un jour à l'autre. Elle surveillait de près la jument, avait renoncé à ses expéditions de chasse et ne la montait que pour lui faire prendre de l'exercice.

— J'ai l'impression que nous avons raté le camp des Mamutoï, Thonolan. Nous avons dû marcher beaucoup trop à l'est.

Les deux frères suivaient les traces d'un troupeau de cerfs géants afin de se ravitailler en viande car leurs réserves étaient pratiquement épuisées.

— Je ne sais... Regarde !

Thonolan montra du doigt à son frère un cerf dont les bois atteignaient trois mètres d'envergure. Sachant combien ces animaux étaient peureux, Jondalar se demanda si le mâle avait senti le danger et s'il allait pousser un bramement. Mais avant qu'il ait pu donner l'alarme, une biche se précipita vers eux. Thonolan lança son arme comme il avait appris à le faire avec les Mamutoï. La large lame en silex fixée à l'extrémité de sa sagaie pénétra entre les côtes de l'animal, le tuant net et la biche vint s'effondrer pratiquement à leurs pieds.

Ils s'apprêtaient à récupérer leur gibier quand, soudain, ils comprirent pourquoi le mâle avait semblé si nerveux et pourquoi cette biche n'avait pas eu d'autre choix que de se précipiter sur la sagaie de Thonolan. Retenant leur souffle, ils virent une lionne des cavernes qui bondissait vers la biche. Elle semblait un peu surprise. Elle ne devait pas avoir l'habitude que ses proies tombent mortes sur le sol avant qu'elle les ait attaquées. Mais elle n'hésita pas longtemps. Après avoir reniflé la biche pour s'assurer qu'elle était bien morte, elle la saisit par le cou et se mit en route, traînant la dépouille sous elle.

— Cette lionne m'a volé mon gibier ! s'écria Thonolan d'un air indigné.

— Cette lionne chassait, elle aussi, et si elle pense que cette proie lui appartient, ce n'est pas moi qui vais lui dire le contraire.

— Je ne vais pas la laisser faire !

— Ne sois pas ridicule ! Tu ne vas tout de même pas disputer cette biche à une lionne des cavernes !

— Je ne vais pas rester les bras croisés alors qu'elle l'emporte.

— Laisse-lui cette biche, Thonolan, nous en tuerons une autre, dit Jondalar en emboîtant le pas à son frère qui était en train de suivre la lionne.

— Je veux simplement voir où elle l'emporte. Je ne pense pas qu'elle fasse partie d'une bande. Sinon, les autres lionnes se seraient déjà attaquées au cerf. Ce doit être une nomade et elle va mettre sa proie à l'abri de ses congénères. Nous pourrons regarder où elle va la cacher. Elle finira bien par repartir tôt ou tard. Nous en profiterons pour récupérer un peu de viande fraîche.

— Je ne veux pas de cette biche qui a été tuée par une lionne.

— Ce n'est pas la lionne qui l'a tuée, c'est moi. Cette bête porte encore ma sagaie enfoncée dans son flanc.

Discuter ne servait à rien. Ils suivirent la lionne jusqu'à un canyon sans issue encombré de rochers qui s'étaient détachés des parois. Ils attendirent et la virent ressortir un peu plus tard, comme Thonolan l'avait prédit.

— Ne descends pas dans ce canyon ! s'écria Jondalar en voyant que son frère s'y engageait. Cette lionne risque de revenir !

— Je vais juste récupérer ma sagaie et un peu de viande.

Thonolan avait franchi le bord du canyon et il commençait à y descendre en se frayant un passage parmi les éboulis. Jondalar le suivit à contrecœur.

Il avait plu pendant plusieurs jours et Ayla n'avait pas pu sortir. Quand elle vit que le soleil avait réussi à chasser les nuages, elle se dit qu'il fallait en profiter. Elle n'avait pas envie de parcourir avec Whinney les steppes de l'est, elle en connaissait chaque pouce de terrain. Elle décida donc d'explorer la région située à l'ouest de la vallée.

Après avoir attaché les paniers et les perches du travois sur la jument, elle descendit vers la rivière et suivit le cours d'eau jusqu'au fond de la vallée. En arrivant à l'endroit où la rivière obliquait vers le sud, elle se souvint du passage qu'elle avait emprunté pour jeter un coup d'œil en direction de l'ouest. Cette pente sablonneuse semblait un peu raide pour Whinney et elle préféra continuer en direction du sud pour voir s'il n'existait pas un accès plus pratique. Plus elle avançait vers le sud, plus la paroi rocheuse s'abaissait et, quand elle aperçut un endroit où la rivière était moins profonde qu'ailleurs, elle en profita pour traverser.

Le paysage était le même qu'à l'est de la caverne : partout des prairies à perte de vue. Mais Ayla ne le connaissait pas et, poussée par la curiosité, elle continua. Bientôt, elle arriva dans une région plus accidentée, creusée de canyons et dominée par des mesas, dont les parois abruptes semblaient avoir été coupées au couteau. Elle était allée beaucoup plus loin qu'elle ne l'avait prévu et, en arrivant près d'un canyon, elle se dit que le moment était venu de rentrer. Elle allait rebrousser chemin quand soudain elle entendit quelque chose qui lui glaça le sang : le rugissement assourdissant d'un lion des cavernes — et un cri.

Le cœur battant à tout rompre., Ayla s'arrêta. Elle avait beau ne pas avoir entendu de voix humaine depuis très longtemps, elle savait que ce cri avait été poussé par un être humain, un être comme elle, et non un membre du Clan. Elle était tellement stupéfaite qu'elle était incapable de réfléchir. Ce cri ne laissait aucun doute : c'était un appel à l'aide. Mais elle ne se sentait pas de taille à affronter un lion des cavernes et elle ne voulait pas non plus faire courir ce risque à Whinney.

La jument sentit son désarroi. Bien que le signal transmis par le corps d'Ayla eût été pour le moins hésitant, elle se dirigea néanmoins vers le canyon. Quand elles y arrivèrent, Ayla mit pied à terre et regarda à l'intérieur. C'était un cul-de-sac, obstrué par une barrière d'éboulis. La jeune femme entendit un grondement sourd et aperçut la crinière rousse. Elle comprit soudain pourquoi Whinney s'était avancée sans crainte.

— C'est Bébé, Whinney ! C'est Bébé !

Elle se précipita à l'intérieur du canyon sans penser que d'autres lions pouvaient s'y trouver et que Bébé lui-même n'avait plus rien d'un lionceau. C'était Bébé — un point c'est tout. Et Ayla n'avait pas peur de lui. Elle escalada les rochers qui la séparaient de lui. Bébé se retourna en grognant.

— Arrête, Bébé ! lui intima Ayla en faisant le geste qu'il connaissait et en émettant le son habituel.

Quand elle s'approcha de lui et le poussa pour examiner sa proie, le lion hésita un court instant. Mais il connaissait trop bien la jeune femme et celle-ci était trop sûre d'elle pour qu'il lui résiste. Il la laissa faire comme chaque fois qu'Ayla s'était approchée d'une de ses proies pour prélever un morceau de viande ou dépecer l'animal qu'il venait de tuer. En outre, il n'avait pas faim. Il avait commencé à manger la biche que la lionne avait apportée. S'il avait attaqué les intrus, c'était uniquement pour défendre son territoire — et encore, il avait hésité. Leur odeur lui rappelait trop celle de la jeune femme qui l'avait élevé et qui avait chassé avec lui.

Obéissant à ses réflexes de guérisseuse et poussée aussi par la curiosité, Ayla s'agenouilla près des deux hommes. Même si elle n'avait plus aucun souvenir de sa vie parmi les Autres, elle savait que ces inconnus étaient des hommes et elle comprenait enfin pourquoi Oda lui avait dit que les Autres lui ressemblaient.

Elle sut immédiatement qu'il n'y avait plus rien à faire pour l'homme brun. Il était couché dans une position anormale et avait la nuque brisée. Les marques de crocs sur sa gorge ne laissaient aucun doute sur la cause de sa mort. Bien qu'Ayla ne le connût pas, sa mort la bouleversa et ses yeux se remplirent de larmes. Elle avait l'impression d'avoir perdu quelque chose d'inestimable avant d'avoir eu la possibilité de l'apprécier. C'était la première fois qu'elle rencontrait un représentant de sa propre espèce et celui-ci était mort !

Elle aurait aimé pouvoir lui donner la sépulture que tout être humain exigeait. Mais après avoir examiné de plus près l'autre homme, elle se rendit compte que c'était hors de question. L'homme aux cheveux blonds respirait encore mais il avait été gravement blessé à la cuisse et était en train de se vider de son sang. Il fallait qu'elle le ramène le plus vite possible à la caverne pour le soigner et jamais elle n'aurait le temps d'enterrer son compagnon.

Pour arrêter l'hémorragie, elle fit un tourniquet en se servant de sa fronde et d'un galet parfaitement lisse. Profitant du fait qu'elle était occupée, Bébé s'était approché de l'homme brun et il était en train de le renifler. Je sais qu'il est mort, Bébé, songea-t-elle en repoussant le lion. Mais il n'est pas pour toi. Le lion des cavernes quitta d'un bond la plate-forme rocheuse et alla s'assurer que la biche se trouvait bien toujours au fond de la crevasse où il l'avait laissée. En entendant les grognements familiers, Ayla comprit qu'il était en train de s'alimenter.

Voyant que le garrot avait arrêté l'hémorragie et que la plaie ne saignait plus que légèrement, elle siffla Whinney et redescendit pour installer le travois. Après avoir examiné avec attention la solide natte tressée qu'elle venait de fixer entre les deux perches à l'arrière de la jument, elle se dit que celle-ci devrait pouvoir supporter le poids de l'homme blond. En revanche, elle ne savait quoi faire de l'homme brun et elle ne voulait pas le laisser là pour les lions.

Lorsqu'elle remonta chercher le blessé, elle s'aperçut que les rochers au fond du canyon avaient l'air bien instables — ils s'étaient amoncelés derrière un gros bloc de pierre qui ne semblait pas très stable, lui non plus. Elle se souvint soudain de l'enterrement d'Iza. Le corps de la guérisseuse avait été placé au fond d'une fosse peu profonde creusée dans le sol de la caverne et recouvert de pierres. Cela lui donna une idée. Elle traîna le corps de l'homme mort au fond du canyon, près de l'endroit où les rochers s'étaient entassés.

Bébé s'approcha pour voir ce qu'elle était en train de faire, le sang de la biche collant encore à ses babines. Il la suivit lorsqu'elle s'approcha de l'autre homme et renifla le blessé tandis qu'Ayla le tirait pour l'amener vers la jument.

— Va-t'en plus loin, Bébé !

Au moment où Ayla installait l'homme sur le travois, ses yeux papillonnèrent, il gémit de douleur, puis ses yeux se refermèrent. Ayla préférait qu'il soit inconscient. Dès qu'elle l'eut enroulé dans la natte, elle prit un long et lourd épieu et retourna vers la plate-forme rocheuse. Après un dernier regard pour l'homme couché au fond du canyon, elle appuya sa lance contre le bloc de pierre et s'adressa au monde des esprits en utilisant les gestes solennels du Clan.

Elle avait observé Creb, le vieux mog-ur, lorsqu'il avait renvoyé les esprits d'Iza vers l'autre monde. Elle avait répété les gestes qu'il avait faits le jour où il avait été tué par le tremblement de terre. Même si elle ignorait le sens exact de ces gestes sacrés, elle savait dans quel but on les faisait et c'était la seule chose qui importait. Ses yeux se remplirent de larmes en repensant à Iza et à Creb alors qu'elle accomplissait le rite silencieux à la mémoire de cet inconnu et qu'elle l'envoyait rejoindre le monde des esprits.

Puis elle reprit son épieu et, l'utilisant comme un levier, elle souleva le gros bloc et recula d'un bond tandis qu'un flot de pierres venait recouvrir le corps de l'homme mort.

La poussière retombait à peine qu'elle avait déjà fait sortir Whinney du canyon. Elle remonta sur la jument et reprit la route de la caverne. Elle s'arrêta plusieurs fois en chemin pour vérifier l'état du blessé et fit une courte halte pour ramasser des racines de consoude. Elle était pressée de rentrer, mais elle ne voulait pas trop demander à la jument. Quand, après avoir traversé le cours d'eau et dépassé le coude que faisait la rivière, elle aperçut de loin la falaise, elle poussa un soupir de soulagement. Ce n'était pas gagné pour autant. Et tant qu'elle n'eut pas atteint la corniche, elle n'osa espérer qu'elle avait réussi à ramener l'homme vivant.

Elle guida Whinney à l'intérieur de la caverne avec le travois et ranima le feu pour faire chauffer de l'eau avant de détacher l'homme inconscient et de le transporter sur sa couche. Elle enleva à la jument son harnachement, la remercia d'une caresse et, après avoir jeté un coup d'œil dans ses réserves, sélectionna les plantes dont elle allait avoir besoin. Avant de s'occuper du blessé, elle prit une profonde inspiration et saisit son amulette.

Elle avait les idées trop confuses et était trop inquiète pour adresser une prière précise à son totem. Mais elle voulait venir en aide à cet homme et désirait que son puissant totem la soutienne dans les efforts qu'elle allait faire pour le soigner. Il fallait absolument qu'elle lui sauve la vie. Pourquoi ? Elle aurait bien été incapable de le dire. Mais elle savait que c'était de la plus haute importance : cet homme ne devait pas mourir.

Elle remit du bois dans le feu et vérifia la température de l'eau qu'elle avait mise à chauffer dans un récipient en peau suspendu directement au-dessus du foyer.

Dès que l'eau commença à frémir, elle ajouta des pétales de soucis dans le récipient. Puis elle s'approcha de l'homme, toujours inconscient. Ses vêtements étaient déchirés à plusieurs endroits et il devait avoir d'autres blessures que celle qu'il portait à la cuisse droite. Il fallait qu'elle le déshabille pour s'en assurer. Mais comment allait-elle s'y prendre ? Cet homme n'était pas vêtu comme elle d'une peau attachée à l'aide d'une longue lanière.

En observant avec attention les vêtements qu'il portait, elle se rendit compte que la peau et la fourrure qui avaient servi à les fabriquer avaient été découpées, puis assemblées à l'aide de cordons pour recouvrir ses bras, ses jambes et son corps. Après avoir étudié de près ces assemblages, elle se dit que la seule solution consistait à couper ces vêtements comme un peu plus tôt elle avait coupé la peau qui recouvrait une de ses jambes pour pouvoir arrêter l'hémorragie. Quand elle eut découpé le vêtement qui couvrait le haut du corps du blessé, elle fut très surprise de découvrir qu'il en portait un autre par-dessous. On avait fixé sur ce vêtement des fragments de coquillages, d'os et de canines d'animal, ainsi que des plumes d'oiseaux. Ces décorations n'avaient pas été placées au hasard et Ayla, qui n'en avait encore jamais vu de pareilles, se demanda s'il s'agissait d'une sorte d'amulette. Elle n'avait aucune envie de toucher à cet étrange vêtement, mais elle n'avait pas le choix. Lorsqu'elle le découpa, elle s'appliqua à suivre le motif afin de l'abîmer le moins possible.

L'homme portait un autre vêtement qui lui couvrait le bas du corps. Des peaux, assemblées à l'aide de cordons, enveloppaient chacune de ses jambes, puis elles se rejoignaient, formant une sorte de poche bouffante attachée autour de la taille, avec un rabat sur le devant. Après avoir découpé ce vêtement, Ayla retira le garrot. Elle l'avait déjà desserré plusieurs fois pendant le voyage de retour pour ne pas interrompre totalement la circulation du sang dans la jambe blessée. Si on ne savait pas utiliser correctement un garrot, le remède pouvait être pire que le mal et le blessé risquait de perdre sa jambe.

Ensuite, Ayla étudia la manière dont il était chaussé. Là encore, les peaux avaient été découpées et assemblées pour s'adapter à la forme du pied. Elle coupa les lanières qui les retenaient et les lui enleva. Elle se pencha alors vers le blessé pour examiner ses blessures. Celle qu'il portait à la cuisse avait recommencé à saigner. Les autres entailles n'étaient que superficielles, mais elles risquaient de s'infecter. Chaque fois que Bébé l'avait griffée, même légèrement, Ayla avait observé que cela avait tendance à s'infecter. L'homme avait aussi un hématome sur la tête qu'il avait dû se faire en tombant lorsque le lion l'avait attaqué. Il était difficile de dire à quel point c'était sérieux. Elle s'en occuperait plus tard car la plaie qu'il portait à la cuisse nécessitait des soins rapides maintenant qu'elle avait retiré le garrot.

Ayla exerça une pression à la hauteur de l'aine afin d'arrêter le saignement, puis, pour nettoyer la plaie, elle utilisa une peau de lapin tannée, qu'elle avait écharnée et étirée afin de la rendre souple et absorbante, qu'elle trempa dans l'infusion de pétales de soucis. Cette préparation avait des propriétés astringentes et antiseptiques et elle comptait à nouveau s'en servir pour désinfecter les estafilades du blessé. Quand elle eut nettoyé la plaie extérieurement et intérieurement, elle s'aperçut qu'une partie du muscle, située en dessous de l'entaille externe, avait été déchirée. Elle saupoudra la plaie avec de la poudre de racine de géranium et nota l'effet coagulant que possédait cette préparation.

La main gauche toujours posée sur l'aine du blessé, elle plongea une racine de consoude dans l'eau pour la rincer, puis elle mâcha celle-ci jusqu'à ce qu'elle ait une consistance pâteuse et recracha cette pâte dans la solution de pétales de soucis afin de préparer un emplâtre. Avant de l'appliquer sur la blessure, elle remit le muscle en place et referma les deux lèvres de la plaie. Mais, dès qu'elle les lâcha, la plaie se rouvrit et le muscle reprit sa position antérieure.

Elle eut beau refermer à nouveau la plaie, cela ne servit à rien. Elle savait que si elle bandait la jambe du blessé, elle n'obtiendrait pas un meilleur résultat. En plus, elle craignait que la cicatrisation se fasse mal et qu'il ne puisse plus jamais se servir de sa jambe. Si je pouvais rester à côté de lui pour tenir les deux lèvres de la plaie le temps que ça cicatrise ! se dit-elle. Elle se sentait totalement impuissante et aurait aimé qu'Iza soit là pour la conseiller. Elle était persuadée que même si la vieille guérisseuse ne lui avait jamais expliqué comment il fallait traiter un cas de ce genre, elle aurait su quoi faire.

Soudain, elle se souvint d'une conversation qu'elle avait eue un jour avec Iza. « Comment pourrais-je devenir guérisseuse, alors que je ne suis pas ta vraie fille ? lui avait-elle demandé. Je n'ai pas tes souvenirs ! » Iza lui avait alors expliqué qu'elle lui avait transmis presque tout ce qu'elle savait et que cela lui suffirait, car elle possédait quelque chose d'autre. Un don, avait dit Iza, une manière de penser, une manière de comprendre... et la faculté d'aider ceux qui souffrent.

Si seulement je pouvais aider cet homme ! songeait Ayla. Elle jeta un coup d'œil autour d'elle et, apercevant les vêtements du blessé, cela lui donna une idée. Elle reprit les peaux qui recouvraient le bas de son corps et les examina à nouveau. Pour assembler ces morceaux de peau, on avait utilisé un cordon très fin. Il s'agissait d'un tendon d'animal. On avait enfilé ce tendon dans un trou d'un côté puis dans un second trou de l'autre, et ensuite on avait rapproché les deux côtés. Elle avait utilisé le même genre de méthode pour fabriquer des récipients en écorce de bouleau. Elle avait percé des trous, puis attaché les deux extrémités à l'aide d'un nœud. Pouvait-elle faire la même chose pour refermer la blessure de cet homme jusqu'à ce qu'elle soit cicatrisée ?

Elle commença par aller chercher dans ses réserves quelques chose qui ressemblait à un bâton brunâtre. Il s'agissait d'un tendon de cerf qui avait durci en séchant. Puis elle prit un caillou rond et lisse et se mit à frapper rapidement le tendon pour dissocier les longues fibres conjonctives de couleur blanche dont il était formé. Elle les sépara les unes des autres, choisit une des fibres et la plongea dans la solution des pétales de soucis. Comme le cuir, les tendons retrouvaient leur élasticité lorsqu'ils étaient mouillés et, à moins d'être traités, ils durcissaient en séchant. Dès qu'Ayla eut préparé plusieurs fibres, elle alla fouiller dans ses couteaux et ses forets pour voir si elle en trouvait un capable de percer de petits trous dans la peau du blessé. Elle n'arrivait pas à se décider quand, soudain, elle pensa aux éclats de bois qu'elle avait récupérés sur l'arbre frappé par la foudre la nuit de son arrivée. Iza utilisait ces éclats pour percer un furoncle ou une ampoule ou encore les enflures qui avaient besoin d'être drainées. Ces éclats conviendraient parfaitement pour ce qu'elle voulait faire.

Elle nettoya le sang qui avait coulé de la blessure et fit un trou dans la chair du blessé. L'homme remua et se mit à gémir. Il fallait qu'elle se dépêche si elle voulait ne pas trop le faire souffrir. Elle fit un second trou en face du premier, fit passer la fibre tendineuse à travers les deux trous, puis elle rapprocha les chairs et fit un nœud.

Comme elle ne savait pas comment elle allait s'y prendre pour retirer ces fibres lorsqu'elles seraient devenues inutiles, elle préféra faire le moins de nœuds possible. Finalement, elle en fit trois pour maintenir le muscle en place et quatre pour refermer la blessure. Quand elle eut fini, elle ne put s'empêcher de sourire en voyant qu'elle avait réussi à rapprocher les chairs et à remettre le muscle en place. Si la plaie ne s'infectait pas, cet homme pourrait à nouveau utiliser sa jambe comme avant. En tout cas, il y avait de grandes chances qu'il en soit ainsi.

Elle plaça l'emplâtre de racine de consoude sur la blessure et enveloppa la jambe avec une bande de cuir souple. Puis elle nettoya les estafilades qu'il portait à l'épaule droite et sur la poitrine. L'hématome qu'il avait sur la tête l'inquiétait un peu. Voyant que la peau n'avait pas saigné, elle prépara une infusion de fleurs d'arnica et appliqua une compresse sur l'endroit tuméfié, puis elle lui banda la tête par-dessus la compresse.

Quand il se réveillerait, elle lui ferait boire des remèdes qu'elle allait préparer pour lui. Mais, pour l'instant, elle ne pouvait rien faire de plus. Elle s'assit sur ses talons et, pour la première fois depuis qu'elle l'avait ramené, elle put le regarder à loisir.

Même s'il était moins robuste que les hommes du Clan, il était très musclé et ses jambes étaient incroyablement longues. Les poils blonds et bouclés qui lui couvraient la poitrine ne formaient plus qu'un fin duvet sur ses bras. Il avait la peau très pâle. Son système pileux était moins développé que celui des hommes du Clan, ses poils étaient plus longs et plus fins. Son sexe reposait sur une toison blonde et bouclée. Ayla avança la main pour le toucher et elle remarqua la cicatrice et les ecchymoses encore violacées qu'il portait à la hauteur des côtes. Elle en déduisit qu'il avait dû être blessé récemment.

Qui l'a soigné et d'où vient-il ? se demanda-t-elle.

Puis elle se pencha vers lui pour examiner son visage. Il semblait beaucoup plus plat que celui des membres du Clan et ses mâchoires étaient beaucoup moins proéminentes. Sa bouche était détendue et il avait les lèvres pleines. Remarquant qu'il possédait, lui aussi, un menton, Ayla toucha le sien, et elle repensa à son fils. Durc était né avec un menton parfaitement dessiné, lui aussi, alors que les membres du Clan n'en avaient pas. Le nez de cet homme, busqué et étroit, ressemblait au leur mais il était plus petit. Ses yeux fermés lui semblaient proéminents par rapport à ceux des gens du Clan, puis elle se rendit compte que cette impression venait du fait qu'ils n'étaient pas cachés sous des arcades saillantes. Son front, marqué de légères rides, était haut et droit. Comparé à celui des êtres parmi lesquels Ayla avait vécu, il était étonnamment bombé. Après avoir vérifié en le touchant que son propre front était pareil, elle se dit qu'elle avait dû paraître bien étrange aux yeux des membres du Clan.

Les cheveux de l'homme, longs et raides, étaient attachés par une lanière sur la nuque et ils étaient blonds, comme les siens. Un peu plus clairs, se dit-elle en songeant avec étonnement que cela lui rappelait quelque chose. Et soudain elle se souvint de son rêve. Elle n'avait pas vu son visage, mais l'homme qui lui était apparu en rêve avait les cheveux blonds !

Elle couvrit le corps du blessé et sortit sur la corniche, tout étonnée de voir qu'il faisait encore jour. Tant de choses s'étaient produites depuis le matin et elle avait dépensé une telle somme d'énergie qu'elle n'aurait jamais pensé que le soleil n'avait parcouru qu'un peu plus de la moitié de sa course. Elle essaya de mettre de l'ordre dans ses idées, mais mille questions se bousculaient dans sa tête.

Pourquoi avait-elle choisi de partir à cheval dans les steppes de l'ouest et comment se faisait-il qu'elle se soit trouvée justement là au moment où l'homme avait crié ? N'était-il pas incroyable que, parmi tant de lions des cavernes, ce soit Bébé qu'elle ait découvert dans ce canyon ? Son totem avait dû la conduire à cet endroit. Et que penser de l'homme qu'elle avait vu en rêve ? Il avait des cheveux blonds comme celui-là. Etait-ce le même homme ? Et que faisait-il dans ce canyon ? Même si Ayla ne pouvait prévoir la signification de cette rencontre, elle savait que sa vie ne serait plus jamais la même. Maintenant, elle avait contemplé le visage des Autres.

En sentant le museau de Whinney contre sa main, elle se retourna vers la jument. Whinney posa sa tête sur son épaule et Ayla leva les bras pour lui prendre l'encolure, puis elle y colla son front. Elle serra la jument contre elle comme si ce geste lui permettait de se raccrocher une dernière fois à son ancien mode de vie et d'apaiser les craintes qu'elle éprouvait concernant le futur. Puis elle caressa les flancs de la jument et sentit le petit qu'elle portait dans son ventre.

— C'est pour bientôt, Whinney. Mais cela ne t'a pas empêchée de m'aider à ramener cet homme. Jamais je n'aurais pu le transporter jusqu'ici sans ton aide.

Je ferais mieux de rentrer pour voir comment il va, se dit-elle, inquiète à l'idée que quelque chose puisse lui arriver si elle le laissait seul, même un court instant.

En s'approchant du blessé, qui n'avait toujours pas bougé, elle remarqua quelque chose d'anormal. Alors que les hommes du Clan avaient tous une barbe brune et broussailleuse, cet homme n'en avait pas ! Ayla lui toucha les mâchoires et sentit sous ses doigts une barbe naissante. Elle remua la tête d'un air étonné. Cet homme paraissait si jeune. Aussi grand et musclé soit-il, il lui donnait soudain l'impression d'être un jeune garçon, et non un homme.

Tandis qu'Ayla le regardait, il remua la tête en gémissant, puis murmura quelque chose. Pour elle, ces mots étaient incompréhensibles. Et pourtant, elle avait la curieuse impression qu'elle aurait dû les comprendre. Elle posa sa main sur son front, puis sur ses joues, et sentit qu'il avait de la fièvre. Je ferais mieux d'aller voir si j'ai de l'écorce de saule, se dit-elle.

Elle s'était toujours demandé pourquoi elle continuait à ramasser autant de plantes alors qu'elle mise à part, elle n'avait plus personne à soigner. Mais maintenant elle se félicitait d'avoir conservé cette bonne habitude. Même si certaines plantes, qui poussaient près de la caverne du Clan, étaient introuvables dans la vallée et dans les steppes, celles qu'elle possédait étaient largement suffisantes et elle avait même ajouté à sa pharmacopée certaines espèces introuvables plus au sud. Iza lui avait expliqué comment tester de nouvelles plantes sur elle-même. Malgré tout, elle n'était pas encore suffisamment sûre de l'efficacité de ces nouveaux remèdes pour les utiliser sur le blessé.

A côté de l'écorce de saule se trouvait une plante dont elle connaissait parfaitement les usages. Sa tige velue semblait jaillir au milieu de larges feuilles lancéolées et ses fleurs blanches étaient devenues brunes en séchant. Ayla avait longtemps pensé qu'il s'agissait d'une variété d'aigremoine jusqu'au jour où une autre guérisseuse, rencontrée au Rassemblement du Clan, lui avait dit que cette plante était de l'eupatoire pour faire tomber la fièvre, mais il fallait la faire bouillir jusqu'à ce qu'on obtienne un sirop épais, ce qui prenait du temps. En plus, cette préparation faisait abondamment transpirer et elle craignait d'affaiblir le blessé qui avait déjà perdu beaucoup de sang. Elle allait préparer le sirop et ne l'utiliserait que si la fièvre persistait.

Elle pensa alors aux feuilles de luzerne. Des feuilles fraîches mises à macérer dans de l'eau chaude facilitaient la coagulation du sang. Elle irait en ramasser dans la prairie. Elle allait aussi lui préparer un bon bouillon de viande pour qu'il reprenne des forces. Réfléchir aux soins qu'elle allait lui prodiguer lui faisait du bien : elle recommençait à avoir les idées claires. Depuis le début, elle était hantée par une pensée unique : il fallait qu'elle sauve cet homme. Il fallait qu'il vive.

Posant la tête du blessé sur ses genoux, elle essaya de lui faire boire un peu d'infusion d'écorce de saule. Ses yeux papillotèrent et il marmonna. Mais il était toujours inconscient. Les longues estafilades qu'il portait sur le corps étaient rouges et brûlantes et sa jambe droite était en train d'enfler. Ayla changea l'emplâtre et posa une compresse

fraîche sur la blessure qu'il avait à la tête ; l'ecchymose était en train
de diminuer. Au fur et à mesure que la nuit approchait, l'état du blessé
semblait empirer et elle regretta que Creb ne fût pas là pour implorer
les esprits comme il faisait lorsque Iza soignait un malade.

Quand la nuit fut tombée, l'homme commença à s'agiter dans son
sommeil, à se débattre et à crier. Dans ce qu'il disait, un mot revenait
très souvent, associé à d'autres sons, comme s'il lançait un avertissement.
Ayla se dit que le mot qu'il répétait était peut-être le nom de l'homme
qui l'accompagnait. A minuit, elle alla chercher une côte de cerf dont
elle avait creusé une des extrémités et qui lui servit de cuillère afin de
faire avaler au blessé quelques gorgées de la préparation d'eupatoire.
En sentant ce goût amer dans sa bouche, l'homme se débattit et il
ouvrit les yeux, sans pour autant reprendre conscience. Elle eut moins
de mal ensuite à lui faire avaler une infusion de datura, comme s'il
appréciait de se rincer la bouche pour chasser l'amertume du sirop. Le
datura avait un rôle analgésique et soporifique et elle se félicitait d'en
avoir ramassé tout près de la vallée.

Elle veilla le blessé durant toute la nuit. Un peu avant l'aube, la
fièvre atteignit son maximum, puis elle commença à baisser. Ayla en
profita pour laver le corps trempé par la transpiration avec de l'eau
fraîche et, dès qu'elle eut changé les fourrures dans lesquelles il dormait,
son sommeil devint plus calme. Elle s'allongea sur une fourrure à côté
de sa couche et s'assoupit.

Elle ouvrit brusquement les yeux et, en voyant le soleil qui pénétrait
à grands flots par l'ouverture, elle se demanda ce qui l'avait réveillée.
En se retournant, elle aperçut l'homme couché sur son lit et se souvint
soudain de ce qui s'était passé la veille. Le blessé semblait détendu et
son sommeil était normal. Ce n'était pas lui qui l'avait réveillée mais la
respiration précipitée de Whinney.

Comprenant ce qui se passait, Ayla bondit sur ses pieds et s'approcha
de la jument.

— Ça y est, Whinney ? lui demanda-t-elle, tout excitée.

Elle avait déjà assisté des femmes qui accouchaient et elle-même avait
eu un enfant, mais elle n'avait jamais joué le rôle de sage-femme pour
une jument. Même si Whinney savait ce qu'il fallait faire, la présence
d'Ayla à ses côtés semblait la rassurer et, tout à la fin, la jeune femme
tira sur le poulain pour l'aider à sortir complètement. Elle sourit de
plaisir en voyant la jument lécher la fourrure brune de son petit.

— C'est la première fois que je vois quelqu'un accoucher une jument,
dit Jondalar.

En entendant ces sons étranges, Ayla se retourna aussitôt et regarda
l'homme qui l'observait, appuyé sur ses coudes.

20

Ayla ne pouvait détacher ses yeux de l'homme. Tout en sachant qu'il était incorrect de dévisager quelqu'un ainsi, elle ne pouvait pas s'en empêcher. Maintenant qu'il était réveillé, elle découvrait quelque chose qui lui avait échappé jusqu'ici : cet homme avait les yeux bleus ! Comme les siens. Les gens du Clan avaient tous les yeux bruns. Elle n'avait encore jamais rencontré quelqu'un qui ait les yeux bleus, et d'un bleu si vif qu'il semblait presque surnaturel.

Clouée sur place par le regard de cet homme, elle ne bougea pas jusqu'à ce qu'elle réalise qu'elle tremblait de tout son corps. Honteuse d'avoir osé le regarder dans les yeux, elle rougit et détourna la tête. Non seulement il était impoli de dévisager qui que ce soit, mais une femme ne devait jamais regarder un homme dans les yeux, surtout lorsqu'il s'agissait d'un étranger.

Que va-t-il penser de moi ! se dit-elle en baissant les yeux et en essayant de recouvrer son sang-froid. Cela faisait tellement longtemps qu'elle vivait seule et elle ne se rappelait pas avoir jamais eu l'occasion de voir un représentant des Autres. Elle avait follement envie de relever la tête pour plonger son regard dans celui d'un autre être humain. Mais il lui semblait important de faire bonne impression. Elle ne voulait pas le rebuter par une attitude inconvenante.

— Je suis désolé, dit Jondalar. J'espère que je ne t'ai pas offensée.

Avait-il été grossier en lui adressant la parole le premier ou était-elle simplement timide ? Il lui avait parlé en zelandonii et, comme elle ne répondait pas, il répéta ses excuses en mamutoï, puis essaya le sharamudoï.

Ayla lui avait jeté quelques coups d'œil furtifs, comme faisaient les femmes du Clan lorsqu'elles attendaient qu'un homme leur fasse signe d'approcher. Mais l'homme ne faisait aucun geste, il se contentait de parler. Et les mots qu'il employait n'avaient rien à voir avec les sons dont se servait le Clan. Les membres du Clan employaient des syllabes hachées et gutturales, tandis que les mots de cet homme coulaient avec aisance. Ayla était bien incapable de déterminer où un mot se terminait et où un autre commençait. Même si le son de sa voix était agréable à l'oreille, elle était frustrée : elle sentait, plus ou moins consciemment, qu'elle aurait dû comprendre ce qu'il disait et elle en était pourtant incapable.

Elle attendait depuis un long moment qu'il lui fasse signe d'approcher ou de parler quand soudain elle se souvint de ce qui s'était passé lorsqu'elle avait été adoptée par le Clan : Creb avait été obligé de lui enseigner le langage par signes car, à l'époque, elle s'exprimait uniquement à l'aide de sons et le magicien s'était demandé si les Autres ne faisaient pas comme elle. Il était possible que cet homme ne connaisse pas les signes en usage dans le Clan. Elle devait donc trouver un autre moyen de communiquer avec lui, ne serait-ce que pour lui proposer les remèdes qu'elle avait préparés à son intention.

Jondalar était complètement perdu. Cette jeune femme n'avait pas l'air de comprendre ce qu'il disait : était-elle sourde ? Non, songea-t-il, puisqu'elle a tourné la tête la première fois que je lui ai parlé. Quelle femme étrange ! Où sont passés ceux avec lesquels elle vit ? Il tourna la tête pour regarder autour de lui et, en voyant la jument couleur de foin et son poulain à la robe baie, il commença à se poser d'autres questions. Que fait cette jument à l'intérieur d'une caverne ? Pourquoi a-t-elle eu besoin de cette femme pour mettre bas ? Jamais encore Jondalar n'avait eu l'occasion de voir une jument pouliner, même dans les plaines. Est-ce que cette femme possède des pouvoirs particuliers ?

Il avait l'impression de rêver, tout en sachant qu'il était parfaitement réveillé. C'est peut-être encore pire que ce que j'imagine, se dit-il soudain avec un frisson. Peut-être s'agit-il d'une donii, venue exprès pour moi. Ne sachant pas très bien s'il s'agissait d'un esprit bienveillant, il fut soulagé de voir que la jeune femme s'approchait du feu.

Elle marchait d'une drôle de manière, comme si elle était gênée qu'il la regarde. Cela lui rappelait quelque chose. Ces vêtements, eux aussi, étaient étranges. Elle avait l'air de porter simplement une peau d'animal, attachée autour d'elle par une longue lanière. Il avait déjà vu quelqu'un habillé comme ça. Mais il était incapable de se souvenir où et quand.

Sa coiffure aussi était très particulière : elle avait divisé régulièrement l'ensemble de sa chevelure, puis l'avait tressée. Jondalar avait déjà vu des femmes avec des nattes, mais jamais encore une coiffure comme la sienne.

Il la trouvait plutôt jolie. Elle devait être jeune, car ses yeux étaient encore pleins d'innocence. Mais pour autant que son vêtement informe le laissait deviner, elle possédait un corps de femme. Pourquoi évite-t-elle mon regard ? se demanda-t-il, plus intrigué que jamais.

Lorsqu'il sentit la bonne odeur du bouillon de viande qu'elle lui apportait, il se rendit compte à quel point il avait faim. Il voulut s'asseoir pour manger et découvrit alors que sa jambe droite et tout son côté droit lui faisaient mal.

Pour la première fois depuis qu'il avait ouvert les yeux, il se demanda ce qu'il faisait dans cette caverne. Et soudain il se souvint de Thonolan... du canyon dans lequel il avait pénétré à la suite de son frère... de l'effroyable rugissement... et du gigantesque lion des cavernes.

— Thonolan ! cria-t-il en regardant autour de lui, complètement paniqué. Où est Thonolan ?

Cette femme et lui mis à part, il n'y avait personne dans la caverne. Son estomac se contracta. Il connaissait la vérité, mais il ne voulait pas l'admettre. Peut-être Thonolan se trouvait-il dans une autre caverne. Peut-être quelqu'un d'autre s'occupait-il de lui.

— Où est mon frère ? demanda-t-il à nouveau. Où est Thonolan ?

Ayla reconnut sans peine le mot qu'il avait prononcé si souvent dans son sommeil lorsqu'il avait la fièvre. Elle devina qu'il demandait des nouvelles de son compagnon et baissa la tête pour bien montrer le respect qu'elle éprouvait vis-à-vis de l'homme mort.

— Où est mon frère ? répéta Jondalar en agrippant les bras d'Ayla et en la secouant dans l'espoir qu'elle réponde.

Ayla était gênée qu'il crie aussi fort et qu'il laisse libre cours à la colère et à la frustration qu'il éprouvait. Les hommes du Clan contrôlaient toujours leurs émotions, car le sang-froid était un signe de virilité.

Elle avait beau ne pas comprendre ses paroles, elle savait ce qu'il ressentait. La douleur qu'il éprouvait se lisait au fond de ses yeux et, s'il serrait les mâchoires, c'était pour mieux se refuser à l'évidence : au fond de lui-même, il savait que son frère était mort. Ceux qui avaient adopté et élevé Ayla ne communiquaient pas simplement grâce à des gestes. Les postures du corps et les expressions du visage faisaient aussi partie du langage du Clan, et même le fléchissement d'un muscle permettait d'introduire des nuances dans ce qu'on exprimait. Ayla connaissait donc parfaitement le langage du corps et la perte d'un être cher était une douleur universelle.

Les yeux remplis de tristesse et de compassion, elle hocha la tête, puis la baissa de nouveau. Jondalar ne pouvait plus nier l'évidence. Il lâcha la jeune femme et rentra les épaules.

— Thonolan ! Pourquoi a-t-il fallu que tu partes ? O Doni, pourquoi as-tu pris mon frère ? s'écria-t-il d'une voix tendue. (Il essayait de résister à la douleur qui l'envahissait, mais jamais encore il ne s'était senti aussi désespéré.) Pourquoi l'as-Tu pris et m'as-Tu laissé tout seul ? Tu savais pourtant que c'était le seul être que j'aie jamais aimé. Grande Mère ! C'était mon frère...

Ayla comprenait sa détresse. Elle aussi, elle avait perdu des êtres chers. Elle était malheureuse pour lui et voulait le réconforter. Avant de réaliser ce qu'elle faisait, elle l'avait pris dans ses bras, et se mit à le bercer alors qu'il continuait à crier le nom de l'être qu'il avait perdu. Jondalar ne connaissait pas cette femme, mais il sentit qu'elle avait pitié de lui.

Alors qu'il s'accrochait à elle, une force irrésistible jaillit soudain de lui, aussi incontrôlable que la poussée de lave d'un volcan. Il émit un sanglot et son corps fut secoué par des tremblements convulsifs. Des cris s'échappèrent de sa gorge nouée par l'angoisse et chaque fois qu'il respirait, l'air semblait lui manquer.

Jamais, depuis qu'il était enfant, il ne s'était laissé aller ainsi. Ce n'était pas dans sa nature de donner libre cours à ses sentiments. Ceux-ci étaient tellement puissants qu'il avait appris très vite à les maîtriser. Mais le choc provoqué par la mort de Thonolan ramenait au grand jour des souvenirs enfouis depuis des années.

Serenio avait raison : son amour était trop fort pour la plupart des gens. Et il en était de même de ses colères. Un jour, alors qu'il était adolescent, en passant sa colère sur un homme, il l'avait gravement blessé. Même sa propre mère avait été obligée de prendre ses distances. Elle n'avait pas semblé étonnée que les amis de son fils s'éloignent.

Jondalar les aimait trop, il se montrait trop possessif et exigeait trop d'eux. Elle avait retrouvé chez son fils les traits de caractère de l'homme dont elle avait été un temps la compagne : Jondalar ressemblait à Dalanar.

Seul son jeune frère s'était montré à la hauteur de son amour. L'attachement de Jondalar ne lui pesait pas et il chassait d'un grand éclat de rire les tensions qu'un tel sentiment pouvait provoquer entre eux.

Quand la mère de Jondalar s'était sentie dépassée et que les autres membres de la Caverne avaient commencé à se plaindre, elle l'avait envoyé vivre chez Dalanar. C'était une sage décision. Lorsque Jondalar était rentré, non seulement il avait appris son métier, mais il savait aussi contrôler ses émotions. Il était devenu un jeune homme de haute taille, musclé et remarquablement beau. Ses yeux d'un bleu extraordinaire et son charme inconscient reflétaient la profondeur de ses sentiments. Les femmes étaient particulièrement sensibles au fait qu'il possédait plus de qualités qu'il ne le laissait voir. C'était à qui réussirait à se l'attacher, mais aucune n'y était parvenue. Elles avaient beau essayer d'aller le plus loin possible, aucune ne réussissait à l'atteindre dans ce qu'il avait de plus intime et il leur donnait toujours plus que ce qu'il recevait. Il sut très vite jusqu'où il pouvait aller avec chacune d'elles, mais ces relations lui semblaient superficielles et le laissaient insatisfait. La seule femme capable de répondre à ses sentiments avait choisi une autre forme d'engagement. Et cela valait mieux : leur union aurait été une erreur.

Le chagrin de Jondalar était aussi intense que le reste de sa nature. Mais la jeune femme qui le serrait dans ses bras avait, elle aussi, beaucoup souffert. A deux reprises, elle avait tout perdu et senti le souffle glacial du monde des esprits — et pourtant elle avait persévéré. Elle sentait intuitivement que cet épanchement passionné dépassait les lamentations que provoquait d'ordinaire la perte d'un être cher et, puisant dans son propre chagrin, elle réussit à l'apaiser.

Quand les sanglots de Jondalar se calmèrent, elle se rendit compte qu'elle avait fredonné à mi-voix tout en le serrant contre elle. C'est ainsi qu'elle berçait Uba, la fille d'Iza, ou son propre fils pour qu'ils s'endorment. Elle connaissait l'effet apaisant de ce bourdonnement syncopé et elle l'utilisait pour se consoler de sa peine ou de sa solitude. Apaisé, Jondalar finit par le lâcher et il s'allongea la tête tournée du côté de la paroi. Quand, un instant plus tard, Ayla fit pivoter sa tête pour rafraîchir son visage trempé de larmes, il ferma les yeux. Il ne voulait pas — ou ne pouvait pas — la regarder. Son corps se détendit aussitôt après, et elle comprit qu'il s'était endormi.

Après avoir jeté un coup d'œil à Whinney et à son poulain, Ayla sortit de la caverne. Elle aussi, elle était épuisée. Mais elle éprouvait malgré tout un intense soulagement. J'avais si peur qu'il succombe sur le chemin du retour ! se dit-elle en s'approchant du bord de la corniche. Les yeux baissés sur la vallée, elle se souvint du long trajet plein d'angoisse, avec au cœur l'espoir fervent que le blessé ne meure pas sur le travois. Ce souvenir réveilla sa nervosité et elle revint en courant vers la caverne pour s'assurer que l'homme respirait toujours. Comme il continuait à dormir, elle plaça la soupe qu'il n'avait pas mangée à côté du feu, vérifia que les remèdes qu'elle voulait lui faire prendre étaient prêts pour son réveil et s'assit sans bruit sur la fourrure à côté de lui.

Elle ne se lassait pas d'étudier son visage, comme si elle espérait satisfaire en une seule fois l'ardent désir qu'elle éprouvait depuis tant d'années de contempler un autre corps humain. Maintenant qu'elle s'était un peu habituée, elle ne s'attachait plus aux détails de ses traits et commençait à appréhender son visage comme un tout. Elle aurait aimé pouvoir laisser courir son doigt le long de ses mâchoires et de son menton et toucher ses sourcils clairs et lisses.

Brusquement un détail la frappa. Quand, un peu plus tôt, elle avait essuyé son visage, celui-ci était trempé de larmes ! Ses yeux pleurent comme les miens, se dit-elle. Creb n'a jamais compris que je sois capable de verser des larmes. Il croyait que j'avais les yeux fragiles. Mais cet homme a pleuré, lui aussi. Et les Autres doivent faire comme lui lorsqu'ils souffrent.

Les émotions intenses qu'Ayla avait éprouvées depuis la veille et le manque de sommeil eurent raison de sa résistance : elle finit par s'endormir à côté du blessé. La nuit tombait quant Jondalar se réveilla. Il avait soif et, ne voulant pas déranger la jeune femme, il regarda autour de lui pour voir s'il n'y avait pas quelque chose à boire. Il entendit le bruit que faisaient la jument et son nouveau-né, mais put tout juste distinguer la forme de l'animal étendu près de la paroi, de l'autre côté de l'entrée de la caverne.

Il regarda alors la jeune femme. Elle était allongée sur le dos, à l'autre extrémité de la couche en face de lui, si bien qu'il ne distinguait que le contour de son menton et la forme de son nez. Se souvenant soudain de sa crise de larmes, il se sentit un peu honteux de s'être ainsi laissé aller. Puis les raisons de son chagrin lui revinrent en mémoire. La douleur chassa aussitôt tous les autres sentiments qu'il éprouvait. Il ferma les yeux pour ne pas se remettre à pleurer. Il essaya de toutes ses forces de ne pas penser à Thonolan, de ne pas penser à quoi que ce soit. Il finit par y arriver et ne se réveilla à nouveau qu'au milieu de la nuit. Cette fois-ci, ses gémissements tirèrent Ayla du sommeil.

Il faisait nuit noire à l'intérieur de la caverne car le feu était mort. Ayla se dirigea à tâtons vers le foyer, puis elle alla chercher des matériaux inflammables et du petit bois qu'elle tenait toujours en réserve. Elle prit la pyrite de fer et le silex et alluma le feu.

Jondalar avait beau avoir à nouveau de la fièvre, il était parfaitement réveillé. En la voyant faire, il se dit pourtant qu'il devait rêver. Comment avait-elle réussi à faire du feu aussi vite ? Lorsqu'il avait ouvert les yeux, il avait bien vu qu'il n'y avait plus de braises dans le foyer.

Lorsque Ayla s'approcha de lui avec une infusion froide d'écorce de saule, Jondalar s'appuya sur son coude pour prendre le bol et, malgré le goût amer de la préparation, il la but jusqu'à la dernière goutte pour calmer sa soif. Il avait reconnu le goût caractéristique de l'écorce de saule, un remède que tout le monde connaissait, mais il avait envie de boire de l'eau. Il éprouvait aussi une forte envie d'uriner, mais il ne savait comment expliquer ça à la femme qui s'occupait de lui. Il commença par retourner à l'envers le bol où se trouvait l'infusion afin de montrer qu'il était vide, puis il le remit à l'endroit et l'approcha de ses lèvres.

Comprenant instantanément ce qu'il voulait, Ayla alla chercher une outre pleine d'eau, remplit le bol et posa l'outre à la tête de sa couche. L'eau étancha sa soif, mais ne fit qu'accroître son autre problème et Jondalar, mal à l'aise, commença à se tortiller sur sa couche. Ayla, qui avait à nouveau compris ce qui se passait, alla chercher un morceau de bois dans le foyer et, s'en servant comme d'une torche, elle s'approcha de l'endroit où elle rangeait ses réserves pour y chercher un récipient adéquat.

Arrivée là, elle aperçut les lampes de pierre qu'elle avait fabriquées. Pous s'en servir, il suffisait de remplir de graisse fondue la cavité creusée à l'intérieur de la pierre et d'y placer une mèche en mousse. Jusqu'ici, elle n'avait pas utilisé de lampe pour s'éclairer, se contentant de la lueur du feu. Elle choisit une des lampes, retrouva les mèches qu'elle avait mises de côté et prit une outre remplie de graisse congelée, ainsi qu'une outre vide.

Elle posa l'outre pleine à côté du feu pour faire fondre la graisse contenue à l'intérieur et apporta l'autre à Jondalar. Incapable de lui expliquer pour quoi c'était faire, elle défit l'ouverture de l'outre et la lui montra. Comme il ne semblait pas comprendre, elle retira la fourrure qui lui couvrait les jambes et commença à glisser l'outre entre ses jambes. Cette fois-ci, Jondalar avait compris et il lui prit l'outre des mains.

Il se sentait un peu ridicule de devoir uriner couché sur le dos au lieu de se tenir debout sur ses deux jambes. Voyant qu'il était gêné, Ayla s'approcha du feu pour remplir la lampe en pierre. C'est la première fois qu'il est blessé aussi gravement et qu'il ne peut pas marcher, songea-t-elle en souriant. Quand elle alla chercher l'outre pour la vider dehors, Jondalar lui sourit d'un air un peu honteux. Elle lui rapporta le récipient vide, afin qu'il puisse l'utiliser en cas de besoin, puis après avoir rempli la lampe de graisse liquide et allumé la mèche, elle s'approcha de sa couche et retira à nouveau la fourrure.

Jondalar essaya de se redresser pour voir où il avait été blessé. Ayla l'aida à s'asseoir. Quand il vit qu'il avait la poitrine et le bras entaillés à plusieurs endroits, il comprit pourquoi il avait du mal à utiliser son côté droit, mais ce qui l'inquiétait surtout c'était la blessure qu'il portait à la cuisse droite. Il se demandait si cette femme était suffisamment experte dans l'art de soigner. Le fait qu'elle lui ait fait boire une infusion d'écorce de saule ne voulait rien dire : n'importe qui aurait fait de même.

Quand elle retira l'emplâtre rougi de sang qui recouvrait sa cuisse, il s'inquiéta de plus belle. Même si la lampe à huile n'éclairait pas autant que la lumière du soleil, ce qu'il pouvait voir ne laissait aucun doute sur la gravité de la blessure : sa jambe était enflée, la chair était meurtrie et à vif. Comme Jondalar se penchait, il crut apercevoir des nœuds qui rapprochaient les lèvres de la plaie. Jusqu'alors, il ne s'était jamais intéressé aux méthodes utilisées pour guérir. Mais avait-on jamais entendu dire qu'un zelandoni ait recousu un de ses patients ?

Il observa la jeune femme en train d'appliquer un autre emplâtre, fait de feuilles de chou cette fois. Il aurait bien aimé pouvoir lui demander à quoi servaient ces feuilles et parler avec elle pour savoir si elle était capable de le soigner. Malheureusement, elle semblait tout ignorer des langues qu'il avait utilisées jusqu'ici. En fait, maintenant qu'il y pensait, il se rendait compte qu'elle n'avait pas prononcé un mot depuis qu'il était avec elle. Comment pouvait-elle être une Femme Qui Guérit si elle ne savait pas parler ? Malgré tout, elle semblait connaître son métier et l'emplâtre faisait de l'effet : il souffrait déjà moins.

Il se détendit — que pouvait-il faire d'autre ? — et l'observa tandis qu'elle nettoyait les estafilades qu'il avait sur la poitrine et les bras. Lorsqu'elle défit la bande de peau qui enserrait sa tête, il prit conscience pour la première fois qu'il était blessé à cet endroit. Il leva la main et sentit sous ses doigts une bosse et un point douloureux avant qu'Ayla y pose une compresse fraîche.

Elle s'approcha alors du feu pour faire réchauffer la soupe.

— Ça sent bon, dit Jondalar en humant le fumet du bouillon de viande.

Le son de sa propre voix lui sembla soudain incongru. Même s'il était incapable d'en déterminer la raison, il y avait dans le silence que lui opposait la jeune femme quelque chose de plus que de la simple incompréhension.

Quand il avait rencontré pour la première fois les Sharamudoï, il ne connaissait pas leur langue et ses interlocuteurs ignoraient la sienne, mais cela ne les avait pas empêchés de se parler immédiatement. Cette femme n'avait pas essayé d'échanger le moindre mot avec lui et ses propres efforts ne provoquaient chez elle que des regards étonnés. Elle ne semblait pas seulement ignorer les langues qu'il avait employées, mais elle ne donnait pas l'impression de vouloir communiquer avec lui.

Ce n'est pas tout à fait exact, se dit Jondalar. Ils avaient réussi à communiquer puisqu'elle lui avait apporté à boire lorsqu'il avait soif et un récipient pour lui permettre d'uriner. Même s'il était incapable de se faire une idée précise de l'échange qu'il y avait eu entre eux quand un peu plus tôt il avait laissé libre cours à sa douleur, il avait senti qu'elle partageait sa peine et cela ajoutait encore aux questions qu'il se posait à son sujet.

— Je sais que tu ne me comprends pas, commença-t-il d'une voix légèrement hésitante. (Il éprouvait le besoin de parler même s'il ne savait pas trop quoi dire.) Qui es-tu ? demanda-t-il. Où est le reste de ton peuple ? (Même si la lampe à huile et le feu n'éclairaient pas la totalité de la caverne, il était persuadé que celle-ci n'abritait pas d'autres êtres humains.) Pourquoi refuses-tu de parler ?

La jeune femme le regarda, mais elle ne dit rien.

Une pensée étrange commença à s'insinuer dans l'esprit de Jondalar. Il se rappela sa conversation avec le shamud quand, assis près du feu, celui-ci lui avait parlé des épreuves auxquelles étaient soumis Ceux Qui Servent la Mère. N'avait-il pas dit alors qu'ils vivaient de longues périodes d'isolement ? Des périodes de silence pendant lesquelles ils devaient ne parler à personne ?

— Tu vis seule, n'est-ce pas ?

Ayla, qui le regardait toujours, remarqua que son visage exprimait l'étonnement — comme s'il la voyait pour la première fois. Songeant soudain au manque de courtoisie dont elle faisait preuve en le regardant, elle baissa les yeux sur le bouillon qu'elle tenait à la main. L'homme ne semblait pas gêné par son indiscrétion et il regardait autour de lui en continuant à émettre des sons. Elle remplit un bol de bouillon, puis elle s'assit en face de lui, le bol à la main. Elle baissa la tête pour lui fournir l'occasion de lui taper sur l'épaule et de l'inviter à se manifester. Comme rien ne se produisait, elle releva la tête et se rendit compte qu'il la regardait d'un air interrogateur tout en continuant à prononcer ces mots.

Il ne comprend pas ! songea-t-elle. Il ne voit pas ce que je lui demande. Il ne doit connaître aucun des signes que j'utilise. Comment allons-nous faire pour nous comprendre s'il ignore mes signes et si je ne connais pas ses mots ?

Cela faisait tellement longtemps qu'Ayla utilisait le langage du Clan qu'elle était incapable de se souvenir de la signification des sons.

Je n'appartiens plus au Clan, se dit-elle. J'ai été maudite et maintenant, pour eux, je suis morte. Jamais je ne pourrai vivre à nouveau parmi eux. Si je veux vivre avec les Autres, il faut que j'apprenne à parler comme eux. Il faut que je comprenne à nouveau ce que veulent dire les mots et que j'en emploie à mon tour si je désire qu'on me comprenne. Même si j'avais rencontré tout un clan au lieu de recueillir un homme seul, je n'aurais pas pu parler avec ses membres et ils ne m'auraient pas comprise. Est-ce pour cela que mon totem m'a poussée à rester dans cette vallée ? Jusqu'à ce que je trouve cet homme ? Pour qu'il m'apprenne à nouveau à parler ? Cette pensée lui fit courir un frisson dans le dos.

Jondalar avait continué à poser des questions, sans grand espoir d'obtenir une réponse. Comme la jeune femme se taisait toujours, il était persuadé maintenant qu'elle était au Service de la Mère ou qu'elle s'entraînait pour y entrer. Ainsi s'expliquait son art de guérir, qu'elle ait un pouvoir sur les chevaux, qu'elle vive seule et ne veuille par parler et même qu'elle l'ait trouvé et ramené dans cette caverne. Il se demandait où il était exactement tout en se disant que cela avait bien peu d'importance. Il avait de la chance d'être toujours en vie. Cela lui rappelait d'ailleurs les paroles du shamud.

A l'époque, s'il avait prêté attention à ce que lui disait celui-ci, il aurait su que Thonolan n'allait pas tarder à mourir. Mais le shamud ne lui avait-il pas dit aussi que son frère le conduisait où il ne serait jamais allé sans lui ? Pourquoi Thonolan, avant de mourir, l'avait-il conduit jusqu'ici ?

Ayla était en train de se demander comme elle allait faire pour commencer à parler. Soudain, elle se souvint que Creb avait démarré son apprentissage en prononçant son nom et en lui demandant le sien. Elle se redressa, regarda l'homme assis en face d'elle dans les yeux, et, tapant sur sa poitrine, elle dit :

— Ayla.

— Ça y est, tu as décidé de parler ! dit Jondalar en ouvrant de grands yeux. Est-ce que c'est ton nom ? demanda-t-il en pointant le doigt vers elle. Répète un peu.

— Ayla, dit-elle à nouveau.

Elle parlait avec un accent bien étrange. Le mot était coupé en deux et elle avait prononcé la fin de la première syllabe et le début de la seconde du fond de la gorge, comme si elle les avalait. Jondalar avait beau avoir entendu toutes sortes de langues, aucune d'elles ne possédait de sons comme celui-là. Il avait du mal à répéter le mot qu'elle venait de prononcer.

— Aaay-lah, dit-il en tentant de se rapprocher le plus possible de ce qu'il venait d'entendre.

Ayla eut bien du mal à reconnaître son nom. Certains membres du Clan avaient toujours eu des difficultés à le prononcer, mais jamais ils n'avaient émis un son semblable à celui qu'elle venait d'entendre. L'homme avait relié les deux sons ensemble et modifié leur hauteur si bien que la première syllabe semblait monter et la seconde descendre. Ayla ne se souvenait pas d'avoir entendu dire son nom ainsi, et pourtant cette prononciation semblait correcte. Elle pointa le doigt vers lui et se pencha pour écouter sa réponse.

— Jondalar, dit-il. Je m'appelle Jondalar des Zelandonii.

Il y avait trop de mots pour qu'Ayla puisse s'y retrouver. Elle hocha la tête et renouvela son geste.

— Jondalar, répéta-t-il plus lentement, comprenant qu'elle était perdue.

Ayla essaya d'imiter les mouvements de sa bouche.

— Geuh-da, réussit-elle à dire.

Jondalar se rendit compte qu'elle avait du mal à prononcer son nom. Il se demanda si elle n'avait pas une déformation de la gorge qui l'empêchait de parler. Etait-ce pour cela qu'elle n'avait pas répondu à ses questions ? En était-elle incapable ? Pour l'aider, il répéta son nom lentement, en séparant chaque syllabe, comme s'il s'adressait à un enfant en bas âge, ou à un simple d'esprit.

— Jon-da-lar... Jonn-dah-larrr.

— Gon-da-lah, dit Ayla, répétant le nom du mieux qu'elle put.

— C'est beaucoup mieux ! s'écria Jondalar en hochant la tête et en souriant.

Ayla n'en croyait pas ses yeux : cet homme était en train de sourire !

Pour elle, c'était une mimique naturelle. Mais, dans le Clan, à l'exception de Durc, elle n'avait jamais vu personne sourire.

La surprise d'Ayla était si drôle que Jondalar faillit pouffer de rire. Son sourire s'élargit et une lueur amusée dansa au fond de ses yeux. Sa gaieté était si communicative qu'Ayla lui fit en réponse un grand sourire radieux.

— Tu ne parles pas beaucoup, mais tu es ravissante quand tu souris, lui dit Jondalar en s'apercevant pour la première fois à quel point elle pouvait être attirante.

Ayla remarqua aussitôt le changement subtil de son attitude. Il continuait à sourire, mais quelque chose dans son regard avait changé. A la lueur du feu, ses yeux étaient devenus violet foncé et ils contenaient maintenant autre chose que de l'amusement. Ayla ignorait ce que signifiait un tel regard, mais son corps, lui, avait compris le message et il y répondait en éprouvant les mêmes sensations que le jour où elle avait observé Whinney et l'étalon. Son regard était si irrésistible qu'elle dut faire un effort pour détourner la tête. Elle se mit à tripoter maladroitement les fourrures qui recouvraient sa couche pour les remettre à leur place, puis elle prit son bol et se remit debout, évitant son regard.

— J'ai l'impression que tu es timide, lui dit Jondalar en lui lançant un regard empreint de douceur.

Elle lui rappelait les jeunes femmes avant les Premiers Rites et éveillait chez lui un désir doux et passionné qu'il éprouvait toujours lors de cette cérémonie. Ce désir lui étreignit les reins. Et aussitôt après il éprouva une cuisante douleur dans la cuisse.

— C'est aussi bien, reprit-il avec une grimace de douleur. De toute façon, je ne suis pas en état de faire quoi que ce soit.

Il se rallongea sur la couche après avoir repoussé les fourrures qu'elle avait placées dans son dos pour qu'il puisse rester assis. Il était épuisé, avait mal partout et, quand il avait le malheur de penser à ce qui avait provoqué son état, il souffrait encore plus. Il ne voulait pas se souvenir de ce qui était arrivé, ni penser à qui que ce soit. Il n'avait qu'une envie : fermer les yeux et oublier, ce qui mettrait fin à toutes ses souffrances. Quand Ayla lui toucha le bras, il ouvrit les yeux et vit qu'elle lui tendait un bol rempli de liquide. Dès qu'il eut bu, il sentit que sa cuisse lui faisait moins mal et qu'il était en train de s'assoupir. Ce qu'elle m'a donné à boire est en train de faire de l'effet, se dit-il. Comment a-t-elle pu deviner ce dont j'avais besoin alors que je n'ai rien demandé ?

Ayla avait remarqué sa grimace de douleur et elle savait qu'il était gravement blessé. En guérisseuse expérimentée, elle avait préparé l'infusion de datura avant qu'il ne se réveille. Dès qu'elle vit que son visage et son corps se détendaient, elle éteignit la lampe et couvrit le feu.

Elle n'avait aucune envie de se rendormir et se dirigea vers l'entrée de la caverne. Elle allait sortir quand elle entendit Whinney hennir doucement. Rebroussant chemin, elle rejoignit la jument, tout heureuse de voir que Whinney était couchée dans son coin habituel. Au début, l'odeur inconnue de l'homme à l'intérieur de la caverne l'avait rendue nerveuse. Mais si elle s'était couchée, c'est qu'elle avait fini par accepter sa présence. Ayla s'assit en face d'elle, à la hauteur de son poitrail, et en profita pour la gratter autour des oreilles. Le poulain, allongé contre les mamelles de sa mère, renifla avec curiosité en direction de la nouvelle venue. Ayla le caressa, puis elle tendit ses doigts. Le poulain les suça un court instant, puis voyant qu'il n'y avait rien à téter, il les lâcha.

Quel bébé magnifique, Whinney ! s'émerveilla Ayla, en s'adressant par la pensée à la jument. Quand il aura grandi, il sera comme toi, fort et vigoureux. Tu as quelqu'un avec toi, maintenant. Et moi non plus, je ne suis plus seule. J'ai encore du mal à le croire, ajouta-t-elle, incapable de retenir ses larmes. Tant et tant de lunes ont passé depuis que j'ai été maudite et que j'ai dû vivre seule. Et maintenant, il y a quelqu'un avec moi. Un homme, Whinney. Un homme qui fait partie des Autres. Et je pense qu'il va vivre, continua-t-elle en essuyant ses larmes avec le dos de sa main. Ses yeux sont comme les miens : ils pleurent lorsqu'il est triste. Il m'a souri et je lui ai souri à mon tour.

Moi aussi, je fais partie des Autres, ainsi que Creb me l'avait dit. Quant à Iza, elle m'avait dit qu'il fallait que je retrouve mon peuple et mon compagnon. Whinney ! Crois-tu que cet homme est le compagnon que je devais chercher ? Est-ce mon totem qui l'a amené ?

C'est Bébé qui me l'a amené ! Il a été choisi, exactement comme moi ! Il a été mis à l'épreuve et marqué par Bébé, par le lionceau des cavernes que m'avait fait découvrir mon totem. Maintenant, le Lion des Cavernes est aussi son totem. Avec un totem aussi puissant et semblable au mien, il pourra être mon compagnon. Je pourrai même avoir plusieurs bébés.

Mais les bébés ne viennent pas uniquement des totems, corrigea Ayla en fronçant les sourcils. Je sais bien que Durc a été mis en train le jour où Broud m'a forcée. Ce sont les hommes qui font les bébés, pas les totems. Et Gon-da-lah est un homme...

Soudain, Ayla repensa à l'organe de l'homme, durci par son besoin d'uriner, et à ses yeux bleus, si troublants. Une sensation étrange l'envahit. Pourquoi éprouvait-elle ce sentiment ? Cela avait commencé le jour où elle avait vu Whinney et l'étalon à la robe brun-rouge.

Cet étalon avait une robe brun-rouge ! se dit-elle. Et le poulain de Whinney a la même. L'étalon a mis en train son bébé. Gon-da-lah pourrait faire la même chose. Il pourrait être mon compagnon...

Mais voudra-t-il de moi ? Iza m'a dit que les hommes faisaient cela quand ils aimaient une femme. La plupart des hommes... Mais pas Broud. Broud ne m'aimait pas. Peut-être que cela ne me déplairait pas si Gon-da-lah...

Brusquement, Ayla devint toute rouge. Je suis si grande et si laide ! se dit-elle. Pourquoi aurait-il envie de me faire ça ? Pour quelle raison voudrait-il de moi comme compagne ? Il en a peut-être déjà une. Et que vais-je faire s'il décide de partir ?

Il ne faut pas qu'il parte. J'ai besoin qu'il m'apprenne à dire des mots. Si je comprends ce qu'il dit, peut-être acceptera-t-il de rester, bien que je sois grande et laide. Il faut absolument qu'il reste. J'ai été seule trop longtemps.

Prise de panique à cette idée, Ayla bondit sur ses pieds et sortit de la caverne. Le jour n'allait pas tarder à se lever et le noir du ciel était en train de se transformer en un bleu sombre et velouté. Les arbres et les repères familiers commençaient à avoir des contours bien définis. Plutôt que de rentrer dans la caverne pour voir l'homme, comme elle en mourait d'envie, Ayla se dit qu'elle ferait mieux de lui apporter quelque chose de frais pour son déjeuner.

Peut-être cela ne lui plaira-t-il pas que je chasse, songea-t-elle au moment d'aller chercher sa fronde. Elle avait décidé que personne ne lui interdirait de chasser. Malgré tout, au lieu de rentrer dans la caverne pour y prendre son arme, elle descendit vers la rivière, retira son vêtement et plongea dans l'eau. Ce bain matinal la détendit complètement. L'endroit où elle avait longtemps pêché n'existait plus depuis les crues printanières, mais elle en avait découvert un autre un peu en aval vers lequel elle se dirigea.

Quand Jondalar se réveilla, il sentit l'odeur de la nourriture en train de cuire et se rendit compte à quel point il était affamé. Après avoir utilisé l'outre pour vider sa vessie, il réussit à s'asseoir sur sa couche et regarda autour de lui. La jeune femme n'était pas là et la jument et son poulain non plus. Mis à part la litière où, un peu plus tôt, les deux chevaux étaient couchés, il ne semblait pas y avoir d'autre endroit où dormir à l'intérieur de la caverne et il n'y avait qu'un seul foyer. La jeune femme semblait y vivre seule en compagnie des deux chevaux.

Où était donc son peuple ? Existait-il d'autres Cavernes tout près ? Ceux avec qui elle vivait étaient-ils partis pour une lointaine expédition de chasse ? Là où la jeune femme mettait ses réserves, Jondalar apercevait toutes sortes de récipients, des peaux et des fourrures, des plantes suspendues à des claies, de la viande séchée et d'importantes réserves de nourriture. Il y avait de quoi nourrir toute une Caverne. Ces réserves étaient-elles uniquement destinées à la jeune femme ? Si elle vivait seule, pourquoi avait-elle besoin d'autant de choses ?

Qui m'a transporté jusqu'ici ? se demandait Jondalar. Est-il possible que son peuple m'ait amené dans cette caverne et laissé avec elle ? C'est ce qui a dû se passer ! Elle est leur zelandoni et ils m'ont transporté jusqu'ici pour qu'elle me soigne. Elle est bien jeune pour être une zelandoni, mais elle a l'air compétente. Elle a dû se retirer dans cette caverne pour se mettre à l'épreuve ou pour développer certains de ses pouvoirs — peut-être sur les animaux. Quand son peuple m'a découvert, comme il n'y avait personne d'autre, ils m'ont amené ici. Elle doit être une zelandoni très puissante pour exercer un tel contrôle sur les animaux.

Ayla revint dans la caverne, tenant à la main un os pelvien sec et blanchi, qui lui servait de plat et sur lequel elle avait posé une truite cuite. Elle sourit à Jondalar, surprise de voir qu'il était réveillé. Elle posa la truite à côté de sa couche et replaça dans son dos les fourrures qui lui servaient de dossier pour qu'il soit confortablement assis. Elle lui donna une infusion d'écorce de saule pour commencer, afin de faire baisser la fièvre et de soulager la douleur, puis elle posa le grand plat en os sur ses genoux. Elle ressortit à nouveau et revint avec un bol contenant des céréales cuites, des tiges de chardon crues et pelées et du cerfeuil sauvage. Elle apportait aussi les premières fraises.

Jondalar avait tellement faim qu'il aurait dévoré n'importe quoi mais, après les premières bouchées, il mangea plus lentement pour apprécier le goût des aliments. Grâce à Iza, Ayla connaissait les herbes qui servaient d'assaisonnement : la truite et les céréales avaient été relevées par sa main experte. Les tiges de chardon croquaient sous la dent et elles étaient tendres à souhait. Quant aux fraises, il y en avait très peu mais elles étaient mûres à point. Jondalar était impressionné. Sa mère était connue pour être une excellente cuisinière et, même si la saveur de ces plats était inhabituelle, il était sensible aux subtilités d'une nourriture bien apprêtée.

Ayla fut contente de voir qu'il prenait le temps de savourer son repas. Quand il eut terminé, elle lui apporta une infusion de menthe, puis elle s'occupa de changer ses pansements. La blessure à la tête était beaucoup moins enflée et à peine douloureuse. Les estafilades qui marquaient son côté droit et son bras étaient en voie de guérison. Peut-être conserverait-il quelques légères cicatrices, mais rien de grave. Il n'en était pas de même pour sa jambe. Allait-elle cicatriser correctement et pourrait-il s'en servir comme avant ? Ou resterait-il infirme ?

Après avoir enlevé l'emplâtre, Ayla se rendit compte que les feuilles de chou sauvage avaient bien rempli leur fonction : la blessure ne s'était pas infectée. De ce côté-là, il n'y avait plus rien à craindre. En revanche, il était trop tôt pour dire s'il pourrait retrouver l'usage de sa jambe. Le fait d'avoir rapproché et cousu les chairs semblait une bonne idée. La jambe avait presque retrouvé sa forme primitive. Le blessé conserverait une cicatrice et peut-être une légère déformation. Compte tenu de la gravité de la blessure, Ayla était plutôt contente du résultat.

Jondalar n'était pas du même avis. En voyant sa jambe pour la première fois en pleine lumière, il blêmit et avala péniblement sa salive. Il était beaucoup plus gravement blessé qu'il ne l'avait imaginé. Il comprenait ce que la jeune femme avait essayé de faire en rapprochant les chairs avec des nœuds. Même si cela avait des chances d'améliorer la cicatrisation, il n'était pas certain de pouvoir se resservir un jour de sa jambe.

Il lui demanda où elle avait appris à soigner et ne fut pas surpris de ne pas recueillir de réponse. Mis à part son nom, qu'elle reconnaissait, Ayla ne comprenait pas ce qu'il disait et elle aurait bien aimé lui demander de commencer à lui apprendre des mots. Frustrée d'être incapable de lui expliquer ce qu'elle voulait, elle sortit de la caverne pour aller chercher du bois.

Après son départ, Jondalar repensa au repas qu'on lui avait servi. Quelle que soit la source de son approvisionnement, cette femme avait tout ce qu'il fallait pour se nourrir et elle était capable de subvenir seule à ses besoins. Les fraises et les chardons avaient été cueillis le matin même et la truite était fraîche. Les céréales avaient été ramassées à l'automne précédent et engrangées en vue de l'hiver. Cela voulait dire qu'on avait pris des précautions pour ne pas connaître de famine à la fin de l'hiver ou au début du printemps. Cela signifiait aussi que le territoire alentour était parfaitement connu et que l'on y séjournait depuis un certain temps. Il suffisait d'ailleurs de jeter un coup d'œil au trou à fumée et au sol aplani par l'usage pour se rendre compte que cette caverne était habitée depuis un bon bout de temps.

Même si la caverne était pourvue de tout ce qu'il fallait en matière d'ustensiles, Jondalar, en les regardant de plus près, se rendait compte que ceux-ci étaient plutôt grossiers et qu'ils n'étaient ni gravés ni décorés. Il observa le bol en bois dans lequel il avait bu l'infusion. Ce récipient a été fabriqué avec beaucoup de soin, se dit-il. Vu la veine du bois, le bol avait été sculpté dans une loupe d'arbre. En l'examinant de plus près, Jondalar s'aperçut que, pour la fabrication de ce bol, on avait profité du motif suggéré par le grain du bois. Lorsqu'on regardait plus attentivement les nœuds et les veinures, il n'était pas difficile d'imaginer un petit animal. Etait-ce cette jeune femme qui avait fait ce récipient ? C'était subtil en tout cas. Et Jondalar préférait de loin ce bol à d'autres ustensiles moins délicats.

Le bol était profond, symétrique, avec un rebord évasé et il était parfaitement lisse. Même l'intérieur ne présentait aucune aspérité. Il était toujours difficile de sculpter un morceau de loupe et ce bol avait dû nécessiter plusieurs jours de travail. Il plairait beaucoup à Marthona, songea-t-il en repensant à la capacité qu'avait sa mère pour transformer les ustensiles les plus utilitaires en objets agréables. Elle avait véritablement un don pour faire ressortir la beauté des objets les plus simples.

Quand Ayla revint dans la caverne avec un chargement de bois, Jondalar leva les yeux et, en voyant de nouveau le vêtement primitif dont elle était habillée, il hocha la tête, tout étonné. Puis il jeta un coup d'œil à sa couche. Il était allongé sur une peau de bête, garnie de foin frais, que l'on avait posée au fond d'une fosse peu profonde. Il tira sur la peau pour l'examiner de plus près. Même si le bord était un peu raide et conservait encore quelques poils, le reste de la peau était extrêmement souple et d'une douceur veloutée. On avait raclé non seulement la partie interne de la peau, mais aussi la partie externe pour améliorer encore la souplesse du matériau. Mais les fourrures sous lesquelles il était couché l'impressionnaient encore plus. Il était beaucoup plus difficile d'étirer une peau de bête pour la rendre souple quand elle conservait ses poils. Habituellement, les fourrures étaient plus raides que les peaux. Alors que celles qui recouvraient sa couche avaient la même souplesse.

Ces peaux et ces fourrures lui rappelaient quelque chose, mais il n'aurait pas su dire quoi. Les ustensiles que cette femme utilise ont beau ne pas être décorés, ils sont d'une fabrication très soignée, songeait-il. Les peaux et les fourrures ont été travaillées avec beaucoup de soin mais elles n'ont été ni coupées pour s'adapter à une forme, ni cousues, ni lacées. Et aucun des objets que je vois autour de moi n'est décoré ou teint. Et pourtant cette femme a pensé à recoudre ma blessure. Il y a bien des contradictions dans tout cela.

Plongé dans ses pensées, Jondalar n'avait accordé que peu d'attention aux allées et venues d'Ayla qui se préparait à rallumer le feu à l'intérieur de la caverne. Il s'était néanmoins demandé pourquoi elle n'allait pas chercher une braise à l'extérieur et en avait déduit que le feu qui lui avait servi à cuisiner s'était éteint. Il la regarda, sans vraiment la voir, rassembler les écorces et autres matériaux inflammables au centre du foyer, puis prendre deux pierres et les frapper l'une contre l'autre. Aussitôt après des flammes s'élevèrent. Et avant que Jondalar ait le temps de réaliser ce qui s'était passé, le feu avait pris.

— Grande Mère ! s'écria-t-il. Comment as-tu fait pour allumer ton feu aussi vite ?

Il se rappelait vaguement qu'elle avait fait la même chose lorsqu'il s'était réveillé en pleine nuit, mais il avait préféré mettre cette impression sur le compte de la fièvre.

Ayla se retourna et lui lança un regard interrogateur.

— Comment as-tu allumé le feu ? demanda à nouveau Jondalar en se penchant en avant. Oh, Doni ! Elle ne comprend rien à ce que je dis ! dit-il en levant les bras d'un geste exaspéré. Est-ce que tu te rends seulement compte de ce que tu viens de faire ? Viens ici, Ayla, lui proposa-t-il en lui faisant signe du doigt pour qu'elle approche.

C'était la première fois qu'il se servait de ses mains pour s'exprimer et Ayla s'approcha aussitôt. Compte tenu de sa mimique, il y avait quelque chose qui l'inquiétait ou qu'il voulait savoir. Fronçant les sourcils, elle se concentra sur les mots qu'il prononçait pour essayer de comprendre.

— Comment as-tu fait du feu ? redemanda Jondalar en parlant le plus lentement possible et en montrant le feu.

— Fe... dit Ayla en essayant de répéter le dernier mot qu'elle venait d'entendre.

— Du feu, oui ! Du feu ! s'écria Jondalar en gesticulant en direction des flammes.

— Feu... réussit à dire Ayla.

— Oui, c'est ça ! Comment l'as-tu allumé ?

— Feu... répéta Ayla en s'approchant du foyer et en lui montrant ce que le mot semblait désigner.

Jondalar se laissa retomber sur les fourrures avec un soupir, réalisant soudain qu'il avait voulu à toutes forces lui faire comprendre des mots qu'elle ne connaissait pas.

— Je suis désolé, Ayla. Je me suis conduit comme un idiot. Comment pourrais-tu répondre à la question que je te pose alors que tu ne comprends pas ce que je te demande.

Son agitation l'ayant épuisé, Jondalar ferma les yeux. Ayla, au contraire, se sentait très excitée : elle possédait un mot, un seul, mais c'était déjà un début. Comment faire pour continuer et pousser l'homme à lui en apprendre d'autres ?

— Gon-da-lah... (Il ouvrit les yeux et vit qu'elle lui montrait à nouveau les flammes.) Feu...

— Feu, c'est ça, répondit Jondalar en hochant la tête avant de refermer à nouveau les yeux.

Il ne prête aucune attention à ce que je lui demande, se dit Ayla, furieuse d'être incapable de lui dire ce qu'elle voulait.

— Gon-da-lah... (Elle attendit qu'il eût rouvert les yeux.) Feu... répéta-t-elle, en lui lançant un coup d'œil plein d'espoir.

Que veut-elle ? se demanda Jondalar avec curiosité.

— Que veux-tu que je te dise au sujet de ce feu, Ayla ?

La position des épaules de Jondalar et l'expression de son visage laissaient entendre qu'il venait de lui poser une question. Elle avait réussi à éveiller son attention. Elle s'approcha alors du foyer pour y prendre un morceau de bois. Puis elle revint vers Jondalar et, le morceau de bois à la main, lui lança à nouveau un regard plein d'espoir.

Jondalar était un peu perplexe.

— Veux-tu que je te dise le mot pour ça ?

Pourquoi semblait-elle soudain si désireuse d'apprendre sa langue alors que jusqu'ici elle s'était refusée à parler ? Parler ! Elle essayait d'apprendre à parler ! Etait-il possible qu'elle ne sache pas parler et qu'elle veuille apprendre ?

— Bois, dit-il en montrant le bout de bois qu'elle tenait à la main.

— Bo... ?

— Bois, répéta Jondalar en articulant lentement et avec exagération.

— Booa, répéta Ayla en imitant les mouvements de sa bouche.

— C'est mieux, dit-il en hochant la tête.

Le cœur d'Ayla cognait dans sa poitrine. Avait-il compris ? Allait-il continuer ? Comme elle jetait un coup d'œil affolé autour d'elle, elle aperçut le bol dans lequel il avait bu. Elle s'en saisit et le tendit vers lui.

— Es-tu en train de me demander de t'apprendre à parler ?

Ayla secoua la tête en signe d'incompréhension et tendit à nouveau le récipient.

— Qui es-tu donc, Ayla ? D'où viens-tu ? Comment peux-tu faire autant de choses et être incapable de parler ? Pour moi, tu es vraiment une énigme. Mais j'ai l'impression que si je veux en savoir plus à ton sujet, il faut d'abord que je t'apprenne à parler.

Tenant toujours le bol à la main, Ayla s'assit à côté de lui et attendit avec inquiétude qu'il lui réponde. Elle avait l'impression qu'en disant autant de mots il risquait d'oublier celui qu'elle lui demandait. Elle souleva le bol pour lui rappeler sa question.

— Que veux-tu savoir ? « Boire » ou « bol » ? J'ai l'impression que ça n'a pas grande importance. Bol, dit-il en touchant le récipient.

— Bol, répéta Ayla, avec un sourire de soulagement.

Jondalar saisit l'outre pleine d'eau et en versa un peu dans le bol.

— Eau, dit-il.

— Eau, répéta Ayla sans trop de difficulté.

Lui prenant le bol des mains, il l'approcha de ses lèvres.

— Boire, dit-il.

— Boir-reu, dit Ayla après lui en roulant le *r* et en avalant un peu les syllabes. Boir-reu-eau.

21

— Regarde comme il fait beau, Ayla ! Je ne peux pas rester plus longtemps dans cette caverne. Je vais beaucoup mieux. Je suis sûr que je pourrais sortir. Au moins faire quelques pas dehors...

Ayla n'avait pas saisi tout ce que Jondalar venait de dire, mais elle avait compris le sens général : il désirait sortir.

— Nœuds, répondit-elle en touchant les points de sa jambe. Enlever nœuds. Demain matin, voir jambe...

Jondalar sourit d'un air victorieux.

— Tu vas enlever ces nœuds et demain, je pourrai sortir.

Même si Ayla avait du mal à s'exprimer, ce n'est pas pour autant qu'elle allait lui faire une promesse qu'elle ne pourrait pas tenir.

— Jambe pas... guérie, dit-elle après avoir cherché ses mots. Gonda-lah pas sortir.

Jondalar sourit à nouveau. Il avait essayé de profiter du fait qu'elle ne le comprenait pas parfaitement pour lui forcer un peu la main. Elle ne s'était pas laissé faire et avait réussi à se faire entendre. Peut-être ne le laisserait-elle pas sortir demain, mais pour ce qui était d'apprendre à parler, elle faisait des progrès rapides.

Elle apprenait vite, mais d'une manière inégale. L'étendue actuelle de son vocabulaire était tout à fait étonnante : il suffisait qu'il lui dise une seule fois un mot pour qu'aussitôt elle le sache par cœur. Il avait passé la majeure partie d'un après-midi à nommer tous les objets qui leur venaient à l'esprit et, à la fin, Ayla avait répété sans se tromper tous les mots qu'il venait de lui apprendre en montrant les objets correspondants. En revanche, elle avait des problèmes avec la prononciation. Elle était incapable de reproduire certains sons quels que soient ses efforts.

Jondalar aimait néanmoins sa manière de parler : elle avait une voix grave, agréable, qui sonnait de façon étrange à cause de son accent. Pour l'instant, il ne corrigeait pas sa manière d'assembler les mots : cela viendrait plus tard. Mais elle avait d'énormes difficultés dès qu'ils abordaient des mots désignant des choses et des actions spécifiques. Les concepts abstraits les plus simples lui posaient problème : elle aurait voulu, par exemple, qu'il existe un mot distinct pour chaque nuance de couleur et elle avait du mal à comprendre qu'on utilise le mot *vert* pour désigner à la fois le vert foncé des aiguilles de pin et le vert pâle des feuilles de saule. Chaque fois qu'elle réussissait à saisir une abstraction, cela lui venait comme une sorte de révélation ou comme si elle se souvenait soudain de quelque chose qu'elle avait complètement oublié.

Le jour où Jondalar avait exprimé son admiration pour sa mémoire phénoménale, elle avait eu l'air d'avoir du mal à le comprendre — ou à le croire.

— Non, Gon-da-lah, lui avait-elle répondu. Ayla pas bien se souvenir. Ayla essayer. Ayla petite fille vouloir bonne... mémoire. Essayer, essayer tout le temps.

Jondalar n'avait pas insisté, mais il s'était dit qu'il aurait bien aimé posséder une mémoire comme la sienne ou un désir aussi puissant d'apprendre. Chaque jour elle faisait des progrès. Et pourtant elle n'était jamais satisfaite. Plus Jondalar la connaissait et plus il désirait qu'elle sache parler pour pouvoir répondre aux questions qu'il brûlait de lui poser. Cette femme était un vrai mystère ! Elle possédait dans certains domaines des connaissances et une habileté incroyables, alors que dans d'autres secteurs, elle était totalement naïve et ignorante. Certaines des techniques qu'elle utilisait — pour faire du feu, par exemple — étaient si perfectionnées que Jondalar n'en avait jamais vu d'exemple nulle part, mais d'autres étaient au contraire si rudimentaires qu'il avait du mal à en croire ses yeux.

Une chose était sûre : où que soient les autres membres de son peuple, cette femme était capable de subvenir seule à ses besoins. Et elle s'occupait parfaitement de lui, songeait Jondalar au moment où elle s'approcha de son lit avec une solution antiseptique qu'elle venait de préparer.

Ayla hésita un court instant avant de soulever la fourrure qui recouvrait ses jambes : elle était inquiète à l'idée de devoir retirer les nœuds qui retenaient les chairs ensemble. C'était la première fois qu'elle utilisait une telle technique et elle n'était nullement certaine du résultat. Cela faisait plusieurs jours qu'elle songeait à retirer ces points sans s'y décider. Maintenant que Gon-da-lah voulait sortir, elle était bien obligée de s'y résoudre.

Penchée sur la jambe du blessé, elle commença par examiner les nœuds de près. Puis elle tira doucement sur un des nœuds et s'aperçut que la peau avait repoussé autour du tendon de cerf. Elle se demanda si elle n'aurait pas dû les retirer avant. Mais il était trop tard pour avoir des regrets. Tenant le nœud avec ses doigts, elle coupa une des parties du tendon le plus près possible du nœud à l'aide d'un couteau en silex dont elle ne s'était encore jamais servie. Après avoir tiré à plusieurs reprises sur l'autre partie, elle se rendit compte qu'elle n'allait pas venir facilement. Finalement, elle prit le nœud entre ses dents et l'arracha d'un coup sec.

Jondalar avait tressailli sous la douleur. Ayla était désolée de le faire souffrir, mais satisfaite du résultat : un léger filet de sang s'écoulait à l'endroit du point de suture, mais les chairs n'avaient pas bougé. Elle enleva les points suivants le plus vite possible tandis que Jondalar serrait les dents et les poings pour ne pas hurler de douleur chaque fois qu'elle arrachait un nouveau nœud.

Dès qu'elle eut terminé, Ayla examina à nouveau la jambe et elle se dit que celle-ci semblait en état de supporter le poids du corps : Jondalar pourrait commencer à marcher le lendemain. Elle reprit le bol qui contenait la solution antiseptique et son couteau en silex et s'apprêtait à les ranger quand Jondalar l'arrêta :

— Montre-moi ce couteau, demanda-t-il en indiquant l'objet.

Ayla le lui tendit et l'observa tandis qu'il l'examinait.

— Ce n'est qu'un éclat de silex ! s'écria-t-il. Il a été fabriqué avec habileté, mais cette technique est vraiment rudimentaire. Ce couteau n'a même pas de manche. On s'est contenté de retoucher la base de la lame pour pouvoir le tenir sans se couper. Où as-tu trouvé ça, Ayla ? Qui a fait ce couteau ?

— Ayla faire.

Elle aurait aimé pouvoir lui expliquer qu'elle n'était pas aussi habile que Droog, mais qu'il était le meilleur tailleur de silex du clan et que c'était avec lui qu'elle avait appris à tailler. Plus Jondalar examinait son couteau et plus il semblait surpris. Ayla aurait voulu discuter avec lui des mérites de ce couteau et de la qualité du silex qu'elle avait utilisé. Malheureusement, elle ne possédait pas le vocabulaire nécessaire et elle était incapable d'exprimer ce genre de pensées. Pour elle, c'était très frustrant.

Maintenant que Jondalar était là, elle se rendait compte à quel point le contact avec un autre être humain lui avait manqué. Elle aurait aimé pouvoir parler de tout avec lui. Pour l'instant, c'était impossible. Elle avait l'impression de se retrouver devant un festin qu'elle aurait dévoré avec grand plaisir tellement elle était affamée et qu'elle devait se contenter de goûter du bout des lèvres.

Jondalar lui rendit son couteau en hochant la tête d'un air étonné. Cet instrument semblait couper parfaitement et il devait être d'une grande utilité, mais il l'obligeait à se poser de nouvelles questions. Comment une Femme Qui Guérit aussi expérimentée pouvait-elle utiliser un couteau aussi primitif ? Si seulement il pouvait lui poser la question et obtenir une réponse ! Jondalar avait envie, tout autant qu'Ayla, qu'elle apprenne à parler.

Jondalar se réveilla très tôt. Il faisait encore sombre à l'intérieur de la caverne, mais à travers l'ouverture de l'entrée et celle du trou à fumée, il pouvait apercevoir le ciel bleu nuit qui précédait l'aube. Peu à peu, le ciel s'éclaircit et il discerna les creux et les bosses des parois intérieures. Il avait si souvent contemplé ces parois qu'il les connaissait par cœur et n'avait qu'une envie : sortir pour voir autre chose. Il faillit appeler Ayla, mais changea d'avis en voyant qu'elle dormait à poings fermés.

La jeune femme était couchée sur le côté, en chien de fusil sous une pile de fourrures. Elle lui avait cédé sa couche et avait installé une natte sur le sol à côté de lui. Elle ne quittait pas ses vêtements pour dormir, prête à se lever à la moindre alerte. Alors que Jondalar l'observait, elle roula sur le dos et il en profita pour la regarder de plus près dans l'espoir de découvrir chez elle des traits distinctifs qui l'auraient renseigné sur ses origines.

Si l'on comparait sa charpente osseuse, la forme de son visage et ses pommettes à celles des femmes zelandonii, nul doute qu'elle était une étrangère. Mais, pour le reste, elle n'avait rien d'extraordinaire, sauf qu'elle était ravissante. Et même un peu plus, songeait Jondalar en la regardant pour la première fois avec attention. N'importe qui aurait dit en voyant la finesse de ses traits qu'elle était belle.

Sa manière de se coiffer avec de longues tresses qu'elle laissait pendre sur le côté et dans le dos et repliait sur le devant sortait de l'ordinaire, mais Jondalar avait déjà rencontré des femmes arborant des coiffures encore plus étonnantes. Deux de ses tresses étaient défaites et elle s'était contentée de placer les longues mèches derrière ses oreilles. Elle avait aussi sur la joue droite une traînée noire de charbon de bois. C'est normal, songea Jondalar. Depuis que j'ai repris conscience, elle ne m'a pratiquement pas quitté un seul instant. On peut dire qu'elle a pris soin de moi...

Ayla ouvrit soudain les yeux et poussa un cri.

Elle n'avait pas l'habitude de découvrir au réveil un visage couvert d'une barbe blonde et hirsute et deux grands yeux bleus aussi brillants. Dès qu'elle eut recouvré ses esprits, elle se leva et s'approcha du feu. Elle avait oublié de le couvrir la veille au soir et il était mort.

Voyant qu'elle s'apprêtait à le rallumer, Jondalar demanda :

— Veux-tu me montrer comment tu fais du feu, Ayla ?

Cette fois-ci, elle avait compris sa question.

— Pas difficile, répondit-elle. Ayla montrer.

Elle apporta près de sa couche un mélange d'écorces fibreuses et pelucheuses et d'herbes sèches dont elle se servait pour allumer le feu. Puis, prenant le silex et la pyrite, elle les frappa l'un contre l'autre pour lui montrer comment il fallait s'y prendre et lui tendit les deux pierres.

Jondalar reconnut aussitôt le silex. Après avoir examiné la seconde pierre, il se dit qu'il en avait déjà vu de semblables mais qu'il n'aurait jamais pensé qu'elles puissent servir à quoi que ce soit — et certainement pas à faire du feu. Bien qu'il ait vu Ayla les utiliser dans ce but, il avait encore du mal à le croire. Imitant le geste de la jeune femme, il frappa les deux pierres l'une contre l'autre et crut voir jaillir une minuscule étincelle. A la seconde tentative, l'étincelle était de plus belle taille et cela l'encouragea à continuer. Il essaya de nouveau et, avec l'aide d'Ayla, finit par enflammer le petit tas d'écorces et d'herbes qui se trouvait près de sa couche.

— Qui t'a appris à faire du feu de cette manière ? demanda-t-il en examinant à nouveau les deux pierres.

Ayla avait compris la question mais elle ne savait pas comment y répondre.

— Ayla faire, dit-elle.

— Oui, je sais, Je t'ai vue faire. Mais qui t'a montré ?

— Ayla... montré.

Comment lui dire qu'elle avait découvert les pierres à feu le jour où son feu s'était éteint et où elle avait cassé son coup-de-poing ?

— Ayla pas bien parler, dit-elle après avoir réfléchi un long moment sans trouver le moyen de lui expliquer quoi que ce soit.

— Ça viendra, la rassura Jondalar. Le jour où tu sauras parler, tu m'expliqueras tout ça. Il n'y en a plus pour longtemps... C'est aujourd'hui que je sors, non ? demanda-t-il en souriant.

— Ayla... regarder, dit-elle en retirant les fourrures pour examiner sa jambe.

À l'endroit des points, une petite croûte s'était formée et la guérison de la jambe semblait en bonne voie. Il était temps que Jondalar recommence à marcher. Allait-il pouvoir à nouveau se servir de sa jambe ? Toute la question était là.

— Oui, Gon-da-lah sortir, lui annonça-t-elle.

Jondalar lui fit un grand sourire. On eût dit un gamin à qui on venait d'annoncer qu'il allait partir à la Réunion d'Été après un long hiver.

Son enthousiasme était communicatif et Ayla lui sourit à son tour. Mais elle ne voulait pas qu'il sorte le ventre vide.

— Gon-da-lah manger, dit-elle.

Le repas fut prêt en un rien de temps : Ayla lui apporta la nourriture qu'elle avait cuite la veille et une infusion. Elle s'occupa aussi de nourrir Whinney et l'étrilla avec une cardère. Son poulain eut droit au même traitement. Ce n'était pas la première fois que Jondalar l'observait alors qu'elle s'occupait des chevaux mais cette fois-ci il remarqua qu'elle s'adressait à la jument en émettant un son qui ressemblait à un hennissement et quelques syllabes hachées et gutturales. Pour Jondalar, les gestes et les signes d'Ayla n'avaient aucune signification — il ignorait que ceux-ci faisaient partie intégrante du langage qu'elle employait pour s'adresser à la jument. Néanmoins, il se rendait compte qu'elle était en train de lui parler d'une manière qui lui échappait totalement. Et plus étonnant encore : il aurait juré que la jument la comprenait.

Alors qu'elle caressait les deux chevaux, il se demandait quel pouvoir magique lui avait permis de les charmer. Lui-même se sentait un peu subjugué et il fut tout heureux de voir qu'elle s'approchait de lui avec la jument et son poulain. D'habitude, quand Jondalar se retrouvait aussi près d'un cheval, c'est que l'animal était mort, et il était sidéré de voir que les deux animaux n'avaient absolument pas peur de lui. Au début, ses petites tapes manquaient d'assurance. Mais dès qu'il eut compris à quel endroit il fallait les caresser et les gratter, il découvrit que les deux animaux, et le poulain en particulier, y prenaient plaisir.

Se rendant compte soudain qu'il n'avait pas encore appris ce mot à Ayla, il lui dit en lui montrant la jument :

— Cheval.

Mais Whinney portait un nom, un nom composé de sons comme celui de Jondalar ou le sien.

— Non, dit-elle en hochant la tête. Whinney.

Pour Jondalar, le son qu'elle venait d'émettre n'était pas un nom, mais une parfaite imitation du hennissement d'un cheval. A nouveau, il était sidéré. Cette femme était incapable de parler, mais elle pouvait hennir comme un cheval et converser avec ses animaux. Elle devait posséder d'incroyables pouvoirs magiques.

En voyant son regard étonné, Ayla crut qu'il ne l'avait pas comprise. Après avoir touché sa poitrine, elle prononça son propre nom. Puis elle le montra du doigt et dit : « Gon-da-lah ». Ensuite, elle montra la jument et recommença à hennir avec douceur.

— Est-ce le nom de la jument ? Je serais bien incapable d'imiter ce son. Je ne sais pas parler aux chevaux, moi.

— Whinney, dit Ayla à nouveau en lui montrant la jument.

Jondalar essaya de l'imiter. Il émit un son qui ressemblait plus à un mot qu'à un véritable hennissement. Ayla parut s'en contenter et elle reconduisit les deux animaux vers leur endroit habituel.

— Il est en train de m'apprendre à parler, Whinney, expliqua-t-elle à la jument. Bientôt je connaîtrai tous ses mots. Mais je tenais à lui dire ton nom. Il faudra aussi que nous en trouvions un pour ton poulain. Peut-être pourrions-nous demander à Gon-da-lah de lui donner un nom.

Jondalar avait entendu dire que certains Zelandonii avaient le pouvoir d'attirer les animaux vers les chasseurs. Il savait aussi que certains chasseurs imitaient le cri de certains animaux, ce qui leur permettait de s'approcher de leurs proies. Mais jamais il n'avait entendu dire que quelqu'un soit capable de parler aux animaux et encore moins de les convaincre de vivre en sa compagnie. Et pourtant Ayla avait aidé la jument à mettre bas sous ses yeux et lui avait même permis de caresser son poulain ! Quel genre de pouvoir possède-t-elle ? se demanda-t-il soudain avec étonnement et un peu de crainte. Ayla, qui revenait vers lui en souriant, avait pourtant l'air d'une femme comme les autres. Une femme comme les autres, capable de parler aux animaux, mais non aux êtres humains...

— Gon-da-lah sortir ?

Perdu dans ses pensées, Jondalar avait presque oublié. Il sourit d'un air enthousiaste et, sans attendre Ayla, il essaya de se lever. Son enthousiasme fut de courte durée. Il se sentait très faible, sa jambe lui faisait mal, la tête lui tournait et il crut qu'il allait rendre son repas. Son sourire se transforma en une grimace douloureuse et il blêmit.

— Ayla aider, dit la jeune femme en avançant son épaule pour qu'il s'y appuie.

Au début, Jondalar n'osait pas trop s'appuyer sur elle, mais quand il vit qu'elle était assez forte pour supporter son poids et qu'elle savait s'y prendre pour l'aider à se lever, il accepta son aide.

Lorsqu'il se retrouva debout, appuyé sur sa jambe valide et s'accrochant des deux mains au pieu qui soutenait les claies, Ayla fut obligée de lever la tête pour le regarder et elle sursauta, tout étonnée. Elle savait que cet homme était plus grand que les hommes du Clan mais, comme elle l'avait toujours vu couché, jamais elle n'aurait imaginé qu'il la dépassait d'une bonne tête. C'était la première fois qu'elle voyait quelqu'un d'aussi grand.

Elle avait totalement perdu l'habitude de lever la tête pour regarder qui que ce soit. Un peu avant d'être devenue une femme, elle était déjà plus grande que tous les autres membres du Clan. Grande et laide, voilà ce qu'on disait d'elle. Trop grande, la peau trop claire et le visage trop plat. Aucun homme du Clan n'avait jamais voulu d'elle comme compagne, même après que son puissant totem eut été vaincu et qu'elle fut tombée enceinte. Ils savaient pourtant que si elle ne trouvait pas de compagnon avant la naissance de l'enfant, cela porterait malheur au bébé. Et en effet, cela avait porté malheur à Durc. Aux yeux des membres du Clan, il ne méritait pas de vivre et il était difforme. Heureusement, Brun avait fini par l'accepter. Et Durc s'en était très bien sorti. Il était déjà plus grand que les enfants de son âge quand elle était partie. Un jour, lui aussi dépasserait les membres du Clan. Mais jamais il n'atteindrait la taille de Jondalar.

Comparée à lui, Ayla se sentait soudain toute petite. Et maintenant qu'il était debout, elle ne le voyait plus du même œil. Il lui semblait plus âgé qu'au premier abord. Sa barbe avait poussé et lui couvrait les joues. Ce n'était pas un jeune homme comme elle l'avait cru au début, mais un homme pleinement adulte — grand et fort.

Bien que Jondalar n'en connût pas la cause, son regard étonné le fit sourire lui aussi : il était un peu surpris de voir que la jeune femme lui arrivait presque au menton. Sa manière de se déplacer et de se tenir la faisait paraître plus petite qu'elle ne l'était en réalité. Jondalar avait toujours été attiré par les grandes femmes et il se serait certainement retourné sur le passage d'Ayla s'il l'avait aperçue lors d'une Réunion d'Été.

— Gon-da-lah besoin... vêtement, dit Ayla qui venait de se rendre compte qu'il était tout nu. Besoin couvrir...

Comme Jondalar ne lui avait pas appris ce mot, elle montra du doigt ses parties génitales et ne put s'empêcher de rougir.

Ayla n'était pas pudique et ce n'était pas la première fois qu'elle voyait un homme nu. Elle désirait que Jondalar s'habille, non par crainte qu'il prenne froid, mais pour qu'il se protège des esprits maléfiques. Bien que tenue à l'écart des rites réservés aux hommes du Clan, elle savait que ceux-ci n'aimaient pas sortir sans couvrir leurs parties génitales. Elle était étonnée que le fait de penser à ça la trouble autant, la fasse rougir et accélère les battements de son cœur. Que lui arrivait-il ?

Jondalar baissa les yeux sur son sexe. Lui aussi était superstitieux pour tout ce qui touchait à cette partie de son anatomie. Mais il savait que si un zelandoni, à la demande de ses ennemis, lui jetait un sort ou si une femme le maudissait, il faudrait un peu plus qu'un vêtement pour le protéger de ces influences maléfiques.

En revanche, il avait appris que même si on pardonnait de bon cœur ses bévues à un étranger, la sagesse consistait, lorsqu'on voyageait, à faire attention aux allusions, même les plus subtiles, afin d'offenser le moins possible ceux qui vous recevaient. Ayla lui avait montré ses parties génitales et elle avait rougi. Il en déduisait que cela la gênait qu'il sorte sans vêtement. De toute façon, il n'était pas agréable de s'asseoir par terre quand on était fesses nues et, quitte à s'habiller, autant le faire maintenant.

Tout à coup, il prit conscience de sa situation : debout sur une jambe, se tenant à un pieu pour ne pas tomber et tellement impatient de sortir qu'il ne s'était même pas rendu compte qu'il était tout nu. Il éclata de rire.

Pour Jondalar, rire était aussi naturel que respirer. Mais il n'en était pas de même pour Ayla. Elle avait grandi parmi des êtres qui ne riaient pas. Sachant que cette manifestation de joie était très mal vue, elle avait cessé de rire afin d'être plus facilement acceptée par le clan. Elle n'avait redécouvert la joie de rire qu'après la naissance de son fils quand elle s'était aperçue que lui aussi possédait cette faculté. Il n'était pas question qu'elle l'encourage ouvertement à rire mais dès qu'ils se retrouvaient seuls tous les deux, elle ne pouvait s'empêcher de le chatouiller et Durc lui répondait en gloussant de plaisir.

Pour elle, le rire était plus qu'une simple réponse spontanée : il représentait un lien unique en son genre avec son fils, cette part d'elle-même dont il avait hérité, et aussi une manifestation de sa propre identité. Grâce au lionceau des cavernes, elle avait redécouvert le plaisir de rire et il n'était plus question d'y renoncer car elle aurait alors renoncé non seulement au souvenir des moments de joie qu'elle avait partagés avec son fils, mais aussi à sa propre personnalité.

Durc mis à part, jamais elle n'avait encore entendu rire qui que ce soit. Et le rire de Jondalar était communicatif. Il riait de bon cœur et sans aucune retenue. Lorsque Ayla se rendit compte avec quel naturel il se moquait de lui-même, elle aima aussitôt son rire. Contrairement aux hommes du Clan, qui lui lançaient des regards de reproche chaque fois qu'elle avait le malheur de rire, Jondalar avait ri d'une manière si spontanée qu'on avait aussitôt envie de l'imiter. Non seulement on avait le droit de rire, mais il était impossible de faire autrement.

Le premier moment de surprise passé, Ayla se mit à sourire, puis elle éclata de rire à son tour. Elle ne savait pas ce qui avait provoqué l'hilarité de Jondalar. Elle riait pour faire comme lui.

— Gon-da-lah, dit-elle quand ils eurent recouvré leur sérieux. Ha-ha-ha-ha... quel mot ?

— Rire, répondit Jondalar.

— Ayla... rire.

— Ayla rit, corrigea Jondalar. Quand on en parle, on dit : « Le rire. » Mais quand on le fait, on dit : « Ayla rit. » (En voyant l'air dérouté d'Ayla, il comprit qu'il s'était aventuré un peu loin.) C'est un peu compliqué. Je t'expliquerai cela plus tard.

Ayla devint songeuse. Elle commençait à se rendre compte qu'il ne suffisait pas de connaître des mots pour savoir parler. Elle en connaissait déjà beaucoup, mais elle ne parvenait pas pour autant à exprimer ce qu'elle pensait. Ce qu'elle avait beaucoup de mal à saisir, c'était la manière dont les mots s'agençaient et le sens qu'ils prenaient alors. Quand Jondalar lui parlait, elle avait beau connaître la plupart des mots qu'il employait, elle devinait plus qu'elle ne comprenait ce qu'il était en train de dire et, pour décrypter son message, elle se servait pour une bonne part de sa capacité à lire le langage inconscient du corps. D'ailleurs, elle sentait à quel point leur conversation restait superficielle et manquait de précision. Le pire, c'est qu'elle *savait* qu'il lui aurait suffi de se souvenir pour pouvoir parler normalement avec lui. Mais chaque fois qu'elle croyait recouvrer la mémoire, elle ressentait une tension insupportable, comme un nœud très serré et douloureux qu'elle ne parvenait pas à défaire.

— Gon-da-lah rit ?

— Oui, c'est ça.

— Ayla rit. Ayla aime...

— ... rire et Jondalar aimerait bien sortir. Où sont mes vêtements ?

Ayla alla chercher les vêtements qu'elle avait coupés pour pouvoir les lui enlever. Ils étaient en piteux état : lacérés par les griffes du lion et tachés de sang. La tunique brodée avait perdu une partie de ses perles et de ses ornements.

— Je devais être grièvement blessé, dit Jondalar en examinant la jambe de son pantalon raidie par le sang séché. Il n'est pas question que je remette ces vêtements.

C'était aussi l'avis d'Ayla. Après avoir fouillé là où elle entreposait ses réserves, elle revint avec une peau qui n'avait jamais été utilisée et de longues lanières de cuir. Elle s'apprêtait à l'ajuster autour de la taille de Jondalar, à la manière des hommes du Clan, quand celui-ci l'arrêta.

— Je m'en occupe, Ayla, dit-il en pliant la peau en forme de bande qu'il plaça entre ses jambes, puis en la faisant remonter derrière et devant. Mais j'aurais quand même besoin d'un coup de main, ajouta-t-il au moment d'attacher la lanière autour de sa taille.

Ayla l'aida, puis elle lui présenta son épaule et lui indiqua qu'il pouvait appuyer sa jambe blessée sur le sol. Jondalar posa son pied par terre, avec précaution. C'était plus douloureux qu'il ne s'y attendait et il se demanda s'il allait y arriver. Prenant son courage à deux mains, il s'appuya un peu plus sur Ayla et avança à pas comptés. Quand ils atteignirent l'ouverture de la caverne, il sourit d'un air radieux et jeta un coup d'œil à la corniche en pierre et aux pins qui poussaient contre la paroi d'en face.

Dès qu'ils furent dehors, Jondalar s'appuya contre la paroi de la caverne et Ayla l'abandonna un court instant pour aller chercher une natte tressée et une fourrure qu'elle posa près du bord de la corniche à l'endroit où la vue était la plus belle, et elle y installa Jondalar.

Jondalar était fatigué, sa jambe le faisait souffrir, mais il était tout heureux de se retrouver enfin à l'air libre. Il aperçut Whinney et son poulain, qui avaient quitté la caverne peu après qu'il les eut caressés, dans la vallée qui lui sembla un vert et luxuriant paradis caché au creux des steppes arides. Jamais il n'aurait imaginé qu'un tel endroit puisse exister. Tournant la tête, il regarda en direction des gorges en amont et aperçut une partie de la plage couverte de galets, mais ses yeux plongèrent à nouveau vers la vallée verdoyante.

Celle-ci se déployait sous ses yeux jusqu'au lointain coude que faisait la rivière. Il n'y avait aucune trace d'habitation et Jondalar se dit qu'Ayla devait être la seule occupante de cette vallée. Après s'être assise un court instant près de lui, elle était retournée à la caverne et elle revint bientôt avec une poignée de graines. Après avoir lancé un trille mélodieux, elle jeta à la volée les graines sur la corniche non loin de l'endroit où était assis Jondalar. Que fait-elle ? se demanda-t-il, intrigué, avant d'apercevoir un oiseau qui, attiré par les graines, se posait sur la corniche. Aussitôt une nuée d'oiseaux de différentes tailles et de différentes couleurs se joignirent au premier et se mirent à picorer avec des mouvements saccadés.

Leurs chants emplissaient l'air tandis qu'ils se disputaient les graines en gonflant leurs plumes. Jondalar, qui observait leur manège, finit par se rendre compte qu'il n'y avait pas que les oiseaux qui chantaient : Ayla reproduisait merveilleusement leurs trilles, leurs gazouillis et même leurs piaillements ! Chaque fois qu'elle choisissait un chant différent, un des oiseaux venait se poser sur son doigt levé et, lorsqu'elle avait fini de chanter, il lui répondait, formant avec elle un véritable duo. A plusieurs reprises, elle réussit à s'approcher tout près de Jondalar avec l'oiseau toujours posé sur son doigt et resta là jusqu'à ce que l'oiseau s'enfuit à tire-d'aile.

Quand toutes les graines eurent disparu, la plupart des oiseaux s'envolèrent, sauf un merle qui chanta avec Ayla. Celle-ci imita à la perfection le riche pot-pourri musical du merle musicien.

Jondalar avait retenu sa respiration de crainte d'interrompre le concert et quand l'oiseau s'envola, il demanda :

— Où as-tu appris à faire ça, Ayla ? C'est vraiment extraordinaire ! Jamais encore je n'avais pu voir d'aussi près des oiseaux.

Ayla lui répondit par un sourire. Elle n'avait pas tout à fait compris ce qu'il venait de dire, mais elle sentait qu'il était impressionné. Elle se remit à siffler dans l'espoir que Jondalar lui dise le nom de l'oiseau qu'elle venait d'imiter. Mais celui-ci se contenta de sourire d'un air appréciateur. Tandis qu'Ayla lançait un nouveau trille, il songea avec une certaine inquiétude qu'elle imitait encore mieux le chant des oiseaux que ne le faisait le shamud avec sa flûte. Était-il possible qu'elle communie avec l'esprit de la Mère incarné dans ces oiseaux ? Quand l'un d'eux vint à nouveau se poser à ses pieds, Jondalar lui jeta un coup d'œil prudent.

Mais très vite, il oublia ses appréhensions, tout à la joie de sentir sur sa peau le soleil et la brise, et de contempler la vallée. Ayla était folle de bonheur elle aussi de se retrouver dehors en sa compagnie. La présence de cet homme lui semblait tellement extraordinaire qu'elle n'osait fermer les yeux de crainte qu'il disparaisse. Quand elle eut réussi à se persuader qu'il était vraiment là et qu'il n'en bougerait pas, elle ferma les yeux pour voir pendant combien de temps elle allait tenir, pour le simple plaisir de découvrir qu'il était toujours là lorsqu'elle les rouvrirait. Et quand Jondalar se mit à parler alors qu'elle avait toujours les yeux fermés, elle se laissa bercer avec délice par le son grave de sa voix.

Au fur et à mesure que la matinée avançait, il faisait de plus en plus chaud et Ayla commença à regarder en direction de la rivière. Ne voulant pas laisser Jondalar tout seul, elle n'avait pas pris son bain matinal. Mais il semblait aller parfaitement bien et il pourrait toujours l'appeler s'il avait besoin d'elle.

— Ayla aller dans l'eau, dit-elle en imitant avec ses bras les gestes de la nage.

— Nager, précisa Jondalar. Si je pouvais, j'irais bien nager avec toi.

— Nadger, dit Ayla.

— Nager, corrigea-t-il.

Elle répéta à nouveau le mot et, dès que Jondalar eut hoché la tête, descendit vers la rivière. Il faudra encore un certain temps avant qu'il puisse emprunter ce sentier, se dit-elle. Mais sa jambe est presque guérie. Je pense qu'il pourra à nouveau l'utiliser. Peut-être boitera-t-il un tout petit peu, mais il devrait pouvoir marcher aussi vite qu'avant.

Quand Ayla se retrouva sur la plage, elle se dit qu'elle allait profiter de ce bain pour se laver les cheveux. Elle se dirigea en aval pour aller chercher des racines de saponaires. En passant, elle aperçut Jondalar et le salua de la main. Puis elle revint sur la plage et disparut hors de sa vue. Elle s'assit sur le bord de l'énorme rocher qui s'était détaché de la paroi pendant les crues printanières et dénoua ses longues tresses. La nouvelle disposition des rochers avait créé un trou d'eau dans lequel elle avait pris l'habitude de se baigner. A cet endroit, la rivière était plus profonde qu'ailleurs et elle avait découvert dans la roche un creux qu'elle utilisait pour écraser les racines de saponaires et en extraire la saponine.

Jondalar la vit passer au moment où elle remontait la rivière et il admira sa brasse puissante et sans défaut. Au retour, Ayla se laissa paresseusement porter au fil de l'eau. Puis elle s'installa sur le rocher pour se faire sécher au soleil et elle en profita pour démêler ses cheveux avec une brindille, puis les brosser avec une cardère. Lorsque son abondante chevelure fut sèche, elle se dit qu'il était temps de rejoindre Jondalar. Elle allait se rhabiller quand elle s'aperçut que son vêtement était sale. Prenant la peau à la main, elle s'engagea dans le sentier.

Jondalar commençait à souffrir de sa longue exposition au soleil. Son léger hâle avait disparu durant son immobilisation à l'intérieur de la caverne et sa peau était redevenue aussi pâle que durant l'hiver. Après le départ d'Ayla, son dos avait commencé à le brûler. Mais il n'avait pas voulu déranger la jeune femme en se disant qu'elle avait droit à un moment de détente après s'être si longtemps occupée de lui. Puis il avait commencé à se demander ce qu'elle pouvait bien être en train de faire. Pourquoi ne revenait-elle pas ?

Quand Ayla arriva sur la corniche, il était en train de regarder du côté de la vallée.

Quel coup de soleil ! se dit-elle en apercevant son dos écarlate. Je devrais avoir honte ! Quelle guérisseuse je fais là ! Comment ai-je pu le laisser en plein soleil aussi longtemps ? ajouta-t-elle en se précipitant vers lui.

En l'entendant arriver, Jondalar tourna la tête. Il était content qu'elle soit là et un peu ennuyé qu'elle ait mis si longtemps à revenir. Mais quand il vit cette femme nue qui avançait vers lui en pleine lumière, il oublia aussitôt son coup de soleil et ouvrit la bouche de saisissement.

Sous sa peau dorée par le soleil, ses muscles vigoureux jouaient avec aisance tandis qu'elle s'approchait de lui. La forme parfaite de ses jambes n'était déparée que par les quatre cicatrices parallèles qu'elle portait sur la cuisse gauche. Ses fesses étaient rondes et fermes et, au-dessus de son pubis couvert de poils blond foncé, l'arrondi de son ventre était marqué par de très légers plis laissés par la grossesse. Ainsi, elle a eu un enfant, se dit Jondalar. Elle avait une ample poitrine avec des seins hauts et fermes comme ceux d'une jeune fille, aux aréoles rose foncé et dont le bout pointait. Ses bras étaient longs et pleins de grâce, et ils laissaient présager une force exceptionnelle.

Ayla avait grandi parmi des gens qui étaient forts par nature. Pour remplir les tâches dévolues aux femmes du Clan — soulever des poids, transporter de lourds chargements, travailler les peaux, couper du bois — son corps avait été obligé de développer une musculature adaptée aux efforts qu'on exigeait de lui. Grâce à la chasse, ses muscles avaient acquis une souplesse supplémentaire et les efforts qu'exigeait la vie solitaire n'avaient fait qu'accroître sa vigueur.

Jamais encore Jondalar n'avait vu une femme aussi musclée et il comprenait pourquoi elle n'avait eu aucun mal à le soulever et à supporter son poids. C'était la première fois qu'il voyait un corps aussi bien modelé. Mais il n'y avait pas que son corps. Son visage, qu'il avait trouvé jusque-là plutôt joli, lui apparaissait maintenant en pleine lumière.

Ayla possédait un long cou, marqué d'une petite cicatrice à hauteur de la gorge, un menton ravissant, des lèvres pleines, un nez droit et étroit, de hautes pommettes et de larges yeux bleu-gris. Ses traits finement ciselés conféraient à son visage un équilibre plein d'élégance. Ses longs cils et ses sourcils bien arqués étaient brun clair, légèrement plus foncés que sa chevelure dorée qui retombait en vagues sur ses épaules et jetait mille feux au soleil.

— Divine Grande Mère ! murmura Jondalar.

Il était ébloui. Cette femme était adorable, magnifique, époustou-flante, d'une beauté à couper le souffle ! Pourquoi cachait-elle ce corps extraordinaire sous une peau informe ? Pourquoi tressait-elle sa superbe chevelure ? Dire que Jondalar avait cru qu'elle n'était que jolie ! Pourquoi ne l'avait-il pas regardée avant ?

Quand Ayla eut traversé la corniche et qu'elle se retrouva près de lui, il sentit qu'il la désirait avec une ardeur qu'il n'avait encore jamais éprouvée vis-à-vis d'aucune femme. Il brûlait d'envie de caresser son corps parfait et d'en découvrir les endroits secrets. Il désirait explorer ce corps et partager les Plaisirs avec Ayla. Lorsqu'elle se pencha vers lui et qu'il sentit la chaude odeur de sa peau, il faillit la prendre sur-le-champ, sans même lui demander son avis. Et c'est certainement ce qu'il aurait fait s'il en avait été capable. Mais il sentait aussi que ce n'était pas le genre de femme à céder facilement.

— Le dos de Gon-da-lah être... en feu ! s'écria Ayla.

Puis elle se tut, clouée sur place par l'intensité du regard de Jondalar qui l'attirait comme un aimant. Son cœur battait à tout rompre, elle avait les jambes molles et le visage brûlant. Un frisson parcourut tout son corps et elle sentit une soudaine humidité entre ses jambes.

Qu'est-ce qui ne va pas chez moi ? se demanda-t-elle en tournant la tête de côté pour échapper au regard de Jondalar. Baissant les yeux, son regard tomba sur la bande de peau soulevée par le membre viril en érection et elle éprouva soudain une folle envie de le toucher. Fermant les yeux, elle respira profondément et essaya de calmer ses tremblements. Lorsqu'elle ouvrit à nouveau les yeux, elle évita son regard.

— Ayla aider Gon-da-lah entrer caverne, dit-elle.

Malgré son dos brûlant et sa fatigue, Jondalar éprouva une nouvelle flambée de désir quand il s'appuya contre le corps nu d'Ayla pour regagner l'intérieur. Ayla l'installa à plat ventre sur la couche, puis, après avoir fouillé dans ses réserves, elle se précipita dehors.

Jondalar la vit revenir avec une pleine brassée de bardanes aux larges feuilles gris-vert et pelucheuses. Elle retira les feuilles des tiges, les coupa menu dans un bol, ajouta de l'eau froide, puis, à l'aide d'une pierre, les réduisit en une sorte de pâte.

— Ah, ça va mieux ! dit Jondalar en sentant l'effet apaisant de la préparation qu'Ayla était en train de lui appliquer sur le dos.

Tandis qu'elle le soignait, Jondalar se rendit compte qu'elle n'avait toujours pas passé de vêtement. Quand elle s'agenouilla à côté de lui, l'odeur de sa peau le poussa à avancer la main vers elle. Il lui caressa la cuisse, puis les genoux et remonta vers les fesses.

Prenant soudain conscience de cette main qui la caressait, Ayla tressaillit et s'arrêta net de le soigner. Ne sachant pas très bien ce qu'il était en train de faire, et encore moins ce qu'elle devait faire, elle s'immobilisa, le corps soudain raidi. Elle désirait qu'il continue à la caresser, de cela au moins elle était sûre. Mais quand Jondalar toucha la pointe de son sein, le frisson que cette caresse provoqua la surprit tellement qu'elle ne put s'empêcher de sursauter.

Jondalar fut surpris par le regard qu'elle lui lançait. Pourquoi avait-elle l'air choquée ? N'était-il pas naturel qu'un homme veuille caresser une femme aussi belle ? Surtout quand elle était juste à côté de lui. Ne sachant pas quoi penser, il retira sa main. On dirait que c'est la première fois qu'un homme la touche, se dit-il. Pourtant, elle avait porté un enfant. Puisqu'elle vivait seule, c'est qu'elle avait dû le perdre. Il n'empêche que pour que la Mère la bénisse, il fallait obligatoirement qu'elle ait connu les Premiers Rites.

Ayla était encore parcourue du souvenir des caresses de Jondalar.

Elle ne comprenait pas pourquoi il s'était arrêté. Un peu gênée, elle se leva et s'éloigna de lui.

Il est possible que je ne lui plaise pas, se dit Jondalar. Mais alors pourquoi s'est-elle agenouillée à côté de moi alors que mon désir était aussi évident ? Si elle s'est approchée de moi, ce n'est pas pour répondre à mon désir, corrigea-t-il, mais pour soigner mon coup de soleil. Il n'y avait rien de suggestif dans son attitude, bien au contraire. On aurait dit qu'elle n'avait pas conscience de l'effet qu'elle pouvait avoir sur moi. A-t-elle tellement l'habitude de ce genre de réaction qu'elle n'y prête même plus attention ? Son comportement ne ressemble en rien au dédain d'une femme pleine d'expérience. Et pourtant, il semble impossible qu'elle ne sache pas quel effet elle fait aux hommes.

Jondalar était en train de ramasser un bout de feuille de bardane qui venait de tomber de son dos quand, soudain, il se souvint que le shamud avait utilisé la même plante pour soigner les brûlures de Tholie et de sa fille. Ayla était vraiment une experte... Ce que tu peux être stupide, mon pauvre Jondalar ! se dit-il aussitôt. Le shamud t'a pourtant longuement parlé des épreuves qui attendent Ceux Qui Servent la Mère. Cette femme a dû renoncer aux Plaisirs. Si elle porte ce vêtement informe, c'est pour cacher sa beauté. Jamais elle ne se serait approchée aussi près de toi si tu n'avais pas eu un coup de soleil. Et dire que toi, tu n'as rien trouvé de mieux que de lui sauter dessus comme un adolescent !

La jambe de Jondalar l'élançait et, malgré l'emplâtre de feuilles fraîches, son dos le brûlait encore un peu. Finalement, il se coucha sur le côté et ferma les yeux. Il avait soif, mais il ne voulait pas bouger maintenant qu'il avait trouvé une position à peu près confortable. En plus, il était malheureux : non pas tant à cause de son corps douloureux, que parce qu'il avait l'impression d'avoir commis une erreur et qu'il en était affreusement gêné.

Il n'avait pas commis pareille bévue depuis qu'il était enfant ! Lui qui se contrôlait si bien d'habitude, là, il était allé trop loin et on l'avait remis à sa place. Cette femme si belle et qu'il désirait plus qu'aucune autre l'avait repoussé. Il imaginait facilement ce qui allait suivre. Elle allait faire comme si rien ne s'était passé et l'éviter chaque fois que ce serait possible. Le reste du temps, elle se montrerait distante et froide. Même si elle continuait à lui sourire, il lirait la vérité au fond de ses yeux. Elle le regarderait avec condescendance ou, pire, avec une pointe de pitié.

Ayla avait passé un vêtement et elle était en train de tresser ses cheveux. Elle avait honte d'avoir laissé Jondalar attraper un coup de soleil. C'était de sa faute : elle savait bien qu'il était incapable de rentrer sans son aide. Elle avait pris plaisir à nager et s'était lavé les cheveux au lieu de surveiller le blessé. Dire que je suis censée être une guérisseuse ! se disait-elle. Et une guérisseuse de la lignée d'Iza, la plus haute lignée de guérisseuses du Clan ! Que dirait Iza si elle savait que j'ai abandonné mon malade pour aller me baigner ! Ayla était mortifiée.

Jondalar avait été gravement blessé, il avait beaucoup souffert et voilà que par sa faute, il souffrait à nouveau.

Mais il y avait encore autre chose qui l'inquiétait : cet homme l'avait touchée. Elle sentait encore la chaleur de sa paume sur sa cuisse. Et il lui avait touché le sein, qui la picotait encore. Son membre viril était dressé et elle savait ce que cela voulait dire. Elle avait vu tant de fois des hommes faire signe à une femme quand ils voulaient assouvir leur désir. Broud avait fait ça avec elle et, rien que de repenser à son sexe dressé, elle en frissonnait encore de dégoût.

Mais Jondalar ne lui faisait pas du tout le même effet et s'il avait fait le geste approprié, elle n'aurait pas dit non... Ne sois pas stupide ! se dit-elle. Il n'aurait rien pu faire à cause de sa jambe. Pour l'instant, celle-ci supporte tout juste son poids.

Et pourtant, son sexe était dressé quand elle l'avait rejoint sur la corniche, et son regard... Ayla frissonna en repensant à ses yeux : ils étaient si bleus, si pleins de désir, si...

Ne trouvant pas le mot juste, elle arrêta de tresser ses cheveux et ferma les yeux. Gon-da-lah l'avait touchée...

Soudain elle sursauta et rouvrit les yeux. Pourquoi s'était-il arrêté de la caresser ? Lui avait-il fait signe ? Avait-il cessé ses caresses parce qu'elle n'avait pas acquiescé ? Dans le Clan, une femme était toujours disponible pour l'homme qui désirait assouvir son désir. C'est ainsi qu'on lui avait appris à se comporter dès que l'esprit de son totem s'était battu pour la première fois et qu'elle avait saigné. On lui avait aussi appris les gestes et les postures capables de donner envie à un homme d'assouvir son désir. Jusque-là, Ayla n'avait jamais compris qu'une femme désire se servir de ces gestes. Mais maintenant, pour la première fois, elle comprenait.

Ayla désirait que cet homme assouvisse son désir avec elle mais elle ne savait pas quel genre de signe il utilisait pour dire qu'il avait envie d'une femme ! L'ignorant, elle risquait de lui refuser sans s'en rendre compte ce qu'il demandait et peut-être ne ferait-il pas d'autres tentatives. Mais a-t-il vraiment envie de moi ? songea-t-elle. Je suis si grande et si laide.

Lorsqu'elle eut fini de replier ses tresses sur le dessus de sa tête, Ayla s'approcha du feu afin de préparer un remède contre la douleur pour Jondalar. Puis elle s'approcha de sa couche pour lui faire boire l'infusion. Il se reposait, couché sur le côté. Ne voulant pas le déranger, elle s'assit en tailleur à côté de lui et attendit qu'il ouvre les yeux. Même s'il était immobile, elle savait qu'il ne dormait pas : sa respiration n'avait pas le rythme régulier du sommeil et il avait le front légèrement froncé.

Jondalar faisait semblant de dormir. Il attendait, les muscles tendus, luttant contre l'envie d'ouvrir les yeux pour voir si elle était à côté de lui. Pourquoi se tenait-elle aussi tranquille ? Pourquoi n'était-elle pas repartie en voyant qu'il avait les yeux fermés ? Jondalar aurait bien aimé pouvoir bouger : il avait des fourmillements dans le bras. A force de rester dans la même position, sa jambe lui faisait mal et il avait le dos en feu. Peut-être était-elle repartie sans qu'il l'entende ? Et sinon, pourquoi restait-elle là à le regarder ?

Après avoir longuement fixé Jondalar, Ayla se dit qu'elle en prenait un peu trop à son aise. Non seulement elle n'avait pas cessé de regarder cet homme dans les yeux depuis qu'il vivait avec elle, ce que jamais une femme du Clan se serait permis, mais elle avait fait une grave entorse à ses devoirs de guérisseuse en le laissant seul au soleil. Peut-être était-il temps de se souvenir de ce qu'Iza lui avait appris. Assise en tailleur sur le sol, tenant le bol de datura entre ses deux mains, elle baissa les yeux et inclina la tête, comme faisaient les femmes du Clan, puis attendit que Jondalar lui réponde en lui tapant sur l'épaule.

Jondalar entrouvrit les yeux pour voir si elle était toujours là. Apercevant ses pieds, il baissa aussitôt les paupières. Que faisait-elle assise là ? Qu'attendait-elle ? Pourquoi ne s'en allait-elle pas et ne le laissait-elle pas seul avec sa peine et son humiliation ? Les yeux mi-clos, il jeta un nouveau coup d'œil. Ses pieds étaient toujours au même endroit ! Elle était assise en tailleur et tenait un bol entre les mains. Oh, Doni ! Comme il avait soif ! Était-ce pour lui ? Était-elle en train d'attendre qu'il se réveille pour lui proposer un médicament ? Elle aurait dû le secouer au lieu d'attendre.

Jondalar ouvrit les yeux. Ayla était assise à côté de sa couche, la tête baissée. Elle portait un autre vêtement, toujours aussi informe, et elle avait de nouveau tressé ses cheveux. La peau dont elle était vêtue était propre et n'avait jamais été portée. Son visage n'avait plus aucune trace de suie. Non seulement elle était propre et fraîche mais toute son attitude exprimait une candeur sans fard. Ni artifice, ni affectation, ni coups d'œil suggestifs.

Ses cheveux tressés serré et ce vêtement plein de plis et de poches ne faisait que renforcer cette impression. Là résidait l'astuce : dissimuler avec un art consommé son corps de femme et sa chevelure splendide. Elle ne pouvait pas cacher son visage mais l'habitude qu'elle avait de baisser les yeux ou de ne pas vous regarder en face détournait l'attention et on remarquait à peine sa beauté. Pourquoi se cachait-elle ainsi ? Cela faisait-il partie de l'épreuve qu'elle était en train de subir ? La plupart des femmes auraient au contraire mis en valeur un corps aussi magnifique, tiré tous les avantages possibles d'une chevelure pareille et donné tout ce qu'elles avaient pour posséder un visage d'une telle beauté.

Pourquoi reste-t-elle immobile ? se demandait Jondalar. Peut-être qu'elle ne veut pas me regarder, se dit-il en repensant, non sans honte, à ce qui s'était passé un peu plus tôt. Le bras tout engourdi à force de ne pas bouger, il finit par se décider.

Au moment où il bougeait son bras, Ayla leva les yeux. Ses efforts pour bien se conduire n'avaient servi à rien : Jondalar ne connaissait pas le signal et jamais il ne lui taperait sur l'épaule. Il fut surpris de voir qu'elle le regardait d'un air contrit et presque suppliant. Il n'y avait au fond de ses yeux ni condamnation, ni rejet, ni même de la pitié. Elle semblait au moins aussi gênée que lui. Qu'est-ce qui pouvait bien la gêner ?

Elle lui tendit le bol. Jondalar en but une gorgée. Le médicament était amer et il fit la grimace. Il finit pourtant le contenu du bol, puis se rinça la bouche avec l'eau que contenait l'outre placée à côté de sa couche. Il s'étendit à nouveau, mais ne réussit pas à trouver une bonne position. Ayla lui fit signe de se rasseoir et elle remit de l'ordre dans les fourrures et les peaux de son lit. Jondalar attendit un moment avant de se recoucher.

— Je me pose tellement de questions à ton sujet, Ayla, dit-il. J'espère qu'un jour tu pourras y répondre. Je ne sais pas où tu as appris à soigner et j'ignore même comment j'ai pu me retrouver ici. Mais je tiens à te dire à quel point je te suis reconnaissant. Non seulement tu m'as sauvé la vie, mais tu as aussi sauvé ma jambe. Si j'étais en vie mais que j'aie perdu ma jambe, jamais je ne rentrerais chez moi. (Il se tut un court instant avant de reprendre :) Je me suis conduit comme un imbécile. Mais tu es tellement belle, Ayla ! Je ne m'en étais pas rendu compte car tu caches parfaitement ta beauté. Tu dois avoir de bonnes raisons de le faire. Quand tu auras appris à parler, peut-être m'expliqueras-tu pourquoi tu agis ainsi. Si tu n'as pas le droit de me le dire, je l'accepterai aussi. Je sais que tu ne comprends pas tout ce que je dis mais je tenais malgré tout à ce que tu saches que je ne t'embêterai plus. Je te le promets.

22

— Ayla pas dire bien « Gon-da-lah ».

— Mais si, tu prononces bien mon nom.

— Non ! s'écria-t-elle en secouant la tête. Ayla pas bien prononcer. Apprends-moi.

— Jondalar. Jon-da-lar.

— Geeon...

— Jon, dit-il en articulant avec soin. Jondalar.

— Geon... reprit Ayla qui avait du mal à prononcer ce son inhabituel. Geon-da-larr, finit-elle par dire en roulant le *r* final.

— Bravo ! s'écria Jondalar.

Toute fière d'avoir réussi, Ayla eut un large sourire. Puis, avec une lueur malicieuse au fond des yeux, elle ajouta :

— Geeon-da-larr des Ze-lanne-do-nis.

Jondalar avait prononcé le nom de son peuple presque aussi souvent que son prénom et Ayla s'était exercée en cachette pour lui faire la surprise.

— C'est très bien ! s'écria-t-il.

Et il le pensait. Ayla arrivait à prononcer son nom presque parfaitement. Seul un Zelandonii aurait pu noter la différence. Le fait que Jondalar soit content la récompensait largement de ses efforts et elle sourit à nouveau, toute fière d'avoir réussi.

— Que veut dire « Zelannedoni » ? demanda-t-elle.

— C'est le nom de mon peuple. Le nom des Enfants de la Mère qui vivent dans le sud-ouest. Doni signifie : la Grande Terre Mère. Pour simplifier, on peut dire : les Enfants de la Terre. Du reste, tous les peuples s'appellent dans leur propre langue les Enfants de la Terre. Cela veut dire : les humains.

Ayla et Jondalar s'étaient arrêtés à l'ombre d'un bosquet de bouleaux dont les arbres avaient poussé à partir d'une souche commune. Debout l'un en face de l'autre, ils s'appuyaient chacun à un tronc du boqueteau. Jondalar était obligé de s'aider d'un bâton pour marcher et il boitait encore, mais il était heureux de se retrouver dans la prairie verdoyante de la vallée. Depuis sa première sortie, il avait poussé un peu plus loin tous les jours. Lorsqu'il avait fallu qu'il descende pour la première fois le sentier qui menait à la rivière, cela avait été une véritable épreuve, presque un supplice. Mais aussi, quel triomphe en arrivant en bas ! Maintenant encore, il lui était plus facile de grimper le sentier que de le descendre.

Il ne savait toujours pas comment Ayla était parvenue à le hisser jusqu'en haut alors qu'il était inconscient. Si d'autres l'avaient aidée, où étaient-ils ? Depuis longtemps il désirait lui poser la question. S'il ne l'avait pas fait au début, c'était parce qu'il savait qu'elle était incapable d'y répondre. Ensuite, il s'était dit que la demande pourrait lui sembler déplacée, puisqu'il s'agissait simplement de satisfaire sa curiosité. Il avait donc préféré attendre le moment propice. Sentant que c'était le cas, il sauta sur l'occasion.

— A quel peuple appartiens-tu, Ayla ? demanda-t-il. Où sont-ils ?

En voyant que son sourire s'effaçait, Jondalar regretta presque d'avoir posé cette question. Comme elle tardait à lui répondre, il se demanda si elle avait compris.

— Ayla, pas de peuple, finit-elle par répondre en quittant l'ombre du bouleau pour recommencer à marcher.

Jondalar reprit son bâton et la suivit en claudiquant.

— C'est impossible ! s'écria-t-il. Tu as eu une mère. Qui t'a élevée ? Qui t'a appris à soigner ? Où se trouve ton peuple maintenant ? Et pourquoi vis-tu toute seule ?

Ayla marchait devant lui, la tête basse. Elle n'essayait pas d'échapper aux questions de Jondalar. Aucune femme du Clan ne se serait permis de ne pas répondre à la question que lui adressait un homme. En fait, tous les membres du Clan, quel que soit leur sexe, répondaient toujours lorsqu'on leur posait ouvertement une question. Seulement, les femmes ne posaient pas de questions indiscrètes et personnelles aux hommes et eux-mêmes s'en posaient rarement entre eux. Quand on voulait savoir quelque chose, habituellement c'est aux femmes qu'on s'adressait. Les questions de Jondalar éveillaient toutes sortes de souvenirs chez Ayla, mais elle ne connaissait pas la réponse à certaines d'entre elles et ne savait pas comment répondre aux autres.

— Peut-être préfères-tu ne rien me dire...

— Non, dit-elle en le regardant d'un air inquiet et en secouant la tête. Ayla dire. Pas connaître les mots.

Jondalar se demanda s'il n'aurait pas mieux fait de ne rien demander. Mais il désirait savoir ce qu'il en était et Ayla semblait décidée à lui répondre. Ils s'arrêtèrent cette fois près d'un gros rocher déchiqueté qui était venu heurter la falaise avant de retomber dans le pré. Jondalar alla s'asseoir sur le bord du rocher à l'endroit où la roche formait un siège à bonne hauteur avec un dossier incliné.

— Comment s'appelle ton peuple ? demanda-t-il.

Ayla réfléchit un long moment.

— Peuple, dit-elle après avoir réfléchi. Homme... femme... bébé... (Elle s'interrompit, ne sachant comment expliquer ce qu'elle voulait dire.) Le Clan, ajouta-t-elle en faisant en même temps le geste qui exprimait ce concept.

— Comme une famille ? demanda Jondalar. Une famille est en général composée d'un homme, d'une femme et des enfants qui vivent dans le même foyer...

— Plus que... famille.

— Un petit groupe ? Quand plusieurs familles vivent ensemble, on appelle cela une Caverne, ce qui ne veut pas dire pour autant que ce groupe habite dans une caverne.

— Oui, dit-elle. Clan petit. Et plus. Clan veut dire tout le monde.

Quand Ayla avait employé ce mot la première fois, Jondalar l'avait à peine entendu et il n'avait pas remarqué le geste dont elle l'accompagnait. Pour lui, ce n'était pas vraiment un mot, plutôt un son guttural, et lorsque Ayla le prononçait, il avait l'impression là encore qu'elle avalait les syllabes. Jusqu'alors, elle n'avait fait que répéter les mots qu'il lui apprenait et c'était la première fois qu'elle prononçait devant lui un mot qui appartenait à sa propre langue. Cela l'intéressait d'autant plus.

— Klon ? dit-il en essayant d'imiter ce qu'il avait entendu.

Ce n'était pas tout à fait ça, mais il s'en fallait de peu.

— Ayla pas dire bien les mots de Jondalar. Jondalar pas dire bien les mots d'Ayla. Mais Jondalar dire presque.

— Je ne savais pas que tu connaissais des mots, Ayla. C'est la première fois que tu parles ta langue devant moi.

— Pas connaître beaucoup de mots. Clan pas parler mots.

— S'ils n'emploient pas de mots, comment font-ils pour parler ? demanda Jondalar qui n'y comprenait plus rien.

— Parler... les mains, dit Ayla, tout en sachant que cette explication n'était pas tout à fait exacte.

Elle nota que, dans l'espoir de se faire comprendre, elle s'était exprimée aussi bien par gestes qu'avec des mots. Comme Jondalar semblait toujours aussi perplexe, elle lui prit les mains et lui fit faire les gestes appropriés tout en répétant :

— Clan pas parler mots. Parler... les mains.

— Est-ce que tu es en train de me dire que ton peuple s'exprime avec ses mains ? demanda Jondalar, complètement stupéfait. Montre-moi. Dis-moi quelque chose dans ta langue.

Après avoir réfléchi, Ayla s'adressa à lui dans la langue du Clan.

— Je veux te dire tellement de choses ! commença-t-elle. Mais il faut d'abord que j'apprenne à parler ta langue. C'est la seule possibilité qu'il me reste maintenant. Je n'ai plus de peuple. Je ne fais plus partie du Clan. Pour les membres du Clan, je suis partie vers l'autre monde, comme l'homme avec lequel tu voyageais.

« J'aurais aimé te dire, pour soulager un peu ta peine, que j'ai accompli le rite au-dessus de sa sépulture pour l'aider à trouver son chemin vers l'autre monde. J'aurais aussi aimé que tu saches à quel point sa mort m'a attristée, moi aussi, même si je ne le connaissais pas.

« Je ne connais pas le peuple au sein duquel je suis née. J'ai dû avoir une mère et une famille, qui me ressemblaient... et qui te ressemblaient aussi. Tout ce que je sais, c'est qu'ils faisaient partie des Autres. Iza est la seule mère dont je me souvienne. C'est elle qui m'a transmis le pouvoir magique de guérir et qui a fait de moi une guérisseuse. Mais elle est morte maintenant. Et Creb aussi.

« Cela me fend le cœur de te parler d'Iza, de Creb et de Durc... avoua-t-elle. (Elle s'arrêta un court instant pour respirer avant de reprendre :) J'ai aussi été séparée de mon fils. Mais il est toujours vivant. C'est tout ce qu'il me reste. Et maintenant le Lion des Cavernes t'a envoyé. Je craignais que les Autres ressemblent à Broud, mais je trouve que tu ressembles plutôt à Creb. Tu es gentil et patient comme lui. J'aimerais que tu deviennes mon compagnon. Au début, j'ai pensé que c'était pour cela que tu m'avais été envoyé. J'avais vécu seule tellement longtemps et comme tu étais le premier représentant des Autres que je rencontrais, je désirais que tu deviennes mon compagnon, simplement pour en avoir un. N'importe qui d'autre aurait fait l'affaire...

« Mais maintenant ce n'est plus pareil. Plus je vis en ta compagnie et plus je m'attache à toi. Je sais bien que les Autres ne sont pas loin et que l'un d'eux pourrait être mon compagnon. Mais c'est toi que je veux. Et j'ai peur que tu t'en ailles dès que tu iras mieux. J'ai peur de te perdre, toi aussi. J'aimerais tellement pouvoir te dire à quel point je suis... reconnaissante que tu sois ici, j'en suis tellement heureuse que parfois j'ai du mal à le supporter. »

Ayla s'arrêta, incapable d'aller plus loin. Elle sentait pourtant qu'elle n'avait pas terminé.

Ses pensées n'avaient pas été totalement incompréhensibles pour l'homme qui la regardait. Les mouvements de ses mains — mais aussi de son visage, de ses yeux et de son corps tout entier — étaient si expressifs qu'ils l'avaient profondément remué. La manière dont Ayla s'exprimait faisait penser à une danse silencieuse. Le plus étonnant, c'est que les sons rauques qui accompagnaient ses mouvements gracieux s'accordaient parfaitement avec eux. Ce que Jondalar avait perçu était purement affectif. Il avait donc du mal à croire que ce qu'il ressentait puisse correspondre à ce qu'elle venait de lui dire. Mais quand elle s'arrêta, il eut soudain conscience qu'elle lui avait *vraiment* communiqué quelque chose. Il comprit aussi que le langage d'Ayla n'était pas, comme il l'avait cru, un simple prolongement des gestes qu'il lui arrivait de faire pour appuyer ce qu'il disait. C'était plutôt le contraire : les sons qu'elle utilisait n'étaient là que pour appuyer ce qu'elle exprimait avec son corps.

Quand elle s'arrêta, elle resta immobile un court instant d'un air songeur, puis elle se laissa gracieusement glisser sur le sol à ses pieds et inclina la tête. Jondalar attendit et, quand il vit qu'elle ne bougeait pas, il commença à se sentir mal à l'aise. Il avait l'impression qu'elle attendait quelque chose de lui et qu'elle lui rendait hommage. Il était normal d'adopter une attitude aussi respectueuse vis-à-vis de la Mère. Mais elle était connue pour être jalouse et Elle n'apprécierait certainement pas qu'un de Ses enfants reçoive l'hommage qui n'était dû qu'à Elle.

Finalement, Jondalar se baissa et toucha le bras d'Ayla.

— Lève-toi, lui dit-il. Que fais-tu ?

Même si le geste de Jondalar ne correspondait pas exactement à la tape sur l'épaule des hommes du Clan, il se rapprochait du signal utilisé pour indiquer à une femme qu'elle avait le droit de parler. Ayla releva la tête et regarda l'homme assis au-dessus d'elle.

— La femme assise veut parler, dit-elle. Ayla veut parler Jondalar.

— Tu n'as pas besoin de t'asseoir par terre pour me parler, répondit-il en s'avançant pour la relever. Si tu veux parler, parle tout simplement.

Ayla ne voulait pas bouger.

— Dans le Clan, faire comme ça, dit-elle en lui lançant un regard suppliant dans l'espoir qu'il comprenne. Ayla veut dire... continua-t-elle, incapable de retenir ses larmes tellement elle se sentait frustrée. Ayla pas bien parler. Ayla veut dire : Jondalar donner Ayla parler. Pour ça, Ayla veut dire...

— Es-tu en train de me dire merci ?

— Merci ? Pas comprendre.

— Tu m'as sauvé la vie. Tu as pris soin de moi, soigné mes blessures et tu m'as nourri : pour tout ça, je devrais te dire merci. Et même beaucoup plus que merci.

Ayla fronça les sourcils.

— Pas pareil. Homme blessé, Ayla soigner. Ayla soigner tous les hommes. Jondalar donner Ayla parler. C'est plus. Merci, pas assez.

— Même si tu as encore du mal à parler, tu exprimes bien ce que tu penses. Je comprends qu'en tant que Femme Qui Guérit tu soignes tous ceux qui en ont besoin. Ce n'est pas une raison pour penser qu'en me sauvant la vie, tu n'as rien fait d'extraordinaire. Et ce n'est pas parce que tu es une Femme Qui Guérit que je t'en serai moins reconnaissant. Pour moi, ce n'est pas grand-chose de t'apprendre ma langue, ou de t'apprendre à parler si tu préfères. Mais je commence à comprendre à quel point c'est important pour toi et pourquoi tu m'en es reconnaissante. Il est toujours difficile d'exprimer sa gratitude, dans quelque langue que ce soit. Moi, dans ce cas-là, je dis merci. Ta manière de le dire est bien plus belle. Mais lève-toi maintenant ! Sinon, je vais être obligé de venir m'asseoir à côté de toi.

Ayla sentit que Jondalar avait compris ce qu'elle voulait lui dire. Son sourire exprimait non seulement de la gratitude, mais aussi la joie d'avoir réussi à lui communiquer un concept aussi important à ses yeux. Eprouvant soudain le besoin d'extérioriser la joie qui l'habitait, elle se tourna vers Whinney et son poulain qui gambadaient non loin de là et siffla la jument. Aussitôt, Whinney dressa les oreilles et s'approcha. Ayla courut vers la jument et grimpa avec légèreté sur son dos.

Elles décrivirent un grand cercle dans la prairie suivies de près par le poulain. Depuis qu'elle soignait Jondalar, Ayla n'avait pratiquement pas remonté Whinney et, quand elle se retrouva à nouveau sur le dos de la jument, elle éprouva un sentiment de liberté enivrant. Quant à Jondalar, il était littéralement stupéfait. En la voyant sauter sur le dos de l'animal et partir au triple galop, il n'avait pu s'empêcher de frissonner. Cette femme était-elle un être surnaturel ou même une donii ? Cela lui rappelait un rêve imprécis où un esprit, qui avait pris la forme d'une jeune femme, repoussait un lion qui s'approchait de lui.

Tandis qu'Ayla galopait dans la prairie, il se souvint de la frustration qu'elle éprouvait devant son incapacité à parler. Une incarnation de l'esprit de la Grande Terre Mère n'aurait jamais connu ce genre de problème, réservé aux seuls humains. Mais, même si elle n'était pas un être surnaturel, elle possédait un don remarquable vis-à-vis des animaux. Les oiseaux répondaient à son appel et lui mangeaient dans la main. Quant à la jument, non contente de vivre avec elle, elle répondait quand on la sifflait et la laissait monter sur son dos. Que de mystères dans tout ça ! se dit-il au moment où le poulain revenait vers lui pour se faire caresser.

Maintenant qu'Ayla lui avait expliqué que son peuple s'exprimait à l'aide de gestes, il comprenait enfin pourquoi elle ne savait pas parler. Mais qui étaient-ils ? Et où se trouvaient-ils actuellement ? Elle lui avait dit qu'elle n'appartenait à aucun peuple et qu'elle vivait seule dans cette vallée. Mais il fallait bien que quelqu'un lui ait appris l'art de guérir ou transmis son pouvoir magique sur les animaux. Et les pierres à feu ? Qui lui avait appris à s'en servir ? Elle était bien jeune pour être une zelandoni douée d'autant de pouvoirs. D'habitude, il leur fallait des années pour en arriver là. Des années qu'elles passaient souvent coupées de tout contact humain. Etait-ce le cas d'Ayla ?

Jondalar avait entendu dire que parmi Ceux Qui Servent la Mère, il existait des groupes d'un genre très particulier dont les membres se consacraient à la pénétration des mystères les plus profonds. Ces groupes étaient très prisés et Zelandoni avait passé plusieurs années dans l'un d'eux. Ayla avait-elle vécu dans un groupe de ce genre dont les membres, pour accroître leurs pouvoirs, n'avaient pas le droit de parler et ne s'exprimaient qu'avec des gestes ? Vivait-elle seule maintenant pour perfectionner ses talents ?

Dire que tu as imaginé que tu pourrais partager les Plaisirs avec elle ! se dit-il au moment où elle revenait. Ce n'est pas étonnant qu'elle ait réagi ainsi ! Belle comme elle est, quel dommage qu'elle ait renoncé aux Plaisirs ! Il n'empêche qu'il faudra que tu respectes son choix.

Le poulain était en train de se frotter contre Jondalar. Il avait commencé à perdre son pelage de nouveau-né et il savait que Jondalar avait le chic pour le gratter aux endroits qui le démangeaient. Cette occupation lui faisait au moins autant plaisir qu'au poulain. Jusqu'à ce qu'il rencontre Ayla, il avait toujours considéré les chevaux comme des animaux que l'on chassait pour se nourrir. Jamais il n'aurait pensé qu'ils pouvaient aussi être des compagnons pour l'homme et répondre avec plaisir à ses caresses.

Ayla était tout heureuse de voir le lien qui était en train de se créer entre Jondalar et le poulain. Repensant soudain à l'idée qu'elle avait eue quelques jours plus tôt, elle lui proposa :

— Jondalar donner un nom au poulain ?

— Tu voudrais que je lui donne un nom ? C'est une bonne idée. Mais je ne sais pas si j'en serais capable. Je n'ai jamais donné de nom à qui que ce soit. Comment fait-on pour donner un nom à un cheval ?

Ayla n'était pas étonnée de sa réaction. Elle aussi, il lui avait fallu du temps pour se faire à l'idée qu'un cheval puisse avoir un nom. Les noms étaient chargés de signification et ils permettaient d'identifier les êtres. A compter du jour où Ayla lui avait donné un nom, Whinney était devenu un individu unique en son genre, distinct de ses congénères, ce qui n'allait pas sans conséquences. La jument n'était plus simplement un animal sauvage qui parcourait les steppes à l'intérieur d'une horde. Elle fréquentait des êtres humains, leur faisait confiance et dépendait d'eux pour sa sécurité. Au sein de son espèce, Whinney était unique en son genre. Elle portait un nom.

Mais cela impliquait des obligations pour Ayla : des efforts considérables pour assurer le bien-être de Whinney et des soucis. Il ne se passait pas un jour sans qu'elle pense à l'animal dont elle avait la charge. Leurs deux vies étaient liées d'une manière inextricable.

En demandant à Jondalar de donner un nom au petit de Whinney, elle espérait que la même chose se reproduirait entre lui et le poulain. Il n'y avait là aucun calcul de sa part. Elle désirait simplement que Jondalar ne la quitte pas. S'il s'attachait au poulain, il aurait une raison supplémentaire de rester afin de s'occuper de son protégé. Et du même coup, il resterait dans la vallée avec elle et Whinney.

Mais inutile de le brusquer : tant que sa jambe ne serait pas guérie, il ne s'en irait pas. Il faudrait encore pas mal de temps avant qu'il puisse quitter la vallée.

Ayla se réveilla en sursaut. Il faisait noir à l'intérieur de la caverne. Elle se mit sur le dos et essaya de percer les ténèbres environnantes. Incapable de se rendormir, elle quitta sa couche — une fosse peu profonde qu'elle avait creusée à côté de celle où dormait Jondalar. Au moment où elle passait près de Whinney, la jument souffla pour lui montrer qu'elle l'avait reconnue.

J'ai encore laissé le feu s'éteindre, se dit-elle en tâtonnant le long de la paroi pour trouver son chemin. Jondalar a moins l'habitude que moi de cette caverne. S'il a besoin de se lever en pleine nuit, il lui faudrait un peu de lumière.

Lorsqu'elle se retrouva sur la corniche, elle décida de rester un peu dehors et regarda le quartier de lune qui était en train de se coucher à l'ouest. La lune avait presque atteint le haut de la falaise de l'autre côté de la rivière et elle n'allait pas tarder à disparaître derrière. La nuit était bien avancée et on ne devait plus être très loin de l'aube. Au-dessous, tout était sombre et on apercevait d'autant mieux le reflet argenté des étoiles dans la rivière qui murmurait entre ses berges.

Le noir du ciel commença à évoluer imperceptiblement vers le bleu foncé. L'éclat de la lune faiblit jusqu'à ce que celle-ci disparaisse complètement derrière le sommet de la falaise. Ayla frissonna en voyant la dernière lueur s'éteindre comme si on venait de souffler une mèche.

Petit à petit, le ciel s'éclaircit, les étoiles s'estompèrent et finirent par disparaître à leur tour, absorbées par le bleu lumineux du ciel. Tout au bout de la vallée, l'horizon avait pris une teinte pourpre.

— J'ai l'impression qu'il y a un feu de prairie à l'est, dit Jondalar.

Ayla se retourna. Dans cette lumière blafarde, les yeux de Jondalar étaient bleu lavande, une teinte qu'elle ne les avait encore jamais vus prendre, même à la lueur du feu.

— Oui, grand feu. Beaucoup de fumée. Pas savoir Jondalar levé.

— Ça fait un certain temps que je suis réveillé. Je pensais que tu allais revenir te coucher. En voyant que ce n'était pas le cas, je me suis levé. Le feu s'est éteint.

— Je sais. Ayla négligente. Pas faire... Pas...

— Couvrir. Tu n'as pas couvert le feu et il s'est éteint.

— Couvrir le feu, répéta-t-elle. Je vais allumer nouveau feu.

Jondalar la suivit en baissant la tête pour entrer. L'ouverture était tout juste assez haute pour lui. Ayla alla chercher une pyrite de fer et un silex, puis elle rassembla des matières combustibles et du petit bois.

— Tu m'as dit que tu avais trouvé ces pierres à feu sur la plage. Est-ce qu'il y en a encore ?

— Oui. Pas beaucoup. Eau venir et les emporter.

— Une crue ? demanda Jondalar. La rivière déborde et emporte les pierres ? Nous ferions peut-être mieux de ramasser celles qui restent.

Ayla hocha la tête d'un air absent. Elle avait d'autres projets pour la journée. Pour les mener à bien, elle avait besoin de l'aide de Jondalar, mais elle hésitait à lui en parler. Elle n'avait plus beaucoup de viande et elle ne savait pas s'il la laisserait chasser. Jusque-là, elle s'était contentée de partir avec sa fronde et lorsqu'elle rentrait avec des gerboises, des lièvres ou des hamsters géants, il ne lui avait jamais posé de question. Mais elle devait chasser un plus gros gibier et, pour ce faire, il fallait qu'elle emmène Whinney et qu'elle creuse une fosse.

Si Bébé avait encore été là, cela lui aurait simplifié la tâche. Tant pis ! Elle se débrouillerait sans lui. Le vrai problème, c'était Jondalar. Comment allait-il réagir ? S'il s'opposait à son expédition, elle passerait outre. Elle ne faisait pas partie de son clan. C'est lui qui, au contraire, vivait dans sa caverne. Et il n'était pas en état de chasser à sa place. Il semblait apprécier de vivre dans la vallée, il s'était attaché à Whinney et à son poulain et paraissait avoir de l'affection pour elle. Elle n'avait aucune envie que tout ça soit remis en cause. Malgré tout, qu'il le veuille ou non, il fallait qu'elle parte chasser. Elle n'avait pas le choix.

Si elle voulait tuer du gros gibier, elle avait besoin non seulement de son accord mais aussi de son aide. Craignant que le poulain soit pris dans la débandade du troupeau et qu'il soit blessé, elle ne voulait pas l'emmener avec elle. Si Jondalar s'occupait de lui, elle était certaine qu'il resterait dans la caverne sans éprouver le besoin de suivre sa mère. Surtout qu'elle ne s'éloignerait pas longtemps. Elle pouvait très bien partir en reconnaissance afin de trouver un troupeau, creuser une fosse et ne chasser que le lendemain. Mais comment demander à cet homme de tenir compagnie au poulain en son absence ?

En préparant le bouillon matinal, elle jeta un nouveau coup d'œil à ses réserves de viande sèche et, voyant qu'il n'en restait presque plus, elle se dit qu'il fallait agir au plus tôt. Le mieux était de commencer par montrer à Jondalar qu'elle était douée pour la chasse en lui faisant une démonstration avec son arme favorite. S'il réagissait positivement en la voyant manier la fronde, elle pourrait alors lui demander son aide.

Ils avaient pris l'habitude de marcher tous les matins le long de la rivière, ce qui permettait à Jondalar de prendre de l'exercice et faisait plaisir à Ayla. Ce matin-là, avant de partir, elle attacha sa fronde à la lanière qui lui entourait la taille et attendit une occasion de s'en servir.

Elle n'eut pas à attendre longtemps. Alors qu'ils quittaient le bord de la rivière pour s'avancer dans la prairie, ils levèrent un couple de lagopèdes des saules. Ayla saisit aussitôt sa fronde. Tandis que la première pierre atteignait un des oiseaux en vol, l'autre essaya de s'enfuir à tire-d'aile, mais la seconde pierre l'arrêta net. Avant d'aller les chercher, Ayla jeta un coup d'œil à Jondalar. Il semblait stupéfait mais, plus important, il souriait.

— Ça alors ! s'écria-t-il. C'est donc comme ça que tu chasses ! Moi qui croyais que tu les attrapais au lacet. Qu'est-ce que c'est que cette arme ?

Ayla lui tendit la bande de peau, renflée au centre, et alla chercher les oiseaux.

— J'ai l'impression qu'il s'agit d'une fronde, dit-il au moment où elle revenait. Willomar m'a parlé d'une arme de ce genre. J'avais du mal à comprendre de quoi il s'agissait mais ce doit être ça. Tu es drôlement douée, Ayla ! Même quand on est habile, il doit falloir pas mal s'entraîner avant d'en arriver là.

— Tu aimes je chasse ?

— Si tu ne chassais pas, qui le ferait ?

— Hommes du Clan pas aimer femmes chasser.

Jondalar lui jeta un coup d'œil intrigué. Elle semblait inquiète. Même si les hommes n'aimaient pas la voir chasser, cela ne l'avait pas empêchée d'apprendre à se servir de cette fronde. Pourquoi avait-elle choisi ce matin-là pour lui faire une démonstration ? Et pourquoi avait-il l'impression qu'elle attendait qu'il lui donne son accord ?

— Chez les Zelandonii, la plupart des femmes chassent, surtout lorsqu'elles sont jeunes. Ma mère était réputée pour traquer le gibier. Je ne vois pas pourquoi une femme n'aurait pas le droit de chasser si elle en a envie. J'aime les femmes qui chassent, Ayla.

C'est ce qu'elle voulait que je lui dise, songea Jondalar en voyant à quel point elle semblait soulagée. De toute façon, c'était ce qu'il pensait. Mais pourquoi était-ce aussi important pour elle ?

— Je dois aller chasser, dit-elle. Besoin d'aide.

— J'aimerais bien t'aider. Mais je ne crois pas que j'en sois capable pour l'instant.

— Pas besoin d'aide pour chasser. Je prends Whinney, tu gardes poulain.

— J'ai compris ! s'écria Jondalar en riant. Tu veux que je m'occupe du poulain pendant que tu vas chasser avec la jument. D'habitude, c'est le contraire. Quand une femme a des enfants, elle s'occupe d'eux et c'est l'homme qui part chasser pour les nourrir. Ne t'inquiète pas : je resterai avec le poulain.

Ayla sourit de soulagement. Cela ne le gênait pas, vraiment pas.

— Moi, avant de faire quoi que ce soit, j'irais voir ce feu de prairie, lui conseilla Jondalar. Un feu aussi important risque de tuer pas mal de gibier.

— Feu tuer gibier ?

— J'ai entendu dire que parfois des troupeaux entiers mouraient asphyxiés par la fumée. Il arrive aussi que le gibier soit cuit à point grâce au feu ! Nos conteurs racontent l'histoire d'un homme qui, après avoir trouvé des animaux rôtis par un feu de prairie, avait eu beaucoup de mal à convaincre le reste de sa Caverne de goûter cette viande qu'il prétendait avoir fait cuire. C'est une histoire drôle et très ancienne.

Un sourire de compréhension illumina le visage d'Ayla. Un feu de prairie, avançant à vive allure, était capable de rattraper un troupeau. Peut-être qu'elle n'aurait pas besoin de creuser une fosse, tout compte fait...

Lorsqu'ils furent rentrés et que Jondalar la vit sortir ses paniers, ses sangles et le travois, il se demanda, intrigué, à quoi pouvait bien lui servir tout cet équipement.

— Whinney ramener la viande à la caverne, lui dit-elle en lui montrant le travois. Whinney ramener Jondalar.

— C'est comme ça que tu t'y es pris ! Je me demandais comment tu avais fait. Je me doutais bien que tu n'avais pas pu me ramener toute seule. Je pensais que d'autres personnes m'avaient trouvé et transporté jusqu'ici.

— Pas d'autres personnes. Je trouvé... toi... autre homme.

Jondalar ne s'attendait pas à ce qu'elle lui parle de Thonolan. Repensant soudain à ce frère qu'il avait tant aimé, il blêmit.

— Tu l'as laissé sur place ! cria-t-il, le visage ravagé par la douleur. Tu ne pouvais pas le ramener, lui aussi ?

— Homme mort, Jondalar. Toi, blessé. Grave blessure.

A nouveau, Ayla se sentait terriblement frustrée. Elle aurait aimé pouvoir lui expliquer que l'homme avait eu une sépulture et que sa mort l'avait attristée, mais elle ne savait comment exprimer sa pensée. Son langage limité lui permettait de transmettre des informations mais pas d'exprimer des idées ou des sentiments. Même si elle avait su consoler Jondalar le jour de son arrivée, elle était incapable de lui dire qu'elle partageait sa tristesse.

Elle enviait la facilité avec laquelle il maniait les mots, sa capacité de les mettre spontanément dans l'ordre voulu et sa liberté d'expression. Elle avait l'impression de buter sur un obstacle indéfinissable et chaque fois qu'elle pensait être sur le point de le franchir, l'obstacle se dérobait. Son intuition lui soufflait qu'elle aurait dû savoir parler — mais cette connaissance était enfermée à double tour à l'intérieur d'elle-même et elle ne possédait pas la clef.

— Excuse-moi, Ayla. Je n'aurais pas dû te crier après. Mais Thonolan était mon frère...

Ce dernier mot ressemblait à un cri.

— Frère. Toi et l'autre homme... avoir la même mère ?

— Oui, répondit Jondalar.

Ayla hocha la tête et se retourna vers Whinney. Elle aurait aimé pouvoir dire à Jondalar qu'elle comprenait les liens qui unissaient deux hommes nés de la même mère : Brun et Creb étaient frères.

Quand elle eut attaché les paniers sur les flancs de la jument, elle alla chercher ses épieux à l'intérieur de la caverne et se mit à les fixer solidement. Jondalar, qui la regardait faire ses derniers préparatifs, commençait à se dire que la jument était un peu plus qu'une compagne pour la jeune femme. Cet animal présentait aussi un avantage inestimable. Il se rendait compte pour la première fois à quel point Whinney pouvait lui être utile. Mais à nouveau il était frappé par l'aspect contradictoire de ce qu'il avait sous les yeux : Ayla utilisait un cheval pour chasser et transporter la viande — un progrès dont il n'avait jamais encore entendu parler — et, à côté de ça, elle se servait d'armes plus primitives que tout ce qui lui avait été donné de voir jusqu'ici.

Pour avoir chassé avec toutes sortes de peuples, Jondalar savait que les armes variaient légèrement d'un groupe à l'autre, mais celles d'Ayla étaient radicalement différentes de tout ce qu'il connaissait. Encore qu'il avait la curieuse impression de les avoir déjà vues quelque part. L'extrémité était pointue et durcie au feu, la hampe droite et parfaitement lisse, mais elles semblaient vraiment grossières. Il était hors de question de s'en servir comme armes de jet et elles étaient encore plus grandes que celles utilisées pour chasser le rhinocéros. Comment arrivait-elle à chasser avec une arme pareille ? Comment s'y prenait-elle pour s'approcher suffisamment de l'animal pour pouvoir s'en servir ? Il faillit lui poser la question, mais y renonça de crainte de la retarder. Même si elle avait fait des progrès, elle avait des difficultés à s'exprimer et cela lui prendrait trop de temps.

Quand Ayla et Whinney furent prêtes, Jondalar emmena le poulain à l'intérieur de la caverne. Il caressa le jeune animal et lui parla jusqu'à qu'il fût certain que sa mère se trouvait assez loin pour qu'il ne pût pas la rejoindre. Cela lui faisait tout drôle de se retrouver seul dans la caverne. Poussé par la curiosité, il alluma une lampe et, la tenant à la main, il fit le tour des lieux. Les dimensions ne le surprirent pas : sa taille correspondait à peu près à ce qu'il imaginait. Elle ne possédait pas de passages latéraux, mais il découvrit la niche creusée dans une des parois. A l'intérieur de la niche, une surprise l'attendait : tout indiquait qu'elle avait été occupée récemment par un lion des cavernes et on pouvait encore y voir l'empreinte d'une patte, d'une patte de belle taille !

L'examen du reste de la caverne le convainquit qu'Ayla l'habitait depuis plusieurs années. Peut-être s'était-il trompé en pensant que l'empreinte du lion était récente. Il retourna alors vers la niche pour s'en assurer. Après l'avoir examinée avec soin, il se dit qu'aucun doute n'était possible : un lion avait séjourné un certain temps à l'intérieur de cette niche au cours de l'année précédente.

Un mystère de plus ! Connaîtrait-il un jour la réponse à toutes les questions qu'il se posait ?

Quitte à rester ici, autant que je me rende utile, se dit-il. Il décida d'aller ramasser des pierres à feu sur la plage et fouilla dans la réserve d'Ayla pour y choisir un panier qui n'avait pas encore été utilisé. Précédé par le poulain qui bondissait devant lui, il s'engagea sur le sentier escarpé qui menait à la rivière en s'aidant de son bâton. En arrivant près du tas d'ossements, il posa le bâton contre la paroi et continua à avancer. Le jour où il pourrait marcher sans son bâton, il s'estimerait heureux.

Comme le poulain cherchait à insinuer son museau dans sa main, il s'arrêta pour le caresser et le gratter et éclata de rire quand, un instant plus tard, le jeune animal se roula avec délice dans le trou bourbeux où il avait l'habitude de venir se vautrer avec sa mère. Poussant des petits cris de plaisir, les pattes en l'air, le poulain se tortillait dans la terre meuble. Au bout d'un moment, il se remit sur ses pattes, se secoua, en envoyant de la terre dans toutes les directions, puis il se dirigea vers un saule à l'ombre duquel il aimait se reposer et s'étendit au pied de l'arbre.

Jondalar avançait lentement, penché en avant pour examiner les pierres.

— J'en ai trouvé une ! cria-t-il, tout excité.

Son cri fit sursauter le poulain et il se sentit un peu idiot.

— En voilà une autre ! dit-il un moment plus tard en se baissant pour ramasser la pierre aux reflets cuivrés. (Il s'immobilisa soudain, l'œil attiré par une pierre beaucoup plus grosse.) Il y a aussi des silex ! s'écria-t-il.

Voilà donc où Ayla allait chercher les silex dont elle se servait pour fabriquer ses outils ! Si je pouvais trouver un percuteur et faire un perçoir... je pourrais fabriquer des outils ! se dit-il. Des lames qui couperaient parfaitement et des burins. (Relevant le buste, il s'approcha du tas d'ossements et de roches projetés par la rivière en crue contre la saillie rocheuse.) J'ai l'impression que je vais trouver mon bonheur parmi tous ces os et qu'il y a même des andouillers. Je pourrai aussi fabriquer une sagaie correcte.

Qui me dit qu'elle en voudra ? Peut-être a-t-elle de bonnes raisons d'utiliser ses armes. Mais cela ne m'empêche pas de fabriquer une sagaie pour moi. Ce sera mieux que de passer la journée à ne rien faire. Je pourrais peut-être aussi sculpter quelque chose. J'étais doué pour la sculpture avant d'abandonner...

Quand il eut fini de fouiller dans le tas d'ossements et de bois flottés, il contourna la saillie rocheuse pour examiner l'endroit qui servait de décharge à Ayla. Après avoir écarté les buissons envahissants, il découvrit des os, des crânes et des andouillers. En cherchant sur la plage un silex capable de faire un bon percuteur, il ramassa une poignée de pierres à feu. Quand il s'attaqua au premier rognon de silex, il avait le sourire aux lèvres : il ne s'était pas rendu compte à quel point la taille du silex lui manquait.

Il songea à tout ce qu'il allait fabriquer maintenant qu'il avait trouvé des silex. Il avait envie d'un couteau, un vrai, avec un manche, et d'une hache. Il voulait faire des sagaies et attacher les peaux dont il était vêtu en les trouant grâce à un perçoir. Peut-être Ayla serait-elle intéressée par ce qu'il faisait et pourrait-il lui montrer les techniques qu'il utilisait.

Alors qu'il craignait de s'ennuyer en son absence, il ne vit pas le temps passer et ce n'est qu'à la tombée du jour qu'il s'arrêta de travailler. Il rangea à l'intérieur d'une peau qu'il avait empruntée à Ayla ses nouveaux instruments de tailleur de pierre et les outils en silex qu'il venait de fabriquer, puis il regagna la caverne. Le poulain semblait avide de caresses et il en déduisit qu'il avait faim. Ayla avait préparé pour lui un gruau peu épais qu'il avait d'abord refusé, puis qu'il avait mangé, mais c'était à midi... Où donc était-elle ?

Quand la nuit fut tombée, Jondalar commença à s'inquiéter. Le poulain avait besoin de sa mère et Ayla aurait dû être rentrée. Il resta un long moment à l'attendre, debout au bord de la corniche, puis décida d'allumer un feu, au cas où elle aurait du mal à retrouver le chemin de la caverne. Il savait très bien qu'il n'y avait aucune chance qu'elle se perde, mais il fit malgré tout du feu.

Il était tard quand elle arriva enfin. En entendant le hennissement de Whinney, Jondalar s'engagea sur le sentier pour aller à leur rencontre, précédé par le poulain qui, lui aussi, avait entendu sa mère. Ayla descendit de la jument en arrivant sur la plage, puis elle tira une des bêtes qu'elle rapportait sur le sol et ajusta les deux perches pour que le travois puisse emprunter l'étroite piste qui menait à la caverne. Jondalar la rencontra au moment où elle s'engageait dans la côte avec Whinney et il s'écarta pour la laisser passer. Ayla alla chercher un bout de bois dans le feu et, après avoir tendu cette torche à Jondalar, elle hissa la seconde carcasse sur le travois. Il s'approcha en boitillant pour lui donner un coup de main, mais elle avait déjà fini. En la voyant transporter le cadavre du cerf mort, il eut à nouveau une preuve de sa force exceptionnelle et il comprit aussi comment elle l'avait acquise. La jument et le travois étaient bien utiles, et même indispensables, mais ne la dispensaient nullement des efforts physiques qu'exigeait sa vie solitaire.

Le poulain voulait téter sa mère, mais Ayla le repoussa jusqu'à ce qu'ils aient atteint la caverne.

— Toi raison, Jondalar, dit-elle au moment où ils atteignaient la corniche. Grand, grand feu. Jamais vu aussi grand feu avant. Loin, très loin. Beaucoup, beaucoup d'animaux.

Le son de sa voix obligea Jondalar à l'observer de plus près. Elle était exténuée et le carnage auquel elle avait assisté avait imprimé sa marque sur elle. Elle avait les yeux creux, les mains noires, le visage maculé de suie et de sang, et son vêtement était dans le même état. Après avoir enlevé le harnachement de Whinney et détaché le travois, elle passa son bras autour de l'encolure de la jument et appuya son front contre elle, d'un geste las. Whinney baissait la tête et, les pattes antérieures écartées pour que son poulain puisse téter, elle semblait aussi fatiguée qu'elle.

— Ce feu devait être très loin. Il est tard. As-tu chevauché toute la journée ?

Ayla releva la tête, l'air surpris. Pendant un court instant, elle avait oublié la présence de Jondalar.

— Oui, toute la journée, dit-elle en laissant échapper un soupir. Beaucoup animaux morts. Beaucoup venir chercher la viande. Loups. Hyènes. Lions. Un autre animal, jamais vu encore. Grandes dents, précisa-t-elle en plaçant ses deux index devant sa bouche ouverte pour imiter les longues canines de l'animal qu'elle avait vu.

— Tu as dû voir un tigre à dents de sabre ! s'écria Jondalar. Je ne croyais pas que ces animaux existaient vraiment. Lors de la Réunion d'Eté, un vieil homme avait l'habitude de raconter qu'il en avait vu un lorsqu'il était jeune, mais personne ne voulait le croire. Tu en as vraiment vu un ? demanda-t-il regrettant de ne pas avoir pu être avec elle.

Ayla acquiesça en frissonnant. Puis elle se raidit et ferma les yeux.

— Faire peur à Whinney, expliqua-t-elle. S'approcher sans bruit. Fronde faire fuir. Whinney et Ayla courir.

En entendant ce récit haché, Jondalar ouvrit de grands yeux étonnés.

— Tu as fait fuir un tigre à dents de sabre avec ta fronde ? Grande Mère, Ayla !

— Beaucoup de viande. Tigre... pas besoin Whinney. Fronde faire fuir.

Ayla aurait aimé lui raconter l'événement plus en détail et lui parler de la peur qu'elle avait éprouvée, mais elle n'en avait pas les moyens. Elle était trop fatiguée pour visualiser les mouvements capables de rapporter l'événement, puis pour trouver leur équivalent parmi les mots qu'elle connaissait.

Pas étonnant qu'elle soit fatiguée, se dit Jondalar qui en venait à regretter de lui avoir conseillé d'aller voir ce feu de prairie. C'est pourtant grâce à ce feu qu'elle avait pu ramener deux cerfs. Il ne fallait pas avoir froid aux yeux pour affronter un tigre à dents de sabre ! Ayla était une sacrée femme !

Après avoir jeté un coup d'œil à ses mains, Ayla redescendit vers la plage. Elle prit au passage la torche que Jondalar avait plantée dans le sol et l'emporta vers la rivière. Arrivée là, elle regarda autour d'elle et finit par trouver ce qu'elle cherchait : un plant d'ansérine dont elle écrasa les feuilles et les racines avec ses mains. Puis elle humidifia le mélange et, après avoir y ajouté un peu de sable, s'en servit pour se nettoyer les mains et le visage, avant de remonter à la caverne.

Lorsqu'elle rejoignit Jondalar, elle fut tout heureuse de voir qu'il avait mis des pierres à chauffer sur le feu et préparé une infusion. C'était exactement ce dont elle avait besoin. Elle lui avait laissé largement de quoi manger et elle espérait qu'il n'allait pas lui demander de cuisiner. Elle avait mieux à faire : il fallait qu'elle écorche les deux cerfs et qu'elle mette la viande à sécher.

Comme elle désirait récupérer les peaux, elle avait choisi deux animaux qui n'avaient pas été roussis par le feu. Malheureusement, lorsqu'elle voulut se mettre au travail, elle se souvint soudain qu'elle aurait dû fabriquer de nouveaux couteaux. A chaque usage, le bord tranchant de la lame perdait de minuscules éclats et, à la longue, celle-ci s'émoussait. Il était plus simple d'en fabriquer d'autres et d'utiliser ces vieilles lames comme racloir, par exemple.

Ce couteau émoussé, c'en était trop ! Alors qu'elle s'escrimait sur la peau, elle se sentit soudain tellement découragée qu'elle se mit à pleurer.

— Qu'est-ce qui ne va pas, Ayla ? demanda Jondalar.

Incapable d'exprimer ce qu'elle éprouvait, elle continua à taillader avec rage la peau qui lui résistait. Jondalar lui retira le couteau des mains et l'obligea à se lever.

— Tu es fatiguée. Pourquoi ne vas-tu pas t'étendre et te reposer ?

Ayla aurait bien aimé suivre son conseil.

— Enlever la peau du cerf et faire sécher la viande, dit-elle en hochant la tête. Pas attendre. Hyènes venir.

Jondalar ne prit pas la peine de lui dire qu'ils n'avaient qu'à transporter les cerfs à l'intérieur de la caverne : elle n'était plus en état de réfléchir normalement.

— Je m'en occupe, dit-il. Tu as besoin de te reposer. Va te coucher.

Cette proposition provoqua chez Ayla un élan de gratitude. N'ayant pas l'habitude que quelqu'un lui donne un coup de main, elle n'avait même pas songé à lui demander son aide. Les jambes molles et le corps parcouru de frissons, elle se faufila à l'intérieur de la caverne et se laissa tomber sur les fourrures de sa couche. Comme j'aimerais pouvoir le remercier, se dit-elle en sentant qu'elle recommençait à pleurer. Malheureusement, c'était impossible : elle était incapable de parler !

Durant la nuit, Jondalar fit de nombreuses allées et venues entre la corniche et l'intérieur de la caverne et plus d'une fois il s'immobilisa à côté de la jeune femme en fronçant les sourcils avec inquiétude. Ayla dormait d'un sommeil agité et elle devait rêver car elle se débattait et murmurait des mots inintelligibles.

Ayla errait dans le brouillard en appelant au secours. Une femme de haute taille, enveloppée de brume et dont le visage était indistinct, tendait les bras vers elle.

— Je t'ai dit que je ferais attention, mère, marmonnait Ayla. Mais où étais-tu partie ? Pourquoi n'es-tu pas venue quand je t'ai appelée ? J'ai eu beau t'appeler, jamais tu ne m'as répondu. Où étais-tu passée ? mère ! Ne t'en va pas de nouveau ! Reste là ! Attends-moi, mère ! Ne m'abandonne pas !

La brume s'éclaircit et la femme disparut, remplacée par une autre, petite et trapue. Ses jambes très musclées étaient légèrement arquées, mais elle se tenait parfaitement droite et marchait normalement. Son nez était large et busqué, avec une arête très saillante, et elle ne possédait pas de menton. Elle avait le front bas et le dessus de sa tête fuyait vers l'arrière. Son visage, normal par ailleurs, était posé sur un cou court et épais. Protégés par des arcades proéminentes, ses yeux bruns et intelligents étaient remplis d'amour et d'une indicible tristesse.

— Iza ! cria Ayla en voyant que la femme lui faisait signe. Viens à mon secours, Iza ! Aide-moi, je t'en prie ! (Iza, au lieu de répondre, la regardait d'un air interrogateur.) Est-ce que par hasard tu ne m'entends pas, Iza ? On dirait que tu ne comprends pas ce que je dis...

— Personne ne pourra te comprendre si tu ne parles pas comme il faut, intervint une autre voix.

Ayla aperçut un homme vieux et boiteux qui s'appuyait sur un bâton. Un de ses bras avait été amputé à la hauteur du coude et le côté gauche de son visage était défiguré par une cicatrice hideuse. Il n'avait pas d'œil gauche, mais au fond de son œil droit, on lisait un mélange de force, de sagesse et de compassion.

— Il faut que tu apprennes à parler, Ayla, dit-il en agitant son bras valide.

Il avait dû aussi s'exprimer avec des mots car Ayla avait entendu la phrase qu'il prononçait. Sa voix était celle de Jondalar.

— Comment pourrais-je parler ? Je n'arrive pas à me souvenir ! Aide-moi, Creb !

— Le Lion des Cavernes est ton totem, Ayla ! rappela le vieux Mogur.

Tel un éclair fauve, le félin bondit sur l'aurochs, plaquant au sol l'énorme bœuf sauvage à la toison brun-roux qui beuglait de terreur. Ayla sursauta. Le tigre à dents de sabre feula dans sa direction, la gueule et les crocs ruisselants du sang de l'aurochs. Il s'avança vers elle et plus il approchait, plus ses crocs s'allongeaient et devenaient acérés.

Ayla était maintenant à l'intérieur d'une grotte minuscule, tapie contre la paroi rocheuse qui se trouvait dans son dos. Un lion des cavernes rugit.

— Non ! Non ! hurla-t-elle.

Une patte gigantesque, toutes griffes sorties, s'enfonça et creusa dans sa cuisse gauche quatre entailles parallèles.

— Non ! Non ! hurla-t-elle alors que le brouillard tourbillonnait autour d'elle. Je ne peux pas me souvenir !

— Je vais t'aider, lui proposa la femme de haute taille en lui tendant les bras.

Pendant un court instant, le brouillard s'éclaircit et Ayla aperçut un visage qui ressemblait au sien. Prise d'une nausée, elle sentit soudain une odeur aigre et infecte, un mélange d'humidité et de racines à nu, exhalée par la terre qui, ébranlée par un tremblement de terre, venait de s'entrouvrir.

— Mère ! Mère !

— Que se passe-t-il, Ayla ? demanda Jondalar en la secouant.

Il se trouvait sur la corniche quand il avait entendu Ayla appeler dans une langue inconnue et il s'était précipité à l'intérieur aussi vite qu'il avait pu.

Ayla s'assit sur sa couche et il la prit dans ses bras.

— C'était à nouveau ce rêve, Jondalar ! Ce terrible cauchemar ! dit-elle en sanglotant.

— Tout va bien maintenant, Ayla.

— C'était un tremblement de terre. Elle a été tuée par un tremblement de terre.

— Qui a été tuée dans un tremblement de terre ?

— Ma mère. Et Creb, lui aussi, est mort comme ça. Je hais les tremblements de terre ! s'écria-t-elle en frissonnant.

La prenant par les deux épaules, Jondalar l'obligea à reculer pour qu'il puisse la regarder.

— Raconte-moi ton rêve, lui proposa-t-il.

— Il s'agit de deux rêves distincts qui reviennent régulièrement aussi loin que remontent mes souvenirs. Dans le premier, je suis tapie au fond d'une grotte minuscule et une patte gigantesque s'avance vers moi. Je crois que c'est comme ça que j'ai été marquée par mon totem. Le second rêve, jusqu'ici, je n'étais jamais arrivée à m'en souvenir, mais quand je me réveillais, je tremblais et j'avais mal au cœur. Cette fois-ci, je m'en souviens. Je l'ai vue, Jondalar. J'ai vu ma mère !

— As-tu écouté ce que tu disais ?

— Je ne comprends pas...

— Tu parles, Ayla ! Tu sais parler !

Même si sa langue d'origine était différente de celle de Jondalar, avant d'être adoptée par le Clan Ayla savait parler. Cet apprentissage précoce lui avait permis d'acquérir le maniement, le rythme et la perception du langage parlé. Elle avait totalement oublié qu'elle savait parler car elle avait été obligée de s'adapter au mode de communication du Clan et aussi parce qu'elle avait préféré oublier la tragédie qui l'avait laissée seule au monde. Mais quand Jondalar parlait, elle entendait et retenait inconsciemment plus que du vocabulaire. Elle était sensible aussi à la grammaire, à la syntaxe et à l'accentuation.

Comme n'importe quel enfant apprenant à parler, Ayla était née avec la capacité et le désir de s'exprimer verbalement et elle avait simplement besoin d'entendre parler. Mais elle était plus motivée qu'un jeune enfant et sa mémoire était meilleure. Elle avait donc appris plus vite. Même si elle n'était pas encore capable de reproduire exactement certaines sonorités et inflexions, elle parlait avec autant de facilité que si elle était née parmi les Zelandonii.

— Je parle ! Ça y est, je sais parler ! Je pense avec des mots.

Ils prirent soudain conscience que Jondalar la serrait dans ses bras. Aussitôt, celui-ci la lâcha.

— C'est déjà le matin ! s'étonna Ayla en voyant la lumière du jour qui entrait par le trou à fumée et l'ouverture de la caverne. Je ne savais pas que j'avais dormi aussi longtemps, ajouta-t-elle en repoussant les fourrures. Grande Mère ! Il faut que je m'occupe de faire sécher cette viande.

Jondalar sourit en l'entendant employer ses propres exclamations. C'était impressionnant de l'entendre soudain parler et plutôt amusant de l'entendre prononcer toutes ses phrases avec son accent inimitable.

Elle s'était précipitée vers l'ouverture de la caverne quand, soudain, elle s'arrêta, médusée. Elle se frotta les yeux et regarda à nouveau. La viande, coupée avec soin en petits morceaux de forme triangulaire, était suspendue sur les cordes tendues. Pour la faire sécher, on avait allumé de petits feux placés entres les cordes à intervalles réguliers. Etait-elle encore en train de rêver ? Les autres femmes du Clan avaient-elles soudain surgi pour l'aider ?

— J'ai mis à cuire un cuissot sur le feu, annonça Jondalar en souriant d'un air satisfait. Si tu as faim, ne te gêne pas.

— C'est toi qui as fait ça ?

— Oui, c'est moi, répondit-il en souriant de plus belle.

Même s'il n'était pas en mesure de chasser pour l'instant, il était au moins capable d'écorcher un animal et de mettre la viande à sécher, surtout maintenant qu'il avait fabriqué de nouveaux couteaux.

— Mais... tu es un homme ! s'écria-t-elle, complètement stupéfaite.

A ses yeux, la tâche accomplie par Jondalar durant la nuit était quelque chose d'incroyable. En effet, c'était uniquement en puisant dans leurs souvenirs que les membres du Clan acquéraient les connaissances et les aptitudes dont ils avaient besoin pour survivre. Dans leur cas, l'instinct avait évolué de telle façon qu'ils pouvaient se remémorer les aptitudes de leurs ancêtres et les léguer, emmagasinées à l'arrière de leur cerveau, à leurs descendants. Les hommes et les femmes accomplissaient des tâches différenciées depuis tant de générations que chaque sexe possédait des souvenirs distinctifs. Un homme était incapable de se charger des tâches dévolues aux femmes pour la bonne raison qu'il n'en possédait pas le souvenir.

Un homme du Clan aurait été capable de chasser les deux cerfs ou de les ramener à la caverne. Il aurait même pu les écorcher, mais il aurait alors accompli cette tâche moins bien qu'une femme. S'il avait eu faim, il aurait découpé l'animal en gros morceaux. Mais jamais il ne lui serait venu à l'idée de préparer la viande pour la faire sécher et, s'il avait été dans l'obligation de le faire, il n'aurait pas su comment s'y prendre. Aucun homme du Clan n'aurait été capable de découper la viande en petits morceaux réguliers comme ceux qui étaient en train de sécher sur la corniche.

— Un homme n'a pas le droit de découper la viande ? demanda Jondalar.

Il savait que chaque peuple possédait ses coutumes et que certains étaient très à cheval sur les tâches dévolues aux hommes et aux femmes. Mais jamais il n'aurait pensé l'offenser en préparant le gibier qu'elle avait rapporté.

— Dans le Clan, les femmes ne peuvent pas chasser et les hommes ne peuvent pas... préparer la nourriture.

— Et pourtant, tu chasses...

Cette remarque la surprit : elle avait tendance à oublier à quel point elle pouvait être différente de ceux qui l'avaient élevée.

— Je ne suis pas une femme du Clan, dit-elle. Je suis comme toi, Jondalar. Je fais partie des Autres.

23

Ayla arrêta Whinney, descendit de la jument et tendit à Jondalar la gourde ruisselante. Il la porta aussitôt à ses lèvres pour étancher sa soif. Ils se trouvaient tout au bout de la vallée, pratiquement dans les steppes, et à bonne distance de la rivière.

Debout au milieu des hautes herbes dorées de la prairie qui ondoyaient sous la brise, ils avaient ramassé des grains de millet et de seigle sauvage. Il y avait aussi à cet endroit de l'orge à deux rangs, dont les grandes tiges en train de mûrir se balançaient dans le vent, du petit épeautre et une variété de blé à deux épillets. La tâche qui consistait à remonter la main le long de chaque tige pour la débarrasser de ses petits grains durs était plutôt pénible. Chacun d'eux portait, attaché autour du cou pour garder les mains libres, un panier divisé en deux parties. Dans l'une, ils plaçaient le millet, facile à ramasser mais qu'il faudrait ensuite trier, et dans l'autre, l'orge qui n'aurait pas besoin d'être battue.

Ayla remit son panier autour du cou et reprit son travail. Jondalar lui emboîta le pas. Ils continuèrent à ramasser des grains en avançant l'un à côté de l'autre jusqu'à ce que Jondalar s'arrête pour demander :

— Quel effet cela fait-il de monter à cheval, Ayla ?

— C'est difficile à dire, répondit-elle en s'arrêtant pour réfléchir. Quand on va vite, c'est très excitant. Mais c'est aussi très agréable d'avancer lentement. Cela me fait du bien de monter Whinney. (Elle allait reprendre sa tâche quand, soudain, elle lui demanda :) Veux-tu essayer ?

— Essayer quoi ?

— De monter Whinney.

Jondalar la regarda pour essayer de déterminer ce qu'elle en pensait vraiment. Cela faisait déjà un certain temps qu'il avait envie de monter Whinney, mais Ayla et la jument avaient une relation si intime qu'il avait craint de manquer de tact en le lui demandant.

— Cela me ferait plaisir, avoua-t-il. Mais est-ce qu'elle me laissera faire ?

— Je ne sais pas, répondit Ayla. (Elle jeta un coup d'œil au soleil pour vérifier l'avancement de la journée, puis proposa :) Nous pouvons toujours essayer.

— Maintenant ? demanda-t-il, un peu étonné de voir qu'elle prenait le chemin du retour après avoir fait passer le panier sur son dos. Je croyais que tu étais allée chercher de l'eau pour que nous puissions continuer à ramasser des grains.

— J'avais oublié que quand on est deux la cueillette va beaucoup plus vite. J'avais regardé uniquement le contenu de mon panier. Je n'ai pas l'habitude qu'on m'aide.

Elle ne cessait d'être étonnée par l'étendue de ses compétences. Non seulement il avait la volonté mais aussi la capacité de venir à bout de n'importe quelle tâche, même lorsqu'il s'y essayait pour la première fois. Il était curieux, tout l'intéressait et particulièrement ce qui était nouveau. Au fond, il lui ressemblait. Elle se rendait compte, en le voyant faire, à quel point son propre comportement avait pu sembler inhabituel à ceux du Clan. Cela ne les avait pas empêchés de l'adopter et ils avaient fait tout ce qu'ils avaient pu pour qu'elle s'adapte à leur mode de vie.

Jondalar fit basculer son panier sur son dos.

— Je suis content d'arrêter, avoua-t-il. Tu as déjà tellement de grains, Ayla ! Sans compter l'orge et le blé qui ne sont pas encore mûrs. Je ne comprends pas que tu fasses autant de réserves.

— C'est pour Whinney et son poulain. Il faut aussi que je leur ramasse de l'herbe. Même si Whinney continue à se nourrir dehors en hiver, quand la couche de neige est trop épaisse beaucoup de chevaux meurent.

Cette explication était suffisante pour mettre un terme aux objections de Jondalar. Ils reprirent leur marche au milieu des hautes herbes, appréciant la chaleur du soleil sur leur peau maintenant qu'ils ne travaillaient plus. Jondalar était maintenant aussi bronzé qu'Ayla. Le vêtement d'été de la jeune femme la couvrait de la taille aux cuisses et était pourvu de poches et de replis à l'intérieur desquels elle transportait ses outils, sa fronde et d'autres objets. En haut, elle ne portait rien si ce n'est une petite sacoche suspendue autour de son cou. Plus d'une fois, Jondalar s'était surpris à admirer son corps splendide, mais il s'était bien gardé de la toucher à nouveau. Il était en train de se demander comment Whinney allait réagir quand il essaierait de monter sur son dos. Il n'aurait aucun mal à l'éviter s'il lui prenait l'envie de se rebeller. Il boitait encore légèrement, mais sa jambe allait parfaitement bien et, avec le temps, sa claudication disparaîtrait complètement. Il était infiniment reconnaissant à Ayla du travail miraculeux qu'elle avait fait. Maintenant qu'il n'avait plus de raison de rester dans la vallée, il allait falloir songer au départ. Comme Ayla ne semblait pas pressée qu'il s'en aille, il remettait pour l'instant cette décision à plus tard. Il tenait à l'aider à se préparer en vue de l'hiver : c'est le moins qu'il pût faire pour elle avant son départ.

Jusque-là, il n'avait pas songé qu'il fallait aussi qu'elle nourrisse les chevaux pendant la saison froide.

— Cela doit représenter un sacré travail que de faire des réserves pour Whinney et son poulain, dit-il.

— Pas trop.

— Peut-être y a-t-il moyen de s'y prendre autrement, proposa Jondalar. Tu as dit qu'il leur fallait aussi du foin. Au lieu de cueillir des grains comme nous l'avons fait aujourd'hui, pourquoi ne pas couper les tiges entières et les ramener à la caverne ? Nous pourrions mettre les tiges de côté pour les deux chevaux et recueillir les grains dans un panier.

— Pourquoi pas, dit Ayla après avoir réfléchi à sa proposition. Si nous mettons les tiges à sécher après les avoir coupées, les grains devraient ensuite se détacher plus facilement. Cela vaudrait le coup d'essayer avec l'orge et le blé que nous n'avons pas encore cueillis. Je crois que ça pourrait marcher, Jondalar, conclut-elle avec un grand sourire.

Elle semblait tellement emballée par cette idée que Jondalar sourit à son tour. Son regard si séduisant reflétait son accord, mais aussi l'attrait irrésistible qu'exerçait Ayla sur lui. La réaction de la jeune femme ne se fit pas attendre.

— J'aime tellement quand tu me souris, Jondalar, avec ta bouche et tes yeux... avoua-t-elle avec une sincérité désarmante.

Jondalar éclata de rire — un accès de gaieté inattendu, spontané, exubérant et totalement gratuit. On peut dire qu'elle alors, elle est franche ! songea-t-il. C'est vraiment une femme extraordinaire !

La gaieté de Jondalar était contagieuse. Le sourire d'Ayla s'élargit, puis elle gloussa et se mit à rire à son tour, transportée par une joie sans frein.

Le souffle court, les yeux pleins de larmes, les côtes douloureuses à force d'avoir ri, ils finirent par retrouver leur calme. Ils auraient été bien incapables de dire ce qui avait provoqué leur accès d'hilarité. En tout cas, il leur avait fait du bien : ils se sentaient tous deux totalement détendus.

Quand ils se remirent en route, Jondalar prit Ayla par la taille, dans un réflexe affectueux, provoqué par cette gaieté partagée. Sentant qu'elle se raidissait, il laissa aussitôt retomber son bras. Il s'était juré et lui avait promis, même si elle n'était pas alors en mesure de le comprendre, qu'il ne chercherait pas à abuser d'elle. Si elle avait fait vœu d'abstinence, il n'était pas question qu'il se mette dans une position qui obligerait la jeune femme à refuser ses avances. Depuis cette promesse, il faisait tout son possible pour la respecter.

Mais il avait senti l'odeur de sa peau chauffée par le soleil et la rondeur de son sein contre ses côtes. Cela fait si longtemps que je n'ai pas couché avec une femme ! se dit-il soudain. La bande de peau qui couvrait son sexe était bien incapable de dissimuler son état. Se retenant pour ne pas arracher sur-le-champ son court vêtement à Ayla, il se détourna dans l'espoir de dissimuler le gonflement révélateur et se mit à avancer à grands pas pour la dépasser.

— Doni ! Comme je désire cette femme ! murmura-t-il entre ses dents.

Des larmes jaillirent des yeux d'Ayla quand elle le vit partir loin en avant. Qu'est-ce que j'ai fait pour qu'il me fuie ainsi ? se demanda-t-elle. Pourquoi ne m'a-t-il pas fait signe ? Pourquoi ne veut-il pas assouvir son désir avec moi ? Suis-je laide à ce point ? Elle se mit à frissonner en repensant au bras qui, l'instant d'avant, lui entourait la taille. Elle sentait encore tout au fond de ses narines l'odeur de l'homme. Au lieu d'essayer de le rattraper, elle ralentit l'allure car elle n'avait aucune envie de se retrouver en face de lui. Elle se sentait coupable comme une enfant prise en faute — mais elle ne savait même pas ce qu'on lui reprochait.

Jondalar avait atteint la rangée d'arbres qui poussaient le long de la rivière. Son besoin était si pressant qu'il était incapable de se retenir. Dès qu'il se retrouva à l'abri de l'écran de feuillages, il fit jaillir son sperme sur le sol. Puis, sans lâcher son sexe, il laissa retomber en tremblant sa tête sur le tronc de l'arbre à l'ombre duquel il s'était arrêté. Il se sentait soulagé, mais c'était tout. Au moins, il pourrait se représenter devant Ayla sans avoir envie de se jeter sur elle et de la forcer.

Il cassa une branche et s'en servit pour recouvrir avec la terre de la Mère l'essence de son Plaisir. Zelandoni lui avait dit que c'était gâcher le Don de la Mère que de le répandre, mais qu'en cas de besoin, il fallait le répandre sur le sol et le recouvrir de terre. Zelandoni avait raison, se dit-il. C'est vraiment du gâchis et on n'éprouve aucun plaisir.

Il continua à marcher le long de la rivière, retardant le plus possible le moment où il se retrouverait à nouveau à découvert. Ayla l'attendait à côté du gros rocher. Elle avait passé son bras autour du poulain et posé son front contre l'encolure de Whinney. Comme elle a l'air vulnérable ! songea Jondalar. On dirait qu'elle s'agrippe à ces deux animaux pour qu'ils lui remontent le moral et qu'ils la consolent. Alors que c'est moi qui devrais le faire ! Il était persuadé d'être à l'origine de sa détresse et se sentait aussi honteux que s'il venait de commettre un acte répréhensible. Il sortit à contrecœur de l'abri des bois et s'avança vers elle.

— Il y a des moment où un homme ne peut pas attendre pour uriner, mentit-il avec un pauvre sourire.

Ayla était stupéfaite. Pourquoi lui disait-il des mots qui n'étaient pas vrais ? Elle savait ce qu'il était allé faire. Il s'était soulagé.

Avant de se soulager, un homme du Clan aurait d'abord demandé à la compagne du chef. S'il était incapable d'attendre et qu'il n'y ait aucune autre femme pour lui permettre d'assouvir son désir, on aurait fait signe à Ayla, aussi laide soit-elle. De toute façon, aucun mâle adulte ne se serait soulagé en solitaire. Cette pratique était réservée aux adolescents qui, tout en étant déjà des hommes physiquement, n'avaient pas encore tué leur premier gibier. Mais Jondalar n'avait pas cette excuse et plutôt que de lui faire signe, il avait préféré se soulager. Ayla était plus que peinée : elle se sentait réellement humiliée.

Faisant semblant de ne pas avoir entendu et évitant de le regarder dans les yeux, elle lui proposa :

— Si tu veux monter Whinney, je vais la tenir pendant que tu grimpes sur ce rocher et que tu t'installes sur son dos. Si je lui explique que tu désires la monter, je pense qu'elle te laissera faire.

C'est vrai que c'est pour ça que nous avons arrêté de ramasser des grains, se souvint Jondalar. Où était passé son enthousiasme ? Dire qu'avant de traverser ce pré aux côtés d'Ayla, il se réjouissait tellement de monter la jument ! Faisant comme si rien ne s'était passé entre temps, il se hissa sur le rocher tandis qu'Ayla poussait la jument pour qu'elle s'approche de lui.

— Comment fais-tu pour que Whinney aille où tu veux ? demanda-t-il en évitant, lui aussi, de la regarder.

— Je ne fais rien de particulier, répondit Ayla après avoir réfléchi. Nous sommes d'accord toutes les deux et elle va où je veux aller.

— Mais comment sait-elle où tu veux aller ?

— Je n'en sais rien... avoua honnêtement Ayla qui n'avait jamais réfléchi à la question.

Tant pis ! se dit Jondalar. Je la laisserai m'emmener où elle veut. A condition qu'elle me laisse monter sur son dos. Il posa la main sur son garrot pour ne pas perdre l'équilibre, puis il écarta avec précaution les jambes.

Whinney baissa aussitôt les oreilles. L'homme qui se trouvait sur son dos était plus lourd qu'Ayla et les jambes qui pendaient le long de ses flancs ne lui transmettaient pas la tension musculaire à laquelle les cuisses et les jambes de la jeune femme l'avaient habituée. Malgré tout, Ayla n'était pas loin, elle lui tenait la tête et l'homme qui la montait ne lui était pas inconnu. Elle piaffa sans conviction, puis s'immobilisa presque aussitôt.

— Et maintenant, que dois-je faire ? demanda Jondalar, d'un air gauche.

Ayla caressa la jument, puis elle s'adressa à elle en utilisant les sons hachés et les gestes du Clan, mélangés à des mots zelandonii.

— Jondalar aimerait bien que tu l'emmènes se promener, Whinney.

La phrase avait été prononcée sur le ton qu'elle employait habituellement pour que Whinney se mette en marche, et de la main, elle l'invitait gentiment à avancer. C'était suffisant pour que la jument lui obéisse.

— Si tu sens que tu risques de tomber, accroche-toi à son cou, conseilla Ayla à Jondalar.

Whinney avait l'habitude qu'on la monte. Jamais elle ne faisait le gros dos, ni ne se cabrait. En revanche, quand on ne la guidait pas, elle avançait avec hésitation. Jondalar, qui désirait la rassurer, se pencha pour lui caresser l'encolure, imitant sans le savoir le mouvement que faisait Ayla quand elle voulait que la jument aille plus vite. Le bond en avant de Whinney le surprit et, suivant aussitôt le conseil d'Ayla, il l'attrapa par le cou, se penchant plus encore vers elle. Pour Whinney, cela signifiait : « Encore plus vite ! »

La jument partit au triple galop dans la prairie, filant droit devant elle, tandis que Jondalar s'accrochait tant bien que mal à son cou, ses longs cheveux blonds flottant derrière lui. Le vent lui fouettait le visage et quand il osa enfin entrouvrir les yeux, il aperçut le paysage qui défilait à une vitesse alarmante. Il avait peur — et à la fois, il trouvait ça sensationnel ! Il comprenait pourquoi Ayla n'avait pu lui décrire le sentiment qu'on éprouvait en montant à cheval. Cela lui rappelait les glissades sur les pentes gelées d'une colline ou encore sa course sur le fleuve quand l'esturgeon le tirait. Mais c'était encore plus excitant. Un mouvement sur le côté lui fit tourner la tête : le poulain galopait à côté de sa mère et il soutenait sans difficulté la même allure.

Un sifflement lointain mais aigu se fit entendre. Aussitôt, la jument fit volte-face et prit le chemin du retour.

— Redresse-toi ! cria Ayla au moment où il s'approchait.

Jondalar suivit son conseil. En arrivant à la hauteur de la jeune femme, la jument ralentit et il en profita pour se redresser complètement. Un instant plus tard, Whinney s'arrêtait près du rocher.

Lorsque Jondalar mit pied à terre, il tremblait un peu mais ses yeux brillaient d'excitation. Ayla caressa les flancs couverts de sueur de Whinney puis elle lui emboîta le pas alors que la jument reprenait au petit trot le chemin de la caverne avec son poulain.

— Le poulain l'a suivie sans se laisser distancer ! s'écria Jondalar. Quel coureur ! Comme il est rapide !

— Qu'est-ce qu'un coureur, Jondalar ? demanda Ayla. Et « rapide » ?

— Lors de la Réunion d'Eté, il y a toutes sortes de jeux, expliqua-t-il. Les plus passionnants sont les courses de vitesse. On appelle coureurs les Zelandonii qui participent à ces courses. Celui qui gagne est le plus rapide. On l'admire comme j'ai admiré ce poulain.

— Le poulain de Whinney serait le plus rapide, c'est sûr.

Ils continuèrent à marcher en silence. Quand celui-ci devint trop pesant, Jondalar demanda :

— Pourquoi m'as-tu dit de me redresser ? Dès que je l'ai fait, Whinney a ralenti. Cela m'a surpris parce que tu m'avais dit que tu ne savais pas comment tu te débrouillais pour lui faire comprendre ce que tu voulais.

— Je n'y avais encore jamais réfléchi, avoua Ayla. Mais quand je t'ai vu arriver, j'ai tout de suite pensé : « Redresse-toi ! » J'aurais été incapable de t'expliquer cela au départ. J'ai simplement senti qu'il fallait que tu ralentisses et que la seule solution, c'était que tu te redresses.

— Tu vois bien que tu diriges la jument. Sans t'en rendre compte, tu lui donnes certaines indications. Je me demande si l'on ne pourrait pas faire la même chose avec son poulain...

Quand ils eurent contourné la saillie rocheuse, ils aperçurent Whinney qui était en train de se rafraîchir en se roulant dans la boue au bord de la rivière avec des gémissements de plaisir. Son poulain était près d'elle et avait, lui aussi, les pattes en l'air. Jondalar sourit en voyant la scène et s'arrêta. Mais Ayla continua à marcher et, la tête basse, elle s'engagea dans l'étroit sentier qui menait à la caverne. Jondalar se précipita à sa suite.

— Ayla... commença-t-il. (La jeune femme se retourna.) Je... Je... bredouilla-t-il. Je... tenais à te dire merci.

C'était un mot qu'Ayla avait encore du mal à comprendre, un mot qui n'avait pas d'équivalent dans le langage du Clan. Les membres de chacun des groupes qui composaient le Clan dépendaient tellement les uns des autres pour leur survie que l'assistance mutuelle faisait intimement partie de leur mode d'existence. Remercier quelqu'un leur aurait semblé aussi étrange que si un bébé s'était soudain mis à dire merci à sa mère sous prétexte qu'elle s'occupait de lui. Faveurs ou cadeaux entraînaient l'obligation de les rendre en nature, et ils n'étaient pas toujours les bienvenus.

Au sein du Clan, ce qui se rapprochait le plus du remerciement était une forme de gratitude dont faisait preuve un membre de rang inférieur vis-à-vis d'un membre plus important — en général une femme vis-à-vis d'un homme — lorsqu'il ou elle avait reçu une faveur bien précise. Ayla avait l'impression que Jondalar voulait lui dire qu'il lui était reconnaissant de lui avoir permis de monter Whinney.

— Whinney t'a laissé s'asseoir sur son dos, Jondalar. Pourquoi me remercies-tu ?

— C'est grâce à toi si j'ai pu la monter, Ayla. En plus, j'ai bien d'autres raisons de te remercier. Tu as fait énormément pour moi et tu m'as soigné.

— Est-ce que le poulain remercie Whinney de s'être occupée de lui ? Tu avais besoin que quelqu'un s'occupe de toi et je l'ai fait. Pourquoi vouloir me dire merci ?

— Tu m'as aussi sauvé la vie !

— Je suis une Femme Qui Guérit, Jondalar. Il est inutile de me remercier, dit-elle simplement.

— Je sais bien que c'est inutile et que tu es une Femme Qui Guérit. Mais, pour moi, il est important que tu saches ce que je ressens. Quand quelqu'un vous aide, on le remercie. Cette marque de politesse fait partie de nos coutumes.

Ils s'engagèrent l'un derrière l'autre sur l'étroit sentier. Ayla ne disait rien et elle réfléchissait. Ce que venait de lui dire Jondalar lui rappelait les paroles de Creb. Mog-ur lui avait expliqué un jour qu'il était impoli de regarder de l'autre côté des pierres qui délimitaient le foyer d'un homme. Elle avait eu beaucoup de mal à respecter cet interdit : c'était encore plus difficile que d'apprendre le langage du Clan. Jondalar venait de lui expliquer qu'exprimer sa gratitude était une marque de politesse pour les Zelandonii et faisait partie de leurs coutumes. A nouveau, elle éprouvait la même difficulté : elle se sentait complètement perdue.

Pourquoi désirait-il lui exprimer sa gratitude alors qu'il venait de lui faire honte ? Si un homme du Clan avait manifesté un tel mépris à son égard, elle aurait carrément cessé d'exister à ses yeux. Elle allait avoir du mal à se plier aux coutumes des Zelandonii. Et même si elle était désireuse de les respecter, cela ne retirait rien au sentiment d'humiliation qu'elle éprouvait. Jondalar désirait mettre fin au malentendu qui les divisait. Il l'arrêta au moment où elle allait pénétrer dans la caverne et lui dit :

— Je suis désolé de t'avoir offensée.

— Offensée ? Je ne comprends pas ce mot.

— Je pense que tu es en colère à cause de moi et que je t'ai contrariée.

— Je ne suis pas en colère. Mais c'est vrai que je suis contrariée.

Qu'elle admette le fait aussi facilement étonna Jondalar.

— Je te fais toutes mes excuses.

— Tes excuses ! C'est encore de la politesse, non ? Une coutume de ton peuple ? A quoi sert un mot comme excuses, Jondalar ? Cela ne change rien à rien et je ne me sens pas mieux pour cela.

Elle a raison, songea Jondalar en se passant la main dans les cheveux. Quoi qu'il ait fait — et il pensait savoir quelle faute il avait commise —, s'excuser n'avançait à rien. De même que cela n'avait servi à rien de faire comme s'il n'y avait pas de problème. Il avait préféré éluder la question de crainte de se sentir plus gêné qu'avant. Mais ce n'était pas une solution.

Dès qu'ils se trouvèrent à l'intérieur de la caverne, Ayla se débarrassa de son panier et ranima le feu pour le repas du soir. Jondalar posa son panier à côté du sien, puis il s'installa sur une natte non loin du feu et la regarda préparer à dîner.

Même si elle utilisait maintenant les outils qu'il lui avait donnés après avoir découpé le cerf, pour certaines tâches elle préférait se servir des siens. Jondalar trouvait qu'elle maniait son couteau grossier, débité sur un éclat de silex bien plus lourd que ses propres lames, avec autant de dextérité que s'il s'agissait d'un couteau à manche, plus petit et plus sophistiqué. En tailleur de silex expérimenté, il comparait les mérites respectifs des deux outils. Il se disait que ce n'était pas tant une question de tranchant : les outils d'Ayla coupaient aussi bien que les siens. Mais si l'on voulait que chaque membre de la tribu possède ses propres outils, quelle quantité de silex il fallait utiliser ! Sans parler des problèmes de transport que cela devait poser.

Gênée qu'il la regarde avec autant d'insistance, Ayla s'éloigna du feu dans l'espoir de distraire son attention et s'approcha des claies pour y prendre de la camomille. Elle allait se préparer une infusion calmante. Son embarras manifeste rappela à Jondalar qu'il n'avait toujours pas osé aborder le problème. Prenant son courage à deux mains, il lui dit :

— Tu as raison, Ayla. Ça ne sert à rien de s'excuser. Mais je ne savais pas quoi dire d'autre. J'ignore en quoi j'ai pu te choquer. Dis-moi au moins pourquoi tu es contrariée.

Est-il encore en train de me dire des mots qui ne sont pas vrais ? se demanda Ayla. Il devrait pourtant savoir pourquoi je réagis ainsi. Malgré tout, Jondalar semblait gêné. Ayla baissa les yeux. Comme elle aurait préféré qu'il ne lui pose pas cette question ! C'était déjà suffisamment désagréable de subir une telle humiliation sans devoir, en plus, en parler. Mais Jondalar lui avait demandé quelque chose et elle se sentait obligée de lui répondre.

— Je suis contrariée parce que je vois bien que... personne ne veut de moi.

— Personne ne veut de toi ? Je ne comprends pas.

Pourquoi l'embêtait-il avec ses questions ? Voulait-il qu'elle se sente encore plus mal à l'aise ? Levant les yeux, elle lui jeta un coup d'œil. Jondalar était penché en avant et son regard, comme sa position, exprimait un mélange de sincérité et d'inquiétude.

— Aucun homme du Clan n'aurait jamais assouvi son désir tout seul s'il avait eu à ses côtés une femme acceptable. Mais toi, tu as préféré t'enfuir loin de moi. Crois-tu que ce soit agréable pour moi de savoir que je ne te plais pas ?

— Es-tu en train de me dire que tu te sens offensée parce que je n'ai pas... commença Jondalar en levant les yeux au ciel. Oh, Doni ! Comment as-tu pu être aussi stupide, mon pauvre Jondalar ! s'écria-t-il en prenant la caverne à témoin.

Comme Ayla semblait stupéfaite, il lui expliqua :

— Je croyais que tu ne voulais pas que je t'embête, Ayla. J'ai fait tout ce que j'ai pu pour respecter tes désirs. J'avais tellement envie de toi que c'en était parfois intenable. Mais quand je te touchais, tu te raidissais, comme si tu ne voulais pas de moi. Comment as-tu pu croire qu'un homme puisse ne pas vouloir de toi ?

Le poids qu'Ayla avait sur le cœur s'envola aussitôt. Jondalar la désirait ! Il avait cru qu'elle ne voulait pas de lui ! S'ils ne s'étaient pas compris, c'était à nouveau à cause d'une différence de coutumes.

— Pourquoi n'as-tu pas fait le geste ? demanda-t-elle. Que je veuille ou non n'avait pas d'importance...

— Bien sûr que si, c'est important ! s'écria-t-il. Est-ce que par hasard... tu ne me désires pas ? demanda-t-il en rougissant.

Il y avait au fond de ses yeux une lueur d'hésitation et son regard exprimait aussi la crainte d'être rejeté. C'était un sentiment qu'Ayla connaissait bien. Même si elle était un peu surprise qu'un homme puisse l'éprouver, les craintes de Jondalar firent fondre ses derniers doutes et ceux-ci furent aussitôt remplacés par un élan de tendresse.

— Je te désire, Jondalar. Depuis le premier jour où je t'ai vu. Quand tu étais si gravement blessé et que je ne savais pas si tu vivrais, je te regardais et j'éprouvais... C'était un sentiment tellement profond... Mais tu n'as jamais fait le geste !

Ayla se tut et baissa les yeux, gênée d'en avoir autant dit. Quand une femme du Clan désirait un homme, elle le manifestait avec des gestes un peu plus subtils que ça.

— Et moi, pendant tout ce temps, je croyais que... Quel est ce geste dont tu n'arrêtes pas de parler ?

— Dans le Clan, quand un homme désire une femme, il fait un signe bien précis.

— Montre-moi.

Ayla s'exécuta en rougissant. Habituellement, seuls les hommes faisaient ce geste.

— C'est tout ? s'étonna Jondalar. Et après, que fais-tu, toi ?

Il fut un peu étonné de voir qu'elle se levait, puis qu'elle s'agenouillait et se mettait en position.

— Si j'ai bien compris, l'homme fait le geste que tu m'as montré, la femme se met en position, et c'est tout ! Ils sont prêts ?

— Si un homme n'est pas prêt, il ne fait pas signe à une femme. N'étais-tu pas prêt, aujourd'hui ?

Ce fut au tour de Jondalar de rougir. Il avait oublié qu'il était prêt, comme elle disait, et qu'il avait même failli la prendre de force. Comme il aurait aimé connaître le geste dont elle venait de lui parler !

— Que se passe-t-il quand une femme ne veut pas ou qu'elle n'est pas prête à le recevoir ?

— Si l'homme fait le geste, la femme doit se mettre en position.

Le visage d'Ayla s'assombrit : elle venait de repenser à Broud, à la douleur et à l'avilissement qu'elle avait alors ressentis.

— N'importe quand ? demanda Jondalar en remarquant son change-ment d'expression. Même la première fois ? (Ayla hocha la tête.) C'est ce qui est arrivé pour toi ? Un homme quelconque a fait le geste et tu t'es exécutée ?

Vaincue par l'émotion, Ayla ferma les yeux. Puis elle hocha à nouveau la tête.

— Tu veux dire qu'il n'y a pas de Premiers Rites ! s'écria Jondalar, indigné. Personne n'est présent pour vérifier que l'homme ne fait pas trop mal à la jeune fille ? Qu'est-ce que c'est que ces gens qui se moquent éperdument que ce soit la première fois pour une femme ? Qui la laissent à la merci du premier type qui veut la prendre sous prétexte qu'il est en chaleur ? Qui trouvent normal qu'il la force si elle n'est pas prête ? Qui se fichent que cela lui fasse mal ou non ? (Jondalar avait bondi sur ses pieds et il faisait les cent pas à l'intérieur de la caverne.) Quelle cruauté ! C'est vraiment inhumain ! Ce sont des gens sans pitié !

La réaction de Jondalar était si inattendue qu'Ayla avait commencé par le regarder en ouvrant de grands yeux. Mais, au fur et à mesure qu'il s'échauffait, sûr d'être dans son bon droit, et que ses accusations devenaient de plus en plus injurieuses, elle s'était mise à secouer la tête pour bien montrer qu'elle n'était pas d'accord avec lui.

— Non ! s'écria-t-elle finalement. Ce n'est pas vrai ! Ces gens ont eu pitié de moi ! Iza a pris soin de moi. Ils m'ont adoptée et ont fait de moi un membre du Clan, même si j'étais née chez les Autres. Ils n'étaient pas obligés de faire cela. Creb n'avait jamais eu de compagne et il ne pouvait donc pas comprendre que Broud m'avait fait mal. En plus, Broud était dans son droit. Et quand je suis tombée enceinte, Iza a pris soin de moi. A force d'aller chercher des plantes pour que je ne perde pas le bébé, elle est même tombée malade. Si elle n'avait pas été là, je serais certainement morte au moment de la naissance de Durc. Brun a accepté mon fils même si tout le monde pensait qu'il était difforme. En réalité, Durc est fort et en excellente santé...

En voyant que Jondalar la dévisageait d'un air surpris, Ayla se tut soudain.

— Tu as un fils ? demanda-t-il. Où est-il ?

Elle ne lui avait jamais parlé de son fils car, malgré le temps écoulé, c'était encore très douloureux pour elle. Maintenant qu'elle le lui avait avoué, elle ne pouvait pas se dérober.

— Oui, j'ai un fils, reconnut-elle. Il vit au sein du Clan. Je l'ai confié à Uba quand Broud m'a obligée à partir.

— On t'a obligée à partir ? demanda Jondalar en se rasseyant. Comment quelqu'un peut-il obliger une mère à se séparer de son enfant ? Qui est ce... Broud ?

Comment lui expliquer ce qui s'est passé ? se demanda Ayla en fermant un instant les yeux.

— Broud est le chef, dit-elle en le regardant de nouveau. Quand Iza m'a trouvée, c'est Brun qui était le chef. Il a autorisé Creb à faire de moi un membre du Clan. Mais il était vieux et Broud a pris sa suite. Broud m'a toujours détestée, même lorsque j'étais enfant.

— Et c'est lui qui t'a fait mal, n'est-ce pas ?

— Quand je suis devenue une femme, Iza m'a expliqué que les hommes pouvaient maintenant me faire signe et elle m'a dit aussi qu'ils assouvissaient leur désir avec les femmes qu'ils aimaient. Mais ce n'était pas le cas de Broud. Lui, ce qui lui plaisait, c'était de m'obliger à faire quelque chose que je détestais. Malgré tout, je pense que c'est mon totem qui l'a poussé à faire cela. L'esprit du Lion des Cavernes savait à quel point je désirais un enfant.

— Ce Broud n'a rien à voir avec le fait que tu aies un bébé. La Grande Terre Mère bénit les femmes quand bon lui semble. Durc était-il le fils de l'esprit de cet homme ?

— Creb disait que les esprits des totems font les enfants et que la femme avale l'esprit du totem de l'homme. Si celui-ci est suffisamment fort pour vaincre l'esprit du totem de la femme, il lui prend sa force de vie et une nouvelle vie commence à l'inérieur du ventre de la femme.

— Quelle étrange manière de voir les choses ! En réalité, c'est la Mère qui décide de mélanger l'esprit d'un homme à celui de la femme qu'Elle veut bénir.

— A mon avis, ce n'est ni l'un ni l'autre : ce ne sont pas les esprits qui font les enfants. J'ai l'impression que la vie du bébé commence quand l'homme introduit son sexe gonflé de désir à l'intérieur d'une femme. A mon avis, c'est pour cela que les hommes ont des désirs aussi puissants et que les femmes désirent autant les hommes.

— C'est impossible, Ayla ! Si tu savais le nombre de fois où un homme peut pénétrer une femme avec son membre viril ! Jamais les femmes ne pourraient avoir autant d'enfants ! L'homme fait de la jeune fille une femme en partageant avec elle le Don du Plaisir de la Mère : il l'ouvre afin que l'esprit puisse la pénétrer. Mais le Don de Vie le plus sacré de la Mère n'est donné qu'aux femmes. Elles reçoivent les esprits, créent une nouvelle vie et deviennent mère comme Elle. Si un homme honore la Mère, s'il fait grand cas de Ses Dons et s'il s'engage à prendre soin d'une femme et de ses enfants, Doni peut permettre que les enfants de son foyer soient les enfants de son esprit.

— Qu'est-ce que le Don du Plaisir ?

— Ça y est, j'y suis ! s'écria Jondalar, stupéfait par ce qu'il venait de comprendre. Tu n'as jamais connu les Plaisirs, n'est-ce pas ? Je comprends enfin pourquoi tu t'es raidie chaque fois que... En fait, tu as été bénie par la Mère sans avoir été initiée aux Premiers Rites. Ton Clan doit être composé de gens bien étranges. Tous ceux que j'ai rencontrés pendant mon voyage connaissaient la Mère et ses Dons. Le Don du Plaisir, lui expliqua-t-il, c'est quand un homme et une femme se plaisent et se donnent l'un à l'autre.

— C'est quand un homme est prêt à assouvir son désir avec une femme ? Il introduit alors son sexe à l'endroit d'où sortent les bébés. C'est bien ça le Don du Plaisir ?

— C'est à la fois ça et beaucoup plus !

— Je veux bien te croire, convint Ayla. Mais tout le monde m'avait dit que je n'aurais jamais d'enfant car mon totem était trop puissant. Ils ont tous été très surpris. En plus, Durc n'était pas difforme, comme ils l'avaient prédit. Il était en partie comme moi et en partie comme eux. Mais ce n'est qu'après que Broud eut fait le geste que je suis tombée enceinte. Personne d'autre ne voulait de moi — j'étais bien trop grande et trop laide. Même lors du Rassemblement du Clan, aucun homme n'a voulu de moi comme compagne. Et pourtant, Iza avait fait de moi sa fille et j'avais donc hérité de son rang dans le Clan.

Il y avait dans les propos d'Ayla quelque chose qui tracassait Jondalar, quelque chose qui lui échappait et en même temps ne le laissait pas en repos.

— Tu m'as dit que tu avais été trouvée par une Femme Qui Guérit qui s'appelait Iza... Mais où donc t'a-t-elle trouvée ? D'où viens-tu, Ayla ?

— Je n'en sais rien. Iza m'a dit que j'étais née chez les Autres, parmi les gens comme moi. Et comme toi, Jondalar. Mais je n'ai gardé aucun souvenir de ma vie avant d'être adoptée par le Clan. Je ne me souviens même pas du visage de ma mère. Tu es le premier homme, semblable à moi, que je rencontre.

L'inquiétude qu'éprouvait depuis un moment Jondalar était en train de se préciser. Il ressentait un désagréable pincement au creux de l'estomac.

— J'avais entendu parler des Autres par une femme que j'ai rencontrée au Rassemblement du Clan, reprit Ayla. Et compte tenu de ce qu'elle m'a dit, j'avais plutôt peur d'eux... jusqu'à ce que je te rencontre. Cette femme avait une petite fille qui ressemblait tellement à Durc qu'elle aurait pu aussi bien être ma fille. Elle voulait que sa fille et mon fils s'unissent quand ils seraient en âge de le faire. Oda disait que sa fille était difforme. A mon avis, elle avait donné naissance à ce bébé après qu'un Autre l'eut forcée à assouvir son désir avec lui.

— Il l'a forcée ? Elle n'était pas consentante ?

— Non seulement il l'a forcée, mais il a tué sa première petite fille. Oda était en compagnie de deux femmes du Clan quand les Autres sont arrivés. Ils étaient nombreux et aucun d'eux n'a fait le geste. Quand un des Autres l'a agrippée, Oda a laissé tomber son bébé et la tête de la petite fille a heurté un rocher.

Brusquement, Jondalar se souvint de l'histoire de cette bande de jeunes dont Laduni lui avait parlé au tout début de son Voyage. Ils vivaient très loin à l'ouest. Mais s'ils avaient commis de telles horreurs, pourquoi d'autres ne feraient-ils pas comme eux ? La conclusion s'imposait. Mais avant de se résoudre à l'accepter, Jondalar avait besoin de certaines précisions.

— Ayla, tu n'as pas arrêté de me dire que tu ne ressemblais pas aux membres du Clan. Explique-moi en quoi ils sont différents de toi.

— Ils sont beaucoup plus petits. C'est d'ailleurs pourquoi j'ai été si surprise la première fois que je t'ai vu debout. J'étais beaucoup plus grande qu'eux, les hommes y compris. C'est pour ça qu'ils ne voulaient pas de moi : ils me trouvaient grande et laide.

— Quoi d'autre ? demanda Jondalar à contrecœur.

Il n'avait aucune envie de connaître la vérité et pourtant il fallait qu'il sache à quoi s'en tenir.

— Ils ont tous les yeux bruns. Iza a toujours pensé que mes yeux avaient quelque chose d'anormal car ils sont bleus comme le ciel. Durc avait les mêmes yeux qu'eux et des gros... je ne sais pas comment on appelle ça... des gros sourcils. Son front était comme le mien. Tandis qu'eux avaient la tête beaucoup plus plate...

— Des Têtes Plates ! s'écria Jondalar avec une moue de dégoût. Bonne Mère, Ayla ! Tu as vécu parmi ces animaux ! Tu as laissé un des mâles... (Jondalar s'interrompit en frissonnant.) Tu as donné naissance à un monstre, à un esprit mêlé, moitié humain, moitié animal !

Jondalar se recula comme s'il venait de toucher quelque chose de dégoûtant et bondit sur ses pieds. Sa réaction était due à un préjugé irrationnel, profondément ancré dans les mentalités, et qui n'avait jamais été remis en cause par la majorité des gens qu'il connaissait.

Ayla, abasourdie, le fixait d'un air perplexe. Mais quand elle vit que son visage reflétait le même genre de répugnance que celui que lui inspiraient les hyènes, elle saisit soudain le sens de ses paroles.

Des animaux ! Il traitait d'animaux les gens qu'elle aimait ! De hyènes puantes ! Creb, le doux et aimant Creb, le plus puissant magicien du Clan, un animal ? Et Iza alors ? Iza qui l'avait élevée comme si elle était sa mère et lui avait appris son métier de guérisseuse, Iza, elle aussi, était une hyène puante ? Et Durc ! Son fils !

— Tu n'as pas honte de les traiter d'animaux ! s'écria-t-elle en bondissant à son tour sur ses pieds pour lui faire face. (Jamais encore Ayla n'avait élevé la voix : elle était la première surprise de pouvoir crier aussi fort — et de distiller autant de venin.) Creb et Iza sont des animaux, alors ? Et Durc, mon fils, est à moitié humain ? Les gens du Clan ne sont pas des hyènes puantes, que je sache ! Est-ce que des animaux auraient recueilli une petite fille blessée ? Est-ce qu'ils en auraient fait une des leurs ? Se seraient-ils occupés d'elle ? Avec qui crois-tu que j'ai appris à cuisiner ? Qui m'a appris à soigner ? Sans ces soi-disant animaux, je ne serais pas là aujourd'hui, et toi non plus, Jondalar ! Avant de dire que les gens du Clan sont des animaux et que les Autres sont des humains, tu ferais mieux de comparer : le Clan a recueilli une petite fille qui était née chez les Autres, alors que les Autres n'ont pas hésité à tuer une petite fille qui faisait partie du Clan. Si je devais choisir entre humains et animaux, je choisirais tout de suite les hyènes puantes !

Sortant comme une folle de la caverne, Ayla dégringola le sentier et siffla Whinney.

24

De la corniche, Jondalar vit Ayla bondir sur le dos de la jument et descendre la vallée au triple galop. Il n'en revenait pas : c'était la première fois qu'elle se mettait en colère et elle était si douce habituellement que son éclat lui semblait encore plus stupéfiant.

Jusque-là, il avait eu l'impression d'être plutôt large d'esprit vis-à-vis des Têtes Plates : il pensait qu'il fallait les laisser tranquilles, ne pas les harceler et jamais il n'en aurait tué un à moins d'y être forcé. Mais cela le choquait profondément qu'un homme puisse prendre son Plaisir avec une femelle Tête Plate et il était carrément hors de lui à l'idée qu'un mâle Tête Plate ait pu faire de même avec une femme. La femme avait été souillée.

Lui qui avait désiré Ayla avec tant d'ardeur ! Ce qu'elle venait de lui avouer lui rappelait ces histoires vulgaires que racontent en ricanant les adolescents et les jeunes gens. Rien que d'y penser, il avait l'impression que son sexe se recroquevillait, comme s'il était déjà contaminé, et qu'après s'être ratatiné, il allait tomber en poussière. Doni soit louée, cette souillure lui avait été épargnée !

Pire encore, Ayla avait mis au monde un monstre, le produit de l'union d'esprits maléfiques dont on préférait ne pas parler entre personnes convenables. Certains soutenaient avec force que ces monstres n'existaient pas. Néanmoins, on continuait à en parler.

Ayla n'avait nullement nié le fait et elle avait défendu son fils... avec autant de véhémence que n'importe quelle mère à qui on dirait du mal de son enfant. Elle avait l'air offensée et elle était furieuse qu'il ait parlé des Têtes Plates dans des termes aussi péjoratifs. Avait-elle vraiment été élevée par une bande de Têtes Plates ?

Jondalar en avait rencontré quelques-uns durant son Voyage. Il s'était même alors demandé si ceux-ci étaient vraiment des animaux. Repensant à la rencontre qui avait eu lieu sur le bord du fleuve, il se dit que le jeune Tête Plate qui avait coupé en deux l'esturgeon avait utilisé une *lame exactement semblable à celles d'Ayla*. Et la femelle portait une peau informe qui ressemblait étrangement à celle de la jeune femme. D'ailleurs, Ayla se comportait comme cette femelle, surtout au début : elle avait tendance, elle aussi, à baisser les yeux et à adopter une attitude effacée, comme si elle ne voulait pas qu'on la remarque. Les fourrures qui recouvraient sa couche avaient le même grain et la même souplesse que la peau de loup que la femelle lui avait posée sur les épaules. Quant aux épieux d'Ayla, ces armes lourdes et primitives, ils étaient la réplique exacte de ceux que portaient les Têtes Plates que Thonolan et lui avaient rencontrés au début de leur Voyage.

Tout ça crevait les yeux depuis le début, mais il n'y avait pas prêté attention. Pourquoi s'était-il imaginé qu'Ayla faisait partie de Ceux Qui Servent la Mère et qu'elle vivait seule pour perfectionner ses talents ? Ce qui l'avait induit en erreur, c'était ses extraordinaires qualités de Femme Qui Guérit. Avait-elle vraiment été formée par une Tête Plate ?

Comme la colère lui va bien ! se dit Jondalar en l'observant de loin. Elle est vraiment de toute beauté ! Il avait connu pas mal de femmes qui élevaient la voix à la moindre provocation. Marona, qui avait failli devenir sa compagne, avait un caractère de chien. Lorsqu'elle se mettait en colère, on aurait dit une vraie mégère. Mais Jondalar était attiré par la force qui émanait de ces femmes exigeantes. Il aimait les femmes qui avaient du tempérament, qui ne se laissaient pas submerger par ses propres colères quand d'aventure il explosait. Jondalar s'était toujours douté que le calme apparent d'Ayla cachait une force intérieure peu commune. Regarde-moi ça, se dit-il. Comme elle est belle lorsqu'elle file sur le cheval !

Brusquement, comme s'il venait de recevoir une averse d'eau glacée, il se rendit compte de ce qu'il avait fait. Il devint blanc comme un linge. Ayla lui avait sauvé la vie et l'avait soigné et lui, en guise de remerciement, il s'était éloigné d'elle comme si elle le dégoûtait ! Il avait traité le fils qu'elle aimait de monstre ! Il était effaré par son insensibilité.

Il revint dans la caverne et se jeta sur sa couche. La couche d'Ayla, cette femme qu'il venait de traiter avec un mépris hautain.

— Oh, Doni ! cria-t-il. Comment as-tu pu me laisser faire ça ? Pourquoi ne m'en as-tu pas empêché ?

Il enfouit son visage sous les fourrures. Il se sentait aussi malheureux que lorsqu'il était enfant. A nouveau, il avait agi sans réfléchir. Lui qui pensait que jamais une telle situation ne se reproduirait. Il était donc incapable d'apprendre ? Pourquoi n'avait-il pas fait preuve de discrétion ? Sa jambe était pratiquement guérie et il n'allait pas tarder à partir. Pourquoi ne s'était-il pas contrôlé jusqu'à son départ ?

Et pourquoi donc était-il resté si longtemps ? Il aurait très bien pu remercier Ayla et se remettre en route pour rentrer chez lui. Rien ne le retenait dans cette vallée. Si, au lieu de la presser de questions indiscrètes, il était parti, il aurait conservé dans son souvenir l'image d'une femme magnifique et mystérieuse qui vivait seule dans une vallée, charmait les animaux et lui avait sauvé la vie.

Pourquoi n'es-tu pas parti ? se demanda-t-il à nouveau. Parce que tu étais bien incapable de quitter une femme belle et mystérieuse, mon cher Jondalar, et que tu le savais !

Si c'était le cas, pourquoi se tracassait-il ? Quelle différence cela faisait-il qu'elle ait... vécu avec les Têtes Plates ?

La différence, c'est que tu désires partager les Plaisirs avec elle. Et que maintenant tu penses qu'elle n'est pas assez bonne pour toi parce qu'elle a... parce qu'elle a laissé...

Imbécile ! Tu n'as même pas écouté ce qu'elle t'a dit. Elle ne l'a pas *laissé,* c'est lui qui l'a forcée ! Et sans qu'elle ait été initiée aux Premiers Rites. Et tu as osé lui jeter la pierre ! Elle t'a ouvert son cœur, elle a revécu cette scène douloureuse en te la racontant et toi, comment as-tu réagi ?

Tu es encore pire que ce Broud, Jondalar ! Au moins, avec lui, elle savait à quoi s'en tenir : elle savait qu'il la haïssait et qu'il voulait la faire souffrir. Mais toi ! Toi, elle te faisait confiance ! Elle t'a dit ce qu'elle ressentait pour toi. Tu aurais pu partager les Plaisirs avec elle quand tu aurais voulu, Jondalar ! Mais tu t'es senti blessé dans ton orgueil.

Si tu lui avais prêté un peu plus d'attention, tu te serais aperçu qu'elle ne se comportait pas comme une femme pleine d'expérience mais comme une jeune fille intimidée. Tu as pourtant tenu entre tes bras suffisamment de femmes et de jeunes filles pour faire la différence.

Le problème, c'est qu'elle n'a nullement l'air d'une jeune fille. C'est certainement la plus belle femme que tu aies jamais vue. Si belle, si intelligente et si pleine d'assurance que tu as eu peur qu'elle ne veuille pas de toi. Jondalar, l'homme que toutes les femmes désirent... ! Tu peux être sûr que maintenant elle ne voudra plus de toi !

Dire qu'elle n'a même pas conscience de sa beauté ! Qu'elle se croit grande et laide. Comment peut-elle penser une chose pareille ?

Tu oublies qu'elle a été élevée par des Têtes Plates. Comment se fait-il qu'ils aient recueilli une petite fille aussi différente d'eux ? Est-ce que nous aurions fait la même chose pour un des leurs ? Et quel âge avait Ayla lorsqu'ils l'ont adoptée ? Elle devait être toute jeune car les cicatrices qu'elle porte sur la cuisse sont très anciennes. Comme elle a dû avoir peur quand elle s'est retrouvée toute seule et qu'elle a aperçu cet énorme lion des cavernes !

Quand je pense que c'est une Tête Plate qui l'a soignée ! Comment une Tête Plate peut-elle connaître l'art de guérir ? Et pourtant, c'est bien d'eux qu'Ayla a appris son savoir et il est grand. Si grand que tu as même pensé qu'elle faisait partie de Ceux Qui Servent la Mère. Tu ferais mieux d'abandonner la taille du silex et de te mettre conteur d'histoires ! Tu ne voulais pas regarder la vérité en face. Et maintenant que tu es au courant, est-ce que ça change vraiment quelque chose ? Le fait qu'elle ait appris l'art de guérir chez les Têtes Plates change-t-il quoi que ce soit à l'état de ta jambe ? Ayla est-elle moins belle maintenant que tu sais qu'elle a donné naissance à un monstre ? Qu'est-ce que ça change là encore ?

Tu la désires toujours autant, Jondalar.

Il est trop tard. Jamais plus elle ne te fera confiance. Tu n'es qu'un imbécile ! cria-t-il en bourrant la fourrure de coups de poing. Imbécile ! Idiot ! Tu as tout gâché ! Pourquoi ne t'en vas-tu pas ?

C'est impossible ! Ce serait vraiment de la lâcheté ! En plus, tu n'as ni vêtement, ni armes, ni réserves de nourriture. Tu ne peux pas voyager sans rien.

Si tu veux t'équiper avant de partir, tu vas être obligé de demander à Ayla. Où trouverais-tu ailleurs ce dont tu as besoin ? Tu peux au moins lui demander quelques silex. Si tu as des outils, tu pourras fabriquer des sagaies. Tu chasseras pour faire des réserves de viande et avec les peaux, tu fabriqueras des vêtements, des fourrures de couchage et un sac. Il te faudra un certain temps avant d'être prêt à partir. Et ensuite tu en as pour un an au moins avant de te retrouver chez toi. Le Voyage va te sembler bien long maintenant que Thonolan n'est plus là.

Pourquoi Thonolan est-il mort ? se demanda-t-il en enfouissant à nouveau son visage dans les fourrures. Pourquoi n'est-ce pas moi qui me suis fait tuer par ce lion ? (Des larmes apparurent au coin de ses yeux.) Thonolan, s'il avait été à ma place, n'aurait jamais commis une erreur pareille. Comme j'aimerais savoir où se trouve ce canyon, Petit Frère ! Comme j'aimerais qu'un zelandoni ait été là pour t'aider à trouver ton chemin vers l'autre monde ! Quand je pense que ton corps a été abandonné à la merci des charognards...

Entendant un bruit de sabots sur le sentier, il se leva et sortit sur la corniche pour voir si Ayla était de retour. Ce n'était que le poulain.

— Que se passe-t-il, petit ? demanda-t-il. Elles ne t'ont pas attendu ? C'est de ma faute ! Mais elles ne vont pas tarder à rentrer... ne serait-ce que pour s'occuper de toi. Ayla n'a pas d'autre endroit où aller. C'est sa caverne, ici. Quand je pense qu'elle a vécu toute seule dans cette vallée ! Je ne sais pas si j'en serais capable... Quelle femme remarquable ! se dit-il. Je suis certain que, malgré ce que je lui ai dit, elle ne va pas verser une larme. Et, non contente de posséder une telle force d'âme, elle est aussi de toute beauté. Quand je pense à ce que j'ai perdu ! Je me suis conduit comme un idiot ! Oh, Doni ! Il faut absolument que j'arrange ça !

Jondalar se trompait. Ayla était en train de pleurer. Jamais encore elle n'avait autant pleuré. Ses larmes lui permettaient de mieux supporter sa douleur et n'enlevaient rien à sa force de caractère. Elle poussa Whinney jusqu'à laisser la vallée loin derrière elle et s'arrêta près d'un des affluents de la rivière qui coulait au pied de la caverne. A cet endroit, le cours d'eau faisait une boucle et formait un bras mort. La terre qui se trouvait à l'intérieur de cette boucle était régulièrement inondée et recouverte de limons qui favorisaient la croissance d'une végétation luxuriante. Ayla était souvent venue chasser à cet endroit des oies sauvages et des lagopèdes, ainsi que toutes sortes d'autres animaux, de la marmotte au cerf géant, qui ne pouvaient résister à l'attrait de la verdure.

Elle sauta à terre et s'approcha de la rivière pour boire et laver son visage trempé de larmes. Elle avait l'impression d'avoir fait un mauvais rêve. La journée tout entière n'avait été qu'une suite de hauts et de bas, une série d'émotions contradictoires qui la laissaient aussi étourdie que si elle avait gravi des pics vertigineux pour plonger aussitôt après dans les abîmes sans fond.

La matinée avait bien commencé. Jondalar avait insisté pour l'aider à ramasser des grains et elle avait été étonnée de voir avec quelle rapidité il s'adaptait à cette tâche pourtant nouvelle pour lui. Plus encore que le coup de main qu'il lui donnait, c'était le fait d'avoir de la compagnie qui lui avait fait plaisir et elle s'était rendu compte à quel point cela lui avait manqué.

Ensuite, ils avaient eu un léger différend. Rien de grave. Ayla voulait continuer à travailler et Jondalar voulait s'en aller car l'outre était vide. Quand elle était revenue après avoir été chercher de l'eau à la rivière et qu'il lui avait demandé s'il pouvait monter Whinney, elle s'était dit qu'elle venait peut-être de trouver un moyen pour qu'il reste avec elle. Il était déjà attaché au poulain. Si, en plus, il aimait monter à cheval, il attendrait certainement que celui-ci soit devenu adulte avant de s'en aller. Et quand elle lui avait dit oui, il avait sauté sur l'occasion.

Ils étaient d'excellente humeur tous les deux et ils s'étaient mis à rire. Ayla n'avait pas ri comme ça depuis que Bébé était parti. Elle aimait le rire de Jondalar — sa gaieté communicative lui réchauffait le cœur.

Et c'est alors qu'il l'avait touchée. Aucun homme du Clan ne se serait permis un tel geste s'il s'était trouvé à l'extérieur des pierres qui délimitaient son foyer. Mais peut-être caressait-il ainsi sa compagne la nuit quand il se retrouvait couché avec elle à l'abri des fourrures... Les Autres se permettaient-ils de tels gestes lorsqu'ils se trouvaient hors de leur foyer ? J'aime quand il me touche, se dit Ayla. Pourquoi s'est-il enfui ?

Ayla avait cru mourir de honte lorsqu'elle avait compris qu'il était allé se soulager à l'abri des arbres qui bordaient la rivière. Quand, de retour à la caverne, il lui avait dit qu'il la désirait et qu'il croyait qu'elle ne voulait pas de lui, elle avait failli pleurer de bonheur et senti qu'elle brûlait de désir pour lui. Et quand il s'était mis en colère à cause de Broud, elle s'était dit qu'elle devait lui plaire. Peut-être la prochaine fois serait-il prêt...

Mais jamais elle ne pourrait oublier la manière dont il l'avait regardée ensuite — comme un morceau de viande pourrie. Il avait même frissonné de dégoût.

Iza et Creb ne sont pas des animaux ! se dit-elle à nouveau. Ce sont des êtres humains. Des êtres qui ont pris soin de moi et qui m'aimaient. Pourquoi les déteste-t-il ainsi ? Ce sont eux qui sont arrivés les premiers sur la terre. Son espèce à lui n'est venue qu'ensuite... mon espèce, corrigea-t-elle. C'est donc ainsi que se comporte mon espèce ?

Je suis contente que Durc soit resté avec le Clan. Même s'ils pensent qu'il est difforme, même si Broud le hait parce qu'il est mon fils, jamais ils ne diront que c'est un animal... un monstre. C'est là le mot qu'il a employé et, compte tenu de sa réaction, il n'avait pas besoin de me l'expliquer.

Mon bébé, mon fils... murmura-t-elle en se remettant à pleurer. Il est fort et en parfaite santé — même pas difforme. Et ce n'est pas un animal... ni un monstre.

Comment Jondalar a-t-il pu changer d'attitude aussi rapidement ? se demanda-t-elle. Ses yeux bleus étaient posés sur moi... Et, tout d'un coup, il s'est reculé comme s'il venait de se brûler ou comme si j'étais un esprit maléfique dont seuls les mog-ur connaissent le nom. C'était encore pire que d'être frappée de la Malédiction Suprême. Les membres du Clan se contentaient de détourner la tête et de faire comme s'ils ne me voyaient plus. Ils ne me regardaient pas comme si j'étais un monstre.

Le soleil était en train de se coucher et il commençait à faire froid. Même en plein cœur de l'été, il faisait froid la nuit dans les steppes. Ayla, qui ne portait que son vêtement d'été, frissonna. J'aurais dû emporter ma fourrure et ma tente, se dit-elle. Non, corrigea-t-elle. Whinney aurait été inquiète pour son poulain et il aurait fallu rentrer pour qu'elle le nourrisse.

Quand Ayla quitta le bord de l'eau, Whinney, qui était en train de paître l'herbe grasse, leva la tête et trotta vers elle, levant du même coup un couple de lagopèdes. Instinctivement, Ayla porta la main à sa taille pour attraper sa fronde tout en se baissant pour ramasser deux galets. Les oiseaux avaient tout juste eu le temps de quitter le sol quand elle abattit le premier, puis le second tomba à son tour.

Elle venait de les ramasser et allait se mettre en quête de leur nid quand soudain elle s'arrêta. Pourquoi chercher les œufs ? se demanda-t-elle. Ai-je l'intention de préparer pour Jondalar le plat favori de Creb ? Pourquoi cuisinerais-je pour lui et justement ce plat-là ? Quand elle découvrit le nid — une légère dépression creusée dans le sol dur et qui contenait sept œufs — elle haussa les épaules et ramassa les œufs en faisant bien attention à n'en casser aucun.

Après avoir déposé les œufs à côté des deux oiseaux près de la rivière, elle cueillit des roseaux qui poussaient sur la berge. Elle eut vite fait de tresser un panier aux mailles lâches qui allait simplement lui servir à transporter les œufs et qu'elle jetterait ensuite. Toujours avec des roseaux, elle attacha par les pattes le couple de lagopèdes. Les plumes denses qui permettaient aux oiseaux de glisser sur la neige comme s'ils portaient des raquettes étaient déjà en train de pousser à la base de leurs pattes.

Leur plumage d'hiver est déjà en train de pousser ! songea Ayla en frissonnant. Elle ne voulait pas penser à cette morne saison. Et pourtant elle ne pouvait l'oublier : l'été ne servait qu'à engranger des réserves avant que vienne l'hiver.

Jondalar ne tarderait pas à partir ! Elle en était certaine. C'était ridicule de croire qu'il allait rester avec elle dans la vallée. Pourquoi resterait-il alors qu'il avait un peuple et une famille qui l'attendaient ?

— Pourquoi faut-il qu'il parte ! s'écria Ayla, surprise de s'entendre pour la première fois parler à haute voix alors qu'elle était seule. Heureusement qu'il m'a appris à parler, continua-t-elle. Si je rencontre des gens, je pourrai au moins m'adresser à eux. Et je sais maintenant que des gens vivent à l'ouest. Iza avait raison : les Autres doivent être très nombreux.

Elle installa les deux oiseaux sur le dos de la jument, tête en bas, et plaça le panier qui contenait les œufs entre ses jambes. Iza m'a dit de trouver un compagnon, songea-t-elle. Je croyais que c'était mon totem qui m'avait envoyé Jondalar... Mais est-ce que mon totem m'aurait envoyé un homme pour qu'il me regarde avec une telle répulsion ?

— Comment a-t-il pu me regarder ainsi ! cria-t-elle en éclatant soudain en sanglots. O Lion des Cavernes ! Je ne veux pas me retrouver seule à nouveau !

Ayla s'était laissée tomber en avant et elle recommençait à pleurer. Ses directives étaient plus qu'hésitantes, mais cela ne gênait pas Whinney : la jument connaissait le chemin du retour. Au bout d'un moment, Ayla se redressa. Personne ne m'oblige à rester, se dit-elle. Je suis capable de parler maintenant...

— Je pourrai leur dire que Whinney ne doit pas être chassée, poursuivit-elle à voix haute. Je vais faire mes préparatifs et au printemps prochain, je pars.

Cette fois, sa décision était prise. Jondalar lui-même n'allait pas pouvoir partir tout de suite. Il avait besoin d'armes et de vêtements. Il est possible que mon totem me l'ait envoyé pour que j'apprenne à connaître les Autres. Je vais profiter du fait qu'il est encore là pour lui poser un maximum de questions. Tans pis s'il me regarde avec dégoût ! J'en ai l'habitude. Lorsque je vivais au sein du Clan, j'étais obligée de supporter la haine de Broud. Je pense que je supporterai que Jondalar me regarde lui aussi... avec haine.

Elle ferma les yeux dans l'espoir d'arrêter ses larmes et saisit son amulette en se rappelant les paroles de Creb. « Quand tu découvres un signe laissé à ton intention par le Lion des Cavernes, mets-le dans ton amulette, lui avait dit le vieux mog-ur. Cela te portera chance. » Ayla avait suivi son conseil.

— Lion des Cavernes, implora-t-elle, j'ai été seule si longtemps ! Porte-moi chance !

Lorsque Ayla rejoignit la rivière, le soleil avait disparu derrière les parois des gorges en amont. La nuit n'allait pas tarder à tomber. Jondalar se précipita à sa rencontre vers la plage. Surgissant au galop au détour de la saillie rocheuse, elle faillit le renverser. Whinney fit un écart et manqua désarçonner sa cavalière. Jondalar tendit la main en avant pour reprendre son équilibre mais, quand il sentit qu'il venait de toucher la jambe nue d'Ayla, comme il était persuadé qu'elle le méprisait, il retira aussitôt sa main.

Il me déteste, se dit-elle. Il ne supporte pas de me toucher ! Ravalant un sanglot, elle fit avancer la jument. Whinney traversa la plage rocheuse et remonta le sentier en faisant rouler les pierres sous ses sabots. Ayla sauta de cheval et se précipita dans la caverne. Faute de pouvoir aller ailleurs, il ne lui restait qu'une solution : se cacher. Elle déposa le panier plein d'œufs à côté du foyer, ramassa au passage les fourrures dans lesquelles elle dormait et les transporta à l'endroit où elle rangeait ses réserves. Elle posa les fourrures sur le sol de l'autre côté des claies de séchage et au milieu des paniers inutilisés, des nattes et des récipients, puis elle se coula à l'intérieur et les rabattit par-dessus sa tête.

Un instant plus tard, elle entendit le bruit des sabots de Whinney, puis ceux de son poulain. Cachée sous les fourrures, elle tremblait et faisait de son mieux pour ne pas pleurer, douloureusement consciente des mouvements de l'homme à l'intérieur de la caverne.

Jondalar était pieds nus, elle ne l'entendit pas approcher et quand elle sentit qu'il était à côté d'elle, elle fit un effort pour arrêter de trembler.

— Ayla, dit-il. (Il n'obtint pas de réponse.) Ayla, je t'ai préparé une infusion. (Elle se raidit.) Il n'y a aucune raison que tu dormes ici, Ayla. C'est moi qui vais changer de place et m'installer de l'autre côté du foyer.

Il me déteste, se dit-elle. Il ne peut supporter de dormir près de moi. S'il pouvait s'en aller, simplement s'en aller...

— Depuis que tu es partie, j'ai réfléchi, reprit Jondalar. Même si je ne sais pas très bien pourquoi j'ai agi ainsi, je tiens à t'expliquer certaines choses. Quand je me suis réveillé pour la première fois dans cette caverne après avoir été attaqué par le lion, je ne savait pas où j'étais et je ne comprenais pas pourquoi tu ne répondais pas à mes questions. Pour moi, c'était un mystère et j'ai commencé à imaginer toute une histoire à ton sujet. Je pensais que tu étais une zelandoni en train de subir une épreuve, une femme qui avait répondu à l'appel de la Mère et qui était à Son Service. Lorsque tu as repoussé mes avances, j'ai cru que si tu refusais de partager les Plaisirs avec moi, c'est que cela faisait partie des épreuves que tu t'imposais.

Ayla l'écoutait. Elle ne tremblait plus, mais elle n'avait toujours pas bougé.

— Je ne pensais qu'à moi-même, avoua Jondalar en s'accroupissant à côté d'elle. Je ne sais si tu vas me croire mais je... euh... disons que j'ai la réputation d'être un homme plutôt attirant. La plupart des femmes recherchent mes... faveurs. J'ai toujours eu l'embarras du choix. Et j'ai cru que tu repoussais mes avances. Comme je n'en ai pas l'habitude, je me suis senti blessé dans mon orgueil. Mais plutôt que d'en convenir, j'ai préféré inventer une raison qui expliquait que tu ne veuilles pas de moi et je me suis imaginé que tu étais au Service de la Mère.

Jondalar se tut un court instant. Comme Ayla ne bougeait toujours pas, il ajouta :

— Si j'avais fait un peu plus attention, je me serais très vite rendu compte que ton attitude n'était pas celle d'une femme pleine d'expérience qui aurait repoussé mes avances, mais plutôt celle d'une jeune femme qui n'a pas encore été initié aux Premiers Rites — timide, un peu terrorisée et désireuse de plaire. S'il y avait quelqu'un de bien placé pour s'en rendre compte, c'était moi... Mais laissons cela. Ça n'a pas d'importance.

Ayla venait de repousser les couvertures et elle écoutait les paroles de Jondalar avec une telle attention qu'elle entendait bourdonner le sang dans ses oreilles.

— Mais je ne voyais que la femme en toi, Ayla, lui avoua Jondalar. Car, crois-moi, tu n'as rien d'une jeune fille. Je pensais que tu plaisantais quand tu me disais que tu étais grande et laide. Ce n'est absolument pas le cas. Même si aux yeux des Tê... de ceux qui t'ont élevée tu semblais trop différente, il faut que tu saches que tu n'es ni grande ni laide. Tu es d'une rare beauté, Ayla. La plus belle femme que j'aie jamais rencontrée.

Ayla s'était retournée et elle était en train de se redresser.

— Belle ? Moi ? s'écria-t-elle d'une voix incrédule. Tu te moques de moi, ajouta-t-elle en se rallongeant sous les fourrures de crainte d'être à nouveau blessée.

Jondalar avança la main pour la toucher, mais il se ravisa.

— Je ne peux pas t'en vouloir de ne pas me croire. Surtout après ce qui s'est passé aujourd'hui... Mais je crois que le moment est venu de regarder les choses en face. La vie n'a pas été tendre pour toi, Ayla. Tu as perdu tes parents et tu as été élevée par des... gens très différents. Tu as été séparée de ton fils, et il a fallu que tu quittes le seul foyer que tu avais pour affronter un univers inconnu et vivre seule. Peu d'êtres auraient survécu à de telles épreuves. Non seulement tu es belle, Ayla, mais tu possèdes aussi une extraordinaire force intérieure. Et il va falloir que tu sois encore plus forte. Il faut absolument que tu saches comment les gens considèrent ceux qui font partie de ce que tu appelles le Clan. Comme je te l'ai dit tout à l'heure, ils pensent que ce sont des animaux...

— Ce ne sont pas des animaux !

— Je n'en savais rien, Ayla. Certaines personnes les détestent. J'ignore d'ailleurs pourquoi. Les animaux — les vrais, ceux que nous chassons —, personne ne les hait. Peut-être qu'au fond d'eux-mêmes les gens savent que les Têtes Plates — c'est ainsi qu'on les appelle — sont aussi des êtres humains. Mais ils sont si différents de nous que cela nous fait peur et représente même une menace à nos yeux. Et pourtant, certains hommes obligent les femmes Têtes Plates à... je ne peux pas dire : partager les Plaisirs... ce n'est pas l'expression qui convient. Disons, comme toi, qu'ils assouvissent leur désir avec elles. Pourquoi font-ils ça s'ils les considèrent comme des animaux ? J'ignore si ce sont vraiment des animaux, si les esprits peuvent se mélanger et si les enfants naissent...

— Crois-tu vraiment que ce soit les esprits ? l'interrompit Ayla.

Jondalar semblait si sûr de lui qu'elle en venait à se dire qu'il avait peut-être raison.

— Que ce soit les esprits ou pas, tu n'es pas la seule à avoir eu un enfant qui est un mélange d'être humain et de Tête Plate, même si les gens n'en parlent pas...

— Les gens du Clan sont aussi des êtres humains ! l'interrompit Ayla.

— Tu ne vas pas cesser d'entendre ce nom de Têtes Plates, Ayla. Je tiens à te le dire. Il faut aussi que tu saches que le fait qu'un homme force une femme du Clan est une chose qu'on admet même si on ne l'approuve pas. Mais qu'une femme partage les Plaisirs avec un homme Tête Plate est... impardonnable aux yeux de la plupart des gens.

— Monstrueux ?

Jondalar blêmit, mais il continua.

— Monstrueux, oui, Ayla.

— Je ne suis pas un monstre ! s'écria-t-elle avec colère. Et Durc non plus ! Je n'aimais pas ce que Broud me faisait mais ce n'était pas monstrueux. Si un autre homme du Clan avait voulu assouvir son désir avec moi et qu'il n'ait pas agi par haine, comme Broud, j'aurais accepté comme n'importe quelle autre femme du Clan. Et si j'avais pu, j'aurais continué à vivre avec eux, même en tant que seconde compagne de Broud. Rien que pour rester avec mon fils. Je m'en fiche que, pour la plupart des gens, ce soit impardonnable.

Jondalar admirait son attitude. Mais il savait aussi quelles difficultés elle allait lui valoir.

— Je ne te demande pas d'avoir honte, Ayla. Je t'explique seulement à quoi il faut t'attendre. Il faudrait mieux peut-être que tu dises que tu appartiens à un autre peuple ?

— Pourquoi me demander de dire des mots qui sont faux ? De toute façon, j'en serais incapable. Dans le Clan, personne ne dit jamais quelque chose qui n'est pas vrai. Cela se verrait tout de suite et tout le monde s'en apercevrait. Il arrive parfois que quelqu'un se retienne de dire quelque chose. Si c'est par... politesse, il en a le droit. Mais personne n'est dupe. Quand tu me dis des mots qui ne sont pas vrais, je m'en aperçois aussitôt. Ça se voit sur ton visage, dans le mouvement de tes mains et de tes épaules.

Jondalar rougit. Ses mensonges étaient-ils donc si apparents ? Il se félicita d'avoir choisi d'être scrupuleusement sincère avec elle. Au moins lui avait-elle appris cela. Sa sincérité et sa franchise faisaient intimement partie de sa force intérieure.

— Il n'est pas utile que tu apprennes à mentir, Ayla. Je tenais simplement à te dire ça avant de partir.

Ayla sentit un pincement au creux de l'estomac. Il va partir, se dit-elle, prise d'une folle envie de se cacher à nouveau la tête sous les fourrures.

— Je savais que tu t'en irais un jour, dit-elle. Mais tu n'as rien pour voyager. De quoi as-tu besoin ?

— Si tu me donnes quelques silex, je pourrai fabriquer des outils et des armes. Il faudra aussi que je répare les vêtements que je portais quand tu m'as trouvé. Je récupérerai aussi mon havresac.

— Qu'est-ce qu'un havresac ?

— C'est le nom que donnent les Mamutoï au sac que je portais lorsque tu m'as trouvé. Le mot « havresac » n'existe pas en zelandonii. Nous disons : sac, tout simplement...

— Comment est-il possible qu'il y ait des mots différents ? demanda Ayla en ouvrant de grands yeux.

— Le mamutoï est une autre langue.

— Une autre langue ? Quelle langue m'as-tu apprise ?

— Je t'ai appris à parler zelandonii, la langue de mon peuple, dit Jondalar d'une voix mal assurée.

— Les Zelandonii vivent à l'ouest ?

— Très loin à l'ouest. Les Mamutoï vivent tout près d'ici.

— Tu m'as appris la langue d'un peuple qui vit très loin et tu ne m'as pas appris celle du peuple qui vit tout près ! Pourquoi ?

— Je n'ai pas réfléchi. Je t'ai appris ma propre langue, avoua-t-il d'un air malheureux.

J'ai tout fait de travers ! faillit-il ajouter.

— Toi mis à part, personne ne parle cette langue ?

Jondalar hocha la tête. Le cœur d'Ayla se serra. Elle avait cru que Jondalar lui avait été envoyé pour qu'elle apprenne à parler et il était le seul à qui elle puisse s'adresser !

— Pourquoi ne m'as-tu pas appris la langue que tout le monde parle ?

— Ce genre de langue n'existe pas.

— Je veux dire la langue que vous utilisez pour parler aux esprits ou à votre Grande Mère.

— Nous n'avons pas de langue spéciale pour nous adresser à Elle.

— Comment faites-vous lorsque vous rencontrez des gens qui ne parlent pas la même langue que vous ?

— Nous apprenons leur langue et ils apprennent la nôtre. Je parle trois langues et je connais aussi quelques mots dans d'autres langues.

Ayla s'était remise à trembler. Elle avait cru qu'elle pourrait quitter la vallée et s'adresser sans difficulté à ceux qu'elle rencontrerait. Qu'allait-elle faire maintenant ? Elle bondit sur ses pieds et Jondalar se leva, lui aussi.

— Je peux apprendre tous les mots que tu connais, Jondalar ! Il faut que tu me les enseignes ! J'y tiens absolument !

— Je ne peux pas t'apprendre deux autres langues, Ayla ! Cela nous prendrait trop de temps et je ne connais pas ces langues parfaitement. Il ne suffit pas de connaître les mots d'une langue pour savoir la parler.

— Nous pouvons déjà commencer avec les mots. Il faut commencer par le début. Comment dit-on feu en mamutoï ?

Après lui avoir répondu, Jondalar voulut à nouveau lui démontrer que c'était impossible. Mais Ayla ne lui en laissa pas la possibilité et elle continua à l'interroger en citant les mots zelandonii dans l'ordre où elle les avait appris. La liste était déjà longue quand Jondalar réussit à l'interrompre :

— A quoi cela sert-il ? Jamais tu ne pourras te rappeler tous ces mots en t'y prenant comme ça.

— Je reconnais que ma mémoire pourrait être meilleure. Si je me trompe, dis-le-moi.

Elle recommença par le mot feu, puis lui répéta tous les mots qu'il venait de lui apprendre dans les deux langues. Quand elle eut terminé, Jondalar lui lança un regard empreint de respect. Il se souvint soudain que lorsqu'elle essayait d'apprendre le zelandonii, elle n'avait eu en effet aucune difficulté à se rappeler les mots et que c'était la structure de la langue qui lui donnait du mal, ainsi que tout ce qui était abstrait.

— Comment fais-tu ? lui demanda-t-il.

— J'ai fait une erreur ?

— Aucune !

Ayla eut un sourire de soulagement.

— Quand j'étais enfant, j'avais beaucoup plus de mal. Il fallait toujours que je m'y reprenne à deux fois avant d'apprendre quelque chose. Iza et Creb ont vraiment fait preuve de patience avec moi. Certains membres du Clan pensaient que je n'étais pas très intelligente. Ça va mieux, mais il a fallu que je m'exerce pendant très longtemps et même maintenant, ma mémoire reste moins bonne que celle de la plupart des membres du Clan.

— Leur mémoire est supérieure à la tienne ! s'étonna Jondalar.

— Ils n'oublient jamais rien, expliqua Ayla. A la naissance, ils savent déjà pratiquement tout ce qu'ils ont besoin de savoir. Ils n'ont donc pas grand-chose à apprendre. Ils naissent avec des... souvenirs — je ne sais pas comment on pourrait appeler cela autrement. Il suffit de remettre en mémoire une chose à un enfant du Clan pour qu'il l'enregistre : on lui dit une seule fois et cela suffit. Les adultes n'ont plus besoin qu'on leur remette en mémoire quoi que ce soit, ils savent comment puiser dans leurs souvenirs. Mais moi, je ne possède pas les souvenirs du Clan. C'est pourquoi Iza était obligée de me répéter plusieurs fois la même chose jusqu'à ce que je m'en souvienne sans faire d'erreur.

Jondalar était stupéfait par l'extraordinaire mémoire d'Ayla, mais il avait du mal à saisir ce qu'elle voulait dire lorsqu'elle parlait des « souvenirs » du Clan.

— Beaucoup de gens pensaient que comme je ne possédais pas les souvenirs d'Iza, je ne pourrais jamais être guérisseuse. Mais elle, elle me disait que j'avais d'autres dons, qu'elle comprenait d'ailleurs à peine : une manière de savoir ce qui n'allait pas chez un malade et de découvrir le remède qui convenait. Comme je ne possédais aucun souvenir des plantes, elle m'a aussi expliqué comment il fallait faire pour essayer des plantes que je n'avais pas encore utilisées.

Ayla se tut un court instant pour regarder Jondalar. Voyant qu'il semblait intéressé, elle reprit :

— Le Clan possède aussi un langage très ancien, uniquement composé de gestes, et que tout le monde connaît. Ils utilisent l'Ancienne Langue au cours des cérémonies, pour s'adresser aux esprits ou lorsqu'ils veulent parler à quelqu'un qui n'utilise pas le même langage. Cette Ancienne Langue fait partie de leurs souvenirs, alors que moi, il a fallu que je l'apprenne. Comme je ne possédais aucun de leurs souvenirs, j'étais obligée d'être très attentive pour apprendre le plus vite possible. Car les gens s'impatientaient quand ils étaient obligés de me rappeler deux fois la même chose.

— Si j'ai bien compris, intervint Jondalar, ces... gens du Clan possèdent, en plus de leur propre langue, un langage très ancien connu de tous. Chacun est capable de parler... ou de communiquer plutôt, avec n'importe qui.

— C'est ce qui se passe en effet lors du Rassemblement du Clan.

— Nous parlons bien des mêmes gens ? Des Têtes Plates ?

— Oui, si c'est là le nom que tu donnes à ceux du Clan, dit Ayla en baissant les yeux. Tu l'as prononcé pour la première fois lorsque je te les ai décrits, juste avant de dire que j'étais un monstre.

Ayla se rappela le regard glacial dont il l'avait gratifiée lorsqu'elle lui avait parlé du Clan et son mépris non déguisé pour ceux qui l'avaient élevée. Le pire était qu'il avait eu cette réaction à un moment où, justement, elle avait l'impression qu'ils commençaient à se comprendre. Elle avait beau s'expliquer, il semblait avoir du mal à accepter ce qu'elle disait. Pourquoi s'était-elle laissée aller à discuter de nouveau avec lui ?

Soudain mal à l'aise, elle s'approcha du feu et, pour s'occuper, commença à plumer les deux lagopèdes que Jondalar avait posés à côté du foyer.

Jondalar comprenait sa réaction : il l'avait blessée trop profondément et avait perdu sa confiance. Il alla chercher les fourrures d'Ayla et les remit sur sa couche. Puis il prit les siennes et les déposa de l'autre côté du feu.

Ayla arrêta aussitôt de plumer les oiseaux et se précipita sur sa couche. Elle ne voulait pas que Jondalar la voie pleurer.

Couché dans ses fourrures de l'autre côté du foyer, Jondalar essayait de trouver une position confortable pour s'endormir. Il repensait aux dernières paroles d'Ayla. Les Têtes Plates semblaient posséder des souvenirs d'un genre bien particulier et un langage gestuel connu de tous. Il avait du mal à le croire. Et pourtant, il ne pouvait mettre ses paroles en doute : elle ignorait ce qu'était le mensonge.

Ayla avait vécu seule pendant des années. Même si elle appréciait la compagnie de Jondalar, la simple présence d'une autre personne exigeait d'elle un effort d'adaptation continuel et les émotions de la journée l'avaient épuisée. Elle ne voulait plus réfléchir ni penser à quoi que ce soit et n'aspirait qu'au repos.

Néanmoins, elle n'arrivait pas à s'endormir. Elle avait mis tous ses espoirs dans le fait de savoir parler et elle avait l'impression que Jondalar l'avait trompée. Pourquoi lui avait-il appris sa propre langue ? Il allait partir et elle ne le reverrait jamais. Au printemps, elle serait obligée de quitter la vallée pour rejoindre ceux qui vivaient à proximité. Il lui faudrait trouver un autre homme.

Mais elle n'avait aucune envie d'en chercher un autre. C'est Jondalar qu'elle désirait : Jondalar, son regard irrésistible et ses caresses. Au début, elle n'avait vu en lui que le premier représentant des Autres qu'il lui était donné de rencontrer. Même si elle ignorait à quel moment exactement le changement s'était produit, Jondalar était devenu un individu à part entière. C'est Jondalar qui lui manquait ce soir, le bruit de sa respiration et la chaleur de son corps, allongé à côté du sien. Que sa couche soit vide était encore plus dur à supporter que le douloureux vide intérieur qu'elle ressentait.

Jondalar, lui non plus, n'arrivait pas à trouver le sommeil. Privé de la chaude présence d'Ayla, il n'arrêtait pas de se tourner d'un côté et de l'autre en se faisant des reproches. Non seulement il avait accumulé les erreurs, mais il n'avait pas pensé à lui apprendre la langue dont elle allait avoir besoin. Son peuple habitait à plus d'une année de marche d'ici et jamais elle n'aurait l'occasion d'utiliser le zelandonii !

Repensant soudain au long Voyage qu'il avait effectué en compagnie de son frère, il le trouvait maintenant totalement inutile. Depuis combien d'années était-il parti ? Trois ans ? Quand il rentrerait, il aurait donc été absent quatre ans. Quatre ans de sa vie envolés ! Pour rien. Thonolan était mort, Jetamio aussi et même l'enfant de l'esprit de son frère. Que restait-il ?

Depuis son adolescence, Jondalar avait appris à contrôler ses émotions. Et pourtant, lui aussi, ce soir-là, il pleura. Il ne pensait pas seulement à la mort de son jeune frère, il songeait aussi à la chance merveilleuse qu'il avait laissé passer.

25

Jondalar venait de rêver de chez lui. Les images étaient encore si nettes dans son esprit lorsqu'il ouvrit les yeux et aperçut les parois de la caverne, qu'il se demanda où il se trouvait. Puis il se dit que les parois n'étaient pas à leur place habituelle. Enfin il comprit qu'étant couché de l'autre côté du foyer, il voyait pour la première fois la caverne sous un angle différent.

Ayla n'était pas là. Elle avait fini de plumer les lagopèdes, posé les deux oiseaux près du foyer et placé leurs plumes dans un panier fermé juste à côté. Cela devait faire un certain temps qu'elle était debout. Le bol de Jondalar — celui qu'il utilisait habituellement et dont le grain rappelait la forme d'un petit animal — était sorti. A côté du bol se trouvait un panier tressé serré dans lequel infusait sa boisson matinale, ainsi qu'une courte branche de bouleau fraîchement écorcée. Ayla savait qu'il aimait mâchonner l'extrémité d'une branche à son réveil pour débarrasser ses dents des dépôts accumulés pendant la nuit et elle avait pris l'habitude d'en préparer une pour lui chaque matin.

Jondalar se leva et s'étira. Il se sentait un peu raide d'avoir dormi à même le sol. Ce n'était pas la première fois qu'il dormait à la dure, mais le matelas en paille sur lequel il couchait d'ordinaire l'avait habitué à plus de confort. En plus, cette paille sentait bon et était toujours parfaitement propre. Ayla la changeait régulièrement pour qu'elle ne s'imprègne pas de mauvaises odeurs.

L'infusion était chaude, Jondalar en déduisit que la jeune femme ne devait pas être loin. Il remplit son bol et huma le parfum de menthe que dégageait la boisson. Chaque matin, il s'amusait à essayer de deviner quelles plantes elle avait utilisées. Il y avait presque toujours de la menthe, la plante préférée d'Ayla. Il avala une gorgée et crut reconnaître le goût des feuilles de framboisier et peut-être une note de luzerne. Il saisit la brindille de bouleau et sortit.

Debout au bord de la corniche, il mâchonna la brindille tout en regardant son jet d'urine jaillir en arc de cercle et mouiller la paroi de la falaise. Il n'était pas tout à fait réveillé et agissait de manière machinale. Lorsqu'il eut terminé, il se brossa les dents avec le bout de bois dont il avait hérissé les fibres en les mordillant, puis se rinça la bouche avec une gorgée d'infusion. C'était un rituel ravigotant à la suite duquel il se sentait les idées plus claires pour faire des projets pour la journée.

Son sentiment de bien-être s'évanouit vite : à peine avait-il fini de boire son infusion qu'il rougit brusquement en songeant à ce qui s'était passé la veille. La journée d'aujourd'hui risquait de ne ressembler en rien à celles qui l'avaient précédée. Et pour cause... Au lieu de jeter la brindille, il la fit tourner entre son pouce et son index en réfléchissant à ce que représentait ce petit bout de bois préparé chaque matin à son intention.

Il lui avait été facile de laisser Ayla prendre soin de lui : elle s'acquittait en effet de cette tâche avec une subtile délicatesse. Elle anticipait ses désirs sans qu'il ait besoin de lui demander quoi que ce soit. La brindille qu'il venait de mâcher en était un parfait exemple. Elle s'était levée avant lui, était allée la couper, en avait retiré l'écorce et l'avait placée à côté du foyer pour qu'il puisse s'en servir à son réveil. Quand avait-elle commencé à faire ça ? Il se rappelait qu'un matin, encore faible sur ses jambes, il avait cueilli une brindille en arrivant en bas du sentier. Le lendemain, Ayla en avait posé une à côté de son bol d'infusion. Il lui en avait été très reconnaissant car, à cette époque, ses pas étaient mal assurés.

Et l'infusion chaude, alors ? Quelle que soit l'heure de son réveil, il trouvait toujours une boisson chaude. Comment savait-elle qu'il n'allait pas tarder à ouvrir les yeux ? Depuis le début, l'infusion du matin était toujours à la bonne température quand il y trempait ses lèvres. Combien d'autres attentions, tout aussi délicates et discrètes, avait-elle eu pour lui depuis qu'elle l'avait recueilli ? Et il s'agissait toujours d'actes totalement désintéressés. Elle me rappelle Marthona, songea Jondalar. Elle aussi vous faisait des cadeaux ou vous consacrait du temps avec une telle bienveillance qu'on ne se sentait jamais son obligé.

— Je ne lui ai rien donné, rien apporté, dit-il à voix haute. Et quand je pense à ce qui s'est passé hier...

Il leva la main et, d'une pichenette, lança la brindille de l'autre côté de la corniche. Il aperçut alors Whinney et son poulain qui décrivaient avec entrain un large cercle au milieu de la prairie.

— Rapide, très rapide ! s'écria-t-il. Je suis certain que sur une courte distance il dépasserait sans mal sa mère.

— Sur une courte distance, la plupart des jeunes étalons sont en effet capables d'aller plus vite qu'une jument, mais pas sur une longue distance, dit Ayla qui arrivait en haut du sentier.

Jondalar se retourna pour la regarder. Ses yeux brillaient d'excitation et il souriait, tout fier du poulain. Son enthousiasme était communicatif et Ayla sourit à son tour, oubliant un instant ses craintes. Elle avait toujours espéré que Jondalar s'attacherait au poulain — malheureusement, maintenant cela n'avait plus d'importance.

— Je me demandais où tu étais, dit-il.

Il était tellement gêné de se retrouver en face d'elle que son sourire s'évanouit.

— J'ai démarré un feu dans la fosse à rôtir pour les lagopèdes et je suis descendue voir si on pouvait les mettre à cuire.

Il n'a pas l'air très heureux de me voir, se dit-elle en se dirigeant vers l'entrée de la caverne. Elle non plus, elle ne souriait plus.

— Ayla ! appela Jondalar en se précipitant à sa suite.

Quand elle se retourna, il ne sut plus quoi dire.

— Je... euh... j'aimerais fabriquer quelques outils. Si tu n'y vois pas d'inconvénient, bien entendu. Je ne veux pas te priver de tes réserves de silex.

— Tu peux prendre ce que tu veux. Chaque année, les crues printanières emportent une partie de ceux qui se trouvent sur la plage et en déversent d'autres.

— Il se peut que la rivière les arrache à un dépôt de craie situé en amont. Si j'étais sûr que ce ne soit pas trop loin, j'irais bien les chercher à la source. Les silex qu'on vient juste d'extraire sont de bien meilleure qualité. Dalanar extrait les siens directement du gisement situé à côté de sa Caverne et les silex lanzadonii ont la réputation de surpasser tous les autres.

Le regard de Jondalar s'était à nouveau animé, comme chaque fois qu'il parlait de son métier.

Il me fait penser à Droog, se dit Ayla. Il adore la taille du silex et tout ce qui s'y rattache. Elle sourit intérieurement en repensant à la fierté de Droog le jour où il avait découvert que le fils d'Aga, sa compagne, était en train de frapper deux pierres l'une contre l'autre. Il avait même offert à l'enfant un percuteur. Il aimait enseigner son savoir-faire, songea-t-elle. Bien que je sois une fille, cela ne l'a pas empêché de me montrer.

Voyant qu'elle était perdue dans ses pensées et qu'elle recommençait à sourire, Jondalar lui demanda :

— A quoi penses-tu, Ayla ?

— Je pensais à Droog, un tailleur de silex. Il me permettait de le regarder quand il travaillait à condition que je reste tranquille et que je ne l'empêche pas de se concentrer.

— Tu pourras regarder comment je travaille, proposa Jondalar. Mais j'aimerais bien aussi que tu me montres quelle technique tu utilises.

— Je ne suis pas une spécialiste. Je suis capable de fabriquer les outils dont j'ai besoin. Mais ceux de Droog étaient bien supérieurs aux miens.

— Tes outils m'ont l'air tout à fait pratiques et je serais curieux de voir comment tu t'y prends.

Ayla hocha la tête et s'enfonça dans la caverne. Elle tardait et Jondalar se portait à l'entrée de la caverne pour la héler quand elle ressortit. Il fit un tel bond en arrière pour l'éviter qu'il faillit tomber. Il ne voulait pas la toucher, même par inadvertance, de crainte de l'offenser à nouveau.

Ayla le prit pour du dégoût. Elle respira un grand coup, redressa les épaules et releva le menton. Elle ne lui laisserait pas voir à quel point elle souffrait. Elle s'engagea dans le sentier, portant d'un côté les deux lagopèdes et le panier plein d'œufs, de l'autre un gros paquet enveloppé dans une peau et attaché à l'aide d'une corde.

— Donne-moi quelque chose à porter, dit Jondalar en se précipitant à sa suite.

Ayla l'attendit, le temps de lui tendre le panier plein d'œufs.

— Il faudrait d'abord mettre les lagopèdes à cuire, dit-elle en déposant son ballot sur la plage.

Jondalar eut l'impression qu'elle attendait qu'il lui donne son accord ou qu'au moins il acquiesce à sa proposition. Et il ne se trompait pas de beaucoup. En dépit de ses années d'indépendance, certaines actions d'Ayla étaient encore fortement influencées par les manières du Clan.

— Bien sûr, vas-y ! dit-il. Avant de se mettre au travail, il faut d'abord que j'aille chercher mes outils.

Ayla emporta les deux oiseaux de l'autre côté de la paroi, là où, un peu plus tôt, elle avait creusé un trou qu'elle avait ensuite garni de pierres. Au fond de la fosse, le feu s'était éteint mais les pierres étaient si chaudes qu'elles grésillèrent quand elle y laissa tomber quelques gouttes d'eau. Il avait fallu qu'elle explore en tous sens la vallée pour trouver les légumes et les aromates dont elle avait besoin pour cuisiner ce plat et elle les avait posés à côté de la fosse. Elle avait cueilli du pas-d'âne pour la note légèrement salée que cette plante donnerait au plat. Il y avait aussi des oignons sauvages, de l'ail des ours, du basilic et de la sauge. Comme légumes, elle avait choisi des orties, de l'angélique et de l'oseille sauvages.

Elle farcit les lagopèdes avec leurs propres œufs placés à l'intérieur des légumes sauvages — quatre œufs dans un des oiseaux, trois dans l'autre. Normalement, on enveloppait les lagopèdes dans des feuilles de vigne avant de les mettre à cuire au fond de la fosse. Mais il n'y avait pas de vignes dans la vallée. Se souvenant qu'on enveloppait parfois le poisson dans de l'herbe fraîchement coupée pour le cuire, Ayla se dit que cela risquait de marcher aussi pour le gibier. Elle plaça les deux oiseaux au fond de la fosse, ajouta encore un peu d'herbe, empila les pierres par-dessus et les recouvrit de terre.

Lorsqu'elle le rejoignit, Jondalar avait étalé autour de lui son assortiment d'outils de tailleur de silex : en pierre, en os et en bois de cervidés. Ayla en reconnut quelques-uns. Elle posa ses propres outils sur le sol à portée de main, s'assit et étendit la peau sur ses genoux pour se protéger des éclats coupants qui risquaient de la blesser au cours de la taille. Levant les yeux, elle s'aperçut que Jondalar était en train d'examiner avec intérêt son attirail.

Quand il poussa quelques rognons de silex dans sa direction, Ayla pensa aussitôt à Droog. « L'habileté d'un bon tailleur de silex commence par le choix des pierres », avait-il coutume de dire. Pour ce qu'elle désirait faire, il lui fallait un silex au grain très serré. Après avoir examiné deux rognons, elle choisit le plus petit. Jondalar, qui approuvait son choix, hocha la tête.

Repensant soudain au fils du foyer de Droog qui avait fait preuve d'un goût marqué pour la taille du silex alors qu'il savait à peine marcher, elle lui demanda :

— Est-ce que tu as toujours voulu être tailleur de silex ?

— A un moment donné, je pensais que je serais sculpteur et j'ai même songé à entrer au Service de la Mère, répondit Jondalar. (Sa voix exprimait un regret poignant.) Mais les choses se sont passées autrement : je suis allé vivre chez Dalanar et j'ai appris la taille du silex. C'était un excellent choix — j'étais doué pour ce métier et il me plaît toujours autant. Je n'aurais jamais été un grand sculpteur.

— Qu'est-ce qu'un « sculpteur », Jondalar ?

— Ça y est, j'ai compris ! s'écria-t-il. Je sais ce qui manque ! Il n'y a dans cette caverne aucun objet gravé, sculpté, peint, décoré de perles ou même simplement coloré.

— Je ne comprends pas... avoua Ayla qui semblait consternée.

— Je suis désolé, Ayla. Comment pourrais-tu savoir de quoi je parle ? Un sculpteur est quelqu'un qui fait des animaux en pierre.

— C'est impossible ! intervint Ayla en fronçant les sourcils. Les animaux sont faits de chair et de sang. Ils vivent et ils respirent.

— Je ne te parle pas d'animaux réels, mais de statuettes qui représentent des animaux. Le sculpteur reproduit dans la pierre l'apparence de l'animal. Ou, si tu préfères, il la taille pour qu'elle ressemble à un animal. Certains sculpteurs font aussi des statuettes qui représentent la Grande Terre Mère. A condition bien entendu qu'Elle leur soit apparue lors d'une vision.

— Quelque chose qui ressemble à un animal ? Dans de la pierre ?

— Pas seulement dans de la pierre. On peut aussi utiliser le bois, l'os, une défense de mammouth ou des bois de cervidés. J'ai entendu dire que certains peuples faisaient des statues dans de la boue. Si la neige ne fondait pas au printemps, on pourrait aussi l'utiliser car elle permet de façonner des personnages ou des animaux très ressemblants.

Pour Ayla, qui ne comprenait rien à ce que lui racontait Jondalar, le mot « neige » fut un déclic. Cela lui rappela le jour où elle s'était servie d'un bol pour entasser de la neige contre la paroi extérieure de la caverne. N'avait-elle pas imaginé pendant un court instant que ce tas de neige ressemblait à Brun ?

— Façonner un personnage dans de la neige... dit-elle en hochant la tête. Je crois que je comprends.

Jondalar se dit que le meilleur moyen pour qu'elle comprenne vraiment était de lui montrer une sculpture. Quelle vie morne elle a dû avoir parmi les Têtes Plates qui l'ont élevée ! se dit-il. Même ses vêtements sont uniquement utilitaires. Se contentent-ils de chasser, de manger et de dormir ? Ils ne sont même pas sensibles aux Dons de la Mère. Ni beauté, ni mystère, ni imagination. Je me demande si elle se rend compte de ce qu'elle a raté.

Ayla prit le rognon de silex qu'elle avait choisi et l'examina avec attention pour savoir à quel endroit elle allait l'attaquer. Elle n'allait pas fabriquer un coup-de-poing car, même si c'était un outil très utile, il était plutôt facile à faire et Jondalar avait certainement envie qu'elle utilise une technique plus compliquée. Avant de se mettre au travail, elle saisit un objet qui ne figurait pas dans l'assortiment d'outils de Jondalar : un os de pied de mammouth, un os élastique sur lequel elle poserait le silex pour qu'il ne se fracasse pas pendant le travail. Elle le fit tourner jusqu'à ce qu'il eût trouvé sa place entre ses jambes.

Elle prit alors son percuteur, un outil en pierre semblable à celui de Jondalar, mais plus petit que le sien, adapté à sa main. Tenant le rognon qu'elle avait posé sur l'enclume en os de mammouth, elle le frappa avec force à l'aide de son percuteur. Un morceau de cortex, l'enveloppe extérieure du silex, tomba à côté de l'enclume, laissant apparaître l'intérieur gris foncé du rognon. Le morceau qui venait de se détacher possédait un épais renflement — le bulbe de percussion — à l'endroit qui avait été frappé par le percuteur. Puis son épaisseur allait en diminuant et, à l'opposé du bulbe, il se terminait par un bord fin. Il aurait pu être utilisé comme outil à découper — d'ailleurs les premières lames fabriquées par l'homme n'étaient rien d'autre que des éclats aux bords tranchants — mais l'outil qu'Ayla désirait fabriquer exigeait une technique plus élaborée.

Elle examina avec attention l'intérieur du silex. La couleur était bonne, le grain parfaitement lisse et il n'y avait aucune inclusion. Ce rognon allait permettre de fabriquer de bons outils. A nouveau, Ayla utilisa son percuteur.

Elle continua à débiter le rognon pour le débarrasser de son enveloppe crayeuse et Jondalar, qui l'observait, vit peu à peu apparaître la forme qu'elle était en train de lui donner. Quand l'enveloppe crayeuse eut disparu, elle frappa encore quelques coups, supprimant ici un renflement, détachant là un éclat, jusqu'à ce que le nucleus ait la forme d'un œuf quelque peu aplati. Elle échangea alors son percuteur en pierre contre un bout d'os solide. Plaçant le noyau sur la tranche et travaillant du bord vers le centre, elle s'attaqua avec son percuteur en os au sommet de l'œuf en pierre et se mit à en détacher des éclats. Ce percuteur possédait une plus grande élasticité et les éclats étaient plus fins, plus longs, avec un bulbe de percussion moins renflé. Quand elle eut terminé, le gros œuf en pierre du début avait une surface supérieure et ovale.

Imitant Droog qui, avant d'accomplir l'étape suivante, demandait toujours l'aide de son totem, Ayla s'arrêta de travailler, saisit son amulette et, fermant les yeux, adressa une pensée silencieuse à l'esprit du Lion des Cavernes. Pour ne pas rater la prochaine étape, il fallait non seulement être habile, mais aussi avoir de la chance. En outre, Ayla savait que Jondalar l'observait et cela la rendait nerveuse. L'important, ce n'était pas tant l'outil qu'elle était en train de fabriquer que la technique qu'elle utilisait. Si elle gâchait cette pierre, elle aurait beau répéter qu'elle n'était pas une spécialiste, Jondalar douterait des capacités de Droog et du Clan tout entier.

Il avait déjà remarqué qu'Ayla portait une amulette autour du cou et, en la voyant pour la première fois saisir à deux mains cet objet et fermer les yeux, il s'interrogea. Elle avait saisi ce petit sac avec respect, comme lui-même aurait saisi sa donii. Mais une donii était une statuette représentant une femme dans toute son abondance maternelle, un symbole de la Grande Terre Mère et du merveilleux mystère de la création. Cette petite poche bosselée ne pouvait en aucun cas avoir la même signification.

Ayla rouvrit les yeux et reprit son percuteur en os. Avant de détacher du noyau une tranche aux arêtes droites et tranchantes, il fallait d'abord qu'elle prépare une plate-forme de percussion. Pour ce faire, elle devait détacher près du bord un petit éclat perpendiculairement à la surface plane du silex.

Tenant fermement le nucleus pour qu'il ne bouge pas, elle visa avec soin. Elle devait non seulement frapper au bon endroit, mais aussi mesurer la puissance de son coup : si elle ne frappait pas assez fort, le petit éclat n'aurait pas l'angle désiré, et si elle frappait trop fort, elle briserait le bord tranchant qu'elle avait si soigneusement façonné. Elle prit une profonde inspiration, retint son souffle et frappa avec son percuteur en os. Le premier coup était important : s'il était réussi, c'était de bon augure. Un petit éclat se détacha, bien net. Ayla, soulagée, respira plus calmement.

Elle fit basculer le noyau pour pouvoir l'attaquer sous un autre angle et frappa à nouveau, avec plus de force cette fois. Le percuteur en os retomba exactement dans l'entaille et un éclat se détacha du noyau. La lamelle, toute en longueur, était de forme ovale. Sa surface supérieure, façonnée à petits coups au sommet de l'œuf, restait irrégulière. La face opposée, débitée dans l'épaisseur du noyau, était lisse, renflée à l'endroit où le percuteur avait frappé, puis s'amincissait jusqu'à former sur tout le pourtour un bord aussi coupant qu'une lame de rasoir.

Jondalar saisit l'outil.

— C'est une technique difficile à maîtriser, dit-il. Il faut faire preuve à la fois de force et de précision. Quel bord tranchant ! Ce n'est nullement un outil grossier.

Ayla poussa un soupir de soulagement. Non seulement elle avait parfaitement accompli sa tâche, mais elle venait de faire honneur au Clan. En réalité, le fait de ne pas être née au sein du Clan lui donnait un avantage supplémentaire. Si Jondalar avait observé un membre du Clan alors qu'il taillait un silex, il aurait été influencé par le fait qu'il se trouvait en présence d'un Tête Plate et il n'aurait pas jugé en toute objectivité sa performance.

Ayla le regardait qui contemplait le silex quand, brusquement, elle ressentit une sorte de décalage intérieur. Elle se mit à frissonner sans raison et il lui sembla qu'elle observait soudain Jondalar et elle-même de loin, comme si elle venait de quitter son propre corps.

Elle se souvint brusquement et avec netteté de la nuit où elle avait fait l'expérience d'une désorientation similaire. Elle se revoyait en train de s'enfoncer à l'intérieur d'une grotte, guidée par la lueur de lampes de pierre, puis agrippée à un pilier alors qu'elle se sentait invinciblement attirée vers un espace circonscrit par de lourdes colonnes de stalactites au plein cœur de la montagne.

Dix mog-ur étaient assis en cercle autour du feu. Mais seul Mog-Ur — Creb lui-même — avait deviné sa présence. La force de son esprit, déjà immense en temps ordinaire, était amplifiée cette nuit-là par le breuvage qu'Ayla, sur les conseils d'Iza, avait préparé à l'intention des sorciers. Elle aussi en avait absorbé sans le vouloir et était sous l'influence du breuvage magique. Par la seule force de son esprit, Creb l'avait tirée de l'abîme sans fond où elle était en train de sombrer et l'avait entraînée dans un voyage fascinant et terrifiant au cours duquel ils étaient remontés jusqu'à l'aube de l'humanité.

Au cours de ce voyage, le plus grand magicien du Clan, doté d'un cerveau exceptionnel, avait ouvert de nouvelles voies dans le cerveau d'Ayla, ranimant des dispositions qui, chez ses semblables, s'étaient atrophiées au cours des âges. Mais, même si leurs cerveaux se ressemblaient, ils n'étaient pas identiques. Ayla avait pu remonter en arrière avec lui jusqu'à l'aube de l'humanité, puis parcourir chaque stade du développement. Mais, à un moment donné, leurs chemins s'étaient séparés et, lorsqu'elle s'était aventurée plus avant sur le sien, elle s'était soudain retrouvée seule : Creb ne pouvait aller au-delà.

Ayla ne comprenait toujours pas pourquoi il avait été si douloureusement affecté par ce qui s'était passé cette nuit-là. Mais une chose était sûre : il n'avait plus jamais été le même et leur relation s'en était trouvée modifiée. Elle ne savait pas non plus que Creb avait ouvert de nouvelles voies dans son psychisme. Malgré tout, elle avait maintenant l'absolue certitude qu'elle avait été envoyée dans la vallée pour obéir à un dessein dont Jondalar faisait partie.

Alors qu'elle se voyait de loin, assise à côté de Jondalar sur cette plage rocheuse située au cœur d'une vallée reculée, des nuées en mouvement et des lueurs bizarres, émanant d'une atmosphère étrange et épaisse, puis happées par le vide, les entourèrent, les unissant l'un à l'autre. Elle comprit alors d'une manière confuse le sens de sa propre destinée : celle-ci lui apparut comme un nœud dont les nombreux fils étaient reliés au passé, au présent et au futur, une position clef dans une période de transition cruciale. Le corps baigné de sueurs froides, elle émit un son étranglé et sursauta en apercevant le visage inquiet qui se penchait vers elle. Puis elle frissonna pour chasser ce sentiment d'irréalité.

— Tout va bien, Ayla ?

— Oui, ça va.

Voyant qu'elle frissonnait sans raison et qu'elle avait la chair de poule, Jondalar éprouva le besoin de la rassurer. Mais il ne savait pas ce qui l'avait effrayée. Cela ne dura qu'un court instant. Il essaya de se défaire de cette impression de malaise, sans y parvenir.

— Je crois que le temps va changer, dit-il. Il me semble qu'un vent froid se lève.

Tous deux regardèrent le ciel : celui-ci était toujours aussi bleu.

— C'est la saison des orages, dit Ayla. Ils éclatent souvent brusquement.

Jondalar hocha la tête et, désireux de se raccrocher à quelque chose de solide, il lui demanda :

— Quelle est la prochaine étape, Ayla ?

La jeune femme se remit au travail. Concentrée sur sa tâche, elle débita cinq éclats de forme ovale et aux bords aussi tranchants que le premier et, après avoir examiné une dernière fois le bout de rognon pour voir si on ne pouvait pas en détacher une dernière lamelle, elle le jeta loin d'elle.

Puis elle choisit le plus fin des éclats et, à l'aide d'un galet rond et lisse, en retoucha un des bords afin d'émousser le dos de l'outil. Ensuite elle façonna en pointe l'extrémité à l'opposé du bulbe de percussion. Satisfaite, elle posa l'éclat dans sa paume et le tendit à Jondalar.

Celui-ci le prit et l'examina avec attention. La section médiane de l'outil était relativement épaisse puis diminuait au fur et à mesure qu'on s'approchait du bord, fin et coupant sur toute sa longueur. L'outil était assez large pour qu'on l'ait bien en main et son dos avait été émoussé pour que l'utilisateur ne se coupe pas. Il ressemblait un peu à la pointe de flèche des Mamutoï. Mais il n'était nullement destiné à être fixé au bout d'une lance. C'était un couteau sans manche, qu'on tenait directement dans la main, et pour avoir vu Ayla utiliser un outil semblable, Jondalar savait qu'il était étonnamment efficace.

Il reposa la lame et hocha la tête pour l'encourager à continuer. Ayla choisit une autre tranche de silex et, à l'aide d'une canine d'animal, détacha des éclats très fins au bout de l'ovale. Elle émoussait légèrement cette partie de l'outil pour renforcer le bord, afin que l'extrémité arrondie et coupante ne s'use pas trop vite quand on utiliserait l'outil pour écharner les peaux. Puis elle posa ce grattoir et choisit un autre éclat.

Elle commença par poser un gros galet lisse sur l'enclume en os de mammouth. Puis elle prit la canine qui lui servait de retouchoir et, l'appuyant sur le galet, elle s'en servit pour faire une entaille en forme de V au milieu du bord le plus long de son troisième éclat. L'entaille était suffisamment large pour que cet outil permette de tailler en pointe l'extrémité d'une lance. Avec un éclat ovale un peu plus long, toujours selon la même technique, elle fabriqua un outil qui permettrait de percer des trous dans le cuir, le bois ou l'os.

N'ayant pas besoin pour l'instant d'autres outils, elle décida de conserver les deux éclats qui restaient comme ébauches qu'elle ne façonnerait que plus tard. Après avoir repoussé son enclume en os, elle réunit les quatre coins de la peau et alla jeter les déchets de silex dans sa décharge, de l'autre côté de la saillie rocheuse. Les déchets du débitage étaient très coupants et capables d'entailler la plante des pieds, aussi épaisse fût-elle.

Jondalar n'avait rien dit. Mais quand elle revint, elle vit qu'il examinait ses outils, les prenant l'un après l'autre dans sa main comme s'il les essayait.

— Je vais t'emprunter la peau avec laquelle tu te protèges les jambes, dit-il.

Ayla lui tendit la peau. Elle était heureuse d'en avoir fini avec sa propre démonstration et curieuse de voir ce qu'il allait faire. Après avoir placé la peau entre ses jambes, Jondalar réfléchit un court instant, les yeux clos, puis, les rouvrant, il choisit un des rognons et l'examina de près.

Le minéral siliceux avait été arraché à des dépôts calcaires qui dataient du crétacé. Même s'il avait été transporté par la rivière en crue à travers l'étroit canyon situé en amont, puis abandonné sur la plage rocheuse, son enveloppe crayeuse témoignait encore de son origine. Parmi tous les minéraux qu'on rencontrait dans la nature, le silex était le mieux adapté à la fabrication d'outils. C'était une pierre dure et pouvant néanmoins être travaillée, grâce à sa structure cristalline minuscule. La forme qu'on lui donnait n'était limitée que par l'habileté de celui qui le taillait.

Jondalar était en train de chercher les caractéristiques distinctives du silex calcédoine, le plus clair et le plus pur. Il écarta tous les silex fissurés, ainsi que ceux qui, frappés à l'aide d'une autre pierre, émettaient un son indiquant des défauts ou des inclusions. Il finit par en sélectionner un.

Tenant le silex de la main gauche, il le posa sur sa cuisse et, de la main droite, il attrapa le percuteur en pierre et le fit sauter plusieurs fois dans sa main pour s'habituer à son contact. C'était un nouvel outil qu'il ne connaissait pas encore et chaque percuteur avait sa personnalité. Quand il l'eut bien en main, il frappa le silex, détachant un large morceau de l'enveloppe gris blanchâtre. A l'intérieur, le silex était d'un gris plus pâle que celui qu'Ayla avait taillé et il avait des reflets bleuâtres. Un grain serré. Une bonne pierre. Un bon présage. Jondalar continua à frapper.

C'est vraiment un expert, se dit Ayla qui l'observait. Parmi tous ceux qu'elle avait regardés travailler, seul Droog était capable de façonner une pierre avec une telle assurance. Mais la forme que Jondalar était en train de donner au silex était fondamentalement différente. Ayla se pencha pour observer le rognon de plus près.

Au lieu d'être ovoïde, le noyau de Jondalar était cylindrique, sans être tout à fait circulaire. En détachant des éclats des deux côtés, il était en train de former une arête qui courait sur toute la hauteur du cylindre. Quand il eut fini de retirer l'enveloppe crayeuse du silex, cette arête était encore inégale et onduleuse. Il posa son percuteur et saisit à la place un merrain de cervidé qui avait été coupé juste au-dessous du premier andouiller afin de supprimer toutes les branches.

Il utilisa ce percuteur pour débiter des éclats plus petits et rendre l'arête parfaitement rectiligne. Lui aussi, il était en train de préparer son noyau. Mais il ne comptait pas détacher de gros éclats dont la forme serait déterminée d'avance. Quand il fut satisfait de l'arête, il choisit un instrument qui, depuis le début, intriguait Ayla. Il s'agissait là encore d'un morceau de bois de cerf. Plus long que le premier, il portait deux branches qui sortaient de la tige centrale, dont la base était taillée en pointe.

Jondalar se mit debout et, bloquant le silex avec son pied, il plaça l'extrémité pointue de l'instrument juste au-dessus de l'arête taillée avec soin. Il saisit de la main gauche la branche la plus haute de telle sorte que l'autre, plus basse, se trouve face à lui. Puis, à l'aide d'un os long et massif, il frappa sur cette dernière.

Une fine lame tomba sur le sol. Sa longueur correspondait à la hauteur du cylindre en silex et sa largeur représentait à peu près le sixième de sa longueur. Jondalar examina la lame au soleil, puis il la montra à Ayla. La lame laissait passer la lumière. L'arête courait au milieu de la face externe sur toute sa longueur et cette lame possédait deux côtés tranchants.

En plaçant la pointe du perçoir en andouiller directement sur le silex, il n'était pas obligé de calculer avec autant de précision le point d'impact et la force de son coup. La puissance du choc était dirigée exactement où il le désirait et comme elle se propageait à travers deux objets intermédiaires élastiques — le percuteur en os et le perçoir en andouiller — l'éclat n'avait pratiquement pas de bulbe de percussion. C'était une longue lame étroite et uniformément fine.

La technique de taille de Jondalar représentait un perfectionnement révolutionnaire. L'important n'était pas seulement la lame qu'il venait de débiter mais la cicatrice que celle-ci avait laissée dans le noyau. L'arête avait disparu. A sa place se trouvait un long sillon encadré par deux arêtes. C'était là le but de son travail de préparation. Il déplaça le perçoir pour que la pointe de celui-ci se retrouve au-dessus d'une des deux arêtes, puis il frappa à nouveau avec son percuteur en os. Une autre longue lame se détacha, laissant deux autres arêtes sur le noyau. Jondalar renouvela l'opération.

Lorsqu'il eut terminé, il avait réussi à débiter dans le noyau d'origine vingt-cinq lames. Soit quatre fois le nombre d'ébauches débitées par Ayla dans le même volume de silex. Ces lames, longues, minces et aux bords tranchants, auraient pu être utilisées telles quelles comme instruments à découper, mais il ne s'agissait pas de produits finis. Elles allaient être façonnées pour répondre à toutes sortes d'usages et utilisées avant tout pour fabriquer d'autres outils. Selon la forme et la qualité du noyau de base, on pouvait, grâce à cette technique perfectionnée, tirer jusqu'à sept fois plus d'ébauches qu'Ayla à partir d'un noyau de taille équivalente. Cette nouvelle méthode ne permettait pas simplement au tailleur de silex de mieux contrôler son travail, elle donnait aussi au peuple des Cavernes une supériorité incomparable.

Jondalar saisit une des lames et la tendit à Ayla. Elle en vérifia aussitôt le tranchant en y appliquant légèrement son pouce, puis elle appuya sur le bord effilé pour mesurer sa résistance et retourna la lame. Ses deux extrémités étaient recourbées. Cela venait de la nature du matériau de base. Mais cette caractéristique était encore plus apparente à cause de la finesse de la lame. Lorsqu'elle ouvrit la main, elle vit que la lame oscillait sur son dos bombé. Sa forme incurvée ne l'empêchait pas d'être parfaitement fonctionnelle.

— Jondalar, c'est vraiment... vraiment merveilleux ! Très important ! Tu en as taillé tellement... Et ce n'est qu'un début, n'est-ce pas ?

— Ce n'est qu'un début, en effet, reconnut-il en souriant.

— Ces silex sont si fins et si beaux ! Ils doivent se casser plus facilement que les miens, mais en retouchant les extrémités, je suis sûre qu'on peut en tirer des grattoirs solides.

Ayla avait l'esprit pratique et elle imaginait d'avance les outils qui pourraient être fabriqués à partir de ses ébauches.

— Des grattoirs et aussi des couteaux. Pour faire un couteau, il faut façonner une soie qu'on encastrera ensuite dans un manche.

— Je ne sais pas ce que c'est qu'une « soie ».

Jondalar prit une des lames pour lui expliquer.

— Je vais commencer par émousser le dos de cette lame et tailler une des extrémités en pointe : cette partie constituera la lame du couteau. Si je détache quelques éclats sur la face interne de la lame, je pourrai même la redresser un peu. Et maintenant, à peu près à mi-hauteur de la lame, je vais détacher par pression des éclats pour former un talon terminé par une pointe. C'est la pointe qui s'appelle la soie.

Jondalar s'interrompit un court instant pour prendre un bout d'andouiller.

— Pour que mon couteau ait un manche, il suffit que j'encastre cette soie dans un morceau d'os, de bois ou d'andouiller comme celui-ci. Il faut d'abord faire tremper le morceau d'andouiller dans de l'eau bouillante pour le ramollir, puis faire pénétrer en force la soie au centre, là où le bois est le plus tendre. Quand l'andouiller sèche, il se resserre autour de la soie et le manche tient souvent très longtemps sans qu'on ait besoin de l'attacher ou de le coller.

Fascinée par cette nouvelle méthode, Ayla avait très envie de s'y essayer mais elle craignait d'enfreindre les coutumes ou les traditions du peuple de Jondalar. Il ne s'était pas formalisé de voir qu'elle chassait. Allait-il pour autant accepter qu'elle fabrique le même genre d'outils que les siens ?

— J'aimerais essayer... Est-ce que tu vois un... inconvénient à ce que les femmes fabriquent des outils ?

Sa demande fit plaisir à Jondalar. Les outils fabriqués par Ayla exigeaient une bonne dose d'habileté. Le meilleur tailleur de silex n'était jamais absolument sûr d'arriver au résultat souhaité. Et le plus mauvais pouvait réussir à fabriquer un outil potable — il suffisait de casser un silex accidentellement pour en tirer quelques éclats utilisables. Jondalar aurait donc très bien admis qu'Ayla essaie de défendre sa propre méthode. Mais elle semblait avoir saisi quel progrès représentait la sienne et avait envie de l'essayer. Comment aurait-il réagi si quelqu'un lui avait montré une technique constituant un progrès aussi radical ? Je me serais empressé de l'apprendre, se dit-il en souriant.

— Les femmes peuvent être d'excellentes tailleuses de silex, répondit-il. Joplaya, ma cousine, est aussi habile que moi. Mais je me suis bien gardé de le lui dire. Elle est si taquine qu'elle n'aurait pas arrêté de le plaisanter à ce sujet, ajouta-t-il en souriant à ce souvenir.

— Dans le Clan, les femmes ont le droit de fabriquer des outils, mais pas des armes.

— Chez nous, les femmes peuvent fabriquer des armes. Quand un homme part chasser, il perd ou casse beaucoup d'outils et d'armes. Si sa compagne est capable d'en fabriquer, il en a toujours en réserve. C'est donc un avantage. En plus, les femmes sont plus proches que les hommes de la Mère. Certains hommes pensent que les armes fabriquées par les femmes portent chance lors de la chasse. Mais quand un chasseur revient bredouille, il en rejette toujours la faute sur celui qui a fabriqué les armes — et tout spécialement sur sa compagne.

— Crois-tu que je pourrais apprendre ?

— N'importe qui capable de fabriquer des outils comme les tiens est capable d'apprendre à en fabriquer selon ma méthode.

— Non, intervint Ayla après avoir réfléchi à la réponse de Jondalar. Je ne crois pas.

— Bien sûr que tu en serais capable !

— Ce n'est pas ce que je voulais dire. Moi, en effet, je suis capable d'apprendre cette technique. Droog le pourrait aussi, à mon avis. Mais les autres membres du Clan en seraient incapables. Tout ce qui est nouveau est très difficile pour eux. Ils n'apprennent qu'en puisant dans leurs souvenirs.

Sur le coup, Jondalar crut qu'elle plaisantait. Mais non, elle était tout à fait sérieuse. Si elle disait vrai, cela voulait dire que même si on leur en donnait la possibilité, même s'ils le désiraient, les tailleurs de silex du Clan étaient incapables d'apprendre !

Grâce à Ayla, Jondalar commençait à mieux connaître les Têtes Plates. Avant qu'elle ne lui en parle, jamais il n'aurait pensé qu'ils fabriquaient des outils, communiquaient entre eux ou qu'ils puissent avoir pitié d'une enfant perdue. Ayla mise à part, il en savait certainement plus maintenant sur les Têtes Plates que la plupart des gens. Cela pourrait être utile un jour...

Le fait de repenser aux Têtes Plates lui rappela soudain ce qui s'était passé la veille et il ne put s'empêcher de rougir de honte. Totalement absorbé par la taille du silex, il avait oublié son inqualifiable conduite. Il avait regardé Ayla travailler sans vraiment remarquer que ses longues tresses dorées brillaient dans la lumière, faisant ressortir sa peau bronzée, et que ses yeux gris-bleu étaient de la même couleur translucide que le silex calcédoine qu'il venait de tailler.

Oh, Doni ! Comme elle est belle ! se dit-il. Prenant soudain conscience qu'elle était assise tout à côté de lui, il sentit son sexe se durcir. Et son regard trahit ce qu'il éprouvait.

Son changement d'humeur était tellement inattendu qu'il prit Ayla au dépourvu. Comment un homme pouvait-il posséder des yeux d'un tel bleu ? Ni le ciel ni les gentianes qui poussaient dans les montagnes près de la caverne du Clan n'arboraient un bleu aussi profond. Elle ressentait à nouveau... ce sentiment si étrange : des fourmillements dans tout le corps et le désir qu'il la caresse. Elle était penchée en avant, comme s'il la tirait vers lui, et ce n'est qu'au prix d'un effort surhumain qu'elle réussit à fermer les yeux et à se reculer.

Pourquoi me regarde-t-il ainsi alors que je suis un monstre ? se demanda-t-elle. Pourquoi ne peut-il me toucher sans aussitôt bondir comme s'il venait de se brûler ? Son cœur battait la chamade et elle était aussi essoufflée que si elle venait de courir.

Jondalar s'était levé avant qu'elle ne rouvre les yeux, renversant la peau qui lui couvrait les jambes et éparpillant les lames qu'il venait de tailler avec tant de soin. Ayla le vit disparaître derrière la saillie rocheuse. La démarche raide, les épaules voûtées, il semblait malheureux — aussi malheureux qu'elle.

Une fois hors de sa vue, il se mit à courir, dévalant la prairie à toute vitesse jusqu'à ce que les jambes lui fassent mal et qu'il ne puisse plus respirer. Il ralentit alors et s'arrêta, haletant.

Imbécile ! se dit-il. Qu'est-ce qui t'a pris ? Ce n'est pas parce qu'elle a eu la gentillesse de t'offrir quelques silex qu'elle veut t'accorder plus ! Hier, elle s'est sentie blessée parce que tu ne lui as pas proposé de... Mais c'était avant que tu fiches tout en l'air !

Jondalar n'avait aucune envie de repenser à ce qui s'était passé la veille. Il imaginait ce qu'elle avait dû ressentir en voyant sa moue de dégoût. Nous en sommes toujours au même point, se dit-il. N'oublie pas qu'elle a vécu avec des Têtes Plates. Pendant des années. Qu'elle est devenue une des leurs. Qu'un de leurs mâles...

Il s'obligea à fouiller dans sa mémoire, ramenant au jour toutes les anecdotes obscènes, répugnantes et immondes qui, au sein de la Caverne, se rapportaient aux Têtes Plates — donc à Ayla. Lorsque, jeune garçon, il se cachait avec d'autres enfants de son âge dans les buissons pour échanger des gros mots, « femelle Tête Plate » en faisait partie. Un peu plus tard — il n'était pas beaucoup plus vieux, mais savait ce que voulait dire « se faire une femme » — il s'était retrouvé avec les mêmes garçons dans un des coins sombres de la caverne pour parler à voix basse des femelles Têtes Plates qu'ils allaient se faire et de ce qu'il leur arriverait s'ils osaient commettre un tel acte.

A cette époque, l'idée qu'un mâle Tête Plate puisse faire la même chose avec une femme était pour lui impensable. Il en avait entendu parler pour la première fois lorsqu'il était jeune homme. Quand ses amis racontaient des cochonneries, en riant sous cape comme des gamins, il était toujours question d'une femme et d'un mâle Tête Plate, l'histoire la plus ordurière étant celle d'un homme qui, en toute ignorance, avait partagé les Plaisirs avec une femme souillée par un Tête Plate. Le piquant de la plaisanterie était là : qu'il l'ait fait en toute ignorance.

En revanche, jamais on ne plaisantait au sujet des monstres — ou des femmes qui les portaient. Ces monstres étaient des mélanges impurs d'esprits, des créatures malfaisantes lâchées sur terre, que même la Mère, pourtant génératrice de toute vie, avait en horreur. Et les femmes qui mettaient ces abominations au monde étaient intouchables.

Ayla était-elle vraiment impure ? Souillée ? Répugnante ? Un monstre ? Elle, si honnête et si droite ! Et qui connaissait l'art de guérir. Si sage, si courageuse, si gentille et si belle. Est-ce qu'une femme d'une telle beauté pouvait être impure ?

Je suis certain qu'elle ne comprendrait même pas ce que ce mot veut dire, songea Jondalar. Mais que penseront d'elle ceux qui ne la connaissent pas ? Comment vont-ils réagir quand elle leur dira qu'elle a été élevée par des Têtes Plates ? Quand elle leur parlera de son... fils ? Que va penser Zelandoni ? Ou Marthona ? Car elle ne leur cachera pas la vérité. Elle ne les laissera pas dire du mal de son fils et elle leur tiendra tête. Je pense qu'elle est capable de tenir tête à n'importe qui. Même à Zelandoni. Elle a le pouvoir de guérir et elle sait charmer les animaux : elle aurait très bien pu devenir une zelandoni... Mais si Ayla n'est pas un esprit malfaisant, pensa-t-il soudain, alors, tout ce qu'on dit des Têtes Plates est faux !

Perdu dans ses pensées, Jondalar ne faisait pas attention à ce qui se passait autour de lui et, quand il sentit un museau dans le creux de sa main, il sursauta, tout étonné, puis caressa le poulain. Whinney était en train de brouter non loin de là. Quand Jondalar cessa de le caresser, le poulain bondit rejoindre sa mère. Jondalar reprit à pas lents le chemin de la caverne : il n'était nullement pressé de se retrouver en face d'Ayla.

Mais Ayla n'était pas remontée à la caverne. Elle avait contourné la saillie rocheuse et l'avait regardé descendre en courant la vallée. Que lui arrivait-il ? Elle aussi, elle éprouvait parfois le besoin de courir. Mais qu'est-ce qui l'avait poussé à s'éloigner tout d'un coup ? Etait-ce elle ? Après avoir posé la main sur la terre qui recouvrait la fosse à rôtir pour en vérifier la température, elle se dirigea vers le gros rocher. Jondalar, toujours perdu dans ses pensées, fut surpris de voir qu'elle l'attendait là, entourée par les deux chevaux.

— Je m'excuse, Ayla. Je n'aurais pas dû courir comme ça.

— Moi aussi, il m'arrive d'avoir besoin de courir. Hier, j'ai laissé Whinney courir à ma place. Elle va plus loin que moi.

— Je m'excuse pour ça aussi...

Ayla hocha la tête en se disant qu'il s'agissait là encore de politesse. Cela ne signifiait pas grand-chose. Elle s'approcha de Whinney, et la jument posa sa tête sur son épaule. Jondalar l'avait déjà vue agir ainsi lorsqu'elle était bouleversée : Ayla et la jument se réconfortaient mutuellement. Lui aussi, d'ailleurs, était en train de caresser le poulain.

Mais même si le poulain aimait les caresses, il était incapable de rester longtemps en place. Il releva la tête, et s'échappa d'un bond. Il fit une cabriole, virevolta pour revenir vers Jondalar et lui donna de grands coups de tête comme s'il lui demandait de venir jouer avec lui. Ayla et Jondalar éclatèrent de rire, ce qui fit aussitôt baisser la tension.

— Il faudrait que tu lui donnes un nom, rappela Ayla.

— Je ne sais toujours pas comment faire.

— Moi non plus, je ne savais pas. Jusqu'au jour où j'en ai donné un à Whinney.

— Que s'est-il passé pour ton... fils ? Qui lui a donné un nom ?

— Durc était le nom d'un jeune homme d'une légende. Creb savait que c'était ma légende préférée et je pense qu'il a choisi ce nom pour me faire plaisir.

— Je ne savais pas que ton Clan avait des légendes. Comment faites-vous pour raconter une histoire alors que vous ne parlez pas ?

— Nous faisons la même chose que vous avec les mots. Dans certains cas, il est plus facile de s'exprimer par gestes qu'avec des mots.

— C'est bien possible, reconnut Jondalar, en se demandant quel genre d'histoires les Têtes Plates pouvaient bien raconter — ou plutôt : montrer.

Jamais il n'aurait pensé qu'ils étaient capables d'inventer des histoires.

Ils regardaient le poulain qui, la tête haute et la queue dressée, galopait joyeusement non loin d'eux. Quel étalon ce sera ! se dit Jondalar. Il file à une rapidité !

— Rapide ! s'écria-t-il soudain. Si nous l'appelions Rapide ? Qu'en penses-tu ?

— Rapide ? Oui, je suis d'accord. C'est un nom qui lui va bien. Mais si nous décidons de l'appeler ainsi, il faut faire les choses correctement.

— Que veux-tu dire ?

— Quand on donne un nom à un enfant du Clan, il y a toujours une cérémonie. Je ne sais pas si cela convient pour un cheval, mais j'ai accompli cette cérémonie pour Whinney. Je vais te montrer.

Entraînant Jondalar et les deux chevaux à sa suite, Ayla prit la direction des steppes et s'arrêta près du lit d'une rivière, depuis si longtemps à sec qu'il était en partie comblé. Une des ses rives érodée laissait apparaître des strates horizontales de couleur brun-rouge. Sous le regard stupéfait de Jondalar, Ayla détacha de la terre rouge à l'aide d'un bâton, puis la ramassa, s'approcha de la rivière et y ajouta de l'eau pour former une pâte.

— Creb mélangeait l'ocre rouge avec de la graisse d'ours, expliqua-t-elle. Mais ici, il n'y en a pas. A mon avis, pour un cheval, mieux vaut utiliser de la boue : il peut s'en débarrasser dès qu'elle est sèche. De toute façon, ce qui compte, c'est de lui donner un nom. Il va falloir que tu lui tiennes la tête, Jondalar.

Jondalar fit signe au poulain de s'approcher, puis il le prit par l'encolure et le caressa pour qu'il se tienne tranquille. Utilisant l'Ancienne Langue du Clan, Ayla fit quelques gestes afin d'attirer l'attention des esprits. Elle écourta le rituel car elle ne savait toujours pas si les esprits n'allaient pas se sentir offensés qu'on attribue un nom à un cheval. Elle l'avait fait pour Whinney sans qu'il y eût de conséquences néfastes. Mais mieux valait ne pas prendre de risques. Lorsqu'elle eut terminé, elle prit de la boue dans sa main.

— Ce cheval s'appelle Rapide, dit-elle à haute voix et dans le langage du Clan.

Puis elle enduisit de boue la tête du poulain, depuis le toupet de poils blancs qui ornait le haut de son front jusqu'à ses naseaux.

Ayla avait fait si vite que le poulain n'avait pas pu s'échapper. Il piaffa, remua la tête pour se débarrasser de cette boue humide, puis donna un coup de tête dans la poitrine de Jondalar, laissant au passage une longue traînée rouge sur sa peau.

— J'ai l'impression qu'il vient de m'attribuer un nom, dit celui-ci en souriant.

Rapide, qui méritait bien son nom, s'était remis à galoper dans la prairie. Jondalar se frotta la poitrine pour retirer la traînée rouge.

— Pourquoi as-tu utilisé de la terre rouge ? demanda-t-il à Ayla.

— Elle n'est pas comme les autres... c'est de la terre magique... le Clan l'utilise pour les esprits.

— De la terre sacrée ? Pour nous, cette terre rouge est sacrée. Il s'agit du sang de la Mère.

— Oui, c'est du sang. Quand l'esprit d'Iza nous a quittés, Creb a enduit son corps d'un mélange d'ocre rouge et de graisse d'ours. Il appelait ça le sang de la naissance et il disait que grâce à ce sang, Iza pourrait naître à nouveau dans l'autre monde.

Jondalar était stupéfait.

— Ton Clan utilise la terre sacrée pour envoyer un esprit dans l'autre monde ? En es-tu sûre ?

— Quand on enterre quelqu'un correctement, on utilise toujours de la terre rouge.

— Nous aussi, nous faisons la même chose, Ayla. Nous mettons de la terre rouge sur le corps et à l'intérieur de la sépulture pour que l'esprit de celui qui nous a quittés retourne dans le ventre de la Mère et qu'il naisse à nouveau. Thonolan n'a pas eu de terre rouge, ajouta Jondalar avec un regard douloureux.

— Je n'en avais pas et je ne pouvais pas me permettre d'aller en chercher. Il fallait absolument que je rentre. Sinon, j'aurais dû enterrer deux hommes au lieu d'un. J'ai demandé à mon totem et à l'esprit d'Ursus, le Grand Ours des Cavernes, de l'aider à trouver son chemin.

— Tu l'as enterré ? Son corps n'a pas été abandonné à la merci des charognards ?

— J'ai transporté son corps près de la paroi rocheuse et j'ai déplacé un rocher pour faire tomber des pierres sur ton frère. Mais je n'ai pas pu l'enduire de terre rouge.

Pour Jondalar, l'idée que les Têtes Plates enterraient leurs morts était encore plus difficile à admettre que tout ce qu'il avait déjà appris à leur sujet. Jamais un animal n'aurait agi ainsi. Seuls les humains s'interrogeaient pour savoir d'où ils venaient et où ils allaient quand ils mouraient. Etait-il possible que les esprits du Clan invoqués par Ayla aient guidé Thonolan vers l'autre monde ?

— Si tu n'avais pas été là, Ayla, mon frère n'aurait même pas eu de sépulture. Et moi, je ne serais pas en vie aujourd'hui.

26

— Je ne pense pas avoir jamais mangé quelque chose d'aussi bon, dit Jondalar en reprenant un morceau de lagopède. Quel assaisonnement subtil ! Où donc as-tu appris à cuisiner ainsi ?

— C'est Iza qui m'a appris à cuisiner, répondit Ayla. Où aurais-je appris sinon ? C'était le plat favori de Creb.

La question de Jondalar l'avait un peu irritée. Pourquoi n'aurait-elle pas su cuisiner ?

— Une guérisseuse connaît aussi bien les plantes aromatiques que les plantes médicinales, Jondalar.

Il comprit au ton de sa voix qu'elle n'avait pas apprécié sa remarque. C'était pourtant un compliment. Le repas était bon, et même excellent. En fait, la cuisine d'Ayla était toujours délicieuse. Il était souvent surpris par l'originalité des plats qu'elle préparait, mais cela ne le gênait nullement : quand on voyageait, c'était pour faire de nouvelles expériences. Et la saveur inhabituelle des mets n'enlevait rien à la qualité de la nourriture.

En outre, elle ne s'était pas contentée de cuisiner : c'est elle qui avait chassé les lagopèdes, cueilli les plantes et les légumes et préparé la fosse à rôtir. Elle s'occupait de tout. Et toi, Jondalar, tu te contentes de manger ! se dit-il. Tu ne lèves pas le petit doigt. Tu prends ce qu'on te donne sans rien offrir en retour...

Sauf des compliments ! Des mots ! Tu ne peux pas lui reprocher de réagir comme elle vient de le faire. Au lieu de lui dire qu'elle cuisine bien, tu ferais mieux de chasser, de lui rapporter de la viande pour remplacer celle que tu as mangé depuis que tu es à sa charge. Ce ne serait pas grand-chose comparé à tout ce qu'elle a fait pour toi. Encore que je ne suis pas sûr que tu lui rendrais vraiment service en allant chasser. Elle se débrouille très bien sans toi.

Comment fait-elle avec des armes aussi encombrantes ? Je me

demande si je ne devrais pas... Va-t-elle penser que j'insulte son Clan si je lui propose de...

— Ayla... euh... j'aimerais te dire quelque chose... mais je ne voudrais pas te blesser.

— Pourquoi t'inquiètes-tu de ça maintenant ? demanda Ayla, toujours sur le même ton. Si tu as quelque chose à dire, dis-le.

— Il est un peu tard en effet pour s'inquiéter, reconnut Jondalar d'une voix chagrine. Mais j'étais en train de me demander... Comment t'y prends-tu pour chasser avec cette arme, ton épieu ?

Ayla semblait déconcertée par sa question.

— Je creuse une fosse, dit-elle, puis je fais peur à un troupeau pour qu'il se précipite vers le piège. Mais l'hiver dernier...

— Un piège ! la coupa Jondalar. Bien sûr ! C'est ce qui te permet de t'approcher près du gibier et de tuer avec cet épieu... J'ai une telle dette vis-à-vis de toi, Ayla, que je veux faire quelque chose pour toi avant de partir, quelque chose qui en vaille la peine. Mais je ne veux pas que tu te sentes offensée par ma proposition. Si cela ne te plaît pas, n'y pense plus et fais comme si je n'avais rien dit. D'accord ?

Ayla acquiesça, curieuse et inquiète à la fois.

— Tu sais chasser, reprit-il. Mais tu utilises des armes vraiment encombrantes. Si tu es d'accord, j'aimerais te montrer d'autres armes de chasse, bien plus pratiques.

L'irritation d'Ayla s'était envolée.

— D'autres armes de chasse ? Plus pratiques que les miennes ?

— Et aussi une nouvelle manière de chasser. Il faudra d'abord que tu t'entraînes un peu...

Ayla n'en revenait pas.

— Les femmes du Clan ne chassent pas et, au début, les hommes du Clan ne voulaient pas que je chasse — même avec une fronde. Brun et Creb m'ont finalement donné la permission de chasser pour apaiser mon totem. Le Lion des Cavernes est un totem mâle très puissant et il leur avait fait comprendre qu'il désirait que je chasse. Ils n'ont pas osé le défier. Ils ont fait une cérémonie spéciale, dit-elle en touchant la cicatrice qu'elle portait à la base du cou. Creb a offert mon sang en sacrifice aux Anciens et je suis devenue la Femme Qui Chasse. Quand je suis arrivée dans cette vallée, je n'avais que ma fronde. Mais cela ne suffisait pas pour faire des réserves de viande. J'ai donc fabriqué des armes semblables à celles des hommes du Clan et j'ai appris à chasser avec, comme j'ai pu... Jamais je n'aurais pensé qu'un homme me proposerait un jour de m'enseigner une autre technique de chasse, avoua-t-elle, la gorge nouée par l'émotion, en baissant les yeux. Si tu faisais ça pour moi, je t'en serais vraiment reconnaissante, Jondalar.

Le front de Jondalar, marqué l'instant d'avant d'un pli soucieux, se détendit soudain. Il crut voir une larme perler au coin des paupières d'Ayla. Etait-ce à ce point important pour elle ? Dire qu'il craignait qu'elle prenne mal sa proposition ! Arriverait-il un jour à la comprendre ? Plus il la connaissait, moins il la comprenait.

— Il va falloir que je fabrique certains outils spéciaux. J'aurai aussi besoin d'os. Les pattes de cerf que j'ai trouvées feront très bien l'affaire. Mais il faudra les mettre à tremper. Est-ce que tu as un récipient qui pourrait convenir ?

— J'ai beaucoup de récipients. Tout dépend de la taille qu'il te faut, dit-elle en se levant.

— Cela peut attendre la fin du repas, Ayla.

Mais Ayla était trop excitée pour songer encore à manger. Elle alla chercher une lampe en pierre tandis que Jondalar terminait son repas, puis elle se dirigea avec lui vers l'endroit de la caverne où elle rangeait ses réserves. Elle confia la lampe à Jondalar et commença à fouiller parmi les bols, les paniers et les récipients de toutes sortes, empilés les uns dans les autres. Jondalar souleva la lampe pour mieux y voir et regarda autour de lui, étonné par la quantité d'objets qu'elle avait fabriqués.

— C'est toi qui as fait tout ça ?

— Oui, répondit-elle en commençant à trier les récipients.

— Cela a dû te prendre des jours... des lunes... des saisons ! Combien de temps t'a-t-il fallu ?

— Plusieurs saisons, répondit-elle après avoir réfléchi. J'ai fabriqué tout ça pendant les saisons froides. Je n'avais rien d'autre à faire. Est-ce que la taille de ceux-là te convient ? demanda-t-elle.

Jondalar jeta un coup d'œil aux récipients qu'elle avait sortis et en choisit quelques-uns qu'il examina avec attention. C'était vraiment incroyable ! Ayla avait beau être habile, ces paniers tressés serré et ces récipients en bois parfaitement poncés avaient dû exiger du temps, depuis quand était-elle dans cette vallée ?

— Celui-ci fera parfaitement l'affaire, dit-il en indiquant une auge en bois à hauts bords.

Ayla réempila les autres récipients tandis qu'il l'éclairait avec la lampe. Quel âge avait-elle quand elle est arrivée dans cette vallée ? se demanda-t-il. Elle n'est pas très âgée. Mais peut-être que je me trompe... Il est difficile de lui donner un âge. Elle est naïve comme une jeune fille mais elle possède un corps de femme. Et elle a déjà eu un enfant. Quel âge peut-elle avoir ?

Ils descendirent le sentier. En arrivant près de la rivière, Jondalar remplit le récipient d'eau et examina les os qu'il avait trouvés dans la décharge d'Ayla.

— Celui-ci est fissuré, dit-il en lui montrant le tibia qu'il tenait à la main avant de l'éliminer.

Après avoir mis les os à tremper, ils remontèrent vers la caverne. Elle ne peut pas être si jeune que ça, se disait Jondalar. Il faut du temps pour devenir une Femme Qui Guérit. A-t-elle le même âge que moi ?

— Depuis combien de temps es-tu ici ? lui demanda-t-il au moment où ils entraient dans la caverne.

Ayla s'arrêta, ne sachant pas très bien comment répondre à sa question. Allait-elle lui montrer les bâtons sur lesquels elle avait marqué les jours ? Même si Creb lui avait enseigné comment faire, elle n'était pas censée être au courant. Jondalar risquait de la blâmer d'avoir fait ça. Qu'importe ! se dit-elle. De toute façon, il ne va pas tarder à partir.

Elle alla chercher le paquet de bâtons sur lesquels elle avait marqué les jours, le défit et les étala sur le sol.

— Qu'est-ce que c'est que ça ?

— Tu m'as demandé depuis quand je suis ici. Je ne peux pas te répondre. Mais depuis que je vis dans cette vallée, chaque soir j'ai fait une entaille dans un bâton. J'ai donc vécu dans cette caverne autant de nuits qu'il y a d'entailles.

— Sais-tu combien de jours cela fait ?

Ayla se rappela la frustration qu'elle avait éprouvée lorsqu'elle avait essayé de calculer ce que représentaient toutes ces entailles.

— Autant de jours qu'il y a d'entailles, répondit-elle.

Jondalar examina avec curiosité un des bâtons. Ayla ne connaissait pas les mots pour compter mais elle n'était certainement pas loin de comprendre à quoi ils servaient. Dans la Caverne de Jondalar, peu de gens avaient accès à ce genre de connaissance. Les mots pour compter possédaient un pouvoir magique et rares étaient ceux qui étaient initiés à leur signification. Zelandoni lui avait fourni quelques explications et, même si leur sens magique lui échappait en grande partie, il en savait plus à ce sujet que la plupart des gens qui n'étaient pas au service de la Mère. Où donc Ayla avait-elle appris à faire des marques sur des bâtons ? Comment une personne élevée par des Têtes Plates pouvait-elle avoir accès à ce type de connaissance ?

— Qui t'a appris à faire ça ? lui demanda-t-il.

— C'est Creb qui m'a montré. Il y a longtemps. J'étais encore une petite fille.

— Creb... l'homme dans le foyer duquel tu vivais ? Savait-il ce que ces marques signifiaient ? Ou se contentait-il de faire des entailles dans un bâton ?

— Creb était... Mog-ur... le plus grand magicien du Clan. Tous les clans comptaient sur lui pour savoir à quelle époque devait avoir lieu certaines cérémonies, comme le Rassemblement du Clan. Et Creb se servait de ces marques pour la déterminer. Un jour, il m'a montré comment il s'y prenait parce qu'il en avait assez que je lui pose des questions. A mon avis, il ne pensait pas que j'arriverais à comprendre car, même pour les mog-ur, c'était difficile. Ensuite, il ne m'en a jamais reparlé. Sauf le jour où il m'a surprise en train de marquer les jours d'un cycle de la lune. Et ce jour-là, il s'est mis très en colère.

— Ce... Mog-ur, dit Jondalar qui avait du mal à prononcer le mot, c'était un homme doté de pouvoirs magiques, comme un zelandoni ?

— Je ne sais pas. Pour toi, un zelandoni est un Homme Qui Guérit. Mog-ur n'était pas un Homme Qui Guérit. Iza connaissait les plantes médicinales, elle était la guérisseuse du clan. Tandis que Mog-ur connaissait les esprits. Il aidait Iza à guérir ses patients en parlant aux esprits.

— Un zelandoni peut être un Homme Qui Guérit, mais il peut aussi avoir d'autres dons. Nous appelons zelandoni tous ceux qui ont répondu à l'appel et qui sont au Service de la Mère. Certains d'entre eux n'ont aucun don particulier, juste le désir de Servir. Les zelandoni peuvent aussi parler à la Mère.

— Creb avait bien d'autres dons. C'était un puissant magicien. Il pouvait... il faisait... je ne saurais pas t'expliquer...

Jondalar hocha la tête : il était bien difficile d'expliquer les dons d'un zelandoni, d'autant plus qu'ils gardaient jalousement leurs secrets. Regardant à nouveau le bâton, il montra à Ayla les entailles plus profondes et demanda :

— Qu'est-ce que ça signifie ?

— C'est ma... ma... féminité, avoua-t-elle en rougissant.

Pendant toute la durée de leurs règles, les femmes du Clan étaient tenues d'éviter les hommes et ceux-ci les ignoraient complètement. Les femmes étaient victimes de cette exclusion parce que les hommes avaient peur de la force de vie mystérieuse qui leur permettait d'engendrer. Cela conférait à l'esprit de leur totem une puissance extraordinaire, capable de repousser l'essence fécondante de l'esprit du totem de l'homme. Quand la femme saignait, cela voulait dire que son totem avait gagné, qu'il avait blessé celui de l'homme — qu'il avait réussi à le chasser. Aucun homme n'avait envie que l'esprit de son totem soit entraîné dans une bataille durant cette période.

Cet interdit avait posé un véritable dilemme à Ayla peu de temps après qu'elle eut ramené Jondalar à la caverne. Elle n'avait pu s'isoler car l'état du blessé exigeait qu'elle reste constamment à son chevet. Elle avait donc passé outre. Plus tard, elle avait essayé de réduire au minimum ses contacts avec lui chaque fois qu'elle recommençait à saigner. Mais elle ne pouvait l'éviter totalement puisqu'ils partageaient la même caverne. Et comme il n'y avait pas d'autres femmes pour s'acquitter de ses tâches à sa place, il avait bien fallu qu'elle continue à chasser, à préparer les repas et même qu'elle mange avec lui, puisqu'il le désirait.

Elle évitait néanmoins toute allusion à ce sujet et se débrouillait pour qu'il ne s'aperçoive de rien. Le fait qu'il aborde une telle question la mettait mal à l'aise.

— La plupart des femmes font comme toi, dit Jondalar qui ne semblait nullement partager sa gêne. Est-ce Creb et Iza qui t'ont appris à tenir un compte de ces périodes ?

— Non, c'est moi qui l'ai fait pour savoir, répondit Ayla en baissant les yeux. Je voulais pouvoir prendre mes précautions au cas où cela m'arriverait lorsque j'étais loin de la caverne.

Elle fut très surprise de voir que Jondalar hochait la tête d'un air entendu.

— Les femmes racontent une histoire au sujet des mots pour compter, reprit-il. Elle disent que Lumi, l'astre lunaire, est l'amant de la Grande Terre Mère. Les jours où Doni saigne, Elle ne partage pas les Plaisirs avec lui. Cela le rend furieux et blesse son orgueil. Lumi se détourne d'Elle et cache sa lumière. Mais il est incapable de rester longtemps loin d'Elle. Comme il se sent seul et que la chaleur du corps de Doni lui manque, il réapparaît. Quand Lumi revient, Doni, bouleversée par son absence, refuse de le regarder. Lumi tourne alors autour d'Elle et brille pour Elle dans toute sa splendeur. Doni ne lui résiste pas longtemps : Elle s'ouvre pour l'accueillir et ils sont à nouveau heureux.

Ayla avait relevé la tête et elle l'écoutait, fascinée.

— C'est pourquoi la plupart des fêtes en l'honneur de la Mère ont lieu au moment de la pleine lune, ajouta Jondalar. Les femmes disent que leurs cycles correspondent à ceux de la Mère. Elles appellent l'époque où elles saignent l'époque de Lumi et elles peuvent dire quand celle-ci va arriver en regardant la lune. Elles disent aussi que Doni leur a donné les mots pour compter afin qu'elles puissent prévoir cette période même quand Lumi est caché par des nuages. Mais les mots pour compter servent aussi à bien d'autres choses, tout aussi importantes.

— Moi aussi, il m'arrive de regarder la lune mais cela ne m'empêche pas d'entailler aussi le bâton, expliqua Ayla encore un peu étonnée que Jondalar aborde un sujet féminin aussi intime avec une telle désinvolture. Qu'est-ce donc que ces mots pour compter ?

— Chaque entaille que tu fais sur ton bâton à un nom. On utilise ces noms pour compter toutes sortes de choses. Ils permettent par exemple de dire combien de rennes a vu un éclaireur ou à combien de jours du campement ces animaux se trouvent. S'il s'agit d'un grand troupeau, comme les troupeaux de bisons que l'on chasse à l'automne, on est obligé de faire appel à un zelandoni qui connaît une manière spéciale d'utiliser les mots pour compter.

Ayla sentit qu'elle était sur le point de comprendre ce que signifiait ces fameux mots pour compter. Elle allait enfin résoudre des questions dont les réponses lui avaient jusqu'ici échappé.

— Je vais te montrer, proposa Jondalar.

Il alla chercher les pierres placées autour du foyer, puis les disposa en ligne devant Ayla. Montrant du doigt chaque pierre l'une après l'autre, il commença à compter :

— Un, deux, trois, quatre, cinq, six, sept...

Ayla l'observait, de plus en plus fascinée.

Quand il eut fini, il chercha autre chose autour de lui qu'il puisse compter et saisit finalement quelques bâtons d'Ayla.

— Un, recommença-t-il en posant un bâton sur le sol. Deux, dit-il en plaçant le second bâton à côté du premier. Trois, quatre, cinq...

Cela rappela aussitôt à Ayla les paroles de Creb : « Année de naissance, année de la marche, année du sevrage... », lui avait dit le magicien en lui montrant au fur et à mesure chacun des doigts de la main.

Levant la main gauche, Ayla ouvrit les doigts, puis, sans quitter des yeux Jondalar, elle lui dit en montrant ses doigts :

— Un, deux, trois, quatre, cinq.

— C'est ça ! s'écria Jondalar. Quand j'ai vu tes bâtons, j'ai tout de suite pensé que tu n'aurais aucun mal à apprendre.

Avec un sourire triomphant, Ayla alla chercher un bâton et commença à compter les entailles. Quand elle arriva à cinq, Jondalar prit la relève.

Mais, avant d'arriver à la seconde entaille plus profonde, il dut s'arrêter. Il fronça les sourcils d'un air concentré.

— Est-ce que ces bâtons représentent le temps pendant lequel tu as vécu dans cette caverne ? demanda-t-il en lui montrant les quelques bâtons qu'elle était allée chercher.

— Non, répondit-elle en allant chercher les autres paquets.

Quand elle eut défait tous les paquets, Jondalar pâlit et ressentit un pincement au creux de l'estomac. Les entailles étaient si nombreuses que cela devait représenter des années ! Même si Zelandoni lui avait expliqué comment faire pour compter les plus grands nombres, il avait besoin de réfléchir.

Il était en train d'étudier les entailles quand soudain il eut une idée. Au lieu de compter les jours, il n'avait qu'à compter les entailles les plus profondes qui représentaient à la fois le début de la période de Lumi d'Ayla et d'un cycle de la lune. Chaque fois qu'il posait son doigt sur une entaille plus profonde, il faisait une marque dans le sol et disait en même temps à voix haute le mot correspondant. Lorsqu'il eut tracé treize marques dans le sol, il commença une nouvelle rangée. Mais il sauta la première marque et n'en fit que douze pour la deuxième rangée car Zelandoni lui avait expliqué que les cycles de la lune ne correspondaient pas exactement aux saisons de l'année. Quand il arriva à la fin des entailles d'Ayla, il avait dessiné trois rangées complètes sur le sol.

— Trois ans ! dit-il en lui lançant un regard empreint de respect. Tu as vécu trois ans ici ! Et moi, j'ai commencé mon Voyage il y a trois ans. Tu as vécu seule pendant tout ce temps ?

— J'ai d'abord vécu avec Whinney, puis ensuite...

— Mais tu n'as vu aucun être humain ?

— Non, aucun depuis que j'ai quitté le Clan.

Ayla repensa à la manière dont elle avait compté les années. Celle où elle était partie, avait découvert la vallée, puis adopté la jeune pouliche, elle l'avait appelée : l'année de Whinney. Au printemps suivant — le début du cycle de la nouvelle croissance —, elle avait découvert le lionceau. Pour elle, c'était l'année de Bébé. Un, disait Jondalar pour compter le temps écoulé entre l'année de Whinney et celle de Bébé. Deux, pour l'année de l'étalon. Trois, c'était l'année de Jondalar et du poulain. Ayla se souvenait mieux des années en utilisant sa propre méthode. Mais en examinant les entailles, Jondalar avait réussi à déterminer combien de temps elle avait vécu dans la vallée et elle voulait apprendre à se servir de ces mots pour compter.

— Sais-tu quel âge tu as, Ayla ? lui demanda soudain Jondalar. Combien d'années tu as vécu ?

— Laisse-moi réfléchir... (Elle leva sa main droite et ouvrit les doigts.) Creb m'a dit qu'Iza pensait que j'avais à peu près... cinq... années quand ils m'ont trouvée. (Jondalar traça cinq traits sur le sol.) Durc est né l'année du Rassemblement du Clan. Creb disait qu'il y avait ce nombre-là d'années entre chaque Rassemblement, précisa-t-elle en levant le pouce et l'index de la main gauche pour les ajouter aux doigts de sa main droite.

— Cela fait sept ans.

— Il y avait eu un Rassemblement du Clan l'été avant qu'ils me trouvent.

— Ça fait une année de moins, dit Jondalar en traçant d'autres traits sur le sol. Tu es sûre de ne pas t'être trompée ? demanda-t-il après réflexion. Cela voudrait dire que tu avais onze ans quand ton fils est né !

— Je ne me trompe pas, Jondalar !

— J'ai entendu dire qu'on pouvait mettre un enfant au monde à cet âge-là, mais c'est très rare. En général, c'est plutôt treize ou quatorze ans. Et certains pensent que c'est encore trop jeune. Tu étais encore pratiquement une enfant...

— Non, je n'étais plus une enfant depuis longtemps. J'étais trop grande pour ça, plus grande que tous les membres du Clan, y compris les hommes. Et j'avais largement dépassé l'âge auquel la plupart des filles du Clan deviennent des femmes. Je ne crois pas que j'aurais pu attendre plus longtemps, avoua Ayla en souriant. Bien des gens pensaient que je ne serais jamais une femme parce que mon totem était trop fort et que c'était un totem mâle. Iza ne se tenait plus de joie quand j'ai eu pour la première fois ma... période de Lumi. Et ensuite... (Son sourire disparut.) Ensuite, il y a eu l'année de Broud. Puis l'année de Durc.

— Tu as eu ton fils à onze ans... donc tu avais dix ans quand il t'a forcée ! Comment a-t-il pu faire une chose pareille !

— J'étais une femme. Plus grande que tous les membres du Clan. Plus grande que lui.

— Plus grande peut-être, mais pas aussi forte. J'ai rencontré quelques Têtes Plates. Ils sont drôlement forts. Je n'aimerais pas avoir à me battre avec l'un d'eux.

— Ce sont des hommes, Jondalar, corrigea-t-elle d'une voix douce. Pas des Têtes Plates — des hommes du Clan.

Ayla n'avait pas élevé la voix, mais elle serrait les mâchoires d'un air obstiné.

— Malgré ce qu'il t'a fait, tu prétends toujours que ce n'est pas un animal ?

— Si Broud, sous prétexte qu'il m'a forcée, est un animal, les hommes qui ont violé les femmes du Clan sont aussi des animaux, non ?

Jondalar n'avais jamais encore envisagé la question sous cet angle.

— Tous les hommes du Clan n'étaient pas comme Broud, reprit Ayla. Creb avait beau être un puissant mog-ur, cela ne l'empêchait pas d'être doux et gentil. Brun, le chef, était un homme volontaire, mais il était juste. Il était obligé de respecter les lois du Clan, mais cela ne l'a pas empêché de me donner l'autorisation de chasser et il a accepté Durc. Quand je suis partie, il m'a promis de s'occuper de lui.

— Quand es-tu partie ?

Ayla réfléchit : année de naissance, année de la marche, année du sevrage...

— Durc avait trois ans quand j'ai quitté le Clan, dit-elle.

Jondalar traça trois traits de plus sur le sol.

— Tu avais quatorze ans ? Seulement quatorze ans ? Et tu as vécu ensuite dans cette vallée pendant trois ans ? (Jondalar fit le compte des traits.) Tu as dix-sept ans, Ayla. Dix-sept ans qui, en l'occurrence, représentent toute une vie.

Le regard songeur, Ayla s'assit sur le sol pour mieux réfléchir.

— Durc a six ans maintenant, dit-elle au bout d'un moment. Les hommes ne vont pas tarder à l'emmener dans la clairière pour qu'il commence à s'entraîner. Grod va lui fabriquer un épieu à sa taille et Brun lui montrera comment s'en servir. Et s'il est toujours en vie, le vieux Zoug lui apprendra à se servir d'une fronde. Durc s'amusera à chasser des petits animaux avec Grev, son ami. Durc était plus jeune que Grev, mais il le dépassait déjà d'une tête. Il a toujours été très grand pour son âge. Il tient ça de moi. Il court vite. Je suis sûre qu'à la course, il les bat tous. Et il sera aussi très fort à la fronde. Il ne manquera pas d'affection. Uba l'aime beaucoup. Au moins autant que moi...

Le visage ruisselant de larmes, Ayla éclata en sanglots et, avant qu'elle puisse se rendre compte de ce qui se passait, elle laissa retomber sa tête sur l'épaule de Jondalar et se retrouva dans ses bras.

— Tout va bien, Ayla, dit celui-ci en lui tapotant gentiment l'épaule.

Mère à onze ans et séparée de son fils à quatorze ans ! Elle n'avait pas pu le regarder grandir et n'était même pas certaine qu'il soit en vie. Elle se raccrochait à l'espoir que quelqu'un prenait soin de lui, l'aimait et qu'on allait lui apprendre à chasser... comme à n'importe quel autre enfant.

Quand Ayla releva la tête et s'écarta de Jondalar, elle était vidée mais se sentait le cœur plus léger, comme si sa douleur pesait maintenant moins lourd. Pour la première fois depuis qu'elle avait quitté le Clan, elle avait pu partager son chagrin avec un autre être et elle eut un sourire de gratitude pour Jondalar.

Celui-ci lui sourit à son tour, avec tendresse et compassion. Son regard exprimait aussi un sentiment plus profond dont il n'avait pas conscience mais qui se lisait clairement dans ses yeux bleus et qui trouva aussitôt un écho chez Ayla. Ils restèrent un long moment les yeux dans les yeux à échanger en silence ce qu'ils n'osaient dire à haute voix.

Ayla, qui n'était pas encore très à l'aise quand on la regardait dans les yeux, finit par détourner la tête et se mit à ranger les bâtons. Il fallut un certain temps avant que Jondalar reprenne ses esprits et se décide à l'aider.

Même s'ils se rendaient compte qu'il n'y avait rien de choquant dans leur étreinte, ils évitaient de se regarder ou de se retrouver trop près l'un de l'autre afin de ne pas gâcher ce moment de tendresse imprévu.

Quand Ayla eut fini de ranger les bâtons, elle se tourna vers Jondalar et lui demanda :

— Quel âge as-tu ?

— J'avais dix-huit ans au début de mon Voyage, dit-il. Thonolan avait quinze ans... et dix-huit ans quand il est mort. Il était encore si jeune ! (Il se tut, le visage douloureux, avant de reprendre :) J'ai vingt et un ans, Ayla... C'est très âgé pour être encore seul. La plupart des hommes plus jeunes que moi ont déjà trouvé une compagne et fondé un foyer. Thonolan avait seize ans lors de la Cérémonie de l'Union.

— Quand je vous ai découverts, vous n'étiez que deux. Où est sa compagne ?

— Elle est morte. En mettant au monde un enfant. Le bébé est mort, lui aussi. (Les yeux d'Ayla se remplirent de pitié.) C'est pour ça que nous nous sommes remis en route. Il ne pouvait plus rester là-bas. Depuis le début, c'était son Voyage, plus que le mien. Il ne tenait pas en place et aimait l'aventure. Il n'avait peur de rien et se faisait des amis partout. Moi, je ne faisais que voyager avec lui. Thonolan était mon frère mais aussi mon meilleur ami. Quand Jetamio est morte, j'ai essayé de le convaincre de rentrer avec moi. Mais il n'a pas voulu. Il souffrait tellement qu'il voulait suivre Jetamio dans l'autre monde.

Se souvenant soudain du chagrin de Jondalar à l'annonce de la mort de son frère, Ayla se rendit compte qu'il souffrait toujours.

— Si c'était son désir, peut-être est-il plus heureux ainsi, dit-elle d'une voix douce. Il est difficile de continuer à vivre quand on perd quelqu'un qu'on aime autant.

Repensant au chagrin inconsolable de son frère, Jondalar eut l'impression qu'il le comprenait un peu mieux. Ayla avait peut-être raison... Après avoir elle-même tant souffert, elle devait savoir ce qu'on éprouvait en pareil cas. Thonolan avait du courage : il était intrépide et plein de fougue. Le courage d'Ayla était différent : elle ne se révoltait pas et, malgré ses souffrances, elle avait choisi de continuer à vivre.

Ayla n'arrivait pas à s'endormir. En entendant Jondalar remuer de l'autre côté du foyer, elle se demanda s'il dormait. Elle serait bien allée le rejoindre. Mais l'élan de tendresse qui les avait rapprochés un peu plus tôt semblait si fragile qu'elle craignait de le gâcher en lui demandant plus qu'il ne pouvait donner.

A la lueur des braises, elle apercevait la forme de son corps enveloppé dans les fourrures. Un de ses bras était sorti, ainsi que son mollet musclé, et son talon était posé sur le sol. Ayla le voyait bien plus distinctement quand elle fermait les yeux que quand elle regardait la forme allongée de l'autre côté du foyer. Ses longs cheveux blonds et raides retenus par une lanière à hauteur de la nuque, sa barbe d'un blond plus foncé et bouclée, ses yeux saisissants qui en disaient beaucoup plus long que ses paroles et ses grandes mains aux doigs sensibles lui apparaissaient alors bien plus clairement. Qu'il s'agisse de tailler un silex ou de caresser le poulain, il savait merveilleusement se servir de ses mains.

Comment un homme aussi fort et solide pouvait-il être aussi gentil ? Ayla avait senti la puissance de ses muscles quand il l'avait prise dans ses bras. Il ne semblait nullement honteux de montrer ses sentiments et de manifester son chagrin. Les hommes du Clan étaient plus réservés. Creb qui, Ayla le savait, l'aimait tendrement, ne se serait jamais laissé aller à exposer aussi ouvertement ses sentiments, même à l'intérieur des pierres qui délimitaient son foyer.

Durant la nuit, Ayla ne cessa de se tourner et de se retourner sur sa couche, jetant un coup d'œil au torse nu de l'homme couché de l'autre côté du foyer, ou à ses larges épaules, ou encore à sa cuisse droite marquée par une longue cicatrice. Pourquoi cet homme lui avait-il été envoyé ? Pour qu'elle sache se servir de nouveaux mots qu'il était en train de lui apprendre ? Il allait aussi lui montrer une nouvelle méthode de chasse. Qui aurait cru qu'un homme lui proposerait un jour une chose pareille ? Dans ce domaine aussi, il ne se conduisait pas comme les hommes du Clan. Peut-être pourrai-je faire quelque chose de spécial pour lui ? se dit-elle. Quelque chose pour qu'il se souvienne de moi.

Elle s'assoupit en songeant à quel point elle avait envie de se retrouver à nouveau dans ses bras, de sentir la chaleur de son corps et le contact de sa peau contre la sienne. Quand elle se réveilla, un peu avant l'aube, elle venait de rêver que Jondalar marchait en plein hiver au milieu des steppes, et dès qu'elle ouvrit les yeux, elle sut ce qu'elle allait faire. Elle voulait fabriquer un vêtement qui lui tienne chaud.

Elle se leva sans bruit, alla chercher les habits qu'il portait lorsqu'elle l'avait trouvé et s'approcha du feu pour les regarder. Il faudrait d'abord faire tremper la peau pour la débarrasser du sang qui l'imprégnait. Le pantalon était irrécupérable : il faudrait en refaire un autre. La tunique décorée pourrait être sauvée si elle parvenait à remettre les bras en place. Il en était de même de la pelisse. Les peaux qui lui protégeaient les pieds étaient en bon état, il suffirait de changer les lanières.

Ayla se pencha un peu plus vers les braises pour examiner l'assemblage. On avait percé de petits trous sur les bords des peaux, puis on avait assemblé celles-ci avec des tendons ou de fines bandes de cuir. Ayla avait déjà examiné ces vêtements le jour où elle les avait coupés. Elle ne savait pas si elle serait capable d'en fabriquer de semblables, mais elle pouvait toujours essayer.

Quand Jondalar remua, elle retint sa respiration. Elle ne voulait pas qu'il la voie avec ses vêtements car elle tenait à lui faire la surprise. Il se remit sur le dos et sa respiration redevint régulière : il dormait à poings fermés. Ayla fit un paquet des vêtements et alla le placer sous les fourrures de sa couche. Plus tard, elle trierait les peaux qu'elle tenait en réserve pour choisir celles dont elle avait besoin.

Une faible lueur pénétra à l'intérieur de la caverne. La respiration de Jondalar se modifia légèrement : il n'allait pas tarder à se réveiller. Ayla ajouta du bois sur les braises et mit les pierres à chauffer, puis elle installa le panier dans lequel elle faisait chauffer l'eau. Comme la gourde était presque vide, elle décida d'aller la remplir. En passant près de Whinney, elle entendit la jument souffler doucement et s'arrêta près d'elle.

— J'ai une idée formidable, Whinney, lui dit-elle dans le langage silencieux du Clan en souriant. Je vais fabriquer des vêtements pour Jondalar, des vêtements exactement comme les siens. Crois-tu qu'il aimera ça ?

Son sourire s'évanouit et, prenant la jument par l'encolure, elle posa son front sur le sien. Quand il aura ses vêtements, il me quittera, songea-t-elle. Je ne peux pas l'obliger à rester. Je ne peux que l'aider à préparer son départ.

Quand elle s'engagea sur le sentier, le jour se levait. En arrivant près de la rivière, elle enleva son vêtement en peau et plongea dans l'eau froide. Elle ressortit rapidement, se rhabilla, cueillit une brindille pour Jondalar et remplit sa gourde avant de remonter vers la caverne.

Ce matin, je vais essayer un nouveau mélange, se dit-elle. De la camomille et de l'herbe douce[1]. Elle écorça la brindille, la posa à côté du bol de Jondalar et prépara l'infusion du matin. Les framboises sont mûres, songea-t-elle, je vais aller en cueillir.

Elle posa le pot à infusion à côté du feu, alla chercher un panier et ressortit en compagnie de Whinney et de son poulain. Les deux chevaux broutèrent non loin d'elle tandis qu'elle cueillait des framboises, déterrait quelques carottes sauvages et ramassait des tubercules blanchâtres qu'elle préférait manger cuits, plutôt que crus.

Quand elle revint, Jondalar l'attendait sur la corniche ensoleillée. Elle le salua de la main tout en lavant les tubercules dans la rivière. Puis elle rejoignit la caverne et ajouta les carottes et les tubercules au bouillon de viande séchée qu'elle avait mis sur le feu un peu plus tôt. Elle goûta, ajouta quelques plantes aromatiques, partagea les framboises en deux parts égales et se servit un bol d'infusion froide.

— De la camomille, dit Jondalar, et quelque chose d'autre que je ne connais pas...

— Je ne sais pas comment on l'appelle, répondit Ayla. Ça ressemble à de l'herbe et c'est doux. Il faudra que je te montre cette plante.

Elle remarqua qu'il avait sorti ses outils de tailleur de silex ainsi que les lames qu'il avait fabriquées la veille.

— Je ne vais pas tarder à me mettre au travail, expliqua-t-il. J'ai besoin de fabriquer certains outils avant de m'attaquer aux sagaies proprement dites.

— Plus vite nous irons chasser, mieux ça vaudra. Cette viande séchée est vraiment trop maigre à mon goût. En fin de saison, les animaux ont refait leurs réserves de graisse. Je me réjouis d'avance à l'idée de manger un cuissot rôti tout dégoulinant de jus.

— Tu me fais venir l'eau à la bouche rien que d'en parler, Ayla, dit-il en souriant. Tu es vraiment une cuisinière extraordinaire !

Ayla rougit et baissa la tête. Elle était heureuse de savoir qu'il appréciait ses talents de cuisinière, mais trouvait étonnant qu'il fasse attention à quelque chose qui, pour elle, allait de soi.

— Je ne voulais pas te gêner, dit-il en voyant sa réaction.

---

1. En anglais *sweet grass,* « herbe douce ». Il s'agit de la glycérie. *(N.d.T.)*

— Iza disait toujours que les compliments rendent jaloux les esprits et que bien faire quelque chose devrait suffire.

— J'ai l'impression que Marthona aurait bien aimé ton Iza. Les compliments l'irritaient, elle aussi. Elle avait l'habitude de dire : Le meilleur compliment est le travail bien fait. Toutes les mères se ressemblent.

— Marthona est ta mère ?

— Oui, je ne te l'ai pas dit ?

— J'avais l'impression que c'était ta mère, mais je n'en étais pas sûre. As-tu d'autres frères et sœurs, en plus de celui que tu as perdu ?

— J'ai un frère aîné, Joharran. Il est maintenant le chef de la Neuvième Caverne. Il est né dans le foyer de Joconan. Quand ce dernier est mort, ma mère s'est unie à Dalanar. Je suis né dans le foyer de celui-ci. Puis Marthona et Dalanar se sont séparés, et ma mère a pris pour compagnon Willomar. Thonolan est né dans le foyer de Willomar, ainsi que ma jeune sœur Folara.

— Tu as aussi vécu chez Dalanar ?

— Oui, pendant trois ans. C'est lui qui m'a appris mon métier. J'avais douze ans quand je suis parti vivre chez lui et cela faisait déjà un an que j'étais un homme. J'étais aussi très grand pour mon âge. Et il valait mieux que je parte, ajouta-t-il avec une expression indéfinissable.

Il se tut un court instant, puis reprit, en souriant cette fois :

— C'est chez Dalanar que j'ai rencontré ma cousine Joplaya. Elle est la fille de Jerika et est née dans le foyer de Dalanar après que celui-ci eut pris Jerika comme compagne. Elle a deux ans de moins que moi. Dalanar lui a appris la taille du silex en même temps qu'à moi. Elle possède les qualités indispensables au tailleur de silex : la main sûre et l'œil exercé. Même si je ne lui ai jamais dit, elle maîtrise parfaitement son métier et, un jour, elle sera aussi forte que Dalanar.

— Il y a quelque chose que je ne comprends pas, Jondalar, avoua Ayla après avoir réfléchi. Folara a la même mère que toi et elle est donc ta sœur. Exact ?

— Oui, c'est ça.

— Tu es né dans le foyer de Dalanar et Joplaya aussi, mais elle, elle est ta cousine. Quelle différence entre sœur et cousine ?

— Les frères et les sœurs sont nés de la même mère. Les cousins sont moins proches. Je suis né dans le foyer de Dalanar — et je suis certainement le fils de son esprit. Tout le monde dit que je lui ressemble. Je pense que Joplaya est aussi la fille de son esprit car elle est grande comme lui, alors que sa mère est petite. Joplaya et moi nous sommes peut-être tous deux les enfants de l'esprit de Dalanar. Qui sait ? Personne ne peut jamais dire avec certitude quel esprit la Grande Mère a choisi de mélanger avec celui de la femme. C'est pourquoi Joplaya est ma cousine et non ma sœur.

— Peut-être qu'Uba était ma cousine... Mais, pour moi, elle était ma sœur.

— Ta sœur ?

— Ce n'était pas ma vraie sœur. Uba était la fille d'Iza et elle est née après que celle-ci m'eut recueillie. Iza disait que nous étions toutes les deux ses filles. Uba a trouvé un compagnon, mais ce n'était pas l'homme qu'elle avait choisi. Elle a été obligée de prendre pour compagnon un autre homme car sinon, celui-ci n'aurait pu s'unir qu'à une de ses sœurs. Et dans le Clan, les frères et sœurs n'ont pas le droit de s'unir.

— Chez nous non plus, dit Jondalar. Nous évitons aussi de nous unir entre cousins, bien que ce ne soit pas formellement interdit. Cela dépend de quels cousins il s'agit.

— Que veux-tu dire ?

— Nous avons toutes sortes de cousins. Les enfants de la sœur de ma mère sont aussi mes cousins. Et aussi les enfants de la compagne du frère de ma mère et aussi les enfants de...

— C'est trop compliqué ! dit Ayla en secouant la tête. Comment faites-vous pour savoir qui est votre cousin et qui ne l'est pas ? Presque toutes les femmes de ta Caverne doivent être tes cousines... Il ne doit pas en rester beaucoup que tu puisses choisir comme compagne.

— La plupart des gens ne s'unissent pas avec un membre de leur propre Caverne, mais plutôt avec quelqu'un qu'ils ont rencontré à la Réunion d'Eté. Il est rare qu'un homme prenne pour compagne une de ses parentes car, en général, nous savons quels sont nos cousins les plus proches, même quand ils appartiennent à une autre Caverne.

— C'est le cas de Joplaya ?

La bouche pleine de framboises, Jondalar se contenta de hocher la tête.

— Et si ce n'étaient pas les esprits qui faisaient les enfants ? demanda Ayla. Si c'était l'homme ? Cela voudrait dire qu'un garçon, par exemple, est autant le fils de l'homme que de la femme...

— Le bébé grandit à l'intérieur du ventre de la mère, Ayla. Il naît de la mère.

— Si c'est le cas, pourquoi les hommes et les femmes aiment-ils s'accoupler ?

— Pourquoi la Mère nous a-t-elle fait cadeau du Don du Plaisir ? C'est une question qu'il faudrait poser à Zelandoni.

— Pourquoi parles-tu tout le temps du « Don du Plaisir » ? Beaucoup de choses rendent les gens heureux et leur donnent du plaisir. Est-ce qu'un homme éprouve tant de plaisir que ça à introduire son sexe à l'intérieur de la femme ?

— Non seulement l'homme en éprouve, mais la femme aussi... Mais tu ignores tout de ça, Ayla. Tu n'as jamais été initiée aux Premiers Rites. Un homme t'a pénétrée, il a fait de toi une femme, mais ce n'est pas pareil. C'est vraiment honteux ! Comment ces gens ont-ils pu accepter une chose pareille ?

— Ils ne pouvaient pas savoir. Ce n'était pas ce qu'il me faisait qui était honteux, mais sa manière de le faire. Il ne faisait pas ça pour le Plaisir, mais par haine. Je souffrais et j'étais furieuse. Mais je n'en éprouvais aucune honte. Peu de plaisir, non plus. Je ne sais pas si c'est Broud qui a mis en train mon bébé, ou qui a fait de moi une femme pour que je puisse en avoir un, mais son fils m'a rendue très heureuse. Grâce à lui, j'ai éprouvé du plaisir.

— Le Don de Vie de la Mère est une joie. Mais il y a quelque chose de plus dans le Plaisir que partagent un homme et une femme. Ça aussi, c'est un Don qu'il faut accomplir avec joie, en l'honneur de la Mère.

Pour les enfants, je ne suis pas sûre qu'il ait raison, se dit Ayla. Et pourtant, il semble si sûr de lui ! Elle n'arrivait pas à le croire tout à fait et continuait à s'interroger à ce sujet.

Quand ils eurent fini de déjeuner, Jondalar se dirigea vers l'endroit de la corniche où il avait disposé ses outils. Ayla le suivit et s'installa non loin de lui. Il commença par étaler les lames devant lui afin de pouvoir les comparer : des différences minimes faisaient que certaines étaient mieux adaptées que d'autres à la fabrication d'outils bien précis. Jondalar choisit une des lames, la regarda à la lumière et la tendit à Ayla.

L'arête qui courait de haut en bas au milieu de la face externe était rectiligne. De l'arête centrale à chacun des bords, l'épaisseur de la lame diminuait régulièrement si bien qu'on pouvait voir le jour au travers. La partie supérieure de la lame se recourbait vers la face interne, renflée et lisse. Pour apercevoir les lignes de fracture qui rayonnaient à partir du bulbe de percussion très aplati, il fallait regarder la lame par transparence. Les deux bords étaient droits et effilés.

Jondalar tira sur un des poils de sa barbe et le coupa net pour vérifier le tranchant de la lame. Il aurait été difficile de trouver une lame plus parfaite que celle-ci.

— Je vais la garder pour tailler ma barbe, dit-il.

Ayla n'avait pas compris ce qu'il entendait par là. Habituée à ne pas interrompre Droog lorsqu'elle le regardait travailler, elle ne posa pas de question. Jondalar reposa la lame et en choisit une autre. Sur celle-ci, les deux bords tranchants allaient en diminuant, si bien qu'une des extrémités de la lame était plus étroite que l'autre. Jondalar prit un galet lisse, deux fois plus gros que son poing, et y posa l'extrémité étroite de la lame. A l'aide d'un percuteur en andouiller, il tapa sur l'extrémité pour lui donner une forme triangulaire. Appuyant les bords du triangle sur l'enclume en pierre, il en détacha alors de petits éclats. Quand il eut terminé, la lame possédait une pointe étroite et tranchante.

Il attrapa un bout de la bande en cuir qui lui ceignait les reins et se servit de l'outil pour y percer un trou.

— C'est un perçoir, expliqua-t-il à Ayla. Un outil qui permet de faire des trous dans le cuir avant d'assembler les diverses parties du vêtement avec du tendon.

Il a dû me voir examiner ses vêtements, songea Ayla. A-t-il deviné ce que je comptais faire ?

— Je vais aussi fabriquer un foret, continua Jondalar. C'est un outil semblable à celui-ci, mais plus grand et plus solide. On l'utilise pour percer des trous dans le bois, l'os ou les andouillers.

Ayla poussa un soupir de soulagement : Jondalar était en train de parler de ses outils, un point c'est tout.

— Moi aussi, j'utilise un... perçoir pour faire des trous dans les poches en peau, intervint Ayla. Mais le mien est beaucoup moins bien que celui-là.

— Veux-tu celui-ci ? demanda Jondalar. J'en referai un pour moi.

Ayla prit le perçoir et baissa la tête pour exprimer sa gratitude comme on faisait dans le Clan. Puis elle se souvint de ce que lui avait dit Jondalar.

— Merci, dit-elle.

Jondalar lui fit un grand sourire. Puis il prit une autre lame et la posa sur l'enclume en pierre. Avec son percuteur en andouiller, il tronqua une des extrémités de la lame, en lui donnant un angle légèrement aigu. Puis, tenant l'extrémité tronquée de manière qu'elle soit perpendiculaire au coup sec qu'il allait donner, il frappa un des bords de la lame pour en détacher un long morceau. Quand celui-ci fut tombé, il se retrouva avec une lame dont l'extrémité était tranchante, robuste et biseautée.

— Connais-tu ce genre d'outil ? demanda-t-il à Ayla.

Après avoir examiné la lame, la jeune femme fit non de la tête, puis elle la lui rendit.

— C'est un burin, dit Jondalar. Les graveurs et les sculpteurs utilisent un outil assez semblable à celui-là. Moi, je vais m'en servir pour fabriquer l'arme dont je t'ai parlé.

— Burin, burin, répéta Ayla pour s'habituer à ce mot nouveau.

Quand Jondalar eut fini de fabriquer les outils dont il avait besoin, il secoua la couverture en cuir sur laquelle il avait travaillé et alla chercher le récipient en bois dans lequel il avait mis les os à tremper. Il choisit un os long et, après l'avoir essuyé, le fit tourner dans sa main afin de choisir l'endroit où il allait l'attaquer. Il se rassit, bloqua l'os avec son pied et se servit du burin pour y graver une longue ligne dans le sens de la longueur. Puis il grava une deuxième ligne qui rejoignait la première en formant une pointe. Il ferma ce triangle tout en longueur en gravant à la base une troisième ligne plus courte que les deux premières.

A l'aide de son burin, il commença à détacher de longues rognures d'os en suivant la première ligne qu'il avait tracée. Il fit de même pour les deux autres lignes, pénétrant de plus en plus profondément à l'intérieur de l'os. Il refit une dernière fois le tour du triangle pour s'assurer que celui-ci n'adhérait plus nulle part et appuya alors fortement sur la base. Le triangle se détacha. Il le mit de côté, puis reprit l'os pour y graver une ligne qui, à nouveau, formait une pointe avec un des côtés qu'il venait de découper.

Ayla l'avait observé avec attention, bien décidée à ne rien rater. Mais quand son travail devint répétitif, elle le regarda plus distraitement et en profita pour réfléchir à la conversation qu'ils avaient eue un peu plus tôt. L'attitude de Jondalar avait changé. Ce n'était pas tant ce qu'il lui avait dit, plutôt sa manière d'envisager les choses.

Marthona aurait aimé ton Iza, avait-il remarqué et il avait ajouté que toutes les mères se ressemblaient. Sa mère pouvait donc aimer une Tête Plate ? Les deux femmes pouvaient avoir des points communs ? Ensuite, malgré la colère qu'il éprouvait à son égard, il avait dit, en parlant de Broud : « un homme t'a pénétrée. » Puis « ces gens » pour faire référence aux membres du Clan. Il ne s'en était pas rendu compte, ce qui faisait d'autant plus plaisir à Ayla. Il commençait à considérer les membres du Clan comme des « gens ». Pas des animaux, ni des monstres — mais des êtres humains à part entière.

Elle recommença à s'intéresser à Jondalar car il venait de changer d'activité. Il avait pris un des triangles en os pour en polir les bords tranchants et, à l'aide d'un racloir en silex, il en retirait de longs frisons. Un instant plus tard, il tendit à Ayla une pointe en os de forme arrondie.

— L'os peut être taillé en pointe comme le bois, expliqua-t-il. Il est plus solide, il se fend moins facilement et il est plus léger que le bois.

— Cette lance me semble bien courte.

Jondalar éclata de rire.

— Elle serait trop courte en effet, si je m'arrêtais là. Mais il ne s'agit que de la pointe de ma sagaie. Certains peuples utilisent des pointes de silex. C'est le cas des Mamutoï. Pour chasser le mammouth, il faut des pointes en silex. Elles sont plus fragiles et plus cassantes. Mais grâce à ses bords tranchants comme ceux d'une lame de couteau, la pointe en silex pénètre plus facilement dans la peau du mammouth. Pour chasser d'autres gibiers, on préfère les pointes en os. Et on y ajoute une hampe en bois.

— Comment fait-on tenir les deux ?

— Regarde, lui dit Jondalar en retournant la pointe pour lui montrer la base de celle-ci. Je peux fendre la base de cette pointe en me servant de mon burin et d'une lame de couteau, puis tailler l'extrémité de la hampe afin qu'elle s'encastre dans cette fente. (Pour qu'Ayla comprenne, il plaça l'index de sa main gauche entre le pouce et l'index de sa main oite.) Ensuite, j'ajoute de la colle ou de la poix, puis je ligature la ampe et la pointe avec un tendon ou une lanière en cuir humide. En séchant, le tendon se resserre et les deux parties de la sagaie tiennent ensemble.

— Cette pointe est si petite... Pour faire la hampe tu vas être obligé d'utiliser une branchette !

— Je vais utiliser une vraie branche. Mais beaucoup moins grosse que celles qui t'ont servi à fabriquer tes armes. Sinon, je n'arriverai jamais à la lancer.

— Tu vas la lancer ! s'écria Ayla.

— Tu lances bien des pierres avec ta fronde, lui rappela Jondalar. Tu peux faire la même chose avec une sagaie. Cela t'évite de creuser une fosse et, avec un peu d'entraînement, tu peux même lancer ton arme en pleine course. Tu as acquis une telle habileté avec ta fronde que tu n'auras aucun mal à apprendre.

— Si tu savais le nombre de fois où j'ai souhaité pouvoir chasser un cerf ou un bison avec ma fronde ! Jamais je n'aurais imaginé pouvoir lancer une arme capable de tuer du gros gibier. (Elle réfléchit un court instant et demanda :) Est-ce qu'on arrive à lancer avec autant de force ? Quand je lance des pierres avec ma fronde, elles volent plus loin et plus fort que si je les lançais à la main.

— Le lancer aura peut-être moins de force, mais tu auras l'avantage de te trouver à bonne distance de l'animal. Néanmoins tu n'as pas tout à fait tort. C'est dommage de ne pouvoir lancer une arme en se servant d'une fronde... (Jondalar s'arrêta en plein milieu de sa phrase.) Je me demande... (Il plissa le front : la pensée qu'il venait d'avoir était tellement extraordinaire qu'elle exigeait un examen immédiat.) Non, je ne pense pas que ce soit possible... avoua-t-il finalement. Où pouvons-nous trouver de quoi faire les hampes ?

— Près de la rivière, répondit Ayla. Si tu n'y vois pas d'inconvénient, j'aimerais bien apprendre à fabriquer des sagaies. J'apprendrai vite si tu es encore là pour me dire comment je dois m'y prendre.

— D'accord, répondit Jondalar d'une voix chagrinée.

Il ne pensait plus à son départ et regrettait qu'Ayla eût éprouvé le besoin de lui rappeler qu'il n'allait pas tarder à s'en aller.

27

Accroupie au milieu des hautes herbes dont les épis dorés ployaient sous le vent, Ayla se concentrait sur les contours de l'animal en brandissant une sagaie. Une longue mèche de cheveux blonds échappée d'une des tresses lui balayait le visage. Elle déplaça légèrement la longue hampe pour l'équilibrer, puis, un œil à moitié fermé pour mieux viser, bondit en avant et lança son arme.

— Je n'y arriverai jamais, Jondalar ! s'écria-t-elle.

Elle s'approcha d'un arbre matelassé avec une peau remplie de foin sec sur laquelle Jondalar avait dessiné au charbon de bois un bison et retira la sagaie qui s'était fichée dans la croupe du bison.

— Tu es trop sévère avec toi-même, Ayla, dit-il en souriant fièrement. Tu t'en sors beaucoup mieux que tu ne le crois. Tu apprends très vite et j'ai rarement vu quelqu'un d'aussi obstiné que toi. Tu t'entraînes chaque fois que tu as un moment de libre. A mon avis, c'est justement ça le problème. Tu t'entraînes trop. Il faudrait que tu te détendes un peu.

— C'est en m'entraînant que j'ai appris à me servir d'une fronde.

— Tu n'as pas su utiliser une fronde en l'espace d'une nuit ?

— Non, il m'a fallu des années. Et je ne veux pas attendre des années avant de savoir me servir d'une sagaie.

— Ce ne sera pas la peine. Je suis sûr que si tu partais chasser avec cette sagaie, tu rapporterais déjà quelque chose. La vitesse et la puissance de ces deux armes sont différentes. La distance de tir n'est pas non plus la même. Il faut que tu t'y habitues. Si tu tiens absolument à t'entraîner, reprends ta fronde.

— Je n'ai pas besoin de m'entraîner à la fronde.

— Non, mais tu as besoin de te détendre. Essaie. Tu verras que ça te fera du bien.

Dès qu'Ayla eut repris sa fronde, qu'elle sentit le contact familier de la bande en cuir au creux de sa main, et qu'elle retrouva le rythme et le mouvement du lancer, la tension qui l'habitait se dissipa. Son adresse incontestable lui procurait un sentiment de satisfaction bien agréable. Pas question qu'elle rate une cible ! Surtout quand celles-ci étaient immobiles. Et comme Jondalar applaudissait ses exploits, elle décida de lui faire une démonstration en règle.

Elle alla chercher des galets au bord de la rivière, puis, après les avoir posés sur le sol, traversa le champ pour se placer à la distance qui la séparait habituellement de ses proies. Elle montra à Jondalar sa technique du double jet, puis lui fit voir avec quelle rapidité elle pouvait à nouveau lancer deux autres projectiles.

Se piquant au jeu, Jondalar installa à son tour des cibles pour la mettre à l'épreuve. Il posa en rang au sommet d'un gros rocher quatre galets qu'elle fit tomber en moins de temps qu'il n'en faut pour le dire. Il lança alors en l'air deux pierres l'une après l'autre : elle les atteignit à mi-course. Il fit ensuite une chose qui la surprit beaucoup. Debout au milieu du champ, il plaça une pierre en équilibre sur chacune de ses épaules et attendit, avec un large sourire. Il savait qu'une pierre lancée avec une telle force était capable de le blesser — voire de le tuer — si elle l'atteignait à un endroit vulnérable. Ce test montrait à quel point il lui faisait confiance. Il avait aussi pour but d'obliger Ayla à prendre véritablement conscience de son talent.

Jondalar entendit le sifflement du premier projectile, puis tout de suite après, le choc produit par sa rencontre avec la pierre posée sur une de ses épaules. Un court instant plus tard, la seconde pierre était projetée derrière lui. Il n'avait pas bougé et son visage était resté de marbre malgré le danger que lui faisait courir ce tour de force. Un minuscule éclat s'était détaché de la seconde pierre au moment de l'impact pour venir se loger dans son cou. Il n'avait même pas tressailli, mais quand il retira l'éclat, un mince filet de sang coula sur son cou.

— Jondalar ! s'écria Ayla en voyant le sang. Tu es blessé !

— Ce n'est rien. Juste un éclat. Tu es vraiment très forte à la fronde, Ayla ! Je n'ai jamais vu quelqu'un se servir avec une telle maîtrise d'une arme de chasse.

Ses yeux brillaient de respect et d'admiration et il avait prononcé ces paroles élogieuses d'une voix voilée par l'émotion. Personne n'avait encore jamais regardé Ayla ainsi. Elle rougit et en eut les larmes aux yeux.

— Si tu pouvais lancer une sagaie comme ça... (Jondalar s'interrompit et ferma les yeux pour tenter d'imaginer la chose.) Veux-tu me prêter ta fronde ?

— Tu veux apprendre à t'en servir ?

— Ce n'est pas tout à fait ça...

Il ramassa une des sagaies et essaya d'introduire le bout de la hampe dans le renflement en peau où habituellement se trouvait le projectile en pierre. Mais il n'avait pas l'habitude de manier une fronde et après quelques tentatives infructueuses, il rendit son arme à Ayla et lui tendit la sagaie.

— Serais-tu capable de projeter cette sagaie avec ta fronde ? demanda-t-il.

Ayla avait compris ce qu'il essayait de faire. Elle choisit une autre formule : la bande en cuir était étirée par la hampe et elle tenait les extrémités de la fronde ainsi que la pointe de sagaie. Elle ne réussit pas à équilibrer correctement son arme — le projectile était trop long pour qu'elle puisse contrôler sa trajectoire et le lancer avec toute la force voulue — mais elle réussit malgré tout à projeter la sagaie à une certaine distance.

— Il faudrait que la fronde soit plus longue ou la sagaie plus courte, intervint Jondalar en essayant d'imaginer quelque chose qu'il n'avait encore jamais vu. En plus, cette fronde est trop souple. Il faudrait pouvoir appuyer la sagaie sur quelque chose. Quelque chose de solide... en bois ou en os... avec une butée à l'arrière pour que la sagaie ne glisse pas. Je crois que ça pourrait marcher, Ayla ! Je crois que je pourrai faire un... propulseur de sagaie.

Ayla observait Jondalar tandis qu'il travaillait sur son projet. Elle était au moins aussi fascinée par ce qu'il était en train de faire que par le fait qu'on puisse exécuter quelque chose à partir d'une idée. Ayant été élevée par des gens incapables d'innover, elle ne se rendait pas compte que lorsqu'elle avait inventé de nouvelles techniques de chasse ou le travois, elle avait fait appel à la même faculté créative.

Jondalar utilisait des matériaux qui convenaient à ses besoins et il adaptait ses outils en fonction de ses nouvelles exigences. Il demandait son avis à Ayla car elle avait une grande expérience du lancement d'un projectile. Mais il devint très vite évident que même si c'était la fronde d'Ayla qui lui en avait donné l'idée, le système qu'il était en train d'inventer était nouveau et unique en son genre.

Dès que les principes de base du propulseur furent bien établis, Jondalar consacra son temps à certaines modifications capables d'améliorer les performances de la sagaie. Souriant de plaisir à l'idée de ce qui allait suivre, il avertit Ayla que lorsqu'il aurait fabriqué deux prototypes, ils s'entraîneraient tous les deux.

Jondalar n'ayant plus besoin d'elle, elle en profita pour s'occuper des vêtements qu'elle comptait lui offrir. Sa tâche n'avait pas beaucoup avancé car elle n'y travaillait que le matin avant qu'il se réveille ou la nuit quand il dormait.

Maintenant qu'il était absorbé par les finitions et qu'il travaillait sur la plage ou faisait des essais dans le pré, elle pouvait s'installer sur la corniche. Elle étudia à la lumière du jour l'assemblage des différents morceaux de peau et trouva le procédé si intéressant qu'elle se dit qu'elle allait aussi fabriquer le même genre de vêtements pour elle. Elle n'essaya pas de reproduire le motif en perles qui ornait la tunique mais elle l'étudia avec soin en se disant que quand l'hiver serait là elle pourrait se lancer dans ce genre d'entreprise.

Tout en travaillant, elle observait Jondalar et chaque fois que celui-ci remontait de la plage, elle cachait son travail en cours pour qu'il ne s'aperçoive de rien.

Le jour où il arriva en courant, brandissant les deux propulseurs de sagaie qu'il venait de terminer, elle eut tout juste le temps de glisser son ouvrage sous une pile de peaux. De toute façon, Jondalar était tellement content d'avoir réussi qu'il ne s'aperçut de rien.

— Qu'en dis-tu, Ayla ! Crois-tu que ça va marcher ?

Ayla prit un des propulseurs pour le regarder. C'était un dispositif simple mais très ingénieux : un support en bois plat et étroit, long comme la moitié de la sagaie, avec une rainure centrale pour y poser la sagaie et, à l'arrière, une butée en forme de crochet taillée dans le bois. A l'avant du propulseur, Jondalar avait attaché de chaque côté deux boucles en cuir pour qu'on puisse y passer les doigts.

On commençait par placer le propulseur en position horizontale, un doigt passé dans chaque boucle afin de tenir à la fois le propulseur et la sagaie, cette dernière étant plaquée au fond de la rainure et bloquée par la butée arrière. Au moment du lancer, le fait que l'on tienne l'avant de l'engin par ces boucles faisait remonter brusquement l'arrière et avait pour effet d'accroître la longueur du bras qui lançait. Ce mouvement de levier augmentait la force et la vitesse de la sagaie.

— Je pense en effet que le moment est venu de s'entraîner, Jondalar.

Ayla et Jondalar passaient leurs journées à s'entraîner. Comme leur première cible tombait en lambeaux sous les coups répétés, ils en avaient installé une seconde sur laquelle Jondalar avait dessiné un cerf. Les armes qu'ils avaient employées jusque-là influaient sur leur manière d'utiliser le propulseur. Jondalar lançait plus haut car il était habitué à jeter son arme avec force au-dessus de sa tête. Ayla avait l'habitude de tenir sa fronde sur le côté si bien que la trajectoire de la sagaie était plus horizontale. Ils profitaient de cet entraînement pour rectifier légèrement le propulseur afin qu'il s'adapte parfaitement à leur style.

Une amicale compétition se développait entre eux. Ayla était incapable d'égaler la force du lancer de Jondalar, donc sa portée de tir. Mais Jondalar ne pouvait égaler la précision mortelle du tir d'Ayla. Ils étaient aussi étonnés l'un que l'autre par la supériorité extraordinaire de cette nouvelle arme de chasse. Grâce au propulseur, Jondalar était capable d'envoyer sa sagaie deux fois plus loin qu'avant, et même un peu plus, avec une force plus grande et une précision parfaite.

Ces séances d'entraînement permettaient aussi à Ayla de découvrir quelque chose qu'elle n'avait encore jamais connu. Elle s'était toujours entraînée et avait toujours chassé seule. Elle avait commencé par jouer avec une fronde en cachette, craignant toujours qu'on la surprenne l'arme à la main. Puis elle avait chassé pour de bon, mais toujours en secret. Ce n'est que de mauvaise grâce qu'on lui avait finalement donné la permission de chasser. Personne n'avait jamais chassé avec elle.

Personne ne l'avait jamais encouragée à continuer quand elle ratait une proie, ni partagé son triomphe lorsqu'elle avait bien visé. Personne n'avait jamais discuté avec elle de la meilleure manière d'utiliser une arme ou écouté avec intérêt ses suggestions. Et surtout personne n'avait jamais plaisanté ou ri avec elle. Ayla ignorait ce qu'était la camaraderie ou l'amitié.

L'ambiance avait beau être amicale, chacun d'eux gardait prudemment ses distances. Quand ils abordaient des sujets sans danger comme la chasse ou les armes, ils discutaient avec animation. Mais dès qu'un élément personnel se glissait dans la conversation, ils se taisaient, mal à l'aise, ou s'en tiraient par des faux-fuyants polis. Chaque fois qu'ils se touchaient par inadvertance, ils sursautaient et s'éloignaient avec raideur l'un de l'autre, non sans arrière-pensées.

— Demain ! annonça Jondalar en retirant sa sagaie, arrachant du même coup un peu de foin au large trou que portait la peau qui leur servait de cible.

— Que se passera-t-il demain ?

— Nous partons à la chasse. Nous nous sommes assez amusés comme ça. Il est temps de passer aux choses sérieuses.

— D'accord.

Après avoir ramassé les quelques sagaies éparpillées sur le sol, ils reprirent le chemin du retour.

— C'est toi qui connais la région, Ayla. Où irons-nous ?

— Je connais surtout les steppes qui se trouvent à l'est. Mais j'aimerais bien partir d'abord en reconnaissance avec Whinney. (Elle jeta un coup d'œil à la position du soleil avant de remarquer :) Il n'est pas tard.

— C'est une bonne idée, répondit Jondalar. Toi et la jument vous valez bien toute une équipe d'éclaireurs à pied.

— Est-ce que ça t'ennuierait de garder Rapide ? Je serais plus tranquille s'il ne venait pas avec nous.

— Qu'allons-nous faire de lui demain ?

— Nous serons obligés de l'emmener car nous avons besoin de Whinney pour rapporter la viande. Elle a l'habitude de chasser avec moi. Si je lui dis de rester à un endroit, elle m'obéira. Mais si son poulain prend peur et qu'il se met à courir, il risque d'être blessé par le troupeau en fuite. Je ne sais pas comment nous allons faire...

— Ne t'inquiète pas. Je vais essayer de trouver une solution.

Ayla siffla Whinney et son poulain. Elle monta sur la jument et partit au galop tandis que Jondalar retenait le poulain par l'encolure en le caressant et en le grattant aux endroits qui le démangeaient. Il n'eut aucun mal à le faire tenir tranquille et, dès qu'Ayla et la jument se furent éloignées, il ramassa les sagaies et les propulseurs et reprit le chemin de la caverne.

Il déposa les sagaies à l'entrée de la caverne. Incapable de rester en place, il s'approcha du feu, remua les braises et ajouta quelques bouts de bois. Puis il ressortit sur la corniche. Comme le poulain approchait son museau de sa main, il le caressa distraitement. Le poil de Rapide était en train de s'épaissir : l'hiver n'allait pas tarder.

Jondalar essaya de penser à autre chose. Les chaudes journées d'été se ressemblaient tellement qu'on avait l'impression que la belle saison durerait toujours. Il était facile de ne prendre aucune décision. Il serait toujours temps de penser à la saison froide... d'envisager le départ.

— Je ne suis pas comme toi, Rapide, déclara Jondalar. Je n'ai pas de pelage d'hiver, moi. Il va falloir que je me confectionne des vêtements d'ici peu. J'ai donné mon perçoir à Ayla et je n'en ai pas fabriqué d'autre. Je n'ai qu'à tailler quelques outils en l'attendant. Il faut aussi que je trouve un moyen de te garder à l'écart demain.

Jondalar regagna la caverne. Il était en train de fouiller dans les réserves d'Ayla pour voir s'il ne trouvait pas une longue lanière en cuir ou une corde solide quand il tomba sur les peaux qu'elle avait rangées à cet endroit, roulées les unes dans les autres. Elle sait apprêter les peaux, se dit-il en remarquant à quel point elles étaient souples et douces au toucher. Peut-être qu'elle me laisserait en utiliser quelques-unes...

Si ces propulseurs de sagaie marchent, je n'aurai pas besoin de lui demander quoi que ce soit. Je ramènerai suffisamment de peaux pour me faire des vêtements. Peut-être pourrais-je graver un porte-bonheur sur les propulseurs. Cela ne peut pas faire de mal. Tiens, voilà un rouleau de lanières de cuir ! Je devrais pouvoir m'en servir pour Rapide. Ce poulain mérite bien son nom. Qu'est-ce que ce sera quand il sera devenu un étalon ! Est-ce qu'un étalon laisserait quelqu'un monter sur son dos ? Est-ce que j'arriverais à le conduire où je veux aller ?

Tu ne le sauras jamais, Jondalar, se rappela-t-il à lui-même. Quand Rapide sera devenu un étalon, tu seras parti.

Jondalar prit les lanières en cuir, saisit au passage la peau qui contenait ses outils de tailleur de silex et descendit vers la rivière. Arrivé là, comme il avait chaud et qu'il transpirait, il enleva la bande de peau qui lui ceignait les reins, plongea dans l'eau et se mit à nager en remontant la rivière. D'habitude, il s'arrêtait à l'entrée des gorges. Mais cette fois-ci il poussa plus loin, dépassa les premiers rapides et après le dernier coude, aperçut soudain une cascade aux eaux rugissantes. Il fit alors demi-tour pour rentrer.

Le bain lui avait fait du bien et ce changement dans ses habitudes le poussa à continuer dans la même voie : il décida de se tailler la barbe.

Je vais commencer par ma barbe, se dit-il. Puis j'essaierai de trouver un système pour retenir Rapide. Je ne veux pas simplement lui attacher une corde autour du cou. Il faut trouver mieux. Ensuite, je fabriquerai un perçoir et un ou deux burins pour pouvoir graver un porte-bonheur sur les propulseurs. J'ai bien envie aussi de préparer le repas de ce soir. Ce ne sera peut-être pas aussi bon que la cuisine d'Ayla, mais je devrais pouvoir m'en sortir. Doni sait combien de fois j'ai préparé à manger en Voyage.

Qu'est-ce que je pourrais bien graver sur les propulseurs ? Si j'avais encore ma donii, cela suffirait à nous porter chance, mais je l'ai donnée à Noria. Je me demande si elle a eu un bébé avec des yeux bleus ? Ayla pense que ce sont les hommes qui mettent en train les enfants. Quelle drôle d'idée elle a là ! Et quelle vie elle a eu ! Elle en a vu de toutes les couleurs. C'est vraiment une femme exceptionnelle. Et de première force à la fronde. Elle se débrouille pas mal aussi avec le propulseur. Sur le sien, j'ai bien envie de graver un bison. Est-ce qu'ils vont marcher ? Je regrette de ne plus avoir de donii. Et si j'en sculptais une...

Quand le ciel s'assombrit, Jondalar, qui était remonté sur la corniche, commença à regarder en direction de la vallée pour guetter l'arrivée d'Ayla. Lorsque la vallée ne fut plus qu'un immense trou noir, il alluma un feu sur la corniche pour qu'elle puisse retrouver son chemin. A un moment donné, il crut entendre un bruit de sabots et saisissant une branche enflammée, il descendit vers la rivière. Il avait atteint la saillie rocheuse et s'apprêtait à la contourner quand il entendit le bruit des sabots de la jument.

— Pourquoi rentres-tu si tard ? demanda-t-il sur un ton tranchant qui surprit Ayla.

— Tu sais bien que je suis partie en reconnaissance pour essayer de trouver un troupeau.

— Mais la nuit est tombée depuis longtemps !

— Je sais. Il faisait presque nuit avant que je prenne la route du retour. Je pense avoir trouvé ce que nous cherchons : un troupeau de bisons au sud-ouest...

— Il faisait presque nuit et tu étais toujours à la poursuite des bisons ! Tu sais bien qu'on ne peut pas voir les bisons la nuit !

Ayla ne comprenait pas pourquoi il était si énervé.

— Je sais bien ! s'écria-t-elle. Et maintenant, si nous rentrions...

Avec un hennissement aigu, le poulain apparut dans le cercle de lumière de la torche. Il s'approcha aussitôt de sa mère et glissa son museau entre ses pattes avant qu'Ayla ait eu le temps de descendre. Jondalar réalisa qu'il s'était comporté envers Ayla comme s'il était en droit de la questionner sur son retour tardif. Il détourna la tête en rougissant et la suivit alors qu'elle pénétrait dans la caverne, trop gêné par sa propre conduite pour remarquer à quel point elle était fatiguée.

Dès qu'Ayla fut entrée, elle alla chercher une des fourrures dans lesquelles elle dormait, la posa sur ses épaules et s'approcha du feu.

— J'aurais dû emporter un vêtement chaud. Mais je ne comptais pas revenir si tard.

— Tu as froid, dit Jondalar en la voyant frissonner. Je vais t'apporter un bol de bouillon chaud.

Jusque-là, Ayla n'avait pas tellement prêté attention à lui, mais quand il s'approcha d'elle et lui tendit le bol, elle le regarda d'un air stupéfait.

— Qu'est-il arrivé à ton visage ?

— Que veux-tu dire ? demanda Jondalar avec une pointe d'inquiétude.

— Tu n'as plus de barbe !

— Je l'ai rasée, répondit-il avec un sourire.

— Rasée ?

— Coupée tout près de la peau. Je fais toujours ça l'été. Il fait chaud, je transpire et ma barbe me démange.

Ayla ne put s'empêcher d'avancer la main pour tâter ses joues, puis, lui caressant la peau dans l'autre sens, elle sentit que ses joues étaient râpeuses comme la langue de Bébé. Le jour où elle l'avait trouvé, il ne portait pas de barbe, mais elle avait oublié ce détail. Sans barbe, il paraissait beaucoup plus jeune et semblait presque émouvant, comme un enfant. Elle laissa courir ses doigts le long des fortes mâchoires et sur la légère fente de son menton.

Jondalar était d'une immobilité de pierre. Il sentait les effleurements d'Ayla dans tous ses nerfs. Même si ce geste avait été guidé par la curiosité et n'avait aucune intention érotique, il y réagit aussitôt. Son érection fut si rapide et si puissante qu'il en fut le premier surpris.

Il avait beau avoir l'air d'un tout jeune homme maintenant qu'il avait coupé sa barbe, le regard qu'il lança à Ayla était celui d'un homme — un homme terriblement désirable. Il voulut saisir sa main, mais Ayla réussit à la retirer et elle prit le bol qu'il lui tendait, puis but le bouillon qui lui parut insipide. Ce n'était pas la première fois qu'il la regardait ainsi. L'autre fois aussi, ils étaient assis près du feu. Mais aujourd'hui, c'était elle qui l'avait touché. Et plutôt que de lire à nouveau sur son visage ce même sentiment de dégoût, si dégradant pour elle, elle préféra baisser la tête.

Jondalar était désespéré d'avoir réagi presque violemment à son geste plein de douceur. Ayla évitait de le regarder, mais lui ne la quittait pas des yeux. Elle semblait si timide et si fragile quand elle baissait ainsi la tête... Elle lui faisait penser à une belle lame de silex, à la forme parfaite, aux bords délicats et translucides, et pourtant si robuste et si tranchante qu'elle n'avait aucun mal à fendre même le cuir le plus résistant.

Oh, Mère, elle est si belle ! se dit-il. Oh, Doni, Grande Terre Mère, je désire cette femme ! Je la désire si fort...

Ne supportant plus de la regarder, il bondit sur ses pieds. Puis il se souvint brusquement du repas qu'il avait préparé et alla chercher l'os de mammouth qui lui servait de plat.

Ayla l'avait entendu se lever. Il s'était éloigné d'elle si brusquement qu'elle était persuadée qu'à nouveau elle lui répugnait. Elle se mit à trembler et serra les dents dans l'espoir de s'arrêter. Jamais elle ne pourrait supporter de découvrir à nouveau au fond de ses yeux qu'elle était un monstre.

Bien qu'elle eût les yeux fermés, elle savait que Jondalar se trouvait maintenant en face d'elle et elle retint sa respiration.

— Ayla ? dit-il en voyant qu'elle tremblait malgré la fourrure et la chaleur du feu. Comme je savais que tu risquais de rentrer tard, j'ai préparé quelque chose à manger. Veux-tu y goûter ? Ou es-tu trop fatiguée ?

Avait-elle bien entendu ? Elle ouvrit lentement les yeux. Jondalar posa le plat en face d'elle. Puis il alla chercher une natte et s'assit à son côté. Il avait fait rôtir un lièvre et cuire des tubercules dans le bouillon de viande séchée qu'il venait de lui servir. Il y avait même quelques myrtilles.

— Tu as... cuisiné ça... pour moi ? demanda Ayla d'une voix incrédule.

— Je sais que ce n'est pas aussi bon que ce que tu fais d'habitude, mais je pense que ça ira. Je suis parti chasser avec ma sagaie car je ne voulais pas utiliser le propulseur avant demain, de peur que ça nous porte malheur. Allez, mange, ajouta-t-il.

N'ayant pas de souvenirs pour ça, les hommes du Clan étaient incapables de cuisiner. Jondalar n'était pas comme eux : il pouvait accomplir toutes sortes de tâches. Néanmoins, jamais Ayla n'aurait pensé qu'il puisse cuisiner alors qu'il y avait une femme pour le faire à sa place. Non seulement il en était capable et il l'avait fait mais, plus important encore à ses yeux, il avait eu l'idée de le faire. Quand Ayla vivait au sein du Clan, le fait qu'elle eût le droit de chasser ne l'avait pas pour autant dispensée de ses tâches habituelles. Elle était stupéfaite et profondément touchée par l'attention de Jondalar. Elle se rendait compte que ses craintes étaient sans fondement et elle ne savait plus trop quoi dire.

— C'est bon ? demanda Jondalar en la voyant mordre dans une cuisse.

— Merveilleux, répondit-elle, la bouche pleine.

Le lièvre était parfait. Mais eût-il été brûlé qu'elle l'aurait malgré tout trouvé délicieux. Elle sentait qu'elle allait pleurer. Jondalar était en train de sortir du bouillon une louche pleine de longues et fines racines. Ayla en prit une et la goûta.

— Ce sont des racines de trèfle, non ? C'est très bon.

— Oui, répondit Jondalar, tout fier de lui. Elles sont encore meilleures quand on les fait mariner dans l'huile. Chez nous, les femmes préparent ce genre de plat pour les hommes à l'occasion des fêtes car elles savent que c'est leur mets préféré. J'ai aperçu du trèfle en amont de la rivière et j'ai pensé que cela te ferait plaisir.

La surprise d'Ayla le récompensait largement de sa peine. Quelle bonne idée d'avoir préparé ce repas ! se dit-il.

— C'est tout un travail que de déterrer ces racines, dit-elle. Elles sont si fines qu'il en faut beaucoup pour faire un plat. Je ne savais pas que c'était aussi bon. C'est la première fois que j'en mange. J'utilisais ces racines uniquement comme remède, mélangées à d'autres plantes pour préparer un reconstituant au printemps.

— Nous aussi, habituellement, nous les mangeons au printemps. C'est une des premières nourritures fraîches.

En entendant un bruit de sabots sur la corniche, ils tournèrent tous deux la tête au moment où Whinney et son poulain pénétraient dans la caverne. Ayla se leva pour s'occuper d'eux. Chaque soir, les deux chevaux avaient droit au même rituel : des caresses, de l'affection, du foin frais, des grains et de l'eau. Après une longue chevauchée, Ayla les bouchonnait avec une bande de peau absorbante et les étrillait avec une cardère. Elle s'aperçut que l'eau, le foin frais et les grains étaient déjà tout prêts.

— Tu as aussi pensé aux chevaux, dit-elle en se rasseyant en face de Jondalar et en prenant une poignée de myrtilles.

— Je n'avais pas grand-chose d'autre à faire, dit-il avec un sourire. Tiens, au fait, il faut que je te montre quelque chose. (Il se leva pour aller chercher les deux propulseurs.) J'espère que tu n'y vois pas d'inconvénient, dit-il en lui tendant un des deux propulseurs. C'est pour nous porter chance.

— Jondalar ! s'écria Ayla qui osait à peine y toucher. C'est toi qui as fait ça ! (Sa voix exprimait une crainte respectueuse : elle avait déjà été surprise que Jondalar puisse dessiner la forme d'un animal sur la cible, mais là, c'était quelque chose de plus impressionnant encore.) C'est comme si tu avais pris le totem, l'esprit du bison, pour le mettre là-dessus !

En souriant, Jondalar lui montra son propre propulseur : il y avait gravé un cerf géant couronné d'énormes bois palmés.

— Comme c'est censé capturer l'esprit de l'animal, il faut que ce soit gravé sur l'arme, expliqua-t-il à Ayla. Je ne suis pas très bon graveur. Il faudrait que tu voies le travail de nos graveurs et de nos sculpteurs et de ceux qui peignent les murs sacrés.

— Je suis certaine que tu as donné à ces armes un pouvoir magique. Je n'ai pas vu de cerfs, seulement un troupeau de bisons. Je pense qu'ils sont en train de se rassembler. Mais est-ce qu'un bison peut être attiré par une arme qui porte un cerf ? Je peux repartir en reconnaissance demain pour voir si je ne rencontre pas des cerfs...

— Ça marchera aussi pour le bison. Mais tu risques d'avoir plus de chance que moi. Je suis content d'avoir gravé un bison sur le tien.

Ayla ne savait plus quoi dire : bien qu'il soit un homme, il ne voyait pas d'inconvénient à ce qu'elle ait plus de chance que lui à la chasse et cela lui faisait plaisir !

— J'ai aussi commencé à sculpter une donii pour qu'elle nous porte chance, mais je n'ai pas eu le temps de la finir.

— Qu'est-ce qu'une donii, Jondalar ? Est-ce que c'est votre Grande Terre Mère ?

— Doni est la Grande Terre Mère. Mais elle peut aussi apparaître sous d'autres formes qui sont toutes des donii. Une donii, c'est la forme que prend l'esprit de la Mère quand Elle chevauche le vent ou quand Elle nous apparaît en rêve. Les hommes rêvent souvent d'Elle sous les traits d'une belle femme — habituellement une femme aux formes généreuses — car les femmes sont les élues de Doni. Elle les a créées à Sa ressemblance pour qu'elles donnent la vie comme Elle-même est créatrice de toute vie. C'est pourquoi on La représente surtout sous les traits d'une mère. Quand un homme s'en va vers l'autre monde, la plupart du temps il y a une donii pour le guider — on dit que les femmes n'ont pas besoin de guide, qu'elles connaissent le chemin. Et certaines femmes disent aussi qu'elles peuvent se changer en donii quand elles veulent, en général pour poursuivre un homme de leur colère. Les Sharamudoï, un peuple qui vit à l'est d'ici, disent que la Mère peut prendre la forme d'un oiseau.

— Dans le Clan, dit Ayla, seuls les Anciens ont des esprits féminins.

— Et tes totems alors ? demanda Jondalar.

— Tous les esprits des totems protecteurs sont masculins, même ceux des femmes. Mais en général les totems des femmes sont choisis parmi les animaux les plus petits. Ursus, le Grand Ours des Cavernes, est le protecteur du Clan tout entier — le totem de chacun. Mais Ursus était aussi le totem personnel de Creb. Creb avait été choisi par l'Ours des Cavernes comme moi j'ai été choisie par le Lion des Cavernes, ajouta Ayla en montrant à Jondalar les quatre cicatrices qu'elle portait sur la cuisse gauche.

— Je n'aurais jamais pensé que les Tê... que ton Clan connaissait le monde des esprits, Ayla. J'ai encore du mal à le croire d'ailleurs. Je ne mets pas ta parole en doute mais cela me dépasse encore que les gens dont tu me parles et ceux que nous appelons les Têtes Plates soient les mêmes.

Ayla baissa la tête, puis elle le regarda à nouveau, d'un air très sérieux.

— Je pense que le Lion des Cavernes t'a choisi, Jondalar, dit-elle, et qu'il est maintenant ton totem. Creb m'a toujours dit qu'il était difficile de vivre avec un totem puissant. Lui, il avait perdu un œil dans l'épreuve, mais il y avait gagné un grand pouvoir. Le Lion des Cavernes est le plus puissant totem après Ursus et les épreuves auxquelles j'ai été soumise n'ont pas été faciles. Mais, à partir du moment où j'ai compris pourquoi il en était ainsi, je n'ai jamais regretté d'avoir un totem aussi puissant. Je tenais à te le dire au cas où le Lion des Cavernes serait maintenant ton totem.

— Cela signifie beaucoup de choses pour toi ce Clan, n'est-ce pas ?

— Je désirais devenir une femme du Clan, mais je n'y suis pas arrivée. Je n'étais pas comme eux. Je fais partie des Autres. Creb le savait et Iza m'a dit avant de mourir qu'il fallait que je parte et que je retrouve les miens. Je ne voulais pas quitter le Clan mais j'ai été forcée de le faire et jamais plus je ne pourrai revenir. J'ai été frappée de la Malédiction Suprême. Je suis morte.

Jondalar ne comprenait pas très bien ce qu'elle entendait par là, mais il en eut malgré tout la chair de poule.

— Je ne me souviens pas de la femme qui m'a donné naissance, continua Ayla. Ni de ma vie avant d'être adoptée par le Clan. J'ai essayé d'imaginer à quoi pouvaient bien ressembler les Autres sans jamais y parvenir. Et maintenant, quand je pense à eux, c'est toi que je vois. Tu es le premier représentant de ma propre espèce qu'il m'est donné de voir, Jondalar. Quoi qu'il arrive, je ne t'oublierai jamais.

Ayla sentit qu'elle en avait trop dit. Elle se tut et se leva. Puis elle lui rappela :

— Si nous partons chasser demain matin, il vaudrait mieux que nous allions nous coucher.

Jondalar savait qu'elle avait été élevée par des Têtes Plates, puis qu'elle avait vécu seule après les avoir quittés. Mais il n'avait pas vraiment réalisé qu'il était le premier homme qu'elle ait jamais rencontré. Il trouvait cette responsabilité accablante et n'était pas fier de la manière dont il l'avait assumée. Néanmoins, il savait comment on considérait les Têtes Plates. Si au lieu de réagir aussi violemment, il s'était contenté de le lui expliquer, cela aurait-il eu le même effet ? Aurait-elle su à quoi elle devait s'attendre ?

Il était inquiet au moment où il alla se coucher et, au lieu de s'endormir aussitôt, il resta allongé les yeux fixés sur le feu à réfléchir. Brusquement, sa vision se déforma et il se sentit pris d'une sorte de vertige. Il vit alors une femme qui semblait se refléter à la surface d'une mare dans laquelle on viendrait de jeter une pierre. Son image indécise ondulait à la surface de l'eau en cercles concentriques de plus en plus larges. Jondalar ne voulais pas que cette femme l'oublie — qu'elle se souvienne de lui était de la plus haute importance.

Il avait le sentiment d'une divergence, d'un choix, l'impression de se retrouver à la croisée des chemins sans que personne soit là pour le guider. Un courant d'air chaud hérissa les poils de sa nuque et il sentit qu'Elle était en train de le quitter. Il n'avait jamais eu conscience de Sa présence à ses côtés mais, maintenant qu'Elle était partie, il ressentait profondément le vide douloureux qu'Elle laissait derrière Elle. C'était la fin d'une période qui avait duré si longtemps, la fin de la glace, la fin d'un âge, la fin d'une époque où Elle subvenait à tous les besoins de Ses enfants. La Terre Mère abandonnait Ses enfants car il était temps qu'ils trouvent leur propre chemin, qu'ils forgent leurs vies, qu'ils assument les conséquences de leurs actes — qu'ils deviennent majeurs. Ce n'était pas pour demain, Jondalar ne le verrait pas et il faudrait encore bien des générations avant que cela ne se produise, mais le premier pas, inexorable, avait été franchi. Elle venait de transmettre à Ses enfants Son cadeau d'adieu, le Don de la Connaissance.

En entendant une plainte aiguë et surnaturelle, Jondalar comprit qu'il s'agissait des pleurs de la Mère.

Comme une corde trop tendue qui soudain se relâche, la réalité revint en force. Mais la corde avait été si tendue qu'elle ne pouvait retrouver ses dimensions d'origine. Il se rendit compte que quelque chose clochait. Il jeta un coup d'œil à Ayla qui se trouvait de l'autre côté du feu et vit que ses joues étaient couvertes de larmes.

— Qu'est-ce qui ne va pas, Ayla ?

— Je ne sais pas.

— Tu es sûre qu'elle va pouvoir nous porter tous les deux ?

— Non, je n'en suis pas sûre, dit Ayla en tenant Whinney qui portait ses deux paniers.

Rapide suivait derrière, tenu par une corde fixée à une sorte de licol, fabriqué avec des lanières de cuir. Ce licol lui laissait la liberté de brouter ou de bouger la tête et il ne risquait pas de lui serrer trop le cou et de l'étrangler. Au début, cela l'avait gêné mais il avait fini par s'y habituer.

— Si nous pouvons monter tous les deux sur Whinney, nous irons plus vite, reprit Ayla. Si elle n'aime pas ça, je le verrai tout de suite. Nous pourrons alors la monter chacun notre tour ou marcher à côté d'elle.

Lorsqu'ils eurent atteint le gros rocher qui se trouvait dans le pré, Ayla monta sur la jument, puis elle s'avança un peu et tint l'animal d'une main ferme pendant que Jondalar se hissait derrière elle. Whinney baissa les oreilles. Même si elle n'était pas habituée à porter ce poids supplémentaire, elle était robuste et se mit en route sur un signe d'Ayla. La jeune femme la maintint à une allure raisonnable et l'arrêta dès qu'elle sentit qu'elle avait besoin de se reposer.

Quand ils repartirent, Jondalar était déjà moins nerveux — mais il aurait préféré que ce soit le contraire. Maintenant qu'il se détendait, il était beaucoup plus sensible à la présence de la jeune femme devant lui. Il sentait qu'il s'appuyait contre son dos et que ses cuisses touchaient les siennes. Ayla elle-même commençait à sentir autre chose que le simple contact de la jument : une dure et chaude pression s'exerçait dans son dos que Jondalar était bien incapable de contrôler. A chaque cahot, ils étaient projetés l'un contre l'autre. Ayla souhaitait que cela s'arrête et, à la fois, elle n'en avait nulle envie.

Jondalar souffrait en silence. Jamais encore il n'avait été obligé de se retenir à ce point. Depuis sa puberté, il avait toujours trouvé le moyen d'assouvir ses désirs. Mais Ayla mise à part, il n'y avait aucune femme. Et il ne voulait pas à nouveau aller se soulager en solitaire.

— Ayla... dit-il d'une voix étouffée. Je crois... Je crois qu'il est temps de se reposer.

Ayla arrêta la jument et descendit le plus vite possible.

— Nous ne sommes plus très loin, dit-elle. Nous pouvons parcourir le reste du chemin à pied.

— Cela reposera Whinney.

Ayla savait que ce n'était pas à cause de Whinney qu'ils étaient descendus, mais elle ne dit rien. Ils marchèrent tous les trois de front, la jument étant au milieu. Ayla avait bien du mal à se concentrer sur les repères qu'elle avait enregistrés la veille et Jondalar, l'aine douloureuse, se félicitait de l'écran que lui fournissait la jument.

Quand ils aperçurent le troupeau, l'idée de chasser pour la première fois avec les propulseurs éteignit en partie leur ardeur. Malgré tout, ils prirent bien garde à ne pas se retrouver trop près l'un de l'autre.

Le troupeau de bisons était massé autour d'un ruisseau. Il était plus important que la veille. Des petits groupes étaient venus se joindre au troupeau qu'Ayla avait aperçu et d'autres suivraient. En fin de compte, des dizaines de milliers d'animaux à la toison brun-noir se rassembleraient sur des hectares de collines moutonnantes et de vallées, et formeraient un véritable tapis vivant qui résonnerait du bruit de leurs sabots et de leurs beuglements. Au sein d'une telle masse, la notion d'individu n'avait plus aucun sens : la survie de chacun dépendait du nombre.

Même si le troupeau qui se tenait autour du ruisseau était encore relativement petit, les animaux qui le composaient n'obéissaient déjà plus qu'à l'instinct grégaire. Plus tard, pour résister aux périodes de disette, ils seraient obligés de se scinder à nouveau en petits groupes familiaux et de se disperser à la recherche du fourrage.

Ayla emmena Whinney au bord de la rivière, près d'un pin courbé par le vent. Utilisant le langage par signes du Clan, elle dit à la jument de ne pas s'éloigner. Voyant qu'elle gardait instinctivement son petit près d'elle, elle se dit qu'elle avait eu tort de s'inquiéter : Whinney était parfaitement capable de veiller sur son poulain en cas de danger. Malgré tout, Jondalar s'était creusé la tête pour trouver un système capable de retenir le poulain et elle était curieuse de voir si cela allait marcher.

Après avoir pris chacun un propulseur et une poignée de sagaies, Ayla et Jondalar se dirigèrent vers le troupeau. Les sabots des bisons avaient eu raison de la croûte de terre qui recouvrait les steppes et la poussière soulevée par leur passage maculait les fourrures sombres et hirsutes. Cette poussière âcre et suffocante était semblable à la fumée qui signale le parcours d'un feu de prairie : elle permettait de suivre le troupeau à la trace. Et quand celui-ci était passé, on observait le même spectacle de désolation qu'après un feu de prairie.

Ayla et Jondalar firent le tour du troupeau pour se retrouver face au vent. Les yeux à moitié fermés, ils essayaient de repérer l'animal qu'ils allaient tuer tandis que le vent imprégné de la forte odeur des bisons leur envoyait de minuscules grains de sable dans le visage. Les petits meuglaient derrière leur mère et les jeunes bisons mettaient à rude épreuve la patience de leurs aînés en s'amusant à leur donner des coups de corne.

Un vieux mâle qui venait de se rouler dans un trou terreux était en train de se relever. Sa tête massive pendait en avant comme si elle avait du mal à supporter le poids de ses énormes cornes noires. Avec son mètre quatre-vingt-dix, Jondalar atteignait tout juste le garrot de l'animal. Le bison avait un train avant puissant et recouvert de fourrure alors que son arrière-train était bas et plus gracile. L'énorme bête n'étant plus de première jeunesse, sa viande dure et filandreuse n'intéressait pas Ayla et Jondalar. Mais quand il s'immobilisa pour les examiner d'un air soupçonneux, ils comprirent à quel point il devait encore être redoutable. Ils s'immobilisèrent à leur tour et attendirent qu'il soit parti avant de recommencer à avancer.

Plus ils approchaient du troupeau, plus le grondement sourd s'amplifiait, rythmé par toute la gamme des meuglements. Jondalar montra à Ayla une jeune femelle. La génisse ne portait pas de petits mais elle était en âge d'être couverte. Elle profitait de l'herbe d'été pour renouveler ses réserves de graisse. Ayla hocha la tête en signe d'acquiescement. Chacun d'eux plaça sa sagaie dans son propulseur et Jondalar indiqua d'un geste à Ayla qu'il comptait faire le tour de la génisse pour l'attaquer de l'autre côté.

La génisse avait-elle aperçu le mouvement de Jondalar ? Ou avait-elle été alertée par quelque instinct ? Toujours est-il qu'elle se rapprocha anxieusement du gros du troupeau. D'autres bêtes se mirent à l'entourer, faisant écran entre Jondalar et sa proie. Ayla se dit qu'elle n'allait pas tarder à leur échapper. Elle ne pouvait pas faire signe à Jondalar car celui-ci lui tournait le dos, ni crier car cela aurait alerté l'animal. Si la génisse continuait à s'éloigner, il ne pourrait plus l'atteindre.

Elle se mit en position. Jondalar se retourna vers elle au moment où elle allait lancer son arme. Comprenant aussitôt la situation, il saisit son propulseur. L'agitation de la génisse n'avait pas échappé aux autres bisons, pas plus que la présence des deux chasseurs. Ayla et Jondalar avaient pensé que le nuage de poussière soulevé par le troupeau suffirait à masquer leur approche, mais les animaux en avaient l'habitude. La génisse avait presque atteint la sécurité que lui offrait le gros du troupeau et d'autres bisons étaient en train de l'imiter.

Jondalar se précipita vers l'animal en levant son arme. Sa sagaie s'enfonça dans l'abdomen de la génisse. Celle d'Ayla vint se ficher dans son cou. Entraîné par son propre mouvement, le bison continua à avancer à la même allure. Puis il ralentit, se mit à tanguer, chancela soudain et s'affala sans vie sur le sol en brisant sous son poids la sagaie de Jondalar. Le troupeau avait senti l'odeur du sang. Quelques bêtes s'approchèrent de la génisse en meuglant. D'autres poussaient des mugissements sinistres, se bousculaient et tournaient sur elles-mêmes, ce qui accroissait d'autant l'excitation du troupeau.

Venant de deux directions différentes, Ayla et Jondalar se dirigeaient vers l'animal mort. Soudain, Jondalar commença à gesticuler et à crier. Ayla secoua la tête pour lui montrer qu'elle n'y comprenait rien.

Un jeune mâle, qui s'amusait à donner des coups de corne, venait de se faire remettre au pas par un vieux patriarche et, en faisant un bond de côté, il avait percuté un petit. Indécis et nerveux, il avait essayé de reculer mais le vieux bison lui avait coupé la route. C'est alors qu'il avait aperçu un bipède en mouvement. Il fonçait maintenant dans cette direction.

— Ayla ! Attention ! hurla Jondalar en se précipitant vers elle, la sagaie pointée en direction du jeune bison.

Tournant brusquement la tête, Ayla aperçut l'animal. Son premier réflexe fut de saisir sa fronde, car cette arme avait toujours été son meilleur moyen de défense, mais elle se ravisa et plaça une sagaie dans le propulseur. Jondalar avait déjà lancé la sienne. Les deux armes frappèrent le jeune bison presque en même temps. La sagaie de Jondalar transperça son flanc, le détournant momentanément de sa route. Celle d'Ayla se ficha dans son œil et l'animal mourut avant d'atteindre le sol.

L'agitation, les cris et l'odeur du sang précipitèrent la fuite des animaux grégaires dans une seule et même direction, le plus loin possible du théâtre des événements. Les derniers traînards dépassèrent les deux animaux qui gisaient sur le sol et rejoignirent le gros du troupeau dans sa panique qui faisait trembler la terre. La poussière était déjà retombée que le grondement sourd s'entendait encore.

Ayla et Jondalar restèrent un long moment à contempler, muets d'étonnement, les deux bisons couchés au milieu des vastes plaines.

— C'est fini, dit Ayla, complètement stupéfaite.

— Pourquoi ne t'es-tu pas enfuie ? cria Jondalar, qui avait eu très peur pour elle. Il aurait pu te tuer.

— Je n'allais pas tourner le dos à un bison en train de charger : il m'aurait certainement encornée. Peut-être que ta sagaie l'aurait arrêté avant, ajouta-t-elle après avoir jeté un coup d'œil au jeune bison. Mais je ne pouvais pas le savoir. C'est la première fois que je chasse avec quelqu'un. J'ai toujours été seule pour veiller sur moi.

Jondalar réalisa brusquement ce qu'avait dû être son existence. Il la vit sous un nouveau jour. Cette femme douce, gentille, aimante, a traversé des épreuves incroyables. Jamais elle ne s'enfuira devant quoi que ce soit. Même pas devant toi, Jondalar. Quand tu te laisses aller et que tu perds tout contrôle sur toi-même, les gens détalent. Avec elle, tu t'es montré sous ton plus mauvais jour et elle t'a tenu tête.

— Tu es merveilleuse, Ayla ! Belle et fougueuse ! Et une chasseresse unique ! Regarde ce que nous avons fait ! ajouta-t-il avec un grand sourire. Deux bisons ! Comment allons-nous faire pour ramener toute cette viande ?

Réalisant soudain ce qui venait d'arriver, Ayla eut un sourire satisfait. Une lueur de joyeux triomphe dansa au fond de ses yeux. Dommage qu'elle ne sourie pas plus souvent, se dit Jondalar en remarquant que son visage semblait illuminé de l'intérieur. Sans raison, il éclata brusquement de rire. Sa gaieté était communicative et Ayla l'imita aussitôt. Leurs deux rires fusèrent, tels deux cris de victoire.

— Tu es vraiment un grand chasseur, Jondalar ! s'écria-t-elle à son tour.

— C'est grâce aux propulseurs. Nous n'avons eu qu'à nous approcher du troupeau et avant qu'ils aient eu le temps de comprendre ce qui leur arrivait... nous en avons tué deux ! Est-ce que tu te rends compte de ce que ça veut dire ?

Ayla s'en rendait parfaitement compte. Grâce à ce propulseur, elle pourrait chasser tout ce qu'elle voudrait et à n'importe quelle saison de l'année. Elle n'aurait pas besoin de creuser de fosse. Elle pourrait chasser lorsqu'elle voyagerait. Le propulseur possédait tous les avantages de sa fronde et, en plus, il était parfaitement adapté au gros gibier.

— Je m'en rends compte. Tu m'as dit que tu allais m'enseigner un moyen plus facile de chasser et tu as dépassé tout ce que j'avais imaginé. Je ne sais pas comment te dire... Je suis tellement...

Ayla ne connaissait qu'une manière d'exprimer sa gratitude : celle qu'on utilisait au sein du Clan. Elle s'assit par terre en face de Jondalar et baissa la tête. Peut-être ne lui taperait-il pas sur l'épaule pour lui donner la permission de parler et de dire ce qu'elle ressentait, mais au moins, elle aurait essayé.

— Que fais-tu ? demanda-t-il. Ne reste pas assise comme ça.

— Quand une femme du Clan désire dire quelque chose d'important à un homme, c'est ainsi qu'elle s'y prend, expliqua-t-elle en relevant la tête. Je tiens à te dire à quel point je te suis reconnaissante de m'avoir fait cadeau de cette arme. Et aussi pour m'avoir appris à parler. Pour tout.

— Ayla, lève-toi, je t'en prie, dit-il en la remettant sur ses pieds. C'est toi qui m'as fait cadeau de cette arme et non le contraire. Si je ne t'avais pas vue utiliser ta fronde, jamais je n'aurais pensé à fabriquer un propulseur. C'est moi qui devrais te remercier et pas seulement pour cette arme.

Jondalar n'avait pas lâché ses bras et leurs deux corps se touchaient presque. Ayla le regardait dans les yeux. Elle aurait été incapable de détourner la tête et n'en avait aucune envie. Il se pencha vers elle et posa ses lèvres sur les siennes.

Ayla écarquilla les yeux. Elle ne s'attendait vraiment pas à ça. Elle en éprouva un véritable choc et resta sans bouger, ne sachant pas comment répondre à la pression des lèvres de Jondalar sur les siennes.

Il finit par comprendre et n'insista pas. Ce serait pour plus tard.

— Qu'est-ce que c'est que cette bouche sur la bouche ? demanda-t-elle.

— C'est un baiser, Ayla. C'est la première fois qu'on t'embrasse, n'est-ce pas ? J'aurais dû m'en douter. Mais quand on te voit, il est difficile d'imaginer que... Quel idiot je fais parfois !

— Pourquoi dis-tu ça ? Tu n'es pas idiot.

— Si ! Jamais je n'aurais pensé que j'étais idiot à ce point. Mais passons... Il faut que nous trouvions un moyen de ramener ces deux bisons car je sens que si je reste encore longtemps près de toi, je serai incapable de faire les choses correctement. Comme elles doivent être faites la première fois...

— De quoi parles-tu ?

— Des Premiers Rites, Ayla. Si tu m'y autorises...

28

— Je ne pense pas que Whinney aurait pu les ramener si nous n'avions pas laissé les têtes sur place. C'était une bonne idée. (Ayla aida Jondalar à sortir du travois la dépouille du jeune bison et à la placer sur la corniche.) Que de viande ! Cela va nous prendre du temps de découper tout ça. Nous avons intérêt à nous y mettre tout de suite.

— Ça peut attendre, Ayla, dit Jondalar en lui souriant. Je crois que tes Premiers Rites passent avant. Je vais t'aider à débarrasser Whinney de son harnachement, puis j'irai me baigner. Je suis tout en sueur et couvert de sang.

— Jondalar... commença Ayla d'une voix hésitante. (Elle était émue et intimidée.) Ces Premiers Rites, est-ce que c'est une cérémonie ?

— Oui, répondit-il.

— Iza m'a appris à me préparer pour les cérémonies. Pour celle-là, y a-t-il quelque chose de spécial de prévu ?

— D'habitude les femmes plus âgées aident la jeune femme à se préparer. Je ne sais pas ce qu'elles lui disent ou ce qu'elles font. Tu n'as qu'à faire ce que tu juges le mieux approprié.

— Je vais aller chercher de la saponaire pour me purifier comme Iza m'a appris à le faire. J'attendrai que tu aies fini de te baigner. Pour me préparer, je préfère être seule, ajouta-t-elle en rougissant et en baissant les yeux.

Elle est aussi timide qu'une jeune fille avant les Premiers Rites, songea Jondalar en sentant l'habituelle vague de tendresse et d'excitation. Même les rites de purification d'Ayla étaient adaptés à la situation. Il lui prit le menton, l'embrassa à nouveau et s'éloigna d'elle.

— Moi aussi, j'aurais besoin de saponaire.

— Je vais en chercher pour nous deux.

Quand Ayla eut déterré les plantes et regagné la caverne, Jondalar plongea avec délice dans la rivière. Il se frictionna tout le corps avec l'écume savonneuse, défit ses cheveux et les frotta à leur tour. Cela faisait longtemps qu'il ne s'était pas senti aussi bien dans sa peau. Il plongea à nouveau dans l'eau, nagea presque jusqu'à la cascade, revint vers la plage, ceignit sa bande de peau et remonta en courant vers la caverne. Ayla avait mis à rôtir un morceau de viande au fumet délicieusement bon. Jondalar se sentait incroyablement détendu et heureux.

— Je suis contente que tu sois revenu, dit Ayla. Il va me falloir un certain temps pour me purifier correctement.

Elle prit le bol qui contenait un liquide fumant et de la prêle, pour ses cheveux, ainsi qu'une peau qu'elle n'avait encore jamais portée.

— Prends tout ton temps, lui dit Jondalar en déposant un léger baiser sur ses lèvres.

Elle s'était déjà engagée dans le sentier quand elle s'immobilisa pour se tourner vers lui.

— J'aime cette bouche sur la bouche, dit-elle. Ce baiser.

— J'espère que tu aimeras aussi le reste, dit-il après qu'elle fut partie.

Il pénétra dans la caverne et s'approcha du cuissot de bison qui était en train de rôtir. En tournant la broche, il s'aperçut qu'Ayla avait mis des racines enveloppées dans des feuilles à cuire sous la braise. Elle avait dû aller déterrer ces racines pendant qu'il se baignait et avait aussi préparé une infusion.

Apercevant les fourrures dans lesquelles il dormait de l'autre côté du foyer, il alla les chercher et les installa, avec un plaisir évident, à côté de celles d'Ayla. Puis se souvenant de la donii qu'il avait commencé à sculpter, il prit le ballot où il rangeait ses outils, s'assit sur une natte et ouvrit la peau de daim pour en sortir l'ébauche de la statuette.

Après un coup d'œil au morceau de défense de mammouth auquel il avait commencé à donner la forme d'une femme, il se dit que c'était le moment ou jamais de le terminer : pour célébrer correctement une des plus importantes cérémonies en l'honneur de la Mère, une donii était indispensable. Il prit le morceau d'ivoire et quelques burins, puis alla s'installer sur la corniche.

Il travaillait depuis un certain temps déjà quand il réalisa soudain qu'au lieu de sculpter une forme maternelle aux courbes généreuses, il avait donné au morceau d'ivoire l'apparence d'une jeune femme. Alors qu'il avait eu l'intention de reproduire la coiffure de la donii qu'il avait donnée à Noria — une ondulation qui lui aurait en partie masqué le visage —, celle de sa statuette évoquait des tresses. Des nattes serrées qui lui couvraient toute la tête, sauf le visage. L'emplacement du visage était vide. Jamais on ne représentait le visage d'une donii. Qui aurait pu supporter de contempler le visage de la Mère ? Qui le connaissait ? La Mère était à la fois toutes les femmes et aucune en particulier.

Jondalar cessa de sculpter pour regarder en amont de la rivière, puis en aval dans l'espoir d'apercevoir Ayla. Allait-il être capable de provoquer son Plaisir ? Lorsqu'il accomplissait les Premiers Rites lors de la Réunion d'Eté, il ne s'était jamais posé ce genre de questions. Mais les jeunes femmes qu'il initiait partageaient les mêmes coutumes que lui et étaient préparées à ce qui allait se passer.

Dois-je lui expliquer ? se demanda-t-il. Non, je ne saurais pas quoi lui dire. Mieux vaut simplement lui montrer. Si quelque chose ne lui plaît pas, elle saura bien me le dire. Elle est tellement franche !

Quel effet cela va-t-il me faire d'initier au Don du Plaisir une femme aussi sincère ? Une femme qui ne dissimulera pas ce qu'elle ressent et qui ne fera pas semblant d'éprouver du Plaisir ?

Pourquoi se conduirait-elle autrement que les autres jeunes filles ? Parce qu'elle est différente. Elle a déjà été ouverte et cela a été très douloureux pour elle. Comment lui faire surmonter cette première expérience épouvantable ? Et si elle n'éprouve aucun Plaisir ? Si je ne parviens pas à lui en faire éprouver ? J'espère être capable de lui faire oublier ce début désastreux. Pour ça, il faudrait que je puisse la séduire, triompher de sa résistance et m'emparer de son esprit.

M'emparer de son esprit ?

Jondalar regarda à nouveau la figurine qu'il tenait à la main. Et soudain son esprit s'emballa. Pourquoi représentait-on un animal sur les armes de chasse ou sur les parois des cavernes ? Pour entrer en contact avec l'esprit qui lui avait donné naissance, vaincre sa résistance et s'emparer de son essence.

Ne sois pas ridicule ! songea-t-il. Tu ne peux pas t'emparer de l'esprit d'Ayla de cette manière. Ce ne serait pas correct : une donii n'a jamais de visage. Jamais on ne représente les êtres humains — une statuette qui ressemblerait à quelqu'un risquerait d'emprisonner l'essence de son esprit.

Personne n'a le droit d'emprisonner l'esprit de quelqu'un d'autre. Tu n'as qu'à lui donner cette donii ! Son esprit lui sera alors rendu. Garde la donii pendant quelque temps, puis offre-lui... après.

Si tu représentes son visage sur cette statuette, Ayla ne va-t-elle pas se transformer en donii ? Tu as déjà plus ou moins l'impression qu'elle en est une à cause de son art de guérir et du pouvoir magique qu'elle possède sur les animaux. Si elle est une donii, elle risque de vouloir s'emparer de ton esprit. Serait-ce si grave que ça ?

Tu désires conserver une part d'elle-même, Jondalar. La part d'esprit que conservent toujours les mains de celui qui façonne un objet. Tu désires cette part d'elle-même, non ?

Oh, Grande Mère, conseille-moi ! Est-ce si terrible de mettre le visage d'Ayla sur une donii ?

Jondalar contempla la petite statuette en ivoire. Puis il prit son burin et commença à sculpter la forme d'un visage, un visage aux traits familiers.

Quand il eut terminé, il tint la figurine en ivoire à bout de bras pour mieux la voir et la fit lentement tourner. Un vrai sculpteur aurait fait mieux, mais le résultat était plutôt satisfaisant. Ce n'était pas exactement ressemblant : il n'avait pas vraiment reproduit les traits d'Ayla mais plutôt l'image qu'il avait d'elle.

Il chercha dans la caverne un endroit où placer la statuette. Il ne voulait pas qu'Ayla la voie pour l'instant mais désirait qu'elle ne soit pas trop loin. Apercevant un ballot de peaux posé contre la paroi à côté de la couche de la jeune femme, il glissa la donii à l'intérieur.

Il ressortit ensuite pour guetter le retour d'Ayla. Pourquoi tardait-elle ? Jetant un coup d'œil aux deux bisons couchés sur le sol, il se dit que cela pouvait attendre. Puis apercevant les sagaies et les propulseurs posés contre la paroi extérieure, il les prit pour les rentrer. Il se trouvait à l'intérieur de la caverne quand il entendit un crépitement de gravier sur la corniche. Il se retourna pour voir ce qui se passait.

Ayla ajusta la lanière en cuir qui maintenait son vêtement, remit son amulette autour de son cou et repoussa en arrière ses cheveux encore humides qu'elle avait démêlés avec une cardère. Après avoir ramassé son vêtement sale, elle s'engagea sur le sentier. Elle se sentait nerveuse et excitée à la fois.

Elle pensait avoir compris ce que Jondalar entendait par « Premiers Rites » et était touchée qu'il désire faire ça avec elle. La cérémonie risquait de ne pas se passer trop mal — même avec Broud, après un certain temps, elle n'avait plus eu mal. Si les hommes faisaient signe aux femmes qui leur plaisaient, était-ce la preuve que Jondalar commençait à s'attacher à elle ?

En arrivant en haut du sentier, Ayla fut brusquement tirée de sa rêverie par le brusque mouvement d'une grosse masse rousse aux contours indistincts.

— Va-t'en ! hurla Jondalar. Va-t'en, Ayla ! C'est un lion des cavernes !

Debout à l'entrée de la caverne, il brandissait sa sagaie en direction d'un énorme félin qui grognait sourdement et qui, ramassé sur lui-même, s'apprêtait à bondir.

— Non, Jondalar ! cria Ayla en se précipitant en avant. Non !

— Que fais-tu, Ayla ? Oh, Mère, arrête-la ! cria-t-il en voyant qu'elle s'interposait entre le lion et lui.

Ayla fit un geste impératif et cria dans le langage guttural du Clan :

— Arrête !

Au lieu de bondir sur Jondalar, le lion des cavernes donna un violent coup de reins pour raccourcir sa trajectoire et vint atterrir aux pieds d'Ayla. Puis il frotta sa tête massive contre ses jambes. Jondalar était sidéré.

— Bébé ! Oh, Bébé ! Tu es revenu ! lui dit Ayla par gestes.

Puis, sans une hésitation, sans la moindre crainte, elle entoura de ses bras le cou de l'énorme lion.

Bébé la fit tomber sur le sol le plus doucement possible. Bouche bée, Jondalar vit alors l'énorme bête poser ses pattes antérieures autour de la jeune femme dans ce qui lui apparut comme le plus proche équivalent d'une étreinte. Puis il lécha avec sa langue râpeuse les larmes de joie qui coulaient sur le visage d'Ayla.

— Ça suffit, Bébé ! dit-elle en s'asseyant. Si tu continues à me lécher la figure, il ne va plus rien me rester.

Comme elle le grattait derrière les oreilles et autour de la crinière, Bébé roula sur le dos pour lui présenter sa gorge en grognant de contentement.

— Je pensais que je ne te reverrais jamais, Bébé, dit-elle quand le lion se fut remis sur le ventre.

Il était plus grand encore que dans son souvenir et bien qu'il fût un peu plus maigre qu'avant, il semblait en parfaite santé. Il portait des cicatrices qu'elle ne lui avait encore jamais vues et elle se dit qu'il avait dû se battre pour son territoire et sortir vainqueur. Elle se sentit toute fière de lui. Bien que Jondalar n'eût toujours pas bougé, le lion se mit à grogner dans sa direction.

— Arrête de grogner, Bébé ! intervint Ayla. C'est l'homme que tu m'as amené. Toi aussi, tu as une compagne maintenant. Et même certainement plus d'une...

Le lion se remit debout, tourna le dos à l'homme et se dirigea vers un des bisons.

— Es-tu d'accord pour que je lui en donne un ? demanda Ayla sans se retourner. Avec une seule de ces bêtes, nous en avons déjà largement assez.

Jondalar était toujours debout à l'entrée de la caverne et il n'avait pas lâché sa sagaie. Il était tellement abasourdi qu'au lieu de répondre il ne réussit à émettre qu'un son étouffé. Puis retrouvant sa voix, il dit :

— D'accord ? Tu penses bien que je suis d'accord ! Tu peux même lui donner les deux ! Laisse-le emporter tout ce qu'il veut.

— Bébé n'a pas besoin de ces deux bisons, répondit Ayla.

Jondalar n'avait pas compris le mot qu'elle employait pour désigner le lion, mais il se dit que ce devait être son nom.

— Non, Bébé ! Ne prends pas la génisse ! intervint-elle, en utilisant à nouveau un mélange de gestes et de sons.

Quand Jondalar vit que le lion se détournait de la génisse pour s'approcher du jeune bison, il eut un hoquet de surprise. Bébé venait de saisir entre ses énormes crocs le cou rompu du bison et il le traînait hors de la corniche. Il s'engagea alors dans le sentier, suivi par Ayla.

— Je ne serai pas longue, dit-elle. Je vais descendre avec lui. Il risque de rencontrer Whinney et son poulain et de faire peur à Rapide.

Jondalar la regarda s'éloigner jusqu'à ce qu'elle disparaisse de sa vue. Puis il la vit réapparaître au pied de la falaise qui longeait la vallée, marchant tranquillement derrière le lion qui traînait le bison sous son ventre.

Quand ils eurent atteint le gros rocher, sur un signe d'Ayla le lion lâcha sa proie. Jondalar, qui n'en croyait pas ses yeux, vit la jeune femme grimper sur le dos du prédateur. Elle leva son bras qu'elle lança en avant, puis agrippa la crinière de l'énorme félin au moment où celui-ci bondissait. Accrochée fermement à sa monture, sa longue chevelure flottant au vent, Ayla filait à toute allure à travers le pré. Puis le lion ralentit et la ramena vers le rocher.

Il saisit à nouveau le jeune bison et commença à descendre vers le fond de la vallée. Ayla était restée debout à côté du rocher et elle le regardait s'éloigner. A un moment donné, il s'arrêta à nouveau, lâcha le bison, grogna, puis émit un tel rugissement que Jondalar en fut glacé jusqu'aux os.

Quand le lion eut disparu, Jondalar prit une profonde inspiration et s'appuya à la paroi de la caverne. Il avait du mal à retrouver ses esprits et était un peu effrayé. Qu'est-ce que c'est que cette femme ? se demanda-t-il. Quel pouvoir magique a-t-elle ? Les oiseaux et les chevaux, passe encore... mais un lion des cavernes ? Le plus gros lion que j'aie jamais vu...

Est-elle une... donii ? A part la Mère, qui est capable de faire obéir les animaux ? Et son art de guérir ? Ou sa prodigieuse facilité à apprendre à parler ? Elle parle maintenant mamutoï presque aussi bien que moi... Est-elle une incarnation de la Mère ?

En entendant Ayla arriver, il frissonna de crainte. Il s'attendait presque à ce qu'elle lui annonce qu'elle était une incarnation de la Grande Terre Mère et si elle l'avait fait, il l'aurait crue sur parole. Mais au lieu de ça, il vit apparaître en heut du sentier une jeune femme échevelée dont le visage était sillonné de larmes.

— Qu'est-ce qui ne va pas ? demanda-t-il en oubliant aussitôt ses craintes.

— Pourquoi faut-il que je perde tous mes bébés, répondit Ayla avec un sanglot.

Jondalar blêmit. Ses bébés ? Le lion était son bébé ? Il se souvint soudain d'avoir entendu la veille les pleurs de la Mère, la Mère de tout ce qui vivait sur terre.

— Tes bébés ? demanda-t-il, complètement abasourdi.

— D'abord Durc et ensuite Bébé.

En attendant à nouveau ce mot étrange qu'elle avait prononcé un peu plus tôt, il lui demanda :

— Est-ce le nom du lion ?

— Oui, cela veut dire : le petit, le nourrisson, traduisit-elle pour Jondalar.

— Tu appelles ça un petit lion ! Jamais je n'en ai vu d'aussi gros !

— C'est vrai, reconnut Ayla en souriant avec fierté. Je me suis toujours débrouillée pour qu'il ait largement à manger. Il a été beaucoup mieux nourri que s'il avait grandi dans une troupe de lions. Mais quand je l'ai recueilli, il était tout jeune. Je l'ai appelé Bébé et je ne lui ai jamais donné d'autre nom.

— Tu l'as trouvé ? demanda Jondalar qui avait encore du mal à la croire.

— Sa mère l'avait abandonné, croyant qu'il était mort. Il avait été piétiné par un des cerfs que j'étais en train de chasser. Ce n'était pas la première fois que je recueillais un animal blessé. Brun m'avait donné la permission de le faire à condition que ce ne soit pas des carnivores. J'ai donc hésité avant de ramener ce lionceau. Mais quand j'ai vu que les hyènes s'approchaient de lui, je les ai fait fuir avec ma fronde et je l'ai emporté.

Perdue dans ses souvenirs, Ayla se tut un court instant avant de reprendre avec un petit sourire :

— Bébé était si drôle quand il était petit qu'il n'arrêtait pas de me faire rire. Mais cela me prenait du temps de chasser pour le nourrir. Jusqu'au jour où nous avons commencé à chasser ensemble. Tous les trois, avec Whinney. Je ne l'avais pas revu depuis... (Elle s'interrompit, réalisant soudain à quoi correspondait leur dernière rencontre.) Je suis désolée, Jondalar, reprit-elle. Bébé est le lion qui a tué ton frère. Mais si ça avait été un autre lion, jamais je n'aurais pu l'empêcher de s'approcher de toi.

— Tu es une donii ! s'écria Jondalar. Je t'ai vue en rêve. Je croyais qu'une donii était venue me chercher pour me conduire dans l'autre monde. Mais, au lieu de m'emmener, elle a chassé le lion.

— Tu as dû reprendre connaissance à un moment donné, puis t'évanouir à nouveau de douleur quand je t'ai transporté vers le travois. Il fallait faire vite. Je savais que Bébé ne me ferait pas de mal. Mais j'ignorais ce qui se passerait si sa lionne revenait avant que je sois partie.

Jondalar avait du mal à en croire ses oreilles.

— Tu as chassé avec ce lion ? demanda-t-il.

— Si je voulais qu'il mange à sa faim, il n'y avait pas d'autres moyens. Au début, il se contentait de poursuivre la proie et c'est moi qui la tuais d'un coup d'épieu. Mais quand il a été en âge de les tuer lui-même, je prélevais un morceau de gibier avant qu'il s'y attaque ou je dépeçais la bête quand j'avais besoin de la peau...

— Tu l'écartais, comme tu as fait pour la génisse ? Tu sais bien pourtant que c'est dangereux d'enlever de la viande à un lion. J'ai déjà vu un lion tuer son propre petit rien que pour ça !

— Moi aussi, je l'ai déjà vu, Jondalar. Mais Bébé est différent. Il n'a pas été élevé dans une troupe de lions. Il a grandi avec Whinney et moi. Nous chassions ensemble et il avait l'habitude de partager le gibier avec moi. Je suis contente qu'il ait trouvé une lionne. Comme ça, maintenant, il vit comme les autres lions. Whinney a vécu, elle aussi, dans une troupe de chevaux pendant un certain temps. Mais elle n'était pas heureuse et elle est revenue.

Ayla secoua la tête et baissa les yeux.

— Non, reprit-elle. Ce n'est pas vrai. Je pense qu'elle était heureuse avec l'étalon et le reste de la troupe. Mais c'est moi qui étais malheureuse sans elle. J'étais folle de joie quand elle est revenue après que l'étalon eut été tué.

Ayla alla chercher son vêtement sale qu'elle avait abandonné en haut du sentier, puis rentra dans la caverne. Jondalar posa sa sagaie qu'il tenait toujours à la main contre la paroi rocheuse et la suivit à l'intérieur. Ayla était perdue dans ses pensées. Le retour de Bébé évoquait pour elle tant de souvenirs ! Elle tourna la broche placée au-dessus du feu et attisa les braises. Puis elle alla chercher l'estomac d'onagre qui lui servait d'outre, versa de l'eau dans le panier qu'elle utilisait comme bouilloire, et mit des pierres à chauffer dans le foyer.

Encore un peu ahuri par la visite du lion des cavernes, Jondalar la regardait faire. Il avait eu un choc en voyant ce lion sur la corniche mais ce n'était rien comparé à sa stupéfaction quand Ayla s'était interposée entre lui et l'imposant prédateur et qu'elle l'avait arrêté d'un geste. Jamais personne ne voudrait croire une chose pareille.

Observant Ayla de plus près, il s'aperçut soudain qu'elle n'était pas coiffée comme d'habitude : ses cheveux tombaient librement sur ses épaules. Cela lui rappela aussitôt le jour où il l'avait vue pour la première fois ainsi. Elle remontait de la plage, le soleil jouait dans sa chevelure et aucun vêtement ne couvrait son corps magnifique.

— ... du bien de revoir Bébé, continuait Ayla. Ces bisons devaient se trouver sur son territoire. Il a dû sentir l'odeur du sang et nous suivre à la trace. Il a été surpris de te voir là. Je ne sais pas s'il se souvenait de toi... Comment se fait-il que tu te sois retrouvé coincé dans ce canyon sans issue ?

— Euh... Quoi ? Désolé, Ayla, mais je n'ai pas entendu ta question.

— Je me demandais comment tu as pu te retrouver coincé dans ce canyon, répéta Ayla en le regardant.

Les yeux de Jondalar avaient pris une teinte violette et son regard la fit rougir. Il dut faire un effort pour se concentrer sur la réponse.

— Thonolan venait de tuer une biche qu'une lionne était en train de chasser. La lionne a emporté le gibier et Thonolan a voulu la suivre. J'ai essayé de l'en dissuader, mais il n'a pas voulu m'écouter. Nous avons suivi cette lionne jusqu'au canyon et nous l'avons vue ressortir. Thonolan a voulu en profiter pour récupérer sa sagaie et un peu de viande. Mais le lion ne l'a pas laissé faire. (Jondalar ferma les yeux pendant un court instant.) Je ne lui en veux pas, reprit-il. C'était idiot de suivre cette lionne, mais rien n'aurait pu l'arrêter. Il a toujours été casse-cou. Mais après la mort de Jetamio, c'était encore pire. Il voulait mourir. De toute façon, je n'aurais jamais dû le suivre.

Sentant sa tristesse, Ayla préféra changer de sujet.

— Whinney n'était pas dans le pré. Je pense qu'elle a dû aller sur les steppes avec Rapide. Elle rentrera plus tard. C'était une bonne idée de mettre des courroies autour du cou du poulain. Mais je pense que même s'il n'avait pas été attaché à Whinney, il serait resté près d'elle.

— La corde était trop longue. Je n'aurais jamais cru qu'elle puisse s'accrocher dans un buisson. Mais, grâce à elle, les deux chevaux sont restés ensemble. Il faudra y repenser si, un jour, tu veux qu'ils restent à un endroit précis. Rapide en tout cas. Est-ce que Whinney fait toujours ce que tu lui demandes ?

— J'en ai l'impression. Avec Bébé c'est différent. Quand je monte sur son dos, c'est lui qui va où il veut. Mais il avance à une telle vitesse ! ajouta-t-elle, les yeux pétillants de joie au souvenir de sa récente chevauchée.

Jondalar était en train de penser à la même chose et il la revoyait en train de monter le lion à la crinière rousse, ses longs cheveux blonds volant au vent. Il avait eu peur pour elle mais avait aussi trouvé cela très excitant. Elle aussi, elle l'était. Libre, sauvage et si belle...

— Tu es vraiment une femme excitante, Ayla.

— Excitante... répéta-t-elle, un peu surprise. On pourrait dire ça du propulseur de sagaie ou quand on monte Whinney et qu'elle va très vite ?

— C'est ça. Mais pour moi, toi aussi, tu es excitante et... très belle.

— Jondalar, tu te moques de moi. Une fleur est belle. Ou alors le ciel quand le soleil disparaît derrière le sommet de la falaise. Mais moi, je ne suis pas belle.

— A ton avis, une femme ne peut pas être belle ?

Ayla détourna la tête pour échapper à son regard insistant.

— Je ne sais pas... Mais je ne suis pas belle. Je suis grande et laide.

Jondalar lui prit les mains et l'obligea à se lever.

— Maintenant, lequel de nous deux est le plus grand ?

— Toi, avoua-t-elle dans un souffle.

— Tu vois bien que tu n'es pas trop grande. Et tu n'es pas laide non plus. C'est drôle que la plus belle femme que j'aie jamais rencontrée pense qu'elle est laide...

Ayla avait entendu ce qu'il venait de dire mais elle était trop attirée par l'intensité de son regard et la proximité de son corps pour prêter attention à ses paroles. Jondalar se pencha vers elle, posa ses lèvres sur les siennes et la prit dans ses bras.

— Jondalar... J'aime ce baiser.

— Je crois qu'il est temps, Ayla, dit-il en la conduisant vers sa couche. (Comme elle semblait étonnée, il ajouta :) Il est temps de commencer les Premiers Rites.

Quand ils furent assis sur les fourrures, Ayla lui demanda :

— Quel genre de cérémonie est-ce ?

— C'est une cérémonie qui fait de la jeune fille une femme. Je ne peux pas t'expliquer cela dans le détail. En général, les femmes plus âgées expliquent à la jeune fille ce qui va se passer, elles lui disent que cela risque de lui faire mal, mais qu'il est nécessaire d'ouvrir le passage pour qu'elle devienne une femme. Elles choisissent un homme pour le faire. En général, les hommes aiment bien être choisis. Mais certains ont peur.

— Pourquoi ont-ils peur ?

— Ils ont peur de faire mal à la jeune fille, d'être maladroit ou encore que leur faiseur-de-femmes ne se redresse pas.

— Le faiseur-de-femmes ? Cela veut dire leur organe, non ? Que de noms on lui donne !

— C'est vrai, reconnut Jondalar en pensant à d'autres termes encore, souvent vulgaires ou humoristiques.

— Quel est le vrai nom ?

— La virilité, répondit-il après avoir réfléchi. Mais « faiseur-de-femmes » convient aussi.

— Que se passe-t-il quand leur virilité ne se redresse pas ?

— Il faut aller chercher un autre homme. Mais la plupart des hommes aiment être choisis.

— Aimais-tu être choisi ?

— Oui.

— Et as-tu été souvent choisi ?

— Oui, répondit à nouveau Jondalar.

— Pourquoi ?

Jondalar sourit en se demandant si toutes ces questions étaient dues à la curiosité ou à la nervosité.

— Je pense que c'est parce que j'aime ça. Pour moi, ça compte énormément que ce soit la première fois pour la femme.

— Comment pourrais-je avoir une cérémonie des Premiers Rites ? Pour moi, ce n'est pas la première fois et je n'ai plus besoin d'être ouverte.

— Je sais. Mais les Premiers Rites ne se résument pas à ça.

— Je ne comprends pas. Qu'est-ce que c'est d'autre alors ?

Jondalar recommença à sourire et posa ses lèvres sur les siennes. Ayla se pencha vers lui et fut toute surprise de sentir que la langue de Jondalar essayait de s'insinuer entre ses lèvres. Elle recula.

— Que fais-tu ?

— Tu n'aimes pas ça ? demanda-t-il en lui lançant un regard consterné.

— Je ne sais pas.

— Veux-tu recommencer ? proposa-t-il en se disant qu'il ne fallait surtout rien précipiter. Si tu t'allongeais, tu serais plus détendue.

Il la poussa gentiment vers les fourrures et se pencha vers elle, appuyé sur un coude. A nouveau il posa ses lèvres sur les siennes. Dès qu'elle se fut un peu détendue, il effleura légèrement ses lèvres du bout de sa langue puis il releva la tête : Ayla souriait et elle avait fermé les yeux. Quand elle les rouvrit, il se pencha à nouveau vers elle pour l'embrasser, appuyant plus fort ses lèvres contre les siennes. Lorsque la langue de Jondalar voulut forcer ses lèvres, Ayla ouvrit les siennes sans se faire prier.

— Je crois que j'aime ça, dit-elle après ce nouveau baiser.

Le sourire de Jondalar s'élargit. Ayla lui posait des questions et faisait des expériences. Il était content qu'elle ne sache pas à quel point il la désirait.

— Et maintenant ? demanda-t-elle.

— Toujours la même chose.

— D'accord.

Jondalar lui reprit la bouche, explorant ses lèvres, son palais et sa langue. Puis il laissa ses lèvres courir le long de sa mâchoire et mordilla son oreille. Quand il eut couvert sa gorge de baisers et qu'il l'eut caressée du bout de la langue, il remonta vers sa bouche.

— Pourquoi est-ce que je frissonne comme si j'avais la fièvre ? demanda Ayla. Mais ce sont des frissons agréables, pas comme ceux que l'on a quand on est malade.

— Oublie que tu es guérisseuse. Ce n'est pas une maladie. Si tu as chaud, pourquoi n'enlèves-tu pas ton vêtement ?

— Ça va. Je n'ai pas chaud à ce point-là.

— Est-ce que ça t'ennuierait si je défaisais la lanière qui retient ton vêtement ?

— Pourquoi ?

— Parce que j'en ai envie.

Jondalar se battit un long moment avec la lanière sans cesser de l'embrasser. Comme il ne parvenait pas à la défaire, Ayla dit dans un souffle :

— Laisse-moi faire.

Elle défit sans difficulté le nœud, puis se cambra sur la fourrure pour enlever la lanière. Quand le vêtement en peau glissa loin d'elle, Jondalar retint sa respiration.

— Ayla ! O Doni ! Quelle femme ! s'écria-t-il.

Sa voix était enrouée par le désir et son sexe en érection. Il l'embrassa presque avec violence, enfouit son visage dans son cou et suça sa peau avidement. Quand il releva la tête et vit la marque rouge, il respira un grand coup pour maîtriser son ardeur.

— Il y a quelque chose qui ne va pas ? demanda Ayla en fronçant les sourcils.

— Ce qui ne va pas c'est que je te désire trop. Je veux que ce soit bien aussi pour toi, mais je ne sais pas si je vais pouvoir attendre. Tu es tellement... femme, tellement belle.

Le visage à nouveau détendu, Ayla lui dit en souriant :

— Tout ce que tu feras sera très bien, Jondalar.

Il l'embrassa à nouveau, avec plus de douceur cette fois, désireux plus que jamais de provoquer son Plaisir. Il caressa un des côtés de son corps, sentant au creux de sa main la plénitude de son sein, le creux de sa taille, la douce courbe de sa hanche et les muscles durs de sa cuisse. Ayla tressaillait sous ses caresses. Il effleura de la main sa toison blonde et bouclée, remonta vers son ventre, puis vers le renflement de sa poitrine. Il sentit que le bout de son sein durcissait sous sa paume.

Il embrassa la petite cicatrice qu'elle portait à la base de la gorge, puis il chercha son autre sein et se mit à en sucer le bout.

— Cela ne fait pas le même effet qu'un bébé, dit Ayla, rompant d'un coup le charme.

Jondalar s'assit pour la regarder.

— Tu n'es pas censée analyser la chose, Ayla, dit-il en éclatant de rire.

— Je ne comprends pas pourquoi cela ne fait pas le même effet et je ne vois pas pourquoi un homme téterait comme un bébé, dit-elle, un peu sur la défensive.

— Tu veux que j'arrête ? Tu n'aimes pas ça ?

— Je n'ai pas dit que je n'aimais pas ça. C'est agréable quand un bébé tète. Quand c'est toi qui le fais, c'est différent, mais c'est agréable aussi. Je le ressens plus bas à l'intérieur de moi. Jamais un bébé ne m'a fait cet effet-là.

— C'est pourquoi je te fais ça, Ayla. Je veux te caresser, te donner du Plaisir et en éprouver, moi aussi. C'est le Don du Plaisir de la Mère à Ses enfants. Elle nous a créés pour que nous connaissions ce Plaisir et en acceptant Son Don, nous L'honorons. Veux-tu me laisser te donner du Plaisir, Ayla ?

Jondalar ne l'avait pas quittée des yeux. Ses cheveux dorés, éparpillés sur la fourrure, encadraient son visage. Le regard brûlant, les yeux dilatés, Ayla ouvrit ses lèvres tremblantes pour répondre. Puis elle y renonça et se contenta de hocher la tête en fermant les yeux.

Jondalar posa un baiser sur une de ses paupières et sentit une larme sous ses lèvres. Il goûta au liquide salé du bout de la langue. Ayla ouvrit les yeux et lui sourit. Il embrassa le bout de son nez, ses lèvres et à nouveau le bout de ses seins. Puis il se releva.

Ayla l'observa tandis qu'il sortait du foyer la viande rôtie et les tubercules qu'elle avait mis à cuire sur les cendres. Elle attendit qu'il revienne, se réjouissant d'avance elle ne savait pas très bien de quoi. Jondalar avait éveillé chez elle des sensations dont elle n'aurait jamais cru son corps capable, mais aussi un désir indicible.

Après avoir rempli d'eau un bol, Jondalar revint vers elle.

— Je ne veux pas que quoi que ce soit risque de nous interrompre. Peut-être as-tu soif ?

Ayla secoua la tête. Jondalar but une gorgée et posa le bol par terre. Puis il défit la lanière qui retenait sa bande de peau et la jeune femme vit pour la première fois son prodigieux membre viril dressé. Son regard n'exprimait que confiance et désir. Jondalar n'y vit nulle trace de la peur qu'inspirait souvent la taille de son sexe aux jeunes femmes sans expérience lorsqu'elles le voyaient pour la première fois — et même à d'autres femmes, plus âgées.

Il s'allongea à côté d'elle et contempla son abondante chevelure, ses yeux immenses, son corps magnifique, cette femme d'une beauté exceptionnelle qui attendait qu'il la caresse, qu'il éveille chez elle des sensations qui, il le savait, étaient pour l'instant encore en sommeil. Il voulait faire durer le plus longtemps possible cette première prise de conscience. Il se sentait plus excité qu'il ne l'avait jamais été lors des Premiers Rites. Contrairement aux jeunes filles qu'il avait initiées jusqu'ici, Ayla ne savait pas à quoi s'attendre, personne ne lui avait décrit ce rite en détail. On avait simplement abusé d'elle.

O, Doni, aide-moi à faire ça bien ! songea-t-il.

Pour l'instant, au lieu de se réjouir, il avait surtout l'impression d'une responsabilité accablante.

Ayla était toujours allongée. Elle ne bougeait pas, mais tremblait de tout son corps. Elle avait l'impression d'avoir attendu depuis toujours quelque chose qu'elle était incapable de nommer mais que Jondalar pouvait lui donner. Elle ne pouvait pas expliquer pourquoi le simple regard de Jondalar, ses mains, sa bouche ou sa langue lui faisaient perdre la tête mais elle désirait qu'il continue à la caresser. Pour l'instant, elle éprouvait un sentiment d'inachèvement. En la caressant, Jondalar avait éveillé chez elle des appétits ignorés qu'il fallait maintenant satisfaire.

Après l'avoir contemplée en silence, Jondalar ferma les yeux et recommença à l'embrasser. Ayla attendait, les lèvres entrouvertes. Elle guida la langue de Jondalar à l'intérieur de sa bouche et commença à explorer timidement la sienne. Il se releva un peu et lui sourit d'un air encourageant. Il prit entre ses lèvres une de ses longues mèches blondes, puis enfouit son visage dans sa chevelure épaisse et dorée. Il embrassa son front, ses yeux, ses joues, avide de l'explorer tout entière.

Il approcha sa bouche de son oreille et son haleine chaude lui fit courir des frissons dans tout le corps. Jondalar mordilla le lobe de son oreille, puis le suça. Il trouva sans mal les nerfs sensibles de son cou et de sa gorge. Ses grandes mains exploraient l'arrondi de son menton et de ses mâchoires, suivaient le contour de ses épaules et de ses bras. Quand il atteignit sa main, il la porta à sa bouche, embrassa sa paume, caressa chacun de ses doigts et remonta à l'intérieur de son bras.

La bouche de Jondalar se posa sur la cicatrice qu'Ayla portait en bas de la gorge, puis vint se loger en dessous de l'un de ses seins. Il décrivit alors avec sa langue des cercles décroissants jusqu'à ce qu'il atteigne l'aréole. Quand il prit le mamelon dans sa bouche, Ayla gémit et il ressentit une soudaine chaleur au niveau du bas-ventre.

Tout en caressant son autre sein, il suça le mamelon doucement au début, puis plus fort dès qu'il sentit qu'Ayla se pressait contre lui. Sa respiration s'était accélérée et elle gémissait doucement. Jondalar respirait lui aussi bruyamment et il se demandait s'il allait encore pouvoir attendre. Il releva la tête pour la regarder : Ayla avait fermé les yeux et sa bouche était entrouverte.

Jondalar l'embrassa à nouveau, glissant sa langue à l'intérieur de ses lèvres. Quand il la retira, Ayla, suivant son exemple, explora sa bouche à son tour. Il redescendit alors vers sa gorge, puis vers le sein qu'il n'avait pas encore sucé. Quand il posa ses lèvres sur le mamelon durci, Ayla se pressa contre lui avec ardeur et elle frissonna en sentant qu'il lui répondait en le suçant à pleine bouche.

La main de Jondalar descendit vers son ventre, puis vers sa hanche, et s'approcha de l'intérieur de ses cuisses. L'espace d'un instant, Ayla tendit ses muscles, puis elle écarta les jambes. Lorsqu'il prit dans sa main l'éminence blonde et bouclée, il sentit une chaude humidité. Son sexe répondit aussitôt. Il s'immobilisa pour tenter de se contrôler. Quand il sentit sa main se mouiller à nouveau, il faillit se laisser aller.

Abandonnant le mamelon, sa bouche commença à descendre vers l'estomac, puis vers le nombril. Quand il atteignit la petite éminence, il releva la tête pour la regarder. Le dos arqué, Ayla poussait des petits cris plaintifs. Elle était prête. Jondalar embrassa la toison bouclée et quand sa langue toucha le sommet de l'étroite fente, elle se releva en poussant un cri, puis retomba sur les fourrures avec un gémissement.

Jondalar changea de position pour glisser sa tête entre ses jambes. Il entrouvrit les replis et savoura longuement et amoureusement ce premier contact. Inondée d'un flot de sensations exquises, Ayla n'avait plus conscience du bruit qu'elle faisait tandis que Jondalar explorait chaque crête, chaque repli.

Il se concentra sur elle pour essayer de freiner son propre désir, et posa ses lèvres sur le petit renflement qui constituait le centre de son plaisir. Quand Ayla commença à se tortiller et à sangloter, transportée par une extase qu'elle n'avait encore jamais connue, il faillit perdre son contrôle. Il introduisit deux de ses doigts dans le passage humide et commença à la caresser à l'intérieur.

Brusquement Ayla poussa un cri et Jondalar sentit que ses doigts devenaient tout mouillés. Ses mains se crispèrent et se décrispèrent convulsivement au même rythme que la respiration haletante d'Ayla.

— Jondalar ! cria-t-elle. Oh, Jondalar, j'aimerais tellement... J'ai besoin de quelque chose...

A genoux, les dents serrées pour mieux se retenir, Jondalar était en train d'essayer de la pénétrer le plus doucement possible.

— J'essaie de ne pas te faire mal, avoua-t-il sur un ton presque douloureux.

— Ça ne me fait pas mal, Jondalar...

C'est vrai que ce n'était pas la première fois ! Quand Ayla cambra le dos pour l'accueillir, il la pénétra, un peu surpris encore de ne sentir aucune obstruction. Et sa surprise ne fit que croître quand il se sentit aspiré dans les chaudes profondeurs sans que rien n'arrête sa progression. Quand Ayla l'eut accueilli totalement, il se retira, puis la pénétra à nouveau profondément. Comme il la pénétrait une troisième fois, il sentit que les parois de sa merveilleuse cavité caressaient son membre viril sur toute sa longueur. Il la pénétra alors avec un total abandon qu'il n'avait encore jamais connu, laissant pour la première fois entièrement libre cours à son propre désir.

— Ayla... Ayla... Ayla... cria-t-il.

Sentant qu'il approchait du point culminant, il se retira une fois encore. Les muscles et les nerfs tendus à l'extrême, Ayla se souleva vers lui. Il se laissa à nouveau glisser en elle. Leurs deux corps se tendirent, Ayla hurla le nom de Jondalar au moment où il la pénétrait totalement.

L'espace d'un instant qui sembla éternel, ses cris, venus du fond de sa gorge, s'élevèrent au diapason de ceux d'Ayla qui répétait son nom en sanglotant tandis qu'ils atteignaient ensemble le paroxysme du plaisir. Puis, avec un sentiment de délivrance exquis, Jondalar se laissa retomber sur elle.

Pendant un long moment, on n'entendit que le bruit de leurs respirations. Ils auraient été bien incapables de bouger. Ils s'étaient donnés totalement l'un à l'autre, et même s'ils savaient que c'était fini, ils n'avaient aucune envie que l'expérience qu'ils venaient de partager se termine. Ayla ignorait qu'un homme puisse lui faire éprouver du plaisir et pour elle, c'était une véritable révélation. Quant à Jondalar, même s'il savait qu'il éprouverait du plaisir en éveillant celui d'Ayla, elle l'avait surpris au-delà de toute attente et il en avait ressenti une jouissance incroyable.

Rares étaient les femmes assez profondes pour l'accueillir totalement. Il avait appris à contrôler sa pénétration et y réussissait parfaitement. Mais jamais il n'aurait pensé pouvoir un jour éprouver en même temps l'émoi des Premiers Rites et l'infinie jouissance d'une totale pénétration.

Chaque fois qu'il était choisi pour les Premiers Rites, il déployait tous ses efforts : cette cérémonie l'obligeait à se surpasser. Il faisait très attention à ne rien brusquer et sa propre jouissance était liée avant tout au plaisir qu'il éveillait chez la jeune femme. Mais, grâce à Ayla, il venait de dépasser ses rêves les plus fous. Il éprouvait un assouvissement, une satisfaction profonde. Comme s'ils avaient réussi à ne plus former qu'un seul être.

— Je dois commencer à me faire lourd, dit-il en s'appuyant sur un coude.

— Non, répondit Ayla d'une voix languide. Tu n'es pas lourd du tout. Je n'ai pas du tout envie que tu te lèves.

Jondalar se pencha vers elle et lui embrassa le cou.

— Moi non plus, je n'en ai pas envie, dit-il. Mais je crois que ça vaudrait mieux.

Il se retira, s'allongea à côté d'elle et glissa son bras sous sa tête pour qu'elle puisse venir se nicher au creux de son épaule.

Ayla était totalement détendue et heureuse de sentir sous sa tête le bras de Jondalar, ses doigts qui lui caressaient l'épaule et ses pectoraux musclés contre sa joue. Les battements du cœur de Jondalar se confondaient avec les siens et elle respirait l'odeur musquée de son corps mélangée à celle de leurs Plaisirs. Jamais personne ne l'avait prise dans ses bras et elle avait encore du mal à croire à son bonheur.

— Jondalar, dit-elle au bout d'un moment, comment sais-tu ce qu'il faut faire ? Jamais je n'aurais cru être capable d'éprouver de telles sensations.

— Quelqu'un m'a montré comment il fallait s'y prendre pour répondre aux besoins d'une femme.

— Qui ?

Ayla sentit que Jondalar se crispait et elle remarqua un changement dans le ton de sa voix.

— Chez nous, les femmes plus âgées et plus expérimentées ont l'habitude d'enseigner ce genre de chose aux jeunes gens.

— Tu veux dire que vous aussi, vous avez une cérémonie comme les Premiers Rites ?

— Non, pas tout à fait. Il n'y a pas de cérémonie à proprement parler. Dès qu'un jeune homme est en chaleur, les femmes le savent. Comme le jeune homme est nerveux et qu'il n'a pas confiance en lui, une femme plus expérimentée — ou parfois même plusieurs — s'occupe de lui et l'aide à dépasser ses premières appréhensions.

— Dans le Clan, quand un garçon a tué son premier gros gibier, il y a une cérémonie de la virilité. Qu'il soit déjà physiquement un homme ou non n'a aucune importance. Ce qui compte, c'est qu'il soit capable de chasser un gros gibier, donc d'assumer les responsabilités d'un adulte.

— Chez nous aussi, la chasse a une grande importance. Mais certains hommes ne chassent jamais. Moi, par exemple, si j'avais voulu, j'aurais pu ne pas chasser, me contenter de tailler des outils et de les troquer ensuite contre de la viande ou des peaux. Malgré tout, la plupart des hommes chassent et la première fois qu'un garçon parvient à abattre une bête, on considère toujours ça comme un moment très important. Il n'y a pas de cérémonie particulière mais le gibier qu'il a tué est partagé entre tous les membres de la Caverne et il est le seul à ne pas y goûter. Pendant le repas, il entend des commentaires élogieux : à quel point cette bête était grosse et combien sa chair est tendre et délicieuse. Les hommes invitent le nouveau chasseur à se joindre à eux pour parler ou jouer aux dés. Les femmes le traitent comme un homme et lui lancent des plaisanteries. La plupart d'entre elles se tiennent à sa disposition s'il en a envie. Quand on abat son premier gibier, on se sent vraiment un homme.

— Mais il n'y a pas de cérémonie de la virilité ?

— Chaque fois qu'un homme fait d'une jeune fille une femme, qu'il l'ouvre et qu'il laisse sa force de vie s'écouler en elle, il réaffirme qu'il est un homme. C'est pour ça que son membre est appelé un faiseur-de-femmes.

— Peut-être que lorsqu'il s'en sert, il met aussi en train les bébés...

— C'est la Mère qui bénit la femme avec des enfants, Ayla. La femme les met au monde et c'est grâce à elle qu'il y a des enfants dans le foyer d'un homme. Doni a créé l'homme pour qu'il subvienne aux besoins de la femme qui attend un bébé ou qui doit s'occuper des enfants en bas âge. Je ne peux pas t'en dire plus. Seule Zelandoni le pourrait...

Peut-être a-t-il raison, se dit Ayla en se pelotonnant contre Jondalar. Mais s'il se trompe, il se peut que j'attende déjà un bébé. Un enfant comme Durc dont je pourrai m'occuper et qui ressemblera à Jondalar...

Mais qui m'aidera à l'élever quand il sera parti ? se demanda-t-elle soudain avec inquiétude en se rappelant à quel point sa première grossesse avait été difficile et qu'elle avait failli mourir au moment de l'accouchement. Sans Iza, je ne serais plus en vie aujourd'hui. Et si j'ai un bébé alors que je vis seule, qui prendra soin de lui pendant que je chasse ? Il risque de mourir si je le laisse tout seul.

Je ne peux pas avoir d'autre bébé maintenant ! se dit-elle brusquement. Il faut que j'utilise les remèdes d'Iza ! De la tanaisie ou du gui ou... Non, je ne pourrai pas trouver de gui ! Le gui ne pousse que sur les chênes et il n'y en a pas par ici. Mais certaines autres plantes conviendront aussi. Cela peut être dangereux. Mais mieux vaut perdre l'enfant maintenant plutôt que les hyènes le dévorent plus tard.

— Il y a quelque chose qui ne va pas, Ayla ? demanda Jondalar en prenant dans sa main un de ses seins.

— Non, répondit-elle en repensant aussitôt à ses caresses.

Jondalar lui sourit et sentit son désir s'éveiller à nouveau. Déjà ! se dit-il. Ayla me fait le même effet que la main d'Haduma !

Son regard exprimait clairement ce dont il avait envie. Peut-être veut-il à nouveau partager les Plaisirs avec moi, se dit Ayla en lui souriant à son tour. Mais son sourire disparut très vite. Même si je n'attends pas encore d'enfant, si nous partageons à nouveau les Plaisirs, je risque d'en avoir un cette fois-ci. Mieux vaudrait que je prenne le remède secret d'Iza, celui dont elle m'a dit de ne parler à personne, ce mélange de fil d'or et des racines de sauge — cette variété de sauge que mangent les antilopes.

Iza lui avait dit que les plantes qui composaient ce remède étaient dotées d'un tel pouvoir magique qu'elles donnaient encore plus de force au totem de la femme et permettaient à celui-ci de repousser l'essence fécondante de l'homme. Quand Iza lui avait parlé de ce remède, Ayla venait de tomber enceinte. Iza n'avait pas pensé à lui en parler plus tôt car elle croyait qu'Ayla possédait un totem trop puissant pour que celui-ci puisse un jour être vaincu par celui de l'homme. Que mon totem soit trop puissant ne m'a pas empêché de tomber enceinte, se dit-elle. Et cela peut très bien se reproduire. Le remède d'Iza a marché pour elle. Je vais le préparer pour moi. Sinon je risque de devoir prendre autre chose plus tard pour perdre le bébé. Si ça ne tenait qu'à moi, je préférerais le garder. J'aimerais bien avoir un bébé de Jondalar...

Ayla sourit à Jondalar avec une telle tendresse qu'il voulut se pencher vers elle pour l'embrasser. Mais comme elle se relevait au même moment, il reçut en plein sur le nez l'amulette qu'elle portait autour du cou.

— Je t'ai fait mal, Jondalar ?

— Qu'est-ce que tu as mis là-dedans ? On dirait que c'est plein de pierres ! dit-il en se frottant le nez et en s'asseyant. Qu'est-ce que c'est que ça ?

— C'est pour que l'esprit de mon totem puisse me trouver, expliqua Ayla. Ce petit sac contient la part de mon esprit qu'il connaît et moi, chaque fois qu'il m'envoie un signe, je le place à l'intérieur. Tous les membres du Clan en ont un. Et Creb m'a dit que si je le perdais, je mourrais.

— C'est un porte-bonheur ou une amulette, dit Jondalar. Ton Clan doit comprendre les secrets du monde des esprits. Plus tu m'en parles et plus j'ai l'impression qu'ils ressemblent aux êtres humains. Ayla, ajouta-t-il d'un air contrit, c'est parce que j'ignorais tout ça que j'ai aussi mal réagi lorsque tu m'as parlé d'eux pour la première fois. C'était vraiment honteux de ma part et je te refais toutes mes excuses.

— C'est vrai que c'était honteux. Mais je ne t'en veux plus et je ne suis plus en colère. Tu m'as permis de sentir... Pour aujourd'hui, pour les Premiers Rites, je tiens à te dire... merci.

— Je crois bien que personne ne m'a encore remercié pour ça, dit Jondalar en souriant. Mais, moi aussi, je tiens à te dire merci. Pour moi, ça a été une expérience vraiment exceptionnelle. Je n'avais pas éprouvé autant de plaisir depuis... (Il s'interrompit un court instant, puis ajouta :) depuis Zolena.

— Qui est Zolena ?

— Zolena n'est plus. C'était une femme que j'ai connue quand j'étais tout jeune.

Jondalar se laissa retomber sur les fourrures et, les yeux fixés sur le plafond de la caverne, il resta silencieux si longtemps qu'Ayla pensa qu'il ne lui en dirait pas plus. Mais soudain il commença à parler, s'adressant plus à lui-même qu'à elle.

— Elle était très belle à cette époque-là. Tous les hommes parlaient d'elle et elle hantait les pensées des jeunes garçons. Moi aussi, je ne cessais de penser à elle et la nuit où ma donii m'a visité, elle avait revêtu les traits de Zolena. Quand je me suis réveillé, mes fourrures étaient imprégnées de l'essence de mon Plaisir et mes yeux pleins de Zolena.

» Je me suis mis à la suivre et à la contempler en cachette. Je suppliais la Mère de me la faire rencontrer. Le jour où elle est venue, je n'en croyais pas mes yeux. Je la désirais tellement et voilà qu'elle venait me trouver !

» Au début, je me suis contenté de prendre mon plaisir. J'étais très développé pour mon âge — dans tous les sens du terme. Mais peu à peu, Zolena m'a appris à me contrôler et à satisfaire les besoins d'une femme. Grâce à elle, j'ai compris que, même lorsqu'une femme n'était pas assez profonde pour m'accueillir tout entier, nous pouvions malgré tout éprouver du plaisir : pour ça, il fallait que je me retienne le plus longtemps possible et que je la prépare à me recevoir.

» Avec Zolena, je n'avais pas d'inquiétude à avoir. Elle aussi, elle savait se maîtriser et elle était capable de donner du plaisir à tous les hommes, quelle que soit la taille de leur virilité. Tous la désiraient — mais c'est moi qu'elle avait choisi. Et au bout d'un certain temps, elle n'a plus choisi que moi, qui étais encore pourtant un gamin. Mais il y avait un homme qui lui courait après, tout en sachant qu'elle ne voulait pas de lui. Quand il nous voyait ensemble, il lui conseillait de prendre un homme pour changer. Il était moins âgé que Zolena, mais plus vieux que moi. Et ses réflexions me rendaient furieux.

Jondalar se tut un court instant et ferma les yeux.

— Je me suis conduit comme un idiot ! reprit-il. Jamais je n'aurais dû agir ainsi car cela a attiré l'attention sur nous. Mais il ne voulait pas la laisser tranquille et me mettait en fureur. Un jour, j'ai perdu mon sang-froid et je l'ai frappé sans pouvoir m'arrêter.

» On a commencé à dire que ce n'était pas bon pour un garçon aussi jeune d'aller toujours avec la même femme. Quand un jeune homme fréquente plusieurs femmes, il a moins de chance de s'attacher à l'une d'elles. Les jeunes gens sont censés prendre une compagne de leur âge et les femmes plus âgées ne doivent servir qu'à l'initier. Quand un jeune homme s'attache à une femme plus âgée, les autres femmes ont tendance à critiquer cette dernière. Pourtant, il n'y avait rien à reprocher à Zolena : je ne désirais qu'elle, les autres femmes ne m'intéressaient pas.

» A l'époque, je les trouvais grossières et même violentes. Elles n'arrêtaient pas de taquiner les hommes, les jeunes tout particulièrement. Moi aussi, j'étais violent à ma manière : je les repoussais et je leur répondais grossièrement.

» Il y avait celles qui choisissaient les hommes pour les Premiers Rites. Tous les hommes avaient envie d'être choisis — ils ne parlaient que de ça. Même si c'était un honneur et très excitant, il n'empêche qu'ils étaient toujours inquiets à l'idée de ne pas être à la hauteur. Et ces femmes en profitaient pour les taquiner chaque fois qu'elles étaient ensemble et qu'elles voyaient passer un homme.

» Tiens, celui-là n'est pas mal, lança Jondalar en prenant une voix de tête pour les imiter. Accepterais-tu de m'apprendre une chose ou deux ? Ou alors : Celui-là, je n'ai rien pu lui apprendre. Est-ce que quelqu'un d'autre veut essayer ?

» Les hommes finissent par savoir répondre à ce genre de plaisanteries, dit-il en reprenant sa voix normale. Mais pour un jeune homme, c'est difficile. Quand il traverse un groupe de femmes en train de rire, il se demande toujours si ce n'est pas à ses dépens. Zolena ne ressemblait pas à ces femmes. Celles-ci ne l'aimaient pas beaucoup. Peut-être parce que les hommes l'aimaient trop. Chaque fois qu'elle se rendait à une fête en l'honneur de la Mère, c'était toujours elle qui était choisie en premier...

» L'homme que j'avais frappé a perdu plusieurs dents. C'était terrible pour un homme aussi jeune : il ne pouvait plus mastiquer et plus aucune femme ne voulait de lui. Encore aujourd'hui, je regrette d'avoir fait ça... C'était tellement idiot ! Ma mère l'a dédommagé et il est parti vivre dans une autre Caverne. Mais il venait à la Réunion d'Eté et chaque fois que je l'apercevais, je ne pouvais m'empêcher de sursauter.

» Zolena avait parlé à plusieurs reprises d'entrer au service de la Mère. Moi-même, je pensais être sculpteur et La servir ainsi à ma manière. Mais à cette époque, Marthona s'est aperçue que j'étais doué pour la taille du silex et elle a demandé à Dalanar de me prendre chez lui. Un peu avant que je parte chez les Lanzadonii, Zolena quitta notre Caverne pour suivre un entraînement très particulier. Marthona ne s'était pas trompée : il valait mieux que je parte. Et quand je suis revenu trois ans plus tard, Zolena n'était plus...

— Que lui est-il arrivé ? demanda Ayla, qui osait à peine poser la question.

— Ceux Qui Servent la Mère renoncent à leur propre identité et prennent celle du peuple pour lequel ils intercèdent auprès de la Mère. En échange, la Mère leur octroie des Dons qui resteront toujours inaccessibles à Ses enfants ordinaires : ils ont accès à la magie, à la connaissance, à l'art de guérir et possèdent alors les pouvoirs extraordinaires. Parmi les Servants de la Mère, nombreux sont ceux qui répondent à Son Appel sont très doués, ils rejoignent rapidement les rangs de Ceux Qui Servent la Mère. C'est ce qui est arrivé à Zolena. Juste avant que je parte, elle est devenue la Grande Prêtresse Zelandoni, la Première parmi Ceux Qui Servent la Mère.

Jondalar se leva d'un bond et regarda par l'ouverture de la caverne le ciel qui se teintait de rouge.

— Il fait encore jour et j'ai bien envie d'aller me baigner, dit-il en sortant rapidement de la caverne.

Ayla ramassa son vêtement en peau et la lanière en cuir puis elle lui emboîta le pas. Quand elle arriva sur la plage, Jondalar était déjà dans l'eau. Elle retira son amulette et prit son élan pour plonger. Jondalar était déjà loin en amont. Elle le rencontra à mi-parcours alors qu'il revenait.

— Jusqu'où es-tu remonté ?

— Jusqu'à la cascade... Je n'avais encore jamais parlé à personne de Zolena, Ayla.

— As-tu revu Zolena ?

Jondalar eut un rire plein d'amertume.

— Pas Zolena, corrigea-t-il. Zelandoni. Oui, je l'ai revue. Nous sommes restés bons amis. J'ai même partagé les Plaisirs avec Zelandoni. Mais je n'étais plus le seul...

Il repartit en nageant à toute vitesse. Ayla fronça les sourcils, secoua la tête et regagna à son tour la plage. Elle glissa son amulette autour de son cou, enfila son vêtement en peau et l'attacha avec la lanière en remontant le sentier. Quand elle pénétra à l'intérieur de la caverne, Jondalar était debout en face du feu et il regardait les braises. Sa peau était encore humide et il frissonnait. Ayla garnit le feu avec du bois, puis elle alla chercher une des fourrures dans lesquelles il dormait.

— La saison est en train de changer, dit-elle. Les soirées sont plus fraîches. Couvre-toi sinon tu vas attraper froid.

Jondalar plaça la fourrure sur ses épaules. Ce n'est pas suffisant, se dit Ayla. Et si je lui offrais les vêtements que j'ai préparés pour lui. De toute façon, il ne va pas tarder à partir...

Elle se dirigea vers le ballot de peaux qui se trouvait près de sa couche.

— Jondalar... commença-t-elle.

Toujours perdu dans ses pensées, il lui lança un regard distrait. Quand Ayla voulut défaire le ballot, quelque chose tomba à ses pieds. Elle le ramassa aussitôt.

— Qu'est-ce que c'est ? demanda-t-elle, surprise et effrayée à la fois.

— C'est une donii, répondit Jondalar en voyant qu'elle tenait la figurine en ivoire.

— Une donii ?

— Je l'ai sculptée pour toi, pour tes Premiers Rites. Il y a toujours une donii lors des Premiers Rites.

Ayla baissa la tête pour ne pas éclater en sanglots.

— Je ne sais pas quoi dire... Je n'ai jamais rien vu de semblable. Elle est belle. On dirait une vraie personne. Une personne qui me ressemblerait...

— J'ai voulu qu'elle te ressemble, Ayla, expliqua Jondalar. Un vrai sculpteur aurait certainement fait mieux... Non ! corrigea-t-il. Jamais un sculpteur n'aurait fait une donii comme celle-ci. Je ne sais même pas si j'aurais dû. D'habitude, une donii n'a pas de visage — personne ne connaît le visage de la Mère. Mettre ton visage sur cette donii, c'est risquer que ton esprit soit emprisonné à l'intérieur de cette statuette. C'est pourquoi je tiens à ce que ce soit toi qui l'aies. Elle t'appartient. Je t'en fais cadeau.

— Comme c'est drôle que tu l'aies placée à cet endroit ! dit Ayla en défaisant le ballot. Moi aussi, j'ai quelque chose pour toi.

Jondalar déplia les peaux qu'elle lui tendait et quand il vit la garniture de perles, ses yeux brillèrent de plaisir.

— J'ignorais que tu savais coudre et décorer un vêtement avec des perles, dit-il en examinant les vêtements.

— Pour les perles, je me suis contentée de découper les motifs qui ornaient la tunique que tu portais et de les replacer sur celle-là, expliqua-t-elle. J'ai défait tes anciens vêtements et j'ai découpé des peaux à la même taille. Comme j'avais étudié la manière dont elles tenaient ensemble, j'ai fait la même chose et j'ai utilisé le perçoir que tu m'avais donné. Je ne sais pas si je m'en suis servie correctement, mais ça a marché.

— C'est parfait ! s'écria Jondalar en plaçant la tunique puis le pantalon devant lui pour vérifier la taille. Je comptais justement fabriquer de nouveaux vêtements pour voyager. Cette bande de peau suffit tant que je reste ici, mais...

Trop tard ! Il venait de le dire à voix haute. Comme ces esprits malfaisants qui, au dire de Creb, tiraient leur pouvoir d'avoir été appelés à voix haute par leur nom, le départ de Jondalar était maintenant un fait. Ce n'était plus une vague idée qui se concrétiserait un jour prochain, mais une évidence. Plus ils y pensaient, plus ce départ leur pesait. Ils avaient l'impression que quelque chose de tangible et d'oppressant venait de pénétrer dans la caverne et ne pourrait plus jamais en être chassé.

Jondalar replia rapidement les vêtements.

— Merci, Ayla, dit-il. Je suis très touché. Ces vêtements me seront très utiles quand il fera plus froid. Je n'en ai pas besoin pour l'instant, ajouta-t-il.

Incapable de répondre, Ayla se contenta de hocher la tête. Les yeux voilés de larmes, elle serra la donii contre sa poitrine. Elle aimait cette statuette qui sortait des mains de Jondalar. Des mains capables de façonner dans l'ivoire une image qui lui restituait la tendresse qu'elle avait ressentie quand il avait fait d'elle une femme.

— Merci, dit-elle en utilisant la formule de politesse qu'il lui avait apprise.

— Ne la perds pas, lui conseilla Jondalar en fronçant les sourcils. Comme elle a ton visage, elle possède peut-être aussi ton esprit et ce serait dangereux pour toi que quelqu'un d'autre l'ait entre les mains.

— Mon amulette détient une partie de mon esprit et l'esprit de mon totem. Cette donii possède maintenant une partie de mon esprit et celui de votre Grande Mère. Dois-je la considérer elle aussi comme mon amulette ?

Jondalar n'avait pas réfléchi à ça. Grâce à cette donii, Ayla faisait-elle maintenant partie des Enfants de la Terre ? Peut-être aurait-il mieux valu qu'il ne touche pas à des forces qui le dépassaient. Mais peut-être était-il l'agent de ces forces ?

— Je n'en sais rien, avoua-t-il. Mais ne la perds pas.

— Si tu penses que c'est dangereux, pourquoi as-tu mis mon visage sur cette donii ?

— Parce que je voulais m'emparer de ton esprit, Ayla, dit-il en lui prenant les mains. Pas pour le garder. Je comptais te le rendre de toute façon. Mais je voulais te faire éprouver du Plaisir et je n'étais pas sûr d'y arriver. Nous, nous revérons la Mère depuis notre plus tendre enfance. Toi, tu as été élevée différemment et j'avais peur que tu ne comprennes pas. Je voulais te séduire, c'est pour ça que j'ai reproduit ton visage sur cette donii.

— Tu n'avais pas besoin de mettre mon visage sur cette donii pour ça. Avant que je sache ce qu'étaient les Plaisirs, j'aurais été heureuse si tu avais simplement voulu assouvir ton désir avec moi.

— Non, Ayla, dit-il en la prenant dans ses bras. Même si tu étais prête depuis longtemps, j'avais besoin de comprendre que c'était la première fois pour toi. Sinon, cela ne se serait pas bien passé.

Envoûtée à nouveau par son regard, Ayla s'abandonna dans ses bras. Seuls comptaient ces bras qui la serraient, cette bouche plaquée contre la sienne, ce corps pressé contre le sien et ce désir vertigineux. Elle se rendit à peine compte que Jondalar la soulevait et s'éloignait du feu.

Quand elle se retrouva allongée sur les fourrures de sa couche, elle sentit que Jondalar détachait la lanière en cuir de son vêtement. Elle ouvrit avidement les jambes pour accueillir son membre dressé.

Furieusement, presque avec désespoir, il s'enfonça en elle, comme s'il avait besoin de se convaincre à nouveau qu'elle était faite pour lui et qu'il n'avait pas besoin de contrôler sa pénétration. Ayla se souleva pour venir à sa rencontre, animée par la même passion que lui.

Il se retira, puis la pénétra à nouveau, sentant la tension monter. Porté par le plaisir de pouvoir la pénétrer totalement et de s'abandonner sans retenue à sa passion, il se laissa entraîner avec une joie débridée par les vagues du désir qui s'élevaient toujours plus haut. Ayla le rencontrait à chaque crête et, le dos arqué, accompagnait tous ses mouvements.

Les sensations qu'Ayla éprouvait allaient bien au-delà de ce que provoquait chez elle ce mouvement de va-et-vient. Chaque fois que Jondalar la pénétrait, c'est son corps tout entier — ses nerfs, ses muscles, ses tendons — qui l'accueillait et lui répondait. Jondalar sentit son désir croître, s'enfler, atteindre un point culminant — et aussitôt après, un insupportable crescendo quand la tension éclata alors que, le corps secoué de frissons, il s'abattait sur elle pour la pénétrer une dernière fois. Ayla s'était redressée pour venir à sa rencontre. Elle partagea avec lui l'explosion finale et frénétique qui provoqua dans tout son corps une libération voluptueuse.

29

Encore à moitié endormie, Ayla se retourna, quelque chose la gênait. Elle s'éveilla complètement et glissa sa main sous les fourrures. Quand elle eut attrapé l'objet, elle vit à la lueur du feu mourant qu'il s'agissait de la donii de Jondalar. Elle se souvint alors de ce qui s'était passé la veille et découvrit que Jondalar était couché à côté d'elle.

Nous avons dû nous endormir juste après avoir partagé les Plaisirs, songea-t-elle en se blottissant contre lui et en refermant les yeux. Mais le sommeil la fuyait. Les événements de la veille lui revenaient peu à peu en mémoire et elle les passait en revue : la chasse, le retour de Bébé, et surtout, ce qui s'était passé ensuite avec Jondalar. Ce qu'elle éprouvait pour lui se situait bien au-delà des mots qu'elle connaissait et la remplissait d'une joie inexprimable. Elle continua à penser à Jondalar et n'y tenant plus, elle préféra se lever et se glissa sans bruit hors de sa couche sans lâcher la donii.

Alors qu'elle s'avançait vers l'ouverture de la caverne, elle aperçut Whinney et Rapide. Les chevaux ne dormaient pas et la jument hennit doucement à son adresse. Ayla fit demi-tour pour s'approcher d'eux.

— Est-ce que ça a été pareil pour toi, Whinney ? murmura-t-elle. Est-ce que l'étalon t'a donné du Plaisir ? Jamais je n'aurais imaginé que c'était comme ça, Whinney ! Pourquoi cela a-t-il été aussi épouvantable avec Broud et si merveilleux avec Jondalar ?

Désireux qu'on s'occupe de lui, le poulain avança la tête. Ayla le gratta et le caressa. Puis, après lui avoir donné une petite tape, elle reprit en s'adressant à nouveau à Whinney :

— Même si Jondalar dit le contraire, je suis sûre que c'est l'étalon qui t'a donné Rapide. Il est presque de la même couleur que lui. Et les chevaux brun-roux sont tellement rares ! Moi aussi, j'aimerais bien avoir un bébé de Jondalar. Mais c'est impossible. Qu'est-ce que je ferais d'un bébé quand il sera parti ? (Cette pensée provoqua chez elle un sentiment proche de la terreur et elle devint pâle comme une morte.) Il va s'en aller, Whinney ! Jondalar va bientôt partir !

Elle se précipita hors de la caverne, dégringola le sentier et, le visage noyé de larmes, continua à courir dans une sorte de brouillard. Stoppée net par la saillie rocheuse, elle se laissa tomber sur le sol en sanglotant. Jondalar va s'en aller. Jamais je ne le supporterai ! Que puis-je faire pour l'en empêcher ? Rien !

Elle se recroquevilla, se tapit au pied de la paroi, baissant la tête comme si elle essayait d'éviter un coup. Elle allait à nouveau se retrouver seule. Pire que seule : sans Jondalar. Que vais-je devenir quand il ne sera plus là ? Faudra-t-il que je parte à la recherche des Autres et que j'essaie de vivre avec eux ? Non ! Ils ne voudront pas de moi ! Ils vont me demander d'où je viens et ils détestent ceux du Clan. Ils me traiteront de monstre. A moins que je mente...

Je ne pourrai pas. Je ne veux pas faire honte à Creb et à Iza. Ils m'aimaient et m'ont élevée. Uba est ma sœur et elle s'occupe de Durc. Le Clan est ma famille. Quand je me suis retrouvée seule au monde, c'est eux qui ont pris soin de moi. Et maintenant, les Autres ne veulent plus de moi.

Jondalar va partir. Je vais vivre seule dans cette vallée toute ma vie. Mieux aurait valu mourir. Broud m'a maudite. Et il a fini par gagner. Comment pourrais-je vivre sans Jondalar ?

Elle pleura jusqu'à ce qu'il ne lui reste plus une seule larme à verser et elle éprouva alors un sentiment de vide désespéré. Quand elle voulut s'essuyer les yeux, elle s'aperçut qu'elle n'avait pas lâché la donii. Elle la fit tourner dans sa main, émerveillée autant par la figurine elle-même que par le fait qu'on puisse façonner une femme dans un morceau d'ivoire. A la lueur de la lune, la statuette lui ressemblait encore plus. Les cheveux tressés, les yeux noyés dans l'ombre, la forme du nez et les joues lui rappelaient sa propre image qu'elle avait un jour aperçue reflétée à la surface de l'étang.

Pourquoi Jondalar avait-il mis son visage sur ce symbole de la Terre Mère que les Autres révéraient ? Celle que Jondalar appelait Doni s'était-elle emparée de son esprit ? Son esprit était-il maintenant lié à Doni ? Comme il était lié, par l'intermédiaire de son amulette, à celui du Lion des Cavernes et à celui d'Ursus, le Grand Ours des Cavernes, le totem du Clan. Quand elle était devenue guérisseuse, elle avait reçu une partie de l'esprit de chacun des membres du Clan et personne n'avait rappelé ces esprits quand Broud l'avait maudite et qu'elle avait quitté le Clan.

Le Clan et les Autres, les totems et la Mère : tous revendiquaient une part invisible de son esprit. Mon esprit doit avoir du mal à s'y retrouver — même moi, je ne sais plus très bien où j'en suis.

Une rafale de vent glacial l'obligea à regagner la caverne. Elle ranima le feu mourant et mit de l'eau à chauffer pour se préparer une infusion calmante. Elle n'avait toujours pas envie de dormir. En attendant que l'eau chauffe, elle contempla les flammes comme elle l'avait déjà fait tant de fois pour y trouver un semblant de vie. Les langues de feu dansaient le long du bois, léchaient une branche à laquelle elles n'avaient pas encore goûté, puis s'en emparaient et la dévoraient.

— Doni ! cria Jondalar dans son sommeil. C'est toi ! C'est toi !

Ayla bondit sur ses pieds et s'approcha de lui. Il devait être en train de rêver car il remuait dans son sommeil et prononçait des phrases sans suite. Soudain ses yeux s'ouvrirent et il lui lança un regard surpris.

— Ça va, Jondalar ?

— Ayla ? Ayla ! C'est toi ?

— Oui, c'est moi.

Ses yeux se refermèrent et il murmura quelques paroles incohérentes. Il ne s'était pas réveillé, comme l'avait cru Ayla : les quelques mots qu'il venait d'échanger avec elle faisaient partie de son rêve. Il semblait plus calme maintenant. Elle attendit qu'il fût complètement détendu pour s'approcher à nouveau du feu. Quand elle sentit qu'elle avait sommeil, elle retira son vêtement et se glissa sous les fourrures à côté de lui.

Jondalar courait comme un fou pour atteindre l'entrée de la caverne. Jetant un coup d'œil au-dessus de lui, il aperçut le lion des cavernes. Non, non ! Thonolan ! Thonolan ! C'est lui que le lion poursuivait maintenant, et il s'apprêtait à bondir. Soudain la Mère apparut et d'un geste, elle chassa le lion.

Quand elle se retourna, Jondalar vit Son visage : c'était celui de la donii qu'il avait sculptée pour Ayla. Il l'appela :

— Doni ! C'est toi ! C'est toi !

Le visage sculpté s'anima et les cheveux de la Mère se transformèrent en un halo doré entouré d'une lueur rougeoyante.

— Oui, c'est moi.

La donii-Ayla se mit à grandir et changea de forme : elle ressemblait maintenant à l'ancienne donii que Jondalar avait donnée à Noria. Ses formes généreuses et maternelles se dilatèrent et elles atteignirent bientôt la taille d'une montagne. Elle commença alors à donner naissance à tout ce qui vivait sur terre. Toutes les créatures de la mer s'écoulèrent de sa profonde caverne, charriées par les eaux de la naissance, suivies aussitôt par les nuées d'insectes et d'oiseaux. Puis ce fut le tour des animaux terrestres — lapins, cerfs, bisons, mammouths, lions des cavernes — et tout de suite après, Jondalar aperçut dans le lointain de vagues silhouettes humaines en partie masquées par le brouillard.

Le brouillard s'éclaircit, les silhouettes se rapprochèrent et il les reconnut. C'étaient des Têtes Plates ! En l'apercevant, ils s'enfuirent à toutes jambes. Jondalar se lança à leur poursuite en criant. L'une des femmes se retourna : elle avait le visage d'Ayla. Jondalar se précipita vers elle. Mais les brumes l'enveloppèrent et elle disparut à sa vue.

Jondalar tâtonnait à travers le brouillard rouge. Il entendit un rugissement lointain, semblable au grondement d'une chute d'eau. Plus il avançait et plus le grondement augmentait. Il fut brusquement submergé par un torrent humain qui sortait des entrailles de la Grande Terre Mère, une montagne énorme qui avait le visage d'Ayla.

Il joua des pieds et des mains pour se frayer un chemin à travers la foule et finit par atteindre l'immense caverne, la profonde ouverture de la Mère. Il La pénétra et son membre viril explora Ses chauds replis jusqu'à ce que Ses profondeurs se referment sur lui. Jondalar allait et venait à l'intérieur de la Mère avec une joie effrénée. Puis il vit que Son visage était couvert de larmes et Son corps secoué par des sanglots. Il voulait La consoler, Lui dire de ne pas pleurer, mais il était incapable de parler. Il sentit qu'on le repoussait.

Il se retrouva soudain au milieu de l'immense foule qui s'écoulait de Ses entrailles, perdu parmi les gens qui tous portaient une tunique brodée de perles. Il voulait retourner vers la Mère, mais le flot humain l'entraîna comme un tronc d'arbre charrié par les eaux de la naissance — comme la Grande Rivière Mère avait entraîné le tronc auquel était accrochée sa tunique ensanglantée.

Il tordit le cou pour essayer de voir ce qui se passait derrière lui et aperçut alors Ayla, debout à l'entrée de la caverne. Les sanglots de la jeune femme résonnèrent dans ses oreilles, puis dans un grondement de tonnerre, la caverne s'effondra sur elle et il se retrouva tout seul, en train de pleurer.

Quand il ouvrit les yeux, il faisait toujours nuit. Le feu allumé un peu plus tôt par Ayla s'était éteint. Le noir était si absolu qu'il n'était pas certain d'être réveillé. Il ne voyait pas les parois de la caverne, ne discernait aucun détail de son environnement habituel et avait l'impression d'être suspendu dans un vide insondable. Les images de son rêve étaient la seule chose à laquelle il pût se raccrocher. Des pans entiers du rêve lui revenaient en mémoire et à force d'y réfléchir, il finit par le reconstituer entièrement.

Quand les ténèbres s'estompèrent et qu'il discerna les contours de l'ouverture et du trou à fumée, les images qui l'avaient visité dans son sommeil commencèrent à prendre un sens. Il se rappelait rarement ses rêves, mais celui-ci s'était imposé à lui avec une telle force, une telle précision dans les détails qu'il était certain qu'il lui avait été envoyé par la Mère. Qu'avait-Elle essayé de lui dire ? Si seulement un zelandoni avait été là pour l'aider à interpréter son rêve !

Lorsque la lumière de l'aube pénétra dans la caverne, il vit le visage d'Ayla auréolé par sa chevelure en désordre et prit soudain conscience de la chaleur de son corps allongé à côté de lui. Il avait terriblement envie de l'embrasser. Mais il se contenta de prendre entre ses lèvres une des longues mèches blondes. Puis il se leva sans faire de bruit. Il se servit un bol d'infusion et emporta la boisson sur la corniche.

Dehors, il faisait froid, il frissonna. Pendant un court instant, il songea aux vêtements en peau qu'Ayla avait fabriqués pour lui. Puis il chassa cette idée. Il contempla le ciel en train de s'éclaircir à l'est et la vallée qui émergeait peu à peu de la nuit. Il repensa ensuite à son rêve et essaya d'en démêler les fils et d'élucider son mystère.

Pourquoi Doni avait-Elle éprouvé le besoin de lui montrer que toute vie venait d'Elle ? C'était quelque chose qu'il savait, une évidence ancrée en lui depuis sa plus tendre enfance. Pourquoi dans son rêve lui était-Elle apparue alors qu'Elle donnait naissance aux poissons, aux oiseaux, aux animaux à fourrure, aux...

Aux *Têtes Plates* ! Bien sûr ! Elle avait voulu lui dire que les membres du Clan étaient aussi Ses enfants ! Pourquoi personne n'avait-il songé à cela plus tôt ? Si la Mère était créatrice de *toute* vie, pourquoi les gens du Clan étaient-ils aussi calomniés ? On les traitait d'animaux, comme si les animaux étaient des êtres malfaisants. Pourquoi les assimilait-on à des êtres malfaisants ?

Parce que justement ils n'étaient pas des animaux ! Ils étaient humains, une espèce différente d'êtres humains ! C'était ce qu'Ayla n'avait cessé de lui répéter.

Il comprenait pourquoi la donii qui avait arrêté le lion dans son rêve avait le visage d'Ayla — personne ne voudrait jamais croire qu'elle soit capable de faire une chose pareille et pourtant c'était la vérité, une vérité plus invraisemblable encore que son rêve. Mais pourquoi son ancienne donii avait-elle, elle aussi, le visage d'Ayla ? Pourquoi la Grande Terre Mère en personne lui était-Elle apparue sous les traits d'Ayla ?

Jondalar savait qu'il ne comprendrait jamais toute la signification de son rêve et il sentait qu'une part importante de celui-ci lui échappait complètement. Repensant aux dernières images qui l'avaient visité dans son sommeil, il revit Ayla, debout à l'entrée de la caverne, avant que celle-ci s'effondre, et faillit crier pour la prévenir du danger qui la menaçait.

Les yeux fixés sur l'horizon, il ressentait le même sentiment de désolation qu'il avait éprouvé lorsqu'il s'était retrouvé tout seul à la fin de son rêve. Des larmes mouillaient ses joues. Pourquoi ce désespoir ? Que cherchait-il à découvrir sans y parvenir ?

Il se souvint brusquement de tous ces gens qui portaient des tuniques brodées de perles et quittaient la caverne. Ayla avait fait cette tunique pour lui alors qu'elle ne savait même pas coudre. Elle lui avait offert la tenue de voyage qu'il porterait lorsqu'il quitterait la vallée.

Quitter la vallée ? Quitter Ayla ? Le ciel s'embrasa. Jondalar ferma les yeux et entrevit une lueur rouge sous ses paupières closes.

Grande Mère ! songea-t-il. Tu n'es qu'un pauvre idiot, Jondalar ! Quitter Ayla ? Comment pourrais-tu la quitter ? Tu l'aimes ! Comment as-tu pu être aussi aveugle ? Pourquoi a-t-il fallu que la Mère t'envoie un rêve pour t'aider à comprendre une chose aussi simple ? Une chose à la portée de n'importe quel enfant ?

Jondalar se sentit aussitôt débarrassé d'un grand poids. Il éprouvait une liberté joyeuse, une légèreté toute nouvelle. Je l'aime ! Ça y est, je suis tombé amoureux ! Je l'aime ! Jamais je n'aurais pensé qu'une chose pareille puisse m'arriver ! Et pourtant, j'aime Ayla !

Débordant de joie, prêt à crier son bonheur à la face du monde entier, il se précipita à l'intérieur de la caverne pour annoncer à Ayla qu'il l'aimait.

Il retourna sur la corniche, prit une pyrite et un silex et alluma un feu. Pour une fois qu'il était réveillé avant elle, il allait lui faire la surprise d'une infusion bien chaude. Il alla chercher de la menthe, prépara la boisson et revint à l'intérieur : Ayla dormait toujours.

Elle respirait régulièrement, le visage encadré par son abondante chevelure blonde. Jondalar résista à la tentation de la réveiller. Pour qu'elle dorme alors qu'il faisait grand jour, elle devait être bien fatiguée.

Il emprunta le sentier qui menait à la plage, se nettoya les dents avec une brindille, puis alla nager. Ce bain matinal lui fit du bien : il se sentait en pleine forme et terriblement affamé. Ils n'avaient même pas pensé à manger. En se souvenant de la raison de cet oubli, il se mit à sourire et sentit son membre se redresser.

Il éclata de rire. Tu t'es retenu tout l'été, Jondalar, se dit-il. Tu ne peux pas reprocher à ton faiseur-de-femmes d'être impatient. Surtout maintenant qu'il sait ce qu'il a raté. Mais ne la brusque pas. Elle a peut-être besoin de se reposer — elle n'a pas l'habitude des Plaisirs. Il remonta le sentier en courant et se glissa sans bruit à l'intérieur de la caverne. Les chevaux étaient partis brouter. Ils ont dû quitter la caverne pendant que je me baignais. Ayla dort toujours. J'espère qu'elle n'est pas malade. Dois-je la réveiller ? Elle se retourna dans son sommeil, exposant un de ses seins, ce qui ne fit qu'accroître le désir de Jondalar.

Il réussit à se maîtriser, s'approcha du feu et se servit un second bol d'infusion. C'est alors qu'Ayla commença à bouger.

— Jondalar ! appela-t-elle en se dressant. Où es-tu, Jondalar ?

— Je suis là, dit-il en se précipitant vers elle.

Ayla s'accrocha à lui.

— Je pensais que tu étais parti.

— Je suis là, Ayla, répéta-t-il en la prenant dans ses bras pour qu'elle se calme. Ça va mieux ? demanda-t-il un instant plus tard. Je vais t'apporter un bol d'infusion.

Ayla prit le bol qu'il était allé remplir pour elle et, après y avoir trempé ses lèvres, elle lui demanda :

— Qui a préparé cette infusion ?

— Moi, dit-il en s'agenouillant à côté d'elle. Je tenais à ce que tu puisses boire une infusion chaude à ton réveil. Mais elle est tout juste tiède.

— Tu as fait ça pour moi ?

— Oui, Ayla. Je n'ai encore jamais dit ça à aucune femme, mais.... je t'aime.

— Tu m'aimes ? demanda-t-elle. (Elle voulait s'assurer que le mot qu'il venait d'employer correspondait bien à ce qu'elle osait à peine imaginer.) Que veut dire « aimer » ?

— Que veut dire.... ! Jondalar ! Espèce d'idiot prétentieux ! s'écria-t-il en se relevant brusquement. Toi, le grand Jondalar, l'homme que toutes les femmes désirent. Tu as fini par y croire toi-même. Tu prenais bien garde de ne jamais prononcer ce mot que toutes les femmes attendaient. Et tu étais très fier de ne l'avoir jamais dit à aucune femme. Tu as fini par tomber amoureux — et tu refusais de l'admettre. Il a fallu que Doni t'envoie ce rêve pour que tu t'en rendes compte ! Et quand tu déclares ton amour à la femme que tu aimes, elle ne sait même pas ce que ce mot veut dire !

Ayla l'observait alors qu'il faisait les cent pas dans la caverne en discourant avec lui-même sur l'amour.

— Jondalar, que veut dire « aimer » ? demanda-t-elle, un peu contrariée qu'il n'ait pas répondu à sa question.

— C'est un mot que j'aurais dû t'expliquer depuis longtemps, répondit-il en s'agenouillant à côté d'elle. L'amour, c'est le sentiment qu'on éprouve pour une personne à laquelle on est très attaché. C'est le sentiment qu'éprouve une mère pour ses enfants ou un homme pour son frère. Quand un homme dit à une femme qu'il l'aime, c'est qu'il est tellement attaché à elle qu'il désire partager sa vie et ne jamais être séparé d'elle.

Ayla ferma les yeux et ses lèvres se mirent à trembler. Avait-elle bien entendu ? Bien compris ce qu'il venait de dire ?

— Je ne connaissais pas ce mot, Jondalar, mais je savais depuis longtemps ce qu'il signifiait. J'ai compris le sens de ce mot le jour où je t'ai recueilli et plus je vivais avec toi, mieux je le comprenais. J'ai tant de fois désiré connaître ce mot pour pouvoir exprimer ce que j'éprouvais. (Ayla eut beau fermer les yeux, elle ne put s'empêcher de verser des larmes de joie et de soulagement.) Moi aussi, je... t'aime, Jondalar.

Jondalar la prit dans ses bras et se releva avec elle. Il l'embrassa tendrement sans la serrer trop fort, comme s'il venait de découvrir un trésor et qu'il ait peur de le casser ou de le perdre. Ayla entoura sa poitrine de ses bras pour bien s'assurer qu'elle ne rêvait pas, craignant, si elle le lâchait, qu'il s'évanouisse comme les images d'un rêve. Jondalar embrassa son visage mouillé de larmes et quand elle laissa retomber sa tête contre lui, il enfouit son visage dans sa chevelure dorée pour essuyer ses propres larmes.

Il était incapable de dire quoi que ce soit. Il ne pouvait que la serrer contre lui en s'émerveillant de la chance qui lui avait permis de la rencontrer. Il avait fallu qu'il voyage jusqu'aux confins de la terre pour trouver une femme dont il puisse tomber amoureux et rien maintenant ne pourrait les séparer.

— Pourquoi ne pas rester ici ? demanda Ayla. Il y a dans cette vallée tout ce dont nous avons besoin pour vivre. A deux, ce sera bien plus facile. Grâce aux propulseurs, nous n'aurons aucun mal à chasser. Whinney nous donnera un coup de main et Rapide aussi.

Ils marchaient dans la prairie sans but précis. Ils avaient récolté tous les grains dont Ayla pensait avoir besoin, chassé et fait sécher suffisamment de viande pour se nourrir tout l'hiver, cueilli et engrangé des fruits mûrs et des racines, ainsi que toutes les variétés de plantes nécessaires pour cuisiner et se soigner. Ils avaient même rassemblé toutes sortes de matériaux dans le but de s'occuper pendant l'hiver. Ayla voulait en profiter pour décorer des vêtements. Jondalar comptait sculpter des jeux en ivoire, puis apprendre à jouer à Ayla. Mais pour elle, la seule chose qui comptait, c'était que Jondalar l'aimât — jamais plus elle ne serait seule.

— C'est une très belle vallée en effet, convint Jondalar.

Pourquoi ne pas rester là avec Ayla ? se dit-il. Thonolan avait bien choisi de vivre avec Jetamio. Mais ils n'étaient pas tout seuls... Pendant combien de temps supporterait-il de vivre sans voir personne ? Ayla avait tenu trois ans. Et ils ne resteraient pas seuls longtemps. Quand Dalanar avait fondé sa Caverne, il n'y avait avec lui que Jerika et la mère de sa compagne, Hochaman. Très rapidement, d'autres gens s'étaient joints à eux et des enfants étaient nés. Ils pensaient déjà à fonder une Seconde Caverne de Lanzadonii. Pourquoi ne pas fonder une nouvelle Caverne, comme Dalanar ? Ce ne serait pas une mauvaise idée. A condition que ce soit avec Ayla...

— Tu as besoin de rencontrer d'autres gens, Ayla. Et je veux que nous retournions ensemble chez moi. C'est un long Voyage, mais je pense que nous pourrions le faire en un an. Je suis sûr que tu vas aimer ma mère et que ce sera réciproque. Joharran et Folara seront heureux aussi de te connaître. Et je te présenterai Dalanar.

Ayla baissa la tête, puis la redressa pour regarder Jondalar.

— Comment vont-ils m'accueillir quand ils sauront que j'ai vécu au sein du Clan et que j'ai eu un fils qui, à leurs yeux, est un monstre ?

— Tu ne peux pas te cacher des gens tout le reste de ta vie. Est-ce que cette femme... Iza... ne t'a pas dit qu'il fallait que tu retrouves les tiens ? Elle avait raison, tu sais. Ce ne sera pas facile pour toi, surtout au début. La plupart des gens ne savent pas que ceux du Clan sont humains. Mais tu as réussi à me le faire comprendre et d'autres vont commencer à réfléchir. Dès qu'ils te connaîtront un peu, les gens t'aimeront, Ayla. Et je serai avec toi.

— Je ne sais pas... Peux-tu attendre un peu que je réfléchisse ?

— Bien sûr.

Nous ne pouvons pas entreprendre un aussi long Voyage avant le printemps, se dit-il. Si nous partions maintenant, nous pourrions passer l'hiver chez les Sharamudoï. Mais nous pouvons aussi bien le passer ici. Cela permettra à Ayla de s'habituer à cette idée.

Ils s'étaient éloignés de la rivière et étaient presque arrivés à la hauteur des steppes quand Ayla se baissa pour ramasser un objet qui lui semblait vaguement familier.

— C'est ma corne d'aurochs ! s'écria-t-elle en enlevant la terre qui recouvrait l'objet. Je l'utilisais pour transporter le feu. Je l'ai trouvée alors que je voyageais après avoir quitté le Clan... J'avais mis une braise à l'intérieur pour allumer les torches qui m'ont permis de faire fuir les chevaux vers mon premier piège. C'est la mère de Whinney qui est tombée au fond de la fosse et quand j'ai vu que les hyènes s'attaquaient à cette toute jeune pouliche, je les ai chassées et je l'ai emmenée avec moi. Il s'est passé tellement de choses depuis...

— Bien des gens transportent du feu quand ils voyagent. Mais nous, grâce aux pierres à feu, nous n'avons aucun souci à nous faire. (Il plissa le front et réfléchit un court instant avant de demander :) Nous avons tout ce qu'il nous faut pour l'hiver ?

— Tout, répondit Ayla.

— Pourquoi n'entreprenons-nous pas un Voyage ? Un court Voyage, ajouta-t-il quand il vit sa détresse. Tu n'as jamais exploré les steppes qui se trouvent à l'ouest. Nous pourrions emporter des réserves de nourriture, une tente, des fourrures, et aller faire un tour de ce côté-là. Nous n'irions pas très loin.

— Que ferons-nous de Whinney et de Rapide ?

— Nous n'avons qu'à les emmener avec nous. Nous pourrons monter Whinney de temps en temps et elle portera une partie de notre équipement et la nourriture. Ce serait amusant, Ayla. Rien que nous deux...

Ayla n'avait pas l'habitude de voyager pour le plaisir et avait un peu de mal à se faire à cette idée.

— Rien que nous deux... Pourquoi pas ? répondit-elle en songeant que ce serait peut-être une bonne idée d'explorer les steppes de l'ouest.

— Il y a moins de terre au fond, dit Ayla. Mais c'est le meilleur endroit pour une cache. Et nous pourrons utiliser les pierres qui sont tombées.

Jondalar éleva la torche qu'il tenait à la main pour éclairer le recoin où ils se trouvaient.

— Plusieurs petites caches, ce serait mieux, non ?

— Si un animal arrive à en démolir une, il n'emportera pas toutes nos réserves. Tu as raison.

Jondalar approcha la torche pour inspecter les vides entre les blocs de pierre éboulés au fond de la caverne.

— J'ai déjà examiné cet endroit et j'ai eu l'impression qu'un lion des cavernes l'avait occupé.

— Bébé s'était installé là. Et il n'était pas le premier. Elle avait déjà été occupée par des lions bien avant que je m'y installe. J'ai pensé que c'était un signe de mon totem, qu'il voulait que je m'arrête de voyager et que je passe l'hiver dans cette caverne. Jamais je n'aurais pensé que j'y resterais aussi longtemps. Aujourd'hui, je crois que mon totem voulait que j'attende ta venue. L'esprit du Lion des Cavernes t'a guidé jusqu'ici et il t'a choisi pour que tu aies un totem aussi fort que le mien.

— Je pense plutôt que c'est Doni qui me servait de guide.

— Peut-être t'a-t-Elle guidé jusqu'ici, mais je crois que l'esprit du Lion des Cavernes t'a choisi.

— Il est possible que tu aies raison. L'esprit de Doni s'incarne dans toutes les créatures, donc dans le lion des cavernes. Les desseins de la Mère sont impénétrables.

— Avoir pour totem le Lion des Cavernes n'est pas facile, Jondalar. Les épreuves auxquelles il m'a soumise étaient si difficiles que j'ai parfois pensé que j'allais en mourir. Mais la récompense était à la hauteur des difficultés. Et je pense que le plus beau cadeau qu'il m'ait fait, c'est toi, conclut-elle d'une voix douce.

Jondalar plaça la torche dans une des fentes de la paroi et prit Ayla dans ses bras. Elle répondit à son baiser avec une telle ardeur qu'il dut faire un effort pour s'écarter d'elle.

— Nous ferions mieux d'arrêter là, dit-il, sinon nous ne serons jamais prêt pour le départ. Tu me fais le même effet que la main d'Haduma...

— Qui est Haduma ? demanda Ayla.

— Une très vieille femme que nous avons rencontrée, Thonolan et moi, au début de notre Voyage. Elle était la mère de cinq générations et hautement révérée par ses descendants. Elle possédait de nombreux pouvoirs de la Mère. Les hommes croyaient que lorsqu'elle touchait leur virilité, celle-ci se redressait autant de fois qu'ils le désiraient et qu'ils pouvaient alors satisfaire toutes les femmes qu'ils voulaient. Sans avoir le pouvoir d'Haduma, certaines femmes savent comment faire pour encourager un homme. Toi, tu n'as pas besoin de ça, Ayla. Il suffit que tu sois à côté de moi pour que je te désire. Ce matin, la nuit dernière. Combien de fois hier ? Et le jour précédent ? Jamais encore je n'ai désiré une femme à ce point-là. Mais si nous recommençons, nous n'aurons jamais fini de préparer ces caches.

Ils déblayèrent les roches, se servirent d'un levier pour déplacer le plus gros bloc et commencèrent à installer les caches. Jondalar était un peu étonné qu'Ayla soit aussi silencieuse et réservée. Il en venait à se demander si son attitude n'était pas due à quelque chose qu'il aurait dit ou fait. Peut-être aurait-il dû se montrer un peu moins passionné ? Il était presque incroyable qu'elle réponde toujours positivement à ses avances.

Il savait que certaines femmes aimaient se faire prier avant de partager les Plaisirs avec un homme, même si elles en avaient autant envie que lui. Parfois, cela lui avait posé des problèmes. Mais il avait vite appris à ne pas se montrer trop passionné : pour une femme, c'était plus excitant quand un homme se faisait un peu prier.

Quand ils se mirent à ranger les réserves de nourriture au fond de la caverne, Ayla devint plus réservée encore : elle baissait souvent la tête et s'agenouillait régulièrement, comme si elle avait besoin de se reposer avant de reprendre son chargement de viande séchée ou son panier rempli de tubercules. Lorsqu'ils commencèrent à faire des allées et venues entre la plage et la caverne pour prendre des pierres destinées à recouvrir leurs réserves, elle semblait carrément bouleversée. Jondalar était sûr d'avoir commis une faute, mais il ne savait pas laquelle. En fin d'après-midi, quand il vit qu'Ayla s'escrimait rageusement sur un bloc de pierre bien trop lourd pour elle, il lui dit :

— Nous n'avons pas besoin de cette pierre, Ayla. Nous ferions mieux de nous reposer maintenant. Allons nager.

Ayla repoussa les cheveux qui lui tombaient dans les yeux, défit la longue lanière qui retenait son vêtement et retira son amulette. Jondalar éprouva aussitôt une excitation familière. C'était le cas chaque fois qu'il voyait son corps. On dirait un lion, se dit-il en admirant sa grâce nerveuse alors qu'elle plongeait dans le cours d'eau. Il s'élança derrière elle.

Nageant à contre-courant, elle frappait l'eau avec une telle violence qu'il se dit qu'elle avait besoin de passer sa colère sur quelque chose et il la laissa le distancer. Quand il la rattrapa, elle se laissait flotter sur le dos au gré du courant et semblait plus détendue. Lorsqu'elle se remit sur le ventre, Jondalar, qui se trouvait à sa hauteur, laissa courir sa main depuis ses épaules jusqu'à ses fesses douces et arrondies.

Elle fila comme une flèche et sortit de l'eau. Quand il regagna la plage, elle avait déjà remis son amulette et son vêtement en peau.

— Qu'est-ce que j'ai fait de mal ? demanda-t-il, debout en face d'elle.

— Rien, répondit-elle. C'est de ma faute. Toute la journée, j'ai essayé de t'encourager mais tu ne connais pas les gestes du Clan.

Quand Ayla était devenue une femme, Iza lui avait expliqué ce qu'elle devait faire quand elle saignait, comment se nettoyer après avoir été avec un homme, et elle lui avait aussi indiqué les gestes et les positions qui pouvaient inciter un homme à lui faire signe. Sur ce dernier point, Iza ne se faisait pas d'illusions : Ayla aurait beau utiliser ces gestes, jamais un homme du Clan ne la trouverait attirante.

— Quand tu poses tes mains sur moi d'une certaine manière ou tes lèvres sur les miennes, je sais que tu me fais signe. Mais moi, je ne sais pas comment faire pour t'encourager.

— Pour m'encourager, la seule chose que tu aies à faire c'est d'être là, Ayla.

— Ce n'est pas ce que je voulais dire... Je ne sais comment m'y prendre pour te dire que je désire partager les Plaisirs avec toi. Tu m'as dit que certaines femmes connaissaient le moyen d'encourager un homme...

— C'est ça qui t'inquiète, Ayla ? Tu veux apprendre à m'encourager ?

Elle lui répondit par l'affirmative puis baissa la tête, soudain gênée. Les femmes du Clan n'étaient jamais aussi directes. Lorsqu'elles voulaient montrer à un homme qu'elles le désiraient, elles faisaient preuve d'une retenue excessive comme si elles pouvaient à peine supporter la vue d'un mâle aussi viril — néanmoins, grâce à des coups d'œil timides et des postures innocentes qui rappelaient celle de la femelle en position pour être pénétrée, elles lui faisaient clairement comprendre qu'il était irrésistible.

— Regarde comme tu m'as encouragé ! dit-il.

Son érection était si évidente qu'Ayla eut aussitôt la preuve qu'il disait la vérité. Elle eut un sourire ravi.

— Ayla, reprit-il en la soulevant dans ses bras, le simple fait que tu sois vivante me donne envie de partager les Plaisirs avec toi. Dès que je t'ai vue, je t'ai désirée, ajouta-t-il en s'engageant dans le sentier. Tu es si attirante que tu n'as pas besoin de faire quoi que ce soit. Si tu me désires, tu n'as qu'à me le dire ou à faire comme ça, conclut-il en l'embrassant sur les lèvres.

Il entra dans la caverne et la déposa sur les fourrures de la couche. Puis il l'embrassa à nouveau, à pleine bouche. Ayla sentit son membre viril contre elle, rigide et chaud. Jondalar se releva et lui dit avec un sourire moqueur :

— Tu m'as avoué que tu avais essayé de m'encourager toute la journée. Qui te dit que tu n'y as pas réussi ?

Il fit alors un geste tout à fait inattendu.

— Jondalar ! s'écria-t-elle en lui lançant un regard stupéfait. C'est... le signal des hommes du Clan !

— Si toi, tu essaies de m'encourager avec les gestes du Clan, pourquoi n'aurais-je pas le droit de te rendre la politesse ?

— Mais... je...

Ayla était tellement stupéfaite qu'elle en bafouillait. Sans plus attendre, elle se leva, lui tourna le dos, se mit à genoux et écarta les jambes.

En imitant le geste des hommes du Clan, Jondalar ne songeait qu'à plaisanter. Mais la vue de ses fesses rondes et fermes et de son sexe rose foncé et si tentant lui sembla soudain irrésistible. Avant de se rendre compte de ce qu'il faisait, il se retrouva à genoux derrière elle et s'enfonça aussitôt dans ses chaudes profondeurs.

Dès qu'Ayla s'était retrouvée en position, elle avait repensé à Broud. Pour la première fois elle avait eu envie de se refuser à Jondalar. Mais cette posture avait beau provoquer chez elle des associations détestables, elle avait été conditionnée si jeune à obéir au signal qu'elle était incapable de passer outre.

Quand Jondalar la pénétra, elle se mit à crier, éprouvant un plaisir totalement inattendu. Grâce à cette position, le contact du membre viril de Jondalar l'excitait à d'autres endroits, provoquant des sensations toutes nouvelles. Quand Jondalar, qui s'était retiré, la pénétra de nouveau, elle se plaqua contre lui et songea soudain à l'étalon qui avait couvert Whinney. Elle éprouva une délicieuse sensation de chaleur et des picotements dans tout le corps. Elle se redressa et recula son bassin, remuant au même rythme que Jondalar, en gémissant et en poussant des cris perçants.

— Ayla ! Oh, Ayla ! Ma belle femme sauvage ! cria Jondalar sans interrompre son mouvement de va-et-vient.

Il la prit par les hanches et l'attira contre lui. Ayla se redressa pour aller à sa rencontre au moment où il s'engouffrait en elle avec un frisson de plaisir.

Ils restèrent ainsi un long moment, tremblant tous les deux. Ayla avait laissé retomber sa tête en avant. Jondalar se coucha sur le côté, l'entraînant avec lui et ils restèrent allongés sans bouger. Jondalar se lova contre elle sans se retirer, et saisit son sein dans sa main.

— Je dois reconnaître que ce signal n'est pas mal, finit-il par dire en lui mordillant l'oreille.

— Au début, je n'en étais pas sûre. Mais avec toi, Jondalar, tout est toujours très bien. Tout n'est que Plaisir...

Debout sur la corniche, Ayla appela Jondalar qui se trouvait sur la plage, puis elle lui demanda :

— Qu'est-ce que tu cherches ?

— Je regardais si je trouvais des pierres à feu.

— Ce n'est pas la peine. Celle que j'ai trouvée en premier n'est toujours pas usée. Ces pierres durent très longtemps.

— Je sais. Mais j'en ai trouvé une et je m'amusais à en chercher d'autres. Tout est prêt ?

— Nous avons tout ce qu'il nous faut, répondit Ayla en s'engageant dans le sentier. Nous ne pourrons pas rester absents longtemps. Le temps change vite à cette époque de l'année. Le blizzard peut se lever à n'importe quel moment.

Jondalar plaça les pierres qu'il venait de ramasser dans un sac, jeta un dernier coup d'œil autour de lui, puis il leva les yeux et aperçut Ayla.

— Comment es-tu habillée ? s'écria-t-il.

— Ça ne te plaît pas ?

— Bien sûr que ça me plaît ! Où as-tu trouvé ces vêtements ?

— C'est moi qui les ai fabriqués quand je faisais les tiens. J'ai suivi le même modèle, mais en l'adaptant à ma taille. Je ne savais pas si je pourrais les porter. C'est une tenue d'homme, non ?

— Oui, reconnut Jondalar. Mais les femmes portent une tenue qui ressemble beaucoup à la tienne. La tunique est un peu plus longue et les décorations légèrement différentes. Ce sont des vêtements mamutoï. J'ai perdu mes propres vêtements au moment où nous sommes arrivés à l'embouchure de la Grande Rivière Mère. Cette tenue te va très bien, Ayla. Et tu vas l'apprécier quand il commencera à faire froid.

— Je suis contente que tu l'aimes. Je voulais être habillée... à ta manière.

— Je crois que je n'ai plus rien d'un Zelandonii, Ayla. Regarde un peu de quoi nous avons l'air ! Habillés comme les Mamutoï et partant en voyage avec deux chevaux ! Whinney transporte la tente, la nourriture et des peaux de rechange. Cela me fait tout drôle de partir sans autre chargement que mes armes et un sac rempli de pierres à feu ! J'ai l'impression que si quelqu'un nous voyait, il serait plutôt surpris. Mais pas autant que moi. J'ai du mal à me reconnaître, Ayla. Tu as fait de moi un autre homme. Et je t'en aime d'autant plus.

— Moi aussi, j'ai changé, Jondalar. Et moi aussi, je t'aime.

— Allons-y, proposa-t-il.

Ayla se sentait totalement perdue à l'idée de quitter la vallée et elle éprouva le besoin de se retourner pour contempler le paysage familier.

— Regarde, Jondalar ! s'écria-t-elle. Les chevaux sont revenus ! Je ne les avais jamais revus depuis que j'ai tué la jument. Je suis contente qu'ils soient de retour. J'ai toujours pensé que c'était leur vallée.

— C'est la même troupe ?

— Je ne sais pas. L'étalon avait une robe couleur de foin, comme Whinney. Mais je ne le vois pas, cela fait si longtemps...

Whinney, elle aussi, avait remarqué les chevaux et elle hennit bruyamment. Les autres chevaux lui répondirent et Rapide dressa les oreilles. Puis la jument rejoignit Ayla, suivie par son poulain qui trottait derrière elle.

Ayla continua à suivre la rivière vers le sud jusqu'à ce qu'elle aperçoive le passage escarpé qui rejoignait les steppes. Ils traversèrent alors la rivière. Arrivés en haut de la pente, elle monta avec Jondalar sur Whinney et ils prirent la direction du sud-ouest. Le terrain devint plus accidenté : il était parsemé de canyons rocheux et dominé par des pentes abruptes qui conduisaient à des plateaux. Quand ils approchèrent d'un passage entre des blocs de rochers déchiquetés, Ayla mit pied à terre et examina avec attention le sol. Ne voyant pas d'excréments frais, elle s'engagea dans le canyon sans issue, puis escalada un des rochers qui s'étaient détachés de la paroi. Jondalar l'avait suivie et il s'approcha avec elle de l'éboulis de pierres qui se trouvait au fond du canyon.

— C'est là, dit-elle en lui tendant une petite bourse qu'elle venait de sortir de sa tunique.

Jondalar avait reconnu l'endroit.

— Qu'est-ce que c'est que ça ? demanda-t-il en prenant la bourse.

— De la terre rouge, Jondalar. Pour sa tombe.

Incapable de parler, il se contenta de hocher la tête. Ses yeux se remplirent de larmes et il ne fit aucun effort pour se retenir. Il prit une poignée d'ocre rouge qu'il dispersa au-dessus des pierres, puis il renouvela son geste. Ayla l'attendait tandis qu'il contemplait, les larmes aux yeux, l'amas de pierres. Quand il pivota pour partir, elle fit un geste au-dessus de la sépulture de Thonolan.

Ils chevauchèrent un long moment sans échanger un mot.

— Thonolan faisait partie des élus de la Mère, dit Jondalar. Elle l'a rappelé à Elle.

Ils continuèrent à avancer.

— Pourquoi as-tu fait ce geste ? demanda-t-il soudain.

— Je demandais au Grand Ours des Cavernes de le protéger lors de son voyage vers l'autre monde, de lui souhaiter bonne chance.

— Je tiens à te remercier, Ayla. Je te suis reconnaissant de l'avoir enterré et aussi d'avoir imploré l'aide des totems du Clan. C'est vrai, je suis sincère. Grâce à toi, je pense, il trouvera son chemin vers le monde des esprits.

— Tu as dit qu'il était courageux. Les braves n'ont besoin de personne pour trouver leur chemin. A mon avis, pour ceux qui sont sans peur, ce doit être une aventure excitante.

— Il était courageux et il aimait l'aventure. Et il débordait de vie, d'entrain et d'enthousiasme. Sans lui, je n'aurais pas entrepris ce Voyage. (Il resserra l'étreinte de ses bras.) Et je ne t'aurais pas rencontrée.

« C'est ce que le shamud voulait dire en parlant de mon destin. ''Il te mène là où tu n'aurais pas songé aller.'' Thonolan m'a mené vers toi... avant de rejoindre sa bien-aimée dans le monde des esprits. Je ne voulais pas qu'il s'en aille, mais je comprends maintenant pourquoi il est parti.

Ils poursuivaient leur route vers l'ouest et le paysage accidenté laissa de nouveau place à des steppes plates à perte de vue, traversées par des rivières et des torrents qui s'écoulaient du grand glacier du nord. L'eau se frayait un passage à travers de rares canyons aux hautes parois, et serpentait dans des vallées en pente douce. Les quelques arbres qui parsemaient les steppes avaient tellement de mal à pousser qu'ils étaient tout rabougris, même quand ils croissaient au bord de l'eau, et ils avaient des formes torturées, comme pétrifiés au moment où ils se courbaient pour échapper à une violente rafale.

Chaque fois qu'ils le pouvaient, Ayla et Jondalar suivaient des vallées qui leur permettaient de s'abriter du vent et de trouver du bois. Même dans ces endroits protégés, les bouleaux, les saules, les pins et les mélèzes n'étaient pas très abondants. Les animaux, eux, en revanche, pullulaient : les steppes constituaient une réserve inépuisable de bêtes de toutes sortes. Grâce aux propulseurs, Ayla et Jondalar tuaient tout le gibier qu'ils voulaient et ils ne manquaient jamais de viande fraîche. Bien souvent, ils abandonnaient derrière eux les restes du gibier aux prédateurs et aux nécrophages.

La lune avait parcouru la moitié de son cycle depuis leur départ quand Jondalar et Ayla, qui avaient chevauché toute la matinée, aperçurent dans le lointain une colline avec un soupçon de verdure. C'était une journée magnifique, chaude et sans un souffle de vent. Aiguillonné par la proximité du corps d'Ayla, Jondalar avait glissé la main sous la tunique de la jeune femme pour la caresser. Quand ils se retrouvèrent au sommet de la colline, ils aperçurent en bas une agréable vallée arrosée par une large rivière. Ils atteignirent le cours d'eau au milieu de la journée.

— Quelle direction prenons-nous ? demanda Ayla. Le nord ou le sud ?

— Ni l'une ni l'autre. Installons notre campement.

N'ayant pas l'habitude de s'arrêter aussi tôt dans la journée, Ayla allait émettre une objection. Mais quand Jondalar lui mordilla le cou en lui caressant le sein, elle changea d'avis.

— D'accord, dit-elle, trouvant l'idée excellente.

Elle passa une jambe par-dessus le dos de Whinney et se laissa glisser sur le sol. Jondalar descendit à son tour puis il l'aida à débarrasser la jument des paniers qu'elle portait pour qu'elle puisse se reposer et brouter tranquillement. Il reprit alors Ayla dans ses bras et l'embrassa en glissant à nouveau la main sous sa tunique.

— Pourquoi ne me laisses-tu pas l'enlever ? demanda-t-elle.

Elle fit glisser sa tunique par-dessus sa tête, détacha la lanière qui retenait son pantalon et le retira lui aussi. Au moment où Jondalar retirait sa tunique, il l'entendit glousser. Lorsqu'il regarda à nouveau dans sa direction, elle avait disparu. Riant toujours, Ayla plongea dans la rivière.

— J'ai envie de me baigner, dit-elle.

Jondalar eut un sourire malicieux et, après avoir retiré son pantalon, il se précipita lui aussi dans l'eau. La rivière était froide et profonde et agitée par un fort courant. Ayla, qui la remontait, nageait si vite qu'il eut du mal à la rattraper. Quand il arriva à sa hauteur, il se mit à barboter pour pouvoir l'embrasser. Ayla s'échappa en riant et se précipita vers la berge.

Jondalar fit comme elle. Mais, le temps qu'il atteigne la berge, elle était déjà sortie de l'eau et remontait la vallée en courant à toute vitesse. Il se lança à sa poursuite. Il allait la rattraper quand elle fit un brusque crochet. Jondalar se précipita derrière elle et finit par l'attraper par la taille.

— Je ne te laisserai pas t'échapper encore une fois, dit-il en la serrant contre lui. Si je continue à te pourchasser, je vais m'épuiser. Et je ne pourrai plus te donner du Plaisir, ajouta-t-il, enchanté par ses taquineries.

— Je ne veux pas que tu me donnes du Plaisir.

Stupéfait, Jondalar la lâcha.

— Tu ne veux pas que... dit-il, le front plissé par l'inquiétude.

— Je veux te donner du Plaisir.

Le cœur de Jondalar reprit son rythme normal et il la serra à nouveau dans ses bras.

— Tu me donnes toujours du Plaisir, Ayla.

— Je sais que ça te plaît de me donner du Plaisir. Mais je te parle d'autre chose. Je veux apprendre à te donner du Plaisir.

Incapable de lui résister, Jondalar la serra plus fort dans ses bras. Son membre viril était dur et il embrassa Ayla avidement. Ce fut un très long baiser.

— Je vais te montrer comment faire pour me donner du Plaisir, dit Jondalar.

Il la prit par la main et l'emmena vers un endroit tapissé d'herbe près de la rivière. Une fois installés, il l'embrassa à nouveau, puis descendit vers son cou en la poussant doucement pour qu'elle s'allonge sur le sol. Il avait atteint sa poitrine et s'apprêtait à l'effleurer du bout de la langue quand Ayla se rassit brusquement.

— Je veux te donner du Plaisir, dit-elle.

— J'éprouve une telle satisfaction chaque fois que je te donne du Plaisir que je ne vois pas très bien ce que ça changerait si c'était toi qui m'en donnais.

— Ta satisfaction serait-elle moins grande ?

Jondalar éclata de rire.

— Tout ce que tu fais me plaît, Ayla. Je t'aime, ajouta-t-il en la regardant au fond des yeux.

— Moi aussi, je t'aime, Jondalar. Surtout lorsque tu me regardes comme ça. Et plus encore peut-être quand tu me souris et quand tu ris. Personne ne riait dans le Clan. Je ne veux plus jamais vivre avec des gens qui m'interdisent de sourire ou de rire.

— Personne ne t'empêchera plus de rire, Ayla. Tu es magnifique quand tu souris. (En entendant ça, elle ne put s'empêcher de sourire.) Ayla, oh, Ayla ! murmura Jondalar en enfouissant sa tête dans son cou pour l'embrasser.

— J'aime quand tu me caresses et quand tu m'embrasses, mais je veux savoir ce qui te fait plaisir.

— Tu n'as qu'à me faire ce que tu aimes que je te fasse, lui proposa Jondalar.

— Est-ce que ça te plaira ?

— Nous pouvons toujours essayer.

Ayla le poussa pour qu'il s'allonge sur l'herbe, puis elle se pencha vers lui pour l'embrasser. Jondalar lui répondit en prenant bien garde de se maîtriser. Quand Ayla commença à effleurer son cou avec sa langue, il tressaillit.

— Est-ce que ça te plaît ? demanda-t-elle en relevant la tête pour le regarder.

— Oui, Ayla, ça me plaît.

Il disait la vérité. Il était obligé de se retenir pour ne pas répondre à ses avances et cela ne faisait qu'attiser son désir. Ses baisers légers provoquaient dans tout son corps des sensations fulgurantes. Ayla n'avait pas confiance en elle et elle était aussi inexpérimentée qu'une jeune fille qui aurait atteint la puberté mais n'aurait pas encore connu les Premiers Rites — et pour Jondalar, il n'y avait rien de plus séduisant. Des baisers aussi tendres avaient plus de pouvoir sur lui que les caresses ardentes et sensuelles d'une femme expérimentée — car ils étaient interdits.

La plupart des femmes étaient plus ou moins disponibles mais les jeunes filles qui n'avaient pas connu les Premiers Rites étaient intouchables. Et pour un homme, jeune ou vieux, il n'y avait rien de plus excitant que d'échanger en cachette des caresses avec une jeune fille inexpérimentée au fond d'une caverne. Quand une jeune fille devenait pubère juste après la Réunion d'Eté, sa mère s'arrachait les cheveux en songeant à ce qui risquait de se passer pendant la longue période qui la séparait de la prochaine Réunion. La plupart des jeunes filles avaient une expérience des Premiers Rites grâce aux baisers et aux caresses qu'elles avaient échangés avec des hommes et, pour quelques-unes, ce n'était pas la première fois — Jondalar était bien placé pour le savoir même s'il ne s'était jamais permis de divulguer pareille découverte.

Il avait toujours été attiré par les jeunes filles inexpérimentées et leur manque de pratique était pour beaucoup dans le plaisir que lui procuraient les Premiers Rites. Ayla, avec ses caresses, lui faisait le même effet. Quand elle embrassa son cou, il frémit et ferma les yeux, s'abandonnant totalement.

Ayla descendit plus bas, traçant sur son corps de larges cercles qui le chatouillaient agréablement. Pour lui, ces caresses étaient presque une torture, une torture exquise, un mélange de chatouilles et de stimulations fulgurantes. Quand Ayla s'approcha de son nombril, il lui prit la tête pour qu'elle descende plus bas, jusqu'à ce que son membre viril se retrouve contre sa joue. Sa respiration s'était accélérée et elle aussi se sentait très excitée. Incapable de supporter plus longtemps les effleurements de sa langue, Jondalar guida sa bouche vers son sexe dressé. Ayla releva la tête pour le regarder.

— Jondalar, veux-tu que je...

— Uniquement si tu en as envie, Ayla.

— Est-ce que tu aimerais ça ?

— Oui, murmura Jondalar.

— Alors j'en ai envie.

Quand il sentit qu'elle prenait son membre en érection dans sa bouche, Jondalar gémit de plaisir. Ayla explora le bout arrondi et lisse, la petite fissure et découvrit pour la première fois la douceur de cette peau si fine. Comme Jondalar gémissait sous ses caresses, cela lui donna confiance et elle commença à tracer des cercles avec la langue autour de son membre viril. Quand il cria son nom, elle s'enhardit encore, accéléra ses caresses et sentit une chaude humidité entre ses jambes.

— Oh, Doni ! Ayla ! Ayla ! Où as-tu appris à faire ça ? cria-t-il quand elle prit son membre à pleine bouche, essayant d'aller le plus loin possible.

Ayla continua à le caresser ainsi jusqu'à ce qu'elle sente qu'il désirait autre chose. Elle s'installa alors au-dessus de lui, s'empala sur son membre en érection et laissa Jondalar la pénétrer. Elle arqua le dos et sentit son Plaisir quand il s'enfonça profondément en elle.

Jondalar ouvrit les yeux pour la regarder et se sentit transporté. Le soleil qui l'éclairait par-derrière avait transformé sa chevelure en un nuage doré, ses yeux étaient fermés, sa bouche ouverte et son visage baigné d'ivresse. Elle avait le dos cambré, ses seins fermes aux aréoles légèrement plus foncées pointaient en avant et son corps souple luisait au soleil. Son membre viril, enfoui au plus profond d'elle-même, semblait prêt à céder sous l'extase.

Ayla se souleva, puis redescendit quand Jondalar leva les hanches pour venir à sa rencontre. Son désir s'enfla et devint si puissant qu'il aurait été incapable de le maîtriser même s'il l'avait voulu. Ayla se souleva une fois encore et quand elle retomba sur lui, elle sentit jaillir l'essence de son Plaisir.

Il se redressa, la tira vers lui et prit le bout de son sein dans sa bouche. Après un moment, Ayla s'allongea à côté de lui. Il se pencha alors sur elle pour l'embrasser, puis nicha sa tête entre ses deux seins. Il en suça un, puis l'autre et l'embrassa à nouveau. Puis il s'allongea à son tour, totalement détendu.

— J'aime te donner du Plaisir, Jondalar.

— Jamais aucune femme ne m'en avait donné autant.

— Mais tu aimes quand même mieux me donner du Plaisir...

— Ce n'est pas que j'aime mieux mais... Comment fais-tu pour me connaître aussi bien ?

— C'est toi qui m'as appris et tu es très doué, comme pour tailler les outils. (Ayla sourit, puis se mit à glousser.) Jondalar a deux métiers. C'est un tailleur d'outils et un faiseur-de-femmes.

Jondalar se mit à rire. Mais il riait un peu jaune. Même si Ayla plaisantait, elle se rapprochait dangereusement de la vérité. Et ce n'était pas la première fois qu'il entendait cette plaisanterie.

— Tu as raison, avoua-t-il. J'aime donner du Plaisir, j'aime ton corps... je t'aime, Ayla.

— J'aime aussi que tu me donnes du Plaisir, Jondalar. J'ai alors l'impression d'être remplie d'amour. Mais de temps en temps, moi aussi, je veux t'en donner.

— D'accord, répondit-il en riant à nouveau. Puisque tu as envie d'apprendre, je peux t'enseigner d'autres choses. Un homme et une femme peuvent se donner mutuellement du Plaisir. Je crois que maintenant c'est mon tour. Mais tu as fait ça si parfaitement que même si Haduma me touchait je ne crois pas que je me redresserais.

— Cela n'a pas d'importance, Jondalar.

— Qu'est-ce qui n'a pas d'importance ?

— Même si ta virilité ne devait jamais plus se redresser, je t'aimerais quand même.

— Ne dis pas des choses pareilles ! s'écria-t-il avec un frisson de crainte.

— Ta virilité se redressera, annonça Ayla sur un ton solennel.

Incapable de conserver son sérieux, elle se remit à glousser.

— Il y a des choses avec lesquelles il ne faut pas plaisanter, dit Jondalar d'un air faussement choqué.

Puis il éclata de rire à son tour. C'était la première fois qu'Ayla faisait de l'humour et cela lui plaisait.

— J'aime te faire rire, Jondalar. Rire avec toi est presque aussi agréable que de t'aimer. J'ai l'impression que tant que tu riras avec moi, tu ne cesseras pas de m'aimer.

— Cesser de t'aimer, Ayla ? demanda Jondalar en se redressant pour la regarder. Je t'ai attendue toute ma vie sans même savoir ce que j'attendais. Tu es tout ce que je désirais et tu dépasses même mes rêves les plus fous. Tu es vraiment une énigme fascinante. Tu es d'une franchise extraordinaire, tu ne caches jamais rien. Et pourtant, jamais je n'ai rencontré une femme plus mystérieuse que toi.

» Tu possèdes une force extraordinaire, tu es indépendante et totalement autonome. Mais cela ne t'a pas empêchée de t'agenouiller à mes pieds, sans honte, sans ressentiment, aussi naturellement qu'on s'agenouille pour honorer Doni. Tu es courageuse et tu n'as peur de rien. Tu m'as sauvé la vie, soigné pendant toute ma convalescence, tu as chassé pour moi et pourvu à tous mes besoins. Tu n'as pas besoin de moi, Ayla. Cependant, j'ai envie de te protéger et de m'assurer qu'il ne t'arrivera rien de mal.

» Je pourrais vivre toute ma vie avec toi sans réussir à vraiment te connaître. Il me faudrait plusieurs vies pour explorer tous les mystères que tu recèles. Tu possèdes la sagesse séculaire de la Mère et la fraîcheur d'esprit d'une jeune fille qui n'a pas encore connu les Premiers Rites. Et tu es la plus belle femme qu'il m'ait jamais été donné de voir. J'ai encore du mal à croire à ma chance, Ayla. Jusqu'à ce que je te rencontre, je me croyais incapable d'aimer. Maintenant je sais que c'était toi que j'attendais. Je pensais que je ne tomberais jamais amoureux et maintenant je tiens plus à toi qu'à la vie.

Ayla avait les larmes aux yeux. Jondalar embrassa ses paupières, puis il la serra contre lui, comme s'il craignait de la perdre.

Quand ils se réveillèrent le lendemain, le sol était couvert d'une fine couche de neige. Ils laissèrent retomber la peau qui se trouvait à l'entrée de la tente et retournèrent se pelotonner sous les fourrures. Une soudaine tristesse s'abattit sur eux.

— Il faut rentrer, Jondalar.

— Je suppose que tu as raison, dit-il en remarquant que la respiration d'Ayla dégageait de la buée. La saison n'est pas encore très avancée. Nous ne risquons pas d'être pris dans une tempête de neige.

— On ne sait jamais. Dans les steppes, le temps change parfois très vite.

Ils sortirent tous deux de la tente et commencèrent à lever le camp. Une grande gerboise sortit de son gîte souterrain et, debout sur ses pattes postérieures, bondit en avant. Mais elle n'alla pas loin car Ayla avait pris sa fronde. Elle souleva l'animal par la queue, une queue presque deux fois plus longue que son corps, puis saisissant ses pattes postérieures, dont l'extrémité ressemblait à un sabot, elle le lança sur son épaule pour le rapporter vers leur camp. Elle dépouilla alors l'animal et l'embrocha.

— Je suis triste de rentrer, dit-elle à Jondalar qui était en train de faire du feu. C'était vraiment... amusant. Simplement voyager et s'arrêter où on veut. Ne pas s'inquiéter de rapporter du gibier. S'arrêter à midi parce qu'on a envie de se baigner ou de partager les Plaisirs. Je suis heureuse que tu aies pensé à me proposer ça.

— Moi aussi, je suis triste que ce soit fini, Ayla. C'était bien agréable.

Jondalar se releva et se dirigea vers la rivière en ramassant du bois pour le feu, aidé par Ayla. Ils passèrent le coude que faisait le cours d'eau et s'approchèrent d'un tas de bois mort tout près de la berge. Ayla entendit soudain quelque chose. Elle leva les yeux et se rapprocha aussitôt de Jondalar.

— Holà ! lança une voix.

Un petit groupe de gens se dirigeait vers eux en faisant de grands gestes. Sentant qu'Ayla se serrait craintivement contre lui, Jondalar la prit par l'épaule pour la rassurer.

— Tout va bien, Ayla. Ce sont des Mamutoï. Je ne crois pas t'avoir dit qu'ils s'appellent aussi les chasseurs de mammouths. Ils doivent penser que nous sommes des Mamutoï.

Quand le groupe fut tout prêt, Ayla se tourna vers Jondalar.

— Ces gens, dit-elle, surprise et émerveillée, ils sourient. Ils me sourient, Jondalar !

LES CHASSEURS DE MAMMOUTHS

The Mammoth Hunters
1985
Traduit par Renée Tesnière

Pour Marshall,
qui est devenu un homme
dont on peut être fier.
Pour Beverly,
qui m'a aidée.
Pour Christopher, Brian et Mellissa,
avec tout mon amour.

1

Tremblante de peur, accrochée à l'homme qui la dominait de sa haute taille, Ayla regardait approcher les inconnus. Jondalar l'entoura d'un bras protecteur, mais elle continuait à frémir.

Un géant ! pensa Ayla, bouche bée devant l'homme qui venait en tête du groupe, l'homme à la chevelure et à la barbe couleur de flamme. Elle n'avait jamais vu personne d'aussi imposant. En comparaison, Jondalar lui-même semblait petit. Celui qui s'avançait vers eux était un colosse. Un ours. Son cou était énorme, son torse était deux fois large comme celui d'un homme ordinaire, ses biceps massifs auraient pu rivaliser avec des cuisses normales.

Ayla leva les yeux vers Jondalar et ne vit aucune crainte sur son visage, mais son sourire était réservé. Ces gens étaient des inconnus, et, au cours de ses longues pérégrinations, il avait appris à se méfier des inconnus.

— Je ne me rappelle pas vous avoir déjà vus, déclara le géant, sans préambule. De quel Camp venez-vous ?

Il ne s'exprimait pas dans la langue de Jondalar, remarqua Ayla, mais dans l'une de celles qu'il lui avait enseignées.

— Nous ne venons d'aucun Camp, répondit Jondalar. Nous ne sommes pas des Mamutoï.

Il se détacha d'Ayla, fit un pas en avant, les deux mains tendues, paumes en dehors pour montrer qu'il ne cachait rien, dans le traditionnel geste d'amitié.

— Je suis Jondalar, des Zelandonii.

Ses mains ne furent pas acceptées.

— Zelandonii ? C'est étrange... Attends un peu. N'y avait-il pas deux étrangers chez ce peuple de la rivière qui vit vers le couchant ? Le nom que j'ai entendu ressemblait à celui-ci, il me semble.

— C'est vrai, mon frère et moi, nous avons vécu chez eux, admit Jondalar.

L'homme à la barbe flamboyante demeura un instant pensif, avant de se jeter, dans un élan inattendu, sur Jondalar pour enfermer le grand jeune homme blond dans une étreinte à lui rompre les os. Un large sourire illuminait son visage.

— Alors, nous sommes parents ! s'écria-t-il de sa voix puissante. Tholie est la fille de mon cousin !

Jondalar, un peu ébranlé, retrouva néanmoins son sourire.

— Tholie ! Une femme mamutoï nommée Tholie était la seconde compagne de mon frère ! Elle m'a enseigné ton langage.

— C'est bien ce que je te disais ! Nous sommes parents.

Le géant saisit les mains tendues en signe d'amitié, qu'il avait d'abord dédaignées.

— Je suis Talut, chef du Camp du Lion.

Tout le monde souriait, remarqua Ayla. Talut la gratifia d'une grimace amicale, avant de l'examiner d'un œil connaisseur.

— Tu ne voyages plus avec ton frère, je vois, dit-il à Jondalar.

Celui-ci reprit la jeune femme par la taille. Elle vit une ombre de souffrance assombrir son visage.

— Voici Ayla.

— C'est un nom peu commun. Est-elle du peuple de la rivière ?

La brusque question déconcerta Jondalar, mais il se souvint de Tholie et sourit intérieurement. La petite femme trapue qu'il connaissait ressemblait assez peu à la masse humaine qui se dressait au bord de la rivière, mais ils étaient tous deux taillés dans la même roche : ils avaient les mêmes manières abruptes, la même candeur presque ingénue. Il ne savait que dire. Il allait être difficile d'expliquer qui était Ayla.

— Non. Elle vivait dans une vallée, à quelques jours de marche d'ici.

Talut parut intrigué.

— Je n'ai jamais entendu parler d'une femme de ce nom qui vivait dans les parages. Tu es sûr qu'elle n'est pas mamutoï ?

— J'en suis sûr.

— Alors, quel est son peuple ? Nous autres, les Chasseurs de Mammouths, nous sommes les seuls à habiter cette région.

— Je n'ai pas de peuple, déclara Ayla.

Elle pointait le menton d'un air de défi.

Talut posa sur elle un regard pénétrant. Elle s'était exprimée dans son langage, mais le timbre de sa voix, sa prononciation étaient bizarres. Pas désagréables, mais bizarres. Jondalar avait un accent étranger. La différence, chez Ayla, allait plus loin que l'accent. Talut sentait son intérêt s'éveiller.

— Eh bien, fit-il, ce n'est pas l'endroit pour parler. Nezzie va faire fondre sur moi toute la colère de la Mère elle-même si je ne vous invite pas à séjourner chez nous. Les visites apportent de l'animation, et nous n'en avons pas eu depuis un certain temps. Le Camp du Lion aimerait vous accueillir, Jondalar des Zelandonii et Ayla de Nulle Part. Voulez-vous m'accompagner ?

— Qu'en dis-tu, Ayla ? Acceptes-tu l'invitation ? demanda Jondalar.

Il s'exprimait en zelandonii, afin de lui permettre de répondre en toute franchise, sans crainte d'offenser ces inconnus.

— Le temps n'est-il pas venu pour toi de rencontrer des gens de ta race ? N'est-ce pas ce qu'Iza t'avait recommandé de faire ? Retrouver les tiens ?

Il ne voulait pas avoir l'air d'insister, mais cette visite le tentait.

Elle fronçait les sourcils d'un air indécis.

— Je n'en sais rien. Que vont-ils penser de moi ? Il voulait savoir qui était mon peuple. Je n'ai plus de peuple. Et si je ne leur plais pas ?

— Tu leur plairas, Ayla, crois-moi, j'en suis sûr. Talut t'a invitée, n'est-ce pas ? Peu lui importe que tu n'aies pas de peuple. Par ailleurs, si tu ne leur en donnes pas l'occasion, tu ne sauras jamais s'ils t'acceptent, ou s'ils te plaisent. C'est parmi des gens comme eux que tu aurais dû grandir, tu le sais. Nous ne sommes pas obligés de rester longtemps. Nous pourrons partir quand nous le voudrons.

— C'est vrai ?

— Mais oui.

Ayla baissa les yeux. Elle s'efforçait de prendre une décision. Elle avait envie d'aller avec eux. Elle se sentait attirée vers ces gens, elle était curieuse d'en savoir plus sur eux, mais la peur lui serrait l'estomac. Elle releva les paupières, vit les deux chevaux des steppes au poil rude qui paissaient l'herbe grasse de la plaine, près de la rivière. Sa peur s'intensifia encore.

— Et Whinney ? Qu'allons-nous faire d'elle ? Et s'ils voulaient la tuer ? Je ne laisserai personne faire du mal à Whinney !

Jondalar n'avait pas songé à Whinney. Qu'allaient penser ces gens ? se demanda-t-il.

— Je ne sais comment ils réagiront, Ayla, mais je ne crois pas qu'ils la tueront si nous leur disons que ce n'est pas une jument comme les autres, et qu'il ne faut pas la manger.

Il se souvenait de sa surprise et de sa crainte respectueuse lorsqu'il avait découvert les relations entre Ayla et la jument. Il serait intéressant de voir les réactions de ces gens.

— J'ai une idée, ajouta-t-il.

Talut ne comprenait pas ce que se disaient Ayla et Jondalar, mais la femme était réticente, il le sentait, et l'homme essayait de la convaincre. Il remarqua aussi qu'elle avait encore un accent étrange, même dans la langue de Jondalar. Sa langue à lui. Pas la sienne, se dit-il.

Il prenait un certain plaisir à réfléchir à l'énigme que présentait cette jeune femme. Il aimait ce qui était nouveau, inhabituel. L'inexplicable était pour lui une provocation. Mais le mystère prit soudain une tout autre dimension. Ayla émit un sifflement aigu, prolongé. Tout à coup, une jument couleur de foin et un poulain d'un brun profond arrivèrent au galop parmi eux, ils filèrent tout droit vers la jeune femme, s'immobilisèrent et se laissèrent flatter ! Le géant réprima un frisson. Le spectacle dépassait tout ce qu'il avait jamais vu !

Etait-elle une Mamut ? se demandait-il avec une appréhension grandissante. Un être doué de pouvoirs particuliers ? Beaucoup de Ceux Qui Servent la Mère prétendaient avoir recours à la magie pour appeler les animaux et conduire la chasse, mais il n'avait jamais connu personne dont l'autorité sur les animaux était assez forte pour qu'ils viennent sur un simple signal. Cette fille avait un talent unique. C'était un peu effrayant... mais il fallait songer au bénéfice que pourrait retirer un Camp d'un tel don. La chasse deviendrait si facile !

Au moment précis où Talut se remettait de ce premier choc, Ayla lui en asséna un second. Elle s'accrocha à la crinière hirsute de la jument et, d'un bond, l'enfourcha. Le géant demeura bouche bée en voyant la femme et la bête se lancer au galop le long de la rivière. Le poulain les suivait. Sans même ralentir, ils gravirent la pente qui menait aux steppes. Dans le regard de Talut se lisait un émerveillement partagé par le reste de la troupe et, particulièrement, par une fillette d'une douzaine d'années. Elle se rapprocha de Celui Qui Ordonne, se pressa contre lui, comme pour trouver un soutien.

— Comment a-t-elle fait, Talut ? demanda-t-elle, d'une petite voix où perçait une pointe d'envie. Ce petit cheval, il était si près de moi. J'aurais presque pu le toucher.

Le visage de Talut s'adoucit.

— Il faudra le lui demander, Latie. Ou peut-être à Jondalar, ajouta-t-il en se tournant vers le grand étranger.

— Je n'en sais trop rien moi-même, répondit celui-ci. Ayla sait s'y prendre avec les animaux. Elle a eu Whinney toute jeune.

— Whinney ?

— C'est le nom qu'elle a donné à la jument. Quand elle le prononce, on croirait entendre hennir un cheval. Le poulain s'appelle Rapide. C'est moi qui l'ai nommé : Ayla me l'a demandé. En zelandonii, le mot s'applique à quelqu'un qui court très vite. La première fois que j'ai vu Ayla, elle aidait la jument à le mettre au monde.

— Ça devait valoir la peine d'être vu ! fit l'un des compagnons de Talut. Je n'aurais pas cru qu'une jument se laisserait approcher en un pareil moment.

La démonstration d'Ayla produisait l'effet escompté par Jondalar. Il jugea le moment venu de parler de l'inquiétude de la jeune femme.

— Elle aimerait séjourner quelque temps dans votre Camp, je crois, Talut, mais elle craint que vous ne considériez ses chevaux comme tous les autres, comme du gibier. Et, comme les hommes ne leur font pas peur, ils se laisseraient tuer.

— Pour ça, oui. Tu as dû deviner ma pensée. Mais comment faire autrement ?

Talut regardait Ayla revenir vers eux. Elle avait l'air de quelque être étrange, mi-humain, mi-cheval. Il se félicitait de n'être pas tombé sur elle à l'improviste. Le spectacle l'aurait... dérouté. Il se demanda un instant ce qu'il éprouverait sur le dos d'un cheval, et s'il serait aussi impressionnant. Mais, en s'imaginant à califourchon sur l'un de ces chevaux des steppes, solides mais assez petits, comme Whinney, il éclata d'un rire sonore.

— Je serais capable de porter cette jument plus facilement qu'elle ne pourrait me porter ! dit-il.

Jondalar se mit à rire lui aussi. Il n'avait pas eu grand peine à suivre les pensées de Talut. Plusieurs, parmi les assistants, sourirent. Ils devaient tous s'être imaginés à cheval, se dit Jondalar. Cela n'avait rien de surprenant : lui-même avait eu la même idée, la première fois qu'il avait vu Ayla sur le dos de Whinney.

Ayla avait lu la surprise et le bouleversement sur les visages du petit groupe. Si Jondalar ne l'avait pas attendue, elle aurait poursuivi son chemin pour regagner sa vallée. N'avait-elle pas au cours de ses jeunes années, assez souvent subi la désapprobation pour des actions inacceptables ? Et, depuis, au cours de son existence solitaire, elle avait joui d'une liberté assez grande pour n'avoir pas envie de se soumettre aux critiques si elle suivait ses inclinations personnelles. Elle était toute prête à déclarer à Jondalar qu'il pouvait faire un séjour chez ces gens, si bon lui semblait. Quant à elle, elle repartait chez elle.

Mais, lorsqu'elle les rejoignit, elle vit Talut : il riait encore de l'image qu'il s'était faite de lui-même sur le dos d'un cheval. Alors, elle réfléchit. Le rire lui était devenu précieux. On ne lui avait pas permis de rire, du temps où elle vivait avec le Clan : cela rendait les gens nerveux, mal à l'aise. S'il lui était arrivé de rire à haute voix, c'était seulement avec Durc, en secret. Bébé et Whinney lui avaient appris à y prendre plaisir, mais Jondalar était le premier être humain avec qui elle avait pu se laisser aller à rire ouvertement.

Elle contemplait l'homme qui s'esclaffait avec Talut. Il leva les yeux, lui sourit. La magie de ses yeux d'un bleu incroyablement vif vint éveiller au plus profond d'elle-même une chaude vibration, et elle sentit monter une énorme vague d'amour pour lui. La seule pensée de vivre sans lui lui serrait la gorge à l'étrangler et faisait monter à ses yeux la brûlure de larmes retenues.

En revenant vers eux, elle constata que, si Jondalar n'avait pas la stature de l'homme aux cheveux de flamme, il était presque aussi grand et mieux découpé que les trois autres hommes. Non, se reprit-elle, l'un d'eux était encore un adolescent. Et n'y avait-il pas une fillette, avec eux ? Elle se surprit à observer le groupe à la dérobée : elle ne voulait pas les dévisager.

Les mouvements de son corps transmirent à Whinney l'ordre de s'arrêter. Elle passa une jambe par-dessus l'encolure, se laissa glisser au sol. Les deux chevaux réagirent avec nervosité à l'approche de Talut. Elle flatta la jument, passa un bras autour du cou de Rapide. La présence familière la réconfortait, comme les rassurait la sienne.

— Ayla de Nulle Part... commença le chef.

Il ne savait trop si c'était ainsi qu'il devait s'adresser à elle, mais, pour une femme dotée de pouvoirs aussi mystérieux, c'était bien possible.

— Jondalar me dit que tu crains pour la vie de ces chevaux, si tu viens chez nous. Je le déclare ici, aussi longtemps que Talut sera l'Homme Qui Ordonne du Camp du Lion, il n'arrivera aucun mal à cette jument ni à son petit. J'aimerais que tu nous accompagnes avec tes chevaux.

Son sourire s'élargit, devint un rire.

— Autrement, personne ne nous croira !

Elle se sentait maintenant plus détendue, et elle savait que cette visite ferait plaisir à Jondalar. Elle n'avait aucune véritable raison de refuser. Mieux encore, le rire spontané, amical du géant l'attirait.

— Oui, je viens, dit-elle.

Talut hocha la tête en souriant. Il s'interrogeait à son propos : sur son curieux accent, sur son impressionnant pouvoir sur les animaux. Qui donc était Ayla de Nulle Part ?

Après avoir installé leur campement au bord de la rivière au cours torrentueux, Ayla et Jondalar avaient décidé, ce matin-là, avant leur rencontre avec le groupe du Camp du Lion, qu'il était temps de rebrousser chemin. Le cours d'eau était trop large pour être traversé sans difficulté, et l'effort n'en valait pas la peine s'ils devaient revenir sur leurs pas. La région des steppes, à l'est de la vallée où Ayla avait vécu en solitaire trois années durant, était plus accessible. La jeune femme ne s'était pas souvent donné la peine de prendre le chemin plus long et difficile qui menait vers l'ouest. La région ne lui était pas familière. Au départ, ils avaient pris cette direction mais ils n'avaient en tête aucune destination précise. Finalement, ils avaient obliqué vers le nord, puis vers l'est, et ils s'étaient aventurés beaucoup plus loin qu'elle ne l'avait jamais fait au cours de ses chasses.

Jondalar avait insisté pour lui faire entreprendre cette expédition afin de l'habituer à voyager. Il avait l'intention de la ramener chez lui, mais son pays se trouvait bien loin de là, vers le soleil couchant. Elle s'était montrée hésitante, craintive, à l'idée de quitter l'asile de sa vallée pour aller vivre dans des lieux inconnus avec des gens inconnus. Pour sa part, malgré sa hâte de revoir les siens, après tant d'années de pérégrinations, il s'était résigné à passer l'hiver avec elle. Le voyage de retour serait bien long — une année entière, sans doute. Mieux valait, de toute manière, partir à la fin du printemps. Mais, le moment venu, il était convaincu qu'il parviendrait à la décider à l'accompagner. Il se refusait même à envisager une autre possibilité.

Au début de la saison chaude qui vivait maintenant ses derniers jours, Ayla l'avait découvert, cruellement blessé, presque mourant, et elle connaissait la tragédie qu'il avait vécue. Ils s'étaient épris l'un de l'autre pendant que, par ses soins diligents, elle le ramenait à la santé. Il leur avait fallu néanmoins très longtemps pour surmonter les barrières que dressaient entre eux les énormes différences de culture et d'éducation. Ils en étaient encore à apprendre leurs manières et leurs mentalités respectives.

Ayla et Jondalar achevèrent de lever leur camp et, à la vive surprise mêlée d'intérêt de ceux qui les attendaient, ils chargèrent tout leur équipement sur le dos de la jument, au lieu de le répartir dans des hottes ou dans des sacs qu'ils auraient dû porter eux-mêmes. Il leur était arrivé de monter à deux sur le dos du solide animal, mais Ayla pensa que Whinney et son poulain seraient moins nerveux s'ils la voyaient à côté d'eux. Ensemble, ils se mirent en marche derrière le petit groupe de leurs nouveaux compagnons. Jondalar menait Rapide par une longue corde attachée à un licou de son invention. Whinney suivait Ayla en toute liberté.

Ils longèrent la rivière sur une assez longue distance, à travers une large vallée dont les pentes descendaient des plaines herbeuses environnantes. De chaque côté, de hautes tiges chargées d'épis mûrs se gonflaient en vagues dorées au rythme d'un souffle glacial qui venait par instants des massifs glaciers du nord. Sur la vaste étendue des steppes, quelques sapins, quelques bouleaux tordus et rabougris se blottissaient au long des cours d'eau, afin d'y puiser l'humidité qu'absorbaient les vents desséchants. Près de la rivière, roseaux et massettes étaient encore verts, en dépit d'une bise qui faisait crépiter les branches dénudées des arbres à feuilles caduques.

Latie traînait un peu les pieds. Elle lançait de temps à autre un coup d'œil vers les chevaux et vers l'étrangère. Mais quand plusieurs autres personnes apparurent, après un coude de la rivière, elle s'élança : elle voulait être la première à annoncer l'arrivée de visiteurs. A ses cris, les gens se retournèrent et restèrent bouche bée.

D'autres émergeaient de ce qui apparut aux yeux d'Ayla comme un grand trou ouvert dans la berge de la rivière. Une grotte, peut-être, mais comme elle n'en avait encore jamais vu. Elle semblait émerger de la pente qui descendait vers l'eau, mais sans rien emprunter aux lignes naturelles du rocher ni de la terre. De l'herbe poussait sur son toit, mais l'entrée avait une forme trop régulière qui faisait une étrange impression : c'était une voûte parfaitement symétrique.

Soudain, au plus profond d'elle-même, une idée frappa la jeune femme. Ce n'était pas une grotte, et ces gens n'étaient pas le Clan ! Ils ne ressemblaient pas à Iza, la seule mère dont elle gardât le souvenir. Pas davantage à Creb ou à Brun, petits et musclés, avec leurs grands yeux embusqués sous des orbites saillantes, leur front fuyant, leur mâchoire proéminente dépourvue de menton. C'était à elle qu'ils ressemblaient, ces gens-là. Aux êtres dont elle était née. Sa mère, sa vraie mère, avait sans doute été semblable à l'une de ces femmes. Ces gens-là étaient les Autres ! Ils vivaient dans cet endroit ! La révélation lui apporta tout ensemble une bouffée d'excitation et un frisson de crainte.

Un silence ébahi accueillit les étrangers — et leurs chevaux plus étranges encore — lorsqu'ils parvinrent à ce qui était, en hiver, la résidence permanente du Camp du Lion. Brusquement, tout le monde se mit à parler en même temps.

— Talut ! Que nous apportes-tu, cette fois ? Où as-tu trouvé ces chevaux ? Qu'as-tu bien pu leur faire ? De quel Camp viennent ceux-là, Talut ?

La troupe bruyante se pressait, dans un désir commun de voir, de toucher ces deux êtres humains et leurs bêtes. Ayla était désorientée, affolée. Elle n'était pas habituée à un tel nombre de curieux. Moins encore à des gens qui parlaient à haute voix et tous ensemble. Whinney esquivait, agitait les oreilles. La tête dressée, l'encolure arquée, elle s'efforçait de protéger son poulain effrayé et d'éviter ceux qui l'entouraient de plus en plus près.

Jondalar voyait bien la détresse d'Ayla, la nervosité des chevaux mais il ne pouvait les faire comprendre à Talut et à ses compagnons. Couverte de sueur, la jument battait de la queue, dansait en rond. Soudain, elle n'y tint plus. Avec un hennissement de peur, elle se cabra, lança en avant ses durs sabots. Les curieux reculèrent.

L'attention d'Ayla se porta sur l'agitation de Whinney. Elle l'appela par son nom, dans ce qui ressemblait à un bref hennissement réconfortant, et, par les signes dont elle s'était servi pour communiquer avec Jondalar, avant qu'il lui eût appris à parler, lui adressa un message.

— Talut ! Personne ne doit porter la main sur les chevaux avant qu'Ayla le permette ! Elle seule peut en venir à bout. Ils sont très doux, mais la jument peut devenir dangereuse si on l'irrite, ou si elle croit son poulain menacé, dit Jondalar.

— Reculez ! Vous l'avez entendu, clama Talut, d'une voix tonnante qui fit taire toutes les autres.

Quand bêtes et gens se furent calmés, il reprit d'un ton plus normal :

— La femme s'appelle Ayla. Je lui ai promis qu'il n'arriverait rien aux chevaux si elle venait séjourner chez nous. Je l'ai promis en ma qualité de chef du Camp du Lion. Voici Jondalar, des Zelandonii, mon parent : il est le frère du second époux de Tholie.

Il ajouta, avec un sourire satisfait :

— Talut a amené des visiteurs !

Il y eut des signes d'approbation.

Les gens faisaient cercle. Ils regardaient les nouveaux arrivants avec une franche curiosité mais se tenaient assez loin pour éviter les sabots de la jument. Même si les étrangers étaient partis en cet instant, ils avaient déjà éveillé assez d'intérêt et fourni assez de sujets de conversation pour les années à venir. Lors des Réunions d'Eté, on avait parlé de la présence dans la région de deux étrangers qui vivaient avec le peuple de la rivière, vers le sud-ouest. Les Mamutoï commerçaient avec les Sharamudoï, et, comme Tholie, une parente, avait choisi un homme de la rivière, l'information avait intéressé au premier chef le Camp du Lion. Mais jamais ils ne se seraient attendus à voir l'un de ces étrangers se présenter dans leur Camp, surtout pas en compagnie d'une femme qui exerçait sur les chevaux une sorte de pouvoir magique.

— Tout va bien ? demanda Jondalar à Ayla.

— Ils ont effrayé Whinney, et Rapide aussi. Les gens parlent-ils toujours ensemble ainsi ? Hommes et femmes en même temps ? On ne comprend plus rien. Et ils parlent si fort : comment reconnaître les voix ? Nous aurions peut-être dû retourner à la vallée.

Elle tenait la jument par l'encolure, se serrait contre elle, pour la rassurer et se rassurer en même temps.

Ayla, Jondalar le sentait, éprouvait la même angoisse que les chevaux. En voyant tous ces gens se presser autour d'elle, elle avait reçu un choc. Sans doute ne devraient-ils pas rester trop longtemps. Peut-être vaudrait-il mieux lier d'abord connaissance avec deux ou trois personnes seulement, jusqu'au moment où elle s'accoutumerait de nouveau à cette race qui était la sienne. Mais il se demandait ce qu'il ferait si elle ne s'habituait pas. Enfin, ils étaient là, à présent. Restait à voir ce qui allait se passer.

— Il arrive que les gens parlent très fort tous à la fois, mais, généralement, une seule personne prend la parole à un moment donné. Et ils vont être prudents avec les chevaux, maintenant, je crois, affirma-t-il.

Elle avait entrepris de décharger la jument des paniers assujettis sur ses flancs par un harnais de son invention, fait de lanières de cuir.

Pendant qu'elle s'occupait ainsi, Jondalar prit Talut à part. Ayla et les chevaux, lui dit-il, étaient un peu nerveux. Il leur faudrait quelque temps pour s'habituer à tout ce monde.

— Il vaudrait mieux les laisser seuls un moment, ajouta-t-il.

Talut acquiesça. Il alla de l'un à l'autre des habitants du Camp, leur dit quelques mots à chacun. Ils se dispersèrent, se remirent à leurs tâches quotidiennes : en préparant le repas, en travaillant le cuir, en façonnant des outils, ils pouvaient observer à la dérobée ce qui se passait. Eux aussi, d'ailleurs, étaient un peu mal à l'aise. Voir des étrangers était intéressant, mais une femme dotée d'un tel pouvoir magique pouvait se comporter de manière inattendue.

Seuls demeurèrent quelques enfants, mais leur présence ne troublait pas Ayla. Elle n'avait pas vu d'enfants depuis des années, depuis son départ du Clan, et la curiosité était réciproque. Elle débarrassa la jument de son harnais, le poulain de son licou, les flatta, les caressa tour à tour. Elle venait de gratter longuement Rapide et de le serrer affectueusement contre elle quand, en levant les yeux, elle vit le regard avide de Latie fixé sur le poulain.

— Tu veux toucher cheval ? demanda-t-elle.

— Je peux ?

— Viens. Donne main. Je montre.

Elle prit la main de Latie, la posa sur le rude poil d'hiver du jeune animal. Rapide tourna la tête pour flairer la fillette et lui poser le nez sur l'épaule.

Le sourire de gratitude de Latie fut le plus beau des cadeaux.

— Je lui plais !

— Aime gratter aussi. Comme ça.

Ayla lui montra les endroits où le poulain éprouvait des démangeaisons. Latie était débordante de joie. Rapide était ravi et le montrait clairement. Ayla se détourna pour aider Jondalar et ne prêta pas attention à l'approche d'un autre enfant. Quand elle fit volte-face, elle réprima un cri, sentit le sang se retirer de son visage.

— Tu veux bien que Rydag touche le cheval ? demanda la fillette. Il ne peut pas parler, mais je sais qu'il en a envie.

Latie était accoutumée à la surprise des nouveaux venus devant Rydag.

— Jondalar ! appela Ayla, dans un rauque murmure. Cet enfant, il pourrait être mon fils ! Il ressemble à Durc !

Son compagnon se retourna, ses yeux s'agrandirent de stupeur. C'était un enfant d'esprits mêlés.

Pour la plupart des gens, les Têtes Plates — les êtres qu'Ayla appelait toujours le Clan — étaient des animaux, et beaucoup considéraient les enfants semblables à celui-ci comme des monstres, mi-humains, mi-bêtes. Jondalar avait été atterré lorsqu'il avait compris que la jeune femme avait donné naissance à un être de cette sorte. La mère d'un tel enfant était généralement rejetée. On la chassait, de peur qu'elle n'attirât de nouveau le mauvais esprit animal et n'amenât d'autres femmes à donner naissance à de tels monstres. Certains se refusaient même à admettre leur existence. Découvrir là un de ces enfants, parmi des gens normaux, était plus qu'une surprise. C'était un véritable choc. D'où venait donc ce petit garçon ?

Ayla et l'enfant se dévisageaient. Ils n'avaient plus conscience de ce qui les entourait. Il est bien maigre, pour un petit qui appartient pour moitié au Clan, pensait Ayla. Ils sont le plus souvent bien charpentés et musclés. Durc lui-même était plus solide. Il est malade, lui disait son œil exercé de guérisseuse. Il s'agissait d'un mal de naissance, qui concernait le muscle vigoureux qui battait et palpitait dans la poitrine pour entraîner le sang. Mais elle enregistrait tous ces signes sans y penser. Son attention se concentrait sur le visage de l'enfant, sur la forme de sa tête, afin de découvrir les ressemblances et les différences entre lui et son propre fils.

Les grands yeux bruns, intelligents, étaient pareils à ceux de Durc, ils exprimaient la même antique sagesse, bien au-delà de son âge. Mais ils contenaient aussi une douleur, une souffrance qui n'étaient pas seulement physiques, et que Durc n'avait jamais connues. Ayla avait la gorge serrée, elle était envahie de compassion. Les orbites de cet enfant étaient moins prononcées, décida-t-elle. Même lorsqu'elle était partie, Durc, à trois ans, montrait au-dessus de ses yeux des saillies osseuses déjà très développées. Ces caractéristiques lui venaient du Clan, mais son front ressemblait à celui de cet enfant : ni fuyant ni aplati comme ceux du Clan, mais haut et bombé comme celui d'Ayla.

Ses pensées s'égarèrent. Durc aurait maintenant six ans, se dit-elle. Il avait l'âge d'accompagner les hommes quand ils s'entraînaient avec leurs armes de chasse. Mais c'était Brun, et pas Broud, qui devait être son professeur. La colère la prenait, au souvenir de Broud. Jamais elle n'oublierait que le fils de la compagne de Brun avait entretenu la haine qu'il ressentait à son égard, jusqu'au jour où, par pure méchanceté, il avait pu lui prendre son enfant et la faire chasser du Clan. Elle ferma les yeux : le souvenir lui était comme un coup de couteau en plein cœur. Elle se refusait à croire qu'elle ne reverrait jamais son fils.

Elle ouvrit les yeux, vit Rydag, reprit longuement son souffle.

Je me demande quel âge a ce petit. Il n'est pas bien grand mais il ne doit pas être beaucoup moins âgé que Durc. Rydag avait le teint clair, ses cheveux étaient sombres et frisés mais plus légers, plus doux que les chevelures crépues qui se rencontraient le plus souvent dans le Clan. La différence essentielle entre cet enfant et son fils résidait dans son menton et son cou. Durc possédait un long cou, comme le sien : il s'étranglait parfois en avalant, ce qui n'arrivait jamais aux jeunes enfants du Clan. Il avait aussi un menton un peu fuyant mais bien formé. Celui-ci avait un cou trop court, et aussi une mâchoire trop saillante. Latie, se rappela-t-elle, avait dit qu'il était incapable de parler.

Tout à coup, dans un éclair de compréhension, elle sut ce que devait être la vie de ce jeune être. Il pouvait être difficile, pour une petite fille de cinq ans qui avait perdu ses parents dans un tremblement de terre et qui avait été recueillie par un clan pour lequel le langage articulé était pratiquement impossible, d'apprendre les signes par lesquels ces gens communiquaient. Mais combien plus difficile encore de vivre parmi des gens qui parlaient, sans posséder la parole. Elle se rappelait la tension qui l'avait habitée les premiers temps, quand elle était incapable de communiquer avec les gens qui l'avaient recueillie. Par la suite, il lui avait été plus douloureux encore de ne pouvoir se faire comprendre de Jondalar avant d'avoir réappris à parler. Mais si elle n'avait pas possédé cette faculté d'apprendre... ?

Elle fit un signe à l'enfant, l'un des simples gestes de salut, parmi les premiers qu'on lui avait enseignés si longtemps auparavant. Elle surprit dans ses yeux une lueur d'intérêt, mais il secoua la tête et parut perplexe. Jamais, comprit-elle, il n'avait appris le langage par signes du Clan, mais il devait avoir en lui les vestiges de la mémoire du Clan. Un bref instant, elle en était sûre, il avait reconnu le signe.

— Rydag peut toucher le petit cheval ? répéta Latie.

— Oui, répondit Ayla.

Elle prit la main du petit garçon. Il est si maigre, si frêle, pensa-t-elle. Elle comprit alors tout le reste. Il ne pouvait pas courir, comme les autres enfants. Il ne pouvait pas se livrer à leurs jeux brutaux. Il ne pouvait que les regarder et les envier.

Avec une tendresse que Jondalar n'avait encore jamais lue sur son visage, Ayla souleva Rydag pour l'asseoir sur le dos de Whinney. Elle fit signe à la jument de la suivre et leur fit faire lentement le tour du Camp. Les conversations s'interrompirent : tout le monde ouvrait de grands yeux au spectacle de Rydag à cheval. Mis à part Talut et les quelques personnes qui avaient rencontré le couple et les animaux près de la rivière, on n'avait encore jamais vu personne monter à cheval. On n'avait jamais même envisagé une telle idée.

Une forte matrone émergea de l'étrange habitation. A la vue de Rydag installé sur le dos de la jument qui s'était cabrée dangereusement près d'elle, elle fut d'abord portée à courir à son aide. Mais, en approchant, elle prit conscience du spectacle silencieux qui se jouait devant elle.

L'enfant avait une expression émerveillée, ravie. Combien de fois avait-il suivi d'un regard d'envie les activités des autres enfants, que sa faiblesse, son aspect physique différent l'empêchaient d'imiter ? Combien de fois avait-il souhaité pouvoir se faire admirer, envier ? Maintenant, pour la première fois, petits et grands le suivaient d'un regard admiratif et jaloux.

La femme voyait tout cela et s'en étonnait. Cette étrangère avait-elle vraiment compris si vite l'enfant ? L'avait-elle si vite accepté ? Elle surprit le regard d'Ayla fixé sur Rydag et elle sut qu'elle ne se trompait pas.

Ayla saisit ce regard de la matrone, elle la vit lui sourire. Elle lui sourit en retour, s'arrêta près d'elle.

— Tu as rendu Rydag très heureux, dit la femme.

Elle tendait les bras au petit garçon que l'étrangère blonde soulevait.

— C'est peu, dit Ayla.

La femme hocha la tête.

— Je m'appelle Nezzie.

— Mon nom est Ayla.

Toutes deux se dévisagèrent prudemment, sans hostilité, mais comme pour tâter le terrain en vue de relations futures.

Les questions qu'elle avait envie de poser à propos de Rydag se bousculaient dans l'esprit de la jeune femme. Pourtant, elle hésitait. Etait-il convenable de les formuler ? Nezzie était-elle la mère de ce petit ? Dans ce cas, comment avait-elle donné naissance à un enfant d'esprits mêlés ? Le problème qui la tourmentait depuis la naissance de Durc revenait l'assaillir. Comment la vie commençait-elle ? Une femme en reconnaissait la présence uniquement quand son corps changeait, à mesure que grossissait l'enfant. Mais comment s'introduisait-il à l'intérieur d'une femme ?

Creb et Iza croyaient qu'une nouvelle vie commençait quand une femme absorbait les esprits totémiques d'un homme. Jondalar pensait que la Grande Terre Mère mêlait les esprits d'un homme et d'une femme et les introduisait à l'intérieur de la femme lorsqu'elle devenait grosse. Mais Ayla s'était formé sa propre opinion. Elle avait remarqué chez son fils certaines de ses propres caractéristiques et certaines autres du Clan. Elle avait alors compris qu'aucune vie ne s'était développée en elle jusqu'au jour où Broud l'avait pénétrée de force.

Elle frissonna à cet affreux souvenir. Elle en était arrivée à la certitude que, lorsqu'un homme mettait son organe dans l'endoit où les enfants se formaient, quelque chose incitait la vie à commencer à l'intérieur d'une femme. Jondalar, quand elle lui en avait parlé, avait trouvé l'idée étrange. Il avait voulu la convaincre que c'était la Mère qui créait la vie. Elle ne l'avait pas vraiment cru. A présent, elle se posait des questions. Ayla avait grandi au sein du Clan, elle en faisait partie, en dépit de ses différences. Quand Broud l'avait prise, l'acte lui avait fait horreur, mais il n'avait fait qu'exercer ses droits. Mais comment un homme du Clan avait-il pu forcer Nezzie ?

Ses pensées furent interrompues par l'arrivée bruyante d'une petite bande de chasseurs. Un homme s'approcha. Il repoussa son capuchon. Ayla et Jondalar restèrent bouche bée. L'homme était brun foncé ! C'était presque la couleur de la robe de Rapide, déjà inhabituelle chez un cheval. Le jeune couple n'avait jamais vu personne de semblable.

L'homme avait des cheveux noirs et crépus, qui formaient sur sa tête un casque pareil à la fourrure serrée d'un mouflon. Ses yeux étaient noirs, eux aussi, d'un éclat étincelant. Son sourire découvrait des dents blanches et brillantes et une langue rose qui contrastaient avec sa peau sombre. Quand des étrangers le voyaient pour la première fois, il faisait sensation : il le savait et y prenait un certain plaisir.

Par ailleurs, il était parfaitement ordinaire : de taille moyenne — quelques centimètres de plus qu'Ayla — et de corpulence moyenne. Mais une impression de vitalité, une économie de mouvements, une assurance naturelle signalaient un homme résolu et qui savait atteindre un but sans perdre de temps. A la vue d'Ayla, ses prunelles prirent un éclat nouveau.

Jondalar en reconnut la séduction. Il fronça les sourcils, mais ni la jeune femme blonde ni l'homme à la peau foncée ne s'en aperçurent. Captivée par la nouveauté de l'arrivant, Ayla le regardait avec l'émerveillement candide d'un enfant. Lui, pour sa part, se sentait attiré autant par la naïveté innocente de sa réaction que par sa beauté.

Brusquement, Ayla se rendit compte qu'elle le dévisageait. Elle devint écarlate, baissa les yeux. Elle avait appris de Jondalar qu'il était parfaitement convenable, de la part des hommes et des femmes, de se regarder en face, mais, pour les membres du Clan, c'était discourtois et même choquant, surtout chez une femme. Son éducation et les coutumes du Clan, sur lesquelles Creb et Iza ne cessaient d'insister pour les rendre plus acceptables, causaient maintenant l'embarras d'Ayla.

Cette visible détresse ne fit qu'enflammer l'intérêt de l'homme à la peau sombre. Les femmes lui témoignaient souvent une attention exceptionnelle. La surprise qui saluait son apparition semblait éveiller chez elles une insatiable curiosité à propos d'éventuelles autres différences. Il se demandait parfois si chacune des femmes présentes aux Réunions d'Eté se croyait obligée de découvrir par elle-même qu'il était, en fait, un homme pareil aux autres. Certes, il n'y voyait pas d'objection. La réaction d'Ayla l'intriguait, comme la couleur de sa peau étonnait la jeune femme. Il n'avait pas l'habitude de voir une femme adulte, d'une beauté frappante, rougir avec la modestie d'une toute jeune fille.

Talut s'avançait vers eux.

— Ranec, tu as fait la connaissance de nos visiteurs ? cria-t-il.

— Pas encore, mais j'attends... avec impatience.

Au son de sa voix, Ayla releva les yeux. Son regard plongea dans des prunelles noires, profondes, qui exprimaient le désir et un humour subtil. Elles pénétraient en elle, suscitaient des sensations que seul, jusqu'à présent, Jondalar avait éveillées. Un léger gémissement s'étouffa sur ses lèvres, ses yeux gris-bleu s'élargirent. Déjà, l'homme se penchait pour lui prendre les mains, mais, avant toute présentation en bonne et due forme, le grand étranger s'interposa entre eux, le visage sombre, les deux mains en avant.

— Je suis Jondalar des Zelandonii, dit-il. Cette femme avec laquelle je voyage s'appelle Ayla.

Jondalar était mécontent, Ayla en était sûre. Et c'était à cause de cet homme à la peau sombre. Elle était accoutumée à lire la signification d'une attitude, d'un comportement. Elle avait étroitement observé Jondalar pour obtenir des indications sur la conduite à tenir. Mais le langage corporel des gens qui comptaient sur les mots était beaucoup moins expressif que celui du Clan, qui se servait de signes pour communiquer, et elle ne faisait pas encore confiance à ses perceptions. Ces gens-là semblaient à la fois plus faciles et plus difficiles à déchiffrer, témoin ce brusque changement d'attitude chez Jondalar. Il était furieux, elle le sentait, mais elle ne savait pas pourquoi.

L'homme prit les mains de Jondalar, les secoua fermement.

— Je suis Ranec, mon ami, le meilleur, et d'ailleurs le seul, sculpteur du Camp du Lion des Mamutoï, dit-il avec un sourire qui se moquait de lui-même. Si tu voyages avec une compagne aussi belle, tu dois t'attendre à ce qu'elle attire l'attention.

Ce fut au tour de Jondalar de se sentir embarrassé. L'attitude franche et amicale de Ranec lui donnait l'impression de se conduire comme un rustre. Une souffrance familière ramena le souvenir de son frère. Thonolan, lui, avait cette même assurance cordiale. Lorsqu'ils avaient fait des rencontres, au cours de leur voyage, c'était toujours lui qui avait fait les premiers pas. Jondalar avait toujours détesté se conduire sottement, et il lui déplaisait d'entamer une relation nouvelle sur un malentendu. Il avait, pour le moins, fait preuve de manque de courtoisie.

Mais la brutalité de sa colère l'avait pris au dépourvu. Le brûlant coup de poignard de la jalousie lui était inconnu, ou du moins le souvenir en était si lointain qu'il ne s'y attendait plus.

Pourquoi s'irritait-il de voir un inconnu admirer Ayla ? se demandait-il. Ranec avait raison : elle était si belle qu'il aurait dû le prévoir. Et elle était en droit de faire son propre choix. Il était le premier homme de sa race qu'elle eût rencontré. Cela ne signifiait pas qu'il serait à jamais le seul à l'attirer.

Ayla le vit sourire à Ranec mais elle remarqua que la tension, dans la ligne de ses épaules, ne s'était pas atténuée.

— Ranec parle toujours à la légère de ses dons de sculpteur mais il n'est pas homme à faire fi de ses autres talents, dit Talut.

Il montrait le chemin vers l'étrange habitation qui semblait avoir poussé d'elle-même sur la berge de la rivière.

— Wymez et lui ont au moins ce point de ressemblance. Wymez est aussi réticent sur son talent de façonneur d'outils que l'est le fils de son foyer pour parler de ses sculptures. Parmi tous les Mamutoï, Ranec est le meilleur sculpteur.

— Vous avez parmi vous un tailleur de pierre expérimenté ? demanda Jondalar avec une joyeuse impatience.

Il oubliait cet éclair de brûlante jalousie à l'idée de rencontrer un autre expert dans son propre métier.

— Oui, et c'est le meilleur, lui aussi. Le Camp du Lion est renommé. Nous possédons le meilleur sculpteur, le meilleur façonneur d'outils et le mamut le plus âgé, déclara l'Homme Qui Ordonne.

— Et aussi un Homme Qui Ordonne assez imposant pour être approuvé par tous, de gré ou de force, ajouta Ranec, avec un sourire ironique.

Talut lui sourit en retour : il connaissait la propension de Ranec à détourner les louanges par une plaisanterie. Ce qui n'empêchait d'ailleurs pas Talut de se vanter : il était fier de son Camp et n'hésitait pas à le faire savoir à la ronde.

Ayla observait la subtile relation entre les deux hommes : l'un, le plus âgé, ce géant massif, au poil flamboyant, aux yeux d'un bleu pâle, et l'autre, avec sa peau sombre, plus petit mais râblé. Ils étaient aussi différents que possible l'un de l'autre, mais elle percevait le lien d'affection et de loyauté profondes qui les unissait. Tous deux faisaient partie des Chasseurs de Mammouths, tous deux étaient membres du Camp du Lion des Mamutoï.

Ils se dirigeaient vers le passage voûté qu'Ayla avait remarqué plus tôt. Il semblait donner accès à un tertre — ou, peut-être, à une série de tertres — intégré dans la pente qui faisait face à la large rivière. Ayla avait vu des gens y entrer et en sortir. Il devait s'agir, elle le savait, d'une caverne ou d'un gîte quelconque. Il semblait entièrement fait de terre solidement tassée, et de l'herbe poussait par endroits à la surface, surtout autour de la base et sur les côtés. L'ensemble se fondait si bien dans le paysage que, à part l'entrée, il était difficile de le distinguer de ce qui l'environnait.

En y regardant de plus près, elle distingua plusieurs objets curieux posés sur le sommet arrondi de la butte. Il y en avait un, en particulier, juste au-dessus de l'entrée. Elle retint son souffle.

C'était le crâne d'un lion des cavernes.

2

Blottie dans une minuscule crevasse d'une falaise abrupte, Ayla regardait la patte griffue d'un énorme lion des cavernes s'introduire dans la fissure pour l'atteindre. Elle poussa un hurlement de peur et de souffrance quand la patte trouva sa cuisse nue et la sillonna de quatre estafilades parallèles. L'Esprit même du Grand Lion des Cavernes l'avait choisie et marquée pour montrer qu'il était son totem, lui avait expliqué Creb, après une épreuve bien plus pénible que toutes celles auxquelles un homme lui-même était soumis, alors qu'elle n'était qu'une petite fille de cinq ans. Elle crut sentir la terre trembler sous ses pieds, et sentit monter une nausée.

Elle secoua la tête pour chasser un souvenir trop précis. Jondalar remarqua son malaise.

— Qu'y a-t-il, Ayla ?

Elle tendit le bras vers la décoration, au-dessus de l'entrée.

— J'ai vu ce crâne et je me suis rappelé le jour où j'avais été choisie, le jour où le Lion des Cavernes est devenu mon totem !

— Nous sommes le Camp du Lion, déclara une fois de plus Talut avec orgueil.

Il ne les comprenait pas quand ils s'exprimaient dans le langage de Jondalar mais il voyait l'intérêt qu'ils témoignaient au talisman du camp.

— Le Lion des Cavernes a une profonde signification pour Ayla, expliqua Jondalar. L'esprit du grand fauve, prétend-elle, la guide et la protège.

— Alors tu devrais te sentir bien ici, dit Talut, en la gratifiant d'un sourire satisfait.

Elle vit Nezzie emporter Rydag dans ses bras et songea de nouveau à son fils.

— Oui, je crois, répondit-elle.

Avant d'entrer, la jeune femme examina la voûte. Elle sourit en voyant comment on était arrivé à une aussi parfaite symétrie. C'était simple, mais elle n'y aurait pas pensé. Deux grandes défenses de mammouth, prises sur la même bête ou sur deux bêtes de même taille, avaient été solidement fichées en terre, et les deux pointes se rejoignaient au sommet dans un manchon fait d'un segment de tibia de l'animal.

Un lourd rabat en peau de mammouth couvrait l'entrée, assez haute pour permettre à Talut de pénétrer à l'intérieur sans courber la tête. On accédait alors à un vaste espace à l'extrémité duquel une autre voûte, juste en face de la première, était drapée elle aussi de peau de mammouth. Ils descendirent dans un foyer circulaire dont les épaisses parois s'incurvaient pour former un plafond voûté.

En avançant, Ayla remarqua les murs, apparemment recouverts d'une mosaïque d'os de mammouth, où étaient suspendus des vêtements d'extérieur à des chevilles et des râteliers chargés d'outils et de récipients. Talut releva l'autre tenture et, après être passé lui-même, la retint pour livrer passage à ses invités.

Ayla descendit encore une marche et s'immobilisa, ouvrit des yeux stupéfaits. Elle était submergée par tous ces objets inconnus, ces images insolites, ces couleurs éclatantes. Le spectacle qui se présentait à elle était en grande partie incompréhensible, et elle se raccrocha à ce qu'elle connaissait.

A peu près au centre de l'espace dans lequel ils se trouvaient, une énorme pièce de viande, embrochée sur une longue perche, rôtissait au-dessus d'un vaste foyer. Chaque extrémité de la perche reposait dans la cavité de l'articulation d'un os de jambe de mammouth enfoncé verticalement dans le sol. Un jeune garçon tournait une manivelle faite de bois de cerf. C'était l'un des enfants qui s'étaient attardés pour observer Ayla et Whinney. La jeune femme le reconnut, lui sourit. Il lui rendit son sourire.

Les yeux d'Ayla s'accoutumaient à la pénombre, et elle s'étonnait de se trouver dans une salle aussi vaste, aussi propre et confortable. Le foyer était le premier d'une série qui s'alignait au long de cette habitation de plus de vingt-cinq mètres sur plus de six mètres.

A la dérobée, Ayla pressa tour à tour ses doigts sur sa cuisse en prononçant mentalement les noms des chiffres que lui avait enseignés Jondalar. Sept foyers.

Il faisait bon, dans ce logis semi-souterrain. Les feux réchauffaient l'atmosphère, plus qu'ils ne le faisaient généralement dans les cavernes auxquelles elle était habituée. Il y faisait même chaud, et elle remarqua, un peu plus loin, des gens très légèrement vêtus.

Curieusement, il ne faisait pas plus sombre vers l'autre extrémité de l'habitation. Le plafond conservait à peu près la même hauteur d'un bout à l'autre, quatre mètres environ, et des trous à fumée, ménagés au-dessus de chaque foyer, laissaient entrer la lumière. A une charpente en os de mammouth étaient accrochés vêtements, outils, provisions, mais la porte centrale de la voûte était faite de nombreux bois de cerf entrelacés.

Brusquement, Ayla prit conscience d'un arôme qui lui fit monter l'eau à la bouche. De la viande de mammouth ! pensa-t-elle. Elle n'avait pas retrouvé le goût de cette tendre et savoureuse chair depuis qu'elle avait quitté la caverne du Clan. D'autres délicieuses odeurs de cuisine montaient aussi autour d'elle, certaines familières, d'autres non. Elles se combinaient pour lui rappeler qu'elle avait faim.

On les guidait maintenant au long d'un passage qui traversait l'habitation sur toute sa longueur. De chaque côté, de larges couches, recouvertes de fourrures amoncelées, s'appuyaient aux parois. Des gens y étaient assis, pour se détendre ou bavarder. Elle sentit leurs regards se fixer sur elle au passage. Elle vit plusieurs arches formées par des défenses de mammouth et se demanda sur quoi elles débouchaient mais elle n'osa pas poser la question.

On dirait une caverne, se disait-elle. Une immense caverne confortable. Mais les défenses disposées en ogives, les os de mammouth qui servaient de piliers et de supports pour les murs attestaient qu'il ne s'agissait pas d'une caverne découverte par hasard. C'étaient ces gens qui l'avaient construite !

La première salle, où cuisait le rôti, était plus vaste que les autres, tout comme la quatrième dans laquelle Talut les introduisait. Plusieurs couchettes nues, apparemment inoccupées, le long des murs, montraient comment elles avaient été aménagées.

Quand on avait creusé le niveau inférieur, on avait laissé, des deux côtés de l'excavation, de larges plates-formes, tout juste surélevées, soutenues par des os de mammouth habilement disposés. D'autres os renforçaient la surface des plates-formes, et les interstices étaient remplis d'une bourre végétale. Le tout supportait des paillasses de cuir souple emplies de poils de mammouth et d'autres substances moelleuses. Quand on y ajoutait plusieurs épaisseurs de fourrures, les plates-formes devenaient des couchettes, chaudes et confortables.

Jondalar se demandait si le foyer vers lequel on les menait était inoccupé. Il le paraissait, mais, en dépit de toutes les couchettes nues, on y avait une impression de vie. Des braises luisaient dans l'emplacement réservé au feu. Des fourrures, des peaux étaient empilées sur certaines des couches. Des herbes séchées étaient suspendues à des râteliers.

— Les visiteurs sont généralement couchés dans le Foyer du Mammouth, expliqua Talut. A condition que Mamut ne s'y oppose pas. Je vais le lui demander.

— Bien sûr, Talut, ils peuvent loger ici.

La voix venait d'une couche inoccupée. Jondalar fit volte-face, ouvrit de grands yeux en voyant se soulever un tas de fourrure. Deux yeux brillèrent dans un visage tatoué, sur la pommette droite, de chevrons qui se fondaient dans les rides d'un âge incroyable. Ce qu'il avait pris pour le poil d'hiver d'un animal reprit l'aspect d'une barbe blanche.

Deux longues jambes maigres, jusque-là croisées, se déplièrent, et les pieds se posèrent sur le sol.

— Ne prends pas cet air surpris, homme des Zelandonii. La femme savait que j'étais là.

La voix forte du vieillard ne trahissait guère son âge avancé.

— C'est vrai, Ayla ? demanda Jondalar.

Elle ne parut pas l'entendre. Son regard et celui du vieil homme s'étaient accrochés, comme si chacun voulait plonger dans l'âme de l'autre. La jeune femme, enfin, se laissa tomber aux pieds du Mamut, croisa les jambes, inclina la tête.

Jondalar se sentit à la fois intrigué et gêné. Elle utilisait le langage par signes dont le Clan, lui avait-elle dit, se servait pour communiquer. Cette posture était l'attitude de déférence et de respect que prenait une femme du Clan lorsqu'elle demandait l'autorisation de s'exprimer.

La seule autre fois où il l'avait vue ainsi, c'était un jour où elle avait voulu lui dire quelque chose de très important, quelque chose qu'elle ne pouvait lui faire savoir autrement, parce que les mots qu'il lui avait enseignés ne suffisaient pas à traduire ses sentiments. Il se demandait encore comment on pouvait s'exprimer plus clairement dans un langage où les gestes, les actions, prenaient le pas sur la parole, mais il avait été plus surpris encore d'apprendre que ces gens possédaient un moyen de communication.

Mais il aurait souhaité qu'elle ne s'exhibât pas ainsi en ces lieux. Il rougissait de la voir utiliser ces signes de Têtes Plates. Il avait envie de s'élancer vers elle, de lui dire de se relever, avant que quelqu'un d'autre ne la vît. De toute manière il se sentait mal à l'aise devant cette posture : c'était comme si elle lui rendait l'hommage révérencieux qui était dû à Doni, la Grande Terre Mère. Les gestes, les signes, elle aurait dû les lui réserver. C'était une chose de les adopter pour lui, quand ils étaient seuls, mais il désirait la voir faire bonne impression sur ces inconnus. Il voulait qu'elle leur plût. Il n'avait pas envie de les voir découvrir d'où elle venait.

Le Mamut posa sur lui un regard pénétrant avant de se retourner vers Ayla. Après l'avoir examinée un moment, il se pencha vers elle, lui tapa sur l'épaule.

Ayla releva la tête, vit deux yeux pleins de sagesse et de bonté, dans un visage sillonné de fines rides et de plis profonds. Le tatouage, sous l'œil droit, lui donna un instant l'impression d'une orbite vide, d'un œil manquant. Le temps d'un battement de cœur, elle crut revoir Creb. Mais le vieillard du Clan qui, avec Iza, l'avait élevée et lui avait prodigué son affection était mort, et Iza l'était aussi. Alors, qui était cet homme qui avait éveillé en elle des émotions aussi fortes ? Pourquoi était-elle à ses pieds à la manière d'une femme du Clan ? Et d'où connaissait-il le signe qui, dans le Clan, répondait à cette attitude ?

— Lève-toi, ma fille. Nous parlerons plus tard, dit le Mamut. Tu dois prendre le temps de te reposer et de manger. Tu vois ici des lits... des endroits où l'on dort, précisa-t-il, comme s'il savait qu'elle avait besoin d'une explication. Tu trouveras là-bas des fourrures et des coussins.

D'un mouvement gracieux, Ayla se releva. Le regard observateur du vieillard vit dans cette grâce des années de pratique. Il ajouta cette indication à tout ce qu'il savait déjà de la jeune femme. Au cours de cette brève rencontre, il en avait déjà plus appris, sur Ayla et Jondalar, qu'aucun autre membre du Camp. Mais il possédait un grand avantage : il en savait plus que personne sur les lieux d'où venait Ayla.

La pièce rôtie de mammouth avait été portée à l'extérieur sur un plat fait d'un grand os du bassin, avec un choix de racines, de légumes et de fruits, afin de pouvoir prendre le repas en profitant du soleil de cette fin d'après-midi. La viande était aussi tendre, aussi savoureuse que dans le souvenir d'Ayla, mais elle avait connu un moment difficile lorsqu'on avait servi les convives. Elle ignorait tout du protocole. En certaines occasions, généralement à l'issue de cérémonies, les femmes du Clan prenaient leur repas à l'écart des hommes. D'ordinaire, cependant, on se groupait par famille, mais, même alors, les hommes étaient servis les premiers.

Ayla ne savait pas que, pour honorer leurs invités, les Mamutoï leur offraient le premier choix du meilleur morceau. La coutume, par ailleurs, exigeait, par déférence envers la mère, qu'une femme commençât de manger la première. Quand on apporta les plats, Ayla resta en arrière et se cacha derrière Jondalar, afin de pouvoir observer les autres à la dérobée. Il y eut un moment de confusion, de piétinements : chacun attendait de la voir prendre l'initiative, tandis qu'elle s'efforçait de passer derrière eux.

Quelques membres du Camp prirent conscience de son manège et, avec des regards malicieux, commencèrent d'en faire un jeu. Mais Ayla ne trouvait là rien de drôle. Elle commettait une erreur, elle le sentait, mais Jondalar ne l'aidait pas : lui aussi essayait de la pousser en avant.

Mamut vint à son aide. Il la prit par le bras, la guida jusqu'au grand plat de rôti coupé en tranches épaisses.

— On attend que tu manges la première, Ayla, lui dit-il.

— Mais je suis une femme ! protesta-t-elle.

— Voilà justement pourquoi tu dois manger la première. C'est notre offrande à la Mère, et il est bon qu'une femme l'accepte à sa place. Prends le meilleur morceau, non pour toi-même, mais pour honorer Mut, expliqua le vieil homme.

Elle le regarda d'abord avec surprise puis avec gratitude. Elle prit une assiette, faite d'une plaque d'ivoire légèrement incurvée détachée d'une défense, et, avec une profonde gravité, choisit la plus belle tranche. Jondalar lui sourit, avec un signe d'approbation, et les autres se pressèrent afin de se servir à leur tour. Quand elle eut fini de manger, Ayla posa l'assiette sur le sol, comme elle l'avait vu faire à ses compagnons.

— Je me demandais si tu voulais nous montrer une danse nouvelle, tout à l'heure, dit une voix derrière elle.

Elle se retourna, vit les yeux sombres de l'homme à la peau foncée.

Le mot « danse » lui était inconnu, mais il lui souriait amicalement. Elle lui rendit son sourire.

— Quelqu'un t'a-t-il déjà dit combien tu es belle quand tu souris ? demanda-t-il.

— Belle ? Moi ?

Elle se mit à rire, secoua la tête d'un air incrédule.

Jondalar lui avait dit un jour les mêmes mots ou presque, mais elle ne se considérait pas sous cet aspect. De tout temps, bien avant d'avoir atteint l'âge nubile, elle avait été plus grande et plus mince que les gens qui l'avaient élevée. Elle était si différente d'eux, avec son front bombé et le drôle d'os, sous sa bouche, que Jondalar appelait un menton, qu'elle s'était toujours trouvée laide.

Ranec, intrigué, l'observait. Elle riait avec une spontanéité enfantine, comme si elle pensait sincèrement qu'il venait de dire quelque chose de comique. Il n'avait pas prévu ce genre de réaction. Un sourire de coquetterie, peut-être, ou bien une invite faite d'un air entendu. Mais les yeux gris-bleu d'Ayla étaient d'une totale innocence, il n'y avait rien d'affecté ni d'apprêté dans sa manière de renverser la tête en arrière ou de rejeter ses longs cheveux loin de son visage.

Elle se mouvait avec la grâce naturelle et fluide d'un animal, un cheval, peut-être, ou bien un lion. Il y avait autour d'elle une sorte d'aura, une qualité qu'il était incapable de définir vraiment, mais qui alliait à des éléments de candeur et de franchise un certain mystère. Elle semblait innocente comme un tout jeune enfant, ouverte à tout, mais elle était en même temps une femme, au plein sens du terme, une femme d'une beauté saisissante, totale.

Il la détaillait avec curiosité et intérêt. Sa chevelure, longue, abondante, naturellement ondée, avait le blond doré, brillant d'un champ de hautes herbes balancées par le vent. Ses grands yeux largement espacés étaient frangés de longs cils, un peu plus sombres que ses cheveux. Avec toute la sensibilité d'un sculpteur, il examinait l'élégante pureté de l'ossature de son visage, la grâce musclée de son corps. Quand son regard descendit vers la poitrine pleine, les hanches galbées, il prit une expression qui déconcerta Ayla.

Elle rougit, détourna les yeux. Jondalar lui avait bien dit que c'était parfaitement convenable, mais elle n'était pas bien sûre d'apprécier cette façon de regarder quelqu'un bien en face. Elle se sentait sans défense, vulnérable. Elle lança un coup d'œil vers Jondalar. Il lui tournait le dos, mais elle lut dans son attitude qu'il était furieux. Pourquoi était-il furieux ? Avait-elle fait quelque chose de mal ?

— Talut ! Ranec ! Barzec ! Regardez qui est ici ! appela une voix.

Tout le monde tourna la tête. Plusieurs personnes venaient d'apparaître au haut de la pente. Nezzie et Talut se mirent à la gravir à leur rencontre, au moment où un jeune homme se détachait du groupe pour s'élancer vers eux. Ils se rencontrèrent à mi-chemin, s'étreignirent avec enthousiasme. Ranec, à son tour, se précipita vers un autre des arrivants, et, si les retrouvailles furent moins démonstratives, il n'en serra pas moins contre lui, avec une chaleureuse affection, un homme plus âgé.

Ayla, avec une étrange sensation de vide, regarda les autres membres du Camp déserter les visiteurs, dans leur impatience de retrouver des parents et des amis. Tous parlaient et riaient en même temps. Elle, elle était Ayla de Nulle Part. Elle n'avait aucun lieu où aller, aucun foyer à retrouver, pas de clan pour l'accueillir par des étreintes, des embrassades. Iza et Creb, qui l'avaient aimée, étaient morts, et elle était morte pour ceux qu'elle aimait.

Uba, la fille d'Iza, avait été pour elle une véritable sœur : elles étaient liées par l'affection, sinon par le sang. Mais Uba, si elle revoyait maintenant Ayla, lui fermerait son cœur et son esprit. Elle n'en croirait pas ses yeux, elle ne la verrait même pas. Broud avait lancé contre elle la Malédiction Suprême. Elle était donc morte.

Durc lui-même se souviendrait-il d'elle ? Elle avait dû le laisser au Clan de Brun. Même si elle avait pu l'enlever, ils auraient été isolés tous les deux. S'il était arrivé quelque chose à Ayla, Durc se serait trouvé livré à lui-même. Mieux valait le laisser avec le Clan. Uba l'aimait, elle prendrait soin de lui, le protégerait, lui apprendrait à chasser. Il grandirait, deviendrait fort, brave, il se servirait d'une fronde avec toute l'adresse de sa mère, il serait rapide à la course, il...

Soudain, elle remarqua le seul membre du Camp qui n'avait pas gravi la pente en courant. Près de l'entrée de la caverne, Rydag, appuyé d'une main à une défense, regardait de ses yeux ronds la troupe joyeuse qui revenait. Elle les vit, alors, par ses yeux à lui ; ils se tenaient par la taille, portaient les enfants les plus jeunes tandis que d'autres enfants sautaient autour d'eux pour se faire porter eux aussi. Rydag respirait trop fort, se dit Ayla, la surexcitation ne lui valait rien.

Elle se dirigea vers lui, vit Jondalar prendre la même direction.

— J'allais l'emmener là-haut, dit-il.

Il avait donc remarqué l'enfant, lui aussi, et il avait eu la même idée qu'elle.

— C'est cela, emmène-le, lui dit-elle. Whinney et Rapide peuvent encore prendre peur, avec tous ces gens. Je vais rester près d'eux.

Elle regarda Jondalar soulever l'enfant aux cheveux sombres, le jucher sur ses épaules et grimper la pente, vers les habitants du Camp du Lion. Le jeune homme, presque aussi grand que Jondalar, qui avait été si chaleureusement accueilli par Talut et Nezzie tendit les bras au petit avec un visible plaisir et le plaça sur ses propres épaules pour redescendre vers la caverne. Il est aimé, pensa Ayla. Elle aussi, se rappelait-elle, avait été aimée, en dépit de son aspect différent.

Jondalar croisa son regard et lui sourit. Elle sentit monter en elle un tel élan d'amour pour cet homme attentif et sensible qu'elle s'en voulut de s'être apitoyée sur son propre sort. Elle n'était plus seule. Elle avait Jondalar. Elle aimait jusqu'au son de son nom.

Jondalar. Il était le premier homme de sa connaissance à être plus grand qu'elle. Le premier qui avait ri avec elle. Le premier aussi qu'elle avait vu verser des larmes sur le frère qu'il avait perdu.

Jondalar. L'homme que son totem lui avait envoyé comme un cadeau, elle en était convaincue, dans la vallée où elle s'était installée, après son départ du Clan, quand elle s'était lassée de rechercher les Autres, ceux qui lui ressemblaient.

Jondalar. L'homme qui lui avait réappris la parole, avec des mots, pas des signes, comme le Clan. Jondalar, dont les mains habiles savaient façonner un outil, gratter le dos d'un poulain, soulever un enfant pour le hisser sur ses épaules. Jondalar, qui lui enseignait les joies de leurs deux corps, qui l'aimait, et qu'elle aimait plus qu'elle eût jamais cru possible d'aimer quelqu'un.

Elle se dirigea vers la rivière et longea un méandre au bout duquel Rapide était attaché par une longue corde à un arbre rabougri. Submergée par une émotion encore si nouvelle pour elle, la jeune femme s'essuya les yeux d'un revers de main. Elle prit dans sa paume son amulette, un petit sac de peau attaché par une lanière de cuir autour de son cou. Elle palpa les objets qu'il contenait, adressa une pensée à son totem.

— Esprit du Grand Lion des Cavernes, Creb disait toujours qu'il était difficile de vivre avec un puissant totem. Il avait raison. Les épreuves ont toujours été rudes, mais ma peine n'a jamais été vaine. Cette femme t'est reconnaissante de ta protection et des dons de son puissant totem. Les dons intérieurs, comme les choses qu'elle a apprises, et les autres dons, les êtres à aimer, comme Whinney, Rapide, et, surtout, Jondalar.

Lorsqu'elle s'approcha du poulain, Whinney vint, l'accueillit d'un souffle affectueux. Elle se sentait épuisée. Elle n'avait pas l'habitude de voir tant de monde, tant de mouvement, et les gens qui parlaient un langage articulé étaient si bruyants. Elle avait les tempes battantes, la tête douloureuse, son cou et ses épaules lui faisaient mal. Whinney s'appuya sur elle. Rapide ajouta sa propre pression. Elle se sentait écrasée entre eux mais ne s'en souciait guère.

— Assez ! dit-elle finalement, en assénant une claque sur le flanc du poulain. Tu deviens trop grand, Rapide, pour me serrer ainsi entre vous deux. Regarde-toi ! Tu es presque aussi grand que ta mère !

Elle le gratta un instant, avant de flatter et de frictionner Whinney. Elle remarqua alors la sueur séchée sur le poil.

— C'est dur pour toi aussi, hein ? Tout à l'heure, je te bouchonnerai et je t'étrillerai avec une cardère. Mais quelqu'un vient, et tu vas sans doute être encore le centre de l'attention générale. Quand ils se seront habitués à toi, ce sera moins pénible.

Ayla ne s'apercevait pas qu'elle employait à présent le langage personnel qu'elle s'était créé au cours des années passées en la seule compagnie des animaux. Ce langage se composait à la fois de gestes du Clan, de la formulation de quelques-uns des mots articulés par le Clan, d'imitations animales et des vocables absurdes qu'elle avait commencé d'utiliser avec son fils. Des yeux étrangers n'auraient sans doute pas remarqué les mouvements de ses mains : elle aurait paru simplement murmurer une étrange suite de sons, de grognements et de syllabes répétitives. On n'aurait probablement pas pensé à un langage.

— Peut-être Jondalar, de son côté, bouchonnera-t-il Rapide.

Elle s'interrompit. Une pensée troublante lui venait à l'esprit. Elle reprit son amulette, s'efforça de coordonner ses pensées.

— Grand Lion des Cavernes, Jondalar fait maintenant partie de tes élus, lui aussi. Comme moi, il porte sur sa jambe les cicatrices de ta marque...

Elle revint à la traduction de ses pensées dans l'antique langage silencieux qui s'exprimait par les mains. Le seul langage qui convînt pour s'adresser au monde des esprits.

— Esprit du Grand Lion des Cavernes, cet homme qui a été choisi n'a pas la connaissance des totems. Cet homme ne sait rien des épreuves imposées par un puissant totem, ni de ses dons. Même cette femme qui sait les a trouvés difficiles. Cette femme aimerait supplier l'Esprit du Grand Lion des Cavernes... aimerait le supplier pour cet homme...

Ayla s'interrompit. Elle ne savait pas trop ce qu'elle demandait. Elle ne voulait pas prier l'esprit de ne pas mettre Jondalar à l'épreuve — comment chercher à le priver des bienfaits que lui vaudraient certainement de telles épreuves ? —, elle ne demandait même pas qu'on l'épargnât. Elle avait été elle-même cruellement éprouvée et y avait gagné des dons exceptionnels, et elle en était venue à croire que les bienfaits étaient en proportion de la sévérité des épreuves. Elle rassembla ses pensées, continua :

— Cette femme aimerait prier l'Esprit du Grand Lion des Cavernes d'aider cet homme qui a été choisi à connaître la valeur de son puissant totem, à savoir que, si pénible semble-t-elle, l'épreuve est nécessaire.

Elle acheva, laissa retomber ses mains.

— Ayla ?

Elle se retourna, se trouva devant Latie.

— Oui.

— Tu avais l'air... très occupée. Je ne voulais pas t'interrompre.

— J'ai fini.

— Talut voudrait que tu viennes, avec les chevaux. Il a déjà dit à tout le monde qu'il ne faudrait rien faire qui te déplaise. Ne pas leur faire peur, les énerver... Il a effrayé quelques personnes, je crois bien.

— Je vais venir. Tu veux retourner sur le cheval ?

Le visage de Latie se fendit d'un large sourire.

— Je pourrais ? Vraiment ?

Lorsqu'elle souriait ainsi, elle ressemblait à Talut, se dit Ayla.

— Peut-être gens pas effrayés quand ils voient toi sur le cheval. Viens. Rocher ici. Pour aider à monter.

Quand Ayla reparut de l'autre côté du coude de la rivière suivie d'une jument qui portait la fillette sur son dos et d'un poulain folâtre, les conversations s'interrompirent. Ceux que le spectacle avait déjà emplis de crainte respectueuse prenaient néanmoins plaisir à voir l'expression de stupeur incrédule qui se peignait sur les visages des nouveaux venus.

— Tu vois, Tulie, je te l'avais bien dit ! s'exclama Talut à l'adresse d'une femme brune qui lui ressemblait, sinon par la couleur, du moins par les dimensions.

Elle dominait de haut Barzec, l'homme du dernier foyer, qui se tenait près d'elle, un bras passé autour de sa taille. A côté d'eux se trouvaient les deux garçons de ce foyer et leur sœur de six ans, dont Ayla avait fait récemment la connaissance.

En arrivant devant l'habitation, Ayla prit Latie dans ses bras pour la poser à terre, avant de flatter et de caresser Whinney, dont les naseaux se dilataient de nouveau en saisissant les odeurs de tous ces inconnus. La fillette se précipita vers un garçon roux et dégingandé qui pouvait avoir quatorze ans. Il était presque aussi grand que Talut, et, hormis la différence d'âge et de corpulence, ils se ressemblaient comme deux gouttes d'eau.

— Viens faire la connaissance d'Ayla, lui dit Latie.

Elle l'entraînait vers la femme aux chevaux, et il se laissa faire. Jondalar s'était approché pour faire tenir le poulain tranquille.

— Voici mon frère, Danug, présenta Latie. Il est resté longtemps parti mais il va de nouveau habiter avec nous, maintenant qu'il sait tout sur la façon d'extraire le silex. N'est-ce pas, Danug ?

— Je ne sais pas tout, Latie, fit-il un peu gêné.

Ayla lui sourit.

— Je te salue, dit-elle, les mains tendues.

L'embarras de Danug s'accrut encore. Il était le fils du Foyer du Lion, c'était à lui le premier de saluer la visiteuse, mais il restait sans voix devant la belle étrangère qui exerçait un tel pouvoir sur les animaux. Il prit les deux mains offertes, marmonna une salutation. Whinney choisit cet instant pour s'ébrouer et se mettre à piaffer. Le garçon lâcha les mains d'Ayla : il avait l'impression que son geste n'était pas du goût de la jument.

— Whinney apprendrait plus vite à te connaître si tu la flattais et la laissais te flairer, dit Jondalar qui percevait le malaise de Danug.

Celui-ci était à un âge difficile, plus tout à fait enfant, pas encore homme.

— Tu as appris à extraire le silex ? reprit Jondalar, sur le ton de la conversation.

Il cherchait à rasséréner le jeune homme et lui montrait en même temps comment flatter la jument.

— Je suis tailleur de silex, déclara fièrement le garçon. Wymez est mon maître depuis l'enfance. C'est le meilleur, mais il voulait aussi m'enseigner d'autres techniques : à estimer la pierre brute, par exemple.

La conversation portait maintenant sur des sujets familiers, et Danug laissait percer son enthousiasme naturel.

Une lueur d'intérêt sincère s'alluma dans les yeux de Jondalar.

— Je suis tailleur de silex, moi aussi, et j'ai appris mon métier d'un homme qui est le meilleur de tous. Quand j'avais à peu près ton âge, je vivais avec lui, près du gisement de silex qu'il avait découvert. J'aurais plaisir à rencontrer un jour ton maître.

— Alors, permets-moi de te le présenter, puisque je suis le fils de son foyer et le premier, sinon le seul, à me servir de ses outils.

Au son de la voix de Ranec, Jondalar se retourna. Il s'aperçut alors que le Camp tout entier faisait cercle autour d'eux. Près de l'homme à la peau brune se tenait celui qu'il avait accueilli si chaleureusement. Tous deux avaient la même taille. Jondalar ne discernait aucune autre ressemblance entre eux. Le plus âgé avait des cheveux plats, châtain clair striés de gris. Ses yeux étaient bleus. Son visage n'avait rien de commun avec les traits de Ranec. La Mère devait avoir choisi l'esprit d'un autre homme, se dit Jondalar, pour créer l'enfant du foyer de Wymez. Mais pourquoi avait-elle donné sa préférence à un homme d'une couleur aussi inhabituelle ?

— Wymez, du Foyer du Renard du Camp du Lion, Maître Tailleur de pierre des Mamutoï, annonça pompeusement Ranec, voici nos visiteurs, Jondalar des Zelandonii, qui est de ton espèce, semble-t-il...

Jondalar crut entendre dans sa voix une nuance d'humour ou de sarcasme ? Il ne savait trop.

— ... et sa belle compagne, Ayla, une femme de Nulle Part mais qui possède beaucoup de charme... et de mystère.

Son sourire, où la blancheur des dents contrastait avec la peau sombre, attira le regard d'Ayla. Une lueur avertie brilla dans les yeux noirs.

— Salut, dit Wymez, aussi simple et direct que Ranec avait été cérémonieux. Tu travailles la pierre ?

— Oui. Je suis tailleur de silex.

— J'ai rapporté de la pierre excellente. Elle vient tout droit de son gisement, elle n'a pas eu le temps de sécher.

— J'ai dans mon sac un percuteur et un bon perçoir, déclara Jondalar, dont l'intérêt s'était aussitôt éveillé. Te sers-tu d'un perçoir ?

La conversation prit rapidement un tour tout professionnel. Ranec posa sur Ayla un regard affligé.

— Ça devait arriver, j'aurais pu te le dire. Sais-tu quel est le pire, quand on vit au foyer d'un maître-façonneur d'outils ? Ce n'est pas toujours de trouver des éclats de silex dans ses fourrures, c'est surtout d'entendre constamment parler de silex. Et, depuis le moment où Danug a manifesté son intérêt... la pierre, la pierre, la pierre... je n'ai plus entendu que ça.

Le ton affectueux de Ranec démentait ses récriminations. Chacun, visiblement, les avait déjà entendues : personne n'y prêtait attention, excepté Danug.

— J'ignorais que cela t'ennuyait à ce point, dit le jeune homme.

— Mais non, fit Wymez. Tu ne vois donc pas, Ranec essaie d'impressionner une jolie fille.

— A la vérité, Danug, je te suis reconnaissant. Jusqu'à ton intervention, je crois qu'il cherchait à faire de moi un tailleur de pierre, dit Ranec, afin d'apaiser l'inquiétude de Danug.

— J'ai cessé tout effort quand j'ai compris que ton seul intérêt pour mes outils visait à t'en servir pour sculpter l'ivoire, et ce n'était pas bien longtemps après notre arrivée ici, expliqua Wymez.

Il sourit, ajouta :

— Et, si tu trouves pénible de découvrir des éclats de silex dans ton lit, tu devrais essayer la poussière d'ivoire dans ce que tu manges.

Les deux hommes si dissemblables plaisantaient, ils se taquinaient en paroles, mais amicalement, comprit Ayla avec soulagement. Elle remarqua aussi qu'au-delà de leurs différences physiques, ils avaient le même sourire et se mouvaient de la même manière.

On entendit soudain des cris qui provenaient de l'intérieur de l'habitation.

— Ne t'en mêle pas, vieille femme ! Cette histoire est entre Fralie et moi !

C'était une voix masculine, celle de l'homme du sixième foyer, voisin du dernier. Ayla se rappelait l'avoir rencontré.

— Je me demande pourquoi elle t'a choisi, Frebec ! Je n'aurais jamais dû permettre cette Union ! hurla en réponse une voix de femme.

Brusquement, une femme d'un certain âge émergea de l'entrée de la caverne. Elle traînait derrière elle une autre femme plus jeune, en pleurs. Deux petits garçons effarés les suivaient, l'un qui pouvait avoir sept ans, l'autre, tout petit, le derrière nu, qui suçait son pouce.

— C'est ta faute. Elle t'écoute trop souvent. Pourquoi ne cesses-tu pas de te mêler de nos affaires ?

Tout le monde se détourna. On avait déjà entendu à maintes reprises cette même discussion. Mais Ayla ouvrait de grands yeux. Aucune femme du Clan n'aurait osé discuter ainsi avec un homme.

— Voilà Crozie et Frebec qui recommencent. N'y fais pas attention, dit Tronie.

C'était la femme du cinquième foyer, celui du Renne, se rappela Ayla. Il venait tout de suite après le Foyer du Mammouth, où elle séjournait avec Jondalar. La femme tenait un tout petit garçon au sein.

Ayla avait déjà rencontré la jeune mère et se sentait attirée par elle. Tornec, son compagnon, souleva dans ses bras l'enfant de trois ans qui s'accrochait à sa mère : il n'avait pas encore accepté le nouveau venu qui l'avait privé du sein maternel. Le jeune couple était aimable, très uni. Ayla était heureuse de les avoir pour voisins, plutôt que ceux qui se chamaillaient. Manuv, qui vivait avec eux, était venu bavarder avec la visiteuse pendant le repas : il avait été l'homme du foyer, et il était le fils d'un cousin de Mamut. Il venait souvent au quatrième foyer, avait-il ajouté, ce qui avait réjoui la jeune femme : elle avait toujours eu une affection particulière pour les personnes âgées.

Elle était moins à l'aise avec ses voisins de l'autre côté, au troisième foyer. C'était là que vivait Ranec. Il l'avait désigné comme le Foyer du Renard. Il ne lui déplaisait pas, mais Jondalar se comportait envers lui de manière vraiment étrange. D'ailleurs, ce foyer était plus petit que les autres, habité par deux hommes seulement, et Ayla se sentait plus proche de Nezzie et Talut, au deuxième foyer, et de Rydag. Elle aimait aussi les autres enfants du Foyer du Lion, Latie et Rugie, la plus jeune fille de Nezzie, qui avait à peu près l'âge de Rydag. Elle avait maintenant fait la connaissance de Danug, et il lui plaisait également.

Talut s'approchait en compagnie de la grande et forte femme. Barzec et les enfants étaient avec eux : elle et lui devaient être unis, supposa Ayla.

— Ayla, je voudrais te présenter ma sœur, Tulie, du Foyer de l'Aurochs, la Femme qui Ordonne du Camp du Lion, dit Talut.

— Salut, dit la femme, les mains tendues dans le geste traditionnel. Au nom de Mut, je te souhaite la bienvenue.

Sœur du chef, elle était son égale et avait profondément conscience de ses responsabilités.

— Je te salue, Tulie, répondit Ayla, en s'efforçant de ne pas dévisager ouvertement l'autre femme.

La première fois que Jondalar avait été capable de se tenir debout, elle avait éprouvé un choc en découvrant qu'il était plus grand qu'elle. Mais voir une femme plus grande encore était surprenant. Toujours, Ayla avait dominé de sa haute taille les autres membres du Clan. Mais la sœur du chef n'était pas seulement grande, elle était musclée, bâtie en force. Le seul qui la dépassait était son frère. Elle se tenait avec toute l'assurance que peuvent seules conférer une haute taille et une imposante carrure. On voyait tout de suite en elle la femme, la mère et le chef pleinement satisfaits de la vie.

Tulie s'étonnait du curieux accent de la visiteuse, mais un autre problème l'occupait davantage. Avec la franchise caractéristique de son peuple, elle n'hésita pas à l'aborder.

— Je ne savais pas que le Foyer du Mammouth serait occupé quand j'ai invité Branag à revenir chez nous. Deegie et lui seront unis l'été prochain. Il ne séjournera que quelques jours ici, et Deegie, je le sais, avait espéré pouvoir passer ce temps avec lui en tête-à-tête, loin de ses frères et de sa sœur. Tu es une invitée, et elle ne voulait rien te demander, mais elle aimerait s'installer avec Branag au Foyer du Mammouth, si tu veux bien y consentir.

— Foyer grand. Beaucoup lits. Je consens, répondit Ayla, un peu mal à l'aise qu'on lui demandât cette autorisation : elle n'était pas chez elle.

A ce moment, une jeune femme sortit de la caverne. Un jeune homme la suivait. Ayla la regarda à deux fois. L'arrivante avait à peu près son âge et elle était un peu plus grande. Sa chevelure était châtain foncé et elle avait un visage aimable que bien des gens auraient trouvé joli. De toute évidence, le garçon qui l'accompagnait la trouvait très séduisante. Mais ce n'était pas son aspect physique qui captivait l'attention d'Ayla : elle ouvrait de grands yeux émerveillés sur la tenue de la jeune fille.

Celle-ci portait des jambières et une tunique d'un ton presque assorti à la couleur de ses cheveux. Une longue tunique de cuir, abondamment ornée, ouverte devant, avec une ceinture pour en retenir les pans. Le cuir était d'un rouge sombre, presque brun. Pour le Clan, le rouge était une couleur sacrée. Ayla ne possédait qu'un seul objet de cette teinte : le petit sac d'Iza. Il contenait les racines destinées à la confection du breuvage réservé aux grandes cérémonies. Elle l'avait conservé, soigneusement rangé dans son sac de guérisseuse où elle gardait les herbes sèches utilisées pour les rites magiques de guérison. Une tunique entièrement faite de cuir rouge ? Elle n'en croyait pas ses yeux.

Avant même les présentations de règle, elle s'écria :

— Elle est si belle !

— Elle te plaît ? C'est pour notre Union. La mère de Branag me l'a offerte, et je n'ai pas pu m'empêcher de la mettre pour la montrer à tout le monde.

— Jamais vu rien pareil ! insista Ayla.

La jeune fille était ravie.

— Tu es celle qu'on appelle Ayla, n'est-ce pas ? Moi, c'est Deegie, et voici Branag. Il doit repartir dans quelques jours, ajouta-t-elle d'un air déçu, mais, après l'été prochain, nous vivrons ensemble. Nous allons nous installer avec mon frère, Taneg. Il vit maintenant avec sa femme dans la famille de sa femme, mais il veut créer un nouveau Camp et il insistait beaucoup pour que je me trouve un compagnon, afin que je sois avec lui à la tête de ce camp.

Ayla vit Tulie sourire à sa fille et lui faire signe. Elle se rappela alors la demande qu'on lui avait faite.

— Beaucoup place dans foyer. Beaucoup lits vides, Deegie. Tu restes au Foyer du Mammouth, avec Branag ? Il est visiteur aussi... Si Mamut veut. Est foyer de Mamut.

— Sa première femme était la mère de ma grand-mère. J'ai souvent dormi chez lui. Mamut ne refusera pas. N'est-ce pas ? ajouta Deegie, en voyant paraître le vieil homme.

— Mais oui, Deegie, tu peux rester ici avec Branag. Mais, rappelle-toi, tu ne dormiras peut-être pas beaucoup, ajouta le vieillard.

Deegie eut un sourire de joyeuse attente. Mamut continua :

— Nous avons des visiteurs. Danug est de retour après toute une année d'absence. Ton Union approche, et Wymez a remporté un plein succès dans sa mission d'échanges. Nous avons de bonnes raisons, je crois, de nous assembler ce soir au Foyer du Mammouth pour nous raconter les histoires.

Tout le monde prit un air heureux. On avait attendu cette annonce, mais l'impatience n'en était pas moins vive. Une réunion au Foyer du Mammouth, ils le savaient tous, cela signifiait des récits d'aventures vécues, de légendes, peut-être aussi d'autres distractions. Ils étaient désireux d'avoir des nouvelles des autres camps, d'écouter une fois de plus des histoires connues. Et ils seraient heureux de voir les réactions des étrangers à la vie et aux aventures des membres de leur propre Camp mais aussi d'entendre les récits de leurs expériences.

Jondalar savait, lui aussi, ce que signifiait une telle assemblée et il en était d'avance préoccupé. Ayla allait-elle raconter dans les détails sa propre histoire ? Le Camp du Lion demeurerait-il ensuite aussi accueillant ? L'idée lui vint de la prendre à part pour la mettre en garde, mais il réussirait seulement, il le savait, à faire naître sa colère, à la bouleverser. Par bien des aspects, elle ressemblait aux Mamutoï. Elle exprimait ses sentiments avec franchise et sincérité. D'ailleurs, toutes les mises en garde n'y feraient rien : elle ne savait pas mentir. Peut-être, au mieux, s'abstiendrait-elle de prendre la parole.

3

Ayla passa une partie de l'après-midi à bouchonner Whinney avec un morceau de cuir souple et une cardère sèche, pour se détendre tout autant que la jument.

Jondalar s'activait auprès d'elle sur Rapide : armé lui aussi d'une cardère, il calmait les démangeaisons du poulain tout en lissant l'épaisse toison d'hiver, bien que le jeune animal eût visiblement préféré jouer plutôt que de se tenir tranquille. La couche moelleuse, sous le poil extérieur, annonçait l'arrivée imminente du froid, ce qui amena Jondalar à se demander où ils passeraient l'hiver. Il n'était pas encore bien sûr des sentiments d'Ayla à l'égard des Mamutoï, mais du moins les gens du Camp et les chevaux commençaient-ils à s'accoutumer les uns aux autres.

Ayla, elle aussi, sentait que les tensions s'apaisaient mais elle s'inquiétait de l'endroit où les animaux passeraient la nuit. Ils avaient l'habitude de partager une caverne avec elle. Jondalar ne cessait de lui affirmer qu'ils ne souffriraient pas : les chevaux étaient habitués à être dehors. Elle décida finalement d'attacher Rapide près de l'entrée : Whinney ne s'aventurerait pas trop loin sans son poulain, et, si un danger se présentait, la jument avertirait la jeune femme.

Au moment où la nuit tombait, le vent se fit plus froid. On sentait la neige dans l'air quand Ayla et Jondalar rentrèrent, mais, au centre de la caverne semi-souterraine, le Foyer du Mammouth était chaud et agréable. Les gens commençaient à s'y réunir. Beaucoup avaient pris le temps de se nourrir des restes froids du repas précédent, qui avaient été transportés à l'intérieur : une sorte de tubercule, petit, blanc, riche en féculent, des carottes sauvages, des mûres, des tranches de mammouth rôti. Ils saisissaient les légumes et les fruits avec les doigts ou à l'aide de deux baguettes manipulées comme des pinces, mais chacun, remarqua Ayla, sauf les enfants les plus jeunes, avait un couteau pour la viande. Elle s'étonna de voir quelqu'un se mettre une tranche de rôti entre les dents et en couper un morceau d'un coup de lame vers le haut — sans se trancher le nez.

De petites outres brunes — les vessies et les estomacs parfaitement imperméables de différents animaux — passaient de main en main, et les gens y buvaient avec un plaisir évident. Talut offrit à Ayla de goûter à la boisson. L'odeur, plutôt désagréable, était celle d'un liquide fermenté. Le goût était légèrement sucré, mais le breuvage lui brûla la bouche. Elle refusa une seconde rasade. Elle n'aimait pas cette boisson. Jondalar, lui, semblait l'apprécier.

Les gens, tout en parlant, en riant, trouvaient place sur les couchettes ou sur des fourrures et des nattes jetées sur le sol. Ayla avait tourné la tête pour écouter une conversation quand le bruit s'apaisa soudain. La jeune femme se retourna. Le vieux Mamut se tenait debout près du foyer dans lequel brûlait un petit feu. Quand toutes les conversations se furent tues, quand il eut drainé l'attention de toute l'assemblée, il prit une petite torche, l'approcha des flammes pour l'allumer. Dans le silence attentif qui tenait toutes les respirations en suspens, il apporta la flamme jusqu'à une petite lampe de pierre qui se trouvait dans une niche du mur, derrière lui. La mèche de lichen séché crépita dans la graisse de mammouth avant de s'enflammer et de révéler la petite statue en ivoire d'une femme aux formes généreuses, placée derrière la lampe.

Ayla la reconnut sans l'avoir jamais vue. C'est ce que Jondalar appelle une donii, pensa-t-elle. Selon lui, elle renferme l'esprit de la Grande Terre Mère. Ou peut-être seulement une partie. Elle paraît trop petite pour contenir l'esprit tout entier. Mais, après tout, quelle taille peut avoir un esprit ?

Sa mémoire la reporta à une autre cérémonie : le jour où on lui avait remis la pierre noire qu'elle conservait dans le sac à amulette suspendu à son cou. Le petit bloc de bioxyde de manganèse contenait un peu de l'esprit de chaque membre du Clan. La pierre lui avait été donnée quand elle était devenue guérisseuse. En échange, elle avait renoncé à une part de son propre esprit. De cette façon, si elle sauvait la vie de quelqu'un, le malade guéri n'avait aucune obligation envers elle, il n'était pas obligé de la payer en retour. C'était fait d'avance.

Quelque chose la tourmentait encore : quand elle était tombée sous le coup de la Malédiction Suprême, les esprits n'avaient pas été rendus à leurs possesseurs. Creb les avait repris à Iza après la mort de la vieille guérisseuse, afin de ne pas les laisser partir avec elle vers le monde des esprits, mais personne n'avait fait de même pour Ayla. Si elle détenait une part de l'esprit de chaque membre du Clan, Broud les avait-il placés, eux aussi, sous la Malédiction Suprême ?

Suis-je morte ? se demandait-elle. Elle s'était déjà bien souvent posé cette question. Mais elle ne pouvait y donner de réponse. Le pouvoir de la Malédiction Suprême, elle l'avait appris, résidait dans la croyance qu'on lui accordait. Quand les êtres aimés ne reconnaissaient plus votre existence, quand vous n'aviez plus nulle part où aller, vous pouviez tout aussi bien être mort. Mais pourquoi n'était-elle pas morte ? Quelle raison l'avait poussée à ne pas renoncer ? Plus important encore, qu'adviendrait-il du Clan quand elle finirait par mourir pour de bon ? Sa mort pourrait-elle nuire à ceux qu'elle aimait ? Au Clan tout entier, peut-être ? Le petit sac de cuir pesait tout le poids de sa responsabilité, comme si le destin du Clan entier était suspendu autour de son cou.

Elle fut arrachée à sa rêverie par un son rythmé. A l'aide d'un segment de bois de renne en forme de marteau, Mamut frappait sur un crâne de mammouth, peint de lignes géométriques et de symboles. Ayla crut percevoir une qualité qui dépassait le simple rythme. Elle observa, écouta plus attentivement. La cavité du crâne enrichissait le son de vibrations sonores, mais il y avait là plus que la simple résonance d'un instrument. Quand le vieux chaman frappait sur différentes zones du crâne-tambour, la hauteur, la tonalité se modifiaient en variations complexes et subtiles : on avait l'impression que Mamut faisait parler le crâne du vieux mammouth.

Du plus profond de sa poitrine, le vieillard entonna une mélopée, en modulations mineures étroitement liées. Tambour et voix tissaient un motif sonore compliqué. Çà et là, dans la salle, d'autres voix s'élevèrent, se fondirent dans le mode déjà instauré tout en lui apportant des variantes. Le rythme du tambour fut repris, de l'autre côté du foyer, par un rythme semblable. Ayla regarda dans cette direction : Deegie frappait sur un autre crâne. Tornec se mit à tambouriner, avec un marteau en bois de renne, sur un autre os de mammouth, une omoplate couverte de lignes également espacées et de chevrons peints en rouge. La musique magnifiquement obsédante emplissait toute la caverne. Tout le corps d'Ayla palpitait au même rythme, et elle remarqua que d'autres personnes se balançaient en mesure. Brutalement, tout se tut.

Le silence était chargé d'attente, mais on le laissa mourir de lui-même. Il n'était pas question de célébrer une cérémonie mais simplement de réunir le Camp pour passer une soirée agréable à parler — ce que les gens faisaient le mieux.

Tulie commença par annoncer qu'un accord avait été conclu, et que l'Union de Deegie et de Branag serait officialisée l'été suivant. Chacun s'y attendait, ce qui n'empêcha pas les manifestations d'approbation et les félicitations. Le jeune couple rayonnait de joie. Talut, ensuite, demanda à Wymez de leur faire un rapport sur sa mission de commerce : on apprit qu'elle concernait des échanges de sel, d'ambre et de silex. Plusieurs personnes posèrent des questions ou se livrèrent à des commentaires. Jondalar écoutait avec attention. Ayla, qui ne comprenait pas de quoi il était question, résolut de lui demander des précisions un peu plus tard. Après quoi, Talut questionna Danug sur ses progrès, au grand embarras du garçon.

— Il a du talent, une certaine habileté. Encore quelques années d'expérience, et il sera très bon. On l'a laissé partir à regret. Il a beaucoup appris. Cette année d'absence n'a pas été vaine, déclara Wymez.

Le groupe exprima de nouveau son approbation. Il se fit une pause, meublée par quelques conversations particulières. Talut, enfin, se tourna vers Jondalar ; ce qui souleva un mouvement d'intérêt.

— Dis-nous, homme des Zelandonii, comment tu te trouves ici, au Camp du Lion des Mamutoï ? demanda le chef.

Jondalar but une gorgée à l'une des petites outres brunes emplies de boisson fermentée. Son regard passa sur les gens qui l'entouraient et qui attendaient sa réponse avec impatience. Il sourit à Ayla. Il s'est déjà trouvé dans une telle situation, se dit-elle, un peu surprise. Elle comprenait qu'il créait une atmosphère, avant de conter son histoire. Elle se disposa à l'écouter, comme les autres.

— C'est une longue histoire, commença-t-il.

Des têtes l'approuvèrent : c'était précisément ce qu'on avait envie d'entendre.

— Mon peuple vit bien loin d'ici, très loin vers le couchant, au-delà même de la source de la Grande Rivière Mère, qui termine sa course dans la mer de Beran. Nous habitons aussi, comme vous, près d'une rivière, mais la nôtre se jette dans les Grandes Eaux du couchant.

« Les Zelandonii sont un grand peuple. Comme vous, nous sommes des Enfants de la Terre. Celle que vous nommez Mut, nous l'appelons Doni, mais elle reste la Grande Terre Mère. Nous chassons, nous commerçons et nous faisons parfois de longs voyages. Mon frère et moi, un jour, nous avons décidé d'en faire un.

Un instant, Jondalar ferma les yeux, et la souffrance creusa sur son front des plis profonds.

— Thonolan... c'était mon frère... riait sans cesse et il aimait l'aventure. C'était un favori de la Mère.

La souffrance était bien réelle. Ce n'était pas de l'affectation pour embellir l'histoire, et tout le monde le sentait. Sans qu'il en eût rien dit, on en devinait la cause. Chez eux aussi, on disait que la Mère emportait de bonne heure ceux qu'Elle aimait le mieux. Jondalar n'avait pas eu l'intention de révéler ainsi ses sentiments. Le chagrin l'avait pris au dépourvu et le laissait quelque peu embarrassé. Mais une perte aussi douloureuse est universellement ressentie ; cette démonstration inattendue provoqua la sympathie de ceux qui l'écoutaient et éveilla chez eux une compréhension qui dépassait la curiosité et la courtoisie généralement témoignée aux visiteurs étrangers.

Jondalar reprit son souffle, essaya de renouer le fil de son récit.

— Ce voyage, à l'origine, devait être celui de Thonolan. J'avais l'intention de faire avec lui un bout de chemin, jusqu'aux lieux où habitaient certains de nos parents. Mais finalement, j'ai décidé de l'accompagner au long de son voyage. Après avoir traversé un glacier à la source du Danube, la Grande Rivière Mère, nous nous sommes dit que nous allions la suivre jusqu'au bout. Personne ne nous en croyait capables, pas même nous, peut-être. Pourtant, nous avons suivi notre chemin, traversé de nombreux affluents, rencontré bien des gens.

« Un jour, pendant le premier été, nous nous étions arrêtés pour chasser. Pendant que nous faisions sécher la viande, nous nous sommes retrouvés encerclés par des hommes qui pointaient sur nous leurs sagaies...

Jondalar avait retrouvé sa cadence, et le récit de ses aventures retenait l'attention passionnée de son auditoire. C'était un bon conteur, qui savait tenir en haleine ceux qui l'écoutaient. Ils ponctuaient ses paroles de hochements de tête, de murmures d'approbation, d'encouragements et même de cris. Même quand ils écoutent, pensa Ayla, les gens qui parlent avec des mots ne peuvent garder le silence.

Elle était fascinée, comme tout le monde, mais elle se surprit à observer un moment ceux qui l'entouraient. Les adultes tenaient sur leurs genoux les plus jeunes enfants, tandis que les autres, étroitement groupés, fixaient sur le séduisant étranger des yeux brillants. Danug, en particulier, semblait captivé. Penché en avant, il écoutait avec une attention profonde.

— ... Thonolan est entré dans le canyon : la lionne était partie, il se croyait en sécurité. Mais nous avons entendu rugir un lion...

— Et alors, que s'est-il passé ? demanda Danug.

— Je vais laisser le soin à Ayla de vous raconter le reste. Je ne me souviens pas de grand-chose, après ça.

Tous les yeux se tournèrent vers la jeune femme. Ayla était frappée de stupeur. Elle ne s'était pas attendue à cela. Jamais elle n'avait parlé en public. Jondalar lui souriait. La meilleure façon de l'habituer à s'exprimer devant des inconnus, s'était-il dit tout à coup, c'était de l'y contraindre. L'occasion se représenterait certainement pour elle de retracer une expérience vécue. Par ailleurs, chacun gardait encore en mémoire son extraordinaire maîtrise sur les chevaux : l'histoire du lion n'en serait que plus crédible. C'était une histoire qui ajouterait encore à son mystère. Et, peut-être, si l'auditoire s'en satisfaisait, n'aurait-elle pas à parler de ses origines.

— Qu'est-il arrivé, Ayla ? demanda Danug.

Rugie, jusqu'à présent, s'était montrée timide avec ce grand frère qui était resté si longtemps absent, mais elle retrouva le souvenir d'autres assemblées où l'on avait raconté des histoires et elle décida sur l'instant de s'installer sur ses genoux. Danug l'accueillit d'une caresse et d'un sourire distrait, sans pour autant détourner ses yeux d'Ayla.

Celle-ci regarda tous ces visages tournés vers elle. Elle essaya de parler mais elle avait la bouche sèche.

— Oui, qu'est-il arrivé ? répéta Latie.

Rydag sur les genoux, elle était assise près de Danug.

Les grands yeux sombres de l'enfant brillaient d'excitation. Il ouvrit la bouche pour poser une question, lui aussi, mais personne ne comprit le son qu'il émit. Personne, sauf Ayla. Elle n'avait pas saisi le mot lui-même, mais seulement sa signification. Elle avait déjà entendu des sons semblables, elle avait même appris à s'en servir. Les gens du Clan n'étaient pas muets : leur capacité d'articulation était simplement limitée. Ils avaient donc créé peu à peu pour communiquer un langage par signes, très riche, très complet. Les mots leur servaient uniquement à souligner certaines nuances. L'enfant, Ayla le savait, lui demandait de continuer l'histoire. Elle sourit, s'adressa particulièrement à lui.

— J'étais avec Whinney, commença-t-elle.

La manière dont elle prononçait le nom de la jument avait toujours été une imitation du doux hennissement d'un cheval. Les gens de la caverne n'y virent qu'un merveilleux embellissement à l'histoire. Ils sourirent, l'encouragèrent de la voix à continuer dans la même veine.

— Elle a bientôt petit cheval. Elle très grosse, dit Ayla.

Elle portait les mains en avant de son ventre pour indiquer que la jument était presque à terme. Il y eut des sourires de compréhension.

— Tous les jours, nous sortons. Whinney a besoin sortir. Pas loin, pas vite. Toujours aller côté soleil levant. Côté soleil levant facile. Trop facile : rien nouveau. Un jour, aller soleil couchant. Voir endroit nouveau, poursuivit Ayla.

Elle s'adressait toujours à Rydag.

Jondalar lui avait enseigné le langage des Mamutoï ainsi que d'autres qu'il connaissait, mais elle le parlait moins couramment que celui de son compagnon, le premier qu'elle avait appris. Elle s'exprimait d'une manière étrange et elle cherchait ses mots, ce qui la mettait mal à l'aise. Mais, pour le petit garçon qui, lui, ne pouvait se faire comprendre de personne, elle devait essayer. Parce qu'il le lui avait demandé.

— J'entends lion...

Elle ne comprit pas bien ce qui l'avait poussée. Peut-être fut-ce le regard de Rydag, la façon dont il tournait la tête pour mieux entendre, ou peut-être fut-ce son instinct. Toujours est-il qu'elle fit suivre le mot « lion » d'un grondement menaçant qui évoquait parfaitement un véritable lion. Elle perçut des cris de frayeur étouffés, des rires nerveux, des murmures d'approbation. Elle possédait une incroyable faculté pour imiter les animaux. Jondalar, lui aussi, hochait la tête en lui souriant.

— J'entends homme crier.

Elle regarda son compagnon, et ses yeux s'emplirent de tristesse.

— J'arrête. Que faire ? Whinney grosse de son enfant...

Cette fois, elle reproduisait les petits sons aigus émis par un poulain et en fut récompensée par un sourire radieux de Latie.

— Je suis inquiète pour cheval, mais homme crie. J'entends encore lion. J'écoute.

Par sa bouche, le rugissement d'un lion devenait presque espiègle.

— C'est Bébé. J'entre dans canyon, alors. Je sais cheval pas blessé...

Elle vit autour d'elle des regards perplexes. Le mot qu'elle avait employé n'était pas familier à ces gens. En d'autres circonstances, Rydag l'aurait peut-être reconnu, lui. Ayla avait dit à Jondalar que, pour le Clan, ce mot désignait un tout petit enfant. Elle essaya d'expliquer :

— Bébé est lion. Bébé est lion je connais. Je trouve homme mort. Autre homme, Jondalar, beaucoup blessé. Whinney ramène à vallée.

— Ha ! fit une voix moqueuse.

Ayla leva la tête. C'était Frebec, l'homme qui s'était querellé un peu plus tôt avec la vieille femme.

— Tu voudrais me faire croire, continua-t-il, que tu as écarté un lion d'un homme blessé ?

— Pas lion comme autres. Bébé, précisa-t-elle.

— Qu'est-ce que c'est... ce mot que tu dis ?

— « Bébé » est un mot du Clan. Veut dire enfant, tout petit. Je donne nom à lion quand vit avec moi. Bébé est lion je connais. Cheval connaît aussi. Pas peur.

Ayla était inquiète : il se passait quelque chose, mais quoi ?

— Tu vivais avec un lion ? Tu ne me feras pas croire ça, ricana l'homme.

— Tu ne le crois pas ? intervint Jondalar, furieux.

Cet homme accusait Ayla de mensonge, et lui-même savait trop bien à quel point son histoire était vraie.

— Ayla ne ment pas, déclara-t-il.

Il se leva, dénoua la lanière qui retenait autour de la taille ses jambières de cuir. Il découvrit l'aine et la cuisse striées de cicatrices encore enflammées.

— Ce lion m'a attaqué, et Ayla ne s'est pas contentée de m'arracher à ses griffes. C'est une guérisseuse de grand talent. Sans elle, j'aurais suivi mon frère dans l'autre monde. Je vais te dire autre chose. Je l'ai vue monter sur le dos de ce lion, comme elle le fait avec le cheval. Vas-tu me traiter de menteur ?

— Aucun invité du Camp du Lion n'est traité de menteur, déclara Tulie.

Elle essayait d'éviter une scène regrettable et fixait sur Frebec un regard menaçant.

— A mon avis, tu as bien été cruellement lacéré, et nous avons certainement vu de nos yeux cette femme... Ayla... monter la jument. Je ne vois aucune raison de douter d'elle ni de toi.

Il y eut un silence tendu. Le regard perplexe d'Ayla allait d'un visage à l'autre. Le mot « menteur » lui était inconnu, et elle ne comprenait pas pourquoi Frebec déclarait qu'il ne la croyait pas. Elle avait grandi parmi des gens pour qui le mouvement représentait le moyen de communication essentiel. Plus encore que les gestes des mains, le langage du Clan utilisait les postures, les expressions pour nuancer ce qu'on voulait dire. Mentir de tout son corps d'une façon convaincante était impossible. On pouvait tout au plus utiliser la restriction mentale, et cela même était discernable : on le tolérait par souci de discrétion. Ayla n'avait jamais appris à mentir.

Elle savait pourtant que quelque chose n'allait pas. Elle déchiffrait la colère, l'hostilité qui venaient de naître aussi clairement que si ces gens les avaient criées. Elle savait aussi qu'ils s'efforçaient de ne pas les exprimer. Talut vit les yeux d'Ayla se poser sur l'homme à la peau sombre, s'en détourner. A la vue de Ranec, le chef eut l'idée d'un moyen pour apaiser les tensions et revenir aux histoires que chacun racontait.

— C'est une belle aventure, Jondalar, dit-il de sa voix claironnante, non sans gratifier Frebec d'un regard sévère. Les récits de voyages sont toujours passionnants. Aimerais-tu en entendre un autre ?

— Oui, très volontiers.

Il y eut des sourires dans toute l'assistance. Le calme se rétablit. L'histoire était l'une des préférées du groupe et l'occasion était rare de la partager avec des gens qui ne l'avaient pas encore entendue.

— C'est l'histoire de Ranec... commença Talut.

Ayla regarda Ranec avec intérêt.

— Aime savoir comment homme à peau brune est à Camp du Lion, dit-elle.

Il lui sourit mais se tourna vers l'homme de son foyer.

— C'est mon histoire, mais c'est à toi de la raconter, Wymez.

Jondalar avait repris sa place. Il ne savait trop s'il devait apprécier le nouveau tour de la conversation — ou peut-être l'intérêt que témoignait Ayla à Ranec. Mais mieux valait cela qu'une hostiiité presque déclarée. D'ailleurs, son intérêt à lui aussi s'éveillait.

Wymez s'installa plus confortablement, adressa un signe de tête à Ayla, un sourire à Jondalar, avant de commencer :

— Nous avons d'autres points communs que la connaissance de la pierre, jeune homme. Moi aussi, dans ma jeunesse, j'ai accompli un long voyage. J'ai pris d'abord la direction du sud, en passant du côté du soleil levant. J'ai dépassé la mer de Beran et j'ai poursuivi mon chemin jusqu'aux rivages d'une mer beaucoup plus vaste. Cette mer du Sud porte différents noms, car de nombreux peuples vivent sur ses côtes. Je les ai d'abord suivies en direction du soleil levant, puis, vers le soleil couchant, j'ai longé les rivages du sud, à travers des terres couvertes de forêts, où il fait beaucoup plus chaud, où il pleut plus souvent qu'ici.

« Je n'essaierai pas de vous conter tout ce qui m'est arrivé. Ce sera pour une autre fois. Je veux vous dire l'histoire de Ranec. En voyageant vers le couchant, j'ai rencontré bien des gens. J'ai vécu quelque temps chez certains, j'ai appris de nouvelles coutumes. Mais je finissais toujours par en avoir assez et je me remettais en route. Je voulais savoir jusqu'où je pourrais aller vers le couchant.

« Au bout de plusieurs années, je suis arrivé en un lieu qui se trouve non loin de tes Grandes Eaux, je crois, Jondalar, mais de l'autre côté du passage resserré où la mer du Sud s'unit à elles. Là-bas, j'ai rencontré un peuple dont la peau était si sombre qu'elle paraissait noire et, là-bas aussi, j'ai connu une femme. Une femme vers laquelle je me suis senti attiré. Peut-être au début était-ce à cause de son aspect différent... Ses vêtements étranges, la couleur de sa peau, ses yeux sombres étincelants... Son sourire était irrésistible... comme sa façon de danser, de se mouvoir... C'était la femme la plus extraordinaire que j'aie jamais rencontrée.

Wymez s'exprimait d'un ton direct, d'une voix presque neutre, mais le récit était si passionnant que tout effet dramatique était inutile. Néanmoins, quand l'homme trapu, réservé, commença de parler de cette femme, son attitude changea visiblement.

— Quand elle accepta de s'unir à moi, je décidai de rester avec elle. Dès ma prime jeunesse, le travail de la pierre m'a toujours intéressé. J'appris leur méthode de façonner des pointes de sagaies. Ils taillent les faces de la pierre, tu comprends ?

La question était posée directement à Jondalar.

— Oui, comme une hache, répondit celui-ci.

— Mais ces pointes étaient moins épaisses, moins grossières. Ils possédaient une bonne technique. Je leur ai enseigné certaines choses, moi aussi, et je me suis volontiers plié à leurs coutumes, surtout quand la Mère a béni ma compagne en lui accordant un enfant, un garçon. Elle m'a demandé de lui donner un nom. J'ai choisi Ranec.

Voilà qui explique tout, se dit Ayla. Sa mère avait la peau sombre.

— Qu'est-ce qui t'a décidé à revenir ? demanda Jondalar.

— Quelques années après la naissance de Ranec, les difficultés ont commencé. Le peuple à la peau noire chez qui je vivais s'était installé en ces lieux après avoir quitté une région plus éloignée vers le sud.

Certains des habitants des Camps voisins ne voulaient pas partager les territoires de chasse. Il y avait aussi des différences de coutumes. Je suis presque parvenu à les convaincre de se réunir pour en discuter. Mais quelques jeunes, des têtes brûlées, ont choisi plutôt de se battre. Une mort en amenait une autre, par vengeance. Vinrent ensuite des attaques contre les Camps.

« Nous avions établi de solides défenses, mais ils étaient plus nombreux que nous. La lutte a continué pendant quelque temps. Bientôt, la seule vue d'une personne à la peau plus claire suffit à déchaîner la peur et la haine. J'avais beau être l'un des leurs, ils se sont mis à se méfier de moi et même de Ranec. Sa peau était un peu plus pâle que la leur, ses traits étaient différents. J'ai parlé à la mère de Ranec, et nous avons décidé de partir. La séparation fut bien triste : nous laissions derrière nous une famille, de nombreux amis. Mais nous n'étions plus en sécurité. Quelques-unes de ces têtes brûlées ont même essayé de s'opposer à notre départ, mais avec de l'aide nous avons pu leur échapper durant la nuit.

« Nous avons marché vers le nord, vers le détroit. Je savais qu'il y avait là des gens qui construisaient de petits bateaux et s'en servaient pour traverser la mer. On nous avertit : c'était la mauvaise saison, et le passage était toujours difficile, même dans les meilleures conditions. Mais nous devions partir à tout prix, je le sentais, et nous avons décidé de prendre le risque.

« J'avais pris la mauvaise décision, poursuivit Wymez, d'une voix fermement contrôlée. Le bateau a chaviré. Seuls, Ranec et moi sommes arrivés sur l'autre rive, avec un paquet de ses affaires à elle.

Il s'interrompit un instant, avant de reprendre le cours de son histoire.

— Nous étions encore bien loin de chez moi, et le voyage nous a pris longtemps, mais nous avons fini par arriver ici, pendant une Réunion d'Eté.

— Combien de temps étais-tu resté absent ? demanda Jondalar.

— Dix années. (Wymez sourit.) Nous avons fait sensation. Personne ne s'attendait à me revoir, et surtout pas avec Ranec. Nezzie ne m'a même pas reconnu, mais ma sœur était encore très jeune quand j'étais parti. Elle et Talut venaient de célébrer leur Union. Ils étaient en train de fonder le Camp du Lion, avec Tulie, ses deux compagnons et leurs enfants. Ils m'ont invité à me joindre à eux. Nezzie a adopté Ranec, bien qu'il soit resté le fils de mon foyer, et elle l'a élevé comme son propre fils, même après la naissance de Danug.

Lorsqu'il se tut, l'auditoire mit un moment à comprendre qu'il était arrivé au bout de son récit. Chacun avait envie d'en savoir davantage. Ils lui avaient presque tous entendu conter bien des histoires, mais il en avait apparemment toujours d'autres en réserve, ou il donnait un tour nouveau aux anciennes.

— Je crois que Nezzie serait la mère de tout le monde, si elle le pouvait, dit Tulie, qui se rappelait le retour de Wymez. J'avais alors Deegie au sein, et Nezzie ne se lassait jamais de jouer avec elle.

— Pour moi, elle est plus qu'une mère ! déclara Talut.

Avec un sourire taquin, il tapota le large séant de sa compagne. Il était allé chercher une autre outre de son puissant breuvage et la passait à ses compagnons, après avoir avalé une lampée.

— Talut ! protesta Nezzie. Je vais être autre chose qu'une mère pour toi, tu vas voir !

Elle voulait paraître furieuse mais elle dissimulait un sourire.

— C'est une promesse ? riposta-t-il.

— Tu sais très bien ce que je voulais dire, Talut, reprit Tulie.

Elle ignorait délibérément les sous-entendus échangés entre son frère et la compagne de celui-ci.

— Elle n'a même pas pu laisser mourir Rydag. Il est si chétif : la mort aurait mieux valu pour lui.

Le regard d'Ayla alla trouver l'enfant. La remarque de Tulie l'avait troublée. Elle n'avait pas voulu se montrer méchante, mais, Ayla le savait, il détestait entendre parler de lui comme s'il n'était pas là. Pourtant il n'y pouvait rien. Il était incapable de dire ce qu'il ressentait, et Tulie pensait que, puisqu'il ne pouvait parler, il n'éprouvait rien.

Ayla aurait aimé poser des questions à propos de l'enfant mais elle craignait de se montrer présomptueuse. Jondalar le fit à sa place, pour satisfaire sa propre curiosité.

— Nezzie, veux-tu nous parler de Rydag ? Cela intéresse Ayla, je pense, et moi aussi.

Nezzie se pencha pour reprendre le petit garçon à Latie et l'installer sur ses genoux, tout en rassemblant ses idées.

— Nous étions partis chasser le mégacéros, tu sais, le cerf géant aux bois démesurés, commença-t-elle. Nous avions l'intention d'élever une enceinte et d'y faire pénétrer les bêtes : c'est le seul moyen de chasser les animaux aux grandes cornes. Quand j'ai remarqué pour la première fois la femme qui se cachait près de notre campement, j'ai trouvé cela étrange. On voit rarement des femmes Têtes Plates et jamais seules.

Ayla, penchée en avant, l'écoutait attentivement.

— Elle ne s'est pas enfuie quand elle m'a vue la regarder, mais plus tard seulement, quand j'ai voulu m'approcher d'elle. J'ai noté alors qu'elle attendait un enfant. Je me suis dit qu'elle avait peut-être faim et je lui ai laissé de quoi manger près de l'endroit où elle se cachait. Le lendemain matin, la nourriture avait disparu. J'en ai déposé d'autre, avant que nous levions le camp.

« Au cours de la journée, j'ai cru la voir à plusieurs reprises, mais je n'en étais pas sûre. Le soir, pendant que j'allaitais Rugie, j'ai essayé de l'approcher. Une fois de plus, elle a pris la fuite mais elle se déplaçait comme si elle souffrait, et j'ai compris qu'elle était sur le point de mettre son enfant au monde. Je ne savais pas quoi faire. Je voulais l'aider, mais elle m'échappait toujours, et la nuit tombait. J'ai tout raconté à Talut, et il a rassemblé quelques hommes pour la rattraper.

— Ça aussi, ça m'a paru étrange, dit Talut, en prenant la suite du récit de Nezzie. Je pensais que nous allions devoir l'encercler pour la prendre au piège, mais, quand je lui ai crié de s'arrêter, elle s'est tout simplement assise par terre pour nous attendre. Elle n'a pas eu l'air trop effrayée à ma vue. Je lui ai fait signe d'approcher. Elle s'est levée et m'a suivi tout de suite, comme si elle savait ce qu'elle devait faire, comme si elle comprenait que je ne lui ferais pas de mal.

— Je ne sais pas comment elle parvenait encore à marcher, continua Nezzie. Elle souffrait tellement. Elle a vite compris que je voulais l'aider, mais je me demande si j'ai été d'un grand secours. Je n'étais même pas sûre qu'elle vivrait assez longtemps pour mettre son enfant au monde. Pourtant, elle n'a jamais poussé un cri. Finalement, le lendemain matin, son fils est né. A ma surprise, il était d'esprits mêlés. Même à cet âge, on voyait qu'il était différent.

« La femme était très faible. Si je lui montrais que son fils était vivant, me suis-je dit, elle retrouverait peut-être une raison de vivre. Et elle avait l'air d'avoir envie de le voir. Mais sans doute s'était-elle trop affaiblie. Elle devait avoir perdu trop de sang. C'était comme si elle avait renoncé à tout. Elle est morte avant le lever du soleil.

« Tout le monde me disait de le laisser mourir avec sa mère, mais, de toute manière, je nourrissais Rugie et j'avais trop de lait. Il ne m'en a pas coûté de le mettre au sein, lui aussi.

D'un geste protecteur, elle serra l'enfant contre elle.

— Il est chétif, je le sais bien. Peut-être aurais-je dû l'abandonner, mais je ne pourrais pas aimer Rydag davantage s'il était mon propre enfant. Et je ne regrette pas de l'avoir gardé.

Rydag leva vers Nezzie ses grands yeux bruns brillants, il lui passa autour du cou ses petits bras maigres, posa la tête sur sa poitrine. Nezzie se mit à le bercer.

— Il y a des gens qui le considèrent comme un animal parce qu'il ne peut pas parler, mais je sais qu'il comprend tout. Et ce n'est pas non plus un monstre, ajouta-t-elle, en lançant vers Frebec un coup d'œil furieux. Seule la Mère sait pourquoi les esprits qui l'ont formé étaient mêlés.

Ayla luttait pour retenir ses larmes. Elle ignorait comment ces gens réagiraient devant ce spectacle : ses yeux qui se mouillaient si aisément avaient toujours gêné les gens du Clan. En regardant la femme et l'enfant, elle se sentait submergée par les souvenirs. Elle éprouvait le désir douloureux de serrer son fils dans ses bras, elle ressentait de nouveau le chagrin d'avoir perdu Iza, qui l'avait recueillie et l'avait élevée avec tendresse, bien qu'elle fût aussi différente du Clan que l'était Rydag du Camp du Lion. Plus que tout, elle aurait voulu expliquer à Nezzie à quel point elle était émue, combien elle lui était reconnaissante, pour Rydag et... pour elle-même. Inexplicablement, elle avait l'impression qu'elle manifesterait sa gratitude envers Iza si elle trouvait le moyen de faire quelque chose pour Nezzie.

— Nezzie, il sait, dit Ayla à voix basse. Lui pas animal, pas Tête Plate. Il est enfant du Clan et enfant des Autres.

— Je sais que ce n'est pas un animal, Ayla, répondit Nezzie. Mais le Clan, qu'est-ce que c'est ?

— Est gens comme mère de Rydag, expliqua la jeune femme. Vous dites Têtes Plates, eux disent Clan.

— Comment ça, « ils disent Clan » ? intervint Tulie. Ils ne savent pas parler.

— Disent pas beaucoup de mots. Mais parlent. Parlent avec mains.

— Comment le sais-tu ? questionna Frebec. D'où te vient cette science ?

Jondalar, dans l'attente de la réponse d'Ayla, retint son souffle.

— Vivais avec Clan avant. Parle comme Clan. Pas avec mots, avant arrivée de Jondalar. Clan était mon peuple.

Quand le sens de ses paroles pénétra les esprits, il se fit un silence abasourdi.

— Tu veux dire que tu vivais avec des Têtes Plates ? Tu vivais avec ces répugnants animaux ? s'exclama Frebec avec dégoût.

Il se leva d'un bond, recula de quelques pas.

— Pas étonnant qu'elle parle si mal. Si elle a vécu avec eux, elle est aussi répugnante qu'eux. Tous ces animaux, ces gens-là, y compris cette petite horreur à laquelle tu tiens tant, Nezzie.

Le Camp tout entier était en effervescence. Certains auraient peut-être été de l'avis de Frebec, mais il était allé trop loin. Il avait dépassé les limites de la courtoisie due à tout visiteur, il était allé jusqu'à insulter la compagne de Celui Qui Ordonne. Mais, depuis longtemps, il était gêné d'appartenir au Camp qui avait recueilli « ce monstre d'esprits mêlés ». En même temps, il était encore irrité par les paroles acerbes décochées par la mère de Fralie au cours de leur récente querelle. Il avait besoin de passer son exaspération sur quelqu'un.

Dans un rugissement, Talut se lança à la défense de Nezzie et d'Ayla. Tulie ne perdit pas un instant pour soutenir l'honneur du Camp. Crozie, avec un sourire malicieux, tantôt haranguait Frebec, tantôt faisait les gros yeux à Fralie. Les autres exprimaient leurs opinions à haute et intelligible voix. Le regard d'Ayla allait de l'un à l'autre. Elle avait envie de se boucher les oreilles pour ne plus les entendre.

Tout à coup, la voix retentissante de Talut réclama le silence. Devant cet éclat, tout le monde se tut. On entendit alors le tambour de Mamut, et le son produisit un effet apaisant.

— Avant que quelqu'un reprenne la parole, nous devrions entendre, je crois, ce que peut nous dire Ayla, dit Talut, quand le battement cessa.

Les gens se penchèrent en avant dans une posture attentive. Ils étaient tout disposés à apprendre ce qu'était cette femme mystérieuse.

Ayla n'était pas convaincue de vouloir en dire davantage à ces êtres bruyants et grossiers mais, elle le savait, elle n'avait pas le choix. Elle releva le menton. S'ils tenaient à tout entendre, se dit-elle, ils allaient être satisfaits, mais elle partirait dès le lendemain matin.

— Je... ne pas... Pas souvenirs de première jeunesse, commença-t-elle. Seulement tremblement de terre et lion des cavernes qui fait marques sur jambe. Iza dit trouver moi près rivière... Quel mot, Mamut ? Pas en éveil ?

— Inconsciente.

— Iza trouver moi près rivière, inconsciente. Je être près âge Rydag, plus jeune. Peut-être cinq années. Blessée sur jambe par griffes lion des cavernes. Iza est... guérisseuse. Soigne jambe. Creb... Creb est mog-ur... comme Mamut... homme sage... connaît monde esprits. Creb apprend moi parler comme Clan. Iza et Creb... tout Clan... prennent soin. Je pas Clan, mais prennent soin.

Ayla faisait un grand effort pour se rappeler tout ce que lui avait dit Jondalar du langage de ces gens. Elle n'avait pas apprécié la remarque de Frebec sur ses difficultés d'élocution. Le reste non plus, d'ailleurs. Elle glissa un coup d'œil vers Jondalar, lui vit le front plissé. Il lui demandait d'être prudente. Elle n'était pas bien sûre de la nature de son inquiétude, mais peut-être n'était-il pas nécessaire de tout dire.

— Je grandis avec Clan mais je pars... pour trouver Autres, comme moi. J'ai...

Elle s'interrompit pour retrouver le nom du chiffre qui convenait.

— ... quatorze années, alors. Iza dit Autres vivant dans nord. Je chercher longtemps ; trouver personne. Je trouve vallée et je reste, pour préparer pour hiver. Tue cheval pour viande, vois petit cheval, enfant de jument. Moi sans personne. Petit cheval est comme enfant. Prends soin petit cheval. Après, trouve jeune lion, blessé. Prends lion aussi, mais lui grandit, quitte, trouve compagne. Vis dans vallée trois ans, seule. Après, Jondalar vient.

Ayla se tut. Personne ne parlait. Son explication, fournie tout simplement, sans fioritures, était certainement véridique. Elle n'était pas moins difficile à croire. Elle posait plus de questions qu'elle ne fournissait de réponses. Avait-elle été réellement recueillie et élevée par des Têtes Plates ? Ceux-ci savaient-ils vraiment parler ou, du moins, communiquer ? Pouvaient-ils se montrer si généreux, si humains ? Et elle, si elle avait été élevée par eux, était-elle humaine ?

Ayla occupa le silence qui suivit à observer Nezzie et le petit garçon. Elle se rappela alors un souvenir ancien de sa vie dans le Clan. Creb avait commencé à lui enseigner le langage des mains, mais il y avait au moins un geste qu'elle avait appris seule. C'était un signe qu'on faisait souvent devant les tout jeunes enfants, et que les plus grands utilisaient toujours avec les femmes qui s'occupaient d'eux. Elle revoyait l'émotion d'Iza, le jour où elle lui avait adressé ce signe pour la première fois.

Elle se pencha en avant, dit à Rydag :

— Je veux montrer mot. Mot tu fais avec mains.

Il se redressa, le regard brillant d'intérêt et de plaisir. Il avait compris, comme il comprenait toujours ce qu'on disait autour de lui. Et la mention de signes faits avec les mains avait éveillé en lui un vague émoi.

Sous les regards de l'assistance, Ayla fit un geste, un mouvement bien précis des deux mains. Il essaya de l'imiter, eut un froncement de sourcils perplexe. Mais soudain, surgie du plus profond de lui-même, la compréhension vint l'illuminer. Il corrigea son geste. Ayla lui sourit, hocha la tête. Il se tourna alors vers Nezzie, refit pour elle le même signe. Elle regarda Ayla.

— Il a dit à toi « mère », expliqua la jeune femme.

— Mère ? répéta Nezzie.

Elle ferma les paupières pour refouler ses larmes, serra contre elle l'enfant dont elle prenait soin depuis sa naissance.

— Talut ! Tu as vu ? Rydag vient de m'appeler « mère ». Jamais je n'aurais cru voir le jour où Rydag m'appellerait « mère ».

4

L'atmosphère, dans le Camp, était à la préoccupation. Personne ne savait que dire, que penser. Qui étaient donc ces étrangers qui avaient surgi parmi eux ? L'homme qui prétendait venir d'un lieu situé très loin vers le couchant était plus facile à croire que la femme. Elle avait passé, disait-elle, trois années dans une vallée proche et, plus étonnant encore, avant cela, elle avait vécu avec une bande de Têtes Plates. Le récit de la femme menaçait toute une structure de convictions confortables. Il était pourtant difficile de mettre sa parole en doute.

Nezzie, les yeux pleins de larmes, était allée coucher Rydag. Tout le monde considéra son départ comme le signal que la soirée était finie, et chacun regagna son foyer. Ayla profita de l'occasion pour s'éclipser. Elle enfila sa pelisse en fourrure, en releva le capuchon et se glissa dehors.

Whinney la reconnut, hennit doucement. Guidée dans la nuit par le souffle et les ébrouements de la jument, Ayla la retrouva.

— Tout va bien, Whinney ? Tu es à ton aise ? Et Rapide ? Probablement pas plus que moi, dit Ayla.

Elle employait le langage particulier dont elle usait avec les chevaux. Whinney secoua sa crinière, piaffa délicatement, avant de poser la tête sur l'épaule de la jeune femme. Ayla entoura de ses bras l'encolure au poil rude, appuya son front contre la jument qui avait été si longtemps son unique compagnie. Rapide se rapprocha d'elle, et tous trois se serrèrent les uns contre les autres pour un instant de répit après toutes les expériences nouvelles de la journée.

Après s'être assurée que les chevaux n'avaient pas souffert, Ayla descendit jusqu'à la berge de la rivière. Elle était heureuse d'échapper à l'habitation semi-souterraine, à tous ces gens. Elle respira à pleins poumons. L'air était vif et sec. Lorsqu'elle repoussa son capuchon de fourrure, ses cheveux crépitèrent. Elle dégagea son cou, leva la tête.

La lune, échappant au splendide compagnon qui la tenait si souvent enchaînée, avait tourné son œil brillant vers les lointaines profondeurs où des lumières tournoyantes promettaient une liberté sans limites mais n'offraient qu'un vide cosmique. Très haut dans le ciel, des nuages vaporeux enveloppaient les étoiles les moins hardies mais voilaient seulement de halos miroitants les plus déterminées. Le ciel d'un noir de suie semblait tout proche, velouté.

Ayla était la proie d'émotions contradictoires qui la déchiraient. C'était donc eux, ces Autres qu'elle avait recherchés. La race au milieu de laquelle elle était née. Elle aurait dû grandir parmi ceux qui leur ressemblaient et s'y sentir chez elle, si le tremblement de terre ne s'était pas produit. Elle connaissait les mœurs du Clan, mais les coutumes de son propre peuple lui étaient inconnues. Cependant, sans le Clan, elle n'aurait jamais grandi. Elle ne pouvait pas y retourner mais elle n'avait pas non plus le sentiment d'être chez elle chez les Mamutoï.

Ils étaient si bruyants, si turbulents. Iza aurait déclaré qu'ils n'avaient pas de manières. Ce Frebec, par exemple, qui parlait à tort et à travers, sans même en demander la permission, et les autres qui hurlaient et jacassaient tous à la fois. Talut était un chef, sans doute, mais lui-même devait crier pour se faire entendre. Jamais Brun n'aurait eu besoin de crier. Les rares fois où elle l'avait entendu pousser un cri, c'était pour avertir quelqu'un d'un danger. Chacun, dans le Clan, avait toujours plus ou moins conscience de la présence du chef. Brun n'avait qu'un signe à faire pour obtenir presque immédiatement l'attention de tous.

Ayla n'aimait pas la façon dont ces gens parlaient du Peuple du Clan. Ils les appelaient des Têtes Plates, des animaux. Ils ne voyaient donc pas que c'était des êtres humains, eux aussi ? Un peu différents, peut-être, mais humains tout de même. Nezzie, elle, le savait. En dépit de ce que disaient tous les autres, elle savait que la mère de Rydag était une femme, que le petit auquel elle avait donné naissance était un enfant. Mais il est d'esprits mêlés, se disait Ayla, comme mon fils, comme la petite fille d'Oda, au Rassemblement du Clan. Comment la mère de Rydag avait-elle pu avoir un enfant d'esprits mêlés comme celui-là ?

Les esprits ! Etaient-ce bien les esprits qui formaient les enfants ? L'esprit du totem d'un homme dominait-il celui d'une femme, afin de faire grandir en elle un enfant, comme le croyait le Clan ? La Grande Mère choisissait-elle les esprits d'un homme et d'une femme, afin de les placer à l'intérieur d'un corps de femme, comme le croyait Jondalar et les Mamutoï ?

Pourquoi suis-je la seule à penser que c'est un homme, et non pas un esprit, qui fait croître un petit chez une femme ? Un homme, qui se sert pour cela de son organe... de sa virilité, comme dit Jondalar. Sinon, pourquoi les hommes et les femmes s'uniraient-ils comme ils le font ?

Quand Iza m'a parlé de la tisane médicinale, elle m'a dit qu'elle fortifiait son totem, et que c'était cela qui, depuis tant d'années, l'avait empêchée d'avoir un enfant. C'est peut-être vrai. Pourtant, tout le temps que j'ai vécu seule, je n'ai pas pris la tisane, et aucun bébé ne s'est créé tout seul. C'est seulement après la venue de Jondalar que j'ai songé à chercher de nouveau ces plantes...

Jondalar, alors, m'avait montré que ça ne faisait pas forcément mal... que l'Union d'un homme et d'une femme pouvait être merveilleuse...

Je me demande ce qui arriverait, si je cessais de prendre la tisane secrète d'Iza ? Aurais-je un enfant ? Aurais-je l'enfant de Jondalar ? S'il mettait son organe à l'endroit d'où sortent les enfants ?

A cette idée, elle sentit ses joues devenir brûlantes, les pointes de ses seins durcir. Il est trop tard, aujourd'hui, se dit-elle : j'ai pris la tisane ce matin. Mais si, demain, je me faisais une infusion ordinaire ? Pourrais-je faire pousser en moi l'enfant de Jondalar ? Après tout, nous n'aurions pas besoin d'attendre. Nous pourrions essayer dès ce soir...

Elle sourit en secret. Tu as simplement envie qu'il te touche, qu'il mette sa bouche sur la tienne et sur... Secouée d'un frisson, elle ferma les yeux pour mieux évoquer les sensations qu'il éveillait en elle.

— Ayla, appela une voix cassante.

Elle sursauta. Elle n'avait pas entendu approcher Jondalar, et le ton dont il avait prononcé son nom ne s'harmonisait pas avec ce qu'elle éprouvait à ce moment. Toute chaleur s'évanouit. Quelque chose tourmentait Jondalar. Quelque chose le tourmentait depuis leur arrivée. Elle aurait aimé savoir de quoi il s'agissait.

— Oui ?

— Que fais-tu là ? demanda-t-il du même ton bref.

Oui, que faisait-elle ?

— Je goûte la douceur de la nuit, je respire et je pense à toi, expliqua-t-elle de son mieux.

Jondalar ne s'attendait pas à cette réponse. Mais à quoi s'était-il attendu ? Il ne le savait pas trop. Depuis l'apparition de l'homme à la peau sombre, il luttait contre la colère et l'inquiétude qui lui nouaient l'estomac au point de lui donner la nausée.

Ayla semblait lui porter un grand intérêt, et Ranec la regardait sans cesse. Jondalar avait bien tenté de ravaler sa colère, de se dire qu'il était ridicule d'y attacher tant d'importance. Ayla avait besoin de nouveaux amis. Qu'il fût le premier ne signifiait pas qu'il resterait l'unique.

Pourtant, quand la jeune femme interrogea Ranec sur sa vie, Jondalar se sentit à la fois brûler de fureur et frissonner d'une terreur glacée. Pourquoi voulait-elle en savoir davantage sur ce fascinant étranger ? Il dut résister à l'élan qui l'incitait à l'arracher immédiatement à ces lieux mais il fut en même temps tourmenté d'avoir éprouvé un tel sentiment. Elle avait le droit de choisir ses amis, et cet homme et elle n'étaient que des amis. Ils n'avaient rien fait d'autre qu'échanger quelques propos, quelques regards.

Lorsque Ayla sortit seule de l'abri souterrain, Jondalar, conscient des yeux sombres de Ranec qui suivaient ses mouvements, enfila vivement sa pelisse et suivit la jeune femme. Il la vit debout au bord de la rivière et, sans trop savoir pourquoi, se persuada qu'elle pensait à Ranec. La réponse d'Ayla le prit d'abord au dépourvu, mais il se détendit et lui sourit.

— J'aurais dû savoir que, si je posais une question, j'obtiendrais une réponse complète et sincère. Tu respires, tu goûtes la douceur de la nuit... Tu es merveilleuse, Ayla.

Elle lui rendit son sourire. Elle n'était pas très sûre de ce qu'elle avait bien pu faire, mais quelque chose avait fait sourire Jondalar, avait ramené la joie dans sa voix. Le bonheur qu'elle avait éprouvé avant sa venue lui revint. Elle fit un mouvement vers lui. Au plus sombre de la nuit, où la lueur des étoiles permettait à peine de distinguer un visage, Jondalar perçut son humeur, réagit comme elle s'y attendait. L'instant d'après, elle se retrouvait dans ses bras, leurs lèvres jointes, et tous les doutes, tous les tourments s'envolèrent de son esprit. Elle était prête à aller n'importe où, à vivre avec n'importe qui, à s'adapter à n'importe quelle coutume étrange, aussi longtemps qu'elle aurait Jondalar.

Au bout d'un moment, elle leva la tête vers lui.

— Te rappelles-tu le jour où je t'ai demandé quel était ton signal ? Comment je devrais m'exprimer pour te dire que j'avais envie de tes caresses, de ton organe en moi ?

— Oui, je me rappelle, répondit-il en grimaçant un sourire.

— Tu m'as dit de t'embrasser ou de demander, simplement. Je demande. Peux-tu te préparer, maintenant ?

Elle était si grave, si ingénue, si désirable. Il pencha la tête pour l'embrasser encore, la tint si serrée contre lui qu'elle distinguait presque le bleu de ses yeux, l'amour qu'ils exprimaient.

— Ayla, ma ravissante, ma drôle de petite femme, dit-il. Sais-tu à quel point je t'aime ?

Mais, tout en la tenant ainsi, il fut envahi d'un flot de culpabilité. S'il l'aimait à ce point, pourquoi se sentait-il si gêné devant certains aspects de son comportement ? Quand ce Frebec avait marqué devant elle un recul qui exprimait sa répugnance, il avait eu envie de mourir de honte, parce que c'était lui qui l'avait amenée, parce qu'on pouvait l'associer à elle. Tout de suite après, il s'en était détesté. Comment pouvait-il avoir honte de la femme qu'il aimait ?

Cet homme à la peau sombre, Ranec, il n'avait pas honte, lui. Il avait une façon bien à lui de la regarder, de concentrer sur elle l'éclat de ses dents blanches, de ses yeux noirs, rieurs, provoquants. A cette seule idée, Jondalar devait lutter contre une envie de le frapper. Il aimait Ayla au point qu'il ne supportait pas la pensée de la voir s'éprendre de quelqu'un d'autre, quelqu'un, peut-être, que rien en elle n'embarrasserait. Il l'aimait plus qu'il n'avait jamais cru pouvoir aimer une femme. Mais comment pouvait-il avoir honte de la femme qu'il aimait ?

Il l'embrassa une fois encore, passionnément. La violence de son étreinte était presque douloureuse. Puis, avec une ardeur frénétique, il couvrit de baisers son cou, sa gorge.

— Sais-tu ce qu'on éprouve à découvrir finalement qu'on est capable de tomber amoureux, Ayla ? Sais-tu combien je t'aime ?

Il se montrait si pénétré, si ardent que la peur serra un instant le cœur de la jeune femme. Non pour elle-même, mais pour lui. Elle aussi l'aimait, plus qu'elle ne pourrait jamais l'exprimer, mais cet amour qu'il éprouvait pour elle n'était pas tout à fait le même. Il n'était pas plus fort que le sien, mais plus exigeant, plus insistant. On eût dit qu'il avait peur de perdre ce qu'il avait finalement conquis. Les totems, surtout les plus forts d'entre eux, possédaient le pouvoir de discerner et de mettre à l'épreuve de telles craintes. Ayla souhaitait trouver le moyen de détourner ce flot d'émotion violente.

— Je sens que tu es prêt pour moi, dit-elle avec un petit sourire.

Mais il ne réagit pas comme elle l'avait espéré. Il se contenta de l'embrasser avec plus de violence encore, de l'écraser contre lui au point de lui faire redouter d'entendre craquer ses côtes. Il passa ensuite les mains sous sa pelisse, sous sa tunique, chercha ses seins, s'efforça de dénouer le lien qui retenait ses jambières.

Jamais elle ne l'avait connu ainsi, dévoré de désir, presque implorant dans son besoin pressant. D'ordinaire, il était plus tendre, plus soucieux d'elle. Il connaissait son corps mieux qu'elle ne le connaissait elle-même et il était fier de ce savoir, de son talent. Cette fois, pourtant, son besoin était le plus fort. Elle en prit conscience, se livra à lui, s'abandonna à la puissante expression de son amour. Tout comme lui, elle était prête. Elle défit le nœud de la lanière, laissa glisser ses jambières à terre, avant de l'aider à se débarrasser des siennes.

Sans avoir eu le temps de s'en rendre compte, elle se retrouva sur le sol dur, près de la berge de la rivière. Avant de fermer les paupières, elle entrevit l'éclat embrumé de quelques étoiles. Déjà, il était sur elle, ses lèvres dures sur les siennes. Sa langue fouillait, explorait, comme s'il espérait trouver ainsi ce que cherchait si ardemment son membre rigide. Elle s'ouvrit tout entière à lui...

Après un trop rapide moment de frénésie, elle l'entendit crier son nom :

— Ayla ! Oh, mon Ayla, mon Ayla, je t'aime !

— Jondalar, Jondalar, Jondalar...

Dans un gémissement, il enfouit son visage au creux de l'épaule de la jeune femme et, sans relâcher son étreinte, s'immobilisa. Elle sentait une pierre aiguë lui blesser le dos mais elle l'ignora.

Au bout d'un instant, il se redressa sur les bras, abaissa son regard sur elle. L'inquiétude lui plissait le front.

— Je te demande pardon, dit-il.

— Pourquoi ça ?

— J'ai été trop rapide, je ne t'ai pas préparée, je ne t'ai pas donné les Plaisirs, à toi aussi.

— J'étais prête, Jondalar. J'ai eu les Plaisirs, moi aussi. N'est-ce pas moi qui t'ai demandé ? Je connais mes Plaisirs dans tes Plaisirs. Je connais les Plaisirs dans ton amour, dans la force de ton sentiment pour moi.

— Mais tu ne l'as pas ressenti en même temps que moi.

— Ce n'était pas nécessaire. J'ai eu des sensations différentes, des Plaisirs différents. Est-ce toujours nécessaire ? questionna-t-elle.

— Non, sans doute, répondit-il en fronçant les sourcils.

Longuement, il l'embrassa.

— La nuit n'est pas encore achevée. Viens, relève-toi. Il fait froid, ici. Allons retrouver un bon lit chaud. Deegie et Branag ont déjà fermé leurs rideaux. Ils sont pressés, avant leur séparation qui va se prolonger jusqu'à l'été prochain.

— Pressés, mais pas autant que toi, fit-elle avec un sourire.

Sans le voir, elle eut l'impression qu'il rougissait.

— Je t'aime, Jondalar. J'aime tout. Tout ce que tu fais. Même ton ardent...

Elle secoua la tête.

— Non, ce n'est pas le mot juste.

— Le mot que tu cherches, c'est « ardeur », je crois.

— J'aime même ton ardeur. Oui, ça, c'est bien. Au moins, je connais tes mots mieux que le mamutoï... Frebec a dit que je ne parlais pas bien. Jondalar, apprendrai-je un jour à parler comme il faut ?

— Moi non plus, je ne parle pas très bien le mamutoï. Ce n'est pas la langue de mon enfance. Frebec aime simplement semer la discorde, ajouta Jondalar, en aidant Ayla à se lever. Pourquoi chaque caverne, chaque camp, chaque groupe doit-il compter un homme de cette sorte ? N'y prends pas garde : personne ne l'écoute. Tu parles très bien. La façon dont tu apprends me stupéfie. Avant longtemps, tu parleras mamutoï mieux que moi.

— Je dois apprendre à m'exprimer avec des mots. Je n'ai plus rien d'autre, murmura-t-elle. Je ne connais plus personne qui parle le langage dans lequel j'ai grandi.

Submergée par une terrible sensation de vide, elle ferma un instant les yeux. Mais elle se reprit très vite, fit un mouvement pour enfiler ses jambières, s'immobilisa, les laissa de nouveau glisser.

— Attends un peu, dit-elle. Il y a longtemps, quand je suis devenue femme, Iza m'a dit tout ce que devait connaître une femme du Clan sur les hommes et les femmes, tout en doutant qu'il pût m'arriver un jour de trouver un compagnon et de mettre à profit ses conseils. Les Autres n'ont peut-être pas les mêmes principes : même les signaux entre hommes et femmes sont différents. Mais, pour cette première nuit où je vais dormir chez les Autres, je dois me laver, je crois, après nos Plaisirs.

— Que veux-tu dire ?

— Je vais me laver dans la rivière.

— Ayla ! Il fait froid. Il fait nuit. Ça peut être dangereux.

— Je n'irai pas loin. Juste ici, près du bord.

Elle se débarrassa de sa pelisse, passa sa tunique par-dessus sa tête.

L'eau était glacée. Resté au bord de l'eau, Jondalar surveillait la jeune femme et il se mouilla juste assez pour le constater. Le sentiment qu'avait Ayla du caractère presque sacramentel de l'occasion lui rappelait le rituel purificateur des Premiers Rites. Une toilette rapide ne lui ferait pas de mal à lui non plus, décida-t-il.

Quand Ayla sortit de l'eau, elle était toute frissonnante. Il la prit dans ses bras pour la réchauffer. La rude fourrure de bison de sa pelisse eut tôt fait de la sécher, et il l'aida ensuite à se rhabiller.

En reprenant le chemin de l'abri, elle se sentait fraîche, animée, vivante. La plupart des occupants s'installaient pour la nuit. On avait

couvert les feux, et les voix se faisaient plus calmes. Dans le premier
foyer, le rôti de mammouth était toujours en évidence, mais il n'y avait
personne. Ils s'engagèrent sans bruit dans le passage central, traversèrent
le Foyer du Lion. Nezzie se mit debout, les retint.

— Je voulais seulement te remercier, Ayla, dit-elle, avec un coup
d'œil vers l'une des couchettes.

Ayla suivit son regard : trois petits corps s'étalaient sur un seul lit,
que Latie et Rugie partageaient avec Rydag. Danug occupait seul une
autre couchette. Talut, étendu de toute sa longueur, attendait Nezzie.
Il se souleva sur un coude et sourit à Ayla. Elle lui rendit son sourire,
hocha la tête, sans être bien sûre que c'était là la réponse qui convenait.

Tandis que Nezzie allait s'allonger auprès du géant roux, Jondalar et
la jeune femme traversèrent le foyer voisin, en essayant de ne déranger
personne. Ayla se sentit observée, tourna la tête vers le mur, devina
deux yeux brillants, un sourire. Elle sentit les épaules de Jondalar se
raidir, détourna vivement son regard. Elle crut percevoir un petit rire
étouffé mais elle se dit qu'elle avait dû entendre les ronflements qui
provenaient de la couchette d'en face.

Dans le quatrième foyer, le plus grand, l'une des couches était isolée
du passage par de lourds pans de cuir, ce qui n'empêchait pas d'entendre
des mouvements, des voix. Ayla prit alors conscience que la plupart
des autres places de couchage étaient munies de tentures semblables,
accrochées aux chevrons en os de mammouth ou à des poteaux dressés
verticalement. Toutes n'étaient pas fermées. Le lit de Mamut, en face
du leur, était à découvert. Le chaman était couché, mais Ayla savait
qu'il ne dormait pas.

Jondalar alluma une petite branche à une braise du foyer, l'apporta
jusqu'à la paroi à laquelle s'adossait leur couchette. Là, dans une niche,
une grosse pierre creusée en son milieu d'une dépression circulaire était
à demi remplie de graisse. Il approcha la flamme d'une mèche faite de
duvet de massette, éclairant ainsi une statuette de la Mère, derrière la
lampe de pierre. Il dénoua ensuite les lanières qui retenaient les tentures
de cuir autour de leur lit. Lorsqu'ils retombèrent, il fit signe à Ayla.

Elle se glissa à l'intérieur, se hissa sur la plate-forme recouverte d'un
amoncellement de douces fourrures. Ainsi installée, enfermée par les
rideaux, éclairée par la faible lumière vacillante, elle se sentait en sécurité.
C'était là un endroit aux dimensions restreintes qui n'appartenait qu'à
eux. Il lui rappelait la petite grotte qu'elle avait découverte étant enfant
et où elle se réfugiait quand elle avait envie d'être seule.

— Ils sont très ingénieux, Jondalar. Jamais je n'aurais pensé à ça.

Enchanté de la voir heureuse, il s'étendit près d'elle.

— Tu aimes ces rideaux tirés ?

— Oh oui. On a l'impression d'être seul, même si l'on sait qu'il y a
du monde tout autour. Oui, j'aime beaucoup ça, insista-t-elle, avec un
sourire radieux.

Il l'attira vers lui, la gratifia d'un baiser léger.

— Tu es si belle quand tu souris, Ayla.

Elle contemplait son visage plein d'amour, ses yeux irrésistibles dont le bleu éclatant virait au violet à la lueur du feu, ses longs cheveux blonds épars sur les fourrures, son menton bien dessiné et son front haut, si différents de la mâchoire et du front fuyant des hommes du Clan.

Elle effleura d'un doigt les poils raides.

— Pourquoi te coupes-tu la barbe ? demanda-t-elle.

— Je n'en sais rien. Sans doute par habitude. En été, c'est plus frais, et cela évite les démangeaisons. En hiver, généralement, je la laisse pousser, pour me tenir chaud au visage quand je suis dehors. Tu n'aimes pas que je sois rasé ?

Elle fronça les sourcils d'un air perplexe.

— Ce n'est pas à moi de le dire. La barbe appartient à l'homme. Il peut la raser ou non, comme il lui plaît. Je t'ai posé la question parce que, avant de te rencontrer, je n'avais encore jamais vu d'homme qui se rasait. Pourquoi me demandes-tu si ça me plaît ou non ?

— Parce que je tiens à te plaire. Si tu préférais que je porte la barbe, je la laisserais pousser.

— Ça ne me fait rien, ta barbe est sans importance. Ce qui est important, c'est toi. Tu m'apportes plaisan... Non...

Elle secoua la tête avec agacement.

— Tu m'apportes plais.... Plaisirs... Tu me plais, corrigea-t-elle.

Il souriait de ses efforts, du double sens involontaire contenu dans ses paroles.

— J'aimerais te donner tous les Plaisirs.

Il l'attira contre lui pour l'embrasser. Elle se tourna sur le côté, se blottit contre lui. Il se mit sur son séant pour la regarder.

— C'est comme la première fois, dit-il. Il y a même une donii pour veiller sur nous.

Il leva les yeux vers la niche, où la statuette d'ivoire tutélaire se détachait dans la lueur de la lampe.

— C'est la première fois... chez les Autres, murmura-t-elle.

Elle ferma les yeux. Elle ressentait à la fois la montée du désir et la solennité du moment.

Il lui prit le visage entre les mains, baisa tour à tour les deux paupières closes, avant de contempler longuement une fois de plus la femme qu'il trouvait plus belle que toutes celles qu'il avait connues. Sa beauté avait une qualité étrange. Ses pommettes étaient plus saillantes que celles des femmes zelandonii, ses yeux plus largement espacés, frangés de cils drus, plus foncés que son abondante chevelure dorée comme l'herbe d'automne. La ligne de sa mâchoire était ferme, son menton légèrement aigu.

Une petite cicatrice marquait le creux de sa gorge. Il y déposa un baiser, la sentit frissonner de plaisir. Il se redressa, la contempla de nouveau avant d'embrasser l'extrémité du nez droit, le coin de la bouche aux lèvres pleines où se dessinait l'amorce d'un sourire.

Il la sentait tendue de tout son être. Comme un oiseau, immobile mais vibrant, elle gardait les paupières closes, se contraignait à attendre sans bouger. Il la regardait, savourait ce moment. Finalement, il posa les lèvres sur sa bouche, en quémanda l'entrée, s'y sentit accueilli. Cette fois, il n'avait pas utilisé la force mais seulement la tendresse.

Il la vit ouvrir les yeux, lui sourire. Il se défit de sa tunique, l'aida à enlever la sienne. Doucement il la renversa en arrière, entreprit de la caresser de ses lèvres, en commençant par la pointe des seins. Elle étouffa un cri, se demanda comment la bouche de Jondalar pouvait éveiller de telles sensations en certains endroits de son corps qu'il n'avait pas encore touchés.

Bientôt, sa respiration se fit saccadée. Elle gémissait de plaisir, tandis qu'il la caressait tout entière. Des frissons de plus en plus violents la secouaient.

Il dénoua la lanière qui retenait les jambières. Sa bouche, sa langue descendaient de plus en plus loin. Il la sentit sursauter. Quand il s'immobilisa, elle laissa échapper un petit cri déçu.

A son tour, il se débarrassa de ses jambières. Elle entreprit elle aussi de le caresser. Il s'émerveillait de la voir si familière avec sa virilité, alors que tant de femmes s'en étaient effrayées. En même temps, il était heureux d'être en mesure de se contrôler. Il l'éloigna d'une main légère.

— Cette fois, Ayla, je veux te donner le Plaisir.

Elle le regarda. Ses pupilles étaient dilatées, sombres et lumineuses. Elle hocha la tête. Il la repoussa sur les fourrures, se remit à l'embrasser. Les lèvres, la gorge, les seins... puis plus bas, toujours plus bas... Elle frémit de tout son corps, se redressa à demi, poussa un cri.

Il aimait lui apporter le plaisir, la sentir répondre à l'habileté de ses caresses. C'était un peu comme de former une lame aiguisée à partir d'un bloc de silex. Il éprouvait une joie particulière à savoir qu'il avait été le premier à lui procurer ce plaisir. Elle n'avait connu que la violence et la souffrance jusqu'au jour où il avait éveillé en elle ce don que la Grande Terre Mère avait accordé à Ses enfants.

Il l'explorait tendrement, de la langue, des lèvres. Elle se mit à bouger contre lui, avec des cris, des mouvements convulsifs de la tête, et il sut qu'elle était prête. Elle se tendit vers lui.

— Jondalar... aah... Jondalar !

Elle était hors d'elle-même, ne connaissait plus rien au monde que lui. Elle le désirait, le guidait, aspirait à le sentir la pénétrer...

Lorsqu'il fut en elle, il aurait aimé prolonger le moment, mais chacun de leurs mouvements les rapprochait du paroxysme. Leurs deux corps luisaient de sueur, sous la lumière vacillante. Le rythme de vie se précipitait. Un spasme incontrôlable, presque inattendu, les amena à l'orgasme. Ils demeurèrent un instant suspendus, comme s'ils cherchaient à devenir un seul être, avant de retomber, épuisés.

Immobiles, ils cherchaient leur souffle. La lampe crachota, la flamme hésita, se ranima, s'éteignit. Au bout d'un moment, Jondalar quitta Ayla, s'étendit près d'elle. Il se trouvait dans une sorte d'état crépusculaire entre le sommeil et la veille. Mais Ayla était encore bien éveillée, les yeux grands ouverts dans l'obscurité. Pour la première fois depuis des années, elle écoutait autour d'elle les bruits que faisaient d'autres êtres.

Un murmure de voix assourdies, celle d'un homme et celle d'une femme, venait du lit voisin. Un peu plus loin montait le souffle rauque, un peu court du chaman endormi. La jeune femme entendait un homme ronfler dans le foyer voisin et, venus du premier foyer, les grognements et les cris rythmés de Talut et de Nezzie qui partageaient les Plaisirs. De l'autre côté, un bébé se mit à pleurer. Quelqu'un chuchota des paroles consolantes ; le bruit cessa brusquement. Ayla sourit : sans aucun doute, un sein avait été présenté juste à propos. Plus loin, des voix éclatèrent soudain dans une fureur retenue, avant de s'apaiser. Plus loin encore, on entendait une toux sèche.

Durant les années de solitude dans la vallée, les nuits avaient toujours été pour Ayla les moments les plus pénibles. Pendant la journée, elle pouvait toujours se trouver des occupations, mais, la nuit, le vide et le silence de la caverne l'assaillaient brutalement. Dans les débuts, alors qu'elle entendait seulement son propre souffle, elle avait eu du mal à dormir. Avec le Clan, il y avait toujours eu quelqu'un de proche, la nuit. Le pire des châtiments consistait à se voir mis à part, condamné à la solitude. La quarantaine, l'ostracisme, la Malédiction Suprême.

Elle ne savait que trop à quel point ce châtiment était terrible. Elle en prenait encore plus conscience en cet instant. Etendue dans l'obscurité, elle écoutait autour d'elle les bruits de la vie, elle sentait contre elle la chaleur de Jondalar et, pour la première fois depuis qu'elle avait rencontré ces gens — les Autres, comme elle les appelait —, elle avait l'impression d'être chez elle.

— Jondalar ? murmura-t-elle.

— Mmm...

— Tu dors ?

— Pas encore, marmonna-t-il.

— Ils sont très gentils, ces gens. Tu avais raison : il était nécessaire pour moi de faire leur connaissance.

Le cerveau embrumé de Jondalar retrouva sa lucidité. Lorsqu'elle aurait rencontré des gens de sa propre race, avait-il espéré, lorsqu'ils ne seraient plus pour elle des inconnus, ils lui feraient moins peur. Il était parti de chez lui depuis bien des années, le voyage de retour serait long et difficile. Il fallait qu'Ayla eût envie de l'accompagner. Mais sa vallée était devenue pour elle son foyer. Elle lui procurait tout ce dont elle avait besoin pour survivre et elle s'était forgé en ces lieux une existence bien à elle, où les animaux remplaçaient les êtres humains qui lui manquaient. Ayla n'avait pas envie de quitter son refuge. Elle avait plutôt souhaité voir Jondalar y rester avec elle.

— Je le savais bien, Ayla, fit-il d'un ton persuasif. Il te suffisait d'apprendre à les connaître.

— Nezzie me rappelle Iza. A ton avis, comment la mère de Rydag est-elle devenue grosse de lui ?

— Qui peut savoir pourquoi la Mère lui a donné un enfant d'esprits mêlés ? Les voies de la Mère sont toujours mystérieuses.

Elle garda un moment le silence.

— Je ne pense pas que la Mère lui ait donné des esprits mêlés. Je pense qu'elle a connu un homme qui faisait partie des Autres.

Jondalar fronça les sourcils.

— Pour toi, je le sais, les hommes jouent un rôle dans la création d'une vie. Mais comment une femme Tête Plate aurait-elle pu connaître un Autre ?

— Je n'en sais rien, mais les femmes du Clan ne voyagent pas seules et elles se tiennent à l'écart des Autres. Les hommes du Clan n'aiment pas voir les Autres tourner autour de leurs femmes. Selon eux, les enfants sont créés par l'esprit du totem d'un homme, et ils ne tiennent pas à voir un Autre et son esprit s'approcher de trop près. Les femmes, elles, en ont peur. Aux Rassemblements du Clan, on raconte sans cesse de nouvelles histoires de gens malmenés ou blessés par les Autres, les femmes en particulier.

« Pourtant, la mère de Rydag n'en avait pas peur. Nezzie dit qu'elle les a suivis pendant deux jours, et elle est venue vers Talut quand il lui a fait signe. N'importe quelle femme du Clan aurait pris la fuite à sa vue. Sans doute avait-elle connu plus tôt un Autre qui l'avait bien traitée ou qui, au moins, ne l'avait pas fait souffrir, puisqu'elle n'a pas eu peur de Talut. Lorsqu'elle a eu besoin d'aide, pour quelle raison a-t-elle pensé qu'elle pourrait en trouver chez les Autres ?

— Peut-être parce qu'elle a vu Nezzie donner le sein à son petit, suggéra Jondalar.

— C'est possible. Mais cela n'explique pas pourquoi elle était seule. La seule explication qui me vienne à l'esprit, c'est qu'elle avait été maudite, chassée par son clan. Les femmes du Clan ne sont pas souvent maudites. Il n'est pas dans leur nature de s'attirer un tel châtiment. Peut-être était-ce à cause d'un homme qui faisait partie des Autres.

Ayla s'interrompit un instant, avant d'ajouter pensivement :

— La mère de Rydag devait avoir grande envie de mettre au monde son petit. Il lui a fallu beaucoup de courage pour s'approcher des Autres, même si elle avait connu un homme de leur race. Si elle a renoncé, c'est seulement quand elle a vu l'enfant et qu'elle l'a cru déformé. Le Clan, lui non plus, n'aime pas les enfants d'esprits mêlés.

— Comment peux-tu avoir la certitude qu'elle avait connu un homme ?

— Elle est venue chez les Autres pour avoir son petit. Elle n'avait donc pas de clan pour l'aider et elle devait avoir quelque raison de croire que Nezzie et Talut lui viendraient en aide. Je suis sûre qu'elle connaissait un homme qui avait fait les Plaisirs avec elle... ou seulement satisfait ses propres besoins, peut-être. Elle a eu un enfant d'esprits mêlés, Jondalar.

— Pourquoi penses-tu que c'est un homme qui crée la vie ?

— C'est visible, Jondalar, si tu veux bien y réfléchir. Regarde ce garçon qui est arrivé aujourd'hui. Danug. Il ressemble à Talut, en plus jeune. Je crois que Talut l'a commencé quand il a partagé les Plaisirs avec Nezzie.

— Dans ce cas, va-t-elle avoir un autre enfant parce qu'ils ont partagé les Plaisirs ce soir ? demanda Jondalar. On partage souvent les Plaisirs. Ils représentent un Don de la Grande Terre Mère, et c'est Lui rendre honneur que de les partager souvent. Mais les femmes n'ont pas d'enfants toutes les fois qu'elles partagent ce Don, Ayla. Si un homme reçoit avec gratitude les Dons de la Mère, s'il L'honore, Elle peut choisir son esprit pour le joindre à celui de la femme à laquelle il s'unit. L'enfant peut alors lui ressembler, comme Danug ressemble à Talut, mais c'est la Mère qui choisit.

Ayla, dans l'obscurité, fronça les sourcils. Il y avait là un problème qu'elle n'avait pas encore résolu.

— Je ne sais pas pourquoi une femme n'a pas un enfant toutes les fois. Peut-être faut-il partager les Plaisirs plusieurs fois, avant de créer un petit, ou peut-être à certains moments seulement. Peut-être est-ce seulement quand l'esprit du totem d'un homme est particulièrement puissant et peut dominer celui de la femme. Ou peut-être encore est-ce bien la Mère qui choisit : Elle choisit l'homme et rend sa virilité plus puissante. Peux-tu dire, toi, avec certitude comment Elle choisit ? Sais-tu comment les esprits se mêlent ? Ne pourraient-ils se mêler à l'intérieur de la femme quand ils partagent les Plaisirs ?

— Je n'ai jamais entendu dire ça, répondit Jondalar, mais c'est possible, je suppose.

C'était à lui, maintenant, de froncer les sourcils dans l'ombre. Il garda si longtemps le silence qu'Ayla le crut endormi. Mais il reprit la parole.

— Ayla, si ce que tu crois est vrai, nous pourrions bien commencer un petit en toi toutes les fois que nous partageons les Dons de la Mère.

— Oui, je le crois, dit Ayla, que cette idée enchantait.

— Alors, il faut cesser ! déclara Jondalar.

Il s'était brutalement redressé sur son séant.

— Mais pourquoi ? Je désire que tu commences un petit en moi, Jondalar.

La consternation de la jeune femme était évidente.

Il se tourna vers elle, la prit dans ses bras.

— Moi aussi, je le désire, mais pas maintenant. Le trajet est très long pour retourner chez moi. Il pourrait bien nous prendre un an ou davantage. Il pourrait être dangereux pour toi de voyager si longtemps, si tu étais grosse d'un petit.

— Alors, ne pouvons-nous simplement regagner ma vallée ? demanda-t-elle.

La peur tenaillait Jondalar : s'ils retournaient dans la vallée d'Ayla, pour lui permettre d'avoir son enfant en toute sécurité, ils n'en repartiraient jamais.

— Pour moi, ce ne serait pas une bonne idée. Il ne faudrait pas que tu sois seule au moment de la naissance. Moi, je ne saurais pas comment t'aider. Il faut des femmes, alors. Une femme peut mourir au cours d'un accouchement.

L'angoisse lui serrait la gorge : il avait vu la chose se produire peu de temps auparavant.

C'était vrai, se dit Ayla. Elle avait été toute proche de la mort, quand elle avait donné naissance à son fils. Sans Iza, elle n'aurait pas survécu. Ce n'était pas le moment d'avoir un enfant, pas même celui de Jondalar.

En dépit de sa cruelle déception, elle dit :

— Oui, tu as raison. Ça peut être difficile... Il... il me faudrait des femmes autour de moi.

Il retomba dans un silence prolongé. Quand il parla de nouveau, ce fut d'une voix enrouée par la souffrance.

— Ayla, peut-être... peut-être ne devrions-nous plus partager la même couche... si... Mais nous honorons la Mère en partageant ses Dons, se reprit-il.

Comment lui dire franchement qu'ils n'avaient pas à cesser de partager les Plaisirs ? Iza l'avait mise en garde : jamais elle ne devrait parler à personne, et surtout pas à un homme, de la médecine secrète.

— Je ne crois pas que tu doives être inquiet, dit-elle à Jondalar. Je ne suis pas sûre que ce soit l'homme qui produise les enfants. Et, si c'est la Grande Mère qui décide, Elle peut choisir n'importe quel moment, n'est-ce pas ?

— Oui, et cela m'a tourmenté. Pourtant, si nous refusons Son Don, Elle pourrait s'en offenser. Elle s'attend à ce que nous L'honorions.

— Jondalar, si Elle décide, Elle décidera. Le moment venu, nous pourrons prendre notre décision. Je ne voudrais pas que tu L'offenses.

— Tu as raison, Ayla, approuva-t-il, quelque peu soulagé.

Non sans un petit pincement de regret, la jeune femme décida de continuer à prendre la tisane qui empêchait la conception des enfants. Mais, cette nuit-là, elle rêva qu'elle avait des petits : certains avaient de longs cheveux blonds, d'autres ressemblaient à Rydag et à Durc. Vers le matin, elle fit un rêve qui prit une dimension nouvelle, menaçante, détachée de ce monde.

Dans ce rêve, elle avait deux fils que personne n'eût pris pour des frères. L'un était grand et blond, comme Jondalar. L'autre, l'aîné, elle le savait, était Durc, bien que son visage fût dans l'ombre. Les deux frères avançaient l'un vers l'autre, de deux directions opposées, au milieu d'une étendue plate, déserte, désolée, balayée par le vent. Elle ressentait une profonde anxiété : il allait se passer quelque chose de terrible qu'elle devait empêcher de se produire. Alors, sous le coup d'une terreur soudaine, elle comprit que l'un de ses fils allait tuer l'autre. Elle s'efforçait de les rejoindre, mais une sorte de muraille épaisse, visqueuse l'avait prise au piège. Ils étaient presque face à face, les bras levés, comme pour frapper...

Elle hurla.

— Ayla ! Ayla ! Que se passe-t-il ?

Jondalar la secouait.

Mamut se dressa tout à coup près de lui.

— Réveille-toi, enfant ! dit-il. Réveille-toi. Ce n'est qu'un symbole, un message. Réveille-toi, Ayla !

— Mais l'un des deux va mourir ! s'écria-t-elle, encore en proie aux émotions du rêve.

— Ce n'est pas ce que tu crois, Ayla, reprit Mamut. Ça ne veut peut-être pas dire qu'un... frère mourra. Il te faut apprendre à fouiller tes rêves pour découvrir leur véritable signification. Tu possèdes le Talent, il est très fort en toi, mais tu n'as pas été initiée.

La vision d'Ayla s'éclaircit. Elle vit deux visages inquiets penchés sur elle. Les deux hommes étaient de haute taille, l'un jeune et beau, l'autre vieux et sage. Jondalar brandissait un tison au-dessus d'elle pour l'aider à se réveiller. Elle se redressa, tenta de sourire.

— Tout va bien, à présent ? questionna Mamut.

— Oui. Oui. Je regrette de t'avoir réveillé.

Oubliant que le vieil homme ne comprenait pas cette langue, Ayla s'exprimait en zelandonii.

— Nous parlerons plus tard, dit-il.

Avec un doux sourire, il retourna vers sa couchette.

Au moment où elle se réinstalla avec Jondalar sur leur plate-forme, Ayla vit retomber le rideau de l'autre couchette occupée. Elle se sentit un peu gênée d'avoir causé un tel émoi. Elle se blottit contre Jondalar, la tête au creux de son épaule. Elle lui était reconnaissante de sa chaleur, de sa présence. Elle allait se rendormir quand, subitement, ses yeux se rouvrirent tout grands.

— Jondalar, murmura-t-elle, comment Mamut a-t-il su que j'avais rêvé de mes fils, rêvé que l'un des deux tuait l'autre ?

Mais il dormait déjà.

5

Réveillée dans un sursaut, Ayla, sans bouger, tendit l'oreille. Elle entendit de nouveau un gémissement aigu. Quelqu'un, apparemment, souffrait le martyre. Inquiète, elle souleva le rideau, regarda à l'extérieur. Crozie, debout dans le passage central près du sixième foyer, tendait les bras en croix, dans une attitude de désespoir suppliant bien calculée pour éveiller la sympathie.

— Il veut me percer le cœur ! Il veut me tuer ! Il veut dresser ma propre fille contre moi ! hurlait Crozie, comme si elle allait mourir.

Elle crispa les mains sur sa poitrine. Plusieurs personnes s'immobilisèrent pour l'observer.

— Je lui ai donné ma propre chair. Issue de mon propre corps...

— Donné ! Tu ne m'as rien donné du tout ! clama Frebec. J'ai payé le Prix de la Femme pour Fralie !

— Un prix médiocre ! J'aurais pu obtenir beaucoup plus pour elle, lança Crozie.

Ses lamentations n'étaient pas plus sincères que ses cris de douleur.

— Elle est venue à toi avec deux enfants. La preuve de la faveur de la Mère. Tu as rabaissé sa valeur en versant ce prix dérisoire. La valeur de ses enfants aussi. Et regarde-la ! Elle est déjà bénie une troisième fois. Je te l'ai donnée par générosité, à cause de la bonté de mon cœur...

— Et parce que personne d'autre ne voulait accueillir Crozie, même avec sa fille deux fois bénie, ajouta une voix toute proche.

Ayla tourna la tête pour voir qui avait parlé. La jeune femme qui portait, la veille, la magnifique tunique rouge lui sourit.

— Si tu avais l'intention de dormir tard, n'y pense plus, conseilla Deegie. Ils commencent de bonne heure, aujourd'hui.

— Non, je me lève, dit Ayla.

Elle regarda autour d'elle. La couche était vide. A part les deux femmes, il n'y avait personne.

— Jondalar levé.

Elle trouva ses vêtements, entreprit de s'habiller.

— Je me réveille, crois femme blessée.

— Personne n'est blessée. A première vue, du moins. Mais je plains Fralie, déclara Deegie. Il est pénible d'être prise entre l'arbre et l'écorce.

Ayla secoua la tête.

— Pourquoi ils crient ?

— Je ne sais pas pourquoi ils se querellent sans cesse. Parce qu'ils veulent s'attirer les bonnes grâces de Fralie, je suppose. Crozie se fait vieille, elle ne veut pas voir Frebec saper son influence. Mais Frebec est têtu. Il n'avait pas grand-chose avant d'arriver ici, et il ne veut pas perdre sa nouvelle position. Fralie, c'est vrai, lui a apporté un prestige considérable, même s'il ne l'a pas payée cher.

La visiteuse écoutait avec un intérêt visible, et Deegie s'assit sur un lit voisin, pendant qu'Ayla s'habillait.

— Je ne crois pas qu'elle se séparerait de lui, cependant. Elle lui est attachée, je pense, même s'il est très désagréable par moments. Il ne lui a pas été si facile de trouver un autre homme... un homme qui consentît à vivre avec sa mère. Tout le monde avait été témoin de ce qui s'était passé la première fois, personne d'autre ne voulait s'encombrer de Crozie. La vieille femme peut hurler tout son soûl qu'elle a donné sa fille pour rien. C'est elle qui a rabaissé la valeur de Fralie. J'aurais horreur d'être tiraillée ainsi. Mais j'ai de la chance. Même si je me joignais à un Camp déjà existant, au lieu d'en fonder un avec mon frère, Tulie y serait la bienvenue.

— Ta mère partir avec toi ? demanda Ayla, interloquée.

Elle comprenait qu'une femme allât s'installer dans le clan de son compagnon, mais qu'elle y emmenât sa mère était nouveau pour elle.

— Je le voudrais bien mais je ne pense pas qu'elle accepte. Elle préférera rester ici, je crois. Je ne lui en veux pas. Mieux vaut être la Femme Qui Ordonne de son propre Camp que la mère de celle qui prendra la tête d'un autre. Mais elle me manquera.

Fascinée, Ayla écoutait. Elle ne comprenait pas la moitié de ce que disait Deegie et n'était même pas sûre de bien interpréter l'autre moitié.

— Est triste quitter mère et clan, dit-elle. Mais tu as bientôt compagnon ?

— Oh oui. L'été prochain. A la Réunion d'Eté. Ma mère a achevé de tout négocier. Elle avait fixé un Prix de la Femme si élevé que je craignais de les voir refuser de payer, mais ils ont accepté. C'est bien pénible d'attendre, pourtant. Si seulement Branag ne devait pas partir maintenant. Mais ils l'attendent. Il a promis de partir là-bas sans retard...

Les deux jeunes femmes se dirigeaient de compagnie vers l'entrée de l'abri. Deegie parlait, Ayla l'écoutait avidement.

Dans le foyer d'accès, il faisait plus frais, mais ce fut seulement en se sentant frappée par un courant d'air glacé, quand le brise-vent de la grande voûte d'entrée fut écarté, qu'Ayla comprit à quel point la température extérieure s'était abaissée. Le vent glacial repoussa en arrière ses longs cheveux, tourmenta la pesante peau de mammouth, la gonfla d'un souffle brutal. Une neige fine était tombée durant la nuit. Une rafale souleva les flocons impalpables, les balaya dans les trous, dans les anfractuosités, avant de ramasser les blancs cristaux pour les précipiter à travers l'espace. Les minuscules projectiles de glace vinrent cribler le visage d'Ayla.

Il faisait chaud cependant à l'intérieur, bien plus chaud que dans une caverne ordinaire. Elle avait enfilé sa pelisse de fourrure pour sortir. Elle entendit hennir Whinney. La jument et le poulain, celui-ci toujours attaché à sa longe, s'étaient écartés le plus possible des humains et de leurs activités. Ayla se dirigea vers eux, prit le temps de se retourner vers Deegie pour lui sourire. La jeune femme lui rendit son sourire, avant de partir à la recherche de Branag.

La jument, soulagée de voir Ayla approcher, l'accueillit en encensant, avec de petits hennissements. Ayla débarrassa Rapide de sa bride, emmena les deux bêtes vers la rivière, de l'autre côté du méandre. Dès que le Camp fut hors de vue, Whinney et Rapide se détendirent et, après s'être manifesté leur mutuelle affection, ils se mirent à paître l'herbe sèche et cassante.

Avant de remonter la pente, Ayla s'arrêta derrière un buisson. Elle dénoua la lanière qui retenait ses jambières mais, même ainsi, elle ne savait trop que faire pour leur éviter d'être mouillées quand elle urinerait. Elle se trouvait toujours devant les mêmes difficultés depuis qu'elle s'était mise à porter ce genre de vêtements. Elle les avait travaillés et cousus d'après ceux qu'elle avait confectionnés pour Jondalar, sur le modèle de la tenue qu'il portait et qui avait été mise en lambeaux par le lion, mais elle ne les avait pas mis avant leur départ pour cette exploration. Jondalar avait semblé si heureux de la voir vêtue comme lui qu'elle s'était décidée à abandonner la pièce de cuir souple qu'elle enroulait autour de son corps à la manière des femmes du Clan. Néanmoins, elle n'avait pas encore découvert comment venir facilement à bout de l'accomplissement des besoins naturels. Elle ne voulait pas questionner Jondalar. C'était un homme. Comment saurait-il la façon dont une femme se tirait d'affaire ?

Mais il fallait, pour cela, qu'elle ôtât les mocassins dont la tige, assez haute, enveloppait le bas de ses jambières étroites qu'elle fit glisser. Elle écarta ensuite les jambes, se pencha en avant comme elle l'avait toujours fait. Elle se tenait debout sur un pied pour se rhabiller quand son regard se posa sur le courant calme de la rivière. Elle changea d'avis, passa par-dessus sa tête pelisse et tunique, détacha de son cou son amulette et descendit vers la berge. Elle devait se livrer au rituel de purification et elle avait toujours aimé nager un moment, le matin.

Elle avait prévu de se rincer la bouche et de laver son visage et ses mains. Elle se demandait comment s'y prenaient ces gens pour se nettoyer. Quand elle ne pouvait faire autrement, si la provision de bois était enfouie sous la neige, si le vent faisait rage dans la caverne, ou si l'eau était gelée au point qu'on avait peine à en casser suffisamment, même pour boire, elle pouvait se passer de se laver mais elle préférait être propre. Par ailleurs, elle conservait encore l'arrière-pensée d'un rituel, d'une cérémonie de purification, après cette première nuit passée dans la caverne semi-souterraine des Autres.

Elle regardait l'eau. Le courant était rapide, au milieu du lit, mais de transparentes plaques de glace recouvraient la surface des bras morts de la rivière et frangeaient de blanc les bords. Une langue de terre, couverte d'une herbe rare, sèche et décolorée, s'avançait dans l'eau, ménageant avec la berge un bassin calme. Un bouleau solitaire, réduit à la taille d'un buisson, poussait là.

Ayla s'avança vers le bassin, y entra, brisant la glace parfaitement unie qui le recouvrait. Elle retint son souffle sous l'effet d'un violent frisson, s'accrocha d'une main à une branche squelettique du bouleau nain pour conserver son équilibre en avançant dans le courant. Un coup de vent glacial fouetta sa peau nue, qui se hérissa de chair de poule, et lui rabattit les cheveux sur la figure. Elle serra les dents, s'aventura en eau plus profonde. Lorsqu'elle en eut jusqu'à la taille, elle s'aspergea le visage, avant de s'accroupir pour s'y plonger jusqu'au cou, non sans reprendre convulsivement son souffle.

Elle était habituée à l'eau froide, mais bientôt, se disait-elle, on ne pourrait plus se baigner dans la rivière.

En retrouvant la rive, elle s'essuya rapidement des deux mains, s'habilla vivement. Une chaleur qui lui fouettait le sang ne tarda pas à remplacer le froid engourdissant, tandis qu'elle remontait la berge. Elle se sentait renouvelée, vivifiée et elle sourit quand un soleil las émergea un instant victorieusement d'un ciel couvert.

En approchant du Camp, elle s'arrêta sur une aire de terre battue, près de l'entrée, pour regarder les petits groupes plongés dans des occupations variées.

Jondalar s'entretenait avec Wymez et Danug, et le sujet de la conversation entre les trois tailleurs de silex ne pouvait faire aucun doute. Non loin de là, quatre personnes détachaient les cordes qui avaient retenu à un cadre rectangulaire, fait de deux côtes de mammouth assemblées par des lanières, une peau de cerf, maintenant transformée en un cuir souple, presque blanc. Tout près, Deegie, à l'aide d'une autre côte, étirait et frappait de coups vigoureux une autre peau accrochée à un cadre semblable. On travaillait le cuir pendant qu'il séchait afin de l'assouplir. Cela, Ayla le savait. Mais le tendre sur un cadre fait de côtes de mammouth représentait pour elle une méthode nouvelle. Très intéressée, elle observa tous les détails de l'opération.

Une série de petites fentes avaient été ménagées près du bord de la peau, sur tout le contour. On passait une corde dans chacune d'entre elles, on l'attachait au cadre, on la serrait fortement pour bien tendre la peau. Deegie pesait de tout son poids, à chaque coup, sur la côte qu'elle tenait, et l'on avait l'impression chaque fois que l'os allait passer au travers du cuir, mais la peau solide et flexible, tout en accusant le choc, ne cédait pas.

D'autres personnes rangeaient les restes de mammouth dans des fosses creusées en terre. Des os, des défenses jonchaient le sol alentour. Un appel lui fit lever la tête. Talut et Talie approchaient le Camp. Ils portaient sur leurs épaules une énorme défense de mammouth encore attachée au crâne. La plupart des os ne provenaient pas d'animaux qu'ils avaient tués. On en trouvait parfois sur les steppes, mais les plus nombreux provenaient des méandres de la rivière, où les eaux torrentueuses avaient déposé les restes des animaux.

Ayla remarqua alors quelqu'un d'autre, qui observait les activités du Camp. Elle sourit, en s'avançant vers Rydag, mais fut surprise de le voir lui rendre son sourire. Les membres du Clan ne souriaient pas. S'ils découvraient les dents, c'était généralement un signe d'hostilité, ou bien de crainte et de nervosité extrême. Mais l'enfant n'avait pas grandi au sein du Clan : il avait appris que cette expression était une marque d'amitié.

— Bonjour Rydag, dit Ayla.

En même temps, elle faisait le geste de salut du Clan, avec une légère variante qui indiquait qu'on s'adressait à un enfant. Une fois de plus, elle vit naître dans son regard une lueur de compréhension. Il se rappelle ! pensa-t-elle. Il a le souvenir de ces signes. Il suffirait de les lui rappeler. Ce n'est pas comme moi, qui ai dû les apprendre.

Elle revoyait la consternation de Creb et d'Iza, lorsqu'ils avaient découvert avec quelle difficulté, à la différence des enfants du Clan, elle assimilait leur enseignement. Elle avait dû faire des efforts énormes pour fixer les signes dans sa mémoire, alors que les autres les apprenaient du premier coup. Certains l'avaient trouvée stupide. En grandissant, elle avait appris à exercer sa mémoire, afin qu'on ne perdît pas patience avec elle.

Jondalar, lui, avait été stupéfait de ses capacités. Il n'en revenait pas de sa faculté à apprendre d'autres langages, par exemple, apparemment presque sans effort. Mais acquérir cette facilité n'avait pas été aisé, et elle n'avait jamais entièrement compris ce qu'était la mémoire du Clan. Personne chez les Autres n'en était capable : c'était entre eux une différence fondamentale.

Les membres du Clan avaient des cerveaux plus importants que ceux qui étaient venus après eux. Ils n'étaient pas moins intelligents, mais leur intelligence avait une forme différente. Ils apprenaient à partir de souvenirs qui, par certains côtés, se rapprochaient de l'instinct tout en étant plus conscients. Dès la naissance, toutes les connaissances de leurs ancêtres étaient entreposées dans leurs cerveaux. Ils n'avaient pas à apprendre ce qui était nécessaire à leur survie : ils le savaient par la mémoire. Enfants, il suffisait de leur rappeler ce qu'ils connaissaient déjà. Adultes, ils savaient comment faire appel aux souvenirs emmagasinés.

Leur mémoire était excellente, mais il leur fallait un effort considérable pour saisir un élément nouveau. Une fois qu'ils l'avaient appris, compris, accepté, ils ne l'oubliaient jamais, le transmettaient à leur progéniture. Mais le processus était lent. Iza en était venue à comprendre, sinon à concevoir, leur différence tandis qu'elle enseignait à Ayla l'art de guérir. Cette étrange enfant avait moins de mémoire que les autres mais elle apprenait beaucoup plus vite.

Rydag prononça un mot. Ayla ne le reconnut pas tout de suite mais, soudain, elle saisit. C'était son nom à elle ! Son nom, prononcé d'une façon qui lui avait naguère été familière — la façon dont certains membres du Clan le prononçaient.

Comme eux, l'enfant était incapable d'articuler. Il pouvait émettre les voyelles mais ne parvenait pas à former les sons importants nécessaires pour reproduire le langage des gens parmi lesquels il vivait. Par manque de pratique, Ayla connaissait les mêmes difficultés. C'étaient ces mêmes déficiences de leur appareil vocal qui avaient amené le Clan et ceux qui l'avaient précédé à développer un langage riche et très complet de signes et de gestes pour traduire une culture étendue. Rydag comprenait les Autres, les gens avec lesquels il vivait. Il concevait l'idée de langage. Mais il était incapable de se faire comprendre.

L'enfant fit alors le signe qu'il avait adressé à Nezzie la veille au soir : il appela Ayla « mère ». Elle sentit son cœur battre plus vite. Le dernier qui lui avait fait ce signe était son fils, et Rydag lui ressemblait tellement qu'un instant elle crut revoir Durc en lui. Elle mourait d'envie de croire que c'était bien lui, de le prendre dans ses bras, de prononcer son nom. Mais, malgré tout son désir, Rydag n'était pas Durc. Il n'était pas plus Durc qu'elle était Deegie. Il était lui-même. Elle se maîtrisa, reprit longuement son souffle.

— Aimes-tu apprendre autres mots ? Autres signes, Rydag ? demanda-t-elle.

Il hocha la tête énergiquement.

— Tu te rappelles « mère »...

Il répondit en reproduisant le signe qui avait si profondément ému Nezzie... et elle-même.

— Connais-tu celui-ci ?

Elle lui faisait le geste du salut. Elle le vit se débattre avec une connaissance qui affleurait presque à la surface.

— C'est salut. Veut dire « bonjour ».

Elle refit le même geste avec la variante dont elle s'était servie.

— Comme ça, c'est quand personne plus âgée parle à plus jeune.

Il fronça les sourcils, reproduisit le geste, gratifia Ayla de son surprenant sourire. Il refit les deux signes, réfléchit un moment, en fit un troisième et regarda la jeune femme d'un air interrogateur, comme s'il n'était pas bien sûr de ce qu'il avait fait.

— Oui, bon, Rydag ! Je, femme, comme mère, et c'est manière de saluer mère. Tu as mémoire !

Nezzie remarqua que l'enfant et Ayla étaient ensemble. A plusieurs reprises, Rydag l'avait fort inquiétée, quand il oubliait ses limites et voulait en faire trop. Elle savait donc toujours où était l'enfant et à quelles activités il se livrait. Elle tenta de comprendre ce que faisaient la jeune femme et l'enfant. Ayla la vit, elle remarqua son expression de curiosité mêlée d'inquiétude et lui fit signe d'approcher.

— J'apprends Rydag langage de Clan... peuple de sa mère, expliqua la jeune femme. Comme mot hier soir.

Rydag, avec un large sourire qui découvrait des dents un peu trop grandes, adressa à Nezzie un signe soigneusement réfléchi.

— Que veut-il dire ? demanda-t-elle.

— Rydag dit « bonjour, mère », expliqua Ayla.

— « Bonjour, mère ? »

Nezzie ébaucha un mouvement qui ressemblait d'assez loin au geste de Rydag.

— En faisant ça, je dis « bonjour, mère » ?

— Non. Assieds-toi ici. Je te montre. Ceci... (Ayla fit le signe.) ... veut dire « bonjour ». Ainsi... (Elle ajouta la variante.) ... veut dire « bonjour, mère ». Peut faire à moi même signe. Veut dire « femme mère ». Toi faire ainsi... (Ayla montra une autre variante.) ... pour dire « bonjour, enfant ». Et ainsi... (Elle fit encore une variante.) ... pour dire « bonjour, mon fils ». Tu vois ?

Ayla reproduisit toutes les variantes sous le regard attentif de Nezzie. La femme, en dépit d'une certaine gêne, fit une nouvelle tentative. Son geste manquait encore un peu de précision, mais Ayla et Rydag le comprirent néanmoins : elle voulait dire « bonjour, mon fils ».

L'enfant, qui se tenait près de son épaule, lui passa autour du cou ses bras maigres. Nezzie le serra contre lui, battit des paupières pour retenir les larmes qui menaçaient de déborder. Les yeux mêmes de Rydag étaient humides, ce qui surprit la jeune femme.

De tous les membres du clan de Brun, elle avait été la seule dont les yeux pouvaient se mouiller d'émotion, même si les autres éprouvaient des sentiments aussi forts. Son fils était capable de s'exprimer tout comme elle — elle se souvenait encore douloureusement de sa voix qui l'appelait, quand elle avait été forcée de partir —, mais Durc n'avait pas de larmes pour exprimer son chagrin. Comme sa mère, elle-même membre du Clan, Rydag ne pouvait pas parler, mais, quand ses yeux s'emplissaient d'amour, ils brillaient en même temps de larmes.

— Jamais je n'ai été capable de lui parler jusqu'à présent, dit Nezzie, mais j'étais sûre qu'il me comprenait.

— Veux apprendre autres signes ? demanda doucement Ayla.

La femme, qui tenait toujours l'enfant dans ses bras, se contenta d'un hochement de tête. Elle n'osait parler, de crainte de se livrer tout entière à son émotion. Ayla se lança dans une autre série de signes avec leurs variantes. Nezzie et Rydag concentraient sur ses mains toute leur attention.

Les filles de Nezzie, Latie et Rugie, en compagnie des plus jeunes enfants de Tulie, Brinan et sa petite sœur Tusie, qui avaient à peu près l'âge de Rugie et Rydag, s'approchèrent pour découvrir ce qui se passait. Crisavec, le fils de Fralie, qui avait sept ans, se joignit à eux. Bientôt, ils se passionnaient tous pour ce qui leur paraissait un jeu nouveau : parler avec les mains.

Mais, à la différence des jeux auxquels se livraient le plus souvent les enfants du Camp, c'en était un où Rydag excellait. Ayla n'allait pas assez vite pour lui. Il lui suffisait de lui montrer une seule fois le signe : il y ajoutait bientôt lui-même les variantes, toutes les nuances qui en affinaient la signification.

C'était d'autant plus excitant que les autres enfants apprenaient eux aussi. Pour la première fois de sa vie, Rydag avait la possibilité de s'exprimer librement et il ne s'en lassait pas. Les petits camarades avec lesquels il avait grandi acceptaient tout naturellement sa faculté de « parler » couramment de cette nouvelle manière. Il n'était pas comme eux, ils le savaient. Mais ils n'avaient pas encore été contaminés par l'opinion préconçue des adultes qui en concluaient qu'il était dénué d'intelligence. Et, depuis des années, Latie, comme le font souvent les sœurs aînées, traduisait son « baragouin » pour les grandes personnes du Camp.

Quand ils en eurent tous assez d'apprendre, ils s'éloignèrent pour aller mettre en pratique le nouveau jeu. Ayla remarqua que Rydag corrigeait leurs erreurs, et qu'ils se tournaient vers lui pour se faire confirmer le sens de tel ou tel signe. Il s'était trouvé une place nouvelle parmi ses pairs.

Assise près de Nezzie, elle les regardait échanger leurs signaux silencieux. Elle sourit. Qu'aurait pensé Iza, si elle avait vu les enfants des Autres s'exprimer à la façon du Clan, mais rire et crier en même temps ? La vieille guérisseuse aurait sûrement compris, se disait malgré tout Ayla.

— Tu dois avoir raison. C'est sa façon de parler, déclara Nezzie. Je ne l'avais jamais vu si prompt à apprendre. Jamais je n'avais entendu dire que... Comment les appelles-tu ?

— Le Clan. Ils disent Clan. Ça veut dire... famille... peuple... humains. Le Clan de l'Ours des Cavernes, gens qui honorent Grand Ours des Cavernes. Vous dites Mamutoï, Chasseurs de Mammouths, qui honorent Mère, expliqua Ayla.

— Le Clan... Je ne savais pas qu'ils pouvaient parler ainsi. Je ne savais pas qu'on pouvait dire tant de choses avec les mains... Jamais je n'ai vu Rydag aussi heureux.

La femme hésita. Elle cherchait le moyen de formuler autre chose.

Ayla le sentit. Elle attendit, pour donner à sa compagne le temps de rassembler ses idées.

— Je suis surprise que tu te sois si vite prise d'affection pour lui, reprit Nezzie. Certains protestent contre sa présence parce qu'il est d'esprits mêlés, et la plupart des gens sont un peu mal à l'aise en sa présence. Mais toi, tu as l'air de le connaître.

La jeune femme hésita un moment. Elle observait sa compagne, sans trop savoir ce qu'elle allait dire. Finalement elle prit sa décision.

— J'ai connu enfant comme lui... Mon fils. Mon fils Durc...

— Ton fils !

La voix de Nezzie exprimait de la surprise, mais Ayla n'y perçut aucun signe de la répugnance qui avait été manifestée dans la voix de Frebec, quand il avait parlé de Têtes Plates et de Rydag, la veille au soir.

— Toi, tu as eu un enfant d'esprits mêlés ? Où est-il ? Qu'est-il devenu ?

La souffrance assombrit le visage d'Ayla. Tout le temps où elle avait vécu seule dans sa vallée, elle avait enseveli au plus profond d'elle-même les souvenirs de son fils, mais la vue de Rydag les avait réveillés. Les questions de Nezzie ramenaient à la surface de douloureuses émotions. Elle devait maintenant les affronter.

Comme tout son peuple, Nezzie était franche et ouverte. Elle avait parlé spontanément mais elle n'était pas dépourvue de sensibilité.

— Je te demande pardon, Ayla, j'aurais dû penser...

La jeune femme battit des paupières pour retenir ses larmes.

— N'aie pas soucis, Nezzie, répondit-elle. Je sais questions viennent quand je parle Durc. Est... douloureux... penser à lui.

— Tu n'y es pas obligée.

— Quelqu'un doit parler Durc.

Elle s'interrompit, reprit avec résolution :

— Durc est avec Clan. Quand elle meurt, Iza... ma mère, comme toi pour Rydag... me dit aller nord, trouver mon peuple. Pas Clan, les Autres. Durc petit alors. Je ne vais pas. Plus tard, Durc a trois années. Chef chasser moi. Pas savoir où les Autres vivent, pas savoir où aller. Pas pouvoir emmener Durc. Donner à Uba... sœur. Elle aime Durc, prend soin lui. Son fils, maintenant.

Ayla se tut. Nezzie ne savait que dire. Elle avait envie de poser d'autres questions mais elle n'osait pas insister : visiblement, c'était pour la jeune femme une rude épreuve de parler d'un fils qu'elle aimait mais qu'elle avait dû abandonner.

Ce fut Ayla qui continua de son plein gré.

— Trois années depuis je vois Durc. A... six années, maintenant. Comme Rydag ?

Nezzie hocha la tête.

— Sept années ne sont pas encore tout à fait écoulées depuis la naissance de Rydag.

La jeune femme parut se plonger dans ses pensées. Elle poursuivit :

— Durc comme Rydag, pas tout à fait. Durc comme Clan, pour

yeux, comme moi pour bouche. Devrait être contraire, ajouta-t-elle avec un sourire un peu forcé. Durc fait mots. Durc peut parler, mais Clan, non. Mieux si Rydag parle, mais lui pas pouvoir. Durc est fort...

Le regard d'Ayla se fit lointain.

— Courir vite. Rapide, comme Jondalar dire.

Elle leva vers Nezzie des yeux pleins de tristesse.

— Rydag fragile. Depuis naissance. Faible de...

Elle ne connaissait pas le mot qui convenait. Elle posa la main sur sa poitrine.

— Il a quelquefois de la peine à respirer, dit Nezzie.

— Maladie pas respiration. Maladie est... sang... non... pas sang... Boum-boum... essaya-t-elle.

Elle s'agaçait de ne pas trouver le mot juste.

— Son cœur. C'est ce que dit Mamut. Il a le cœur faible. Comment l'as-tu découvert ?

— Iza était guérisseuse. Meilleure de Clan. Elle apprend moi, comme fille. Moi, guérisseuse aussi.

C'était ce qu'avait dit Jondalar, se rappela Nezzie. Elle s'étonnait d'apprendre que les Têtes Plates fussent même capables d'envisager un art de guérir mais, à la vérité, elle ne savait pas non plus que ces êtres-là pouvaient s'exprimer. Et elle était proche de Rydag depuis assez longtemps pour avoir la certitude que, sans parler comme les autres, il n'était pas le stupide animal pour lequel le prenaient tant de gens. Ayla, même si elle n'était pas un mamut, pouvait fort bien connaître l'art de guérir.

Une ombre tomba sur les deux femmes. Elles levèrent la tête.

— Mamut demande si tu veux bien venir lui parler, Ayla, dit Danug.

Toutes deux absorbées par leur conversation, elles n'avaient pas remarqué l'approche du jeune homme.

— Rydag est passionné par le nouveau jeu que tu lui as enseigné avec les mains, poursuivit-il. Il veut, m'a dit Latie, que je te demande si tu pourrais me montrer quelques signes, à moi aussi.

— Oui, bien sûr. J'apprends toi. J'apprends n'importe qui.

— Moi aussi, Ayla, je voudrais en savoir davantage, dit Nezzie, au moment où elles se levaient.

— Matin ? demanda la jeune femme.

— Demain matin, oui. Mais tu n'as encore rien mangé. Peut-être, demain, ferais-tu bien de manger d'abord. Viens avec moi. Je vais te trouver quelque chose, et pour Mamut aussi.

— J'ai faim, reconnut Ayla.

— Moi aussi, appuya Danug.

— Quand n'as-tu pas faim ? A vous deux, Talut et toi, vous pourriez manger un mammouth entier, je crois.

Mais les yeux de Nezzie brillaient de fierté devant ce grand fils vigoureux.

Les deux femmes et Danug se dirigèrent vers l'habitation semi-souterraine. Les autres, apparemment, prirent leur mouvement pour un signal d'arrêter le travail et d'aller prendre un repas ; ils les suivirent.

Dans le foyer d'entrée, on se débarrassa des vêtements portés à l'extérieur, on les accrocha à des chevilles. Il s'agissait là d'un en-cas matinal : certains allaient cuisiner sur leurs propres foyers ; d'autres se rassemblaient dans le foyer d'entrée où brûlaient, autour du feu principal, d'autres petits feux. Quelques-uns mangeaient des restes de mammouth froid, d'autres se préparaient une soupe à la viande ou au poisson, agrémentée de racines ou de légumes et épaissie par les graines grossièrement moulues des herbes de la steppe. La plupart, de toute manière, revenaient vers la salle commune pour y boire un breuvage chaud avant de retourner dehors.

Assise à côté de Mamut, Ayla observait les diverses activités avec un vif intérêt. Elle restait un peu surprise par le niveau du bruit que faisaient tous ces gens en parlant et riant ensemble, mais elle commençait à s'y accoutumer. Elle était plus stupéfaite encore de voir l'aisance avec laquelle les femmes circulaient parmi les hommes. Il n'existait aucune stricte hiérarchie. Tout le monde semblait se servir soi-même, excepté les hommes et les femmes qui s'occupaient des jeunes enfants.

Jondalar vint rejoindre Mamut et Ayla. Avec précaution, il s'installa sur la natte d'herbes tressées, près de la jeune femme. Il tenait à deux mains une coupe parfaitement étanche et dépourvue d'anse. L'herbe dont elle était tressée formait des chevrons de couleurs contrastées. Elle était emplie d'une infusion de menthe.

— Toi levé tôt, ce matin, remarqua Ayla.

— Je n'ai pas voulu te déranger. Tu dormais si profondément.

— Je réveille quand crois quelqu'un blessé, mais Deegie explique vieille femme... Crozie... toujours parler fort avec Frebec.

— Ils se querellaient violemment, dit Jondalar. Je les entendais de l'extérieur. Frebec a peut-être un méchant caractère, mais je ne suis pas sûr de le blâmer. Cette vieille femme piaille plus fort qu'un geai. Comment peut-on vivre en sa compagnie ?

— Je crois quelqu'un blessé, fit pensivement Ayla.

Intrigué, son compagnon la regardait. A son avis, elle n'était pas en train de répéter qu'elle avait cru que quelqu'un était blessé.

— Tu ne te trompes pas, Ayla, confirma Mamut. Les vieilles blessures font encore souffrir.

— Deegie a pitié pour Fralie.

Ayla s'était tournée vers le vieillard. Elle qui n'aimait pas, en général, trahir son ignorance n'éprouvait aucune gêne à lui poser des questions.

— Est quoi, Prix de la Femme ? Deegie dit Tulie a demandé Prix de la Femme élevé pour elle.

Avant de lui répondre, Mamut rassembla soigneusement ses pensées : il tenait à se faire bien comprendre. La jeune femme fixait un regard attentif sur le vieillard aux cheveux blancs.

— Je pourrais te faire une réponse toute simple, Ayla, mais c'est beaucoup plus compliqué qu'il n'y paraît. J'y réfléchis depuis des années. Il n'est pas aisé, pour un homme, de comprendre et d'expliquer son peuple et lui-même, même s'il est de ceux que les autres viennent trouver pour obtenir toutes les réponses.

Il ferma les yeux, son front se plissa dans un effort de concentration.

— Tu comprends le mot « statut », n'est-ce pas ? demanda-t-il enfin.

— Oui. Dans Clan, chef a plus grand statut, ensuite chasseur élu, ensuite autres chasseurs. Mog-ur a grand prestige aussi mais est différent. Il est... homme de monde des esprits.

— Et les femmes ?

— Femmes ont statut de compagnons, mais femme guérisseuse a statut à elle.

Les commentaires d'Ayla surprenaient Jondalar. Elle lui en avait beaucoup appris sur les Têtes Plates, mais il avait encore peine à imaginer qu'ils fussent capables de saisir un concept aussi complexe que celui de la hiérarchie.

— C'est bien ce que je pensais, fit doucement Mamut, avant de poursuivre ses explications. Nous révérons la Mère, qui crée et qui nourrit toute vie. Les êtres humains, les animaux, les plantes, l'eau, les arbres, les rochers, la terre. Elle leur a donné naissance. Elle les a tous créés. Quand nous invoquons l'esprit du mammouth, celui du cerf, celui du bison, pour demander l'autorisation de les chasser, nous savons que c'est l'Esprit de la Mère qui leur a donné la vie. C'est Son Esprit qui fait naître un autre mammouth, un autre cerf, un autre bison pour remplacer ceux qu'Elle nous a donnés pour nourriture.

— Nous disons que c'est le Don de Vie de la Mère, intervint Jondalar, intrigué.

Il cherchait avec intérêt jusqu'à quel point les coutumes des Mamutoï ressemblaient à celles des Zelandonii.

— Mut, la Mère, continua le vieil homme sage, a choisi les femmes pour nous montrer comment Elle a pris en Elle l'esprit de vie, afin de créer et de mettre au monde de nouvelles vies qui remplacent celles qu'Elle rappelle à Elle. Les enfants apprennent cela en grandissant, à partir de légendes, de contes et de chants, mais tu as dépassé ce stade, Ayla. Il nous plaît d'entendre des histoires, même quand nous devenons vieux, mais toi, tu dois comprendre le courant qui les anime, ce qu'elles cachent, afin de saisir les raisons qui ont fondé bon nombre de nos coutumes. Chez nous, le statut repose sur la mère de quelqu'un, et le Prix de la Femme est notre manière de prouver la valeur.

Ayla, fascinée, hocha la tête. Jondalar avait bien essayé de lui expliquer ce qu'était la Mère, mais, avec Mamut, tout semblait plus raisonnable, beaucoup plus facile à comprendre.

— Quand les hommes et les femmes décident de former une Union, l'homme et son Camp offrent des cadeaux nombreux à la mère de la femme et à son Camp. La mère ou la Femme Qui Ordonne décide du prix — elle fixe un nombre de cadeaux — pour la fille. Il arrive qu'une femme fixe son propre prix, mais celui-ci dépend de bien autre chose que sa volonté personnelle. Aucune femme ne souhaite se voir sous-évaluée, mais le prix ne doit pas être trop élevé : l'homme de son choix ou son Camp pourraient alors ne pas avoir les moyens de le payer ou ne pas souhaiter le faire.

— Pourquoi payer pour avoir une femme ? demanda Jondalar. Cela ne fait-il pas d'elle une sorte de marchandise, comme le sel, le silex ou l'ambre ?

— La valeur d'une femme est bien supérieure. Le Prix de la Femme est ce que paie un homme pour avoir le privilège de vivre avec une femme. Un bon Prix de la Femme profite à tout le monde. Il confère à la femme un statut important, il dit à tout le monde en quelle estime elle est tenue par l'homme qui la désire et par son propre Camp. Il fait honneur au Camp de l'homme, en faisant savoir que ce Camp est riche et peut se permettre de payer le prix. Il honore aussi le Camp de la femme, témoigne de l'estime et du respect en lesquels on le tient, lui offre une compensation pour la perte de cette femme, si elle part, comme le font certaines, pour vivre dans un nouveau Camp ou dans celui de l'homme. Mais, plus important encore, le Camp prouve sa richesse s'il paie un bon Prix de la Femme lorsqu'un de ses membres veut une femme.

« Les enfants bénéficient dès leur naissance du statut de leur mère : il est donc bon pour eux que le Prix de la Femme soit élevé. Bien que le Prix de la Femme soit payé en cadeaux, dont certains permettront au couple de commencer sa vie commune, la véritable valeur est le statut, la considération accordée à la femme par son propre Camp et par tous les autres, la valeur qu'elle apporte à son compagnon et à ses enfants.

Ayla restait encore quelque peu perplexe, mais Jondalar hochait la tête : il commençait à comprendre. Les détails n'étaient pas tout à fait les mêmes, mais, dans l'ensemble, les relations, les valeurs ne différaient pas tellement de celles de son propre peuple.

— A quoi connaît-on la valeur d'une femme, afin de fixer un juste Prix de la Femme ? questionna l'homme des Zelandonii.

— Le Prix de la Femme dépend de nombreux éléments. Un homme s'efforce toujours de trouver une femme qui possède le statut le plus important, dans la mesure de ses moyens : en effet, quand il quitte sa mère, il se trouve doté du statut de sa compagne qui est, ou qui sera, une mère. Une femme qui a déjà fait la preuve de sa fécondité possède une valeur plus grande. Aussi les femmes qui ont des enfants sont-elles les plus recherchées. Les hommes essaient souvent de faire monter le statut de la compagne qu'ils convoitent, parce que c'est tout à leur avantage. Quand deux hommes sont en rivalité pour une femme de haute valeur, ils peuvent unir leurs ressources — s'ils s'entendent bien, et si elle est d'accord —, afin de faire monter plus encore le Prix de la Femme.

« Il arrive qu'un seul homme s'unisse à deux femmes, surtout s'il s'agit de sœurs qui ne veulent pas être séparées. Il acquiert alors le statut de celle qui possède la valeur la plus haute, et on lui accorde une grande considération, ce qui ajoute encore à son prestige. Il se montre capable de subvenir aux besoins de deux femmes et de leurs futurs enfants. Des jumelles sont considérées comme une bénédiction toute particulière. On les sépare rarement.

— Quand mon frère s'est trouvé une compagne parmi les Sharamudoï, dit Jondalar, il a noué des liens de parenté avec une femme nommée Tholie, qui était mamutoï. Elle m'a dit un jour qu'elle avait été « volée », tout en étant consentante.

— Nous faisons commerce avec les Sharamudoï, mais nos coutumes ne sont pas les mêmes. Tholie était une femme de grand prestige. La perdre au bénéfice d'un autre peuple, c'était renoncer à quelqu'un qui, d'une part, avait sa propre valeur — et ils ont dû payer un Prix de la Femme fort élevé — et qui, d'autre part, aurait transmis la valeur qu'elle avait reçue de sa mère à son compagnon et à leurs enfants... valeur qui, finalement, aurait bénéficié à tous les Mamutoï. A cela, il n'existait pas de compensation. C'était pour nous une perte, comme si sa valeur nous avait été volée. Mais Tholie était amoureuse, bien décidée à s'unir avec le jeune Sharamudoï. Alors, pour surmonter l'obstacle, nous lui avons permis de se faire « voler ».

— Deegie dit que mère de Fralie a fait bas Prix de la Femme, avança Ayla.

Le vieil homme changea de position. Il voyait où la jeune femme voulait en venir, et il n'allait pas être facile de répondre à sa question. La plupart des gens comprenaient leurs propres coutumes par intuition, sans être capables de les expliquer aussi clairement que Mamut. Beaucoup, dans sa position, auraient hésité à exposer des croyances généralement enveloppées d'histoires obscures. Ils auraient redouté de se voir dépouillés de leur mystère et de leur pouvoir en exposant d'une manière directe et détaillée ces valeurs culturelles. Mamut lui-même n'était pas tout à fait à l'aise mais il était déjà arrivé, à propos d'Ayla, à certaines conclusions, à certaines décisions aussi. Il voulait la voir saisir leurs concepts et comprendre leurs coutumes le plus vite possible.

— Une mère peut aller s'installer au foyer de n'importe lequel de ses enfants, reprit-il. D'ordinaire, elle attend pour cela l'approche de la vieillesse. Mais, si elle le fait, elle rejoint le plus souvent une fille qui vit encore dans le même Camp. Son compagnon se joint généralement à elle mais il peut aussi, s'il le désire, retourner au Camp de sa propre mère ou vivre avec une sœur. Un homme se sent souvent plus proche des enfants de sa compagne, ceux de son foyer, parce qu'il vit avec eux, assure leur éducation. Mais les enfants de sa sœur sont ses héritiers, et, quand il vieillit, ils sont responsables de lui. Les anciens sont habituellement bien accueillis mais pas toujours, malheureusement. Fralie est le dernier enfant qui reste à Crozie. Aussi, là où va sa fille, elle va. La vie ne s'est pas montrée généreuse envers Crozie, et elle ne s'est pas bonifiée avec l'âge. Elle est avide, accapareuse, et rares sont les hommes qui veulent partager un foyer avec elle. Après la mort du premier compagnon de Fralie, elle s'est vue obligée de diminuer de plus en plus le Prix de la Femme pour sa fille, ce qui lui est resté sur le cœur et ajoute encore à son amertume.

Ayla hocha la tête, pour montrer qu'elle comprenait, avant de froncer les sourcils avec inquiétude.

— Iza racontait histoire vieille femme qui vit dans clan Brun, avant mon arrivée. Elle venue d'autre clan. Compagnon mort, pas d'enfants.

Pas avoir valeur, ni prestige, mais toujours à manger, toujours place près feu. Si Crozie pas avoir Fralie, où aller ?

Mamut réfléchit un moment à la question. Il tenait à donner à Ayla une réponse absolument précise.

— Crozie se trouverait alors devant de grandes difficultés, Ayla. Normalement, quelqu'un qui n'a pas de famille est adopté par un autre foyer. Mais Crozie est si désagréable que bien peu voudraient l'accueillir. Sans doute trouverait-elle de quoi manger et un endroit pour dormir dans n'importe quel Camp, mais, au bout d'un certain temps, on la ferait partir, comme c'est arrivé dans leur propre Camp, après la mort du premier compagnon de Fralie.

Le vieux chaman poursuivit, avec une grimace :

— Frebec lui-même n'a pas un caractère tellement agréable. Le statut de sa mère était très médiocre. Elle possédait bien peu de talents, elle avait peu à offrir, hormis un goût prononcé pour la bouza. Frebec n'a donc pas eu beaucoup d'avantages, dès le début. Son Camp ne voulait pas de Crozie et ne voyait pas d'inconvénient à le voir partir. Ils ont refusé de payer quoi que ce fût. Voilà pourquoi le Prix de la Femme de Fralie était si bas. S'ils sont ici, c'est uniquement grâce à Nezzie. Elle a convaincu Talut de parler en leur faveur, et ils ont été acceptés. Certains, ici, le regrettent.

Ayla, de nouveau, acquiesça d'un signe de tête. La situation devenait un peu plus claire.

— Mamut, que...

— Nuvie ! Nuvie ! O, Grande Mère ! Elle s'étouffe ! hurla soudain une voix de femme.

Plusieurs personnes faisaient cercle autour d'une enfant de trois ans qui toussait, s'étranglait, cherchait convulsivement à retrouver son souffle. Quelqu'un tapa dans le dos de la petite fille, sans résultat. D'autres s'efforçaient de donner des conseils mais ils étaient bien en peine de savoir que faire devant l'enfant qui ne respirait presque plus, et dont le visage virait au bleu.

6

Ayla se fraya un passage dans le groupe. Elle arriva près de l'enfant au moment où celle-ci perdait connaissance. Elle la prit dans ses bras, s'assit et posa la petite fille en travers de ses genoux. Après quoi, elle lui enfonça un doigt dans la bouche, pour voir si elle pouvait trouver l'obstacle. Sa tentative fut inutile. Ayla, alors, se releva, passa un bras autour de la taille de l'enfant, la renversa la tête en bas. Elle la frappa d'un coup sec entre les omoplates, puis, par-derrière, elle mit les deux mains autour de la petite forme inerte, la serra contre elle d'une secousse brutale.

Tous les témoins du drame avaient reculé et retenaient leur souffle. Ils observaient avec attention la jeune femme qui paraissait savoir ce qu'elle faisait. C'était une lutte désespérée pour libérer la gorge de l'enfant de l'obstacle qui la bloquait. Le cœur de la petite battait encore, mais elle avait cessé de respirer. Ayla l'allongea sur le sol, s'agenouilla près d'elle. Elle ramassa un vêtement, la pelisse de l'enfant, le roula sous sa nuque pour lui tenir la tête en arrière et la bouche ouverte. Elle prit le petit nez entre deux doigts, plaça sa bouche sur celle de Nuvie et aspira le plus fortement possible afin de créer une sorte de succion. Elle maintint son effort jusqu'à être elle-même près de perdre le souffle.

Brusquement, dans un petit claquement étouffé, elle sentit quelque chose jaillir dans sa bouche, au risque de venir se loger dans sa propre gorge. Elle cracha un morceau de cartilage où adhéraient encore des fragments de viande. Ayla reprit longuement haleine, repoussa d'une secousse les mèches de cheveux qui lui retombaient sur le visage. Elle posa de nouveau sa bouche sur celle de la petite fille pour insuffler dans les poumons immobiles son propre souffle de vie. Le petit torse se souleva. Elle renouvela encore plusieurs fois l'opération.

Soudain, l'enfant se remit à tousser, à cracher, avant de prendre d'elle-même une longue inspiration. Elle s'était remise à respirer. Ayla l'aida à s'asseoir. Alors seulement, elle entendit Tronie qui sanglotait de soulagement en retrouvant sa fille vivante.

Ayla enfila sa pelisse et rejeta le capuchon en arrière, avant d'explorer du regard la rangée de foyers. Dans le dernier, celui de l'Aurochs, elle vit Deegie : debout près du feu, elle brossait ses beaux cheveux couleur de feuille morte et les nouait en chignon, tout en parlant à quelqu'un qui se tenait sur une plate-forme. Au cours des derniers jours, Ayla et Deegie étaient devenues de bonnes amies et, le matin, elles sortaient le plus souvent ensemble. Deegie enfonça dans son chignon une longue épingle d'ivoire, salua Ayla de la main et lui fit signe : « Attends-moi. Je vais avec toi. »

Tronie était assise sur l'une des couches, dans le foyer voisin de celui du Mammouth. Elle donnait le sein à Hartal. Elle sourit à Ayla, l'appela de la main. Ayla pénétra dans l'espace qui constituait le Foyer du Renne. Elle s'assit près de la jeune femme, se pencha vers le bébé pour lui gazouiller quelques mots et le chatouiller. Il lâcha le sein un instant, gloussa, agita les jambes, avant de tendre la main vers sa mère pour se remettre à téter.

— Il te connaît déjà, Ayla, dit Tronie.

— Hartal est petit enfant heureux, en bonne santé. Pousse vite. Où est Nuvie ?

— Manuv l'a emmenée dehors tout à l'heure. Il s'occupe si bien d'elle. Je suis heureuse qu'il soit venu vivre avec nous. Tornec a une sœur, et Manuv aurait pu aller vivre avec elle. Les vieux et les jeunes s'entendent toujours bien, semble-t-il, mais Manuv passe presque tout son temps avec cette petite et il est incapable de lui refuser quelque chose. Surtout depuis que nous avons failli la perdre.

La jeune mère redressa le bébé contre son épaule, lui tapota le dos. Elle se retourna ensuite vers Ayla.

— Je n'ai pas eu l'occasion de te parler en particulier. Je voudrais te remercier encore une fois. Nous t'avons tous beaucoup de reconnaissance... J'ai eu si peur qu'elle ne fût... J'en fais encore des cauchemars. Je ne savais plus que faire. Je me demande ce que je serais devenue si tu n'avais pas été là...

Les larmes lui vinrent aux yeux. Sa voix s'étrangla.

— Tronie, ne dis rien. Est ma... je ne sais pas mot... J'ai connaissances... Est nécessaire... pour moi.

Ayla vit Deegie traverser le Foyer de la Grue. Fralie l'observait, remarqua-t-elle. Les yeux de la femme étaient soulignés de larges cernes. Elle semblait anormalement fatiguée. Ayla l'avait surveillée attentivement : la grossesse de Fralie était assez avancée, pensait-elle, pour qu'elle n'eût plus à souffrir de nausées matinales. Pourtant, elle vomissait encore fréquemment, et pas seulement le matin. Ayla aurait aimé lui faire subir un examen approfondi, mais, quand elle y avait fait allusion, Frebec avait provoqué un énorme tumulte. Qu'elle eût empêché quelqu'un de s'étouffer, avait-il affirmé, ne prouvait pas qu'elle s'y connût en maladies. Elle le prétendait, mais il n'était pas convaincu et il ne voulait pas voir une étrangère donner de mauvais conseils à Fralie. Cet éclat fournit à Crozie une bonne raison de s'élever contre lui. Finalement, pour mettre fin à leur querelle, Fralie déclara qu'elle se sentait très bien et n'avait aucun besoin de consulter Ayla.

Avec un sourire encourageant à l'adresse de la malheureuse, Ayla se munit d'une outre vide et, avec Deegie, se dirigea vers l'entrée. Dans le Foyer du Renard, Ranec leva la tête à leur passage et les suivit des yeux. La jeune femme eut nettement l'impression qu'il ne la quittait pas du regard tout le temps qu'il lui fallut pour traverser le Foyer du Lion et la salle où l'on faisait la cuisine. En atteignant la voûte d'entrée, elle dut faire un effort pour ne pas se retourner.

Les deux amies soulevèrent le rabat de cuir. Ayla battit des paupières devant l'éclat inattendu d'un soleil qui brillait intensément dans un ciel bleu aveuglant. C'était l'une de ces journées d'automne d'une douce tiédeur, un véritable don du ciel à garder en mémoire durant la saison où les vents rageurs, les violentes tempêtes, le froid cruel seraient le lot quotidien. Ayla sourit de bonheur. Brusquement, un souvenir lui revint : elle n'y avait pas songé depuis des années. Uba était née par un jour semblable, en ce premier automne qu'elle avait vécu au sein du Clan, après avoir été découverte par Iza.

L'habitation semi-souterraine et l'espace aplani devant son entrée avaient été aménagés à même une pente exposée à l'ouest, à peu près à mi-hauteur. On avait de là une vue étendue, et la jeune femme s'immobilisa un instant pour la contempler. Le cours de la rivière miroitait, étincelait. Il murmurait une musique de fond aux jeux combinés du soleil et de l'eau. Plus loin, dans la brume, Ayla distinguait un escarpement tout semblable. La large rivière, qui creusait son lit à travers les vastes steppes, était flanquée de remparts usés par l'érosion.

Depuis l'épaulement arrondi du plateau, en haut de la pente, jusqu'à l'immense plaine inondable, en bas, le sol de riche lœss était creusé de profondes ravines, l'œuvre de la pluie, de la fonte des neiges, des coulées des grands glaciers vers le nord, au printemps. Quelques mélèzes, quelques sapins dressaient leurs rares silhouettes vertes, droites et rigides, au-dessus du fouillis d'arbustes dépouillés de leurs feuilles qui couvraient la partie inférieure de la pente. En aval, le long de la berge, les lances de massettes se mêlaient aux joncs et aux roseaux. En amont, la vue était bloquée par un coude de la rivière, mais Ayla voyait Whinney et Rapide qui paissaient l'herbe sèche.

Une motte de terre vint s'émietter à ses pieds. Surprise, elle leva les yeux, se trouva sous le bleu éclatant du regard de Jondalar. Talut était avec lui et souriait largement. La jeune femme s'étonna de voir plusieurs autres personnes juchées sur l'abri.

— Monte, Ayla. Je vais t'aider, dit Jondalar.

— Pas maintenant. Je viens tout juste de sortir. Que faites-vous, là-haut ?

— Nous posons des bateaux ronds sur les trous à fumée, expliqua Talut.

— Quoi ?

— Viens donc. Je t'expliquerai, fit Deegie. J'ai une envie pressante.

Les deux jeunes femmes se dirigèrent ensemble vers une ravine proche. Des marches grossières avaient été taillées dans la paroi abrupte. On atteignit par là une rangée de grandes omoplates de mammouths, qu'on avait percées d'un trou et fixées au-dessus d'une partie plus profonde de la ravine. Ayla se plaça sur l'une d'elles, dénoua la lanière qui retenait ses jambières et baissa celles-ci. Elle s'accroupit ensuite au-dessus du trou, à côté de Deegie. Elle se demandait, une fois de plus, pourquoi elle n'avait pas pensé à cette position quand ses vêtements la gênaient tant. Elle l'avait trouvée si simple, si évidente, après avoir vu Deegie agir ainsi. On jetait aussi dans la ravine le contenu des paniers utilisés la nuit, ainsi que d'autres déchets : le tout serait emporté par l'eau au printemps.

Elles remontèrent, pour redescendre vers la rivière le long d'un large ravin. Un ruisselet, dont la source, plus au nord, était déjà gelée, coulait petitement au milieu. Au changement de saison, il y aurait là un torrent furieux. Sur la berge de la rivière, on avait empilé quelques calottes crâniennes de mammouths qui formaient cuvettes. A côté se trouvaient des espèces de louches à longs manches, grossièrement façonnées à partir de tibias.

Les deux femmes remplirent les cuvettes d'eau puisée à la rivière. Ayla s'était munie d'un petit sac d'où elle sortit des pétales séchés qui avaient naguère formé les fleurs bleu pâle du ceanothus, riche en saponine. Elle en versa quelques-unes entre les paumes de sa compagne et les siennes. En les frottant entre des mains mouillées, on créait une substance mousseuse, un peu abrasive, qui laissait sur la peau un parfum léger. Ayla cassa une petite branche, en mâchonna l'extrémité et s'en servit pour se brosser les dents : c'était une habitude qu'elle avait prise de Jondalar.

— C'est quoi, un bateau rond ? demanda-t-elle.

Deegie et elle revenaient vers l'habitation. Elles portaient à elles deux une panse de bison qu'elles avaient remplie d'eau.

— Nous nous en servons pour traverser la rivière quand le courant n'est pas trop fort. On commence par monter une armature de bois et d'os en forme de bol, qui peut contenir deux personnes, trois au plus, et on la recouvre de peau, le plus souvent huilée. Les bois de mégacéros, une fois taillés, font de bonnes rames, pour pousser le bateau sur l'eau, expliqua Deegie.

— Pourquoi mettre bateaux ronds au-dessus de galerie ?

— Nous les rangeons toujours là-haut quand nous ne nous en servons pas mais, en hiver, nous les plaçons sur les trous à fumée, pour empêcher la pluie et la neige d'y pénétrer. Il faut ménager un espace pour le passage de la fumée et afin de pouvoir, de l'intérieur, déplacer le bateau et le secouer, lorsque la neige s'accumule.

Tout en marchant, Ayla se félicitait de connaître Deegie. Uba avait été pour elle une sœur, et elle l'aimait, mais Uba était plus jeune, et c'était la véritable fille d'Iza, ce qui avait toujours fait une différence. Jamais Ayla n'avait connu une fille de son âge qui semblait comprendre tout ce qu'elle disait, et avec laquelle elle avait tant en commun.

Elles posèrent la lourde panse sur le sol afin de prendre un instant de repos.

— Ayla, montre-moi comment on dit « je t'aime » avec les mains. Je le ferai pour Branag quand je le reverrai, dit Deegie.

— Clan n'a pas signe comme ça.

— Ils ne s'aiment donc pas ? A t'entendre, ils paraissaient tellement humains. Je pensais qu'ils pouvaient éprouver l'amour.

— Oui, ils s'aiment mais ils sont... discrets... Non, n'est pas bon mot...

— « Subtils » est le mot que tu cherches, je crois.

— Subtils... dans la manière montrer sentiments. Mère pourrait dire à enfant : « Tu remplis moi de bonheur », continua Ayla, en faisant pour Deegie le signe correspondant. Mais femme ne serait pas si... ouverte... non, franche ?

Ayla attendit l'approbation de Deegie, avant de poursuivre :

— Franche à propos de sentiments pour homme.

Son amie était intriguée.

— Que ferait-elle ? J'ai bien dû faire connaître mes sentiments à Branag, quand j'ai découvert qu'il m'avait observée, aux Réunions d'Eté, comme je l'avais fait moi-même pour lui. Je me demande ce que j'aurais fait si je n'avais pas pu lui parler.

— Femme de Clan ne parle pas, elle montre. Femme fait choses pour homme qu'elle aime, prépare nourriture préférée, donne infusion préférée le matin, quand il s'éveille. Fait vêtements particuliers : vêtements de dessous avec peau très souple ou mocassins avec fourrure dedans. Encore mieux si femme sait ce qu'il veut avant qu'il demande. Montre elle est très attentive à apprendre habitudes, caractère, elle connaît homme, elle aime.

Deegie hocha la tête.

— C'est un moyen de prouver son amour. C'est très bien de chercher à se faire plaisir l'un à l'autre. Mais comment une femme peut-elle savoir que l'homme l'aime ? Que fait un homme pour une femme ?

— Un jour, Goov court danger pour tuer léopard des neiges qui faisait peur à Ovra parce que rôdait trop près de caverne. Elle sait il a tué pour elle. Pourtant, il donne peau à Creb, et Iza fait avec vêtement pour moi, expliqua Ayla.

— Ça, c'est très subtil. Je ne sais pas trop si j'aurais compris, fit Deegie en riant. Comment sais-tu qu'il l'a fait pour elle ?

— Ovra m'a dit, plus tard. Savais pas, alors. Encore jeune. Apprenais encore. Signes par mains pas langage entier de Clan. Beaucoup plus dit par visage, yeux, corps. Façon de marcher, tourner tête, raidir épaules dit plus que mots, si tu connais sens. Très long temps nécessaire pour apprendre langage de Clan.

— J'en suis surprise : tu as si vite appris le mamutoï ! Je t'observe : tu fais des progrès de jour en jour. Je voudrais bien avoir ton don des langues.

— Parle pas encore bien. Beaucoup mots ne sais pas. Mais pense à mots comme langage de Clan. Ecoute mots et regarde air de visage, écoute sons, sens comment mots s'accordent, vois comment corps bouge... Essaie me rappeler. Quand montre, à Rydag et autres, signes par mains, apprends aussi. Apprends mieux langage à vous. Dois apprendre, Deegie, ajouta Ayla, avec une ardeur qui traduisait sa volonté.

— Ce n'est pas seulement un jeu pour toi, n'est-ce pas ? Comme les signes pour nous ? C'est amusant de penser qu'à la Réunion d'Eté, nous pourrons converser entre nous sans que personne s'en doute.

— Suis heureuse tout le monde s'amuse et veut savoir plus. Pour Rydag, s'amuse maintenant, mais n'est pas jeu pour lui.

— Non, tu as sans doute raison.

Elles firent un mouvement pour reprendre la panse pleine d'eau, mais Deegie s'arrêta, regarda Ayla.

— Au début, je ne comprenais pas pourquoi Nezzie avait voulu le garder. Mais je me suis habituée à lui et j'ai fini par me prendre d'affection à son égard. A présent, il est l'un d'entre nous. Il me manquerait s'il n'était plus là. Mais jamais il ne m'était venu à l'esprit qu'il pouvait avoir envie de parler. Je ne pensais pas qu'il en avait même l'idée.

A l'entrée de la galerie, Jondalar regardait approcher les deux jeunes femmes, absorbées par leur conversation. Il était heureux de voir Ayla s'adapter aussi bien. A bien y réfléchir, il semblait stupéfiant que, parmi tous les gens qu'ils auraient pu découvrir, le seul groupe qu'ils avaient rencontré avait accueilli un enfant d'esprits mêlés, ce qui les disposait plus que la plupart à accepter la jeune femme. Sur un point, pourtant, il ne s'était pas trompé : Ayla n'hésitait pas à parler de ses origines.

Au moins ne leur avait-elle rien dit de son fils, pensa-t-il. Une femme comme Nezzie pouvait bien ouvrir son cœur à un orphelin, mais comment aurait-on accueilli une jeune femme dont l'esprit s'était uni à celui d'une Tête Plate, et qui avait donné naissance à un monstre ? On pouvait toujours plus ou moins craindre que la chose ne se reproduisît, et, si elle attirait à elle cette sorte de mauvais esprits, ne pourraient-ils pas s'en prendre à d'autres femmes, dans son voisinage ?

Le grand et bel homme se sentit tout à coup rougir. Ayla ne considère pas son fils comme un monstre, se dit-il, mortifié. Il avait marqué un mouvement de dégoût quand, pour la première fois, elle lui avait parlé de ce fils, et elle en avait été furieuse. Jamais il ne l'avait vue dans cet état. Mais son fils était son fils et elle ne ressentait visiblement aucune honte à son propos. Elle a raison, Doni me l'a dit en rêve. Les Têtes Plates... le Clan... sont des enfants de la Mère, eux aussi. Rydag, par exemple. Il possède bien plus d'intelligence que je n'aurais cru en trouver chez un être comme lui. Il est un peu différent des autres, mais c'est un être humain, et il attire l'affection.

Jondalar avait consacré au jeune garçon une partie de son temps. Il avait découvert en lui de l'intelligence, de la maturité et jusqu'à un certain sens de l'humour, particulièrement lorsqu'il était question de son aspect différent ou de sa faiblesse. Il avait lu de l'adoration dans les yeux de Rydag toutes les fois qu'il regardait Ayla. Celle-ci avait expliqué à Jondalar que, chez ceux du Clan, les garçons de l'âge de Rydag étaient déjà proches de l'âge viril. Peut-être aussi sa faiblesse l'avait-elle mûri plus vite que les autres.

Elle a raison. Je sais qu'elle ne se trompe pas à leur sujet. Mais si seulement elle pouvait ne pas parler d'eux. Ce serait tellement plus facile. Mais que penserais-tu si quelqu'un venait te dire de ne plus songer aux gens qui t'ont élevé, qui ont pris soin de toi ? Si elle n'a pas honte d'eux, pourquoi ne pas faire comme elle ? L'épreuve, après tout, n'a pas été si pénible. Frebec, de toute manière, est systématiquement désagréable. Mais elle ignore la façon dont les gens peuvent se retourner contre vous et contre ceux qui vous accompagnent.

Peut-être vaut-il mieux qu'elle ne le sache pas. Peut-être qu'il n'arrivera rien. Elle a déjà réussi à faire parler presque tout le Camp comme les Têtes Plates, y compris moi-même.

Après avoir constaté avec quelle ardeur presque tout le monde désirait apprendre le moyen qui servait aux gens du Clan pour communiquer entre eux, Jondalar avait assisté à quelques-unes des séances qui semblaient se tenir à l'improviste toutes les fois que quelqu'un posait des questions. Il s'était surpris à se prendre au jeu, à envoyer des signaux à distance, à faire des plaisanteries silencieuses — en disant une chose, par exemple, et en en exprimant une autre par signes derrière le dos de quelqu'un. La profondeur, l'étendue de ce langage muet le surprenaient encore.

— Jondalar, tu es tout rouge. A quoi pouvais-tu bien penser ? demanda Deegie d'un ton taquin, quand les deux jeunes femmes atteignirent l'entrée.

La question le prit au dépourvu, lui rappela la honte qu'il avait ressentie, et, dans son embarras, il rougit de plus belle.

— J'ai dû me tenir trop près du feu, marmonna-t-il en se détournant.

Pourquoi Jondalar dit-il des mots qui ne sont pas vrais ? se demanda Ayla. Elle avait remarqué les plis qui se creusaient sur son front, le trouble qui embrumait le bleu vif de ses yeux, avant qu'il tournât la tête. Ce n'est pas le feu qui l'a fait rougir. Ce sont des sentiments. Au moment précis où je crois que je commence à apprendre, il fait quelque chose que je ne comprends pas. Je l'observe, j'essaie de faire très attention. Tout a l'air merveilleux. Et, tout à coup, sans raison, il est furieux. Je vois bien qu'il est furieux mais je ne vois pas la raison. C'est comme dans les jeux, quand on dit une chose avec les mots et une autre avec les signes. Comme les fois où il dit des mots aimables à Ranec, mais où son corps montre qu'il est en colère. Pourquoi Ranec le rend-il furieux ? Et maintenant, quelque chose le tourmente, mais il dit que le feu lui a donné chaud. Qu'est-ce que j'ai fait de mal ? Pourquoi ne puis-je le comprendre ? Apprendrai-je jamais ?

Tous trois, en se détournant pour rentrer, faillirent se heurter à Talut qui sortait de la galerie.

— Je partais à ta recherche, Jondalar, dit l'Homme Qui Ordonne. Je ne veux pas perdre une si belle journée et Wymez, sur le chemin du retour, a fait sans le vouloir un peu de reconnaissance. Il dit qu'ils sont passés près d'un troupeau de bisons. Quand nous aurons mangé, nous allons partir à leur recherche. Veux-tu venir avec nous ?

— Oui, certainement, répondit Jondalar, avec un large sourire.

— J'ai demandé à Mamut de nous dire si le temps était propice et de demander aux esprits si le troupeau ne s'était pas trop éloigné. Les signes sont bons, dit-il. Il a dit autre chose, aussi, que je ne comprends pas bien. Il a dit : « Par où l'on sort est en même temps par où l'on entre. » Tu vois un sens à ça, toi ?

— Non, mais ça n'a rien d'inhabituel. Ceux qui servent la Mère disent souvent des choses que je ne comprends pas, fit Jondalar en souriant. Quand ils parlent, c'est avec des ombres sur la langue.

— Je me demande parfois s'ils savent ce qu'ils veulent dire, déclara Talut.

— Si nous allons à la chasse, j'aimerais te montrer quelque chose qui pourrait nous être utile.

Jondalar conduisit les autres jusqu'à la plate-forme où il dormait avec Ayla, dans le Foyer du Mammouth. Il prit une poignée de lances-sagaies légères et un instrument que Talut n'avait jamais vu.

— J'ai eu l'idée dans la vallée d'Ayla et, depuis, nous nous en sommes servis à la chasse.

La jeune femme restait à l'écart et observait les autres. Elle sentait une terrible tension monter en elle. Elle avait désespérément envie de faire partie de l'équipe des chasseurs, mais, chez ces gens-là, les femmes avaient-elles le droit de chasser ? Elle avait beaucoup souffert à ce propos, par le passé. Le Clan interdisait aux femmes de chasser ou même de toucher aux armes de chasse. En dépit de ce tabou, elle avait appris toute seule à se servir d'une fronde, et le châtiment avait été sévère quand on avait découvert cette infraction aux règles. Après l'avoir subi sans dommage, elle avait été autorisée à chasser dans de strictes limites, afin d'apaiser son puissant totem qui l'avait protégée. Mais sa participation à cette activité d'hommes avait fourni à Broud une raison supplémentaire de la détester et, en fin de compte, avait contribué à son bannissement.

Pourtant, lorsqu'elle vivait seule dans sa vallée, sa fronde avait augmenté ses chances de survie et l'avait stimulée, encouragée à développer ses capacités. Ayla avait survécu parce que les talents qu'elle avait acquis comme membre féminin du Clan, joints à une intelligence et à un courage qui lui étaient propres, lui avaient permis de se tirer d'affaire toute seule. Mais la chasse lui avait apporté plus que l'assurance de ne dépendre que d'elle-même : elle en était venue à symboliser pour elle l'indépendance et la liberté qui en étaient le résultat naturel. Elle n'y renoncerait pas volontiers.

— Ayla, pourquoi ne pas prendre, toi aussi, ton lance-sagaie ? dit Jondalar. (Il se tourna vers Talut.) Je possède une force plus grande, mais Ayla vise plus juste que moi. Mieux que moi, elle pourra te montrer ce que peut faire cet instrument. En vérité, si tu veux assister à une démonstration de précision, tu devrais la voir se servir d'une fronde. Son habileté dans ce domaine, je crois, lui donne un avantage avec ce propulseur.

Ayla reprit son souffle, sans même avoir eu conscience de l'avoir retenu. Pendant que Jondalar continuait à parler avec Talut, elle alla chercher son propulseur et ses sagaies. Elle avait encore peine à croire que cet homme, qui faisait partie des Autres, avait accepté son désir de chasser et son habileté dans cette activité. Il parlait tout naturellement de son talent et semblait assuré que Talut et le Camp du Lion accepteraient eux aussi de la voir se joindre à eux. Elle jeta un coup d'œil vers Deegie : qu'allait en penser une femme ?

— Si tu dois utiliser une nouvelle arme à la chasse, Talut, tu devrais en avertir ma mère, déclara Deegie. Tu sais qu'elle voudra la voir, elle aussi. Je ferais bien d'aller chercher mes sagaies et mon équipement. Une tente aussi : nous passerons probablement la nuit.

Après le repas du matin, Talut fit signe à Wymez. Dans le foyer où l'on faisait la cuisine, ils s'accroupirent près de l'un des petits feux, là où le sol était recouvert d'une fine poussière, et où la lumière tombait droit sur eux du trou de fumée. Un outil, fait d'un tibia de cerf, était enfoncé en terre. Il avait la forme d'un couteau ou d'une dague très aiguë. Un bord droit, non effilé, allait de la cavité de la rotule jusqu'à la pointe. Talut le prit par l'extrémité la plus large. Il se servit du tranchant émoussé pour aplanir la poussière, avant d'utiliser la pointe pour dessiner sur cette surface des lignes et des signes. Plusieurs personnes se groupèrent alentour.

— Wymez dit qu'il a vu les bisons non loin des trois affleurements rocheux qu'on trouve vers le nord-est, près de l'affluent de la petite rivière qui se déverse en amont, entreprit d'expliquer l'Homme Qui Ordonne.

En même temps, il dessinait une carte grossière de la région.

C'était plutôt un dessin schématique qu'une reproduction visuelle approximative. Il n'était pas nécessaire de reproduire le lieu avec précision. Les gens du Camp du Lion connaissaient parfaitement leur région, et le dessin n'était qu'un aide-mémoire destiné à leur rappeler un endroit qui leur était familier. Il consistait en lignes et en signes conventionnels qui représentaient des points de repère ou des idées déjà acquises.

La carte de Talut ne montrait pas le cours de la rivière à travers le territoire : elle ne représentait pas le paysage à vol d'oiseau. Talut figura la rivière par des chevrons qu'il rattacha aux deux extrémités d'une ligne droite pour indiquer un affluent. Dans leur environnement plat, les rivières étaient des étendues d'eau qui, parfois, se rejoignaient.

Ils savaient d'où venaient les rivières et où elles conduisaient. Ils n'ignoraient pas qu'on pouvait les suivre pour gagner certaines destinations. Mais on avait aussi d'autres points de repère, et un épaulement rocheux était moins susceptible de changer d'aspect. Dans une région si proche d'un glacier et pourtant sujette aux changements saisonniers, la glace et le gel permanent de certaines couches de terrain pouvaient entraîner d'incroyables altérations du paysage. La fonte des glaces et le déluge qui s'ensuivait pouvaient modifier le cours d'une rivière d'une saison à l'autre, comme les monticules de glace de l'hiver se transformaient l'été en bourbiers. Les chasseurs de mammouths pensaient leur territoire comme un tout, dont les rivières étaient seulement un élément.

Talut ne concevait pas d'utiliser une échelle pour figurer la longueur d'un cours d'eau ou d'une piste selon des unités bien définies. De telles mesures n'avaient pas grande signification. Pour ces hommes, l'éloignement d'un lieu par rapport à un autre ne se mesurait pas : il s'agissait de savoir combien de temps il faudrait pour couvrir la distance, et cela se présentait plus aisément par une série de lignes correspondant au nombre de jours ou par quelque autre figuration par signes. Même ainsi, un endroit déterminé pouvait être plus éloigné pour certains marcheurs que pour d'autres ou paraître plus lointain selon la saison, parce qu'il faudrait parfois plus de temps pour s'y rendre. La distance parcourue par le Camp tout entier se mesurait au laps de temps qu'il faudrait au plus lent d'entre eux pour parvenir au but. La carte de Talut était parfaitement claire pour les membres du Camp du Lion, mais Ayla l'examinait d'un air à la fois fasciné et perplexe.

— Wymez, montre-moi où ils étaient, dit Talut.

— Du côté sud de l'affluent.

Wymez prit le couteau en os, ajouta quelques lignes supplémentaires.

— Le terrain est rocheux, avec des affleurements abrupts. Mais la plaine est vaste.

— S'ils continuent à remonter vers l'amont, déclara Tulie, il n'y a pas beaucoup d'issues de ce côté.

— Mamut, qu'en penses-tu ? demanda Talut. Tu as dit qu'ils ne s'étaient pas beaucoup éloignés.

Le vieux chaman prit à son tour le couteau à dessiner. Les paupières closes, il hésita un instant, avant de se mettre à faire d'autres marques.

— Il y a un cours d'eau qui vient se jeter dans la rivière, entre le deuxième et le dernier affleurement. Ils vont probablement vouloir passer par là, en croyant trouver une sortie.

— Je connais l'endroit ! fit Talut. Si on remonte le cours d'eau, la plaine se rétrécit, avant d'être enserrée par le rocher. C'est un bon endroit pour les piéger. Combien sont-ils ?

Wymez prit le couteau, marqua plusieurs lignes, hésita, en ajouta une autre.

— Je suis au moins certain d'avoir vu ce nombre-là.

Il replanta le couteau dans la terre. Tulie le reprit, ajouta trois autres marques.

— J'ai vu ceux-là, un peu en arrière du troupeau. L'un d'eux semblait plutôt jeune ou peut-être était-il plus faible.

Danug lui prit l'instrument, fit une marque supplémentaire.

— Il faisait partie d'une paire de jumeaux, je crois. J'ai vu l'autre un peu plus loin. Toi, Deegie, tu en as vu deux ?

— Je ne sais plus.

— Elle n'avait d'yeux que pour Branag, fit Wymez avec un sourire indulgent.

— L'endroit se trouve à peu près à une demi-journée d'ici, n'est-ce pas ? demanda Talut.

Wymez hocha la tête.

— Une demi-journée en marchant d'un bon pas.

— Alors, nous devrions partir tout de suite.

Pensif, l'Homme Qui Ordonne s'interrompit.

— Je ne suis pas allé là-bas depuis un certain temps. J'aimerais bien connaître la disposition du terrain. Je me demande...

Tulie devina la pensée de son frère.

— Quelqu'un qui serait disposé à courir arriverait là-bas plus vite et pourrait repartir à notre rencontre pour nous renseigner.

— C'est un long chemin... dit Talut, avec un coup d'œil vers Danug.

Le grand garçon dégingandé allait répondre, mais Ayla parla la première.

— N'est pas long chemin pour cheval. Cheval court vite. Pourrais aller sur Whinney... mais ne connais pas route.

D'abord surpris, Talut la gratifia d'un large sourire.

— Je pourrais te donner une carte ! Comme celle-ci, dit-il en désignant le tracé dessiné dans la poussière.

Il regarda autour de lui, découvrit un éclat d'ivoire, près du tas d'os qui servaient à alimenter les feux. Il prit sa lame en silex bien acérée.

— Regarde, tu vas vers le nord jusqu'au grand cours d'eau.

Il commença de graver des lignes en zigzag pour figurer l'eau.

— Tu dois d'abord en traverser un autre, plus petit. Ne les confonds pas.

Ayla fronçait les sourcils.

— Ne comprends pas carte. Jamais vu carte avant.

Talut, l'air désappointé, laissa retomber l'éclat d'ivoire sur le tas d'os.

— Quelqu'un ne pourrait-il accompagner Ayla ? suggéra Jondalar. La jument peut porter deux personnes. Nous l'avons déjà montée ensemble.

Talut retrouva son sourire.

— Voilà une bonne idée ! Qui veut y aller ?

— Moi ! Je connais le chemin, lança une voix, aussitôt suivie d'une autre.

— Moi aussi, je connais le chemin. Je reviens tout juste de cet endroit.

Latie et Danug s'étaient proposés tous les deux. Plusieurs autres semblaient prêts à les imiter.

Le regard de Talut alla de l'un à l'autre. Il haussa les épaules, ouvrit les mains toutes grandes et se tourna vers Ayla.

— A toi de choisir.

Elle regarda le jeune homme, presque aussi grand que Jondalar, avec ses cheveux roux comme ceux de Talut et le pâle duvet d'une barbe naissante. Elle posa ensuite ses yeux sur la mince fille, qui n'était pas encore tout à fait une femme mais n'en était plus bien loin, avec ses cheveux châtain clair qui ressemblaient à ceux de Nezzie. L'espoir brillait dans leurs deux regards. Lequel choisir ? Danug était presque un homme : c'était lui qu'elle devait emmener, disait-elle. Mais, en Latie, elle voyait un peu d'elle-même, et elle se rappelait le regard de désir qu'elle avait remarqué chez la jeune fille, la première fois que Latie avait vu les chevaux.

— Whinney va plus vite, je crois, si pas trop de poids. Danug est homme...

Ayla accompagna ses paroles d'un grand sourire chaleureux.

— ... Pense Latie mieux cette fois.

Danug, l'air troublé, hocha la tête, recula. Il cherchait à maîtriser le flot d'émotions mêlées qui l'avaient soudain envahi. Il était cruellement déçu que le choix se fût porté sur Latie. Mais le sourire éblouissant d'Ayla, quand elle l'avait appelé un homme, lui avait fait monter le sang au visage et avait précipité les battements de son cœur, en même temps qu'il éprouvait d'autres sensations plus embarrassantes encore.

Latie courut passer la tenue en peau de renne, chaude et légère, qu'elle portait pour voyager. Elle entassa dans son sac les objets nécessaires, y ajouta les vivres et l'outre d'eau préparés par Nezzie. Quand elle se retrouva dehors, prête à partir, Ayla ne s'était pas encore changée. Elle regarda Jondalar aider celle-ci à fixer sur les flancs de la jument les paniers retenus par un harnais qu'Ayla avait inventé. La jeune femme plaça l'eau et les vivres dans l'un des paniers, par-dessus ses propres affaires, mit le sac de Latie dans l'autre. Accrochée d'une main à la crinière de la jument, elle lui sauta d'un bond rapide sur le dos. Jondalar aida la jeune fille à monter à son tour. Assise devant Ayla, Latie posa des yeux débordants de bonheur sur les gens de son Camp.

Danug, un peu timidement, s'approcha pour tendre à sa sœur l'éclat d'ivoire.

— Tiens, pour vous permettre de retrouver plus facilement l'endroit, j'ai fini la carte que Talut avait commencée.

— Oh, Danug, merci ! s'écria Latie.

Elle l'attrapa par le cou pour une étreinte affectueuse.

— Oui, merci, Danug, dit à son tour Ayla, avec ce même sourire qui le remuait si profondément.

Le visage de Danug prit la couleur de ses cheveux. Déjà, les deux cavalières commençaient à gravir la pente. Il leur fit signe de la main, la paume tournée vers l'intérieur pour signifier « revenez vite ».

Jondalar, un bras passé autour de l'encolure rouée du poulain qui, la tête dressée, naseaux au vent, s'efforçait de suivre sa mère, prit de l'autre bras le jeune homme par les épaules.

— Tu t'es très bien conduit. Tu avais envie d'y aller, je le sais. Mais je suis sûr que tu pourras monter la jument une autre fois.

Danug se contenta de répondre par un signe de tête. Ce n'était pas l'idée de monter la jument qui l'occupait à cet instant.

Quand elles atteignirent les steppes, Ayla, par de subtiles pressions, par de petits mouvements de son corps, transmit des indications à la jument, et Whinney se lança au galop, en direction du nord. La vitesse brouillait le sol sous les sabots rapides. Latie avait peine à imaginer qu'elle filait à travers les steppes sur le dos d'un cheval. Dès le départ, elle avait souri de joie, et le sourire s'attardait sur ses lèvres, même si, parfois, elle fermait les yeux, se tendait en avant, pour le plaisir de sentir le vent lui fouetter le visage. Elle aurait été incapable de décrire le bonheur qu'elle éprouvait. Jamais elle n'avait rêvé rien de semblable.

Les autres chasseurs se mirent en marche peu de temps après elles. Tous ceux qui étaient capables de marcher et qui voulaient se joindre à eux les accompagnèrent. Le Foyer du Lion envoyait trois chasseurs. Latie était encore très jeune, et il y avait peu de temps qu'on lui permettait de partir avec Talut et Danug. Elle se montrait toujours enthousiaste, comme l'avait été sa mère lorsqu'elle était plus jeune, mais, à présent, Nezzie allait rarement à la chasse. Elle restait au foyer, pour s'occuper de Rugie et de Rydag et pour aider à veiller sur d'autres jeunes enfants. Depuis le jour où elle avait adopté Rydag, elle était rarement sortie.

Le Foyer du Renard n'avait que deux hommes, Wymez et Ranec, qui chassaient tous les deux, mais, au Foyer du Mammouth, il n'y avait pas de chasseurs, sinon Ayla et Jondalar, les visiteurs : Mamut était trop âgé.

Manuv aurait aimé les accompagner, mais il resta au Camp pour ne pas les ralentir. Tronie aussi, avec Nuvie et Hartal. Sauf, de temps à autre, pour une expédition où les enfants eux-mêmes pouvaient se rendre utiles, elle n'allait plus chasser, elle non plus. Tornec était le seul chasseur du Foyer du Renne, comme Frebec était le seul du Foyer de la Grue. Fralie et Crozie restèrent au Camp, avec Crisavec et Tasher.

Tulie s'était presque toujours arrangée pour partir à la chasse, même du temps où elle avait des enfants en bas âge, et le Foyer de l'Aurochs était bien représenté. Mis à part la Femme Qui Ordonne, Barzec, Deegie et Druwez partaient aussi. Brinan fit de son mieux pour convaincre sa mère de l'autoriser à les accompagner mais, avec sa sœur Tusie, il fut laissé aux soins de Nezzie, avec la promesse qu'il serait bientôt assez grand.

Le groupe de chasseurs gravit la pente, et, dès qu'ils se trouvèrent en terrain plat, Talut leur fit presser le pas.

— Je crois, moi aussi, que la journée est trop belle pour qu'on la perde, déclara Nezzie, en reposant sa coupe d'une main ferme.

Elle s'adressait au petit groupe qui, après le départ des chasseurs, s'était rassemblé autour du feu allumé dehors. Tout le monde achevait le repas du matin en dégustant une infusion.

— Les grains sont mûrs et secs, et j'ai envie, depuis un bon moment, d'aller en faire une dernière récolte. Si nous nous dirigeons vers le bouquet de sapins, près du petit ruisseau, nous pourrons aussi ramasser les graines des cônes, si nous en avons le temps. Quelqu'un veut-il venir ?

— Fralie ne devrait pas aller aussi loin, j'en suis sûre, dit Crozie.

— Oh, mère, protesta sa fille. Une promenade me fera du bien. Quand le temps va se gâter, nous serons tous obligés de rester enfermés. Cela viendra bien assez tôt. J'aimerais t'accompagner, Nezzie.

— Alors, il vaut mieux que j'y aille moi aussi, pour t'aider à t'occuper des enfants, déclara Crozie, comme si elle s'imposait un grand sacrifice.

En réalité, l'idée d'une sortie la tentait.

Tronie, elle, ne cacha pas son plaisir.

— Quelle bonne idée, Nezzie. Je pourrai caser Hartal dans ma hotte, et ça me permettra de porter Nuvie quand elle sera fatiguée. Passer une journée dehors : voilà qui me plairait par-dessus tout.

— Je me chargerai de Nuvie. Tu n'auras pas besoin d'en porter deux, dit Manuv. Mais je ramasserai les graines de cônes, je pense, et je vous laisserai récolter le grain.

— Je crois que je vais, moi aussi, vous accompagner, Nezzie, décida Mamut. Peut-être Rydag accepterait-il de tenir compagnie à un vieil homme. Il m'apprendra peut-être d'autres signes d'Ayla, puisqu'il est si doué pour ça.

— Toi, très bon pour signes, Mamut, exprima Rydag avec ses doigts. Toi apprendre vite. Toi peut-être apprendre à moi.

— Nous nous enseignerons peut-être l'un l'autre, répondit Mamut dans le même langage.

Nezzie souriait. Le vieillard n'avait jamais traité l'enfant d'esprits mêlés autrement que les autres enfants du Camp, sinon pour prendre en considération sa faiblesse, et il l'avait souvent aidée à prendre soin de Rydag. Un lien tout particulier semblait exister entre eux. Nezzie soupçonnait Mamut de vouloir les accompagner afin d'occuper le petit garçon pendant que les autres travailleraient. Il veillerait aussi, elle le savait, à ce que personne, sans le vouloir, ne pressât Rydag d'avancer plus vite qu'il ne le pouvait. S'il voyait l'enfant faire des efforts exagérés, il ralentirait lui-même et mettrait sa lenteur sur le compte de son grand âge. Cela lui était déjà arrivé.

Quand tout le monde fut réuni avec des paniers, des peaux à étendre sur le sol, des outres pleines d'eau et les vivres nécessaires pour le repas de midi, Mamut plaça devant la voûte d'entrée, à même la terre, la statuette d'une femme aux formes pleines, sculptée dans l'ivoire. Il prononça quelques mots qu'il était le seul à comprendre, fit quelques gestes d'invocation. Tous les habitants du Camp allaient être absents, l'abri serait désert. Il priait l'Esprit de Mut, la Grande Mère, de garder et protéger leur habitation en leur absence.

Nul ne tenterait de violer cette « défense d'entrer » signifiée par l'effigie de la Mère placée sur le seuil. A moins de nécessité absolue, nul n'oserait affronter les conséquences qui résulteraient, croyait-on, de cette violation. Même en cas de grande détresse — si quelqu'un, par exemple, était blessé ou se trouvait pris dans une tempête de neige et avait absolument besoin d'un refuge —, on commencerait par prendre des mesures immédiates afin d'apaiser la colère et peut-être même la vengeance de la protectrice. La personne, la famille ou le Camp mis en cause paierait le plus tôt possible une compensation bien supérieure à tout ce qui aurait été utilisé. Les membres du Foyer du Mammouth recevraient des dons, des offrandes, pour apaiser l'Esprit de la Grande Mère par des explications, des prières, des promesses de bonnes actions ou de compensations futures. Le geste de Mamut était plus efficace que n'importe quel système de fermeture.

Quand Mamut tourna le dos à l'entrée, Nezzie hissa une hotte sur son dos, ajusta sur son front la courroie de soutien. Elle souleva Rydag, le plaça à califourchon sur son ample hanche afin de le porter jusqu'au haut de la colline. Après quoi, poussant devant elle Rugie, Tusie et Brinan, elle se mit en route vers les steppes. Les autres suivirent. Bientôt, la seconde moitié du Camp arpenta les vastes prairies, consacrant la journée à récolter les fruits et les graines semés par la Grande Mère Terre pour les leur offrir. Ce travail, cette contribution à la vie de tous, n'était pas considéré comme moins valable que l'activité des chasseurs. En même temps, on prenait plaisir à être ensemble, à se partager la tâche.

Au milieu de gerbes d'éclaboussures, Ayla et Latie traversèrent un premier cours d'eau. La jeune femme ralentit l'allure de la jument avant d'atteindre la rivière suivante, déjà plus large.

— C'est ça nous suivons ? demanda-t-elle.

— Non, je ne crois pas, répondit Latie.

Elle consulta les marques tracées sur l'éclat d'ivoire.

— Non. Regarde ici : c'est le premier cours d'eau que nous venons de franchir. Il faut traverser celui-là aussi. Le suivant, nous le longeons vers l'amont.

— Pas profond ici, on dirait. Bon endroit pour traverser ?

La jeune fille promena son regard d'amont en aval.

— Il y a un meilleur endroit un peu plus haut. Là, nous n'aurons qu'à ôter nos bottes et à relever nos jambières.

Elles se dirigèrent vers l'amont, mais, quand elles atteignirent le passage à gué, où l'eau écumait autour des rochers en saillie, Ayla ne s'arrêta pas. Elle engagea Whinney dans la rivière, la laissant choisir son chemin. De l'autre côté la jument reprit le galop, et Latie retrouva son sourire.

— Nous ne nous sommes même pas mouillé les pieds ! s'exclama-t-elle. Quelques éclaboussures, c'est tout !

Au cours d'eau suivant, elles prirent la direction du levant. Ayla ralentit l'allure pour permettre à Whinney de se reposer un peu. Même ainsi, la jument avançait beaucoup plus vite qu'un homme à pied, et elles couvrirent en peu de temps une grande distance. Au fil de leur route, le terrain changea, se fit plus difficile. Il s'élevait de plus en plus. Quand Ayla arrêta leur monture pour désigner d'un geste un cours d'eau qui sur l'autre rive venait former un V très ouvert avec celui qu'elles longeaient, Latie fut surprise. Elle ne s'était pas attendue à voir si tôt l'affluent, mais Ayla avait remarqué dans le courant des turbulences qui l'avaient avertie. De l'endroit où elles se trouvaient, on voyait trois affleurements rocheux : un escarpement aux arêtes vives, de l'autre côté de la rivière, et deux autres, du côté où étaient les deux femmes, un peu en amont et formant un angle avec le cours d'eau.

Elles reprirent leur route. L'eau, remarquèrent-elles, obliquait vers les affleurements. En approchant, elles découvrirent que la rivière passait entre les deux. Un peu plus loin, Ayla vit quelques bisons à la rude et sombre toison qui paissaient les joncs et les roseaux au bord de l'eau. Le bras tendu, elle murmura à l'oreille de Latie :

— Ne parle pas fort. Regarde.

— Ils sont là ! s'exclama la jeune fille d'une voix étouffée.

Elle s'efforçait de contenir sa surexcitation.

Ayla tourna la tête de côté et d'autre, s'humecta un doigt, le leva pour savoir d'où venait le vent.

— Vent souffle vers nous. Bon. Pas vouloir déranger avant moment chasser. Bison connaît chevaux. Sur Whinney, allons plus près mais pas trop.

Prudemment elle guida la jument dans un large tour à une bonne distance des animaux, pour s'assurer de ce qu'elle pourrait trouver en amont, et revint par le même chemin. Une énorme vieille femelle, sans cesser de ruminer, leva la tête à leur passage. Le bout d'une de ses cornes était brisé. La jeune femme ralentit l'allure, laissa Whinney revenir aux mouvements qui lui étaient naturels, tandis que ses deux cavalières retenaient leur souffle. La jument s'arrêta, baissa la tête pour brouter quelques brins d'herbe. Les chevaux, habituellement, ne paissent pas quand ils sont inquiets. L'action parut rassurer le bison qui, de son côté, se remit à paître. Le plus rapidement possible, Ayla contourna le petit troupeau, avant de remettre Whinney au galop en aval. En atteignant les points de repère qu'elle avait marqués à l'aller, elle reprit la direction du sud. Après avoir traversé le cours d'eau suivant, elles s'arrêtèrent pour laisser Whinney s'abreuver et pour boire elles-mêmes, avant de poursuivre leur route.

Le groupe des chasseurs venait de traverser le premier petit cours d'eau quand Jondalar remarqua que Rapide tirait sur sa longe. Il vit alors un nuage de poussière qui se déplaçait dans leur direction. Il frappa sur l'épaule de Talut, tendit le bras. L'Homme Qui Ordonne regarda au loin, vit Ayla et Latie montées sur Whinney, qui arrivaient au galop. Les chasseurs n'eurent pas longtemps à attendre : bientôt la jument et ses cavalières s'immobilisèrent. Le visage de Latie s'illuminait d'un sourire d'extase, ses yeux étincelaient, ses joues étaient empourprées. Talut l'aida à descendre. Ayla jeta une jambe par-dessus l'encolure et se laissa glisser à terre. Le petit groupe se serra autour d'elles.

— Vous ne les avez pas trouvés ? demanda Talut.

Il exprimait l'inquiétude générale. Une seule autre personne en fit autant, presque en même temps mais sur un ton tout différent.

— Elles n'ont même pas réussi à les trouver. Je pensais bien que courir en avant sur un cheval ne servirait à rien, ricana Frebec.

Latie réagit, d'une voix où la surprise se mêlait à la fureur.

— Nous n'avons « même pas réussi à les trouver », dis-tu ? Eh bien nous avons découvert l'endroit. Nous avons même vu les bisons !

— Veux-tu dire par là que vous avez déjà fait l'aller et le retour ? demanda-t-il.

Il secouait la tête d'un air incrédule.

Wymez, sans tenir compte de la question insidieuse de Frebec, s'adressa à la fille de sa sœur.

— Où sont-ils, maintenant ?

Latie s'approcha du panier accroché au flanc gauche de Whinney, en sortit l'éclat d'ivoire. Après avoir tiré son couteau de silex du fourreau assujetti à sa ceinture, elle s'assit à même le sol, entreprit de graver dans l'ivoire quelques marques nouvelles.

— La fourche sud, dit-elle, passe entre deux affleurements, ici.

Wymez et Talut s'étaient assis à côté d'elle et hochaient la tête. Ayla et plusieurs autres se tenaient debout derrière la jeune fille.

— Les bisons sont de l'autre côté des affleurements, là où la plaine inondable s'ouvre plus largement, et où il reste encore de l'herbe verte près de l'eau. J'ai vu quatre jeunes...

Tout en parlant, elle gravait quatre courtes marques parallèles.

— Cinq, je crois, corrigea Ayla.

Latie leva les yeux vers elle, hocha la tête, ajouta une autre marque.

— Tu avais raison, Danug, à propos de jumeaux. Et ils sont très jeunes. Il y a sept femelles...

Elle se fit confirmer son affirmation par Ayla qui acquiesça d'un signe. Latie inscrivit sept lignes parallèles, un peu plus longues que les premières.

— ... dont quatre seulement ont des petits, je crois.

Elle réfléchit un instant.

— Il y avait d'autres bisons, plus loin.

— Cinq jeunes mâles, ajouta Ayla. Deux ou trois autres. Pas sûre. Peut-être autres on ne voit pas.

Un peu à part des premières marques, la jeune fille en ajouta trois autres, cette fois encore un peu plus courtes. Elle fit une petite encoche en forme d'Y, pour indiquer qu'elle en avait fini, que c'étaient tous les bisons qu'elles avaient dénombrés.

Talut lui prit des mains l'éclat d'ivoire, l'examina. Il se tourna vers Ayla.

— Tu n'as pas remarqué dans quelle direction ils allaient par hasard ?

— Vers amont, je pense. Nous faisons tour du troupeau, prudemment, sans effrayer. Pas traces autre côté, herbe pas broutée.

Talut hocha la tête, réfléchit un moment.

— Tu dis que tu as fait le tour du troupeau. Es-tu allée loin vers l'amont ?

— Oui.

— Si je me rappelle bien, la plaine va en se rétrécissant et finit par disparaître. Des rochers élevés enserrent la rivière, et il n'y a plus de sortie possible, c'est bien ça ?

— Oui. Mais peut-être sortie.

— Une sortie ? Comment ça ?

— Avant grands rochers, berges à pic, arbres, broussailles épaisses avec épines. Mais, près rochers, est lit cours d'eau à sec. Comme sentier très rude, je crois là est sortie.

Talut fronça les sourcils. Il regarda Wymez et Tulie, avant de partir d'un grand éclat de rire.

— Par où l'on sort est en même temps par où l'on entre. C'est ce qu'a dit Mamut !

Un instant interloqué, Wymez, lentement, eut un sourire de compréhension. Tulie les regardait tour à tour. La même expression naquit sur son visage.

— Mais oui ! Nous pouvons passer par là, élever une barrière pour les prendre au piège, revenir ensuite par l'autre bout et les pousser à l'intérieur, dit-elle.

Son explication dessinait pour tout le monde une image plus claire de l'opération.

— Quelqu'un devra observer le troupeau, pour s'assurer qu'il ne flaire pas notre approche et ne fait pas demi-tour vers l'amont pendant que nous élèverons notre barrière.

— Ça me paraît un rôle qui conviendra très bien à Danug et à Latie, fit Talut.

— A mon avis, Druwez pourrait les aider, ajouta Barzec. Et si, à ton avis, il faut quelqu'un d'autre, j'irai aussi.

— Entendu ! fit Talut. Pourquoi ne pas les accompagner, Barzec, et suivre la rivière vers l'amont ? Je connais un chemin plus court pour arriver au fond de la gorge. Nous prendrons le raccourci d'ici. Empêchez-les de bouger. Dès que le piège sera prêt, nous ferons le tour pour vous aider à les pousser dedans.

7

Le lit de ruisseau à sec était une tranchée de roc et de boue séchée qui ouvrait une entaille dans un flanc de colline abrupt, boisé, encombré de broussailles. Il conduisait à une plaine unie mais étroite, le long d'un cours d'eau torrentueux qui se précipitait, entre les rochers qui l'enserraient, par une série de rapides et de petites chutes d'eau. Ayla commença par descendre à pied et retourner ensuite chercher les chevaux. Whinney et Rapide étaient tous deux habitués au sentier à pic qui menait à sa caverne depuis la vallée. Ils descendirent sans grande difficulté.

Elle débarrassa Whinney de ses paniers et de son harnais, pour lui permettre de paître librement. Jondalar, lui, hésitait à ôter sa longe à Rapide : sans elle, ni lui ni Ayla n'exerçaient un contrôle suffisant sur le poulain, et celui-ci commençait à être assez grand pour se montrer difficile quand l'humeur lui en prenait. La longe ne l'empêcherait pas de paître : la jeune femme fut donc d'accord pour la lui laisser, bien qu'elle eût préféré lui accorder une totale liberté. Du coup, elle prit conscience de la différence entre Rapide et sa mère. Whinney avait toujours pu aller et venir à son gré, mais Ayla passait tout son temps avec la jument : elle n'avait pas d'autre compagnie. Rapide profitait de la présence de Whinney, mais il avait moins de contacts avec la jeune femme. Peut-être Jondalar ou elle-même devraient-ils lui consacrer plus de temps et essayer de le dresser, pensa-t-elle.

L'enceinte était déjà en voie de construction quand elle alla proposer son aide. La barrière était formée de tous les matériaux que les chasseurs pouvaient se procurer ; des rochers, des ossements, des arbres et des branches, qu'on superposait et qu'on entrelaçait. La vie animale riche et variée des plaines se renouvelait constamment. Les vieux ossements disséminés à travers tout le paysage étaient souvent balayés par des cours d'eau erratiques pour aller s'amonceler en tas confus. Une recherche rapide en aval avait permis de découvrir l'un de ces monticules à peu de distance. Les chasseurs traînaient d'énormes tibias, des cages thoraciques entières à proximité du lit à sec qu'ils étaient en train de clôturer. La barrière devait être assez solide pour retenir le troupeau de bisons, mais il n'était pas question d'en faire une structure permanente. Elle ne servirait qu'une seule fois. De toute manière, à l'arrivée du printemps elle ne résisterait pas aux flots du ruisseau transformé en torrent impétueux.

Ayla regardait Talut manier comme un jouet une hache énorme. Il avait abandonné sa tunique et il transpirait abondamment en se frayant un chemin entre de jeunes arbres qu'il abattait à raison de deux ou trois coups chacun. Tornec et Frebec, qui devaient les emporter, avaient peine à suivre le rythme.

Tulie surveillait le placement des arbres dans la clôture. Elle avait une hache presque aussi grande que celle de son frère et s'en servait avec autant de facilité que lui pour couper un arbre en deux ou pour briser un os de manière à l'ajuster à l'endroit où il devait tenir. Peu d'hommes pouvaient rivaliser de force avec elle.

— Talut ! appela Deegie.

Elle portait une extrémité d'une défense de mammouth entière, de plus de cinq mètres de long. Wymez et Ranec soutenaient la défense par le milieu et l'autre bout.

— Nous avons trouvé des ossements de mammouth. Veux-tu casser cette défense ?

Le géant roux eut un large sourire.

— Le vieux monstre a dû connaître une vie bien longue ! fit-il.

Les trois autres avaient posé la défense sur le sol. Il l'enfourcha.

Les muscles énormes de Talut se contractèrent puissamment dans le mouvement qu'il fit pour soulever sa hache. L'air résonna de ses coups, et des éclats d'ivoire volèrent dans toutes les directions. Fascinée, Ayla regardait l'homme vigoureux manier l'outil massif avec une habileté qui ne trahissait pas l'effort. Mais l'exploit était encore plus impressionnant pour Jondalar, et cela pour une raison qu'il n'avait jamais envisagée. Ayla était plus accoutumée à voir des hommes accomplir des prodiges de force musculaire. Elle avait dépassé par la taille tous les hommes du Clan, mais ceux-ci étaient massivement musclés et extraordinairement robustes. Les femmes elles-mêmes possédaient une grande vigueur. Pendant qu'elle grandissait parmi eux, Ayla avait dû exécuter les tâches d'une femme du Clan, et cette existence avait développé chez elle des muscles exceptionnellement solides pour une ossature plus frêle.

Talut posa sa hache, hissa sur son épaule la moitié la plus grosse de la défense et se mit en marche vers la clôture en voie de construction. Ayla souleva l'énorme hache pour la changer de place et sut immédiatement qu'elle était incapable de la manier. Jondalar lui-même la trouva trop pesante pour pouvoir l'utiliser avec une certaine habileté. L'outil ne pouvait convenir qu'au gigantesque chef. A eux deux, ils soulevèrent l'autre moitié de la défense et suivirent Talut.

Jondalar et Wymez restèrent sur place pour aider à caler avec des pierres les encombrants morceaux d'ivoire : ils constitueraient une solide barrière contre la charge d'un bison. Ayla, en compagnie de Deegie et Ranec, repartit à la recherche d'ossements. Jondalar se retourna pour les suivre des yeux. Il dut faire effort pour ravaler sa colère lorsqu'il vit l'homme à la peau sombre se rapprocher d'Ayla et faire une remarque qui fit rire les deux jeunes femmes. Talut et Wymez remarquèrent le visage empourpré, l'expression furieuse de leur jeune et beau visiteur. Ils échangèrent un regard significatif mais ne firent aucun commentaire.

Pour parachever la clôture, on y plaça une barrière mobile. On dressa, d'un côté de l'ouverture ménagée dans la clôture, un jeune arbre solide, dépouillé de ses branches, et l'on entassa des pierres autour de son pied pour le maintenir à la verticale. On le consolida en l'attachant à l'aide de lanières de cuir aux pesantes défenses de mammouth. La barrière elle-même fut construite de branches, de tibias et de côtes de mammouth solidement fixés à des traverses constituées de baliveaux taillés à la mesure. Plusieurs personnes dressèrent alors la barrière en place. On en fixa une extrémité à différents endroits du tronc vertical, par des lanières nouées de manière à lui permettre de pivoter. Des rochers, des ossements pesants furent empilés près de l'autre extrémité, prêts à être poussés contre la barrière dès qu'elle serait fermée.

Quand tout fut achevé, le soleil de l'après-midi était déjà haut. Pourtant, grâce au travail conjugué de toute l'équipe, la construction du piège avait demandé un temps étonnamment court. Les chasseurs se rassemblèrent autour de Talut pour déjeuner des provisions emportées, tout en dressant des plans pour la suite.

— Le plus difficile sera de les faire passer par la barrière, déclara Talut. Si nous parvenons à en faire entrer un, les autres suivront probablement. Mais, s'ils passent la barrière et s'ils se mettent à tourner en rond dans l'espace restreint à l'autre extrémité, ils vont se diriger vers l'eau. Le courant est violent, par ici, et certains ne pourront peut-être pas lutter, mais cela ne fera pas notre affaire. Nous les perdrons. Dans le meilleur des cas, nous retrouverons une bête noyée en aval.

— Alors, il faut les bloquer sur place, dit Tulie. Ne pas les laisser sortir du piège.

— Comment faire ? demanda Deegie.

— On pourrait construire une autre clôture, suggéra Frebec.

— Comment vous savez bison pas tourner vers eau quand devant clôture ? questionna Ayla.

Frebec la toisa d'un air supérieur, mais Talut parla avant lui.

— Voilà une bonne question, Ayla. Par ailleurs, il ne reste plus beaucoup de matériaux par ici pour construire des clôtures.

Frebec posa sur la jeune femme un regard noir de colère : elle l'avait fait paraître stupide, se disait-il.

— Tout ce que nous pourrons dresser pour leur barrer le chemin sera utile, mais, à mon avis, il faudrait quelqu'un qui les pousse à l'intérieur. Ça pourrait être un poste dangereux, ajouta Talut.

— Je m'en charge, déclara Jondalar. L'endroit est parfait pour utiliser ce propulseur dont je t'ai parlé.

Il montra l'instrument.

— Non seulement il projette la sagaie à une distance plus grande mais il lui donne aussi plus de force que lorsqu'on la lance à la main. Si l'on vise bien, une seule sagaie peut tuer, à courte distance.

— C'est vrai ? fit Talut.

Il considérait Jondalar avec un intérêt renouvelé.

— Il faudra que nous en reparlions. En attendant, oui, si tu veux, tu peux prendre cette position. Je vais en faire autant, je crois.

— Et moi aussi, dit Ranec.

Jondalar regarda en fronçant les sourcils l'homme à la peau noire qui souriait. Il n'avait pas grande envie de se trouver très près de celui qui témoignait d'un intérêt marqué à l'égard d'Ayla.

— Je vais rester ici, moi aussi, décida Tulie. Mais, au lieu d'essayer d'élever une nouvelle barrière, chacun de nous ferait mieux d'entasser des matériaux pour se tenir derrière.

— Ou pour courir se réfugier derrière, fit Ranec. Qui te dit qu'ils ne finiront pas par se lancer à notre poursuite ?

— En parlant de poursuite, maintenant que nous avons décidé de ce que nous ferions quand ils arriveraient ici, comment allons-nous faire pour les y amener ? dit Talut.

Il vérifia la position du soleil dans le ciel.

— Il y a un long trajet à parcourir d'ici pour aller se mettre derrière eux. Peut-être ne nous reste-t-il plus assez de jour.

Ayla les écoutait avec un intérêt passionné.

Elle se rappelait les jours où les hommes du Clan dressaient leurs plans de chasse. Souvent, surtout après avoir commencé de chasser avec sa fronde, elle avait souhaité pouvoir les accompagner. Cette fois, elle faisait partie des chasseurs. Talut, pensa-t-elle, avait écouté son précédent commentaire. Auparavant on avait d'emblée accepté son offre de partir en éclaireur. Elle puisa dans cette bienveillance le courage de faire une autre suggestion.

— Whinney sait poursuivre, dit-elle. Bien des fois, je poursuis troupeaux sur Whinney. Peux faire tour de troupeau bisons, trouver Barzec et les autres, chasser bientôt bisons jusqu'ici. Vous attendez, pour faire entrer dans piège.

Talut la regarda, fit des yeux le tour du cercle, revint à Ayla.

— Tu es sûre de pouvoir faire ça ?

— Oui.

— Comment feras-tu pour passer derrière eux ? demanda Tulie. Ils ont probablement senti notre présence maintenant, et, s'ils n'ont pas déjà pris la fuite, c'est parce que Barzec et les jeunes gens leur barrent le passage. Qui sait pendant combien de temps ils pourront les retenir ? Ne risques-tu pas de les faire partir dans la direction opposée si tu les approches en venant d'ici ?

— Crois pas, non. Cheval dérange pas beaucoup bison. Mais fais grand tour si voulez. Cheval va plus vite qu'homme à pied.

— Elle a raison ! Personne ne peut dire le contraire. Ayla sur son cheval pourrait arriver plus vite que nous à pied, dit Talut.

Le front plissé, il se concentra un instant.

— Je crois que nous devrions lui laisser faire ce qu'elle propose, Tulie. Est-il vraiment important que cette chasse réussisse ? Ce serait utile, bien sûr, surtout si cet hiver doit être long et dur, et cela nous vaudrait une nourriture plus variée, mais nous avons déjà des provisions en suffisance. Si nous perdions cette fois-ci, nous n'en souffririons pas.

— C'est vrai, mais nous nous serions donné beaucoup de mal pour rien.

— Ce ne serait pas la première fois que nous nous serions donné beaucoup de mal pour nous retrouver les mains vides.

Talut fit une nouvelle pause.

— Le pire qui puisse nous arriver, c'est de perdre le troupeau. Si tout va bien, nous pourrions nous régaler d'un rôti de bison avant la nuit et reprendre dès demain matin le chemin du retour.

Tulie hocha la tête.

— C'est bien, Talut. Nous ferons comme tu veux.

— Comme le propose Ayla, tu veux dire. Va, Ayla. Vois si tu peux ramener ces bisons par ici.

Souriante, Ayla siffla Whinney. La jument hennit, vint vers elle au galop, suivie par Rapide.

— Jondalar, garde Rapide ici, dit la jeune femme, en s'élançant vers Whinney.

— N'oublie pas ton propulseur, lui cria-t-il.

Elle s'arrêta, le temps de prendre l'instrument et de puiser quelques sagaies dans l'étui suspendu au côté de sa hotte. Puis, avec toute la facilité née de l'habitude, elle s'enleva sur le dos de la jument et partit au galop. Pendant un moment, Jondalar eut fort à faire avec le poulain qui acceptait mal qu'on l'empêchât de suivre sa mère dans une course effrénée. Cela valait mieux : Jondalar, ainsi, n'eut pas le temps de remarquer l'expression de Ranec qui suivait Ayla du regard.

La jeune femme, lancée au galop sur la plaine, suivait le cours d'eau qui se précipitait tumultueusement le long d'un couloir sinueux, entre deux chaînes de roches abruptes. Des broussailles dénudées masquées par de hautes herbes sèches s'accrochaient aux pentes et rampaient sur les crêtes balayées par le vent. Elles adoucissaient l'aspect rocailleux du paysage. Mais, sous la couche superficielle de lœss qui comblait les crevasses, se trouvait un cœur de pierre qui, de place en place sur les pentes, affleurait à la surface, et révélait le caractère essentiellement granitique de la région, dominée par des mamelons élevés.

Ayla ralentit en approchant de l'endroit où, plus tôt dans la journée, elle avait vu les bisons, mais ils n'y étaient plus. Ils avaient flairé ou entendu l'activité déployée par les chasseurs et avaient rebroussé chemin. Elle aperçut les animaux au moment où elle passait dans l'ombre de l'un des épaulements. Juste au-delà du petit troupeau, elle reconnut Barzec, debout près de ce qui ressemblait à un tumulus.

Une herbe plus haute, parmi les arbres élancés et dénudés qui poussaient le long de l'eau, avait attiré les bisons dans l'étroite vallée. Mais, une fois dépassés les deux épaulements qui flanquaient le cours d'eau, ils n'avaient pas d'autre issue que le passage par lequel ils étaient entrés. Barzec et ses jeunes compagnons avaient vu les bêtes égrenées le long du ruisseau : elles s'arrêtaient encore de temps à autre pour paître, tout en continuant à se diriger vers le passage. Les chasseurs les firent battre en retraite, mais cela ne les arrêta qu'un temps. Les bisons se serrèrent les uns contre les autres et avancèrent avec une détermination accrue quand ils voulurent de nouveau quitter la vallée. Détermination et frustration pouvaient conduire à une ruée.

Les quatre chasseurs avaient été envoyés en ce lieu pour empêcher les animaux de partir mais ils se savaient impuissants à arrêter une charge. Ils ne pouvaient non plus continuer à leur faire faire demi-tour. Il y fallait trop d'efforts, et Barzec ne voulait pas non plus provoquer une fuite dans la direction opposée avant que le piège fût prêt. Au centre du tas de pierres près duquel il se tenait quand Ayla l'aperçut était plantée une forte branche. Un vêtement était accroché au sommet et battait au vent. La jeune femme remarqua alors d'autres monticules semblables, montés autour de branches ou d'os, dressés à intervalles assez réduits entre l'épaulement et l'eau. En haut de chacun, on avait accroché une fourrure de couchage, un vêtement, une couverture de tente. Les chasseurs avaient même utilisé de petits arbres, des buissons, tout ce qui pouvait servir à suspendre quelque chose qui battrait au vent.

Les bisons regardaient nerveusement ces étranges apparitions. Jusqu'à quel point étaient-elles dangereuses ? Ils n'avaient pas envie de rebrousser chemin, mais ils ne tenaient pas non plus à s'aventurer plus loin. De temps en temps, une bête hasardait quelques pas vers l'un de ces épouvantails mais reculait au premier mouvement. Le troupeau était immobilisé, retenu précisément là où Barzec l'avait souhaité. Cette ingénieuse idée impressionna Ayla.

Peu à peu, elle rapprocha Whinney de l'épaulement, s'efforça de contourner lentement les bisons, afin de ne pas rompre le précaire équilibre. Elle remarqua que la vieille femelle à la corne cassée s'avançait lentement vers l'issue. Il lui déplaisait d'être ainsi retenue, et elle semblait prête à risquer le tout pour le tout.

Barzec vit Ayla. Il lança un coup d'œil en arrière vers les autres chasseurs, regarda de nouveau la jeune femme en fronçant les sourcils. Après tous leurs efforts, il ne voulait pas la voir précipiter la fuite des bisons dans la mauvaise direction. Latie s'approcha de lui. Ils échangè-rent quelques mots à voix basse. Mais il ne cessa pas d'observer avec appréhension la femme et la jument, durant tout le temps qu'il leur fallut pour parvenir jusqu'à lui.

— Où sont les autres ? demanda-t-il.

— Ils attendent, répondit Ayla.

— Ils attendent quoi ? On ne peut pas contenir ces bêtes ici éternellement !

— Ils attendent nous donner chasse à bisons.

— Comment leur donner la chasse ? Nous ne sommes pas assez nombreux ! Déjà, ils se préparent à s'échapper. Je ne sais pas combien de temps nous pourrons les retenir ici et moins encore comment les faire entrer dans le défilé.

— Whinney va donner chasse, affirma Ayla.

— Le cheval va les poursuivre ?

— Elle a déjà fait, mais est mieux si vous faites aussi.

Danug et Druwez, qui avaient été postés plus loin pour surveiller le troupeau et lapider toute bête qui osait venir affronter les bizarres sentinelles, s'approchèrent pour entendre la discussion. Ayla, du coin de l'œil, vit un énorme jeune mâle foncer, suivi par plusieurs autres. Encore un instant, et tout serait perdu. Elle fit virer Whinney, lâcha sa sagaie et son propulseur, se jeta à la poursuite du fuyard, en attrapant au passage une tunique suspendue à une branche.

Penchée sur l'encolure de la jument, elle fila droit vers l'animal, agita la tunique devant lui. Le bison se déroba, essaya de contourner l'obstacle. La jument pivota de nouveau, au moment où la jeune femme abattait le vêtement de cuir sur le mufle du jeune mâle. Lorsqu'il fit un autre mouvement pour se dégager, il se retrouva dans la direction de l'étroite vallée, sur le chemin des animaux qui l'avaient suivi, avec, à ses trousses, Whinney et Ayla qui agitait toujours la tunique.

Une autre bête s'échappa, mais Ayla fit en sorte de lui faire rebrousser chemin, à elle aussi. Whinney, apparemment, savait, presque avant l'animal lui-même, quel bison allait tenter de prendre la fuite. Mais c'étaient tout autant les signaux inconscients de la jeune femme que l'intuition de la jument qui permettaient à celle-ci de se mettre en travers de la route du fuyard. Le dressage de Whinney n'avait pas été, au début, un effort délibéré de la part d'Ayla. La première fois qu'elle était montée sur le dos de la jument, elle avait obéi à une simple impulsion, sans la moindre idée de maîtriser ni de diriger l'animal. Tout était arrivé graduellement, en même temps que croissait une confiance réciproque. La jeune femme contrôlait les mouvements de sa monture par la tension de ses jambes, par de subtiles contractions de son corps. Elle avait fini par s'en servir volontairement, mais un élément d'interaction avait toujours subsisté entre la femme et la jument. Souvent, elles se mouvaient comme un seul être, comme si elles partageaient un même esprit.

Dès l'instant où Ayla s'était jetée dans l'action, les autres avaient pris la mesure de la situation et s'étaient précipités pour arrêter le troupeau. Ayla, par le passé, avait déjà chassé avec Whinney des animaux en troupe mais elle n'aurait pas réussi, sans aide, à faire rebrousser chemin aux bisons. Les énormes bêtes bossues étaient beaucoup plus difficiles à maîtriser qu'elle ne l'aurait cru. Jamais encore, elle n'avait tenté de pousser des animaux dans une direction où ils ne voulaient pas aller. C'était comme si quelque instinct les mettait en garde contre le piège qui les attendait.

Danug se jeta au secours d'Ayla, pour faire faire demi-tour aux premiers bisons. Elle concentrait si intensément son attention sur le jeune mâle qu'elle ne s'aperçut pas tout de suite de sa présence. Latie vit l'un des jumeaux se détacher de la bande. Elle arracha la branche qui soutenait l'un des épouvantails et se précipita vers lui pour lui barrer le chemin. A force de coups sur les naseaux, elle le fit reculer, tandis que Barzec et Druwez s'en prenaient à une femelle en lui jetant des pierres et en agitant une fourrure. Finalement, leurs efforts déterminés parvinrent à détourner la ruée. La vieille femelle à la corne cassée et quelques autres réussirent à s'échapper, mais la majeure partie des bisons prit sa course vers l'amont de la petite rivière.

Les chasseurs respirèrent un peu plus librement quand le petit troupeau eut dépassé les épaulements mais ils devaient continuer à les poursuivre. Ayla s'arrêta juste assez longtemps pour se laisser glisser de sa monture, afin de ramasser son lance-sagaie et ses armes, avant de sauter de nouveau sur le dos de la jument.

Talut venait de boire à son outre quand il crut percevoir un grondement lointain, comme celui du tonnerre. Il tourna la tête vers l'amont, écouta un moment. Il ne s'attendait pas à entendre si tôt le galop des bêtes. Il n'était même pas certain de s'attendre à les entendre du tout. Il se coucha sur le sol, colla son oreille contre la terre, se releva d'un bond.

— Les voilà ! cria-t-il.

Ses compagnons se bousculèrent pour retrouver leurs sagaies et se précipitèrent vers les endroits qu'ils avaient choisis. Frebec, Wymez, Tornec et Deegie se placèrent le long d'un côté de la pente abrupte, tout prêts à bloquer la barrière une fois qu'elle serait refermée. Tulie, de l'autre côté, était la plus proche de cette barrière, qu'elle repousserait dès que les animaux seraient dans l'enclos.

Dans l'espace qui s'étendait entre la clôture et le cours d'eau tumultueux, Ranec se trouvait à quelques pas de Tulie, et Jondalar à quelques pas plus loin encore, presque au bord de l'eau. Talut choisit un emplacement non loin du visiteur, sur la berge humide. Chacun s'était muni d'un morceau de cuir ou d'un vêtement pour l'agiter devant les animaux pour les détourner, mais chacun, aussi, brandissait une sagaie — sauf Jondalar.

L'instrument en bois, étroit et plat, qu'il tenait dans sa main droite avait à peu près la longueur de son bras, du coude à l'extrémité de ses doigts, et comportait une rainure médiane. A l'extrémité supérieure, un crochet servait de butoir ; à l'autre bout, une boucle de cuir de chaque côté permettait de passer les doigts. Jondalar plaça l'instrument horizontalement et ajusta contre le crochet la partie empennée d'une hampe légère, à l'autre extrémité de laquelle se trouvait une longue pointe effilée, taillée dans l'os, terriblement aiguë. Tout en la retenant de deux doigts passés dans les boucles de cuir, il prit de la main gauche une autre sagaie, se tint prêt à la mettre en place pour un second tir.

Les chasseurs étaient aux aguets. Personne ne parlait, et, dans cette attente silencieuse, le moindre bruit prenait une sonorité nouvelle. Des oiseaux gazouillaient, s'appelaient. Le vent murmurait dans les branches sèches. L'eau qui cascadait sur les rochers clapotait. Les insectes bourdonnaient. Le martèlement des sabots se rapprochait.

Enfin, plus fort que ce grondement de tonnerre, on entendit des beuglements, des grognements, des halètements, des voix humaines qui criaient. Tous les regards se tendirent pour apercevoir le premier bison qui apparaîtrait au détour de la rivière, en aval. Mais, quand il déboula, il n'était pas seul. Brusquement, le troupeau entier déboucha au galop. Les bêtes à la rude fourrure d'un brun foncé, aux longues et dangereuses cornes noires, se précipitèrent tout droit vers les chasseurs.

Chacun rassembla toute son énergie, dans l'attente de l'assaut. En tête venait l'énorme jeune mâle qui avait bien failli s'échapper avant le début de la longue poursuite. Il vit devant lui la clôture, vira vers l'eau... et vers les chasseurs qui lui barraient le passage.

Ayla galopait sur les talons du petit troupeau, son propulseur à la main. Elle l'ajusta à l'approche du dernier virage et vit alors le jeune mâle virer de bord et foncer droit sur Jondalar. D'autres bisons le suivaient.

Talut courut dans sa direction en agitant sa tunique. Mais le bison en avait assez de se voir assailli par des objets flottants. Il refusait de se laisser détourner. Sans prendre le temps de réfléchir, Ayla se pencha en avant, poussa Whinney à toute allure. Elle passa entre les autres bisons qui galopaient, s'approcha du grand mâle et lança sa sagaie au moment précis où Jondalar jetait la sienne. Au même instant, une troisième sagaie atteignit son but.

La jument, dans le fracas de ses sabots, dépassa les chasseurs, éclaboussa Talut en atteignant l'eau. Ayla ralentit sa course, l'immobilisa, revint rapidement en arrière. Tout était déjà fini. L'énorme bison gisait sur le sol. Ceux qui l'avaient suivi ralentirent. Ceux qui se trouvaient le plus près de la pente n'avaient d'autre solution que d'entrer dans l'enclos. Les premiers franchirent l'ouverture, les autres les imitèrent sans même avoir besoin d'y être poussés. Tulie suivit le dernier retardataire, poussa la barrière. Celle-ci à peine refermée, Tornec et Deegie poussèrent tout contre un bloc de pierre. Wymez et Frebec l'assujettirent solidement à des montants. Tulie poussa un autre bloc de pierre contre le premier.

Ayla, encore bouleversée, se laissa glisser à terre. Jondalar, avec Talut et Ranec, était à genoux près du bison.

— La sagaie de Jondalar est entrée par le cou et a transpercé la gorge. A elle seule, elle aurait tué ce mâle, je pense, mais la tienne aussi, Ayla. Je ne t'avais même pas vue arriver.

Talut ajouta, quelque peu impressionné par l'exploit :

— Ton arme s'est enfoncée profondément entre les côtes.

— Mais tu courais un grand danger, Ayla. Tu aurais pu être blessée, intervint Jondalar.

Il avait l'air furieux, mais c'était la réaction à la peur ressentie pour elle. Il se tourna vers Talut, désigna la troisième sagaie.

— A qui appartient-elle ? Elle était bien lancée, en plein dans la poitrine. Celle-ci aussi l'aurait cloué sur place.

— C'est la sagaie de Ranec, dit Talut.

Jondalar se tourna vers l'homme à la peau sombre, et chacun prit la mesure de l'autre. Ils étaient différents, et des rivalités pouvaient les dresser l'un contre l'autre, mais c'étaient avant tout des êtres humains, des hommes qui partageaient un monde primitif, magnifique mais dur, où la survie de chacun, ils le savaient, dépendait de l'autre.

— Je dois te remercier, dit Jondalar. Si ma sagaie avait manqué son but, c'est ma vie que je te devrais.

— A condition qu'Ayla ait manqué son but, elle aussi. Ce bison a été tué trois fois. Il n'avait pas une chance en s'en prenant à toi. Tu es destiné à rester en vie, semble-t-il. Tu as de la chance, ami. Tu as les faveurs de la Mère. As-tu autant de chance en tout ? demanda Ranec.

Ses yeux fixés sur Ayla exprimaient de l'admiration, mais plus encore.

A la différence de Talut, Ranec avait vu arriver la jeune femme. Sans prendre garde aux longues cornes acérées, les cheveux au vent, les yeux pleins de terreur et de fureur, elle ressemblait à un esprit vengeur ou à n'importe quelle mère de n'importe quelle créature, qui avait dû un jour défendre son enfant. Peu lui importait, aurait-on dit, de risquer d'être éventrée, tout comme son cheval. On avait un peu l'impression de voir un Esprit de la Mère, capable de maîtriser le bison aussi aisément que le cheval. Jamais Ranec n'avait rencontré une femme comme elle. Elle était tout ce qu'il avait pu désirer : belle, forte, intrépide, tendre, protectrice. Une femme, dans toute l'acception du terme.

Jondalar vit l'admiration dans le regard de Ranec et sentit se déchirer ses entrailles. Impossible à Ayla de ne pas y répondre. Il redoutait de la perdre au profit de cet homme sombre, si attirant, et il ne savait que faire pour empêcher ce malheur. Les dents serrées, le front contracté par la colère et la frustration, il se détourna pour tenter de cacher ses émotions.

Il avait vu des hommes et des femmes se comporter comme lui-même. Il avait éprouvé pour eux une pitié mêlée de mépris. C'était là l'attitude d'un enfant sans expérience, qui ignorait tout de la manière de se conduire avec sagesse dans le monde. Il croyait avoir dépassé ce stade. Ranec était intervenu pour lui sauver la vie. C'était un homme. Pouvait-il lui en vouloir d'être attiré par Ayla ? N'avait-elle pas le droit de faire son propre choix ? Il se détestait de réagir ainsi, mais il ne pouvait s'en empêcher. Il arracha sa sagaie qui était restée fichée dans le bison, et s'éloigna.

Le massacre avait déjà commencé. A l'abri de la clôture, les chasseurs lançaient leurs projectiles sur les animaux épouvantés qui beuglaient et se bousculaient dans le piège. Ayla escalada la clôture, trouva un endroit où elle pouvait se tenir sans difficulté. De là, elle vit Ranec lancer son arme avec force et précision. Une femelle énorme vacilla, tomba sur les genoux. Druwez visa la même bête, et, d'une autre direction — la jeune femme n'en vit pas l'origine —, vint une dernière sagaie. L'animal à la rude toison s'affaissa, sa tête massive tomba en avant. Les propulseurs n'étaient ici d'aucune utilité, se dit Ayla. La méthode des chasseurs était tout à fait efficace.

Brusquement, un mâle se lança contre la barrière, avec toute la force d'une masse de plusieurs tonnes. Le bois vola en éclats, les lanières cédèrent, les montants verticaux furent arrachés. Ayla sentit la clôture trembler. Elle sauta à terre. Toute la structure était ébranlée. Le bison s'y était pris les cornes ! Dans ses efforts pour se dégager, il secouait la clôture tout entière. Ayla avait l'impression que tout allait s'écrouler.

Talut grimpa sur la barrière instable et, d'un seul coup de son énorme hache, ouvrit le crâne du puissant animal. Du sang lui jaillit au visage, la cervelle se répandit. Le bison s'affaissa, les cornes toujours prises, entraînant avec lui la barrière et Talut lui-même.

Adroitement, le géant se dégagea, au moment où la structure s'abattait sur le sol. Il fit quelques pas, écrasa d'un autre coup de hache le crâne du dernier bison encore debout. La barrière avait fait son office.

— Et maintenant, au travail, s'écria Deegie.

Elle désignait d'un geste l'espace cerné par la clôture de fortune. Les bêtes abattues formaient comme autant de monticules de laine d'un brun sombre. Elle s'avança vers le premier, tira de son fourreau son couteau de silex, tranchant comme un rasoir, et, à califourchon sur la tête du bison, lui fendit la gorge. Le sang d'un rouge vif jaillit de la jugulaire. Le jet se ralentit, forma autour de la bouche et des naseaux une flaque d'un cramoisi plus sombre, qui s'élargit lentement, teignit en noir la terre d'un brun grisâtre.

— Talut ! appela Deegie.

Elle était passée à un autre monticule de rude fourrure. La longue hampe de sagaie qui sortait du flanc vibrait encore.

— Viens achever celui-ci mais cette fois essaie de conserver un peu de cervelle. J'en ai besoin.

Talut eut tôt fait de mettre fin aux souffrances du bison.

Venait ensuite une besogne sanglante : il fallait éviscérer, dépouiller et débiter les animaux. Ayla aida Deegie à retourner une grosse femelle, afin d'exposer son ventre. Jondalar s'approchait des deux jeunes femmes, mais Ranec, plus proche, arriva le premier. Jondalar s'immobilisa : il se demandait si les trois autres allaient avoir besoin de lui, ou si un quatrième larron serait tout bonnement gênant.

En partant de l'anus, ils fendirent l'abdomen de l'animal, mirent de côté les mamelles gonflées de lait. Ayla d'un côté, Ranec de l'autre s'attaquèrent à la cage thoracique. Ils en écartèrent les deux moitiés. Après quoi, avec l'aide de Deegie, presque engagée dans la cavité encore chaude, ils retirèrent les organes internes : l'estomac, les intestins, le cœur, le foie. Ce fut très vite fait, afin de ne pas laisser aux gaz, qui n'auraient pas tardé à gonfler la carcasse, le temps de donner mauvais goût à la viande. Ils s'attaquèrent ensuite à la peau.

Visiblement ils n'avaient pas besoin d'aide. Jondalar vit Latie et Danug s'attaquer à la cage thoracique d'une bête plus petite. Il écarta Latie et, des deux mains, la colère aidant, ouvrit d'un seul effort l'animal. Mais le dépeçage était un dur travail, et, quand ils se trouvèrent prêts à écorcher le bison, la colère de Jondalar s'était émoussée.

Ayla connaissait le travail, elle l'avait accompli seule bien des fois. Plutôt que de taillader la peau, on préférait la détacher du corps. Une fois tranchée le long des jambes, elle se séparait assez facilement des muscles, et l'on pouvait la soulever de l'intérieur avec le poing ou simplement tirer dessus. Quand un ligament la retenait, il était plus facile de le couper : on se servait pour cela d'un couteau spécial, dont le manche était fait d'os, et dont la lame, affilée sur les deux tranchants, était arrondie à l'extrémité, afin de ne pas percer la peau. Ayla, accoutumée à tenir à pleine main couteaux et outils, avait quelque peine à se servir d'une lame emmanchée mais elle sentait déjà qu'elle aurait plus de force et d'habileté quand elle s'y serait habituée.

Les tendons des pattes et du dos étaient mis à nu : on s'en servait pour toutes sortes d'usages, depuis le fil à coudre jusqu'aux collets. La peau deviendrait cuir ou fourrure. Les longs poils étaient transformés en cordes ou cordages de différentes grosseurs, en filet pour pêcher ou en lacets pour prendre des oiseaux, de petits animaux à la bonne saison. On mettait de côté les cervelles et un certain nombre de sabots : bouillis avec des os et des morceaux de cuir, ils donneraient de la colle. On attachait un grand prix aux longues cornes, qui pouvaient faire jusqu'à trois mètres. La partie effilée, pleine, soit le tiers de la longueur, était débitée en leviers, chevilles, coins, poignards ; la partie creuse fournissait des tubes coniques, utilisés pour souffler sur les feux, ou des espèces d'entonnoirs pour remplir les sacs de peau de liquides, de poudres ou de graines et pour les vider à nouveau. La partie centrale, si on réservait un peu de la section compacte pour le fond, pouvait servir de gobelet. Les minces découpes transversales devenaient des boucles, des bracelets, des anneaux.

On mit de côté les museaux et les langues des bisons — c'étaient, avec les foies, des morceaux de choix. On coupa ensuite les carcasses en sept quartiers : deux antérieurs, deux postérieurs, la partie centrale divisée en deux et l'énorme garrot. On lava les intestins, les estomacs, les vessies et on les roula dans les peaux. Par la suite, on les gonflerait d'air, pour les empêcher de rétrécir. On s'en servirait comme récipients pour conserver des graisses ou des liquides, ou encore comme flotteurs pour les filets de pêche. Tout était utilisable, mais on n'emportait pas tous les morceaux d'un animal : on prenait uniquement les meilleurs ou les plus utiles. Ce qu'on était capable d'emporter.

Jondalar avait conduit Rapide à mi-hauteur de la pente abrupte et, au grand désespoir du poulain, il l'avait solidement attaché à un arbre, pour le tenir à l'écart de l'action et, en même temps, du danger. Une fois les bisons enfermés, Whinney l'avait découvert, et l'avait rejoint. Après avoir achevé d'aider Latie et Danug avec le premier bison, Jondalar alla chercher le poulain. Mais Rapide se montrait ombrageux devant tous ces animaux morts. Whinney n'était pas très heureuse, elle non plus, mais elle était plus habituée au spectacle et à l'odeur. Ayla les vit venir vers elle. En même temps, elle remarqua que Barzec et Druwez reprenaient la direction de l'aval. Dans toute la précipitation qui avait accompagné l'effort pour faire faire demi-tour aux bisons et pour les amener dans le piège, les deux hommes avaient laissé sur place leurs paquetages.

— Barzec, demanda-t-elle, tu retournes chercher paquetages ?

Il lui sourit.

— Oui. Et les vêtements. Nous sommes partis si vite... Mais je ne le regrette pas : si tu n'étais pas arrivée au bon moment, nous les aurions sûrement perdus. C'est un exploit que tu as réalisé avec ton cheval. Je ne l'aurais jamais cru si je ne l'avais pas vu. Mais ça me contrarie de tout laisser là-bas. Avec ces bisons morts, tout ce qui mange de la viande va arriver. Pendant que nous attendions, j'ai vu des traces de loups qui avaient l'air fraîches. Les loups aiment bien mastiquer le cuir quand ils en trouvent. Les gloutons aussi, mais par pure méchanceté, tandis que les loups s'amusent.

— Je peux aller sur cheval chercher paquetages et vêtements, proposa la jeune femme.

— Je n'avais pas pensé à ça ! Quand nous en aurons fini, les carnassiers auront largement de quoi manger, mais je n'ai pas envie de leur laisser du superflu.

— Nous avons caché les paquetages, rappelle-toi, intervint Druwez. Jamais elle ne les trouvera.

— C'est vrai, dit Barzec. Il va falloir que nous y allions nous-mêmes, je pense.

— Druwez sait où trouver ? demanda Ayla.

Le garçon la regarda, hocha la tête.

La jeune femme sourit.

— Tu veux venir sur cheval avec moi ?

Le visage de Druwez se fendit d'un large sourire.

— Je peux ?

Elle tourna la tête vers Jondalar, capta son regard et lui fit signe de venir avec les chevaux. Il se hâta vers elle.

— J'emmène Druwez, pour aller chercher tout ce qu'ils ont laissé derrière eux quand la poursuite a commencé, dit-elle en zelandonii. Je vais laisser Rapide nous accompagner. Une bonne course devrait le calmer. Les chevaux n'aiment pas les bêtes mortes. Au début, Whinney avait du mal à les supporter, elle aussi. Tu as eu raison de laisser sa longe au poulain, mais nous devrions penser à le dresser, pour qu'il devienne comme Whinney.

Jondalar lui sourit.

— C'est une bonne idée, mais comment s'y prend-on ?

Ayla fronça les sourcils.

— Je n'en sais trop rien. Whinney m'obéit parce qu'elle le veut bien, parce que nous sommes de bonnes amies, mais en ce qui concerne Rapide, je n'en sais rien. Il s'est attaché à toi, Jondalar. Peut-être t'obéirait-il. Je crois qu'il serait bon pour nous deux d'essayer.

— J'y suis prêt, dit-il. J'aimerais, un jour, pouvoir monter sur son dos comme tu montes sur celui de Whinney.

— Moi aussi, Jondalar.

Elle se rappelait le chaud sentiment d'amour qu'elle avait déjà connu alors, l'espoir nourri naguère : si cet homme blond, qui venait des Autres, se prenait d'affection pour le poulain de Whinney, cela pourrait l'encourager à rester avec elle dans sa vallée. C'était ce qui l'avait poussée à demander à Jondalar de donner un nom au poulain.

Pendant que les deux étrangers conversaient dans un langage qu'il ne comprenait pas, Barzec attendait. Il commençait à s'impatienter.

— Eh bien, si vous allez chercher les paquetages, dit-il enfin, je vais retourner aider les autres avec les bisons.

— Attends un peu. Je vais aider Druwez à monter sur la jument et je t'accompagnerai, répondit Jondalar.

Les deux hommes, après avoir soulevé à eux deux le jeune garçon, regardèrent s'éloigner la jument et ses deux cavaliers.

Les ombres s'allongeaient déjà lorsqu'ils revinrent. Plus tard, tout en rinçant dans le cours d'eau de longs boyaux, Ayla se rappela l'époque où elle aidait à écorcher et dépecer des animaux avec les femmes du Clan. Elle prit soudain conscience que, pour la toute première fois, elle avait fait partie d'un groupe de chasseurs qui l'avaient acceptée comme leur égale.

Toute jeune encore, elle brûlait de partir avec les hommes, tout en sachant que les femmes n'avaient pas le droit de chasser. Mais les hommes étaient tenus en une telle estime pour leurs prouesses, la chasse à les entendre était si passionnante qu'elle rêvait d'y participer, surtout quand elle avait envie d'échapper à une situation désagréable ou délicate. Tel fut l'innocent début qui devait avoir des conséquences bien plus difficiles qu'elle ne l'avait imaginé. Après avoir reçu l'autorisation de chasser avec sa fronde, bien que toute autre forme de chasse lui demeurât interdite, il lui était souvent arrivé, très discrètement, d'écouter les hommes avec attention quand ils parlaient de stratégie. Les hommes du Clan ne faisaient guère autre chose, façonnaient des armes de chasse ou célébraient des cérémonies qui devaient favoriser la chasse. Les femmes du Clan écorchaient et dépeçaient les bêtes, préparaient les peaux pour en faire des vêtements et des couvertures, mettaient la viande en conserve et la faisaient cuire, fabriquaient des récipients, des cordages, des nattes et divers ustensiles, tout en récoltant des plantes qui servaient à la nourriture, aux remèdes et à d'autres usages.

Le Clan de Brun comportait à peu près le même nombre de membres que le Camp du Lion, mais les chasseurs avaient rarement tué plus d'un ou deux animaux à la fois. Il leur fallait donc chasser fréquemment. A cette époque de l'année, les chasseurs du Clan étaient dehors presque chaque jour, afin de mettre en réserve le plus de viande possible pour l'hiver tout proche. Depuis l'arrivée d'Ayla, c'était la première fois que le Camp du Lion faisait une expédition de chasse. Elle-même se posait des questions, mais personne d'autre ne semblait s'inquiéter. Elle s'arrêta pour observer les hommes et les femmes qui écorchaient et dépeçaient le petit troupeau. Deux ou trois personnes travaillaient ensemble sur chaque bête, et le travail s'accomplissait beaucoup plus vite qu'Ayla ne l'aurait cru possible. Elle se mit du coup à réfléchir aux différences entre ces gens et le Clan.

Les femmes mamutoï chassaient, de sorte que les chasseurs étaient plus nombreux. Certes, neuf d'entre eux étaient des hommes, et quatre seulement des femmes — les mères chassaient rarement —, mais cela n'en modifiait pas moins la situation. Avec des chasseurs plus nombreux, l'équipe était plus efficace, et, par la suite, quand tout le monde mettait la main à la pâte, le traitement des animaux morts était plus rapide, lui aussi. C'était logique, mais la jeune femme avait l'impression de laisser de côté un élément important. Les Mamutoï avaient également une façon de penser différente. Ils n'étaient pas aussi rigides, ils n'étaient pas aussi attachés aux règles qui décidaient de ce qui était convenable et de ce qui s'était toujours fait. Il existait une certaine confusion des rôles : le comportement des hommes et des femmes n'était pas aussi catégoriquement défini. Tout semblait dépendre davantage des inclinations personnelles, de ce qui fonctionnait le mieux.

Jondalar lui avait dit que, chez son peuple, on n'interdisait à personne de chasser. Par ailleurs, même si la chasse était importante, et si la plupart des gens participaient à cette activité, tout au moins quand ils étaient jeunes, on ne forçait personne à chasser. Les Mamutoï, apparemment, avaient des coutumes semblables. Jondalar avait essayé de lui expliquer que les gens pouvaient posséder d'autres talents, d'autres facultés non moins valables. Il s'était donné en exemple. Après avoir appris à tailler le silex et avoir acquis une certaine réputation pour la qualité de son travail, il avait été en mesure de troquer ses outils et ses pointes de sagaies contre tout ce dont il avait besoin. Il n'avait plus été nécessaire pour lui de chasser, sauf s'il en avait envie.

Mais Ayla ne comprenait toujours pas. Quel genre de cérémonie d'initiation faisait-on subir aux jeunes garçons, s'il importait peu qu'un homme fût ou non chasseur ? Les hommes du Clan se seraient crus perdus s'ils n'avaient pas eu la conviction que chasser était essentiel. Un jeune garçon ne devenait pas un homme avant d'avoir abattu sa première grosse proie. Elle pensa ensuite à Creb. Il n'avait jamais chassé. Il en était incapable : il lui manquait un œil et un bras, et il était boiteux. Il avait été le plus grand mog-ur, l'homme du Clan le plus sage, mais jamais il n'avait connu une cérémonie d'initiation. Au fond de son propre cœur, il n'était pas un homme à part entière. Mais Ayla, elle, était convaincue du contraire.

Le crépuscule tombait déjà quand ils eurent achevé leur travail. Pourtant, aucun des chasseurs n'hésita à se dépouiller de ses vêtements avant de se diriger vers la rivière. Les femmes se baignèrent un peu en amont des hommes, mais ils ne se perdirent pas de vue les uns les autres. Les peaux roulées sur elles-mêmes et les carcasses dépecées avaient été entassées en un seul endroit, et l'on avait allumé des feux tout autour pour tenir en respect les prédateurs à quatre pattes et les autres nécrophages. Tout ce qui avait servi à construire la clôture était empilé tout près de là. Sur l'un des feux, une pièce de viande rôtissait sur une broche, et l'on avait dressé, non loin, quelques tentes.

Avec la nuit tombante, la température descendit brutalement. Ayla fut heureuse de revêtir les vêtements mal assortis et de tailles différentes prêtés par Tulie et Deegie : elle avait lavé sa tenue pour en faire disparaître les traces de sang, et ses habits, comme bien d'autres, séchaient près du feu. Elle passa un bon moment avec les chevaux, pour s'assurer qu'ils n'avaient besoin de rien et qu'ils avaient retrouvé leur calme. Whinney se tenait à l'extrême limite de la lueur projetée par le feu sur lequel rôtissait la viande, le plus loin possible des carcasses qui attendaient d'être rapportées à la caverne et des tas de déchets d'où montaient de temps à autre des grognements et des jappements.

Après avoir mangé tout leur content de bison, brun et croustillant à la surface, saignant à l'intérieur, les chasseurs alimentèrent le feu et s'installèrent tout autour, pour boire une infusion en bavardant.

— J'aurais voulu que vous la voyiez contourner ce troupeau, disait Barzec. Je me demande combien de temps nous aurions pu les tenir. Ils étaient de plus en plus agités. Quand ce mâle s'est échappé, j'étais sûr que nous les avions tous perdus.

— Je crois que nous devons remercier Ayla pour le succès de cette chasse, déclara Talut.

Devant cette louange inattendue, la jeune femme rougit, mais ce n'était pas seulement de confusion. Elle se sentait acceptée, ses talents, ses capacités étaient appréciés, ce qui l'emplissait d'une douce chaleur. Toute sa vie, elle avait désiré se voir ainsi reconnue.

— Et pensez à l'histoire que ça va faire pour la Réunion d'Eté ! ajouta Talut.

La conversation languit. Talut ramassa une branche sèche qui séjournait depuis longtemps sur le sol : l'écorce y pendait par lambeaux, comme une vieille peau. Il la cassa en deux sur son genou, posa les deux morceaux sur le feu. Une gerbe d'étincelles jaillit, illumina les visages des chasseurs serrés les uns contre les autres autour des flammes.

— Toutes les chasses ne se terminent pas aussi bien. Vous vous rappelez la fois où nous avons failli tuer un bison blanc ? reprit Tulie. Quel dommage qu'il nous ait échappé.

— Il devait avoir la faveur du ciel, celui-là. J'étais sûr que nous le tenions. As-tu déjà vu un bison blanc ? demanda Barzec à Jondalar.

— J'en ai entendu parler et j'ai vu une peau, répondit Jondalar. Les animaux blancs sont tenus pour sacrés, chez les Zelandonii.

— Même les renards et les lapins ? questionna Deegie.

— Oui, mais un peu moins. Les lagopèdes eux-mêmes le sont, quand ils sont blancs. Pour nous, c'est le signe que Doni les a touchés. Ceux qui sont nés blancs et qui le restent toute l'année sont les plus sacrés, expliqua Jondalar.

— Pour nous aussi, les bêtes blanches ont une importance particulière. C'est pourquoi le Foyer de la Grue a un tel prestige... habituellement, fit Tulie.

Elle lança vers Frebec un coup d'œil qui contenait une nuance de dédain.

— La grande grue du nord est blanche, et les oiseaux sont les messagers personnels de Mut. Les mammouths détiennent des pouvoirs particuliers.

— Jamais je n'oublierai la chasse au mammouth blanc, dit Talut.

Des regards chargés d'attente l'encouragèrent à continuer.

— Tout le monde était surexcité quand l'éclaireur est venu dire qu'il avait vu cette femelle. C'est le plus grand honneur que puisse nous faire la Mère, quand Elle nous offre une femelle de mammouth blanche. Et, comme c'était la première chasse d'une Réunion d'Eté, ce serait de la chance pour tout le monde, si nous réussissions à l'avoir, expliqua-t-il, à l'intention des visiteurs.

« Tous les chasseurs qui voulaient participer à la chasse ont dû subir des épreuves de purification et de jeûne, pour s'assurer que nous serions acceptables. Même après, le Foyer du Mammouth nous a imposé des interdits, mais nous avions tous envie d'être choisis. J'étais jeune, alors, pas beaucoup plus âgé que Danug, mais bien bâti comme lui. C'est peut-être ce qui m'a fait choisir, et j'ai été de ceux qui ont piqué une sagaie dans cette femelle. Comme pour le bison qui t'a poursuivi, Jondalar, personne ne sait quelle sagaie l'a tuée. La Mère, sans doute, ne voulait pas qu'un seul homme ou un seul Camp en retirât trop d'honneur. Le mammouth blanc appartenait à tout le monde. C'était mieux ainsi. Pas de jalousie, pas de ressentiment.

— J'ai entendu parler d'une race d'ours blancs qui vivent loin au nord, dit Frebec.

Il ne voulait pas être laissé en dehors de la conversation. Peut-être n'y avait-il aucun homme ni aucun Camp qui pût se targuer d'avoir tué la femelle mammouth blanche, mais cela n'empêchait ni la jalousie ni le ressentiment. Toute personne choisie pour participer à cette chasse y avait gagné plus de prestige que n'en avait jamais eu Frebec.

— J'en ai entendu parler, moi aussi, dit Danug. Pendant que j'étais au gisement de silex, des visiteurs sungaea sont venus échanger des marchandises contre du silex. L'une des femmes était une conteuse, une bonne conteuse. Elle nous a parlé de la Mère du Monde, des hommes-champignons qui suivent le soleil la nuit et de bien d'autres animaux. Elle nous a parlé aussi des ours blancs. Ils vivent sur la glace, disait-elle, et ils ne mangent que des animaux marins. On dit qu'ils sont paisibles, comme les énormes ours des cavernes qui ne mangent pas de viande. Pas comme les ours bruns, qui sont méchants.

Danug ne vit pas le regard courroucé de Frebec. Il n'avait pas eu l'intention de l'interrompre. Il était simplement content d'apporter sa contribution à la conversation.

— Hommes de Clan revenus un jour de chasse parler de rhinocéros blancs, dit Ayla.

Frebec, toujours irrité, lui jeta un regard mauvais.

— Oui, fit Ranec, les blancs sont rares mais les noirs sont très appréciés, eux aussi.

Il était assis un peu à l'écart du feu, et l'on distinguait à peine son visage noyé dans l'ombre : on voyait seulement ses dents blanches et l'éclat moqueur de ses yeux.

— Tu es rare, ça, c'est vrai, répliqua Deegie, et trop heureux, aux Réunions d'Eté, de permettre à toute femme assez curieuse de s'en assurer par elle-même.

Ranec se mit à rire.

— Deegie, qu'y puis-je, si les filles de la Mère sont si curieuses ? Tu n'aimerais pas me voir les décevoir, n'est-ce pas ? Mais je ne parlais pas de moi. Je pensais aux chats noirs.

— Les chats noirs ? répéta Deegie.

— Wymez, je me souviens vaguement d'un grand chat noir.

Ranec s'était tourné vers l'homme avec lequel il partageait un foyer.

— Qu'est-ce que tu sais là-dessus ?

— Ça a dû faire grosse impression sur toi. Je ne pensais pas que tu en garderais le souvenir, dit Wymez. Tu n'étais encore qu'un tout jeune enfant, mais ta mère a vraiment poussé des hurlements. Tu t'étais éloigné d'elle, et, juste au moment où elle t'a aperçu, elle a vu en même temps ce grand chat noir, pareil à un léopard des neiges, mais noir, sauter d'une branche. Elle a cru je pense qu'il t'avait choisi pour victime. Mais ou bien ce n'était pas son intention, ou bien les hurlements de ta mère l'ont mis en fuite. Toujours est-il qu'il a poursuivi sa course, mais elle s'est précipitée sur toi, et il s'est écoulé pas mal de temps avant qu'elle te laisse de nouveau t'éloigner hors de sa vue.

— Y avait-il beaucoup de chats noirs comme celui-là, là où vous étiez ? questionna Jondalar.

— Non, pas trop, mais leur présence était connue. Ils restaient dans les forêts et chassaient de nuit, de sorte qu'on les voyait difficilement.

— Ils devaient être aussi rares que les léopards blancs ici, non ? Les bisons ont une fourrure sombre, comme certains mammouths, mais ils ne sont pas vraiment noirs. Le noir, c'est tout à fait à part, déclara Ranec. Combien existe-t-il d'animaux noirs ?

— Aujourd'hui, quand vais avec Druwez, voyons loup noir, dit Ayla. Jamais vu loup noir avant.

— Etait-il vraiment noir ? Ou seulement sombre ? demanda Ranec, intéressé.

— Noir. Un peu plus clair sur ventre, mais noir. Solitaire, je pense, ajouta Ayla. Pas voir autres traces. En meute, serait... sans prestige. Partirait, peut-être, trouverait autre loup solitaire, pour faire autre meute.

— Sans prestige ? D'où en sais-tu si long sur les loups ? interrompit Frebec.

Sa voix contenait une nuance de dérision, comme s'il se refusait à croire la jeune femme. Mais on y sentait aussi un intérêt manifeste.

— Quand apprends à chasser, chasser seulement mangeurs de viande. Seulement avec fronde. Observe de près, longtemps. Apprends à connaître loups. Une fois, vois louve blanche dans meute. Autres loups pas aimer. Elle partir. Autres loups pas aimer loup autre couleur.

— C'était bien un loup noir, appuya Druwez, tout prêt à défendre Ayla après cette merveilleuse randonnée à cheval. Je l'ai vu, moi aussi. Au début, je n'étais même pas sûr que ce soit un loup, mais c'en était bien un, et il était tout noir. Et je crois qu'il était seul.

— En parlant de loup, nous devrions monter la garde, cette nuit, déclara Talut. Raison de plus si un loup noir rôde par ici. Nous pourrons nous relayer, mais durant toute la nuit, quelqu'un devra rester éveillé et guetter.

Tulie se leva.

— Allons nous reposer, ajouta-t-elle. Demain, la route sera longue.

— Je prendrai la première garde, annonça Jondalar. Quand je serai fatigué, je pourrai toujours réveiller quelqu'un d'autre.

— Moi, dit Talut.

Jondalar acquiesça d'un signe.

— Je veille moi aussi, dit Ayla.

— Pourquoi pas en même temps que Jondalar ? C'est une bonne idée d'être à deux, on se tient éveillé l'un l'autre.

8

— Il a fait froid, cette nuit, remarqua Deegie. La viande commence à geler.

Elle plaçait un quartier de bison dans une hotte.

— Tant mieux, répondit Tulie. Mais nous ne pourrons pas tout emporter. Nous allons être obligés d'en laisser.

— Si nous élevions par-dessus un tumulus, avec les pierres qui ont servi pour la clôture ? proposa Latie.

— C'est possible, et nous devrions le faire, Latie. C'est une bonne idée, approuva Tulie. Elle préparait pour elle-même une charge tellement démesurée qu'Ayla se demandait comment, même avec sa vigueur, elle pourrait la porter. Mais, si le temps change, nous ne reviendrons peut-être pas chercher cette viande avant le printemps. Si elle était plus près de la caverne, ce serait mieux. Les animaux ne viennent pas rôder aussi souvent, là-bas, et nous pourrions surveiller. Mais ici, en pleine nature, si une bête, un lion des cavernes ou même un glouton bien décidé, veut vraiment cette viande, elle trouvera toujours un moyen de l'atteindre.

— Et si on versait de l'eau sur le tumulus pour faire un bloc compact ? Il est difficile d'ouvrir une brèche dans un tumulus gelé, même avec des pics et des pioches, insista Deegie.

— Oui, ça empêcherait les animaux de s'y attaquer, mais comment fais-tu pour empêcher le soleil de faire fondre la glace, Deegie ? questionna Tornec. On ne peut pas être sûr que le froid va durer. Il est encore trop tôt dans la saison.

Ayla les écoutait et, en même temps, regardait diminuer l'amoncellement de quartiers de bison. Chacun en prenait autant qu'il pourrait en porter. La jeune femme n'avait pas été habituée à disposer d'une quantité de nourriture telle qu'on pouvait se permettre de choisir et d'emporter seulement les meilleurs morceaux. Du temps où elle vivait avec le Clan, il y avait toujours eu bien assez à manger, et des peaux largement en suffisance pour les vêtements, le couchage et d'autres usages, mais on ne laissait rien perdre. Elle ne savait trop quelle quantité allait demeurer sur place, mais le tas de déchets était déjà si important qu'elle répugnait à abandonner davantage. Manifestement, personne d'autre n'en avait envie.

Elle vit Danug ramasser la hache de Tulie. Avec autant de facilité que Celle Qui Ordonne, il fendit en deux une grosse bûche, l'ajouta au dernier feu qui brûlait encore. Ayla le rejoignit.

— Danug, dit-elle à voix basse, veux m'aider ?

— Euh... ah... oui, bredouilla-t-il.

Il se sentait rougir. La voix de la jeune femme était si grave, si chaude, son étrange accent si troublant. Elle l'avait pris au dépourvu :

il ne l'avait pas vue arriver. Et, à se trouver si proche de cette femme séduisante, il se sentait inexplicablement ému.

— Faut... deux perches, poursuivit Ayla en levant deux doigts. Jeunes arbres en amont. Tu coupes pour moi ?

— Euh... oui, bien sûr, je vais te couper deux arbres.

Ils se dirigèrent ensemble vers le méandre de la petite rivière. Danug était un peu plus détendu mais il ne cessait de baisser les yeux sur la tête blonde de la jeune femme qui marchait près de lui, un demi-pas en avant. Elle choisit deux jeunes aulnes bien droits et de taille semblable. Danug les abattit. Elle lui demanda ensuite de les ébrancher et de les étêter pour leur donner une longueur égale. Le grand et vigoureux jeune homme était maintenant à l'aise avec elle.

— Que veux-tu en faire ? demanda-t-il.

— Je montre.

D'un sifflement strident, impérieux, elle appela Whinney qui galopa jusqu'à elle. Un peu plus tôt, Ayla l'avait harnachée et lui avait posé les deux paniers, en vue du départ. Danug trouva bizarre de voir une couverture de cuir jetée sur le dos d'un cheval et une paire de paniers attachés à ses flancs par des lanières, mais, remarqua-t-il, la jument n'en paraissait pas gênée, et cela ne ralentissait pas son allure.

— Comment t'y prends-tu pour lui faire faire ça ? demanda-t-il.

— Faire quoi ?

— Venir te rejoindre quand tu la siffles ?

Ayla fronça des sourcils méditatifs.

— Pas bien savoir, Danug. Avant arrivée de Bébé, seule dans la vallée avec Whinney. Seule amie je connais. Elle grandir avec moi, et toutes les deux apprendre... l'une l'autre.

— C'est vrai que tu peux lui parler ?

— Whinney pas parler comme tu parles, Danug. Je... apprendre des signes... ses signaux. Elle apprend miens.

— Comme les signes de Rydag, tu veux dire ?

— Un peu. Animaux, gens, tous ont signes, même toi, Danug. Tu dis mots, signaux disent plus. Tu parles sans savoir tu parles.

Le garçon fronça les sourcils. Il n'était pas bien sûr d'apprécier la tournure de la conversation.

— Je ne comprends pas, fit-il en détournant les yeux.

— Parlons, maintenant, reprit Ayla. Mots pas dire, mais signaux dire... tu veux monter sur cheval. Est vrai ?

— Eh bien... euh... oui, je voudrais bien.

— Alors... tu montes sur cheval.

— C'est vrai ? Je peux vraiment monter sur le cheval ? Comme Latie et Druwez ?

Ayla sourit.

— Viens ici. Besoin grosse pierre pour aider monter première fois.

La jeune femme caressa Whinney, s'adressa à elle dans le langage particulier qui s'était tout naturellement formé entre elles : une combinaison de signes et de mots du Clan, de petits sons absurdes qu'elle avait inventés pour son fils avant de leur donner un sens, et de sons animaux qu'elle reproduisait à la perfection. Elle dit à Whinney que Danug désirait faire une promenade sur son dos, et qu'il fallait la rendre palpitante sans être dangereuse. Le jeune homme avait appris certains des signes qu'Ayla enseignait à Rydag et au reste du Camp. Il fut surpris d'en reconnaître quelques-uns, qui faisaient partie de la communication entre la jeune femme et la jument, et son respect pour elle ne fit que s'accroître. C'était vrai, elle parlait avec le cheval mais, comme Mamut quand il invoquait les esprits, elle se servait d'un langage mystique, ésotérique et puissant.

La jument comprit-elle les indications d'Ayla ? En tout cas, elle saisit ses intentions en la voyant aider le grand jeune homme à monter sur son dos. Il donnait à Whinney les mêmes sensations que l'homme qu'elle en était venue à bien connaître et auquel elle faisait confiance. Les longues jambes tombaient très bas, et il n'y avait aucune impression de direction ni de contrôle.

— Tiens bien crinière, expliqua Ayla. Quand veux partir, penche en avant. Quand veux ralentir ou arrêter, redresse corps.

— Tu ne viens donc pas avec moi ? demanda Danug.

Un soupçon de peur perçait dans sa voix.

— Pas besoin moi.

Elle appliqua une claque sur le flanc de Whinney.

Brusquement, celle-ci partit à vive allure. Danug fut d'abord projeté en arrière. Il s'accrocha à la crinière pour se redresser, passa ses deux bras autour de l'encolure et se cramponna de toutes ses forces. Mais, quand Ayla montait la jument, se pencher en avant était le signal d'aller plus vite. Le vigoureux animal des plaines glacées fonça sur la vaste étendue alluviale dont les détails lui étaient maintenant familiers : la jument sautait les troncs abattus, les broussailles, évitait les rochers aux arêtes vives, les rares arbres.

Au début, Danug, pétrifié, ne pouvait que fermer étroitement les paupières et s'accrocher du mieux qu'il pouvait. Pourtant, quand il se rendit compte qu'il n'était pas encore tombé, il entrouvrit les yeux. Son cœur se mit à battre la chamade lorsqu'il vit les arbres, les buissons, le sol défiler dans un brouillard de vitesse. Sans lâcher prise, il releva légèrement la tête pour regarder autour de lui.

Il eut peine à croire qu'il avait déjà parcouru une telle distance. Les hauts épaulements qui flanquaient le cours d'eau se dressaient juste devant lui ! Vaguement, très loin en arrière, il perçut un sifflement aigu, remarqua aussitôt un changement dans l'allure de la jument. Whinney fila encore au-delà des rocs qui semblaient monter la garde, avant de ralentir légèrement pour décrire un large cercle et reprendre la direction d'où elle était venue. Danug restait solidement accroché, mais sa peur s'était atténuée. Il voulait maintenant voir où ils allaient. Il se redressa quelque peu, ce que Whinney interpréta comme un signal de ralentir. A l'approche de la jument, le sourire épanoui sur le visage du jeune homme rappela à Ayla celui de Talut, particulièrement quand il était satisfait de lui-même. Whinney s'arrêta en caracolant. Ayla l'amena jusqu'à la grosse pierre, afin de permettre à Danug de descendre.

L'extase lui coupait pratiquement la parole, mais il ne pouvait cesser de sourire. Jamais il n'avait envisagé de filer un jour à vive allure sur le dos d'un cheval — l'éventualité dépassait son imagination. Jamais il n'oublierait cette expérience.

Son visage joyeux faisait sourire Ayla toutes les fois qu'elle le regardait. Elle fixa les perches au harnais de Whinney.

Quand ils revinrent au campement, Danug souriait toujours.

— Qu'est-ce que tu as ? demanda Latie. Pourquoi fais-tu cette figure-là ?

— Je suis monté sur le cheval, répondit-il.

Latie hocha la tête, sourit à son tour.

Presque tout ce qui pouvait être emporté du site où s'était déroulée la chasse avait été placé dans les hottes ou bien enroulé dans des peaux : ces paquets, accrochés à des perches comme des hamacs, seraient portés à deux sur les épaules. Il restait encore des quartiers de viande et des rouleaux de peaux à emporter, mais pas autant que l'aurait cru Ayla. Il en allait du transport comme de la chasse ou du dépeçage : quand tout le monde travaillait ensemble, on pouvait rapporter au Camp de plus grandes quantités.

Plusieurs personnes avaient remarqué qu'Ayla ne préparait pas de chargement pour son compte, et l'on se demandait où elle était allée. Quand Jondalar la vit revenir avec Whinney, qui tirait les longues perches, il saisit son intention. Elle disposa les perches de manière à en croiser les extrémités les plus larges juste au-dessus des paniers, sur le garrot de la jument, et elle les fixa au harnais. Les extrémités les plus minces s'écartaient derrière l'animal et reposaient légèrement sur le sol. Entre les deux perches, elle attacha une plate-forme improvisée, faite du toit de la tente, tendu sur des branches transversales. Autour d'elle, on interrompait toute activité pour la regarder, mais ce fut seulement lorsqu'elle entreprit d'entasser sur le travois les quartiers de bison qui restaient que l'on comprit à quoi il devait servir. Elle remplit aussi les deux paniers, avant de mettre le reste dans une hotte qu'elle porterait elle-même sur son dos. Quand elle eut fini, tout le monde fut stupéfait : l'amoncellement tout entier avait disparu.

Tulie, visiblement très impressionnée, regardait tour à tour Ayla et la jument, avec le travois et les paniers.

— Je n'avais jamais eu l'idée d'utiliser un cheval pour porter une charge, dit-elle. A vrai dire, il ne m'était jamais venu à l'esprit de me servir d'un cheval, sinon pour manger sa viande... jusqu'à présent.

Talut jeta de la terre sur le feu, la remua longuement pour s'assurer que les flammes étaient bien éteintes. Il hissa ensuite la lourde hotte sur son dos, passa son sac à son épaule, prit sa sagaie et se mit en route. Les autres chasseurs le suivirent. Depuis sa toute première rencontre avec les Mamutoï, Jondalar n'avait cessé de se demander pourquoi leurs paquetages étaient faits pour tenir sur une seule épaule. Il en comprit subitement la raison, en ajustant confortablement la hotte sur son dos, avant de jeter le paquetage sur son épaule gauche : ils pouvaient ainsi porter dans leurs hottes des charges beaucoup plus lourdes, ce qui devait leur arriver souvent.

Whinney suivait derrière Ayla, la tête toute proche de l'épaule de la jeune femme. Jondalar, menant Rapide par sa longe, marchait à côté de sa compagne. Talut se laissa distancer par les autres jusqu'à se retrouver devant eux, et ils échangèrent quelques propos tout en marchant. De temps à autre, Ayla surprenait des regards lancés dans sa direction et celle de la jument.

Au bout d'un moment, Talut se mit à fredonner à bouche close un air bien rythmé. Bientôt, il chantait au rythme de leurs pas.

Hus-na, dus-na, teesh-na, keesh-na.
Pec-na, sec-na, ha-na-nya !
Hus-na, dus-na, teesh-na, keesh-na.
Pec-na, sec-na, ha-na-nya !

Le reste du groupe se joignit à lui, pour répéter les mêmes syllabes sur le même air. Sur quoi, avec un sourire malicieux, Talut, sans changer de rythme ni d'intonation, modifia les paroles en regardant Deegie :

Que désire Deegie la jolie ?
Branag, Branag, viens partager mon lit.
Et où va Deegie la jolie ?
Retrouver des fourrures vides sur son lit.

Deegie rougit mais sourit. Les autres riaient d'un air entendu. Quand Talut répéta la première question, le reste du groupe chanta la réponse à l'unisson. Ils firent de même après la seconde question, avant de joindre leurs voix à celle de Talut pour le refrain.

Hus-na, dus-na, teesh-na, keesh-na,
Pec-na, sec-na, ha-na-nya !

Ils le répétèrent plusieurs fois, et Talut improvisa ensuite un nouveau couplet.

A quoi Wymez passe-t-il l'hiver ?
A tailler des outils, à vouloir s'amuser.
A quoi Wymez passe-t-il l'été ?
A rattraper le temps où il n'a rien pu faire.

Tout le monde éclata de rire, excepté Ranec, qui rugit littéralement. Quand le groupe répéta le couplet, Wymez, généralement peu démonstratif, rougit à la pointe sans méchanceté. Tout le monde connaissait l'habitude du tailleur d'outils qui profitait des Réunions d'Eté pour se rattraper d'un célibat intégral pendant l'hiver.

Tout comme les autres, Jondalar s'amusait des taquineries et des plaisanteries. Son propre peuple en faisait tout autant. Au début, Ayla n'avait pas bien compris la situation ni l'humour de ses hôtes, surtout quand elle avait vu l'embarras de Deegie. Mais tout se faisait dans la bonne humeur et les rires, constata-t-elle, et les quolibets étaient pris en bonne part. Elle commençait à se familiariser avec l'humour verbal, et le rire lui-même était contagieux. Elle aussi, comme les autres, sourit au couplet qui s'adressait à Wymez.

Quand tout le monde eut fait silence, Talut reprit le refrain composé de syllabes rythmées.

Hus-na, dus-na, teesh-na, keesh-na,
Pec-na, sec-na, ha-na-nya !

Après avoir regardé Ayla, il commença, avec un sourire satisfait :

La chaude affection d'Ayla, qui la désire ?
Ils sont deux à vouloir partager ses fourrures.
Lequel deviendra donc un élu bienheureux ?
Noir ou blanc, elle aura le choix entre les deux.

Ayla se sentait heureuse de faire elle aussi partie des plaisanteries. Elle n'était pas sûre de comprendre parfaitement le sens du couplet mais elle rougit de plaisir parce qu'il parlait d'elle. Elle se remémora la conversation de la veille au soir, supposa que le noir et le blanc devaient représenter Ranec et Jondalar. Le rire joyeux de Ranec confirma ce soupçon, mais le sourire contraint de Jondalar inquiéta la jeune femme. La plaisanterie ne l'amusait plus, à présent.

Barzec, alors, reprit le refrain, et, en dépit d'une oreille peu exercée, Ayla discerna une qualité particulière dans le timbre et l'intonation de sa voix. Lui aussi lui sourit, montrant ainsi qui allait être le sujet de son couplet.

Comment Ayla choisira-t-elle entre deux tons ?
Le noir est excellent, mais le blanc l'est aussi.
Comment Ayla choisira-t-elle un compagnon ?
Tous deux peuvent chauffer ses fourrures la nuit.

Barzec, pendant que tout le monde répétait son couplet, tourna les yeux vers Tulie qui le récompensa d'un regard de tendresse et d'amour. Jondalar, lui, fronçait les sourcils : il ne pouvait même plus faire mine de prendre plaisir à la tournure qu'avait prise la plaisanterie. Il n'appréciait pas l'idée de partager Ayla avec quiconque, surtout pas avec le séduisant sculpteur.

Ce fut Ranec qui reprit le refrain, aussitôt suivi par les autres.

Hus-na, dus-na, teesh-na, keesh-na,
Pec-na, sec-na, ha-na-nya !

Au début, il ne regarda personne : il voulait tenir ses auditeurs un instant en haleine. Soudain, il décocha un large sourire aux dents éclatantes à Talut, l'instigateur de cette plaisante chanson. Tout le monde se mit à rire par avance : on attendait qu'il lançât une pointe bien aiguisée à celui qui avait mis les autres mal à l'aise.

Qui est si grand, si lourd, si fort et si prudent ?
C'est bien la tête rousse au Camp du Lion, la brute
Qui manie un outil comme lui lourd et grand.
C'est l'ami de toutes les femmes. C'est Talut !

Le gigantesque chef salua le sous-entendu d'un rugissement. Les autres hurlèrent le couplet une seconde fois, et Talut reprit le refrain. Tandis qu'ils poursuivaient leur route vers le Camp du Lion, le chant bien rythmé marquait l'allure, et les rires allégeaient la corvée de rapporter le produit de leur chasse.

Le regard de Nezzie courait de l'autre côté de la rivière. Le soleil était bas dans le ciel couchant, tout prêt à s'enfoncer dans une haute panne de nuages, tout près de l'horizon. Sans trop savoir pourquoi, elle regarda vers le haut de la pente. Elle ne s'attendait pas encore au retour des chasseurs : ils étaient partis seulement la veille et resteraient absents probablement deux nuits, pour le moins. Quelque chose l'incita à mieux regarder. Etait-ce un mouvement, au sommet du chemin qui menait aux steppes ?

— C'est Talut ! s'écria-t-elle, en reconnaissant la silhouette familière qui se découpait sur le ciel.

Elle passa la tête à l'intérieur de l'abri pour crier :

— Ils sont de retour ! Talut et les autres, ils sont de retour !

Et elle se précipita pour aller à leur rencontre.

Tout le monde sortit en courant afin d'accueillir les chasseurs et de faire glisser les lourdes hottes du dos des hommes et des femmes qui, non contents de chasser, avaient rapporté le produit de leurs efforts. Mais ce qui causa la plus grande surprise, ce fut le spectacle de la jument qui tirait derrière elle une charge considérable. Les gens se rassemblèrent autour d'Ayla pour la regarder décharger les grands paniers pleins à ras bord, eux aussi. Passés de main en main, les quartiers de viande et les autres parties de bison furent aussitôt emportés dans l'habitation semi-souterraine et mis en réserve.

Quand tout le monde fut rentré, Ayla débarrassa Whinney de son harnais, Rapide de sa longe et veilla à les installer confortablement. Ils ne paraissaient pas souffrir des nuits passés seuls à la belle étoile. La jeune femme, néanmoins, était prise de remords lorsque, chaque soir, elle les quittait pour regagner l'abri. Aussi longtemps que le temps se maintiendrait, il y aurait peu de risques. Elle ne s'inquiétait guère de l'éventualité d'un petit coup de froid, mais on abordait la saison des changements inattendus. Que se passerait-il si une violente tempête venait à se déchaîner ? Où les chevaux, alors, pourraient-ils trouver refuge ?

Le front plissé d'anxiété, elle leva la tête vers le ciel. De hauts nuages aux couleurs éclatantes y couraient. Le soleil, en se couchant peu de temps auparavant, avait laissé derrière lui toute une panoplie de traînées aveuglantes. Elle les contempla jusqu'au moment où les teintes éphémères s'effacèrent, où le ciel bleu devint gris.

Elle rentra, à son tour. Juste avant de soulever la tenture intérieure pour pénétrer dans le foyer où se faisait la cuisine, Ayla surprit une remarque à propos d'elle-même et de la jument. Les occupants de l'habitation, assis en cercle, se détendaient en mangeant et en bavardant, mais la conversation s'interrompit à l'entrée de la jeune femme. Tout le monde la regardait, et elle se sentit mal à l'aise. Mais Nezzie lui tendit une assiette faite d'un os plat, et l'échange des propos reprit. Ayla entreprit de se servir, avant de s'arrêter pour regarder autour d'elle. Où était la viande de bison qu'ils venaient de rapporter ? On n'en voyait trace nulle part. Elle avait dû être rangée, elle le savait, mais où ?

Ayla repoussa la lourde peau de mammouth suspendue à l'entrée et alla d'abord voir les chevaux. Rassurée, elle chercha des yeux Deegie et sourit à son approche. Deegie avait promis de lui montrer, grâce aux peaux de bison fraîches, comment les Mamutoï les tannaient et les traitaient. La jeune femme s'intéressait, en particulier, au procédé employé pour teindre le cuir en rouge, comme la tunique de Deegie. Jondalar avait dit que, pour lui, le blanc était sacré. Pour Ayla c'était le rouge, parce que c'était la couleur sacrée pour le Clan. Une pâte, faite d'un mélange d'ocre rouge et de graisse — de préférence la graisse d'un ours des cavernes —, servait à colorer la peau et s'utilisait dans la cérémonie d'attribution d'un nom. Un morceau d'ocre rouge était le premier objet qu'on enfermait dans le sac à amulettes : on l'offrait à quelqu'un au moment où l'on proclamait son totem. Du début à la fin de sa vie, l'ocre rouge participait à de nombreux rites, y compris le dernier, la mise en terre. Le petit sac qui contenait les racines utilisées pour préparer le breuvage sacré était l'unique objet rouge qu'eût jamais possédé Ayla et, après son amulette, il représentait son bien le plus précieux.

Nezzie les rejoignit. Elle portait un grand morceau de cuir maculé par l'usage. Elle vit Ayla et Deegie ensemble.

— Oh, Deegie, je cherchais quelqu'un pour m'aider, dit-elle. Je me suis dit que j'allais faire un grand ragoût pour tout le monde. La chasse au bison a été une belle réussite, et Talut a pensé, m'a-t-il dit, que nous devions faire un festin pour la célébrer. Veux-tu arranger ce cuir pour y faire la cuisine ? J'ai disposé des charbons ardents dans la fosse, près du grand feu, et j'ai mis le cadre par-dessus. Il y a là-bas un sac de bouse de mammouth séchée, pour entretenir le feu. J'enverrai Danug et Latie chercher de l'eau.

— Pour un de tes ragoûts, je suis prête à t'aider n'importe quand, Nezzie.

— Peux aider aussi ? demanda Ayla.

— Et moi ? fit Jondalar.

Il venait de sortir pour parler à Ayla et il avait entendu la conversation.

— Vous pouvez venir chercher avec moi ce que nous allons manger, répondit Nezzie.

Elle fit demi-tour pour rentrer.

Ils la suivirent jusqu'à l'une des arches formées par des défenses de mammouths qui s'ouvraient le long des murs intérieurs. Elle écarta un pesant rideau un peu raide, fait d'une peau de mammouth qui avait conservé tout son poil. La double couche de pelage rougeâtre, duveteux en dessous, à poils très longs en surface, était tournée vers l'extérieur. Un second rideau était suspendu derrière. Lorsqu'il fut ouvert, les arrivants sentirent un courant d'air froid. En portant le regard à l'intérieur, faiblement éclairé, ils découvrirent une grande fosse, de la taille d'une petite pièce. Le fond était à près d'un mètre du niveau du sol. La fosse était presque pleine de grosses tranches et de quartiers de viande, ainsi que de carcasses plus petites.

— Une réserve ! s'écria Jondalar.

Il retenait les lourds rideaux, pendant que Nezzie se laissait glisser dans la fosse.

— Chez nous aussi, nous conservons de la viande gelée pour l'hiver, mais elle n'est pas aussi facilement accessible. Nos abris sont aménagés sous des surplombs de falaise ou devant certaines cavernes. Il est difficile d'y garder de la viande gelée. Nous la laissons généralement dehors.

— Clan, pendant saison froide, garde viande gelée dans cache, sous tas de pierres, dit Ayla.

Elle savait maintenant ce qu'était devenue la viande de bison rapportée de la chasse.

La surprise se peignit sur les visages de Nezzie et de Jondalar. Jamais il ne leur était venu à l'esprit que les gens du Clan pouvaient entreposer de la viande pour l'hiver, et ils étaient encore stupéfaits toutes les fois qu'Ayla mentionnait des activités qui paraissaient si avancées, tellement humaines. Mais, par ailleurs, les commentaires de Jondalar à propos des lieux où il vivait n'avaient pas moins surpris la jeune femme. Les Autres, avait-elle supposé, devaient tous avoir le même genre d'habitat. Elle n'avait pas envisagé que les habitations semi-souterraines lui fussent aussi étrangères qu'à elle-même.

— Nous n'avons pas assez de pierres, par ici, pour en faire des caches, dit la voix sonore de Talut.

Ils levèrent la tête vers le géant à barbe rousse qui s'avançait vers eux. Il prit la place de Jondalar pour retenir l'un des deux rideaux.

— Tu as décidé de cuisiner un ragoût, Nezzie, m'a dit Deegie, continua-t-il avec un sourire gourmand. J'ai pensé que j'allais venir t'aider.

— Cet homme-là sent l'odeur de la nourriture avant même qu'elle soit cuite ! dit en riant Nezzie qui fourrageait dans la fosse.

Jondalar n'avait pas épuisé son intérêt pour les réserves.

— Comment la viande peut-elle rester gelée ? demanda-t-il. Il fait chaud, dans la galerie.

— En hiver, la terre est dure comme le roc sur toute son épaisseur, mais, en été, elle fond suffisamment pour permettre de creuser. Quand nous construisons une galerie, nous creusons le sol assez profondément pour atteindre la couche qui reste gelée en tout temps, afin d'y aménager des fosses pour nos réserves. Même en été, les provisions sont froides, sinon toujours vraiment gelées. A l'automne, dès que le temps se refroidit dehors, la terre se met à geler. La viande se gèle alors dans les fosses, et nous commençons nos provisions pour l'hiver. La peau de mammouth conserve la chaleur à l'intérieur et le froid à l'extérieur, expliqua Talut. Exactement comme pour le mammouth, ajouta-t-il avec un large sourire.

— Tiens, Talut, dit Nezzie, prends donc ça.

Elle tendait une grosse pièce de viande, durcie, givrée, colorée d'un rouge brun avec, sur tout un côté, une épaisse couche de graisse jaunâtre.

— Je prends, proposa Ayla, les bras déjà tendus.

Talut, lui, tendit les siens vers Nezzie. Elle n'avait certes rien d'une petite femme, mais le vigoureux géant la souleva comme s'il s'était agi d'une enfant.

— Tu as froid. Il va falloir que je te réchauffe, dit-il.

Il l'entoura de ses bras, nicha sa barbe au creux de son cou.

— Assez, Talut ! Pose-moi par terre ! gronda-t-elle.

Mais le plaisir illuminait son visage.

— J'ai du travail, ce n'est pas le bon moment...

— Dis-moi quand ce sera le bon moment, et je te poserai par terre.

— Nous avons des visiteurs, protesta-t-elle.

Pourtant, elle lui passa les bras autour du cou, lui murmura quelques mots à l'oreille.

— C'est une promesse, rugit son gigantesque compagnon.

Il la posa doucement, tapota son large séant, tandis que, tout en émoi, elle rajustait ses vêtements et cherchait à recouvrer sa dignité.

Jondalar sourit à Ayla et la prit par la taille.

Cette fois encore, pensait la jeune femme, ils en font un jeu : ils disent quelque chose avec les mots et autre chose avec les gestes. Mais, à présent, elle saisissait l'humour de la situation et l'amour secret mais très fort que partageaient Nezzie et Talut. Elle comprenait soudain qu'ils se témoignaient leur amour, comme le faisait le Clan, discrètement, en prononçant des paroles à double sens.

— Ce Talut ! fit Nezzie.

Elle s'essayait à prendre un ton sévère, mais son sourire heureux la trahissait.

— Si tu n'as rien de mieux à faire, tu peux aider à rassembler des racines, Talut.

Elle s'adressa à la jeune femme :

— Je vais te montrer où nous les gardons, Ayla. La Mère a été généreuse, cette année. La saison était bonne, et nous en avons ramassé beaucoup.

Ils firent le tour d'une couchette pour atteindre une autre arche fermée d'un rideau.

— Les racines et les fruits sont conservés plus haut, dit Talut aux visiteurs.

Il souleva le rideau, leur montra des paniers qui débordaient presque de provisions : des tubercules noueux, à la peau brune, riches en amidon ; de petites carottes sauvages, d'un jaune pâle ; la partie inférieure, succulente, des tiges de massettes et de roseaux ; d'autres produits encore, rangés au niveau du sol, autour d'une fosse plus profonde.

— Ils se conservent mieux si on les garde au frais mais, s'ils gèlent, ils deviennent spongieux. Nous gardons les peaux dans des fosses, aussi, jusqu'au moment où quelqu'un a le temps de les travailler. On y met aussi certains os, qui servent à faire des outils, et un peu d'ivoire pour Ranec. Il dit que l'ivoire gelé est plus facile à travailler. L'ivoire en surplus et les os pour les feux sont conservés dans le foyer d'entrée et dans les fosses creusées dehors.

— A propos, dit Nezzie, il me faut une rotule de mammouth pour mon ragoût.

Elle remplissait un grand panier de légumes variés.

— Une rotule donne toujours plus de moelleux et plus de goût. Voyons, où ai-je donc mis les fleurs d'oignons séchées ?

Jondalar, d'une voix chargée d'admiration, déclara :

— J'ai toujours pensé que des murs rocheux étaient nécessaires pour survivre en hiver, pour se protéger du plus fort des vents et des tempêtes. Mais vous n'avez pas de grottes. Vous n'avez même pas assez d'arbres pour construire des abris. Vous avez tout fait à partir de mammouths !

— Voilà pourquoi le Foyer du Mammouth est sacré. Nous chassons d'autres animaux, mais notre vie dépend du mammouth, expliqua Talut.

— Quand je séjournais avec Brecie au Camp du Saule, au sud d'ici, je n'ai rien vu de semblable à cette habitation.

— Tu connais donc Brecie aussi ? interrompit Talut.

— Brecie et quelques-uns de ses compagnons du Camp nous ont tirés des sables mouvants, mon frère et moi.

— Elle et ma sœur sont de vieilles amies, dit Talut. Et elles sont parentes, par le premier compagnon de Tulie. Nous avons grandi ensemble. Ils appellent leur résidence d'été le Camp du Saule mais ils vivent au Camp de l'Elan. Les habitations d'été sont moins solides, pas comme ici. Le Camp du Lion est une résidence d'hiver. Le Camp du Saule se rend souvent à la mer de Beran pour se procurer du poisson et des coquillages et pour faire du troc contre du sel. Que faisais-tu là-bas ?

— Thonolan et moi, nous traversions le delta de la Grande Rivière Mère. Elle nous a sauvé la vie...

— Tu devrais nous conter cette histoire un peu plus tard. Tout le monde sera heureux d'entendre parler de Brecie, dit Talut.

Jondalar pensa soudain que la plupart de ses histoires concernaient aussi Thonolan. Qu'il le voulût ou non, il allait devoir parler de son frère. Ce ne serait pas facile, mais il le faudrait bien, s'il voulait parler.

Ils traversèrent le Foyer du Mammouth qui, mis à part le passage central, était délimité par des parois faites d'os de mammouths et par des tentures de cuir, comme l'étaient tous les autres foyers. Talut remarqua le propulseur de Jondalar.

— Vous nous avez fait tous les deux une belle démonstration, déclara le chef. Ce bison a été arrêté dans sa course.

— Cet instrument peut faire beaucoup plus encore, répondit Jondalar.

Il s'arrêta pour prendre le propulseur.

— Avec ça, on peut lancer une sagaie beaucoup plus loin et avec beaucoup plus de force.

— Vraiment ? Peut-être peux-tu nous faire une autre démonstration ?

— Bien sûr, mais il nous faudra aller sur les steppes, pour mieux juger de la distance. Tu seras surpris, je crois.

Jondalar se tourna vers Ayla.

— Pourquoi ne pas apporter le tien, aussi ?

Dehors, Talut vit sa sœur qui se dirigeait vers la rivière. Il appela la

Femme Qui Ordonne, lui dit qu'ils allaient regarder la nouvelle manière de Jondalar de lancer les sagaies. Ils entreprirent de gravir la pente. Quand ils se retrouvèrent sur le plateau, la plupart des membres du Camp du Lion les avaient rejoints.

— A quelle distance peux-tu lancer une bonne sagaie, Talut ? demanda Jondalar, lorsqu'ils eurent atteint un terrain qui se prêtait à la démonstration. Peux-tu me le montrer ?

— Oui, bien sûr. Mais pourquoi ?

— Parce que je veux te prouver que je peux faire mieux.

Un éclat de rire général suivit cette déclaration. Barzec prit la parole.

— Tu ferais mieux de choisir quelqu'un d'autre pour te mesurer à lui, conseilla-t-il. Tu es grand et bien bâti, je le sais, et probablement vigoureux, mais personne ne lance la sagaie plus loin que Talut. Pourquoi ne pas lui en donner la preuve, Talut ? Laisse-le voir ce qu'il risque. Il saura alors qu'il vaut mieux rivaliser avec des adversaires à sa mesure, moi par exemple, ou même Danug.

— Non, dit Jondalar, une lueur au fond des yeux.

C'était là fausser une compétition.

— Si Talut est votre meilleur lanceur, alors lui seul peut rivaliser avec moi. Et je gagerais que je peux lancer ma sagaie plus loin que lui... sauf que je n'ai rien à gager. En fait, ajouta Jondalar en brandissant l'instrument étroit et plat taillé dans le bois, je suis prêt à parier qu'Ayla est capable de lancer une sagaie plus loin, plus vite et avec plus de précision que Talut.

En réponse à cette déclaration, un murmure de stupeur courut dans l'assemblée. Tulie regardait Ayla et Jondalar. Ils semblaient trop détendus, trop confiants. Il aurait dû être évident pour eux qu'ils ne pouvaient rivaliser avec son frère. Pouvaient-ils l'égaler elle-même ? Elle en doutait. Elle était presque aussi grande que cet homme blond et peut-être plus forte que lui, bien que son allonge pût lui donner un avantage. Que pouvaient bien savoir de plus qu'elle ces deux-là ? Elle s'avança.

— Je vais te donner quelque chose à gager, dit-elle. Si tu gagnes, je t'accorde le droit de me réclamer une créance raisonnable. Si c'est en mon pouvoir, je la couvrirai.

— Et si je perds ?

— J'aurai le même droit sur toi.

— Tulie, es-tu bien sûre de vouloir prendre un pari sur l'avenir ? demanda Barzec à sa compagne.

Un pari conclu dans des termes aussi vagues, se disait-il, inquiet, réclamait le plus souvent un règlement plus onéreux que d'ordinaire. Pas seulement parce que le gagnant pouvait présenter des exigences abusives, ce qui arrivait parfois, mais parce que le perdant devait s'assurer que la gageure était satisfaite, et qu'aucune autre réclamation ne pourrait être représentée. Qui pouvait savoir ce que demanderait cet étranger ?

— Sur l'avenir ? Oui, répondit Tulie.

Elle ne précisa pas sa pensée : de toute façon, si Jondalar gagnait, s'il était vraiment capable de faire ce qu'il disait, elle ne perdrait rien, puisque le Camp pourrait se procurer une arme nouvelle des plus précieuses. S'il perdait, elle aurait une créance sur lui.

— Qu'en dis-tu, Jondalar ?

Tulie était rusée, mais Jondalar sourit. Il avait déjà parié sur l'avenir : de telles gageures donnaient plus de saveur au jeu et accroissaient l'intérêt chez les spectateurs. Il avait envie de partager le secret de son invention. Il voulait voir comment elle serait acceptée et comment elle fonctionnerait dans une chasse en groupe. C'était le prochain pas logique à franchir pour mettre à l'épreuve sa nouvelle arme de chasse. Avec un peu d'expérience et d'entraînement, n'importe qui pourrait s'en servir. C'était ce qui en faisait la valeur. Mais il fallait du temps pour s'entraîner, pour apprendre la nouvelle technique. De l'ardeur, de l'enthousiasme seraient nécessaires. La gageure aiderait à les faire naître... Et il aurait une créance sur Tulie. Il n'en doutait pas.

— D'accord ! dit-il.

Ayla suivait cet affrontement verbal. Elle ne comprenait pas tout à fait ce qui était en jeu. Elle savait seulement qu'il était question d'une compétition et elle sentait qu'il y avait autre chose sous les propos échangés.

— Allons dresser des cibles et poser des jalons, dit Barzec, assumant ainsi l'organisation du concours. Druwez, va avec Danug chercher des os longs, pour en faire des poteaux.

Il sourit en regardant les deux garçons descendre la pente en courant. Danug, si semblable à Talut, dépassait de beaucoup par la taille son compagnon, mais, à treize ans, Druwez commençait à montrer une musculature compacte qui rappelait celle de Barzec.

Celui-ci était convaincu que ce garçon et la petite Tusie étaient le produit de son esprit, tout comme Deegie et Tarneg étaient probablement issus de celui de Darnev. Pour Brinan, il n'était pas sûr. Huit années s'étaient écoulées depuis sa naissance, mais c'était encore difficile à dire. Mut avait pu choisir un autre esprit, plutôt que celui d'un des deux hommes qui vivaient au Foyer de l'Aurochs. Brinan ressemblait à Tulie, il avait les cheveux rouges du frère de celle-ci mais une apparence qui n'appartenait qu'à lui. Darnev avait eu la même impression. Barzec sentit sa gorge se serrer : l'espace d'un instant, il eut douloureusement conscience de l'absence de l'autre compagnon de Tulie. Sans Darnev, rien n'était plus pareil, pensait Barzec. Après deux ans, il le regrettait encore autant que Tulie.

Quand on eut fini de dresser, le long de la ligne de tir, des tibias de mammouths surmontés de queues de renards roux et coiffés de paniers d'herbe tressée teinte en couleurs vives, la journée commença à prendre un air de fête. A partir de chaque poteau, des gerbes de longues herbes, encore en terre, furent nouées entre elles pour former une large piste. Les enfants y couraient d'un bout à l'autre : ils piétinaient l'herbe, ce qui délimitait mieux encore l'espace jalonné. D'autres apportèrent les sagaies. Quelqu'un eut l'idée de bourrer une vieille paillasse d'herbe et de bouse de mammouth séchée, qu'on marqua ensuite de dessins au charbon de bois afin d'en faire une cible mobile.

Durant les préparatifs, qui semblaient se compliquer d'eux-mêmes, Ayla entreprit de faire un repas pour Jondalar, Mamut et elle. Bientôt, le Foyer du Lion tout entier y participa, pour permettre à Nezzie de cuisiner son ragoût. Talut proposa son breuvage fermenté, et, du coup, chacun eut l'impression qu'il s'agissait d'une grande occasion : le chef, généralement, n'offrait sa bouza qu'aux invités et pour les grandes fêtes. Ranec annonça alors qu'il allait élaborer son plat spécial. Si Ayla fut surprise d'apprendre qu'il savait cuisiner, tout le monde parut heureux à cette perspective. S'il devait y avoir une fête, déclarèrent Tornec et Deegie, ils pourraient aussi bien... faire quelque chose. Ayla n'avait pas bien compris de quoi il s'agissait, mais l'annonce fut accueillie avec plus d'enthousiasme encore que la spécialité de Ranec.

Le repas du matin achevé, les derniers rangements finis, l'habitation se trouva vide. Ayla fut la dernière à sortir. Elle laissa retomber derrière elle le rabat de l'entrée et s'aperçut que la matinée était déjà bien avancée. Les chevaux s'étaient un peu rapprochés. Whinney secoua la tête et s'ébroua en voyant apparaître la jeune femme. Les sagaies avaient été laissées sur la steppe, mais Ayla avait apporté sa fronde et elle la tenait dans sa main, avec une poignée de galets ronds choisis près du coude de la rivière. Son épaisse pelisse n'était pas ceinturée d'une lanière où passer la fronde, et il n'y avait pas, dans sa tunique, de pli où glisser les projectiles.

Le Camp tout entier était passionné par la compétition. Presque tout le monde se trouvait déjà en haut de la pente, dans l'attente impatiente du début des épreuves. Au moment où Ayla s'engageait à son tour sur la pente, elle vit Rydag. Il espérait qu'on le remarquât pour le porter jusqu'au plateau, mais ceux qui s'en chargeaient généralement — Talut, Danug ou Jondalar — étaient déjà sur les steppes.

Ayla sourit à l'enfant. Elle se disposait à aller le prendre quand il lui vint une idée. Elle se retourna, siffla Whinney. La jument et son poulain galopèrent vers elle. Ils semblaient si heureux de la voir qu'elle prit conscience du peu de temps qu'elle leur avait consacré récemment. Il y avait tant de gens pour l'accaparer. Elle prit la résolution d'aller faire une promenade tous les matins, du moins aussi longtemps que le temps se maintiendrait. Elle enleva Rydag dans ses bras, le posa sur le dos de la jument : Whinney le porterait jusqu'au haut de la pente abrupte.

— Tiens-toi aux poils de son cou, pour ne pas tomber en arrière, lui fit-elle.

Il acquiesça d'un signe de tête, s'accrocha à la brosse de poils noirs et raides qui se dressaient sur l'encolure de la jument et exhala un long soupir de bonheur.

Lorsque Ayla parvint à la piste de lancer, il régnait dans l'atmosphère une tension palpable. Elle comprit alors qu'en dépit des festivités le concours avait pris figure d'affaire sérieuse. La gageure en avait fait plus qu'une simple démonstration. Elle laissa Rydag sur le dos de

Whinney d'où il pourrait aisément tout observer, et se plaça discrètement entre les deux chevaux, pour s'assurer qu'ils resteraient calmes. Certes, ils étaient maintenant plus à l'aise parmi ces étrangers, mais la jument était sensible à la tension ambiante, la jeune femme le savait, et Rapide aux humeurs de sa mère.

Les assistants, dans leur impatience, tournaient en rond, certains lançaient leurs propres traits le long du terrain dont la terre était déjà bien piétinée. On n'avait pas fixé le moment où le concours commencerait. Pourtant, comme si quelqu'un avait lancé un signal, chacun parut sentir l'instant précis où il fallait dégager le parcours et se tenir tranquille. Talut et Jondalar, entre les deux poteaux, examinaient la piste. Tulie se tenait près d'eux. Dès le début, Jondalar s'était déclaré prêt à parier qu'Ayla elle-même était capable de lancer une sagaie plus loin que Talut, mais c'était là une remarque tellement outrée qu'on l'avait ignorée, et la jeune femme était restée là en spectatrice avidement intéressée.

Les sagaies de Talut étaient plus grosses et plus longues que celles des autres, comme si ses muscles puissants avaient besoin de quelque chose de pesant pour exercer leur vigueur. Mais les lances des hommes du Clan, se rappelait Ayla, si elles n'étaient pas aussi longues, étaient encore plus lourdes et plus massives. Elle remarquait encore d'autres différences. Contrairement à celles du Clan, faites pour frapper en pleine chair, les sagaies des Mamutoï, comme les siennes et celles de Jondalar, étaient prévues pour être lancées à travers l'espace et elles étaient toutes empennées. Le Camp du Lion, semblait-il, préférait fixer trois plumes au talon de la hampe, tandis que Jondalar n'en attachait que deux. Les lances que la jeune femme avait fabriquées du temps où elle vivait seule dans sa vallée se terminaient par cinq pointes aiguës, durcies au feu, semblables à celles qu'elle avait connues durant son séjour dans le Clan. Jondalar avait façonné et aiguisé des pointes en os. Les Chasseurs de Mammouths, apparemment, préféraient le silex.

Absorbée par l'observation approfondie de toutes les sagaies que tenaient ces gens, Ayla faillit bien manquer le premier essai de Talut. Il avait reculé de quelques pas, avant de prendre son élan en courant et de lancer son arme avec une force exceptionnelle. La sagaie fila en sifflant devant tous les assistants et toucha le sol avec un bruit sourd. La pointe avait presque disparu dans la terre, la hampe vibrait sous l'effet du choc. Le Camp, éperdu d'admiration, ne cacha pas sa réaction devant l'exploit de son chef. Jondalar lui-même était surpris. Il s'était attendu à voir Talut lancer très loin son arme, mais le géant avait largement dépassé son pronostic. Rien d'étonnant si ses propres déclarations avaient été accueillies avec scepticisme.

Après avoir parcouru la distance d'un pas égal, afin d'évaluer l'effort à produire pour le dépasser, Jondalar revint à la ligne de départ. Il plaça le propulseur à l'horizontale, ajusta l'extrémité de la hampe de la sagaie dans la rainure qui courait au long de l'instrument. Un trou avait été percé dans le talon ; il y engagea le petit crochet qui dépassait du même côté de l'instrument. Jondalar passa deux doigts dans les boucles de cuir qui se trouvaient à l'autre bout, ce qui lui permettait de tenir à la fois le propulseur et la sagaie en équilibre stable. Il visa la sagaie de Talut toujours plantée en terre, laissa partir la sienne.

Quand l'extrémité du propulseur se releva, la longueur de son bras y gagna soixante bons centimètres, tandis que cette force de levier venait s'ajouter à la sienne. La sagaie fila devant tous les assistants et, à leur grande stupeur, dépassa de beaucoup l'arme encore dressée de leur chef. Au lieu de se loger dans le sol, elle tomba à plat, glissa encore sur une petite distance. Avec son instrument, Jondalar avait doublé son propre lancer et, s'il n'avait certainement pas doublé celui de Talut, il l'avait dépassé de loin.

Le Camp n'avait pas eu le temps de reprendre son souffle et de mesurer la distance qui séparait les deux sagaies quand une troisième siffla au-dessus du terrain. Stupéfaite, Tulie se retourna. Ayla se trouvait sur la ligne de départ, le propulseur encore en main. Tulie tourna la tête juste à temps pour voir la sagaie atteindre le sol. Ayla n'avait pas tout à fait égalé le jet de Jondalar, mais elle avait battu le puissant effort de Talut. Le visage de Tulie exprimait une incrédulité absolue.

9

— Tu as une créance sur moi, Jondalar, déclara Tulie. Je t'aurais peut-être, je dois le reconnaître, accordé une petite chance contre Talut mais jamais je n'aurais cru que la femme parviendrait à le battre. J'aimerais voir ce... comment l'appelles-tu ?

— Un lance-sagaie. Je ne sais pas quel autre nom lui donner. L'idée m'en est venue un jour où je regardais Ayla tirer avec sa fronde. Si seulement, me disais-je, je pouvais lancer une sagaie aussi loin, aussi vite et avec autant de précision qu'elle lance une pierre avec sa fronde... Je me suis mis alors à réfléchir à la manière d'y parvenir.

— Tu m'as déjà parlé de son talent. Est-elle vraiment si habile ? demanda Tulie.

Jondalar sourit.

— Ayla, si tu allais chercher ta fronde pour montrer à Tulie ce dont tu es capable ?

L'hésitation plissa le front de la jeune femme. Elle n'avait pas l'habitude des démonstrations en public. Elle avait perfectionné son entraînement en cachette et, quand enfin on l'avait à regret autorisée à chasser, elle était toujours sortie seule. Le Clan, comme elle-même, aurait été gêné de la voir utiliser une arme de chasse. Jondalar était le premier qui l'eût jamais accompagnée, le premier à l'avoir vue faire preuve de son habileté... Un moment, elle dévisagea l'homme qui lui souriait. Il était détendu, confiant. Aucun signe chez lui ne lui disait qu'il voulait la voir refuser.

Elle hocha la tête, s'éloigna pour aller reprendre la fronde et le petit sac de pierres qu'elle avait confiés à Rydag quand elle avait décidé de prendre part au lancer de sagaie. Penchée sur Whinney, l'enfant lui sourit : il avait l'impression d'avoir participé à toute l'affaire et il était enchanté de la stupeur qu'Ayla avait provoquée.

Du regard, elle chercha des cibles autour d'elle. Elle remarqua les côtes de mammouth fichées en terre, les visa pour commencer. Le bruit sonore, presque musical, des cailloux frappant l'os ne pouvait laisser aucun doute : elle avait touché le but. Mais c'était trop facile. Elle promena de nouveau son regard un peu partout, à la recherche d'une autre cible. Elle était habituée à débusquer des oiseaux et de petits animaux à chasser, plutôt qu'à jeter des pierres sur des os.

Jondalar savait qu'elle pouvait faire beaucoup mieux. Il se remémora un après-midi de l'été précédent. Lui aussi regarda autour de lui, avant de détacher du bout du pied quelques mottes de terre.

— Ayla ! appela-t-il.

Elle se retourna vers le terrain, vit Jondalar à quelque distance, les jambes écartées, les mains aux hanches, une motte de terre en équilibre sur chaque épaule. Elle fronça les sourcils. Il avait fait quelque chose de semblable, un jour, avec deux pierres. Elle n'aimait pas le voir prendre des risques. Les pierres d'une fronde pouvaient être fatales. Mais, en y réfléchissant, elle dut s'avouer que le danger était plus apparent que réel. Deux objets immobiles devraient constituer pour elle des cibles faciles. Jamais, depuis des années, elle n'avait manqué son coup en semblables circonstances. Pourquoi le manquerait-elle cette fois, simplement parce que c'était un homme qui servait de support aux objets... l'homme qu'elle aimait ?

Elle ferma les yeux, reprit longuement son souffle, hocha de nouveau la tête. Elle choisit deux pierres dans le sac ouvert à ses pieds, rassembla les deux extrémités de la courroie de cuir, plaça l'une des pierres dans la poche usée qui se trouvait au milieu, garda l'autre en réserve au creux de sa main. Enfin, elle leva les yeux.

Un silence inquiet planait au-dessus des spectateurs, emplissait le moindre espace entre eux. Personne ne parlait. Personne même ne respirait, semblait-il.

Ayla concentrait toute son attention sur l'homme qui portait sur ses épaules deux mottes de terre. Lorsqu'elle amorça son mouvement, le Camp tout entier se pencha en avant. Avec la souplesse gracieuse, la subtilité des gestes d'un chasseur entraîné, qui a appris à trahir le moins possible ses intentions, la jeune femme fit tournoyer la fronde et lâcha son premier projectile.

La première pierre n'avait pas encore atteint son but que, déjà, elle préparait la seconde. La dure motte posée sur l'épaule droite de Jondalar explosa sous le choc. Personne n'avait même vu Ayla lâcher son projectile quand la seconde pierre suivit la première et, dans un nuage de poussière, pulvérisa l'autre bloc de lœss d'un brun grisâtre. Tout s'était fait si vite que certains spectateurs eurent l'impression d'avoir manqué le coup ou d'avoir été témoins d'un tour de passe-passe.

Il s'agissait bien d'un tour, mais d'un tour d'habileté que peu de gens auraient été capables d'égaler. Personne n'avait enseigné à Ayla le maniement d'une fronde. Elle avait appris en observant en secret les hommes du Clan de Brun, par tâtonnements, en s'entraînant avec persévérance. Elle avait développé la technique de la double projection coup sur coup comme un moyen de défense, le jour où ayant manqué son premier jet, elle avait échappé de justesse au lynx qui allait se jeter sur elle. La plupart des gens auraient prétendu que c'était impossible, mais elle l'ignorait : personne ne s'était trouvé là pour le lui dire.

Elle n'en avait pas conscience, mais il y avait peu de chance pour qu'elle rencontrât jamais quelqu'un qui pût égaler son adresse. Peu lui importait, d'ailleurs. Se mesurer à un autre, pour voir qui était le plus fort, n'avait pour elle aucun intérêt. Son seul désir de compétition s'exerçait contre elle-même : elle souhaitait uniquement améliorer sa propre habileté. Elle savait de quoi elle était capable. Quand lui venait l'idée d'une nouvelle technique, elle tentait plusieurs approches et, quand elle en découvrait une qui se révélait efficace, elle s'y exerçait jusqu'à la maîtrise parfaite.

Dans toute activité humaine, quelques êtres, à force de concentration ou d'entraînement, peuvent devenir assez habiles pour exceller devant tous les autres. C'était le cas d'Ayla avec sa fronde.

Après un moment de silence, durant lequel les assistants redonnèrent libre cours à leurs souffles retenus, il y eut des murmures de surprise. Soudain, Ranec se mit à se frapper les cuisses du plat des mains. Bientôt, le Camp tout entier applaudit de la même manière. Ayla ne savait trop ce que signifiait cette manifestation. Elle consulta Jondalar du regard. Elle lui vit un visage rayonnant de plaisir et commença, du coup, à comprendre que ces applaudissements étaient un signe d'approbation.

Tulie, elle aussi, applaudissait, mais avec un peu moins d'enthousiasme que d'autres : elle ne tenait pas à afficher son étonnement, bien que, de l'avis de Jondalar, elle fût certainement impressionnée.

Il se baissa pour ramasser deux autres mottes de terre. Ayla l'observait, constata-t-il ; elle tenait déjà deux autres pierres toutes prêtes.

— Si ça te paraît un exploit, regarde plutôt ceci, dit-il à Tulie.

Il lança les deux mottes en l'air en même temps. Ayla les toucha l'une après l'autre, dans une explosion de poussière. Il en lança deux autres, et elle les désintégra avant qu'elles n'eussent atteint le sol.

Les yeux de Talut brillaient de surexcitation.

— Lances-en deux autres, lui dit Jondalar.

Il croisa le regard d'Ayla, ramassa lui-même deux mottes, les brandit pour les lui montrer. Elle fouilla dans le petit sac, en sortit quatre pierres, deux dans chaque main. Il allait déjà lui falloir une coordination exceptionnelle pour charger la poche de son arme successivement de quatre pierres et pour les lancer tour à tour, avant que quatre mottes de terre jetées en l'air n'eussent retrouvé le sol, mais le faire avec assez de précision pour les atteindre constituait une gageure qui mettrait son adresse à rude épreuve. Jondalar entendit Barzec et Manuv conclure un pari. Manuv misait sur la jeune femme. Après l'avoir vue sauver la vie de la petite Nuvie, il était sûr qu'elle était capable de n'importe quel exploit.

Jondalar, de sa vigoureuse main droite, lança ses deux mottes l'une après l'autre, tandis que Talut en faisait autant avec les deux autres, le plus haut possible.

Les deux premières, une de Jondalar, une de Talut, furent atteintes successivement, très vite. Mais il fallait un peu plus de temps pour passer d'une main à l'autre les deux pierres restantes. La seconde motte de Jondalar retombait déjà, et celle de Talut ralentissait en approchant de l'apogée de sa course avant qu'Ayla eût pu recharger son arme. Elle visa la cible la plus basse, qui regagnait de la vitesse dans sa chute, fit jaillir une pierre de la poche. Elle perdit un peu plus de temps qu'elle n'aurait dû à la regarder atteindre son but, avant de reprendre l'extrémité de la courroie. Elle allait devoir faire très vite.

D'un mouvement sans heurt, elle plaça la dernière pierre dans la poche de la fronde et, avec une incroyable rapidité, la lança. La dernière motte de terre explosa juste avant de toucher le sol.

Le Camp éclata en cris d'approbation et de félicitations, en bruyants applaudissements sur les cuisses.

— Superbe démonstration, Ayla, dit Tulie, chaleureusement. Je ne crois pas avoir jamais vu rien de pareil.

— Je te remercie, répondit la jeune femme.

La réaction de la Femme Qui Ordonne, tout autant que sa propre réussite, lui avait fait monter le rouge aux joues. D'autres membres du Camp se pressaient autour d'elle pour la couvrir de compliments. Elle leur sourit timidement mais chercha Jondalar : tant d'attention la mettait un peu mal à l'aise. Son compagnon s'entretenait avec Wymez et Talut qui avait placé Rugie sur ses épaules et avait Latie à côté de lui. Jondalar vit la jeune femme le regarder. Il lui sourit mais continua de parler.

— Ayla, comment as-tu pu apprendre à te servir aussi bien d'une fronde ? demanda Deegie.

— Et où ? Qui t'a entraînée ? questionna Crozie.

— Je voudrais bien apprendre à en faire autant, ajouta timidement Danug.

Le grand garçon, resté derrière les autres, posait sur Ayla des yeux emplis d'adoration. Dès la première fois qu'il l'avait vue, elle avait fait naître en lui un émoi juvénile. Pour lui, c'était la femme la plus belle qu'il eût jamais vue, et Jondalar, qu'il admirait, avait à son avis bien de la chance. Après la promenade à cheval et l'habileté dont elle venait de faire preuve, l'intérêt naissant de Danug avait pris soudain les proportions d'une passion véritable.

Ayla lui accorda un léger sourire.

— Peut-être nous donneras-tu quelques indications sur la manière de s'y prendre, quand Jondalar et toi vous nous montrerez le lance-sagaie, suggéra Tulie.

— Oui, ça ne me déplairait pas de savoir me servir comme toi d'une fronde, appuya Tornec, mais ce lance-sagaie m'a l'air vraiment intéressant, s'il possède une précision raisonnable.

Ayla recula. Toutes ces questions, tous ces gens autour d'elle la rendaient nerveuse.

— Lance-sagaie est précis... si main est précise, dit-elle.

Elle se rappelait avec quelle assiduité Jondalar et elle s'étaient entraînés. Aucune arme n'était précise par elle-même.

— C'est toujours ainsi. La main et l'œil font l'artiste, Ayla, dit Ranec.

Il lui prit la main, la regarda au fond des yeux.

— Sais-tu combien tu étais belle et gracieuse ? Tu es une artiste, avec cette fronde.

Les yeux sombres qui plongeaient dans les siens l'obligeaient à prendre conscience de son désir et arrachaient à la femme qu'elle était une réaction aussi vieille que le monde. Mais, en même temps, les battements de son cœur lui transmettaient un avertissement : cet homme n'était pas celui qui devait l'émouvoir. Ce n'était pas l'homme qu'elle aimait. L'émotion que Ranec éveillait en elle était indéniable mais d'une nature différente.

Non sans effort, elle détacha son regard du sien, chercha frénétiquement Jondalar... et le trouva. Son regard était fixé sur le couple, et ses yeux d'un bleu éclatant étaient pleins de feu, de glace et de souffrance.

Ayla arracha sa main à celle de Ranec et recula. C'en était trop. Les questions, l'empressement des membres du Camp, les émotions incontrôlables qui l'assaillaient lui devenaient insupportables. Son estomac se nouait, son cœur battait à grands coups, la gorge lui faisait mal. Il lui fallait partir. Elle vit Whinney, et Rydag encore sur son dos. Sans même réfléchir, elle se mit à courir vers la jument, ramassant au passage, de la main qui tenait encore la fronde, le petit sac de pierres.

D'un bond, elle se retrouva à califourchon sur la jument, passa autour de l'enfant un bras protecteur, se pencha en avant. Les signaux transmis par la pression, par le mouvement, et la communication subtile, inexplicable entre la femme et l'animal firent comprendre à Whinney son besoin de fuir. Elle s'élança dans un galop effréné à travers la vaste plaine. Rapide la suivit, maintenant sans effort le même train que sa mère.

Les gens du Camp du Lion en restèrent abasourdis. Pour la plupart, ils n'avaient pas la moindre idée de la raison qui avait poussé Ayla à enfourcher sa jument, et seuls quelques-uns l'avaient vue partir dans cette course folle. La femme, avec cette longue chevelure blonde qui volait au vent derrière elle, accrochée à l'encolure de la jument fougueuse, constituait un spectacle surprenant, impressionnant, et nombreux étaient ceux qui auraient volontiers changé de place avec Rydag. Nezzie sentit un instant son cœur se pincer d'inquiétude pour l'enfant, mais, elle le savait, jamais Ayla ne lui laisserait courir le moindre danger. Elle se rassura.

L'enfant ignorait pourquoi il bénéficiait de cette immense faveur, mais ses yeux étincelaient de joie. La surexcitation faisait bien battre son cœur un peu plus fort, mais, avec le bras d'Ayla autour de lui, il n'éprouvait aucune crainte, rien d'autre que l'émerveillement de filer ainsi dans le vent.

La fuite loin du théâtre de sa détresse, le contact et le bruit familiers de sa monture apaisèrent la jeune femme. Elle se détendit, prit alors conscience des battements du cœur de Rydag contre son bras avec un rythme particulier, un peu confus. Elle éprouva une inquiétude momentanée. Avait-elle été imprudente en l'emmenant avec elle ? Mais le rythme, s'il était anormal, n'était pas exceptionnellement précipité.

Elle ralentit l'allure de la jument, lui fit décrire un large cercle pour reprendre le chemin du retour. En approchant du terrain de lancer, ils passèrent près d'un couple de lagopèdes. Leur plumage tacheté n'avait pas encore entièrement pris le blanc de l'hiver. Ils se cachaient dans les hautes herbes, mais les chevaux les levèrent, et ils s'envolèrent. Mue par la force de l'habitude, Ayla prépara sa fronde. En baissant les yeux, elle vit que Rydag avait dans sa main deux pierres prises au sac qu'il tenait devant lui. Elle s'en empara et, guidant Whinney par la pression de ses cuisses, elle abattit d'abord l'un des gros oiseaux au vol bas, puis l'autre.

Elle immobilisa Whinney et, sans lâcher Rydag, se laissa glisser au sol. Elle le posa à terre, alla ramasser les oiseaux, leur tordit le cou et, avec quelques hautes tiges d'herbe fibreuse, elle lia les quatre pattes emplumées. Les lagopèdes, quand ils le voulaient, étaient capables de voler vite et loin, mais ils n'émigraient pas vers le sud. Ils se couvraient en hiver d'un épais plumage blanc qui réchauffait et camouflait leur corps et faisait de leurs pattes des raquettes à neige. Ils supportaient ainsi la saison froide, se nourrissaient de graines et de ramilles. Quand une tempête se déchaînait, ils se creusaient de petites grottes dans la neige pour en attendre la fin.

Ayla remit Rydag sur le dos de Whinney.

— Veux-tu tenir les lagopèdes, lui demanda-t-elle par signes.

— Tu veux bien ? répondit-il dans le même langage.

La joie se lisait dans toute sa personne. Jamais encore il n'avait couru vite pour le simple plaisir de courir vite : pour la première fois, il découvrait ce que l'on peut ressentir. Jamais il n'avait chassé ni même réellement compris les émotions complexes nées de l'exercice conjoint de l'intelligence et de l'habileté dans le but de trouver sa propre subsistance et celle des siens. Il venait de toucher de près ces émotions ; jamais il n'en approcherait davantage.

Ayla sourit. Elle plaça les oiseaux en travers du garrot de la jument, devant Rydag. Après quoi, à pied, elle prit la direction du terrain de lancer. Whinney la suivit. La jeune femme n'était pas pressée de rentrer : elle restait bouleversée au souvenir de l'expression furieuse de Jondalar. Pourquoi se met-il ainsi en colère ? se demandait-elle. Un instant, il l'avait contemplée en souriant, tout heureux... quand tout le monde se pressait autour d'elle. Mais, quand Ranec... Elle rougit, en revoyant les yeux sombres, en réentendant la voix douce. Les Autres ! pensa-t-elle. Elle secoua la tête, comme pour s'éclaircir les idées. Je ne les comprends pas, tous ces Autres !

Le vent qui la poussait lui jetait au visage des mèches de ses longs cheveux. Agacée, elle les repoussait de la main. Plusieurs fois, elle avait songé à se faire des tresses, comme lorsqu'elle vivait seule dans sa vallée. Mais Jondalar aimait voir ses cheveux en liberté, et elle les laissait ainsi. C'était parfois très gênant. Sur quoi, avec une certaine irritation, elle s'aperçut qu'elle tenait toujours sa fronde à la main parce qu'elle n'avait pas d'autre endroit où la mettre, pas de lanière où la glisser. Avec ces vêtements qu'elle portait parce qu'ils plaisaient à Jondalar, elle ne pouvait même pas avoir sur elle son sac de guérisseuse : elle l'avait toujours attaché à la lanière qui retenait fermée la peau dont elle s'enveloppait naguère.

Elle leva la main pour repousser une fois de plus les cheveux qui lui voilaient les yeux et, pour la seconde fois, remarqua sa fronde. Elle s'arrêta, rassembla sa chevelure en arrière, passa autour de sa tête la souple courroie de cuir. Elle sourit. Apparemment, c'était la bonne solution. Ses cheveux retombaient toujours librement dans son dos, mais la courroie les empêchait de revenir sur ses yeux, et il lui paraissait commode de porter ainsi sa fronde sur sa tête.

La plupart des Mamutoï supposaient que la fuite précipitée d'Ayla sur son cheval et la folle chevauchée suivie de son tir réussi sur les lagopèdes faisaient partie de sa démonstration à la fronde. Sans les détromper, elle évita de regarder dans la direction de Jondalar et de Ranec.

Quand elle avait fait volte-face pour s'enfuir, Jondalar avait eu la certitude que c'était sa faute. Il le regrettait, s'en voulait, mais il avait peine à voir clair dans des émotions complexes qui ne lui étaient pas familières et il ne savait comment en parler à Ayla. Ranec, lui, n'avait pas mesuré toute la profondeur du désarroi de la jeune femme. Qu'il éveillât en elle une certaine réaction, il le savait et il soupçonnait qu'il y avait peut-être là une des raisons à cette fuite éperdue sur le cheval. Mais, à ses yeux, il s'agissait là d'une conduite naïve et charmante. Il n'en était que plus attiré vers elle. Jusqu'à quel point, se demandait-il, éprouvait-elle un sentiment profond pour le grand homme blond ?

Au retour d'Ayla, les enfants s'étaient remis à courir d'un bout à l'autre du terrain. Nezzie vint chercher Rydag, prit en même temps les oiseaux. Ayla laissa les chevaux aller où bon leur semblait. Ils s'éloignèrent un peu, se mirent à paître. La jeune femme s'attarda encore un moment : une discussion amicale avait amené quelques personnes à disputer une épreuve improvisée de lancement de sagaie. Cela les conduisit à une activité qui échappait aux limites de l'expérience d'Ayla. Ils se livraient à un jeu. Elle comprenait les concours, les compétitions qui mettaient à l'épreuve des talents nécessaires — à celui qui courait le plus vite ou qui lançait une sagaie le plus loin, par exemple —, mais pas une activité dont le seul objet semblait être le plaisir, et où la mise à l'épreuve ou l'amélioration d'un talent essentiel étaient purement accessoires.

On apporta de l'abri plusieurs cerceaux. De la circonférence d'une cuisse à peu près, ils étaient faits de bandes de cuir brut, tressées et séchées pour les durcir, et étroitement gainés d'une herbe résistante. Des sagaies aiguisées et empennées — sans pointes d'os ou de silex — faisaient aussi partie du matériel.

On faisait rouler les cerceaux sur le sol et on les visait avec les sagaies. Quand quelqu'un en arrêtait un en projetant son arme à travers le cercle, ce qui le couchait sur le sol, des cris, des applaudissements saluaient l'exploit. Le jeu, dont les mots qui servaient à compter faisaient également partie, tout comme cette chose qu'on appelait gageure, avait éveillé une grande excitation, et Ayla était fascinée. Les femmes, tout comme les hommes, y participaient mais, comme s'ils s'opposaient les uns aux autres, ils prenaient leur tour pour faire rouler les cerceaux et pour lancer les sagaies.

Finalement, on parvint à une mystérieuse conclusion. Plusieurs personnes reprirent le chemin de l'habitation. Deegie, toute rouge d'enthousiasme, faisait partie du groupe. Ayla la rejoignit.

— Cette journée se transforme en une véritable fête, on dirait, remarqua Deegie. Des concours, des jeux, et il semble que nous allons faire un vrai festin. Le ragoût de Nezzie, la bouza de Talut, le plat de Ranec. Que vas-tu faire de tes lagopèdes ?

— Ai façon à moi de cuire. Tu penses je dois faire ?

— Pourquoi pas ? Le festin sera encore plus grand avec un autre plat.

Avant même d'atteindre l'habitation, on avait un avant-goût du repas de fête grâce aux odeurs délicieuses qui assaillaient les narines de tentantes promesses. Le ragoût de Nezzie en était responsable pour une grande part. Il mijotait doucement dans la grande peau à cuisiner sous la surveillance de Latie et de Brinan, mais chacun à son tour semblait participer d'une manière ou d'une autre à l'élaboration du repas. Ayla s'était intéressée vivement aux préparatifs du ragoût et elle avait regardé Nezzie et Deegie mettre en route sa cuisson.

Dans un grand trou creusé près d'un feu, on avait posé des charbons ardents sur un lit de cendres accumulées par de précédentes cuissons. On avait versé par-dessus de la bouse de mammouth séchée et réduite en poudre et l'on avait posé sur le tout une grande pièce de peau de mammouth très épaisse, soutenue par un cadre et remplie d'eau. Les braises qui couvaient sous la bouse de mammouth avaient commencé à chauffer l'eau, mais, quand la bouse avait pris feu, il y avait eu assez de combustible consumé pour que le cuir ne touchât plus les flammes. L'eau bouillait, à présent, mais, en suintant lentement, elle empêchait la peau de prendre feu. Une fois tout le combustible épuisé, on entretenait l'ébullition du ragoût en y ajoutant des galets de rivière qu'on avait chauffés au rouge. Quelques enfants étaient chargés de cette tâche.

Ayla pluma les grues, les vida à l'aide d'un petit couteau de silex. Il n'avait pas de manche, mais on en avait émoussé l'un des tranchants pour éviter tout risque de coupure. Juste derrière la pointe, on avait pratiqué une échancrure. On plaçait de chaque côté le pouce et le majeur, on posait l'index sur l'échancrure, et l'on pouvait ainsi guider aisément le couteau. Il n'était pas fait pour un travail de force mais servait uniquement à trancher de la viande et du cuir. Ayla avait appris à s'en servir depuis son arrivée. Elle le trouvait très commode.

Elle avait toujours fait cuire les lagopèdes dans un trou tapissé de pierres. Elle y allumait un feu, le laissait brûler jusqu'au bout, avant de placer les animaux dans le trou et de les recouvrir. Mais on avait peine à trouver de grosses pierres dans les environs. Elle avait donc décidé d'adapter à ses propres besoins la technique de cuisson du ragoût. Ce n'était pas la bonne saison pour les herbes qu'elle aimait utiliser — du pas-d'âne, de l'ortie, de l'ansérine — et pour les œufs de lagopèdes, dont elle aurait aimé farcir les oiseaux. Mais certaines des herbes contenues dans son sac de guérisseuse, si on les employait en petites quantités, étaient aussi bonnes pour l'assaisonnement que pour les remèdes, et le foin dont elle enveloppait les grues allait leur prêter une saveur subtile très particulière. Quand elle en aurait fini, le plat ne serait peut-être plus celui qu'avait préféré Creb, mais il serait bon, se disait-elle.

Lorsqu'elle eut fini de nettoyer les oiseaux, elle retrouva Nezzie qui allumait un feu.

— Voudrais cuire lagopèdes dans trou, comme tu cuis ragoût dans trou. Peux avoir braises ? demanda Ayla.

— Bien sûr. As-tu besoin d'autre chose ?

— J'ai herbes séchées. Aime légumes frais dans oiseaux. Mauvaise saison.

— Va voir dans la réserve. Il y a quelques autres légumes dont tu as peut-être envie, et nous avons aussi du sel, proposa Nezzie.

Du sel, pensa la jeune femme. Elle n'avait pas mis de sel dans sa cuisine depuis son départ du Clan.

— Oui, aimerais sel. Peut-être légumes. Vais voir. Où trouve braises ?

— Je t'en donnerai un peu, dès que ce feu aura pris.

Ayla regarda Nezzie alimenter son feu, d'abord sans y prêter grande attention. Mais elle fut assez vite intriguée. Les Mamutoï, elle le savait sans jamais y avoir vraiment réfléchi, n'avaient pas beaucoup d'arbres. Ils se servaient d'os comme combustible, et l'os ne brûle pas facilement. Nezzie avait emprunté à un autre foyer une braise, avec laquelle elle avait enflammé le duvet de certaines gousses qu'on recueillait pour en faire des mèches. Elle ajouta un peu de bouse séchée qui produisait une flamme plus vive et plus chaude et, ensuite, des copeaux et des éclats d'os, qui avaient du mal à prendre.

Nezzie soufflait sur le feu pour l'attiser. En même temps, elle actionnait une sorte de petite poignée qu'Ayla n'avait pas encore remarquée. La jeune femme perçut un léger sifflement d'air, vit des cendres s'envoler. Le feu s'aviva. Sous l'effet des flammes plus brûlantes, les éclats d'os commencèrent à roussir sur les bords, avant de s'enflammer à leur tour. Sur quoi, Ayla prit soudain conscience de la source d'un phénomène qui la tracassait depuis son arrivée au Camp du Lion, sans qu'elle l'eût vraiment remarqué. L'odeur de la fumée était anormale.

Il lui était arrivé de brûler de la bouse séchée, et elle en connaissait bien la forte et pénétrante odeur. Mais elle s'était surtout servie de combustible d'origine végétale : elle était accoutumée à l'odeur de la fumée de bois. Le combustible qu'utilisait le Camp du Lion était d'origine animale. L'odeur de l'os qui brûlait avait un caractère bien différent : elle rappelait celle d'un rôti laissé trop longtemps au feu. Mêlée à celle de la bouse séchée, dont ces gens se servaient aussi par grandes quantités, elle saturait tout le campement d'exhalaisons très particulières. Ce n'était pas vraiment déplaisant, mais Ayla n'y était pas accoutumée, ce qui la mettait mal à l'aise. Maintenant qu'elle en avait identifié la cause, elle se sentait soulagée d'une certaine tension indéfinissable.

Elle sourit en regardant Nezzie ajouter encore des éclats d'os et ajuster la poignée, ce qui aviva le feu.

— Comment tu fais ? demanda-t-elle. Feu brûler plus fort ?

— Le feu a besoin de respirer, comme nous, et le vent est la respiration du feu. La Mère nous a enseigné cela quand Elle a fait des femmes les gardiennes du feu. Tu le vois bien : quand tu donnes ton souffle au feu, quand tu souffles dessus, il brûle mieux. Pour amener le vent, nous creusons une tranchée qui va du fond du foyer jusqu'à l'extérieur. La tranchée est tapissée des intestins d'un animal, qu'on gonfle d'air avant de les faire sécher. On les recouvre d'os avant de remettre la terre en place. La tranchée pour ce foyer passe par là, sous ces nattes d'herbe. Tu vois ?

Ayla regarda dans la direction indiquée, hocha la tête.

— Elle aboutit ici, poursuivit la femme.

Elle montrait à sa compagne une corne de bison creuse qui sortait d'un orifice ménagé sur un côté de la petite fosse, au-dessous du niveau du sol.

— Mais on n'a pas toujours besoin de la même force de vent. Tout dépend de la façon dont il souffle dehors et de l'ardeur du feu que tu désires. Tu empêches l'air de pénétrer ou bien tu le laisses entrer ainsi.

Nezzie désignait la poignée, reliée à une sorte de soupape faite d'une mince clavicule.

L'idée pouvait paraître assez simple mais elle était ingénieuse. C'était une véritable réalisation technique, essentielle à la survie. Sans ce dispositif, les Chasseurs de Mammouths n'auraient pu vivre sur les steppes subarctiques, sinon en quelques endroits isolés, et cela en dépit de l'abondance du gibier. Tout au plus y seraient-ils venus séjourner à la belle saison. En ces régions presque dénuées d'arbres, où les hivers avaient la rigueur caractéristique des lieux où les glaciers empiètent sur la terre, ce foyer à appel d'air leur permettait de brûler de l'os, le seul combustible disponible en assez grandes quantités pour leur permettre de séjourner là toute l'année.

Quand Nezzie eut obtenu un bon feu, Ayla se rendit aux réserves, afin de voir si elle trouverait de quoi farcir les lagopèdes à son goût. Elle fut tentée par des embryons desséchés, tirés d'œufs d'oiseaux, mais il faudrait sans doute les faire tremper, et elle ne savait trop combien de temps prendrait l'opération. Elle songea à utiliser des carottes sauvages ou des graines de vesce mais elle changea d'idée.

Elle vit alors le panier qui contenait encore le gruau de grains et de légumes qu'elle avait préparé ce matin-là. On l'avait mis de côté, à la disposition de qui voudrait en manger, et il s'était épaissi en refroidissant. Elle le goûta. Quand on devait économiser le sel, on préférait des saveurs bien définies, épicées. Elle avait assaisonné son gruau de sauge et de menthe, avait ajouté des racines amères, des oignons et des carottes sauvages aux grains d'orge et de seigle.

Avec un peu de sel, se dit-elle, et les graines de tournesol qu'elle avait vues dans l'une des réserves, des groseilles... peut-être aussi le pas-d'âne et les cynorhodons qu'elle avait dans son sac de guérisseuse, elle pourrait composer une farce intéressante pour les grues.

Elle prépara les oiseaux, les farcit, les enveloppa de foin fraîchement coupé, les plaça au fond d'une fosse à feu, avec quelques braises d'os, et les recouvrit de cendres chaudes. Elle alla voir ensuite ce que faisaient les autres membres du Camp.

Une grande activité se déployait devant l'entrée, et la plupart des occupants s'y trouvaient rassemblés. En approchant, la jeune femme découvrit qu'on avait réuni là de grands tas de graminées. Certains secouaient, piétinaient, battaient les gerbes au fléau, pour libérer le grain de la paille et des cosses. D'autres séparaient les grains de la balle qui restait, en les jetant en l'air avec de grands plateaux à vanner, faits de brins d'osier. Ranec versait les grains dans un pied de mammouth évidé, prolongé par un morceau de tibia, qui servait de mortier. Il prit un pilon, fait d'une section de défense, et entreprit d'écraser les grains.

Bientôt, Barzec ôta sa pelisse de fourrure et, debout en face de lui, s'empara du lourd pilon une fois sur deux, de sorte que la besogne se partageait entre eux. Tornec se mit à battre des mains à leur rythme. Manuv intervint avec un refrain répétitif, psalmodié.

I-yah wo-wo, Ranec écrase le grain, yah !
I-yah wo-wo, Ranec écrase le grain, neh !

Deegie reprit en syncope, avec une phrase contrastante.

Neh neh neh neh, Barzec lui facilite la tâche, yah !
Neh neh neh neh, Barzec lui facilite la tâche, neh !

Bientôt, d'autres se mirent à se frapper les cuisses, les voix mâles chantant avec Manuv, tandis que les voix de femmes se joignaient à celle de Deegie. Ayla, emportée par le rythme, fredonnait tout bas. Elle n'osait pas faire davantage mais elle était heureuse de participer.

Au bout d'un moment, Wymez, qui avait à son tour ôté sa pelisse, prit place tout contre Ranec et, sans rompre la mesure, le remplaça. Manuv, aussitôt, modifia le refrain et, sur le temps suivant, chanta une autre phrase.

Nah nah we-ye, Wymez prend le pilon, yoh !

Quand Barzec parut se fatiguer, Druwez prit sa place, et Deegie changea de refrain. Puis ce fut au tour de Frebec.

Ils firent une pause pour mesurer le résultat de leurs efforts, versèrent le grain pilé dans un crible fait de feuilles de massettes tressées. On remit ensuite du grain dans le mortier, mais, cette fois, Tulie et Deegie se chargèrent du pilon. Manuv imagina un refrain pour elles deux mais le chanta d'une voix de fausset qui fit rire tout le monde. Nezzie remplaça Tulie, et, sous le coup d'une impulsion, Ayla vint se placer près de Deegie, ce qui provoqua des sourires et des signes d'approbation.

Deegie abattit le pilon, le lâcha. Nezzie tendit la main et le souleva, au moment où Ayla se mettait à la place de Deegie. Ayla entendit un « yah » ! quand le pilon retomba bruyamment et elle se saisit du gros morceau d'ivoire légèrement incurvé. C'était plus lourd qu'elle ne pensait, mais elle le souleva, entendit Manuv chanter.

A-yah wa-wa, Ayla est la bienvenue, nah !

Elle faillit lâcher le morceau de défense. Elle ne s'attendait pas à ce geste d'amitié spontanée. Sur le temps suivant, quand le Camp du Lion tout entier reprit le refrain, hommes et femmes, elle se sentit émue au point de devoir refouler ses larmes. C'était plus qu'un simple message d'amitié et d'affection : elle était acceptée. Elle avait trouvé les Autres, et ils l'avaient accueillie parmi eux.

Tronie remplaça Nezzie. Au bout d'un moment, Fralie fit un mouvement vers elles, mais Ayla secoua la tête, et la jeune femme enceinte recula docilement. Ayla en fut heureuse, mais cette soumission la confirma dans son impression : Fralie ne se sentait pas bien. Elles continuèrent à piler le grain jusqu'au moment où Nezzie les interrompit pour le verser dans le crible et remplir le mortier.

Cette fois, Jondalar se présenta pour prendre sa part de la tâche fastidieuse et pénible, que l'effort commun et la gaieté ambiante rendaient plus facile. Mais il fronça les sourcils lorsque Ranec se présenta à son tour. Brusquement, la tension entre l'homme à la peau sombre et le visiteur blond vint mêler à l'atmosphère amicale un courant subtil d'animosité.

Quand les deux hommes, en se passant l'un à l'autre la pesante défense, commencèrent d'accélérer le rythme, chacun s'en rendit compte. Comme ils le précipitaient de plus en plus, le chant mourut peu à peu. Mais quelques-uns des assistants se mirent à taper des pieds, et le bruit des mains abattues sur les cuisses se fit plus fort, plus vif. Imperceptiblement, Jondalar et Ranec accentuaient la force de leurs coups en même temps que la vitesse. Au lieu d'un effort commun, le travail devenait un affrontement de deux vigueurs, de deux volontés. Quand l'un des deux abattait le pilon, celui-ci, sous le choc, rebondissait entre les mains de l'autre, qui l'abattait à son tour.

La sueur perlait sur leurs fronts, ruisselait sur leurs visages, coulait dans leurs yeux. Elle trempait leurs tuniques, mais ils continuaient à rivaliser, de plus en plus vite, de plus en plus fort. Le duel se prolongeait, indéfiniment, semblait-il. Ils se refusaient à abandonner. Leur respiration se faisait haletante, ils montraient des signes d'épuisement, mais ils ne voulaient pas renoncer. Ni l'un ni l'autre ne tenait à céder devant l'adversaire. Apparemment, chacun aurait préféré mourir.

Ayla était hors d'elle-même. Ils abusaient de leurs forces. Elle tourna vers Talut un regard affolé. Talut fit signe à Danug, et tous deux s'approchèrent des deux hommes qui semblaient bien décidés à se tuer.

— Il est temps de laisser la place à d'autres ! tonitrua le chef.

Il repoussa Jondalar, se saisit du pilon. Danug le reprit à Ranec au moment où il rebondissait.

Les deux hommes étaient assommés par l'épuisement. Ils n'avaient même pas l'air de se rendre compte que l'affrontement avait pris fin. Ils s'éloignèrent d'un pas chancelant, le souffle court. Ayla eut envie de s'élancer à leur aide, mais l'indécision la retint. Sans trop comprendre comment, elle se savait à l'origine de cette lutte. Quel que fût celui vers lequel elle irait en premier, l'autre perdrait la face. Les membres du Camp étaient inquiets, eux aussi, mais ils hésitaient à intervenir. Ils craignaient de faire paraître au grand jour que la rivalité entre les deux hommes n'était pas seulement un jeu. Ils donneraient corps à une hostilité que personne n'était disposé à prendre au sérieux.

Jondalar et Ranec se remettaient peu à peu. L'attention se reporta sur Talut et Danug qui continuaient à piler le grain et en faisaient une compétition. Une compétition amicale, certes, mais pas moins intense pour autant. Talut, en abattant dans le pied de mammouth le lourd pilon d'ivoire, souriait à ce jeune double de lui-même. Danug, sans sourire, le reprenait avec une sombre détermination.

— Bravo, Danug ! cria Tornec.

— Il n'a pas une chance, riposta Barzec.

— Danug est plus jeune, déclara Deegie. Talut cèdera le premier.

— Il n'a pas la résistance de Talut, affirma Frebec.

— Il ne possède pas encore la vigueur de Talut mais Danug a une grande résistance, dit Ranec.

Il avait fini par reprendre suffisamment haleine pour apporter ce commentaire. L'effort excessif laissait encore des traces, mais il voyait dans son affrontement avec Jondalar un moyen de faire apparaître leur rivalité moins grave qu'elle ne l'était.

— Allez, Danug ! cria Druwez.

— Tu vas gagner ! ajouta Latie, saisie par l'enthousiasme contagieux.

Toutefois, elle ne savait trop si son encouragement s'adressait à Danug ou à Talut.

Soudain, sous un puissant effort de Danug, l'os de mammouth se fêla.

— Ça suffit ! intervint Nezzie d'une voix grondeuse. Tu n'as pas besoin de cogner ce pilon au point de casser le mortier. Il va nous en falloir un autre, à présent, et, à mon avis, c'est toi qui devras le faire, Talut.

— Je crois que tu as raison ! dit Talut, rayonnant. Bien joué, Danug. Tu as pris des forces, pendant ton absence. Tu as vu ce garçon, Nezzie ?

— Regarde ça ! fit Nezzie, qui vidait le mortier. Ce grain a été réduit en poudre ! Je le voulais tout juste concassé. J'allais le faire sécher et le mettre en réserve. On ne peut pas faire sécher ça pour le conserver.

— De quelle sorte de grain s'agit-il ? questionna Ranec. Je demanderai à Wymez mais je crois que le peuple de ma mère faisait quelque chose avec le grain réduit en poudre. Je vais en prendre un peu, si personne d'autre n'en veut.

— C'est surtout du blé, mêlé d'un peu de seigle et d'avoine. Tulie en a déjà assez pour faire les petites miches que tout le monde aime. Il ne lui reste qu'à les cuire. Talut voulait un peu de grain pour le mélanger à la fécule des racines de massettes dont il se sert pour sa bouza. Mais tu peux tout prendre si tu veux. Tu l'as bien gagné.

— Talut aussi l'a gagné. S'il en veut un peu, qu'il le prenne, dit Ranec.

— Garde ce qu'il te faut, Ranec. Je me servirai du reste, intervint Talut. La fécule de racine de massettes que j'ai mise à tremper commence à fermenter. Je ne sais pas ce qui se passerait si j'y ajoutais ça, mais ça pourrait être intéressant d'essayer.

Ayla observait Jondalar et Ranec, pour s'assurer que tout allait bien. Quand elle vit Jondalar ôter sa tunique trempée de sueur, s'asperger d'eau et rentrer dans l'habitation, elle comprit qu'il ne souffrait d'aucune conséquence fâcheuse. Elle se sentit alors un peu ridicule de tant se tourmenter à son sujet. Après tout, c'était un homme vigoureux, résistant. Un tel effort ne pouvait certainement pas lui faire de mal, non plus qu'à Ranec. Mais elle les évita l'un et l'autre. Leur comportement, tout comme ses propres émotions, la troublait. Elle avait besoin d'un peu de temps pour réfléchir.

Tronie apparut sous la voûte d'accès. Elle avait l'air excédée. Elle portait sur une hanche le petit Hartal et, sur l'autre, un plat taillé dans un os, sur lequel s'empilaient des corbeilles et des instruments. Ayla se hâta vers elle.

— J'aide ? Porter Hartal, proposa-t-elle.

— Oh ! tu veux bien ? fit la jeune mère.

Elle tendit l'enfant à Ayla.

— Tout le monde a cuisiné des plats particuliers aujourd'hui. Je voulais, moi aussi, préparer quelque chose pour le festin mais j'ai été constamment dérangée. Après ça, Hartal s'est réveillé. Je lui ai donné le sein, mais il n'est pas encore disposé à se rendormir.

Tronie trouva un endroit où s'installer, près du grand foyer extérieur. Le bébé sur la hanche, Ayla la regarda décortiquer des graines de tournesol prises dans une corbeille et les mettre dans le grand plat. A l'aide d'une rotule — sans doute celle d'un rhinocéros laineux, pensa Ayla —, elle écrasa les graines pour en faire une sorte de pâte. Après quoi, elle emplit d'eau un autre panier. Elle prit deux baguettes d'os qu'on avait taillées et façonnées de manière à les rendre bien droites. Elle s'en servit habilement pour cueillir, d'une seule main, quelques pierres brûlantes dans le feu. Les pierres tombèrent dans l'eau, dans un sifflement et un nuage de vapeur. Tronie retira celles qui s'étaient refroidies, en ajouta d'autres brûlantes, jusqu'au moment où l'eau se mit à bouillir. Elle plongea alors dedans la pâte faite de graines de tournesol. Ayla, intriguée, suivait tous ses mouvements.

Les graines, en cuisant, laissaient échapper leur huile. Tronie se servait d'une grande cuiller pour la recueillir à la surface et la déposait dans un autre récipient, fait, cette fois, d'écorce de bouleau. Lorsqu'elle en eut recueilli le plus possible, elle ajouta des grains concassés, dont Ayla ne reconnut pas l'origine, de petites graines noires d'ansérine, dans l'eau qui bouillait toujours, assaisonna de quelques herbes, remit des pierres bouillantes dans le mélange pour le garder en ébullition. Elle mit de côté les récipients en écorce de bouleau pour laisser refroidir leur contenu. L'huile de graines de tournesol figea. Du bout de la cuiller, Tronie la fit goûter à Ayla qui la trouva délicieuse.

— C'est particulièrement bon sur les petites miches que fait Tulie, expliqua Tronie. Voilà pourquoi je tenais à en préparer. Pendant que j'avais de l'eau bouillante, j'ai pensé que je pourrais faire aussi quelque chose pour le premier repas, demain matin. Personne ne tient à faire la cuisine, un lendemain de fête, mais les enfants, eux, ont besoin de manger. Merci de m'avoir aidée en t'occupant de Hartal.

— Pas dire merci. Est mon plaisir. Pas tenu petit enfant depuis longtemps, dit Ayla.

C'était vrai, elle en prit soudain conscience. Elle se surprit à examiner Hartal de plus près. Elle comparait par la pensée avec les enfants du Clan. Hartal n'avait pas de protubérances au niveau des sourcils, mais elles n'étaient pas non plus très développées chez les bébés du Clan. Il avait un front plus droit, la tête plus ronde, mais, à cet âge, se disait-elle, ils n'étaient pas si différents les uns des autres, sinon que Hartal riait et gazouillait, alors que les enfants du Clan ne produisaient pas autant de sons.

Le petit commença de s'agiter un peu quand sa mère alla laver les ustensiles dont elle s'était servie. Ayla le fit danser sur ses genoux, avant de le changer de position pour le placer en face d'elle. Elle se mit à lui parler, observa sa réaction intéressée. Il se calma un moment, mais pas bien longtemps. Il allait se remettre à pleurer quand Ayla émit un long sifflement. Surpris, il se tut pour l'écouter. Elle siffla de nouveau, cette fois comme un oiseau.

Elle avait consacré bien des après-midi trop longs, du temps où elle vivait seule dans sa vallée, à s'entraîner à imiter les chants et les appels des oiseaux. Elle y était devenue si habile que certaines espèces venaient quand elle sifflait. Mais ces oiseaux n'habitaient pas seulement dans la vallée.

Pendant qu'elle s'évertuait ainsi à distraire l'enfant, quelques oiseaux se posèrent non loin, entreprirent de picorer les grains et les graines tombés des corbeilles de Tronie. Ayla les vit, continua de siffler, tendit un doigt. Après un instant de méfiance, un pinson, plus courageux que les autres, vint s'y percher. Prudemment, sans cesser de siffler pour calmer et intriguer à la fois la petite créature, Ayla rapprocha l'oiseau pour permettre à l'enfant de le voir. Celui-ci gloussa de plaisir, tendit son petit poing potelé. L'oiseau s'envola.

Ce fut alors qu'à sa grande surprise Ayla entendit des applaudissements. Le bruit des mains qui tapaient sur les cuisses lui fit relever la tête. La plupart des occupants du Camp du Lion étaient là et lui souriaient.

— Comment fais-tu, Ayla ? demanda Tronie. Certaines personnes, je le sais, sont capables d'imiter le chant d'un oiseau ou le cri d'un autre animal, mais toi, tu le fais si bien qu'ils s'y trompent. Jamais je n'ai rencontré personne qui exerce un tel pouvoir sur les bêtes.

Ayla rougit, comme si elle avait été surprise à agir... comme il ne fallait pas, à se montrer différente des autres. En dépit des sourires, des manifestations d'approbation, elle se sentait mal à l'aise. Elle ne savait comment répondre à la question de Tronie. Elle ne savait comment expliquer que, lorsqu'on vit complètement seul, on a tout le temps de s'entraîner à siffler comme un oiseau. Quand on n'a personne au monde vers qui se tourner, un cheval ou même un lion peut devenir un compagnon. Lorsqu'on ignore s'il existe au monde une autre créature qui vous ressemble, on cherche, de toutes les manières possibles, à entrer en contact avec un autre être vivant.

10

Au début de l'après-midi, il se fit une accalmie dans les activités du Camp du Lion. Le repas le plus abondant de la journée avait généralement lieu aux environs de midi, mais la plupart des Mamutoï préférèrent le sauter ou se contentèrent de grignoter les restes du repas du matin, en prévision du festin qui, même s'il était improvisé, promettait d'être succulent. On se détendait. Certains faisaient la sieste, d'autres allaient de temps en temps surveiller les plats qui cuisaient, quelques-uns s'entretenaient à voix contenues. Il planait néanmoins sur l'assemblée une atmosphère de surexcitation, et chacun attendait avec impatience une soirée hors du commun.

A l'intérieur, Ayla et Tronie écoutaient Deegie leur détailler sa visite au camp de Branag et les dispositions qui avaient été prises pour leur Union. Au début, Ayla avait montré un intérêt marqué, mais, quand les deux autres jeunes femmes se mirent à parler de tel ou tel parent, de tel ou tel ami, tous gens qu'elle ne connaissait pas, elle se leva en disant qu'elle allait voir comment se comportaient les lagopèdes et elle sortit. En écoutant Deegie parler de Branag et de leur Union prochaine, elle s'était prise à songer à sa relation avec Jondalar. Il avait bien dit qu'il l'aimait mais jamais il n'avait proposé de s'unir à elle ni parlé d'une Union, et elle se demandait pourquoi.

Elle alla jusqu'à la fosse où cuisaient ses oiseaux, vérifia que la chaleur était constante. Elle remarqua alors, un peu à l'écart, là où ils travaillaient généralement pour ne pas gêner les allées et venues habituelles, Wymez et Danug, en compagnie de Jondalar. Elle savait de quoi ils s'entretenaient. Même si elle l'avait ignoré, elle aurait pu le deviner. Autour d'eux s'éparpillaient des rognons de silex brisés et des éclats acérés, et plusieurs gros blocs de la même pierre gisaient sur le sol, près des trois façonneurs d'outils. Il lui arrivait souvent de se demander comment ils faisaient pour consacrer tant de temps à parler de silex. Ils avaient bien dû, à présent, épuiser le sujet.

Sans être experte, Ayla, avant l'arrivée de Jondalar, avait fabriqué ses propres outils en pierre taillée, et ils avaient suffi à ses besoins. Souvent, durant son enfance, elle avait observé Droog, le façonneur d'outils du Clan, et elle s'était entraînée en copiant ses techniques. Mais, la première fois qu'elle avait regardé travailler Jondalar, elle avait compris que le talent de son compagnon dépassait le sien de très loin. Il existait une certaine similitude dans la sensibilité à l'égard du métier et peut-être même dans une relative habileté. Mais les méthodes de Jondalar et les outils dont il se servait dépassaient de loin ceux du Clan. Elle était curieuse de connaître les méthodes de Wymez et elle avait pensé lui demander si elle pourrait un jour le regarder travailler. Elle décida que le moment était bien choisi.

Jondalar avait senti sa présence dès qu'elle était sortie de l'habitation mais il s'efforçait de ne pas le montrer. Depuis qu'elle avait fait sa démonstration à la fronde, sur les steppes, elle l'évitait, il en était convaincu, et il ne voulait pas s'imposer à elle si elle ne le souhaitait pas. Lorsqu'elle se dirigea vers les trois hommes, l'inquiétude lui noua l'estomac : il craignait de la voir faire volte-face.

— Si pas déranger, aimerais regarder travailler, dit Ayla.

— Bien sûr. Assieds-toi, répondit Wymez, avec un sourire de bienvenue.

Jondalar se détendit visiblement : son front plissé se dérida, la crispation de sa mâchoire disparut. Quand la jeune femme s'assit près de lui, Danug voulut lui parler, mais le seul fait de sa présence le rendait muet. Jondalar reconnut dans ses yeux un regard de pure adoration. Il réprima un sourire indulgent. Il s'était pris d'une véritable affection pour le jeune homme, et cette passion d'amoureux transi ne pouvait lui porter ombrage. Elle lui permettait de se prendre un peu pour un frère aîné protecteur.

Wymez reprit une discussion que, de toute évidence, Ayla avait interrompue.

— Ta technique est-elle communément utilisée, Jondalar ? demanda-t-il.

— Plus ou moins. La plupart des gens détachent des lames d'un rognon préparé pour en faire d'autres outils : des burins, des couteaux, des grattoirs ou encore des pointes pour les sagaies les plus petites.

— Et pour les grandes ? Chassez-vous le mammouth ?

— Parfois, répondit Jondalar. Mais nous ne nous spécialisons pas comme vous dans cette chasse. Les pointes destinées aux sagaies plus grandes sont taillées dans l'os... Pour ma part, j'aime assez me servir d'un tibia de cerf. On utilise un burin pour le dégrossir. On creuse des sillons sur la longueur et on y repasse jusqu'au moment où l'os se brise. On le racle ensuite avec un grattoir ménagé sur le tranchant d'une lame, afin de lui donner la forme voulue. Avec du grès mouillé, on peut obtenir une pointe solide et acérée.

Ayla l'avait aidé à façonner les pointes de sagaie en os qu'ils utilisaient. Elles étaient longues et mortelles et s'enfonçaient très avant quand on les lançait avec force, particulièrement avec le propulseur.

Plus légère que celles dont elle s'était servie avant son arrivée, et qui étaient copiées sur le modèle employé par le Clan, les sagaies de Jondalar étaient toutes faites pour être lancées et non pour frapper de près.

— Une pointe en os fait de profondes blessures, déclara Wymez. Si l'on touche un endroit vital, la mort est rapide, mais il n'y a pas beaucoup de sang. Il est plus difficile d'atteindre un point vital sur un mammouth ou sur un rhinocéros. La fourrure est drue, la peau épaisse. Si tu parviens à passer entre deux côtes, il faut encore traverser d'énormes couches de graisse et de muscle. L'œil fait une bonne cible, mais il est petit et sans cesse en mouvement. On peut tuer un mammouth en lui plantant une sagaie dans la gorge, mais c'est dangereux. On est obligé d'approcher l'animal de trop près. Une pointe de sagaie en silex a des bords très tranchants. Elle se fraie plus aisément un chemin à travers une peau dure, elle tire du sang, ce qui affaiblit l'animal. Si tu peux les faire saigner, les boyaux ou la vessie représentent les meilleures cibles. C'est un peu moins rapide mais plus sûr.

Ayla était fascinée. La fabrication des outils constituait déjà un sujet intéressant, mais jamais elle n'avait chassé le mammouth.

— Tu as raison, dit Jondalar. Mais comment faire une pointe de sagaie bien droite ? Tu peux t'y prendre de n'importe quelle façon pour débiter une lame de silex, elle est toujours incurvée. C'est dans la nature de la pierre. Tu ne peux pas lancer une sagaie qui aurait une pointe incurvée : tu perdrais de ta précision, de ta force de pénétration et, probablement, la moitié de ta vigueur. Voilà pourquoi les pointes en silex sont petites. Quand tu as fini d'éliminer assez de pierre par le dessous pour obtenir une pointe bien droite, il ne reste plus grand-chose.

Wymez souriait, hochait la tête pour manifester son approbation.

— C'est vrai, Jondalar, mais laisse-moi te montrer quelque chose.

L'aîné des deux hommes prit derrière lui un paquet pesant, enveloppé de peau. Il l'ouvrit, en sortit une énorme tête de hache, taillée dans un rognon de silex entier. Elle comportait un talon arrondi, et l'autre extrémité, assez épaisse, avait été façonnée jusqu'à une lame affilée qui se terminait en pointe.

— Tu as déjà fait quelque chose de cette sorte, j'en suis sûr.

Jondalar sourit.

— Oui, j'ai fait des haches, mais rien d'aussi gros que ça. Tu dois la destiner à Talut.

— Oui, j'allais l'emmancher sur un os long, pour Talut... ou peut-être pour Danug, dit Wymez, avec un sourire à l'adresse du jeune homme. On s'en sert pour briser les os de mammouth ou pour détacher les défenses. Il faut un homme puissant pour manier ça. Talut la brandit comme s'il s'agissait d'une branche. Danug, je crois, est capable d'en faire autant, à présent.

— Oui, il peut. Il coupe arbres pour moi, intervint Ayla.

Son regard d'admiration fit rougir Danug, qui lui sourit timidement.

Elle avait, elle aussi, façonné et utilisé des haches mais aucune de cette taille.

— Comment fais-tu une hache ? reprit Wymez.

— Le plus souvent, je commence par détacher au percuteur une plaque épaisse et je la retouche ensuite sur les deux côtés pour lui donner un tranchant et une pointe.

— Le peuple de la mère de Ranec, les Atériens, retouchent les pointes de sagaies pour en faire des bifaces.

— Des bifaces ? Ils font sauter des éclats sur les deux côtés, comme pour une hache ? Mais, pour obtenir une ligne suffisamment droite, il faudrait partir d'une plaque épaisse, pas d'une lame fine et mince. Ne serait-ce pas trop malaisé pour une pointe de sagaie ?

— La pointe était parfois épaisse et lourde, mais c'était un vrai progrès sur la hache. Et très efficace pour tuer les animaux qu'ils chassaient. Pourtant, tu as raison. Pour blesser un mammouth ou un rhinocéros, il faut une pointe de silex à la fois longue, droite, solide et mince. Comment t'y prendrais-tu ? demanda Wymez.

— Avec un biface. C'est le seul moyen. Sur une plaque de cette épaisseur, je retoucherais en exerçant une pression à plat, pour débiter de minces éclats des deux côtés.

Jondalar parlait d'un ton méditatif : il s'efforçait d'imaginer la manière dont il façonnerait une telle arme.

— Mais il faudrait pour cela une énorme maîtrise.

— Exactement. Le problème, c'est à la fois la maîtrise et la qualité de la pierre.

— C'est vrai. Il faudrait qu'elle soit fraîche. Dalanar, l'homme qui m'a enseigné le métier, vit près d'une falaise crayeuse qui renferme du silex au niveau le plus bas. Peut-être certains rognons de sa pierre conviendraient-ils. Mais, même ainsi, ce serait difficile. Nous avons façonné quelques belles haches, mais j'ignore comment on pourrait obtenir une pointe convenable de cette façon-là.

Wymez prit un autre paquet, enveloppé d'une belle peau souple. Il l'ouvrit avec soin, mit au jour une série de pointes en silex.

Jondalar ouvrit tout grands des yeux stupéfaits. Il regarda Wymez, puis Danug, qui souriait avec fierté du succès de son maître. L'homme blond prit l'une des pointes. Il la tourna, la retourna entre ses mains. Il caressait presque la pierre délicatement travaillée.

Le silex, au contact, semblait glissant, il avait un aspect satiné, un chatoiement qui faisait briller au soleil les multiples facettes. La pointe avait la forme d'une feuille de saule, elle avait une symétrie presque parfaite dans toutes ses dimensions et elle faisait toute la longueur de la main de Jondalar, de la base de la paume au bout des doigts. Elle partait d'une pointe à une extrémité pour atteindre, au milieu, à la largeur de quatre doigts et retrouver une autre pointe à l'extrémité opposée. Jondalar la posa de chant sur sa main. C'était vrai : elle n'avait pas la courbure caractéristique des outils à lame. Elle était parfaitement droite, et sa section médiane avait à peu près l'épaisseur de son petit doigt.

D'un geste professionnel, il tâta le tranchant. Très affilé, tout juste un peu dentelé par les traces des nombreux éclats minuscules qu'on avait fait sauter. Du bout des doigts, il passa légèrement sur toute la surface, sentit les petites arêtes laissées par la multitude d'autres éclats qui avaient été détachés pour donner à la pointe du silex une forme aussi pure, aussi précise.

— C'est bien trop beau pour s'en servir comme d'une arme, déclara Jondalar. C'est une œuvre d'art.

La louange d'un autre artiste dans son propre métier fit plaisir à Wymez.

— Cette pointe n'est pas utilisée comme arme, dit-il. J'ai voulu en faire un modèle, pour montrer la technique.

Ayla tendit le cou pour voir de plus près les instruments délicatement façonnés nichés dans la peau souple. Elle n'osait pas les toucher. Jamais elle n'avait vu des pointes taillées avec un tel art. Elles étaient de toutes les grandeurs, de toutes les formes. Certaines encore étaient faites comme des feuilles de saules, mais d'autres, dissymétriques, comportaient d'un côté un tranchant fortement biaisé qui aboutissait à une sorte de tige : on pouvait ainsi les enfoncer dans un manche et s'en servir comme de couteaux. D'autres encore, plus symétriques, avaient une soie centrée qui pouvait faire d'elles des pointes de sagaies ou des couteaux d'une autre sorte.

— Tu veux les regarder de plus près ? demanda Wymez.

Une lueur émerveillée au fond des yeux, la jeune femme les prit l'une après l'autre. Elle les manipulait comme s'il s'était agi de joyaux précieux. Et c'était presque le cas.

— Silex est... lisse... vivant, remarqua-t-elle. Jamais vu silex comme ça.

Wymez sourit.

— Tu as découvert mon secret, Ayla. C'est la qualité qui permet de façonner de telles pointes.

— Vous avez donc du silex comme celui-ci dans la région ? questionna Jondalar, incrédule. Moi non plus, je n'en ai jamais vu de tel.

— Non, nous n'en avons pas, malheureusement. Oh, nous pouvons nous procurer du silex de bonne qualité. Un camp important, vers le nord, vit près d'un excellent gisement. C'est là qu'a séjourné Danug. Mais cette pierre a été spécialement traitée... par le feu.

— Le feu ! s'exclama Jondalar.

— Oui, par le feu. La chaleur transforme la pierre. C'est la chaleur qui la rend si lisse au toucher... si vivante, ajouta Wymez, avec un coup d'œil vers Ayla. Et c'est encore la chaleur qui lui donne des qualités particulières.

Tout en parlant, il prit un rognon de silex qui montrait des signes très visibles d'exposition au feu. Il était noirci, brûlé. Il ouvrit d'un coup de percuteur la gangue crayeuse : elle était d'une couleur foncée inhabituelle.

— La première fois, c'est arrivé par hasard. Un morceau de silex est tombé dans un feu. Les flammes étaient hautes, ardentes... Vous savez quelle chaleur il faut pour brûler de l'os ?

Ayla hocha la tête d'un air averti. Jondalar haussa les épaules : il n'avait pas prêté grande attention au phénomène mais, puisque Ayla semblait informée, il était tout prêt à être d'accord.

— J'allais sortir le silex du feu, mais Nezzie décida qu'il ferait un bon support où poser un plat, pour recueillir la graisse d'un rôti qu'elle faisait cuire. En fin de compte, la graisse s'enflamma et abîma définitivement un beau plat d'ivoire. Par la suite, je le lui ai remplacé, quand il s'est avéré que l'incident était un vrai coup de chance. Mais, au début, j'ai bien failli jeter la pierre. Elle était toute brûlée, comme celle-ci, et j'ai évité de m'en servir, jusqu'au jour où j'ai été à court de matériau. La première fois que je l'ai ouverte, je l'ai crue inutilisable. Regardez ça, vous comprendrez pourquoi.

Wymez leur tendit un morceau à chacun.

— Le silex est plus sombre, il n'est pas lisse au toucher.

— A cette époque, je travaillais sur des pointes de lances faites par les Atériens. Je cherchais à améliorer leurs techniques. Comme j'expérimentais simplement de nouvelles idées, j'ai pensé qu'il importait peu que la pierre ne fût pas parfaite. Mais, dès que je me suis mis à la travailler, j'ai remarqué la différence. C'était très peu de temps après mon retour. Rydag était encore un petit garçon. Depuis, je n'ai pas cessé de perfectionner ma méthode.

— De quel genre de différence parles-tu ? demanda Jondalar.

— Essaie toi-même, tu vas voir.

Jondalar prit son percuteur, une pierre ovale, ébréchée, déformée par l'usage, qui épousait étroitement le creux de sa paume. Il entreprit de faire éclater ce qui restait de la gangue crayeuse, en préparation au véritable travail.

Pendant ce temps, Wymez continuait ses explications.

— Quand le silex est fortement chauffé avant d'être travaillé, on acquiert une maîtrise beaucoup plus grande sur le matériau. En pratiquant une pression, on fait sauter des éclats beaucoup plus minces et plus longs. On peut donner à la pierre presque toutes les formes qu'on désire.

Il enveloppa sa main gauche d'un lambeau de cuir, pour la protéger des arêtes vives, y plaça un autre morceau de silex récemment arraché à l'un des rognons brûlés. De la main droite, il prit un outil à retoucher, taillé dans l'os. Il posa la pointe de l'outil contre l'arête du silex, exerça une forte pression d'arrière en avant et de haut en bas. Un petit éclat, plat et allongé, se détacha. Il le montra aux deux autres. Jondalar le lui prit, avant de tenter lui-même l'expérience. Visiblement, le résultat le surprit agréablement.

— Il faut que je montre ça à Dalanar ! C'est incroyable ! Il a déjà amélioré un certain nombre de procédés... Comme toi, Wymez, il possède un don naturel pour travailler la pierre. Mais, ce silex, on pourrait presque en faire des copeaux. Est-ce le feu qui le rend ainsi ?

Wymez hocha la tête.

— Je n'irai pas jusqu'à dire qu'on peut en faire des copeaux. C'est toujours de la pierre, ce n'est pas aussi malléable que de l'os, mais, quand on sait travailler la pierre, la passer au feu facilite la besogne.

— Je me demande ce qui se passerait sous une percussion indirecte... As-tu déjà essayé de te servir d'un morceau d'os ou de corne épointé pour diriger la force d'un coup de percuteur ? On pourrait obtenir des lames plus longues et plus minces, avec cette méthode.

Jondalar, se disait Ayla, possédait lui aussi un don naturel pour travailler la pierre. Mais, plus encore, elle percevait sous son enthousiasme, sous ce désir spontané de partager avec Dalanar cette merveilleuse découverte, une douloureuse envie de retourner chez lui.

Ayla, dans sa vallée, lorsqu'elle hésitait à partir à la recherche de ces Autres qu'elle ne connaissait pas, croyait que Jondalar voulait voyager pour rencontrer d'autres gens. Elle n'avait jamais bien compris, avant ce jour, à quel point son désir de retrouver son pays était violent. C'était une brutale révélation. Elle avait maintenant l'intime conviction qu'il ne serait jamais vraiment heureux ailleurs.

Tout en regrettant cruellement l'absence de son fils et des êtres qu'elle aimait, Ayla n'avait jamais éprouvé une nostalgie semblable à celle de Jondalar : ce désir de retourner en des lieux familiers, où les gens lui étaient connus, où les coutumes étaient rassurantes. En quittant le Clan, elle savait qu'elle ne pourrait jamais y revenir. Aux yeux de ces gens, elle était morte. S'ils la revoyaient, ils se croiraient en présence d'un esprit malin. A présent, elle savait qu'elle ne retournerait pas vivre parmi eux, même si elle le pouvait. Elle était au Camp du Lion depuis bien peu de temps mais, déjà, elle s'y sentait plus à l'aise qu'elle ne l'avait jamais été, durant les longues années passées au sein du Clan. Iza ne s'était pas trompée. Elle n'appartenait pas au Clan. Elle était née chez les Autres.

Perdue dans sa méditation, Ayla avait manqué une partie de la discussion. En entendant Jondalar prononcer son nom, elle fut rappelée à la réalité.

— ... la technique d'Ayla doit être proche de la leur, je crois. C'est avec eux qu'elle l'a apprise. J'ai vu certains de leurs outils mais je ne les avais jamais vu débiter jusqu'au jour où Ayla m'a montré comment ils s'y prenaient. Ils ne manquent pas d'habileté, mais il y a loin entre le fait de préparer une pierre et celui d'exercer une pression intermédiaire. C'est ce qui fait la différence entre un outil grossièrement taillé et une belle lame légère.

Wymez hocha la tête en souriant.

— Si seulement nous pouvions maintenant trouver le moyen de faire une lame bien droite. On peut s'y prendre de n'importe quelle manière, le tranchant d'un couteau n'est jamais aussi affilé, une fois qu'on l'a retouché.

Danug intervint dans la discussion.

— J'y ai réfléchi, dit-il. Si l'on creusait une rainure dans un os ou dans une corne et si l'on y collait ensuite des petites lames ? Assez petites pour être presque droites ?

Jondalar médita un instant cette proposition.

— Comment ferais-tu ?

— Ne pourrait-on commencer avec un petit noyau ? suggéra Danug, d'un ton un peu hésitant.

— Ce serait peut-être possible, Danug, dit Wymez, mais un petit nucleus pourrait être difficile à travailler. J'ai pensé à utiliser une lame plus grande et à la fragmenter en petits morceaux...

Ils étaient encore en train de parler de silex, comprit Ayla. Jamais ils ne paraissaient s'en lasser. Le matériau et ce qu'on pouvait en tirer ne cessaient de les fasciner. Plus ils appreanaient, et plus leur intérêt s'en trouvait stimulé. Elle était capable d'apprécier le silex et le façonnage des outils : les pointes que leur avait montrées Wymez étaient selon elle les plus remarquables qu'elle eût jamais vues, tant par leur beauté que par leurs qualités utilitaires. Mais elle n'avait jamais entendu discuter le sujet dans les moindres détails. Elle se rappela alors la fascination qu'avaient exercée sur elle le savoir médical et l'art magique de la guérison. Les moments passés avec Iza et Uba, lorsque la guérisseuse leur enseignait sa science, comptaient parmi ses souvenirs les plus heureux.

Ayla vit Nezzie émerger de l'abri. Elle se leva aussitôt pour voir si elle pouvait lui être utile. Les trois hommes, quand elle les quitta, lui sourirent et firent quelques remarques, mais, à son avis, ils n'allaient même pas se rendre compte de son absence.

Ce n'était pas entièrement vrai. Aucun des trois ne fit de commentaires à voix haute, mais leur conversation s'interrompit un instant, tandis qu'ils la suivaient des yeux.

C'est une magnifique jeune femme, pensait Wymez. Elle est intelligente, elle possède des connaissances étendues et elle s'intéresse à beaucoup de choses. Si elle était mamutoï, elle serait d'un prix élevé. Quel statut elle vaudrait à l'homme auquel elle s'unirait et, par suite, à ses enfants !

Les pensées de Danug étaient à peu près du même ordre, bien qu'elles ne fussent pas aussi clairement formulées dans son esprit. Il lui venait de vagues idées à propos du Prix de la Femme, de l'Union et même de relations charnelles, mais il ne croyait pas avoir la moindre chance. Il désirait surtout ne pas s'éloigner d'elle.

Le désir de Jondalar était plus violent. S'il avait pu trouver un prétexte valable, il se serait levé pour suivre Ayla. Toutefois, il ne voulait pas s'accrocher à elle. Il se rappelait ses propres réactions quand certaines femmes mettaient trop d'acharnement à s'attirer son amour. Chaque fois, elles avaient fait naître en lui le désir de les éviter et elles avaient éveillé sa pitié. Il ne voulait pas de la pitié d'Ayla. Il voulait son amour.

Une amère gorgée de bile lui monta à la gorge lorsqu'il vit l'homme à la peau sombre sortir de l'abri et sourire à la jeune femme. Il s'efforça de la ravaler, de maîtriser sa colère, sa frustration. Jamais il n'avait connu pareil sentiment et il s'en détestait. Ayla, certainement, le prendrait en horreur, ou, pis encore, en pitié, si elle savait ce qu'il ressentait. Il tendit la main vers un gros rognon de silex et, d'un coup de percuteur, le fendit en deux. La pierre était défectueuse, tout entière veinée de blanc par le calcaire friable dont elle était gainée. Jondalar s'acharna sur elle, la brisa en fragments de plus en plus petits.

Ranec vit Ayla quitter l'aire des tailleurs de pierre pour se diriger vers l'habitation semi-souterraine. Toutes les fois qu'il la rencontrait, il ne pouvait le nier, son émoi, son désir allaient croissant. Dès les premiers moments, il avait été attiré par les formes parfaites qui flattaient son sens artistique, non seulement à cause de sa beauté, mais aussi de la grâce subtile et spontanée de ses mouvements. Il avait un œil infaillible pour de tels détails et il ne décelait pas en elle la moindre pose, la moindre affectation. Elle se comportait avec une maîtrise d'elle-même, une assurance qui semblaient totalement naturelles : elles devaient être innées, pensait-il, de sorte qu'il émanait d'elle une qualité pour laquelle il ne trouvait pas d'autre nom que « présence ».

Il la gratifia d'un sourire chaleureux. Ayla ne pouvait aisément l'ignorer : elle lui rendit son sourire avec la même chaleur.

— Vous a-t-on rempli les oreilles de silex ? demanda Ranec.

Le ton même de la remarque la rendait quelque peu désobligeante. Ayla saisit la nuance, sans être pour autant vraiment sûre de sa signification : pour elle, il s'agissait d'une plaisanterie.

— Est vrai. Ils parlent de silex. Façonner outils. Pointes. Wymez fait pointes magnifiques.

— Ah, il vous a sorti tous ses trésors, hein ? Tu as raison : elles sont magnifiques. Je ne suis pas toujours sûr qu'il en ait conscience, mais Wymez est plus qu'un artisan. C'est un artiste.

Le front d'Ayla se creusa d'un pli profond. Il avait utilisé ce même mot à son propos, elle s'en souvenait, quand elle avait tiré avec sa fronde. Elle ne savait trop si elle le comprenait dans le sens où il l'employait.

— Tu es artiste ? demanda-t-elle.

Il grimaça un sourire ironique. La question de la jeune femme avait touché un problème auquel il était très sensible.

Son peuple croyait que la Mère avait d'abord créé un monde spirituel. Les esprits de tous les éléments qui le composaient étaient parfaits. Ces esprits avaient produit ensuite des copies vivantes d'eux-mêmes, afin de peupler le monde de tous les jours. L'esprit représentait le modèle, le dessin primitif d'où toutes choses dérivaient. Mais aucune copie ne pouvait avoir la perfection de l'original. Les esprits eux-mêmes étaient incapables de former des copies parfaites, ce qui expliquait les différences qui existaient entre elles.

Les êtres humains étaient uniques, plus proches de la Mère que les autres esprits. La Mère avait donné naissance à une copie d'Elle-même et l'avait appelée Esprit de la Femme. Elle avait alors fait naître de son sein un Esprit de l'Homme, comme tout homme naissait d'une femme. Après quoi, la Grande Mère avait amené l'esprit de la femme parfaite à s'unir à l'esprit de l'homme parfait et fait ainsi naître de nombreux esprits d'enfants, tous différents. Mais Elle choisissait Elle-même l'esprit de l'homme particulier qui devrait s'unir à l'esprit d'une femme particulière, avant de souffler dans la bouche de cette femme Sa propre force de vie, qui produirait la conception. A quelques-uns de Ses enfants, hommes et femmes, la Mère accordait des dons spéciaux.

Ranec se disait sculpteur : il créait des objets à la ressemblance d'êtres vivants ou spirituels. Les sculptures étaient des objets utiles. Elles personnifiaient des esprits, les rendaient visibles, concevables, elles représentaient des instruments essentiels à certains rites, notamment aux cérémonies conduites par les mamuti. Ceux qui savaient créer de tels objets étaient tenus en grande estime. C'étaient des artistes de talent, choisis par la Mère.

Bien des gens pensaient que tous les sculpteurs, en fait, tous les hommes capables de façonner ou de décorer des objets pour les élever au-dessus de leur condition purement utilitaire, étaient des artistes. Mais, de l'avis de Ranec, tous les artistes n'avaient pas reçu des dons équivalents, ou peut-être n'apportaient-ils pas tous à leur ouvrage un soin équivalent. Les animaux et les êtres qu'ils représentaient étaient grossiers. Pour lui, de telles représentations étaient une insulte aux esprits et à la Mère qui les avait créés.

Selon Ranec, le plus parfait exemple de toute chose était un objet de beauté, et tout ce qui était beau était l'exemple le plus parfait de l'esprit. Son essence même. Telle était sa foi. Au-delà, au plus secret de son âme d'esthète, il attribuait à la beauté une valeur intrinsèque et il trouvait en toutes choses un potentiel de beauté. Certaines activités, certains objets pouvaient être simplement fonctionnels, mais, pour lui, quiconque parvenait presque à la perfection dans son activité était un artiste, et les résultats obtenus contenaient l'essence de la beauté. Mais l'art résidait tout autant dans l'activité elle-même que dans ses résultats. Les œuvres d'art n'étaient pas uniquement le produit fini mais aussi l'idée, l'action, le processus qui les avaient fait naître.

Ranec recherchait la beauté, comme s'il s'était agi d'une quête sacrée, non seulement avec ses mains habiles mais, plus encore, avec son œil doté d'une sensibilité innée. Il éprouvait le besoin de s'en entourer et il commençait à considérer Ayla elle-même comme une œuvre d'art, comme la plus belle, la plus parfaite expression de la femme qu'il pût imaginer. La beauté n'était pas une représentation statique : c'était l'essence, c'était l'esprit, c'était ce qui animait l'image. Elle s'exprimait au plus haut degré dans le mouvement, le comportement, le talent. Une femme d'une grande beauté était une femme complète, dynamique. Même s'il ne l'exprimait pas d'une manière aussi détaillée, Ayla commençait à représenter pour lui la parfaite incarnation de l'Esprit de la Femme originel. Elle était l'essence de la femme, l'essence de la beauté.

L'homme à la peau sombre, aux yeux rieurs et à l'esprit ironique, sous lesquels il avait appris à masquer ses désirs les plus intimes, s'efforçait de créer dans son propre travail la perfection et la beauté. Ses efforts lui valaient d'être acclamé par son peuple comme le meilleur sculpteur de tous, comme un artiste qui se distinguait des autres. Mais, comme bien des perfectionnistes, il n'était jamais tout à fait satisfait de ses créations. Il refusait de se considérer comme un artiste.

— Je suis un sculpteur, répondit-il à Ayla.

Il la vit perplexe, ajouta :

— Certaines personnes donnent volontiers le nom d'artiste au premier sculpteur venu.

Il hésita un instant : il se demandait comment elle apprécierait son œuvre.

— Tu aimerais, dit-il enfin, voir quelques-unes de mes sculptures ?

— Oui, répondit-elle.

La franchise de cette réponse le laissa un moment interloqué. Il renversa ensuite la tête en arrière pour lancer un éclat de rire retentissant. Mais bien sûr, qu'aurait-elle pu répondre d'autre ? Les yeux plissés de plaisir, il lui fit signe de le suivre.

Jondalar les regarda passer ensemble sous la voûte. Il sentit s'abattre sur ses épaules un poids considérable. Il ferma les yeux, laissa tomber sa tête sur sa poitrine.

Les attentions féminines n'avaient jamais manqué à ce grand et bel homme. Mais il n'avait pas conscience de ce qui le rendait si attirant et il n'avait donc aucune confiance en son pouvoir. Façonneur d'outils, il était plus à l'aise avec le physique qu'avec le métaphysique. Sa considérable intelligence s'appliquait de préférence à la compréhension des aspects techniques de la pression et de la percussion sur la silice cristalline homogène — le silex. Il percevait le monde en termes physiques.

De même, il s'exprimait physiquement. Ses gestes étaient plus expressifs que ses paroles. Certes, il n'était pas incapable de parler : il n'était simplement pas très doué dans ce domaine. Il avait appris à conter une histoire assez convenablement mais il n'avait pas le don de la repartie facile et des réponses teintées d'humour. C'était un homme grave, secret, qui n'aimait pas parler de lui-même. Toutefois, il écoutait bien, attirait les confidences, les confessions. Dans son pays, il avait joui d'une renommée d'excellent artisan, mais ces mêmes mains qui pouvaient si délicatement transformer la pierre dure en outil raffiné faisaient preuve d'un égal talent pour découvrir les points sensibles d'un corps de femme. C'était là une autre expression de sa nature physique, et sa renommée dans ce domaine, si elle avait été moins publique, n'en avait pas été moins grande. Les femmes le poursuivaient de leurs assiduités, et l'on faisait des plaisanteries sur son « autre » artisanat.

C'était là un talent qu'il avait cultivé, comme il avait appris à façonner le silex. Il connaissait les endroits sensibles, il saisissait les signaux les plus subtils et savait y répondre, il prenait plaisir à donner le Plaisir. Ses mains, ses yeux, son corps tout entier s'exprimaient plus éloquemment que tous les mots qu'il aurait pu utiliser. Si Ranec avait été une femme, il aurait dit que Jondalar était un artiste.

Jondalar avait contracté une affection sincère et chaleureuse pour certaines femmes, il les appréciait toutes sur un plan physique mais, jusqu'à sa rencontre avec Ayla, il n'avait jamais aimé et il n'avait aucune assurance qu'elle l'aimât vraiment. Comment l'aurait-elle pu ? Elle n'avait aucun point de comparaison. Jusqu'à leur arrivée en ces lieux, il était le seul homme qu'elle connût. Il reconnaissait dans le sculpteur un homme exceptionnel, doté d'un charme considérable, et il percevait chez lui les signes d'une attirance grandissante vers Ayla. S'il existait un homme capable de conquérir l'amour de la jeune femme, Ranec, il le savait, était celui-là. Jondalar avait parcouru la moitié du monde avant de découvrir une femme qu'il pût aimer. Il l'avait enfin trouvée. Allait-il la perdre si vite ?

Mais peut-être méritait-il de la perdre ? Pouvait-il l'emmener avec lui, connaissant l'opinion de son peuple sur les femmes de sa sorte ? En dépit de sa jalousie, il commençait à se demander s'il était bien l'homme qu'il lui fallait. Il tenait, se répétait-il, à se montrer juste envers elle mais, au plus profond de son cœur, il s'interrogeait : pourrait-il supporter la flétrissure qui s'attacherait à un amour dévoyé ?

Danug vit l'angoisse de Jondalar. Il tourna vers Wymez un regard troublé. Wymez se contenta de hocher la tête d'un air entendu. Lui aussi, naguère, avait aimé une femme d'une étrange beauté, mais Ranec était le fils de son foyer, et il était grand temps pour lui de se trouver une compagne, pour s'établir et fonder une famille avec elle.

Ranec conduisit Ayla au Foyer du Renard. Elle le traversait plusieurs fois chaque jour mais elle s'était toujours soigneusement abstenue d'y porter des regards curieux. C'était là, au moins, une coutume apprise durant sa vie avec le Clan qui s'appliquait aussi au Camp du Lion. Dans l'espace ouvert de l'abri semi-souterrain, l'intimité de chacun ne reposait pas sur des portes fermées mais sur la considération, le respect, la tolérance mutuels.

— Assieds-toi, dit Ranec.

Il lui désignait une plate-forme de couchage couverte de douces et somptueuses fourrures. Elle avait maintenant le droit de satisfaire sa curiosité et elle regarda autour d'elle. Deux hommes partageaient ce foyer, mais chacun d'eux vivait de son côté du passage central, et leur cadre de vie trahissait deux tempéraments différents.

De l'autre côté du foyer central, le logement du façonneur d'outils avait un aspect de simplicité sans apprêt. On voyait une paillasse et quelques fourrures. La tenture de cuir, accrochée au petit bonheur, semblait ne pas avoir été détachée depuis des années. Quelques vêtements pendaient à des chevilles. D'autres s'empilaient le long du mur, derrière la couchette.

L'aire réservée au travail prenait presque toute la place : on la reconnaissait aux blocs, aux fragments, aux éclats de silex qui jonchaient le sol autour d'un pied de mammouth qui pouvait servir aussi bien de siège que d'établi. Divers outils, faits de pierre ou d'os, étaient bien en évidence sur le rebord de la plate-forme, au pied de la couchette. Les seuls objets décoratifs étaient une statuette en ivoire de la Mère, placée dans une niche creusée dans le mur, et, tout près, une ceinture aux ornements compliqués d'où pendait un pagne fait d'herbes séchées, fanées. Sans avoir besoin de poser la question, Ayla comprit que le vêtement avait appartenu à la mère de Ranec.

Par contraste, le logis du sculpteur pouvait être qualifié de somptueux et de bon goût. Ranec était un collectionneur mais il choisissait avec discernement. Tout était sélectionné avec le plus grand soin, chaque objet mis en valeur. Les fourrures jetées sur la couchette invitaient le contact des doigts et le récompensaient par une douceur exceptionnelle. Les rideaux drapés en plis harmonieux de chaque côté étaient faits de peau de daim veloutée, d'un brun profond ; ils exhalaient une légère odeur, pas désagréable, due à la fumée de sapin qui leur avait donné leur couleur. Le sol était recouvert de nattes tissées d'herbes aromatiques qui formaient des dessins multicolores.

Sur un prolongement de la plate-forme s'alignaient des corbeilles de tailles et de formes différentes. Les plus grandes contenaient des vêtements disposés de manière à exposer les motifs décoratifs faits de perles, de plumes et de fourrure. On voyait dans d'autres corbeilles, ou bien accrochés à des chevilles, des brassards et des bracelets d'ivoire, des colliers faits de dents d'animaux, de coquilles de mollusques d'eau de mer ou d'eau douce, de tubes de calcaire, de grains et de pendeloques d'ivoire, naturel ou teint, et, surtout, de grains d'ambre. Un grand éclat de défense de mammouth, gravé d'étranges dessins géométriques, était accroché au mur. Les armes de chasse elles-mêmes et les vêtements d'extérieur, pendus à des chevilles, ajoutaient encore à l'harmonie de l'ensemble.

Plus Ayla promenait son regard autour d'elle, plus elle découvrait d'objets remarquables. Mais ce qui parut vouloir attirer son attention et la retenir, mis à part les sculptures dispersées dans l'aire de travail, ce fut une statuette en ivoire de la Mère, superbement exécutée et placée dans une niche.

Ranec l'observait, suivait la direction de son regard, savait ce qu'elle voyait. Quand les yeux de la jeune femme se posèrent enfin sur lui, il lui sourit. Il s'assit devant son établi, le tibia d'un mammouth enfoncé dans le sol de façon que la jointure, à peine concave, arrivât au niveau de sa poitrine quand il s'asseyait sur une natte. Sur cette surface presque plate, au milieu de poinçons, de burins en silex dont il se servait pour sculpter, se trouvait l'image inachevée d'un oiseau.

— C'est la sculpture à laquelle je travaille actuellement, dit-il.

Il la tendit à Ayla, épia son expression.

Avec le plus grand soin, elle prit à deux mains la figurine d'ivoire, l'examina, avant de la retourner pour la regarder de plus près. D'un air intrigué, elle revint à la première face, puis à l'autre.

— Est oiseau quand regarde ce côté, dit-elle à Ranec. Mais, maintenant, sur l'autre, est femme !

— Merveilleux ! Tu as vu cela immédiatement. C'est une représentation que j'essaie depuis longtemps de réaliser. Je voulais montrer la transformation de la Mère, Sa forme spirituelle. Je désire La montrer quand Elle prend Sa forme d'oiseau pour s'envoler d'ici vers le monde des esprits, mais sans cesser d'être la Mère, une femme. Je cherche à incorporer les deux formes en une seule !

Les yeux sombres de Ranec jetaient des éclairs, il ne parvenait plus à parler assez vite. Ayla souriait de son enthousiasme. C'était là un aspect de sa personnalité qu'elle ne connaissait pas encore. D'ordinaire, il semblait beaucoup plus détaché, même lorsqu'il riait. L'espace d'un instant, il lui rappela Jondalar, à l'époque où il cherchait à développer l'idée du propulseur de sagaies. A ce souvenir, elle fronça les sourcils. Ces jours d'été dans la vallée lui paraissaient si lointains. Jondalar, maintenant, ne souriait presque jamais. Quand cela lui arrivait, il se montrait furieux l'instant d'après. La conviction lui vint tout à coup que Jondalar n'aimerait pas la savoir là, en conversation avec Ranec qui lui découvrait sa joie, son enthousiasme. Elle en fut malheureuse, un peu irritée aussi.

11

— Ah, te voici, Ayla, s'exclama Deegie qui traversait le Foyer du Renard. La musique va commencer. Viens. Toi aussi, Ranec.

En parcourant tout l'abri, Deegie avait rassemblé la plus grande partie des membres du Camp du Lion. Elle portait, remarqua Ayla, le crâne de mammouth, et Tornec l'omoplate peinte en rouge de lignes régulières et de figures géométriques. Et Deegie, cette fois encore, avait prononcé le mot qui n'était pas familier à la jeune femme. Ayla et Ranec suivirent les autres dehors.

Des traînées de nuages, dans le ciel qui s'assombrissait, couraient vers le nord. Le vent se levait, bousculait la fourrure des capuchons et des pelisses. Mais personne, parmi tous ceux qui s'assemblaient en cercle, ne semblait s'en soucier. Le foyer extérieur, qui avait été formé de monticules de terre et de quelques pierres, pour tirer profit du vent du nord dominant, brûla plus fort et plus haut quand on y ajouta des os et un peu de bois. Mais les flammes étaient une présence invisible, vaincue par l'éblouissante lumière qui envahissait le couchant.

Quelques ossements massifs paraissaient avoir été abandonnés sur le sol au petit bonheur. Mais ils prirent une signification particulière lorsque Deegie et Tornec rejoignirent Mamut et s'en firent des sièges. Deegie posa le crâne de mammouth sur deux autres gros os qui le surélevaient par-devant et par-derrière. Tornec tenait l'omoplate dans une position verticale. Avec un instrument fait d'un bois de cerf en forme de marteau, il se mit à la frapper en différents endroits pour en ajuster légèrement la position.

Ayla était stupéfaite des sons qu'il produisait : ils étaient différents de ceux qu'elle avait entendus à l'intérieur. On avait l'impression d'un roulement de tambour. Pourtant, le bruit était particulier, il ne ressemblait à rien de ce qu'elle avait connu auparavant, tout en gardant la qualité obsédante d'un souvenir familier. Dans leurs variations, les sonorités lui rappelaient des voix. C'était un peu comme les sons qu'elle modulait parfois en sourdine pour elle-même, mais en plus distinct. Etait-ce cela, la musique ?

Une voix s'éleva soudain. Ayla tourna la tête, vit Barzec. La tête rejetée en arrière, il émettait un hululement perçant qui déchirait l'atmosphère. Il descendit jusqu'à un vibrato grave, qui serra la gorge de la jeune femme et termina sur un brusque cri aigu, qui faisait l'effet d'une question laissée en suspens. En réponse, les trois musiciens se mirent à marteler les os de mammouth sur un rythme rapide. Ils reproduisaient le son émis par Barzec, s'accordaient à lui par le ton et par l'émotion, d'une manière inexplicable pour Ayla.

Bientôt, d'autres se joignirent au chant, sans paroles articulées mais seulement par des modulations de leurs voix, accompagnées par les instruments en os de mammouth. Au bout d'un moment, la musique changea, prit par degrés un caractère différent. Elle se fit plus lente, créa une impression de tristesse. Fralie se mit à chanter, d'une voix haute et douce, cette fois sur des mots. Elle contait l'histoire d'une femme qui avait perdu son compagnon, et dont l'enfant était mort. Ayla en fut touchée au plus profond d'elle-même : elle pensait à Durc, et les larmes lui vinrent aux yeux. Quand elle releva la tête, elle vit qu'elle n'était pas la seule à ressentir pareille émotion mais elle fut plus remuée encore en voyant Crozie : la vieille femme regardait droit devant elle d'un air impassible, son visage était sans expression, mais des larmes ruisselaient sur ses joues.

Fralie répéta les dernières phrases de son chant. Tronie se joignit à elle, puis Latie. Pour la répétition suivante, la phrase se modifia. Nezzie et Tulie, au contralto grave et profond, chantèrent avec les trois autres. Sur une nouvelle modification, d'autres voix intervinrent. La musique changea une fois encore de caractère. Elle devint une histoire de la Mère, la légende des Mamutoï, du monde des esprits et de leurs origines. Quand les femmes en arrivèrent au moment où l'Esprit de l'Homme était né, les hommes se joignirent à elles. La musique alterna entre les voix féminines et masculines, et un amical esprit de compétition se glissa dans le chœur.

La musique devint plus rapide, plus scandée. Dans un élan d'exubérance, Talut se débarrassa de la fourrure qu'il portait à l'extérieur. Il bondit au centre du cercle, en dansant, en claquant des doigts. Parmi les rires, les cris d'approbation, les piétinements, les claquements des mains sur les cuisses, Talut en vint à exécuter une danse athlétique, accompagnée de frappements de pieds et de sauts démesurés, au rythme de la musique. Barzec ne voulut pas être en reste : il entra dans le cercle à son tour. Quand ils parurent se fatiguer, ce fut Ranec qui les relaya. Une danse aux pas plus rapides, aux figures plus compliquées lui valut des acclamations, des applaudissements nourris. Sans s'arrêter, il appela Wymez. Celui-ci, d'abord réticent, se vit encourager par tous les assistants. Il entama une danse d'un caractère totalement différent.

Ayla joignit son rire et ses acclamations à ceux des autres. Elle prenait plaisir à la musique, au chant, à la danse mais surtout à l'enthousiasme général, à la gaieté ambiante qui lui faisaient du bien. Druwez prit son tour, pour exécuter un numéro de danse acrobatique. Brinan, ensuite, tenta de l'imiter. Sa danse n'avait pas la perfection de celle de son frère aîné, mais on applaudit ses efforts, ce qui encouragea Crisavec, le fils aîné de Fralie, à se joindre à lui. Tusie, à son tour, décida qu'elle avait envie de danser. Barzec, avec un tendre sourire, prit ses deux mains dans les siennes et dansa avec elle. Inspiré par cet exemple, Talut alla chercher Nezzie, l'amena au centre du cercle. Jondalar essaya d'entraîner Ayla, mais elle refusa. Elle vit les yeux brillants de Latie fixés sur les danseurs, poussa du coude son compagnon pour la lui désigner.

— Veux-tu me montrer les pas, Latie ? demanda-t-il à la jeune fille.

Elle gratifia le visiteur d'un sourire de gratitude, le sourire de Talut, remarqua de nouveau Ayla. Le couple alla rejoindre les autres. Latie était mince et grande pour ses douze ans. Ses mouvements étaient gracieux. Ayla, qui la comparait aux autres femmes, se dit qu'elle deviendrait un jour une femme très séduisante.

D'autres femmes se mirent à danser. Quand la musique changea de rythme une fois encore, presque tout le monde dansait en mesure. Certains se mirent à chanter. Ayla se trouva entraînée dans la ronde qui s'était formée. Entre Jondalar d'un côté et Talut de l'autre, elle faisait un pas en avant, un pas en arrière, tournait, tournait, dansait et chantait, et la musique, de plus en plus rapide, les entraînait tous.

Finalement, elle s'arrêta, sur une dernière clameur. Tous riaient, parlaient, reprenaient leur souffle, les musiciens comme les danseurs.

— Nezzie ! Le repas n'est pas encore prêt ? J'en ai senti l'odeur toute la journée et je meurs de faim ! tonitrua Talut.

— Regardez-le, fit Nezzie, avec un signe de tête vers le colosse. Ne dirait-on pas qu'il meurt de faim ?

Les autres se mirent à rire.

— Oui, le repas est prêt. Nous attendions seulement que tout le monde soit prêt à manger.

— Eh bien, moi, je suis prêt, répliqua Talut.

Pendant que les uns allaient chercher leurs assiettes, d'autres, ceux qui avaient fait la cuisine, apportaient les plats. Les assiettes étaient des biens personnels. Les plats étaient souvent faits d'omoplates ou d'os de bassin de bison ou de cerf. Les tasses, les bols étaient parfois de petits paniers faits d'herbes étroitement tressées, de manière à les rendre imperméables. Parfois aussi, il s'agissait de l'os frontal, en forme de coupe, d'un daim auquel on avait enlevé les cornes. Des coquillages, acquis, comme le sel, de voyageurs qui étaient allés jusqu'à la mer ou qui vivaient sur ses rivages, servaient d'assiettes plus petites, de pelles à main ou de cuillers. On servait la nourriture à l'aide de grandes louches, taillées dans l'os, l'ivoire ou la corne, et avec des baguettes habilement manipulées comme des pinces. D'autres baguettes, avec les couteaux de silex, servaient à manger. Le sel, rare et très apprécié dans ces territoires de l'intérieur, était présenté à part, dans le plus beau des coquillages.

Le ragoût de Nezzie, qui ne faisait pas mentir son arôme, était savoureux, gras à souhait. Il s'accompagnait des petits pains de Tulie, faits de grain pilé, qui avaient cuit dans la sauce du ragoût. Deux oiseaux ne pouvaient guère nourrir tout le Camp affamé, mais chacun goûta les lagopèdes d'Ayla. Cuites dans le trou creusé en terre, les volailles étaient si tendres que la chair se détachait toute seule. Les Mamutoï n'étaient pas habitués à l'assaisonnement complexe qu'elle avait imaginé, mais celui-ci n'en flatta pas moins les palais du Camp du Lion. Tout fut mangé, jusqu'à la dernière miette. Ayla elle-même décida que la farce était savoureuse.

Vers la fin du repas, Ranec apporta le plat qu'il avait préparé. La surprise fut générale : il ne s'agissait pas de sa spécialité habituelle. Il passa à la ronde des petites galettes croquantes. Ayla en goûta une, tendit la main pour en prendre une autre.

— Comment faire ça ? demanda-t-elle. Est si bon.

— A moins de provoquer chaque fois une épreuve de force, je ne crois pas qu'on pourra en refaire facilement. Je me suis servi du grain réduit en poudre, je l'ai mélangé à de la graisse de mammouth fondue, j'y ai ajouté des mûres, j'ai persuadé Nezzie de me donner un peu de miel et j'ai fait cuire le tout sur des pierres brûlantes. Wymez m'a bien dit que le peuple de ma mère se servait pour la cuisine de graisse de sanglier mais il ne savait plus très bien comment ils l'utilisaient. Comme je ne me rappelle pas avoir jamais vu un sanglier, j'ai pensé que je me contenterais de graisse de mammouth.

— Goût presque pareil, dit Ayla, mais rien est bon comme ça. Fond dans la bouche.

Elle leva un regard pensif sur l'homme à la peau brune, aux yeux noirs, aux cheveux crépus qui, en dépit de son aspect étrange, était, comme tous les autres, un Mamutoï du Camp du Lion.

— Pourquoi faire cuisine ?

Il se mit à rire.

— Pourquoi pas ? Nous ne sommes que deux, au Foyer du Renard, et j'aime assez ça, tout en étant heureux de manger la plupart du temps au foyer de Nezzie. Pourquoi cette question ?

— Hommes de Clan pas faire cuisine.

— Beaucoup d'hommes ne la font pas, s'ils n'y sont pas obligés.

— Non, hommes de Clan pas capables. Pas savoir comment. Pas souvenirs pour cuisine.

Ayla n'était pas certaine de se faire bien comprendre, mais, à ce moment, Talut survint : il servait à chacun son breuvage fermenté. La jeune femme remarqua alors que Jondalar l'observait, tout en s'efforçant de garder un visage impassible. Elle tendit une coupe taillée dans un os, regarda Talut la remplir de bouza. Le breuvage ne lui avait pas beaucoup plu, la première fois qu'elle l'avait goûté, mais tous les autres semblaient le déguster avec plaisir, et elle décida de faire un nouvel essai.

Après avoir servi tout le monde, Talut reprit son assiette pour aller se servir de ragoût pour la troisième fois.

— Talut ! tu en reprends encore ? fit Nezzie, d'un ton faussement grondeur.

C'était sa façon à elle, Ayla commençait à le comprendre, de dire au colosse qu'était le chef du camp qu'elle était contente de lui.

— Mais tu t'es surpassée. Ce ragoût est le meilleur que j'aie jamais mangé.

— Voilà que tu exagères encore. Tu me dis ça pour que je ne te traite pas de glouton.

— Voyons, Nezzie...

Talut posa son assiette. Tout le monde, en souriant, échangeait des regards entendus.

— Quand je dis que tu es la meilleure, je le pense vraiment.

Il la souleva de terre, fourra le nez au creux de son épaule.

— Talut ! Espèce de gros ours. Lâche-moi.

Il obéit, non sans lui caresser un sein en lui mordillant l'oreille.

— Tu as raison, je pense. Qui a besoin de reprendre du ragoût ? Je vais achever mon repas avec toi, je crois. Ne m'as-tu pas fait une promesse, tout à l'heure ? répliqua-t-il, avec une innocence bien jouée.

— Talut ! Tu es pire qu'un taureau en rut !

— D'abord, je suis un glouton, ensuite un ours, et me voilà maintenant transformé en aurochs.

Il éclata d'un grand rire.

— Mais, toi, tu es la lionne. Viens avec moi à mon foyer, dit-il.

Il faisait mine de vouloir la soulever pour l'emporter.

Elle céda soudain, se mit à rire, elle aussi.

— Oh, Talut ! Comme la vie serait triste sans toi !

Le géant la gratifia d'un large sourire. Ils échangèrent un regard où brûlaient l'amour et la complicité. Ayla en sentit la chaleur. Au fond d'elle-même, elle devinait que cette étroite entente était née de toute une vie d'expériences partagées, au cours de laquelle ils avaient appris à s'accepter l'un l'autre.

Mais leur bonheur faisait lever en elle des pensées inquiétantes. Connaîtrait-elle jamais une telle entente ? Parviendrait-elle un jour à comprendre aussi bien un autre être ? Les yeux fixés au-delà de la rivière, elle méditait sombrement. Elle partagea ainsi avec les autres un moment de silence, tandis que le vaste paysage désert mettait en scène un impressionnant spectacle.

Les nuages qui venaient du nord avaient étendu leur territoire, quand le Camp du Lion eut achevé son festin. Ils offraient maintenant leurs surfaces réfléchissantes à un soleil qui battait rapidement en retraite. Dans un brûlant et glorieux flamboiement, ils proclamaient leur victoire sur l'horizon lointain, ils déployaient leur triomphe en bannières éclatantes d'écarlate et d'orangé... sans se soucier d'un noir allié, l'autre face du jour. Cet orgueilleux déploiement de couleurs, dans toute son audacieuse splendeur, fut une fête de courte durée. L'inexorable avance de la nuit vint saper cet éclat fugitif et fit pâlir les couleurs jusqu'à des tons de carmin et de cornalines. Le rose vif passa au mauve cendré pour être finalement vaincu par un noir de suie.

Avec la nuit, le vent forcit. L'abri et sa chaleur se firent attirants. Dans la lumière déclinante, chacun frotta ses assiettes avec du sable, les rinça à l'eau claire. On vida dans un récipient le reste du ragoût de Nezzie, on nettoya de la même manière la grande peau qui avait servi à le cuire, avant de la mettre à sécher au-dessus du feu. Une fois à l'intérieur, on se débarrassa des vêtements chauds, on les accrocha à des chevilles, on ranima et regarnit les feux.

Le bébé de Tronie, Hartal, nourri et satisfait, s'endormit presque tout de suite, mais la petite Nuvie de trois ans, qui luttait pour garder les yeux ouverts, voulait à tout prix rejoindre les autres qui commençaient à s'assembler au Foyer du Mammouth. Ayla la vit trébucher. Elle l'enleva dans ses bras, la berça un instant, avant de la ramener, profondément endormie, à Tronie, avant même que celle-ci n'eût quitté son foyer.

Au Foyer de la Grue, Tasher, le fils de Fralie, qui avait deux ans, avait mangé, pendant le festin, dans l'assiette de sa mère. Pourtant, remarqua Ayla, il cherchait encore à prendre le sein. Il se mit à grogner, à pleurer, ce qui convainquit la jeune femme que sa mère n'avait plus de lait. Il venait tout juste de céder au sommeil quand éclata entre Crozie et Frebec une querelle qui le réveilla. Fralie, trop lasse pour gaspiller de l'énergie en colère, le prit dans ses bras, mais Crisavec, qui avait sept ans, se renfrogna.

Il partit en compagnie de Brinan et de Tusie, quand ceux-ci passèrent par le foyer. Ils rejoignirent Rugie et Rydag, et les cinq enfants, qui avaient tous à peu près le même âge, se mirent à parler par mots et par signes, au milieu de fous rires. Ils se blottirent tous sur une couchette inoccupée, voisine de celle que partageaient Ayla et Jondalar.

Druwez et Danug étaient assis côte à côte, près du Foyer du Renard. Latie était restée debout tout à côté, mais ou bien ils ne l'avaient pas vue ou bien ils ne voulaient pas lui parler. Ayla la vit leur tourner finalement le dos et, tête basse, se diriger d'un pas traînant vers les enfants plus jeunes. La petite n'était pas encore une jeune fille, devina Ayla, mais elle n'était pas loin de le devenir. C'était une période où les filles avaient besoin d'amies à qui parler, mais il n'y en avait pas de son âge, au Camp du Lion, et les garçons ignoraient sa présence.

— Latie, asseoir avec moi ? demanda-t-elle.

La petite se rasséréna, obéit.

Le reste des occupants du Foyer de l'Aurochs arrivaient par le passage central. Tulie et Barzec rejoignirent Talut, qui conférait avec Mamut. Deegie prit place de l'autre côté de Latie, lui sourit.

— Où est Druwez ? questionna-t-elle. J'ai toujours su que, si j'avais besoin de lui, il me suffisait de te trouver...

— Oh ! il parle avec Danug, répondit Latie. Ils ne se quittent plus, maintenant. J'étais si heureuse, quand mon frère est revenu. Je me disais que nous aurions tant de choses à nous raconter, tous les trois. Mais ils veulent toujours parler en tête-à-tête.

Deegie et Ayla se regardèrent, échangèrent un coup d'œil entendu. Le moment était venu où les amitiés enfantines devaient être considérées sous un aspect nouveau, transformées en relations adultes où chacun reconnaîtrait chez les autres des hommes et des femmes. Mais cette période pouvait être un temps de solitude et de confusion. Ayla, d'une façon ou d'une autre, avait été tenue à l'écart, éloignée durant la majeure partie de sa vie. Elle comprenait ce que pouvait être cette impression de solitude, même lorsqu'on était entouré de gens qui vous aimaient. Plus tard, dans sa vallée, elle avait trouvé le moyen de compenser ce désespoir et elle revoyait le désir, la passion qui brillaient dans les yeux de la jeune fille toutes les fois qu'elle voyait les chevaux.

Ayla regarda Deegie, puis Latie, pour l'inclure dans la conversation.

— Beaucoup à faire, ce jour. Beaucoup jours, trop à faire. Besoin aide. Veux m'aider, Latie ? demanda-t-elle.

— T'aider ? Oui, bien sûr. Que veux-tu que je fasse ?

— Avant, chaque jour, brosse chevaux, fais promenade. Maintenant, plus beaucoup temps, mais chevaux ont besoin. Peux m'aider ? Je montre.

Latie ouvrait de grands yeux ronds.

— Tu veux que je t'aide à prendre soin des chevaux ? murmura-t-elle, stupéfaite. Oh, Ayla, c'est bien vrai ?

— Oui. Aussi longtemps je suis là, serait très utile, répondit la jeune femme.

Tout le monde était à présent rassemblé dans le Foyer du Mammouth. Talut, Tulie et quelques autres s'entretenaient avec Mamut de la chasse au bison. Le vieil homme avait procédé à la Recherche, et les autres se demandaient s'il devait répéter le processus. Après le remarquable succès de la première expédition, une autre chasse serait peut-être possible bientôt. Mamut fut d'accord pour essayer.

Le grand chef fit circuler la bouza, le breuvage fermenté qu'il avait préparé à partir de la fécule des racines de massettes. Pendant ce temps, Mamut se préparait pour la Recherche. Talut remplit la coupe d'Ayla. Elle avait bu une bonne partie de ce qu'il lui avait versé à l'extérieur mais elle se sentait un peu coupable d'avoir jeté le reste. Cette fois, elle en respira l'odeur, elle le fit tourner dans sa coupe, prit longuement son souffle et avala le tout d'un seul trait. Talut lui sourit, la servit de nouveau. Elle lui rendit un sourire inexpressif, but encore. Lorsqu'il revint, après avoir fait le tour de l'assemblée, il vit la coupe vide, lui versa une autre rasade. Elle n'en avait pas envie, mais il était trop tard pour refuser. Elle ferma les yeux, avala le liquide au goût très fort. Elle commençait à s'y habituer sans toutefois comprendre encore pourquoi tout le monde paraissait l'apprécier à ce point.

Pendant qu'elle attendait, elle fut saisie d'une sorte de vertige, ses perceptions se firent confuses. Elle n'eut pas conscience du moment où Tornec se mit à frapper en cadence sur son os de mammouth ; le son lui semblait provenir de l'intérieur d'elle-même. Elle secoua la tête, s'efforça de fixer son attention. Elle se concentra sur Mamut, le vit avaler quelque chose, eut vaguement l'impression que c'était dangereux.

Elle aurait voulu l'empêcher de boire mais elle resta où elle était. C'était Mamut, il devait savoir ce qu'il faisait.

Le vieil homme grand et maigre, à la barbe et aux longs cheveux blancs, était assis en tailleur derrière un autre crâne de mammouth. Il prit un marteau fait dans un bois de cerf et, après avoir écouté un instant, se mit à frapper au rythme de Tornec, avant de se lancer dans une mélopée. Celle-ci fut reprise par d'autres. Bientôt, presque toute l'assemblée participait à une cérémonie qui la magnétisait. Elle consistait en phrases répétitives, psalmodiées sur un rythme insistant, avec de rares modulations de ton, qui alternaient avec des battements arythmiques plus modulés que les voix. Un autre tambour se mit à résoner, mais Ayla remarqua seulement que Deegie n'était plus assise auprès d'elle.

Le battement des tambours s'accordait à celui qui résonnait dans la tête de la jeune femme. Bientôt, elle crut percevoir autre chose que la mélopée et le rythme des instruments. Les tons modulés, les différentes cadences, les changements de timbre et de volume commencèrent à évoquer des voix, des voix qui lui parlaient, dont les paroles lui étaient presque compréhensibles sans qu'elle les saisît entièrement. Elle voulut concentrer son attention, se contraindre à écouter, mais elle n'avait pas l'esprit clair : plus elle s'efforçait, et moins les voix des tambours lui paraissaient compréhensibles. Finalement, elle renonça, céda au vertige tourbillonnant qui semblait l'engloutir.

Alors, de nouveau, elle entendit les tambours et, soudain, elle se sentit emportée.

Elle survolait, très vite, les plaines mornes et glacées. Dans le paysage désert qui s'étendait au-dessous d'elle, tout s'enveloppait d'un voile de neige balayée par le vent. Lentement, elle s'aperçut qu'elle n'était pas seule. Un autre voyageur contemplait ce même paysage et, de quelque manière inexplicable, exerçait un certain contrôle sur leur vitesse et leur direction.

Alors, faiblement, comme un lointain signal sonore, elle entendit des voix psalmodier, des tambours lui parler. Dans un moment de lucidité, elle perçut un mot, prononcé dans un étrange staccato vibrant qui approchait, sans les reproduire exactement, le timbre, la résonance d'une voix humaine.

— Raaaleeentiiis.

Et, de nouveau :

— Raaaleeentiiis iiiciii...

Elle sentit leur vitesse diminuer, regarda au-dessous d'elle, vit quelques bisons serrés les uns contre les autres à l'abri d'un escarpement de rivière. Les énormes animaux supportaient avec une stoïque résignation la violente tempête. La neige s'accrochait à leur poil bourru. Leurs têtes plongeaient vers le sol, comme écrasées par le poids des massives cornes noires. Seule, la vapeur qui montait des naseaux de leurs muffles courts laissait supposer qu'il s'agissait de créatures vivantes et non pas d'accidents de terrain.

Ayla se sentit attirée vers le bas, assez près pour compter, pour distinguer chaque animal. Un jeune fit quelques pas pour venir se serrer contre sa mère. Une vieille femelle, qui avait perdu la pointe d'une corne, secoua la tête et renâcla. Un mâle gratta la terre pour écarter la neige et grignota la touffe d'herbe sèche qu'il avait mise à nu. Au loin, un hurlement s'éleva. Le vent, peut-être.

Le panorama s'élargit de nouveau. Ayla entrevit quatre formes silencieuses, à quatre pattes, qui avançaient furtivement mais d'une allure décidée. La rivière coulait entre deux épaulements rocheux, au-dessous des bisons. En amont, la plaine alluviale, où les bisons avaient cherché asile, se resserrait entre deux hautes levées de terre. La rivière suivait tumultueusement une gorge abrupte faite de rochers déchiquetés et bouillonnait ensuite en rapides et en petites cascades. La seule issue était un défilé rocheux, qui servait de canal d'écoulement aux crues de printemps et par lequel on pouvait remonter vers les steppes.

— Aaaa laaa maiaiaison.

Les syllabes indéfiniment prolongées retentirent aux oreilles d'Ayla en vibrations intenses. Elle se retrouva rapidement entraînée au-dessus des plaines.

— Ayla ! Tout va bien ? disait Jondalar.

La jeune femme sentit un spasme violent ébranler tout son corps. Elle souleva les paupières, vit deux yeux d'un bleu éclatant fixés sur elle d'un air inquiet.

— Euh... oui, je crois.

— Que s'est-il passé ? Latie nous a dit que tu étais tombée en arrière sur le lit, que tu t'étais raidie avant d'être prise de convulsions. Après ça, tu t'es endormie, et personne ne parvenait à te réveiller.

— Sais pas...

— Tu es venue avec moi, voilà tout, Ayla.

A la voix de Mamut, le couple se retourna.

— Moi ? Aller avec toi ? Mais où ? demanda Ayla.

Le vieil homme scruta son visage. Elle a peur, pensait-il. Rien d'étonnant : elle ne s'attendait pas à cette épreuve. C'est déjà bien assez effrayant la première fois quand on y est préparé. Je n'avais pas soupçonné que son pouvoir naturel serait aussi grand. Elle n'avait pas même pris le somuti. Elle a un don trop puissant. Elle doit être formée pour sa propre protection, mais puis-je tout lui enseigner dès maintenant ? Je ne veux pas qu'elle considère son Talent comme un fardeau qu'elle devra porter sa vie entière. Je veux qu'elle sache qu'il s'agit d'un don, même s'il entraîne une lourde responsabilité... Mais la Mère n'a pas coutume d'accorder Ses Dons à ceux qui sont incapables de les accepter. La Mère doit nourrir un dessein particulier pour cette jeune femme.

— Où crois-tu que nous soyons allés, Ayla ? questionna le vieux chaman.

— Pas sûre. Dehors... Etais dans blizzard et vois bisons... avec corne brisée... près rivière.

— Tu as bien vu. J'ai été surpris en sentant ta présence auprès de moi. Mais j'aurais dû envisager cette éventualité car je sentais en toi grand pouvoir. Tu as un don, Ayla, mais tu as besoin d'être initiée, guidée.

Ayla se redressa.

— Un don ? demanda-t-elle.

Elle fut secouée d'un frisson glacé, éprouva un instant de peur. Elle ne voulait pas posséder des dons particuliers. Elle désirait seulement un compagnon, des enfants, comme Deegie ou toute autre femme.

— Quelle sorte de don, Mamut ?

Jondalar la vit pâlir. Elle a l'air si épouvantée, si vulnérable, pensa-t-il. Il l'entoura de son bras. Il voulait uniquement la serrer contre lui, la protéger de tout mal, l'aimer. Ayla se laissa aller contre la chaleur de son corps, sentit son appréhension s'atténuer. Mamut prit note de ce subtil échange, l'ajouta à ses précédentes réflexions sur cette mystérieuse jeune femme qui avait fait parmi eux une soudaine apparition. Pourquoi chez eux ? se demanda-t-il.

Ce n'était pas le hasard, il en était convaincu, qui avait conduit Ayla au Camp du Lion. Rencontres fortuites, coïncidences ne tenaient pas une grande place dans sa conception du monde. Mamut était persuadé que tout avait un but, une orientation voulue, une raison d'être, qu'il fût ou non à même de la saisir. La Mère, il en était sûr, avait eu un motif pour diriger Ayla vers eux. Il s'était livré à son propos à quelques déductions avisées. Maintenant, il en savait davantage sur sa vie passée et il se demandait si elle ne leur avait pas été envoyée en partie à cause de lui. Plus que quiconque, il le savait, il était en mesure de la comprendre.

— Je ne sais pas très bien de quelle nature est ce don, Ayla. Un don de la Mère peut prendre de multiples formes. Tu possèdes, semble-t-il, le don de Guérison. Sans doute ton entente avec les animaux est-elle un don, elle aussi.

Ayla lui sourit. Si la magie de guérison apprise auprès d'Iza était un don, elle l'acceptait volontiers. Si Whinney, Rapide et Bébé lui venaient de la Mère, elle Lui en était reconnaissante. Elle croyait déjà que l'Esprit du Grand Lion des Cavernes les lui avait envoyés. Peut-être la Mère y était-elle pour quelque chose, elle aussi.

— Après ce que j'ai appris aujourd'hui, reprit Mamut, je suis prêt à penser que tu possèdes un don de Recherche. La Mère a été pour toi prodigue de Ses Dons, Ayla.

L'inquiétude plissait le front de Jondalar. L'excès des faveurs de Doni n'était pas nécessairement désirable. On lui avait assez répété qu'elle lui en avait largement dispensé et il n'en avait pas tiré tant de bonheur. Il se remémora tout à coup les paroles du vieux guérisseur qui servait la Mère dans le peuple des Sharamudoï. Le shamud lui avait dit un jour que la Mère lui avait accordé de ne voir aucune femme capable de lui résister. Elle-même ne pouvait rien lui refuser. Tel était le Don qu'il avait reçu. Mais il l'avait averti de se montrer prudent. Les Dons de la Mère n'étaient pas des bénédictions sans mélange, elles faisaient de vous des débiteurs. Cela signifiait-il qu'Ayla avait une dette envers la Mère ?

Ayla ne savait trop si elle appréciait ce dernier don.

— Ne connais pas Mère, ni dons. Crois Lion des Cavernes, mon totem, envoyé Whinney.

Mamut parut surpris.

— Le Lion des Cavernes est ton totem ?

Elle vit son expression, se rappela avec quelle difficulté le Clan en était venu à accepter qu'une créature femelle pût avoir un puissant totem mâle pour protection.

— Oui, Mog-ur dit à moi : Lion des Cavernes choisit moi, fait marque. Je montre, expliqua Ayla.

Elle dénoua la lanière de ses jambières, les descendit juste assez pour découvrir sa cuisse gauche et les quatre cicatrices parallèles faites par des griffes acérées, preuve de sa rencontre avec un lion des cavernes.

Les marques étaient anciennes, depuis longtemps cicatrisées, remarqua Mamut. Elle devait être très jeune, à l'époque. Comment une fillette avait-elle pu échapper à un lion des cavernes ?

— Comment as-tu été marquée ainsi ? questionna-t-il.

— Pas rappeler... mais fais rêve.

L'intérêt de Mamut s'accentua.

— Un rêve ? encouragea-t-il.

— Revient, quelquefois. Suis dans un endroit sombre, petit. Lumière vient par petite ouverture. Et puis... (Elle ferma les yeux, avala sa salive.) ... quelque chose empêche lumière. Peur... Alors, grosse patte de lion passer, griffes pointues. Je crie, je me réveille.

— J'ai rêvé récemment de lions des cavernes, dit Mamut. Voilà pourquoi je m'intéressais tant à ton rêve. J'ai rêvé d'une bande de lions des cavernes qui prenaient le soleil sur les steppes par une chaude journée d'été. Il y a deux petits. L'un des deux, une femelle, essaie de jouer avec le grand mâle, qui a une crinière rousse. Elle tend une patte, lui donne une petite tape sur le museau, plutôt comme si elle avait simplement envie de le toucher. Le grand mâle la repousse, avant de la plaquer au sol d'une énorme patte et de la lécher de sa longue langue râpeuse.

Ayla et Jondalar l'écoutaient avec passion. Mamut continua :

— Mais, soudain, quelque chose intervient. Une harde de rennes galope droit sur les lions. J'ai d'abord pensé qu'ils attaquaient : les rêves ont souvent un sens caché. Mais ces rennes sont affolés et, à la vue des lions, ils se dispersent. Dans l'aventure, le frère de la petite lionne est piétiné. Quand tout est fini, la lionne s'évertue à faire lever le petit mâle, mais elle ne peut lui redonner la vie. Finalement, elle part, avec la petite femelle, le mâle et le reste de la bande.

Ayla, semblait-il, était en état de choc.

— Qu'as-tu donc ? demanda Mamut.

— Bébé ! Bébé était frère. Je poursuis renne, à la chasse. Plus tard, je trouve petit lion, blessé. Je ramène à caverne. Soigne. Elève comme petit enfant.

— Le petit lion que tu as élevé avait été piétiné par des rennes ?

C'était au tour de Mamut d'être sous le choc. Il ne pouvait s'agir d'une simple coïncidence. Il distinguait là une puissante signification. Il avait pressenti qu'il fallait interpréter ce rêve du lion des cavernes selon ses valeurs symboliques, mais il y avait bien autre chose, qu'il n'avait pas compris. Cela dépassait la Recherche, dépassait toute son expérience passée. Il allait devoir y réfléchir profondément et il avait besoin d'en savoir davantage.

— Ayla, si tu veux bien répondre...

Ils furent interrompus par une bruyante querelle.

— Tu ne te soucies pas de Fralie ! Tu n'as même pas versé un bon Prix pour elle ! hurlait Crozie.

— Et toi, tout ce qui t'intéresse, c'est ton statut ! J'en ai assez d'entendre parler du Prix trop bas que j'ai payé. J'ai payé ce que tu m'as demandé, quand personne ne voulait accepter.

— Personne ne voulait accepter ? Que dis-tu là ? Tu m'as suppliée de te la donner. Tu m'as promis de prendre soin d'elle et de ses enfants. Tu m'as dit que tu m'accueillerais à ton foyer...

— Et n'ai-je pas fait tout ça ? cria Frebec.

— Tu appelles ça m'accueillir ? Quand m'as-tu témoigné ton respect ? Quand m'as-tu honoré comme une mère ?

— Quand m'as-tu témoigné du respect ? Dès que je parle, tu discutes.

— S'il t'arrivait de dire quelque chose d'intelligent, personne n'aurait envie de discuter. Fralie mérite mieux. Regarde-la, grosse de la bénédiction de la Mère...

— Mère, Frebec, arrêtez, je vous en prie, intervint Fralie. J'ai seulement envie de me reposer...

Elle était très pâle, elle avait le visage tiré, et elle inquiétait Ayla. La querelle continuait à faire rage, et la guérisseuse en elle voyait à quel point cela éprouvait la jeune femme enceinte. Elle se leva, se dirigea vers le Foyer de la Grue.

— Ne voyez pas Fralie bouleversée ? demanda-t-elle quand la vieille femme et l'homme eurent repris haleine assez longtemps pour lui permettre de parler. Elle besoin d'aide. Vous pas aider. Vous rendez malade. Pas bon, disputes, pour femme enceinte. Fait perdre enfant.

Crozie et Frebec la regardaient avec la même surprise. Crozie fut la première à se remettre.

— Tu vois bien, que te disais-je ? Tu ne te soucies pas de Fralie. Tu ne la laisses même pas parler à cette femme qui sait ce qu'elle dit. Si elle perd l'enfant, ce sera par ta faute.

— Et que sait-elle donc, celle-là ? dit Frebec d'un ton méprisant. Elle a été élevée par une bande d'animaux crasseux. Que peut-elle savoir des soins à donner ? Et elle amène des animaux ici. Elle est elle-même un animal. Tu as raison, je ne vais pas laisser Fralie approcher ce monstre. Qui sait quels mauvais esprits elle a introduits chez nous ? Si Fralie perd l'enfant, ce sera sa faute à elle ! Elle et ces Têtes Plates maudites par la Mère !

Ayla recula en titubant, comme si elle avait été frappée. Cette attaque en règle lui coupait le souffle et laissait sans voix le reste du Camp. Dans le silence abasourdi, elle laissa échapper un cri étranglé, sanglotant, fit volte-face et s'élança à toutes jambes vers la sortie de l'abri. Jondalar saisit leurs deux pelisses et se mit à sa poursuite.

Ayla repoussa la pesante tenture de l'entrée, se retrouva en proie au vent hurlant. La tempête qui avait menacé toute la journée n'apportait ni pluie ni neige mais se déchaînait avec une féroce intensité au-dehors. Ses assauts sauvages n'étaient brisés par aucune barrière. Les différences de pression atmosphérique créées par les immenses murailles de glace au nord jetaient sur les vastes plaines des vents qui soufflaient en ouragan.

Ayla siffla Whinney, s'entendit répondre par un hennissement tout proche. La jument et son poulain émergèrent de l'obscurité.

— Ayla ! Tu n'avais pas l'intention de monter à cheval par cette tempête, j'espère ? dit Jondalar, qui sortait à son tour de l'abri. Tiens, je t'ai apporté ta pelisse. Il fait froid, dehors. Tu dois être à moitié gelée, déjà.

— Oh, Jondalar, je ne peux pas rester ici ! lui cria-t-elle.

— Enfile ta pelisse, Ayla, insista-t-il.

Il l'aida à passer le vêtement par-dessus sa tête, avant de la prendre dans ses bras. La scène suscitée par Frebec, il s'y attendait depuis un certain temps déjà. Cela devait arriver, il le savait, à partir du moment où Ayla parlait si ouvertement de son passé.

— Tu ne peux pas partir ainsi. Pas par cette tempête. Où irais-tu ?

— Je n'en sais rien, et peu m'importe, sanglota-t-elle. Loin d'ici.

— Et Whinney ? Et Rapide ? Ce n'est pas un temps à leur faire faire une longue course.

Sans répondre, elle s'accrochait à lui. Pourtant, à un autre niveau de sa conscience, elle avait remarqué que les chevaux avaient cherché abri plus près de l'habitation. Elle se tourmentait de n'avoir pas de caverne à leur offrir pour les protéger du mauvais temps, comme ils en avaient eu l'habitude. Et Jondalar avait raison. Elle ne pouvait guère partir par une nuit pareille.

— Je ne veux pas rester ici, Jondalar. Dès que la tempête s'apaisera, je veux retourner à la vallée.

— Si tu y tiens, Ayla, nous y retournerons. Quand le temps sera meilleur. Pour le moment, rentrons.

12

— Regarde toute cette glace qui s'accroche à leur robe, dit Ayla.

Elle essayait de détacher les glaçons qui pendaient par bouquets au long poil bourru de Whinney. La jument renâcla, lâcha dans l'air froid du matin un nuage de vapeur chaude que le vent glacial ne tarda pas à dissiper. La tempête s'était apaisée, mais les nuages demeuraient menaçants.

— Mais les chevaux vivent toujours dehors, en hiver. Ils n'ont pas l'habitude de séjourner dans des cavernes, répondit Jondalar, d'un ton qui se voulait raisonnable.

— Et de nombreux chevaux meurent, en hiver, même s'ils trouvent des endroits abrités quand il fait trop mauvais. Whinney et Rapide ont toujours eu un refuge chaud et sec lorsqu'ils en avaient besoin. Ils ne vivent pas avec un troupeau, ils ne sont pas accoutumés à être dehors par tous les temps. Tu as dit que nous pourrions partir n'importe quand. Ce lieu n'est pas bon pour eux...

— Ayla, ne nous a-t-on pas bien accueillis, ici ? La plupart des gens ne se sont-ils pas montrés bons et généreux ?

— Oui, nous avons été bien accueillis. Les Mamutoï s'efforcent d'être généreux avec leurs visiteurs, mais nous ne sommes que cela, et le moment est venu pour nous de partir.

Le front de Jondalar se creusa de plis d'inquiétude. Les yeux baissés, il frottait la terre du pied. Il avait quelque chose à dire mais ne savait trop comment l'exprimer.

— Ayla... euh... je t'avais dit qu'il pourrait se passer quelque chose de ce genre si tu... si tu parlais de... euh... du peuple avec lequel tu as vécu. La plupart des gens ne les considèrent pas comme... comme tu le fais.

Il releva la tête.

— Si seulement tu n'avais rien dit...

— Sans le Clan, je serais morte, Jondalar ! Veux-tu dire que je dois avoir honte des gens qui ont pris soin de moi ? Iza, à ton avis, était-elle moins humaine que Nezzie ? lui cria-t-elle, furieuse.

— Mais non, Ayla, je ne voulais pas dire ça. Je ne prétends pas que tu doives avoir honte d'eux. Je trouve simplement... que tu n'as pas besoin d'en parler à des gens qui ne comprennent pas.

— Je ne suis pas sûre que tu comprennes. Selon toi, de qui dois-je parler, quand on me demande qui je suis ? Quel est mon peuple ? D'où je viens ? Je n'appartiens plus au Clan... Broud m'a maudite, je suis morte, à leurs yeux... Mais je voudrais être encore chez eux ! Du moins avaient-ils fini par m'accepter comme guérisseuse. Ils ne m'empêcheraient pas de venir en aide à une femme qui a besoin. Imagines-tu à quel point il est cruel de voir Fralie souffrir sans être autorisée à la secourir ? Je suis une guérisseuse, Jondalar ! lui lança-t-elle dans une explosion de frustration et d'impuissance.

Avec colère, elle se retourna vers la jument.

Latie, qui sortait de l'abri, vit la jeune femme près des chevaux, s'approcha avec empressement.

— Que puis-je faire pour t'aider ? demanda-t-elle avec un large sourire.

Ayla se rappela qu'elle avait demandé de l'aide à la jeune fille, la veille au soir. Elle s'efforça de reprendre son sang-froid.

— Pense plus besoin d'aide, maintenant. Reste plus ici, retourne bientôt à la vallée.

Elle s'était exprimée dans le langage de Latie. Celle-ci prit un air désolé.

— Oh... très bien... Alors, je t'encombre peut-être, dit-elle.

Déjà, elle reprenait la direction de la voûte d'entrée.

Ayla mesura sa déception.

— Mais chevaux besoin être brossés. Poil plein de glace. Peut-être aider aujourd'hui ?

La petite retrouva son sourire.

— Vois là, par terre, près loge, tiges sèches ?

— Ces cardères, tu veux dire ?

Latie avait ramassé une longue tige sommée d'une tête ronde tout en piquants.

— Oui, je trouve près rivière. Bonne brosse. Tu casses, comme ça. Tu entoures main avec petit morceau cuir. Plus facile pour tenir, expliqua Ayla.

Elle amena la jeune fille près de Rapide, lui montra comment manier la cardère pour étriller le poil d'hiver, long et dru, du poulain. Jondalar resta là afin de calmer l'animal jusqu'à ce qu'il soit habitué à une présence qui ne lui était pas familière. Ayla, elle, rejoignit Whinney, pour continuer à débarrasser sa robe des morceaux de glace qui s'y accrochaient.

Jondalar était reconnaissant à Latie de sa présence : elle mettait fin temporairement à leur discussion à propos de départ. Il en avait dit plus qu'il n'aurait dû, il le sentait. Pis encore, il s'était exprimé maladroitement et ne savait plus, à présent, comment se tirer d'affaire. Il ne voulait pas voir Ayla partir en de telles circonstances. Si elle regagnait maintenant sa vallée, elle pourrait bien ne plus jamais vouloir la quitter. Il avait beau l'aimer profondément, il ne savait trop s'il pourrait supporter de passer le reste de sa vie isolé de toute autre présence humaine. A son avis, ce ne serait pas bon pour elle non plus. Elle s'entendait si bien avec les Mamutoï, pensait-il. Elle n'aurait aucun mal à s'adapter n'importe où, même chez les Zelandonii. Si seulement elle ne parlait pas de... Mais elle a raison. Qu'est-elle censée dire, si on l'interroge sur son peuple ? Il savait que, s'il la ramenait chez lui, tout le monde lui poserait la question.

— Tu fais toujours tomber la glace de leur poil, Ayla ? demanda Latie.

— Non, pas toujours. Dans la vallée, chevaux venir dans caverne, quand temps mauvais. Ici, pas place pour chevaux. Pars bientôt. Retourne à vallée, quand temps plus clair.

A l'intérieur de l'habitation, Nezzie venait de traverser l'aire où l'on faisait la cuisine et le foyer d'entrée pour sortir, mais, en approchant de la voûte, elle les entendit parler, s'arrêta pour écouter. Elle redoutait qu'Ayla ne veuille s'en aller, depuis la scène de la veille au soir. Si elle partait, il n'y aurait plus de leçons de langage par signes, ni pour Rydag ni pour le Camp. Elle avait déjà remarqué la manière différente dont les autres traitaient l'enfant, depuis qu'ils pouvaient lui parler. Excepté Frebec, naturellement. Je regrette d'avoir demandé à Talut de l'autoriser à séjourner chez nous... mais, si je n'avais rien dit, où en serait Fralie, maintenant ? Elle n'est pas bien. Sa grossesse est pénible.

— Pourquoi faut-il que tu partes, Ayla ? questionna Latie. Nous pourrions leur faire un abri ici.

— Elle a raison. Il ne serait pas difficile de monter une tente, un brise-vent, quelque chose, près de l'entrée, pour les protéger du plus gros des bourrasques et de la neige, appuya Jondalar.

— Je crois Frebec pas aimer animal si près, fit la jeune femme.

— Frebec n'est qu'une seule personne, Ayla, dit Jondalar.

— Mais Frebec mamutoï. Pas moi.

Personne ne réfuta cette déclaration. Latie rougit de honte pour son Camp.

A l'intérieur, Nezzie fit demi-tour vers le Foyer du Lion. Talut, qui se réveillait tout juste, rejeta les fourrures, lança ses énormes jambes hors du lit et se redressa sur son séant. Il se gratta la barbe, s'étira de toute la longueur de ses bras, ouvrit la bouche en un énorme bâillement, avant de faire la grimace et de se prendre un moment la tête entre les mains. Il leva les yeux, vit Nezzie, la gratifia d'un sourire confus.

— J'ai bu trop de bouza, hier au soir, déclara-t-il.

Il se mit debout, prit sa tunique, l'enfila.

— Talut, Ayla a décidé de partir dès que le temps serait meilleur, dit Nezzie.

Le géant fronça les sourcils.

— C'est bien ce que je craignais. Dommage. J'espérais que ces deux-là passeraient l'hiver avec nous.

— Ne pouvons-nous faire quelque chose ? Pourquoi le mauvais caractère de Frebec les chasserait-il d'ici, quand tout le monde désire les voir rester ?

— Je ne vois pas ce que nous pourrions faire. Lui as-tu parlé, Nezzie ?

— Non. J'ai entendu leur conversation, dehors. Elle disait à Latie qu'il n'y avait pas de place ici pour les chevaux : ils avaient l'habitude de venir s'abriter dans sa caverne quand le temps était mauvais. Latie a dit que nous pourrions leur construire un abri, et Jondalar a suggéré d'élever quelque chose près de l'entrée. Ayla a répondu alors qu'à son avis, Frebec n'aimerait pas avoir un animal si près, et elle ne parlait pas des chevaux, je le sais.

Talut se dirigea vers l'entrée. Nezzie l'accompagna.

— Nous pouvons sans doute faire quelque chose pour les chevaux, dit-il, mais, si elle veut s'en aller, nous ne pouvons pas la forcer à rester. Elle n'est même pas mamutoï, et Jondalar est zel... zella... je ne sais plus quoi.

Nezzie le retint.

— Pourquoi ne pas faire d'elle une Mamutoï ? Elle dit qu'elle n'a pas de peuple. Nous pourrions l'adopter. Après ça, Tulie et toi, vous célébreriez la cérémonie qui la ferait entrer dans le Camp du Lion.

Talut réfléchit un moment.

— Je ne sais pas trop, Nezzie. On ne fait pas un Mamutoï de n'importe qui. Il faudrait que tout le monde soit d'accord, et avoir quelques bonnes raisons de présenter l'affaire au Conseil, pendant la Réunion d'Eté. Et puis, tu dis qu'elle va partir.

Talut repoussa le rideau, se hâta vers la ravine.

Nezzie, qui l'avait suivi, resta sur le seuil à le regarder s'éloigner. Son regard vint ensuite se poser sur la grande jeune femme blonde qui étrillait le cheval à la robe couleur de foin. Nezzie l'examina longuement. Elle se demandait d'où venait Ayla. Si elle avait perdu sa famille sur la péninsule qui se trouvait au sud, ses parents avaient fort bien pu être des Mamutoï. Plusieurs Camps passaient l'été près de la mer de Beran, et la péninsule ne se trouvait pas bien loin. Pourtant, la brave femme en doutait. Les Mamutoï savaient que c'était là un territoire des Têtes Plates ; ils l'évitaient généralement. Par ailleurs, quelque chose, chez elle, était différent des Mamutoï. Peut-être sa famille avait-elle fait partie des Sharamudoï, ce peuple de la rivière qui habitait à l'ouest, et chez qui Jondalar avait séjourné. Ou même des Sungaea, qui vivaient au nord-est, mais Nezzie ignorait s'ils voyageaient assez loin vers le sud pour atteindre la mer. Une chose au moins était certaine : Ayla n'était pas une Tête Plate... et pourtant, ces gens l'avaient recueillie.

Barzec et Tornec sortirent, en compagnie de Danug et Druwez. Ils saluèrent Nezzie par les signes que leur avait enseignés Ayla. La coutume commençait à s'installer dans le Camp du Lion, et Nezzie l'encourageait. Rydag sortit ensuite, lui fit les mêmes signes. Elle y répondit, lui sourit, mais, lorsqu'elle le serra contre elle, son sourire s'évanouit. Rydag avait mauvaise mine. Il avait la figure pâle et bouffie et semblait plus fatigué que d'ordinaire. Peut-être allait-il tomber malade.

— Jondalar ! Te voilà, dit Barzec. J'ai fabriqué un de ces lanceurs de sagaies. Nous allions l'essayer sur les steppes. J'ai dit à Tornec qu'un peu d'exercice l'aiderait à se débarrasser du mal de tête qu'il doit à ses excès de boisson d'hier soir. Tu veux nous accompagner ?

Jondalar lança un coup d'œil vers Ayla. Il était improbable qu'ils pussent résoudre leur problème ce matin-là, et Rapide semblait très content des soins de Latie.

— Entendu. Je vais chercher le mien, dit-il.

Pendant que les autres attendaient, Ayla remarqua que Danug et Druwez paraissaient vouloir ignorer les efforts de Latie pour attirer leur attention. Toutefois, le garçon roux et dégingandé adressa à Ayla un timide sourire. Quand son frère et son cousin partirent avec les autres, Latie les suivit d'un regard malheureux.

— Ils auraient pu me demander de les accompagner. Je bats toujours Druwez au jeu des cerceaux et des flèches. Mais ils n'ont même pas voulu m'accorder un coup d'œil.

— Je montre, si tu veux, Latie. Quand chevaux brossés, dit Ayla.

La petite leva les yeux vers elle. Elle se rappelait les étonnantes démonstrations de la jeune femme avec son propulseur et sa fronde et elle avait remarqué le sourire de Danug. Mais une pensée lui vint à l'esprit. Ayla ne cherchait pas à attirer l'attention sur elle. Elle se contentait de faire ce qui lui plaisait mais elle était si accomplie dans tout ce qu'elle faisait que les gens étaient forcés de s'intéresser à elle.

— Je voudrais bien que tu me montres, Ayla, dit-elle.

Après un silence, elle ajouta :

— Comment as-tu fait pour être si habile ? Avec le lance-sagaies et avec la fronde, je veux dire.

La jeune femme réfléchit un instant.

— Veux beaucoup et entraîne... beaucoup.

Talut remontait de la rivière, les cheveux et la barbe trempés, les yeux mi-clos.

— Ooh, ma tête ! fit-il, dans un gémissement exagéré. Oooh !

— Talut, pourquoi t'es-tu mouillé la tête ? Par ce temps, tu vas tomber malade, dit Nezzie.

— Je suis malade. Je me suis trempé la tête dans l'eau froide pour essayer de me débarrasser de ce mal de tête. Oooh !

— Personne ne t'a forcé à tant boire. Rentre et sèche-toi.

Ayla considérait le géant avec inquiétude. Elle était surprise de voir Nezzie lui manifester si peu de sympathie. Elle aussi s'était réveillée avec un mal de tête et un estomac un peu barbouillé. Etait-ce la faute de la bouza ? Ce breuvage que tout le monde appréciait, semblait-il ?

Whinney releva la tête, hennit en sourdine et heurta de la croupe la jeune femme. La glace sur la robe des chevaux ne leur faisait pas de mal : c'était seulement un fardeau quand elle s'amoncelait en trop grande quantité. Mais ils aimaient qu'on les étrille, qu'on les soigne, et la jument avait remarqué qu'Ayla, perdue dans ses pensées, s'était immobilisée.

— Whinney, c'est assez. Tu veux qu'on s'occupe de toi, hein ?

Elle usait du style de communication qu'elle employait généralement avec la bête.

Latie l'avait déjà entendue s'exprimer ainsi. Elle n'en fut pas moins frappée quand Ayla émit une imitation parfaite du hennissement de la jument. Elle remarquait en même temps le langage par signes, maintenant qu'elle s'y était plus ou moins accoutumée. Néanmoins, elle n'était pas bien sûre de comprendre les gestes.

— Tu sais parler aux chevaux ! s'exclama-t-elle.

— Whinney est amie, dit Ayla. Longtemps, seule amie.

Elle flatta la jument, examina la robe du poulain, le flatta à son tour.

— Je crois assez étrillé. Maintenant, allons chercher lance-sagaies et entraîner.

Elles rentrèrent dans l'habitation et, en chemin vers le quatrième foyer, passèrent devant Talut qui faisait une tête pitoyable. Ayla prit son propulseur et une poignée de flèches. Au moment où elle repartait, elle remarqua le reste de tisane d'achillée qu'elle s'était préparée le matin pour apaiser son mal de tête. L'ombelle et les feuilles plumeuses de la plante restaient accrochées à la tige mais elles étaient desséchées. Le soleil et la pluie avaient dépouillé l'achillée, aromatique et très parfumée quand elle était fraîche, d'une partie de ses propriétés. Mais Ayla se rappela qu'elle en avait préparé et fait sécher quelque temps avant. Mêlée à de l'écorce de saule, elle guérissait aussi bien les nausées que les maux de tête.

Peut-être serait-ce bon pour Talut, se dit-elle. Mais le remède à base d'ergot de seigle qu'elle préparait contre les migraines les plus tenaces serait sans doute plus efficace.

— Bois ça, Talut, dit-elle avant de sortir.

Avec un faible sourire, il prit la coupe qu'elle lui tendait, la vida d'un trait. Il ne s'attendait guère à en éprouver un véritable soulagement mais il était heureux d'une sympathie que personne d'autre ne paraissait disposé à lui offrir.

La femme et la jeune fille gravirent ensemble la pente et se dirigèrent vers la piste en terre battue où s'était déroulée la compétition. En arrivant sur le plateau, elles virent les quatre hommes qui les avaient devancées s'entraîner à l'une des extrémités. Elles prirent la direction opposée, suivies par Whinney et Rapide. Latie sourit au poulain d'un brun sombre lorsqu'il la salua d'un petit hennissement en secouant la tête. Après quoi, il se mit à paître près de sa mère, tandis qu'Ayla montrait à Latie comment on lançait une sagaie.

— Regarde, commença-t-elle.

Elle tenait en position horizontale l'étroit instrument de bois d'à peu près deux pieds de long. Elle passa ensuite deux doigts de sa main droite dans les boucles de cuir.

— Place sagaie, poursuivit-elle.

Elle disposa le manche de la sagaie, qui devait avoir six pieds de long, dans la rainure creusée sur toute la longueur du propulseur. Elle introduisit le crochet à l'extérieur de l'arme, en prenant soin de ne pas écraser l'empennage. Ensuite, elle assura la sagaie et tira. La longue extrémité mobile du propulseur se souleva, apportant plus de longueur et exerçant la puissance d'un levier. La sagaie se trouva projetée avec une force et une vitesse exceptionnelles. Ayla passa le propulseur à Latie.

— Comme ça ? demanda la jeune fille, en imitant les gestes d'Ayla. Le manche de la sagaie se place dans cette rainure, je passe les doigts dans les boucles pour tenir l'appareil et j'appuie l'extrémité du manche contre ceci.

— Bien. Maintenant, lance.

La sagaie parcourut une bonne distance.

— Ce n'est pas si difficile, déclara Latie, satisfaite.

— Non, pas difficile lancer, approuva Ayla. Difficile faire aller sagaie où tu veux.

— Difficile de bien viser, tu veux dire. Comme pour faire passer une flèche dans le cerceau.

La jeune femme sourit.

— Oui. Faut entraînement pour faire passer flèche dans cerceau... passer dans le cerceau.

Elle venait de voir Frebec arriver, pour découvrir ce que faisaient les hommes, et, soudain, elle s'était rendu compte qu'elle ne parlait toujours pas correctement. Elle aussi avait besoin de pratique, se dit-elle. Mais quelle importance ? Elle n'allait pas rester là.

Latie continuait à s'entraîner sous la direction d'Ayla. Toutes deux, totalement absorbées dans leur activité, ne s'aperçurent pas que les hommes s'étaient interrompus pour s'approcher d'elles et les observer.

— Bien, Latie ! cria Jondalar à la jeune fille, qui venait d'atteindre le but. Tu pourrais bien devenir meilleure que tous les autres ! Ces deux garçons, je crois, en ont assez : ils préfèrent venir voir comment tu t'en tires.

Danug et Druwez semblaient mal à l'aise : il y avait du vrai dans la plaisanterie de Jondalar. Mais Latie arborait un sourire radieux.

— Je veux devenir la meilleure. Je m'entraînerai pour ça, déclara-t-elle.

Tous décidèrent bientôt que c'était assez pour la journée et se remirent en route vers le Camp. Au moment où ils approchaient de la voûte d'entrée, Talut émergea en trombe.

— Ayla ! Te voilà ! Qu'y avait-il dans ce breuvage que tu m'as fait boire ? demanda-t-il.

Il marchait sur elle. Elle eut un mouvement de recul.

— De l'achillée, avec de la luzerne et quelques feuilles de framboisier et...

— Nezzie ! Tu entends ça ? Demande-lui la recette. Sa tisane a dissipé mon mal de tête ! Je me sens un homme nouveau !

Il regarda autour de lui.

— Nezzie !

— Elle est descendue à la rivière avec Rydag, dit Tulie. Il avait l'air fatigué, ce matin, et Nezzie n'était pas d'accord pour qu'il aille aussi loin. Mais il a dit qu'il voulait l'accompagner... ou peut-être qu'il voulait rester avec elle... je n'ai pas bien compris le signe. J'ai promis à Nezzie de descendre la rejoindre, pour l'aider à le porter en remontant, ou bien à porter l'eau. J'allais partir.

Pour plus d'une raison, les propos de Tulie retinrent l'attention d'Ayla. Elle se sentait inquiète pour l'enfant mais, par ailleurs, elle discernait chez Tulie un changement d'attitude à son égard. Pour elle, il était maintenant « Rydag », pas simplement « le petit », et elle parlait de ce qu'il avait dit. Il était devenu à ses yeux un être humain.

— Ah...

Talut hésita, un instant surpris de ne pas trouver Nezzie dans son entourage immédiat. Mais il se reprit, confus, et émit un petit rire.

— Tu m'apprendras à faire cette tisane, Ayla ?

— Oui, répondit-elle. Volontiers.

Il parut ravi.

— S'il faut que je fasse la bouza, il faut que j'aie un remède pour le lendemain matin.

Ayla sourit. En dépit de sa taille et de sa carrure, le géant qui dirigeait le Camp inspirait l'affection. Certes, elle n'en doutait pas, il devait pouvoir se montrer redoutable sous l'effet de la colère. Sa vigueur n'avait d'égale que son agilité et sa rapidité, et il ne manquait sûrement pas d'intelligence, mais il y avait en lui une certaine douceur. Il résistait à la colère. Il se montrait tout disposé à plaisanter aux dépens de quelqu'un d'autre mais il était tout aussi souvent prêt à tourner en ridicule ses propres faiblesses. Il réglait les problèmes de son peuple avec une sincère sollicitude, et sa compassion s'étendait au-delà de son propre camp.

Tout à coup, des lamentations aiguës attirèrent l'attention vers la rivière. Au premier cri, Ayla s'engagea en courant sur la pente. Plusieurs personnes la suivirent. Nezzie, agenouillée près d'un petit corps, hurlait son angoisse. Debout près d'elle, Tulie semblait affolée, désemparée. Ayla, en arrivant, vit que Rydag était sans connaissance.

— Nezzie ? fit-elle.

L'expression de son visage demandait ce qui s'était passé.

— Nous remontions la pente, expliqua Nezzie. Il a commencé à avoir du mal à respirer. J'ai décidé que je ferais bien de le porter mais, au moment où je posais mon outre par terre, je l'ai entendu pousser un cri de douleur. Quand je l'ai regardé, il était couché là, dans cet état.

Ayla se baissa pour examiner Rydag. Elle posa la main puis l'oreille sur son cœur, lui palpa le cou près de la mâchoire. Elle leva sur Nezzie des yeux inquiets, avant de se tourner vers la Femme Qui Ordonne.

— Tulie, porte Rydag à l'abri, au Foyer du Mammouth. Vite !

Elle prit les devants, se précipita en courant au pied de sa couchette. Elle fouilla ses affaires, finit par retrouver certain petit sac fait d'une peau de loutre entière. Elle en répandit le contenu sur le lit, chercha dans les tas de paquets et de petits sachets. Elle regardait la forme de chacun, la couleur et le type de lien qui le tenait fermé, le nombre de nœuds et leur espacement sur ce lien.

Pendant ce temps, son esprit fonctionnait à toute allure. C'est son cœur. Je sais que ce malaise vient du cœur. Il battait mal. Que dois-je faire ? Je n'en sais pas bien long sur le cœur. Personne, dans le Clan de Brun, ne souffrait du cœur. Je dois me rappeler ce qu'Iza m'avait expliqué. Et cette autre guérisseuse, au Rassemblement du Clan, elle avait deux malades du cœur. D'abord, disait toujours Iza, penser à ce qui n'est pas normal. Il est pâle, bouffi. Il a du mal à respirer et il souffre. Son pouls est faible. Son cœur doit travailler plus dur, donner des poussées plus fortes. Que vaut-il mieux utiliser ? Du datura, peut-être ? Non, je ne crois pas. De l'ellébore ? De la belladone ? De la jusquiame ? De la digitale ? Oui, de la digitale... des feuilles de digitale. Mais c'est si fort. Ça pourrait le tuer. Pourtant, il mourra si quelque chose d'assez puissant ne remet pas son cœur en marche. Et comment l'utiliser ? Faut-il en faire une décoction ou une infusion ? Oh, si seulement je pouvais me rappeler comment faisait Iza. Où est ma digitale ? Est-ce que j'en ai encore ?

— Ayla, que se passe-t-il ?

Elle releva la tête, vit Mamut auprès d'elle.

— C'est Rydag... son cœur. On le ramène. Je cherche... plante. Longue tige... fleurs qui retombent... taches rouges, violettes à l'intérieur. Grandes feuilles, comme fourrure dessous. Aide cœur.. à pousser. Tu comprends ?

Ayla se sentait suffoquée par son manque de vocabulaire mais elle avait été plus explicite qu'elle ne le pensait.

— La purpurea, bien sûr. « Digitale » est son autre nom. C'est un remède très puissant...

Mamut regarda Ayla fermer les yeux, reprendre longuement son souffle.

— Oui, mais nécessaire. Dois réfléchir, combien... Voilà petit sac ! Iza disait garder toujours près...

Au même instant, Tulie arriva, l'enfant dans les bras. Ayla enleva de son lit une fourrure, l'étala sur le sol, près du feu, demanda à la Femme Qui Ordonne d'allonger dessus le petit malade. Nezzie se tenait derrière elle. Tous les autres habitants du Camp firent cercle autour d'elles.

— Nezzie, enlève pelisse. Ouvre vêtements. Talut, trop de monde ici. Fais place.

Ayla n'avait même pas conscience de donner des ordres. Elle ouvrit le sachet de cuir, respira l'odeur du contenu, leva vers le vieux chaman des yeux inquiets. Mais elle jeta un coup d'œil sur l'enfant inconscient, et son visage se durcit, prit une expression déterminée.

— Mamut, besoin feu ardent. Latie, cherche pierres à cuire, eau dans vase, coupe pour boire.

Pendant que Nezzie ouvrait les vêtements de l'enfant, Ayla forma avec d'autres fourrures une sorte de coussin pour le redresser. Talut écartait les occupants du Camp, afin que Rydag eût de l'air, et Ayla plus de place pour agir. Latie, anxieuse, alimentait le feu que Mamut avait ranimé pour faire chauffer plus vite les pierres.

Ayla chercha le pouls de Rydag, eut peine à le trouver. Elle posa l'oreille sur sa poitrine. Sa respiration était faible, rauque. Il lui fallait de l'aide. Elle lui renversa la tête en arrière, pour faciliter le passage de l'air. Après quoi, elle colla sa bouche sur la sienne, afin d'introduire son propre souffle dans ses poumons, comme elle l'avait fait pour Nuvie.

Mamut l'observa un moment. Elle semblait trop jeune pour posséder un tel pouvoir de guérison et elle avait assurément connu un instant d'indécision, mais c'était passé, maintenant. Elle était calme, concentrée sur l'enfant, elle donnait ses ordres avec une tranquille assurance.

Il hocha la tête d'un air satisfait, avant de s'asseoir derrière le crâne de mammouth. Il commença de frapper une lente cadence qui, étrangement, eut pour effet de dissiper quelque peu la tension d'Ayla. Le chant de guérison fut aussitôt repris par l'ensemble du Camp : les gens, eux aussi, se détendaient sous l'impression qu'ils contribuaient à soulager le petit malade. Tornec et Deegie se mirent à jouer sur leurs instruments. Ranec apparut, avec des anneaux d'ivoire qui s'entrechoquaient. La musique produite par les tambours, le chant et les anneaux n'était pas trop puissante : c'était plutôt une sorte de pulsation douce et apaisante.

L'eau se mit enfin à bouillir. Ayla versa au creux de sa paume une petite quantité de feuilles séchées de digitale, en aspergea la surface de l'eau. Elle attendit un moment, pour les laisser infuser, tout en s'efforçant de garder son calme. Finalement, la couleur et sa propre intuition lui dirent que l'infusion était à point. Elle en versa un peu dans une coupe. Après quoi, elle prit la tête de Rydag sur ses genoux, ferma un instant les yeux. Ce remède ne devait pas s'utiliser à la légère. Une dose trop forte tuerait l'enfant, et la force contenue dans les feuilles de chaque plante était variable.

Elle rouvrit les paupières, rencontra le regard de deux yeux d'un bleu éclatant, pleins d'amour. Elle accorda à Jondalar un rapide sourire de gratitude. Elle porta la coupe à ses lèvres, y trempa le bout de la langue pour éprouver la force de la préparation. Enfin, elle amena le breuvage amer aux lèvres du malade.

Rydag s'étrangla sur la première gorgée, ce qui dissipa quelque peu son apathie. Il reconnut Ayla, essaya de lui sourire, mais le sourire se changea en grimace de douleur. Elle le fit boire de nouveau, lentement, tout en surveillant étroitement ses réactions : les changements dans la température et la couleur de sa peau, les mouvements de ses yeux, le rythme et la profondeur de sa respiration. Les membres du Camp du Lion l'observaient, eux aussi, avec inquiétude. Ils n'avaient pas compris l'importance que l'enfant avait prise pour eux jusqu'au moment où sa vie s'était trouvée menacée. Il avait grandi parmi eux, il était l'un d'entre eux, et, récemment, ils en étaient venus à s'apercevoir qu'il n'était pas tellement différent d'eux.

Ayla ne sut jamais précisément quand se turent le chant et la cadence des tambours, mais le bruit étouffé que fit Rydag en prenant une longue inspiration résonna comme une clameur de victoire dans le silence absolu, chargé de tension, de l'habitation.

L'enfant prit une seconde inspiration profonde. Ayla remarqua sur ses joues une légère teinte rosée, et son appréhension s'atténua un peu. La musique reprit sur un rythme différent, un enfant cria, des voix murmurèrent. La jeune femme posa la coupe, vérifia les pulsations du sang au cou de Rydag, lui palpa la poitrine. Il respirait plus aisément, moins douloureusement. Elle releva la tête. Nezzie, les yeux pleins de larmes, lui souriait. Elle n'était pas la seule.

Ayla retint l'enfant contre elle jusqu'au moment où elle eut la certitude qu'il se sentait mieux. Elle le retint ensuite parce qu'elle en avait envie. Si elle fermait à demi les paupières, elle parvenait presque à oublier les habitants du Camp. Elle pouvait presque imaginer que cet enfant, qui ressemblait tant à son fils, était bel et bien celui auquel elle avait donné le jour. Les larmes qui lui souillaient les joues, elle les versait à la fois pour elle-même, pour le fils qu'elle aurait tant voulu revoir et pour l'enfant blotti dans ses bras.

Rydag finit par sombrer dans le sommeil. L'épreuve l'avait épuisé, comme elle avait épuisé la jeune femme. Talut le prit dans ses bras, pour le porter jusqu'à son lit. Jondalar aida Ayla à se relever. Il l'étreignit tandis qu'elle s'abandonnait entre ses bras, à bout de forces.

Dans les yeux de la plupart des membres du Camp brillaient des larmes de soulagement, mais il était difficile de trouver les paroles appropriées. Ils ne savaient que dire à la jeune femme qui avait sauvé l'enfant. Ils lui souriaient, lui offraient des signes d'approbation, quelques commentaires murmurés, rien de plus. C'était bien suffisant pour Ayla. A ce moment, elle se serait sentie mal à l'aise si on l'avait accablée de trop de gratitude, de trop de louanges.

Après s'être assurée que Rydag reposait confortablement, Nezzie revint parler à Ayla.

— Je l'ai cru mort. Je n'arrive pas à croire qu'il dort, tout simplement. Ton remède était bon.

Ayla hocha la tête.

— Est vrai, mais fort. Doit en prendre tous les jours, un peu, pas trop. Avec autre remède je prépare pour lui. Tu fais comme infusion mais fais bouillir un moment d'abord. Je montrerai. Donne petite coupe matin, une autre avant sommeil. Urinera plus, la nuit, jusque dégonflé.

— Ce remède va-t-il le guérir, Ayla ? demanda Nezzie, d'un ton plein d'espoir.

La jeune femme tendit la main pour la poser sur la sienne, la regarda bien en face.

— Non, Nezzie. Pas remède pour guérir, répondit-elle d'une voix ferme, teintée de tristesse.

D'un signe, sa compagne accepta le verdict. Elle l'avait toujours su, mais les soins d'Ayla avaient amené un rétablissement quasi miraculeux, et elle n'avait pu s'empêcher de céder à l'espérance.

— Remède aidera, poursuivit Ayla. Rydag se sentira mieux. Pas tant douleur. Mais pas beaucoup ici. Laisse presque tout dans vallée. Pas croire longue absence. Mamut connaît digitale, a peut-être un peu.

Mamut prit la parole.

— Je possède le don de Recherche, Ayla. Je ne suis pas très doué pour la Guérison. Mais le mamut du Camp du Loup est un bon guérisseur. Quand le temps sera meilleur, nous pourrons envoyer quelqu'un demander s'il a de la digitale. Cela prendra quelques jours, malheureusement.

Ayla espérait qu'il lui restait assez de ce remède préparé avec les feuilles de la digitale pour attendre le moment où quelqu'un pourrait aller en chercher mais elle souhaitait plus encore avoir avec elle le reste de sa propre préparation. Elle ne se fiait pas absolument aux méthodes de quelqu'un d'autre. Elle prenait toujours bien soin de faire sécher lentement les grandes feuilles veloutées dans un endroit sec et sombre, à l'abri du soleil, pour en conserver autant que possible le principe actif. En fait, elle aurait aimé avoir sur place tous ses remèdes méticuleusement préparés, mais ils étaient restés dans sa petite caverne de la vallée.

Comme Iza, Ayla avait toujours avec elle son sac en peau de loutre qui contenait certaines racines, certaines écorces, des feuilles, des fleurs, des fruits, des graines. Mais ce n'était pour elle qu'une trousse de premier secours. Elle gardait dans sa caverne une véritable pharmacopée bien que, dans sa vie solitaire, elle n'y ait pas souvent eu recours. C'était une habitude, une pratique intensive qui l'amenaient à recueillir les plantes médicinales avec le passage des saisons. C'était, chez elle, une réaction presque aussi automatique que la marche. Elle connaissait bien d'autres utilisations des plantes, depuis les fibres qui permettaient de faire des cordes jusqu'aux propriétés alimentaires, mais c'étaient les propriétés médicinales qui l'intéressaient par-dessus tout. Elle ne pouvait guère passer sans la cueillir devant une plante dont elle connaissait les vertus curatives, et il y en avait des centaines.

Elle était tellement familiarisée avec la végétation que les plantes nouvelles l'intriguaient toujours. Elle cherchait leurs ressemblances avec des végétaux connus et savait classer les sous-espèces dans des espèces plus largement répandues. Elle était capable d'identifier des familles et des types voisins mais elle savait très bien qu'une apparence semblable n'entraînait pas forcément des réactions semblables, et elle les expérimentait prudemment sur elle-même, en se basant sur ses connaissances et sur son expérience.

Elle était méticuleuse aussi pour les dosages et les méthodes de préparation. Elle savait qu'une infusion, préparée en versant de l'eau bouillante sur des feuilles, des fleurs ou des baies, dégageait des principes et des essences aromatiques et volatiles. La décoction, obtenue par ébullition, éliminait les propriétés résineuses, amères, et donnait plus de résultats avec des produits durs comme les racines, les écorces, les graines. Elle savait comment extraire les huiles essentielles, les gommes, les résines d'une plante, comment faire des cataplasmes, des emplâtres, des fortifiants, des sirops, des onguents, des pommades. Elle savait mêler plusieurs ingrédients, renforcer ou diluer le mélange, selon les besoins.

Les mêmes procédés de comparaison qu'elle appliquait aux plantes lui révélaient les similitudes entre les animaux. Si Ayla possédait une certaine connaissance du corps humain et de ses fonctions, c'était le résultat d'une longue série de conclusions auxquelles elle était arrivée à force de tâtonnements, ainsi que d'une science approfondie de l'anatomie animale acquise par l'étude des bêtes tuées à la chasse. Elle avait su dégager les similitudes avec l'homme.

Ayla était à la fois botaniste, pharmacienne, médecin. Sa magie lui venait des traditions ésotériques transmises et améliorées, au cours de centaines, de milliers, de millions peut-être d'années, par une génération après l'autre de cueilleurs et de chasseurs dont l'existence même dépendait d'une connaissance intime de leur territoire et de ce qu'il produisait.

En se fondant sur ces ressources venues de la nuit des temps, transmises par Iza, et en s'aidant d'un don inhérent d'analyse et d'une perception intuitive, Ayla pouvait reconnaître et traiter la plupart des maladies et des blessures. Il lui arrivait même parfois de pratiquer de petites interventions chirurgicales, avec une lame de silex aussi tranchante qu'un rasoir. Mais ses traitements reposaient avant tout sur les propriétés curatives des plantes.

En regardant dormir l'enfant qui ressemblait tant à son fils, Ayla était envahie d'un profond sentiment de gratitude et de soulagement à la pensée que Durc était né vigoureux et en bonne santé. Mais cela n'empêchait pas la douloureuse nécessité de dire à Nezzie qu'aucun remède ne pourrait rendre la santé à Rydag.

Un peu plus tard dans l'après-midi, la jeune femme entreprit de trier ses paquets et ses sachets d'herbes, afin de préparer le mélange promis à Nezzie. Mamut, silencieux, l'observait. Personne ne pouvait désormais douter de ses talents de guérisseuse, pas même Frebec, même s'il n'était pas disposé à l'admettre, ni Tulie, qui ne s'était pas exprimée aussi crûment mais qui, le vieil homme le savait, avait été très sceptique en son for intérieur. Ayla avait l'apparence d'une jeune femme comme les autres, très séduisante, même à ses yeux de vieillard, mais, il en était convaincu, personne ne pouvait savoir ce qu'elle était en réalité. Connaissait-elle elle-même toute l'étendue de ses capacités ?

Quelle vie difficile — et fascinante — elle avait menée, se disait-il. Elle paraît si jeune encore mais elle possède déjà bien plus d'expérience que n'en auront jamais la plupart des gens dans toute leur existence. Combien de temps a-t-elle vécu avec ce peuple ? Comment est-elle devenue si experte dans leurs méthodes de guérison ? se demandait-il. Ce genre de connaissances, il le savait, ne s'enseignait généralement pas à quelqu'un qui venait de l'extérieur, et elle avait été une étrangère, chez ces gens, plus que quiconque ne pourrait jamais le comprendre. Il y avait aussi ce talent inattendu pour la Recherche. Quelles ressources inexploitées pouvait-elle encore posséder ? Quelles connaissances inutilisées ? Quels secrets encore cachés ?

Toute sa force se manifestait en période de crise. Il se rappelait la façon dont Ayla avait donné des ordres à Tulie et à Talut. Même à moi, pensa-t-il avec un sourire. Et personne n'avait protesté. Le sens du commandement lui vient tout naturellement. Quelle infortune a bien pu tremper son caractère, pour lui conférer, si jeune, une telle personnalité ? se demandait-il. La Mère a des desseins sur elle, j'en suis sûr. Mais que dire du jeune homme, Jondalar ? Il a certainement bien des qualités, mais ses talents n'ont rien d'extraordinaire. Qu'envisage-t-Elle pour lui ?

Ayla rangeait ses remèdes quand Mamut regarda soudain de plus près le sac en peau de loutre. L'aspect lui en était familier. En fermant les yeux, il en voyait un autre si semblable qu'il libérait un flot de souvenirs.

— Ayla, puis-je voir ce que tu as là ? demanda-t-il, désireux de l'examiner de plus près.

— Quoi ? Mon sac à médecines ?

— Je me suis toujours demandé comment ils étaient faits.

Elle lui tendit le sac, remarqua du même coup les nœuds de l'arthrite sur ses vieilles mains longues et maigres.

Le vieillard examina attentivement le sac. Il montrait des signes d'usure : elle devait l'avoir depuis un certain temps. Il avait été fait, non pas en assemblant des pièces les unes aux autres, mais en utilisant la peau entière d'un seul animal. Plutôt que de fendre l'abdomen de la loutre, ce qui était la manière habituelle de dépouiller une bête, on lui avait seulement ouvert la gorge, en laissant la tête encore attachée par-derrière par une bande de peau. On avait sorti par la gorge les entrailles et les os, on avait vidé le crâne, de sorte qu'il s'était un peu affaissé. La peau, alors, avait été salée. On avait pratiqué des trous à intervalles réguliers autour du cou avec une alène de silex pour y enfiler une lanière qui permettait de fermer l'orifice. Le résultat était un sac en fourrure de loutre, lisse et imperméable. La queue et les pattes demeuraient intactes, la tête servait de rabat.

Mamut lui rendit l'objet.

— C'est toi qui l'as fait ?

— Non. Iza fait. Elle était guérisseuse du Clan de Brun. Ma... mère. Elle m'apprend, depuis petite fille, où plantes poussent, comment faire remèdes, comment utiliser. Etait malade, pas possible aller Rassemblement du Clan. Brun besoin guérisseuse. Uba trop jeune. Je suis la seule.

Mamut hocha la tête pour marquer sa compréhension, avant de lui lancer un regard pénétrant.

— Quel est le nom que tu viens de dire ?

— Ma mère ? Iza ?

— Non, l'autre.

Ayla réfléchit un instant.

— Uba ?

— Qui est Uba ?

— Uba est... sœur. Pas sœur véritable mais comme sœur pour moi. Fille d'Iza. Maintenant, est guérisseuse... et mère de...

— Est-ce un nom répandu ? interrompit Mamut, d'une voix où perçait une teinte de surexcitation.

— Non... crois pas... Creb donne nom à Uba. Mère de mère d'Iza a même nom. Creb et Iza, même mère.

— Creb ! Dis-moi, Ayla, ce Creb avait-il un bras qui ne fonctionnait pas et marchait-il en boitant ?

— Oui, répondit Ayla, intriguée.

Comment Mamut pouvait-il connaître ces détails ?

— Y avait-il un autre frère ? Plus jeune, mais vigoureux et en bonne santé ?

Ayla se rembrunit sous le flot de questions de Mamut.

— Oui. Brun. Etait chef.

— Grande Mère ! Je ne peux y croire ! Je comprends, maintenant.

— Moi, comprends pas.

— Ayla, viens t'asseoir. Je veux te conter une histoire.

Il l'emmena jusqu'au foyer. Il s'assit au bord de la plate-forme, tandis qu'elle s'installait sur une natte posée sur le sol et levait vers lui des yeux emplis d'attente.

— Un jour, il y a bien des années, quand j'étais encore un tout jeune homme, j'ai connu une aventure qui a transformé ma vie, commença Mamut.

Ayla sentit soudain un étrange frisson courir à fleur de peau. Elle avait l'impression de savoir déjà ce qu'allait dire le chaman.

— Manuv et moi, nous sommes du même Camp. L'homme que sa mère avait choisi pour compagnon était mon cousin. Nous avons grandi ensemble et, comme le font tous les jeunes gens, nous parlions de faire ensemble un Voyage. Mais, dans l'été où nous devions partir, il tomba malade. Gravement malade. J'avais hâte de partir : nous faisions des plans pour ce voyage depuis des années. J'espérais sans cesse qu'il allait se rétablir, mais la maladie ne cédait pas. Finalement, alors que l'été finissait, j'ai décidé de faire seul le grand Voyage. Tout le monde me le déconseillait, mais je ne tenais plus en place.

« Nous avions prévu de contourner la mer de Beran et de suivre ensuite la côte au levant de la mer du Sud, comme l'a fait Wymez. Mais il était déjà si tard dans la saison que j'ai préféré prendre un raccourci, à travers la péninsule, pour rejoindre ensuite les montagnes.

Ayla hocha la tête. Le Clan de Brun avait emprunté cette route pour se rendre au Rassemblement du Clan.

— Je n'ai confié mes projets à personne. C'était le territoire des Têtes Plates, et je savais que je me heurterais à de nombreuses objections. Je pensais qu'avec de la prudence, je pourrais éviter tout contact mais je n'avais pas envisagé l'accident. A présent encore, je ne sais trop comment c'est arrivé. Je longeais la rive très haute d'un cours d'eau, presque une falaise, et, tout à coup, j'ai glissé, je suis tombé. J'ai dû rester inconscient un long moment. Quand j'ai repris mes sens, c'était la fin de l'après-midi. J'avais la tête douloureuse, les idées assez confuses, mais le pire, c'était mon bras. L'os était disloqué, brisé, et je souffrais beaucoup.

« J'ai repris quelque temps ma route le long de la rivière, tant bien que mal. J'avais perdu mon sac et je n'ai même pas eu l'idée de le chercher. Je ne sais combien de temps j'ai marché ainsi, mais la nuit était presque tombée quand j'ai enfin aperçu un feu. Je ne pensais pas me trouver sur la péninsule. Je me suis dirigé vers la lumière.

« J'imagine leur surprise quand ils m'ont vu arriver parmi eux d'un pas chancelant. Mais le délire m'avait déjà saisi, je ne savais plus où j'étais. Ma surprise à moi est venue plus tard. Je suis revenu à moi dans un cadre qui m'était inconnu, sans la moindre idée de la façon dont j'avais pu arriver là. J'ai découvert un cataplasme sur mon front, un bandage pour me soutenir le bras. Je me suis souvenu de ma chute et je me suis dit que j'avais de la chance d'avoir été découvert par un Camp qui possédait un bon guérisseur. C'est alors que la femme est apparue. Peut-être, Ayla, es-tu capable d'imaginer mon bouleversement, quand je me suis rendu compte que je me trouvais dans le camp d'un Clan.

Ayla était elle-même bouleversée.

— Toi ! C'est toi, l'homme au bras cassé ? Tu connais Creb et Brun ? demanda-t-elle d'un ton incrédule.

Une vague d'émotion l'envahissait, des larmes perlaient au coin de ses yeux. C'était comme si elle venait de recevoir un message de son passé.

— Tu as entendu parler de moi ?

— Iza m'a dit : avant sa naissance, mère de sa mère soigne homme avec bras cassé. Homme venu des Autres. Creb raconte aussi. Il dit Brun me laisse rester avec Clan parce qu'il apprend de cet homme — toi, Mamut — que les Autres sont hommes aussi.

Ayla s'interrompit pour contempler longuement la chevelure blanche, le vieux visage creusé de rides du vénérable vieillard.

— Iza marche dans monde des esprits, maintenant. Pas née quand tu viens... Et Creb... était enfant, pas encore choisi par Ursus. Creb était vieil homme quand il meurt... Comment toi peut être encore vivant ?

— Je me suis demandé moi-même pourquoi la Mère avait tenu à m'accorder tant de saisons. Je crois qu'Elle vient de me fournir Sa réponse.

13

— Talut ? Talut, tu dors ? murmura Nezzie à l'oreille du gigantesque chef.

En même temps, elle le secouait. Il s'éveilla brusquement.

— Quoi ? Que se passe-t-il ?

— Chut. Ne réveille pas tout le monde. Talut, nous ne pouvons pas laisser partir Ayla. Qui soignera Rydag, la prochaine fois qu'il sera malade ? Je crois que nous devrions l'adopter, la faire entrer dans notre famille, faire d'elle une Mamutoï.

Il leva la tête, vit luire dans les yeux de la femme le reflet rougeoyant des braises du feu couvert pour la nuit.

— Je sais que tu aimes ce petit, Nezzie. Moi aussi, je l'aime. Mais ton amour pour lui est-il une raison suffisante pour faire d'une étrangère l'une d'entre nous ? Comment expliquer cela aux Conseils ?

— Il ne s'agit pas seulement de Rydag. C'est une guérisseuse. Une bonne guérisseuse. Les Mamutoï possèdent-ils tant de guérisseurs que nous puissions nous permettre de laisser partir une femme comme celle-ci ? Vois tout ce qui s'est passé en quelques jours seulement. Elle a empêché Nuvie de s'étrangler jusqu'à en mourir... Oui, je sais, Tulie a dit qu'il pouvait s'agir d'une technique qu'elle avait apprise, mais ta sœur ne peut pas en dire autant pour ce qui est de Rydag. Ayla savait ce qu'elle faisait. Elle a employé la médecine qui guérit. Elle ne se trompe pas non plus à propos de Fralie. Moi-même, je vois bien que sa grossesse est pénible, et que toutes ces discussions, ces querelles ne lui font pas de bien. Que dire aussi de ton mal de tête ?

Talut grimaça un sourire.

— Ça, c'était plus que de la médecine qui guérit : c'était stupéfiant !

— Chut ! Tu vas réveiller tout le monde. Ayla n'est pas seulement une Femme Qui Guérit. Mamut dit qu'elle possède le don de Recherche, sans avoir jamais été initiée. Et regarde comment elle s'y prend avec les animaux. Je ne serais pas étonnée qu'elle ait aussi le don d'Appel. Imagine le bénéfice qu'en tirerait un Camp, s'il se révélait qu'elle est non seulement capable de rechercher des animaux pour la chasse mais aussi de les faire venir à elle !

— Tu ne sais rien de tout ça, Nezzie. Tu fais seulement des suppositions.

— En tout cas, il n'est pas question de « supposer » pour son habileté avec les armes. Si elle était mamutoï, elle vaudrait un bon prix pour une Union, tu le sais, Talut. Avec tout ce qu'elle a à offrir, dis-moi combien elle vaudrait, à ton avis, si elle était la fille de ton foyer ?

— Hum... Si elle était mamutoï et fille du Foyer du Lion... Mais peut-être n'a-t-elle pas envie de devenir mamutoï, Nezzie. Et que deviendrait le jeune homme, Jondalar ? Il y a un sentiment profond entre eux, on le voit bien.

Nezzie réfléchissait depuis quelque temps à la question. Elle était prête à y répondre.

— Demande-le-lui, à lui aussi.

— Tous les deux ! explosa Talut en se redressant sur son séant.

— Chut ! Baisse la voix !

— Mais il a un peuple. Il dit qu'il est zel... zel... je ne sais plus quoi.

— Zelandonii, murmura Nezzie. Mais son peuple vit bien loin d'ici. Pourquoi aurait-il envie d'entreprendre un si long voyage pour retourner là-bas, s'il pouvait se faire une place parmi nous ? Tu peux toujours le lui demander, Talut. Cette arme qu'il a inventée devrait suffire à satisfaire les Conseils. Et Wymez assure que c'est un excellent façonneur d'outils. Si mon frère lui accorde sa recommandation, les Conseils ne refuseront pas, tu le sais bien.

— C'est vrai... Mais, Nezzie, comment sais-tu qu'ils voudront bien rester avec nous ?

Talut s'était recouché.

— Je ne le sais pas, mais tu peux toujours le leur demander, non ?

La matinée s'avançait déjà quand Talut sortit de l'abri. Il vit Jondalar et Ayla qui emmenaient les chevaux. Il n'y avait pas de neige, mais le givre du petit matin s'attardait encore par endroits en blanches plaques de cristal. A chaque respiration, une brume enveloppait les têtes des jeunes gens. De l'électricité statique crépitait dans l'air sec et glacial. L'homme et la femme avaient revêtu, contre le froid, des pelisses de fourrure dont le capuchon relevé encadrait étroitement leur visage et des jambières, de fourrure elles aussi, enfoncées dans des sortes de bottes serrées par des liens sur les jambes.

— Jondalar ! Ayla ! Vous partez ? cria le chef.

Il se hâta pour les rejoindre.

Ayla hocha affirmativement la tête, et, du coup, Talut perdit son sourire. Mais Jondalar expliqua :

— Nous allons simplement faire faire un peu d'exercice aux chevaux. Nous serons de retour après midi.

Il négligea de préciser qu'ils recherchaient aussi un peu d'intimité, un endroit où ils se retrouveraient seuls un moment, pour décider, sans risquer d'être interrompus, s'ils devaient regagner la vallée d'Ayla. Ou plutôt, dans la pensée de Jondalar, pour ôter à Ayla tout désir d'y retourner.

— C'est bon. Je voudrais organiser quelques séances d'entraînement avec ces lance-sagaies, quand le temps sera meilleur. J'aimerais bien voir comment ils fonctionnent, et ce que je pourrais faire avec, dit Talut.

— Tu pourrais bien avoir une surprise, je crois, fit Jondalar en souriant, quand tu verras ce qu'ils peuvent faire.

— Pas tout seuls. Je ne doute pas qu'ils fonctionnent parfaitement pour vous deux, mais il y faut de l'habileté, et nous n'aurons peut-être pas beaucoup de temps pour nous exercer avant le printemps.

Talut s'interrompit pour réfléchir.

Ayla attendait, une main posée sur le garrot de la jument, juste au-dessous de sa crinière courte et raide. Une épaisse moufle de fourrure pendait au bout d'une corde qui passait dans la manche de sa pelisse. La corde s'enfilait dans une boucle fixée par-derrière à l'encolure et descendait le long de l'autre manche pour retenir la seconde moufle. Si l'on avait besoin de la dextérité d'une main nue, on pouvait ainsi ôter rapidement ses moufles sans craindre de les perdre. Dans une contrée où le froid était si cruel, les vents si violents, une moufle perdue pouvait signifier une main perdue, ou même une vie. Le poulain s'ébrouait et dansait, dans son impatience. Il se cognait à Jondalar. Tous semblaient pressés de reprendre leur chemin. S'ils attendaient la fin de ses propos, c'était par pure courtoisie, Talut le savait. Il décida de prendre le risque.

— Nezzie m'a parlé, hier au soir, et, ce matin, j'ai abordé le sujet avec d'autres. Ce serait une bonne chose d'avoir quelqu'un ici pour nous montrer comment nous servir de ces lance-sagaies.

— Ton hospitalité a été plus que généreuse. Je serais heureux, tu le sais, de montrer à n'importe qui comment on s'en sert. Ce serait un bien modeste remerciement pour tout ce que tu as fait pour nous.

Talut hocha la tête mais poursuivit néanmoins :

— Wymez me dit que tu es un très bon tailleur de pierre, Jondalar. Les Mamutoï ont toujours besoin d'un artisan capable de fabriquer de bons outils. Ayla, elle aussi, possède de nombreux talents qui rendraient grand service au Camp. Non seulement elle est très habile au lance-sagaies et à la fronde, mais tu avais raison...

Il abandonna Jondalar pour se tourner vers Ayla.

— ... c'est une guérisseuse. Nous aimerions que vous restiez chez nous.

— J'espérais que nous pourrions passer l'hiver chez toi, Talut, et je te remercie de ton offre mais je ne sais ce qu'en pense Ayla, répondit Jondalar.

Il souriait : pour lui, la proposition de Talut n'aurait pu se présenter à un meilleur moment. Comment pourrait-elle partir, à présent ? L'offre de Talut avait sûrement plus d'importance que les réflexions désobligeantes de Frebec.

Talut s'adressa alors directement à la jeune femme.

— Ayla, tu n'as plus de peuple, et Jondalar habite très loin d'ici, à une distance beaucoup plus grande qu'il ne souhaite couvrir s'il peut s'installer ici. Nous aimerions que vous restiez chez nous tous les deux, pas seulement pour l'hiver mais définitivement. Je vous invite à devenir membres de notre Camp et je ne parle pas seulement pour mon propre compte. Tulie et Barzec seraient tout prêts à adopter Jondalar au Foyer de l'Aurochs. Nezzie et moi, nous voulons faire de toi une fille du Foyer du Lion. Je suis l'Homme Qui Ordonne, et Tulie la Femme Qui Ordonne. Vous auriez ainsi une position très enviable parmi les Mamutoï.

— Veux-tu dire que vous désirez nous adopter ? Vous souhaitez que nous devenions des Mamutoï ? fit malgré lui Jondalar, abasourdi, rouge de surprise.

— Tu veux moi ? Tu veux adopter moi ? demanda Ayla.

Elle avait écouté toute la conversation, le front plissé d'attention, sans être bien sûre de pouvoir croire ce qu'elle entendait.

— Tu veux changer Ayla de Nulle Part pour Ayla des Mamutoï ?

Le géant sourit.

— Oui.

Jondalar ne savait plus que dire. L'hospitalité envers les invités pouvait être une question de tradition, de fierté, mais aucun peuple n'avait coutume de demander à des étrangers de se joindre à une tribu, à une famille sans y avoir mûrement réfléchi.

— Je... euh... je ne sais pas... quoi te répondre, dit-il. Je suis très honoré. Il est très flatteur de s'entendre faire une telle offre.

— Tu as besoin de temps pour y penser, je le sais. L'un et l'autre, déclara Talut. Le contraire m'étonnerait. Nous n'en avons pas parlé à tout le monde, et le Camp tout entier doit être d'accord, mais cela ne devrait pas poser de problème, avec tout ce que vous nous apporteriez et avec notre recommandation, à Tulie et à moi. J'ai voulu d'abord vous poser la question. Si vous acceptez, je convoquerai l'assemblée.

En silence, le couple regarda s'éloigner le géant. Ils étaient partis à la recherche d'un endroit où ils pourraient discuter, dans l'espoir de résoudre les difficultés qui, de leur avis à tous deux, commençaient à se dresser entre eux. L'invitation inattendue apportait une dimension entièrement nouvelle à leurs pensées, aux décisions qu'ils devaient prendre et jusqu'à leurs vies. Sans un mot, Ayla enfourcha Whinney, et Jondalar monta derrière elle. Perdus dans leurs réflexions, ils gravirent la pente, abordèrent le vaste plateau. Rapide suivait docilement.

L'offre de Talut avait profondément ému Ayla. Du temps où elle vivait avec le Clan, elle s'était souvent sentie tenue à l'écart, mais ce n'était rien en comparaison du vide douloureux, de la solitude désespérée qu'elle avait connus sans eux. Elle n'appartenait plus à personne, elle n'avait plus de foyer, plus de famille, plus de peuple, et elle ne reverrait jamais son clan, elle le savait. Après le tremblement de terre qui l'avait laissée orpheline, le cataclysme du jour où elle avait été chassée donnait à la séparation un sens d'irrévocabilité. Sous-jacente à ce sentiment se cachait une peur profonde, élémentaire, la combinaison de la terreur primitive éprouvée en sentant la terre se soulever et du chagrin d'une petite fille qui avait tout perdu, jusqu'au souvenir de ceux auxquels elle avait appartenu. Ayla ne redoutait rien autant que les déchirements convulsifs de la terre. Ils semblaient toujours apporter le signal de changements dans sa vie, aussi violents, aussi brutaux que ceux qu'ils apportaient au paysage. On eût dit que la terre elle-même l'avertissait de ce qui l'attendait... ou qu'elle frémissait en témoignage de sympathie.

Mais, après la première fois où elle avait tout perdu, le Clan était devenu son peuple. A présent, si elle le désirait, elle avait la possibilité d'en retrouver un. Elle pouvait devenir mamutoï. Elle ne serait plus seule.

Mais que ferait Jondalar ? Comment pourrait-elle choisir un peuple autre que le sien ? Consentirait-il à rester, à devenir un Mamutoï ? Elle en doutait. Ce qu'il désirait, elle en était convaincue, c'était rentrer chez lui. Mais il avait craint de voir tous les Autres se comporter avec elle comme Frebec. Il ne voulait pas qu'elle parlât du Clan. Que se passerait-il, si elle partait avec lui, et si son peuple ne voulait pas d'elle ? Peut-être ces gens-là étaient-ils tous comme Frebec. Elle se refusait à s'abstenir de parler du Clan, comme si Iza, Creb, Brun, son propre fils étaient des êtres dont elle dût avoir honte. Elle ne voulait pas avoir honte de ceux qu'elle aimait !

Avait-elle envie de suivre Jondalar, au risque d'être traitée par son peuple comme un animal ? Ou bien préférait-elle rester en ces lieux où on l'acceptait, où l'on désirait sa présence ? Le Camp du Lion avait même accueilli un enfant d'esprits mêlés, un garçon, semblable à son propre fils. Une idée se présenta soudain à son esprit. S'ils en avaient accepté un, peut-être en accepteraient-ils un autre ? Un enfant qui n'était pas faible, malade ? Un garçon capable d'apprendre à parler ? Le territoire des Mamutoï s'étendait jusqu'à la mer de Beran. Talut n'avait-il pas dit qu'il existait là-bas un Camp du Saule ? La péninsule où vivait le Clan n'était pas bien loin de là. Si elle devenait mamutoï, peut-être pourrait-elle un jour... Mais Jondalar ? S'il s'en allait ? A cette seule pensée, Ayla éprouva une vive douleur au creux de l'estomac. Pourrait-elle endurer de vivre sans Jondalar ? se demanda-t-elle. Elle avait peine à s'y retrouver dans le désordre de ses sentiments.

Jondalar, lui aussi, se débattait entre des aspirations contraires. L'offre qui venait de lui être faite lui importait peu, il tenait seulement à trouver à son refus un prétexte qui n'offenserait ni Talut ni les Mamutoï. Il était Jondalar des Zelandonii, et son frère avait eu raison, il le savait : jamais il ne pourrait être autre chose. Il avait envie de rentrer chez lui, mais c'était une douleur sourde, latente, plutôt qu'un besoin urgent. Il était impossible d'y penser autrement. Son peuple vivait si loin de là qu'il faudrait bien une année pour couvrir la distance.

Le grand tourment de son esprit, c'était Ayla. Jamais il n'avait manqué de partenaires toutes disposées à lui plaire, et la plupart d'entre elles auraient volontiers accepté de former avec lui un lien plus durable. Mais jamais il n'avait rencontré de femme qu'il désirât comme il désirait Ayla. Aucune des femmes de son propre peuple, aucune des femmes qu'il avait connues au cours de ses voyages n'avait réussi à susciter en lui les émotions qu'il avait constatées chez d'autres hommes sans les avoir jamais éprouvées lui-même, jusqu'au jour où il avait rencontré Ayla. Il l'aimait plus qu'il ne l'aurait cru possible. Elle était tout ce qu'il avait toujours recherché chez une femme, et plus encore. Il ne supportait pas l'idée de vivre sans elle.

Mais il savait ce que c'était que d'attirer le déshonneur sur soi-même. Les qualités même qui l'attiraient — ce mélange d'innocence et de sagesse, de franchise et de mystère, d'assurance et de vulnérabilité — résultaient de circonstances qui pourraient lui valoir, à lui, de connaître de nouveau la souffrance de la disgrâce et de l'exil.

Ayla avait été élevée par le Clan, un peuple différent des autres de bien des manières inexplicables. Pour la plupart des gens de sa connaissance, ceux qu'Ayla appelait le Clan n'étaient pas des êtres humains. C'étaient des animaux, mais ils ne ressemblaient pas à ceux qu'avait formés la Mère pour les besoins de Ses créatures. Même si l'on se refusait à l'admettre, les similitudes avec les Autres étaient reconnues, mais les évidentes caractéristiques humaines du Clan n'entraînaient pas un étroit sentiment de fraternité. Bien au contraire, on y voyait une menace et l'on insistait sur les différences. Par les gens comme Jondalar, le Clan était considéré comme une espèce abominablement bestiale, pas même cataloguée dans le panthéon des créations de la Grande Terre Mère, comme si elle avait été engendrée par quelque mystérieux esprit malin. Mais, à la manière des meutes de loups qui se répartissent un territoire où chacune défend sa part contre les autres meutes et non contre les autres créatures, qu'il s'agisse de proies ou de prédateurs, de même, entre les Clans et les Autres, l'acceptation des frontières du territoire de chacun représentait une tacite reconnaissance du fait qu'ils étaient de la même espèce.

Jondalar en était venu à comprendre, à peu près en même temps qu'il prenait conscience de son amour pour Ayla, que toute vie était une création de la Grande Terre Mère, même les Têtes Plates. Mais il avait beau aimer la jeune femme, il restait convaincu que, chez lui, elle serait tenue à l'écart. Ce ne seraient pas seulement ses liens avec le Clan qui la feraient traiter en paria. On verrait en elle un monstre, condamné par la Mère, parce qu'elle avait mis au monde un enfant d'esprits mêlés, mi-animal, mi-humain.

Ce tabou était communément répandu. Tous les peuples que Jondalar avait rencontrés au cours de ses voyages adhéraient à cette croyance, certains avec plus de conviction que d'autres. Il se trouvait des gens pour ne pas même vouloir admettre l'existence de tels bâtards ; d'autres y voyaient une plaisanterie de mauvais goût. Voilà pourquoi il avait été scandalisé en découvrant Rydag au Camp du Lion. Sa présence, il en était convaincu, n'avait pas dû rendre la vie facile à Nezzie : à la vérité, elle avait eu à endurer le poids des critiques cruelles et des préjugés. Seule, une femme dotée d'une sereine assurance et forte de sa position avait pu affronter ainsi ses détracteurs, mais, en fin de compte, sa profonde compassion, son humanité avaient prévalu. Mais Nezzie elle-même, lorsqu'elle avait essayé de persuader les autres d'accepter Ayla parmi eux, n'avait pas fait mention du fils dont la jeune femme lui avait parlé.

Ayla ne mesurait pas la profondeur de la souffrance de Jondalar quand Frebec l'avait tournée en ridicule, même s'il s'était attendu à une réaction plus violente encore. Cette souffrance, néanmoins, ne tenait pas seulement au fait qu'il s'était mis à la place d'Ayla. L'affrontement lui avait remis en mémoire une autre circonstance où ses émotions l'avaient égaré. Il avait réveillé une blessure enfouie au plus profond de lui-même. Mais, pis encore, il y avait eu sa propre réaction inattendue. C'était ce qui causait maintenant son angoisse. Jondalar rougissait encore de honte parce que, l'espace d'un instant, il s'était senti mortifié de son association avec la jeune femme, pendant que Frebec lançait ses invectives. Comment pouvait-il aimer une femme et, en même temps, avoir honte d'elle ?

Depuis le terrible événement qui datait du temps de sa jeunesse, Jondalar s'était toujours efforcé de garder la tête froide mais, cette fois, il était apparemment incapable de maîtriser les conflits qui le déchiraient. Il désirait ramener Ayla chez lui. Il désirait lui faire connaître Dalanar, les habitants de sa caverne, sa mère, Marthona, son frère aîné, sa jeune sœur, ses cousins, tous les Zelandonii. Il voulait la voir bien accueillie, il voulait fonder un foyer avec elle, partager un lieu où elle pourrait avoir des enfants qui naîtraient peut-être de son propre esprit. Il ne désirait personne d'autre au monde, ce qui ne l'empêchait pas de frémir à l'idée du mépris qui pourrait s'abattre sur lui s'il introduisait chez lui une telle femme. Il hésitait aussi à l'exposer, elle, à ce mépris.

Surtout si ce n'était pas nécessaire. Si seulement elle s'abstenait de parler du Clan, personne ne saurait rien. Toutefois, que pourrait-elle dire, quand quelqu'un l'interrogerait sur son peuple ? Lui demanderait d'où elle venait ? Les créatures qui l'avaient élevée représentaient la seule famille qu'elle connaissait... à moins qu'elle n'acceptât la proposition de Talut. Elle pourrait alors se dire Ayla des Mamutoï, comme si elle était née parmi eux. Sa façon particulière de prononcer certains mots passerait simplement pour un accent. Et qui sait ? se disait-il. Peut-être est-elle bel et bien mamutoï. Ses parents auraient pu l'être. Elle ignorait qui ils étaient.

Mais, si elle devenait mamutoï, elle pourrait décider de rester. Et alors, que faire ? Serai-je capable de me fixer ? Pourrai-je apprendre à considérer ce peuple comme le mien ? Thonolan l'a fait. Aimait-il Jetamio plus que je n'aime Ayla ? Mais les Sharamudoï étaient le peuple de Jetamio. Elle était née, elle avait été élevée parmi eux. Les Mamutoï ne sont pas le peuple d'Ayla, pas plus qu'ils ne sont le mien.

Si elle peut être heureuse ici, elle peut tout aussi bien l'être avec les Zelandonii. Si elle devient l'une d'entre eux, elle ne voudra peut-être pas m'accompagner chez moi. Elle n'aura aucune peine à trouver quelqu'un d'autre ici... Ranec, j'en suis sûr, y serait tout disposé.

Ayla sentit ses bras se refermer étroitement sur elle et se demanda ce qui avait causé cette réaction. Elle remarqua, un peu plus loin devant eux, une ligne de broussailles. Sans doute, pensa-t-elle, indiquait-elle la présence d'une petite rivière. Elle poussa Whinney dans cette direction. Les chevaux décelèrent la proximité de l'eau et ne se firent pas prier. Parvenus au cours d'eau, Ayla et Jondalar mirent pied à terre et cherchèrent un endroit abrité pour s'asseoir.

Ils remarquèrent, près des berges, un certain épaississement. Ce n'était, ils le savaient, qu'un commencement. La bordure blanche qui s'était formée, couche après couche, à partir des eaux sombres encore tourbillonnantes au milieu du courant allait s'élargir à mesure que s'avancerait la saison. Elle se refermerait sur le flot turbulent, l'immobiliserait, le retiendrait en suspens, jusqu'au moment où le cycle se renouvellerait. Les eaux, alors, jailliraient de nouveau, dans un élan de liberté.

Ayla ouvrit une petite sacoche faite de cuir brut et raide, dans laquelle elle avait mis de quoi les nourrir tous les deux : de la viande séchée, sans doute de l'aurochs, une petite corbeille de mûres, séchées elles aussi, et des prunelles acides. Elle en sortit aussi un nodule de pyrite de fer, d'un gris un peu cuivré, et un morceau de silex ; elle allait ainsi pouvoir allumer un petit feu, pour faire bouillir l'eau d'une infusion. Cette fois encore, Jondalar s'émerveilla de la facilité avec laquelle on créait des flammes, avec la pierre à feu. C'était magique, miraculeux. Jamais il n'avait rien vu de semblable avant sa rencontre avec Ayla.

Dans la vallée de la jeune femme, la berge rocailleuse était parsemée de pyrites — les pierres à feu. Elle avait découvert par hasard qu'en frappant un nodule avec un silex, on obtenait une étincelle ardente qui durait assez longtemps pour allumer un feu, et elle avait su tirer parti de cette découverte. C'était un jour où son feu s'était éteint. Elle savait comment le rallumer, par le procédé laborieux qu'employaient la plupart des gens : on faisait tourner une baguette sur une sole de bois, jusqu'au moment où la friction produisait assez de chaleur pour obtenir une braise. Ayla savait donc comment appliquer ce principe, le jour où, par erreur, elle prit un morceau de pyrite de fer, au lieu du silex qui lui servait de marteau, et produisit cette première étincelle.

Jondalar avait appris la technique de la jeune femme. En travaillant le silex, il avait souvent fait naître de petites étincelles, mais il les avait considérées comme l'esprit vivant de la pierre. Il ne lui était pas venu à l'esprit de tenter de faire du feu à l'aide de ces étincelles. Mais il n'était pas seul, alors, dans une vallée où il devait constamment assurer sa survie : il se trouvait généralement parmi des gens qui, presque toujours, avaient un feu allumé. Les étincelles qui jaillissaient du seul silex ne duraient jamais assez longtemps, de toute façon, pour faire naître une flamme. En ce qui concernait Ayla, c'était l'alliance fortuite du silex et de la pyrite qui avait fait jaillir une étincelle assez puissante pour allumer un feu. Jondalar saisit immédiatement la valeur de cette découverte et l'avantage qu'on pouvait tirer de la possibilité de faire du feu si vite et si facilement.

Pendant leur repas, ils rirent des bouffonneries de Rapide qui entraînait sa mère dans une partie de « cours après moi » et du spectacle des deux chevaux qui se roulaient sur le dos, les jambes en l'air, sur une petite plage abritée du vent et chauffée par le soleil. Prudemment, ni l'un ni l'autre ne fit allusion aux préoccupations qui les tourmentaient tous le deux. Le rire les détendit, la solitude de l'endroit et son intimité leur rappelèrent les jours passés en tête-à-tête dans la vallée.

— Latie prendrait plaisir à voir ces deux bêtes s'amuser ainsi, je crois, dit Jondalar.

— Oui. Elle aime vraiment les chevaux, n'est-ce pas ?

— Elle t'aime aussi, Ayla. Elle est devenue une véritable admiratrice.

Après une hésitation, il poursuivit :

— Ils sont nombreux, ici, ceux qui ont de l'affection et de l'admiration pour toi. Tu n'as pas vraiment envie de retourner à ta vallée pour y vivre seule, dis-moi ?

Ayla baissa les yeux sur la coupe qu'elle tenait entre ses mains. Elle fit tourner au fond un reste d'infusion avec les feuilles détrempées, but une petite gorgée.

— C'est un soulagement de nous retrouver seuls. Je n'avais pas compris à quel point j'aurais plaisir à m'éloigner un peu de tous ces gens et j'ai laissé dans la caverne de ma vallée certaines choses que j'aimerais avoir ici. Mais tu as raison. Maintenant que j'ai rencontré les Autres, je ne tiens pas à vivre constamment seule. J'aime bien Latie et Deegie, Talut et Nezzie, tout le monde... sauf Frebec.

Jondalar exhala un soupir de soulagement. Le premier obstacle, le plus important, avait été franchi sans difficulté.

— Frebec est seul de son espèce. Tu ne peux pas permettre à une seule personne de te gâcher tout le reste. Talut... et Tulie ne nous auraient pas invités à demeurer avec eux s'ils n'avaient pas d'amitié pour toi, s'ils n'avaient pas la certitude que tu as beaucoup à offrir.

— Toi aussi, Jondalar, tu as beaucoup à offrir. Désires-tu rester ici et devenir mamutoï ?

— Ils se sont montrés bons pour nous, bien plus que ne les y obligeait la simple hospitalité. Je pourrais rester, certainement durant tout l'hiver, plus longtemps même, et je serais heureux de leur donner tout ce qui est en mon pouvoir. Mais ils n'ont pas besoin de moi comme tailleur de pierre. Wymez est bien meilleur que moi, et Danug ne tardera pas à l'égaler. Je leur ai déjà montré le lance-sagaies. Ils ont pu voir comment il était fait. Avec un peu d'entraînement, ils sauront s'en servir. Il leur suffit de le vouloir. Et je suis Jondalar des Zelandonii...

Il s'interrompit. Ses yeux prirent une expression plus vague, comme s'il voyait quelque chose de très lointain. Il se tourna ensuite dans la direction d'où ils étaient venus. Son front se plissa sous l'effort qu'il faisait pour trouver une explication.

— Je dois retourner là-bas... un jour... ne serait-ce que pour apprendre à ma mère la mort de mon frère... et pour donner aux Zelandonii une chance de retrouver son esprit afin de le guider vers l'autre monde. Sachant cela, je ne pourrais pas devenir Jondalar des Mamutoï. Je ne peux oublier mes obligations.

Ayla le dévisageait attentivement. Elle savait qu'il ne voulait pas rester. Ce n'était pas à cause de ses obligations, bien qu'il pût en être conscient. Il avait envie de rentrer chez lui.

— Et toi ? reprit Jondalar, s'efforçant de conserver un ton et une expression neutres. Veux-tu rester et devenir Ayla des Mamutoï ?

Elle ferma les paupières, afin de chercher le moyen de s'exprimer. Elle avait l'impression qu'elle ne connaissait pas assez de mots, ou pas les mots qui convenaient, ou encore que les mots n'étaient pas suffisants.

— Du jour où Broud m'a maudite, Jondalar, je n'ai plus eu de peuple. Je me suis sentie toute vide. J'aime bien les Mamutoï. Je les respecte. Je me sens à l'aise avec eux. Le Camp du Lion est... comme le Clan de Brun... Pour la plupart, ce sont de braves gens. Je ne sais pas quel était mon peuple, avant le Clan. Sans doute ne le saurai-je jamais. Mais parfois, la nuit, je pense... je souhaite que mes parents aient été des Mamutoï.

Elle regardait l'homme bien en face, ses cheveux blonds et lisses qui tranchaient sur la fourrure sombre de son capuchon, son beau visage qu'elle trouvait « joli », bien qu'il lui eût dit qu'on n'employait pas ce mot en parlant d'un homme, son corps vigoureux, sensible, ses grandes mains expressives, ses yeux bleus qui paraissaient si sincères et si troublés.

— Mais, avant les Mamutoï, tu es venu. Tu as tué le vide, tu m'as emplie d'amour. Je veux vivre avec toi, Jondalar.

Dans les yeux du jeune homme, l'anxiété s'évanouit, fut remplacée par l'expression chaleureuse, détendue à laquelle elle s'était accoutumée dans sa vallée, puis par le désir magnétique, irrésistible qui amenait chez elle une réaction spontanée. Sans l'avoir sciemment désiré, elle se retrouva contre lui, sentit la bouche de Jondalar trouver la sienne, ses bras l'entourer.

— Ayla, mon Ayla, je t'aime tant ! s'écria-t-il dans un sanglot dur, étranglé où se mêlaient l'angoisse et le soulagement.

Ils étaient tous deux assis sur le sol. Il la tenait serrée contre sa poitrine, mais avec tendresse, comme s'il ne voulait plus jamais la lâcher, tout en redoutant de la voir se briser. Il desserra son étreinte, juste assez pour lui relever le visage et faire pleuvoir des baisers sur son front, ses yeux, le bout de son nez. En atteignant sa bouche, il sentit le désir monter en lui. Il faisait froid, ils n'avaient pas d'abri où trouver un peu de chaleur, mais il avait envie de l'avoir toute à lui.

Il dénoua la lanière qui coulissait autour du capuchon d'Ayla, lui découvrit le cou, la nuque. En même temps, ses mains passaient sous la pelisse, sous la tunique, pour trouver la peau chaude, les rondeurs des seins dont les mamelons s'érigeaient durement. Un gémissement s'échappa des lèvres de la jeune femme, tandis qu'il les caressait. Il dénoua la coulisse de ses jambières, passa les doigts à l'intérieur, rencontra le plus secret de son intimité. Elle se pressa plus étroitement contre lui.

A son tour, elle chercha sous la pelisse et la tunique pour défaire le nœud de ses jambières, prit entre ses doigts le membre en érection, le caressa longuement. Il poussa un long soupir de plaisir quand elle se pencha sur lui pour compléter et préciser ses caresses.

Elle l'entendit gémir, étouffer un cri, avant de reprendre son souffle et de la repousser doucement.

— Attends, Ayla. Je te veux, dit-il.

— Il faudrait que j'ôte mes jambières et mes bottes, objecta-t-elle.

— Non, il fait trop froid. Retourne-toi. Tu te rappelles ?

— Comme Whinney et son étalon, murmura Ayla.

Elle se mit à genoux, se pencha en avant. L'espace d'un instant, elle se souvint, non pas de Whinney et de son ardent étalon, mais de Broud, qui l'avait jetée à terre, violentée. Mais Jondalar était infiniment plus doux. Elle baissa elle-même ses jambières, s'offrit à lui tout entière. L'invite était presque irrésistible, mais il retint le flot de son désir. Il l'emprisonna alors de son corps pour lui communiquer sa chaleur et se mit à la caresser jusqu'au centre même de son plaisir. Lorsqu'il la sentit prête, quand il l'entendit crier, il n'attendit pas davantage. Il la prit longuement, savamment, jusqu'à une magnifique délivrance.

Alors, sans la quitter, sans ouvrir ses bras, il l'entraîna avec lui, et ils se retrouvèrent couchés sur le côté. Finalement, un peu reposés, ils se séparèrent, et Jondalar se redressa sur son séant. Le vent forcissait. Il regarda les nuages avec appréhension.

— Il faut que je me lave, déclara Ayla, en se redressant à son tour. Ces jambières sont neuves : c'est Deegie qui me les a données.

— En rentrant, tu pourras les laisser dehors, et elles gèleront. Ensuite, tu les brosseras.

— Il y a encore de l'eau dans la petite rivière...

— Mais elle est glacée, Ayla !

— Je sais. Je n'en aurai pas pour longtemps.

Avec précaution, elle s'avança sur la glace, s'accroupit près de l'eau, se rinça avec la main. Au moment où elle revenait sur la berge, Jondalar passa derrière elle pour la sécher avec la fourrure de sa pelisse.

— Je ne veux pas que ça gèle, fit-il, en souriant largement.

En même temps, il la caressait.

— Je compte sur toi pour tenir tout au chaud, riposta-t-elle en lui rendant son sourire.

Elle renoua la lanière de ses jambières, rajusta sa pelisse.

Ce Jondalar-là était celui qu'elle aimait. L'homme capable de la faire vibrer, de l'envahir d'une douce chaleur, d'un seul regard, d'un simple contact de ses mains, l'homme qui connaissait son corps mieux qu'elle-même et pouvait éveiller en elle des émotions ignorées jusque-là, celui qui lui avait fait oublier la souffrance éprouvée quand Broud l'avait déflorée, qui lui avait appris ce qu'étaient les Plaisirs, ce qu'ils devaient être. Le Jondalar qu'elle aimait était enjoué, tendre, aimant. Il avait été ainsi dans la vallée, il l'était encore ici, quand ils se retrouvaient seuls. Pourquoi se montrait-il si différent au Camp du Lion ?

— Tu commences à te montrer bien habile avec les mots, femme. Je vais bientôt avoir du mal à te tenir tête dans mon propre langage !

Il lui passa les bras autour de la taille, la regarda longuement. Ses yeux étaient pleins d'amour et de fierté.

— Tu apprends vite les langues, Ayla. Je n'en crois pas mes oreilles. Comment fais-tu ?

— Il le faut bien. Ce monde nouveau est le mien, maintenant. Je n'ai pas de peuple. Je suis morte pour le Clan. Je ne peux plus revenir en arrière.

— Tu pourrais avoir un peuple. Tu pourrais devenir Ayla des Mamutoï, si tu le veux. Le veux-tu ?

— Je veux être avec toi.

— Tu pourras quand même être avec moi. Ce n'est pas parce que quelqu'un t'adoptera que tu ne pourras pas partir... un jour... Nous pourrions rester ici... un certain temps. Et s'il m'arrivait quelque chose — cela se peut, tu sais —, il ne serait peut-être pas mauvais pour toi d'appartenir à un peuple. A des gens qui veulent te garder parmi eux.

— Ça ne t'ennuierait pas ?

— M'ennuyer ? Non. Je n'y verrais pas d'inconvénient, si c'est ce que tu désires.

Ayla crut déceler dans sa voix une ombre d'hésitation. Pourtant, il paraissait sincère.

— Jondalar, je suis Ayla tout court. Je n'ai pas de peuple. Si j'étais adoptée, j'aurais quelqu'un. Je serais Ayla des Mamutoï.

Elle s'écarta de lui.

— J'ai besoin d'y réfléchir.

Elle lui tourna le dos, se dirigea vers son sac. Si je dois bientôt partir avec Jondalar, se disait-elle, je ne devrais pas accepter. Ce ne serait pas honnête. Mais il a dit qu'il serait disposé à rester ici. Un certain temps. Peut-être, après avoir vécu avec les Mamutoï, changera-t-il d'avis. Peut-être aura-t-il envie de s'établir ici. Elle se demanda si elle essayait de se trouver un bon prétexte.

Elle fouilla à l'intérieur de sa pelisse pour toucher son amulette, adressa une pensée à son totem. Lion des Cavernes, je voudrais trouver un moyen de savoir ce qui est bien. J'aime Jondalar, mais je désire aussi appartenir à un peuple bien à moi. Talut et Nezzie veulent m'adopter, ils veulent faire de moi une fille du Foyer... du *Lion*. Et du Camp du *Lion* ! O, Grand Lion des Cavernes, m'as-tu donc guidée sans relâche, sans que j'y prenne garde ?

Elle fit volte-face. Jondalar était resté là où elle l'avait laissé. Il la contemplait en silence.

— J'ai pris ma décision ! Je serai Ayla du Camp du Lion des Mamutoï !

Elle surprit sur son visage un fugitif froncement de sourcils, mais il lui sourit.

— C'est bien, Ayla. J'en suis heureux pour toi.

— Oh, Jondalar, ai-je bien fait ? Tout se passera-t-il bien ?

— Personne ne peut répondre à cette question. Qui peut savoir ?

Il s'avança vers elle, tout en guettant le ciel qui se couvrait.

— J'espère que tout ira bien... pour nous deux.

Ils s'accrochèrent un instant l'un à l'autre.

— Nous devrions rentrer, je crois.

Ayla tendait la main vers son sac pour en ranger le contenu quand quelque chose attira son regard. Elle mit un genou en terre, ramassa un caillou couleur d'or sombre. Elle l'essuya, l'examina de plus près. Entièrement pris dans la pierre lisse qui se réchauffait dans sa main, se trouvait un insecte ailé, parfaitement intact.

— Regarde, Jondalar ! As-tu déjà vu quelque chose de semblable ?

Il lui prit l'objet, le tourna et le retourna, avant de relever sur la jeune femme des yeux où passait une lueur de crainte respectueuse.

— C'est de l'ambre. Ma mère possédait une pierre comme celle-ci. Elle y attachait une grande valeur. Celle-ci est peut-être plus belle encore.

Il remarqua le regard fixe d'Ayla. Elle semblait abasourdie. Il ne croyait pas avoir dit quelque chose d'aussi surprenant.

— Qu'y a-t-il, Ayla ?

— C'est un signe. Un signe de mon totem, Jondalar. L'Esprit du Grand Lion des Cavernes me dit que j'ai pris la bonne décision. Il veut que je devienne Ayla des Mamutoï !

La force du vent s'intensifia sur le chemin du retour de Jondalar et d'Ayla. Il était tout juste midi, mais la lumière du soleil était obscurcie par les nuages de poussière de lœss qui s'élevaient en masse de la terre gelée. Bientôt, ils distinguèrent à peine leur chemin. Des éclairs crépitaient autour d'eux, dans l'air sec et glacial. Le tonnerre grondait, avec de rares éclats retentissants. Rapide se cabra de frayeur quand un éclair, suivi d'un coup de tonnerre, éclata tout près. Whinney hennit d'inquiétude. Le couple sauta de cheval pour calmer le poulain et poursuivit la route à pied en tenant les deux bêtes.

Lorsqu'ils arrivèrent au Camp, les vents soufflaient en ouragan. La poussière obscurcissait le ciel, leur brûlait la peau. Au moment où ils approchaient de l'habitation semi-souterraine, une silhouette émergea de la pénombre mouvante : elle s'accrochait à quelque chose qui se débattait et s'agitait comme une créature vivante.

— Vous voilà enfin. Je commençais à m'inquiéter, clama Talut, pour dominer le hurlement du vent, le grondement du tonnerre.

— Que fais-tu là ? Pouvons-nous t'aider ? demanda Jondalar.

— En voyant approcher la tempête, nous avons fait un abri pour les chevaux d'Ayla. Je ne pensais pas que ce serait une tempête sèche. Le vent a tout emporté. Je crois que vous feriez bien de faire entrer les bêtes ; elles pourront rester dans le foyer d'accès.

— Ça arrive souvent ? demanda Jondalar.

Il se saisit d'un bout de la grande peau qui aurait dû servir de brise-vent.

— Non. Certaines années, nous ne voyons pas une seule tempête sèche. Elle va s'apaiser dès que nous aurons une bonne chute de neige, répondit Talut. Après ça, nous n'aurons affaire qu'aux blizzards ! acheva-t-il dans un grand rire.

Il baissa la tête pour entrer sous la voûte, retint la lourde peau de mammouth afin de permettre à Ayla et Jondalar de faire entrer les chevaux.

Ceux-ci hésitaient devant cet endroit inconnu, plein d'odeurs qui ne leur étaient pas familières, mais ils aimaient encore moins le vacarme de la tempête et ils faisaient confiance à Ayla. Dès qu'ils eurent échappé au vent, leur soulagement fut immédiat, et ils se calmèrent rapidement. Ayla, un peu surprise, était néanmoins reconnaissante à Talut de sa sollicitude pour eux. En franchissant la seconde voûte, elle prit conscience du froid qui l'avait saisie à l'extérieur. Le cuisant assaut de la poussière l'en avait distraite, mais la température glaciale et la violence du vent l'avaient gelée jusqu'aux os.

A l'extérieur, le vent faisait toujours rage. Il agitait bruyamment les protections placées au-dessus des trous à fumée, gonflait les lourdes tentures. De brusques courants d'air soulevaient la poussière, avivaient soudainement les flammes du foyer où l'on faisait la cuisine. Rassemblés par petits groupes aux alentours du premier foyer, les membres du Camp achevaient le repas du soir, buvaient une infusion, bavardaient. Ils attendaient que Talut donne le signal du début de la soirée.

Le géant finit par se lever, se dirigea à grandes enjambées vers le Foyer du Lion. Lorsqu'il revint, il portait un bâton d'ivoire, plus grand que lui, qui, plus gros à la base, s'effilait en pointe vers le sommet. Il était orné d'un objet en forme de petite roue à rayons, qui avait été attaché au bâton à peu près au tiers de la hauteur, vers le haut. Des plumes de grue blanches étaient fixées, en forme d'éventail, à la moitié supérieure de cette roue. Entre les rayons de la moitié inférieure, pendaient au bout de lanières de mystérieux sachets, des objets d'ivoire sculpté, des morceaux de fourrure. En y regardant de plus près, Ayla vit que le bâton était fait d'une seule défense de mammouth dont on avait, par quelque méthode inconnue, supprimé la courbe. Comment, se demanda-t-elle, avait-on pu redresser la courbure d'une défense de mammouth ?

Tout le monde se tut pour concentrer son attention sur le chef. Il regarda Tulie. Elle répondit à son regard par un signe de tête. Il frappa alors par quatre fois le sol de l'extrémité la plus grosse du bâton.

— J'ai une grave question à soumettre au Camp du Lion, commença Talut. Une question qui concerne tout le monde. Je prends donc la parole avec le Bâton Qui Parle, afin que chacun écoute attentivement, et que personne n'interrompe. Quiconque souhaitera intervenir pourra demander le Bâton Qui Parle.

Il y eut un frémissement d'excitation parmi les assistants qui se redressèrent et tendirent l'oreille.

— Il n'y a pas très longtemps, Ayla et Jondalar sont arrivés au Camp du Lion. Quand j'ai fait le compte des jours de leur présence, j'ai été étonné de constater que cela faisait si peu de temps. Nous avons déjà l'impression que ce sont de vieux amis, comme s'ils étaient ici chez eux. La plupart d'entre vous, je crois, partagent cette opinion. A cause de cette chaleureuse amitié que nous éprouvons pour notre parent, Jondalar, et pour notre amie, Ayla, j'avais espéré les voir prolonger leur visite et je pensais leur demander de passer tout l'hiver avec nous. Mais, pendant leur court séjour, ils nous ont montré plus que de l'amitié. Tous deux sont venus avec des connaissances et des talents précieux et nous les ont offerts sans réserve, comme s'ils faisaient vraiment partie de notre peuple.

« Wymez a reconnu, en Jondalar, un tailleur de pierre expérimenté qui a généreusement partagé ses connaissances avec Danug et Wymez lui-même. Mieux encore, il a apporté une nouvelle arme de chasse, un lance-sagaies qui augmente à la fois la portée et la force d'une sagaie.

Il y eut des signes d'approbation, des commentaires. Une fois encore, Ayla remarqua que les Mamutoï écoutaient rarement en silence : ils participaient activement au discours.

— Ayla possède de nombreux talents exceptionnels, reprit Talut. Elle se sert avec adresse et précision du lance-sagaies et de l'arme qui lui est particulière, la fronde. Mamut déclare qu'elle a le don de Recherche. Si j'en crois Nezzie, elle pourrait posséder aussi le don d'Appel, pour les animaux. Peut-être n'en est-il rien, mais il est sûr qu'elle sait se faire obéir des chevaux, et qu'ils lui permettent de monter sur leur dos. Elle nous a même enseigné une manière de nous exprimer sans paroles qui nous a aidés à comprendre Rydag d'une façon toute nouvelle. Mais, ce qui est peut-être plus important encore, c'est une guérisseuse. Elle a déjà sauvé la vie de deux enfants... et elle possède un remède merveilleux contre les maux de tête !

La dernière remarque provoqua une tempête de rires.

— Tous deux sont source de tant d'avantages que je ne veux pas voir le Camp du Lion ni les Mamutoï les perdre. Je leur ai demandé de rester parmi nous, non seulement pour l'hiver mais pour toujours. Au nom de Mut, Mère de toutes choses...

Talut abattit le bâton d'ivoire sur le sol, une seule fois, fermement.

— ... je demande qu'ils se joignent à nous, et que vous les acceptiez comme Mamutoï.

Talut fit signe à Ayla et à Jondalar. Ils se levèrent, s'approchèrent de lui, avec toute la dignité voulue par le cérémonial. Tulie, qui avait attendu un peu à l'écart, s'avança pour se tenir à côté de son frère.

— Je demande le Bâton Qui Ordonne du Camp du Lion, je déclare mon accord avec tout ce qu'a dit Talut. Jondalar et Ayla feraient de précieuses recrues pour le Camp du Lion et pour les Mamutoï.

Elle fit face au grand homme blond.

— Jondalar, reprit-elle, en frappant par trois fois le sol avec le Bâton Qui Parle, Tulie et Barzec t'ont demandé de devenir un fils du Foyer de l'Aurochs. Nous avons parlé en ta faveur. Comment parles-tu, Jondalar ?

Il s'approcha d'elle, prit le Bâton qu'elle lui tendait, frappa trois coups.

— Je suis Jondalar de la Neuvième Caverne des Zelandonii, fils de Marthona, ancienne Femme Qui Ordonne de la Neuvième Caverne, né au foyer de Dalanar, chef des Lanzadonii, commença-t-il.

En de telles circonstances, il avait décidé de prendre son ton le plus cérémonieux et d'énumérer ses attaches, ce qui lui valut des sourires et des signes approbateurs. Tous ces noms étrangers apportaient à la cérémonie une saveur nouvelle, importante.

— Je suis grandement honoré par votre invitation mais je dois être franc et vous dire que j'ai de fortes obligations. Je devrai un jour rentrer chez les Zelandonii. Je dois apprendre à ma mère la mort de mon frère, et il faudra aussi que je l'annonce à Zelandoni, notre mamut, afin que la Recherche de son esprit puisse être entreprise pour le guider vers le monde des esprits. J'accorde une grande valeur à nos liens de parenté, votre amitié me réchauffe le cœur, je n'éprouve pas le désir de partir. Je souhaite rester avec vous, mes amis et mes parents, aussi longtemps qu'il me sera possible.

Jondalar rendit à Tulie le Bâton Qui Parle.

— Nous regrettons que tu ne puisses faire partie de notre foyer, Jondalar, mais nous comprenons tes obligations. Tu as notre respect. Puisque nous sommes parents, par ton frère qui était second compagnon de Tholie, tu pourras rester ici aussi longtemps que tu le souhaiteras, dit Tulie.

Elle donna le Bâton à Talut.

Il en frappa trois fois le sol.

— Ayla, dit-il, nous désirons, Nezzie et moi, t'adopter comme fille du Foyer du Lion. Nous avons parlé en ta faveur. Comment parles-tu ?

Ayla prit le Bâton, frappa trois fois sur le sol.

— Je suis Ayla. Je n'ai pas de peuple. Je suis très honorée et très heureuse que vous me demandiez de devenir l'une d'entre vous. Je serais fière d'être Ayla des Mamutoï.

Elle avait longuement répété son texte.

Talut reprit le Bâton, frappa quatre coups.

— S'il n'y a pas d'objections, je vais annoncer la fin de cette réunion extraordinaire.

— Je demande le Bâton Qui Parle, dit une voix au sein de l'assistance.

La surprise se peignit sur tous les visages quand on vit Frebec s'avancer.

Il prit le Bâton des mains du Chef, frappa trois fois.

— Je ne suis pas d'accord, déclara-t-il. Je ne veux pas d'Ayla.

14

La stupeur réduisit au silence les gens du Camp du Lion. Suivit un brouhaha de surprise scandalisée. Le chef avait soutenu Ayla, avec le plein accord de la Femme Qui Ordonne. Tout le monde connaissait l'opinion de Frebec sur Ayla, mais personne, semblait-il, ne la partageait. Par ailleurs, Frebec et le Foyer de la Grue ne paraissaient guère en position de s'opposer au projet. Ils avaient eux-mêmes été acceptés assez récemment par le Camp du Lion, après avoir été repoussés par plusieurs autres Camps, et c'était uniquement parce que Talut et Nezzie avaient pris leur défense. Le Foyer de la Grue avait joui naguère d'un grand prestige, et certains Camps auraient été disposés à les accueillir, mais, chaque fois, il s'était trouvé des adversaires, et il ne devait pas y en avoir un seul. Tout le monde devait être d'accord. Après tout l'appui que lui avait apporté le chef, Frebec faisait preuve d'ingratitude en se dressant contre lui, et personne ne s'attendait à cela, Talut moins que quiconque.

L'agitation s'apaisa très vite quand Talut prit le Bâton Qui Parle, le brandit, le secoua, en invoquant son pouvoir.

— Frebec a le Bâton. Laissez-le parler, dit-il.

Il rendit à Frebec la défense d'ivoire.

Frebec frappa trois fois le sol et reprit :

— Je ne veux pas d'Ayla parce que, à mon avis, elle ne nous a pas offert assez pour que nous en fassions une Mamutoï.

Il y eut un mouvement de protestation contre cette déclaration, surtout après les paroles louangeuses de Talut, mais la rumeur ne suffit pas à interrompre l'orateur.

— Demandons-nous au premier étranger venu qui nous fait visite de devenir mamutoï ?

Même sous l'autorité du Bâton Qui Parle, il était malaisé d'empêcher le Camp de s'exprimer.

— Où prends-tu qu'elle n'a rien à offrir ? Que dis-tu de ses talents à la chasse ? cria Deegie, en proie à une juste colère.

Sa mère, la Femme Qui Ordonne, n'avait pas accepté d'emblée Ayla. C'était seulement après mûre réflexion qu'elle avait décidé de se ranger à l'avis de Talut. Comment ce Frebec pouvait-il se permettre de s'élever contre cette décision ?

— Elle chasse, bon, et alors ? répliqua Frebec. Ce n'est pas une raison suffisante. Faisons-nous du premier venu qui sait chasser l'un d'entre nous ? D'ailleurs, elle ne chassera plus bien longtemps, pas après avoir eu des enfants.

— Avoir des enfants est ce qu'il y a de plus important ! explosa Deegie. Elle en tirera plus de prestige encore.

— Ne crois-tu pas que j'en sois conscient ? Nous ne savons même pas si elle est capable d'avoir des enfants, et, si elle n'en a pas, elle n'aura plus grande valeur. Mais nous ne parlions pas d'enfants, nous parlions de chasse. Le seul fait qu'elle chasse ne constitue pas une raison suffisante pour faire d'elle une Mamutoï, maintint Frebec.

— Et le lance-sagaies ? C'est une arme de grande valeur, tu ne peux le nier, et elle s'en sert avec habileté. Elle commence même à montrer aux autres comment l'utiliser, dit Tornec.

— Ce n'est pas elle qui l'a apporté. C'est Jondalar, et il ne veut pas se joindre à nous.

Danug éleva la voix.

— Elle a peut-être le don de Recherche et le don d'Appel. Elle sait se faire obéir des chevaux, elle monte même sur leur dos.

— Les chevaux sont de la nourriture. La Mère les a créés pour que nous les chassions, et non pas pour que nous vivions avec eux. Je ne suis même pas sûr que nous ayons le droit de monter sur leur dos. Et personne ne sait précisément qui est Ayla. Elle possède peut-être le don de Recherche, elle est peut-être capable d'appeler les animaux. Elle pourrait même être la Mère descendue sur la terre. Mais elle n'est peut-être rien de tout ça. Depuis quand des « peut-être » sont-ils une raison suffisante pour faire de quelqu'un l'un d'entre nous ?

Personne n'était en mesure de battre en brèche ses objections. Frebec commençait à être fier de lui-même et de toute l'attention qu'il suscitait.

Mamut le considérait avec une certaine surprise. Le chaman était en complet désaccord avec l'homme, mais les arguments de Frebec étaient habiles, il devait en convenir. Il était seulement dommage que son zèle fût si mal employé.

Nezzie entra dans le débat.

— Ayla a appris à Rydag à parler, quand personne ne l'en croyait capable ! cria-t-elle.

— Parler ! ricana l'autre. Tu peux bien, si ça te plaît, appeler « parler » toutes ces gesticulations. Moi, je ne suis pas d'accord. A mon avis, il n'y a rien de plus inutile que d'adresser à une Tête Plate des gestes stupides. Là encore, ce n'est pas une raison pour accepter Ayla. Ce serait plutôt le contraire.

— Et, en dépit de l'évidence, tu ne crois toujours pas qu'elle soit guérisseuse, je suppose ? intervint Ranec. Tu comprends, j'espère, que, si tu chasses d'ici Ayla, tu pourrais bien t'en repentir quand il n'y aura personne pour aider Fralie quand elle mettra son enfant au monde.

Aux yeux de Frebec, Ranec avait toujours représenté une anomalie. Ranec avait beau jouir d'un grand prestige et d'une belle renommée de sculpteur, Frebec ne savait que trop penser de lui et il n'était pas très à l'aise au voisinage de l'homme à la peau sombre. Quand celui-ci adoptait ce ton subtilement ironique, Frebec avait toujours l'impression qu'il se montrait dédaigneux ou qu'il se moquait de lui. Il n'aimait pas ça. Par ailleurs, cette peau presque noire avait probablement quelque chose de contre-nature.

— Tu as raison, Ranec, riposta-t-il d'une voix forte. Je ne crois pas que ce soit une guérisseuse. Comment une fille élevée parmi ces animaux aurait-elle appris à être guérisseuse ? Pour ce qui est de Fralie, elle a déjà mis des enfants au monde. Pourquoi serait-ce différent, cette fois-ci ? A moins que la présence ici de cette femme-animal ne lui porte malheur. Ce garçon à la tête plate amoindrit déjà le prestige de ce camp. Vous ne comprenez donc pas ? Elle le fera tomber plus bas encore. Pourquoi quelqu'un voudrait-il d'une femme élevée par des animaux ? Et, si quelqu'un passait par ici et découvrait des chevaux dans la galerie, qu'en penserait-il ? Non, je ne veux pas voir une femme-animal, qui a vécu chez les Têtes Plates, devenir membre du Camp du Lion.

L'assemblée réagit avec violence à ces déclarations, mais la voix de Tulie domina le tumulte.

— Où prends-tu que le prestige de ce Camp ait été amoindri ? Rydag ne m'enlève aucun prestige. J'ai toujours une voix proéminente au Conseil des Sœurs. Et Talut n'a rien perdu, lui non plus.

— Les gens font toujours allusion à « ce Camp où vit la Tête Plate ». J'ai honte de reconnaître que j'en fais partie, cria Frebec pour toute réponse.

Tulie se redressa de toute sa taille devant l'homme assez frêle.

— Libre à toi de partir d'ici quand tu voudras, fit-elle de son ton le plus froid.

Crozie se récria.

— Vois ce que tu as fait ! Fralie attend un enfant, et tu vas la forcer à partir, par ce froid, sans savoir où aller. Pourquoi ai-je jamais accepté votre Union ? Comment ai-je pu croire qu'un homme qui donnait un prix aussi bas serait assez bon pour Fralie ? Ma pauvre fille, ma pauvre Fralie...

Les gémissements de Crozie furent couverts par le tapage des voix furieuses et des arguments qui s'élevaient contre Frebec. Ayla tourna le dos à l'assemblée, se dirigea vers le Foyer du Mammouth. Au passage, elle vit Rydag qui regardait la réunion avec de grands yeux tristes, au Foyer du Lion, et elle changea d'idée, alla le rejoindre. Elle s'assit près de lui, lui palpa la poitrine, l'examina avec attention pour s'assurer qu'il se sentait bien. Après quoi, sans essayer d'entamer une conversation, parce qu'elle ne savait que lui dire, elle le prit sur ses genoux, le berça en fredonnant à mi-voix un petit air monocorde. Elle avait bercé ainsi son fils autrefois, et, plus tard, seule dans sa caverne de la vallée, elle s'était souvent endormie de cette manière.

— N'y a-t-il donc personne qui respecte le Bâton Qui Parle ? rugit Talut, dominant le tumulte.

Ses yeux étincelaient. Il était furieux. Ayla ne l'avait jamais vu dans un tel état mais elle admira sa maîtrise sur lui-même quand il reprit la parole.

— Crozie, jamais nous ne mettrions Fralie dehors par ce froid, et tu nous fais injure, à moi-même et au Camp du Lion, en suggérant que nous en serions capables.

La vieille femme, bouche bée, dévisagea le chef. Elle n'avait pas vraiment cru qu'on chasserait Fralie. Elle s'était simplement laissé emporter par sa harangue contre Frebec, sans songer qu'on pouvait prendre ses paroles pour une insulte. Elle eut le bon goût de rougir de honte, ce qui en surprit certains, mais, au fond, elle connaissait fort bien les subtilités des relations humaines. Après tout, Fralie tenait d'abord d'elle son prestige. Crozie bénéficiait par elle-même d'une haute estime, du moins jusqu'au jour où elle avait tant perdu, ce qui l'avait amenée à se rendre malheureuse ainsi que tous ceux qui l'entouraient. Elle pouvait encore revendiquer la distinction, sinon la substance.

— Frebec, reprit Talut, il se peut que tu sois gêné d'appartenir au Camp du Lion, mais, si ce Camp a perdu de son prestige, c'est parce qu'il a été le seul à bien vouloir t'accueillir. Comme l'a dit Tulie, personne ne t'oblige à y rester. Tu es libre de partir quand tu voudras, mais nous ne te mettrons pas dehors, pas avec une femme malade qui va mettre un enfant au monde cet hiver. Peut-être n'as-tu jamais fréquenté beaucoup de femmes grosses, mais, que tu t'en rendes compte ou non, ce n'est pas seulement son état qui rend Fralie malade. Même moi, je sais cela.

« Mais là n'est pas l'objet de cette assemblée. Peu importe ce que tu en penses, ou ce que nous en pensons, tu fais partie du Camp du Lion. J'ai exposé mon désir d'adopter Ayla dans mon foyer, de faire d'elle une Mamutoï. Mais tout le monde doit être d'accord, et toi, tu t'y es opposé.

Frebec, à présent, commençait à se tortiller. C'était une chose que de se donner de l'importance en s'opposant à tout le monde, en prenant le contre-pied de l'opinion générale, mais Talut venait de lui rappeler son humiliation, son désespoir, à l'époque où il s'efforçait de trouver un Camp où établir un nouveau foyer avec sa précieuse nouvelle compagne, qui lui avait valu un statut plus élevé qu'il n'en avait connu de toute sa vie.

Mamut l'observait avec attention. Frebec n'avait jamais rien eu de particulièrement remarquable. Il avait peu de prestige, puisque sa mère n'en avait guère eu à lui transmettre. Il ne possédait ni talents particuliers ni vertus notoires. On ne le détestait pas mais on ne l'aimait pas non plus. Il avait l'air d'un homme assez médiocre. Mais, dans la discussion, il savait être habile. Ses arguments étaient faux mais ils avaient de la logique. Il avait peut-être plus d'intelligence qu'on ne lui en attribuait et, apparemment, il nourrissait de grandes aspirations. Pour un homme comme lui, s'unir à Fralie avait constitué une belle réussite. Il serait bon de le surveiller de près.

Déjà, faire une offre pour une femme comme elle prouvait une certaine audace. Le Prix de la Femme était à la base des valeurs économiques, chez les Mamutoï. La place d'un homme dans sa société lui venait de la femme qui lui avait donné le jour et de celle — ou de celles — qu'il pouvait attirer par son statut, par ses prouesses de chasseur, par son habileté, ses talents, son charme, et persuader de vivre avec lui. Frebec avait découvert une femme de grand prestige disposée à devenir sa compagne. C'était comme s'il avait trouvé un trésor, et il n'allait pas la laisser lui échapper.

Mais pourquoi l'avait-elle accepté ? se demandait Mamut. Il y avait certainement eu d'autres hommes pour faire des offres. Frebec avait encore ajouté à ses difficultés. Il avait si peu à offrir, et Crozie était si désagréable, que le Camp de Fralie les avait mis à la porte. Le Camp de Frebec avait refusé de les accueillir. L'un après l'autre, les autres Camps l'avaient évincé, même avec une femme enceinte et d'un statut important. Chaque fois, sous l'effet de l'affolement qui la gagnait, Crozie empirait encore la situation : elle le réprimandait, le blâmait, rendant ainsi leur famille moins acceptable encore.

Frebec s'était montré reconnaissant quand le Camp du Lion les avait acceptés : c'était l'un des derniers où il tentait de se faire admettre. Tous ces échecs n'étaient pas dus à leur position sociale, mais on considérait les membres de leur groupe comme mal assortis. Talut possédait le don de voir dans l'inhabituel un élément attirant plutôt qu'inquiétant. Il avait joui toute sa vie d'un statut élevé, il cherchait autre chose et il le trouvait dans l'inhabituel. Il en était venu à y prendre plaisir, il l'encourageait dans son Camp. Talut lui-même était l'homme le plus grand qu'on eût jamais vu, non seulement chez les Mamutoï mais chez tous les peuples voisins. Tulie était la femme la plus importante, la plus vigoureuse. Mamut était l'homme le plus âgé. Wymez était le meilleur tailleur de silex. Ranec n'était pas seulement l'homme qui possédait la peau la plus sombre, mais, en même temps, le meilleur sculpteur. Et Rydag était le seul enfant Tête Plate. Talut désirait garder Ayla, qui était pour le moins exceptionnelle avec ses chevaux, qui avait des dons, des talents, et il n'aurait pas été fâché de garder aussi Jondalar, qui était venu du pays le plus lointain.

Frebec ne visait pas à l'exceptionnel, d'autant que, il le savait, il ne pouvait revendiquer que « le moins » en tout. Il en était encore à chercher sa place parmi les gens ordinaires et il avait commencé par se faire une vertu de ce qu'il y avait de plus commun. Il était mamutoï, donc supérieur à tous ceux qui ne l'étaient pas, supérieur à tous ceux qui étaient différents. Ranec, avec sa peau noire et son esprit satirique, mordant, n'était pas un vrai Mamutoï. Il n'était même pas né parmi eux. Frebec, lui, l'était, et il était certainement supérieur à ces animaux, ces Têtes Plates. Ce garçon qu'aimait tant Nezzie ne possédait pas le moindre statut puisqu'il était né d'une femme Tête Plate.

Et cette Ayla, qui était arrivée avec ses chevaux et son grand étranger, avait déjà attiré l'œil dédaigneux du sombre Ranec, que toutes les femmes recherchaient en dépit de son indifférence ou peut-être à cause d'elle. Elle n'avait même pas accordé un coup d'œil à Frebec, comme si elle avait su qu'il n'était pas digne de son attention. Peu importaient ses talents, ses dons, sa beauté, il valait forcément mieux qu'elle : il était mamutoï, elle ne l'était pas. Mieux encore, elle avait vécu avec ces Têtes Plates. Et voilà que Talut voulait faire d'elle une Mamutoï !

Frebec se savait à l'origine de la scène désagréable qui venait d'éclater. Il avait prouvé qu'il était assez important pour maintenir cette fille à l'écart des Mamutoï mais il avait rendu le chef, ce géant, plus furieux qu'il ne l'avait jamais vu, et il était un peu effrayant de voir cet ours énorme dans une telle colère. Talut était tout à fait capable de le soulever de terre et de le casser en deux. A tout le moins, il était en mesure de le chasser. Combien de temps, alors, garderait-il la compagne qui possédait un tel statut ?

Néanmoins, malgré la colère qu'il maîtrisait difficilement, Talut, en ce moment, traitait Frebec avec plus de respect que celui-ci n'était accoutumé à en être l'objet. Il n'avait ni ignoré ni rejeté ses commentaires.

— Que tes objections soient raisonnables, cela importe peu, poursuivit Talut, d'un ton froid. A mon avis, Ayla possède de nombreux talents exceptionnels dont nous pourrions tirer de grands avantages. Tu as contesté cette opinion, tu as prétendu qu'elle n'avait rien de valable à nous offrir. Je ne vois rien qui ne puisse être contesté, de toute façon...

— Talut, intervint Jondalar, pardonne-moi de t'interrompre alors que tu tiens le Bâton Qui Parle, mais je crois savoir ce qui serait incontestable.

— Vraiment ?

— Oui, je crois. Puis-je te parler seul à seul ?

— Tulie, veux-tu tenir le Bâton ? dit Talut.

Il s'éloigna en compagnie de Jondalar vers le Foyer du Lion. Un murmure de curiosité les suivit.

Jondalar s'approcha d'Ayla, lui dit quelques mots. Elle hocha la tête, posa Rydag sur la couche et se leva pour se hâter vers le Foyer du Mammouth.

— Talut, es-tu prêt à éteindre tous les feux ? demanda Jondalar.

Le chef fronça les sourcils.

— Tous les feux ? Il fait froid et grand vent, dehors. L'intérieur de l'habitation pourrait se refroidir très vite.

— Je le sais, mais, crois-moi, ça en vaudra la peine. Pour permettre à la démonstration d'Ayla de faire tout son effet, elle doit agir dans l'obscurité. Il ne fera pas froid bien longtemps.

Ayla revenait avec quelques pierres dans les mains. Le regard de Talut alla d'elle à Jondalar, revint à elle. Finalement, il approuva d'un signe. On pourrait toujours rallumer un feu, même s'il fallait pour cela quelque effort. Ils retournèrent ensemble au premier foyer. Talut parla à Tulie en particulier. Une discussion s'engagea, on appela Mamut. Après quoi, Tulie parla à Barzec. Celui-ci fit signe à Druwez et à Danug. Tous trois enfilèrent des pelisses, se munirent de grands paniers tressés serré et sortirent.

Le murmure des conversations marquait une excitation fébrile. Il se passait quelque chose de particulier, et le Camp était plein d'impatience, comme avant une grande cérémonie. On ne s'était pas attendu à des consultations secrètes, à une mystérieuse démonstration.

Barzec et les garçons furent rapidement de retour. Leurs paniers étaient emplis de terre. Alors, à partir du Foyer de l'Aurochs, le plus éloigné, ils dispersèrent les braises entassées ou les petits feux qui subsistaient dans chacun des trous à feu et déversèrent la terre pour étouffer les flammes. Les gens du Camp furent saisis d'inquiétude lorsqu'ils se rendirent compte de ce qui se passait.

Avec chaque feu qui s'éteignait, l'habitation devenait plus sombre. Une à une, les voix se turent, le silence se fit. Par-delà les murs, le vent hurlait plus fort, les courants d'air se faisaient plus froids, apportaient avec eux une atmosphère glaciale, menaçante. On savait tout ce qu'on devait au feu, même si l'on avait tendance à trouver sa présence normale, mais tous comprirent, en voyant les flammes s'éteindre que leur vie en dépendait.

Il ne resta finalement d'allumé que le feu sur lequel on faisait la cuisine. Ayla avait disposé tout ce qu'il lui fallait près du trou. Soudain, sur un signe de Talut, Barzec, saisissant le moment dramatique, déversa le reste de la terre sur les flammes. L'assistance étouffa un cri de stupeur.

En un instant, l'abri tout entier fut plongé dans la nuit. Ce n'était pas tant une absence de lumière qu'une plénitude d'obscurité. Des ténèbres absolues, profondes, étouffantes occupaient tous les coins et recoins. Il n'y avait pas d'étoiles, pas d'astre lumineux, pas de nuages nacrés, miroitants. La main qu'on approchait de ses yeux demeurait invisible. Il n'y avait plus ni dimension, ni ombre, ni silhouette. Le sens de la vue avait perdu toute valeur.

Un enfant se mit à pleurer. Sa mère le fit taire. On distinguait des respirations, des bruits de pieds, des toussotements. Quelqu'un parla d'une voix basse, une autre voix plus grave lui répondit. L'odeur d'os brûlé prévalait, mais il s'y mêlait d'autres senteurs, d'autres relents, d'autres arômes : le cuir traité, la nourriture qui cuisait et celle qui était entreposée, les nattes d'herbe tressée, les herbes séchées, l'odeur des gens, des pieds et des corps, des souffles tièdes.

Le camp attendait dans la nuit et se demandait ce qu'il allait se passer. Ce n'était pas précisément de la peur mais une certaine appréhension. Un long moment parut s'écouler, et les gens commencèrent à s'agiter. Qu'est-ce qui pouvait bien prendre tant de temps ?

On avait laissé à Mamut le choix de l'instant. C'était une seconde nature, chez le vieux chaman, de créer des effets dramatiques, presque un instinct pour reconnaître le bon moment. Ayla sentit une main lui taper sur l'épaule. C'était le signal qu'elle attendait. Elle avait dans une main un morceau de pyrite de fer, un silex dans l'autre. Sur le sol, devant elle, se trouvait un petit tas d'herbe à faire le feu. Dans l'obscurité totale de la galerie, elle ferma les yeux, reprit longuement son souffle. Enfin, elle frappa la pyrite avec le silex.

Une longue étincelle brilla, et, dans le noir absolu, la petite lueur illumina uniquement la jeune femme agenouillée. Cela dura longtemps et provoqua chez les membres du Camp un sursaut d'étonnement, des murmures de crainte révérencieuse. L'étincelle mourut. Ayla, de nouveau, frappa le silex contre la pyrite, mais plus près des herbes inflammables qu'elle avait préparées. L'étincelle tomba dessus. La jeune femme se pencha pour souffler sur le feu. L'instant d'après, les flammes jaillirent. Elle entendit des « oh », des « ah », des exclamations émerveillées.

Elle disposait sur le feu de petits fragments de broussaille. Quand ils s'enflammèrent, elle ajouta des morceaux plus gros et des branchettes. Elle céda ensuite la place à Nezzie, la regarda retirer du trou à feu la pierre et les cendres et y transférer la flamme. Nezzie régla le dispositif qui amenait l'air extérieur, parvint à enflammer les os. L'attention du Camp tout entier s'était concentrée sur l'opération. Quand le feu prit pour de bon, on comprit que le tout n'avait demandé qu'un moment. C'était de la magie ! Qu'avait-elle bien pu faire pour créer si vite un feu ?

Talut agita le Bâton Qui Parle, en frappa par trois fois le sol.

— Quelqu'un a-t-il encore des objections à présenter contre l'adoption d'Ayla par les Mamutoï et, particulièrement, par le Foyer du Lion ? demanda-t-il.

— Nous montrera-t-elle sa magie ? questionna Frebec.

— Elle ne se contentera pas de nous la montrer. Elle a promis de donner à chacun des foyers de ce Camp une de ses pierres à feu, répliqua Talut.

— Je n'ai plus d'objections, dit Frebec.

Ayla et Jondalar fouillèrent leurs bagages pour rassembler tous les nodules de pyrite de fer qu'ils possédaient et choisirent six des plus beaux. La veille au soir, la jeune femme avait rallumé les feux dans chaque foyer. Elle avait montré aux occupants la façon de procéder. Mais elle était fatiguée, et il était alors trop tard pour chercher les pierres à feu avant de se mettre au lit.

Les six pierres, d'un jaune grisâtre à l'éclat métallique, faisaient un petit tas insignifiant sur la plate-forme. L'une d'elles, pourtant, avait fait toute la différence entre l'adoption et le rejet d'Ayla. A les voir, personne n'aurait deviné quelle magie se cachait au cœur de ces cailloux.

Elle les ramassa et, les tenant entre ses mains, regarda Jondalar.

— Puisque tous les autres voulaient bien de moi, pourquoi auraient-ils accepté qu'une seule personne s'oppose à mon adoption ? demanda-t-elle.

— Je n'en sais trop rien, répondit-il. Mais, dans un groupe comme celui-ci, chacun est obligé de vivre avec tous les autres. Si une seule personne ne supporte pas la présence d'une autre, cela peut amener de graves rancœurs, surtout quand le temps retient tout le monde à l'intérieur pour une longue période. Les gens finissent par prendre parti, les discussions peuvent conduire à des batailles au cours desquelles il pourrait y avoir des blessés ou pire encore. La fureur, alors, se déchaîne, quelqu'un a soif de vengeance. Parfois, le seul moyen d'éviter une tragédie, c'est de disperser le groupe... ou de payer très cher et d'expulser le fauteur de trouble...

Son front se contractait sous l'effet de la souffrance. Il ferma un instant les yeux, et Ayla se demanda ce qui le faisait souffrir ainsi.

— Mais Frebec et Crozie se querellent sans cesse, et personne n'aime ça, dit-elle.

— Les autres occupants du Camp savaient à quoi s'en tenir avant d'accepter de les recevoir, du moins en avaient-ils une bonne idée. Tout le monde avait eu la possibilité de les refuser, personne ne pouvait donc rejeter le blâme sur quelqu'un d'autre. Une fois qu'on a accepté une solution, on met son point d'honneur à la faire fonctionner, surtout si l'on sait que c'est seulement pour un hiver. Les changements sont plus faciles en été.

Ayla hocha la tête. Elle n'était pas encore bien sûre qu'il voulût la voir devenir un membre de ce peuple, mais démontrer les propriétés de la pierre à feu avait été son idée à lui, et cela avait réussi.

Ils se rendirent ensemble au Foyer du Lion pour y porter les pierres. Talut et Tulie étaient en grande conversation. Nezzie et Mamut étaient parfois appelés à dire leur mot, mais ils écoutaient plus qu'ils ne parlaient.

— Voici pierres à feu je promets, dit Ayla, quand les autres eurent pris conscience de sa présence. Vous pouvez donner aujourd'hui.

— Oh, non, répondit Tulie. Pas aujourd'hui. Garde-les pour la cérémonie. Nous en parlions justement. Elles feront partie des cadeaux. Nous devons décider de leur valeur, afin d'évaluer ce que nous devrons offrir d'autre. Elles ont à coup sûr une grande valeur, non seulement pour elles-mêmes et pour les échanges, mais pour le prestige qu'elles te vaudront.

— Quels cadeaux ? questionna Ayla.

— On a coutume, lors de l'adoption de quelqu'un, expliqua Mamut, d'échanger des cadeaux. La personne adoptée reçoit des présents de tout le monde, et, au nom du foyer qui l'adopte, des cadeaux sont distribués aux autres foyers du Camp. Il peut s'agir de présents modestes, symboliques, ou de cadeaux d'une grande valeur. Tout dépend des circonstances.

— A mon avis, les pierres à feu ont une valeur assez grande pour représenter un cadeau suffisant pour chaque foyer, déclara Talut.

— Je serais d'accord avec toi, Talut, si Ayla était déjà une Mamutoï, et si sa valeur était établie, dit Tulie. Mais, dans le cas présent, nous cherchons à déterminer quel Prix de la Femme nous devons lui attribuer. Ce sera tout bénéfice pour le Camp si nous pouvons justifier d'une grande valeur pour elle. Puisque Jondalar a refusé l'adoption, du moins pour le moment...

Le sourire de Tulie, pour montrer à Jondalar qu'elle ne lui gardait pas rancune, contenait une nuance de coquetterie, mais sans le moindre sous-entendu. Elle exprimait simplement ainsi sa conviction d'être séduisante et désirable.

— ... je serai heureuse de fournir moi-même quelques cadeaux.

— Quelle sorte de cadeaux ? demanda Ayla.

— Oh, n'importe lesquels, répondit Tulie. Il peut s'agir de bien des choses... Les fourrures sont les bienvenues... les tuniques, les jambières, les bottes ou le cuir pour les faire. Deegie sait teindre le cuir de couleurs magnifiques. On offre aussi de l'ambre et des coquillages, des perles d'ivoire, pour faire des colliers et orner les vêtements. Les longues dents des loups et d'autres mangeurs de viande ont une grande valeur. Tout comme les objets sculptés dans l'ivoire. Le silex, le sel... On peut donner aussi de la nourriture, surtout si l'on peut la mettre en réserve. Tout ce qui est bien façonné, comme des paniers, des nattes, des ceintures, des couteaux. Il est important, je crois, de faire le plus de cadeaux possible : ainsi, quand chacun montrera tes présents au Rassemblement, il sera évident que tu as de tout à foison, ce qui justifiera ton statut. C'est sans grande importance si la plupart d'entre eux ont été donnés pour toi à Talut et à Nezzie.

— Talut, Nezzie et toi, vous ne devez pas donner pour moi. J'ai choses à donner, affirma Ayla.

— Oui, bien sûr, tu as les pierres à feu, et c'est ce qui a le plus de valeur. Mais leur aspect n'est pas très impressionnant. Par la suite, les gens comprendront leur utilité, mais les premières impressions font toute la différence.

— Tulie a raison, appuya Nezzie. La plupart des jeunes femmes passent des années à fabriquer et à accumuler des présents qu'elles offrent pour leur Union ou lorsqu'elles sont adoptées.

— Les Mamutoï adoptent-ils donc tant de gens ? s'informa Jondalar.

— Pas des étrangers, expliqua Nezzie. Mais les Mamutoï adoptent souvent un autre Mamutoï. Chaque Camp a besoin d'un frère et d'une sœur, pour en faire son Homme Qui Ordonne et sa Femme Qui Ordonne. Mais rares sont les hommes qui ont la chance d'avoir une sœur comme Tulie. S'il arrive quelque chose à l'un ou à l'autre, ou si un jeune homme et une jeune femme désirent créer un nouveau Camp, on peut adopter une sœur ou un frère. Mais ne t'inquiète pas. J'ai bien des choses que tu pourras offrir, Ayla, et Latie elle-même a proposé certains des objets qu'elle possède pour en faire des cadeaux.

— Mais j'ai choses à donner, Nezzie. J'ai choses dans caverne de vallée. Je passe années à faire beaucoup de choses.

— Il n'est pas nécessaire que tu retournes là-bas... fit Tulie.

Elle pensait à part elle que tout ce que pourrait posséder la jeune femme élevée chez les Têtes Plates serait probablement d'une facture grossière. Comment dire à Ayla que ses cadeaux ne seraient sans doute pas acceptables ? Cela pourrait être embarrassant.

— Je veux retourner, insista Ayla. Autres choses j'ai besoin. Plantes pour guérir. Nourriture en réserve. Et manger pour chevaux.

Elle se tourna vers Jondalar.

— Je veux retourner.

— C'est possible, je suppose. Si nous faisons vite, sans nous arrêter en route, nous pourrons y arriver, je crois... à condition que le temps s'améliore.

— Généralement, dit Talut, après la première morsure du froid, comme ces jours-ci, nous avons une période de beau temps. Mais c'est imprévisible. Tout peut changer d'un instant à l'autre.

— Eh bien, si le temps veut bien nous sourire, peut-être prendrons-nous le risque de retourner à la vallée, déclara Jondalar.

Il trouva sa récompense dans l'un des plus beaux sourires d'Ayla.

Il voulait, lui aussi, rapporter certaines choses. Ces pierres à feu avaient fait grosse impression, et la berge rocheuse, au détour de la rivière dans la vallée d'Ayla, en était criblée. Un jour, il l'espérait, il repartirait chez lui et partagerait avec son peuple tout ce qu'il aurait appris et découvert : les pierres à feu, le propulseur et, pour Dalanar, la façon dont Wymez chauffait le silex. Un jour...

— Revenez vite, cria Nezzie.

De sa main levée, la paume tournée vers l'intérieur, elle leur faisait des signes d'adieu.

Ayla et Jondalar la saluèrent de même. Montés tous les deux sur Whinney, avec Rapide derrière eux, à la longe, ils dominaient les gens du Camp du Lion qui s'étaient rassemblés pour leur départ. Ayla avait beau être surexcitée à l'idée de retrouver la vallée qui l'avait abritée trois années durant, elle ressentait une pointe de tristesse à laisser derrière elle ceux qui faisaient déjà pour elle figure de famille.

Rydag et Rugie, de chaque côté de Nezzie, s'accrochaient à elle en agitant la main. La jeune femme ne put s'empêcher de remarquer le peu de ressemblance entre eux. L'une était, en plus petit, une reproduction de Nezzie ; l'autre était à demi Tête Plate. Pourtant, ils avaient été élevés comme frère et sœur. Ayla se rappela soudain qu'Oga avait nourri Durc en même temps que son propre fils, Grev, en frères de lait. Grev était entièrement Tête Plate, Durc ne l'était qu'à moitié : la différence entre était eux aussi considérable.

Elle fit avancer Whinney d'une pression des jambes, d'un imperceptible changement de position. Ces signaux étaient devenus pour elle une seconde nature, c'était à peine si elle pensait guider ainsi la jument. Ils virèrent, entreprirent la montée de la pente.

Le retour vers la vallée n'eut rien du voyage par petites étapes qu'ils avaient fait dans l'autre sens. Ils maintenaient une allure régulière, sans jamais s'écarter de leur route pour explorer les environs ou pour chasser, sans s'arrêter assez tôt dans la journée pour se détendre ou pour profiter des Plaisirs. En quittant la vallée, ils pensaient y revenir. Ils avaient donc noté des points de repère : certains affleurements, des plateaux, des formations rocheuses, des vallées et des cours d'eau. Mais le changement de saison avait altéré le paysage.

La végétation avait en partie changé d'aspect. Les vallées protégées où ils avaient fait étape avaient connu une transformation saisonnière qui produisait une désagréable impression d'étrangeté. Les bouleaux et les saules arctiques avaient perdu toutes leurs feuilles ; leurs membres dépouillés, frissonnants au vent, paraissaient ratatinés, sans vie. A leur place dominaient les conifères — épicéas, mélèzes, sapins —, robustes et fiers, dans toute la vigueur de leurs aiguilles vertes. Même les maigres résineux des steppes, isolés, malmenés par les vents, prenaient par comparaison une certaine substance. Mais plus déroutants encore étaient les changements apportés en surface par le permafrost.

Ce phénomène qui maintient gelée, d'un bout de l'année à l'autre, une partie ou une autre de la croûte terrestre, de la surface jusqu'aux couches rocheuses les plus profondes, avaient été provoqué, dans cette contrée lontemps éloignée des régions polaires, par des nappes de glace aussi vastes que des continents, hautes parfois de plusieurs kilomètres. Une interaction complexe du climat et des conditions en surface et en profondeur créait ce gel et le maintenait. Le soleil exerçait un certain effet, comme l'eau stagnante, la végétation, la densité du sol, le vent, la neige.

Les températures de l'année, plus basses de quelques degrés seulement que celles qui, par la suite, allaient amener un climat tempéré, suffisaient à pousser la masse des glaciers à empiéter sur les terres et à provoquer la formation du permafrost, plus loin vers le sud. Les hivers étaient longs et froids. De temps à autre, des tempêtes amenaient d'abondantes chutes de neige et de violents blizzards, mais, sur toute la saison, la quantité de neige était relativement limitée, et de nombreuses journées étaient belles. Les étés étaient courts, avec quelques jours si chauds qu'ils semblaient nier la proximité d'énormes masses de glace, mais, la plupart du temps, il faisait frais, le ciel était nuageux, et les pluies rares.

Même si une certaine portion de la terre restait perpétuellement gelée, le permafrost ne représentait pas un état permanent, immuable. Il était aussi inconstant, aussi capricieux que les saisons. Au plus fort de l'hiver, quand le sol était en profondeur durci par le gel, la terre semblait passive, impitoyable, mais les apparences étaient trompeuses. Au changement de saison, la surface s'amollissait, sur quelques centimètres seulement de profondeur, là où une végétation trop abondante, des terres trop denses, une ombre trop épaisse résistaient à la douce tiédeur de l'été. Mais, sur les pentes exposées au soleil, faites de gravier bien drainé, couvertes d'une végétation réduite, la couche active dégelait sur plusieurs mètres de profondeur.

Pourtant, le ramollissement de cette couche n'était qu'illusion. Sous la surface, l'emprise de l'hiver restait la plus forte. La glace impénétrable régnait en maîtresse, et, sous l'effet du dégel et des forces de gravité, les terres saturées et leur fardeau d'arbres et de rochers bougeaient, glissaient, se déplaçaient sur la surface lubrifiée par l'eau des terrains encore gelés au-dessous. Des effondrements se produisaient, des affaissements, à mesure que se réchauffait la surface, et, là où le dégel de l'été ne trouvait pas d'issue, des fondrières et des marécages se formaient.

Lorsque recommençait le cycle des saisons, la couche active au-dessus des terres gelées durcissait de nouveau, mais son aspect glacial dissimulait un cœur sans repos. Les contraintes et les pressions extrêmes amenaient des soulèvements, des poussées, des gauchissements. La terre durcie se fendait, se crevassait, se gorgeait de glace et, pour se délivrer, expulsait cette glace par grands fragments. Certaines pressions comblaient de boue ces cavités, faisaient monter un fin limon en cloques et boursouflures. A mesure qu'augmentait le volume de l'eau glacée, des buttes, des monticules de glace boueuse — des pingos — s'élevaient des terres basses marécageuses, atteignaient jusqu'à soixante mètres de haut et plusieurs dizaines de mètres de diamètre.

Sur le chemin de leur retour, Jondalar et Ayla découvraient ainsi que le relief du paysage avait changé, que leurs points de repère étaient trompeurs. Certains petits cours d'eau dont ils croyaient avoir gardé le souvenir avaient disparu : ils avaient gelé en amont, plus près de leur source, et leur lit, en aval, s'était asséché. Des éminences de glace s'étaient élevées, là où, auparavant, il n'y avait rien. Des bouquets d'arbres poussaient sur des taliks — des îlots formés de couches non gelées, entourés de permafrost — et donnaient parfois l'impression trompeuse d'une petite vallée, alors qu'ils ne se rappelaient pas en avoir vu une à cet endroit.

Jondalar connaissait mal la configuration générale du terrain et devait souvent s'en remettre à la mémoire plus fidèle d'Ayla. Quand celle-ci avait un doute, elle faisait confiance à Whinney. Plus d'une fois, par le passé, la jument l'avait ramenée chez elle et elle paraissait savoir où elle allait. Parfois montés à deux sur son dos, parfois la chevauchant tour à tour ou mettant pied à terre pour la laisser se reposer, Ayla et Jondalar poursuivirent leur route jusqu'au moment où ils durent faire halte pour la nuit. Ils dressèrent alors un campement rudimentaire, avec un petit feu, leur tente faite de peaux de bêtes et leurs fourrures de couchage. Ils se confectionnèrent une bouillie de graines sauvages, et la jeune femme prépara un breuvage à base d'herbes.

Le lendemain matin, pour se réchauffer, ils burent une autre tisane, tout en refaisant leurs ballots. En route une fois de plus, ils mangèrent de petites galettes faites de viande séchée et pilée et de fruits secs mêlés de graisse. Mis à part un lièvre, qu'ils levèrent par hasard, et qu'Ayla tua avec sa fronde, ils ne chassaient pas. Mais ils ajoutèrent aux provisions dont Nezzie les avait munis les pignons, nourrissants et riches en huile, des pommes de pins recueillies au cours de leurs haltes, et qu'ils jetaient sur le feu pour les faire ouvrir dans des claquements secs.

Le terrain, autour d'eux, changeait graduellement, devenait plus rocheux, plus mouvementé, avec des ravins, des canyons aux parois abruptes, et la jeune femme se sentait envahie d'un trouble croissant. Le territoire lui semblait familier, comme le paysage qui s'étendait au sud et à l'ouest de sa vallée. Lorsqu'elle découvrit un escarpement dont les strates diversement colorées formaient un dessin particulier, son cœur bondit dans sa poitrine.

— Jondalar ! Regarde ! Tu vois ça ? cria-t-elle, l'index pointé. Nous sommes presque arrivés !

Whinney elle-même semblait gagnée par son agitation : sans y être invitée, elle pressa l'allure. Ayla guettait un autre point de repère, un affleurement rocheux dont la forme distinctive lui rappelait une lionne accroupie. Lorsqu'elle la découvrit, ils prirent la direction du nord jusqu'au moment où ils parvinrent au bord d'une pente raide, jonchée de graviers et de gros cailloux. Ils s'arrêtèrent, regardèrent devant eux. En bas, sous le soleil, une petite rivière coulait vers l'est, et ses eaux jetaient des éclairs en éclaboussant les rochers. Ils mirent pied à terre, descendirent précautionneusement. Les chevaux s'engagèrent dans l'eau, s'arrêtèrent pour boire. Ayla retrouva le gué qu'elle avait toujours utilisé : quelques pierres qui émergeaient du courant, avec un seul espace un peu plus large qu'il fallait sauter.

— L'eau est meilleure, ici. Regarde comme elle est claire ! s'écriat-elle. Pas une trace de boue. On voit le fond. Et regarde, Jondalar, les chevaux nous ont rejoints !

Jondalar souriait tendrement de son exubérance. Lui-même, devant la longue vallée familière, éprouvait, en moins enthousiaste peut-être, ce même sentiment de se retrouver chez lui. Les vents cruels, le froid glacial des steppes ne faisaient qu'effleurer ce lieu protégé, et, même dépouillé de ses feuillages d'été, il montrait une végétation plus riche, plus abondante. En avançant vers le fond de la vallée, à l'est, la pente abrupte qu'ils venaient de descendre devenait une muraille rocheuse verticale. Une large frange d'arbres et de broussailles en bordait la base, sur l'autre berge du cours d'eau, avant de se faire plus rare, pour se transformer en un champ d'herbe dorée qui se soulevait en vagues sous le soleil de l'après-midi. A droite, l'étendue d'herbe haute montait par degrés jusqu'aux steppes mais elle allait en se rétrécissant, et, vers le fond de la vallée, la pente se faisait de plus en plus raide, jusqu'à devenir l'autre muraille d'une gorge étroite.

A mi-hauteur, un petit troupeau de chevaux des steppes avait cessé de paître pour tourner la tête dans la direction des voyageurs. L'un d'eux hennit. Whinney lui répondit en encensant. Le troupeau regarda approcher les intrus jusqu'au moment où ceux-ci se trouvèrent tout près. Alors, devant l'étrange odeur humaine qui se faisait de plus en plus forte, les chevaux, d'un même mouvement, virèrent tous ensemble et, dans un tonnerre de sabots, un envol de longues queues, gravirent la pente au galop pour retrouver la steppe. Les deux humains, sur le dos de la jument, s'immobilisèrent pour les suivre des yeux. Le poulain, qui suivait à la longe, en fit autant.

Rapide, la tête dressée, les oreilles pointées en avant, s'avança le plus loin possible, puis, le cou tendu, les naseaux élargis, les regarda s'éloigner. Whinney l'appela d'un léger hennissement, avant de se remettre en marche. Il revint vers elle, se remit à la suivre.

A vive allure, le jeune couple et les bêtes allaient vers l'amont, vers l'étroit débouché de la vallée. Ils voyaient devant eux la petite rivière contourner brutalement sur la droite, dans un tumulte de remous, une avancée de la muraille et une plage encombrée de rochers. De l'autre côté s'élevait un imposant amas de grosses pierres, de bois flotté, d'os, de bois, de cornes et de défenses. Il y avait là les squelettes d'animaux tombés des steppes ou d'autres qui s'étaient laissé surprendre par une brusque crue, que l'eau avait emportés et jetés contre la muraille.

Ayla mourait d'impatience. Elle se laissa glisser du dos de Whinney, grimpa en courant un étroit sentier jusqu'au sommet de la muraille qui formait une corniche devant une cavité ouverte dans la falaise. Elle faillit y pénétrer sans ralentir sa course mais se reprit au dernier moment. C'était le lieu où elle avait vécu seule, et, si elle avait survécu, c'était parce que jamais, un seul instant, elle n'avait oublié d'être sur le qui-vive en prévision d'un possible danger. Les êtres humains n'étaient pas les seuls à chercher abri dans les cavernes. Tout en approchant prudemment le long de la muraille, elle dénoua sa fronde dont elle s'était entouré la tête, se baissa pour ramasser quelques cailloux.

Avec précaution, elle regarda à l'intérieur. Ses yeux ne rencontrèrent que ténèbres. Son odorat, lui, décelait une légère odeur de bois brûlé depuis lontemps et la senteur musquée, un peu plus récente, d'un glouton. Mais, là encore, c'était une odeur ancienne. Elle franchit le seuil de la caverne, laissa à ses yeux le temps de s'accoutumer à la pénombre, avant de regarder autour d'elle.

Elle sentit ses paupières se gonfler de larmes, s'efforça vainement de les retenir. Elle était là, sa caverne. Elle se retrouvait chez elle. Tout ici lui était familier. Pourtant, les lieux où elle avait si longtemps vécu semblaient abandonnés. La lumière qui entrait par un trou au-dessus de l'entrée lui montra que son odorat ne l'avait pas trompée. Un examen plus approfondi amena sur ses lèvres une exclamation consternée. La caverne était dans un désordre innommable. Un animal ou même plusieurs s'y étaient introduits et avaient laissé partout les traces de leur présence. Elle ne mesurait pas encore l'étendue des dégâts.

Jondalar apparut alors à l'entrée, suivi par Whinney et Rapide. La caverne, pour la jument aussi, avait été son foyer, et c'était le seul qu'eût connu Rapide, jusqu'au jour de leur arrivée au Camp du Lion.

— Nous avons eu un visiteur, semble-t-il, dit Jondalar, devant la dévastation. Quel fouillis !

Ayla soupira longuement, essuya une larme.

— Je vais faire du feu et allumer des torches. Nous verrons alors ce qui a été gâté ou détruit. Mais, d'abord, je vais décharger Whinney, pour lui permettre de paître et de se reposer.

— Crois-tu prudent de les laisser en liberté ? Rapide avait l'air tout prêt à suivre ces chevaux sauvages. Peut-être devrions-nous les attacher.

Jondalar n'était pas tranquille.

— Whinney a toujours vécu en liberté, protesta Ayla. Il n'est pas question de l'attacher. C'est mon amie. Elle reste avec moi de son plein gré. Il lui est arrivé une fois d'aller vivre avec un troupeau, parce qu'elle avait besoin d'un étalon, et elle m'a bien manqué. Je ne sais pas ce que j'aurais fait si je n'avais pas eu Bébé. Mais elle est revenue. Elle restera près de moi, et, aussi longtemps qu'elle sera là, Rapide restera, lui aussi, au moins jusqu'à ce qu'il soit adulte. Bébé m'a laissée. Rapide pourrait partir, lui aussi, comme les enfants, quand ils sont grands, quittent le foyer de leur mère. Mais les chevaux ne sont pas comme les lions. S'il devient un ami, comme Whinney, il pourrait rester, je crois.

Jondalar hocha la tête.

— C'est bon, tu les connais mieux que moi.

Ayla, après tout, faisait figure d'expert, le seul quand il s'agissait de chevaux.

— Alors, si j'allumais le feu, pendant que tu décharges Whinney ?

Il alla sans hésiter aux endroits où Ayla avait toujours rangé le bois et tout ce qu'il fallait pour faire du feu. Au cours de l'été passé là avec elle, la caverne lui était devenue totalement familière, mais il ne s'en rendait même pas compte. Il se demandait comment il pourrait se faire un ami de Rapide. Il ne comprenait pas encore bien comment Ayla communiquait avec Whinney, au point de la faire aller là où elle le voulait, lorsqu'elles partaient en expédition, ou de la faire rester dans les parages alors qu'elle avait toute liberté de fuir. Peut-être n'apprendrait-il jamais ce langage, mais il aimerait essayer. Jusque-là, néanmoins, il ne serait sans doute pas mauvais de tenir Rapide à la longe, au moins lorsqu'ils voyageaient dans une région où se trouvaient des chevaux sauvages.

Ils se livrèrent à un examen minutieux de la caverne et de ce qu'elle contenait, qui leur livra toute l'histoire. Un glouton ou une hyène — Ayla n'aurait su dire lequel des deux : l'un et l'autre s'étaient introduits dans la grotte, et leurs traces se mêlaient — avait forcé l'une des caches de viande séchée et l'avait entièrement pillée. Un panier de grain recueilli pour Whinney et Rapide avait été laissé plus ou moins à découvert ; des dents solides l'avaient ouvert en plusieurs endroits. Toute une variété de petits rongeurs, à en juger par les traces — campagnols, pikas, écureuils, gerboises, hamsters géants — avaient fait leur profit de cette aubaine : à peine s'il restait quelque grains. Sous un tas de foin tout proche, Ayla et Jondalar découvrirent un nid bourré du produit de ce pillage. Toutefois, pour la plupart, les corbeilles de grains, de racines et de fruits secs, mises en sûreté dans des trous creusés dans le sol de la caverne ou protégées par des tas de pierres, avaient souffert peu de dommages.

Ayla fut heureuse de la décision qu'ils avaient prise de placer les peaux et les fourrures accumulées au cours des années dans un panier plus résistant et de le cacher dans un cairn. Le gros tas de pierres avait résisté aux assauts des maraudeurs à quatre pattes. En revanche, les restes de peau dont Ayla avait fait leurs vêtements, et qu'elle n'avait pas rangés avant leur départ, étaient en lambeaux. Un autre cairn, qui contenait entre autres un récipient en cuir brut plein de graisse soigneusement fondue enfermée, à la manière de saucisses, dans des segments d'intestins de renne, avait fait l'objet d'assauts répétés. Un coin du cuir avait été déchiré par des dents et des griffes, une saucisse était entamée, mais le cairn avait tenu bon.

Les animaux ne s'étaient pas contentés de fourrer le museau dans les réserves de vivres, ils avaient aussi rôdé un peu partout. Ils avaient renversé des piles de bols et de coupes façonnés à la main, patiemment polis, traîné de tous côtés des nattes, des paniers tressés en motifs compliqués, déposé leurs excréments en plusieurs endroits et, d'une façon générale, dévasté tout ce qu'ils avaient pu trouver. Pourtant, les dommages étaient moins graves qu'il n'y paraissait à première vue, et, dans l'ensemble, les intrus avaient dédaigné l'imposante pharmacopée d'Ayla, composée d'herbes médicinales séchées et de remèdes à base de plantes.

Quand vint le soir, la jeune femme se sentit beaucoup mieux. Jondalar et elle avaient nettoyé la caverne et tout remis en ordre, ils avaient pu constater que les pertes n'étaient pas trop importantes, ils avaient préparé et consommé un repas, ils avaient même fait un tour dans la vallée pour voir les éventuels changements. Le feu flambait, les fourrures de couchage étaient disposées, sur une couche de foin frais, dans la tranchée peu profonde qui avait toujours servi de lit à Ayla. Whinney et Rapide étaient installés dans leur coin, de l'autre côté de l'entrée. Ayla se sentait enfin chez elle.

Assise avec Jondalar sur une natte, devant le feu, elle déclara :

— J'ai peine à croire que je suis de retour. J'ai l'impression que mon absence a duré toute une vie, mais elle n'a pas été bien longue.

— Non, elle n'a pas été longue.

— J'ai tant appris : c'est peut-être ce qui me donne cette impression. Tu as bien fait de me persuader de t'accompagner, Jondalar, et je suis heureuse que nous ayons rencontré Talut et les Mamutoï. Sais-tu à quel point j'avais peur de me trouver en face des Autres ?

— Je te sentais inquiète mais j'étais sûr que, lorsque tu en connaîtrais quelques-uns, ils te plairaient.

— Ce n'était pas seulement le fait de rencontrer des gens quelconques mais de faire connaissance avec *les Autres*. Pour le Clan, c'est ce qu'ils étaient, et l'on avait beau m'avoir répété toute ma vie que j'étais née chez les Autres, je me considérais comme faisant partie du Clan. Même après avoir été maudite, quand j'ai su que je ne pourrais plus revenir, j'ai continué d'avoir peur des Autres. Quand Whinney est venue vivre avec moi, cette peur s'est encore accrue. Je ne savais que faire. Je craignais qu'ils ne me permettent pas de la garder ou qu'ils ne la tuent pour la manger. Je redoutais aussi qu'ils ne me laissent pas chasser. Je ne voulais pas vivre chez des gens qui ne me permettraient pas de chasser quand j'en aurais envie ou qui pourraient m'obliger à faire quelque chose contre ma volonté, expliqua Ayla.

Le souvenir de ses craintes, de ses inquiétudes fit soudain naître en elle un malaise qui se traduisit par un déploiement d'agitation. Elle se leva, alla jusqu'à l'entrée de la caverne, repoussa la lourde tenture et sortit sur la corniche qui formait comme une large terrasse. Le dur éclat des étoiles scintillait dans un ciel d'un noir profond. Le vent était aussi coupant que leur lumière. Ayla s'avança jusqu'au bord de la corniche en se frottant les bras avant de les croiser étroitement sur sa poitrine.

Elle frissonna, sentit une fourrure se poser sur ses épaules. Elle se retourna, se trouva face à Jondalar. Il la serra dans ses bras, et elle se blottit contre sa chaleur.

Il pencha la tête pour l'embrasser.

— Rentre, dit-il. Il fait froid, ici.

Elle se laissa entraîner mais s'immobilisa de l'autre côté de la lourde peau qui lui avait servi de tenture depuis son premier hiver.

— C'était ma tente... Non, c'était la tente de Creb, se reprit-elle. Mais il ne s'en servait jamais. C'était celle que j'emportais quand je faisais partie des femmes choisies pour accompagner les hommes, lorsqu'ils allaient à la chasse, afin de dépecer le gibier et d'aider à le rapporter. Mais elle ne m'appartenait pas. Elle appartenait à Creb. Je l'ai prise quand je suis partie, parce que j'ai pensé que Creb ne m'en voudrait pas. Je ne pouvais pas lui demander son autorisation. Il était mort mais, même s'il avait encore vécu, il ne m'aurait pas vue. Je venais d'être maudite.

Des larmes commençaient à ruisseler sur ses joues, mais elle ne semblait pas s'en apercevoir.

— J'étais morte. Mais Durc, lui, m'a vue. Il était trop jeune pour savoir qu'il ne le fallait pas. Oh, Jondalar, je ne voulais pas le laisser derrière moi.

Elle sanglotait, à présent.

— Mais je ne pouvais pas l'emmener. Je ne savais pas ce qui pourrait m'arriver.

Il ne savait que dire ou faire. Il se contenta de la tenir dans ses bras et de la laisser pleurer.

— J'ai envie de le revoir. Toutes les fois que je vois Rydag, je pense à Durc. Je voudrais l'avoir avec moi, maintenant. Je voudrais que nous soyons adoptés tous les deux par les Mamutoï.

— Ayla, il est tard. Tu es lasse. Viens te coucher, dit Jondalar.

Il la guida vers les fourrures de couchage. Mais il n'était pas à son aise. De telles pensées n'avaient aucun lien avec la réalité, et il ne tenait pas à les encourager.

Docilement, elle se laissait entraîner. En silence, il l'aida à se dévêtir, la fit asseoir, la renversa doucement en arrière, avant de la couvrir avec les fourrures. Il ajouta du bois au feu, tassa les braises pour les faire durer plus longtemps. Après quoi, il se déshabilla rapidement, se glissa près d'Ayla. Il l'entoura de son bras, l'embrassa tendrement, légèrement, effleurant à peine ses lèvres. La réaction ne se fit pas attendre : il la sentit frémir. Avec la même légèreté, un contact qui était presque un chatouillement, il entreprit de faire pleuvoir des baisers sur son visage, ses joues, ses paupières closes, avant de revenir à ses lèvres. D'une main, il lui renversa le menton en arrière, lui caressa de la même manière le cou, la gorge. Ayla se contraignait à l'immobilité, mais ces caresses fugitives faisaient naître sur leur chemin les frissons d'une flamme exquise et chassaient son humeur mélancolique.

Il suivit du bout des doigts la courbe de son épaule, la ligne de son bras. Puis, lentement, il remonta jusqu'à l'aisselle. Elle fut secouée d'un spasme qui tendit tous ses nerfs. La main habile qui suivait les courbes de son corps rencontra au passage une pointe de sein qui durcit aussitôt sous l'effet du plaisir.

Jondalar ne put résister : il se pencha pour prendre le mamelon entre ses lèvres. Elle se pressa contre lui. Il la sentit prête. Il respirait son odeur de femme, et une tension presque douloureuse grandissait dans ses lombes. Jamais il ne pouvait se rassasier d'elle, et elle était, semblait-il, toujours prête à l'accueillir. Pas une fois, autant qu'il s'en souvînt, elle ne l'avait repoussé. Quelles que fussent les circonstances, à l'intérieur comme à l'extérieur, sous de chaudes fourrures ou sur la terre glacée, elle était là, pour lui, non seulement consentante mais active, empressée.

Si elle se montrait parfois un peu réticente, comme un peu mal à l'aise, c'était au temps de la menstruation. Alors, il respectait ses vœux, contenait ses élans.

Au moment où sa main venait de caresser la cuisse de la jeune femme, il la sentit s'ouvrir à lui, et son désir prit une telle violence qu'il aurait pu la posséder sur l'instant. Mais il souhaitait faire durer un plaisir raffiné. Pour la dernière fois de l'hiver, sans doute, ils se trouvaient seuls, en un lieu sec et chaud. Certes, dans l'habitation des Mamutoï, il n'hésitait guère, mais cette solitude à deux apportait aux Plaisirs une qualité particulière de liberté, d'intensité.

Il précisa ses caresses, entendit le souffle d'Ayla exploser en cris, en gémissements, la sentit se cambrer de tout son corps. Oh, comme il la désirait, se dit-il... mais pas encore...

Ses lèvres abandonnèrent le mamelon turgescent, trouvèrent la bouche de la jeune femme, l'embrassèrent fermement, l'explorèrent. Il s'écarta un instant afin de se maîtriser encore un peu, contempla son visage jusqu'au moment où elle ouvrit les yeux.

Au grand jour, ils étaient gris-bleu, comme le silex de bonne qualité, mais, à présent, ils étaient sombres, si débordants de désir et d'amour qu'il sentit son cœur se serrer douloureusement. Il passa le dos de l'index sur sa joue, suivit la ligne de sa mâchoire, parvint à ses lèvres. Il ne se lassait pas de la regarder, de la toucher, comme s'il voulait graver ses traits dans sa mémoire. Elle-même levait les yeux vers les siens, d'un bleu si éclatant qu'ils devenaient violets à la lumière du feu. Elle aurait voulu s'y noyer. Même si elle l'avait souhaité, elle aurait été incapable de se refuser à lui... et elle ne le souhaitait pas.

Il l'embrassa, avant de laisser courir sa langue au long de sa gorge et jusqu'au sillon qui s'ouvrait entre ses seins. Il emprisonna leurs rondeurs dans ses deux mains. Ayla gémissait doucement, lui pétrissait les épaules, les bras. Quand sa bouche descendit plus avant, audacieusement, vers le plus secret de son être, elle se tendit vers lui, cria son désir.

En lui, la pression s'accentuait mais, dans un suprême effort, il la maîtrisa de nouveau, déploya tout son art d'aimer pour la caresser plus intimement encore. Elle cria son nom, et, enfin, tremblant de tout son corps, il la pénétra. Elle se donna à lui avec toute l'ardeur qu'il mettait à la posséder, et, en même temps, ils atteignirent le paroxysme de leur plaisir.

Tous deux étaient trop épuisés pour bouger. Jondalar restait couché sur Ayla, mais chaque fois, elle aimait ce moment, le poids de son corps sur le sien. Elle respirait sur lui sa propre odeur, qui lui rappelait toujours la fougue avec laquelle elle venait d'être aimée et la cause de sa délicieuse langueur. Elle était encore en proie à l'émerveillement des Plaisirs. Elle n'avait jamais imaginé que son corps pût éprouver de telles joies. Elle n'avait connu qu'une possession dégradante, née de la haine et du mépris. Jusqu'à Jondalar, elle ignorait qu'il existât autre chose.

Finalement, il se souleva, lui posa un baiser sur un sein, puis sur le nombril, avant de se lever. Elle en fit autant, alla poser quelques pierres à cuire sur le feu.

— Veux-tu verser de l'eau dans cette corbeille, Jondalar ? La grande outre est pleine, je crois, dit-elle.

Elle se dirigea vers le coin le plus reculé de la caverne, où elle se soulageait quand il faisait trop froid dehors.

A son tour, elle retira du feu les pierres brûlantes, comme elle l'avait vu faire aux Mamutoï, les fit tomber dans la corbeille étanche. Dans un sifflement, un nuage de vapeur, elles réchauffèrent l'eau. Ayla les ôta, les remit sur le feu, en plongea d'autres, déjà chaudes.

Quand l'eau commença de frémir, elle en préleva une partie à l'aide d'une coupe, la versa dans un bassin en bois, y ajouta quelques fleurs séchées de saponaire, un peu semblables à des thyrses de lilas. Un parfum pénétrant embauma l'air. Quand elle plongea dans le mélange un petit morceau de cuir souple, l'eau moussa légèrement, mais aucun rinçage ne serait nécessaire, et le délicieux parfum subsisterait. Jondalar la regardait, debout près du feu, se laver le visage et le corps. Il se repaissait de la beauté de ses mouvements et le désir renaissait en lui.

Elle lui donna un morceau de peau de lapin, très absorbante, lui passa le récipient. C'était une coutume qu'elle avait inaugurée après l'arrivée de Jondalar, et qu'il avait lui-même adoptée. Pendant qu'il se lavait, elle fit un nouvel inventaire de ses herbes, se plut à constater que sa provision entière était là. Elle en choisit quelques-unes dont elle ferait une tisane pour chacun d'eux. Pour son propre usage, elle commença, comme toujours, par une herbe et une racine particulières, se demanda, une fois de plus, si elle devrait cesser d'en prendre afin de voir si un enfant se formerait en elle. En dépit des explications fournies par Jondalar, elle persistait à croire que c'était un homme, et non pas des esprits, qui faisait naître la vie. En tout cas, la magie d'Iza paraissait efficace : ses « lunaisons », comme disait Jondalar, venaient toujours à intervalles réguliers. Il serait bon d'avoir un enfant né des Plaisirs avec Jondalar, pensait-elle, mais peut-être valait-il mieux attendre. S'il décidait de devenir mamutoï, lui aussi, alors, peut-être...

Elle posa ensuite les yeux sur du chardon, pour confectionner sa tisane : il renforçait le cœur et le souffle, donnait du lait aux jeunes mères. Elle lui préféra cependant de l'armoise, qui assurait la régularité du cycle menstruel. Elle choisit ensuite du trèfle incarnat et des cynorrhodons : ils étaient excellents pour l'état général et donneraient plus de goût au breuvage. Pour Jondalar, elle prit du ginseng, pour l'énergie virile et l'endurance, ajouta de la porelle, tonique et dépurative, puis de la racine de réglisse : elle avait remarqué le front tourmenté de son compagnon, ce qui, chez lui, était généralement le signe qu'il était tracassé, tendu. Enfin, pour apaiser ses nerfs, elle mit encore une pincée de camomille.

Elle remit de l'ordre dans les fourrures, avant de donner à Jondalar la coupe en bois qu'elle avait façonnée elle-même, et qu'il aimait tant. Après quoi, frileusement, ils se recouchèrent, finirent de boire leur tisane et se blottirent l'un contre l'autre.

— Tu sens bon, murmura-t-il à Ayla, en lui mordillant le lobe de l'oreille. Tu sens les fleurs.

— Toi aussi.

Il l'embrassa, doucement d'abord, puis avec plus d'intensité.

— La tisane était délicieuse. Qu'avais-tu mis dedans ? demanda-t-il, les lèvres posées sur son cou.

— De la camomille, simplement, avec quelques autres plantes pour te donner de la force et de l'endurance, et pour que tu te sentes bien. Je ne connais pas les noms que tu leur donnes.

Il l'embrassa de nouveau, avec une ardeur à laquelle elle répondit spontanément. Il se redressa sur un coude, la contempla.

— Ayla, tu es étonnante, le sais-tu ?

Elle lui sourit, secoua la tête.

— Toutes les fois que je te désire, tu es prête à m'accueillir. Jamais tu ne m'as repoussé, et pourtant, plus je te possède et plus je te désire.

— C'est cela qui t'étonne ? Que je te désire ausi souvent que tu me désires ? Tu connais mon corps mieux que moi, Jondalar. Tu m'as fait éprouver des Plaisirs dont j'ignorais même l'existence. Pourquoi ne me donnerais-je pas à toi toutes les fois que tu le veux ?

— Chez la plupart des femmes, il y a des moments où elles ne sont pas disposées à faire l'amour, où le temps n'est pas opportun. Quand il gèle sur les steppes, ou bien sur la berge humide d'une rivière, alors qu'un lit confortable se trouve à quelques pas. Mais toi, tu ne dis jamais « non », tu ne dis jamais « attends ».

Elle ferma les yeux. Lorsqu'elle les rouvrit, elle fronçait légèrement les sourcils.

— Jondalar, j'ai été élevée ainsi. Une femme du Clan ne dit jamais non. Quand un homme lui donne le signal, où qu'elle soit, quoi qu'elle fasse, elle abandonne tout pour satisfaire son besoin. Quel que soit l'homme, même si elle le déteste comme je détestais Broud. Jondalar, tu ne me donnes que de la joie, que du plaisir. J'aime que tu me désires, n'importe quand, n'importe où. Si tu veux me posséder, il n'est pas un instant où je ne sois prête à t'accueillir. Je te désire sans cesse. Je t'aime.

Il la prit brusquement contre lui, la serra si fort qu'elle pouvait à peine respirer.

— Ayla, oh, Ayla ! cria-t-il d'une voix rauque, étouffée, la tête au creux de son épaule. Je croyais que je ne serais jamais amoureux. Autour de moi, chacun trouvait une compagne, pour fonder avec elle un foyer, une famille. Et moi, je prenais de l'âge. Thonolan lui-même s'était trouvé une femme, durant notre Voyage. C'était ce qui nous avait amenés à séjourner chez les Sharamudoï. J'ai connu bien des femmes. Beaucoup m'ont plu, mais il manquait toujours quelque chose. Je pensais que c'était ma faute. Je pensais que la Mère me refusait l'amour. Je pensais que c'était là mon châtiment.

— Ton châtiment ? Mais pour quelle faute ?

— Pour... pour ce qui s'est passé il y a bien longtemps.

Elle n'insista pas. C'était encore l'un des principes qui lui avaient été enseignés.

15

Une voix l'appelait, la voix de sa mère, mais lointaine, incertaine dans les caprices du vent. Jondalar était chez lui, mais l'endroit était étrange : à la fois familier et inconnu. Sa main chercha quelqu'un, près de lui. La place était vide ! Affolé, il se redressa d'un sursaut, bien éveillé tout à coup.

Il regarda autour de lui, reconnut la caverne d'Ayla. Le brise-vent tendu devant l'entrée s'était détaché d'un côté et battait au vent. Des courants d'air glacé pénétraient dans la caverne, mais le soleil entrait à flots par l'entrée et par le trou qui la surmontait. Vivement, Jondalar passa ses jambières, sa tunique. Il vit alors la tasse fumante auprès du feu et, à côté, une ramille fraîche, dépouillée de son écorce.

Il sourit. Comment s'y prend-elle ? se demandait-il. Comment fait-elle pour avoir toujours un breuvage chaud pour moi, à mon réveil ? Du moins était-ce le cas ici, à la caverne. Au Camp du Lion, il se passait sans cesse quelque chose, et les repas étaient généralement pris en commun. Il buvait son infusion du matin au Foyer du Lion ou bien au premier foyer, où l'on faisait la cuisine, aussi souvent qu'au Foyer du Mammouth, et d'autres, alors, se joignaient fréquemment à eux. Il ne remarquait pas, ces jours-là, si elle avait toujours un breuvage chaud à sa disposition quand il se réveillait mais, à bien y réfléchir, il savait que c'était le cas. Ce n'était pas dans la manière d'Ayla d'en faire toute une affaire. C'était simplement une attention quotidienne, comme tant d'autres choses qu'elle faisait pour lui sans qu'il eût besoin de demander.

Il prit la coupe, but une gorgée. Il y avait de la menthe dans l'infusion — elle savait qu'il aimait la menthe, le matin —, de la camomille aussi, et autre chose qu'il ne reconnaissait pas tout à fait. Le breuvage avait une teinte rosée — des cynorrhodons, peut-être ?

Comme il est facile de retomber dans des habitudes anciennes, se disait-il. Il avait toujours fait un jeu de ses tentatives pour deviner ce qu'elle mettait dans l'infusion du matin. Il prit la ramille, en mâchonna l'extrémité, s'en servit pour se nettoyer les dents, avant de sortir. Il se rinça la bouche avec une gorgée de tisane, tout en s'avançant jusqu'au bord de la corniche pour uriner. Il jeta la ramille, recracha le liquide et regarda pensivement l'arc liquide qui fumait dans l'atmosphère glaciale.

Le vent n'était pas trop froid, et le soleil matinal, renvoyé par la roche claire, donnait une impression de chaleur. Il alla, sur la surface inégale, jusqu'à l'extrême limite de l'avancée, baissa les yeux sur le cours d'eau, au-dessous de lui. La glace s'épaississait sur les bords, mais l'eau conservait encore un courant rapide pour franchir le coude aigu qui la détournait, sur une certaine distance, de sa direction générale, vers le sud, pour l'entraîner vers l'est, avant de la laisser revenir à son orientation primitive. A gauche, la paisible vallée s'étirait le long de la rivière, et Jondalar vit Whinney et Rapide paître non loin. A sa droite, vers l'amont, le paysage était tout différent. Par-delà l'entassement d'ossements, au pied de la muraille rocheuse, et la petite grève, les hautes parois se rapprochaient, et la rivière se frayait son chemin au fond d'une gorge profonde. Jondalar se rappelait avoir nagé un jour dans cette direction, aussi loin qu'il l'avait pu, jusqu'au pied d'une cascade tumultueuse.

Il aperçut soudain Ayla, qui gravissait le sentier, et lui sourit.

— Où étais-tu ?

Quelques pas encore, et il eut la réponse à sa question. Elle portait, liés par les pattes, deux lagopèdes bien gras, presque blancs.

— Je me tenais juste là où tu es quand je les ai vus en bas, dans l'herbe, dit-elle en lui tendant les oiseaux. J'ai pensé qu'un peu de viande fraîche nous changerait agréablement. J'ai allumé du feu dans mon trou, sur la berge. Je vais les plumer et je les mettrai à cuire après notre repas du matin. Oh, regarde, j'ai encore trouvé une pierre à feu.

— Il y en a beaucoup ?

— Peut-être moins qu'avant. J'ai dû chercher pour découvrir celle-ci.

— Je vais descendre un peu plus tard, je crois, pour voir si j'en trouve d'autres.

Ayla rentra dans la caverne, pour achever de préparer le repas. Il y avait des grains cuits avec des airelles qu'elle avait trouvées encore accrochées aux branches dépouillées de leurs feuilles. Les oiseaux n'en avaient pas laissé beaucoup, et elle avait dû s'employer diligemment pour en rassembler quelques poignées.

— C'était donc ça ! fit Jondalar, qui vidait une seconde coupe d'infusion. Tu as mis des airelles dans la tisane. De la menthe, de la camomille et des airelles.

Elle l'approuva d'un sourire, et il se sentit satisfait d'avoir résolu cette petite énigme.

Après le repas, ils descendirent ensemble jusqu'à la grève. Tandis qu'Ayla préparait les lagopèdes pour les faire rôtir dans son four de pierre, Jondalar se mit à la recherche des petits nodules de pyrite de fer. Il cherchait encore lorsqu'elle remonta à la caverne. Il trouva également quelques bons morceaux de silex, les mit de côté. Vers le milieu de la matinée, il avait accumulé un petit tas de pierres à feu et il se sentait las de scruter la berge rocailleuse. Il contourna l'avancée de la muraille, vit la jument et le poulain à quelque distance et se dirigea vers eux.

En approchant, il remarqua que les deux bêtes avaient la tête levée vers les steppes. Au sommet de l'escarpement, plusieurs chevaux les regardaient. Rapide fit quelques pas vers la troupe sauvage, l'encolure arquée, les naseaux frémissants. Jondalar réagit sans prendre le temps de réfléchir.

— Allons ! Allez-vous-en ! cria-t-il.

Il courait vers les intrus en agitant les bras.

Effrayés, les chevaux bondirent en arrière, en hennissant, en s'ébrouant, et prirent leur course. Le dernier, un étalon couleur de foin, chargea en direction de l'homme, se cabra en guise d'avertissement, avant de partir au galop à la suite des autres.

Jondalar revint vers Whinney et Rapide. Tous deux semblaient nerveux. Ils avaient eu peur, eux aussi, et ils avaient perçu l'affolement du troupeau. Jondalar flatta la jument, passa un bras autour de l'encolure du poulain.

— Tout va bien, mon garçon, dit-il à celui-ci. Je ne voulais pas t'effrayer mais je ne voulais pas non plus les voir t'entraîner à leur suite avant que nous ayons eu le temps de devenir bons amis.

Avec affection, il caressait et grattait l'animal.

— Imagine quel effet ça ferait de monter un étalon comme cette bête jaune ! rêva-t-il à haute voix. Il serait rebelle, certainement, mais il ne se laisserait pas non plus gratter comme toi, hein ? Que dois-je faire pour que tu me permettes de monter sur ton dos et de te faire aller où je veux ? Quand devrai-je commencer ? Dois-je essayer dès maintenant ou bien attendre encore un peu ? Tu n'es pas encore adulte, mais ça ne tardera plus. Je ferais bien de consulter Ayla. Elle doit savoir. Whinney a toujours l'air de la comprendre. Et toi, Rapide, me comprends-tu un peu ? Je me le demande.

Quand, finalement, Jondalar reprit la direction de la caverne, Rapide le suivit. Pour jouer, il lui donnait des coups de tête, lui fourrait le nez dans la main. Jondalar s'en réjouit : le poulain paraissait vraiment lui offrir son amitié. Il gravit derrière lui l'étroit sentier qui menait à la caverne.

— Ayla, pourrais-tu me donner quelque chose pour Rapide ? demanda Jondalar, à peine entré. Du grain ou autre chose ?

La jeune femme, assise près du lit, avait disposé autour d'elle des piles et de petits tas d'objets.

— Pourquoi ne pas lui donner quelques-unes de ces petites pommes qui sont là-bas, dans la grande coupe ? Je les ai examinées, et certaines sont talées.

Jondalar prit une poignée des petits fruits acides, les offrit un par un à Rapide. Après quelques caresses encore, il s'approcha d'Ayla. Le poulain le suivit.

— Jondalar, éloigne-le d'ici ! Il pourrait écraser quelque chose !

L'homme se retourna, se heurta au jeune animal.

— Assez, maintenant, dit-il.

Il ramena le poulain à l'entrée, où se tenaient généralement le jeune étalon et sa mère. Mais, quand Jondalar voulut repartir, il fut de nouveau suivi. Il ramena une fois de plus Rapide à sa place, n'eut pas plus de succès lorsqu'il voulut l'y faire rester.

— A présent qu'il s'est pris d'affection pour moi, comment faire pour qu'il cesse de me suivre ?

Ayla avait suivi toute la scène en souriant.

— Tu pourrais essayer de lui verser un peu d'eau ou de lui donner du grain.

Jondalar fit l'un et l'autre. Quand le poulain fut enfin suffisamment occupé, il revint vers Ayla, non sans se retourner pour s'assurer que Rapide n'était plus derrière lui.

— Que fais-tu là ? demanda-t-il.

— Il faut que je décide ce que je vais emporter et ce que je laisserai ici, expliqua-t-elle. A ton avis, que puis-je offrir à Tulie, lors de la cérémonie d'adoption ? Ce doit être un cadeau très particulier.

Jondalar regardait tous les objets qu'avait fabriqués Ayla pour occuper son temps, durant les longues nuits et les hivers interminables qu'elle avait passés seule dans la caverne. Du temps même où elle vivait avec le Clan, elle s'était acquis une certaine réputation pour son habileté et la qualité de son travail. Durant les années passées dans la vallée, elle n'avait pas eu grand-chose d'autre à faire. Elle consacrait à chaque objet une attention soutenue et tout le temps voulu, afin qu'il durât longtemps. Les résultats étaient probants.

Sur une pile, il prit une coupe. Celle-ci était d'une trompeuse simplicité. Presque parfaitement circulaire, elle avait été faite dans une seule pièce de bois. La finesse de l'exécution était d'une telle qualité que l'objet semblait presque vivant. Elle avait dit à Jondalar comment elle s'y prenait. La technique était, pour l'essentiel, pareille à celles qu'il connaissait déjà. Toute la différence résidait dans le soin apporté, dans l'attention au détail. Elle commençait par dégrossir la forme à l'aide d'une herminette en pierre, avant de la préciser avec un couteau de silex. Elle se servait ensuite d'une pierre arrondie et de sable pour poncer l'extérieur et l'intérieur, jusqu'au moment où le doigt ne sentait pratiquement plus aucune aspérité. Elle parvenait enfin au dernier fini en frottant avec un tampon de fougère « queue-de-cheval ».

Ses corbeilles montraient les mêmes qualités de simplicité et de dextérité manuelle. Elle n'utilisait ni couleurs ni teintures. L'intérêt de la texture avait été obtenu par la diversité des tissages et par l'utilisation de fibres diversement colorées. Les nattes à poser sur le sol avaient les mêmes caractéristiques.

Les peaux dont elle faisait du cuir étaient douces et souples, mais Jondalar était particulièrement impressionné par ses fourrures. Il n'était pas impossible de donner de la souplesse à la peau de daim en raclant la grenure, tant du côté de la fourrure qu'à l'intérieur, mais les peaux restaient généralement plus raides quand on leur laissait le poil. Celles d'Ayla n'étaient pas seulement somptueuses du côté de la fourrure mais d'une douceur veloutée à l'intérieur.

— Que vas-tu donner à Nezzie ? demanda-t-il.

— Des choses qui se mangent, comme ces pommes, et des récipients pour les contenir.

— Bonne idée. Et à Tulie ?

— Elle est très fière des cuirs de Deegie. Je pense donc qu'il vaut mieux ne pas lui en offrir, et je ne veux pas lui donner de la nourriture, comme à Nezzie. Rien de trop pratique. Elle est la Femme Qui Ordonne. Il faudrait quelque chose à porter dans les grandes occasions, comme de l'ambre ou des coquillages, mais je n'ai rien de semblable.

— Mais si.

— J'avais pensé à lui offrir l'ambre que j'ai trouvé, mais c'est un signe donné par mon totem. Je ne peux pas m'en séparer.

— Je ne parlais pas de l'ambre. Elle en a probablement beaucoup. Offre-lui des fourrures. C'est ce qu'elle a mentionné en premier.

— Elle doit en avoir beaucoup aussi.

— Il n'en existe pas d'aussi belles, d'aussi précieuses que les tiennes, Ayla. De toute ma vie, je n'en ai vu qu'une fois de semblables. Et elle, sûrement pas. Celle que j'ai vue avait été préparée par une Têt... par une femme du Clan.

Quand vint le soir, Ayla avait pris plusieurs décisions difficiles, et l'accumulation des travaux réalisés au cours des années était répartie en deux tas. Le plus important serait abandonné, en même temps que la caverne et la vallée. L'autre représentait ce qu'elle emporterait... avec ses souvenirs. Cette longue opération, déchirante, atroce parfois, la laissait sans forces. Son humeur se communiqua à Jondalar. Il se surprit à penser à son foyer, à son passé, à toute sa vie, plus qu'il ne l'avait fait depuis des années. Son esprit revenait sans relâche à de douloureux souvenirs qu'il avait crus oubliés, qu'il aurait voulu effacer de sa mémoire. il se demandait pourquoi montaient en lui maintenant toutes ces réminiscences.

Le repas du soir fut presque silencieux. Ils échangaient par moments quelques propos, se taisaient le plus souvent, chacun occupé de ses propres pensées.

— Les oiseaux sont délicieux, comme à l'ordinaire, remarqua Jondalar.

— Creb les aimait cuits ainsi.

Elle le lui avait déjà dit. Il lui arrivait encore d'avoir peine à croire qu'elle eût tant appris des Têtes Plates qui l'avaient élevée. Mais, à bien y réfléchir, pourquoi n'auraient-ils pas su cuisiner aussi bien que quiconque ?

— Ma mère est bonne cuisinière. Sans doute les apprécierait-elle aussi.

Jondalar pensait beaucoup à sa mère, depuis quelque temps, se dit Ayla. Le matin même, lui avait-il confié, il s'était réveillé après avoir rêvé d'elle.

— Dans mon enfance, elle avait quelques plats spéciaux qu'elle aimait faire... quand elle n'était pas trop occupée par les affaires de la Caverne.

— Les affaires de la Caverne ?

— Elle était le chef de la Neuvième Caverne.

— Tu me l'avais dit, mais je n'avais pas compris. Elle était comme Tulie, tu veux dire ? Une Femme Qui Ordonne ?

— Quelque chose de ce genre, oui. Mais il n'y avait pas de Talut, et la Neuvième Caverne est beaucoup plus importante que le Camp du Lion. Beaucoup plus peuplée.

Il s'interrompit, ferma les yeux pour concentrer ses idées.

— Quatre personnes contre une seule, peut-être.

Ayla s'efforça de déterminer combien cela pouvait faire mais décida qu'elle calculerait plus tard, en faisant des marques sur le sol. Pourtant, elle se demandait comment tant de gens pouvaient vivre tous ensemble à longueur de temps. C'était presque autant que pour un Rassemblement du Clan.

— Dans le Clan, aucune femme ne pouvait être chef, dit-elle.

— Marthona est devenue chef après Joconnan. Elle participait tellement à son autorité, m'a dit la Zelandoni, qu'après la mort de Joconnan, tout le monde s'est tourné spontanément vers elle. Mon frère, Joharran, est né à son foyer. Il est chef, maintenant, mais Marthona est restée sa conseillère... du moins l'était-elle quand je suis parti.

Ayla fronçait les sourcils. Il lui avait déjà parlé de sa famille, mais elle n'avait pas bien saisi toutes les relations de parenté.

— Ta mère était la compagne de... comment as-tu dit ? Joconnan ?

— Oui.

— Mais tu parles toujours de Dalanar.

— Je suis né à son foyer.

— Ainsi, ta mère a été aussi la compagne de Dalanar ?

— Oui. Elle était déjà la Femme Qui Ordonne quand ils se sont unis. Ils étaient étroitement liés. Les gens racontent encore des histoires à propos de Marthona et Dalanar et chantent des complaintes sur leur amour. Zelandoni m'a dit qu'ils s'aimaient trop. Dalanar ne voulait pas la partager avec la Caverne. Il en est venu à haïr le temps qu'elle consacrait aux affaires, mais elle se sentait responsable. Finalement, ils ont tranché le nœud, et Dalanar est parti. Par la suite, Marthona a fondé un nouveau foyer avec Willomar. Elle a donné naissance à Thonolan et à Folara. Dalanar a voyagé vers le nord-est. Il a découvert un gisement de silex et rencontré Jerika. C'est là qu'il a fondé la Première Caverne des Lanzadonii.

Il demeura un moment silencieux. Il paraissait éprouver le besoin de parler de sa famille, et Ayla l'écoutait, bien qu'il répétât certains détails qu'il lui avait déjà donnés. Elle se leva, versa dans leurs coupes le reste d'infusion, remit du bois au feu. Elle alla ensuite s'asseoir sur les fourrures, au bout du lit, et, à la lueur dansante des flammes, contempla les ombres qui se jouaient sur le visage pensif de Jondalar.

— Ça veut dire quoi, Lanzadonii ? demanda-t-elle.

Il lui sourit.

— Ça signifie simplement... le peuple... les enfants de Doni... les enfants de la Grande Terre Mère qui vivent au nord-est, pour être précis.

— Tu as vécu là-bas, n'est-ce pas ? Avec Dalanar ?

Il ferma les yeux. Il serrait si fort les dents que les muscles de sa mâchoire se crispaient. Son front se creusait de plis de souffrance. Ayla lui avait déjà vu cette expression, et elle se posait des questions. Durant l'été, déjà, il lui avait parlé de cette période de sa vie, mais ses souvenirs le bouleversaient, et, elle le savait, il restait sur la réserve. Elle percevait dans l'atmosphère une certaine tension. Une énorme pression, centrée sur Jondalar, se développait, comme s'enfle la terre avant d'arracher à ses entrailles une terrible explosion.

— Oui, j'ai vécu là-bas, répondit enfin Jondalar. Pendant trois années.

Il bondit brusquement sur ses pieds, renversant dans son mouvement son infusion, et marcha à grandes enjambées vers le fond de la caverne.

— O Mère ! Ce fut terrible !

Il posa son bras sur la paroi rocheuse, y appuya la tête. Dans l'ombre épaisse, il faisait effort pour se maîtriser. Finalement, il revint, baissa les yeux sur la tache humide qui marquait l'endroit où le liquide s'était infiltré dans la terre battue du sol. Il fléchit le genou pour ramasser la coupe, la tourna, la retourna entre ses mains, les yeux fixés sur le feu.

— Etait-ce possible de vivre avec Dalanar ? questionna Ayla.

— De vivre avec Dalanar ? Non.

Il avait l'air surpris.

— Ce n'était pas ça qui était pénible. Il a été heureux de me voir. Il m'a accueilli à son foyer, il m'a appris son métier, en même temps qu'à Joplaya, il m'a traité en adulte... et jamais il n'a dit un mot de...

— De quoi ?

Jondalar reprit longuement son souffle.

— De la raison pour laquelle on m'avait envoyé chez lui, dit-il.

Il avait baissé les yeux sur la coupe, entre ses mains.

Le silence se fit plus profond. Le souffle des chevaux emplissait la caverne. Les bruyantes explosions du feu qui flambait en crépitant se répercutaient sur les murailles de pierre.

Jondalar posa la coupe, se leva.

— J'ai toujours été grand pour mon âge et je paraissais plus vieux que je ne l'étais, commença-t-il.

Il arpentait l'espace laissé libre autour du feu, allait, revenait.

— J'ai mûri de bonne heure. Je n'avais pas plus de onze ans quand la donii s'est présentée à moi en rêve... et elle avait le visage de Zolena.

Encore ce nom. La femme qui avait eu tant d'importance pour lui. Il avait déjà parlé d'elle, mais brièvement et avec une évidente souffrance. Ayla n'avait pas compris ce qui le torturait ainsi.

— Tous les jeunes gens la voulaient pour donii, tous désiraient être initiés par elle. Ils étaient censés la désirer, elle ou une autre qui lui ressemblât...

Il fit volte-face, se retrouva devant Ayla.

— ... mais ils n'étaient pas censés l'aimer ! Sais-tu ce que cela signifie, quand on s'éprend de sa donii ?

La jeune femme secoua la tête.

— Elle doit t'expliquer, t'enseigner, t'aider à comprendre le Don magnifique de la Mère, te préparer, quand viendra ton tour, à faire d'une jeune fille une femme. Toutes les femmes, quand elles sont plus âgées, peuvent être donii, une fois au moins, comme tous les hommes peuvent partager les Premiers Rites d'une jeune fille, une fois au moins. C'est un devoir sacré en l'honneur de Doni.

Il baissa les yeux.

— Mais une donii représente la Grande Mère. On ne doit pas l'aimer d'amour, la vouloir pour compagne.

Il regarda de nouveau Ayla.

— Comprends-tu cela ? C'est interdit. C'est comme si l'on s'éprenait de sa propre mère, comme si l'on voulait s'unir à sa propre sœur. Pardonne-moi, Ayla... c'est un peu comme si l'on voulait s'unir à une femme Tête Plate !

Il se détourna, gagna l'entrée de la caverne en quelques longues enjambées. Il souleva la tenture mais ses épaules s'affaissèrent. Il changea d'avis, revint. Il s'assit près d'Ayla. Son regard se perdit dans le vide.

— J'avais douze ans. Zolena était ma donii, et je l'aimais. Elle m'aimait aussi. Au début, elle paraissait simplement savoir comment me plaire, mais, par la suite, ce fut davantage. Je pouvais lui parler de tout. Nous aimions être ensemble. Elle m'apprenait comment sont les femmes, ce qui éveille leur plaisir, et moi, je me montrais attentif parce que je l'aimais, parce que je cherchais à lui plaire. Lui plaire était mon grand bonheur. Nous n'avions pas l'intention de tomber amoureux l'un de l'autre. Nous ne nous le sommes même pas avoué, au commencement. Nous avons essayé ensuite de tenir notre amour secret. Mais je désirais m'unir à elle. Je voulais vivre avec elle. Je voulais que ses enfants fussent ceux de mon foyer.

Le regard fixé sur les flammes, il battit des paupières et Ayla vit briller l'éclat des larmes.

— Zolena ne cessait de me répéter que j'étais trop jeune, que cela me passerait. La plupart des jeunes hommes attendent d'avoir au moins quinze ans, avant de se mettre sérieusement à chercher une femme qui sera leur compagne. Moi, je ne me sentais pas trop jeune. Mais peu importait ce que je désirais. Je ne pouvais pas avoir Zolena. Elle était ma donii, ma conseillère, mon professeur. Elle ne devait pas me laisser tomber amoureux d'elle. On la blâmait plus que moi, mais cela ne faisait qu'aggraver la situation. Jamais elle n'aurait été blâmée si je ne m'étais pas montré aussi stupide !

Les derniers mots, il les avait littéralement crachés !

— D'autres hommes la désiraient aussi. Constamment. Qu'elle voulût d'eux ou non. L'un d'eux l'importunait sans cesse. Ladroman. Quelques années plus tôt, elle avait été sa donii. Je ne peux pas lui en vouloir, je suppose, de l'avoir désirée, mais elle ne s'intéressait plus à lui. Il s'était mis à nous suivre, à nous épier. Un jour, il nous a surpris ensemble. Il a menacé Zolena, il lui a dit que, si elle ne lui cédait pas, il dirait à tout le monde ce qu'il savait de nous.

« Elle a voulu tourner la chose en plaisanterie. Il pouvait mettre sa menace à exécution : il n'y avait rien à dire, elle n'était rien d'autre que ma donii. J'aurais dû faire comme elle. Mais, quand il s'est moqué de nous, en répétant des paroles que nous avions échangées dans l'intimité, j'ai été furieux. Non... je n'ai pas seulement été furieux. J'ai perdu mon sang-froid, je ne me suis plus contrôlé. Je l'ai frappé.

Jondalar abattit son poing fermé sur le sol, recommença, encore, encore.

— Je ne pouvais plus m'arrêter de frapper. Zolena a bien essayé de me faire cesser. Finalement, elle a dû aller chercher quelqu'un d'autre pour m'écarter de lui. Elle a bien fait. Je l'aurais tué, je crois.

Il se leva, se remit à arpenter la caverne.

— Tout alors, s'est découvert. Dans les détails les plus sordides. Ladroman a tout dit en public... devant tout le monde. Je me sentais gêné en découvrant depuis combien de temps il nous épiait, tout ce qu'il avait entendu. On nous a questionnés, Zolena et moi...

Il rougissait à ce seul souvenir.

— ... et l'on nous a condamnés l'un et l'autre, mais je me suis indigné quand on a rejeté sur elle la responsabilité. Ce qui aggravait la situation, c'était que j'étais le fils de ma mère. Elle était le chef de la Neuvième Caverne, et je l'avais déshonorée. Toute la Caverne était en effervescence.

— Qu'a fait ta mère ? demanda Ayla.

— Elle a fait ce qu'elle devait. Ladroman avait beaucoup souffert. Il avait perdu plusieurs dents. On a alors plus de mal à mastiquer, et les femmes ne sont pas attirées par un homme édenté. Ma mère a dû payer pour moi une importante indemnité et, sur les instances de la mère de Ladroman, elle a accepté de m'envoyer au loin.

Il s'interrompit, ferma les yeux, le front contracté sous le coup d'une ancienne souffrance.

— Cette nuit-là, j'ai pleuré.

Manifestement, cet aveu lui coûtait.

— Je ne savais pas où je serais envoyé. J'ignorais que ma mère avait dépêché un messager à Dalanar pour lui demander de m'accueillir.

Il reprit haleine, poursuivit :

— Zolena est partie avant moi. Elle avait toujours été attirée vers la zelandonia et elle est allée rejoindre Ceux Qui Servent la Mère. J'ai songé à en faire autant, moi aussi, peut-être en qualité de sculpteur : je me croyais alors doué pour ce métier. Mais la réponse de Dalanar est arrivée et, tout de suite après, Willomar m'a emmené chez les Lanzadonii. Je ne connaissais pas vraiment Dalanar. Il était parti quand j'étais encore très jeune, et je le rencontrais seulement aux Réunions d'Eté. Je ne savais pas à quoi m'attendre, mais Marthona avait choisi la bonne solution.

Une fois encore, Jondalar se tut, il se tassa sur lui-même près du feu. Il ramassa une branche sèche, la posa sur les flammes.

— Avant mon départ, les gens m'évitaient, se répandaient en injures contre moi, reprit-il. Certains écartaient leurs enfants de mon chemin pour les soustraire à mon influence impure, comme si un seul regard jeté sur moi pouvait les corrompre. Je sais que j'avais mérité ce traitement : ce que nous avions fait était terrible. Mais j'avais envie de mourir.

Silencieuse, Ayla l'observait, attendait la suite. Elle ne comprenait pas tout à fait les coutumes dont il parlait mais elle souffrait pour lui avec une sympathie née de sa propre souffrance. Elle aussi avait enfreint certains tabous et en avait payé les cruelles conséquences mais elle en avait tiré un enseignement. Peut-être parce que, dès l'origine, elle était très différente des autres, elle avait appris à se demander si ce qu'elle avait fait était vraiment si grave. Elle en était venue à comprendre qu'il n'était pas mal de sa part de vouloir chasser, à la fronde, à l'épieu, avec n'importe quelle arme, tout bonnement parce que, pour le clan, les femmes n'avaient pas le droit de chasser. Elle ne s'en voulait pas de s'être opposée à Broud au mépris de toutes les traditions.

— Jondalar, dit-elle, emplie de compassion.

Elle regardait sa tête baissée dans une attitude de découragement et de remords.

— Tu as commis une grave faute en battant si durement cet homme...

Il approuva d'un signe de tête.

— ... Mais qu'aviez-vous fait de si coupable, Zolena et toi ?

La question le surprit, il se redressa.

Il s'était attendu au dédain, à la dérision, à la sorte de mépris qu'il éprouvait pour lui-même.

— Tu ne comprends pas. Zolena était ma donii. Nous avons déshonoré la Mère, nous L'avons offensée. C'était une chose honteuse.

— Qu'y avait-il de honteux ? Je ne sais toujours pas ce que tu as fait de si mal.

— Ayla, quand une femme assume cet aspect de la Mère pour initier un jeune homme, elle prend une importante responsabilité. Elle le prépare à la virilité, elle lui enseigne à créer une femme. Doni a confié à l'homme la responsabilité d'ouvrir une femme, de la préparer à accepter les esprits venus de la Grande Terre Mère, afin que la femme puisse devenir une mère. C'est un devoir sacré. Ce n'est pas une relation banale, quotidienne, que chacun peut nouer à tout moment. On ne peut pas la prendre à la légère, expliqua Jondalar.

— L'avais-tu prise à la légère ?

— Non. Bien sûr que non !

— Alors, qu'as-tu fait de mal ?

— J'ai profané un rite sacré. Je suis tombé amoureux...

— Tu es tombé amoureux. Et Zolena en a fait autant. Pourquoi serait-ce mal ? De tels sentiments ne te remplissent-ils pas de chaleur, de bien-être ? Tu n'avais rien prémédité. C'est arrivé, voilà tout. N'est-il pas naturel de tomber amoureux d'une femme ?

— Mais pas de celle-là, protesta-t-il. Tu ne comprends pas.

— Tu as raison. Je ne comprends pas. Broud m'a violée. Il était cruel, haïssable, et c'était justement ce qui lui procurait son plaisir. Toi, par la suite, tu m'as appris ce que devaient être les Plaisirs : non pas douloureux mais agréables, délicieux. T'aimer me remplit de chaleur et de bien-être, moi aussi. Je croyais que l'amour avait toujours cet effet. Mais voilà que tu me dis qu'il peut être mal d'aimer quelqu'un, que l'on peut en ressentir une grande souffrance.

Jondalar prit un morceau de bois, le posa sur le feu. Comment pouvait-il se faire comprendre ? On pouvait éprouver aussi de l'amour pour sa mère, sans pour autant désirer s'unir à elle. On ne voulait pas voir les enfants de son propre foyer mis au monde par sa donii. Il ne savait que répondre, mais le silence était tendu.

— Pourquoi as-tu quitté Dalanar pour retourner là-bas ? questionna Ayla, au bout d'un moment.

— Ma mère m'a envoyé chercher... Non, c'était autre chose. Je désirais rentrer chez moi. Dalanar était très bon pour moi, j'avais de l'affection pour Jerika et pour mon cousin, Joplaya, mais je ne me suis jamais senti tout à fait chez moi parmi eux. Je n'étais pas sûr de pouvoir un jour retourner là-bas, mais j'avais envie de retrouver les miens. J'ai fait vœu de ne plus jamais perdre mon sang-froid, de ne plus jamais me mettre en colère.

— As-tu été heureux de rentrer ?

— Ce n'était plus la même chose, mais, après les tout premiers jours, tout s'est passé mieux que je ne l'avais pensé. La famille de Ladroman avait quitté la Neuvième Caverne, et, sans sa présence pour rappeler aux gens ce qui s'était passé, ils oubliaient. Je ne sais pas ce que j'aurais fait s'il s'était encore trouvé là. C'était déjà assez difficile aux Réunions d'Eté. Toutes les fois que je le voyais, je me souvenais de mon indignité. Un peu plus tard, quand Zolena est revenue à son tour, il y a eu de nombreux commentaires, les premiers temps. J'avais peur de la revoir mais, en même temps, j'en avais envie. C'était plus fort que moi, Ayla : même après tout ce qui s'était passé, je l'aimais encore, je crois.

Son regard quêtait un peu de compréhension.

Une fois de plus, il se leva, se remit à marcher.

— Mais elle avait beaucoup changé. Elle avait déjà accédé à un rang supérieur dans la zelandonia. Elle était tout à fait Celle Qui Sert la Mère. Au début, je ne voulais pas y croire. Je voulais voir jusqu'à quel point elle avait changé, savoir si elle conservait encore des sentiments pour moi. Je tenais à me trouver seul avec elle et je dressais des plans pour cela. J'ai attendu jusqu'à la fête organisée pour Honorer la Mère. Elle avait dû me deviner. Elle chercha à m'éviter mais finit par changer d'avis. Le lendemain, il y eut des gens pour être scandalisés, même s'il était parfaitement convenable de partager les Plaisirs avec elle lors d'une fête.

Il émit un petit rire railleur.

— Ils n'avaient pas à se tourmenter. Elle m'assura qu'elle avait toujours de l'affection pour moi, qu'elle me souhaitait tout le bonheur possible, mais ce n'était plus la même chose. Elle ne me désirait plus.

« A la vérité, continua-t-il avec une ironie amère, je crois qu'elle a vraiment de l'affection pour moi. Nous sommes maintenant de bons amis. Mais Zolena savait ce qu'elle voulait... et elle l'a obtenu. Elle n'est plus Zolena, à présent. Avant mon départ pour mon grand Voyage, elle est devenue la Zelandoni, la Première parmi Celles qui Servent la Mère. Je suis parti peu de temps après, avec Thonolan. C'est sans doute la cause de mon départ.

Il retourna vers l'entrée, regarda par-dessus la tenture. Ayla se leva, le rejoignit. Les yeux clos, elle sentait le vent caresser son visage, écoutait le souffle égal de Whinney, la respiration plus haletante de Rapide. Jondalar prit une longue inspiration, revint s'asseoir sur une natte, près du feu. Il ne semblait pas vouloir dormir. Elle le suivit, prit la grande outre, versa de l'eau dans une corbeille à cuire, plaça dans les flammes quelques pierres pour les faire chauffer. Jondalar n'était pas prêt à aller se coucher. Il n'avait pas encore fini.

— Quand je suis rentré chez moi, ma plus grande joie a été la présence de Thonolan, commença-t-il, en reprenant le fil de son récit. Il avait grandi, en mon absence, et, après mon retour, nous sommes devenus de bons amis et nous avons commencé à faire ensemble toutes sortes de choses...

Il se tut. La souffrance se peignait sur son visage. Ayla se rappelait quelle épreuve avait été pour lui la mort de son frère. Il se laissa tomber près d'elle, les épaules basses, épuisé, vidé de toutes ses forces. Elle comprit alors combien il lui avait été pénible de parler de son passé. Sans bien savoir ce qui l'y avait amené, elle savait qu'une tension s'était accumulée en lui.

— Ayla, crois-tu que, sur le chemin du retour, nous pourrions retrouver... le lieu où Thonolan a été... tué ? demanda-t-il.

Il s'était tourné vers elle. Ses yeux étaient pleins de larmes. Sa voix se brisait.

— Je n'en suis pas certaine, mais nous pourrons essayer.

Elle remit dans l'eau quelques pierres brûlantes, choisit quelques herbes sédatives.

Elle retrouvait soudain toute la peur, toute l'inquiétude qu'elle avait éprouvées, cette première nuit qu'il avait passée dans sa caverne, lorsqu'elle n'était pas sûre qu'il allait survivre. Il avait appelé son frère, alors, et, sans comprendre ses paroles, elle avait su qu'il réclamait l'homme qui était mort. Quand elle était parvenue à lui faire entendre ce qui s'était passé, il avait épuisé entre ses bras la douleur qui le déchirait.

— Cette première nuit, sais-tu depuis combien de temps je n'avais plus pleuré ? demanda-t-il.

Elle sursauta : on aurait dit qu'il avait deviné ses pensées. Mais, évidemment, il venait de parler de Thonolan.

— Depuis le jour où ma mère m'avait annoncé que je devais partir. Ayla, pourquoi a-t-il fallu qu'il meure ? questionna-t-il d'une voix étranglée, suppliante. Thonolan était plus jeune que moi ! Il n'aurait pas dû mourir si jeune. Je ne supportais pas de le savoir à jamais disparu. Après m'être mis à pleurer, je ne pouvais plus m'arrêter. Je ne sais pas ce que j'aurais fait si tu n'avais pas été là, Ayla. Je ne te l'avais encore jamais dit. J'avais honte, je crois... honte d'avoir, une fois de plus, perdu mon sang-froid.

— Il n'y a aucune honte à pleurer quelqu'un, Jondalar... ni à aimer quelqu'un.

Il détourna les yeux.

— Tu crois ça ?

Il y avait dans sa voix une nuance de mépris pour lui-même.

— Même lorsque tu t'en sers dans ton propre intérêt, en faisant souffrir quelqu'un d'autre ?

Ayla, déconcertée, fronça les sourcils.

Jondalar se retourna vers le feu.

— L'été qui a suivi mon retour, à la Réunion d'Eté, j'ai été choisi pour les Premiers Rites. J'étais inquiet. La plupart des hommes le sont. On craint de faire mal à une jeune fille, et je suis... d'une bonne taille. Il y a toujours des témoins, pour vérifier qu'une jeune fille a bien été déflorée mais, en même temps, pour s'assurer qu'elle n'a pas été vraiment blessée. L'homme s'inquiète : peut-être ne sera-t-il pas en mesure de prouver sa virilité, de sorte qu'il faudra trouver quelqu'un d'autre au dernier moment, et qu'il se retrouvera humilié. Bien des choses peuvent se produire. Je dois remercier la Zelandoni, fit-il avec un petit rire ironique. Elle a fait précisément ce que doit faire une doni. Elle m'a conseillé... ce qui m'a aidé.

« Mais, ce soir-là, c'était à Zolena que je pensais, pas à la Zelandoni. J'ai vu alors cette jeune fille apeurée et j'ai compris qu'elle était encore plus tourmentée que moi. Elle a été vraiment effrayée quand elle a vu ma nudité : c'est le cas de bien des femmes, la première fois. Je me suis alors souvenu de ce que Zolena m'avait appris : comment la préparer, comment me dominer, comment l'amener au Plaisir. Finalement, ce fut merveilleux de voir une jeune fille inquiète, craintive, se transformer en une femme consentante, libérée. Elle se montrait si reconnaissante, si aimante... J'ai eu l'impression de l'aimer, cette nuit-là.

Il ferma les paupières, dans cette grimace douloureuse que lui avait vue si souvent Ayla, récemment. Il sauta de nouveau sur ses pieds, se remit à arpenter la caverne.

— Les expériences ne m'apprennent jamais rien ! Le lendemain, je savais que je ne l'aimais pas réellement, mais elle, elle m'aimait ! Elle n'était pas censée s'éprendre de moi, pas plus que je ne devais tomber amoureux de ma donii ! J'étais chargé de faire d'elle une femme, de lui enseigner ce qu'étaient les Plaisirs, certainement pas de l'amener à m'aimer. Je me suis efforcé de ne pas froisser ses sentiments mais j'ai bien vu sa déception lorsque j'ai enfin réussi à lui faire comprendre mes paroles.

Il s'arrêta devant Ayla, lui cria presque :

— Ayla, c'est un acte sacré, de faire d'une jeune fille une femme. C'est un devoir, une responsabilité, et, une fois encore, j'avais profané cet acte !

Il se remit en marche.

— Ce n'était pas la dernière fois. Je m'étais promis de ne jamais recommencer, mais tout se passa de la même manière, la fois suivante. Je me suis fait alors une autre promesse : je n'accepterais plus de jouer ce rôle, je ne le méritais pas. Mais, quand je fus de nouveau choisi, je ne pus refuser. J'en avais trop envie. On me choisissait souvent, et je me mis à attendre ces occasions avec impatience : il me tardait de retrouver les émotions d'ardeur, d'amour éprouvées ces nuits-là, même si, le lendemain, je me haïssais d'avoir utilisé, à mon seul bénéfice, la jeune fille et le rite sacré de la Mère.

Il s'arrêta, s'accrocha à l'un des pieux entre lesquels elle faisait sécher ses herbes et la regarda.

— Mais, au bout d'une année ou deux, j'ai compris que je faisais fausse route, et que la Mère me punissait. Les hommes de mon âge trouvaient des compagnes, s'installaient, montraient avec fierté les enfants de leur foyer. Moi, j'étais incapable de découvrir une femme à aimer de cette manière. J'en connaissais beaucoup, je les appréciais pour leur compagnie, leurs Plaisirs, mais, lorsque j'éprouvais de l'amour, c'était seulement quand je ne le devais pas... à l'occasion des Premiers Rites et uniquement cette nuit-là.

Il baissait maintenant la tête.

La stupeur la lui fit relever : il venait d'entendre un rire tendre.

— Oh, Jondalar, mais tu es tombé amoureux. Tu m'aimes, n'est-ce pas ? Ne comprends-tu pas ? Tu ne subissais pas un châtiment. Tu m'attendais. Je te l'ai dit : mon totem t'a conduit vers moi, la Mère aussi, peut-être, mais tu as eu un long chemin à parcourir. Tu as dû patienter. Si tu étais tombé amoureux plus tôt, jamais tu ne serais venu. Jamais tu ne m'aurais trouvée.

Se pouvait-il qu'elle eût raison ? se demandait-il. Il avait envie d'y croire. Pour la première fois depuis des années, il sentait s'alléger le fardeau qui avait pesé sur son esprit. L'ombre d'un espoir passa sur son visage.

— Et Zolena, ma donii ?

— Je ne crois pas qu'il était mal de l'aimer. Mais, même si tu as ainsi transgressé vos coutumes, tu en as été châtié, Jondalar. On t'a exilé. Tout cela est du passé, maintenant. Tu n'as plus à ressasser tes souvenirs, à te punir.

— Mais les jeunes filles, lors des Premiers Rites...

L'expression d'Ayla se durcit.

— Jondalar, sais-tu combien il est terrible d'être forcée, la première fois ? Sais-tu ce qu'on ressent quand on doit subir avec horreur ce qui n'est pas un Plaisir mais une épreuve douloureuse, répugnante ? Peut-être n'avais-tu pas le droit de tomber amoureux de ces jeunes femmes, mais elles ont dû être merveilleusement heureuses d'être traitées avec tendresse, d'éprouver les Plaisirs que tu sais si bien donner, de se sentir aimées, cette première fois. Si tu leur as offert seulement une petite part de ce que tu me donnes, alors, tu leur as laissé un magnifique souvenir à conserver en elles tout le reste de leur vie. Oh, Jondalar, tu ne leur as fait aucun mal. Tu as agi exactement comme tu le devais. Pourquoi, à ton avis, te choisissait-on si souvent ?

Jondalar commençait à se libérer du fardeau de honte, de mépris de soi, qui était resté si longtemps enfoui au plus profond de lui-même. Il accueillait l'idée que, peut-être, sa vie avait un but, que les pénibles expériences de sa prime jeunesse avaient eu leur raison d'être. Il entrevoyait la possibilité que ses actes n'avaient pas été aussi méprisables qu'il l'avait cru. Peut-être avait-il une certaine valeur... et il désirait par-dessus tout s'en convaincre.

Toutefois, il avait du mal à se débarrasser de la charge émotionnelle qui l'accablait depuis si longtemps. Certes, il avait enfin découvert une femme à aimer, et elle représentait tout ce qu'il avait jamais désiré. Mais, s'il la ramenait chez lui et qu'elle confiât à quelqu'un qu'elle avait été élevée par des Têtes Plates ? Ou, pis encore, qu'elle avait un enfant d'esprits mêlés ? Un monstre ? Serait-il couvert de boue, avec elle, pour avoir introduit une telle femme parmi les siens ? Cette seule idée le faisait rougir.

Serait-ce honnête à son égard ? S'ils allaient la chasser en l'accablant d'insultes ? Et s'il ne la défendait pas ? S'il les laissait faire ? Il frissonna. Non, pensa-t-il, jamais il ne les laisserait la traiter de la sorte. Il l'aimait. Pourtant, s'il n'osait pas ?

Pourquoi était-ce Ayla qu'il avait découverte et aimée ? L'explication de la jeune femme lui semblait trop simple. Il ne pouvait si vite abandonner la conviction que la Grande Mère l'avait puni de son sacrilège. Peut-être Ayla ne se trompait-elle pas, peut-être Doni l'avait-Elle guidé vers elle. Mais n'était-ce pas, là encore, un châtiment ? Cette femme merveilleuse qu'il aimait n'était pas plus acceptable, aux yeux de son peuple, que la première femme dont il s'était épris. Quelle ironie du sort ! La femme qu'il avait fini par découvrir était une paria : elle avait donné naissance à un monstre !

Mais les Mamutoï nourrissaient des croyances semblables, et ils ne la repoussaient pas. Tout en sachant qu'elle avait grandi chez les Têtes Plates, ils allaient l'adopter. Ils avaient même accueilli parmi eux un enfant d'esprits mêlés. Peut-être ne devait-il pas essayer de l'emmener chez lui. Elle pourrait être plus heureuse en restant là où elle vivait maintenant. Ou peut-être devrait-il rester, lui aussi, se laisser adopter par Tulie, devenir mamutoï. Son front se plissa. Il n'était pas mamutoï, il était zelandonii. Les Mamutoï étaient honorables, leurs coutumes étaient semblables aux siennes, mais ils n'étaient pas son peuple. Qu'aurait-il à offrir à Ayla, chez eux ? Il n'avait pas de relations, pas de famille, pas de parenté chez ces gens. Mais qu'aurait-il à lui offrir, s'il la ramenait chez lui ?

Déchiré par tant de problèmes, il se sentait soudain épuisé. Ayla vit ses traits se défaire, ses épaules s'affaisser.

— Il est tard, Jondalar. Bois un peu de cette infusion et allons nous coucher, dit-elle en lui tendant une coupe.

Il acquiesça, but le breuvage chaud, se dévêtit avant de se glisser entre les fourrures. Ayla s'étendit près de lui, l'observa jusqu'au moment où elle vit s'atténuer puis s'effacer les rides de son front, où elle entendit son souffle se faire profond et régulier. Le sommeil, pour elle, tarda davantage. La détresse de Jondalar la tourmentait. Elle était heureuse qu'il lui en eût dit plus long sur lui-même, sur ses jeunes années. Elle avait depuis longtemps la conviction qu'au fond de lui-même certains souvenirs lui causaient une vive angoisse. Lui en parler l'avait peut-être en partie soulagé, mais quelque chose le préoccupait encore. Il ne lui avait pas tout confié, et cette réserve faisait naître en elle un malaise profond.

Les yeux grands ouverts, elle s'efforçait de ne pas le réveiller et appelait le sommeil. Combien de nuits avait-elle passées, seule dans cette caverne, incapable de dormir ? Elle se rappela alors le claok. Elle se glissa doucement hors du lit, fouilla dans ses affaires, en tira un vieux morceau de cuir souple, le porta à sa joue. C'était l'un des rares objets qu'elle avait pris dans le désordre de la caverne du Clan, avant de partir. Elle s'en était servie pour porter Durc quand il était encore petit et pour le retenir sur sa hanche quand il avait un peu grandi. Elle ignorait pourquoi elle l'avait emporté : ce n'était pas un objet de première nécessité. Pourtant, plus d'une fois, du temps de sa solitude, elle l'avait serré contre elle pour s'endormir. Pas depuis l'arrivée de Jondalar, toutefois.

Elle roula en boule la vieille peau, la pressa contre sa poitrine, se replia sur elle. Alors, elle ferma les yeux, glissa dans le sommeil.

— Il y a trop de choses, même avec le travois et en faisant porter des couvertures par Whinney. Il me faudrait deux chevaux pour tout emporter, dit Ayla.

Elle mesurait du regard l'amoncellement de ballots et d'objets soigneusement emballés qu'elle voulait emporter.

— Je vais être obligée d'en laisser davantage ici mais j'ai tout passé en revue tant de fois que je ne sais plus ce que je pourrais encore abandonner.

Des yeux, elle cherchait autour d'elle l'idée d'une solution à son problème.

La caverne paraissait vide. Tout ce qu'ils ne prendraient pas avec eux avait été replacé dans les trous et à l'intérieur des cairns, pour le cas où l'envie leur viendrait un jour de venir le rechercher. Ni l'un ni l'autre ne croyaient d'ailleurs à cette éventualité. Tout ce qui restait en vue était bon à jeter.

— Tu as deux chevaux. Dommage que tu ne puisses pas employer les deux, dit Jondalar.

Les deux bêtes, à leur place près de l'entrée, mangeaient leur ration de foin.

Ayla les considéra d'un air méditatif. Les paroles de Jondalar lui avaient donné à réfléchir.

— Il est toujours pour moi le poulain de Whinney, mais Rapide est maintenant presque aussi grand qu'elle. Il pourrait peut-être porter une charge réduite.

L'intérêt de Jondalar s'éveilla aussitôt.

— Je me demande depuis un certain temps quand il sera en âge de faire certaines des choses que fait sa mère, et comment tu le dresseras à ça. Quand as-tu commencé à monter sur le dos de Whinney ? Et comment l'idée t'est-elle venue ?

Ayla sourit.

— Un jour, je courais avec elle et je souhaitais pouvoir aller aussi vite. Brusquement, l'inspiration m'est venue. Au début, elle a été un peu effrayée, elle s'est lancée au galop. Mais elle me connaissait déjà. Quand elle a été fatiguée, elle s'est arrêtée et elle n'a pas paru m'en vouloir. C'était merveilleux ! J'avais l'impression de courir comme le vent !

Jondalar la regardait. Au souvenir de cette première chevauchée, ses yeux étincelaient, son souffle devenait haletant. Il avait éprouvé la même impression, la première fois qu'elle l'avait laissé monter la jument, et il partageait son exaltation. Il fut envahi d'un désir soudain. Mais elle ne songeait qu'à Rapide.

— Je me demande combien de temps il faudrait pour l'accoutumer à porter quelque chose ? Je montais sur Whinney depuis quelque temps quand j'ai commencé à lui faire porter une charge, et il ne lui a donc pas fallu longtemps. Mais, si on lui mettait d'abord sur le dos un fardeau léger, ce serait peut-être plus facile, par la suite, de lui faire porter un être humain. Voyons si je trouve quelque chose pour l'habituer.

Elle fouilla dans le tas d'objets à mettre au rebut, en tira des peaux, quelques corbeilles, des pierres dont elle s'était servie pour polir ses coupes ou pour tailler des outils, les bâtons qu'elle avait marqués pour tenir le compte des jours passés dans la vallée.

Elle s'attarda un instant sur l'une des baguettes, posa chaque doigt d'une main sur les premières marques, comme le lui avait enseigné Creb, il y avait si longtemps. Péniblement, en songeant à Creb, elle ravala sa salive. Jondalar avait utilisé les marques portées sur les baguettes pour confirmer combien de temps elle avait passé là-bas et pour l'aider à traduire dans les mots qu'il employait pour compter le nombre d'années de sa vie. Elle avait dix-sept ans alors, au début de l'été. A la fin de l'hiver ou bien au printemps, elle ajouterait une autre année. Il lui avait dit qu'il avait vingt années et une, ajouté en riant qu'il était un vieil homme. Il avait entrepris son grand Voyage trois années plus tôt, au moment où elle avait quitté le Clan.

Elle ramassa le tout, sortit de la caverne en indiquant par un sifflement à Whinney et à Rapide qu'ils devaient la suivre. Dans la prairie, elle et Jondalar passèrent quelque temps à caresser et à gratter le jeune étalon. Ayla, ensuite, ramassa une peau. Elle permit à Rapide de la flairer, de la mordiller, avant de lui en frotter le dos et les flancs. Elle l'étala ensuite sur son échine, la laissa pendre de chaque côté. Il en prit un coin entre les dents, la fit tomber, avant de la rapporter à la jeune femme pour prolonger le jeu. Elle la lui replaça sur le dos. La fois suivante, ce fut Jondalar qui s'en chargea. Ayla, de son côté, prit une longue lanière enroulée sur elle-même et s'affaira à confectionner quelque chose. Plusieurs fois encore, ils posèrent la peau sur le dos de Rapide, le laissèrent l'arracher. Whinney, qui observait les opérations d'un air intéressé, poussa un petit hennissement et se vit, elle aussi, accorder quelques attentions.

Quand ce fut au tour d'Ayla de replacer la peau, elle lâcha en même temps la longue lanière, tendit le bras sous le ventre du poulain pour en rattraper le bout et fit un nœud pour retenir la peau. Cette fois, lorsque Rapide voulut la tirer avec ses dents, la peau résista. Cela lui déplut. Il rua pour s'en débarrasser. Mais il finit par trouver une extrémité encore lâche, se mit à tirer dessus avec les dents, jusqu'au moment où il la fit glisser de dessous la lanière. Il entreprit ensuite de faire tourner celle-ci, découvrit le nœud, s'y attaqua, finit par le défaire. Il ramassa la peau avec les dents pour la déposer aux pieds d'Ayla, avant de repartir chercher la lanière. Ayla et Jondalar éclatèrent de rire en le voyant caracoler, tête haute, comme s'il était très fier de lui-même.

Le poulain permit à Jondalar de lui remettre la peau sur le dos et de l'attacher. Il se promena un moment dans cet équipage, avant de se faire un jeu de s'en débarrasser une fois de plus. Mais, déjà, il se désintéressait de l'affaire. Ayla replaça la peau, et il la garda tandis qu'elle le flattait et lui parlait. Elle tendit ensuite la main vers le dispositif qu'elle avait conçu pour l'habituer : deux corbeilles attachées ensemble, afin de pendre sur chaque flanc, et lestées de pierres, et deux bâtons qui se croisaient et dépassaient comme les perches d'un travois.

Elle disposa le tout sur le dos de Rapide. Il coucha les oreilles, tourna la tête en arrière pour se faire une idée de ce qui se passait. Il n'était pas habitué à sentir un poids sur son dos mais, durant une grande partie de sa vie, on s'était appuyé sur lui, on l'avait manipulé de bien des manières, de sorte qu'il était accoutumé à certaines pressions. L'expérience ne lui était donc pas totalement étrangère, mais, surtout, il faisait confiance à la femme, comme le faisait sa mère. Elle laissa le dispositif en place pendant qu'elle lui parlait, le flattait, le grattait. Quand elle ôta le tout, lanière et peau comprises, il les flaira encore une fois, s'en désintéressa.

— Nous devrons peut-être rester ici un jour ou deux de plus, mais ça ira, je pense, annonça la jeune femme, radieuse.

Ils revenaient vers la caverne.

— Sans doute ne serait-il pas capable de traîner une charge sur des perches, comme le fait Whinney mais je crois que Rapide pourra porter un fardeau.

— Espérons que le temps va se maintenir encore quelques jours, répondit Jondalar.

— Si nous essayons de ne pas monter Whinney, nous pourrons mettre une botte de foin à l'endroit où nous nous asseyons, Jondalar. Je l'ai liée solidement, cria Ayla à l'homme qui, sur la grève au-dessous d'elle, cherchait pour la dernière fois des pierres à feu.

Les chevaux étaient en bas, eux aussi. Whinney, attelée au travois, portait deux hottes et une énorme charge sur la croupe. Elle attendait patiemment. Les paniers qui pendaient sur les flancs rendaient Rapide plus nerveux. L'habitude de porter une charge n'était pas encore ancrée en lui, c'était un véritable cheval des steppes, un animal trapu, solide, d'une force exceptionnelle et habitué à vivre à l'état sauvage.

— Je croyais que tu emportais du grain pour eux. A quoi bon prendre du foin ? Il y a plus d'herbe qu'il n'en faut sur notre route.

— Quand vient une forte chute de neige ou, pis encore, quand la glace durcit par-dessus, ils ont du mal à trouver l'herbe, et trop de grain peut les faire enfler. Il est bon d'avoir une ration de foin pour un jour ou deux. Les chevaux, en hiver, peuvent mourir de faim.

— Jamais tu ne laisserais ces chevaux mourir de faim, Ayla, même si tu devais briser la glace et couper l'herbe toi-même, dit Jondalar en riant. Mais peu m'importe de marcher ou de faire la route à cheval.

Il leva la tête vers le ciel d'un bleu pur, et son sourire s'effaça.

— De toute manière, chargées comme le sont ces bêtes, il nous faudra plus de temps pour le retour.

Trois autres pierres d'aspect banal bien serrées dans sa main, il s'engagea sur le sentier qui montait vers la caverne. A l'entrée, il trouva Ayla, immobile, les yeux pleins de larmes. Il déposa les pyrites dans une sorte de bourse, près de son sac de voyage, avant de s'approcher d'elle.

— C'était mon foyer, dit-elle, soudain submergée de chagrin devant l'irrévocabilité de son choix. C'était un endroit bien à moi. Mon totem m'y a conduite, il m'a donné un signe.

Elle posa la main sur le petit sac de cuir qu'elle portait autour du cou.

— J'étais bien seule mais j'ai fait ici ce que je voulais faire, ce que je devais faire. A présent, l'Esprit du Lion des Cavernes me commande de partir.

Elle leva les yeux vers l'homme de belle taille qui se tenait près d'elle.

— Crois-tu que nous reviendrons un jour ?

— Non, répondit-il.

Sa voix sonnait creux. Il regardait la petite caverne mais il voyait un autre lieu, en un autre temps.

— Même quand on revient au même endroit, il n'est plus pareil.

— Alors, pourquoi veux-tu repartir là-bas, Jondalar ? Pourquoi ne pas rester ici, devenir un Mamutoï ? questionna-t-elle.

— Je ne peux pas rester. C'est difficile à expliquer. Rien ne sera plus pareil, je le sais, mais les Zelandonii sont mon peuple. Je veux leur montrer les pyrites. Je veux leur enseigner à chasser avec le lance-sagaie. Je veux qu'ils voient ce qu'on peut faire du silex, quand il a été chauffé. Toutes ces choses sont importantes et très utiles. Je veux les apporter à mon peuple.

Elle plongea son regard dans les yeux expressifs, emplis de trouble. Elle aurait aimé pouvoir en chasser la souffrance qu'elle y discernait.

— Je veux, ajouta-t-il d'une voix plus basse, qu'en me regardant ils me jugent dignes d'eux.

— Leur opinion a-t-elle donc une telle importance ? N'est-il pas important que tu saches, toi, qui tu es ?

Elle se rappela alors que le Lion des Cavernes était son totem, à lui aussi, qu'il avait été choisi, tout comme elle, par l'Esprit du puissant animal. Il n'était pas aisé, elle le savait, de vivre avec un totem puissant, les épreuves étaient difficiles, mais les dons, le savoir qui naissait en vous en étaient la précieuse récompense. Le Grand Lion des Cavernes, lui avait appris Creb, ne choisissait jamais un être qui n'en était pas digne.

Plutôt que le sac plus petit, porté sur une seule épaule, qu'utilisaient les Mamutoï, ils installèrent sur leur dos de lourdes hottes, munies de lanières qui se croisaient sur la poitrine, pareilles à celle qu'avait portée Jondalar. Ils s'assurèrent qu'ils pouvaient remonter ou rejeter facilement les capuchons de leurs pelisses. Ayla avait pensé à préparer des courroies qui se nouaient autour du front pour mieux assurer la charge, le cas échéant, mais, quant à elle, elle préférait utiliser sa fronde à cet usage. Dans les hottes se trouvaient leurs provisions, le nécessaire pour allumer du feu, leur tente et leurs fourrures de couchage.

Jondalar portait aussi deux gros rognons de silex, soigneusement choisis sur la berge du cours d'eau, et le petit sac plein de pierres à feu. Dans une poche séparée attachée sur la hanche, chacun avait des sagaies et un propulseur. Ayla avait placé dans une petite sacoche plusieurs pierres qui convenaient tout particulièrement à la fronde, et, sous sa pelisse, se trouvait son sac à médecines, suspendu à une lanière qui ceinturait sa tunique.

La balle de foin était attachée sur le dos de la jument. Ayla examina avec soin les deux chevaux, leurs jambes, leur posture, leur allure, afin de s'assurer qu'ils n'étaient pas trop chargés. Sur un ultime regard vers le sentier abrupt, ils s'engagèrent dans la longue vallée. Whinney suivait Ayla. Jondalar menait Rapide à la longe. Ils franchirent la petite rivière près du gué. La jeune femme envisagea un instant d'alléger la charge de Whinney pour faciliter l'ascension de la pente couverte de gravier, mais la solide jument s'en tira sans encombre.

Quand ils se retrouvèrent sur les steppes de l'ouest, Ayla adopta un itinéraire différent de celui qu'ils avaient emprunté à l'aller. Elle se trompa de direction, revint en arrière, reconnut enfin le chemin qu'elle voulait prendre. Ils parvinrent à un canyon sans issue, jonché d'énormes blocs de rochers aux arêtes vives, qui avaient été détachés des murailles de granite par le tranchant acéré du gel, de la chaleur et du temps. Ayla guettait chez Whinney des signes de nervosité : le canyon avait naguère été le repaire de lions des cavernes. Ils s'y engagèrent néanmoins, se dirigèrent vers la pente de gravier, à l'autre extrémité.

Le jour où Ayla avait découvert les deux frères, Thonolan était déjà mort, et Jondalar grièvement blessé. La jeune femme avait adressé une requête à l'Esprit du Lion des Cavernes, pour qu'il guidât le défunt vers l'autre monde, mais elle n'avait pas eu le temps nécessaire pour les rites de l'ensevelissement. Toutefois, elle ne pouvait abandonner le corps aux prédateurs. Elle l'avait traîné jusqu'à l'extrémité du canyon et, avec sa lourde lance, semblable à celles qu'utilisaient les hommes du Clan, elle avait déplacé un rocher qui retenait une accumulation de débris. Elle avait pleuré en voyant le gravier recouvrir la forme ensanglantée, sans vie d'un homme qu'elle n'avait jamais connu, qu'elle ne connaîtrait jamais, un homme qui lui ressemblait, qui faisait partie des Autres...

Jondalar, au bas de la pente, aurait souhaité faire quelque chose pour marquer l'emplacement de la tombe de son frère. Peut-être Doni l'avait-elle déjà retrouvé, puisqu'elle l'avait rappelé si tôt à elle, mais la Zelandoni, il le savait, s'efforcerait de retrouver cet endroit où reposait l'esprit de Thonolan, afin de le guider si elle le pouvait. Comment pourrait-il lui dire où se trouvait ce lieu ? Il aurait été incapable de le découvrir par lui-même.

— Jondalar ? fit Ayla.

Il la regarda, et remarqua qu'elle tenait dans sa main une petite bourse de cuir.

— Tu m'as dit que son esprit devait retourner vers Doni. Je ne connais pas les coutumes de la Grande Terre Mère mais seulement le monde spirituel des totems du Clan. J'ai demandé à mon Lion des Cavernes de le guider jusque-là. Peut-être est-ce le même monde, ou peut-être ta Grande Mère sait-elle l'existence de celui-là. Mais le Lion des Cavernes est un totem puissant, et ton frère n'est pas sans protection.

— Merci, Ayla. Tu as fait de ton mieux, je le sais.

— Peut-être ne comprends-tu pas, de même que je ne comprends pas Doni, mais le Lion des Cavernes est ton totem à toi aussi, désormais. Il t'a choisi, comme il m'avait choisie, et il t'a marqué, comme il m'avait marquée.

— Tu me l'as déjà dit. Je ne suis pas sûr de la signification de tes paroles.

— Il devait te choisir puisqu'il t'avait poussé vers moi. Seul un homme qui a pour totem le Lion des Cavernes est assez fort pour une femme qui a ce même totem. Mais tu dois savoir une chose. Creb me l'a toujours dit : il n'est pas facile de vivre avec un puissant totem. Son esprit te mettra à l'épreuve, pour déterminer si tu es digne de Lui. Ce sera très dur, mais tu y gagneras plus que tu ne crois.

Elle lui tendit le petit sac.

— Je t'ai fait une amulette. Tu n'es pas obligé de la porter autour du cou, comme moi, mais tu dois la garder sur toi. J'y ai mis un morceau d'ocre rouge, afin qu'elle contienne un peu de ton esprit et un peu de celui de ton totem. Mais ton amulette devrait contenir encore autre chose, je crois.

Jondalar fronçait les sourcils. Il ne voulait pas blesser Ayla mais il n'était pas sûr de désirer porter cette amulette d'un totem du Clan.

— Tu devrais, je pense, prélever un caillou sur la tombe de ton frère. Un peu de son esprit y demeurera, et tu pourras le rapporter à ton peuple.

Le visage de Jondalar s'assombrit encore, avant de s'éclairer subitement. Mais oui ! Ce caillou pourrait aider la Zelandoni à retrouver cet endroit, dans un état de transe. Peut-être les totems du clan avaient-ils plus de valeur qu'il ne leur en avait accordé. Après tout, Doni n'avait-elle pas créé les esprits de tous les animaux ?

— Ayla, comment fais-tu pour savoir précisément ce qu'il faut faire ?

Comment as-tu pu devenir si savante, là où tu as grandi ? Oui, je garderai ton amulette, et je vais y ajouter une pierre prise sur la tombe de Thonolan, dit-il.

Il regardait le gravier, fait de petites pierres aux arêtes tranchantes, qui s'accumulait au pied de la muraille en un équilibre instable. Il avait été formé par les mêmes forces qui avaient détaché de la paroi verticale du canyon des dalles et des blocs. Tout à coup, une pierre, cédant à la force cosmique de la gravité, roula parmi d'autres et vint s'immobiliser aux pieds de Jondalar. Il la ramassa. Au premier regard, elle ressemblait à tous les autres fragments de granite et de roches sédimentaires. Mais, lorsqu'il la retourna, il eut la surprise de découvrir une opalescence luisante, sur la face où la pierre s'était brisée. Des lueurs d'un rouge ardent émanaient de ce caillou d'un blanc laiteux, des reflets chatoyants de bleus et de verts dansaient et étincelaient au soleil à chaque mouvement de sa main.

— Ayla, regarde, dit-il en montrant à la jeune femme le fragment d'opale. A voir la pierre de l'autre côté, jamais on ne soupçonnerait tant de beauté. Mais vois, là où elle s'est brisée. Les couleurs semblent venir de son cœur même et elles sont si vives. On la croirait vivante.

— Peut-être l'est-elle, ou peut-être est-ce un peu de l'esprit de ton frère, répondit-elle.

16

Un remous d'air froid s'enroula autour de la tente basse. Un bras nu fut vivement ramené sous une fourrure. Un vent violent souleva en sifflant le pan de cuir qui protégeait l'ouverture. Un pli soucieux creusa le front d'un visage endormi. Une rafale s'empara du pan dans un claquement sec, le fit battre de tous côtés dans des courants d'air mugissants qui réveillèrent en sursaut Ayla et Jondalar. Jondalar le rattacha solidement, mais le vent continua de forcir toute la nuit, et ses sursauts, ses gémissements, ses palpitations, ses hurlements autour du petit abri rendirent le sommeil difficile, capricieux.

Le lendemain matin, ils durent se battre contre les bourrasques pour replier la tente. Ils refirent rapidement leurs paquets sans prendre la peine d'allumer un feu. Ils se contentèrent de boire l'eau glacée d'un ruisseau proche en mangeant des aliments séchés. Le vent s'apaisa vers le milieu de la matinée, mais une tension dans l'atmosphère leur faisait craindre que le pire ne fût pas encore passé.

Quand le vent reprit, aux environs de midi, Ayla remarqua que l'air avait une odeur presque métallique. Elle renifla, tourna la tête de tous côtés, comme pour sonder l'atmosphère, évaluer la menace.

— Le vent sent la neige, cria-t-elle pour se faire entendre par-dessus le tintamarre. Mon nez m'avertit.

— Que dis-tu ? demanda Jondalar.

Mais le vent emporta sa voix, et Ayla se fia au mouvement de ses lèvres pour comprendre ce qu'il disait.

Elle s'arrêta pour lui permettre de la rejoindre.

— Je sens arriver la neige. Nous ferions bien de trouver un abri avant qu'elle ne soit là, dit-elle.

Ses yeux inquiets fouillaient la vaste étendue plate.

— Mais où en découvrir un par ici ?

Jondalar n'était pas moins anxieux. Il se rappela le petit cours d'eau presque entièrement gelé au bord duquel ils avaient campé la nuit précédente. Ils ne l'avaient pas traversé. Il devait donc encore se trouver sur leur gauche, même s'il décrivait de nombreux méandres. Il essaya de se repérer à travers les nuages de poussière, mais rien n'était clair. Au hasard, il prit à gauche.

— Essayons de retrouver ce petit cours d'eau, dit-il. Il pourrait y avoir des arbres ou des berges hautes pour nous protéger.

Ayla hocha la tête et suivit. Whinney ne souleva aucune objection, elle non plus.

La qualité subtile de l'air, que la jeune femme avait remarquée et traduite comme une odeur de neige, ne l'avait pas trompée. Bientôt, une poudre blanche se mit à tourbillonner follement, donnant au vent une forme plus définie. Elle ne tarda pas à céder la place à des flocons plus gros qui brouillaient davantage encore la vision.

Jondalar crut voir se dresser devant eux des formes vagues et s'arrêta pour tenter de les préciser, mais Whinney poursuivit son chemin, et ils la prirent pour guide. Des arbres courbés, un écran de broussailles marquaient le bord d'un cours d'eau. L'homme et la femme auraient pu se tapir sous leur protection, mais la jument continuait à suivre le courant. Ils parvinrent à un coude où l'eau avait creusé profondément la berge étroitement tassée. Là, à l'abri de la falaise basse qui les protégeait de la pleine force du vent, Whinney poussa son poulain en avant et se plaça devant lui pour l'abriter.

Vivement, Ayla et Jondalar déchargèrent les chevaux, dressèrent leur tente aux pieds même de la jument et s'y glissèrent pour attendre la fin de la tempête.

Même en cet endroit protégé, le vent menaçait leur abri précaire. L'ouragan rugissait de toutes les directions à la fois et semblait bien décidé à se frayer un passage à l'intérieur. Il y parvenait fréquemment. Des courants d'air, des rafales se glissaient sous les bords, se faufilaient par les fentes, là où le pan de fermeture s'attachait à la tente, là où la couverture du trou à fumée s'ajustait d'une façon imprécise. La neige, souvent, entrait avec eux. L'homme et la femme se blottirent sous leurs couvertures pour avoir chaud et bavardèrent. Ils se contaient des incidents de leur enfance, des histoires, des légendes, ils parlaient de gens qu'ils avaient connus, de coutumes, d'idées, de leurs rêves, de leurs espoirs. Jamais, semblait-il, ils n'étaient à court de sujets. Quand vint la nuit, ils partagèrent les Plaisirs, avant de s'endormir. Vers le milieu de la nuit, le vent renonça à ses assauts contre leur tente.

Ayla se réveilla et, les yeux grands ouverts, s'efforça de percer la pénombre. Elle luttait contre une terreur grandissante. Elle se sentait mal à l'aise, sa tête était douloureuse, et le silence lui semblait pesant, dans l'atmosphère confinée de la tente. Quelque chose n'allait pas, mais quoi ? Elle l'ignorait. La situation était pour elle vaguement familière, un souvenir peut-être, comme si elle s'était déjà trouvée dans les mêmes conditions ou presque. C'était plutôt comme un danger qu'elle aurait dû reconnaître, mais lequel ? Brusquement, elle n'en put supporter davantage. Elle se redressa, repoussa les fourrures qui couvraient chaudement l'homme étendu à ses côtés.

— Jondalar ! Jondalar !

Elle le secouait, mais c'était inutile. Il s'était éveillé à l'instant même où elle s'était dressée sur son séant.

— Ayla ! Qu'y a-t-il ?

— Je ne sais pas. Quelque chose ne va pas !

— Je ne vois rien d'inquiétant, dit-il.

C'était vrai, mais, de toute évidence, quelque chose tourmentait Ayla. Il n'avait pas l'habitude de la voir si proche de l'affolement. Elle était d'ordinaire si calme, si maîtresse de ses réactions, même devant un danger imminent. Aucun prédateur à quatre pattes n'aurait fait naître dans son regard une telle terreur.

— Pourquoi as-tu le sentiment d'un danger ?

— J'ai fait un rêve. Je me trouvais dans un endroit obscur, plus obscur que la nuit, et je suffoquais, Jondalar. Je ne pouvais plus respirer !

Une expression d'inquiétude qui lui était familière passa sur le visage de l'homme. Son regard, de nouveau, faisait le tour de la tente. Cela ne ressemblait pas à Ayla de se montrer aussi effrayée. Peut-être y avait-il réellement un danger. Dans leur abri, il faisait sombre, mais ce n'était pas l'obscurité totale. Un semblant de lumière y filtrait. Rien ne paraissait dérangé. Le vent n'avait rien détruit, il n'avait pas rompu de cordes. En fait, il ne soufflait même plus. Il n'y avait pas le moindre mouvement. Tout était absolument silencieux...

Jondalar rejeta les fourrures, rampa jusqu'à l'entrée. Il détacha le panneau, révélant ainsi un mur blanc friable qui s'effondra à l'intérieur de la tente mais seulement pour en révéler un autre, derrière.

— Nous sommes ensevelis, Jondalar ! Nous sommes ensevelis sous la neige !

La terreur élargissait les yeux d'Ayla. Sa voix se fêlait sous l'effort qu'elle faisait pour la contrôler.

Jondalar tendit le bras vers elle, la serra contre lui.

— Tout va bien, Ayla. Tout va bien, murmura-t-il.

Mais il n'en avait pas lui-même la certitude.

— Il fait si sombre. Je ne peux plus respirer !

Sa voix était étrange, lointaine, comme si elle venait d'ailleurs. Elle était devenue inerte entre ses bras. Il l'allongea sur les fourrures, remarqua qu'elle avait les yeux clos. Pourtant, elle continuait à crier, de cette voix bizarre, lointaine, qu'il faisait sombre, et qu'elle ne pouvait plus respirer. Il ne savait plus que faire. Il avait peur pour elle, peur d'elle aussi, un peu. Il se passait quelque chose d'insolite, quelque chose qui n'avait rien à voir avec leur ensevelissement dans la neige, aussi inquiétant fût-il.

Près de l'entrée il aperçut sa hotte, en partie recouverte de neige. Un long moment, il la considéra, avant de ramper tout à coup jusqu'à elle. Il la dégagea, chercha à tâtons l'étui, sur le côté, trouva une sagaie. Il se redressa à genoux, détacha la couverture qui protégeait le trou à fumée, presque au centre de la tente. Avec le manche de la sagaie, il ouvrit un trou dans la neige. Un bloc vint s'écraser sur leurs fourrures de couchage. La lumière du soleil et l'air frais pénétrèrent dans le petit abri.

La transformation, chez Ayla, fut immédiate. Elle se détendit visiblement, ne tarda pas à rouvrir les yeux.

— Comment as-tu fait ? demanda-t-elle.

— J'ai passé une sagaie par le trou à fumée et j'ai traversé la couche de neige. Il va falloir nous frayer un chemin pour sortir, mais la neige n'est peut-être pas aussi épaisse qu'il y paraît.

Il l'examinait de tout près, l'air anxieux.

— Que t'est-il arrivé, Ayla ? J'étais inquiet pour toi. Tu répétais sans cesse que tu ne pouvais plus respirer. J'ai cru que tu perdais connaissance.

— Je ne sais pas. C'est peut-être le manque d'air.

— Ça n'avait pas l'air si grave. Je n'avais pas trop de difficulté à respirer. Et tu étais vraiment terrorisée. Je ne crois pas t'avoir jamais vue aussi effrayée.

Ses questions mettaient la jeune femme mal à l'aise. Elle se sentait encore dans un état bizarre. La tête lui tournait un peu. Elle avait l'impression d'avoir fait un mauvais rêve, sans pouvoir rien expliquer.

— Je me rappelle qu'une fois, la neige avait bouché l'orifice de la petite grotte où je m'étais réfugiée après avoir dû quitter le clan de Brun. Je me suis réveillée dans l'obscurité, et l'air était vicié. Ça doit-être ça.

— Oui, j'imagine que tu as eu peur que cela se reproduise, dit Jondalar.

Mais sans trop savoir pourquoi, il n'y croyait pas, et Ayla non plus.

Le crépuscule cédait rapidement la place à la nuit. Pourtant, le géant à la barbe rouge travaillait encore dehors. Il fut le premier à voir l'étrange cortège franchir la crête, au haut de la pente, et commencer à descendre. En tête venait la femme lasse, qui cheminait péniblement dans la neige. La jument la suivait, épuisée, la tête basse ; elle portait une lourde charge et traînait derrière elle le travois. Le poulain, chargé lui aussi, était mené à la longe par l'homme qui suivait la jument. Il avançait plus facilement sur une neige déjà tassée par la jeune femme et l'animal qui le précédaient. Toutefois, en chemin, Ayla et Jondalar avaient à plusieurs reprises permuté, afin de laisser à chacun un peu de repos.

— Nezzie ! ils sont de retour ! cria Talut.

Il s'élança à la rencontre des voyageurs, piétina la neige devant Ayla pour les quelques pas qui restaient à faire. Il les conduisit vers le milieu de l'habitation. A leur grande surprise, on avait construit, en leur absence, une nouvelle extension. Elle était semblable au foyer d'entrée, mais plus vaste. De là, une autre arche donnait directement accès au Foyer du Mammouth.

— Nous avons fait ça pour les chevaux, Ayla, annonça Talut quand ils y eurent pénétré.

Devant l'expression de stupeur de la jeune femme, un large sourire satisfait se dessina sur son visage.

— Après la dernière tempête de neige, j'ai compris qu'un abri ne serait jamais suffisant. Puisque vous allez vivre parmi nous, toi et tes chevaux, il nous fallait quelque chose de plus solide. Je crois que nous allons appeler ça « le foyer des chevaux ».

Ayla avait les yeux pleins de larmes. Malade de fatigue, elle était heureuse d'avoir enfin accompli le voyage du retour mais se sentait confondue par cette dernière découverte. Jamais personne ne s'était donné autant de mal pour elle, pour mieux l'accueillir. Tout le temps qu'elle avait vécu avec le Clan, elle ne s'était jamais sentie entièrement acceptée, elle n'avait jamais vraiment fait partie du groupe qui l'entourait. On ne lui aurait jamais permis de garder ses chevaux, on aurait encore moins accepté de construire un abri.

— Oh, Talut, dit-elle d'une voix étranglée.

Dressée sur la pointe des pieds, elle lui passa les bras autour du cou, appuya sa joue froide contre celle du géant. Talut l'avait toujours trouvée si réservée que cette manifestation d'affection spontanée fut pour lui une charmante surprise. Il la serra contre lui, lui tapota le dos. Son sourire traduisait un plaisir évident, il avait l'air très content de lui-même.

La majeure partie du Camp du Lion se rassembla autour des arrivants, dans le nouveau foyer.

— Nous commencions à être inquiets, déclara Deegie, surtout après la tempête de neige.

— Nous aurions été de retour plus tôt, si Ayla n'avait tenu à emporter tant de choses, dit Jondalar. Ces deux derniers jours, je n'étais pas sûr que nous irions jusqu'au bout.

Déjà, Ayla s'était mise en devoir de décharger les chevaux, pour la dernière fois. Jondalar la rejoignit pour l'aider. Les mystérieux ballots éveillaient une vive curiosité.

Rugie se décida à poser la question qui obsédait tout le monde :

— Tu m'as rapporté quelque chose ? demanda-t-elle.

Ayla sourit à la petite fille.

— Oui, apporté quelque chose. Apporté cadeau à chacun, répondit-elle.

Du coup, chacun s'interrogea sur le cadeau qui lui était destiné.

— C'est pour qui, ça ? questionna Tusie, quand la jeune femme entreprit de couper les lanières qui retenaient le plus gros ballot.

Ayla lança un coup d'œil à Deegie, et toutes deux échangèrent un sourire, tout en s'efforçant de dissimuler à la petite sœur de Deegie leur amusement protecteur : elles avaient perçu le ton et les inflexions de Tulie dans la voix de sa fille cadette.

— Même apporté quelque chose pour chevaux, répondit Ayla à la petite fille.

Les derniers liens sautèrent, la balle de foin s'ouvrit.

— Pour Whinney et Rapide, ajouta-t-elle.

Elle étala le foin devant les chevaux, commença ensuite à décharger le travois.

— Dois rentrer tout ça.

— Tu n'as pas besoin de le faire tout de suite, intervint Nezzie. Tu n'as même pas encore ôté tes vêtements de voyage. Viens prendre une boisson chaude et manger un peu. Tout est en sûreté ici, pour le moment.

— Nezzie a raison, appuya Tulie.

Sa curiosité égalait celle de tout le Camp, mais les paquets d'Ayla pouvaient attendre.

— Vous avez tous les deux besoin de vous reposer et de manger quelque chose. Vous êtes à bout de forces, on dirait.

Avec un sourire de gratitude pour la Femme Qui Ordonne, Jondalar suivit Ayla.

Le lendemain matin, la jeune femme ne manqua pas de mains secourables pour l'aider à décharger ses ballots. Mamut, toutefois, lui avait conseillé de ne rien déballer avant la cérémonie prévue pour la soirée. Ayla acquiesça d'un sourire. Elle avait aussitôt saisi l'élément de mystère et d'attente qu'il voulait préserver. Mais ses réponses évasives à Tulie, quand celle-ci chercha à savoir ce qu'elle avait apporté, contrarièrent la Femme Qui Ordonne, même si elle s'abstint de le montrer.

Lorsque les paquets, les ballots se retrouvèrent entassés sur une plate-forme inoccupée et lorsque les tentures eurent été tirées, Ayla se faufila dans cet espace bien clos. Elle alluma trois lampes de pierre, les disposa de manière à obtenir un bon éclairage, afin d'examiner et de ranger ses cadeaux. Elle opéra quelques changements dans les choix qu'elle avait faits mais, quand elle éteignit les lampes et émergea, laissant les tentures retomber derrière elle, elle était satisfaite.

Elle sortit par la nouvelle ouverture. Le sol de l'annexe était plus haut que celui de l'habitation et l'on avait aménagé trois larges marches basses pour un accès plus facile. La jeune femme s'immobilisa et regarda autour d'elle. Les chevaux n'étaient plus là. Whinney avait appris à repousser du nez un brise-vent : Ayla lui avait montré une seule fois la façon de s'y prendre. Rapide avait suivi l'exemple de sa mère. La jeune femme, obéissant à l'impulsion qui la poussait à voir ce qu'ils faisaient — comme une mère avec ses enfants, une partie de son esprit était toujours concentrée sur ses chevaux —, se dirigea vers l'arche formée de défenses de mammouth, écarta la lourde peau et regarda à l'extérieur.

Le monde avait perdu toute forme, toute ligne bien définie. Une couleur uniforme, sans ombres, se répandait sur tout le paysage en deux teintes : le bleu riche, vibrant, saisissant d'un ciel où ne traînait pas le moindre soupçon de nuage, et le blanc aveuglant de la neige, sur lequel se reflétait l'éclat du soleil de cette fin de matinée. Ayla plissa les paupières sous l'assaut de tout ce blanc éclatant, seul souvenir d'une tempête qui avait fait rage plusieurs jours durant. Lentement, à mesure que ses yeux s'accoutumaient à la lumière, et qu'un sens primitif de la profondeur et de la distance venait préciser ses perceptions, elle remarqua d'autres détails. L'eau qui clapotait encore au milieu de la rivière avait un éclat plus brillant que les berges couvertes de neige molle qui se fondaient, au bord du cours d'eau, avec des lames de glace, habillées, elles aussi, de neige. Non loin, de mystérieux monticules blancs prenaient la forme d'os de mammouth et d'entassements de détritus.

Ayla fit quelques pas pour jeter un regard sur l'endroit, après le coude de la rivière, où les chevaux aimaient à paître. Il faisait presque chaud, au soleil, et la surface de la neige luisait, comme pour un début de dégel. Les chevaux devraient dégager cette couche superficielle pour trouver dessous l'herbe sèche. Au moment où la jeune femme allait siffler, Whinney releva la tête et la vit. Elle salua sa maîtresse d'un hennissement, tandis que Rapide apparaissait derrière elle. Ayla hennit en réponse.

Elle se retournait pour partir quand elle vit Talut qui la considérait avec une expression curieuse, presque respectueuse.

— Comment la jument a-t-elle su que tu étais sortie ? demanda-t-il.

— Ne savait pas, je pense, mais elle a bon nez, sent de loin. Bonnes oreilles, entend de loin. Tout ce qui bouge, elle voit.

Le géant hocha la tête. A entendre la jeune femme, tout était si simple, si logique. Pourtant... Il sourit. Il était heureux que le jeune couple fût de retour. Il attendait avec impatience le moment de l'adoption d'Ayla. Elle avait tant à offrir. Elle serait accueillie comme une précieuse recrue parmi les Mamutoï.

Ils rentrèrent tous deux dans le nouveau foyer. Jondalar les rejoignit, un large sourire aux lèvres.

— J'ai vu que tu avais préparé tous tes cadeaux, dit-il.

Il aimait l'attente impatiente qu'avaient éveillée les mystérieux ballots et il prenait plaisir à être dans le secret. Il avait entendu Tulie exprimer ses doutes sur la qualité des cadeaux d'Ayla mais, pour sa part, il n'en avait aucun. Les Mamutoï les trouveraient inhabituels, mais un beau travail était un beau travail, et celui d'Ayla, il en était convaincu, serait apprécié.

— Tout le monde se demande ce que tu as rapporté, Ayla, dit Talut.

Autant et même plus que personne, il se plaisait à cette atmosphère d'excitation et d'impatience.

— Sais pas si cadeaux suffisants, avoua Ayla.

— Mais si, ils seront sûrement suffisants. Ne te mets donc pas en peine. Peu importe ce que tu as rapporté, ce sera suffisant. Les pierres à feu, à elles seules, seraient suffisantes. Et, même sans pierres à feu, *toi,* toute seule, tu nous suffirais.

Et Talut ajouta, avec un sourire :

— Nous fournir l'occasion d'une grande fête pourrait suffire !

— Mais tu parles échange cadeaux, Talut. Dans le Clan, pour échange, on donne même sorte de cadeau, même valeur. Quoi donner, pour toi, pour tous ceux qui font foyer pour chevaux ? questionna Ayla, dont le regard parcourait la salle. C'est comme caverne, mais c'est vous qui faites. Je ne sais pas comment on peut faire caverne comme ça.

— Je me le suis demandé, moi aussi, dit Jondalar. Jamais je n'ai rien vu de semblable, je dois le reconnaître, et j'ai vu bien des abris : des abris pour l'été, des abris dans une caverne ou sous des corniches, mais votre habitation est aussi solide que le roc lui-même.

Talut éclata de rire.

— Il le faut bien, pour qu'on puisse y vivre, l'hiver surtout. Avec la force du vent, n'importe quoi d'autre s'envolerait.

Son sourire s'effaça, remplacé par une expression qui ressemblait à de la tendresse.

— Le pays mamutoï est une terre riche, riche en gibier, en poisson, en nourriture qui pousse. C'est un beau pays, un pays fort. Je ne voudrais pas vivre ailleurs...

Son sourire revint.

— Mais, pour vivre ici, il faut des abris solides, et nous n'avons pas beaucoup de cavernes.

— Comment faire caverne, Talut ? demanda Ayla.

Elle se rappelait les longues recherches de Brun pour découvrir la caverne qui conviendrait parfaitement à son clan. Elle-même, elle s'en souvenait, s'était sentie désemparée jusqu'au jour où elle avait trouvé une vallée où se trouvait une caverne qui pourrait lui servir de logis.

— Si tu veux le savoir, je vais te le dire. Ce n'est pas un grand secret !

Talut riait de plaisir. La visible admiration des deux jeunes gens l'emplissait de joie.

— Le reste de l'habitation est formé de la même manière, plus ou moins. Mais, pour cette extension, nous avons commencé par compter un certain nombre de pas à l'extérieur, à partir du mur du Foyer du Mammouth. Quand nous avons atteint le centre d'un espace qui nous paraissait suffisant, nous avons enfoncé un bâton en terre : c'était là que nous creusions un trou à feu, si nous décidions qu'il en fallait un. Après ça, nous avons coupé une lanière à la même mesure. Nous avons attaché un bout au bâton et, avec l'autre bout, nous avons dessiné un cercle, pour marquer l'emplacement du mur.

Talut mimait son explication : il comptait ses pas, attachait une lanière imaginaire à un bâton inexistant.

— Ensuite, soigneusement, nous avons soulevé la terre et l'herbe, par blocs, pour les mettre de côté. Après, nous avons continué à creuser, sur une profondeur à peu près égale à la longueur de mon pied.

Afin de se faire mieux comprendre, Talut leva un pied incroyablement long mais étonnamment étroit et bien fait, chaussé de cuir souple.

— Nous avons marqué la largeur de la plate-forme qui pourra servir de lits ou de réserves à provisions, en tenant compte aussi de l'emplacement du mur. A partir du bord intérieur de cette plate-forme, nous avons creusé encore plus profond — à peu près la longueur de deux ou trois pieds comme le mien —, pour former le sol en contrebas. La terre a été amoncelée bien régulièrement tout autour de la limite extérieure, pour élever un talus qui supporte le mur.

— Ça fait un gros travail de creusement, remarqua Jondalar, qui examinait la salle. A mon avis, la distance d'un mur à l'autre doit présenter, peut-être, une longueur de trente pieds comme le tien, Talut.

La surprise agrandit les yeux du chef.

— Tu as raison ! Je l'ai mesurée avec précision. Comment as-tu deviné, Jondalar ?

Celui-ci haussa les épaules.

— Comme ça, à vue d'œil.

C'était, là encore, une manifestation de sa compréhension instinctive du monde matériel. Il était capable d'évaluer très exactement une distance, rien qu'à l'œil, et il se servait de son propre corps pour mesurer l'espace. Il connaissait la longueur de ses enjambées, la largeur de sa main, la portée de son bras, l'empan de ses doigts. L'épaisseur de son ongle lui servait à mesurer un objet minuscule, et, pour évaluer la hauteur d'un arbre, il comptait ses pas au long de son ombre au soleil. Il ne s'agissait pas là d'un savoir acquis : c'était un don inné qu'il avait développé par l'usage. Il ne lui était jamais venu à l'esprit de s'interroger là-dessus.

Ayla, elle aussi, pensait au travail de creusement ainsi accompli. Elle avait elle-même ouvert bien des fosses pour piéger le gibier et elle était intriguée.

— Comment tu creuses tant, Talut ?

— Comment fait-on généralement ? Nous nous servons de pioches pour briser la terre grasse et de pelles pour l'enlever, sauf pour la couche plus dure, en surface, celle-là, nous la découpons avec le bord tranchant d'un os plat.

Le regard d'Ayla exprimait son incompréhension. Peut-être ne connaissait-elle pas les mots qui désignaient les outils, dans le langage des Mamutoï, pensa-t-il. Il sortit un instant, revint avec quelques instruments. Tous avaient de longs manches. L'un portait à son extrémité un morceau de côte de mammouth, dont l'un des bouts avait été affûté. Cela ressemblait à une houe garnie d'une longue lame courbe. Ayla l'examina longuement.

— C'est comme bâton à fouir, je crois, dit-elle, levant vers Talut un regard qui demandait une confirmation.

— Oui, c'est une pioche. Il nous arrive aussi d'utiliser des bâtons pointus. Ils sont plus faciles à faire quand on est pressé, mais la pioche se manie plus aisément.

Il lui montra ensuite une pelle, faite de la partie plate d'une gigantesque ramure de mégacéros : on l'avait fendue sur toute sa longueur dans son épaisseur spongieuse, avant de la façonner et de l'aiguiser. On pouvait se servir, à cet usage, des ramures des jeunes bêtes : celles des animaux adultes pouvaient atteindre onze pieds de long, et leur taille les rendait inutilisables. Le manche était fixé par une corde solide qui passait dans trois paires de trous percés le long de la ligne médiane. L'outil s'utilisait, non pour creuser, mais pour ramasser et rejeter le loess brisé avec la pioche ou, si l'on voulait, pour enlever la neige. Talut avait aussi une autre pelle, plus creuse, faite d'une plaque d'ivoire détachée d'une défense de mammouth.

— On appelle ça des pelles, dit-il.

Ayla acquiesça d'un signe. Elle s'était servie, pour le même usage, d'os plats et de morceaux de bois d'élan, mais ses pelles n'avaient pas de manches.

— Heureusement, reprit le chef, le temps est resté au beau un moment, après votre départ. Même ainsi, nous n'avons pas creusé aussi profond que d'habitude. La terre est déjà dure, par-dessous. L'année prochaine, nous pourrons approfondir un peu, faire des fosses à provisions, peut-être même un bain de vapeur, quand nous reviendrons de la Réunion d'Eté.

— N'avais-tu pas l'intention de partir à la chasse, quand le temps serait meilleur ? dit Jondalar.

— La chasse au bison a été très fructueuse, et Mamut ne trouve pas grand-chose par la Recherche. Il voit seulement, semble-t-il, les quelques bisons que nous avons manqués, et ils ne valent pas la peine qu'on se mette à leur poursuite. Nous avons décidé d'occuper le temps à construire cette dépendance pour les chevaux, puisque Ayla et sa jument nous avaient été si utiles.

— Pioche et pelle rendent travail plus facile, Talut, mais est beaucoup travail, beaucoup creuser, fit Ayla, surprise et émue.

— Nous avions beaucoup de monde, Ayla. Ils ont presque tous trouvé l'idée excellente et ils voulaient aider... pour que tu te sentes la bienvenue.

La jeune femme dut soudain fermer les paupières pour retenir les larmes de gratitude qui menaçaient de déborder.

Encore intrigué par la méthode de construction, Jondalar examinait les murs.

— Vous avez creusé aussi sous les plates-formes, il me semble, remarqua-t-il.

— Oui, pour les supports principaux, répondit Talut.

Il désignait les six énormes défenses de mammouth, calées à la base par des os plus petits — vertèbres et phalanges —, et dont les pointes étaient dirigées vers le centre. Elles étaient régulièrement espacées le long du mur, de chaque côté des deux paires qui formaient les issues. Les longues défenses courbes constituaient la structure essentielle de l'habitation.

Pendant que Talut, chef des Chasseurs de Mammouths, poursuivait ses explications sur la construction de cette habitation semi-souterraine,

Ayla et Jondalar se sentirent de plus en plus impressionnés. C'était bien plus complexe qu'ils ne l'auraient jamais imaginé. A mi-distance entre le centre et les défenses qui servaient de supports s'élevaient six poteaux de bois : des arbres débarrassés de leur écorce et ébranchés, auxquels on avait laissé une fourche au sommet. A l'extérieur, soutenus par le bas du talus, on avait enfoncé dans le sol des crânes de mammouths, calés par d'autres ossements : omoplates, os du bassin, vertèbres et plusieurs os longs, placés aux endroits stratégiques, tibias ou côtes. La partie supérieure du mur, qui consistait principalement en omoplates et os du bassin, mêlés de défenses plus petites, se fondait avec le toit, lui-même porté par des poutres disposées entre le cercle extérieur de défenses et le cercle intérieur formé par les poteaux. La mosaïque d'ossements, tous choisis avec soin, certains retaillés pour s'insérer précisément à leur place, était solidement attachée aux défenses et créait une muraille incurvée dont les éléments s'ajustaient comme les pièces d'un puzzle.

On trouvait du bois, en petites quantités, dans les vallées des cours d'eau, mais, pour construire, les os de mammouths étaient plus abondants. Toutefois, les carcasses des mammouths tués à la chasse ne constituaient qu'une petite part des ossements utilisés. L'essentiel des matériaux était choisi dans les prodigieuses accumulations d'os qui se formaient dans le méandre de la rivière. Ils en trouvaient même sur les steppes voisines, là où les animaux nécrophages avaient fait leur besogne sur les carcasses. Mais les vastes plaines leur procuraient surtout des matériaux d'une autre sorte.

Chaque année, les troupeaux migrateurs de rennes perdaient leurs bois pour laisser place à la ramure de l'année suivante. Chaque année, les bois étaient ramassés. Pour compléter la construction, les ramures des rennes étaient liées les unes aux autres et formaient un solide support au toit en coupole, au centre duquel un trou était ménagé pour laisser échapper la fumée. Des branches de saule, coupées dans la vallée, étaient étroitement entrelacées en une couche épaisse qu'on posait sur les bois de rennes et qu'on attachait solidement. On mettait là-dessus une couche plus épaisse encore de chaume, qui dépassait la première afin de faciliter l'écoulement de l'eau, et qu'on liait aux branches de saule sur toute la surface du toit. Venait encore une couche de terre, dont une partie venait de ce qu'on avait enlevé en creusant le sol à l'intérieur, et le reste, des environs.

Les murs de la construction étaient épais de deux à trois pieds. Il manquait cependant une dernière couche pour l'achever.

Les deux hommes et la jeune femme se trouvaient à l'extérieur et admiraient l'ensemble quand Talut en termina avec son exposé détaillé.

— J'espérais que le temps allait s'arranger, fit-il, avec un large geste vers le ciel clair. Il faut à tout prix en finir. Si cette construction n'est pas terminée, je ne suis pas sûr qu'elle dure bien longtemps.

— Combien de temps dure un tel abri ? demanda Jondalar.

— Aussi longtemps que moi, davantage parfois. Mais les habitations semi-souterraines servent pour l'hiver. L'été, généralement, nous partons, pour la Réunion d'Eté, pour la grande chasse au mammouth ou pour d'autres déplacements. L'été est fait pour voyager, pour cueillir des plantes, pour chasser ou pêcher, pour faire du commerce ou des visites. Quand nous partons, nous laissons ici presque tout ce que nous possédons, parce que nous revenons chaque année. Le Camp du Lion est notre demeure.

— Si tu veux que ce foyer abrite longtemps les chevaux d'Ayla, nous ferions bien de le terminer pendant que nous le pouvons, intervint Nezzie.

Deegie et Nezzie posèrent sur le sol la grande et pesante outre d'eau qu'elles avaient remontée de la rivière partiellement gelée.

Ranec survint. Il portait des outils et traînait derrière lui une corbeille pleine de terre humide.

— Je n'ai jamais entendu dire que quelqu'un avait construit un abri, ni même un foyer supplémentaire, si tard dans la saison, dit-il.

Barzec le suivait de près.

— Ce sera intéressant de voir ce que ça donne, fit-il.

Lui aussi posa une corbeille emplie de cette boue recueillie en un lieu donné de la berge. Danug et Druwez apparurent à leur tour avec deux autres paniers pleins.

— Tronie a fait un feu, dit Tulie.

Elle se chargea à elle seule de l'outre apportée par Nezzie et Deegie.

— Tornec et quelques autres amassent de la neige que nous ferons fondre quand cette eau sera chaude.

— Je veux aider, proposa Ayla.

Elle se demandait ce qu'elle pourrait bien faire : chacun, apparemment, connaissait son propre rôle, mais elle n'avait pas la moindre idée de ce qui se passait ni de la manière dont elle pourrait les aider.

— Oui, pouvons-nous vous venir en aide ? demanda Jondalar.

— Bien sûr, c'est pour les chevaux, fit Deegie. Mais je vais d'abord te prêter de vieux vêtements à moi, Ayla. On se salit, dans ce travail. Talut ou Danug auraient-ils quelque chose pour Jondalar ?

— Je vais lui trouver ce qu'il faut, assura Nezzie.

— Si vous n'avez pas perdu toute votre ardeur quand nous aurons fini, proposa Deegie en souriant, vous pourrez bâtir avec nous la nouvelle habitation que nous allons faire pour installer notre Camp... quand je me serai unie à Branag.

— Quelqu'un a-t-il allumé les feux dans les étuves ? questionna Talut. Tout le monde aura envie de se nettoyer, après ça, surtout si nous célébrons une fête ce soir.

— Wymez et Frebec les ont allumés de bonne heure ce matin, répondit Nezzie. Crozie et Manuv sont partis avec Latie et les enfants chercher des branches de sapin qui parfumeront les étuves. Fralie voulait les accompagner, mais je la voyais mal grimper et redescendre des pentes. Je lui ai demandé si elle voudrait bien s'occuper de Rydag. Elle surveille Hartal en même temps. Mamut est très occupé, lui aussi : il prépare je ne sais quoi pour la cérémonie de ce soir. J'ai l'impression qu'il s'agit d'une sorte de surprise.

— Oh, j'allais oublier... Mamut m'a demandé, au moment où je sortais, de te dire que les signes étaient bons pour une chasse dans quelques jours, Talut. Il veut savoir si tu désires qu'il se livre à la Recherche, dit Barzec.

— Oui, c'est vrai, les signes sont bons pour une chasse, approuva le géant. Regardez cette neige ! Molle en dessous, fondante par-dessus. Si nous avons un bon gel, elle va avoir une croûte de glace. Les bêtes ne bougent plus, dans ces conditions-là. Oui, je crois que ce serait une bonne idée.

Tout le monde s'était approché du trou à feu, où une grande peau, emplie de l'eau glacée de la rivière, avait été disposée sur un bâti au-dessus des flammes. Elle devait simplement aider à faire fondre la neige qu'on y déversait. A mesure que celle-ci fondait, on en remplissait des corbeilles étanches qu'on allait déverser dans une autre peau, tachée, sale, qui tapissait une cuvette creusée dans la terre. On y ajoutait la terre particulière rapportée de la berge de la rivière et l'on mélangeait l'une et l'autre pour former une épaisse crème argileuse, collante.

Plusieurs personnes grimpèrent sur le toit avec des paniers de cette boue fine et, à l'aide de pelles creuses, entreprirent de la verser sur la couche de terre. Après les avoir observés un moment, Jondalar et Ayla se joignirent aux autres. D'autres, en bas, étalaient la mixture pour veiller à ce que la surface entière fût recouverte d'une couche épaisse.

L'argile, visqueuse et résistante, n'absorberait pas la pluie. Elle était imperméable. Ni l'eau, ni la neige fondue ne pourraient y pénétrer. Encore humide, elle possédait déjà cette qualité. Une fois sèche, au bout d'un certain temps, la surface durcissait, et l'on s'en servait souvent pour y entreposer des instruments, des objets divers. Lorsqu'il faisait beau, c'était un endroit où flâner, se réunir, se lancer dans des discussions volubiles ou bien s'asseoir tranquillement pour méditer. Les enfants y grimpaient quand arrivaient des visiteurs, afin de voir ce qui se passait sans encombrer personne, et tout le monde venait s'y percher lorsqu'il y avait quelque chose à voir.

Ayla porta jusqu'en haut une lourde corbeille, en renversa un peu partout et sur elle-même en particulier. C'était sans importance : elle était déjà couverte de boue, comme tout le monde. Deegie avait raison : c'était une besogne salissante. Quand ils eurent couvert les côtés, ils s'attaquèrent au sommet, mais, à mesure que la surface du dôme était enduite de boue glissante, il devenait difficile de s'y maintenir.

La jeune femme déversa ce qui restait dans sa corbeille, regarda l'argile glisser lentement. Elle se retourna pour partir, sans regarder prudemment où elle posait les pieds. L'instant d'après, elle perdait l'équilibre. Elle s'affaissa dans l'argile liquide qu'elle venait de verser, patina, glissa sur la courbe du toit, tomba avec un cri involontaire.

Au moment où elle atteignait le sol, elle se retrouva entre deux bras vigoureux et, surprise, vit le visage rieur, constellé de taches de boue, de Ranec.

— C'est une façon comme une autre d'étaler l'argile, fit-il.

Il l'avait remise sur ses pieds, et elle tentait de reprendre son sang-froid. Sans la lâcher, il ajouta :

— Si vous tenez à recommencer, je vous attends ici.

Elle sentait comme une brûlure sur la peau fraîche de son bras, là où il avait posé sa main. Elle était tout entière consciente du corps masculin qui se pressait contre le sien. Les yeux sombres de Ranec, profonds et brillants, exprimaient un désir qui éveillait une réaction au plus profond de sa féminité. Elle tremblait légèrement. Son visage s'empourpra. Elle baissa les yeux, s'écarta de Ranec.

Un coup d'œil vers Jondalar lui apporta la confirmation de ce qu'elle s'attendait à voir. Il était furieux. Ses poings se serraient, ses tempes battaient. Vivement, elle détourna le regard. Elle comprenait maintenant un peu mieux sa colère : c'était une expression de sa peur — peur de la perdre, peur d'être rejeté. Elle n'en était pas moins quelque peu irritée par sa réaction. Ce n'était pas sa faute si elle avait glissé, et elle était reconnaissante à Ranec de s'être trouvé là pour la rattraper. Elle rougit de nouveau, au souvenir de la manière dont elle avait réagi à son contact. Mais cela non plus, ce n'était pas sa faute.

— Viens, Ayla, appela Deegie. Talut dit que c'est assez, et les étuves sont chaudes. Allons nous débarrasser de toute cette boue et nous préparer pour la fête. Elle est donnée pour toi.

Les deux jeunes femmes pénétrèrent dans l'habitation en passant par le nouveau foyer. Au moment où elles parvenaient au Foyer du Mammouth, Ayla se tourna soudain vers sa compagne.

— Deegie, c'est quoi, bain de vapeur ?

— Tu n'en as donc jamais pris ?

La jeune femme secoua la tête.

— Non.

— Oh, ça va te plaire ! Tu ferais aussi bien d'ôter ces vêtements boueux au Foyer de l'Aurochs. Les femmes se servent généralement de l'étuve de derrière. Les hommes préfèrent celle-ci.

Elles traversaient alors le Foyer du Renne et pénétraient dans le Foyer de la Grue. Deegie désigna une arche qui s'ouvrait derrière la couche de Manuv.

— N'est pas réserve ?

— Tu croyais donc que toutes les petites pièces servaient de réserves ? Mais tu ne pouvais pas le savoir, je suppose. On a tellement l'impression que tu fais partie de notre Camp : on a du mal à se rappeler que tu n'es pas ici depuis très longtemps.

Elle s'arrêta, se tourna vers Ayla.

— Je suis heureuse que tu deviennes l'une d'entre nous. C'était ton destin, je crois.

La jeune femme esquissa un sourire timide.

— Moi aussi, suis heureuse et contente que tu sois là, Deegie. Est agréable connaître femme... jeune... comme moi.

Deegie lui rendit son sourire.

— Oui, je sais. Si seulement tu étais arrivée plus tôt. Je vais partir après l'été. L'idée de ce départ me fait presque horreur. Je veux devenir la Femme Qui Ordonne de mon propre Camp, comme ma mère, mais elle va me manquer, et toi aussi... tout le monde.

— Tu vas loin ?

— Je ne sais pas encore. Nous n'avons rien décidé.

— Pourquoi aller loin ? Pourquoi pas construire nouvel abri près d'ici ? demanda Ayla.

— Je n'en sais rien. La plupart des gens ne le font pas, mais ce serait possible, je suppose. Je n'y avais pas pensé, dit Deegie, avec une expression de surprise amusée.

Elles arrivaient au dernier foyer.

— Enlève tes vêtements sales et laisse-les ici, par terre, indiqua Deegie.

Toutes deux se déshabillèrent. Ayla sentit une chaleur arriver jusqu'à elle. Elle provenait de derrière un rideau de cuir rouge, suspendu devant une arche de défenses, plus basse que les autres, ouverte dans le mur du fond. Deegie courba la tête, entra la première. Ayla la suivit mais s'arrêta un instant sur le seuil, un bras levé pour retenir le rideau. Elle s'efforçait de voir l'intérieur de l'étuve.

— Entre et ferme le rideau ! Tu laisses partir la chaleur ! cria une voix.

L'atmosphère de l'étuve, faiblement éclairée, était pleine de vapeur et de fumée.

Ayla se glissa vivement de l'autre côté du rideau qui retomba derrière elle. La chaleur l'assaillit aussitôt. Deegie lui fit descendre quelques marches grossières faites d'os de mammouth placés le long du mur de terre d'une fosse profonde d'environ trois pieds. Au fond, Ayla se retrouva sur le sol couvert d'une fourrure épaisse et moelleuse. Quand sa vision se fut ajustée à la pénombre, elle regarda autour d'elle. L'espace ainsi creusé mesurait à peu près deux mètres de large sur trois de long. Il comportait deux parties circulaires, chacune avec son plafond bas en forme de coupole. Des braises, éparpillées sur le sol du cercle le plus grand, brillaient d'un rouge éclat. Les deux femmes traversèrent l'autre partie de l'étuve pour rejoindre les autres. Les murs, constata alors Ayla, étaient recouverts de peaux et sur le sol du cercle le plus grand, des os de mammouth, disposés avec soin, permettaient de marcher au-dessus des braises. Un peu plus tard, quand les femmes verseraient de l'eau, afin de se laver ou de créer de la vapeur, le liquide s'évacuerait dans la terre, sous les os qui tiendraient les pieds au-dessus de la boue.

D'autres os brûlaient dans le foyer central. Ils fournissaient à la fois la chaleur et l'unique source de lumière, mis à part la mince ligne de jour autour du trou à fumée protégé par sa couverture. Des femmes nues étaient assises autour du feu, sur des bancs faits d'ossements plats posés sur d'autres os de mammouth qui servaient de supports. Des récipients remplis d'eau s'alignaient le long d'un mur. De grands paniers solides, au tressage serré, contenaient l'eau froide, tandis que de la vapeur montait des estomacs de gros animaux soutenus par des ramures de cervidés. Quelqu'un, à l'aide de deux os plats, sortit du feu une pierre brûlante, la laissa tomber dans l'une des poches. Un nuage de vapeur parfumée aux aiguilles de sapin monta, se répandit dans la pièce.

— Venez vous asseoir entre Tulie et moi, dit Nezzie.

Elle déplaça son vaste corps pour faire de la place. Tulie en fit autant, du côté opposé. Elle aussi était corpulente, mais ses dimensions imposantes venaient principalement de sa masse musculaire. Ses formes pleines ne laissaient néanmoins aucun doute sur sa féminité.

— Je veux d'abord me débarrasser d'un peu de cette boue, répondit Deegie. Ayla aussi, probablement. L'avez-vous vue glisser tout le long du toit ?

— Non. T'es-tu fait mal, Ayla ? questionna Fralie avec inquiétude.

Sa grossesse avancée la gênait visiblement.

Sans laisser à Ayla le temps de répondre, Deegie éclata de rire.

— Ranec l'a rattrapée. Et il n'avait pas l'air de le regretter.

Il y eut des sourires, des hochements de tête entendus.

Deegie prit un bassin fait d'un crâne de mammouth, y versa de l'eau froide et de l'eau chaude à laquelle elle ajouta une petite branche de sapin. D'une masse sombre d'une substance moelleuse, elle tira une poignée pour Ayla, une autre pour elle-même.

— C'est quoi ? demanda la jeune femme.

Elle palpait la substance douce et soyeuse.

— De la laine de mammouth répondit Deegie. Celle qui leur pousse sous le poil, l'hiver. Au printemps, ils la perdent en abondance, et elle s'accroche aux buisssons et aux arbres. On en ramasse même parfois sur le sol. Trempe-la dans l'eau, et tu pourras t'en servir pour te débarrasser de la boue.

— Cheveux pleins de boue aussi, dois laver.

— Nous nous laverons les cheveux pour de bon après, quand nous aurons bien transpiré.

Elles se rincèrent dans les nuages de vapeur, et Ayla s'assit ensuite entre Deegie et Nezzie. Deegie se renversa en arrière, ferma les yeux avec un soupir de contentement. Pendant ce temps, Ayla, qui se demandait pourquoi elles étaient toutes assises là, à transpirer, observait les autres occupantes de la pièce. Latie, installée de l'autre côté de Tulie, lui sourit. Elle lui rendit son sourire.

Il se fit un mouvement à l'entrée. La jeune femme eut l'impression d'un courant d'air froid et s'aperçut qu'elle avait très chaud. Tout le monde leva la tête pour voir qui arrivait. Rugie et Tusie descendirent précautionneusement les marches, suivies par Tronie qui portait Nuvie.

— J'ai dû donner le sein à Hartal, déclara Tronie. Tornec tenait à l'emmener à l'étuve, et je ne voulais pas qu'il fasse des difficultés.

On n'acceptait donc aucun mâle, en ces lieux ? se demandait Ayla. Pas même les tout petits garçons ?

— Tous les hommes sont dans l'étuve, Tronie ? questionna Nezzie. Je devrais peut-être aller chercher Rydag.

— Danug l'a emmené. Les hommes, je crois, ont décidé qu'ils voulaient tous les mâles, cette fois, répondit Tronie. Même les enfants.

— Frebec a emmené Tasher et Crisavec, précisa Tusie.

— Il est grand temps qu'il commence à s'intéresser à ces petits, grommela Crozie. N'est-ce pas la seule raison qui t'a amenée à t'unir à lui, Fralie ?

— Non, mère. Ce n'est pas la seule raison.

Ayla fut surprise. Jamais encore elle n'avait entendu Fralie contredire sa mère. Personne d'autre ne parut le remarquer. Peut-être, en cet endroit où se trouvaient seulement des femmes, Fralie n'avait-elle pas à se soucier de sembler prendre parti. Crozie, la tête en arrière, avait les yeux clos. La ressemblance entre sa fille et elle était étonnante. Fralie, en fait, lui ressemblait trop. Si l'on ne tenait pas compte de son ventre, enflé par la grossesse, elle était d'une maigreur qui la faisait paraître aussi vieille que sa mère, remarqua Ayla. Ses chevilles étaient gonflées. Ce n'était pas bon signe. La jeune femme aurait aimé l'examiner. Elle comprit que ce serait peut-être possible, là où elles se trouvaient.

— Fralie, chevilles enflent beaucoup ? demanda-t-elle, non sans une certaine hésitation.

Les autres femmes se redressèrent, dans l'attente de la réponse de Fralie, comme si toutes prenaient subitement conscience de l'idée qui venait de se présenter à l'esprit d'Ayla. Crozie elle-même observait sa fille sans mot dire.

Fralie baissa les yeux sur ses pieds, parut examiner ses chevilles enflées d'un air méditatif. Elle releva la tête.

— Oui. Elles gonflent, ces derniers temps, dit-elle.

Nezzie poussa un soupir de soulagement, et toutes les autres éprouvèrent le même sentiment.

Ayla se pencha en avant.

— Toujours vomir le matin ?

— Je n'ai jamais été aussi malade pour les deux premiers.

— Fralie, veut bien me laisser... regarder ?

Le regard de Fralie fit le tour du groupe de femmes. Aucune ne dit mot. Nezzie lui souriait, la poussait silencieusement à accepter.

— Je veux bien, dit Fralie.

Ayla se leva vivement. Elle lui regarda les yeux, sentit son haleine, lui tâta le front. Il faisait trop sombre pour voir grand-chose, et trop chaud pour discerner si elle était fiévreuse.

— Veux allonger ? demanda-t-elle.

Tout le monde s'écarta pour donner à Fralie la place de s'étendre. Ayla palpa, écouta, examina minutieusement. De toute évidence, elle possédait une véritable compétence. Les autres femmes suivaient l'examen de regards curieux.

— Malade autrement que matin, je pense, dit Ayla, quand elle en eut terminé. Je prépare remède empêche nourriture remonter. Aide à sentir mieux. Empêche enfler. Prendras ?

— Je ne sais pas, répondit Fralie. Frebec surveille tout ce que je mange. Il est inquiet, je crois, mais il ne veut pas l'avouer. Il me demandera d'où vient ce que je prends.

Crozie, les lèvres serrées, retenait manifestement les mots qu'elle avait envie de prononcer : elle redoutait, si elle les laissait échapper, de voir Fralie prendre le parti de Frebec et refuser l'aide d'Ayla. Nezzie et Tulie échangèrent un regard. Il n'était pas dans la manière de Crozie de faire montre d'une telle retenue.

Ayla hocha la tête.

— Connais moyen, je crois.

— Je ne sais pas ce que vous en pensez, déclara Deegie, mais moi, je suis prête à finir de me laver et à sortir. Que dirais-tu d'aller te rouler un moment dans la neige, Ayla ?

— Bon, je crois. Trop chaud ici.

17

Jondalar souleva la tenture tirée devant la plate-forme qu'il partageait avec Ayla. Il sourit. Elle était assise au milieu de la couche. Nue, la peau rosée, lumineuse, elle brossait ses cheveux encore humides.

Elle lui sourit à son tour.

— Je me sens si bien, dit-elle. Deegie m'avait dit que j'aimerais ça. Le bain de vapeur t'a-t-il plu ?

Il s'assit près d'elle, laissa retomber la tenture. Il avait lui aussi le teint animé, mais il était déjà habillé, il venait de se peigner et avait noué ses cheveux sur la nuque. Le bain de vapeur avait été tellement agréable qu'il avait même songé à se raser mais il avait fini par se contenter de se rafraîchir la barbe.

— Ils m'ont toujours plu, répondit-il.

Incapable de résister plus longtemps, il prit la jeune femme dans ses bras, l'embrassa, entreprit de caresser le corps tiède. Elle répondit sans réserve à ses caresses, s'abandonna à son étreinte. Il l'entendit gémir doucement quand il prit entre ses lèvres le bout d'un sein.

— Grande Mère, tu es tentante, femme, dit-il en s'écartant d'elle. Mais que diront les gens, quand ils commenceront d'arriver au Foyer du Mammouth pour ton adoption, s'ils nous trouvent en train de partager les Plaisirs, au lieu d'être habillés et prêts à les recevoir ?

— Nous pourrions leur dire de revenir plus tard, riposta-t-elle en souriant.

Jondalar éclata de rire.

— Je t'en crois bien capable, non ?

— Ne m'as-tu pas donné ton signal ? demanda-t-elle d'un air espiègle.

— Mon signal ?

— Tu te rappelles bien. Le signal que donne un homme à une femme quand il la désire ? Tu m'as dit que je saurais toujours. Ensuite, tu m'as embrassée et caressée ainsi. Eh bien, tu viens de me donner ton signal, et, quand un homme lui donne le signal, une femme du Clan ne refuse jamais.

— Est-il bien vrai qu'elle ne refuse jamais ?

Il ne parvenait pas encore à y croire tout à fait.

— Elle est élevée ainsi, Jondalar. C'est ainsi que se comporte une véritable femme du Clan, répondit-elle avec une parfaite gravité.

— Hmmm. Autrement dit, le choix m'appartient ? Si je te disais « Restons ici et partageons les Plaisirs », tu ferais attendre tout le monde ?

Il s'efforçait de garder son sérieux, mais ses yeux pétillaient de joie.

— Seulement si tu me donnes le signal, fit-elle sur le même ton ;

Il la reprit dans ses bras, l'embrassa de nouveau. En la sentant réagir avec plus d'ardeur encore, il fut presque tenté de vérifier si elle plaisantait ou si elle parlait sérieusement mais, à regret il la lâcha.

— Ce n'est pas ce que je préférerais, mais il vaut mieux, je crois, que je te laisse t'habiller. Les autres ne vont plus tarder. Que vas-tu mettre ?

— Je n'ai pas grand-chose, en réalité, sauf ce que je portais au Clan, la tenue que je me suis faite et des jambières de rechange. J'aimerais bien avoir d'autres vêtements. Deegie m'a montré ce qu'elle allait porter. C'est magnifique... Je n'ai jamais rien vu de semblable. Elle m'a offert une de ses brosses quand elle m'a vue me servir d'une cardère.

Ayla montra à Jondalar la brosse à cheveux faite des poils raides de mammouth, serrés à une extrémité dans une bande de cuir qui en formait le manche, ce qui lui donnait l'aspect d'un large pinceau.

— Elle m'a donné aussi quelques colliers de perles et de coquillages. Je crois que je les mettrai dans mes cheveux, comme elle.

— Je ferais bien de te laisser t'apprêter, fit Jondalar.

Il se pencha sur la jeune femme pour un autre baiser et se leva. Quand le rideau de cuir fut retombé, il demeura un instant immobile à le contempler. Un pli creusait son front. Il aurait voulu pouvoir rester avec elle, sans se soucier des autres. Lorsqu'ils vivaient dans la vallée d'Ayla, ils faisaient ce qu'ils voulaient quand bon leur semblait. Et si elle choisissait de rester parmi eux ? Il avait le pressentiment qu'après cette nuit-là, rien ne serait plus jamais pareil.

Au moment où il allait s'éloigner, Mamut croisa son regard et lui fit signe. Le jeune homme s'approcha du vieux chaman.

— Si tu n'es pas trop occupé, j'aimerais bien avoir ton aide, dit Mamut.

— Je serais heureux de t'aider. Que puis-je faire ? répondit Jondalar.

Mamut prit au fond de sa plate-forme quatre longues perches, les lui montra. En les regardant de plus près, Jondalar s'aperçut qu'elles n'étaient pas en bois mais en ivoire, et d'une seule pièce. C'étaient des défenses de mammouth, qu'on avait façonnées, redressées. Le vieillard lui tendit ensuite un gros maillet de pierre emmanché d'os. Jondalar prit le temps de l'examiner : il n'en avait jamais vu de pareil. Le maillet était entièrement recouvert de cuir. On avait creusé un sillon tout autour de la grosse pierre. Un lien d'osier flexible suivait le sillon et venait s'attacher au manche. Le maillet tout entier avait été alors enveloppé d'une peau non tannée, humide, qu'on avait simplement grattée pour la nettoyer. La peau, en séchant, s'était resserrée sur le tout, maintenant ainsi solidement unis le maillet et son manche.

Le chaman entraîna Jondalar vers le trou à feu. Il souleva une natte pour lui montrer un trou, large d'un demi-pied, rempli de petites pierres et de morceaux d'os. Ils le vidèrent. Jondalar apporta ensuite l'une des perches d'ivoire, en plaça l'extrémité dans le trou. Pendant que Mamut la maintenait bien droite, il la cala à l'aide des pierres et des os, tassa fermement l'ensemble avec un maillet de pierre. Ils répétèrent encore par trois fois l'opération, formant ainsi un arc de cercle autour du trou à feu mais à quelque distance.

Le vieil homme sortit alors un paquet et, soigneusement, avec respect, l'ouvrit, en tira une feuille en rouleau, faite d'une matière parcheminée. La feuille une fois déroulée, Jondalar vit qu'on y avait peint des animaux, parmi lesquels un mammouth, des oiseaux et un lion des cavernes, ainsi que d'étranges figures géométriques. Ils le fixaient aux perches, créant ainsi un paravent translucide. Jondalar recula de quelques pas pour juger de l'effet produit, avant de se rapprocher avec curiosité. Les intestins, après avoir été ouverts, nettoyés et séchés, étaient généralement translucides, mais cet écran était fait d'une autre matière. Il croyait savoir laquelle, sans toutefois en être bien sûr.

— Ce n'est pas fait avec des intestins, n'est-ce pas ? Il aurait fallu les coudre les uns aux autres, et cet écran est d'une seule pièce.

Le Mamut acquiesça d'un signe de tête.

— Alors, il doit s'agir de la couche membraneuse qui doublait la peau d'un très gros animal, et qu'on est parvenu à enlever d'un seul tenant.

Le vieil homme sourit.

— Un mammouth, dit-il. Une femelle blanche.

Les yeux de Jondalar s'élargirent, avant de se reporter avec un profond respect sur l'écran.

— Chaque Camp reçut une partie de la femelle blanche, puisqu'elle avait rendu son esprit lors de la première chasse d'une Réunion d'Eté. Moi, j'ai demandé ceci. On l'appelle l'ombre de sa peau. Elle a moins de substance que les autres parties blanches, et l'on ne peut pas l'exposer pour montrer à tous son pouvoir, mais, à mon avis, ce qui est plus subtil peut être aussi plus puissant. Ceci vaut mieux qu'un petit morceau : ceci enveloppait l'esprit intérieur de tout l'animal.

Brinan et Crisavec firent subitement irruption dans l'espace qui formait le centre du Foyer du Mammouth. Ils s'étaient poursuivis tout au long du passage qui venait des Foyers de l'Aurochs et de la Grue. Ils culbutèrent l'un sur l'autre pour se battre, faillirent même heurter le délicat écran. Mais ils se figèrent quand Brinan remarqua la longue jambe maigre qui leur barrait le chemin. Ils levèrent les yeux, leur regard rencontra la représentation du mammouth, et ils étouffèrent une exclamation. Tous deux se tournèrent vers Mamut. Aux yeux de Jondalar, le visage du chaman était dépourvu d'expression. Pourtant, les deux garçons de sept et huit ans se relevèrent précipitamment et, en évitant soigneusement l'écran, se dirigèrent vers le premier foyer, comme s'ils avaient été sévèrement semoncés.

— Ils avaient l'air contrits, presque effrayés. Cependant, tu ne leur as pas dit un mot, et je ne les ai jamais vus avoir peur de toi, remarqua Jondalar.

— Ils ont vu l'écran. Parfois, quand tu contemples l'essence d'un puissant esprit, tu vois ton propre cœur.

Jondalar hocha la tête en souriant mais il n'était pas sûr de bien comprendre ce que voulait dire le vieux chaman. Il parle comme une Zelandoni, se disait-il, avec une ombre sur la langue, comme le font si souvent les gens de son espèce. Toutefois, il n'était pas certain de vouloir voir son propre cœur.

En traversant le Foyer du Renard, les enfants saluèrent le sculpteur, qui leur répondit d'un sourire. Ce sourire s'élargit quand Ranec ramena son attention sur le Foyer du Mammouth, qu'il observait depuis un bon moment. Ayla venait d'apparaître et s'était immobilisée devant le rideau pour ajuster les plis de sa tunique. A sa vue, Ranec sentit son visage s'enfiévrer. Son cœur battait à grands coups.

Plus il voyait Ayla, plus il la trouvait ravissante. Les longs rayons du soleil, qui entraient par le trou à fumée, venaient tout exprès, lui semblait-il, chatoyer sur elle. Il voulait se rappeler ce moment, repaître sa vue de ce spectacle. L'abondante chevelure de la jeune femme, qui retombait en vagues harmonieuses autour de son visage, faisait comme un nuage doré qui jouait avec les rayons lumineux. Ses mouvements pleins de spontanéité étaient d'une grâce absolue. Personne n'imaginait l'inquiétude qui avait taraudé Ranec durant l'absence d'Ayla, ni son bonheur à l'idée qu'elle allait devenir l'une d'entre eux. Il fronça les sourcils quand Jondalar vit la jeune femme, s'approcha d'elle et lui passa autour de la taille un bras possessif. Il s'interposait maintenant entre elle et Ranec et la lui cachait.

Ils s'avancèrent dans la direction du sculpteur pour se rendre au premier foyer. Elle s'arrêta pour regarder l'écran : elle était visiblement impressionnée, admirative. Le couple s'engagea dans le passage pour traverser le Foyer du Renard. Le sculpteur surprit une vive rougeur sur les joues d'Ayla quand elle le vit. Vivement, elle baissa les yeux. Le visage de son compagon s'empourpra, lui aussi, mais son regard marquait bien que le plaisir n'y était pour rien. Les deux hommes se dévisagèrent fixement au passage. L'expression de Jondalar traduisait la colère et la jalousie. Ranec faisait un grand effort pour paraître indifférent et sûr de lui. Machinalement, ses yeux allèrent chercher le regard impassible de l'homme qui se dressait derrière Jondalar, l'homme qui représentait l'essence de la spiritualité du Camp. Sans bien savoir pourquoi, il se sentit décontenancé.

Les deux jeunes gens arrivèrent au foyer d'entrée. Ayla comprit alors pourquoi elle n'avait pas remarqué de préparatifs fébriles en vue du festin. Nezzie surveillait les femmes qui enlevaient des feuilles flétries, des herbes fumantes d'un trou creusé à même la terre, qui faisait office de four. Les arômes qui s'en dégageaient mettaient l'eau à la bouche de tous les assistants. Les préparatifs avaient commencé avant que les hommes fussent descendus chercher de l'argile à la rivière, et les mets avaient continué de cuire tout le temps que le Camp avait travaillé. Il ne restait plus qu'à les servir à tous ces gens affamés.

On sortit d'abord du trou une certaine variété de raves qui se trouvaient bien d'une cuisson prolongée. Vinrent ensuite des corbeilles emplies d'un mélange de moelle, de myrtilles et de plusieurs graines décortiquées et pilées, parmi lesquelles des pignons riches en huile, qui avait cuit pendant des heures. Sans être sucré, en dépit des myrtilles qui apportaient une légère saveur fruitée, le plat était délicieusment riche. On sortit enfin une cuisse entière de mammouth, cuite à la vapeur et imprégnée du jus dispensé par son épaisse couche de graisse.

Le soleil se couchait. Un vent froid fit rentrer en hâte tout le monde dans l'abri. Cette fois, quand Ayla fut priée de se servir la première, elle se montra moins timide. Le festin était donné en son honneur, et, même si elle n'aimait toujours pas se sentir le point de mire de l'attention générale, elle était heureuse des circonstances qui l'avaient voulu ainsi.

Deegie vint s'asseoir près d'elle, et la jeune femme se surprit à la détailler sans vergogne. L'épaisse chevelure de la jeune fille, d'un châtain roux, était tirée en arrière et coiffée en un chignon très haut sur le sommet du crâne. Un rang de perles rondes en ivoire, chacune d'elles ciselée et percée à la main, avait été tressé avec ses cheveux. Elle portait une longue robe de cuir souple — une longue tunique, dans l'esprit d'Ayla —, drapée en plis souples à partir de la taille, teinte d'un brun profond et d'un éclat satiné. La tunique n'avait pas de manches, mais la largeur des épaules, qui retombaient sur le haut des bras, en donnait l'illusion. Une frange de longs poils de mammouth, d'un brun-rouge, tombait de ses épaules dans le dos et d'un décolleté en V par-devant et descendait plus bas que la taille.

L'encolure était soulignée d'un triple rang de perles d'ivoire, et Deegie portait autour du cou un collier de coquillages coniques, séparés par des tubes de calcaire et par des morceaux d'ambre. Un bracelet d'ivoire, gravé d'un motif en chevrons, enserrait le haut de son bras droit. Le même motif se répétait, en ocre rouge, jaune et brun, sur sa ceinture, tissée de poils d'animaux. Attaché à cette ceinture par une boucle de cuir, pendait un couteau de silex à manche d'ivoire dans sa gaine de cuir, et, suspendue à une autre boucle, la partie inférieure d'une corne d'aurochs noire, un vase à boire qui représentait un talisman pour le Foyer de l'Aurochs.

La jupe avait été coupée en diagonale : elle partait des côtés, au-dessus des genoux, pour former une pointe devant et derrière. Trois rangs de perles d'ivoire, une bande de fourrure de lapin et une seconde bande formée des dos rayés de plusieurs écureuils accentuaient la ligne du bas de la jupe, encore soulignée par une autre frange de longs poils de mammouth qui effleurait le bas du mollet. Elle ne portait pas de jambières : on entrevoyait ses jambes à travers la frange, ainsi que ses hautes bottes d'un brun foncé qui formaient des mocassins aux pieds, et qui brillaient d'un éclat exceptionnel.

Ayla se demandait comment on obtenait du cuir d'un tel brillant. Mais, surtout, elle regardait Deegie avec une respectueuse admiration : c'était, pensait-elle, la plus belle femme qu'elle eût jamais vue.

— Deegie, est très belle... tunique ?

— Tu pourrais appeler ça une longue tunique. En réalité, c'est une tenue d'été. Je l'ai faite pour la Réunion, l'an dernier, quand Branag m'a déclaré son amour. J'ai changé d'avis sur ce que j'allais porter ce soir. Je savais que nous resterions à l'intérieur, et qu'il ferait chaud.

Jondalar vint les rejoindre. Visiblement, il trouvait Deegie très séduisante, lui aussi. Avec le charme qui le rendait si attirant, il lui décocha un sourire qui exprimait toute son admiration. Deegie répondit par un regard plein d'invite à ce bel homme, aux yeux d'un bleu intense.

Talut s'approchait. Il tenait entre ses mains un immense plateau chargé de nourriture. Ayla réprima une exclamation, ouvrit des yeux immenses. Le chef portait une coiffure fantastique, si haute qu'elle touchait presque le plafond. Elle était faite de cuir teint de différentes couleurs, de plusieurs sortes de fourrure, y compris une longue queue touffue d'écureuil qui pendait dans son dos ; deux pointes de défenses de mammouth, relativement petites, se dressaient de chaque côté de sa tête et se croisaient au-dessus comme celles qui formaient les arches d'entrée. Sa tunique, qui descendait aux genoux, était marron foncé — du moins ce qu'on en voyait. Tout le devant était si abondamment orné de motifs compliqués faits de perle d'ivoire, de dents d'animaux et de coquillages qu'il était malaisé de distinguer le cuir.

Il portait autour du cou un pesant collier composé de griffes de lion des cavernes et d'une canine, séparées par des morceaux d'ambre. Une plaque d'ivoire, gravée de signes énigmatiques, y était suspendue et descendait sur sa poitirne. Une large bande de cuir noir ceignait sa taille et se fermait par des lanières qui se terminaient sur le devant par des glands. Y étaient suspendus un poignard, fait de la pointe aiguisée d'une défense de mammouth, une gaine de cuir qui protégeait un couteau de silex à manche d'ivoire et un objet rond, en forme de roue, divisé par des rayons, où s'accrochaient par des lanières une bourse, quelques canines et, surtout, la touffe de poils prélevée sur la queue d'un lion des cavernes. Une longue frange de poils de mammouth, qui balayait presque le sol, révélait, quand il marchait, que ses jambières étaient aussi ornementées que sa tunique.

Quant à ses pieds, ils étaient gainés chacun d'une peau noire, luisante parfaitement ajustée, sans décoration et surtout sans la moindre couture visible. Encore une de ces énigmes dont Ayla espérait découvrir la réponse plus tard.

— Jondalar ! Tu as trouvé les deux femmes les plus séduisantes de l'assemblée, je vois ! clama Talut.

— Tu as raison, répondit Jondalar en souriant.

— Je n'hésiterais pas à déclarer que ces deux-là seraient capables de tenir leur place en n'importe quelle compagnie, poursuivit Talut. Toi qui as voyagé, qu'en dis-tu ?

— Je ne discuterai certainement pas. J'ai vu beaucoup de femmes, mais jamais je n'en ai vu d'aussi belles qu'ici même, répondit le jeune homme.

Il posa sur Ayla un regard appuyé, avant de sourire à Deegie.

Celle-ci se mit à rire. Ce badinage l'amusait, mais le cœur de Jondalar était ailleurs, on n'en pouvait douter. Talut, de son côté, lui faisait sans cesse des compliments extravagants. Elle était sa descendante reconnue, son héritière, fille de sa sœur qui était elle-même la fille de la propre mère du chef. Il aimait les enfants de son foyer et il assurait leur existence, mais c'étaient les enfants de Nezzie, les héritiers de Wymez, le frère de leur mère. Elle avait adopté Ranec, aussi, parce que sa mère était morte, ce qui faisait de lui tout à la fois l'enfant du foyer de Wymez et son héritier, mais c'était là une exception.

Tous les membres du Camp étaient heureux de parader dans leurs plus beaux atours, et Ayla veillait instamment à ne pas les détailler d'un regard trop prolongé. Les tuniques étaient de longueurs différentes, avec ou sans manches et de couleurs diverses, ornées selon le goût de chacun. Celles des hommes étaient souvent plus courtes, plus abondamment décorées, et ils portaient généralement quelque chose sur la tête. Les femmes préféraient le plus souvent la tunique dont le bord inférieur était en forme de V, bien que celle de Tulie ressemblât plutôt à une chemise ceinturée, portée sur des jambières. Elle était couverte, en motifs décoratifs et compliqués, de perles, de coquillages, de dents, d'ivoire ciselé et, particulièrement, d'ambre. Elle ne portait pas de coiffure, mais ses cheveux étaient disposés et ornés avec un tel art qu'elle n'avait pas besoin d'autre chose.

Mais, de toutes, la tunique de Crozie était la plus originale. Au lieu de se terminer en pointe par-devant, elle était coupée entièrement en diagonale, avec une pointe arrondie sur la droite et une échancrure arrondie sur la gauche. Plus étonnante encore était sa couleur. Elle était blanche, ni blanc cassé ni ivoire, mais d'un blanc pur, frangée et décorée, entre autres choses, des plumes blanches de la grande grue nordique.

Les enfants eux-mêmes étaient en tenue de cérémonie. Quand Ayla vit Latie, à la limite du groupe qui tournait autour d'elle et de Deegie, elle lui demanda de s'approcher pour lui montrer sa tenue, ce qui était, en fait, une invitation à se joindre à elles. Latie admira la manière dont Ayla portait les perles et les coquillages que lui avait offerts Deegie ; elle allait essayer d'en faire autant, dit-elle. Ayla sourit. Elle s'était contentée de les arranger en torsade sur son front, à la manière dont elle portait sa fronde. Latie ne tarda guère à se glisser dans le badinage général et elle eut un sourire timide pour Wymez quand il lui dit qu'il la trouvait charmante — ce qui, de la part de cet homme taciturne, représentait un compliment extravagant. Tout de suite après Latie, Rydag s'approcha. Ayla le prit sur ses genoux. Sa tunique était faite sur le modèle de celle de Talut, mais bien moins ornementée :

jamais il n'aurait pu supporter un tel poids. La tenue de cérémonie de Talut pesait plusieurs fois autant que Rydag lui-même. Peu d'hommes auraient été capables d'endurer ne serait-ce que sa coiffure.

Ranec tarda à faire son apparition. Ayla avait remarqué son absence, l'avait cherché du regard, mais, lorsqu'elle le vit enfin, elle fut prise au dépourvu. Chacun avait pris plaisir à exhiber sa tenue des grands jours, tant elle se montrait impressionnée, ravie, sans rien cacher de son admiration. Ranec l'avait observée de loin. Il voulait créer pour elle un effet mémorable. Il retourna donc au Foyer du Renard pour se changer. Il se glissa ensuite près d'elle pendant qu'elle était absorbée par la conversation. Quand elle tourna la tête, ce fut pour le trouver brusquement à ses côtés. A son regard stupéfait, il sut qu'il avait réussi.

La coupe et le style de sa tunique étaient insolites. La forme en trapèze et les larges manches lui conféraient une allure différente et trahissaient une origine étrangère. Ce n'était pas une tunique mamutoï. Il l'avait achetée — et payée très cher — mais il avait su au tout premier regard qu'il la lui fallait. Quelques années plus tôt, l'un des Camps du nord avait fait une expédition de négoce vers un peuple de l'ouest, plus ou moins apparenté aux Mamutoï. Le chef avait reçu la tunique en témoignage de liens communs et de futures relations amicales. Il ne tenait pas à s'en dessaisir, mais Ranec s'était montré si insistant, il en avait offert un si bon prix que l'homme n'avait pu refuser.

La plupart des vêtements portés par les membres du Camp du Lion avaient été teints en tons de brun, de rouge sombre ou de jaune foncé, ils étaient abondamment ornés de perles d'ivoire, de dents, de coquillages et d'ambre, et rehaussés de fourrures et de plumes. La tunique de Ranec était d'un ivoire crémeux, plus doux que le blanc pur. La couleur, il le savait, faisait un contraste frappant avec sa peau sombre. Mais plus frappante encore était la décoration. Le devant et le dos de la tunique servaient de fond pour des images créées à l'aide de piquants de porc épic et de fins cordons teints de couleurs primaires, brillantes, violentes.

On voyait sur le devant le portrait abstrait d'une femme assise, composé de cercles concentriques dans des tons de rouge pur, d'orangé, de bleu, de noir et de brun. Une série de cercles représentait le ventre de la femme, deux autres évoquaient ses seins. Des arcs de cercles dans d'autres cercles figuraient ses hanches, ses épaules, ses bras. La tête était un motif basé sur un triangle, menton aigu et crâne plat, avec des lignes énigmatiques pour représenter les traits du visage. Au centre du ventre et des seins, placés là manifestement pour figurer le nombril et les mamelons, se trouvaient des grenats brillants. Un rang de pierres de couleur — tourmalines vertes et roses, grenats, aigues-marines — avait été fixé le long de la ligne plate de la tête. Par-derrière, la tunique montrait la même femme vue de dos. Les cercles concentriques, les arcs représentaient ses épaules et ses fesses. Les mêmes séries de couleurs se retrouvaient plusieurs fois autour des manches largement évasées.

Ayla, incapable de dire un mot, se contentait d'ouvrir de grands yeux. Jondalar lui-même était saisi de stupeur. Il avait fait de longs voyages, il avait rencontré bien des gens qui avaient bien des manières de s'habiller, que ce fût pour la vie courante ou pour les cérémonies. Il connaissait les broderies faites de piquants de porc-épic, il avait admiré les procédés employés pour les teindre et pour les coudre sur un vêtement mais jamais encore il n'avait vu une tenue aussi magnifique, aussi colorée.

— Ayla...

Nezzie s'était approchée pour prendre l'assiette de la jeune femme.

— Mamut voudrait te voir un instant.

Au moment où Ayla se leva, on commençait à enlever les restes, à nettoyer les assiettes, à se préparer pour la soirée. Durant le long hiver qui ne faisait que commencer, on célébrait bon nombre de fêtes et de cérémonies, afin d'apporter, dans une période relativement inactive, un peu d'animation. Il y aurait la Célébration des Frères et Sœurs, le Fête de la Longue Nuit, le Concours du Rire, plusieurs autres cérémonies en l'honneur de la Mère, mais l'adoption d'Ayla était une occasion inattendue et d'autant plus appréciée.

Pendant que les autres commençaient à se diriger vers le Foyer du Mammouth, Ayla préparait le nécessaire pour allumer un feu, comme Mamut le lui avait demandé. Quand ce fut fait, elle attendit, soudain saisie d'une fébrilité un peu inquiète. On lui avait expliqué les grandes lignes de la cérémonie, mais elle n'avait pas été élevée chez les Mamutoï. Les attitudes, les comportements traditionnels n'étaient pas pour elle une seconde nature. Mamut, apparemment, avait compris son appréhension, il s'était efforcé de l'apaiser, mais elle se tourmentait encore à l'idée de commettre une erreur.

Assise sur une natte, près du trou à feu, elle observait ceux qui l'entouraient. Du coin de l'œil, elle vit Mamut avaler d'un trait le contenu d'une coupe. Jondalar, remarqua-t-elle, était assis sur leur plate-forme de couchage, seul. Il semblait inquiet, pas très heureux. Ayla se demanda si elle agissait bien en devenant mamutoï. Elle ferma les yeux, adressa à son totem une pensée silencieuse. Si l'Esprit du Lion des Cavernes avait été opposé à cette adoption, lui aurait-il envoyé un signe ?

La cérémonie allait commencer : elle le comprit en voyant arriver Talut et Tulie, qui se placèrent de chaque côté d'elle. Mamut, lui, déversait des cendres froides sur le dernier petit feu qu'on avait laissé brûler dans l'abri. Depuis la première expérience, le Camp savait à quoi s'attendre. Néanmoins, patienter dans l'obscurité pour voir renaître le feu restait déroutant. Ayla sentit une main se poser sur son épaule. Elle fit jaillir l'étincelle, qui fut saluée par une rumeur de soupirs de soulagement.

Quand le feu brûla comme il fallait, elle se releva. Talut et Tulie, à ses côtés, avancèrent d'un pas. Mamut se tenait derrière la jeune femme. Le chef et sa sœur tenaient chacun un long bâton d'ivoire.

— Au nom de Mut, la Grande Terre Mère, commença Tulie, nous sommes ici pour accueillir Ayla dans le Camp du Lion des Mamutoï. Mais nous faisons plus qu'accueillir cette femme dans le Camp du

Lion. Elle est arrivée ici en étrangère. Nous souhaitons faire d'elle l'une d'entre nous, faire d'elle Ayla des Mamutoï.

Talut prit la suite :

— Nous sommes les chasseurs du grand mammouth laineux, qui nous fut donné par la Mère pour notre usage. Le mammouth, c'est de la nourriture, il nous procure de quoi nous vêtir, de quoi nous abriter. Si nous honorons Mut, Elle amènera l'Esprit du Mammouth à se renouveler, à revenir chaque saison. S'il nous arrive de déshonorer la Mère ou de négliger le Don de l'Esprit du Mammouth, le mammouth s'en ira pour ne jamais revenir. Ainsi nous a-t-il été annoncé.

« Le Camp du Lion est pareil au grand lion des cavernes : chacun de nous marche sans crainte et avec fierté. Ayla, elle aussi, marche sans crainte et avec fierté. Moi, Talut du Foyer du Lion, chef du Camp du Lion, j'offre à Ayla une place parmi les Mamutoï du Camp du Lion.

— C'est un grand honneur qui lui est offert. Qu'a-t-elle fait pour le mériter ? cria une voix dans l'assistance.

Ayla reconnut celle de Frebec et fut heureuse d'avoir été informée que cette intervention ferait partie de la cérémonie.

— Par le feu que tu vois, Ayla a donné la preuve de sa valeur. Elle a découvert un grand mystère, une pierre d'où l'on peut tirer le feu et, de son plein gré, elle a offert cette magie à chaque foyer, répondit Tulie.

— Ayla, ajouta Talut, est une femme comblée de dons et de talents. En sauvant une vie, elle a fait la preuve de sa valeur de Femme Qui Guérit expérimentée. En rapportant de la nourriture, elle a fait la preuve de sa valeur de chasseresse accomplie avec sa fronde, et avec un nouvel instrument qu'elle a apporté à son arrivée, un lanceur de sagaies. En amenant les chevaux qui sont derrière cette voûte, elle a fait la preuve de sa maîtrise sur les animaux. Elle peut apporter la considération à n'importe quel foyer et accroître la valeur du Camp du Lion. Elle est digne des Mamutoï.

— Qui parle pour cette femme ? Qui sera responsable d'elle ? Qui lui offrira l'appui d'une parenté dans son Foyer ? lança Tulie, d'une voix forte et claire.

Elle regardait son frère. Mais, sans laisser le temps à Talut de répondre, une autre voix s'éleva.

— Le Mamut parle pour Ayla ! Le Mamut sera responsable d'elle ! Ayla est une fille du Foyer du Mammouth ! déclara le vieux chaman.

Sa voix était plus profonde, plus retentissante, plus autoritaire que la jeune femme ne l'eût cru possible.

Des cris étouffés de surprise, des murmures montèrent de la zone du foyer qui restait dans l'obscurité. Tout le monde avait pensé qu'elle serait adoptée par le Foyer du Lion. L'affaire prenait un tour inattendu... mais l'était-il vraiment ? Ayla n'avait jamais dit qu'elle était chamane ni qu'elle désirait le devenir. Elle ne se comportait pas en femme à qui l'inconnu et l'inconnaissable sont familiers, elle n'était pas initiée à la maîtrise des pouvoirs particuliers. Pourtant, c'était une Femme Qui Guérit. Elle avait véritablement une autorité extraordinaire sur les chevaux, et peut-être sur d'autres animaux. Elle pouvait retrouver leurs traces et les faire venir à elles. Toutefois, le Foyer du Mammouth représentait l'essence spirituelle de ces Enfants de la Terre qui se donnaient le nom de Chasseurs de Mammouths. Ayla n'était pas même capable encore de s'exprimer totalement dans leur langue. Comment une femme qui ignorait leurs coutumes, qui n'avait aucune connaissance de Mut, pourrait-elle interpréter les exigences et les souhaits de la Mère à leur égard ?

— Talut devait l'adopter, Mamut, dit Tulie. Pourquoi devrait-elle aller au Foyer du Mammouth ? Elle ne s'est pas vouée à Mut, elle n'a pas appris à Servir la Mère.

— Je n'ai pas dit cela ni qu'elle le fera un jour, Tulie, même si elle est plus douée que tu ne le crois, et si, à mon avis, il serait sage de l'initier pour son propre salut. Je n'ai pas dit qu'elle *serait* une fille du Foyer du Mammouth. J'ai dit qu'elle était une fille du Foyer du Mammouth. Elle est née dans ce but, choisie par la Mère Elle-même. Qu'elle décide ou non de se consacrer à Son service est une décision qui ne regarde qu'elle, mais peu importe. Ayla n'a pas à se vouer à la Mère, cela ne dépend pas de sa volonté. Qu'elle soit initiée ou non, sa vie sera au Service de la Mère. Je souhaite l'adopter comme fille de mon Foyer.

En écoutant le vieil homme, Ayla se sentit soudain glacée. Elle n'aimait pas, se disait-elle, cette idée que son destin était fixé d'avance, qu'il échappait à sa volonté, qu'il avait été décidé dès sa naissance. Que voulait-il dire quand il déclarait qu'elle était vouée à la Mère, que sa vie serait au service de la mère ? Etait-elle donc choisie par la Mère ? Creb lui avait dit, lorsqu'il lui avait expliqué les totems, qu'il y avait une raison pour que l'Esprit du Grand Lion des Cavernes l'eût choisie. Elle aurait besoin, lui avait-il déclaré, d'une puissante protection. Que signifiait être « choisie » par la Mère ? Etait-ce pour cela qu'elle avait besoin de protection ? Ou bien cela voulait-il dire que si elle devenait mamutoï, le Lion des Cavernes cesserait d'être son totem ? Qu'il ne la protégerait plus ? C'était là une pensée inquiétante. Elle ne voulait pas perdre son totem. Elle se secoua, dans un effort pour chasser ses pressentiments.

Dès l'abord, l'idée de cette adoption avait mis Jondalar mal à l'aise, mais ce n'était rien en comparaison de ce qu'il éprouvait devant ce tour nouveau des événements. Il entendait autour de lui les commentaires murmurés et se demandait s'il était vrai qu'elle était destinée à devenir l'une de leurs. Peut-être même avait-elle été mamutoï avant d'avoir perdu les siens, puisque Mamut déclarait qu'elle était née pour le Foyer du Mammouth.

Ranec, lui, était délirant de joie. Il avait désiré qu'Ayla devînt l'une d'entre eux, mais si elle était adoptée par le Foyer du Lion, elle serait sa sœur. Il n'avait pas la moindre envie d'être son frère. Il voulait s'unir à elle, et un frère et une sœur ne pouvaient pas s'unir. Puisque tous les deux seraient des enfants d'adoption et puisque, de toute évidence, ils n'avaient pas eu la même mère, Ranec était disposé à chercher un autre foyer disposé à l'adopter, afin de pouvoir continuer à faire sa cour à Ayla. Certes, il regrettait profondément d'avoir à renoncer à ses liens avec Nezzie et Talut. Mais, si Ayla était adoptée par le Foyer du Mammouth, ce ne serait pas nécessaire. Il était particulièrement heureux qu'elle soit adoptée en tant que fille de Mamut et non pas comme une jeune femme destinée à Servir. Mais cela même ne l'aurait pas détourné de sa quête.

Nezzie, de son côté, était un peu déçue. Elle avait déjà l'impression qu'Ayla était sa fille. Mais le plus important pour Nezzie, c'était qu'elle demeurât chez eux, et si le Mamut désirait l'adopter, cela ne l'en rendrait que plus acceptable aux yeux du Conseil, lors de la Réunion d'Eté. Talut lui lança un coup d'œil. Elle répondit d'un hochement de tête, et il céda aux instances de Mamut. Tulie, elle non plus, n'avait pas d'objection. Tous les quatre en parlèrent entre eux, et Ayla accepta. Pour une raison qu'elle ne pouvait entièrement définir, il lui plaisait de devenir la fille de Mamut.

Le silence se rétablit dans l'habitation plongée dans la pénombre. Mamut leva la main, la paume tournée vers lui-même.

— La femme, Ayla, veut-elle s'avancer ?

L'estomac noué, les genoux tremblants, elle s'avança vers le vieil homme.

— Souhaites-tu faire partie des Mamutoï ? demanda-t-il.

— Oui, souffla-t-elle, d'une voix qui s'enrouait.

— Honoreras-tu Mut, la Grande Mère, révéreras-tu tous Ses Esprits et, particulièrement, te garderas-tu de jamais offenser l'Esprit du Mammouth, t'efforceras-tu d'être digne des Mamutoï, de faire honneur au Camp du Lion et respecteras-tu à jamais Mamut et la signification du Foyer du Mammouth ?

— Oui.

Elle ne pouvait guère en dire davantage. Elle ne savait trop ce qu'elle devrait faire pour accomplir toutes ces promesses, mais elle s'y efforcerait certainement.

— Le Camp accepte-t-il cette femme ? demanda Mamut à l'assemblée.

— Nous l'acceptons, répondirent-ils à l'unisson.

— Y a-t-il ici quelqu'un qui la refuse ?

Il se fit un silence prolongé. Ayla se demandait si Frebec allait opposer une quelconque objection, mais personne ne dit mot.

— Talut, chef du Camp du Lion, veux-tu graver la marque ? psalmodia Mamut.

Ayla vit Talut sortir son grand poignard de sa gaine et son cœur battit plus vite. Elle n'était pas préparée à cela. Elle ignorait ce qu'il allait faire du poignard mais, quoi que ce fût, elle était convaincue qu'elle n'apprécierait pas. Le géant lui prit le bras, remonta sa manche et posa la pointe du couteau de silex sur la peau. Puis, rapidement, il traça une courte ligne droite. Le sang perla. Ayla ressentit la douleur de l'entaille mais elle n'en laissa rien paraître. Du poignard qui conservait des traces de sang, Talut grava la même marque sur la plaque d'ivoire accrochée à son cou, et que tenait Mamut. La rainure

ainsi produite se teignit de rouge. Mamut, alors, prononça quelques
mots qu'Ayla ne comprit pas. Elle ne se rendit pas compte que personne
d'autre ne les comprenait.

— Ayla compte désormais au nombre du peuple du Camp du Lion,
qui fait lui-même partie des Chasseurs de Mammouths, proclama Talut.
Cette femme est maintenant et sera à jamais Ayla des Mamutoï.

Mamut prit une petite coupe, versa sur l'entaille un liquide piquant
— une solution cicatrisante, comprit-elle —, avant de faire pivoter Ayla
face à l'assemblée.

— Faites bon accueil à Ayla des Mamutoï, membre du Camp du
Lion, fille du Foyer du Mammouth...

Il marqua une pause avant d'ajouter :

— Choisie par l'Esprit du Grand Lion des Cavernes.

Le groupe répéta ses paroles. Pour la seconde fois de sa vie, se dit la
jeune femme, elle était accueillie, acceptée comme membre à part
entière d'un peuple dont elle connaissait à peine les coutumes. Les yeux
clos, elle entendait les mots faire écho dans sa tête. Une idée la frappa
soudain. Mamut avait inclus son totem dans sa présentation ! Elle
n'était plus Ayla du Clan mais elle n'avait pas perdu son totem ! Elle
demeurait sous la protection du Lion des Cavernes. Mieux encore, elle
n'était plus Ayla de Nulle Part, elle était Ayla des Mamutoï !

18

— Partout où tu seras, Ayla, tu pourras toujours te réclamer du
sanctuaire du Foyer du Mammouth. Accepte ce signe, fille de mon
foyer, dit Mamut.

Il ôtait de son bras un bracelet d'ivoire gravé de lignes en zigzag. Il
en rattacha les extrémités percées d'un trou au bras de la jeune femme,
juste au-dessous de l'entaille. Il la serra ensuite chaleureusement dans
ses bras.

Ayla avait les yeux pleins de larmes lorsqu'elle se dirigea vers la
plate-forme de couchage où elle avait disposé ses cadeaux, mais elle les
essuya avant de prendre une grande coupe de bois. Elle était ronde,
solide, mais d'une finesse uniforme. Elle n'était pas ornée de motifs
peints ou gravés. Seul la décorait un dessin subtil, harmonieusement
équilibré, dans le grain même du bois.

— Accepte, te prie, présent de coupe à remèdes, de fille de foyer,
Mamut, dit-elle. Et, si permets, fille de foyer emplira coupe chaque
jour avec remède pour jointures douloureuses de bras, de doigts, de
jambes.

— Ah, je serais bien heureux de moins souffrir de mon arthrite, cet
hiver, répondit-il en souriant.

Il prit la coupe, la passa à Talut, et celui-ci, après l'avoir examinée,
hocha la tête, la passa à Tulie.

Tulie détailla l'objet d'un œil critique. Au premier regard, elle la
jugea simpliste parce qu'elle n'y trouvait pas la décoration gravée ou

peinte à laquelle elle était habituée. Mais, en regardant la coupe de plus près, en passant les doigts sur un poli remarquable, en appréciant la forme et la symétrie parfaites, elle dut convenir que c'était là un ouvrage d'un art consommé, le plus beau de son espèce, peut-être, qu'elle eût jamais vu. La coupe passa de main en main, éveillant l'intérêt et la curiosité à propos des autres cadeaux qu'allait faire Ayla. Chacun se demandait si tous les présents seraient aussi superbement originaux.

Talut s'avança ensuite, étreignit vigoureusement Ayla et lui offrit un poignard en silex à manche d'ivoire, protégé par une gaine de cuir teint en rouge, semblable à celui que Deegie portait à sa ceinture. Ayla sortit le poignard de sa gaine, devina aussitôt que la lame avait dû être façonnée par Wymez. Ranec, soupçonnait-elle, avait sculpté et ciselé le manche.

Pour Talut, la jeune femme apporta une lourde fourrure sombre. Il eut un large sourire lorsqu'il déplia la grande cape faite d'une peau de bison entière et la jeta sur ses épaules. L'épaisse toison faisait paraître le géant plus colossal encore, et il en était ravi. Il remarqua alors la façon dont la fourrure s'ajustait à ses épaules pour retomber en plis souples. Il en examina de plus près l'intérieur.

— Nezzie ! Vois un peu ça, dit-il. As-tu jamais vu cuir plus doux sous une peau de bison ? Et c'est si chaud. Je ne veux pas qu'on en fasse quoi que ce soit d'autre, je crois, pas même une pelisse. Je vais la porter telle qu'elle est.

Ayla souriait de son plaisir. Elle était heureuse de voir son présent si bien reçu. Jondalar, qui était resté dans les derniers rangs, regardait par-dessus les têtes des gens plus proches et prenait lui aussi plaisir à la réaction de Talut. Il l'escomptait mais ne s'en réjouissait pas moins de voir son opinion confirmée.

Nezzie serra Ayla contre son cœur ; lui offrit un collier de coquillages en spirale, magnifiquement assortis, séparés les uns des autres par de petits anneaux soigneusement taillés dans des tibias de renards arctiques. Devant, en manière de pendentif, était accroché un grand croc de lion des cavernes. Ayla le maintint, pendant que Tronie le lui attachait sur la nuque. Après quoi, elle baissa les yeux pour l'admirer. Elle se demandait comment on s'y était pris pour percer la racine de la dent de lion.

La jeune femme alla repousser la tenture qui dissimulait la plate-forme. Elle prit une grande corbeille couverte, la posa aux pieds de Nezzie. Elle semblait toute simple, cette corbeille. Aucune des herbes dont elle avait été tressée n'avait été teinte, et ni les flancs ni le couvercle n'étaient ornés de dessins géométriques coloriés ou de représentations stylisées d'oiseaux ou d'autres animaux. Mais, sur un examen plus attentif, la brave femme découvrit le motif du tressage, l'habileté du travail. La corbeille était suffisamment étanche pour servir de récipient de cuisine, elle le savait.

Elle souleva le couvercle pour mieux l'examiner et le camp tout entier exprima à haute voix sa surprise. Divisé en compartiments par des bandes flexibles d'écorce de bouleau, le panier était empli de vivres. Il y avait des petites pommes dures, des carottes sauvages, douces ou non, des tubercules riches en féculents, noueux et tout épluchés, des cerises dénoyautées et séchées, des boutons d'hémérocalle encore verts, des graines d'astragale dans leurs gousses, des champignons, des queues d'oignons verts, et quelques autres légumes. Le tout soigneusement séché. Nezzie eut un sourire chaleureux à l'adresse de la jeune femme. C'était un cadeau parfait.

Tulie s'approcha ensuite. Son étreinte, sans manquer de chaleur, fut plus protocolaire, et, lorsqu'elle offrit son présent à Ayla, ce ne fut pas tout à fait avec panache, mais le geste marquait un sens bien dosé de l'importance de la cérémonie. Son cadeau était une petite boîte de bois décorée avec une exquise délicatesse, taillée en forme de petit coffret aux angles arrondis. On y voyait des poissons, ciselés ou peints, et l'on y avait collé de petits morceaux de coquillages. L'ensemble donnait l'impression d'une eau fourmillante de poissons et de végétation aquatique. Ayla souleva le couvercle et découvrit ainsi l'usage d'une boîte aussi précieuse. Elle était remplie de sel.

Elle avait quelque idée de la valeur du sel. Durant son séjour dans le Clan, qui vivait près de la mer de Beran, elle ne s'était jamais interrogée sur son importance. On se le procurait facilement et l'on y conservait même certains poissons. Mais, dans les terres de l'intérieur, lorsqu'elle vivait dans sa vallée, elle n'avait pas de sel, et il lui avait fallu un certain temps pour s'habituer à cette pénurie. Le Camp du Lion était encore plus éloigné de la mer. Le sel, tout comme les coquillages, devait parcourir une longue distance. Tulie, pourtant, venait de lui en offrir une pleine boîte. C'était un don rare et précieux.

Ayla se sentait pénétrée du respect qui convenait lorsqu'elle apporta le cadeau destiné à Celle Qui Ordonne. Jondalar, espérait-elle, ne s'était pas trompé en suggérant ce qui lui paraissait le plus approprié. La fourrure qu'elle avait choisie était la peau d'un léopard des neiges, celui qui avait tenté de lui arracher une proie, l'hiver où Bébé et elle apprenaient à chasser ensemble. Elle avait simplement eu l'intention de lui faire peur pour l'éloigner, mais le jeune lion des cavernes avait eu d'autres idées. Ayla avait abattu, d'une pierre de sa fronde, le félin plus âgé mais plus petit, au moment où le combat semblait proche, et l'avait achevé d'une autre pierre.

Le présent était manifestement inattendu, et les yeux de Tulie exprimèrent sa joie. Mais ce fut seulement lorsqu'elle céda à la tentation de jeter sur ses épaules la somptueuse fourrure d'hiver qu'elle en remarqua la qualité unique, celle que Talut avait déjà relevée. Elle était, sur l'envers, d'une incroyable douceur. En général, les fourrures étaient plus raides que les cuirs. Une fourrure, par sa nature même, ne pouvait se travailler que sur l'envers, avec les grattoirs utilisés pour étirer et assouplir. Le matériau ainsi traité était plus solide, plus durable que les fourrures d'Ayla, traitées uniquement à la graisse. Mais la méthode employée par les Mamutoï pour préserver les peaux rendait le cuir moins flexible, moins souple. Tulie, étonnée et impressionnée, décida qu'elle découvrirait la méthode de la jeune femme.

Wymez s'approchait avec un objet enveloppé d'une peau fine et douce. Ayla ouvrit le paquet, retint son souffle. C'était une magnifique pointe de sagaie pareille à celles qu'elle avait tant admirées. Elle brillait, à la lueur du feu, comme une pierre précieuse. Elle-même donna à Wymez une solide natte en herbes tressées, sur laquelle il pourrait s'asseoir pour travailler. Presque tout ce qu'elle tressait était dépourvu de motifs colorés, mais, au cours du dernier hiver passé dans sa caverne, elle s'était mise à faire des expériences avec des herbes de couleurs variées. Le résultat, associé à ses habituels motifs de tressage, donnait sur cette natte un effet subtil mais reconnaissable d'amas stellaire, qu'elle appréciait beaucoup. Au moment où elle choisissait les cadeaux à offrir, les flammes qui rayonnaient du centre lui avaient rappelé les pointes de sagaies de Wymez, et la texture du tissage avait évoqué pour elle les petits éclats aigus qu'il faisait sauter du silex. Elle se demandait si la ressemblance allait le frapper.

Après avoir examiné la natte, il accorda à la jeune femme l'un de ses rares sourires.

— C'est magnifique. Ça me rappelle le travail que faisait la mère de Ranec. Elle savait mieux que personne l'art de tresser les herbes. Je devrais ménager cette natte, je suppose, l'accrocher au mur, mais je préfère m'en servir. Je m'installerai dessus pour travailler. Elle m'aidera à fixer mon esprit sur le but à atteindre.

Son accolade n'eut rien de la réticence avec laquelle il s'exprimait. Ayla comprit que, derrière une façade réservée, Wymez était un homme amical, chaleureux, compréhensif.

Les échanges de cadeaux ne se faisaient pas selon un ordre établi d'avance. Celui que remarqua ensuite la jeune femme fut Rydag : debout près de la plate-forme, il attendait de pouvoir attirer son attention. Elle s'assit, lui rendit son étreinte fougueuse. Il ouvrit alors la main, lui montra un long tube, prélevé sur l'os creux d'une patte d'oiseau. Des trous y étaient ménagés. Elle prit l'objet, le tourna, le retourna entre ses mains, sans bien en saisir l'usage. Il le lui reprit, le porta à sa bouche et souffla. Le sifflet émit un son strident. Ayla essaya à son tour, sourit. Elle offrit à l'enfant un capuchon chaud et imperméable, fait dans une peau de glouton, comme en faisaient les gens du Clan. Mais elle se sentit déchirée lorsqu'il l'ajusta sur sa tête, tant il lui rappelait Durc.

— Je lui ai donné un sifflet semblable pour qu'il puisse m'appeler s'il a besoin de moi. Il lui arrive de ne pas avoir assez de souffle pour crier, mais il lui en reste toujours suffisamment pour souffler là-dedans, expliqua Nezzie. Celui-ci, c'est lui qui l'a fait.

Deegie surprit la jeune femme en lui offrant la tenue qu'elle avait prévu de porter pour la soirée. En voyant la façon dont Ayla la regardait, la jeune fille avait décidé de la lui donner. Ayla ne trouvait plus de mots. Elle avait les yeux pleins de larmes.

— Jamais possédé si beaux vêtements, balbutia-t-elle.

Elle offrit à Deegie son propre cadeau. C'était toute une série de corbeilles et de récipients de bois, de tailles différentes, exécutées avec un art consommé. On pouvait les utiliser comme coupes, pour boire, ou comme écuelles pour la soupe, ou même pour faire la cuisine. Deegie en trouverait l'usage dans son propre foyer, quand elle serait unie à Branag. Dans une région où le bois était relativement rare, où les ustensiles étaient faits le plus souvent d'os ou d'ivoire, c'était là un cadeau unique. Les deux jeunes femmes, ravies l'une et l'autre, s'étreignirent avec toute la chaleur de deux sœurs.

Pour montrer qu'il n'avait pas l'intention de refuser à Ayla un présent convenable, Frebec lui fit présent d'une paire de hautes bottes de fourrure, dont le haut était décoré de piquants de porc-épic. Elle fut heureuse d'avoir choisi pour lui quelques-unes de ses meilleures peaux de renne, recueillies en été. Les poils du renne étaient creux, pareils à de minuscules tubes remplis d'air, et ainsi naturellement calorifuges. La peau d'été était à la fois la plus chaude et la plus légère, la plus pratique et la plus confortable de toutes les fourrures à porter pour les chasses d'hiver et, en conséquence, la plus précieuse. Avec ce qu'Ayla offrait à Frebec, on pourrait confectionner une tenue complète, tunique et jambières, qui, par les plus grands froids, ne nécessiterait guère qu'une pelisse enfilée par-dessus, et lui éviterait d'être surchargé et engoncé. Comme les autres, il remarqua la souplesse de ses peaux mais il ne dit rien, et son accolade fut distante.

Fralie donna à Ayla des moufles assorties aux bottes. Elle reçut en retour un magnifique bassin de bois pour faire la cuisine, garni d'un sac empli de feuilles sèches.

— Tisane te plaira, j'espère, Fralie, dit Ayla.

Elle regardait la jeune femme bien en face, comme pour souligner ses paroles.

— Est bon boire coupe le matin au réveil, et peut-être autre le soir, avant sommeil. Si tu aimes, donnerai autres feuilles quand celles-là finies.

Fralie hocha la tête. Elles s'étreignirent. Frebec les observait, soupçonneux, mais Fralie recevait simplement un cadeau de la dernière en date des membres du Camp du Lion, et il ne pouvait guère s'en plaindre. Ayla, de son côté, n'était pas entièrement satisfaite des circonstances. Elle aurait préféré soigner Fralie ouvertement, mais user de ce subterfuge valait mieux que ne pas l'aider du tout, et Fralie refusait de se trouver placée dans une situation où il pourrait apparaître qu'elle faisait un choix entre sa mère et son compagnon.

Crozie s'avança ensuite. Elle adressa un signe d'approbation à la jeune femme, lui tendit un petit sac de cuir en forme de bourse. Il était teint en rouge, habilement décoré de petites perles d'ivoire et de broderies blanches en triangles pointés vers le bas. Des petites plumes de grues blanches étaient attachées tout autour du fond circulaire. Ayla l'admira ouvertement, mais, voyant qu'elle ne faisait pas un geste pour ouvrir la bourse, Deegie lui conseilla de le faire. A l'intérieur se trouvaient des cordons et des fils, faits de poils de mammouth, de tendons de fourrures et de fibres végétales. Tous étaient enroulés avec soin autour de petites phalanges d'os. Le sac contenait aussi des lames tranchantes et des perçoirs. Ayla était enchantée. Elle voulait apprendre la manière dont s'y prenaient les Mamutoï pour coudre des vêtements et les orner.

Elle alla prendre sur sa plate-forme un petit bol de bois muni d'un couvercle bien ajusté et le tendit à la vieille femme. Crozie, après l'avoir ouvert, regarda Ayla d'un air intrigué. Le bol était plein d'une matière grasse d'un blanc pur, marbré — une graisse animale, sans saveur, sans odeur, sans couleur, qui avait été clarifiée dans l'eau bouillante. Crozie la huma et sourit mais elle demeurait perplexe.

— Je fais eau de rose... avec pétales, tenta d'expliquer Ayla. Mélange avec... autres choses.

— C'est ce qui lui donne ce parfum agréable, sans doute, mais à quoi ça sert-il ?

— Est pour mains, visage, coudes, pieds. Fait sentir bien. Adoucit.

La jeune femme prit un peu du produit, en frictionna le dos de la vieille main desséchée, ridée, gercée. Crozie toucha sa main avant de fermer les yeux pour caresser du bout des doigts la peau plus douce. La vieille mégère rouvrit les paupières et Ayla crut voir ses prunelles briller d'un éclat nouveau. Il n'y avait cependant aucune trace de larmes. Mais, quand la vieillle femme la serra contre elle, elle la sentit trembler de tout son corps.

Chaque échange de cadeaux augmentait l'impatience de l'assemblée à voir les autres. Ayla prenait plaisir à donner autant qu'à recevoir. Jamais elle ne s'était sentie aussi comblée, entourée, désirée. Si elle se laissait aller à y penser, des larmes de joie lui montaient aux yeux.

Ranec se tenait à l'écart : il attendait la fin des échanges. Il voulait être le dernier, pour que son présent ne risquât pas de se confondre avec les autres. Parmi tous les cadeaux recherchés, uniques, qu'elle aurait reçus, il voulait que le sien fût mémorable. Ayla mettait de l'ordre sur la plate-forme, aussi encombrée qu'au début de la distribution, lorsqu'elle remarqua le cadeau préparé pour Ranec. Elle dut réfléchir un instant avant de comprendre qu'elle n'avait toujours pas échangé de présents avec lui. Elle prit l'objet entre ses mains, se retourna pour chercher du regard l'homme à la peau sombre et se trouva en face de son sourire taquin.

— N'as-tu pas préparé de cadeau pour moi ? demanda-t-il.

Il était si près d'elle qu'elle voyait ses larges pupilles noires et, dans le brun sombre de ses prunelles, d'imperceptibles rayons lumineux. Elle sentait émaner de lui une chaleur qui la déconcertait.

— Non... ah... pas oublié... Tiens, dit-elle.

Elle venait de se souvenir du présent qu'elle tenait et le lui tendait.

Il regarda, et ses yeux brillèrent de plaisir devant les peaux de renards arctiques, d'un blanc de neige. Son hésitation momentanée donna à Ayla le temps de se reprendre. Quand il releva les yeux sur elle, ceux de la jeune femme avaient à leur tour une expression taquine.

— Je crois tu oublies.

Il lui sourit largement, en partie parce qu'elle entrait si promptement dans son jeu, en partie parce qu'elle lui fournissait l'occasion de lui offrir son présent.

— Non, je n'ai pas oublié. Tiens, dit-il.

Il lui tendit l'objet qu'il avait jusque-là tenu caché derrière son dos. Elle examina la statuette d'ivoire qui reposait entre ses paumes et faillit bien ne pas en croire ses yeux. Même quand il l'eut débarrassée des fourrures blanches, elle ne tendit pas les mains vers la statuette. Elle craignait presque de la toucher. Elle levait vers Ranec un regard émerveillé.

— Ranec... souffla-t-elle.

Elle ébaucha un geste, hésita. Il dut lui mettre pratiquement l'objet dans les mains, et elle le tint alors comme s'il allait se briser.

— C'est Whinney ! C'est comme si prends Whinney pour faire petite ! s'exclama-t-elle.

Elle tournait et retournait le minuscule cheval délicatement sculpté. Une touche de couleur avait été appliquée sur la sculpture : de l'ocre jaune sur la robe, un peu de charbon de bois pilé sur les jambes, la crinière raide et le long de l'échine, afin de rappeler le poil de Whinney.

— Regarde, petites oreilles, juste bien. Et sabots, et queue. Même taches, comme sur poil. Oh, Ranec, comment fais ?

Ranec, en lui donnant l'accolade, n'aurait pu se sentir plus heureux. La réaction d'Ayla était précisément telle qu'il l'avait espérée, rêvée même, et l'amour qui brillait dans ses prunelles quand il la regardait était si évident que Nezzie en eut les larmes aux yeux. Elle jeta un coup d'œil vers Jondalar, comprit qu'il avait tout vu, lui aussi. L'angoisse se peignait sur son visage. Elle hocha la tête d'un air sagace.

L'échange de cadeaux enfin terminé, Ayla se rendit en compagnie de Deegie au Foyer de l'Aurochs afin d'y changer de tenue. Depuis le jour ou Ranec avait fait l'acquisition de la tunique d'origine étrangère, Deegie n'avait cessé d'essayer d'en reproduire la couleur. Elle avait fini par en approcher et, avec la peau d'un blanc crème, elle avait confectionné une tunique à manches courtes, décolletée en V, dont le bas descendait en pointe, et les jambières assorties, ceinturées de cordons de couleurs vives qui rappelaient celles des ornements de la jupe. L'été passé au grand air avait conservé à la peau d'Ayla un hâle profond et éclairci ses cheveux blonds, au point qu'ils avaient presque le ton du cuir. La tenue lui seyait comme si elle avait été faite pour elle.

Avec l'aide de Deegie, elle remit le bracelet offert par Mamut, accrocha à sa taille le poignard de Talut dans sa gaine de cuir rouge, plaça autour de son cou le collier de Nezzie. Mais, quand la jeune Mamutoï lui proposa d'enlever le petit sac de cuir usé, taché qui pendait sur sa poitrine, Ayla refusa catégoriquement.

— Est mon amulette, Deegie. Contient Esprit de Lion des Cavernes, de Clan, de moi. Petites choses, comme sculpture de Ranec est petite Whinney. Creb a dit, si je perds amulette, totem pas me retrouver. Mourrai, essaya-t-elle d'expliquer.

Deegie réfléchit un instant. Elle regardait Ayla. Le bel effet général était gâté par l'horrible petit sac. Même la lanière qui le retenait autour du cou de la jeune femme s'effilochait. Elle en tira une idée.

— Que feras-tu, Ayla, quand ce sera complètement usé ? demanda-t-elle.

— Ferai sac neuf, avec lanière neuve.

— Alors, ce n'est pas le sac qui a une telle importance, mais ce qu'il contient. Vrai ?

— Vrai.

Deegie promena son regard autour d'elle, vit tout à coup la bourse que Crozie avait donnée à Ayla. Elle la prit, la vida de son contenu, qu'elle déposa avec soin sur une plate-forme, et la tendit à son amie.

— Y a-t-il une raison qui t'empêche de porter celui-ci ? Nous pourrions l'attacher à un collier de perles... un de ceux que tu as mis dans tes cheveux, par exemple, et tu pourrais la porter autour de ton cou.

Ayla prit des mains de Deegie la bourse superbement décorée, l'examina, avant de refermer sa main sur le petit sac de cuir usé dont le contact lui était si familier et d'éprouver le réconfort que lui procurait toujours l'amulette du Clan. Mais elle ne faisait plus partie du Clan. Elle n'avait pas perdu son totem. L'Esprit du Lion des Cavernes continuait à la protéger, les signes qui lui en avaient été donnés gardaient toute leur importance, mais elle était devenue mamutoï.

Quand Ayla revint au Foyer du Mammouth, elle était de la tête aux pieds une femme mamutoï, élégante et très belle, une femme mamutoï de statut élevé et d'une évidente valeur. Tous les regards approuvèrent l'allure de cette dernière recrue du Camp du Lion. Mais deux paires d'yeux exprimaient plus encore : l'amour et le désir brillaient en même temps dans les prunelles sombres emplies d'un ardent espoir et dans les prunelles d'un bleu extraordinaire, éclatant, voilées par une tristesse désespérée.

Manuv, qui tenait Nuvie sur ses genoux, eut un sourire chaleureux à l'adresse d'Ayla lorsqu'elle passa devant lui pour aller ranger le costume qu'elle venait de quitter. Elle lui sourit en retour. Elle était si pleine de joie, de bonheur qu'elle se demandait comment elle allait pouvoir les contenir. Elle était maintenant Ayla des Mamutoï et elle allait faire de son mieux pour devenir entièrement l'une d'entre eux. Elle vit alors Jondalar qui s'entretenait avec Danug. Il lui tournait le dos, mais elle sentit retomber toute sa joie. Peut-être était-ce la manière dont il se tenait, la ligne de ses épaules qui firent hésiter Ayla. Jondalar n'était pas heureux. Mais qu'y pouvait-elle, à présent ?

Elle pressa le pas pour aller chercher les pierres à feu. Mamut lui avait dit d'attendre jusqu'au dernier moment pour les offrir. Une cérémonie appropriée donnerait aux pyrites toute l'importance qui leur revenait et rehausserait leur valeur. Elle prit les petits nodules d'un gris jaunâtre, à l'éclat métallique, les rapporta au foyer. En chemin, elle passa derrière Tulie, qui parlait avec Nezzie et Wymez. Elle surprit ses paroles :

— ... mais je n'avais aucune idée qu'elle possédât tant de richesses.

Voyez seulement les fourrures. La peau de bison, celles de renards blancs et cette peau de léopard... on n'en voit pas souvent de semblables...

Ayla sourit, et la joie revint en elle. Ses cadeaux avaient été acceptables et appréciés.

Le vieil homme entouré de mystère n'était pas resté inactif. Tandis qu'Ayla changeait de tenue, Mamut s'était changé, lui aussi. Son visage était peint de lignes blanches en zigzag qui accentuaient son tatouage et le mettaient en valeur. Il portait, à la manière d'une cape, une peau de lion des cavernes, le même lion dont Talut exhibait la queue. Le collier de Mamut était fait de tronçons taillés dans la défense d'un jeune mammouth et évidés, entre lesquels s'intercalaient des crocs de différents animaux, dont celui d'un lion des cavernes, pareil à celui d'Ayla.

— Talut projette de chasser. Je vais donc faire la Recherche, annonça le chaman. Joins-toi à moi, si tu le peux... et si tu le veux. En tout cas, tiens-toi prête.

Elle hocha la tête, mais un malaise lui serra l'estomac.

Tulie vint vers eux, sourit à la jeune femme.

— J'ignorais que Deegie allait t'offrir cette tenue, Ayla, dit-elle. Je ne sais pas si je l'aurais approuvée, il y a quelques jours : elle y avait consacré des heures de travail. Mais cette tenue te va très bien, je dois le reconnaître.

Sans savoir que répondre, la jeune femme lui rendit son sourire.

— C'est pour cela que je la lui ai donnée, déclara Deegie, qui s'approchait avec le crâne qu'elle utilisait pour faire de la musique. J'essayais de découvrir le procédé qui pourrait rendre le cuir aussi clair. Je pourrai toujours recommencer.

— Je suis prêt, annonça Tornec.

Lui aussi arrivait avec son instrument, l'os de mammouth.

— Bien. Vous pourrez commencer dès qu'Ayla distribuera les pierres à feu, dit Mamut. Où est Talut ?

— Il sert son breuvage personnel, répondit Tornec en souriant, et il se montre très généreux. A l'entendre, il tient à célébrer l'événement comme il convient.

— Ce qui ne saurait manquer ! déclara le gigantesque chef. Tiens, Ayla, je t'ai apporté une coupe. Après tout, la cérémonie se déroule en ton honneur !

La jeune femme but une gorgée. La saveur fermentée n'était toujours pas entièrement à son goût, mais tous les autres Mamutoï paraissaient y prendre plaisir. Elle apprendrait, elle aussi, à la savourer, décida-t-elle. Elle tenait à être l'une d'entre eux, à faire ce qu'ils faisaient, à aimer ce qu'ils aimaient. Elle vida la coupe. Talut la remplit.

— Talut te dira quand tu devras commencer à distribuer les pierres, Ayla. Pour chacune, fais jaillir une étincelle avant de la donner, expliqua Mamut.

Elle acquiesça, baissa les yeux sur la coupe qu'elle tenait dans sa main, en avala le contenu. Le breuvage très fort lui fit secouer la tête. Elle posa la coupe pour prendre les pyrites.

Dès que toute l'assemblée fut installée, Talut déclara :

— Ayla fait désormais partie du Camp du Lion, mais elle a encore un cadeau à nous faire. Pour chaque foyer, une pierre à faire le feu. Nezzie est la gardienne du Foyer du Lion. Ayla remettra la pierre à feu à sa garde.

En s'avançant vers Nezzie, la jeune femme frappa la pyrite de fer avec le silex. Une brillante étincelle jaillit. Elle remit la pierre à Nezzie.

— Qui est le gardien du Foyer du Renard ? poursuivit Talut.

Deegie et Tornec commencèrent à frapper sur leurs instruments.

— Je le suis. Ranec est le gardien du Foyer du Renard.

Ayla lui apporta une pierre, en fit jaillir l'étincelle. Mais, quand elle la lui donna, il murmura d'une voix chaude :

— Les fourrures de renards sont plus douces, plus belles que toutes celles que j'ai vues. Je les garderai sur mon lit et je penserai à toi chaque nuit, quand j'en sentirai le contact sur ma peau nue.

Il lui effleura la joue du dos de la main, très légèrement, mais elle éprouva un choc physique.

Troublée, elle recula. Déjà, Talut appelait le gardien du Foyer du Renne. Elle dut s'y reprendre à deux fois pour faire jaillir l'étincelle de la pyrite, pour Tronie. Fralie reçut la pierre pour le Foyer de la Grue. Quand elle en eut remis une à Tulie et une autre à Mamut, pour le Foyer du Mammouth, Ayla se sentait tout étourdie. Elle fut heureuse de s'asseoir près du feu, à l'endroit que lui indiqua Mamut.

Le rythme des instruments commençait à produire son effet. Le bruit était à la fois apaisant et insistant. L'habitation était plongée dans l'ombre : la seule lumière était celle d'un petit feu, diffusée par l'écran. Ayla entendait un souffle, tout près d'elle. Elle chercha des yeux d'où venait cette respiration. Il y avait, tapi près du feu, un homme... ou bien était-ce un lion ? Le souffle se changea en un grondement étouffé qui était presque — mais pas tout à fait, pour son oreille exercée — le grondement d'avertissement d'un lion des cavernes. Le martèlement des tambours reprit le son, comme pour lui donner plus de résonance et de profondeur.

Soudain, avec un rugissement sauvage, la silhouette du lion bondit, se détacha derrière l'écran. Mais le bond faillit bien être arrêté dans son élan par la réaction instinctive d'Ayla. Elle défia l'ombre du lion par un grondement si bien imité, si menaçant qu'il amena la plupart des spectateurs à étouffer un cri. La silhouette reprit la posture du lion, répondit par le grondement assourdi du fauve prêt à céder. Ayla poussa le furieux rugissement de la victoire, avant d'entamer une série de « *Hunk, hunk, hunk* » qui allaient s'atténuant, comme si le fauve s'éloignait.

Mamut sourit secrètement. Son personnage de lion est si parfait qu'il tromperait même un lion véritable, se disait-il. Il était heureux que, spontanément, elle eût pris part à son jeu. Ayla ne savait pas elle-même ce qui l'avait poussée à le faire : simplement, après ce premier défi inattendu, elle avait trouvé amusant de parler le langage du lion avec Mamut. Elle n'avait rien fait de semblable depuis le jour où Bébé avait quitté sa vallée. Les tambours avaient souligné la scène, mais ils suivaient maintenant la silhouette qui se mouvait d'une allure souple derrière l'écran. Ayla était assez proche pour voir que l'illusion était créée par Mamut. Pourtant, elle-même s'y laissait prendre. Elle se demandait en même temps comment le vieil homme, normalement raidi par les rhumatismes, pouvait se mouvoir avec une telle agilité. Elle se rappela alors l'avoir vu, au début de la soirée, avaler un breuvage. Sans doute pour calmer ses douleurs, se dit-elle.

Subitement, Mamut, d'un bond, jaillit de derrière l'écran pour s'accroupir près du crâne de mammouth qui lui servait de tambour. Un court instant, il y battit un roulement rapide, avant de s'arrêter avec la même soudaineté. Il prit une coupe qu'Ayla n'avait pas encore remarquée, y but, avant de s'approcher d'elle pour la lui tendre. Sans même réfléchir, elle prit une gorgée, puis une autre. Le goût était fort, musqué, déplaisant. Emportée par l'éloquence des tambours, elle ne tarda pas à en ressentir les effets.

Les flammes qui dansaient derrière l'écran donnaient aux silhouettes peintes une apparence de vie. Hypnotisée par elles, elle entendit à peine, au loin, les voix du Camp commencer à psalmodier. Un bébé se mit à pleurer, mais sa voix semblait venir d'un autre monde. Elle était entraînée par l'étrange mouvement vacillant des animaux peints sur l'écran. Ils paraissaient presque vivants, cependant que la musique des tambours faisait naître en elle un vacarme de sabots, de meuglements de jeunes bisons, de barrissements d'éléphants.

Brusquement, l'ombre disparut, céda la place à un soleil brumeux au-dessus d'une plaine enneigée. Un petit groupe de bœufs musqués était étroitement rassemblé, sous un blizzard qui tourbillonnait autour d'eux. En descendant rapidement vers eux, elle sentit qu'elle n'était pas seule. Mamut l'accompagnait. La scène changea. La tempête était finie. Des tourbillons de neige, poussés par le vent, parcouraient la steppe comme des blancs fantômes. Elle et Mamut s'éloignaient de cette solitude désolée. Elle vit alors quelques bisons. Stoïquement immobiles, ils se tenaient du côté sous le vent d'une étroite vallée pour essayer de se mettre à l'abri. Elle-même suivait la rivière qui traversait des gorges profondes. Mamut et elle planèrent au-dessus d'un affluent qui s'étranglait un peu plus loin dans un canyon aux murailles abruptes. Elle vit alors le sentier familier qui montait du lit à sec d'un cours d'eau saisonnier...

Soudain, elle se retrouva dans un endroit sombre. Elle regardait un petit feu et des gens assemblés autour d'un écran. Elle entendait une lente psalmodie, la continuelle répétition d'un bruit. Elle battit des paupières, vit confusément des visages, reconnut enfin ceux de Nezzie, de Talut et de Jondalar. Ils la dévisageaient d'un air inquiet.

— Tu vas bien ? questionna Jondalar, en zelandonii.

— Mais oui, je vais bien. Que s'est-il passé ? Où étais-je ?

— C'est à toi de me le dire.

— Comment te sens-tu ? demanda Nezzie. Mamut prend toujours de cette tisane, après...

— Sens très bien.

Ayla se redressa, prit la coupe. Oui, elle se sentait très bien. Un peu lasse, un peu étourdie, mais très bien.

Mamut s'approcha d'elle.

— Tu as eu moins peur, je crois, cette fois, dit-il.

Elle lui sourit.

— Non, pas peur, mais où être allés ?

— Nous avons fait la Recherche. Je pensais bien que tu avais le don de Recherche. Voilà pourquoi tu es une fille du Foyer du Mammouth. Tu possèdes d'autres talents naturels, Ayla, mais tu as besoin d'être initiée.

Il la vit froncer les sourcils.

— Ne t'en inquiète pas maintenant. Tu auras tout le temps d'y réfléchir par la suite.

Talut servit de son breuvage à Ayla et à quelques autres. Pendant ce temps, Mamut leur parlait de la Recherche, leur disait où ils étaient allés, ce qu'ils avaient trouvé.

Ayla vida sa coupe d'un trait — le goût était moins désagréable, ainsi — essaya d'écouter. Mais le breuvage, semblait-il, lui montait à la tête. Son esprit s'égarait. Deegie et Tornec, remarqua-t-elle, jouaient toujours de leurs instruments. Le rythme était si entraînant qu'il lui donnait envie de le suivre. Il lui rappelait la Danse des Femmes, au Clan, et elle avait peine à se concentrer sur ce que disait Mamut.

Elle sentit un regard posé sur elle, tourna la tête. Près du Foyer du Renard, elle vit Ranec qui la contemplait. Il lui sourit, et elle lui rendit son sourire. Talut surgit brusquement pour lui remplir sa coupe. Ranec s'avança, tendit la sienne. Talut s'exécuta, revint à la discussion en cours.

— Tout ça ne t'intéresse pas, n'est-ce pas ? Allons là-bas, là où Deegie et Tornec font de la musique, dit Ranec à voix basse, tout près de l'oreille de la jeune femme.

— Non, crois pas. Parlent chasse.

Ayla se retourna vers ceux qui discutaient sérieusement, mais elle ne savait plus où ils en étaient, et ils ne paraissaient pas se soucier qu'elle les écoutât ou non.

— Tu ne perdras rien : ils nous en parleront plus tard, dit Ranec.

Il se tut un instant, le temps pour elle d'entendre la pulsation des sons musicaux qui provenaient de l'autre extrémité du foyer.

— Tu ne préférerais pas voir comment s'y prend Tornec pour produire cette musique ? Il est vraiment très habile.

Attirée par le rythme, Ayla se pencha de ce côté. Elle jeta un coup d'œil vers le groupe qui dressait ses plans, regarda Ranec et lui adressa un sourire radieux.

— Oui, aime mieux voir Tornec, dit-elle, très satisfaite d'elle-même.

Ils se levaient quand Ranec, tout près d'elle, l'immobilisa.

— Il faut cesser de sourire, Ayla, dit-il d'un ton grave et sévère.

— Pourquoi ? demanda-t-elle.

Son sourire s'était évanoui, elle se demandait ce qu'elle avait fait de mal.

— Parce que, quand tu souris, tu es si jolie que tu me coupes le souffle, riposta-t-il.

Il parlait avec la plus grande sincérité, mais il ajouta :

— Et comment pourrais-je t'accompagner si je suis à bout de souffle ?

Le compliment ramena le sourire sur les lèvres d'Ayla, et l'idée de le voir perdre le souffle parce qu'elle souriait la fit rire tout de bon. Bien sûr, c'était une plaisanterie, se disait-elle. Mais elle n'en était pas absolument sûre. Ils se dirigèrent vers la nouvelle entrée du Foyer du Mammouth.

Jondalar les regarda approcher. En attendant Ayla, il avait écouté la musique avec plaisir, mais il n'en prit aucun à la voir s'avancer vers les musiciens en compagnie de Ranec. La jalousie lui serrait la gorge, il éprouvait le désir incoercible de frapper l'homme qui osait faire des avances à la femme qu'il aimait. Mais Ranec, en dépit de son aspect différent, était un Mamutoï, il appartenait au Camp du Lion. Jondalar n'était qu'un invité. Tous prendraient parti pour un membre de leur groupe. Lui, il était seul. Il fit appel à son sang-froid, à sa raison. Ranec et Ayla se promenaient ensemble. Quel mal trouver à cela ?

Dès le début, il avait éprouvé des sentiments mêlés à propos de l'adoption de la jeune femme. Certes, il voulait la voir appartenir à un groupe, parce qu'elle le désirait elle-même et qu'ainsi, il se l'avouait, elle serait plus acceptable aux yeux de son propre peuple. Il avait été témoin de sa joie, pendant les échanges de cadeaux, et il en était heureux pour elle. En même temps,il se sentait très loin de cette joie et plus inquiet que jamais à l'idée qu'elle pourrait ne plus vouloir partir. Peut-être, se disait-il, aurait-il dû accepter de se laisser adopter, lui aussi.

Au début, il avait eu l'impression de participer à l'adoption de la jeune femme. A présent, il se faisait l'effet d'un étranger, même pour Ayla. Elle était maintenant l'une d'entre eux. C'était une fête qui lui appartenait, à elle et au Camp du Lion. Il ne lui avait offert aucun présent, n'en avait pas reçu d'elle. L'idée ne lui en était même pas venue, et il se reprochait maintenant de ne pas y avoir songé. Mais il n'avait rien à donner, ni à elle ni à personne. Il était arrivé sans rien, il n'avait pas consacré des années à confectionner et à accumuler des objets. Il avait appris beaucoup au cours de ses voyages, il avait amoncelé des connaissances mais il n'avait pas encore eu l'occasion d'en tirer profit. Tout ce qu'il avait apporté avec lui, c'était Ayla.

Le visage assombri, Jondalar la regardait sourire et rire avec Ranec. Il avait l'impression d'être un intrus encombrant.

19

La discussion se termina. Talut servit de nouveau son breuvage fermenté, à base de racines de massettes et de divers autres ingrédients, dont il modifiait sans cesse la composition. Les réjouissances redoublèrent. Deegie et Tornec faisaient de la musique, les gens chantaient, parfois en chœur, parfois seuls. Certains dansaient : ce n'était plus la danse débridée dont Ayla avait été témoin plus tôt, à l'extérieur. Il s'agissait de mouvements délicats du corps, exécutés sur place au rythme de la musique, souvent sur un accompagnement chanté.

A plusieurs reprises, Ayla remarqua que Jondalar se tenait à l'écart et voulut s'approcher de lui, mais, chaque fois, quelqu'un l'en empêcha. L'assistance était nombreuse, et tous semblaient rivaliser pour capter son attention. Le breuvage de Talut lui avait tourné la tête et elle se laissait aisément déconcentrer.

Elle fit un essai sur le crâne de mammouth qui servait de tambour à Deegie, reçut des encouragements enthousiastes et retrouva le souvenir de certains rythmes du Clan. Ils étaient complexes, très particuliers et, pour le Camp du Lion, originaux, déconcertants. Si Mamut avait conservé certains doutes sur les origines d'Ayla, les souvenirs évoqués par son jeu les éliminèrent totalement.

Ranec, alors, se leva pour danser sur une chanson amusante, pleine de sous-entendus et de doubles sens, à propos des Plaisirs des Cadeaux. La chanson s'adressait directement à Ayla. Elle fit naître de larges sourires, des regards avertis, et sa signification était assez claire pour faire rougir la jeune femme. Deegie lui montra comment danser et chanter la réponse ironique, mais, à la fin, au moment où il fallait laisser entendre un consentement ou un refus, Ayla se tut. Elle ne pouvait formuler ni l'un ni l'autre. Elle comprenait mal les subtilités du jeu. Elle n'avait pas l'intention d'encourager Ranec mais elle ne voulait pas non plus lui donner à croire qu'il lui déplaisait. Ranec, lui, sourit. Sous les apparences de l'humour, la chanson servait souvent à découvrir si l'attirance était mutuelle. Même un refus catégorique n'aurait pu le dissuader. L'indice le plus léger lui semblait donc un encouragement.

Ayla était étourdie à force de boire, de rire, de répondre à toutes les attentions qui lui étaient prodiguées. Tout le monde voulait lui parler, l'écouter, tout le monde lui passait un bras autour de la taille pour la serrer étroitement. Jamais elle ne s'était autant amusée, jamais elle ne s'était sentie si aimée, si désireuse de rendre l'affection témoignée. Et, toutes les fois qu'elle se retournait, c'était pour voir un sourire éclatant, ravi, des yeux sombres, étincelants, qui ne la quittaient pas.

La soirée s'écoulait. L'assistance commençait à se clairsemer. Des enfants endormis étaient emportés vers leurs lits. Fralie, sur le conseil d'Ayla, était allée se coucher de bonne heure, et les autres occupants du Foyer de la Grue l'avaient suivie de près. Tronie, qui se plaignait d'un mal de tête — elle ne se sentait pas très bien, ce soir-là —, regagna son foyer pour donner le sein à Hartal et s'endormit. Jondalar, presque au même moment, s'éclipsa, lui aussi. Il s'allongea sur leur plate-forme de couchage pour y attendre Ayla, sans cesser de l'observer.

Après quelques coupes de la bouza de Talut, Wymez, contrairement à son habitude, était devenu volubile. Il contait des histoires, adressait des remarques taquines, d'abord à Ayla, puis à Deegie et aux autres femmes. Tulie commença à le trouver intéressant et répliqua sur le même ton. Elle finit par l'inviter à passer la nuit au Foyer de l'Aurochs, avec elle et Barzec. Elle n'avait pas partagé son lit avec un autre homme depuis la mort de Darnev.

Wymez décida que l'idée ne serait peut-être pas mauvaise de laisser le foyer à Ranec. Peut-être, par ailleurs, était-il indiqué de faire savoir qu'une femme pouvait choisir deux hommes. Il était conscient de la situation qui se développait, tout en doutant qu'un accord pût se faire entre Ranec et Jondalar. La grande et forte femme lui paraissait, ce soir-là, particulièrement attirante. Celle Qui Ordonne était tenue en grande estime, elle pouvait lui attribuer un statut appréciable. Qui pouvait dire quelles décisions pourrait prendre Ranec s'il envisageait de modifier la composition du Foyer du Renard ?

La femme et les deux hommes se dirigèrent vers le fond de l'habitation. Peu après, Talut, tout en plaisantant, entraîna Nezzie vers le Foyer du Lion. Deegie et Tornec s'absorbèrent dans la manipulation de leurs instruments, sans plus prêter attention à ce qui se passait autour d'eux, et Ayla crut reconnaître certains rythmes. Elle s'aperçut que Ranec et elle parlaient maintenant en tête à tête, s'en trouva confuse.

— Tout le monde aller au lit, je crois, dit-elle d'une voix un peu indistincte.

Les effets de la bouza se faisaient sentir : elle se balançait légèrement sur ses jambes. La plupart des lampes étaient éteintes. Le feu était au plus bas.

— Peut-être devrions-nous faire comme eux, répondit Ranec en souriant.

Ayla discerna une invitation tacite dans les yeux brillants. Elle eut envie d'y céder mais elle ne savait trop comment s'y prendre.

— Oui, suis fatiguée, dit-elle.

Elle se dirigeait vers sa propre plate-forme, mais il lui prit la main pour la retenir.

— Ne pars pas, Ayla.

Il ne souriait plus. Sa voix était insistante.

Elle se retourna. Aussitôt, il l'entoura de ses bras, posa sur la sienne une bouche dure. Elle entrouvrit les lèvres, et il réagit immédiatement. Il fit pleuvoir des baisers sur sa bouche, son cou, sa gorge. Ses mains se tendirent vers ses seins, caressèrent ses hanches, ses cuisses, s'aventurèrent au plus secret de son être. On aurait dit qu'il ne pouvait se rassasier d'elle, qu'il la voulait tout entière à lui, tout de suite. Elle était parcourue de frissons qu'elle ne pouvait réprimer. Il la serra contre lui, elle prit conscience de son ardente virilité et se sentit fondre en retour.

— Ayla, je te veux. Viens partager mon lit, murmura-t-il d'un ton pressant, irrésistible.

Avec une étrange complaisance, elle le suivit.

Durant toute la soirée, Jondalar avait regardé la femme qu'il aimait rire, plaisanter et danser avec son nouveau peuple. Plus il l'observait, plus il se faisait l'effet d'un intrus. Mais c'étaient surtout les attentions du sculpteur à la peau sombre qui l'irritaient. Il mourait d'envie de donner libre cours à sa colère, d'intervenir, d'enlever Ayla, mais elle était là chez elle, à présent, c'était la soirée de son adoption. De quel droit aurait-il troublé la fête ? Il ne pouvait que prendre une expression tolérante, mais il était très malheureux. Il regagna sa plate-forme de couchage et demanda l'oubli à un sommeil qui se refusait à lui.

Dans l'ombre où il était étendu, Jondalar, entre les rideaux, vit Ranec étreindre Ayla et la guider vers son lit. Il éprouva le choc de l'incrédulité. Comment pouvait-elle suivre un autre homme, alors que lui-même l'attendait ? Aucune femme n'avait jamais choisi quelqu'un d'autre alors qu'il la désirait, et il s'agissait cette fois de la femme qu'il aimait ! Il eut envie de bondir hors de sa couche, d'aller l'arracher à l'autre, d'écraser de son poing cette bouche souriante.

Mais il imagina les dents cassées, le sang, se remémora l'horrible souffrance de la honte, de l'exil. Ces gens-là n'étaient même pas son peuple. Assurément, ils le chasseraient, et, dans la nuit des plaines glaciales, il n'avait aucun endroit où aller. Et comment pourrait-il partir sans son Ayla ?

Mais elle avait fait son choix. Elle avait choisi Ranec, et il lui appartenait de choisir qui elle voulait. Jondalar l'attendait, oui, mais cela ne voulait pas dire qu'elle fût obligée de venir à lui, et elle n'était pas venue. Elle avait choisi un homme de son propre peuple, un Mamutoï, qui avait chanté, dansé avec elle, qui lui avait fait la cour, avec lequel elle avait ri, avec lequel elle s'était amusée. Pouvait-il l'en blâmer ? Combien de fois lui était-il arrivé, à lui-même, de choisir une femme avec laquelle il avait ri, avec laquelle il s'était amusé ?

Mais comment avait-elle pu agir ainsi ? Elle était la femme qu'il aimait ! Comment pouvait-elle choisir quelqu'un d'autre, quand il l'aimait ? Jondalar se sentait plonger dans l'angoisse et le désespoir, mais que pouvait-il faire ? Rien, sinon ravaler l'amère nausée de la jalousie et regarder la femme qu'il aimait suivre un autre homme jusqu'à sa couche.

Ayla n'avait pas l'esprit très clair, par la faute du breuvage de Talut, et elle se sentait certainement attirée par Ranec, mais ce n'étaient pas les raisons qui l'avaient poussée à le suivre. Elle l'aurait fait de toute manière. Elle avait été élevée par le Clan. On lui avait appris à obéir, sans question, à tout homme qui lui commandait de le suivre, qui lui donnait le signal qu'il désirait s'accoupler avec elle.

Quand un homme du Clan donnait ce signal à une femme, elle devait lui rendre ce service, tout comme elle lui aurait apporté à manger ou à boire. On estimait plus courtois de solliciter d'abord ce service auprès du compagnon de la femme, ou de l'homme avec lequel on la voyait généralement. Mais ce n'était pas une obligation, et l'autorisation aurait été accordée tout naturellement. La compagne d'un homme lui devait obéissance, mais pas exclusivement. Le lien qui existait entre un homme et une femme était pour leur bien mutuel. C'était un lien d'amitié et, au bout d'un certain temps, d'affection. Mais montrer de la jalousie ou toute autre émotion violente était inimaginable. La compagne d'un homme, même si elle rendait un petit service à un autre, ne lui en appartenait pas moins, et il n'en aimait pas moins les enfants de celle qui partageait sa vie. Il assumait à leur égard une certaine responsabilité, pour leur santé, leur éducation, mais le produit de la chasse contribuait à nourrir son clan, et toute nourriture, végétale ou animale, était partagée.

Ranec avait donné à Ayla ce qu'elle en était venue à considérer comme le « signal » des Autres : l'ordre de satisfaire ses besoins sexuels. Comme pour toute femme bien éduquée par le Clan, il ne lui était pas venu à l'esprit de refuser. Elle jeta bien un coup d'œil vers sa propre plate-forme mais elle ne vit pas les yeux bleus emplis d'incrédulité et de souffrance. Si elle les avait vus, leur expression l'aurait surprise.

Lorsqu'ils parvinrent au Foyer du Renard, l'ardeur de Ranec ne s'était pas refroidie. Toutefois, quand Ayla fut dans son domaine, il retrouva un certain sang-froid, bien qu'il eût encore peine à croire à sa présence. Ils s'assirent sur le lit. Elle remarqua la présence des fourrures blanches qu'elle lui avait offertes. Elle se préparait à dénouer sa ceinture, mais Ranec arrêta son geste.

— Je veux te déshabiller, Ayla. J'ai rêvé de ce moment et je tiens à ce qu'il se passe précisément comme je l'ai désiré.

Docilement, elle haussa les épaules. Elle avait déjà remarqué que, par certains côtés, Ranec était différent de Jondalar et elle était curieuse de le constater de plus près. Il n'était pas question de juger quel homme était le meilleur, mais simplement de connaître les différences.

Ranec la contempla un moment.

— Tu es si belle, dit-il enfin.

Il se pencha pour l'embrasser. Ses lèvres étaient tendres, bien qu'elles fussent capables de se durcir pour certains baisers. Elle vit sa main sombre, soulignée par la blancheur des fourrures, et lui caressa doucement le bras. Sa peau, sous les doigts, était comme toutes les autres.

Il commença par ôter les perles et les coquillages dont elle avait orné sa chevelure, avant d'y passer les mains et de l'approcher de son visage pour en apprécier le contact, en respirer le parfum.

— Belle, si belle, murmura-t-il.

Il détacha son collier, son sac à amulette tout neuf, les posa soigneusement, à côté des perles, à la tête de son lit. Il délia alors sa ceinture, se leva et l'entraîna dans son mouvement. Il se remit soudain à faire pleuvoir des baisers sur son visage, sur sa gorge, tout en caressant son corps, sous la tunique, comme s'il ne pouvait attendre davantage. Il effleura un mamelon du bout des doigts, et elle se sentit parcourue d'un frisson. Elle s'appuya contre lui, offerte.

Il interrompit ses caresses, reprit longuement son souffle, avant de passer la tunique par-dessus la tête de la jeune femme, la plia méticuleusement pour la placer à côté de ses autres affaires. Après quoi, il contempla longuement Ayla, comme s'il voulait graver chaque détail dans son esprit. Il la tournait de côté et d'autre, emplissait ses yeux de sa silhouette.

— Parfaite, absolument parfaite. Voyez plutôt ces seins, pleins et pourtant gracieux, tout juste comme il faut, dit-il en passant un doigt léger sur le contour de sa poitrine.

Les yeux clos, elle frissonna de nouveau. Brusquement, une bouche chaude s'empara d'un mamelon, et elle ressentit comme une décharge électrique au plus profond d'elle-même.

— Parfaits, si parfaits, murmura-t-il en passant à l'autre sein.

Il pressa son visage entre les deux, les rapprochant l'un de l'autre pour prendre entre ses lèvres les deux mamelons en même temps. Elle renversa la tête en arrière, se pressa contre lui, tendit les mains vers la tête de son compagnon, laissa ses doigts jouir du contact nouveau de la chevelure si drue, aux boucles si serrées.

Ils étaient encore debout lorsqu'il s'écarta d'elle, la regarda en souriant, avant de délier sa ceinture et de faire glisser ses jambières. Il la fit asseoir, se débarrassa vivement de sa propre tunique pour la poser sur celle de la jeune femme. Puis il s'agenouilla devant elle, lui enleva un de ses mocassins.

— Es-tu chatouilleuse ? demanda-t-il.

— Un peu, sur fesses.

— Aimes-tu ça ?

Il lui massait le pied, doucement mais fermement, insistait sur la cambrure.

— Est bon.

Il posa les lèvres sur la cambrure.

— Est bon, répéta-t-elle, avec un sourire.

Il lui sourit à son tour, enleva l'autre mocassin, lui massa le pied. Il lui enleva ses jambières les rangea, elles et les mocassins, avec le reste. Il lui prit les mains, la fit lever. Elle se retrouva nue dans les dernières lueurs des braises mourantes qui venaient du Foyer du Mammouth. De nouveau, il la tourna, la retourna.

— O Mère ! Si belle, si parfaite ! Tout à fait comme je le pensais...

Il parlait pour lui-même plus que pour elle.

— Ranec, suis pas belle, protesta-t-elle.

— Tu devrais te voir, Ayla. Tu changerais d'avis.

— Aimable dire ça, penser ça, mais suis pas belle, insista-t-elle.

— Tu es plus jolie qu'aucune femme de ma connaissance.

Elle se contenta d'un hochement de tête. Il pouvait garder cette conviction s'il y tenait. Elle ne pouvait pas l'en empêcher.

Après avoir rassasié sa vue, il passa au toucher. D'abord légèrement, du bout des doigts, il la parcourut tout entière, sous des angles différents. Puis, plus en détail, il dessina la structure musculaire sous la peau.

Il s'arrêta soudain, se débarrassa du reste de ses vêtements, les abandonna là où ils étaient tombés. Il prit alors Ayla entre ses bras, pour goûter le contact de tout son corps contre le sien. Elle le sentait, elle aussi, elle respirait son agréable odeur masculine. Il lui embrassa les lèvres, le visage, le cou, lui mordilla tendrement l'épaule, murmura très bas :

— Si merveilleuse, si parfaite. Ayla, je te désire de toutes les manières. Je veux te voir, te toucher, te tenir contre moi. O Mère, tu es si belle...

Ses mains se retrouvaient sur les seins de la jeune femme, ses lèvres sur les mamelons. Il émettait de nouveaux petits grognements de plaisir. Il s'agenouilla, noua les bras autour de ses jambes, les mains posées sur la peau douce des deux éminences jumelles. Ses caresses se firent plus précises et elle gémit.

Il se releva, l'aida à s'étendre sur le lit, sur les fourrures moelleuses, caressantes. Il se glissa auprès d'elle, se remit à l'embrasser, à la caresser. Elle gémit de nouveau, cria même : elle avait l'impression qu'il la touchait partout à la fois.

Il lui prit la main, la posa sur son organe viril. Elle l'enchanta aussitôt par l'ardeur qu'elle mit à lui plaire. C'était plus qu'il n'avait jamais imaginé, plus qu'il n'avait osé rêver. Il gémissait à son tour.

— Oh, Ayla, Ayla ! Tu es Elle ! Je le savais. Tu me fais grand honneur.

Tout à coup, il se redressa.

— Je te veux, je ne peux plus attendre. Maintenant, je t'en prie ! supplia-t-il d'une voix rauque, étranglée.

Elle roula sur elle-même, s'offrit à lui. Il la pénétra avec force, avec fougue, et, à chacun de ses cris, sa voix montait d'un degré. Ayla, le corps arqué, s'efforçait de suivre son rythme. Il exhala enfin un long soupir, se laissa retomber sur elle. Elle mit un peu plus longtemps à se détendre.

Au bout d'un moment, Ranec se redressa, se dégagea pour s'allonger à côté d'elle. Il se releva sur un coude pour la regarder.

— J'ai peur de n'avoir pas été aussi parfait que toi, dit-il.

Elle plissa le front.

— Comprends pas « parfait », Ranec. Quoi est parfait ?

— J'ai été trop vite. Tu es si merveilleuse, si parfaite dans tout ce que tu fais. J'étais prêt trop tôt. Je ne pouvais plus attendre et je pense que ça n'a pas été aussi parfait pour toi.

— Ranec, c'est Don de Plaisir, non ?

— Oui, on peut l'appeler ainsi.

— Tu crois ne pas être Plaisir pour moi ? Ai eu Plaisirs. Beaucoup.

— Beaucoup, mais pas le Plaisir parfait. Si tu veux bien attendre un peu, je pense que, dans un moment...

— Est pas nécessaire.

— Ce n'est peut-être pas nécessaire, Ayla, mais moi, je le veux.

Il se pencha pour l'embrasser, la caresser. A son contact, elle eut un sursaut. Elle tremblait encore.

— Je te demande pardon. Tu étais presque prête. Si j'avais pu tenir un peu plus longtemps...

Elle ne répondit pas. Elle bougeait les hanches, se pressait contre lui, criait. Soudain, le plaisir vint. Elle se laissa retomber sur les fourrures, lui sourit.

— Maintenant, connais Plaisirs parfaits, dit-elle.

— Pas tout à fait, mais peut-être la prochaine fois. Il y aura bien d'autres fois, j'espère, Ayla.

Il s'était recouché près d'elle, la main posée sur son ventre. Déconcertée, elle fronça les sourcils. Y avait-il quelque chose qu'elle n'avait pas compris ? se demandait-elle.

Dans la lumière diffuse, il vit sa main brune sur la peau claire de la jeune femme et sourit. Il appréciait toujours le contraste entre sa peau sombre et le teint lumineux des femmes avec lesquelles il partageait les Plaisirs. Ce contraste laissait une impression qu'aucun autre homme ne pouvait produire. Elles le remarquaient toujours et n'oubliaient jamais Ranec. Il était heureux que la Mère eût choisi de lui donner cette couleur. Elle faisait de lui un être à part, inoubliable.

Il aimait sentir sous sa main le ventre d'Ayla. Il aimait plus encore savoir qu'elle était là, près de lui, dans son lit. Il avait espéré, souhaité, rêvé ce moment, et, maintenant encore, alors qu'elle était là, cela lui semblait impossible.

Il remonta sa main jusqu'à un sein, pinça le mamelon, le sentit durcir. Ayla, fatiguée, la tête un peu douloureuse, commençait à sommeiller. Quand les lèvres de Ranec se posèrent sur les siennes, elle comprit qu'il la désirait, qu'il lui donnait de nouveau le signal. Un instant contrariée, elle eut envie de refuser. Elle en fut surprise, presque choquée et, du coup, se réveilla complètement. Les caresses de Ranec l'amenèrent très vite à oublier sa contrariété.

— Ayla, ma belle Ayla, murmurait-il.

Il se redressa pour mieux la voir.

— O, Mère ! Je ne peux pas croire que tu es là. Si ravissante. Cette fois, ce sera parfait, Ayla. Cette fois, je le sais, ce sera parfait.

Rigide sur le lit, les mâchoires crispées, Jondalar était dévoré du désir de frapper le sculpteur mais se contraignait à ne pas bouger. Elle avait regardé vers lui, avant de s'écarter pour suivre Ranec. Toutes les fois qu'il fermait les yeux, il voyait le visage d'Ayla, tourné vers lui puis se détournant.

« A elle de choisir ! A elle de choisir ! » se répétait-il. Elle disait qu'elle l'aimait, mais comment pouvait-elle seulement le savoir ? Certes, elle avait pu avoir de l'affection pour lui et même l'aimer, du temps où ils vivaient seuls dans sa vallée : elle ne connaissait personne d'autre, alors. Il était le premier homme qu'elle eût jamais connu. Mais elle en avait maintenant rencontré d'autres. Pourquoi ne pourrait-elle pas aimer quelqu'un d'autre ? Il était juste qu'elle pût faire son propre choix. Il essayait de s'en convaincre mais il ne pouvait arracher de son esprit la pensée que, ce soir-là, elle avait choisi un autre homme.

Depuis le jour où il était revenu de son séjour chez Delanar, Jondalar, grand, musclé, beau, n'avait eu qu'à faire son choix parmi les femmes. Un seul regard d'invite, de ses yeux d'un bleu incroyable, et la femme qu'il désirait était à lui. En fait, elles l'encourageaient. Elles le suivaient, elles le recherchaient avidement, elles souhaitaient un signe de lui. Il cédait à leurs avances, mais aucune femme ne pouvait effacer le souvenir de son premier amour ni le délivrer de son fardeau de culpabilité. Et maintenant, la femme unique au monde, qu'il avait fini par découvrir, la seule femme qu'il aimât, était dans le lit d'un autre homme.

La seule idée qu'elle eût choisi quelqu'un d'autre lui était une souffrance. Mais, quand il entendit les bruits qui prouvaient indubitablement qu'elle partageait les Plaisirs avec Ranec, il étouffa un gémissement, martela la couche de ses poings et se plia en deux. Il avait l'impression qu'une braise ardente lui brûlait les entrailles. La poitrine contractée, la gorge en feu, il respirait par saccades, comme s'il étouffait dans une atmosphère enfumée. Malgré ses efforts pour tenir ses paupières étroitement closes, des larmes brûlantes venaient perler au coin de ses yeux.

La crise s'apaisa enfin, et il se détendit quelque peu. Mais tout recommença bientôt, et il ne put en supporter davantage. Il sauta du lit, resta un instant immobile, hésitant, avant de s'élancer vers l'entrée de la nouvelle écurie. Whinney sur son passage, dressa les oreilles et se tourna vers lui au moment où il sortait.

Le vent le projeta contre le mur. Le brusque assaut du froid lui coupa le souffle, le ramena brutalement à la réalité de ce qui l'entourait. De l'autre côté de la rivière gelée, des nuages passaient devant la lune. Jondalar s'éloigna de quelques pas de son abri. Les poignards du vent transperçaient sa tunique et, lui semblait-il, sa peau, ses muscles, jusqu'à la moelle de ses os.

Il rentra, frissonnant, traversa l'écurie d'un pas lourd, se retrouva dans le Foyer du Mammouth. Raidi, il tendit l'oreille, n'entendit rien de prime abord. Mais il perçut bientôt des bruits de respirations, des gémissements, des grognements. Il regarda la plate-forme de couchage, se retourna vers l'annexe des chevaux, sans savoir de quel côté se diriger. Il ne pouvait pas rester à l'intérieur, mais dehors, il ne survivrait pas. Finalement, il n'y put tenir plus longtemps. Il lui fallait sortir de là. Il empoigna ses fourrures de voyage et repassa dans l'écurie.

Whinney s'ébroua, secoua la tête. Rapide, couché, se souleva légèrement pour le saluer d'un petit hennissement. Jondalar s'approcha des deux bêtes, étala ses fourrures sur le sol, près de Rapide, s'y blottit. Il faisait froid, mais bien moins froid que dehors. Il n'y avait pas de vent, un peu de chaleur arrivait de l'habitation, et les chevaux en dégageaient aussi. Leur souffle couvrait le bruit d'autres respirations oppressées. Même ainsi, Jondalar demeura éveillé une grande partie de la nuit. Son esprit lui remémorait certains sons, lui représentait certaines scènes, réelles ou imaginaires, sans répit, sans fin.

Ayla se réveilla au moment où les premières lueurs du jour filtraient par les fentes autour du trou à fumée. Elle tendit le bras, à la recherche de Jondalar, fut déconcertée quand sa main toucha Ranec. Avec le souvenir de ce qui s'était passé la nuit précédente vint la conviction qu'elle allait souffrir d'un violent mal de tête, par la faute de la bouza de Talut. Elle se glissa hors du lit, reprit ses vêtements si soigneusement rangés par Ranec et se hâta de rejoindre sa propre couche. Jondalar ne s'y trouvait pas. Elle parcourut les autres du regard. Deegie et Tornec en occupaient une. Ils dormaient. Ayla se demanda s'ils avaient partagé les Plaisirs. Mais elle se rappela que Wymez avait été invité au Foyer de l'Aurochs, et que Tronie ne se sentait pas très bien. Peut-être Deegie et Tornec avaient-ils simplement jugé plus pratique de coucher au Foyer du Mammouth. C'était sans importance. La jeune femme se demandait surtout où était Jondalar.

Elle ne l'avait pas revu, se souvint-elle, après une heure déjà avancée de la nuit. Il était allé se coucher, lui avait dit quelqu'un, mais où était-il à présent ? De nouveau, elle remarqua la présence de Deegie et Tornec. Jondalar, lui aussi, devait dormir dans un autre foyer, se dit-elle. Elle fut tentée de vérifier, mais personne d'autre, apparemment, n'était encore réveillé, et elle ne voulait pas déranger les dormeurs. Mal à l'aise, elle se glissa dans son lit vide, remonta les fourrures sur elle et, au bout d'un moment, se rendormit.

Lorsqu'elle émergea de nouveau du sommeil, on avait enlevé la couverture du trou à fumée, et un soleil éclatant pénétrait à flots. Sur le point de se lever, elle sentit une vive douleur frapper à grands coups dans son crâne. Elle se laissa retomber sur le lit, ferma les yeux. Ou bien je suis très malade, ou bien c'est le résultat de la bouza de Talut, pensa-t-elle. Pourquoi les gens prennent-ils plaisir à la boire, si elle les rend si malades ? Son esprit la ramena à la fête de la veille. Elle n'en gardait pas un souvenir très net, mais elle se rappelait avoir joué des rythmes sur le tambour, avoir dansé, chanté sans d'ailleurs bien savoir comment. Elle avait beaucoup ri, même d'elle-même, quand elle avait découvert qu'elle n'avait à peu près pas de voix, et sans se soucier le moins du monde d'être le point de mire de tous. Cela ne lui ressemblait pas. Normalement, elle préférait se tenir un peu à l'écart, en observatrice, et s'exercer, se perfectionner dans la solitude. Etait-ce la bouza qui avait émoussé ce penchant et l'avait incitée à se montrer moins réservée ? Plus audacieuse ? Etait-ce dans ce but que les gens en buvaient ?

Elle rouvrit les yeux, se leva précautionneusement, en se tenant la tête à deux mains. Elle alla se soulager dans le panier prévu à cet effet — un panier au tressage étanche, à moitié rempli des bouses séchées et pulvérisées des animaux des steppes, qui absorbaient les déjections. Elle se lava ensuite à l'eau froide, ranima le feu, y plaça quelques pierres à cuire. Elle s'habilla avec la tenue qu'elle s'était faite avant de venir en ces lieux. Elle la trouvait maintenant plutôt grossière. Pourtant, lorsqu'elle l'avait cousue, elle lui avait paru très originale, très élaborée.

Toujours sans faire de mouvements brusques, elle prit plusieurs petits paquets dans son sac à remèdes, prépara un mélange, en proportions variées, d'écorce de saule, d'achillée, de bétoine et de camomille. Elle versa de l'eau froide dans la petite corbeille à cuire qu'elle utilisait pour la tisane du matin, y mit des pierres brûlantes pour la faire bouillir, ajouta ensuite les herbes et l'écorce. Elle resta accroupie près du feu, les yeux clos, pour attendre que la tisane infusât. Soudain, elle se releva d'un bond, sans se soucier de la douleur qui lui martelait le crâne, et reprit son sac à remèdes.

J'ai failli oublier, se dit-elle, en sortant les paquets d'herbes contraceptives qui étaient le secret d'Iza. Sans trop savoir si elles aidaient son totem à chasser l'esprit du totem d'un homme, comme le croyait Iza, ou si, comme elle-même le soupçonnait, elles résistaient à l'essence de l'organe masculin, Ayla ne voulait prendre aucun risque de concevoir un enfant. La situation était trop incertaine. Elle avait désiré un enfant amorcé par Jondalar mais, en attendant que l'infusion fût prête, elle se surprit à se demander à qui ressemblerait un petit qui serait un mélange d'elle-même et de Ranec. Serait-il comme lui ? Comme elle ? Aurait-il un peu des deux ? Oui, sans doute... comme Durc et comme Rydag. L'un et l'autre étaient des mélanges. Un fils de Ranec, à la peau sombre, serait différent lui aussi, mais, pensait-elle avec une trace d'amertume, personne ne l'appellerait un monstre, ne le prendrait pour un animal. Il serait capable de parler, de rire, de pleurer, comme tout le monde.

Sachant combien Talut avait apprécié son remède contre les maux de tête, la dernière fois qu'il avait abusé de son breuvage, Ayla en fit assez pour plusieurs personnes. Après avoir vidé sa coupe, elle se mit à la recherche de Jondalar. La nouvelle construction, qui donnait directement sur le Foyer du Mammouth, se révélait bien commode, et la jeune femme était soulagée de ne pas avoir à traverser le Foyer du Renard. Les chevaux étaient dehors, mais, en passant par l'écurie, elle remarqua les fourrures de voyage de Jondalar, roulées au pied du mur, et se demanda comment elles se trouvaient là.

Elle repoussa la lourde tenture de la seconde arche, vit Talut, Wymez et Mamut en conversation avec Jondalar, qui lui tournait le dos.

Elle s'approcha.

— Comment va tête, Talut ? demanda-t-elle.

— Viens-tu m'offrir un peu de ton remède magique ?

— J'ai mal de tête. Je fais tisane. En reste dans foyer, expliqua-t-elle.

Elle se tourna vers Jondalar, avec un joyeux sourire. Elle était heureuse de l'avoir retrouvé.

Un instant, elle reçut un sourire en réponse. Un bref instant seulement. Le visage de son compagnon s'assombrit, ses yeux prirent une expression qu'elle ne leur avait jamais vue.

Le sourire d'Ayla s'effaça.

— Veux infusion aussi, Jondalar ? demanda-t-elle, désemparée, angoissée.

— Pourquoi en aurais-je besoin ? Je n'ai pas trop bu, la nuit dernière, mais sans doute ne l'as-tu pas remarqué.

Sa voix était si froide, si distante qu'elle avait peine à la reconnaître.

— Où tu étais ? J'ai cherché tout à l'heure, mais n'étais pas dans lit.

— Toi non plus, répliqua-t-il. A mon avis, l'endroit où j'étais ne devait pas t'intéresser beaucoup.

Il lui tourna le dos, s'éloigna. Elle regarda les trois autres hommes, lut un certain embarras sur le visage de Talut. Wymez semblait mal à l'aise, sans être pourtant chagriné. Elle fut incapable de déchiffrer l'expression de Mamut.

— Euh... je crois que je vais aller boire un peu de cette infusion, dit Talut, qui disparut vivement dans l'habitation.

— Peut-être devrais-je en prendre une coupe, moi aussi, déclara Wymez, en partant à la suite du chef.

Qu'ai-je fait de mal ? se demandait Ayla. Le malaise qui la tenaillait devint un dur nœud au creux de son estomac.

Après l'avoir examinée, Mamut dit :

— Tu devrais venir parler avec moi, je crois, Ayla. Un peu plus tard, quand nous pourrons nous retrouver seuls un moment. Ton infusion pourrait bien amener plusieurs visiteurs au foyer. Pourquoi ne vas-tu pas manger quelque chose ?

— Pas faim, répondit-elle, l'estomac en révolution.

Elle ne voulait pas entamer par une faute sa vie parmi son nouveau peuple et elle se demandait pourquoi Jondalar était furieux.

Mamut la gratifia d'un sourire rassurant.

— Tu devrais essayer de manger quelque chose. Il reste de la viande de mammouth, du festin d'hier, et Nezzie, je crois, a gardé pour toi un de ces petits pains cuits à la vapeur.

Ayla acquiesça d'un signe de tête. Inquiète, bouleversée, elle se dirigea vers l'entrée principale, mais, en chemin, cette part de son esprit toujours occupée par ses chevaux l'engagea à les chercher des yeux. Lorsqu'elle vit Jondalar avec eux, elle se sentit un peu soulagée. Quand son esprit était troublé, elle avait toujours trouvé auprès d'eux un certain réconfort et, sans formuler sa pensée avec précision, elle espérait qu'en se tournant vers eux Jondalar finirait par se sentir mieux.

Elle traversa le foyer d'entrée, se retrouva dans l'espace où l'on faisait la cuisine. Assise avec Rydag et Rugie, Nezzie mangeait. A la vue d'Ayla, elle sourit, se leva. En dépit de ses amples proportions, elle était active et gracieuse dans tous ses mouvements. Probablement très forte aussi, soupçonnait Ayla.

— Sers-toi de viande. Je vais chercher le petit pain que j'ai gardé pour toi. C'est le dernier, dit Nezzie. Et prends une tasse d'infusion bien chaude si tu veux. C'est du laurier et de la menthe.

Lorsqu'elle s'assit avec Nezzie et les enfants, Ayla partagea le petit pain avec Rydag et Rugie mais toucha à peine à la viande.

— Quelque chose ne va pas ? demanda la brave femme.

Elle en avait la certitude et se doutait même de ce qui était arrivé.

Ayla posa sur elle un regard troublé.

— Nezzie, connais coutumes de Clan, pas coutumes des Mamutoï. Veux apprendre, veux devenir bonne Mamutoï, mais pas savoir quand faire mal. Pense hier soir, mal agir.

— Qu'est-ce qui te met cette idée en tête ?

— Quand sors, Jondalar furieux. Crois Talut pas content. Wymez non plus. Ils partent, vite. Dis-moi ce que fais mal, Nezzie.

— Tu n'as rien fait de mal, Ayla, à moins qu'il ne soit mal d'être aimée par deux hommes à la fois. Certains hommes se montrent possessifs quand ils éprouvent pour une femme des sentiments très forts. Ils ne veulent pas la voir avec d'autres hommes. Jondalar croit avoir un droit sur toi et il est furieux parce que tu as partagé le lit de Ranec. Mais il ne s'agit pas seulement de Jondalar. Ranec, à mon avis, est comme lui et il se montrerait tout aussi possessif s'il le pouvait. Je l'ai élevé depuis son enfance et jamais je ne l'ai vu aussi attaché à une femme. Jondalar, je crois, essaie de cacher ses sentiments mais il ne peut pas s'empêcher de les laisser voir, et, s'il a révélé sa colère, Talut et Wymez en ont peut-être été gênés, ce qui expliquerait leur fuite.

« Il nous arrive de crier très fort ou de nous taquiner. Nous tirons fierté de notre hospitalité, nous aimons nous montrer amicaux, mais les Mamutoï ne font pas trop étalage de leurs sentiments les plus profonds. Cela pourrait créer des ennuis, et nous nous efforçons d'éviter les disputes et de décourager les bagarres. Le Conseil des Sœurs désapprouve même les expéditions montées par des jeunes gens contre d'autres peuples, comme les Sungaea, et cherche à les faire interdire. Ces expéditions, disent les Sœurs, en provoquent d'autres en retour, et il y a eu des morts. Mieux vaut, conseillent-elles, commercer que se battre. Le Conseil des Frères est plus indulgent. La plupart de ces hommes ont participé à ce genre d'expéditions, au temps de leur jeunesse. Pour eux, c'est simplement une façon de faire travailler de jeunes muscles et de créer un peu d'excitation.

Ayla ne l'écoutait plus. Au lieu de clarifier la situation, les explications de Nezzie ne faisaient qu'ajouter à son désarroi. Jondalar était-il furieux parce qu'elle avait répondu au signal donné par un autre homme ? Y avait-il là une bonne raison pour être furieux ? Aucun homme du Clan ne se serait laissé aller à une telle réaction. Broud avait été le seul à témoigner pour elle quelque intérêt, et cela simplement parce qu'il savait que ses attentions lui faisaient horreur. Mais bien des membres du Clan se demandaient pourquoi il prenait la peine de s'occuper d'une femme aussi laide, et lui-même aurait accepté sans déplaisir l'intérêt d'un autre homme. En y réfléchissant, Ayla se remémora que, dès le début, les attentions de Ranec avaient déplu à Jondalar.

Mamut arrivait du foyer d'entrée. Il marchait avec une visible difficulté.

— Nezzie, j'ai promis à Mamut de remplir coupe avec remède pour arthrite, dit la jeune femme.

Elle se leva pour aider le vieil homme, mais il refusa d'un signe.

— Va, va. Je te rejoins. Il me faudra juste un peu plus de temps.

Elle traversa rapidement le Foyer du Lion et celui du Renard, qu'elle fut heureuse de trouver désert. Au Foyer du Mammouth, elle ranima le feu. Tout en cherchant parmi ses remèdes, elle se rappelait les nombreuses occasions où elle avait appliqué des cataplasmes ou des emplâtres et préparé des potions calmantes pour apaiser les douleurs articulaires de Creb. C'était un aspect de sa médecine qu'elle connaissait fort bien.

Après avoir donné ses soins à Mamut, elle attendit de le voir bien installé, avec une tisane chaude, avant de lui poser ses questions. Il était apaisant pour elle, aussi bien que pour le vieux chaman, d'appliquer ses connaissances, son talent et son intelligence à la pratique de son art, et ces moments l'avaient quelque peu détendue. Néanmoins, quand, après s'être servi une coupe d'infusion, elle s'assit en face de Mamut, elle ne savait trop par où commencer.

— Mamut, dit-elle enfin, es-tu resté longtemps avec Clan ?

— Oui. Il faut un certain temps pour guérir une mauvaise fracture et, ce moment venu, j'avais envie d'en apprendre davantage. Je suis donc resté jusqu'à leur départ pour le Rassemblement du Clan.

— Tu apprends coutumes de Clan ?

— Certaines, oui.

— Tu connais signal ?

— Oui, Ayla. Je connais le signal qu'un homme donne à une femme.

Il s'interrompit un instant, parut réfléchir, avant de continuer :

— Je vais te dire quelque chose que je n'ai jamais confié à personne. Il y avait là-bas une jeune femme qui aidait à prendre soin de moi pendant que mon bras se remettait. Après avoir participé à une cérémonie de chasse et chassé avec eux, je me la vis offrir. Je connais le signal et je sais ce qu'il signifie. Je m'en suis servi, même si, au début, cela me mettait mal à l'aise... C'était une Tête Plate, et elle ne me plaisait pas beaucoup, d'autant que j'avais entendu bien des histoires à propos de ces êtres, du temps de ma jeunesse. Mais j'étais jeune, sain, et l'on s'attendait à me voir me conduire comme un homme du Clan.

« A mesure que se prolongeait mon séjour, je m'attachais de plus en plus à elle. Tu n'as pas idée du plaisir qu'on trouve à avoir quelqu'un qui satisfait tous les besoins, tous les désirs. Plus tard seulement, j'ai appris qu'elle avait déjà un compagnon. C'était une seconde femme. Son mari était mort, et l'un des autres chasseurs l'avait recueillie, un peu à regret, parce qu'elle venait d'un autre clan et n'avait pas d'enfants. Quand je suis parti, je ne voulais pas la laisser derrière moi mais j'ai senti qu'elle serait plus heureuse avec un clan qu'avec moi et mon peuple. Et je n'étais pas sûr de l'accueil qui me serait réservé si je revenais avec une Tête Plate. Je me suis souvent demandé ce qu'elle était devenue.

Ayla ferma les yeux. Les souvenirs déferlaient sur elle. Il semblait étrange d'apprendre ainsi certains détails sur son clan de la bouche d'un homme qu'elle connaissait depuis si peu de temps. Elle ajustait l'histoire qu'il lui contait à ses propres connaissances sur l'histoire du clan de Brun.

— Elle jamais avoir enfants. Toujours seconde femme, mais, toujours, quelqu'un recueille. Meurt dans tremblement de terre, avant ils me trouvent.

Il hocha la tête. Il était content, lui aussi, de pouvoir mettre un point final à un épisode marquant de sa vie.

— Mamut, Nezzie dit Jondalar furieux parce que partage lit de Ranec. Est vrai ?

— Je crois que c'est vrai.

— Mais Ranec me donne signal ! Comment Jondalar peut être furieux puisque Ranec me donne signal ?

— Où Ranec a-t-il appris le signal du Clan ? demanda Mamut, surpris.

— Pas signal de Clan. Signal des Autres. Quand Jondalar trouve vallée et m'apprend Premiers Rites et Don de Plaisir accordé par Grande Terre Mère Doni, je demande son signal. Il met bouche sur ma bouche, fait baiser. Met main sur moi, fais... sentir Plaisir. Il dit c'est comment saurai quand il me veut. Il dit c'est son signal. Ranec donne son signal, soir d'hier. Il dit après : « Je te veux. Viens à mon lit. » Ranec donne signal. Il fait commandement.

— O, Mère ! fit Mamut, les yeux au plafond.

Il ramena son regard sur la jeune femme.

— Ayla, tu ne comprends pas. Ranec t'a certainement donné le signal qu'il te désirait, mais ce n'était pas un ordre.

Ayla le considérait d'un air de profonde perplexité.

— Pas comprendre.

— Personne ne peut te donner un ordre. Ayla. Ton corps t'appartient, le choix t'appartient. Tu décides de ce que tu veux faire et de celui avec qui tu veux le faire. Tu peux rejoindre dans son lit n'importe quel homme de ton choix, à condition qu'il soit consentant... et je ne vois pas de ce côté de grandes difficultés. Mais tu n'es jamais obligée de partager les Plaisirs avec un homme qui ne t'attire pas.

Elle prit le temps de réfléchir à ses paroles.

— Et si Ranec fait encore commandement ? Il dit veut encore moi, beaucoup de fois.

— Je ne doute pas qu'il le désire, mais il ne peut pas te donner d'ordres. Personne ne peut t'en donner, Ayla. Pas contre ta volonté.

— Pas même homme avec qui fais Union ? Jamais ?

— A mon avis, tu ne lui resterais pas unie longtemps, en pareilles circonstances. Mais, non, pas même ton compagnon ne pourra te donner d'ordres. Il ne te possédera pas. Toi seule peux décider.

— Mamut, quand Ranec donne signal, pas forcée aller avec lui ?

— Précisément.

Il la vit plisser le front.

— Regrettes-tu d'avoir partagé son lit ?

— Regretter ?

Elle secoua la tête.

— Non. Pas regrets. Ranec est... bon. Pas brutal... comme Broud. Ranec... doux avec moi... fait bons Plaisirs. Non. Pas regrets à cause Ranec. Triste à cause Jondalar. Triste parce que lui furieux. Ranec fait bons Plaisirs mais... Ranec pas être... Jondalar.

20

Ayla, pliée en deux pour lutter contre le vent hurlant, la tête penchée, tentait de protéger son visage des brutales bourrasques de neige. A chaque pas prudent s'opposait une force déchaînée dont le seul signe visible était la masse tourbillonnante de minuscules grains de glace qui se précipitait sur elle. Elle fit face un instant au blizzard furieux qui la cinglait, entrouvrit les paupières, avant de se détourner et de faire encore quelques pas. Battue par la tempête ; elle regarda de nouveau où elle se trouvait. Elle distingua une forme lisse, arrondie et elle toucha finalement avec soulagement l'ivoire massif de l'arche.

— Ayla, tu n'aurais pas dû sortir par ce blizzard ! s'écria Deegie. On peut perdre son chemin à quelques pas seulement de l'entrée.

— Est ainsi depuis beaucoup, beaucoup jours, et Whinney et Rapide vont dehors. Veux savoir où.

— Tu les as trouvés ?

— Oui. Aiment paître dans endroit après coude de rivière. Vent souffle moins fort, neige couvre herbe moins haut. Rafales soufflent autre côté. Ai encore un peu grain mais plus herbe. Chevaux connaissent où est herbe, même quand blizzard déchaîné. Je donnerai eau ici quand reviennent.

Ayla tapait des pieds sur le sol et secouait la pelisse qu'elle venait d'enlever pour en faire tomber la neige. Avant de pénétrer dans le Foyer du Mammouth, elle accrocha le vêtement à une cheville.

— Vous n'allez pas le croire : elle est sortie ! Par ce temps ! annonça Deegie aux quelques personnes rassemblées dans le quatrième foyer.

— Mais pourquoi ? demanda Tornec.

— Chevaux besoin manger, et je... commença Ayla.

— J'ai trouvé que tu restais longtemps absente, dit Ranec. Quand j'ai questionné Mamut, il m'a répondu qu'il t'avait vue, la dernière fois, entrer dans le foyer des chevaux. Mais, quand je suis allé voir, tu n'y étais pas.

— Tout le monde s'est mis à te chercher partout, Ayla, déclara Tronie.

— Jondalar a remarqué que ta pelisse n'était plus là, continua Deegie, et les chevaux non plus. Il a pensé que tu étais peut-être sortie avec eux. Nous avons donc décidé que nous ferions mieux d'aller voir dehors. Quand j'ai jeté un coup d'œil, pour voir comment se comportait le temps, je t'ai vue arriver.

— Ayla, tu devrais avertir quelqu'un quand tu sors par mauvais temps, reprocha doucement Mamut.

— Ne sais-tu pas que tu inquiètes tout le monde, quand tu es dehors par un pareil blizzard ? fit Jondalar avec colère.

Ayla essayait de répondre, mais tout le monde parlait en même temps. Elle vit tous les visages tournés vers elle, rougit violemment.

— Demande pardon. Voulais pas faire inquiétude. Vis seule longtemps, personne inquiet. Sors et rentre quand veux. Pas habitude beaucoup gens...

Elle regarda d'abord Jondalar, les autres ensuite. Mamut vit son front se contracter quand le grand homme blond se détourna.

Jondalar sentit ses joues s'empourprer, lorsqu'il s'éloigna de tous ces gens qui s'étaient tourmentés à propos d'Ayla. Elle avait raison : elle avait vécu seule et s'était fort bien tirée d'affaire. Quel droit avait-il de critiquer ses actions, de la semoncer pour n'avoir dit à personne qu'elle sortait ? Mais il avait été saisi de crainte dès l'instant où il avait appris qu'elle n'était pas là, qu'elle s'était probablement hasardée dans le blizzard. Il avait connu des périodes de mauvais temps — les hivers, dans la région où il avait passé sa jeunesse, étaient exceptionnellement froids et durs — mais jamais il n'avait vu de conditions aussi rigoureuses. Il avait l'impression que cette tempête faisait rage depuis la moitié de la saison.

Personne plus que lui n'avait craint pour la sécurité de la jeune femme, mais il se refusait à laisser paraître son anxiété. Depuis la soirée de l'adoption, il avait peine à lui adresser la parole. Au début, il était si cruellement blessé qu'elle eût choisi un autre homme qu'il s'était replié sur lui-même. Il avait du mal à démêler ses sentiments. Il était follement jaloux, ce qui ne l'empêchait pas de douter de son amour pour elle parce qu'il avait eu honte de l'amener en ces lieux.

Ayla n'avait plus partagé les fourrures de Ranec, mais Jondalar, chaque soir, redoutait de la voir y retourner. Cette peur le rendait tendu, nerveux, et il s'était surpris à attendre qu'elle soit couchée pour la rejoindre au Foyer du Mammouth. Quand, finalement, il s'installait sur leur plate-forme, il lui tournait le dos, résistait au désir de la toucher, de peur de perdre tout sang-froid, de céder, de la supplier de l'aimer.

Mais Ayla, elle, ne comprenait pas pourquoi il l'évitait. Lorsqu'elle essayait de lui parler, il lui répondait par monosyllabes ou faisait mine de dormir. Lorsqu'elle l'entourait de son bras, il demeurait rigide, indifférent. Il n'avait plus aucun sentiment pour elle, lui semblait-il. Elle s'en convainquit plus encore lorsqu'il apporta dans leur couche ses fourrures personnelles, afin d'éviter le brûlant contact de son corps. Durant le jour, aussi, il se tenait à l'écart. Wymez, Danug et lui avaient établi une aire de travail dans le foyer où l'on faisait la cuisine. Jondalar passait là la majeure partie de son temps. Il n'aurait pas supporté de travailler avec Wymez au Foyer du Renard, séparé seulement par le passage central du lit qu'Ayla avait partagé avec Ranec.

Quand, au bout d'un certain temps, la jeune femme eut vu trop souvent repousser ses avances, elle finit par ne plus comprendre, devint hésitante, s'éloigna de lui. Alors seulement, Jondalar prit conscience que la distance qui grandissait et s'installait entre eux était son propre fait. Mais il ne savait comment y remédier. Il avait beau avoir une grande connaissance des femmes, il ignorait à peu près tout du véritable amour. Il n'osait pas lui faire part de ses sentiments. Il gardait le souvenir des jeunes femmes qui l'avaient poursuivi pour lui déclarer leur sentiment, alors qu'il n'en éprouvait aucun à leur égard. Leur insistance le mettait mal à l'aise, le poussait à s'éloigner. Il ne voulait pas inspirer à Ayla ces mêmes réactions. Aussi se tenait-il sur la réserve.

Ranec savait qu'ils ne partageaient pas les Plaisirs. La présence d'Ayla le taraudait, bien qu'il s'efforçât de ne pas trop le montrer. Il savait à quel moment elle allait se coucher, à quel moment elle se réveillait, ce qu'elle mangeait, avec qui elle parlait, et il passait le plus de temps possible au Foyer du Mammouth. Parmi ceux qui se réunissaient là, l'esprit de Ranec, qui s'exerçait parfois aux dépens de l'un ou l'autre membre du Camp du Lion, soulevait souvent des tempêtes de rires. Toutefois, qu'Ayla fût présente ou non, il prenait toujours grand soin de ne pas dénigrer Jondalar. Ranec avait la parole facile, le visiteur en était conscient, et ce n'était justement pas son fort à lui. Devant la musculature compacte et l'assurance insouciante de Ranec, tout grand et bel homme qu'il était, il se faisait l'effet d'un lourdaud.

L'hiver s'installait, et le malentendu entre Ayla et Jondalar s'aggravait. Jondalar commençait à redouter de la perdre à tout jamais au profit de ce sculpteur séduisant à la peau sombre. Sans cesse, il essayait de se convaincre qu'en toute justice il devait la laisser faire son choix, qu'il n'avait aucun droit de lui imposer ses exigences. Mais il restait à l'écart, parce qu'il ne voulait pas lui proposer un choix qui lui donnerait l'occasion de le rejeter.

Le temps exécrable ne paraissait pas gêner les Mamutoï. Ils avaient dans leurs réserves toutes les provisions nécessaires et, bien au chaud, en sécurité dans leur habitation semi-souterraine, ils se livraient à leurs distractions hivernales habituelles. Les aînés du Camp se réunissaient le plus souvent autour du feu, dans le foyer où l'on faisait la cuisine : ils buvaient des infusions chaudes, racontaient des histoires, évoquaient des souvenirs, échangeaient des commérages et jouaient à des jeux de hasard avec des jetons d'ivoire ou d'os ciselés, quand ils n'étaient pas absorbés par quelque projet. Les plus jeunes s'assemblaient autour du Foyer du Mammouth, pour rire et plaisanter, chanter et s'exercer sur les instruments de musique. Les enfants, eux, étaient les bienvenus partout. C'était l'époque du repos, le temps de faire et de réparer les outils et les armes, les ustensiles et les bijoux. Le temps de tresser des nattes et des paniers, de sculpter l'ivoire et l'os, de fabriquer des lanières, des cordes, des cordons, des filets. Le temps de coudre et d'orner des vêtements.

Ayla s'intéressait aux méthodes employées par les Mamutoï pour traiter le cuir et, surtout, pour le teindre. Sa curiosité était piquée aussi par les broderies de couleurs, par le travail des perles et des piquants de porc-épic. Les vêtements cousus et ornés restaient pour elle une nouveauté.

Elle dit un jour à Deegie :

— Tu as dit tu montrerais comment faire cuir rouge après je prépare peau. Je travaille sur peau de bison et je crois est prête.

— Très bien, je vais te montrer, répondit son amie. Allons voir comment elle se présente.

Ayla prit, dans l'emplacement réservé au rangement, à la tête de son lit, une peau entière, l'étala. Elle était incroyablement douce au toucher, souple et presque blanche. Deegie l'examina d'un œil critique. Elle avait observé sans commentaires mais avec une vive attention le travail de la jeune femme.

Ayla, d'abord, à l'aide d'un couteau bien tranchant, avait coupé l'abondante crinière au ras de la peau. Puis elle la posa sur un gros os de la jambe d'un mammouth, la gratta, avec la tranche un peu émoussée d'un fragment de silex. Elle grattait l'intérieur de la peau pour en ôter les particules de graisse ou de vaisseaux sanguins. Elle grattait aussi l'extérieur, pour détruire la couche superficielle et supprimer du même coup le grain du cuir. La méthode de Deegie était différente. Elle roulait la peau, l'exposait au feu durant quelques jours. La peau commençait alors à se flétrir et le poil se détachait plus facilement le moment venu, laissant la couche superficielle montrer le grain du cuir. Pour obtenir une peau plus douce et plus souple, comme celle travaillée par Ayla, elle la fixait sur un cadre, afin de gratter le poil et le grain.

Ayla avait projeté de frotter la peau avec de la graisse pour l'assouplir, comme à son habitude. Deegie lui montra comment faire avec de la cervelle en putréfaction de l'animal, une bouillie claire pour y tremper la peau. Ayla fut à la fois surprise et comblée par le résultat. Elle sentait sous ses doigts la transformation de la peau, la souplesse et l'élasticité conférées par la bouillie de cervelle. Mais, quand elle eut soigneusement pressé et tordu la peau, le véritable travail commença. Il était nécessaire de tendre et de retendre constamment la peau, pendant qu'elle séchait. La qualité finale du cuir en dépendait.

— Tu sais t'y prendre avec le cuir, Ayla. La peau de bison est lourde, et celle-ci est si douce. Que vas-tu en faire ?

La jeune femme secoua la tête.

— Veux faire cuir rouge. Penses quoi ? Bottes ?

— C'est assez épais pour ça mais assez souple pour une tunique. Commençons par colorer la peau. Après ça, tu pourras réfléchir à ce que tu en feras.

Elles se dirigèrent ensemble vers le dernier foyer. Deegie demanda :

— Si tu n'avais pas l'intention de la colorer, que ferais-tu de cette peau ?

— Mettrais au-dessus de grosse fumée de feu, pour empêcher de raidir encore si mouillée, par pluie ou même en nageant, répondit Ayla.

Deegie hocha la tête.

— C'est ce que je ferais, moi aussi. Mais le traitement que nous allons lui faire subir maintenant fera glisser la pluie dessus.

En traversant le Foyer de la Grue, elles passèrent devant Crozie, et Ayla se rappela une question qu'elle voulait poser depuis quelque temps.

— Deegie, sais-tu comment faire cuir blanc ? Comme tunique Crozie porte ? Aime rouge mais, après, voudrais apprendre à faire blanc. Connais quelqu'un qui aimerait blanc, je crois.

— Il n'est pas facile d'obtenir un cuir vraiment blanc comme neige. Crozie pourrait te renseigner mieux que moi, je pense. Il te faudrait de la craie... Wymez en a peut-être. On trouve le silex dans la craie, et généralement, quand il reçoit des rognons, du gisement du nord, ils ont une gaine de craie.

Les deux jeunes femmes revinrent au Foyer du Mammouth avec des petits mortiers et leurs pilons. Elles s'étaient munies aussi de plusieurs morceaux d'ocre ouge de tons différents. Après avoir mis de la graisse à fondre sur le feu, Deegie disposa autour d'Ayla les différentes matières qui servaient de colorants. Il y avait des fragments de charbon de bois pour le noir, du manganèse pour le bleu foncé, du soufre d'un jaune vif, ainsi que des ocres de teintes variées : brun, rouge, marron, jaune. Les mortiers étaient constitués d'os qui avaient naturellement une forme de coupe, l'os frontal d'un renne, par exemple, quand ils n'étaient pas taillés dans le granite et le basalte, comme l'étaient les lampes de pierre. Les pilons étaient façonnés à partir de l'ivoire ou de l'os, sauf un qui était une longue pierre dans sa forme naturelle.

— Quel ton de rouge veux-tu, Ayla ? Rouge foncé, rouge sang, rouge un peu jaune... un peu couleur de soleil ?

Ayla n'imaginait pas un tel choix possible.

— Sais pas... rouge rouge, répondit-elle.

Deegie examinait les matières colorantes. Elle prit finalement un morceau qui avait le rouge de certaines terres.

— Si nous prenons celui-ci et si nous y ajoutons du jaune, pour faire ressortir le rouge, nous aurons une couleur qui risque de te plaire, je pense.

Elle plaça un petit morceau d'ocre rouge dans le mortier, montra à Ayla comment le piler très finement, lui fit ensuite piler le jaune dans un autre mortier. Dans un troisième, de son côté, elle mélangeait étroitement les deux couleurs, jusqu'au moment où elle fut satisfaite du résultat obtenu. Elle y ajouta alors la graisse brûlante qui fit virer la couleur et lui donna un ton brillant qui amena un sourire sur les lèvres d'Ayla.

— Oui. Rouge. Joli rouge, dit-elle.

Deegie prit ensuite un long os de renne qui avait été fendu sur toute sa longueur afin d'en extraire l'intérieur spongieux sur le côté convexe. Elle le trempa dans la graisse et, en frottant, fit pénétrer d'une main ferme le mélange dans les pores de la peau de bison qu'elle maintenait de l'autre main. Au fur et à mesure la peau acquérait un lustre uniforme.

Après l'avoir observée un moment, Ayla s'empara d'une autre côte de renne et imita la technique de Deegie qui la regarda faire en apportant quelques conseils. Quand un coin de la peau fut terminé, elle arrêta un instant son amie.

Elle fit tomber quelques gouttes d'eau sur le cuir.

— Regarde, dit-elle. L'eau glisse sans pénétrer, tu vois ?

L'eau, en effet, s'écoulait sans laisser de marque.

— Sais-tu ce que tu vas faire de cette pièce de cuir rouge ? demanda Nezzie.

— Non, dit Ayla.

Elle avait déployé la peau de bison tout entière, pour la montrer à Rydag et pour l'admirer elle-même une nouvelle fois. Elle lui appartenait, parce qu'elle avait elle-même nettoyé et traité le cuir. Jamais elle n'avait rien possédé de rouge qui fût aussi grand et la peau avait finalement pris une teinte remarquable.

— Rouge était sacré pour Clan. Je donnerais à Creb... si je pouvais.

— C'est le rouge le plus vif que j'aie jamais vu, je crois. On le voit de loin.

— Est doux aussi, dit Rydag par signes.

Il venait souvent voir Ayla au Foyer du Mammouth, et elle l'accueillait toujours avec joie.

— Deegie a montré d'abord comment faire doux avec cervelle, dit-elle en souriant. Avant j'utilise graisse. Difficile, et tache quelquefois. Mieux prendre cervelle de bison.

Pensive, elle s'interrompit avant de demander :

— Même chose pour tous animaux, Deegie ?

Celle-ci acquiesça.

— Combien cervelle prendre ? Combien pour renne ? Combien pour lapin ?

Ce fut Ranec qui répondit, avec une ombre de sourire.

— Mut, la Grande Mère, dans Son infinie sagesse, donne toujours juste assez de cervelle à chaque animal pour conserver sa peau.

Le petit rire guttural de Rydag déconcerta un instant Ayla, mais elle finit par sourire.

— Quelques-uns ont assez cervelle, pas se faire prendre ?

Ranec éclata de rire, et elle se joignit à lui, heureuse d'avoir saisi la plaisanterie. Elle commençait à se familiariser avec le langage des Mamutoï.

Jondalar survint dans le Foyer du Mammouth au moment où Ayla et Ranec riaient ensemble. Il sentit son estomac se nouer. Mamut le vit baisser les paupières, comme sous le coup de la souffrance. Il jeta un coup d'œil à Nezzie, secoua la tête.

Danug, qui arrivait derrière le visiteur, le regarda s'arrêter, s'accrocher à un poteau, fermer les yeux. Les sentiments que vouaient à Ayla Ranec et Jondalar, la situation difficile qui se développait à cause d'eux n'étaient un secret pour personne, même si la plupart préféraient l'ignorer. Ils ne voulaient pas intervenir, dans l'espoir qu'ils résoudraient le problème entre eux. Danug aurait aimé faire quelque chose pour aider son ami, mais quoi ? Il l'ignorait. Ranec était un frère, puisque

Nezzie l'avait adopté, mais il avait de l'affection pour Jondalar et compatissait à sa souffrance. Lui aussi éprouvait des sentiments mal définis mais violents à l'égard de la belle dernière recrue du Camp du Lion. Mis à part les rougeurs et les sensations inexplicables qui l'assaillaient lorsqu'il se trouvait près d'elle, il avait l'impression d'une affinité entre eux. Elle semblait aussi désemparée devant la situation qu'il l'était souvent lui-même devant les changements et les complications qui intervenaient dans sa vie.

Jondalar reprit son souffle, se redressa et poursuivit son chemin. Ayla le suivit des yeux, le vit s'approcher de Mamut, lui tendre quelque chose. Elle les regarda échanger quelques mots, vit Jondalar repartir rapidement, sans lui avoir adressé la parole. Elle avait perdu le fil de la conversation qui se déroulait autour d'elle. Quand Jondalar eut disparu, elle se hâta vers Mamut, sans entendre la question que lui posait Ranec, sans voir l'expression déçue qui passa sur son visage. Pour cacher sa consternation, il fit une plaisanterie que la jeune femme n'entendit pas davantage. Mais Nezzie, sensible aux moindres nuances de ses sentiments les plus profonds, remarqua la lueur de souffrance dans ses yeux. Elle le vit aussi serrer les mâchoires et carrer les épaules avec résolution.

Elle avait envie de le conseiller, de lui offrir le bénéfice de son expérience, de la sagesse acquise au long des années, mais elle tint sa langue. A eux de façonner leurs propres destinées, pensait-elle.

Du fait que les Mamutoï vivaient tous ensemble durant de longues périodes, ils devaient apprendre à se tolérer les uns les autres. Il n'y avait, dans l'abri, aucune intimité possible, sinon celle des pensées de chacun, et tous prenaient grand soin de ne pas faire intrusion dans ce domaine. Ils hésitaient à poser des questions personnelles, à offrir assistance ou conseils si on ne les leur demandait pas, à intervenir dans des chamailleries privées, sauf si on les en sollicitait, ou si les querelles prenaient des proportions excessives. S'ils voyaient se développer une situation inquiétante, ils se montraient discrètement disponibles et attendaient, dans une attitude de patience et de tolérance, le moment où un ami serait prêt à parler de ses tracas, de ses craintes, de ses frustrations. Jamais ils ne s'érigeaient en juges, en critiques impitoyables et ils imposaient peu de restrictions dans le domaine du comportement personnel si celui-ci ne risquait pas de blesser ou de perturber gravement les autres. La solution valable d'un problème était celle qui aboutissait à des résultats et qui satisfaisait toutes les parties prenantes. Chacun savait ménager l'âme de ses voisins.

— Mamut... commença Ayla.

Elle prit alors conscience qu'elle ne savait pas exactement ce qu'elle voulait dire.

— Euh... je crois maintenant est bon moment pour faire médecine pour arthrite.

— Je n'y verrais pas d'inconvénient, répondit le vieil homme en souriant. Il y a des années que je ne me suis senti aussi bien, l'hiver. Ne serait-ce que pour cette raison, Ayla, je suis heureux que tu sois là.

Donne-moi le temps de ranger ce couteau que j'ai gagné à Jondalar, et je me remettrai entre tes mains.

— Tu as gagné un couteau à Jondalar ?

— Nous faisions une partie d'osselets, Nezzie et moi. Il nous regardait et il avait l'air intéressé. Je l'ai donc invité à jouer avec nous, mais il ne possédait rien comme enjeu. Je lui ai dit qu'avec son talent de tailleur de silex, il n'était pas entièrement dépourvu, et j'ai même ajouté que j'accepterais pour enjeu un couteau que je voulais voir façonner d'une certaine manière. Il a perdu. Il devrait savoir qu'il ne faut pas jouer contre Celui Qui Sert.

Mamut émit un petit rire.

— Voici le couteau.

Ayla hocha la tête. La réponse de Mamut satisfaisait sa curiosité, mais elle aurait aimé que quelqu'un lui dise pourquoi Jondalar se refusait à lui adresser la parole. Le petit groupe qui s'était attardé à admirer le cuir teint en rouge d'Ayla se dispersa. Seul resta Rydag, qui s'approcha de la jeune femme et de Mamut. Il y avait quelque chose de réconfortant à la voir soigner le vieux chaman. L'enfant s'installa dans un coin de la plate-forme de couchage.

— Je vais d'abord te préparer un cataplasme, dit-elle.

Elle se mit en devoir de mélanger plusieurs ingrédients dans une coupe de bois.

Mamut et Rydag la regardaient doser, mêler, faire chauffer de l'eau.

— Que mets-tu dans ce cataplasme ? questionna Mamut.

— Ne sais pas vos mots pour plantes.

— Décris-les-moi. Je pourrai peut-être te dire leurs noms. Je connais certaines plantes et quelques remèdes. Il a bien fallu que j'apprenne.

— Une plante monte plus haut que genou expliqua la jeune femme. A grandes feuilles, pas vert brillant, comme poussière dessus. Feuilles poussent ensemble sur tige, pour commencer, deviennent grandes, pointues au bout. Sous feuilles, est doux, comme fourrure. Feuilles bonnes pour beaucoup maladies, et racines aussi, pour os brisés surtout.

— De la bourrache ! Il doit s'agir de la bourrache ! Que mets-tu d'autre dans ce cataplasme ?

Voilà qui est intéressant, pensait-il.

— Autre plante, plus petite, pas jusqu'au genou. Feuilles comme petites pointes de javelots, comme Wymez fait. Vert sombre brillant, restent vertes en hiver. Tige monte de feuilles, a petites fleurs bleu pâle, avec petites taches rouges dedans. Bon pour enflures, boutons aussi.

Mamut opina.

— Des feuilles qui restent vertes en hiver, des fleurs tachetées. Je ne crois pas me tromper en disant la gaulthérie tachetée.

Ayla acquiesça.

— Veux connaître autres plantes ? demanda-t-elle.

— Oui, continue, décris-m'en une autre.

— Très grande plante, plus grande que Talut, arbre presque. Pousse sur terres basses, près rivières. Baies violettes restent sur plante, même en hiver. Jeunes feuilles bonnes à manger, grandes et vieilles feuilles trop amères, peuvent rendre malade. Racine séchée dans cataplasme bonne pour enflure, même irritée, et pour douleur. Je mets baies séchées dans tisane pour ton arthrite. Connais nom ?

— Non, je ne pense pas mais, puisque tu connais la plante, je m'estime satisfait, dit Mamut. Tes remèdes pour mon arthrite m'ont fait beaucoup de bien. Tu sais soigner les vieillards.

— Creb était vieux. Boitait, avait douleurs d'arthrite. J'apprends à soigner avec Iza. Après, soigne autres aussi, dans Clan.

Ayla s'interrompit, leva les yeux.

— Crois Crozie souffre douleurs de vieillesse aussi. Veux aider. Tu crois pas accepter, Mamut ?

— Elle n'aime pas reconnaître les ravages de l'âge. Quand elle était jeune, c'était une fière beauté. Mais tu as raison, je crois. Tu pourrais lui proposer tes soins, surtout si tu trouvais un moyen qui ne blesserait pas son orgueil. C'est tout ce qui lui reste, à présent.

Ayla hocha la tête. Quand la préparation fut prête, Mamut se dévêtit.

— Pendant tu reposes avec cataplasme, expliqua la jeune femme, ai racine en poudre d'autre plante veux mettre sur braises pour faire respirer. Fera transpirer et est bonne pour douleur. Ce soir, avant dormir, ai préparé nouveau remède pour frictionner jointures. Jus de pomme et racine ardente...

— Tu veux parler du raifort ? La racine dont Nezzie se sert pour assaisonner sa cuisine ?

— Je crois, oui, avec jus de pomme et bouza de Talut. Chauffera peau, dehors et dedans aussi.

Mamut se mit à rire.

— Comment as-tu fait pour persuader Talut de te laisser mettre sa bouza sur la peau et non pas dessous ?

Aya sourit.

— Il aime médecine magique qui fait du bien lendemain d'après. Je dis je ferai toujours pour lui, expliqua-t-elle.

Elle appliquait sur les articulations douloureuses un emplâtre brûlant, épais et collant. Le vieil homme, confortablement allongé, ferma les yeux.

— Bras en bon état, commenta la jeune femme, qui travaillait sur le membre jadis fracturé. Mauvaise cassure, je crois.

— Oui, c'est vrai.

Mamut rouvrit les yeux. Il jeta un coup d'œil vers Rydag qui observait, écoutait. Le vieil homme n'avait jamais parlé de cette aventure, sinon à Ayla. Il hésita, hocha la tête d'un air décidé.

— Il est temps que tu saches, Rydag. Du temps où j'étais un jeune homme qui faisait son Voyage, je suis tombé du haut d'une falaise et je me suis cassé le bras. J'étais étourdi par le choc et je suis arrivé sans m'en rendre compte dans un camp de Têtes Plates, des gens du Clan. J'ai vécu chez eux pendant un certain temps.

— Voilà pourquoi tu apprends très vite les signes ! dit Rydag avec ses mains.

Il sourit.

— Je te trouvais très intelligent.

— Je suis très intelligent, jeune homme, fit Mamut en lui rendant son sourire. Mais je me suis souvenu de quelques-uns quand Ayla me les a rappelés.

Le sourire de Rydag s'élargit. Plus que tout au monde, mis à part Nezzie et le reste de la famille du Foyer du Lion, il aimait ces deux êtres et jamais il n'avait été aussi heureux que depuis l'arrivée d'Ayla. Pour la première fois de sa vie, il pouvait s'exprimer, se faire comprendre des autres, il parvenait même à faire sourire un interlocuteur. Il regardait Ayla apporter ses soins à Mamut. Même un enfant comme lui était en mesure de reconnaître ses qualités et son habileté. Quand le vieil homme regarda dans sa direction, il lui fit comprendre par signes :

— Ayla est bonne guérisseuse.

— Les guérisseuses du Clan sont très habiles, et ce sont elles qui lui ont tout appris. Personne n'aurait pu faire de meilleur travail sur mon bras. La peau était écorchée, de la terre y avait pénétré et, à l'endroit de la fracture, la chair était déchirée, l'os sortait de la plaie. On aurait dit un morceau de viande. La femme, Uba, a tout nettoyé. Elle a remis en place les deux morceaux de l'os, et il n'y a même pas eu d'enflure, de pus, de fièvre. Quand mon bras a guéri, j'ai pu m'en servir normalement. C'est seulement au cours de ces dernières années que j'en ai un peu souffert de temps en temps. Ayla a appris son art de la fille de la femme qui avait remis mon bras. On m'a dit qu'elle était considérée comme la meilleure, déclara Mamut.

Il observait les réactions de Rydag. L'enfant les considérait l'un et l'autre d'un air perplexe, comme s'il se demandait comment ils pouvaient connaître les mêmes gens.

— Oui, Iza était meilleure, comme mère et grand-mère, acheva Ayla. Elle n'avait pas prêté attention à la communication silencieuse entre le vieillard et le petit garçon.

— Savait tout ce que savait mère. Avait souvenirs de mère et de grand-mère.

Elle prit quelques pierres au foyer, les rapprocha du lit de Mamut, saisit quelques braises à l'aide de deux baguettes, les posa sur les pierres chaudes, aspergea le tout d'une poudre de racine de mélianthe. Elle alla chercher des couvertures pour le chaman, afin de le garder au chaud. Mais, pendant qu'elle les bordait autour de lui, il se redressa sur un coude pour la dévisager pensivement.

— Les gens du Clan sont différents des autres d'une manière qui n'est pas généralement comprise. Ce n'est pas le fait qu'ils ne parlent pas, ou que leur manière de s'exprimer n'est pas la même. C'est leur façon de penser qui est un peu particulière. Si Uba, la femme qui m'a soigné, était la grand-mère de ton Iza et si elle a appris son art à partir des souvenirs de sa grand-mère et de sa mère, toi, Ayla comment as-tu appris ? Tu n'as pas de souvenirs du Clan.

Mamut vit Ayla rougir d'embarras, il l'entendit étouffer une exclamation. La jeune femme baissa les yeux.

— En aurais-tu donc ? demanda-t-il.

— Non, n'ai pas souvenirs de Clan, dit-elle.

— Mais ?

Elle releva les yeux vers lui.

— Veut dire quoi, « mais » ? dit-elle.

Elle avait une expression méfiante, presque apeurée. Ses paupières s'abaissèrent de nouveau.

— Tu n'as pas de souvenirs du Clan, mais... tu as autre chose, n'est-ce pas ? Quelque chose qui te vient du Clan ?

Ayla gardait la tête baissée. Comment pouvait-il savoir ? Elle n'en avait jamais parlé à personne, pas même à Jondalar. Elle avait peine à se l'avouer à elle-même mais elle n'avait jamais été tout à fait la même, après...

— Est-ce en rapport avec ton talent de Femme Qui Guérit ? insista Mamut.

Elle releva la tête sur un signe de dénégation.

— Non, dit-elle.

Ses yeux le suppliaient de la croire.

— Iza m'apprend. Etais très jeune, pas encore âge de Rugie, je crois, quand elle commence. Iza savait n'avais pas souvenirs mais elle force à me rappeler, elle force à dire encore et encore, et, enfin, n'oublie plus. Elle est très patiente. Certains disent inutile m'apprendre : trop stupide, pas moyen retenir. Elle dit non, suis seulement différente. Ne veux pas être différente. Force à retenir. Répète seule, encore et encore, même quand Iza pas apprendre. Apprends à retenir, à ma manière. Force à apprendre vite, pour que les autres pas penser suis stupide.

Rydag ouvrait des yeux ronds, immenses. Plus que personne, il comprenait exactement ce qu'Ayla avait pu éprouver mais il ignorait que quelqu'un comme Ayla eût pu ressentir cela.

Mamut la regardait avec stupeur.

— Ainsi, tu t'es mis en mémoire les souvenirs du Clan, tels que les conservait Iza ? C'est un véritable exploit. Ils remontent à des générations en arrière, n'est-ce pas ?

Rydag, à présent, écoutait avec une attention soutenue : il allait apprendre, il le sentait, quelque chose de très important pour lui.

— Oui, répondit Ayla, mais n'ai pas appris tous souvenirs. Iza pas capable enseigner tout ce qu'elle savait. Elle dit elle ne sait pas même tout ce qu'elle sait mais elle enseigne comment apprendre. Comment faire expériences, comment essayer avec prudence. Quand suis plus âgée, elle dit je suis sa fille, guérisseuse de sa lignée. Je demande comment je peux être de sa lignée ? Ne suis pas vraie fille. Pas même de Clan. N'ai pas souvenirs. Elle dit alors ai autre chose, aussi bien que souvenirs, peut-être mieux. Iza pensait étais née dans lignée de guérisseuses des Autres, meilleure lignée, comme lignée d'Iza était meilleure. Est pourquoi suis guérisseuse de sa lignée. Elle disait serais meilleure, un jour.

— Sais-tu ce qu'elle voulait dire ? Connais-tu le don que tu possèdes ? questionna Mamut.

— Oui. Je crois. Quand quelqu'un malade, vois maladie. Regarde yeux, couleur visage, sens souffle. Réfléchis. Quelquefois sais par regard. Quelquefois sais questions à poser. Et fais médecine pour aider. Pas toujours même médecine. Quelquefois nouvelle, comme bouza dans lotion pour arthrite.

— Ton Iza pourrait bien avoir raison. Les meilleurs guérisseurs possèdent ce don, déclara le Mamut.

Une idée se présenta à son esprit. Il poursuivit :

— J'ai remarqué une différence entre toi et les autres guérisseurs de ma connaissance, Ayla. Pour guérir, tu utilises des remèdes à base de plantes et d'autres traitements. Les guérisseurs mamutoï font appel aussi aux esprits.

— Ne connais pas monde d'esprits. Dans Clan, seulement mog-urs connaissent. Quand Iza besoin aide d'esprits, demande Creb.

Le Mamut plongeait son regard dans les prunelles de la jeune femme.

— Ayla, aimerais-tu avoir l'aide du monde des esprits ?

— Oui, mais n'ai pas mog-ur pour demander.

— Tu n'as rien à demander à personne. Tu peux être ton propre mog-ur.

— Moi ? Mog-ur ? Mais suis femme. Femmes de Clan ne peuvent pas être mog-ur.

— Mais tu n'es pas une femme du Clan. Tu es Ayla des Mamutoï. Tu es fille du Foyer du Mammouth. Les meilleurs guérisseurs mamutoï connaissent les manières d'agir des esprits. Tu es une bonne Femme Qui Guérit, Ayla, mais comment pourras-tu être la meilleure si tu n'es pas capable de demander l'aide du monde des esprits ?

Ayla sentait un nœud d'inquiétude lui serrer l'estomac. Elle était guérisseuse, bonne guérisseuse, et Iza avait affirmé qu'un jour, elle serait la meilleure. Mamut, à présent, déclarait qu'elle ne pourrait pas être la meilleure sans l'aide des esprits, et il devait avoir raison. Iza demandait bien de l'aide à Creb, n'est-ce pas ?

— Mais ne connais pas monde des esprits, Mamut.

Elle était éperdue, presque affolée.

Mamut se pencha vers elle. le moment était venu, il le sentait. Il puisa dans une source intérieure le pouvoir de la contraindre.

— Mais si, dit-il d'un ton autoritaire. N'est-il pas vrai, Ayla ?

La peur agrandit les yeux de la jeune femme.

— Ne veux pas connaître monde des esprits ! cria-t-elle.

— Si tu redoutes ce monde, c'est parce que tu ne le comprends pas. Je peux t'aider à le comprendre. Je peux t'aider à t'en servir. Tu es née au Foyer du Mammouth, née aux mystères de la Mère, quels que soient le lieu de ta naissance, les lieux où tu te rendras. Tu ne peux rien y faire : tu es attirée vers ce monde, et il te cherche. Tu ne peux pas lui échapper mais, par la compréhension, par la pratique, tu seras en mesure de le maîtriser. Tu pourras amener les mystères à travailler pour toi. Ayla, tu n'as pas le pouvoir de combattre ton destin, et ton destin veut que tu Serves la Mère.

— Suis guérisseuse ! Est mon destin !

— Oui, ton destin est d'être Femme Qui Guérit, mais c'est déjà servir la Mère, et, un jour, tu pourras être appelée à La servir d'une autre manière. Tu dois t'y préparer. Ayla, tu désires être la meilleure des guérisseuses, n'est-ce pas ? Tu sais bien toi-même que certaines maladies ne peuvent être guéries par les remèdes et les traitements à eux seuls. Comment soigner quelqu'un qui ne désire plus vivre ? Quel remède apporte à un homme la volonté de se remettre d'un grave accident ? Lorsque quelqu'un meurt, quel traitement appliquer à ceux qu'il laisse derrière lui ?

Ayla courba la tête. Si quelqu'un avait su que faire pour elle quand Iza était morte, elle n'aurait peut-être pas perdu son lait, elle n'aurait pas eu à confier son fils à d'autres femmes. Saurait-elle que faire, si pareille chose arrivait à quelqu'un qu'elle soignait ? La connaissance du monde des esprits l'aiderait-elle à découvrir les mesures à prendre ?

Rydag, conscient d'être momentanément oublié, suivait la scène. Il craignait de faire un mouvement, il redoutait de les déranger en un moment important, tout en igorant ce dont il s'agissait exactement.

— Ayla, de quoi as-tu peur ? Que s'est-il passé ? Dis-le-moi, reprit Mamut.

Sa voix avait une chaleur persuasive.

Ayla se leva brusquement. Elle ramassa les fourrures, les borda de nouveau autour du vieux chaman.

— Dois couvrir, garder au chaud pour laisser agir cataplasme, dit-elle.

Elle était visiblement troublée, bouleversée. Mamut se laissa retomber en arrière, lui permit sans résistance de poursuivre son traitement. Elle avait besoin de temps, il le comprenait. Elle se mit à arpenter l'espace restreint. Nerveuse, agitée, elle avait le regard perdu dans le vide, comme si, en elle-même, elle revoyait quelque scène passée.

Finalement, elle se retourna d'un bloc pour faire face à Mamut.

— Ne voulais pas ! dit-elle

— Qu'est-ce que tu ne voulais pas ? demanda le vieil homme.

— Entrer dans caverne... voir mog-ur.

— Quand es-tu entrée dans la caverne, Ayla ?

Mamut connaissait les restrictions qui s'appliquaient aux femmes, dans la participation aux rites du Clan. Ayla avait dû faire quelque chose qui lui était interdit, se disait-il : elle avait enfreint un tabou.

— A Rassemblement du Clan.

— Tu es allée à un Rassemblement du Clan ? Ce Rassemblement a lieu tous les sept ans, n'est-ce pas ?

La jeune femme hocha la tête.

— Quand s'est-il tenu ?

Elle dut réfléchir, et ce moment de concentration lui éclaircit quelque peu l'esprit.

— Durc était juste né, alors, au printemps. Eté prochain sera septième année ! Eté prochain, Rassemblement de Clan. Clan ira à Rassemblement, ramènera Ura. Ura et Durc unis alors. Mon fils bientôt homme !

— Est-ce vrai, Ayla ? Il n'aura que sept ans quand il s'unira ? Ton fils sera déjà un homme, si jeune ?

— Non, pas si jeune. Peut-être trois, quatre années encore. Mais mère d'Ura me demande Durc, pour Ura. Elle est enfant d'esprits mêlés, aussi. Ura vivra avec Brun et Ebra. Quand Durc et Ura assez grands seront unis.

Rydag considérait Ayla d'un air incrédule. Il ne saisissait pas absolument toutes les implications, mais une chose semblait claire. Elle avait un fils, d'esprits mêlés comme lui, qui vivait avec le Clan !

— Qu'est-il arrivé, il y a sept ans, au Rassemblement du Clan, Ayla ? questionna Mamut.

Il se refusait à abandonner, alors qu'il s'était senti si près d'obtenir l'accord de la jeune femme pour commencer son initiation. C'était non seulement important mais essentiel pour elle-même, il en était convaincu.

Une expression douloureuse se peignit sur le visage d'Ayla, qui ferma les yeux.

— Iza trop malade pour aller. Elle dit Brun je suis guérisseuse. Brun fait cérémonie. Elle me dit comment mâcher racines pour faire breuvage pour mog-urs. Dit seulement, pas possible montrer. Est trop... sacré pour exercer. Mog-ur, à Rassemblement du Clan, ne veulent pas moi. Ne suis pas Clan. Mais personne ne sait, seulement lignée d'Iza. Iza dit pas avaler jus quand mâche, cracher dans bol. Mais impossible. Avale un peu. Plus tard, esprit confus, entre dans caverne, suis feux, trouve mog-ur. Ne voient pas moi, mais Creb sait.

L'agitation l'avait reprise, elle allait et venait.

— Est noir, comme trou profond, et sens tomber.

Elle serra les épaules, se frotta les bras comme si elle avait froid.

— Alors Creb vient, comme toi, Mamut, mais... plus. Il... il... me prend avec lui.

Elle retomba dans le silence, se remit à marcher. Enfin, elle s'arrêta, reprit la parole.

— Plus tard, Creb furieux, malheureux. Et suis... différente. Jamais ne dis mais, quelquefois, pense retourner là-bas et suis... effrayée.

Mamut attendait, pour voir si elle était au bout de son histoire. Il avait une certaine idée de ce qu'elle avait subi. On lui avait permis d'assister à une cérémonie du Clan. Ces gens utilisaient certaines plantes d'une manière qui leur était particulière, et il avait connu une expérience insondable. Il avait essayé de la reproduire, par la suite, sans jamais y parvenir, même après être devenu Mamut. Il allait parler, mais Ayla le devança.

— Quelquefois, veux jeter racine, mais Iza dit est sacrée.

Le vieillard mit un moment à saisir le sens de ce qu'elle venait de dire mais, quand ce fut fait, le choc faillit bien le mettre debout d'un bond.

— Veux-tu dire que tu as cette racine avec toi ?

Il avait peine à contenir son agitation.

— Quand pars, prends sac de remèdes. Racine dedans, dans petite bourse spéciale, rouge.

— Mais est-elle encore bonne ? Plus de trois années ont passé, distu, depuis ton départ. N'a-t-elle pas pu perdre de sa puissance, en tout ce temps ?

— Non, a préparation spéciale. Après racine est séchée, dure longtemps. Beaucoup années.

— Ayla... commença Mamut.

Il s'efforçait de choisir les mots qu'il fallait.

— C'est peut-être une grande chance que tu l'aies gardée. Vois-tu, le meilleur moyen de maîtriser la peur, c'est de la regarder en face. Serais-tu prête à préparer de nouveau cette racine ? Seulement pour toi et moi ?

La seule idée fit frissonner la jeune femme.

— Ne sais pas, Mamut. Ne veux pas. Ai trop peur.

— Il ne s'agit pas de le faire tout de suite, dit-il. Pas avant que tu aies subi une certaine initiation, que tu t'y sois préparée. Et ce devrait être pour une cérémonie particulière, qui aurait une profonde signification. Peut-être la Fête de l'Eté, le début de la vie nouvelle.

Il vit qu'elle tremblait toujours.

— La décision t'appartient, mais tu n'as pas à la prendre dès maintenant. Tout ce que je te demande, c'est de me permettre de commencer à t'initier. Quand viendra le printemps, si tu n'es toujours pas prête, tu pourras refuser.

— Est quoi, initiation ? demanda Ayla.

— D'abord, je te demanderai d'apprendre certains chants, certaines incantations, d'apprendre aussi à te servir du crâne de Mammouth. Viendrait ensuite la signification de certains symboles et signes.

Rydag regarda Ayla fermer les yeux, plisser le front. Il souhaitait la voir accepter. Il venait d'en apprendre plus long sur le peuple de sa mère qu'il n'en avait jamais su mais il voulait en savoir davantage encore. Il y parviendrait si Mamut et Ayla préparaient une cérémonie avec les rites du Clan.

Ayla rouvrit les paupières. Son regard était troublé, mais elle avala convulsivement sa salive, hocha la tête.

— Oui, Mamut. Essaie de regarder en face peur de monde des esprits, si veux m'aider.

Mamut se recoucha. Il ne vit pas Ayla resserrer les doigts sur le petit sachet richement décoré qu'elle portait autour du cou.

21

— Hou ! Hou ! Hou ! Ça fait trois ! s'écria Crozie avec un petit rire malin.

Elle venait de compter les disques, qui étaient retombés en montrant leur face marquée dans la corbeille peu profonde.

— Encore à toi de jouer, dit Nezzie.

Elles étaient assises par terre, près du cercle de loess sec dont Mamut s'était servi pour tracer un plan de chasse.

— Il t'en faut encore deux. Moi, je parie sur deux de plus.

Elle traça dans la terre fine deux lignes de plus.

Crozie reprit la corbeille, y secoua les sept petits disques d'ivoire. Ces jetons légèrement convexes, de sorte qu'ils oscillaient quand ils étaient posés sur une surface plane, étaient vierges, sur l'une des faces. L'autre face était colorée, gravée de lignes. Crozie tenait près du sol la large corbeille plate. Elle lança les disques en l'air. Après quoi, vivement, habilement, elle poussa la corbeille sur la natte bordée de rouge qui définissait les limites de l'aire de jeu, rattrapa les disques. Cette fois, quatre d'entre eux montraient leur face gravée. Trois seulement étaient mal retombés.

— Regarde ! Plus que trois ! Je parie sur cinq autres.

Ayla, assise non loin d'elles sur une autre natte, buvait à petites gorgées l'infusion contenue dans sa coupe de bois et regardait la vieille femme secouer de nouveau les disques dans la corbeille. Elle les lança, les rattrapa. Cinq disques, cette fois, montraient leur côté gravé.

— J'ai gagné ! Une autre partie, Nezzie ?

— Oui, une seule, peut-être, répondit Nezzie.

Elle tendit la main pour prendre la corbeille, la secoua, lança les disques en l'air, les rattrapa.

— L'œil noir ! cria Crozie.

Elle désignait un disque qui montrait une face complètement noire.

— Tu as perdu. Tu m'en dois douze. Veux-tu faire encore une partie ?

— Non, tu as trop de chance, aujourd'hui.

Nezzie se leva.

— Et toi, Ayla ? Tu veux jouer ?

— Ne suis pas bonne à ce jeu. Quelquefois, ne rattrape pas tous les jetons.

Tandis que croissait le froid cruel de la longue saison, elle avait souvent suivi le jeu mais elle avait très peu joué elle-même. Crozie, elle le savait, prenait la chose au sérieux et n'était guère patiente avec les joueurs maladroits ou indécis.

— Alors, si nous jouions aux osselets ? Pas besoin d'une grande adresse, pour ça.

— Veux bien jouer mais ne sais pas quoi miser, dit Ayla.

— Nezzie et moi, nous marquons les points et nous nous arrangeons plus tard.

— Maintenant ou plus tard, pas savoir quoi miser.

— Tu as certainement quelque chose, dit Crozie, impatiente de reprendre le jeu. Un objet de valeur.

— Et tu mises quelque chose même valeur ?

La vieille femme hocha la tête avec brusquerie.

— Naturellement.

Ayla plissa le front dans un effort de concentration.

— Peut-être... fourrures, ou cuir, ou quelque chose je peux faire. Attends ! Trouvé, je crois. Jondalar joue avec Mamut et mise Talent. Quand il perd, il fabrique couteau spécial. Peux miser talent, Crozie ?

— Pourquoi pas ? Je vais le marquer ici.

Du plat de son couteau, elle aplanit le sol. Elle prit ensuite deux objets, à côté d'elle, les tendit, un dans chaque main.

— Nous allons compter trois points pour une partie. Si tu devines bien, tu marques un point. Si tu te trompes, je marque un point. La première qui en a trois gagne la partie.

Ayla regarda les deux osselets de bœuf musqué. L'un était peint de lignes rouges et noires, l'autre avait gardé son aspect naturel.

— Dois choisir le blanc, est ça ? demanda-t-elle.

— Exactement, approuva Crozie.

Une lueur rusée brillait dans son regard.

— Tu es prête ?

Les osselets entre les mains, elle se frottait les deux paumes l'une contre l'autre, mais elle regardait Jondalar, assis avec Danug dans l'aire réservée aux tailleurs de silex.

— Est-il vraiment aussi bon qu'on le dit ? questionna-t-elle, avec un signe de tête en direction du jeune homme.

Ayla lança un coup d'œil vers la tête blonde toute proche de la tête rousse. Lorsqu'elle ramena son regard sur Crozie, celle-ci avait les deux mains derrière le dos.

— Oui. Jondalar très bien, répondit-elle.

Crozie avait-elle délibérément essayé de détourner son attention ? se demandait-elle. Elle dévisagea longuement sa compagne, remarqua la légère inclinaison de ses épaules, son port de tête, son expression.

Crozie ramena ses mains devant elle, chacune refermée sur un os. La jeune femme examina le visage ridé, soudain dépourvu de toute expression, les vieilles mains arthritiques aux jointures blanchies. Une main était-elle un peu plus ramenée vers la poitrine ? Ayla choisit l'autre.

— Perdu ! fit Crozie, avec une féroce exultation.

Elle ouvrit la main pour montrer l'os rayé de rouge et de noir, inscrivit un bâton dans le loess.

— Tu veux encore essayer ?

— Oui, affirma Ayla.

Cette fois, Crozie se mit à fredonner, tout en frottant les osselets entre ses paumes. Après avoir un instant fermé les yeux, elle les rouvrit, contempla fixement le plafond, comme si elle remarquait quelque chose de passionnant près du trou à fumée. Ayla fut tentée de suivre son regard, mais elle se rappela la ruse utilisée la fois d'avant pour détourner son attention. Elle détourna vivement les yeux, juste à temps pour voir la vieille rusée jeter un coup d'œil entre ses paumes avant de ramener précipitamment ses mains derrière son dos. Un petit sourire de respect involontaire passa fugitivement sur le vieux visage. Un mouvement des épaules, des muscles des bras, semblait indiquer que les mains cachées n'étaient pas inactives. Crozie pensait-elle qu'Ayla avait entrevu l'un des osselets et les changeait-elle de main ? Ou bien voulait-elle seulement le lui faire croire ?

Le jeu comportait des aspects subtils, se disait la jeune femme, et il était plus intéressant de jouer que d'observer. Crozie ramena en vue ses mains osseuses. Ayla l'examina sans trop en avoir l'air. D'une part, il était impoli de dévisager quelqu'un. D'autre part, elle ne tenait pas à laisser voir à Crozie ce qu'elle cherchait. C'était difficile à déterminer — la vieille femme était experte à ce jeu —, mais la jeune femme avait l'impression qu'une épaule était légèrement plus haute que l'autre, et l'autre main n'était-elle pas un peu en retrait ? Ayla choisit celle qu'à son avis, Crozie voulait lui voir prendre. C'était la mauvaise.

— Ah, encore perdu ! s'écria joyeusement Crozie.

Elle ajouta vivement :

— Prête ?

Sans lui laisser le temps d'acquiescer, la vieille femme avait déjà ramené ses mains derrière son dos, avant de les tendre de nouveau devant elle. Cette fois, elle se tenait penchée en avant. Ayla, souriante, résista. Sa partenaire changeait constamment un détail de son attitude, elle s'efforçait de ne pas fournir un signal uniforme. La jeune femme choisit la main qui lui paraissait la bonne, en fut récompensée par une marque tracée dans le loess. La fois suivante, Crozie changea une fois de plus de position : elle abaissa les mains. Ayla se trompa.

— Ça fait trois ! J'ai gagné. Mais tu ne peux pas vraiment tenter ta chance avec une seule partie. Veux-tu en faire une autre ?

— Oui. Aimerais jouer encore, dit Ayla.

Crozie sourit. Mais, quand la jeune femme devina correctement deux fois de suite, son expression se fit moins aimable. Lorsqu'elle frotta pour la troisième fois entre ses paumes les osselets de bœuf musqué, elle fronçait les sourcils.

— Regarde là-bas ! Qu'est-ce que c'est donc ? dit-elle, avec un signe du menton.

C'était là une tentative flagrante pour détourner l'attention de la jeune femme.

Ayla regarda dans la direction indiquée. Quand elle revint au jeu, la vieille femme avait retrouvé son sourire. Ayla prit tout son temps pour choisir la main qui renfermait l'osselet gagnant, bien qu'elle eût pris très vite sa décision. Elle ne voulait pas contrarier trop gravement Crozie, mais elle avait appris à interpréter les signaux inconscients que transmettait le corps de la vieille femme quand elle jouait et elle savait, aussi précisément que si Crozie le lui avait révélé, dans quelle main se trouvait le bon osselet.

Crozie n'aurait pas été contente de savoir qu'elle se trahissait si facilement, mais Ayla possédait sur elle un avantage particulier. Elle était tellement accoutumée à observer et traduire de subtiles nuances de posture et d'expression du visage que cette habitude était devenue presque un instinct. Ces nuances faisaient partie intégrante du langage du Clan : elles exprimaient les moindres variantes d'une signification. Ayla avait remarqué par ailleurs que, même chez les gens qui communiquaient surtout verbalement, ces mouvements du corps, ces postures exprimaient aussi quelque chose, mais, dans ce cas, ce n'était pas conscient.

Elle avait été trop occupée à apprendre le langage parlé de son nouveau peuple pour faire un réel effort d'interprétation de ce langage inconscient. Sans parler encore très couramment la langue, elle était maintenant plus à l'aise et elle pouvait désormais utiliser des procédés de communication qui n'étaient généralement pas considérés comme des éléments du langage. La partie d'osselets avec Crozie lui faisait comprendre qu'elle pourrait en apprendre long sur les gens de sa propre race en appliquant les connaissances et la pénétration qu'elle avait acquises du Clan. Le Clan ne pouvait mentir, parce que le langage du corps ne permettait pas la dissimulation. Mais ceux qu'autour d'elle on avait appelés les Autres, pouvaient encore moins lui cacher leurs secrets. Ils ne savaient même pas qu'ils « parlaient ». Elle n'était pas encore tout à fait capable de traduire leurs signaux corporels mais... cela ne saurait tarder.

Ayla choisit la main qui tenait l'osselet blanc, et, d'un geste rageur, Crozie marqua un troisième point pour elle.

— La chance est de ton côté, à présent, dit-elle. Puisque j'ai gagné une partie, et toi une, nous ferions aussi bien de déclarer un résulat nul et d'oublier les enjeux.

— Non, protesta Ayla. Nous misons talent. Tu gagnes mon talent. Mon talent est médecine. Je te donnerai. Je veux ton talent.

— Quel talent ? demanda Crozie. Mon talent au jeu ? C'est ce que je fais de mieux, maintenant, et, déjà, tu me bats. Que veux-tu de moi ?

— Non, pas jeu. Je veux faire cuir blanc.

La vieille femme en resta bouche bée.

— Du cuir blanc ?

— Cuir blanc, comme tunique tu portes pour adoption.

— Je n'ai pas fait de cuir blanc depuis des années.

— Mais peux faire ? demanda Ayla.

— Oui.

Un souvenir vint adoucir le regard de Crozie.

— J'ai appris très jeune, avec ma mère. Jadis, le blanc était sacré pour le Foyer de la Grue, disent les légendes. Personne d'autre ne pouvait en porter...

Les yeux de la vieille femme retrouvèrent leur dureté.

— Mais c'était avant que le Foyer de la Grue fût tombé dans un tel mépris que même le Prix de la Femme est devenu dérisoire.

Elle dévisageait de tout près la jeune femme.

— Que représente pour toi le cuir blanc ?

— Est très beau, répondit Ayla.

Sa réponse provoqua un nouvel adoucissement dans le regard de sa compagne.

— Et blanc est sacré pour quelqu'un, ajouta-t-elle, les yeux baissés sur ses mains. Je veux faire tunique spéciale comme aime quelqu'un. Tunique blanche spéciale.

Elle ne vit pas Crozie jeter un coup d'œil vers Jondalar qui, précisément en cet instant, les regardait toutes deux. Apparemment gêné, il se détourna vivement. La vieille femme revint à Ayla, qui gardait la tête baissée.

— Et qu'aurai-je en échange ? demanda-t-elle.

— Tu m'apprendras ? dit Ayla, qui se redressa en souriant.

Elle saisit dans le vieux regard une lueur d'avarice, mais il y avait autre chose aussi. Quelque chose de plus lointain, de plus doux.

— Ferai remède pour arthrite, dit-elle, comme pour Mamut.

— Qui te dit que j'en ai besoin ? Lança Crozie d'un ton acerbe. Je ne suis pas aussi vieille que lui.

— Non, pas si vieille Crozie, mais tu as souffrance. Tu ne dis pas, ne te plains pas, mais je sais parce que suis Femme Qui Guérit. Remède ne peut pas guérir jointures et os douloureux, rien ne peut cela, mais peut faire souffrance moins grande. Cataplasme chaud rendra plus facile remuer, baisser, et ferai remède pour souffrance, un pour matin, un pour autre fois.

La vieille femme désirait avant tout sauver la face, elle le comprit, ajouta :

— Besoin faire remèdes pour toi pour sauver enjeu. Est mon talent.

— Oui, je dois te laisser payer ton enjeu, je suppose, dit Crozie. Mais je veux encore autre chose.

— Quoi ? Ferai, si je peux.

— Je veux encore de cette pommade blanche qui adoucit une vieille peau séche... la rajeunit, dit doucement Crozie.

Elle se redressa, reprit son ton acerbe.

— Ma peau a toujours souffert de gerçures, l'hiver.

Ayla lui sourit.

— Je ferai. Maintenant, tu dis quelle peau meilleure pour cuir blanc. Je demanderai à Nezzie si elle est dans réserves.

— La peau de cerf. Celle du renne est bonne, mais il vaut mieux en faire de la fourrure, pour la chaleur. N'importe quel cerf fera l'affaire : le cerf commun, l'élan, le mégacéros. Mais, avant de choisir la peau, il te faudra autre chose.

— Est quoi ?

— Il faudra mettre de côté ton urine.

— Mon urine ?

— Oui. Pas seulement la tienne, celle de n'importe qui, mais la tienne est la meilleure. Commence à la garder dès maintenant, avant même de mettre une peau à dégeler. Il faudra la laisser quelque temps dans un endroit chaud.

— Je me soulage tous les jours derrière rideau, dans panier avec bouse de mammouth et cendres. Est jeté après.

— Ne te soulage plus dans le panier. Garde toute ton urine dans un crâne de mammouth ou dans un panier tressé serré. Quelque chose d'étanche.

— Pourquoi besoin urine ?

Crozie prit le temps d'examiner la jeune femme avant de répondre.

— Je ne rajeunis pas, dit-elle, et je n'ai plus personne, excepté Fralie. D'ordinaire, une femme transmet ses talents à ses enfants, et à ses petits-enfants. Mais Fralie n'a pas le temps, et le travail du cuir ne l'intéresse pas beaucoup. Elle préfère coudre et faire des broderies de perles. Elle n'a pas de filles. Ses fils... eh bien, ils sont très jeunes. Qui sait ? Mais ma mère m'a transmis ce talent, et je dois à mon tour le transmettre à... à quelqu'un. C'est très dur, le travail du cuir, mais j'ai vu ce que tu savais faire. Les fourrures et les peaux que tu as apportées prouvent ton habileté, ta minutie, et ce sont des qualités nécessaires pour faire cuir blanc. Il y a des années que je n'ai pensé à en faire, et personne d'autre n'a témoigné un grand intérêt. Mais toi, tu as demandé. Je t'apprendrai donc.

La vieille femme se pencha, prit dans la sienne la main d'Ayla.

— Le secret du cuir blanc, c'est ton urine. Ça peut te paraître étrange mais c'est vrai. Après être restée quelque temps dans un endroit chaud, elle se transforme. A ce moment, si tu y trempes des peaux, tous les petits fragments de graisse se détachent, toutes les tâches disparaissent. Le poil s'enlève plus facilement, la peau pourrit moins vite, et elle reste douce, même sans la fumer, si bien qu'elle ne brunit pas. En fait, l'urine blanchit la peau. Elle n'est pas encore absolument blanche, mais presque. Par la suite, quand elle a été lavée, tordue plusieurs fois, quand elle est complètement sèche, elle est prête à être teinte en blanc.

Si quelqu'un lui avait posé la question, Crozie aurait été incapable d'expliquer comment l'urée, le principal composant de l'urine, pouvait se décomposer et prendre les propriétés de l'ammoniac dans un environnement chaud. Elle savait seulement que, si l'on conservait assez longtemps l'urine, elle devenait autre chose. Quelque chose qui pouvait à la fois dissoudre la graisse et décolorer, tout en préservant le cuir de la décomposition. Elle n'avait pas besoin de savoir pourquoi ni de donner à ce liquide le nom d'ammoniac : il lui suffisait de connaître ses propriétés.

— De la craie... avons-nous de la craie ? demanda Crozie.

— Wymez en a. Il dit silex qu'il a rapporté vient de falaise de craie. Il a encore plusieurs pierres couvertes ainsi.

— Pourquoi as-tu parlé de craie à Wymez ? Comment savais-tu que j'accepterais de te montrer ? demanda Crozie d'un ton soupçonneux.

— Ne savais pas. Veux faire tunique blanche depuis longtemps. Si tu ne montres pas, j'essaie toute seule. Mais ne savais pas fallait garder urine. N'aurais pas pensé. Suis heureuse tu vas montrer à faire comme il faut.

— Humpff ! commenta très brièvement Crozie.

Elle était convaincue mais se refusait à l'admettre.

— N'oublie pas de me faire cette pommade blanche.

Elle ajouta :

— Fais-en aussi pour le cuir. Ce serait bon, je pense, d'en mélanger à la craie.

Ayla écarta le rabat pour regarder à l'extérieur.

En cette fin d'après midi, le vent psalmodiait en gémissant une triste mélopée qui s'accordait avec le morne paysage et le ciel gris, couvert.

Elle aurait souhaité pouvoir échapper au froid cruel qui retenait tout le monde à l'intérieur, mais la saison accablante semblait ne devoir jamais finir. Whinney s'ébroua. La jeune femme se retourna, vit Mamut pénétrer dans le foyer des chevaux. Elle lui sourit.

Ayla, dès le début, avait éprouvé un profond respect pour le vieux chaman, mais, depuis qu'il avait entrepris de l'initier, ce respect s'était transformé en amour. C'était en partie parce qu'elle décelait une étrange ressemblance entre le grand et maigre Mamut, incroyablement âgé, et le petit magicien du Clan, borgne et boiteux, non pas en apparence mais par leur nature. Elle avait presque l'impression d'avoir retrouvé Creb ou, au moins, sa contrepartie. Tous deux professaient une compréhension et un respect profonds pour le monde des esprits, même si les esprits qu'ils révéraient portaient des noms différents. Tous deux savaient exercer de redoutables pouvoirs, en dépit de leur faiblesse physique. Et tous deux possédaient une grande expérience des réactions humaines. Mais ce qui, plus que tout peut-être, avait fait naître l'amour chez la jeune femme, c'était que, comme l'avait fait Creb, Mamut l'avait accueillie avec bonté, l'avait aidée à comprendre, avait fait d'elle une fille de son Foyer.

— Je te cherchais, Ayla. Je pensais bien te trouver ici, avec tes chevaux.

— Je regardais dehors. Je voudrais voir venir le printemps.

— C'est l'époque où la plupart de gens commencent à avoir envie d'un changement, de quelque chose de nouveau à voir ou à faire. Ils s'ennuient, ils dorment davantage. Voilà pourquoi, je pense, nous avons plus de festins et de fêtes en cette dernière période de l'hiver. Le Concours du Rire est proche. Presque tout le monde y prend plaisir.

— C'est quoi, le Concours du Rire ?

— Précisément ce que le nom indique. Chacun s'efforce de faire rire les autres. Certains s'habillent d'une façon comique, portent leurs vêtements sens devant derrière, se font des grimaces, se comportent d'une manière ridicule, se moquent les uns des autres, se jouent des tours. Si quelqu'un se fâche, on en rit encore davantage. Presque tout le monde attend ce concours, mais aucune fête ne suscite autant d'impatience que le Festival de Printemps. C'est cela, en fait, qui m'a lancé à ta recherche. Tu as encore beaucoup à apprendre, avant ce Festival.

— Pourquoi le Festival du Printemps est-il si particulier ? demanda Ayla.

Elle n'était pas bien sûre d'éprouver, elle, une telle impatience.

— Pour de nombreuses raisons, je suppose. C'est à la fois notre fête la plus solennelle et la plus joyeuse. Elle marque la fin d'une longue saison de froid paralysant et le retour de la chaleur. On dit que, si l'on observe une année durant le cycle des saisons, on comprend la vie. La plupart des gens comptent trois saisons. Le printemps est la saison de la naissance. Dans le jaillissement de ses eaux, les inondations printanières, la Grande Terre Mère donne de nouveau la vie. L'été, la saison chaude, est le temps de la croissance, de l'abondance. L'hiver est « la petite mort ». Au printemps, la vie se renouvelle, renaît. Trois saisons suffisent à expliquer presque tout, mais le Foyer du Mammouth en compte cinq. Le nombre sacré de la Mère est le cinq.

En dépit de ses réticences premières, Ayla se passionnait maintenant pour l'initiation que lui avait imposée Mamut. Elle apprenait tant d'idées nouvelles, tant de nouvelles pensées et même de nouvelles manières de penser. Il était stimulant de découvrir tant de choses, de se sentir mise dans le secret au lieu d'être tenue à l'écart. La connaissance des esprits, des nombres et même de la chasse lui avait été refusée, du temps où elle vivait avec le Clan. Elle était réservée aux hommes. Seuls, les mog-ur et leurs acolytes étudiaient ces sciences en profondeur, et nulle femme ne pouvait devenir mog-ur. Les femmes n'étaient même pas admises aux discussions qui portaient sur des sujets comme les esprits ou les nombres. La chasse lui avait été interdite aussi, mais, sur ce point, les gens du Clan n'empêchaient pas les femmes d'écouter : à leur avis, aucune femme n'était capable de s'instruire dans ce domaine.

— J'aimerais revoir avec toi les chants et les mélopées que nous avons étudiés. Je veux aussi commencer à t'enseigner autre chose. Les symboles. Tu les trouveras intéressants, je crois. Certains concernent la médecine.

— Des symboles de médecine ? demanda Ayla.

Certes, son intérêt s'éveillait déjà. Mamut et elle pénétrèrent ensemble dans le Foyer du Mammouth.

— Vas-tu faire quelque chose de ton cuir blanc ? demanda le vieil homme.

Il disposait des nattes près du feu, à côté de son lit.

— Ou vas-tu le mettre de côté, comme le cuir rouge ?

— Pour le cuir rouge, je ne sais pas encore mais, avec le blanc, je veux faire une tunique, dans une intention particulière. J'apprends à coudre mais je suis très maladroite. Le traitement de ce cuir a été si bien réussi que je ne veux pas l'abîmer avant d'être plus habile. Deegie me montre comment faire. Fralie aussi, quelquefois, quand Frebec ne lui fait pas de difficultés. Ayla tailla quelques éclats d'os, les posa sur les flammes. Pendant ce temps, Mamut sortait de ses affaires une plaque d'ivoire, mince et ovale, dont la large surface était bombée. Le tracé de l'ovale avait été gravé dans une défense de mammouth à l'aide d'un ciseau de pierre. On avait répété l'opération pour créer un sillon profond. Un coup sec et précis sur l'une des extrémités avait détaché la plaque d'ivoire. Mamut tira du feu un morceau d'os carbonisé. Ayla alla chercher un crâne de mammouth et un maillet pris sur un andouiller, avant de revenir s'asseoir près du chaman.

— Avant que nous nous exercions sur le tambour, je veux te montrer certains symboles que nous utilisons pour aider la mémoire, pour retenir, par exemple, des chants, des histoires, des proverbes, des lieux, des moments, des noms, tout ce qu'on peut souhaiter se rappeler, commença Mamut. Tu nous as enseigné un langage des mains et des signes. Tu as remarqué, je le sais, que nous nous servons de certains gestes, nous aussi, même si nous en employons moins que le Clan.

Avec un geste de la main, nous disons adieu, avec un autre, nous faisons signe à quelqu'un de s'approcher, et les symboles figurés avec les mains, en particulier quand nous faisons une description, quand nous racontons une histoire, ou quand l'un de Ceux Qui Servent dirige une cérémonie. En voici un que tu reconnaîtras facilement. Il ressemble à un symbole du Clan.

D'une main dont la paume était tournée vers l'extérieur, Mamut décrivit un cercle.

— Ce signe veut dire « tous » ou « tout », expliqua-t-il.

Il prit le morceau d'os carbonisé.

— Je peux maintenant faire la même mouvement sur l'ivoire avec cet os brûlé, tu vois ? Ce symbole veut donc dire « tous » ou « tout ». Toutes les fois que tu le verras, même s'il est dessiné par un autre Mamut, tu en reconnaîtras le sens.

Le vieux chaman prenait plaisir à prodiguer son enseignement à Ayla. Elle était intelligente, elle apprenait vite, mais, plus encore, la joie d'apprendre se lisait sur son visage. Tandis qu'il lui donnait des explications, il déchiffrait sur ses traits la curiosité, l'intérêt et, dès qu'elle comprenait, l'émerveillement.

— Je n'aurais jamais pensé à ça ! Peut-on apprendre ce savoir ? demanda-t-elle.

— Certains savoirs sont sacrés, et, seuls, ceux qui ont été admis au Foyer du Mammouth y ont accès. Mais la plupart sont ouverts à ceux que cela intéresse et il arrive ainsi que des personnes se découvrent un intérêt profond, finissent par se vouer au Foyer du Mammouth. La connaissance sacrée se trouve dissimulée derrière une seconde signification ou même une troisième. La plupart des gens savent que ce symbole...

Il traça un autre cercle sur l'ivoire.

— ...signifie « tous » ou « tout », mais il a un autre sens. Il existe de nombreux symboles pour la Grande Mère. Ceci est l'un d'eux. Il signifie Mut, la Créatrice de Toute Vie. Beaucoup d'autres lignes, d'autres dessins ont une signification, poursuivit-il. Celui-ci veut dire « eau ».

Il traçait une ligne en zigzag.

— Ce signe était sur la carte, quand nous avons chassé le bison, dit-elle. Il voulait dire « rivière », je crois.

— Oui, il peut vouloir dire « rivière ». La manière dont il est tracé, l'endroit où il est figuré, ce qui a servi à le dessiner peuvent en changer le sens.

Il dessina un autre zigzag, y ajouta quelques lignes.

— Si je le fais ainsi, cela veut dire que l'eau n'est pas buvable. Et, comme le cercle, il a une seconde signifcation. C'est le symbole des sentiments, des passions, de l'amour et, parfois, de la haine. Il peut aussi nous rappeler l'un de nos proverbes : « La rivière coule en silence quand l'eau est profonde ».

Le front d'Ayla se plissa : elle avait l'impression que le proverbe contenait une signification qui lui était destinée.

— La plupart des guérisseurs donnent un sens aux symboles pour aider leur mémoire, pour se souvenir des proverbes, par exemple. Mais ces proverbes se rattachent à la médecine, à l'art de guérir, et, généralement, personne d'autre ne les comprend, dit Mamut. Je n'en connais pas beaucoup, mais, quand nous nous rendrons à la Réunion d'Eté, tu rencontreras d'autres guérisseurs. Ils pourront t'en dire davantage.

L'intérêt d'Ayla était éveillé. Elle se rappelait avoir rencontré d'autres guérisseuses au Rassemblement du Clan et avoir beaucoup appris d'elles. Elles lui avaient communiqué leurs traitements, leurs remèdes, lui avaient même appris des rythmes nouveaux, mais Ayla avait surtout apprécié le fait de pouvoir partager avec d'autres ses propres expériences.

— J'aimerais apprendre davantage, dit-elle. Je connais seulement la médecine du Clan.

— Tu possèdes plus de connaissances que tu ne le penses, Ayla. Plus, en tout cas, que bon nombre de guérisseurs qui se trouveront là-bas ne le croiront d'abord. Certains auraient beaucoup à apprendre de toi. Mais tu comprends, j'espère, qu'il pourra s'écouler un certain temps avant que tu sois complètement acceptée.

Le vieil homme la regarda froncer de nouveau les sourcils. Il cherchait de quelle manière il pouvait faire en sorte que la première rencontre d'Ayla avec d'autres mamutoï, en grand nombre ceux-là, se passe bien. Mais inutile de s'en inquiéter dès maintenant, se dit-il. Il changea de sujet.

— Je voudrais te demander quelque chose, à propos de la médecine du Clan. Est-elle uniquement faite de souvenirs ? Ou bien as-tu certains moyens pour aider ta mémoire ?

— L'aspect des plantes, en graine, en pousse et quand elles atteignent leur maturité ; où elles poussent, leurs usages ; comment les mélanger, les préparer, les utiliser... tout cela, c'est la mémoire. D'autres sortes de traitements viennent d'elle aussi. Je pense à une nouvelle manière d'utiliser quelque chose, mais c'est parce que je sais l'utiliser.

— Tu ne te sers pas de symboles, de signes pour te souvenir ?

Ayla réfléchit un instant avant de se lever en souriant pour aller prendre son sac à remèdes. Elle en déversa le contenu devant elle : c'était tout un assortiment de petits sacs et de paquets, soigneusement fermés par des cordelettes ou de minces lanières. Elle en choisit deux.

— Ceci contient de la menthe, dit-elle, et cela des cynorhodons.

— Comment le sais-tu ? Tu ne les as pas ouverts, ni même sentis.

— Je le sais parce que, pour la menthe, il y a une cordelette faite de fibres de l'écorce d'un certain arbuste et deux nœuds à l'extrémité de la cordelette. Celle qui ferme le paquet de cynorhodons est formée de longs crins d'une queue de cheval et a trois nœuds proches les uns des autres. Je peux aussi sentir la différence, si je ne suis pas enrhumée, mais certains remèdes très puissants n'ont presque pas d'odeur. On les mélange avec les feuilles très odorantes d'une plante qui n'a pas beaucoup d'effet en médecine, pour ne pas faire d'erreur. Différentes cordelettes, différents nœuds, différentes odeurs, parfois différents paquets...ce sont des signes pour se souvenir, n'est-ce pas ?

— C'est ingénieux... très ingénieux, dit Mamut. Oui, ce sont des signes pour se souvenir. Mais tu dois encore te souvenir des cordelettes et des nœuds pour chacun, n'est-ce pas ? Néanmoins, c'est un bon moyen de t'assurer que tu utilises le remède qui convient.

Ayla était allongée, les yeux grands ouverts, mais elle restait immobile. Dans l'obscurité luisaient seulement les braises des feux couverts. Jondalar grimpa dans leur lit, s'efforça de se faire le plus discret possible pour passer au-dessus d'elle. Elle avait un jour pensé prendre la place le long du mur, mais y avait renoncé. Elle ne tenait pas à ce qu'il pût se glisser dans le lit ou en sortir plus aisément. Il s'enroula dans ses fourrures personnelles et, couché sur le côté, tourné vers le mur, ne bougea plus. Il ne s'endormait pas rapidement, elle le savait, et elle mourait d'envie de tendre la main, de le toucher. Mais elle avait déjà essuyé plusieurs rebuffades et ne voulait plus s'y hasarder. Elle avait trop mal quand il lui disait qu'il était fatigué, quand il faisait mine de dormir, quand il n'avait aucune réaction.

Le bruit de la respiration d'Ayla indiqua enfin à Jondalar qu'elle avait trouvé le sommeil. Il attendait ce moment. Doucement, il se retourna, se redressa sur un coude et put rassasier son regard de la vue de la jeune femme. Sa chevelure en désordre était répandue sur les fourrures. Un bras, rejeté à l'extérieur, dénudait un sein. Une douce chaleur, un léger parfum féminin émanaient d'elle. Jondalar se sentait trembler du désir de la toucher mais, il en était convaincu, elle n'apprécierait pas qu'il troublât son sommeil. Jondalar, depuis la nuit qu'Ayla avait partagée avec Ranec, redoutait qu'elle ne voulût plus de lui. A plusieurs reprises, il avait envisagé de coucher dans un autre lit, peut-être même dans un autre foyer, mais, même s'il lui était pénible de dormir à côté d'elle, il lui aurait été plus pénible encore d'en être totalement séparé.

Une petite mèche de cheveux retombait sur le visage de la jeune femme et frémissait à chaque souffle. Il tendit la main, écarta doucement la mèche folle. Après quoi, précautionneusement, il se recoucha, s'abandonna à la détente. Il ferma les yeux, s'endormit au bruit du souffle d'Ayla.

Ayla s'éveilla avec l'impression que quelqu'un la regardait. Les feux avaient été ranimés, la lumière du jour entrait par le trou à fumée qu'on avait en partie découvert. Elle tourna la tête, rencontra le regard intense des yeux sombres de Ranec qui, du Foyer du Renard, l'observait. Elle lui adressa un sourire ensommeillé, en fut récompensée par un autre sourire, épanoui et ravi, celui-là. Elle était sûre que la place, à côté d'elle, serait vide, mais elle n'en tendit pas moins le bras, par-dessus les fourrures en tas, pour s'en convaincre. Elle repoussa les couvertures, se redressa sur son séant. Ranec, elle le savait, attendrait qu'elle fût levée et habillée avant de venir lui rendre visite au Foyer du Mammouth.

Elle s'était d'abord sentie mal à l'aise quand elle s'était aperçue qu'il l'observait constamment. D'une certaine manière, c'était flatteur, et il n'y mettait aucune malice, elle le savait. Mais, à l'intérieur du Clan, on jugeait discourtois de plonger le regard, par-delà les pierres qui limitaient les espaces de vie, dans le domaine d'une autre famille. Il n'y avait pas plus d'intimité dans la caverne du Clan que dans la galerie des Mamutoï. Mais l'intérêt de Ranec était ressenti par Ayla comme une intrusion dans sa propre intimité et accentuait la tension latente qui ne la quittait pas. Il y avait toujours quelqu'un dans les parages. Il n'en était pas allé autrement, du temps où elle vivait avec le Clan, mais ces gens avaient des coutumes auxquelles son éducation ne l'avait pas habituée. Souvent, les différences étaient presque imperceptibles, mais, lorsqu'on vivait dans une telle promiscuité, elles devenaient plus évidentes. A moins qu'elle ne fût devenue plus sensible. Il lui arrivait d'avoir envie de s'échapper. Après trois années de solitude dans sa vallée, elle n'aurait jamais imaginé qu'elle souhaiterait un jour se retrouver seule. Pourtant, par moments, elle regrettait avec une sorte de nostalgie la liberté de cette solitude.

Elle se hâta de s'acquitter des nécessités matinales, mangea seulement quelques bouchées de la nourriture qui restait de la veille. Quand les trous à fumée étaient découverts, cela signifiait généralement qu'il faisait beau dehors. Elle décida de sortir avec les chevaux. Lorsqu'elle écarta la tenture qui séparait l'habitation de l'écurie, elle vit Jondalar et Danug près des bêtes et faillit revenir sur sa décision.

S'occuper des chevaux, soit dans l'annexe, soit, quand le temps le permettait, dehors, lui apportait quelque répit quand elle désirait s'isoler un moment, mais Jondalar semblait, lui aussi, aimer passer avec eux une partie de son temps. Lorsqu'elle le voyait avec les chevaux, elle se tenait généralement à l'écart : toutes les fois qu'elle les rejoignait, il les lui abandonnait, en marmonnant qu'il ne voulait pas lui gâcher les moments qu'elle partageait avec eux. Elle tenait à lui laisser ces instants. D'une part, ils établissaient un rapport entre elle et Jondalar. D'autre part, leur sollicitude commune pour les deux bêtes forgeait entre eux une certaine communication, si discrète fût-elle. L'attirance de Jondalar pour les chevaux, sa façon de les comprendre, donnaient à croire à la jeune femme qu'il avait, peut-être plus qu'elle, besoin de leur compagnie.

Elle pénétra dans le foyer des chevaux. En présence de Danug, Jondalar hésiterait peut-être à partir. A son approche, elle le vit esquisser un mouvement de retrait. Elle se hâta de formuler la question qui le retiendrait, l'obligerait à parler.

— As-tu réfléchi, Jondalar, à la façon dont tu allais t'y prendre pour dresser Rapide ?

En même temps, elle saluait Danug d'un sourire.

— Le dresser ? répéta Jondalar, un peu déconcerté.

— Lui apprendre à te laisser monter sur son dos.

Oui, il y avait réfléchi. En fait, il venait tout juste d'en faire la remarque à Danug, d'un ton qu'il espérait négligent. Il ne voulait pas trahir son désir de plus en plus violent de chevaucher l'animal. Particulièrement lorsqu'il se sentait incapable de supporter l'attirance qu'exerçait apparemment Ranec sur Ayla, il s'imaginait galopant à travers les steppes sur le dos de l'étalon, libre comme le vent. Mais peut-être, désormais, choisirait-elle Ranec pour chevaucher le poulain de Whinney.

— J'y ai pensé, oui, mais je ne savais pas si... par où commencer, acheva-t-il gauchement.

— A mon avis, tu devrais continuer ce que nous avions commencé à faire dans la vallée. Habitue-le à garder quelque chose sur le dos, à porter des charges. Je ne sais pas très bien comment tu peux lui apprendre à aller où tu veux. Il te suit à la longe, mais comment peut-il te suivre si tu es sur son dos ?

Ayla parlait très vite, disait ce qui lui passait par la tête, pour retenir l'attention de Jondalar.

Les yeux de Danug allaient de l'un à l'autre. Il aurait voulu pouvoir dire ou faire quelque chose qui aurait tout arrangé, non seulement entre eux, mais pour tout le monde. Quand Ayla se tut, un lourd silence s'installa. Danug se hâta de le combler.

— Une fois sur le cheval, il pourrait peut-être tenir la longe par derrière, au lieu de s'accrocher à la crinière de Rapide, suggéra-t-il.

Brusquement, comme si quelqu'un avait frappé un silex contre une pyrite de fer, dans l'abri obscurci, Jondalar se représenta très précisément ce que Danug venait de dire. Au lieu de battre en retraite, de donner l'impression qu'il était prêt à se sauver à la première occasion, il ferma les yeux, le front plissé dans un effort de concentration.

— Ce serait peut-être la solution, tu sais, Danug ! fit-il.

Du coup, il oubliait pour un temps son incertitude à propos de l'avenir.

— Je pourrais accrocher quelque chose à son licou et le tenir par derrière. Une corde solide... ou bien une mince lanière de cuir... deux, peut-être.

— J'ai quelques-unes de ces lanières, dit Ayla.

Il semblait moins tendu, remarqua-t-elle. Elle était heureuse qu'il eût toujours envie de dresser le jeune poulain et curieuse du résultat qu'il pourrait obtenir.

— Je vais te les chercher, elles sont à l'intérieur.

Il franchit derrière elle l'arche qui ouvrait sur le Foyer du Mammouth. Mais, au moment où elle se dirigeait vers la plate-forme, il s'immobilisa tout à coup. Ranec s'entretenait avec Deegie et Tronie et se retourna pour adresser à la jeune femme son séduisant sourire. Jondalar sentit son estomac se crisper, il ferma les yeux, serra les dents. Il fit un mouvement de recul. A ce moment, Ayla se retourna pour lui tendre un étroit rouleau de cuir souple.

— C'est très solide, lui dit-elle. Je l'ai fait l'hiver dernier.

Elle levait les yeux vers le regard bleu qui révélait la souffrance, la confusion, l'incertitude qui le torturaient.

— C'était avant ton arrivée dans ma vallée, Jondalar. Avant que l'Esprit du Grand Lion des Cavernes t'eût choisi et conduit vers moi.

Il prit le rouleau, sortit en toute hâte. Il lui était impossible de rester. Toutes les fois que le sculpteur venait au Foyer du Mammouth, il lui fallait partir. Il ne pouvait se trouver dans les parages quand Ayla et l'homme à la peau sombre étaient ensemble, ce qui se produisait plus fréquemment depuis quelque temps. Quand les jeunes gens du Camp se réunissaient dans l'espace plus vaste consacré aux cérémonies, afin d'y travailler plus à l'aise, afin d'échanger leurs idées, leurs méthodes, il les avait observés de loin. Il les entendait faire de la musique, chanter, il écoutait leurs plaisanteries, leurs rires. Et, toutes les fois qu'il entendait le rire d'Ayla se mêler à celui de Ranec, il ne pouvait retenir une grimace douloureuse.

Jondalar posa sur le sol le rouleau de lanières de cuir près du licou de Rapide. Il décrocha sa pelisse et sortit, avec un morne sourire à l'adresse de Danug, au passage. Il enfila le vêtement, ramena étroitement le capuchon sur sa tête, fourra les mains dans les moufles qui sortaient des manches, avant de gravir la pente qui menait aux steppes.

Le vent fort qui promenait à travers le ciel son fardeau gris était normal pour la saison. Le soleil brillait mais il ne paraissait guère avoir d'effet sur la température qui demeurait stable, bien au-dessous du point où l'eau gelait. La couche de neige était mince. L'air sec crépitait autour de Jondalar, volait l'humidité de ses poumons dans les nuages de vapeur qu'il exhalait avec chaque souffle. Il n'allait pas rester bien longtemps dehors, mais ce froid le calmait en exigeant de lui avec insistance qu'il plaçât sa survie au-dessus de tout autre considération. Il ignorait pourquoi Ranec provoquait chez lui une réaction aussi violente. Sans doute était-ce dû en partie à sa peur de devoir lui abandonner Ayla, en partie aussi à son imagination qui les lui représentait ensemble. Mais il éprouvait aussi un sentiment de culpabilité lancinant, parce qu'il hésitait encore à accepter Ayla entièrement, sans réserves. Une partie de lui-même jugeait que Ranec la méritait plus que lui. Mais un fait au moins semblait sûr : c'était à lui, et non pas à Ranec, que la jeune femme faisait confiance pour essayer de monter Rapide.

Après avoir regardé son ami aborder la montée, Danug laissa retomber le rabat, revint lentement dans l'abri. Au passage du jeune homme, Rapide hennit, encensa. Danug regarda le cheval et sourit. Presque tout le monde à présent, semblait accepter avec plaisir la présence des animaux ; on les caressait, on leur parlait, même si ce n'était pas avec la familiarité d'Ayla. Il paraissait tout naturel d'avoir des chevaux dans le nouvel abri. Comme il était facile d'oublier la stupeur, l'émerveillement qu'il avait ressentis, la première fois qu'il les avait vus. Il franchit la seconde voûte, vit Ayla debout près de sa plate-forme. Après une hésitation, il s'approcha d'elle.

— Il est allé marcher sur les steppes, dit-il à la jeune femme. Ce n'est pas bien prudent de sortir seul quand il fait froid, qu'il y a du vent, mais le temps est moins mauvais aujourd'hui qu'il ne l'est parfois.

— Essaies-tu de me dire qu'il ne lui arrivera rien, Danug ?

Elle lui souriait. Un instant, il se sentit stupide. Jondalar reviendrait sain et sauf, naturellement. Il avait fait de longs Voyages, il était très capable de se tirer d'affaire.

— Merci, ajouta Ayla, pour ton aide et pour ton désir de nous aider.

Elle tendit la main, toucha la sienne. Ses doigts étaient frais, mais leur contact était tiède. Il le ressentit avec cette intensité qu'elle faisait toujours naître en lui mais, au fond de lui-même, il comprenait qu'elle lui avait offert autre chose : son amitié.

— Je vais peut-être sortir, moi aussi, dit-il, pour aller voir les pièges que j'ai tendus.

— Essaie comme ça, Ayla, conseilla Deegie.

Adroitement, elle perça un trou près du bord du cuir. Elle se servait pour cela d'un petit os, dur et solide, prélevé sur la patte d'un renard arctique, un os qui comportait naturellement une pointe rendue plus acérée encore par un morceau de grès. Elle posa ensuite en travers du trou un mince filament pris sur un tendon et, de la pointe de son alène à coudre, en poussa l'extrémité de l'autre côté. Elle le rattrapa du bout des doigts, tira. A l'endroit correspondant sur une autre pièce de cuir qu'elle cousait à la première, elle répéta l'opération.

Ayla lui reprit les deux morceaux dont elle se servait pour apprendre. Un petit carré de peau de mammouth faisait office de dé. Elle poussa l'os de renard à travers le cuir, parvint à pratiquer une étroite perforation. Elle essaya ensuite de poser le filament en travers de ce trou et de le pousser de l'aute côté du cuir mais, apparemment, elle n'avait pas encore maîtrisé la technique et, une fois de plus, elle se sentit parfaitement frustrée.

— Je n'apprendrai jamais, je crois, Deegie ! gémit-elle.

— Tu as besoin de t'exercer, c'est tout, Ayla. Moi je fais ça depuis mon enfance. Pour moi, bien sûr, c'est facile, mais tu finiras par réussir si tu continues tes efforts. C'est un peu comme pratiquer des petites fentes avec la pointe d'un silex et y passer des lacets de cuir pour faire des vêtements de travail. Ça tu le fais très bien.

— Mais, c'est bien plus difficile avec un filament de nerf et de tout petits trous. Je n'arrive pas à enfiler l'un dans l'autre ! Je ne sais pas comment Tronie peut fixer ainsi des piquants de porc-épic et des perles.

Ayla observait Fralie qui poussait un long et mince cylindre d'ivoire dans le sillon creusé dans un bloc de grès.

— J'espérais qu'elle me montrerait, pour que je puisse décorer la tunique blanche quand je l'aurai faite, mais je me demande si je parviendrai jamais à la coudre comme je veux.

— Mais si Ayla, intervint Tronie. A mon avis, rien ne peut te résister si tu le veux vraiment.

— Sauf chanter ! précisa Deegie.

Tout le monde éclata de rire, même Ayla. Sa voix, lorqu'elle parlait, était grave, harmonieuse, mais chanter ne faisait pas partie de ses dons naturels. Elle était capable de produire une série limitée de sons, suffisante pour la monotonie d'une mélopée, et elle avait de l'oreille. Elle reconnaissait une fausse note quand elle sifflait un air, mais toute souplesse vocale dépassait ses moyens. La virtuosité d'un chanteur comme Barzec l'émerveillait. Elle aurait pu l'écouter la journée durant s'il avait consenti à chanter aussi longtemps. Fralie, elle aussi, avait une voix haute, douce, claire et mélodieuse que la jeune femme aimait entendre. Pour tout dire, la plupart des membres du Camp du Lion savaient chanter... sauf Ayla.

On la plaisantait sur sa voix. On y ajoutait même des commentaires sur son accent, bien qu'il s'agît d'une particularité de prononciation. Elle riait d'aussi bon cœur que les autres. Elle était incapable de chanter et elle le savait. S'ils la plaisantaient sur sa voix, un grand nombre d'entre eux, individuellement, lui avaient fait compliment de son élocution. Ils étaient flattés qu'elle eût si vite et si bien appris leur langage, et leurs plaisanteries lui donnaient l'impression d'être désormais considérée comme l'une d'entre eux.

Tout le monde possédait une caractéristique physique ou morale dont les autres se moquaient : la taille de Talut, la couleur de Ranec, la vigueur de Tulie, par exemple. Seul, Frebec s'en fâchait, et ils se moquaient de sa susceptibilité derrière son dos, par signes. Le Camp du Lion, en effet, avait appris, lui aussi, à parler couramment un nouveau langage : une version modifiée de celui du Clan. Par voie de conséquence, Ayla n'était pas la seule à ressentir la chaleur d'un accueil sans réserves. Rydag, lui aussi, faisait partie de ces échanges.

La jeune femme jeta un coup d'œil vers lui. Il était assis sur une natte et tenait Hartal sur ses genoux. Il occupait le turbulent petit enfant avec un tas d'os, pour la plupart des vertèbres de cerf, afin de l'empêcher de se traîner jusqu'à sa mère qui aidait Fralie à composer un motif de perles. Rydag savait s'y prendre avec les petits : il avait assez de patience pour jouer avec eux et les distraire aussi longtemps qu'ils le voulaient.

Il sourit à son amie.

— Tu n'es pas la seule à ne pas savoir chanter, Ayla, lui dit-il par signes.

Elle lui rendit son sourire. Non, pensait-elle, elle n'était pas la seule. Rydag ne pouvait pas chanter. Ni parler. Ni courir et jouer. Ni même mener pleinement une vie normale. En dépit de ses connaissances en médecine, Ayla n'aurait pas su dire combien de temps il allait vivre. Il pouvait mourir le jour même mais il pouvait aussi bien survivre plusieurs années. Elle n'avait d'autre ressource que l'aimer chaque jour de sa vie, dans l'espoir de pouvoir l'aimer encore le lendemain.

— Hartal ne sait pas chanter, lui non plus ! reprit-il par signes.

Il rit de son étrange rire de gorge.

La jeune femme se mit à rire, elle aussi, et secoua la tête d'un air ravi. Il avait suivi sa pensée, en avait fait une plaisanterie intelligente et drôle.

Nezzie, debout près du feu, les observait. « Tu ne sais peut-être pas chanter, Rydag, se disait-elle, mais tu sais parler maintenant. » Il était en train d'enfiler plusieurs vertèbres sur une grosse corde et les secouait bruyamment pour distraire l'enfant. Sans le langage par signes et l'éveil progressif qu'avait apporté ce langage à l'intelligence et à la compréhension de Rydag, jamais on ne lui aurait confié la responsabilité de s'occuper de Hartal, pour permettre à sa mère de travailler, et pas même tout près d'elle. Quel changement avait apporté Ayla à la vie de Rydag ! Cet hiver-là, personne ne contestait plus son essentielle humanité, sinon Frebec, et, Nezzie en était sûre, c'était plutôt par obstination que par conviction.

La jeune femme continuait à se débattre avec le poinçon et le mince filament. Si seulement elle avait pu faire passer celui-ci dans le trou pour le reprendre de l'autre côté. Elle s'y essayait, comme le lui avait montré Deegie, mais c'était un coup de main qui venait de plusieurs années d'expérience, et elle en était encore bien loin. Découragée, elle laissa tomber sur ses genoux les deux morceaux de cuir et se mit à observer celles qui fabriquaient des perles d'ivoire.

Un coup sec appliqué sur une défense de mammouth sous l'angle qui convenait faisait sauter un morceau d'ivoire assez mince, qui gardait une certaine courbure. A l'aide de burins, on y gravait alors des sillons que l'on creusait en repassant plusieurs fois sur la même ligne, jusqu'au moment où les différentes pièces se détachaient. On les rognait, on les parait, avec des grattoirs, des couteaux qui enlevaient de longs copeaux en spirales, afin d'en faire des cylindres encore grossiers. Ceux-ci étaient alors polis avec du grès que l'on tenait humide pour le rendre plus abrasif. Des lames de silex acérées, dont le fil était en dents de scie, et qui comportaient un long manche, étaient utilisées pour découper les cylindres d'ivoire en petites sections dont on polissait ensuite les extrémités.

La phase finale consistait à percer un trou au centre de chaque section, afin de pouvoir enfiler sur une cordelette ou coudre les cylindres sur un vêtement. Pour ce faire, on se servait d'un outil spécial. Une longue et mince pointe de silex, méticuleusement façonnée par un tailleur de pierre expérimenté, s'insérait à l'extrémité d'une fine baguette, parfaitement droite et lisse. La pointe de ce foret était centrée sur un petit disque d'ivoire assez épais. Alors, comme pour le procédé qui servait à faire du feu, on faisait tourner la baguette entre les paumes, dans un sens puis dans l'autre, en exerçant une pression de haut en bas, jusqu'à ce qu'un trou soit percé à travers le petit cylindre.

Ayla regardait Tronie opérer, concentrée pour réussir un trou parfait. C'était, pensait-elle, se donner bien du mal pour quelque chose qui n'avait aucune utilité apparente. Les perles ne servaient ni à se procurer de la nourriture, ni à la préparer, elles n'ajoutaient rien à l'usage qu'on pouvait faire d'un vêtement. Mais elle commençait à comprendre pourquoi les perles avaient une telle valeur. Sans une garantie de chaleur et de confort, sans l'assurance d'une nourriture suffisante, jamais le Camp du Lion n'aurait pu se permettre un tel investissement de temps et d'effort. Seul un groupe uni, bien organisé, pouvait prévoir et accumuler d'avance ce qui lui serait nécessaire pour se donner ensuite le loisir de fabriquer des perles. Il s'ensuivait que plus ils portaient des perles, plus ils montraient que le Camp du Lion était un lieu prospère, où il faisait bon vivre, et plus ils inspiraient de respect aux autres camps.

Ayla reprit le cuir posé sur ses genoux, l'alène en os et perça un dernier trou un peu plus large. Elle essaya ensuite de passer le filament à travers le trou avec l'alène. Elle y parvint, le tira de l'autre côté, mais son travail n'avait pas l'aspect soigné des points serrés de Deegie. Une fois de plus découragée, elle releva la tête, vit Rydag enfiler une autre vertèbre sur sa corde, à travers le trou central. L'enfant prit encore une vertèbre, y passa sans difficulté la corde assez raide.

La jeune femme, avec un profond soupir, revint à son ouvrage. Il n'était pas très difficile d'enfoncer dans le cuir la pointe de l'alène, se disait-elle. Elle aurait presque pu y faire passer le petit os tout entier. Si seulement elle pouvait y attacher le filament, tout deviendrait facile...

Elle s'interrompit pour regarder l'alène de plus près. Elle leva les yeux sur Rydag qui attachait les deux bouts de la corde et secouait devant Hartel cette sorte de crécelle. Elle regarda Tronie qui faisait tourner à toute vitesse le foret entre ses paumes. Elle reporta son regard sur Fralie qui polissait un cylindre d'ivoire dans la rainure creusée dans un petit bloc de grès. Enfin, elle ferma les yeux, pour revoir Jondalar lorsqu'il avait taillé dans l'os des pointes de sagaies l'été précédent, dans sa vallée.

Ses yeux se posèrent de nouveau sur l'alène en os.

— Deegie ! cria-t-elle.

Son amie sursauta.

— Qu'y a-t-il ?

— Je crois avoir trouvé un moyen !

— Un moyen pour quoi ?

— Pour faire passer le filament par le trou. Pourquoi ne pas percer un trou à travers la tête d'un os très pointu et faire passer le filament dans ce trou ? Comme Rydag a fait passer sa corde à travers les trous des vertèbres. Après ça, on pourrait pousser l'os à travers le cuir, et le filament suivrait. Qu'en penses-tu ? Ça fonctionnerait ?

Deegie ferma un instant les yeux, avant de prendre l'alène des mains d'Ayla pour l'examiner de plus près.

— Il faudrait que ce soit un tout petit trou.

— Ceux que perce Tronie dans ces perles sont très petits. Celui auquel je pense devrait-il l'être davantage ?

— L'os est très dur, très résistant. Ce ne sera pas facile à percer, et je ne vois pas où placer le trou.

— Ne peut-on pas utiliser une défense d'ivoire ou un os ? Jondalar taille des pointes de sagaie longues et fines dans de l'os et il les polit, les aiguise ensuite avec du grès, comme le fait Fralie. Ne peut-on faire quelque chose de semblable à une toute petite pointe de sagaie et y percer ensuite un trou à l'extrémité la plus large ?

Ayla était vibrante d'excitation.

Deegie réfléchit encore un moment.

— Il faudrait convaincre Wymez ou quelqu'un d'autre de nous faire un foret plus petit mais... ça pourrait être une solution. Oui, Ayla, je crois que ça pourrait être la solution !

Presque tout le monde semblait tourner en rond dans le Foyer du Mammouth. On s'y réunissait par groupes de trois ou quatre et on bavardait, mais il y avait dans l'atmosphère une attente fiévreuse. On s'était passé le mot : Ayla allait essayer l'outil qui entrainait le fil. Plusieurs personnes avaient collaboré à sa réalisation, mais, comme l'idée venait à l'origine d'Ayla, elle allait être la première à s'en servir. Wymez et Jondalar avaient travaillé ensemble pour fabriquer un foret assez petit pour percer le trou. Ranec avait choisi l'ivoire et, avec ses outils de sculpteur, avait fabriqué plusieurs cylindres minuscules, alongés. Ayla les avait polis et aiguisés, mais c'était Tronie qui avait percé les trous.

Ayla percevait la surexcitation, autour d'elle. Lorsqu'elle sortit le cuir qui lui servait à s'exercer et le filament prélevé sur un nerf, tout le monde se massa autour d'elle, sans plus penser aux prétextes que chacun avait imaginés pour justifier sa présence. Le nerf de cerf, séché et durci, aussi brun que du vieux cuir, aussi épais qu'un doigt, ressemblait à un bâton. On le pilonnait jusqu'au moment où il était réduit à un paquet de fibres blanches qui se séparaient aisément en filaments. On pouvait alors en faire des cordes grossières ou du fil fin, suivant la nécessité.

Le moment était dramatique, Ayla le sentait. Elle prit tout son temps pour choisir un filament. Elle l'humecta avec sa langue pour l'assouplir et en augmenter la cohésion. Elle prit alors le tire-fil dans sa main gauche, en examina le trou d'un œil critique. Y passer le fil allait peut-être se révéler difficile. Mais le nerf commençait à sécher, à durcir, ce qui pourrait rendre l'opération plus aisée. Avec soin, elle poussa le filament dans le tout petit trou, exhala un soupir de soulagement lorsqu'elle put le faire ressortir de l'autre côté. Elle brandit la pointe à coudre, avec le fil qui pendait au plus gros bout.

Elle prit ensuite le morceau de cuir usagé enfonça la pointe près du bord pour y faire une perforation. Mais cette fois, elle tira la pointe sur toute sa longueur et sourit quand elle la vit entraîner le fil après elle. Elle leva le cuir pour le montrer à tout le monde, parmi les exclamations émerveillées. Elle prit alors l'autre morceau de cuir et répéta l'opération. Elle rapprocha les deux morceaux, fit un second point, exhiba le résultat.

— Nous avons réussi ! dit-elle avec un grand sourire triomphant.

Elle donna le cuir et l'aiguille à Deegie qui fit quelques points.

— Oui, c'est vrai. Tiens mère, essaye.

Elle passa le cuir et le tire-fil à Celle Qui Ordonne.

Tulie, à son tour, fit quelques points, hocha la tête d'un air approbateur. Ce fut ensuite le tour de Nezzie, puis de Tronie. Tronie donna le tout à Ranec. Celui-ci tenta de pousser l'aiguille à travers les deux morceaux de cuir à la fois, découvrit qu'il était malaisé de perforer un cuir épais.

Il tendit les deux morceaux et l'aiguille à Wymez.

— Si tu taillais dans le silex une petite pointe tranchante, dit-il, il serait plus facile, je crois, de la passer dans un cuir résistant. Qu'en dis-tu ?

Wymez fit un essai, en tomba d'accord.

— C'est vrai, mais ce tire-fil est une excellente idée.

Chacun des occupants du Camp fit un essai, et fut du même avis. Il était bien plus facile, pour coudre, d'avoir quelque chose qui tirait le fil au lieu de le pousser dans le trou.

Talut prit le petit instrument, l'examina sur toutes les faces, hocha la tête avec admiration. Une longue et fine tige, avec une pointe à un bout, un trou à l'autre : c'était là une invention dont l'utilité ne faisait aucun doute. Il se demandait pourquoi personne n'y avait pensé plus tôt. C'était simple, évident, une fois qu'on l'avait sous les yeux, mais très efficace.

22

Quatre paires de sabots martelaient à l'unisson la terre durcie. Couchée sur le garrot de la jument, Ayla plissait les paupières contre le vent glacial qui lui brûlait le visage. Elle chevauchait sans effort, et l'action conjuguée de se genoux et de ses hanches était en parfait accord avec les muscles puissants de sa monture lancée au galop. Elle nota un changement dans le rythme des autres sabots, lança un coup d'œil vers Rapide. Il avait pris de l'avance mais montrait maintenant des signes de fatigue et se laissait distancer. Elle amena la jument à s'immobiliser. Le jeune étalon en fit autant. Enveloppés des nuages de vapeur que dégageait leur respiration haletante, les deux chevaux baissaient la tête. Ils étaient fatigués l'un et l'autre, mais la course avait été belle.

Maintenant bien droite et toujours en harmonie avec l'allure de sa monture, Ayla reprit la direction de la rivière. Elle appréciait de se retrouver au grand air. Il faisait froid, mais le temps était magnifique : l'éclat d'un soleil incandescent était encore accentué par la glace étincelante et la blancheur laissée par un récent blizzard.

A peine sortie de l'abri, ce matin-là, Ayla avait décidé d'emmener les chevaux pour une longue course. L'air lui-même l'y engageait : il semblait plus léger, comme si un pesant fardeau s'était dissipé. Le froid semblait moins intense, bien que rien n'eût visiblement changé. La glace était toujours aussi solide, la neige toujours poussée par le vent en minuscules projectiles.

Elle avait décelé de subtiles différences. La température s'était élevée, le vent soufflait avec moins de violence. On aurait pu parler d'intuition, d'impression, mais il s'agissait en réalité d'une sensibilité aiguë. Pour des gens qui vivaient sous des climats où régnait un froid extrême, la plus infime différence dans la rigueur des conditions atmosphériques attirait l'attention et se voyait souvent accueillie par un déploiement d'exubérance. Ce n'était pas encore le printemps, mais l'impitoyable étreinte d'un froid accablant s'était un peu desserrée. Ce réchauffement presque imperceptible apportait avec lui l'assurance que la vie allait renaître.

Ayla sourit en voyant le jeune étalon partir en caracolant, l'encolure fièrement arquée, la queue toute droite. Elle considérait encore Rapide comme le petit qu'elle avait aidé à mettre au monde, mais ce n'était plus un jeune poulain. S'il n'avait pas encore atteint son poids adulte, il était déjà plus grand que sa mère, et c'était un véritable cheval de course. Il aimait courir, il filait comme le vent. Pourtant, il existait une différence entre les chevaux. Sur une courte distance, Rapide courait invariablement plus vite que sa mère, il la distançait aisément dès le départ. Mais Whinney avait plus d'endurance. Elle pouvait galoper plus longtemps et, sur un long parcours elle rattrapait invariablement son fils, le dépassait et poursuivait sa course à la même allure régulière.

Ayla mit pied à terre mais s'immobilisa un instant avant d'écarter le rabat pour entrer dans l'habitation. Il lui était fréquemment arrivé d'utiliser les chevaux comme prétexte pour s'échapper, mais ce matin-là, elle avait constaté avec un soulagement particulier que le temps se prêtait à une longue course. Certes, elle était heureuse d'avoir retrouvé un groupe humain, d'y avoir été accueillie, de pouvoir participer à ses activités, mais il lui arrivait d'éprouver le besoin d'être seule. C'était surtout vrai quand certaines incertitudes, certains malentendus qui n'avaient pas trouvé de solution accentuaient les tensions.

Depuis quelque temps, Fralie passait une grande partie de son temps au Foyer du Mammouth, avec les jeunes gens et les jeunes filles du Camp, au grand désespoir de Frebec. Ayla avait surpris, en provenance du Foyer de la Grue, des discussions ou putôt des diatribes de Frebec qui se plaignait de l'absence de Fralie. Il n'aimait pas, elle le savait, voir sa compagne se lier trop étroitement avec elle et elle était sûre que la jeune femme enceinte, pour avoir la paix, se tiendrait davantage à l'écart. Cela inquiétait Ayla, d'autant que Fralie lui avait récemment confié qu'elle avait uriné du sang. Ayla l'avait informée qu'elle risquait de perdre son enfant si elle ne se reposait pas. Elle lui avait promis un remède, mais il allait être maintenant plus difficile de la traiter si Frebec surveillait tout de son air désapprobateur.

Outre cette inquiétude, planait l'indécision d'Ayla à propos de Jondalar et de Ranec. Jondalar, depuis quelques jours, semblait redevenir lui-même. Mamut lui avait demandé de venir le voir au sujet d'un instrument particulier dont il avait eu l'idée, mais le jour en question, le chaman avait été très occupé : c'était seulement vers le soir, à l'heure où, généralement, les jeunes gens se réunissaient au Foyer du Mammouth, qu'il avait eu le temps de parler de son projet. Les deux hommes s'étaient installés dans un coin tranquille, entourés par les rires et les plaisanteries habituels.

Ranec était plus attentionné que jamais. Depuis quelque temps, sous couvert de badinage, il pressait Ayla de revenir partager son lit. Elle éprouvait encore quelques difficultés à refuser tout de go : on lui avait trop fortement inculqué l'obéissance aux désirs d'un homme pour qu'elle pût s'en débarrasser facilement. Elle riait de ses saillies — elle comprenait de mieux en mieux l'humour et même les intentions plus sérieuses qu'il masquait parfois — mais elle éludait habilement ses invitations tacites, ce qui déclenchait une hilarité générale aux dépens de Ranec. Il riait, lui aussi, comme s'il prenait plaisir à ses répliques spirituelles, et elle était attirée par son attitude amicale. Elle se sentait à l'aise en sa compagnie.

Mamut remarqua le sourire de Jondalar et hocha la tête d'un air approbateur. Le tailleur de silex avait évité la réunion des jeunes, il les avait observés de loin, et les rires n'avaient fait qu'exaspérer sa jalousie. Il ignorait que ces rires étaient souvent déclenchés par le refus qu'opposait Ayla aux propositions de Ranec, Mamut, lui le savait.

Le lendemain, pour la première fois depuis trop longtemps, Jondalar sourit à la jeune femme. Elle sentit son souffle s'étrangler dans sa gorge, son cœur accéléra ses battements. Durant les quelques jours qui suivirent, il se mit à revenir plus tôt au foyer, sans toujours attendre qu'elle fût endormie. Elle n'osait pas s'imposer à lui, et il paraissait hésiter encore à l'approcher, mais elle se prenait à espérer qu'il commençait à surmonter ce qui l'avait tourmenté. Pourtant, elle avait peur de se laisser aller à cet espoir...

Ayla reprit longuement son souffle, écarta le lourd rabat et le retint pour livrer passage aux chevaux. Après avoir secoué sa pelisse et l'avoir accrochée à une cheville, elle pénétra dans l'habitation. Pour une fois, le Foyer du Mammouth était presque désert. Jondalar et Mamut s'y trouvaient seuls, en grande conversation. La jeune femme fut heureuse, mais surprise, de voir son compagnon et, du coup, prit conscience qu'elle l'avait très peu vu, ces derniers temps. Elle sourit, se hâta vers les deux hommes, mais la grimace renfrognée de Jondalar effaça son sourire. Il ne semblait pas heureux de son arrivée.

— Tu es restée dehors toute la matinée seule ! Lâcha-t-il. Ne sais-tu pas qu'il est dangereux de sortir seule ? Tu inquiètes tout le monde. Bientôt quelqu'un aurait dû partir à ta recherche.

Il ne disait pas que cette inquiétude avait été la sienne, que c'était lui qui avait été sur le point de se mettre à sa recherche.

Devant cette véhémence, Ayla recula.

— Je n'étais pas seule. J'étais avec Whinney et Rapide. Je les ai emmenés courir un peu. Ils en avaient besoin.

— Eh bien, tu n'aurais pas dû sortir par ce froid. Il est dangereux de sortir seule, répéta-t-il sans grande conviction.

En même temps, il lançait un coup d'œil à Mamut, dans l'espoir d'obtenir son appui.

— Je t'ai dit que je n'étais pas seule. J'étais avec les chevaux. Et il fait beau, dehors : il y a du soleil, et il fait moins froid.

La colère de Jondalar agaçait Ayla. Elle ne comprenait pas que cette colère dissimulait une peur presque intolérable pour sa sécurité.

— Il m'est déjà arrivé de sortir seule en hiver, Jondalar. Qui m'accompagnait, à ton avis, quand je vivais dans ma vallée ?

Elle a raison, pensait-il. Je ne devrais pas m'obstiner à vouloir lui dire quand elle peut sortir et où elle peut aller. Mamut n'a pas paru trop soucieux quand il m'a demandé où était Ayla, et elle est la fille de son Foyer. J'aurais dû me fier davantage au vieux chaman, se disait Jondalar. Il se sentait stupide, comme s'il avait fait une scène pour rien.

— Bon...peut-être devrais-je aller voir comment vont les chevaux, marmonna-t-il.

Il battit en retraite, se hâta vers le foyer des chevaux.

Ayla le suivait des yeux. Pensait-il donc qu'elle ne se souciait pas des animaux ? se demandait-elle. Elle se sentait déconcertée, bouleversée. Il devenait impossible, semblait-il de comprendre Jondalar.

Mamut observait ses réactions. Sa souffrance, sa détresse étaient claires. Pourquoi les êtres avaient-ils tant de mal à cerner leurs problèmes ? Il avait envie de les mettre face à face, afin de les obliger à voir ce qui paraissait l'évidence pour tous ceux qui les entouraient, mais il résista à cette impulsion. Il avait déjà fait tout ce qu'il pensait pouvoir faire. Dès le début, il avait perçu chez l'homme de Zelandonii une tension sous-jacente et il était convaincu que l'obstacle était moins évident qu'il n'y semblait. Mieux valait les laisser trouver eux-mêmes la solution. Toutefois, il pouvait encourager Ayla à lui parler des difficultés ou, au moins, l'aider à découvrir les choix qui se présentaient à elle, à reconnaître ses propres désirs, ses propres possibilités.

— Tu as bien dit qu'il faisait moins froid dehors, Ayla ? demanda Mamut.

La question mit un certain temps à pénétrer l'enchevêtrement des pensées qui la tourmentaient.

— Quoi ?...Oh...oui, je pense. On n'a pas vraiment l'impression qu'il fasse plus chaud. On croit simplement sentir un froid moins pénétrant.

— Je me demandais quand Elle allait briser l'échine de l'hiver, dit Mamut. Il me semblait que le jour n'était pas loin.

— « Briser l'échine » ? Je ne comprends pas.

— C'est une expression, Ayla. Assieds-toi. Je vais te conter une histoire d'hiver à propos de la Grande et Généreuse Terre Mère qui a créé tout ce qui vit, poursuivit le vieil homme en souriant.

Ayla s'installa à côté de lui, sur une natte placée près du feu.

— Au cours d'une lutte acharnée, la Terre Mère a arraché une force de vie au Chaos, qui est un néant froid et immobile, comme la mort. A l'aide de cette force, Elle a créé la vie et la chaleur, mais Elle doit sans cesse se battre pour la vie qu'Elle a créée. Quand arrive la saison froide, nous savons que la lutte a commencé entre la Généreuse Terre Mère, qui désire faire naître une vie pleine de chaleur, et la froide mort du Chaos. Mais Elle doit d'abord prendre soin de Ses enfants.

Ayla commençait maintenant à s'intéresser à l'histoire. Elle adressa à Mamut un sourire d'encouragement.

— Que fait-Elle, pour prendre soin de Ses enfants ?

— Elle en plonge quelques-uns dans le sommeil. Elle en habille chaudement certains pour leur permettre de résister au froid. Elle engage certains autres à faire des provisions et à se cacher. Au plus fort de la saison froide, quand la Mère est engagée dans la bataille de la vie et de la mort, rien ne bouge, rien ne change, tout semble mort. Pour nous, sans un endroit chaud où vivre et de quoi manger dans nos réserves, la mort en hiver, gagnerait la bataille. C'est ce qui arrive, parfois, si la lutte se prolonge indûment. En cette saison, personne ne sort beaucoup. Les gens se livrent à des travaux, ils se racontent des histoires, ils bavardent, mais ils ne bougent pas beaucoup et ils dorment davantage. Voilà pourquoi on appelle l'hiver la petite mort.

« Finalement, quand le froid a repoussé la Mère aussi loin qu'Elle veut aller, Elle résiste. Elle fait tous ses efforts, encore et encore, jusqu'au moment où Elle brise l'échine de l'hiver. Sa victoire signifie que le printemps va revenir, mais ce n'est pas encore le printemps. Elle a livré une longue bataille et Elle a besoin de repos avant de pouvoir faire renaître la vie. Mais on sait qu'Elle a gagné. On respire l'odeur de Sa victoire, on la sent dans l'air.

— C'est vrai ! Je l'ai sentie, Mamut ! Voilà pourquoi j'étais obligée de sortir avec les chevaux. La Mère a brisé l'échine de l'hiver ! s'écria Ayla.

L'histoire expliquait précisément ce qu'elle avait ressenti.

— Je pense que le moment est venu de faire une fête, ne crois-tu pas ?

— Oh oui, je le crois !

— Peut-être accepterais-tu de m'aider à l'organiser ?

Mamut attendit tout juste le hochement de tête de la jeune femme.

— Tout le monde ne perçoit pas encore Sa victoire, mais cela ne tardera plus. Nous pouvons tous deux en attendre les signes et décider ensuite du moment.

— Quels signes ?

— Quand la vie commence à se réveiller, chacun le sent à sa façon. Certains sont heureux, ils ont envie de sortir, mais il fait encore trop froid pour rester bien longtemps dehors : alors, ils deviennent nerveux, irritables. Ils voudraient saluer les frémissements de vie qu'ils perçoivent en eux, mais bien des tempêtes sont encore à venir. En cette période de l'année, l'hiver sait que tout est perdu. Il est furieux. les gens le sentent, ils deviennent furieux, eux aussi. C'est entre maintenant et le printemps qu'ils sont le plus nerveux. Tu t'en rendras compte, je pense. C'est aussi le moment où une fête est tout indiquée. Elle fournit aux gens une bonne raison d'exprimer la joie plutôt que la colère.

Je savais qu'elle comprendrait, pensait Mamut en regardant Ayla froncer les sourcils. C'est à peine si j'ai commencé de percevoir la différence, et elle, elle l'avait déjà sentie. Je savais qu'elle était douée, mais ses possibilités ne cessent de m'étonner, et sans doute n'en ai-je pas encore découvert toute la portée. Peut-être ne le saurai-je jamais, mais ses dons pourraient bien dépasser les miens de très loin. Qu'a-t-elle dit, à propos de cette racine et de la cérémonie avec les mog-ur ? J'aimerais la préparer... La cérémonie de la chasse, avec le Clan ! Elle m'a transformé, les effets en ont été profonds. Elle aussi a connu une expérience semblable... Est-ce cela qui l'a tranformée ? Qui a développé ses tendances naturelles ? Je me demande... La fête du printemps... est-ce trop tôt pour faire reparaître la racine ? Peut-être devrais-je attendre qu'elle ait travaillé avec moi à la Célébration de l'Echine Brisée ?... Ou la prochaine occasion... Il y en aura d'autres entre maintenant et le printemps...

Deegie, chaudement vêtue pour sortir, s'engagea dans le passage central vers le Foyer du Mammouth.

— J'espérais te trouver ici, Ayla. Je veux aller vérifier les pièges que j'ai posés pour essayer d'attraper des renards blancs qui me serviront à garnir la pelisse de Branag. Tu viens avec moi ?

Ayla, à peine réveillée, leva les yeux vers le trou à fumée, en partie découvert.

— Il a l'air de faire beau, dehors. Donne-moi le temps de m'habiller.

Elle repoussa les couvertures, se redressa. Après s'être étirée, avoir bâillé, elle alla vers le réduit protégé par une tenture près du foyer des chevaux. En chemin, elle passa devant une plate-forme de couchage où dormaient une demi-douzaine d'enfants, étalés les uns sur les autres comme une nichée de louveteaux. Elle vit les grands yeux bruns de Rydag ouverts, lui sourit. Il referma les paupières, se blottit entre la plus petite, Nuvie, et Rudie, qui aurait bientôt huit ans. Crisavec, Brinan et Tusie faisaient, eux aussi, partie de la masse indistincte. Ayla, récemment, avait vu le petit dernier de Fralie, Tasher, qui n'avait pas encore trois ans, commencer à s'intéresser aux autres enfants. Latie, elle, proche de l'âge adulte, jouait le moins souvent avec eux.

Les enfants étaient gâtés. Ils pouvaient se nourrir et dormir là et quand ils le voulaient. Ils respectaient rarement les observances territoriales de leurs aînés : l'abri tout entier leur appartenait. Ils avaient le droit de réclamer l'attention des membres adultes du Camp, et leurs exigences étaient souvent accueillies comme une intéressante diversion : personne n'était particulièrement pressé, personne n'avait nulle part où aller. Partout où leur curiosité amenait les enfants, un membre plus âgé du groupe se trouvait là, pour leur prodiguer son assistance, ses explications. S'ils voulaient coudre des peaux, on leur fournissait les outils, des morceaux de cuir, des filaments de nerf. S'ils voulaient façonner des outils de pierre, on leur donnait des silex, des marteaux de pierre ou d'os.

Ils se livraient aux joies de la lutte, se bousculaient, inventaient des jeux qui, souvent, imitaient les activités de leurs aînés. Ils creusaient leurs propres petits foyers, apprenaient à se servir du feu. Ils faisaient semblant de chasser, transperçaient des morceaux de viande tirés des réserves, les faisaient cuire. Quand, en jouant au « foyer », ils imitaient les activités sexuelles des adultes, ceux-ci souriaient avec indulgence. Aucune manifestation de la vie quotidienne n'était distinguée comme devant être cachée ou réprimée. Chaque aspect représentait une instruction nécessaire dans l'évolution vers l'âge adulte. Le seul tabou était la violence, surtout si elle était excessive ou gratuite.

A vivre dans une si étroite promiscuité, ces gens avaient appris que rien ne pouvait plus rapidement détruire un Camp ou un peuple que la violence, surtout lorsqu'ils devaient demeurer enfermés durant les longs et froids hivers. Que ce fût par hasard ou à dessein, chaque coutume, chaque manière de faire, chaque convention, chaque pratique, même si elle n'était pas directement liée à la violence, tendait à la maintenir à un degré minimal. Les règles de conduite acceptées autorisaient un large éventail d'activités individuelles différentes qui, généralement, ne conduisaient pas à la violence ou qui pouvaient être considérées comme des issues acceptables pour un trop plein d'émotions. On favorisait les talents personnels. On encourageait la tolérance, alors que, tout en les comprenant, on bannissait l'envie, la jalousie. Les compétitions, y compris les discussions, étaient largement utilisées comme solutions de rechange, mais elles étaient sévèrement contrôlées, ritualisées, mainte-nues dans des limites bien définies. Les enfants apprenaient rapidement les règles fondamentales. Crier était toléré, frapper ne l'était pas.

Tout en vérifiant ce qu'il restait d'eau dans la grande outre, Ayla eut un sourire à l'adresse des enfants endormis qui avaient veillé tard, la veille au soir. Elle prenait plaisir à voir de nouveau des enfants autour d'elle.

— Je devrais aller chercher de la neige, avant de partir. Nous n'en avons plus beaucoup. Il n'a pas neigé depuis quelque temps et on commence à avoir du mal à trouver de la neige propre dans les parages.

— Ne perdons pas de temps à ça, décida Deegie. Nous avons encore de l'eau à notre foyer, et il y en a aussi chez Nezzie. Nous irons au retour.

Elle passait ses chauds vêtements d'hiver, pendant qu'Ayla s'habillait, elle aussi.

— J'ai de l'eau et de quoi manger. Si tu n'as pas faim, nous pouvons partir tout de suite.

— Je peux attendre pour manger, mais j'ai besoin d'une infusion chaude, répondit Ayla.

La hâte de Deegie était contagieuse, et passer une partie de la journée en tête à tête avec Deegie tentait grandement la jeune femme.

— Nezzie en a préparé, je crois. Elle est toujours prête à nous en offrir une coupe, j'en suis sûre.

— Elle fait de la menthe le matin. Je vais simplement prendre quelque chose que j'y ajouterai... quelque chose que j'aime boire le matin. Et je vais aussi emporter ma fronde, je crois.

Nezzie insista pour leur faire manger des grains cuits et leur donna à emporter quelques tranches de son rôti de la veille au soir. Talut voulut savoir dans quelle direction elles partaient, et où se trouvaient les pièges de Deegie. Lorsqu'elles sortirent par la voûte principale, le soleil s'était élevé au-dessus d'un banc de nuages, à l'horizon, et commençait son voyage dans un ciel clair. Les chevaux étaient déjà dehors, remarqua Ayla. Elle les comprenait.

Deegie enseigna à Ayla le rapide mouvement de la cheville qui transformait le cercle de cuir, fixé à un cadre ovale dans lequel étaient tressés des rameaux de saule, en une attache commode pour retenir les raquettes à neige. Avec un peu d'entraînement, Ayla ne tarda pas à glisser sur la neige à côté de son amie.

Jondalar les regarda partir. Les sourcils froncés, il examina le ciel. Il pensa un instant à les suivre mais changea d'avis. Il voyait bien quelques nuages mais rien qui présageât un danger. Pourquoi était-il toujours si inquiet pour Ayla, toutes les fois qu'elle quittait l'abri ? Il était ridicule de sa part de la suivre partout. Elle n'était pas seule : Deegie l'accompagnait, et les deux jeunes femmes étaient parfaitement capables de se tirer d'affaire... même s'il venait à neiger... ou pire. Au bout d'un moment, elles s'apercevraient qu'il les suivait, et il se sentirait de trop si elles voulaient être seules. Il laissa retomber le rabat de l'entrée, rentra mais il ne pouvait se débarrasser du sentiment qu'Ayla courait peut-être un danger.

— Oh regarde, Ayla ! cria Deegie.

A genoux, elle examinait le petit cadavre durci par le gel, couvert d'une fourrure blanche, qui pendait à un nœud coulant étroitement serré autour de son cou.

— J'ai posé d'autres pièges. Allons vite les voir.

Ayla avait envie de prendre le temps d'examiner le collet mais elle suivit son amie.

— Que vas-tu en faire ? demanda-t-elle, lorsqu'elle rejoignit Deegie.

— Tout dépend de ce que j'aurai pris. Je voulais faire une frange pour une tunique de fourrure destinée à Branag, mais je lui confectionne une tunique aussi, en cuir rouge... pas aussi éclatant que le tien. Elle aura des manches longues, il me faudra deux peaux, et je suis en train d'essayer d'assortir la couleur de la seconde à la première. J'aimerais, je crois, l'orner de la fourrure et des dents d'un renard blanc. Qu'en penses-tu ?

— Ce sera très beau, je crois, répondit Ayla.

Elles avancèrent un moment en glissant sur la neige. Ayla reprit :

— A ton avis, qu'est-ce qui irait le mieux avec une tunique blanche ?

— Ça dépend. Veux-tu ajouter d'autres couleurs ou veux-tu la garder toute blanche ?

— Toute blanche, je crois, mais je n'en suis pas sûre.

— La fourrure de renard blanc ferait très bien.

— J'y ai songé mais... je ne pense pas que ça conviendrait, dit Ayla.

Ce n'était pas la question de la couleur qui la tracassait. Elle se rappelait avoir choisi d'offrir à Ranec, lors de son adoption, des fourrures de renards blancs et elle ne voulait pas réveiller des souvenirs de ce moment.

Le deuxième piège avait fonctionné mais il était vide. Le nœud coulant fait d'un tendon avait été tranché par des dents, et il y avait des traces de loup. Le troisième avait, lui aussi, attrapé un renard qui, apparemment, avait eu le temps de se congeler dans le piège, mais quelque chose était venu le ronger, une grande partie avait été dévorée, et la fourrure était inutilisable. Cette fois encore, Ayla montra des traces de loup.

— Je prends des renards au piège pour les loups, on dirait, remarqua Deegie.

— Il n'y en a qu'un, je pense, répondit Ayla.

Deegie commençait à craindre de ne pas trouver une autre peau valable, même si un autre renard s'était pris dans son quatrième piège. Elles se hâtèrent vers l'endroit où elle l'avait posé.

— Il devrait être par là, près de ces buissons, dit-elle.

Elles approchaient d'un petit taillis.

— Mais je ne vois pas.. ajouta-t-elle.

— Le voilà, Deegie ! cria Ayla qui avait pris les devants. Et il est beau. Regarde cette queue !

— Parfait fit son amie avec un soupir de soulagement, il m'en fallait au moins deux.

Elle dégagea du nœud coulant le renard gelé, l'attacha avec l'autre, suspendit les deux carcasses à la branche d'un arbre. Elle se sentait plus détendue, à présent qu'elle avait ses deux renards.

— J'ai faim. Si nous nous arrêtions ici pour manger un peu ?

— Moi aussi, j'ai faim, maintenant que tu en parles.

Elles se trouvaient dans une étroite vallée maigrement boisée, où les buissons étaient plus nombreux que les arbres, formée par un cours d'eau qui s'était frayé un chemin à travers d'abondants dépôts de loess. En ces derniers jours d'un long et cruel hiver, une impression de total et morne épuisement prévalait dans la petite vallée. C'était un endroit désolé, tout en blancs, en noirs et en gris uniformes. La couche de neige, brisée par les broussailles, était vieille, tassée, sillonnée de traces nombreuses. Elle avait l'air sale, usée. Des branches cassées qui mettaient à nu le bois brut, montraient les ravages du vent, de la neige et des animaux affamés. Les saules, les aulnes touchaient presque le sol, accablés par le poids du climat, de la saison jusqu'à n'être plus que des arbustes prostrés. Quelques bouleaux malingres restaient debout, maigres et dégingandés, et leurs branches dénudées se frottaient bruyamment les unes contre les autres dans le vent, comme pour appeler à grands cris la joie d'une touche de verdure. Les conifères eux-mêmes avaient perdu toute couleur. Les sapins tourmentés, dont l'écorce se tachait de traînées de lichen grisâtre, semblaient délavés. Les hauts mélèzes sombres s'affaissaient sous leur fardeau de neige. Au sommet d'une courte pente s'élevait un amoncellement de neige piqué de longues tiges aux épines aiguës : les stolons fibreux desséchés, envoyés en éclaireurs l'été précédent pour revendiquer un nouveau territoire. Ayla en entreposa l'image dans un coin de sa mémoire, non pas comme celle d'un impénétrable fourré de ronces mais comme celle d'un endroit où elle pourrait revenir, la saison venue, cueillir des baies et des feuilles médicinales. Par-delà le paysage désolé, elle voyait déjà l'espoir qu'il représentait et, après un long enfermement, même un paysage d'hiver contenait une promesse, surtout quand le soleil brillait.

Les deux jeunes femmes entassèrent de la neige, pour s'en faire des sièges, sur ce qui aurait été la berge d'un petit cours d'eau si l'on avait été en été. Deegie ouvrit sa sacoche, en tira les vivres qu'elle avait apportés et, plus important encore, l'eau. D'un paquet enveloppé d'écorce de bouleau, elle tira pour le donner à Ayla, une espèce de pâté rond, fait d'un mélange nourrissant de fruits séchés, de viande et de graisse riche en énergie, l'aliment essentiel du voyageur.

— Ma mère a fait hier soir quelques-unes de ses miches garnies de pignons et m'en a donné une, annonça Deegie.

Elle ouvrit un autre paquet, brisa un morceau de la miche à l'intention de sa compagne.

— Il faudra que je demande la recette à Tulie, déclara Ayla.

Elle développa les tranches de viande rôtie données par Nezzie, en plaça quelques-unes entre elle-même et son amie.

— C'est un véritable festin, ajouta-t-elle. Il ne nous manque que quelques légumes verts.

— Alors, ce serait parfait. J'ai hâte de revoir le printemps. Après la Fête de l'Echine brisée, l'attente sera de plus en plus pénible.

Ayla prenait plaisir à cette sortie en la seule compagnie de Deegie. Elle commençait même à avoir chaud, dans cette petite dépression abritée des vents. Elle défit la lanière nouée sous son menton, rabattit son capuchon pour offrir son visage au soleil, après avoir assuré sa fronde autour de sa tête. Sur le fond rouge de ses paupières baissées, elle voyait encore l'orbe étincelant. Elle sentait son agréable chaleur. Lorsqu'elle rouvrit les yeux, sa vision lui parut plus nette.

— Les gens se livrent-ils toujours à la lutte corps à corps, lors de la Fête de l'Echine Brisée ? demanda-t-elle. Je n'ai encore jamais vu personne lutter sans bouger les pieds.

— Mais oui, c'est en l'honneur...

— Regarde, Deegie ! C'est le printemps ! interrompit Ayla.

Elle se leva d'un bond, se précipita vers un petit saule tout proche. Quand son amie la rejoignit, elle lui montra le long d'une mince branche, toute une rangée de bourgeons à peine formés. L'un d'eux, pourtant, né trop tôt pour survivre, s'était déjà ouvert dans une explosion d'un vert clair de printemps. Emerveillées, les deux jeunes femmes se sourirent devant cette découverte, comme si elles venaient elles-mêmes d'inventer le printemps.

Non loin du saule, le nœud coulant fait d'un nerf pendait encore. Ayla le souleva.

— Je trouve que c'est là une très bonne manière de chasser. On n'a pas besoin de partir à la recherche des animaux. On fait un piège et l'on revient plus tard ramasser la proie. Mais comment fabrique-t-on un piège et comment sait-on qu'on va prendre un renard ?

— Ce n'est pas difficile à faire. Tu sais qu'un nerf durcit, quand on le mouille et qu'on le laisse ensuite sécher, comme fait le cuir non traité ?

Ayla acquiesça d'un signe.

— Tu formes une petite boucle à l'extrémité du nerf, poursuivit Deegie, en lui montrant la boule. Tu prends ensuite l'autre extrémité et tu la passes à travers cette boucle pour en faire une autre, juste assez large pour permettre au renard d'y passer la tête. Après ça tu mouilles le nerf et tu le laisses sécher ouvert. Tu dois aller alors là où il y a des renards : c'est généralement là où tu en as déjà vu ou attrapé. Cet endroit-ci, c'est ma mère qui me l'a montré. D'ordinaire, il y vient des renards chaque année. On le sait s'il y a des traces. Quand ils sont près de leurs terriers, ils suivent généralement les mêmes pistes. Pour poser le piège, on repère la trace d'un renard et, là ou elle passe entre des buissons ou des arbres, on pose le piège, juste sur sa piste, à peu près à la hauteur de la tête. Tu l'attaches comme ça, ici et là, expliqua Deegie.

Ayla, le front plissé sous l'effort de la concentration, la regardait faire.

— Quand le renard arrive en courant sur la piste, sa tête passe dans le nœud coulant, et, lorsqu'il poursuit sa course, le nœud se resserre sur son cou. Plus il se débat, et plus le nœud se resserre. Ça ne prend pas bien longtemps. La seule difficulté c'est ensuite de retrouver le renard avant que quelqu'un d'autre ne le fasse. Danug me parlait l'autre jour de la méthode qu'ont adoptée les gens du nord pour poser des pièges. Ils courbent un tout jeune arbre et l'attachent au nœud coulant. Dès que l'animal est pris, l'arbre l'emporte en se redressant d'un coup. De cette façon, la bête reste au-dessus du sol jusqu'au moment où l'on vient le chercher.

— A mon avis, c'est une bonne idée, dit Ayla.

Elle revenait avec Deegie vers leurs sièges, mais elle leva les yeux et, soudain, à la grande surprise de sa compagne, elle arracha la fronde de sa tête, se mit à examiner le sol.

— Où y a-t-il une pierre ? murmura-t-elle. Ah, là !

D'un mouvement si rapide que Deegie put à peine le suivre, elle ramassa la pierre, la plaça dans la fronde, fit tournoyer celle-ci, tira. Deegie entendit le projectile tomber, mais ce fut seulement en regagnant leurs sièges qu'elle vit la cible touchée par Ayla. C'était une hermine blanche, une petite hermine qui mesurait environ trente-cinq centimètres mais douze de ces centimètres constituaient la longueur de la queue fournie, terminée par une pointe noire. En été, le long et mince animal à la douce fourrure prendrait un pelage fauve, blanc seulement sur le ventre. Mais, en hiver, la petite bête sinueuse devenait d'un blanc pur et soyeux sur lequel tranchaient seuls en noir les petits yeux pénétrants, le nez et l'extrême bout de la queue.

— Elle était en train de nous voler notre rôti ! fit Ayla.

— Je ne l'avais même pas aperçue, sur cette neige. Tu as de bons yeux, déclara Deegie. Et tu es si rapide, avec cette fronde. Je me demande pourquoi tu t'intéresses aux pièges, Ayla.

— Une fronde, c'est bien quand on a envie de chasser et qu'on peut voir sa proie. Mais un piège chasse à ta place ; même quand tu n'es pas là, expliqua très sérieusement la jeune femme.

Elles s'assirent pour terminer leur repas. La main d'Ayla revenait sans cesse caresser l'épaisse et douce fourrure de l'hermine.

— Les hermines ont la plus jolie fourrure qui soit, dit-elle.

— La plupart de ces longues bêtes sont dans le même cas, répondit Deegie. Les visons, les zibelines, même les gloutons ont un très beau poil. Moins doux mais très commodes pour en faire des capuchons, quand on ne veut pas avoir de givre sur le visage. Mais il est très difficile de les prendre au piège, et l'on ne peut les chasser à la sagaie. Ce sont des bêtes rapides et méchantes. Ta fronde paraît très efficace, même si je ne sais toujours pas comment tu as fait.

— J'ai appris à chasser à la fronde cette espèce d'animaux. Au début, je chassais seulement les voleurs de viande et j'ai commencé par apprendre leurs coutumes.

— Pourquoi ça ? demanda Deegie.

— Normalement, je n'avais pas le droit de chasser. Je ne m'en prenais donc pas aux bêtes qui pouvaient servir de nourriture, mais seulement à celles qui nous en volaient.

Elle émit un petit rire ironique.

— Je pensais que ça arrangeait tout.

— Pourquoi ne voulait-on pas te laisser chasser ?

— Les femmes du Clan n'ont pas le droit de chasser... Mais ils ont tout de même fini par me laisser me servir de ma fronde.

Prise par ses souvenirs, Ayla se tut un instant.

— Sais-tu que j'ai tué un glouton bien avant de tuer un lapin ?

Elle souriait à l'ironie de la chose.

Deegie secoua la tête d'un air stupéfait. Quelle étrange enfance avait dû connaître Ayla, pensait-elle.

Elles se levèrent pour repartir. Tandis que Deegie allait reprendre ses renards, Ayla ramassa la douce petite hermine. Elle passa la main tout le long du corps, jusqu'à l'extrémité de la queue.

— C'est ce qu'il me faut ! déclara-t-elle brusquement. De l'hermine.

— Mais c'est ce que tu as, fit son amie.

— Non. Je voulais parler de la tunique blanche. Je veux l'orner de cette fourrure blanche et des queues. J'aime ces queues terminées par des poils noirs.

— Où trouveras-tu assez d'hermine pour orner une tunique ? Le printemps arrive. Elles ne vont plus tarder à changer de couleur.

— Il ne m'en faut pas beaucoup, et, là où il y en a une, on en trouve généralement d'autres dans les parages. Je vais me mettre en chasse. Tout de suite, déclara Ayla. Il me faut quelques bonnes pierres.

Elle se mit à repousser la neige, pour chercher des galets près de la berge au cours d'eau gelé.

— Maintenant ? répéta Deegie.

Son amie releva la tête. Dans son enthousiasme, elle avait presque oublié la présence de sa compagne. Celle-ci pourrait lui rendre plus difficile la tâche de relever des pistes et de les suivre.

— Tu n'es pas obligée de m'attendre, Deegie. Rentre donc. Je retrouverai bien mon chemin.

— Rentrer ? Je ne manquerais ça pour rien au monde.

— Tu pourras rester très silencieuse ?

Deegie sourit.

— J'ai déjà chassé, Ayla.

Celle-ci rougit de sa maladresse.

— Je ne voulais pas dire...

— Mais oui, je le sais.

Son amie lui sourit.

— Je pourrais m'instruire, je crois, auprès de quelqu'un qui a tué un glouton avant même d'avoir tué un lapin. Les gloutons sont les animaux les plus méchants, les plus vicieux, les plus féroces, les plus intrépides de tous, y compris les hyènes. J'en ai vu éloigner des léopards de leurs propres proies. Ils sont même capables de tenir tête à un lion des cavernes. Je ferai en sorte de ne pas te gêner. Si tu crois que je fais peur aux hermines, dis-le moi, je resterai ici. Mais ne me demande pas de rentrer sans toi.

Ayla eut un sourire de soulagement. Il était vraiment merveilleux, se disait-elle, d'avoir une amie qui la comprenait si vite.

— Les hermines sont aussi mauvaises que les gloutons, Deegie. Elles sont plus petites, c'est tout.

— Puis-je faire quelque chose pour t'aider ?

— Il nous reste encore de la viande rôtie. Elle pourrait nous être utile. Mais, d'abord, il faut trouver des traces... quand j'aurai ramassé assez de pierres.

Quand Ayla eut placé dans une bourse accrochée à sa ceinture un nombre suffisant de galets, elle ramassa sa sacoche, la jeta sur son épaule gauche. Après quoi, immobile, elle scruta le paysage, pour trouver le meilleur endroit où commencer sa quête. Deegie, près d'elle, un pas en arrière, attendait sa décision. Un peu comme si elle pensait tout haut, son amie se mit à lui parler d'une voix étouffée :

— Les belettes ne font pas de terriers. Elles se servent de ce qu'elles trouvent, même de celui d'un lapin... après en avoir tué les occupants. Il m'arrive de me dire qu'elles n'auraient pas besoin de terrier si elles n'avaient pas de petits. Et sans cesse, elles tuent, jour et nuit, même lorsqu'elles viennent de manger. Elles dévorent n'importe quoi, des écureuils, des lapins, des oiseaux, des œufs, des insectes, même de la viande pourrie, mais, la plupart du temps, elles tuent et mangent fraîche leur proie. Quand elles sont acculées, elles dégagent une odeur musquée, puante ; ce n'est pas un liquide qu'elles projettent, comme la mouffette, mais ça sent aussi mauvais. Et elles crient comme ça...

Ayla émit un son qui tenait le milieu entre le hurlement et le grognement.

— Pendant la saison de leurs Plaisirs, elles sifflent.

Deegie était frappée de stupeur. Elle venait d'en apprendre plus sur les belettes et les hermines qu'elle n'en avait jamais su de toute sa vie. Elle aurait même été incapable de dire si ces bêtes émettaient un son quelconque.

— Ce sont de bonnes mères, elles ont beaucoup de petits... deux mains...

Ayla prit le temps de retrouver le mot qui désignait le nombre en question.

— ...dix, quelquefois plus. D'autres fois, quelques-uns seulement. Les jeunes restent avec la mère presque jusqu'à l'âge adulte.

Elle s'interrompit de nouveau, pour examiner les environs d'un œil critique.

— En cette période d'année, nichée peut encore être avec mère. Cherchons traces... près ronces, je crois.

Elle se dirigea vers le monticule de neige qui recouvrait plus ou moins la masse inextricable de ronces et de stolons qui poussaient à cet endroit depuis des années.

Deegie la suivit. Elle se demandait comment Ayla avait fait pour apprendre tant de choses, alors qu'elle n'était pas beaucoup plus âgée qu'elle. Elle avait remarqué quelques légères défaillances dans le langage d'Ayla — l'unique signe qui trahissait sa surexcitation. Deegie, du coup, avait pris plus nettement conscience de la perfection avec laquelle son amie s'exprimait maintenant. Elle parlait rarement très vite, mais son mamutoï était presque sans défaut, mise à part sa façon de prononcer certains sons. Peut-être ne perdrait-elle jamais cet accent... — Deegie l'espérait presque. Cela lui conférait une personnalité propre... et la rendait plus humaine.

— Cherche traces de pattes avec cinq doigts... parfois, on voit seulement quatre. Elles laissent les plus petites marques de tous les mangeurs de viande, et les pattes de derrière se placent dans les traces de pattes de devant.

Deegie demeurait un peu à l'écart : elle ne voulait pas gâter des foulées délicates. Ayla, à chacun de ses pas, scrutait longuement, minutieusement ce qui l'entourait : le sol couvert de neige, chaque mince tronc des bouleaux dénudés, les lourdes branches des sapins aux aiguilles noircies. Soudain, ses yeux interrompirent leur constante vigilance : elle avait aperçu quelque chose qui lui avait coupé le souffle. Très lentement, elle reposa son pied sur le sol, tandis que sa main cherchait dans le sac un gros morceau de bison rôti, saignant, le posait à terre, devant elle. Elle recula ensuite avec précaution, plongea les doigts dans sa bourse pleine de galets.

Deegie, figée sur place portait son regard au-delà de sa compagne, elle cherchait à voir ce que voyait celle-ci. Finalement, elle surprit un mouvement. Ses yeux se fixèrent sur plusieurs petites formes blanches qui se dirigeaient tortueusement vers elles. Elles se déplaçaient avec une surprenante rapidité, tout en franchissant les tas de branches et de feuilles mortes, en grimpant aux arbres pour en redescendre aussitôt, en passant à travers les fourrés, en fouillant ou en contournant chaque trou, chaque crevasse et en dévorant tout ce qui se trouvait sur leur chemin.

Deegie n'avait encore jamais pris le temps d'étudier le comportement de ces petits carnivores voraces et elle les suivait d'un regard fasciné. De temps à autre, les hermines se dressaient sur leurs pattes de derrière, leurs petits yeux noirs et brillants aux aguets, les oreilles tendues au moindre bruit, mais toujours attirés par leur flair vers une proie infortunée.

Elles se faufilèrent à travers les nids des campagnols et des mulots, sous les racines des arbres où hibernaient tritons et grenouilles, elles se jettaient sur de jeunes oiseaux, trop paralysés par le froid, trop affamés pour s'envoler. La horde ravageuse de huit ou dix petites tueuses blanches se rapprochait. Leurs têtes se balançaient d'arrière en avant, leurs petits yeux noirs, pareils à des perles, brillaient de convoitise. Elles se jetaient avec une mortelle précision sur le cerveau, la nuque, la veine jugulaire. Elles frappaient sans le moindre scrupule. C'étaient les meurtriers les plus efficaces, les plus sanguinaires de tout le monde animal, et Deegie se sentit soudain heureuse de leur petite taille. Il n'existait, semblait-il, aucun motif à une destruction aussi gratuite, sinon le plaisir de tuer... peut-être aussi la nécessité d'alimenter sans cesse un corps perpétuellement en mouvement, dans toute la mesure prévue et voulue par la nature.

Attirées par le morceau de viande saignante, les hermines, sans hésitation, se mirent en devoir de le faire disparaître. Soudain, la confusion éclata dans le petit groupe. Des pierres lancées avec violence pleuvaient sur les petits animaux, en abattaient quelques-uns. L'odeur caractéristique du musc se répandait dans l'atmosphère. Deegie, trop absorbée dans sa contemplation des prédateurs, n'avait pas suivi les préparatifs minutieux d'Ayla et ses tirs rapides à la fronde.

A ce moment, un gros animal, sorti de nulle part, se retrouva d'un bond au beau milieu des hermines. Ayla stupéfaite, entendit un grondement menaçant. Le loup se jeta sur la tranche de bison, mais il fut tenu en respect par deux petites bêtes intrépides. Le carnivoire au pelage noir eut un mouvement de recul, découvrit alors une hermine récemment mise hors d'état de nuire et s'en empara.

Mais Ayla n'était pas disposée à laisser le loup noir lui voler ses hermines : elle s'était donné trop de mal pour se les procurer. C'était elle qui les avait tuées, et elle avait besoin de leurs peaux pour la tunique blanche. Déjà, la petite bête blanche dans la gueule, le loup s'éloignait. Ayla se lança à sa poursuite. Les loups, eux aussi, mangeaient de la viande. Elle les avait étudiés de très près, du temps où elle apprenait à se servir d'une fronde. Et elle les comprenait. Sans interrompre sa course, elle ramassa une branche tombée. Un loup solitaire cédait généralement la place, devant une attaque déterminée. Celui-ci pourrait laisser tomber l'hermine.

S'il s'était agi d'une troupe de loups, ou même de deux individus seulement, elle n'aurait pas tenté un assaut aussi téméraire. Quand le loup noir fit une courte pause, afin d'assurer plus solidement sa prise sur l'hermine, Ayla se précipita sur lui, la branche haut levée pour lui en asséner un grand coup. Elle ne considérait pas la branche comme une arme bien efficace : elle voulait seulement effrayer l'animal, l'amener par la surprise à lâcher sa petite proie. Mais la surprise fut pour elle. Le loup laissa tomber l'hermine devant lui et, avec un grondement mauvais, menaçant, bondit vers la jeune femme.

La réaction immédiate de celle-ci fut pour jeter la branche devant elle, afin de contenir l'attaquant. En elle, une subite poussée d'énergie lui conseillait de fuir. Mais la branche, fragilisée par le froid, se brisa lorsqu'elle la ramena en avant et heurta un arbre. Elle se retrouva avec, au poing, un simple tronçon. Le reste, cependant, avait frappé le loup en pleine tête. Ce fut assez pour retenir son élan : il avait bluffé, lui aussi, il n'avait pas bien envie d'attaquer. Il reprit dans sa gueule l'hermine morte, remonta la pente de l'étroite vallée boisée.

Ayla était sous le coup de la frayeur et de la colère, du choc aussi. Mais elle ne pouvait laisser l'hermine lui échapper ainsi. Une fois de plus, elle se lança à la poursuite du loup.

— Laisse-le partir ! lui cria Deegie. Tu en as bien assez ! Laisse celle-ci au loup !

Son amie ne l'entendit pas : son attention était ailleurs. Le loup se dirigeait vers une région à découvert, et elle le suivait de près. Elle plongea la main dans son petit sac à projectiles : il ne lui restait que deux pierres. Elle se mit à courir. Elle s'attendait à voir le loup lui échapper bientôt mais elle se sentait obligée de fournir encore un effort. Elle plaça un galet dans sa fronde, le projeta sur l'animal en fuite. Le second galet suivit de très près le premier, acheva l'ouvrage. Tous les deux avaient touché leur cible.

Ayla éprouva une vive satisfaction en voyant le loup s'effondrer. En voilà un qui ne lui volerait plus rien. Elle s'élança pour reprendre l'hermine, décida qu'elle pouvait tout aussi bien prendre la peau du gros carnivore. Cependant, lorsque Deegie la rejoignit, elle trouva son amie assise près du loup noir et de l'hermine blanche. Elle n'avait pas bougé. Son expression inquiéta Deegie.

— Qu'y a-t-il, Ayla ?

— J'aurais dû lui laisser emporter l'hermine. J'aurais dû comprendre qu'elle avait une bonne raison pour se jeter sur ce morceau de rôti que voulaient les hermines. Les loups connaissent bien la cruauté de ces petites bêtes, et, généralement, un loup solitaire battra en retraite sans attaquer, dans un lieu qui ne lui est pas familier. J'aurais dû lui abandonner cette hermine.

— Je ne comprends pas. Tu as retrouvé ton hermine et tu as aussi la peau d'un loup noir. Pourquoi dis-tu que tu aurais dû lui laisser l'hermine ?

Ayla désigna le ventre de la louve.

— Regarde. Elle allaitait. Elle a des petits.

— Il est encore bien tôt, non, pour qu'une louve mette bas ?

— Oui. Elle n'est pas en saison. Et c'est une solitaire. Voilà pourquoi elle avait tant de mal à trouver de quoi manger. C'est ce qui l'a poussée à vouloir prendre la viande et, ensuite, l'hermine. Regarde ses côtes. Ses petits l'ont épuisée. Elle n'a plus que la peau sur les os. Si elle vivait avec une troupe, les autres l'auraient aidée à nourrir ses petits. Mais, si elle vivait avec une troupe, elle n'aurait pas eu de petits. Le plus souvent, seule la femelle qui mène la meute en a, et cette louve n'a pas la couleur qui convient. Les loups sont accoutumés à certaines couleurs, à certaines marques. Elle, elle est comme la louve blanche que j'observais, dans le temps, quand j'apprenais à les connaître. Les autres ne l'aimaient pas non plus. Elle cherchait sans cesse à faire des avances au loup et à la louve qui menaient la meute, mais ils ne voulaient pas d'elle. Quand les autres sont devenus trop nombreux, elle est partie. Peut-être en a-t-elle eu assez de n'être aimée de personne.

Ayla baissa les yeux sur la louve noire.

— Celle-ci a fait comme elle. Peut-être est-ce ce qui l'a poussée à avoir des petits : elle était trop seule. Mais elle n'aurait pas pu les avoir si tôt. A mon avis, Deegie, c'est la même louve noire que j'ai vue, quand nous chassions le bison. Elle a dû quitter sa troupe pour se mettre à la recherche d'un mâle solitaire et former avec lui une nouvelle troupe. C'est comme ça qu'elles se forment. Mais c'est toujours plus difficile pour les solitaires. Les loups aiment chasser ensemble et ils s'aident les uns les autres. Le mâle dominant aide toujours la femelle dominante à élever ses petits. Je voudrais que tu les voies, parfois : ils aiment jouer avec les louveteaux. Mais où est le mâle de celle-ci ? En a-t-elle même trouvé un ? Est-il mort ?

Deegie eut la surprise de voir dans les yeux d'Ayla des larmes retenues... pour une louve morte.

— Ils finissent tous par mourir, Ayla. Nous retournons tous à la Mère.

— Je le sais bien, Deegie. Mais elle, d'abord, elle était différente des autres et, ensuite, elle s'est retrouvée seule. Elle aurait dû avoir droit à quelque chose, dans sa vie : un compagnon, une troupe pour l'entourer, quelques petits au moins.

Deegie commençait à comprendre pourquoi son amie manifestait une émotion aussi violente pour une vieille louve noire et décharnée : elle se mettait à la place de l'animal.

— Mais elle a eu des petits, Ayla.

— Et maintenant, ils vont mourir, eux aussi. Ils n'ont pas de troupe autour d'eux. Pas même un mâle dominant. Sans leur mère, ils vont mourir.

Ayla, brusquement, sauta sur ses pieds.

— Je ne vais pas les laisser mourir !

— Comment ça ? Où vas-tu ?

— Je vais les trouver. Je vais suivre les traces de la louve noire jusqu'à sa tanière.

— Ça pourrait être dangereux. Il y a peut-être d'autres loups dans les environs. Comment peux-tu être sûre que non ?

— J'en suis sûre, Deegie. Il me suffit de la regarder.

— Eh bien, si je ne peux pas te faire changer d'avis, je n'ai qu'une chose à te dire, Ayla.

— Quoi ?

— Si tu t'attends à me voir arpenter toute la région avec toi, à la recherche de traces de loup, tu peux porter toi-même tes hermines.

Deegie fit tomber de son sac cinq petits cadavres blancs.

— Moi, j'ai bien assez à porter avec mes renards.

Le grand sourire de Deegie exprimait un pur ravissement. Ayla, en réponse, lui sourit avec une chaleureuse affection.

— Oh, Deegie, tu les as apportées jusqu'ici !

Dans un grand élan d'amitié, les deux jeunes femmes s'étreignirent.

— Un fait est certain, Ayla : on ne s'ennuie jamais en ta compagnie !

Deegie aidait Ayla à ranger les hermines dans son sac.

— Que vas-tu faire de cette louve ? Si nous ne la prenons pas, quelqu'un d'autre s'en chargera et une peau de loup noir, ce n'est pas courant.

— J'aimerais l'emporter, mais je dois d'abord retrouver ses petits.

— Très bien, je vais la porter, déclara Deegie.

Elle hissa sur son épaule le corps inerte.

— Si nous en avons le temps, tout à l'heure, je l'écorcherai.

Sur le point de poser une autre question, elle se ravisa. Elle saurait bien assez tôt ce que son amie voulait faire, si elle découvrait des louveteaux encore vivants.

Elles durent regagner la petite vallée pour trouver les traces qui les guideraient. Connaissant la précarité des vies qu'elle laissait sans défense derrière elle, la louve avait consciencieusement brouillé sa piste. A plusieurs reprises, Deegie, bien entraînée pourtant, elle aussi, fut convaincue qu'elles l'avaient perdue. Mais Ayla, poussée par son désir d'arriver au but, finissait toujours par la retrouver. Quand elles parvinrent enfin à l'endroit où, elle en était sûre, se trouvait la tanière, la position du soleil montrait que l'après-midi s'avançait.

— Je dois être franche, Ayla : je ne vois pas signe de vie.

— Il doit en être ainsi, s'ils sont seuls. S'ils donnaient signe de vie, ce serait provoquer le danger.

— Tu as peut-être raison, mais s'il y a vraiment des louveteaux là-dedans, comment vas-tu les faire sortir ?

— Je n'ai qu'un seul moyen, je pense. Je serai obligée d'aller les chercher.

— Tu ne vas pas faire ça, Ayla ! C'est très bien d'observer des loups à bonne distance, mais on ne peut pas s'introduire dans leur tanière. Si les louveteaux n'étaient pas seuls ? Il pourrait y avoir un autre adulte avec eux.

— As-tu vu d'autres traces de loup adulte, en dehors de celles de la mère ?

— Non, mais je n'aime pas cette idée de pénétrer dans la tanière d'un loup.

— Je ne suis pas venue si loin pour m'en aller sans savoir s'il y a des louveteaux. Il faut que j'y aille, Deegie.

Ayla posa son sac, se dirigea vers l'étroit trou noir qui s'ouvrait dans la terre. Il s'agissait d'un vieux repaire, abandonné depuis longtemps parce que le site n'était pas des plus favorables. C'était ce que la louve noire avait pu trouver de mieux, après la mort, dans un combat, du vieux loup solitaire qu'avaient attiré ses chaleurs prématurées.

Ayla se mit sur le ventre, entreprit de se faufiler dans l'ouverture.

— Attends, Ayla ! lui cria Deegie. Tiens, prends mon couteau.

La jeune femme hocha la tête, prit le couteau entre ses dents et se glissa dans le trou. Au début, la galerie descendait, et le passage était étroit. Elle se sentit soudain bloquée, dut revenir en arrière.

— Nous ferions mieux de partir, Ayla. Il se fait tard, et tu ne peux pas entrer là-dedans, tu ne peux pas.

Ayla enleva sa pelisse.

— Il n'est pas question de renoncer, dit-elle. Je passerai.

Le froid la fit frissonner jusqu'au moment où elle se retrouva dans la tanière. Elle eut du mal à se glisser dans la première partie du tunnel, là où il descendait. Près du fond, il devenait horizontal, et elle avait un peu plus de place, mais la tanière semblait déserte. Son corps empêchait encore la lumière de pénétrer, et il lui fallut un moment pour adapter sa vision à l'obscurité. Elle allait repartir à reculons, quand elle crut entendre un bruit.

— Loup, petit loup, tu es là ? demanda-t-elle.

Elle se rappela alors les nombreuses occasions où elle avait épié et écouté les loups. Elle émit un petit gémissement suppliant, tendit l'oreille. De l'endroit le plus reculé, le plus obscur de la tanière lui parvint une plainte presque imperceptible, et elle faillit pousser un cri de joie.

Péniblement, elle se rapprocha encore de l'origine du bruit, fit entendre de nouveau le même gémissement. La réponse fut plus proche. Elle distingua deux yeux brillants, mais, lorsqu'elle tendit la main vers le louveteau, il recula, émit un petit grondement, et elle sentit des dents aiguës s'enfoncer dans sa main.

— Aïe ! Tu sais te défendre, dit-elle.

Elle sourit.

— Tu as encore de l'énergie. Allons, viens, petit loup. Tout ira bien. Viens.

De nouveau, elle tendit la main vers le louveteau, avec le même petit gémissement suppliant, toucha une boule de fourrure floconneuse. Elle referma les doigts dessus, attira vers elle le petit animal qui crachait de colère et se débattait. Après quoi, à reculons, elle sortit de la tanière.

— Regarde ce que j'ai trouvé, Deegie !

Ayla, avec un sourire triomphant, brandissait un petit louveteau gris à la fourrure ébouriffée.

23

Jondalar faisait les cent pas dehors, entre l'entrée principale et l'abri des chevaux. Il portait une chaude pelisse qui avait appartenu à Talut mais, même ainsi, il ressentait la chute de température à mesure que le soleil se rapprochait de l'horizon. A plusieurs reprises, il avait gravi la pente dans la direction qu'avaient empruntée Ayla et Deegie et il s'apprêtait à le faire une fois encore.

Depuis le départ des deux jeunes femmes, ce matin-là, il essayait d'apaiser son inquiétude. Quand, dans l'après-midi il avait commencé d'arpenter les environs immédiats de l'habitation, les autres avaient souri avec condescendance, mais il n'était plus seul, à présent, à manifester de l'anxiété. Tulie elle-même avait grimpé plusieurs fois la pente et Talut parlait de rassembler quelques hommes pour se lancer à la recherche des deux absentes avec des torches. Whinney et Rapide eux-mêmes semblaient inquiets.

La flamme éclatante qui illuminait le couchant glissa derrière un banc de nuages. Le soleil en émergea sous la forme d'un cercle de lumière rouge aux contours précis, un disque d'un autre monde, sans profondeur ni dimension définie, trop parfait, trop symétrique pour appartenir à l'environnement naturel. Néanmoins, cet orbe rouge et lumineux prêtait de la couleur aux nuages et un air de santé à la face pâle de l'autre astre, son compagnon céleste, encore bas à l'horizon du levant.

Au moment précis où Jondalar allait repartir deux silhouettes se découpèrent au sommet de la pente. Elles se détachaient sur un fond bleu lavande qui se fondait par degrés dans un indigo profond. Une seule étoile scintillait au-dessus d'elles. Jondalar exhala un profond soupir, se laissa aller comme pris de vertige contre les défenses qui formaient la voûte d'entrée.

Mais pourquoi étaient-elles restées si longtemps absentes ? Elles auraient dû savoir qu'elles ne devaient pas éveiller pareille inquiétude parmi les leurs. Qu'est-ce qui avait bien pu les retenir si longtemps ? Peut-être avaient-elles dû affronter des dangers. Il aurait mieux fait de les suivre.

— Elles sont là ! Elles sont de retour ! criait Latie.

Des gens à demi vêtus se précipitèrent hors de l'abri. Ceux qui se trouvaient déjà à l'extérieur et chaudement habillés entamèrent la montée en courant pour aller à la rencontre des arrivantes.

Dès qu'Ayla fût à portée de voix, Jondalar la questionna :

— Qu'est-ce qui vous a retenues si longtemps ? Il fait presque nuit. Où étiez-vous ?

Elle posa sur lui un regard stupéfait.

Tulie intervint.

— Laisse-les d'abord rentrer, dit-elle.

Sa mère, Deegie le savait, n'était pas contente, mais elles avaient passé dehors la journée entière, elles étaient fatiguées, et le froid se faisait de plus en plus vif. Les récriminations viendraient par la suite, quand Tulie se serait assurée qu'elles étaient en bonne santé. On les poussa toutes les deux à l'intérieur, on leur fit traverser le foyer d'entrée pour les amener dans l'espace réservé à la cuisine.

Deegie, heureuse de se débarrasser de son fardeau, souleva la carcasse de la louve noire qui, dans la rigidité de la mort, avait pris la forme de son épaule. Il y eut des exclamations de surprise quand elle la laissa tomber sur une natte, et Jondalar pâlit visiblement. Elles avaient bien couru un danger.

— C'est un loup ! dit Drumez.

Il considérait sa sœur avec respect.

— Où as-tu trouvé ce loup ?

— Attends de voir ce que rapporte Ayla, répondit Deegie.

Déjà, elle tirait de son sac les renards blancs.

Ayla, de son côté, sortait du sien les hermines raidies par le froid. Elle y employait une seule main. L'autre restée prudemment posée sur sa taille, par-dessus sa chaude tunique de fourrure à capuchon.

— Voilà de bien jolies hermines, dit Drumez.

Les petites bêtes blanches l'impressionnaient beaucoup moins que le loup noir, mais il ne voulait pas se montrer vexant.

Ayla lui sourit, avant de détacher la lanière qu'elle avait nouée autour de sa pelisse. Elle passa la main à l'intérieur, ramena une petite boule de fourrure grise. Tout le monde se pencha pour voir ce qu'elle tenait. Tout à coup, la petite boule remua.

Le louveteau avait dormi profondément contre la chaleur du corps d'Ayla, sous la pelisse, mais la lumière, le bruit, les odeurs inconnues l'effrayaient. Il gémit, chercha à se blottir contre la femme dont l'odeur et la tiédeur lui étaient devenues familières. Elle posa la petite créature sur le loess de la fosse à dessiner. Le louveteau se releva, fit quelques pas chancelants, avant de s'accroupir pour former une petite mare vite absorbée par la terre sèche.

— C'est un loup ! dit Danug.

— Un petit loup ! précisa Latie, du plaisir plein les yeux.

Ayla vit Rydag se rapprocher prudemment pour voir de plus près le petit animal. Il tendit la main. Le louveteau la renifla, avant de la lécher. Le sourire de Rydag exprima une joie sans mélange.

— Où as-tu eu le petit loup, Ayla ? questionna-t-il par signes.

— Une longue histoire, lui répondit-elle dans le même langage. Je te la raconterai plus tard.

Elle se débarrassa vivement de sa pelisse. Nezzie la prit, lui tendit une coupe d'infusion bien chaude. Avec un sourire de gratitude, elle en but une gorgée.

— Peu importe où elle l'a eu. Que va-t-elle en faire ? questionna Frebec.

Il comprenait le langage silencieux, Ayla le savait, même s'il prétendait l'ignorer. De toute évidence, il avait saisi la question de Rydag. Elle se tourna vers lui pour lui faire face.

— Je vais prendre soin de lui, Frebec, déclara-t-elle, le regard flamboyant. J'ai tué sa mère, précisa-t-elle, avec un geste vers la louve noire, et je vais m'occuper de ce petit.

— Ce n'est pas un petit, c'est un loup ! Un animal capable de blesser des êtres humains, répliqua-t-il.

Ayla prenait rarement une position aussi tranchée, que ce fût contre lui ou contre n'importe qui d'autre. Elle lui cédait souvent, il l'avait découvert, sur des points sans grande importance, pour éviter un conflit s'il se montrait assez désagréable. Il ne s'attendait pas à un affrontement direct et il en était mécontent, d'autant qu'il redoutait de n'en pas sortir victorieux.

Manuv regarda le louveteau, reporta son regard sur Frebec. Son visage se fendit d'un large sourire.

— As-tu peur que cet animal ne te fasse du mal, Frebec ?

Sous les rires bruyants, Frebec s'empourpra de fureur.

— Je ne voulais pas dire ça. Je veux dire que les loups sont dangereux pour les gens. D'abord, des chevaux, et maintenant des loups. Qu'est-ce qui viendra ensuite ? Je ne suis pas un animal et je ne veux pas vivre avec des animaux.

Il s'en fut à grandes enjambées, peu soucieux de savoir au cas où il les obligerait à prendre parti, si les autres occupants du Camp du Lion lui préféreraient Ayla et ses animaux.

— Il te reste encore de ce rôti de bison, Nezzie ?

— Tu dois mourir de faim. Je vais te servir quelque chose.

— Ce n'est pas pour moi. C'est pour le petit loup

Nezzie apporta à Ayla une tranche de viande, tout en se demandant comment un louveteau si jeune allait pouvoir la manger. Mais Ayla se rappelait une leçon apprise bien longtemps auparavant : les tout-petits peuvent se nourrir comme leur mère, à condition que la nourriture soit plus tendre, plus facile à mâcher et à avaler. Naguère, elle avait ramené dans sa vallée un petit lion des cavernes blessé et elle l'avait nourri de viande et de bouillon, au lieu de lait. Les loups mangeaient de la viande eux aussi. Du temps où elle les observait, afin de tout apprendre d'eux, elle avait vu, elle s'en souvenait, des loups plus âgés mastiquer de la viande et l'avaler, pour la rapporter à la tanière et la déglutir au profit des louveteaux. Elle-même n'avait pas besoin de la mastiquer, elle avait des mains, un couteau affilé, elle pouvait la hacher.

Après avoir fait de la tranche de bison une sorte de pulpe, Ayla la mit dans une coupe, y ajouta de l'eau tiède pour amener la température à celle du lait maternel. Le louveteau avait reniflé tout autour de la fosse à dessiner mais, apparemment, il avait peur de s'aventurer hors de ses limites. Ayla s'assit sur la natte, tendit la main, appela doucement le petit animal. Elle l'avait arraché à un endroit solitaire et froid, elle lui avait apporté la chaleur, le réconfort, et son odeur était pour lui étroitement associée à l'idée de sécurité. D'un pas chancelant, la petite boule de fourrure s'approcha de la main tendue.

Elle souleva d'abord le louveteau pour l'examiner de plus près. Le petit loup était un mâle, encore très jeune : sans doute ne s'était-il pas écoulé plus d'un cycle lunaire depuis sa naissance. Elle se demandait s'il avait des frères et sœurs, et, si tel était le cas, quand ils étaient morts. Apparemment il était en bonne santé et ne paraissait pas mal nourri. La louve noire pourtant, était décharnée. En songeant aux terribles difficultés contre lesquelles la louve avait dû lutter pour maintenir en vie cet unique louveteau, elle se rappelait ses épreuves personnelles. Sa résolution en fut encore renforcée. Si elle le pouvait, elle garderait en vie le fils de la mère louve, en dépit de tous les obstacles, et ni Frebec ni personne d'autre ne l'en empêcherait.

Ayla prit le louveteau sur ses genoux, trempa un doigt dans la viande finement hachée, le ramena sous le nez du petit loup. Il avait faim. Il flaira la viande, y donna un petit coup de langue, avant de nettoyer consciencieusement le doigt d'Ayla. Elle refit la même opération, et, cette fois encore, il fit avidement disparaître la viande. Elle continua de le nourrir ainsi. Elle sentait le petit ventre s'arrondir à mesure. Quand elle pensa qu'il avait assez mangé, elle lui offrit un peu d'eau, mais il l'effleura seulement du bout de la langue. Elle se leva alors, l'emporta vers le Foyer du Mammouth.

— Tu trouveras quelques vieilles corbeilles, je crois, sur cette banquette, là-bas, dit Mamut, qui l'avait suivie.

Elle lui sourit. Il savait très précisément ce qu'elle avait en tête. Elle fouilla un peu, découvrit un grand panier à cuisine qui tombait en morceaux à une extrémité. Elle le plaça sur la plate-forme, à la tête de son lit. Mais, quand elle y plaça le louveteau, il gémit pour en sortir. Elle le prit, regarda autour d'elle, sans bien voir ce qui l'apaiserait. Elle fut tentée de le prendre avec elle dans son lit mais elle était déjà passée par là avec les poulains et les lionceaux. Il était trop malaisé par la suite de les amener à modifier leurs habitudes. D'ailleurs Jondalar, n'aurait peut-être pas envie de partager sa couche avec un loup.

— Il n'est pas heureux dans son panier. Sans doute lui faudrait-il sa mère ou d'autres louveteaux pour lui tenir compagnie, dit-elle à Mamut.

— Donne-lui quelque chose qui t'appartienne, Ayla, conseilla le vieil homme. Quelque chose de doux, de confortable, de familier. Sa mère, maintenant, c'est toi.

Elle hocha la tête, passa en revue ses quelques vêtements. Elle ne possédait pas grand-chose. La magnifique tenue que lui avait offerte Deegie, celle qu'elle s'était confectionnée dans sa vallée avant de venir chez les Mamutoï, quelques vêtements déjà usagés que lui avaient donnés d'autres personnes pour lui permettre de se changer. Du temps, où elle vivait avec le Clan, et même dans sa vallée, elle avait de nombreuses peaux pour s'en envelopper...

Elle remarqua tout à coup, dans un coin, la hotte qu'elle avait apportée de la vallée. Elle y fouilla, en tira d'abord le manteau de Durc, mais après l'avoir tenu un moment entre ses mains, elle le replia, le remit à sa place. Elle ne pouvait s'en séparer. Elle trouva alors la grande peau de cuir souple qu'elle avait portée au Clan. Elle en enveloppa le petit loup, le reposa ainsi dans le panier. Il renifla un peu partout, se blottit au milieu et s'endormit rapidement.

Ayla prit soudain conscience qu'elle était épuisée. Elle avait faim, aussi, et ses vêtements étaient encore humides de neige. Elle ôta ses bottes mouillées, puis leur doublure de feutre fait de laine de mammouth, passa une tenue sèche, enfila les chaussons d'intérieur que Talut lui avait appris à faire. Intriguée par ceux qu'il portait, lors de la cérémonie d'adoption, elle l'avait persuadé de lui en expliquer la confection.

Le procédé était basé sur une caractéristique naturelle de l'élan ou du cerf : la patte de derrière forme un angle assez aigu, à la jointure avec le jarret, pour épouser la forme naturelle d'un pied humain. On tranchait la peau au-dessus et au-dessous de l'articulation et on l'enlevait d'une seule pièce. Quand on l'avait traitée, on cousait à l'aide d'un filament de nerf l'extrémité de la partie inférieure. La partie supérieure, qui enveloppait le bas de la jambe, était fixée par des cordons ou des lanières. Le résultat donnait un chausson souple, chaud et confortable.

Après s'être changée, Ayla passa dans l'abri des chevaux pour les voir et les rassurer, mais elle remarqua une hésitation, une certaine résistance de la part de la jument, lorqu'elle voulut la caresser.

— Tu sens le loup, hein, Whinney. Il faudra t'y habituer. Tous les deux ; le loup va vivre avec nous pendant un certain temps.

Elle tendit les deux mains, laissa les deux bêtes les flairer. Rapide recula, s'ébroua, secoua la tête, revint flairer. Whinney posa le museau entre les mains de la jeune femme, mais elle couchait les oreilles, s'agitait d'un air hésitant.

— Tu t'es bien habituée à Bébé, Whinney. Tu t'habitueras aussi à... loup. Je l'apporterai ici demain quand il se réveillera. Tu verras comme il est petit et tu comprendras qu'il ne peut pas te faire de mal.

En rentrant au Foyer du Mammouth, Ayla trouva Jondalar debout près de leur lit. Il regardait le louveteau, et son expression était indéchiffrable. Néanmoins, elle crut lire dans ses yeux de la curiosité et quelque chose qui ressemblait à de la tendresse. Il releva la tête, vit la jeune femme. Son front se plissa en une grimace qui lui était devenue familière.

— Ayla, pourquoi es-tu restée si longtemps dehors ? demanda-t-il. Tout le monde était sur le point de partir à votre recherche, à toi et à Deegie.

— Nous n'avions pas eu l'intention de nous attarder, mais quand j'ai vu que la louve noire que j'avais tuée allaitait des petits, je me suis sentie obligée de voir si je pouvais les trouver.

— Quelle différence cela faisait-il ? Il y a sans cesse des loups qui meurent, Ayla !

Au début, il avait parlé d'un ton raisonnable, mais la peur qu'il avait éprouvée mettait maintenant dans sa voix une nuance tranchante.

— C'était stupide de suivre ainsi les traces d'un loup. Si tu étais tombée sur une troupe, ils auraient pu te tuer.

L'inquiétude avait torturé Jondalar, mais, avec le soulagement, venait l'incertitude, mêlée d'une dose de colère frustrée.

Ayla explosa.

— Pour moi, cela faisait une différence, Jondalar. Et je ne suis pas stupide. J'ai chassé des mangeurs de viande avant tout autre animal.

Je connais les loups. Si la louve avait fait partie d'une troupe, je n'aurais pas remonté la piste jusqu'à sa tanière. La troupe aurait pris soin de ses petits.

— Elle était solitaire, soit. Mais pourquoi as-tu passé la journée à la recherche d'un louveteau ?

Jondalar parlait d'une voix de plus en plus forte. Il libérait son anxiété, sa propre tension, tout en cherchant à convaincre Ayla de ne plus courir de tels risques.

— Ce louveteau était tout ce que la mère louve avait jamais possédé. Je ne pouvais pas le laisser mourir de faim après avoir tué sa mère. Si quelqu'un n'avait pas pris soin de moi quand j'étais petite, je serais morte. Je dois, moi aussi, secourir les plus démunis, même un petit loup.

La jeune femme, elle aussi avait élevé la voix.

— Ce n'est pas la même chose. Un loup est un animal. Tu devrais avoir assez de bon sens, Ayla, pour ne pas mettre ta vie en danger afin de sauver un louveteau, cria Jondalar.

Apparemment il était incapable de lui faire entendre raison.

— Il ne fait pas un temps à rester dehors toute une journée.

La colère flamba dans les yeux de la jeune femme.

— J'ai du bon sens, Jondalar. C'était moi qui étais dehors. Crois-tu que je ne sais pas le temps qu'il faisait. Crois-tu que je ne sais pas quand je suis en danger ? Je me tirais d'affaire seule, avant ton arrivée, et j'ai affronté des dangers bien pires. J'ai même pris soin de toi. Je n'ai pas besoin de toi pour me dire que je suis stupide et que je manque de bon sens.

Les gens rassemblés au Foyer du Mammouth réagissaient à la querelle, souriant nerveusement, cherchant à la minimiser. Jondalar jeta un coup d'œil autour de lui, vit ces sourires, remarqua que certains groupes échangeaient des commentaires. Mais celui qui se distinguait de tous les autres était l'homme à la peau sombre, aux yeux étincelants. Y avait-il une touche de condescendance dans son large sourire ?

— Tu as raison, Ayla. Tu n'as pas besoin de moi, j'imagine. Pour quoi que ce soit, lança Jondalar.

Il vit approcher Talut, demanda :

— Verrais-tu un inconvénient à ce que je m'installe dans le foyer de la cuisine, Talut ? Je m'efforcerai de ne gêner personne.

— Non bien sûr, je n'y vois pas d'inconvénient, mais...

— Très bien, merci.

Jondalar prit ses fourrures de couchage, débarrassa de ses affaires la plate-forme qu'il partageait avec Ayla.

La jeune femme était accablée, affolée à l'idée qu'il pouvait vraiment avoir envie de dormir loin d'elle. Elle était presque sur le point de le supplier de ne pas la quitter, mais l'orgueil la retint.

Il avait partagé son lit, mais, depuis longtemps déjà, ils n'avaient pas partagé les Plaisirs : il ne l'aimait plus, elle en était convaincue. Dans ce cas, elle n'allait pas tenter de le retenir, même si, à la pensée de cette séparation, la peur et la souffrance lui nouaient l'estomac.

Il entassait ses affaires dans une hotte.

— Tu ferais bien de prendre aussi ta part de nourriture, dit-elle.

Dans un effort pour rendre la séparation moins définitive elle ajouta :

— Mais je ne vois pas qui te fera la cuisine, là-bas. Ce n'est même pas un véritable foyer.

— Qui donc, à ton avis, me faisait la cuisine, quand j'accomplissais mon grand Voyage ? Une donii ? Je n'ai pas besoin de femme pour prendre soin de moi ; Je préparerai mes repas moi-même !

Les bras chargés de fourrures, il traversa à grands pas le Foyer du Renard et le Foyer du Lion, jeta ses couvertures sur le sol, près de l'aire où travaillait les façonneurs d'outils. Ayla, encore incapable d'y croire, le suivit des yeux.

L'abri entier bourdonnait de la rumeur de leur séparation. Après avoir appris la nouvelle, Deegie, encore incrédule, se hâta dans le passage central. Pendant qu'Ayla faisait manger le louveteau, sa mère et elle s'étaient retirées au Foyer de l'Aurochs et s'y étaient entretenues quelque temps. Deegie, qui avait elle aussi changé de tenue, avait l'air plutôt abattue mais, en même temps, décidée. Certes, elles n'auraient pas dû rester aussi longtemps dehors, tant pour leur sécurité qu'en raison de l'inquiétude causée aux autres. Mais, non, étant donné les circonstances, Deegie n'aurait pu agir différemment. Tulie aurait aimé s'entretenir avec Ayla aussi, mais ce ne serait pas indiqué, elle le sentit, surtout après avoir entendu l'histoire contée par Deegie. Ayla avait demandé à son amie de rentrer, avant de commencer cet invraisemblable recherche des traces de la louve. Et elles étaient adultes, parfaitement capables de se tirer d'affaire seules. Pourtant, de toute sa vie, Tulie n'avait jamais été aussi inquiète pour sa fille.

Nezzie poussa Tronie du coude. Elles préparèrent des assiettes d'aliments réchauffés et les apportèrent au Foyer du Mammouth, pour Ayla et Deegie. Peut-être tout s'arrangerait-il quand elles auraient mangé et qu'elles auraient eu l'occasion de raconter leur histoire.

Tout le monde attendait pour poser des questions sur le louveteau, que les deux jeunes femmes et le petit loup se soient nourris et réchauffées. Ayla d'abord affamée, avait maintenant du mal à avaler quelques bouchées. Son regard se tournait sans cesse vers la direction qu'avait prise Jondalar. Les autres, apparemment, semblaient converger vers le Foyer du Mammouth, dans leur hâte d'entendre le récit d'une aventure exceptionnelle et passionnante que l'on pourrait se répéter indéfiniment. Que la jeune femme fût ou non d'humeur à conter l'histoire, tous voulaient savoir comment elle était revenue parmi eux avec un petit loup.

Deegie commença par la capture des renards blancs dans ses pièges. C'était la louve noire, elle en était maintenant certaine, qui affaiblie, affamée, avait été conduite à s'emparer des renards pour se nourrir. La bête, suggéra Ayla, avait peut-être suivi Deegie à la trace, lorsqu'elle avait posé ses pièges. Deegie relata ensuite comment Ayla, désireuse de se procurer de la fourrure blanche pour orner le vêtement qu'elle confectionnait pour quelqu'un, mais autre que du renard, avait retrouvé la piste des hermines.

Jondalar, arrivé après le début de l'histoire, s'était assis au pied du mur le plus éloigné et s'efforçait de passer inaperçu. Il regrettait déjà d'être parti précipitamment et s'en voulait de sa hâte mais, en entendant la remarque de Deegie, il sentit le sang se retirer de son visage. Si Ayla confectionnait pour quelqu'un un vêtement orné de fourrure blanche et qu'elle ne voulût pas de renard, ce devait être parce qu'elle avait déjà offert à ce « quelqu'un » des fourrures de renards arctiques. Et il savait à qui elle les avait offertes, lors de la cérémonie de son adoption. Il ferma les yeux, serra les poings. Il ne voulait même pas y penser mais il était incapable d'éloigner cette idée de son esprit. Ayla devait préparer quelque chose pour l'homme à la peau noire, qui avait si grande allure, vêtu de fourrures blanches. Pour Ranec.

Ranec lui-même se demandait de qui il s'agissait. Sans doute était-ce de Jondalar, mais il espérait qu'il s'agissait de quelqu'un d'autre, peut-être même de lui. Une inspiration lui vint. Qu'elle confectionnât quelque chose pour lui ou non, il pouvait de toute façon faire quelque chose pour elle. Il revoyait sa joie, son plaisir quand il lui avait offert le petit cheval sculpté. Une chaleur l'envahissait à l'idée de créer pour elle autre chose. Quelque chose qui la ravirait de nouveau, qui l'enthousiasmerait, surtout maintenant que le grand homme blond l'avait quittée. La présence de Jondalar lui avait toujours imposé une certaine réserve. Mais s'il renonçait de son propre chef à sa position dominante, s'il abandonnait le lit et le foyer d'Ayla, lui, Ranec, se sentait libre de lui faire une cour plus pressante.

Le petit loup gémit dans son sommeil. Ayla, assise au bord de sa plate-forme de couchage, se pencha sur lui, le caressa pour l'apaiser. Les seuls moments de sa jeune vie où il avait trouvé un tel sentiment de chaleur et de sécurité, c'était quand il était blotti auprès de sa mère, et elle l'avait bien souvent laissé seul dans la froide obscurité de la tanière. Mais la main d'Ayla l'avait arraché à ce lieu de morne et effrayante solitude, elle lui avait apporté chaleur, nourriture et sécurité. Sous le contact rassurant, il se calma sans même s'être réveillé.

Ayla laissait Deegie poursuivre le récit, se contentait d'y ajouter quelques commentaires, quelques explications. Elle n'avait pas grande envie de parler, et il était intéressant de constater que l'histoire contée par son amie n'était pas tout à fait semblable à celle qu'elle aurait relatée. Elle n'était pas moins véridique mais elle était vue sous un angle différent, et Ayla s'étonnait un peu de certaines impressions de sa compagne. Elle-même n'avait pas vu la situation sous un jour aussi dangereux. Deegie avait eu peur de la louve, beaucoup plus qu'elle. Elle ne paraissait pas comprendre réellement ces animaux.

Les loups comptaient parmi les plus inoffensifs des voleurs de viande. On prévoyait très facilement leurs réactions, si l'on prêtait attention à leurs signaux. Les gloutons étaient beaucoup plus sanguinaires, les ours moins prévisibles. Les loups s'attaquaient rarement aux êtres humains.

Mais Deegie ne les voyait pas ainsi. La louve, à l'entendre, s'était ruée avec violence sur Ayla et elle avait eu peur. Certes, l'attaque n'était pas sans danger, mais, même si Ayla ne l'avait pas repoussée, elle était simplement défensive. La jeune femme aurait pu être blessée, mais tuée, sans doute pas. Et la louve avait battu en retraite dès qu'elle avait pu se saisir de l'hermine morte. Quand Deegie en vint à décrire comment Ayla s'était faufilée, la tête la première, dans la tanière de la louve, le Camp la considéra avec un respect révérencieux. Elle était certainement très courageuse ou très téméraire. A ses propres yeux, la jeune femme n'était ni l'une ni l'autre. Elle savait qu'il ne pouvait y avoir aucun autre loup adulte dans les parages : il n'y avait pas d'autres traces. La louve noire était une solitaire, probablement bien loin de son territoire d'origine, et la louve noire était morte.

Pour l'un des membres de l'auditoire, le récit par Deegie des exploits d'Ayla éveillait plus que du respect. Jondalar, en esprit, noircissait encore l'histoire, il imaginait Ayla, non seulement en grand danger, mais attaquée par des loups, blessée, saignante, pis encore, peut-être. Il ne supportait pas ces images, et son anxiété première lui revenait avec une force redoublée. D'autres éprouvaient des sentiments tout proches.

— Tu n'aurais jamais dû t'exposer à un tel danger, Ayla, déclara la Femme Qui Ordonne.

— Mère ! protesta Deegie.

Tulie, un peu plus tôt, lui avait dit qu'elle n'exprimerait pas ses inquiétudes.

Ceux qui se passionnaient pour l'aventure s'en prirent à elle, pour avoir interrompu un récit dramatique, conté avec talent. Que l'aventure fût réelle la rendait plus excitante encore. On pourrait, par la suite, la relater bien des fois, elle n'aurait plus jamais l'impact de la nouveauté. On avait gâché l'atmosphère : après tout, Ayla était maintenant de retour, saine et sauve.

La jeune femme regarda Tulie, avant de lancer un coup d'œil vers Jondalar. Elle avait senti sa présence, senti qu'il était furieux, et Tulie apparemment était furieuse, elle aussi.

— Je ne courais pas grand danger, dit Ayla.

— Tu ne crois pas qu'il soit dangereux de pénétrer dans la tanière d'un loup ? demanda Tulie.

— Non. Il n'y avait aucun danger. C'était la tanière d'une louve solitaire, et elle était morte. Je voulais seulement trouver ses petits.

— Peut-être, mais était-il nécessaire de rester dehors aussi tard, à traquer la louve ? Il faisait presque nuit quand vous êtes rentrées, dit Celle Qui Ordonne.

Jondalar lui avait fait le même reproche.

— Mais je savais que la louve avait eu des petits. Elle allaitait. Sans mère, ils allaient mourir, expliqua Ayla.

Elle l'avait déjà dit et pensait avoir été comprise.

— Ainsi, tu mets ta propre vie en danger...

Et celle de Deegie, pensait Tulie, mais elle ne formula pas toute sa pensée.

— ... pour sauver celle d'un loup ? Après l'attaque de la louve noire, il était téméraire de continuer à la poursuivre, simplement pour lui reprendre l'hermine qu'elle t'avait volée. Tu aurais dû la laisser partir.

— Je ne suis pas de ton avis, Tulie, intervint Talut.

Toutes les têtes se tournèrent vers le chef.

— Il y avait une louve affamée dans le voisinage, une louve qui avait déjà suivi Deegie à la trace, quand elle avait posé ses pièges. Qui peut dire si elle ne l'aurait pas suivie jusqu'ici ? Le temps se réchauffe, les enfants jouent dehors plus souvent. Si cette louve s'était trouvée sans autre ressource, elle aurait pu s'attaquer à l'un des enfants, sans que nous nous y soyons attendus. Nous savons maintenant que la louve est morte. C'est mieux ainsi.

Les gens hochaient la tête d'un air approbateur, mais Tulie n'allait pas se laisser dissuader aussi aisément.

— Peut-être vaut-il mieux que la louve ait été tuée, mais tu ne peux pas dire qu'il était nécessaire de passer tout ce temps à chercher ses petits. Et maintenant qu'elle a trouvé le louveteau, qu'allons-nous en faire ?

— A mon avis, Ayla a bien fait de suivre la louve et de la tuer, mais il est dommage qu'une mère qui allaitait ait dû être mise à mort. Toutes les mères méritent le droit d'élever leurs petits, même les mères louves. Mais il y a plus : les efforts d'Ayla et de Deegie pour découvrir la tanière de la louve n'ont pas été entièrement inutiles, Tulie. Elles ont fait plus que trouver un louveteau. Puisqu'elles n'ont vu qu'une seule série de traces, nous savons maintenant qu'il n'y a pas d'autres loups affamés dans le voisinage. Et si, au nom de la Mère, Ayla a pris en pitié le petit de la mère louve, je ne vois aucun mal à ça. Il est si jeune.

— Il est tout jeune maintenant mais il ne le restera pas. Que ferons-nous d'un loup adulte ? Comment sais-tu qu'alors il ne s'attaquera pas aux enfants ? demanda Frebec. Il y aura bientôt un petit enfant à notre foyer.

— Etant donné sa bonne entente avec les animaux, Ayla, je pense, saurait empêcher ce loup de s'en prendre à quelqu'un. Mais, mieux encore, je déclare ici, comme chef du Camp du Lion, que s'il y a le moindre soupçon que ce loup puisse attaquer quelqu'un...

Talut fixa sur Ayla un regard pénétrant.

— ... je le tuerai moi-même. Es-tu d'accord avec cette déclaration, Ayla ?

Tous les yeux se tournèrent vers elle. Elle rougit, bredouilla un instant mais parla ensuite du fond du cœur.

— Je ne peux pas affirmer que le louveteau, quand il sera adulte, ne s'attaquera à personne. Je ne peux même pas assurer qu'il restera parmi nous. J'ai élevé une jument que j'avais recueillie toute jeune. Elle m'a quittée pour rejoindre un étalon et elle a vécu pendant un certain temps avec un troupeau mais elle est revenue. J'ai élevé aussi un lion des cavernes jusqu'à l'âge adulte. Quand Bébé était petit, Whinney était pour lui comme une seconde mère, et ils sont devenus des amis. Les lions des cavernes chassent les chevaux, et il aurait été aussi très capable de s'attaquer à moi mais il ne nous a menacés ni l'un ni l'autre. Il a toujours été mon enfant adoptif.

« Quand Bébé est parti pour trouver une femelle, il n'est plus revenu, définitivement, mais il nous rendait parfois visite, et il nous arrivait de le rencontrer sur les steppes. Jamais il ne nous a menacés, ni Whinney ni Rapide, ni moi, même après avoir trouvé une femelle et avoir fondé une famille. Bébé s'est attaqué à deux hommes qui avaient pénétré dans son antre et il en a tué un. Mais, quand je lui ai commandé de partir et de laisser Jondalar et son frère, il est parti. Un lion des cavernes et un loup sont tous deux des mangeurs de viande. J'ai vécu avec un lion des cavernes et j'ai observé les loups. A mon avis, un loup qui a grandi parmi les gens d'un Camp ne leur fera jamais de mal. Pourtant, je veux le déclarer ici : s'il y a jamais le moindre signe de danger pour un enfant ou pour n'importe qui d'autre...

Elle avala convulsivement sa salive.

— ... moi, Ayla des Mamutoï, je le tuerai de mes propres mains.

Le lendemain matin, Ayla décida de présenter le louveteau à Whinney et à Rapide, afin que les chevaux s'accoutument à son odeur. Après avoir nourri le petit loup, elle le prit dans ses bras, l'emporta dans le foyer des chevaux pour lui faire rencontrer les deux autres bêtes. Elle l'ignorait, mais plusieurs personnes l'avaient vue sortir.

Avant d'approcher les chevaux avec le louveteau elle ramassa un crottin séché, l'écrasa et frictionna le petit animal avec cette poussière fibreuse. Whinney, elle s'en souvenait, avait plus facilement accepté Bébé, à partir du moment où celui-ci s'était roulé dans son crottin.

Quand elle tendit la petite boule de poils à la jument, celle-ci commença par se dérober, mais une curiosité naturelle l'emporta. Elle s'avança prudemment, flaira l'odeur familière de cheval mêlée à celle, plus inquiétante, du loup. Rapide se montra tout aussi curieux mais moins prudent. Il se méfiait d'instinct des loups, mais il n'avait jamais vécu en troupeau, n'avait jamais fait l'objet d'une poursuite de la part d'une bande de chasseurs compétents. Il s'approcha de cette chose velue, chaude, vivante, intéressante, même si elle était vaguement menaçante, qu'Ayla tenait entre ses mains, et tendit le cou pour l'examiner de plus près.

Quand les deux chevaux eurent suffisamment reniflé pour se familiariser avec le louveteau, Ayla le posa par terre, devant les deux gros herbivores. Elle perçut un cri étouffé, se retourna vers l'entrée du Foyer du Mammouth. Latie avait soulevé le rabat. Talut, Jondalar et quelques autres se pressaient derrière elle. Ils ne voulaient pas la gêner mais ils étaient curieux, eux aussi, et ils n'avaient pu résister au désir d'assister à la première rencontre entre le louveteau et les deux chevaux. Il avait beau être tout petit, l'animal était un prédateur, et les chevaux la proie naturelle du loup. Néanmoins, les sabots et les dents constituaient des armes redoutables. On avait vu des chevaux blesser ou tuer des loups adultes pour se défendre. Ceux-là pourraient aisément se débarrasser d'un ennemi aussi petit.

Les chevaux savaient qu'ils ne couraient aucun danger avec un chasseur aussi jeune. Ils ne tardèrent pas à dominer leur méfiance. Plus d'un spectateur sourit en voyant le petit loup, tout chancelant sur ses pattes, lever les yeux sur les jambes massives de ces géants. Whinney, baissa la tête, flaira l'animal, marqua un recul avant de pousser de nouveau son long nez vers le loup. Rapide, approcha par l'autre côté cette petite bête intéressante. Le louveteau se fit plus petit encore, se blottit contre le sol en voyant de si près ces deux têtes énormes. Mais, du point de vue du petit loup, le monde était peuplé de créatures gigantesques. Les humains, même la femme qui le nourrissait, le réconfortait, étaient des géants, eux aussi.

Il ne discernait aucune menace dans le souffle chaud qui sortait des naseaux distendus. A l'odorat sensible du petit loup, l'odeur des chevaux était familière. Elle imprégnait les vêtements, les affaires d'Ayla et jusqu'à la jeune femme elle-même. Le louveteau décida que ces géants à quatre pattes faisaient partie de sa bande et, avec le désir de plaire, tout naturel chez une jeune créature, se tendit pour toucher, avec son minuscule nez noir, les doux naseaux de la jument.

Ayla entendit le murmure distinct de Latie.

— Ils se touchent le nez !

Quand le loup entreprit de lécher le museau de la jument, ce qui constituait la manière dont les louveteaux prenaient contact avec les membres de leur bande, Whinney releva vivement la tête. Mais elle était trop intriguée pour refuser longtemps les avances du minuscule et surprenant animal : elle ne tarda pas à accepter ses coups de langue caressants.

Après cette prise de contact, Ayla ramena le petit loup dans l'habitation. Le début était prometteur, mais elle ne voulait pas forcer la note. Par la suite, elle emmènerait le louveteau pour une promenade à cheval.

Lors de la mise en présence des animaux, elle avait vu sur le visage de Jondalar une expression de tendresse amusée, expression qui lui avait été naguère très familière et qui fit monter en elle un inexplicable sentiment de bonheur. Peut-être, maintenant qu'il avait eu le temps de réfléchir, Jondalar allait-il être disposé à revenir au Foyer du Mammouth. Mais, lorsqu'en passant devant lui, elle lui adressa son beau sourire épanoui, il détourna la tête, baissa les yeux, avant de suivre Talut. La joie d'Ayla s'évapora, laissant à sa place une douloureuse pesanteur. Convaincue qu'il n'avait plus aucun attachement pour elle, elle baissa la tête.

Rien, pourtant, n'était plus loin de la vérité. Jondalar regrettait d'avoir agi si précipitamment, il s'en voulait de s'être comporté avec une telle absence de maturité. Après son brusque départ, il en était certain, elle ne devait plus être disposée à l'accueillir. Son sourire ne lui était sans doute pas vraiment destiné, pensait-il. Elle marquait simplement sa joie, après la rencontre réussie entre les animaux. Mais il en avait éprouvé une telle agonie d'amour et de désir qu'il se sentait incapable de demeurer plus longtemps dans son voisinage.

Ranec vit le regard d'Ayla suivre l'homme de belle stature. Il se demandait combien de temps allait durer leur séparation et quelles en seraient les conséquences. Tout en ayant presque peur d'espérer, il ne pouvait s'empêcher de penser que l'absence de Jondalar pourrait multiplier ses chances auprès d'Ayla. Il avait la vague idée qu'il était pour quelque chose dans cette séparation mais il sentait que le problème qui existait entre eux avait des racines plus profondes. Ranec n'avait pas caché l'interêt qu'il portait à Ayla, et ni l'un ni l'autre n'avaient paru le trouver totalement déplacé. Jondalar n'était pas venu l'affronter en déclarant clairement son intention de contracter avec la jeune femme une Union exclusive. Quant à Ayla, sans l'avoir exactement encouragé, elle n'avait pas non plus repoussé ses avances.

Il ne se trompait pas. Ayla appréciait la compagnie de Ranec. Elle n'était pas bien sûre de ce qui motivait l'attitude de Jondalar, mais elle était à peu près convaincue qu'elle en était responsable, qu'elle avait fait quelque chose de mal. La présence attentive de Ranec l'amenait à penser que sa conduite pouvait être entièrement répréhensible.

Latie, les yeux brillants d'intérêt fixés sur le petit loup, se tenait à côté d'Ayla. Ranec les rejoignit.

— Voilà un spectacle que je n'oublierai jamais, Ayla, dit-il. Cette petite chose frottant son nez contre celui de cet énorme cheval. Voilà un brave petit loup.

Elle leva les yeux vers lui, lui sourit, aussi heureuse de ces compliments que si l'animal avait été son propre enfant.

— Loup avait peur, au début. Ils sont tellement plus grands que lui. Je suis contente qu'ils se soient si vite acceptés.

— Est-ce le nom que tu vas lui donner ? Loup ? demanda Latie.

— Je n'y ai pas encore bien réfléchi, mais le nom me paraît approprié.

— Je n'en vois pas qui le soit davantage, acquiesça Ranec.

— Qu'en dis-tu, Loup ?

Elle soulevait le louveteau, les yeux levés vers lui. Le petit se trémoussa avec ardeur pour l'atteindre et lui lécha la figure. Les trois humains sourirent.

— Ça lui plaît, je crois déclara Latie.

— Tu connais vraiment bien les animaux, Ayla, remarqua Ranec. Mais je voudrais te poser une question. Comment savais-tu que les chevaux ne lui feraient pas de mal ? Les troupes de loup chassent les chevaux, et j'ai vu des chevaux tuer des loups. Ce sont des ennemis mortels.

Ayla prit le temps de réfléchir.

— Je ne sais pas trop. J'en étais sûre, c'est tout. Peut-être à cause de Bébé. Les lions des cavernes tuent les chevaux, eux aussi, mais tu aurais dû voir Whinney avec Bébé, quand il était petit. Elle était si protectrice, comme une mère, ou une tante pour le moins. Whinney savait qu'un petit loup ne pouvait lui faire du mal, et Rapide a paru le comprendre, lui aussi. Si on les prend tout petits, je crois, la plupart des animaux peuvent être amis entre eux, et les amis des êtres humains en même temps.

— Est-ce pour cela que Whinney et Rapide sont tes amis ? demanda Latie.

— Oui, je pense. Nous avons eu le temps de nous habituer à vivre ensemble. C'est ce qu'il faut à Loup.

— Crois-tu qu'il pourrait s'habituer à moi ? questionna la jeune fille avec ardeur.

Ayla reconnut ce sentiment, sourit.

Elle tendit le louveteau à Latie.

— Tiens, prends-le.

La jeune fille entoura de ses bras l'animal frétillant et chaud, pencha la tête pour caresser de sa joue le doux pelage floconneux. Loup lui donna un coup de langue sur le visage : elle aussi faisait partie de sa bande.

— Il m'aime bien, je crois, dit Latie. Il m'a embrassée !

Ayla eut un nouveau sourire. Ces démonstrations d'amitié, elle le savait, étaient naturelles chez les tout jeunes louveteaux. Les humains, tout comme les loups adultes, semblaient les trouver irrésistibles. En grandissant seulement, les loups devenaient craintifs, se tenaient sur la défensive et se méfiaient des inconnus.

Latie tenait toujours le louveteau qu'Ayla observait maintenant avec curiosité. Le pelage de Loup était encore du gris foncé uniforme des très jeunes bêtes. Par la suite, son poil alternerait en bandes claires et plus sombres qui caractérisaient le loup adulte. Encore n'était-ce pas sûr. Sa mère était entièrement noire. Ayla se demandait de quelle couleur serait plus tard le louveteau.

La voix aiguë de Crozie leur fit tourner la tête.

— Tes promesses ne valent rien ! Tu avais promis de me respecter ! Tu avais promis qu'en toutes circonstances, je serais la bienvenue chez toi !

— Je sais ce que j'ai promis. Inutile de me le rappeler, cria Frebec.

La querelle ne surprenait personne. Le long hiver avait donné tout le temps de fabriquer et de réparer, de sculpter et de tisser, de conter des histoires, de chanter des chansons, de jouer à tous les jeux, de s'exercer sur les instruments de musique, de se livrer à tous les passe-temps, à toutes les distractions jamais inventées. Mais, à mesure que l'interminable saison tirait à sa fin, venait aussi le temps où la promiscuité poussait les crises de colère à exploser. Le conflit latent entre Frebec et Crozie était porteur d'une telle tension que la plupart de leurs compagnons sentaient l'éruption imminente.

— Maintenant, tu dis que tu veux me voir partir. Je suis une mère, je n'ai pas d'autre foyer, et tu veux que je parte. Est-ce ainsi que tu tiens tes promesses ?

La bataille verbale parcourut tout le passage central, arriva en pleine violence au Foyer du Mammouth. Le louveteau, épouvanté par le bruit et l'agitation se glissa hors des bras de Latie et disparut avant qu'elle pût voir où il était allé.

— Je tiens mes promesses, riposta Frebec. Tu ne m'as pas bien compris. Ce que je voulais dire, c'était...

Oui, il lui avait fait des promesses mais il ignorait alors ce que serait l'existence avec cette vieille mégère. Si seulement il pouvait vivre seul avec Fralie, sans avoir à supporter sa mère, se disait-il. Il regardait autour de lui, cherchait un moyen pour sortir de l'impasse où Crozie l'avait acculé.

— Ce que je voulais dire...

Il vit Ayla, lui fit face.

— Nous avons besoin de plus de place. Le Foyer de la Grue n'est pas assez grand pour nous. Qu'allons-nous faire quand l'enfant sera là ? Il semble y avoir beaucoup d'espace dans ce foyer, même pour les animaux !

— Les animaux n'y sont pour rien. Le Foyer du Mammouth était tout aussi grand avant l'arrivée d'Ayla, intervint Ranec, pour prendre la défense de la jeune femme. Tous les membres du Camp se réunissent ici. Il faut bien que ce foyer soit le plus grand. Même ainsi, on n'a pas toujours assez de place. Tu ne veux pas en avoir un de cette taille !

— En ai-je demandé un de cette taille ? J'ai seulement dit que le nôtre n'était pas assez grand. Pourquoi le Camp du Lion ferait-il de la place pour les animaux et pas pour les êtres humains ?

D'autres gens arrivaient pour voir ce qui se passait.

— Tu ne peux pas prendre de la place sur le Foyer du Mammouth, déclara Deegie.

Elle s'écarta pour livrer passage au vieux chaman.

— Dis-le lui, Mamut.

— Personne n'a fait de place pour le loup, commença Mamut d'un ton raisonnable. Il dort dans un panier, à la tête du lit d'Ayla. A t'entendre, Ayla occupe ce foyer tout entier. Elle dispose pourtant de très peu d'espace. Les gens s'assemblent ici, qu'il y ait ou non une cérémonie. Les enfants surtout. Il y a toujours quelqu'un, y compris quelquefois Fralie et ses enfants.

— J'ai dit à Fralie que je n'aimais pas la voir passer tant de temps ici, mais elle prétend qu'il lui faut de la place pour étaler son ouvrage. Si nous en avions davantage à notre foyer, elle ne serait pas obligée de venir travailler ici.

Fralie rougit, fit demi-tour pour regagner le Foyer de la Grue. Oui, elle avait bien fait cette réponse à Frebec, mais ce n'était pas entièrement vrai. Elle aimait passer quelques heures au Foyer du Mammouth parce qu'elle y trouvait de la compagnie, et parce que les conseils d'Ayla l'avaient aidée dans sa grossesse difficile. Fralie avait maintenant l'impression qu'elle ne pourrait plus y retourner.

— D'ailleurs, poursuivit Frebec, je ne parlais pas du loup, même si personne ne m'a demandé si je souhaitais partager l'habitation avec cet animal. Sous prétexte qu'une seule personne a envie d'amener des animaux ici, je ne vois pas pourquoi je devrais vivre avec eux. Je ne suis pas un animal, je n'ai pas grandi parmi eux, mais ici, les animaux sont plus considérés que les humains. Tout le Camp est prêt à bâtir un endroit réservé aux chevaux, alors que nous sommes les uns sur les autres dans le plus petit foyer.

Le tumulte éclata. Tout le monde criait à la fois, dans un effort pour se faire entendre.

— Comment ça, « le plus petit foyer » ? explosa Tornec. Nous n'avons pas plus de place que vous, peut-être moins, et nous sommes aussi nombreux !

— C'est vrai, appuya Tronie.

Manuv hochait vigoureusement la tête.

— Personne n'a beaucoup de place, déclara Ranec.

— Il a raison ! approuva de nouveau Tronie, avec une véhémence accrue. Même le Foyer du Lion, je crois, est plus petit que le tien, Frebec, et ils sont plus nombreux, avec des enfants plus grands. Ils sont vraiment à l'étroit. Peut-être devrait-on prendre pour eux un peu d'espace sur le foyer où l'on fait la cuisine. Si un foyer le mérite, c'est bien le leur.

— Mais le Foyer du Lion ne réclame pas plus de place, essaya de dire Nezzie.

Le regard d'Ayla allait de l'un à l'autre. Elle ne comprenait pas comment le Camp tout entier se trouvait brusquement entraîné dans un tel concert de vociférations mais elle avait l'impression que, d'une manière ou d'une autre, la faute lui incombait.

Au-dessus du vacarme s'éleva soudain un rugissement sonore qui domina le tapage et fit taire tout le monde. Debout au centre du foyer, Talut se dressait avec toute l'assurance que donne l'autorité. Jambes écartées, il tenait dans sa main droite le long bâton d'ivoire orné de signes mystérieux. Tulie vint se placer près de lui, pour apporter le poids de sa présence. Ayla se sentit intimidée par leur double prestance.

— J'ai apporté le Bâton Qui Parle, annonça Talut.

Pour donner plus de poids à ses paroles, il leva très haut le bâton.

— Nous allons discuter paisiblement de ce problème et lui apporter une juste solution.

— Au nom de la Mère, ajouta Tulie, que personne ne déshonore le Bâton Qui Parle. Qui parlera le premier ?

— A mon avis, dit Ranec, Frebec devrait parler le premier. Le problème le concerne.

Insensiblement, Ayla, pour tenter d'échapper à la bruyante assemblée, s'était rapprochée de l'extérieur du cercle. Elle remarqua que Frebec semblait inquiet, mal à l'aise, face à cette attention hostile qui se concentrait sur lui. Le commentaire de Ranec avait laissé fortement entendre qu'il était le seul responsable de ce désordre. Pour la première fois peut-être, la jeune femme, plus ou moins dissimulée derrière Danug, détaillait Frebec.

Il était de taille moyenne. Elle était probablement un peu plus grande que lui mais elle dépassait aussi légèrement Barzec et elle était sans doute de la même taille que Wymez. Elle était tellement habituée à être plus grande que tout le monde qu'elle n'y avait encore jamais prêté attention. Frebec avait des cheveux châtain clair, qu'il commençait à perdre, des yeux d'un bleu moyen, des traits réguliers. C'était un homme d'aspect très ordinaire. Ayla ne trouvait rien en lui qui pût expliquer son comportement agressif, injurieux. A bien des reprises, dans sa prime jeunesse, la jeune femme aurait souhaité ressembler autant au reste du Clan que Frebec ressemblait à son peuple.

Au moment où il s'avançait pour recevoir des mains de Talut le Bâton Qui Parle, Ayla, du coin de l'œil, remarqua Crozie : elle avait un sourire affecté qui exprimait un plaisir méchant. A la limite du Foyer de la Grue, Fralie observait ce qui se passait.

Frebec se racla la gorge à plusieurs reprises, resserra sur le bâton d'ivoire l'étreinte de ses doigts et commença :

— C'est vrai, j'ai un problème.

Il promena autour de lui un regard inquiet, se renfrogna, se redressa.

— Ou plutôt, nous avons un problème au Foyer de la Grue. Il n'est pas assez grand. Nous n'avons pas de place pour travailler. C'est le plus petit de toute l'habitation.

— Non, ce n'est pas le plus petit. Il est plus grand que le nôtre ! protesta Tronie, incapable de se contenir.

Tulie lança sur elle un regard sévère.

— Tu auras l'occasion de parler, Tronie, quand Frebec en aura fini.

Tronie rougit, marmonna des excuses. Son embarras parut redonner courage à Frebec. Son attitude se fit plus agressive.

— Nous n'avons déjà pas assez d'espace, Fralie n'a pas la place de travailler, et... et Crozie est trop à l'étroit. Bientôt nous aurons une personne de plus. Nous avons droit à un foyer plus grand, je pense.

Frebec rendit le Bâton à Talut, recula de quelques pas.

— Tronie, tu peux parler, maintenant dit Talut.

— Je ne crois pas... je voulais seulement... Eh bien, oui, je vais peut-être prendre la parole.

Tronie s'avança pour recevoir le Bâton.

— Nous ne disposons pas de plus de place que le Foyer de la Grue et nous comptons autant de personnes.

Elle ajouta, comme pour essayer de s'assurer l'appui de Talut :

— Même le Foyer du Lion est plus petit, je pense.

— C'est sans importance, Tronie, dit Talut. Le Foyer du Lion ne réclame rien, et nous ne sommes pas assez proches du Foyer de la Grue pour que le désir de Frebec d'obtenir plus de place nous concerne. Vous autres, du Foyer du Renne, vous avez le droit de prendre la parole : si l'on agrandit le Foyer de la Grue, il est probable que votre espace s'en ressentira. As-tu autre chose à dire, Tronie ?

— Non, je ne crois pas.

Elle secoua la tête, rendit le Bâton.

— Quelqu'un d'autre veut parler ?

Jondalar aurait aimé pouvoir dire quelque chose de constructif, mais il se sentait étranger. Il ne lui appartenait pas d'intervenir. Il aurait voulu se trouver près d'Ayla et regrettait plus que jamais d'avoir déménagé. Il se sentit presque heureux quand Ranec s'avança pour prendre le bâton d'ivoire. Il fallait que quelqu'un parlât pour Ayla.

— Ce n'est pas extrêmement important, mais Frebec exagère. Je ne saurais dire si oui ou non, ils ont besoin de plus d'espace, mais le

Foyer de la Grue n'est pas le plus petit. C'est le Foyer du Renard qui a cet honneur. Néanmoins, nous ne sommes que deux et nous nous estimons satisfaits.

Des murmures s'élevèrent. Frebec regarda le sculpteur d'un air menaçant. L'entente n'avait jamais été exceptionnelle entre les deux hommes. Ranec avait peu d'affinité avec Frebec et il avait tendance à l'ignorer. Celui-ci prenait cette attitude pour du dédain et il ne se trompait absolument pas. Surtout depuis qu'il s'était mis à faire des remarques désobligeantes sur Ayla, Ranec trouvait peu de mérites à Frebec.

Talut, dans un effort pour éviter une nouvelle dispute générale s'adressa à Frebec en élevant la voix :

— De quelle manière selon toi, devrait-on modifier l'espace de ton foyer pour l'agrandir ?

Il lui redonna le bâton d'ivoire.

— Je n'ai jamais dit que je voulais gagner de la place sur le Foyer du Renne, mais à mon avis, si certains sont assez grandement logés pour avoir des animaux, ils ont plus d'espace qu'il ne leur en faut. On a ajouté toute une dépendance pour abriter les chevaux, mais personne ne semble penser que nous ajouterons bientôt une autre personne à notre foyer. Peut-être pourrait-on... apporter des changements, acheva gauchement Frebec.

Il ne fut pas très rassuré en voyant Mamut tendre la main pour prendre le Bâton Qui Parle.

— Proposerais-tu que, pour donner plus de place au Foyer de la Grue, nous devions installer le Foyer du Renne dans le Foyer du Mammouth ? Ce serait d'une grande incommodité pour eux. Quant au fait que Fralie vienne travailler ici, tu ne voudrais pas, je pense, qu'elle passe sa vie dans les limites du Foyer de la Grue ? Ce serait malsain et cela la priverait de la compagnie qu'elle trouve ici. C'est ici qu'elle est censée apporter son ouvrage. Ce foyer a été conçu pour accueillir les travaux qui demandent plus de place qu'il n'y en a dans chaque foyer particulier. Le Foyer du Mammouth appartient à tout le monde et il est déjà presque trop petit pour les réunions.

Mamut rendit à Talut le Bâton Qui Parle. Frebec paraissait plutôt abattu, mais il se hérissa sur la défensive, quand Ranec reprit le Bâton.

— En ce qui concerne la dépendance, nous en tirerons tous profit, surtout quand les fosses de réserves auront été creusées. Déjà, elle sert d'entrée à beaucoup d'entre nous. Je remarque Frebec, que tu y laisses tes vêtements chauds et que tu l'utilises plus souvent que l'entrée principale, déclara Ranec. Par ailleurs, un bébé ne tient pas beaucoup de place. A mon avis, tu n'as pas besoin d'espace supplémentaire.

— Qu'en sais-tu ? intervint Crozie. Tu n'as jamais eu d'enfant né à ton foyer. Les petits tiennent de la place, beaucoup plus que tu ne le crois.

A peine s'était-elle tue que Crozie prit conscience de ce qu'elle venait de faire : pour la première fois, elle avait pris le parti de Frebec. Elle fronça d'abord les sourcils, décida ensuite qu'il avait peut-être raison.

Peut-être avaient-ils besoin d'espace supplémentaire. Le Foyer du Mammouth c'était vrai, était un lieu de réunions, mais le fait de vivre dans un foyer aussi vaste semblait bien accroître le statut d'Ayla. Tout le temps que Mamut y avait vécu seul, chacun avait l'impression d'y être chez lui. A présent, sauf pour la célébration des cérémonies, tout le monde se comportait comme si le foyer appartenait à Ayla.

Si le Foyer de la Grue s'agrandissait, le statut de ses membres s'élèverait peut-être d'autant.

Tout le monde parut prendre l'interruption de Crozie pour le signal de commentaires généraux. Talut et Tulie, après avoir échangé un regard entendu, les laissèrent aller leur train. Les gens éprouvaient parfois le besoin d'exprimer leur pensée. Pendant ce temps, Tulie croisa le regard de Barzec, et quand le silence se rétablit peu à peu, celui-ci s'avança et demanda le Bâton. Tulie et lui ne s'étaient pas parlé mais elle fit un signe d'assentiment, comme si elle savait ce qu'il allait dire.

— Crozie a raison, commença-t-il, en la désigant d'un signe de tête.

Devant cette constatation, elle se redressa, et Barzec remonta dans son estime.

— Les petits enfants prennent vraiment de la place, plus qu'on n'en jugerait au vu de leur taille. Peut-être est-il temps d'apporter quelques changements, mais je ne crois pas que le Foyer du Mammouth doive abandonner un peu de son espace. Les besoins du Foyer de la Grue grandissent, ceux du Foyer de l'Aurochs diminuent. Tarneg est allé vivre au Camp de sa compagne et il fondera bientôt un nouveau Camp avec Deegie. A ce moment, elle aussi partira. En conséquence, le Foyer de l'Aurochs, qui comprend les besoins d'une famille qui devient plus nombreuse, donnera un peu de son espace au Foyer de la Grue.

— Cela te satisfait-il, Frebec ? demanda Talut.

— Oui, répondit Frebec.

Il ne savait trop comment réagir à cette tournure inattendue des événements.

— Je vous laisserai donc le soin de décider entre vous ce qu'abandonnera le Foyer de l'Aurochs. Mais, à mon avis, il serait juste de n'apporter aucun changement jusqu'à ce que Fralie ait eu son enfant. Es-tu d'accord, Frebec ?

Frebec hocha la tête. Il n'en croyait pas encore ses oreilles. Dans son ancien Camp, il n'aurait même pas imaginé réclamer plus de place. S'il l'avait fait, on lui aurait ri au nez. Il n'avait ni les prérogatives, ni le statut nécessaire pour présenter une telle demande. Au début de sa querelle avec Crozie, il n'avait pas en tête une revendication semblable. Il cherchait seulement de quoi répliquer aux accusations cuisantes, bien que fondées, de la vieille femme. Il se persuadait à présent que le manque de place avait été le motif primordial de la dispute, et, pour une fois, elle avait pris son parti. Le succès lui montait à la tête. Il avait gagné une bataille. Deux batailles, même : l'une contre le Camp, l'autre contre Crozie. Tandis que l'assistance se dispersait, il vit Barzec s'entretenir avec Tulie. Il lui vint à l'esprit qu'il leur devait des remerciements.

— Je suis très sensible à votre compréhension, dit-il à la Femme Qui Ordonne et à l'homme du Foyer de l'Aurochs.

Barzec répondit par les dénégations d'usage, mais le couple aurait été mécontent si Frebec avait omis de se montrer reconnaissant. La valeur des concessions accordées, ils le savaient fort bien, dépassait de beaucoup ces quelques centimètres carrés supplémentaires. Elle signifiait que le Foyer de la Grue possédait un prestige suffisant pour justifier de cette cession de la part du Foyer de Celle Qui Ordonne. Quand Tulie et Barzec s'étaient entretenus, un peu plus tôt, d'un échange possible entre les deux foyers, c'était le statut de Crozie et de Fralie qu'il avaient eu à l'esprit. Déjà, ils avaient envisagé les besoins modifiés des deux familles. Barzec avait même songé à soulever le cas plus tôt, mais Tulie avait proposé d'attendre le moment approprié, de faire peut-être de cette cession un cadeau pour le nouveau-né.

Le moment venu, ils l'avaient su l'un et l'autre. Quelques regards, quelques signes de tête leur avaient suffi pour se comprendre. Et, après cette victoire nominale remportée par Frebec, le Foyer de la Grue devrait bien se montrer conciliant pour le partage. Barzec venait de louer avec fierté la sagesse de Tulie quand Frebec s'était approché pour les remercier. En regagnant le Foyer de la Grue, Frebec savourait l'incident, il récapitulait les points qu'il avait gagnés, comme, après l'un des jeux qu'appréciait le Camp, il aurait compté ses gains.

En toute réalité, il s'agissait bien d'un jeu, le jeu extrêmement subtil et totalement sérieux des rangs respectifs, auquel jouent tous les animaux qui vivent en groupe, la méthode par laquelle des individus s'organisent pour vivre ensemble — les chevaux en troupeau, les loups en bande, les êtres humains en communauté. Le jeu oppose deux forces, l'une et l'autre importantes pour la survie : l'autonomie individuelle et le bien de la communauté, le but étant d'atteindre un équilibre dynamique.

A certains moments et sous certaines conditions, les individus peuvent être presque autonomes. Un individu peut vivre seul, sans se soucier de rang, de position, mais aucune espèce ne peut survivre sans interaction entre les individus. Le prix à payer en définitive serait plus lourd que la mort. Ce serait l'extinction. Par ailleurs, une totale sujétion de l'individu au groupe est tout aussi dévastatrice. La vie n'est ni statique ni immuable. Sans individualisme, il ne peut y avoir ni changement ni adaptation, et, dans un monde naturellement changeant, toute espèce incapable de s'adapter est, elle aussi, vouée à la disparition.

Les êtres humains qui vivent en communauté limitée à deux personnes ou aussi vaste que le monde — et quelle que soit la forme que prend leur société, établissent entre eux une certaine hiérarchie. Certaines formes de courtoisie, certaines coutumes, admises par tous, peuvent servir à apaiser les frictions, à atténuer l'effort que nécessite le maintien d'un déséquilibre valable dans ce système constamment changeant. Dans certaines situations, la plupart des individus n'auront pas à sacrifier une part importante de leur indépendance personnelle au bien de la communauté. Dans d'autres cas, les besoins de la communauté peuvent exiger de l'individu le plus grand sacrifice personnel, sa vie même. L'un n'est pas plus juste que l'autre : tout dépend des circonstances. Mais on ne peut maintenir bien longtemps l'une ou l'autre extrême, et une société ne peut durer si quelques personnes seulement usent de leur individualisme aux dépens de la communauté.

Ayla se prenait souvent à comparer la société du Clan à celle des Mamutoï. Elle commençait à se faire une idée de ce principe directeur en songeant aux différences d'exercice de l'autorité entre Brun et le frère et la sœur qui dirigeaient le Camp du Lion.

Elle vit Talut remettre le Bâton Qui Parle à sa place habituelle et se rappela qu'à son arrivée au Camp des Mamutoï, elle avait considéré Brun comme un meilleur chef que Talut. Brun aurait tout bonnement pris sa décision, et les autres, bon gré mal gré, s'y seraient conformés. Bien peu d'entre eux auraient même osé se demander si elle leur plaisait ou non. Brun n'avait jamais besoin de discuter ni de crier. Un regard acéré, un ordre bref lui valaient une attention immédiate. Ayla avait alors pensé que Talut n'avait aucune autorité sur ces gens querelleurs, et qu'ils n'avaient, eux, aucun respect pour lui.

Elle n'en était plus aussi sûre. Il était plus malaisé, pensait-elle maintenant, de conduire un groupe convaincu que tout le monde, homme ou femme avait le droit d'exprimer sa pensée et de se faire écouter. Elle croyait toujours que Brun avait été un bon chef pour sa propre communauté mais elle se demandait s'il serait capable de mener ces gens qui faisaient si librement étalage de leurs opinions. Une assemblée pouvait devenir très agitée, très bruyante quand chacun avait son avis et n'hésitait pas à le faire connaître, mais Talut ne permettait jamais qu'on dépassât certaines limites. Il avait certainement assez de vigueur pour imposer, s'il l'avait voulu, sa propre volonté, mais il préférait mener son peuple par le consensus et le compromis. Il pouvait recourir à certaines sanctions, à certaines croyances et à des techniques qui lui étaient propres, pour s'assurer l'attention de tous, mais il fallait posséder une force bien différente pour persuader au lieu de contraindre. Talut inspirait le respect en l'accordant aux autres.

Ayla se dirigea vers un petit groupe qui se tenait près du trou à feu. Tout en marchant, elle cherchait du regard, autour de son foyer, le petit loup qui s'était sans doute trouvé une cachette où attendre la fin du tumulte.

— Frebec a certainement obtenu ce qu'il voulait, était en train de dire Tornec, grâce à Tulie et à Barzec.

— J'en suis heureuse pour Fralie, déclara Tronie.

Elle était soulagée : le Foyer du Renne ne serait ni déplacé ni réduit.

— J'espère seulement, poursuivit-elle, que Frebec va se tenir tranquille pendant quelque temps. Il a vraiment déclenché un beau tohu-bohu, cette fois.

— Je n'aime pas beaucoup ça, dit Ayla

Le tapage, elle s'en souvenait, s'était déclenché quand Frebec s'était plaint d'avoir moins de place que ses animaux.

— Ne t'inquiète pas pour si peu, conseilla Ranec. L'hiver a été long. Chaque année, à peu près à cette époque, il se produit quelque chose de ce genre. Ce n'est qu'une petite diversion pour mettre un peu d'animation.

— Mais il n'avait pas besoin de faire tout ce bruit pour obtenir plus de place, déclara Deegie. Il y a déjà longtemps que j'ai entendu ma mère et Barzec discuter de cette question. Ils se disposaient à accorder plus d'espace au Foyer de la Grue en guise de cadeau pour l'enfant de Fralie. Frebec n'aurait eu qu'à en faire la demande.

— Voilà pourquoi Tulie est une bonne Femme Qui Ordonne remarqua Tronie. Elle pense à des choses de ce genre.

— C'est un bon chef, et Talut aussi, dit Ayla.

— Oui, c'est vrai, approuva Deegie en souriant. C'est ce qui explique qu'il ait gardé son poste. Personne ne reste chef bien longtemps s'il est incapable de s'assurer le respect de son peuple. Branag sera comme lui, je crois. Il a eu Talut pour maître.

La chaleureuse affection qui liait Deegie au frère de sa mère allait plus loin que la relation purement avunculaire. Celle-ci toutefois, en même temps que le statut et l'héritage maternels, assurait à la jeune femme une position élevée parmi les Mamutoï.

— Mais qui deviendrait chef à sa place, si Talut n'avait pas le respect des autres ? demanda Ayla. Et comment ?

— Eh bien... euh... commença Deegie.

Les jeunes gens se tournèrent alors vers Mamut, pour avoir la réponse à la question d'Ayla.

— Si les chefs en place laissent le pouvoir à un couple, frère et sœur, plus jeune — généralement choisi parmi leurs parents, il y a d'abord une période d'apprentissage. On célèbre ensuite une cérémonie et les anciens chefs deviennent conseillers, expliqua le vieux chaman.

— Oui. C'est ce que Brun a fait. Quand il était plus jeune, il respectait le vieux Zoug, il écoutait ses conseils. Devenu vieux, il a donné le pouvoir à Broud, le fils de sa compagne. Mais qu'arrive-t-il si un camp perd tout respect pour son chef ? On en nomme un jeune ? questionna Ayla, vivement intéressée.

— Le changement ne se produirait pas rapidement, dit Mamut, mais, au bout d'un certain temps, les gens cesseraient d'avoir recours à lui. Ils iraient trouver quelqu'un d'autre, un homme plus capable de conduire une bonne chasse ou de mieux traiter les problèmes. Il arrive que le pouvoir soit abandonné ou qu'un Camp se divise : une partie s'en va avec le nouveau chef, l'autre partie reste avec l'ancien. Mais, habituellement, les chefs ne renoncent pas si facilement à leur position ou à leur autorité, ce qui peut soulever des difficultés et même des luttes. On remet alors la décision aux Conseils. Celui ou Celle Qui Ordonne, qui a partagé le pouvoir avec quelqu'un à l'origine des troubles, ou que l'on tient pour responsable d'une difficulté, est rarement en mesure de fonder un nouveau Camp, même si ce n'est pas la faute de cette...

Mamut hésita. Ayla vit son regard aller rapidement vers la vieille femme du Foyer de la Grue, qui parlait avec Nezzie.

— ... la faute de cette personne. Les gens veulent des chefs sur lesquels ils puissent compter. Ils ne font pas confiance à ceux qui ont connu des difficultés... ou des tragédies.

Ayla hocha la tête. Mamut sut qu'elle avait compris, à la fois ce qu'il avait dit et ce qu'il avait sous-entendu. La conversation se poursuivit, mais la jeune femme, en esprit, était retournée au Clan. Brun avait été un bon chef, mais que ferait le Clan, si Broud ne l'était pas ? Se choisirait-il un autre chef ? Lequel ? Le fils de la compagne de Brouud ne serait pas en âge avant longtemps d'assumer ce rôle... Un souci persistant, qui n'avait cessé de réclamer son attention, fit soudain surface.

— Où est Loup ? demanda-t-elle.

Elle ne l'avait pas revu depuis la discussion. Personne d'autre non plus. Tout le monde se mit à sa recherche. Ayla fouilla sa plate-forme de couchage, avant de s'attaquer au foyer tout entier. Elle alla même voir dans le réduit fermé d'un rideau, où se trouvait le panier de cendre et de crottin qu'elle avait montré au louveteau. Elle commençait à s'affoler, comme une mère dont l'enfant a disparu.

— Il est là ! cria Tornec.

A peine soulagée, elle sentit son estomac se contracter lorsqu'il ajouta :

— C'est Frebec qui l'a.

La surprise d'Ayla la mit presque en état de choc quand elle regarda approcher Frebec. Elle n'était pas la seule à le suivre des yeux avec une stupeur incrédule.

Frebec, qui ne perdait jamais une occasion de dénigrer les animaux et la jeune femme, portait tendrement dans ses bras le petit loup. Il le lui tendit, mais elle saisit une hésitation momentanée, comme s'il lui rendait à regret la petite créature, et elle lut dans ses yeux une tendresse qu'elle n'y avait encore jamais vue.

— Il a dû prendre peur, expliqua-t-il. Fralie dit qu'il s'est subitement trouvé là, chez nous, et qu'il pleurait. Elle ne savait pas d'où il sortait. La plupart des enfants étaient là, eux aussi. Crisavec l'a ramassé, l'a posé à la tête de son lit, sur une plate-forme de rangement. Mais il y a une niche profonde, dans ce mur-là : elle s'enfonce assez loin sous la colline. Le loup l'a trouvée, il a rampé jusqu'au fond et il n'a plus voulu en sortir.

— Le trou devait lui rappeler sa tanière, dit Ayla.

— C'est ce qu'a pensé Fralie. Elle ne pouvait pas aller le chercher, avec son gros ventre, et elle avait peur, je crois, après avoir entendu Deegie raconter que tu étais entrée dans une tanière de loup. Elle ne voulait pas non plus laisser Crisavec y aller. J'ai été obligé de m'y glisser pour le sortir.

Frebec s'interrompit. Lorsqu'il reprit le fil de l'histoire, Ayla surprit dans sa voix une nuance émerveillée.

— Quand je l'ai atteint, il était si content de me voir qu'il m'a léché toute la figure. J'ai voulu le faire cesser...

Frebec prit une attitude plus détachée pour masquer son émotion manifeste devant les manières engageantes du petit loup apeuré.

— ... mais quand je l'ai posé par terre, il a pleuré, pleuré, jusqu'à ce que je l'aie repris dans mes bras.

Plusieurs personnes s'étaient maintenant rassemblées pour l'entendre.

— Je ne sais pas pourquoi il a choisi le Foyer de la Grue ou moi comme refuge, quand il cherchait un endroit tranquille.

— Pour lui, maintenant, tout le Camp représente sa bande, et il sait que tu fais partie du Camp, surtout maintenant que tu l'as sorti de la tanière qu'il s'était trouvée.

Ayla cherchait à reconstituer les circonstances de l'histoire.

Frebec, lorsqu'il avait rejoint son foyer était sous le coup de sa victoire et animé d'un autre sentiment plus profond, qui le remplissait d'une chaleur inaccoutumée : l'impression d'être désormais l'égal des autres. On ne l'avait pas ignoré, on ne s'était pas moqué de lui. Talut l'écoutait toujours, comme s'il avait un statut suffisant pour justifier une telle attention. Tulie, Celle Qui Ordonne, elle-même, avait proposé de lui abandonner un peu de son foyer. Et Crozie avait pris son parti.

Sa gorge s'était nouée à la vue de Fralie, sa compagne, son trésor personnel, cette femme de grand statut qui avait tout rendu possible. Sa merveilleuse compagne enceinte qui donnerait bientôt naissance au premier enfant de son propre foyer, le foyer que lui avait donné Crozie, le Foyer de la Grue. Il avait été contrarié quand Fralie lui avait annoncé que le loup s'était caché dans la niche, mais en dépit de tous ses mots durs, l'ardeur avec laquelle le louveteau l'avait accepté l'avait surpris. Le petit loup l'accueillait avec joie et ne voulait être consolé que par lui. Et Ayla lui disait qu'il reconnaissait en lui un membre du Camp du Lion. Même un loup savait qu'il était là chez lui.

— Tu ferais bien, désormais, de le garder ici, conseilla-t-il avant de partir. Et fais bien attention. Sinon, on pourrait lui marcher dessus.

Après le départ de Frebec, plusieurs des spectateurs se regardèrent avec une stupeur sans mélange.

— En voilà un changement. Je me demande ce qui lui arrive, fit Deegie. Si je le connaissais moins bien, je dirai qu'il a un faible pour Loup !

— Je ne l'aurais pas cru capable de ça, dit Ranec.

Il ressentait, pour l'homme du Foyer de la Grue, un respect encore jamais éprouvé.

24

Les créatures à quatre pattes du domaine de la Mère avaient toujours tenu lieu, pour le Camp du Lion, de nourriture, de fourrure ou de personnification des esprits. Les Mamutoï connaissaient les animaux dans leur environnement naturel et leurs habitudes de déplacements, de migrations, ils savaient où les chercher, comment les chasser. Mais les gens du Camp n'avaient jamais connu d'animaux sur un plan individuel avant le jour où Ayla était arrivée avec la jument et le jeune étalon.

Les relations entre les animaux et Ayla, puis, le temps passant, avec d'autres personnes à des degrés variés, constituaient une source constante de surprise. Avant cela, il n'était jamais venu à l'esprit de personne que ces bêtes fussent capables de se montrer sensibles à l'intérêt d'un être humain, qu'on pût les habituer à répondre au coup de sifflet ou bien à porter un cavalier. Mais les chevaux eux-mêmes n'exerçaient pas sur le Camp autant de fascination que le louveteau. On respectait chez le loup le chasseur, et à l'occasion, l'adversaire. On chassait parfois le loup pour faire de sa peau une fourrure d'hiver. Il arrivait, rarement, qu'un être humain succombât sous l'attaque d'une bande de loups. La plupart du temps, des deux côtés, on avait tendance à se respecter et à s'éviter.

Mais les créatures très jeunes exercent toujours un attrait particulier : c'est là la source naturelle de leur survie. Les tout-petits, même ceux des animaux, touchent une corde intime. Loup — on en était venu à l'appeler par ce nom — possédait un charme bien à lui. Depuis le premier jour où la petite boule floconneuse d'un gris sombre avait trébuché sur des pattes incertaines sous leurs yeux, elle avait ravi les gens du Camp du Lion. Ses manières empressées étaient irrésistibles, et Loup était rapidement devenu la coqueluche du Camp.

Les Mamutoï ne s'en rendaient pas compte, mais un élément facilitait les relations : les mœurs des humains et celles des loups n'étaient pas très différentes. Les uns et les autres étaient des animaux intelligents, sociables, organisés à l'intérieur d'un ensemble de relations complexes et changeantes qui favorisaient le groupe tout en tenant compte des différences individuelles. Par suite des ressemblances de leurs structures sociales et de certaines caractéristiques qui avaient évolué indépendamment, à la fois chez les loups et chez les humains, une relation unique était possible entre eux.

L'existence de Loup avait débuté sous des auspices inhabituels et difficiles. Unique survivant de la portée d'une louve solitaire qui avait perdu son mâle, il n'avait jamais connu la sécurité d'une bande. Il n'avait eu que sa mère pour compagnie et le souvenir de la louve s'estompait à mesure qu'Ayla prenait sa place.

Mais Ayla était plus qu'un substitut de la mère. En décidant de garder et d'élever le petit loup, elle était devenue la moitié humaine d'un lien entre deux espèces totalement différentes, un lien qui devait avoir des conséquences profondes et durables.

Même s'il y avait eu d'autres loups dans les parages, Loup était trop jeune, quand Ayla l'avait trouvé, pour avoir noué avec eux de véritables liens. A l'âge d'un mois environ, il aurait dû tout juste commencer à sortir de la tanière pour faire connaissance avec sa famille ; les loups auxquels il se serait identifié pour tout le reste de sa vie. Il reporta cette identification sur les êtres humains et sur les chevaux du Camp du Lion.

C'était la première fois, mais ce ne serait pas la dernière. L'idée allait faire son chemin, et, soit par accident, soit à dessein, le lien se nouerait de nouveau bien des fois, en bien des lieux. Les ancêtres de toutes les races de chiens domestiques furent les loups, et, au début, ils conservèrent leurs caractéristiques essentielles de loups. Mais, avec le temps, les générations de loups nées et élevées dans un environnement humain commencèrent à se distinguer de leurs ancêtres sauvages.

Les animaux nés avec certaines variantes génétiques dans la couleur, la forme, la taille — un pelage plus sombre, une tache blanche, une queue en trompette, un corps plus petit ou plus grand — auraient été repoussés aux limites de la bande, s'ils n'en avaient pas été chassés. Les humains, souvent, leur donnaient la préférence. Ils gardaient même les aberrations génétiques, sous la forme de nains ou de miniatures ou encore de géants à la pesante ossature, qui n'auraient pas vécu assez longtemps pour se reproduire, à l'état sauvage. On finit par élever systématiquement des canidés qui possédaient ces caractéristiques anormales, afin de préserver et de renforcer certains traits que les hommes estimaient désirables. Finalement, la ressemblance superficielle de nombreux chiens avec le loup ancestral se fit vraiment lointaine. Toutefois, l'intelligence du loup, son instinct protecteur, sa loyauté, son enjouement subsistèrent.

Loup eut tôt fait de déterminer une hiérarchie dans le Camp, comme il l'aurait fait dans une bande. Néanmoins, son interprétation du rang de chacun aurait pu différer des idées des humains sur le sujet. Tulie était peut-être la Femme Qui Ordonne du Camp, mais pour Loup, Ayla occupait la première place : dans une bande, la mère de la portée était la femelle dominante et elle permettait rarement à d'autres femelles de donner naissance à des jeunes.

Personne, dans le Camp, ne savait précisément si l'animal avait des pensées, des sentiments, ni même si ces pensées, ces sentiments pouvaient être compris par les humains, mais c'était sans importance. Les gens du Camp fondaient leur jugement sur le comportement, et, à voir la manière dont Loup se conduisait, nul ne doutait qu'il aimât, qu'il adorât Ayla au-delà de toute mesure. Où qu'elle se trouvât, il avait toujours conscience de sa présence. Un coup de sifflet, un claquement de doigts, un geste d'appel, un simple signe de tête même, et il était à ses pieds, levait vers elle des yeux ardents, à l'écoute de son moindre désir. Il se montrait parfaitement spontané dans ses réactions et ne nourrissait jamais la moindre rancune. Quand elle le grondait, son désespoir était pitoyable et, lorsqu'elle se laissait fléchir, il se tortillait dans une extase de joie. Il vivait pour retenir l'attention de la jeune femme. Il éprouvait son plus grand bonheur lorsqu'elle jouait avec lui, mais un mot, une caresse suffisait à provoquer des coups de langue passionnés et d'autres signes manifestes de son amour.

Il n'était aussi démonstratif avec personne. Avec la plupart des autres humains, il exprimait à des degrés variables son amitié, sa tolérance, ce qui éveillait une certaine surprise devant un tel éventail de sentiments chez un animal. Son comportement avec Ayla renforçait dans le Camp la conviction qu'elle possédait une emprise magique sur les animaux, et son prestige s'en accroissait.

Le jeune loup avait un peu plus de difficulté à déterminer qui était le mâle dominant dans sa bande humaine. Dans une bande de loups, c'est celui qui faisait l'objet de la sollicitude la plus attentive de la part de tous les autres. La cérémonie d'accueil, au cours de laquelle le mâle dominant était assiégé par le reste de la bande qui s'empressait à lui lécher le museau, à flairer sa fourrure, à l'entourer, affirmait son autorité et se terminait par un magnifique concert de hurlements. Mais la bande d'humains ne témoignait d'une telle déférence pour aucun mâle.

Cependant, Loup remarqua que les deux énormes membres à quatre pattes de cette bande exceptionnelle accueillaient le grand homme blond avec plus d'enthousiasme que toute autre personne, excepté Ayla. Par ailleurs, son odeur subsistait fortement autour du lit de la jeune femme et dans les parages immédiats, où se trouvait le panier de Loup. En l'absence d'autres indices, le louveteau tendait donc à attribuer à Jondalar la position de mâle dominant. Cette idée se trouva renforcée quand ses avances amicales furent récompensées par un intérêt chaleureux et enjoué.

La demi-douzaine d'enfants qui jouaient ensemble étaient ses compagnons de portée. On le trouvait souvent en leur compagnie, fréquemment au Foyer du Mammouth. Lorsqu'ils eurent acquis le respect qui convenait pour ses petites dents aiguës et qu'ils eurent appris à ne pas provoquer une morsure défensive, les enfants découvrirent que Loup aimait passer de main en main, se faire caresser, cajoler. Il ne se formalisait pas des abus involontaires, semblait faire la différence entre Nuvie, qui le serrait un peu trop fort quand elle le portait, et Brinan, qui lui tirait la queue pour le plaisir de l'entendre glapir. Il supportait la première avec indulgence, il se vengeait de l'autre par une rapide morsure. Loup adorait jouer : dès qu'avait lieu une lutte corps à corps, il s'arrangeait pour être dans la mêlée, et les enfants eurent vite fait d'apprendre qu'il aimait aller rechercher les objets qu'on lançait. Quand la fatigue les abattait en tas, quand ils s'endormaient là où ils se trouvaient, le petit loup était souvent au milieu d'eux.

Dès le premier soir où elle avait promis de ne jamais laisser le loup blesser personne, Ayla prit la décision de le dresser dans un but bien défini. Quand elle avait dressé Whinney, au début, cela s'était fait purement par hasard. La première fois qu'elle était montée sur le dos de la jument, elle avait agi sur une impulsion sans savoir qu'elle apprenait intuitivement à guider sa monture. Elle avait maintenant conscience des signaux qu'elle avait utilisés et s'en servait en toute connaissance de cause, mais, si elle avait son cheval bien en main, c'était encore grandement par intuition et elle pensait que si Whinney lui obéissait, c'était parce qu'elle le voulait bien.

Le dressage du lion des cavernes avait été plus prémédité. Lorsqu'elle avait découvert le lionceau blessé, elle se savait déjà capable d'encourager un animal à se plier à ses désirs. Ses premiers efforts avaient visé à limiter l'affection turbulente du petit animal. Elle le dressait par l'amour, comme le Clan avait élevé ses enfants. Quand il se conduisait bien, elle le récompensait par son affection, mais, quand il oubliait de rentrer ses griffes ou se montrait plus brutal, ou bien elle le repoussait d'une main ferme, ou bien elle se levait, s'éloignait. Lorsqu'il bondissait vers elle avec un enthousiasme sans frein, il avait appris à s'immobiliser si elle levait la main en disant « Assez ! » d'un ton sans réplique.

Il avait si bien appris sa leçon que, même lorsqu'il était devenu un lion des cavernes adulte, presque aussi grand que Whinney, mais plus lourd, il s'arrêtait encore sur l'ordre d'Ayla. Toutes les fois, elle l'en remerçiait en le frottant, en le grattant avec affection et, parfois en se roulant avec lui sur le sol.

La jeune femme comprit rapidement que les enfants pouvaient tirer avantage d'une connaissance plus approfondie des mœurs des loups. Elle se mit à leur raconter des histoires du temps où elle apprenait à chasser et où elle observait les loups ainsi que d'autres carnassiers. Elle leur expliqua que les bandes de loups avaient un mâle dominant et une femelle dominante, comme les Mamutoï. Elle leur apprit que les loups communiquaient entre eux par certaines postures, certains gestes, accompagnés de sons vocaux. Elle leur montra, à quatre pattes sur les mains et sur les genoux, l'attitude d'un loup dominant — tête levée, oreilles dressées, queue toute droite à l'horizontale — et celle d'un autre loup qui approchait le chef — les pattes un peu repliées, la langue qui venait lécher le museau du chef. Elle y ajoutait les bruits, qu'elle imitait à la perfection. Elle décrivait l'avertissement qui disait : « tiens-toi à l'écart » et le comportement qui signalait le désir de jouer. Le louveteau participait souvent à ces démonstrations.

Les enfants prenaient grand plaisir à ces séances, et les adultes y assistaient fréquemment avec un plaisir égal. Bientôt, les enfants incorporèrent dans leurs jeux les signaux des loups, mais nul ne les utilisait mieux, ne s'en servait avec autant de compréhension que l'enfant dont le langage d'origine se composait surtout de signes. Entre le loup et le petit garçon s'était établie une relation extraordinaire qui étonnait les gens du Camp et qui amenait Nezzie à secouer la tête d'un air émerveillé. Non seulement Rydag utilisait les signaux du loup, y compris un grand nombre de sons, mais il paraissait aller plus avant encore. Pour ceux qui les observaient, il semblait souvent que tous deux conversaient véritablement, et le jeune animal paraissait comprendre que l'enfant réclamait une attention et des précautions particulières.

Dès le début, Loup s'était montré moins remuant, plus doux, avec Rydag, et, à sa manière de tout jeune animal, lui avait accordé sa protection. Mise à part Ayla, c'était le compagnon que préférait le louveteau. Si Ayla était occupée, il cherchait Rydag, et on le retrouvait fréquemment endormi près de lui ou sur son lit. La jeune femme elle-même ne savait pas précisément comment Rydag et Loup en étaient venus à si bien se comprendre. Le don inné de l'enfant pour déchiffrer les nuances les plus subtiles dans les signaux de l'animal pouvait expliquer les possibilités de Rydag, mais comment un tout jeune louveteau pouvait-il connaître les besoins d'un petit humain de santé fragile ?

Pour dresser le louveteau, Ayla inventa des signaux de loup modifiés en même temps que d'autres commandements. La première leçon, après plusieurs incidents, consista à apprendre l'usage d'un panier de crottin et de cendre ou bien d'aller dehors. Ce fut étonnamment facile : Loup, quand il faisait des saletés, semblait confus et il se faisait tout petit quand la jeune femme le grondait. La leçon suivante fut plus difficile.

Loup adorait mâchonner du cuir, surtout celui des bottes et des chaussures. Le défaire de cette habitude se révéla une expérience ennuyeuse et irritante. Toutes les fois qu'elle le prenait en faute et le semonçait, il se montrait contrit, profondément désireux de lui complaire, mais il était obstiné : il revenait sans cesse à son péché, parfois dès qu'elle avait le dos tourné. Tout ce qui servait à se chausser était en danger, en particulier les chaussons en peau souple que préférait Ayla. Il ne pouvait apparemment s'en passer. Elle devait les suspendre assez haut pour les mettre hors d'atteinte, afin de ne pas les voir réduits en lambeaux. Toutefois, si elle n'aimait pas qu'il s'en prenne à ses propres affaires, elle était encore plus fâchée quand il détruisait ce qui appartenait à quelqu'un d'autre. C'était elle qui l'avait amené. Tous les dommages qu'il pouvait commettre relevaient de sa propre responsabilité.

Ayla cousait les dernières perles sur la tunique de cuir blanc lorsqu'elle entendit des éclats de voix qui parvenaient du Foyer du Renard.

— Hé, toi ! Donne-moi ça ! criait Ranec.

Elle comprit qu'une fois de plus, Loup avait fait une sottise. Elle courut voir ce qui se passait, se trouva devant Ranec et Loup qui tiraient, chacun de son côté, sur une botte usagée.

— Loup ! A terre ! ordonna-t-elle.

Elle abattit la main en un geste rapide qui évita de peu le nez de l'animal. Immédiatement le louveteau lâcha sa proie, s'aplatit sur le sol, les oreilles légèrement couchées en arrière, la queue basse, et gémit plaintivement. Ranec remit sa botte sur la plate-forme.

— Il ne l'a pas trop abîmée, j'espère, dit Ayla.

— Ça n'a pas d'importance. Cette botte est déjà vieille, répondit Ranec en souriant.

Il ajouta, d'un air admiratif :

— Tu connais vraiment bien les loups, Ayla. Il fait tout ce que tu lui commandes.

— Seulement quand je suis sur place pour le surveiller.

Elle baissa les yeux sur le louveteau. Loup l'observait, le corps tout frétillant d'attente.

— Dès que j'aurai le dos tourné, il ira chercher autre chose, même s'il sait qu'il n'a pas le droit d'y toucher. S'il me voit arriver, il le lâchera tout de suite, mais je ne sais comment m'y prendre pour l'empêcher de fourrager dans les affaires de tout le monde.

— Peut-être lui faudrait-il quelque chose qui soit bien à lui, suggéra Ranec.

Il posait sur elle ses doux yeux d'un noir lustré.

— Ou quelque chose qui t'appartienne à toi.

Le petit loup rampait vers elle, gémissait pour attirer son attention. Finalement, à bout de patience, il poussa quelques jappements aigus.

— Reste ici ! Sans bouger ! ordonna-t-elle, exaspérée.

Il s'affaissa sur ses pattes allongées, les yeux levés vers elle, totalement accablé.

Après l'avoir observé un instant, Ranec dit à Ayla :

— Il ne peut supporter de te voir fâchée contre lui. Il a besoin de savoir que tu l'aimes. Je crois comprendre ce qu'il éprouve.

Il se rapprocha d'elle. Les yeux sombres exprimaient la chaleur, l'amour qui l'avaient si profondément touchée, quelque temps auparavant. Elle sentit son corps y répondre et, dans son émoi, recula. Après quoi, pour masquer son trouble, elle se baissa, ramassa le louveteau. Loup frétillant de bonheur, lui lécha le visage dans sa joie.

— Vois comme il est heureux, à présent qu'il sait que tu l'aimes, reprit Ranec. Moi aussi, je serais très heureux si tu me disais que tu m'aimes. M'aimes-tu Ayla ?

— Euh... oui, bien sûr, j'ai de l'affection pour toi, Ranec, balbutia-t-elle, mal à l'aise.

Il la gratifia d'un large sourire. Elle vit dans ses prunelles une lueur de malice et quelque chose de plus profond.

— Ce serait un *plaisir* de te montrer à quel point tu me rends heureux, dit-il.

Il lui passa un bras autour de la taille, se rapprocha d'elle.

— Je te crois, répondit-elle en se dégageant. Tu n'as pas à me le montrer, Ranec.

Ce n'était pas la première fois qu'il lui faisait des avances. D'ordinaire, c'était sous le couvert de plaisanteries qui l'autorisaient à lui faire connaître ses sentiments pour elle, tout en permettant à la jeune femme de les éluder sans pour autant perdre la face ou la lui faire perdre.

Elle fit quelques pas en arrière. Elle sentait approcher une confrontation plus sérieuse et désirait l'éviter. Il allait, pensait-elle, lui demander de partager son lit, et elle ne savait trop si elle pourrait dire non à un homme qui lui donnait cette sorte d'ordre. Elle en avait le droit, elle le comprenait, mais l'habitude d'obéir était si bien ancrée en elle qu'elle n'était pas sûre d'en avoir la force.

Il restait à sa hauteur.

— Pourquoi pas, Ayla ? demanda-t-il. Pourquoi ne pas me permettre de te le montrer ? Tu dors seule, maintenant. Tu ne devrais pas dormir seule.

C'était vrai, et elle en ressentit comme un pincement de remords. Mais elle s'efforça de ne pas le laisser voir. Elle souleva le louveteau.

— Je ne dors pas seule, dit-elle. Loup dort avec moi, dans un panier tout près.

— Ce n'est pas la même chose, riposta-t-il.

Il parlait d'un ton grave, semblait prêt à pousser plus loin son attaque. Mais il s'interrompit, sourit. Il ne voulait pas la bousculer. Elle était bouleversée, il le voyait bien. Il ne s'était guère écoulé de temps, depuis la séparation.

Il frictionna affectueusement le crâne de Loup.

— Il est trop petit pour te tenir chaud... mais, je dois l'avouer, il est charmant.

Ayla lui rendit son sourire, avant de déposer le louveteau dans son panier. Il en sortit immédiatement, d'un bond, et, d'un autre bond, se retrouva sur le sol. Il s'assit pour se gratter, décampa ensuite vers son écuelle. Ayla entreprit de plier la tunique blanche, avant de la ranger. Elle frotta doucement le cuir souple, la blanche fourrure d'hermine, rajusta les petites queues terminées par une pointe noire. Elle sentait son estomac se nouer, sa gorge se serrer. Des larmes lui brûlaient les yeux, elle devait faire un effort pour se maîtriser. Non, ce n'était pas la même chose, se disait-elle. Comment aurait-il pu en être autrement ?

Ranec était debout derrière elle.

— Ayla, tu sais combien je te désire, combien je te suis attaché, dit-il. Non ?

— Oui, je le crois, répondit-elle, les paupières closes, sans se retourner.

— Je t'aime, Ayla. Tu es indécise, à présent, je le sais, mais je veux que tu le saches : je t'ai aimée dès le premier instant où je t'ai vue. Je veux partager mon foyer avec toi, m'unir avec toi. Je veux te rendre heureuse. Tu as besoin de temps pour y réfléchir, j'en ai conscience. Je ne te demande pas de prendre une décision, mais dis-moi que tu penseras à... me permettre de te rendre heureuse. Le feras-tu ? Y penseras-tu ?

L'esprit saisi de vertige, Ayla baissait les yeux sur la tunique qu'elle tenait entre ses mains. Pourquoi Jondalar ne veut-il plus dormir avec moi ? Pourquoi a-t-il cessé de me toucher, cessé de partager les Plaisirs avec moi, même quand il dormait encore dans mon lit ? Tout a changé, une fois que je suis devenue Mamutoï. Ne voulait-il pas me voir adoptée ? Mais alors, pourquoi n'a-t-il rien dit ? Mais peut-être le voulait-il, il me l'avait dit. Je croyais qu'il m'aimait. Peut-être a-t-il changé d'avis. Peut-être ne m'aime-t-il plus. Jamais il ne m'a demandé de m'unir à lui. Que ferais-je si Jondalar s'en va sans moi ? Le nœud au creux de son estomac était dur comme une pierre. Ranec m'aime et il désire que je l'aime. Il est gentil, drôle, il me fait toujours rire... et il m'aime. Mais moi, je ne l'aime pas. Je voudrais bien l'aimer... je devrais peut-être essayer.

— Oui, Ranec, j'y penserai, dit-elle à voix basse.

Mais sa gorge se serrait douloureusement.

Jondalar regarda Ranec quitter le Foyer du Mammouth. Le grand jeune homme blond était venu espionner, bien qu'il se le reprochât. Il n'était pas de mise, pour des adultes dans ce Camp ou parmi son peuple, de suivre du regard ou de s'occuper indûment des activités d'une autre personne, et Jondalar avait toujours témoigné d'un respect particulier pour les conventions sociales. Cette fois, pourtant, il ne pouvait s'empêcher de les enfreindre. Il essayait de le cacher, mais constamment il épiait Ranec et Ayla.

Le pas léger du sculpteur, son sourire ravi, tandis qu'il regagnait le Foyer du renard, emplissait d'appréhension le visiteur. Si le Mamutoï était si joyeux, c'était certainement parce que Ayla avait dit ou fait quelque chose. Et son imagination morbide redoutait le pire.

Ranec, Jondalar le savait, était devenu un visiteur assidu depuis que lui-même avait quitté le Foyer du Mammouth. Il s'en voulait de lui en avoir fourni l'occasion. Il aurait aimé revenir sur tout ce qu'il avait dit, sur toute la ridicule discussion, mais il était convaincu qu'il était maintenant trop tard pour réparer. Il se sentait désarmé, mais, en même temps, c'était un soulagement d'avoir mis une certaine distance entre Ayla et lui.

Même s'il ne voulait pas se l'avouer, son comportement ne venait pas seulement du désir de lui laisser choisir l'homme qu'elle préférait. Il avait été si profondément blessé qu'une partie de lui-même voulait blesser en retour. Si Ayla était capable de le rejeter, il pouvait la rejeter à son tour. Mais, en même temps, il éprouvait le besoin de se donner la possibilité d'un choix, lui aussi, de voir s'il était capable d'oublier son amour pour elle. Il se demandait sincèrement s'il ne serait pas préférable pour Ayla de rester en ces lieux, où elle était acceptée, aimée, plutôt que de l'accompagner quand il partirait rejoindre son peuple. Il redoutait sa propre réaction, si ce peuple rejetait sa compagne. Serait-il prêt à mener avec elle une existence de bannis ? Serait-il prêt à repartir, à quitter de nouveau les siens, surtout après avoir accompli un si long voyage pour les rejoindre ? Ou bien la rejetterait-il, lui aussi ?

Si elle choisissait d'aimer un autre homme, il serait bien obligé de la laisser derrière lui et il n'aurait pas à prendre une telle décision. Mais la seule idée qu'elle pût aimer quelqu'un d'autre lui causait une souffrance si intolérable qu'il se demandait s'il pourrait y survivre — ou même s'il le désirerait. Plus il luttait contre lui-même pour ne pas révéler son amour, plus il devenait jaloux et possessif et plus il se haïssait. Le tourment que faisaient naître en lui ses efforts pour démêler les émotions violentes et complexes qui l'agitaient commençait à laisser des traces. Il ne pouvait ni manger, ni dormir, il maigrissait, s'affaiblissait. Ses vêtements pendaient sur son corps efflanqué. Incapable de se concentrer, même sur un magnifique morceau de silex, il lui arrivait de se demander s'il était en train de perdre la raison ou s'il était possédé de quelque funeste esprit de la nuit. Déchiré comme il l'était par son amour pour Ayla, la douleur de risquer de la perdre, la crainte de ce qui pourrait arriver s'il ne lui laissait pas sa liberté, il ne supportait plus de se trouver trop près d'elle. Il craignait de perdre tout sang-froid, de commettre un acte regrettable. Mais il ne pouvait s'empêcher de l'épier constamment.

Le Camp du Lion se montrait indulgent à l'égard de l'indiscrétion de son visiteur. Tout le monde était au courant de ses sentiments pour Ayla, en dépit de ses efforts pour les dissimuler. Chacun, dans le Camp, parlait de la douloureuse épreuve que traversaient les trois jeunes gens. La solution à leur problème paraissait toute simple à ceux qui le considéraient de l'extérieur. De toute évidence, Ayla et Jondalar s'aimaient. Alors, pourquoi ne se l'avouaient-ils pas, avant d'inviter Ranec à partager leur Union ? Mais Nezzie sentait bien que ce n'était pas aussi simple. Cette femme avisée, maternelle avait conscience que l'amour de Jondalar était trop violent pour être bridé par l'incapacité à trouver les mots pour l'exprimer. Quelque chose de plus puissant s'interposait entre eux. Par ailleurs, Nezzie, plus que quiconque, comprenait la profondeur de l'amour de Ranec pour Ayla. A son avis, une telle situation ne pouvait se résoudre par une Union partagée.

Ayla devait faire son choix.

Comme si l'idée même détenait un pouvoir irrésistible, Ayla, depuis le moment où Ranec lui avait demandé de réfléchir à la possibilité de partager son foyer et avait souligné le fait évident, douloureux, qu'elle dormait maintenant seule, ne pouvait plus penser à autre chose. Elle s'était accrochée à la conviction que Jondalar oublierait leurs paroles trop dures, qu'il reviendrait. Il lui semblait à chaque coup d'œil lancé vers le premier foyer qu'elle le voyait, entre les poteaux de soutènement et les objets accrochés au plafond dans les foyers intermédiaires, se détourner vivement. Il s'intéressait donc encore assez à elle, se disait-elle, pour regarder dans sa direction. Mais chaque nuit qu'elle passait seule réduisait son espoir.

« Penses-y... ». Les paroles de Ranec se répétaient dans l'esprit d'Ayla, tandis qu'elle pilait des feuilles séchées de bardane et de fougère, destinées à une infusion pour l'arthrite de Mamut. Elle songeait au sourire de l'homme à la peau sombre, se demandait si elle pourrait apprendre à l'aimer. Mais l'idée d'une vie sans Jondalar lui laissait au creux de l'estomac un vide douloureux. Elle ajouta aux feuilles pilées un peu de gaulthérie fraîche et de l'eau chaude, apporta la tisane au vieil homme.

Elle sourit à ses remerciements, mais elle paraissait triste, préoccupée. Tout au long de la journée, elle avait eu la tête ailleurs. Depuis que Jondalar avait quitté le foyer, elle n'était pas dans son assiette, Mamut le savait, et il aurait voulu pouvoir l'aider. Il avait vu Ranec s'entretenir avec elle et il se demandait s'il devait en parler à Ayla, mais il croyait que rien ne se produisait dans la vie d'Ayla sans un but précis. La Mère, il en était convaincu, avait une bonne raison pour susciter les difficultés présentes. Il hésitait donc à intervenir. Les épreuves imposées à Ayla et aux deux hommes étaient nécessaires.

Il la regarda passer dans l'abri des chevaux, la vit revenir un moment après.

La jeune femme couvrit le feu, regagna sa plate-forme de couchage, se dévêtit, se prépara à dormir. Affronter la nuit en sachant que Jondalar ne viendrait pas dormir auprès d'elle était un supplice. Elle s'affaira à de petites tâches pour retarder le moment où elle se glisserait dans ses fourrures, avec la certitude de rester éveillée une bonne moitié de la nuit. Finalement, elle souleva le petit loup, s'assit avec lui au bord de sa couche, le câlina, le caressa, parla au jeune animal chaud et affectueux, jusqu'au moment où il s'endormit entre ses bras. Elle le remit alors dans son panier.

Pour compenser l'absence de Jondalar, Ayla prodiguait son amour au louveteau.

Mamut prit conscience qu'il était éveillé et ouvrit les yeux. Il distinguait à peine des formes vagues dans la pénombre. L'habitation était silencieuse, de ce silence nocturne peuplé seulement de légers frémissements, de lourdes respirations et de sourds borborygmes du sommeil. Lentement, Mamut tourna la tête vers le faible rougeoiement des cendres dans le trou à feu. Il cherchait à découvrir ce qui l'avait arraché à un sommeil profond. Il entendit tout près du souffle haletant, un sanglot étouffé. Le vieil homme, alors, repoussa ses couvertures.

— Ayla ? Ayla, tu souffres, demanda-t-il à voix basse.

Elle sentit sur son bras une main tiède.

— Non, répondit-elle.

Le mot s'étrangla dans sa gorge. Elle gardait le visage tourné vers le mur.

— Tu pleures.

— Je te demande pardon de t'avoir réveillé. J'aurais dû faire moins de bruit.

— Tu ne faisais pas de bruit. Ce n'est pas cela qui m'a réveillé, mais le besoin que tu avais de moi. La Mère m'a envoyé vers toi. Tu souffres. C'est un mal intérieur, n'est-ce pas ?

Ayla reprit péniblement son souffle, réprima le cri qui voulait sortir de sa gorge.

— Oui.

Elle se retourna vers le chaman qui vit briller des larmes dans la lumière diffuse.

— Alors, pleure, Ayla. Tu ne dois pas tout renfermer en toi. Tu as de bonnes raisons de souffrir et tu as aussi le droit de pleurer, déclara Mamut.

— Oh ! Mamut, cria-t-elle dans un lourd sanglot.

Elle tentait encore de ne pas faire trop de bruit, mais, libérée par la permission qu'il lui avait donnée, elle pleura doucement son chagrin, son angoisse.

— Ne te retiens pas, Ayla. Pleurer te fait du bien, lui dit le vieux chaman.

Il s'était assis au bord de la couche et flattait doucement la jeune femme de la main.

— Tout finira comme il se doit, comme il a été décidé. Tout va bien, Ayla.

Quand les larmes se tarirent enfin, elle chercha un morceau de peau souple pour s'essuyer les yeux et le visage, avant de se redresser pour s'asseoir près du vieil homme.

— Je me sens mieux, à présent, dit-elle.

— Il est toujours bon de pleurer quand on en éprouve le besoin, mais ce n'est pas fini, Ayla.

Elle baissa la tête.

— Je le sais.

Elle se tourna vers lui pour demander :

— Mais, pourquoi ?

— Un jour, tu sauras pourquoi. Ta vie, je le crois, est gouvernée par des forces puissantes. Tu as été choisie pour un destin exceptionnel. Ce n'est pas un fardeau léger, celui que tu portes. Vois plutôt ce que tu as déjà subi dans ta jeune existence. Mais ta vie ne sera pas tissée uniquement de peines, tu connaîtras aussi de grandes joies. Tu es aimée, Ayla. Tu attires l'amour. Ce don t'a été accordé afin de t'aider à supporter ton fardeau. Tu auras toujours l'amour... trop, peut-être...

— Je croyais que Jondalar m'aimait...

— Ne sois pas trop sûre du contraire. Mais bien d'autres êtres t'aiment, y compris le vieil homme que je suis, déclara Mamut en souriant.

La jeune femme sourit, elle aussi.

— Tu as même un loup et des chevaux pour t'aimer. N'y a-t-il pas eu bien des gens qui t'ont aimée aussi ?

— Oui, c'est vrai. Iza m'aimait. Elle était ma mère. Je n'étais pas née d'elle, mais cela lui importait peu. Quand elle est morte, elle a dit qu'elle m'aimait plus que tout... Creb m'aimait aussi... même si je l'ai déçu, blessé...

Ayla s'interrompit un instant, poursuivit :

— Uba m'aimait... et Durc.

Elle s'interrompit encore.

— Crois-tu que je reverrai mon fils, Mamut ?

Le chaman prit un temps avant de répondre.

— Depuis combien de temps ne l'as-tu pas vu ?

— Trois... non, quatre années. Il est né au commencement du printemps. Il avait trois ans quand je suis partie. Il a environ l'âge de Rydag...

Elle leva soudain les yeux vers le vieil homme, pour reprendre, avec une animation passionnée :

— Mamut, Rydag est un enfant de sangs mêlés, comme mon fils. Si Rydag peut vivre ici, pourquoi Durc ne pourrait-il pas ? Tu es allé jusqu'à la péninsule et tu en es revenu. Pourquoi n'irais-je pas chercher Durc pour le ramener ici ? Ce n'est pas si loin.

Mamut, le front plissé, réfléchit à sa réponse.

— Je ne peux rien te dire là-dessus, Ayla. Tu es la seule à pouvoir décider, mais il te faudra bien réfléchir à ce qui vaut le mieux, non seulement pour toi mais pour ton fils aussi. Tu es mamutoï. Tu as appris à parler notre langage et tu connais maintenant beaucoup de nos coutumes, mais il te reste encore beaucoup à apprendre.

Ayla n'écoutait plus les mots soigneusement choisis du chaman. Déjà, son esprit s'envolait.

— Si Nezzie a pu accueillir un enfant qui n'est même pas capable de parler, pourquoi n'en accueillerait-elle pas un autre qui, lui, en est capable ? Durc le serait, s'il avait un langage à apprendre. Durc pourrait-être un ami pour Rydag. Il pourrait aller lui chercher ce dont il aurait besoin. Durc court très vite.

Mamut lui laissa poursuivre le catalogue des vertus de Durc jusqu'au moment où elle s'arrêta d'elle-même. Il demanda alors :

— Quand irais-tu le chercher, Ayla ?

— Le plus tôt possible. Ce printemps... Non, les voyages sont trop difficiles, au printemps : il y a trop d'inondations. J'attendrai l'été...

La jeune femme fit une pause.

— Peut-être pas. C'est l'été du Rassemblement du Clan. Si je n'arrive pas avant leur départ, je serai obligée d'attendre leur retour. Mais, alors, Ura sera avec eux...

— La petite fille qui a été promise à ton fils ?

— Oui. Dans quelques années, ils s'uniront. Les enfants du Clan mûrissent plus vite que les Autres... que moi. Iza ne pensait pas que je deviendrais jamais une femme. J'étais tellement attardée, en comparaison des filles du Clan... Ura, elle pourrait déjà être une femme, prête à avoir un compagnon et son propre foyer.

Ayla fronça les sourcils.

— C'était encore un bébé, quand je l'ai vue, et Durc... La dernière fois que j'ai vu Durc, c'était un tout petit garçon. Bientôt, ce sera un homme qui devra nourrir sa compagne... une compagne qui pourra avoir des enfants. La compagne de mon fils pourrait bien avoir un enfant avant moi.

— Sais-tu quel âge tu as, Ayla ?

— Pas exactement. Mais je compte toujours mes années à la fin de l'hiver, à peu près maintenant. Je ne sais pas pourquoi.

Son front se plissa.

— Le moment est venu pour moi, je crois, d'ajouter une autre année. Je crois donc avoir...

Elle ferma les yeux pour se concentrer sur les mots qui exprimaient des nombres.

— J'ai maintenant dix-huit années, Mamut. Je commence à être vieille !

— Tu avais donc douze ans à la naissance de ton fils ? demanda-t-il, surpris.

Elle acquiesça d'un signe de tête.

— J'ai connu quelques filles qui devenaient femmes à neuf ou dix ans, mais c'est très jeune. Latie n'est pas encore une femme et elle est dans sa douzième année.

— Ça ne tardera plus, je peux te le dire.

— Oui, tu as raison, je crois. Mais tu n'es pas si vieille, Ayla. Deegie a dix-sept ans et elle ne sera pas unie avant la saison prochaine, à la Réunion d'Eté.

— C'est vrai. J'ai promis de participer à la cérémonie de son Union. Je ne peux aller en même temps à une Réunion d'Eté et à un Rassemblement du Clan.

Mamut la vit pâlir.

— De toute manière, je ne peux pas assister à un Rassemblement du

Clan. Je ne suis pas même sûre de pouvoir retourner au Clan. Je suis maudite. Je suis morte. Durc lui-même pourrait me prendre pour un esprit et avoir peur de moi. Oh, Mamut, que dois-je faire ?

— Tu dois réfléchir très consciencieusement à tout cela, avant de décider ce qu'il y a de mieux.

Elle avait l'air troublée. Il décida de changer de sujet.

— Mais tu as le temps. Nous ne sommes pas encore au printemps. Toutefois, la Fête du Printemps sera là avant que nous n'ayons eu le temps d'y penser. As-tu réfléchi à la racine et à la cérémonie dont tu m'avais parlé ? Consentirais-tu à insérer cette cérémonie dans la Fête ?

La jeune femme fut parcourue d'un frisson. Cette idée la glaçait de frayeur, mais Mamut serait là pour l'aider. Il saurait quoi faire et il avait vraiment l'air de s'y intéresser et de vouloir tout en apprendre.

— C'est entendu, Mamut, oui, je le ferai.

Jondalar, tout en se refusant à le reconnaître, s'aperçut immédiatement du changement survenu dans les relations entre Ayla et Ranec. Il les surveilla plusieurs jours durant et ne put finalement se dissimuler que Ranec passait presque tout son temps au Foyer du Mammouth et qu'Ayla paraissait accueillir avec joie sa présence. Il avait beau tout faire pour se convaincre que tout était pour le mieux, et qu'il avait bien fait de s'éloigner, il ne parvenait pas à apaiser la souffrance d'avoir perdu l'amour de la jeune femme ni à maîtriser la douleur de se voir banni de son entourage. C'était lui qui s'était éloigné d'elle, qui avait de son plein gré abandonné son lit, sa compagnie. Il n'en avait pas moins l'impression d'être rejeté par elle.

Il ne leur a pas fallu longtemps, se disait Jondalar. Dès le lendemain, Ranec, était là. Elle devait avoir hâte de me voir partir afin de l'accueillir. Ils attendaient mon départ. J'aurais dû m'en douter...

Mais de quoi lui en veux-tu ? C'est toi qui es parti, Jondalar, se disait-il à lui-même. Elle ne te l'as pas demandé. Après la première fois, elle n'est pas retournée vers lui. Elle était là, prête à te recevoir, et tu le sais...

Et maintenant, c'est lui qu'elle est prête à recevoir. Et lui, il meurt d'envie de la retrouver. Peux-tu lui en vouloir ? Peut-être est-ce la meilleure solution. Ici, on désire sa présence, on est plus habitué aux Têtes Plates... au Clan. Et elle est aimée...

Oui, elle est aimée. N'est-ce pas ce que tu désires pour elle ? Qu'elle soit acceptée, qu'elle ait quelqu'un pour l'aimer...

Mais je l'aime, moi pensait-il, assailli par une vague de souffrance et d'angoisse. O, Mère ! Comment pourrais-je le supporter ? Elle est la seule femme que j'aie jamais aimée ainsi. Je ne veux pas qu'elle souffre. Je ne veux pas qu'elle se voit repoussée. Pourquoi elle ? O, Doni, pourquoi a-t-il fallu que ce fût elle ?

Peut-être devrais-je partir ? Oui, c'est ça. Je vais m'en aller, c'est tout. Il était incapable sur l'instant, d'avoir des idées claires.

Il se dirigea à grandes enjambées vers le Foyer du Lion, interrompit une discussion entre Talut et Mamut, à propos de la Fête du Printemps qui approchait.

— Je m'en vais, lâcha-t-il tout à trac. Que puis-je faire pour me procurer quelques provisions ?

Son expression de désespoir lui donnait l'air d'un fou.

Un regard entendu passa entre le chef et le chaman. Talut lui asséna une tape sur l'épaule.

— Jondalar, mon ami, nous serons heureux de te donner tout ce qui te sera nécessaire, mais tu ne peux pas partir maintenant. Le printemps arrive, c'est vrai, mais regarde dehors : un blizzard se déchaîne, et les blizzards d'arrière-saison sont les pires.

Jondalar se calma, réalisant que sa brusque décision de partir était inconcevable. Aucun homme sain d'esprit ne se mettrait en route par un tel temps pour un long voyage.

Talut sentit les muscles du jeune homme se détendre sous sa main. Il continua de parler :

— Au printemps les crues commenceront, et tu as de nombreuses rivières à traverser. Par ailleurs, après être venu si loin de ton pays, tu ne peux pas passer l'hiver avec les Mamutoï sans chasser le mammouth avec les Chasseurs de Mammouths, Jondalar. Une fois reparti, tu n'en auras plus jamais l'occasion. La première chasse aura lieu au début de l'été, tout de suite après notre arrivée à la Réunion d'Eté. Le meilleur moment pour se mettre en voyage viendra ensuite. Tu me ferais une grande faveur si tu voulais bien rester avec nous au moins jusqu'à ce que la première chasse au mammouth soit passée. J'aimerai que tu montres à tout le monde ce lance-sagaie de ton cru.

— Oui, j'y penserai certainement, répondit Jondalar.

Il planta son regard dans les yeux du gigantesque chef aux cheveux rouges.

— Merci, Talut. Tu as raison. Je ne peux pas partir encore.

Mamut était assis en tailleur à sa place favorite pour la méditation : la plate-forme voisine de la sienne qu'on utilisait pour y ranger les peaux de rennes, les fourrures de couchage superflues. Il ne méditait pas réellement : il réfléchissait. Depuis la nuit où les larmes d'Ayla l'avaient réveillé, il avait pris une conscience beaucoup plus précise de son désespoir à l'idée du départ de Jondalar. L'affreuse tristesse de la jeune femme lui avait fait une impression profonde. Elle parvenait à cacher à la plupart des gens l'intensité de son désespoir, mais il remarquait maintenant, dans son comportement, certains petits détails qui lui avaient échappé auparavant. Elle paraissait apprécier sincèrement la compagnie de Ranec, elle riait de ses plaisanteries, mais elle semblait préoccupée, et les soins, l'attention qu'elle prodiguait à Loup et aux chevaux avaient une qualité d'attente désolée.

Mamut accorda un intérêt plus soutenu à leur grand visiteur, remarqua la même désolation dans le comportement de Jondalar. Il paraissait obsédé par une anxiété torturante, tout en essayant, lui aussi, de la dissimuler. Après cette impulsion désespérée qui l'avait engagé à partir en pleine tempête, le vieux chaman craignait que le bon sens de Jondalar ne fût compromis à la pensée de perdre Ayla. Pour le vieil homme qui avait commerce intime avec le monde des esprits de Mut, cette impulsion provenait d'une force plus profonde que celle d'un jeune amour. Peut-être la Mère avait-elle des plans pour lui aussi, des plans dont Ayla faisait partie.

Tout en hésitant à intervenir, Mamut se demandait pourquoi la Mère lui avait montré qu'Elle était le pouvoir agissant derrière leurs sentiments mutuels. En fin de compte, il en était convaincu, Elle ferait en sorte d'adapter les circonstances à Sa volonté mais peut-être, dans le cas présent, désirait-Elle son aide.

Il en était encore à se demander s'il devait faire connaître les désirs de la Mère, et de quelle manière, quand Ranec entra dans le Foyer de Mammouth. Il cherchait manifestement Ayla. Mamut savait qu'elle avait emmené Loup faire une promenade sur le dos de Whinney. Elle ne serait pas de retour avant un bon moment. Ranec regarda autour de lui, vit le vieil homme et s'approcha de lui.

— Sais-tu où est Ayla, Mamut ? demanda-t-il.

— Oui. Elle est sortie avec les animaux.

— Je me demandais pourquoi je ne l'avais pas vue depuis quelque temps.

— Tu la vois beaucoup, ces derniers temps.

Ranec eut un large sourire.

— J'espère la voir plus souvent encore.

— Elle n'est pas arrivée seule ici, Ranec. Jondalar ne passe-t-il pas avant toi ?

— Peut-être, quand ils sont arrivés. Mais plus maintenant qu'il a quitté le foyer.

Mamut remarqua dans la voix de Ranec, une nuance défensive.

— Il existe encore entre eux, je crois, un sentiment très fort. Je ne pense pas que la séparation serait définitive si l'on accordait à leur profond attachement mutuel une chance de renaître, Ranec.

— Si tu me demandes de battre en retraite, Mamut, je suis désolé, mais il est trop tard. J'éprouve moi aussi, un profond sentiment pour Ayla.

L'émotion, cette fois, enrouait la voix de l'homme à la peau sombre.

— Mamut, je l'aime, je veux m'unir à elle, je veux fonder un foyer avec elle. Il est temps que je m'installe avec une femme, et je désire avoir ses enfants à mon foyer. Jamais je n'ai rencontré personne qui lui ressemble. Elle est tout ce dont j'ai toujours rêvé. Si je peux la convaincre d'accepter, je veux annoncer notre Promesse à la Fête du Printemps et m'unir à elle à la Cérémonie des Unions, l'été prochain.

— Es-tu sûr que c'est ce que tu désires, Ranec ? demanda Mamut.

Il avait de l'affection pour Ranec, et Wymez serait heureux, il le savait, si ce garçon qu'il avait ramené de ses voyages trouvait une compagne et s'établissait.

— Il y a bien des femmes mamutoï qui ne demanderaient pas mieux que de s'unir à toi. Que diras-tu à cette rousse jeune et jolie à qui tu as presque donné ta Promesse ? Comment s'appelle-t-elle donc ? Tricie ?

Si la peau noire avait pu rougir, Mamut en était certain, il aurait vu Ranec s'empourprer.

— Je lui dirai... je lui exprimerai mes regrets. Je ne peux pas faire autrement. La seule femme que je veuille, c'est Ayla. Elle est mamutoï, à présent. Elle doit s'unir à un mamutoï. Je veux que ce soit moi.

— Si cela doit être, Ranec, dit Mamut, avec bienveillance, cela sera. Mais souviens-toi de ceci : le choix ne t'appartient pas. Pas même à elle. Ayla a été choisie par la Mère dans un but bien précis, elle a reçu des dons nombreux. Quoi que tu décides, quoi qu'elle puisse décider, Mut a sur elle les tout premiers droits. Tout homme qui se liera à elle sera lié aussi au but de son existence.

25

Tandis que l'antique Terre, d'un mouvement imperceptible, penchait son froid visage boréal vers l'immense étoile brillante autour de laquelle elle tournait, les terres, même les plus proches des glaciers, perçurent le baiser d'une douce tiédeur et, lentement, s'éveillèrent du sommeil d'un hiver plus profond et plus glacial. Au début, le printemps s'anima d'abord à regret, puis, avec la hâte d'une saison qui avait peu de temps à vivre, rejeta sa couverture de glace avec une précipitation exubérante qui abreuva et stimula le sol.

Les gouttes d'eau qui tombaient des branches à la première chaleur de midi se durcissaient en stalactites à mesure que les nuits se refroidissaient. Au cours des journées de plus en plus chaudes qui suivirent, les longues flèches aiguës s'allongèrent avant d'échapper à l'emprise de la glace et de transpercer les congères qui, déjà, se changeaient en tas de neige fondue, emportés par des eaux boueuses. Les filets d'eau, ruisselets et ruisseaux se rassemblaient en cours d'eau pour emporter toute l'humidité que l'hiver avait tenue en suspension. Ces cours d'eau, dans leur fougue, se jetaient dans les lits anciens, dans les ravines ou bien en taillaient d'autres dans le loess, parfois aidés et dirigés par une pelle faite dans un andouiller ou par une écope d'ivoire.

La rivière prisonnière grondait, craquait dans sa lutte pour échapper à l'emprise de l'hiver, tandis que la neige fondue se déversait dans le courant caché. Soudain, sans avertissement, une violente détonation, qui s'entendit jusque dans l'habitation, suivie d'une seconde, et tout de suite après, d'un grondement sourd, annonça que la glace ne retenait plus le flot déferlant. Les glaces flottantes, en plaques épaisses, en blocs énormes, tressautaient, plongeaient, se retournaient. Saisies, entraînées par le courant rapide et puissant, elles marquaient le changement de saison.

Comme si le froid était emporté en même temps, les gens du Camp, depuis longtemps retenus prisonniers, comme la rivière, du froid glacial, se répandaient dehors. Bien que l'impression de chaleur vînt seulement d'une comparaison avec les jours précédents, l'existence confinée céda la place à une activité extérieure frénétique. Tout prétexte à une sortie était accueilli avec enthousiasme, fût-ce le grand nettoyage de printemps.

Les habitants du Camp du Lion étaient propres, selon leurs critères personnels. Bien que, sous forme de glace et de neige, il y eût largement de quoi produire de l'eau, il y fallait du feu et de grandes quantités de combustible. Toutefois, ce qu'on faisait fondre pour boire et pour cuisiner était en partie utilisé pour se laver, et les Mamutoï prenaient périodiquement des bains de vapeur. Les aménagements personnels étaient généralement bien tenus. On entretenait les outils, les instruments. Les quelques vêtements que l'on portait à l'intérieur étaient brossés, parfois lavés, bien entretenus. Pourtant à la fin de l'hiver, la puanteur dans l'abri était incroyable.

On y retrouvait les odeurs de nourriture, à divers stades de conservation et de décomposition, cuite, crue et corrompue... celles d'huile brûlée, généralement rance puisqu'on ajoutait des morceaux de graisse congelée à celle qui se trouvait depuis quelque temps dans les lampes... celle des paniers qu'on utilisait pour la défécation et qui n'étaient pas toujours vidés immédiatement... celle des récipients pleins d'urine qu'on gardait afin de transformer le liquide en ammoniac par décomposition de l'urée... celle, enfin, des gens eux-mêmes. Les bains de vapeur étaient excellents pour la santé, ils nettoyaient la peau mais ils n'éliminaient pas vraiment les odeur corporelles, et ce n'était d'ailleurs pas leur but : l'odeur corporelle faisait partie de l'identité de chacun.

Les Mamutoï étaient accoutumés aux odeurs naturelles, puissantes et pénétrantes de la vie quotidienne. Leur sens olfactif était bien développé, et ils s'en servaient, comme de la vue ou de l'ouïe, pour garder conscience de leur environnement. Ils ne trouvaient même pas désagréables les odeurs des animaux : elles étaient naturelles, elles aussi. Mais, à mesure que la température s'adoucissait, même les narines les plus habituées commençaient à s'émouvoir des conséquences de l'étroite promiscuité dans laquelle vivaient vingt-sept personnes durant une longue période. Le printemps marquait le temps où l'on relevait les rideaux pour aérer, où l'on rassemblait pour les jeter les débris accumulés pendant l'hiver entier.

Pour Ayla, ce grand nettoyage concernait aussi celui de l'abri des chevaux. Les animaux avaient bien supporté l'hiver, ce qui enchantait la jeune femme mais n'avait rien de bien surprenant. Les chevaux des steppes étaient résistants, adaptés aux rigueurs des hivers les plus rudes. S'ils devaient chercher eux-mêmes leur nourriture, Whinney et Rapide pouvaient toujours revenir à leur guise vers un refuge qui leur procurait une protection bien supérieure à celle que trouvaient généralement leurs cousins sauvages. Ils y trouvaient en plus de l'eau et même quelque provende. Les chevaux, à l'état sauvage, devenaient vite adultes, et Rapide, comme d'autres poulains nés à la même époque, avait déjà atteint sa pleine croissance. Il s'étofferait un peu au cours des quelques années suivantes, mais c'était un jeune étalon vigoureux, un peu plus grand que sa mère.

Le printemps était aussi le temps d'une certaine disette. Les réserves de certains aliments, particulièrement les légumes, très appréciés, étaient épuisées. D'autres commençaient à se faire rare. Lorsqu'on procéda à l'inventaire, tout le monde se félicita qu'on eût décidé d'organiser cette dernière chasse au bison. Sinon, la viande aurait pu manquer. Toutefois, si la viande suffisait à les nourrir, elle les laissait insatisfaits.

Ayla se rappela les breuvages toniques que préparait Iza pour le Clan de Brun. Elle décida d'en confectionner pour le Camp. Ses tisanes à base de différentes herbes séchées, parmi lesquelles la patience riche en fer et les cynorhodons qui évitaient le scorbut, compensaient le manque latent de vitamines qui provoquait cette violente envie d'aliments frais, sans éliminer ce désir. Toutefois, on faisait appel aux ressources médicales de la jeune femme pour bien autre chose que des toniques.

Il faisait bon, dans l'habitation semi-souterraine, bien isolée, chauffée par plusieurs feux, par les lampes et par la chaleur naturelle des corps. Même quand le froid, dehors, était cruel, on s'habillait légèrement à l'intérieur. Durant l'hiver, les occupants prenaient soin de se vêtir confortablement avant de sortir, mais, dès que la neige commençait à fondre, on oubliait toute précaution. La température avait beau dépasser de très peu le point de congélation, on avait l'impression qu'il faisait bien plus chaud, et ceux qui sortaient ne prenaient pas la peine d'enfiler grand-chose par-dessus les vêtements qu'ils portaient habituellement à l'intérieur. Avec les pluies de printemps, la fonte des neiges, ils étaient généralement mouillés et glacés avant de rentrer, ce qui diminuait leur résistance.

En ces premiers jours de printemps, Ayla avait à traiter plus de toux, de rhumes et de maux de gorge qu'elle n'en avait jamais connu au plus fort de l'hiver. L'épidémie de rhumes et d'infections respiratoires affectait tout le monde. La jeune femme elle-même dut garder quelques jours le lit pour soigner une légère fièvre et une grosse toux. La saison n'était guère avancée qu'elle avait déjà traité presque tout le monde dans le Camp du Lion. Selon les besoins, elle prescrivait des tisanes, des traitements par la vapeur, des cataplasmes brûlants pour la gorge et la poitrine et assistait les malades, avec gentillesse et fermeté. Tout le monde louait l'efficacité de ses traitements. A défaut d'autres résultats, les gens, en sa présence, se sentaient mieux.

Nezzie lui avait dit qu'ils souffraient toujours de rhumes de printemps. Pourtant, quand la maladie frappa Mamut, alors qu'Ayla était elle-même à peine remise, elle négligea ses propres symptômes pour le soigner ; C'était un très vieil homme, et son état l'inquiétait. Une infection respiratoire grave pouvait lui être fatale. Cependant, le chaman, en dépit de son grand âge, conservait une remarquable résistance. Il se remit plus rapidement que certains autres habitants de l'habitation ; tout en appréciant les soins dévoués de la jeune femme, il la pressa de s'occuper de ceux qui avaient encore plus besoin d'elle et de prendre elle-même un peu de repos.

Elle n'eut pas besoin d'encouragements quand Fralie se mit à faire de la fièvre et fut prise d'une toux rauque qui la secouait tout entière, mais son désir de lui venir en aide resta sans réponse. Frebec refusait à Ayla l'accès de son foyer. Crozie s'en prit furieusement à lui et, le Camp tout entier donna raison à la vieille femme, mais Frebec ne céda pas. Crozie raisonna même avec Fralie, pour tenter de la convaincre de passer outre... sans résultat, la malade se contenta de secouer la tête, sans cesser de tousser.

— Mais, pourquoi ? demanda Ayla à Mamut.

Elle buvait avec lui une tisane chaude, en écoutant une nouvelle quinte de Fralie. Tronie avait accueilli chez elle Tasher, qui se situait par l'âge entre Nuvie et Hartal. Crisavec dormait avec Brinan au Foyer de l'Aurochs. La jeune femme enceinte et malade pouvait ainsi se reposer, mais Ayla souffrait toutes les fois qu'elle l'entendait tousser.

— Pourquoi refuse-t-il de me laisser la soigner ? Il voit bien que mes soins en ont aidé d'autres, et Fralie en a plus besoin que personne. Tousser ainsi est trop pénible pour elle, surtout maintenant.

— La réponse à ta question n'est pas difficile, Ayla. Si l'on prend les gens du Clan pour des animaux, il est impensable qu'ils puissent entendre quoi que ce soit à la médecine. Puisque tu as grandi chez eux, comment pourrais-tu en savoir davantage ?

— Mais ce ne sont pas des animaux ! Une guérisseuse du Clan a des connaissances très étendues !

— Je le sais Ayla. Je connais mieux que personne les talents d'une guérisseuse du Clan. Et je crois qu'ici, tout le monde le sait, à présent, même Frebec. Ils apprécient tes capacités, mais Frebec se refuse à battre en retraite, après toutes ces disputes. Il a peur de perdre la face.

— Qu'y a-t-il de plus important ? Sa face ou l'enfant de Fralie ?

— Fralie attache sans doute plus d'importance à la face de Frebec.

— Ce n'est pas la faute de Fralie. Frebec et Crozie font tout leur possible pour l'obliger à choisir entre eux, et elle se refuse à choisir.

— la décision lui appartient.

— Mais, précisément, elle ne veut pas prendre de décision. Elle refuse le choix.

Mamut secoua la tête.

— Non, elle en fait un, qu'elle le veuille ou on. Mais elle ne le fait pas entre Frebec et Crozie. Quand doit-elle mettre son enfant au monde ? Elle est près de son terme, il me semble.

— Je n'en suis pas sûre, mais, à mon avis, ce n'est pas encore tout proche. Sa maigreur fait paraîre son ventre plus gros, mais l'enfant n'est pas encore en position. C'est ce qui m'inquiète. Il est trop tôt, je pense.

— Tu ne peux rien y faire, Ayla.

— Si seulement Frebec et Crozie ne se disputaient pas constamment à propos de tout...

— Cela n'a rien à voir. Ce problème-là ne concerne pas Fralie : il est entre Frebec et Crozie. Fralie n'est pas obligée de se laisser piéger entre les deux. Elle est capable de prendre ses propres décisions. En fait, elle en a pris une : elle a choisi de ne rien faire. Ou plutôt, si tes craintes sont fondées — et je crois qu'elles le sont —, elle a choisi de mettre un enfant au monde maintenant ou plus tard. Peut-être est-ce un choix entre la vie et la mort pour son enfant... au prix d'un danger pour elle-même. Mais telle est sa décision, et elle se justifie peut-être par des raisons que nous ignorons les uns et les autres.

Bien après la fin de leur conversation, Ayla garda en mémoire les commentaires de Mamut. Lorsqu'elle alla se coucher, elle y songeait encore. Bien sûr, il avait raison. En dépit des sentiments de Fralie pour Frebec et pour sa mère, ce n'était pas son combat. Ayla s'efforçait de découvrir un moyen de convaincre Fralie mais elle avait déjà essayé et, maintenant que Frebec lui refusait l'accès de son foyer, elle n'avait plus l'occasion d'en parler à la jeune femme. Quand elle s'endormit, l'inquiétude pesait encore lourdement sur son esprit.

Elle se réveilla en pleine nuit. Sans bouger, elle tendit l'oreille. Elle ne savait trop ce qui l'avait tirée du sommeil mais elle avait l'impression que c'était la voix plaintive de Fralie. Le silence se prolongeait. Sans doute avait-elle rêvé, se dit-elle. Loup gémit, et elle tendit la main pour l'apaiser. Peut-être faisait-il un cauchemar lui aussi, et était-ce ce qui l'avait réveillée. Sa main, pourtant, s'immobilisa avant d'avoir atteint le louveteau : elle tendit de nouveau l'oreille vers ce qui lui paraissait être une plainte étouffée.

Ayla rejeta les couvertures, se leva. Sans bruit, elle passa derrière le rideau, chercha à tâtons le panier pour s'y soulager, avant d'enfiler une tunique. Elle s'approcha ensuite du trou à feu. Elle entendit alors une toux retenue, suivie d'une quinte interminable qui s'acheva dans un gémissement retenu également. Ayla ranima les braises, ajouta un peu de bois, des copeaux d'os, jusqu'au moment où les flammes montèrent. Elle y laissa tomber quelques pierres à cuire, tendit la main vers l'outre.

— Tu peux faire de la tisane pour moi aussi, dit Mamut à voix basse.

Il repoussa ses couvertures, se mit sur son séant.

— Nous serons tous debout avant longtemps, je crois.

Ayla hocha la tête, ajouta un peu plus d'eau dans le panier. Après une nouvelle quinte de toux, il y eut du mouvement, des voix contenues dans le Foyer de la Grue.

— Et il faut quelque chose pour apaiser la toux... et quelque chose aussi pour interrompre le travail... s'il n'est pas déjà trop tard. Je vais voir ce que j'ai parmi mes remèdes, dit Ayla.

Elle posa sa coupe, ajouta, après une hésitation :

— ...pour le cas où quelqu'un demanderait mon aide.

Elle se munit d'un tison, et Mamut la regarda passer en revue les rayons sur lesquelles elle avait rangé les remèdes rapportés de sa caverne. Il est merveilleux de la voir pratiquer son art de Femme Qui Guérit, se disait le vieil homme. Mais elle est bien jeune. A la place de Frebec, j'aurai été plus préoccupé par sa jeunesse et, peut-être, son manque d'expérience que par le milieu d'où elle vient. Je sais qu'elle a été instruite par les meilleures, mais comment peut-elle déjà posséder un tel savoir ? Sans doute l'avait-elle en naissant, et cette guérisseuse, Iza, a dû dès le début, découvrir ce don... Ses réflexion furent interrompues par une autre quinte de toux qui provenait du Foyer de la Grue.

— Tiens, Fralie, bois un peu d'eau, proposa Frebec d'un ton anxieux.

Incapable de parler, Fralie fit « non » de la tête. Elle s'efforçait de maîtriser sa toux. Etendue sur le côté, relevée sur un coude, elle tenait devant sa bouche un morceau de peau souple. La fièvre lui donnait un regard vitreux, ses efforts lui empourpraient le visage. Elle jeta un coup d'œil vers sa mère qui, assise sur son lit, de l'autre côté du passage central, la regardait d'un air furieux.

La colère de Crozie était aussi évidente que sa détresse. Elle avait tout essayé pour convaincre sa fille de demander de l'aide : la persuasion, les disputes, les diatribes, rien n'y faisait. Elle avait même sollicité d'Ayla un remède pour son rhume. Il était stupide de la part de Fralie, de refuser le secours qui était disponible. Tout était de la faute de cet homme stupide, de ce stupide Frebec, mais il ne servait à rien d'en parler. Crozie avait décidé de ne pas dire un mot de plus.

La toux de Fralie s'apaisa. Exténuée, elle se laissa retomber sur le lit. Peut-être l'autre douleur, celle dont elle ne voulait pas reconnaître la présence, n'allait-elle pas se manifester, cette fois. Fralie attendait, le souffle retenu pour ne rien provoquer. La peur la tenaillait. La douleur naquit au creux de ses reins. Elle ferma les yeux, inspira profondément, s'efforça de chasser la souffrance par sa seule volonté. Elle posa la main sur le côté de son ventre distendu, perçut la contraction de ses muscles sous la souffrance. Son inquiétude s'accrut encore. Il est trop tôt, pensa-t-elle. L'enfant ne devrait pas venir au monde avant un autre cycle de lune, pour le moins.

— Fralie ? Tout va bien ? questionna Frebec.

Il était resté debout près d'elle, la coupe emplie d'eau entre les mains.

Elle vit sa détresse, son désarroi, essaya de lui sourire.

— C'est cette toux, dit-elle. Tout le monde tombe malade, au printemps.

Personne ne le comprenait, se disait-elle, sa mère moins que personne. Il faisait tant d'efforts pour montrer à tous qu'il méritait leur estime. Voilà pourquoi il se refusait à céder, pourquoi il se montrait si souvent querelleur, pourquoi il était si susceptible. Son comportement embarrassait Crozie. Il ne comprenait pas qu'on prouvait sa valeur — le nombre et la qualité de ses attaches, la puissance de son influence — en montrant ce qu'on pouvait obtenir de sa famille, de ses amis, afin que chacun pût en être témoin. La mère de Fralie avait essayé de le lui faire comprendre en lui faisant don du droit à la Grue, pas seulement au Foyer que lui avait apporté Fralie lors de leur Union, mais au droit de revendiquer la Grue comme son droit de naissance.

Crozie s'était attendue de sa part à un assentiment sans réserve à tous ses vœux, à tous ses désirs : il aurait montré ainsi qu'il comprenait, qu'il appréciait le fait d'être en mesure de se réclamer du Foyer de la

Grue, qui appartenait encore nominalement à Crozie, même si elle ne possédait plus grand-chose d'autre. Mais les exigences de la vieille femme étaient parfois excessives. Elle avait perdu tant d'avantages qu'il lui était difficile de renoncer à ce qui restait de son prestige, surtout au profit de quelqu'un qui possédait si peu. Ce prestige, Crozie redoutait constamment de voir Frebec l'affaiblir ; elle avait sans cesse besoin d'être rassurée. Fralie ne voulait pas mortifier Frebec en essayant de lui expliquer de tels raisonnements. Il s'agissait de subtilités dont on prenait conscience en grandissant... si on les avait toujours eues. Mais Frebec, lui, n'avait jamais rien eu.

La douleur reprenait dans le dos de Fralie. Peut-être s'en irait-elle, si elle ne bougeait pas... si elle pouvait se retenir de tousser. Elle commençait à souhaiter pouvoir parler avec Ayla, au moins pour lui demander un remède contre la toux. Mais elle ne voulait pas laisser penser à Frebec qu'elle prenait le parti de sa mère. Par ailleurs, de longues explications lui irriteraient la gorge et mettraient Frebec sur la défensive. Elle se remit à tousser, au moment où la contraction atteignait son point culminant. Elle étouffa un cri.

— Fralie ? Est-ce... autre chose que la toux ? demanda Frebec.

A son avis, une simple toux n'aurait pas dû la faire gémir ainsi.

Elle hésita.

— « Autre chose » ? Que veux-tu dire ?

— Eh bien, l'enfant... Mais tu as déjà eu deux enfants. Tu sais comment ça se passe, n'est-ce pas ?

Fralie devint la proie d'une quinte déchirante. Quand elle reprit son souffle, elle éluda la question.

La lumière commençait à souligner les bords du trou à fumée quand Ayla revint à son lit pour achever de s'habiller. La majeure partie de occupants du Camp étaient restés éveillés une partie de la nuit. C'était d'abord la toux convulsive de Fralie qui les avait tirés du sommeil, mais il apparut bientôt qu'elle souffrait d'autre chose que d'un rhume. Tronie connaissait quelques difficultés avec Tasher qui voulait aller retrouver sa mère. Elle le prit dans ses bras, l'emporta au Foyer du Mammouth. Il continuait à pleurer. Ayla le prit à son tour, le promena autour du foyer en lui présentant différents objets susceptibles de le distraire. Le louveteau la suivit. Elle emmena Tasher, à travers le Foyer du Renard et le Foyer du Lion, jusqu'à celui où l'on faisait la cuisine.

Jondalar la regarda approcher, tandis qu'elle cherchait à calmer, à réconforter l'enfant, et son cœur battit plus vite. Mentalement, il souhaitait de toutes ses forces la voir venir plus près mais il se sentait nerveux, anxieux. Ils s'étaient à peine adressé la parole, depuis la séparation, et il ne savait que lui dire. Il chercha autour de lui quelque chose qui pourrait apaiser le petit enfant, et son regard tomba sur un os qui restait d'un rôti.

— Il aimerait peut-être se faire les dents là-dessus, proposa Jondalar, quand la jeune femme pénétra dans le vaste foyer commun.

Il lui tendit l'os.

Elle le prit, le mit dans la main de l'enfant.

— Tiens, Tasher, ça te plairait, ça ?

Il n'y avait plus de viande sur l'os, mais il conservait encore une certaine saveur. Le petit mit dans sa bouche l'extrémité la plus grosse, goûta, décida qu'il aimait ça et, finalement, cessa de pleurer.

— Tu as eu une bonne idée, Jondalar, dit Ayla.

L'enfant de trois ans dans ses bras, elle se tenait tout près de Jondalar et levait les yeux vers lui.

— Ma mère agissait toujours ainsi quand ma petite sœur faisait un caprice, répondit-il.

Ils se regardaient, affamés tous les deux de la contemplation de l'autre. Sans rien dire, ils se rassasiaient de cette vue, détaillant chaque trait, chaque ombre, chaque menu changement. Il a perdu du poids, se disait Ayla. il a l'air hagard... Elle est soucieuse, tourmentée au sujet de Fralie, elle a envie de l'aider, pensait Jondalar. O, Doni, elle est si belle.

Tasher laissa tomber l'os, et Loup s'en empara.

— Laisse ! commanda Ayla.

A regret, le louveteau lâcha l'os mais continua de monter la garde tout près.

— Autant le lui laisser, maintenant, conseilla Jondalar d'un ton raisonnable. Frebec ne serait pas content, je crois, si tu rendais l'os à Tasher quand Loup l'a tenu dans sa gueule.

— Je ne veux pas le voir continuer à prendre ce qui ne lui appartient pas.

— Il ne l'a pas vraiment pris. Tasher l'a laissé tomber. Loup a probablement cru qu'il était pour lui.

— Tu as peut-être raison. Autant le lui laisser, je suppose.

Elle fit un signe. Loup baissa sa garde, reprit l'os, l'emporta tout droit jusqu'aux fourrures de couchage que Jondalar avait étalées sur le sol, près de l'aire réservée aux tailleurs de silex. Il s'installa confortablement et se mit à ronger l'os.

— Loup, sors de là, ordonna Ayla en se dirigeant vers lui.

— Ne t'inquiète pas Ayla... Il vient souvent ici et s'y trouve comme chez lui. Je... j'aime assez sa présence.

— Alors je le laisse faire, dit la jeune femme en souriant. Tu as toujours été ami avec Rapide aussi. Les animaux t'aiment bien, je crois.

— Pas autant que toi. Ils t'adorent. Et moi...

Il s'interrompit brusquement. Son front se plissa, il ferma les yeux. Quand il les rouvrit, il se redressa de toute sa taille, fit un pas en arrière.

— La Mère t'a accordé un don rare, dit-il.

Sa voix, son attitude étaient beaucoup plus cérémonieuses.

Elle sentit soudain des larmes lui brûler les yeux, sa gorge se serrer douloureusement. Elle baissa la tête, recula d'un pas, elle aussi.

Jondalar changea de sujet.

— Si j'en crois ce qui se passe, Tasher ne va pas tarder à avoir un petit frère ou une petite sœur.

— J'en ai bien peur.

— Tiens ? Tu penses qu'elle ne devrait pas avoir cet enfant ? fit-il, surpris.

— Si bien sûr, mais pas maintenant. Il est trop tôt.

— Tu en es certaine ?

— Non. On ne m'a pas laissée la voir.

— Frebec ?

Elle hocha la tête.

— Je ne sais pas quoi faire.

— Je ne comprends pas pourquoi il en est encore à sous-estimer ton savoir-faire.

— Frebec, dit Mamut, ne pense pas que les Tête Plates puissent s'y connaître en soins. Il ne croit donc pas que j'aie pu apprendre quoi que ce soit chez eux. A mon avis, Fralie a vraiment besoin d'aide, mais Mamut prétend qu'elle doit le demander.

— Mamut a probablement raison. Mais, si elle est sur le point d'avoir son enfant, elle pourrait bien faire appel à toi.

Ayla changea Tasher de position. Il s'était enfoncé un doigt dans la bouche et semblait satisfait pour le moment. Elle vit Loup sur les fourrures familières de Jondalar qui, récemment, étaient près des siennes. La vue de ces fourrures, la présence toute proche du jeune homme lui rappelait le contact de Jondalar, les sensations qu'il éveillait en elle. Elle aurait voulu voir les fourrures de retour sur sa plate-forme de couchage. Lorsqu'elle reporta les yeux sur lui, ils exprimaient tout son désir. Jondalar éprouva une réaction immédiate, un besoin douloureux de tendre les bras vers elle, mais il se contrôla. Son attitude déconcerta Ayla. Il s'était mis à la regarder de la façon qui provoquait toujours en elle un fourmillement intérieur. Pourquoi avait-il changé ? Elle était anéantie mais, l'espace d'un instant, elle avait ressenti... quelque chose... un espoir, peut-être. Pourrait-elle découvrir le moyen de l'atteindre, si elle ne relâchait pas ses efforts ?

— J'espère qu'elle m'appellera, dit-elle, mais peut-être est-il déjà trop tard pour arrêter le travail.

Elle se disposait à partir, et Loup se leva pour l'accompagner. Elle posa son regard sur l'animal, puis sur l'homme, demanda, après une hésitation :

— Si elle faisait appel à moi, Jondalar, voudrais-tu garder Loup avec toi ? Je ne peux pas lui permettre de me suivre et de se trouver dans les jambes de tout le monde au foyer de la Grue.

— Oui, bien sûr, mais voudra-t-il rester ici ?

— Loup, retourne ! commanda-t-elle.

Le louveteau la regarda, un gémissement au fond de la gorge, comme s'il posait une question.

— Retourne au lit de Jondalar, insista-t-elle, un bras levé, l'index tendu. Va au lit de Jondalar, répéta-t-elle une fois de plus.

Loup, la queue entre les pattes, le ventre près du sol, obéit. Les yeux fixés sur la jeune femme, il s'assit sur les fourrures.

— Reste ici ! commanda-t-elle.

Le jeune loup se coucha sur le ventre, posa le museau sur ses pattes et la suivit des yeux quand elle fit demi-tour pour quitter le foyer.

Crozie, toujours assise sur son lit, regardait Fralie se tordre en poussant des cris. Finalement, la douleur passa. Fralie respira profondément, ce qui amena une quinte de toux. Sa mère crut lire sur son visage une expression de désespoir. Crozie, elle aussi, commençait à désespérer. Il fallait que quelqu'un intervînt. Le travail, chez Fralie, était déjà bien avancé, et cette toux l'affaiblissait. Il n'y avait plus beaucoup d'espoir pour l'enfant : il allait naître trop tôt, et les petits nés trop tôt ne survivaient pas. Mais Fralie avait besoin de quelque chose pour apaiser la toux et des douleurs. Plus tard, il lui faudrait autre chose pour soulager son chagrin. Elle n'avait eu aucun succès en parlant à Fralie, pas en présence de cet homme stupide. Il ne voyait donc pas qu'elle était très mal ?

Crozie observait Frebec. Inquiet, désemparé, il tournait autour du lit de la jeune femme. Peut-être était-il vraiment inquiet, se dit-elle. Peut-être devait-elle faire une nouvelle tentative, mais obtiendrait-elle quelque chose en s'adressant à Fralie ?

— Frebec ! dit Crozie. Je veux te parler.

L'homme parut stupéfait. Crozie l'appelait rarement par son nom, déclarait plus rarement encore qu'elle voulait lui parler. Elle se contentait le plus souvent de l'abreuver d'injures.

— Que me veux-tu ?

— Fralie est trop obstinée pour m'écouter, mais tu dois bien maintenant constater par toi-même qu'elle va avoir son enfant...

Fralie l'interrompit en se remettant à tousser convulsivement, à s'en étouffer.

Quand la quinte s'apaisa, Frebec demanda :

— Fralie, dis-moi la vérité. Vas-tu mettre l'enfant au monde ?

— Je... je crois, oui.

Il lui sourit.

— Pourquoi ne l'as-tu pas dit plus tôt ?

— J'espérais que ce n'était pas vrai.

— Mais pourquoi ? insista-t-il, soudain anxieux. Tu n'en veux donc pas, de cet enfant ?

— Il est trop tôt, Frebec. Les enfants qui naissent trop tôt ne vivent pas, répondit Crozie à la place de sa fille.

— Ils ne vivent pas ? Fralie, quelque chose ne va pas ? Est-ce vrai que cet enfant ne vivra pas ?

Frebec était désemparé, frappé de terreur. Le sentiment qu'il se passait quelque chose de grave avait grandi en lui toute la journée, mais il n'avait pas voulu y croire, il n'avait pas cru à une telle éventualité.

— C'est le premier enfant de mon foyer, Fralie. Ton enfant, né à mon foyer.

Il s'agenouilla près du lit, prit la main de sa compagne.

— Il faut que cet enfant vive. Dis-moi qu'il vivra. Fralie, dis-moi que cet enfant vivra.

— Je ne peux pas te le dire. Je n'en sais rien.

Elle parlait d'une voix lasse, rauque.

— Je croyais que tu savais tout de ces choses, Fralie. Tu es une mère. Tu as déjà deux enfants.

— Chacun d'eux est différent, murmura-t-elle. Celui-ci a été difficile dès le début. Je redoutais de le perdre. Nous avons eu tant de mal pour trouver un endroit où nous installer... Je ne sais pas. J'ai seulement le sentiment qu'il est trop tôt pour que cet enfant vienne au monde...

— Pourquoi ne m'as-tu rien dit, Fralie ?

— Et qu'aurais-tu pu faire ? dit Crozie, d'une voix contenue, presque sans espoir. Qu'aurais-tu pu faire ? Que savais-tu de la grosssse ? De l'accouchement ? De la toux ? De la souffrance ? Elle n'a rien voulu te dire parce que tu n'as rien fait d'autre qu'insulter la seule personne qui pouvait lui venir en aide. A présent, l'enfant va mourir, et je me demande à quel état de faiblesse Fralie en est arrivée.

Frebec se retourna vers Crozie.

— Fralie ? Il ne peut rien arriver à Fralie ! N'est-ce pas ? Les femmes mettent constamment des enfants au monde.

— Je n'en sais rien, Frebec. Regarde-la. Juge par toi-même.

Fralie essayait de maîtriser une quinte de toux menaçante. La douleur dans son dos reprenait. Elle avait les yeux fermés, les sourcils froncés. Ses cheveux en désordre étaient collés par mèches, son visage luisait de sueur. Frebec bondit sur ses pieds, fit un mouvement pour quitter le foyer.

— Où vas-tu, Frebec ? demanda Fralie.

— Je vais chercher Ayla.

— Ayla ? Mais je croyais...

— Depuis son arrivée, elle n'a pas cessé de répéter que tu n'allais pas bien. Si elle a su voir ça, elle est peut-être Celle Qui Guérit. Tout le monde le dit. Je ne sais pas si c'est vrai, mais il faut faire quelque chose... à moins que tu ne veuilles pas la voir.

— Va chercher Ayla, murmura Fralie.

Une tension fébrile parcourut tous les foyers quand on vit Frebec s'engager dans le passage central et se diriger à grands pas vers le Foyer du Mammouth.

— Ayla, Fralie est... commença-t-il, trop inquiet, trop bouleversé pour songer à sauver la face.

— Oui, je sais. Demande à quelqu'un de faire venir Nezzie pour m'aider et apporte ce récipient. Prends garde, ça brûle. C'est une décoction pour sa gorge.

Ayla, déjà se hâtait vers le Foyer de la Grue.

Quand Fralie leva les yeux et la vit, elle se sentit tout à coup profondément soulagée.

— La première chose à faire est d'arranger ce lit pour que tu sois mieux, déclara la jeune femme.

Elle tirait les couvertures, redressait la patiente, la soutenait à l'aide de fourrures et de coussins.

Fralie lui sourit. Elle remarquait soudain, sans trop savoir pourquoi, qu'Ayla s'exprimait encore avec un petit accent. Non, pas véritablement un accent, se dit-elle. Elle avait simplement quelques difficultés avec certains sons. Curieux comme on s'habituait facilement à une particularité comme celle-là.

La tête de Crozie apparut au-dessus de la couche. La vieille femme tendit à Ayla une pièce de cuir soigneusement pliée.

— C'est sa couverture d'enfantement, Ayla.

Elles la déplièrent et, tandis que Fralie se déplaçait légèrement, l'étalèrent sur le lit.

— Il était grand temps qu'ils te fassent venir, reprit Crozie, mais il est trop tard maintenant pour empêcher la naissance. Dommage. J'avais l'intuition que ce serait une fille, cette fois. C'est bien dommage qu'elle doive mourir.

— N'en sois pas trop sûre, Crozie, dit Ayla.

— Cet enfant arrive trop tôt. Tu le sais bien.

— Oui, mais n'abandonne pas encore l'enfant à l'autre monde. On peut prendre certaines mesures, s'il n'est pas vraiment trop tôt... et si la mise au monde se passe bien.

La jeune femme baissa les yeux sur Fralie.

— Attendons. Nous verrons bien.

— Ayla, demanda Fralie, les yeux brillants, crois-tu qu'il y ait de l'espoir ?

— Il y a toujours de l'espoir. Bois ceci, à présent. La tisane apaisera ta toux, et tu te sentiras mieux. Nous verrons ensuite où tu en es.

— Qu'y a-t-il là-dedans ? questionna Crozie.

Ayla la dévisagea un instant avant de répondre. Le ton avait contenu un ordre, mais Ayla sentait que la question était motivée par l'inquiétude et par un intérêt sincère. C'était chez Crozie une façon de parler, comme si elle avait été accoutumée à donner des ordres. Mais on pouvait se méprendre, quand une question était posée d'un tel ton par quelqu'un qui n'était pas en position d'autorité.

— L'intérieur de l'écorce de merisier, pour la calmer, pour apaiser sa toux, pour soulager les douleurs de l'enfantement, expliqua-t-elle, bouillie avec la racine séchée et réduite en poudre de la renoncule âcre, pour aider les muscles à pousser plus fort afin d'aider la délivrance. Le travail est trop avancé pour qu'on puisse l'interrompre.

— Hum... fit Crozie avec un signe d'approbation.

Elle était satisfaite : la réponse d'Ayla l'avait convaincue qu'elle ne se contentait pas d'appliquer un remède dont elle avait entendu parler mais qu'elle savait ce qu'elle faisait. Crozie elle-même ignorait les propriétés des plantes, mais Ayla, elle, les connaissait.

A mesure que la journée avançait, chacun prit le temps de passer quelques instants au chevet de Fralie pour lui offrir un soutien moral, mais les sourires encourageants contenaient une nuance de tristesse. Tout le monde savait que la jeune femme affrontait une épreuve qui avait peu de chance de connaître un dénouement heureux. Pour Frebec, le temps se traînait. Il ne savait à quoi s'attendre, et il se sentait perdu, déséquilibré. Il lui était arrivé d'être présent lors d'accouchements : il ne se rappelait pas que l'enfantement eût pris si longtemps. Apparemment, pour les autres femmes, les difficultés étaient moindres. Faisaient-elles toutes tant d'efforts, se débattaient-elles, criaient-elles ainsi ?

Il n'y avait pas de place pour lui à son foyer, avec toutes ces femmes, et l'on n'avait pas besoin de lui, de toute manière. Il s'était assis sur le lit de Crisavec, pour regarder, pour attendre, mais personne ne lui prêtait attention. Il finit par se lever, par s'éloigner, sans trop savoir où il allait. Il décida qu'il avait faim, se dirigea vers le premier foyer, dans l'espoir d'y découvrir un reste de rôti, quelque chose. Au fond de lui-même, il pensait essayer de trouver Talut. Il éprouvait le besoin de parler à quelqu'un, de partager cette expérience avec un autre homme qui serait en mesure de le comprendre. Lorsqu'il parvint au Foyer du Mammouth, Ranec, Danug et Tornec, près du trou à feu, s'entretenaient avec Mamut et obstruaient en partie le passage central. Frebec s'immobilisa : il ne tenait pas à leur demander de le laisser passer.

— Comment va-t-elle, Frebec ? demanda Tornec.

La question amicale le surprit vaguement.

— Je voudrais bien le savoir, répondit-il.

— Je sais ce que tu éprouves, reprit Tornec, avec un sourire mi-figue mi-raisin. Jamais je ne me sens aussi inutile que lorsque Tronie est dans les douleurs de l'enfantement. J'ai horreur de la voir souffrir et je souhaite toujours pouvoir faire quelque chose pour elle, mais il n'y a jamais rien. C'est une affaire de femme, il faut bien qu'elle aille jusqu'au bout. Je suis toujours étonné, après coup, de voir comme elle oublie vite ses efforts, ses souffrances, dès qu'elle voit l'enfant et qu'elle sait qu'il...

Il s'interrompit, de peur d'avoir trop parlé.

Frebec fronça les sourcils, se tourna vers Mamut.

— Fralie m'a dit qu'à son avis, cet enfant venait trop tôt. A entendre Crozie, les enfants qui naissent trop tôt ne survivent pas. Est-ce vrai ? Cet enfant va-t-il mourir ?

— Je ne peux pas te répondre, Frebec. Tout est entre les mains de Mut, déclara le vieil homme. Mais je sais une chose : Ayla ne renoncera pas. Tout dépend de l'avance qu'a prise l'enfant. Ceux qui naissent prématurément, sont petits et faibles, et, c'est pourquoi, généralement, ils meurent. Mais cela n'arrive pas toujours, surtout s'ils n'ont pas trop d'avance. Plus longtemps ils vivent et plus ils ont de chances de ne pas mourir. J'ignore ce qu'Ayla peut faire, mais, si quelqu'un peut sauver l'enfant, c'est bien elle. Elle a reçu en partage un don puissant, et, je peux te l'assurer, aucune Femme Qui Guérit n'aurait pu bénéficier d'un meilleur enseignement. Je sais par expérience personnelle quel talent possèdent les guérisseuses du Clan. Jadis, l'une d'elles m'a guéri.

— Toi ! Tu as été guéri par une Tête Plate ! dit Frebec. Je ne comprends pas. Comment ? Quand ?

— Quand j'étais un jeune homme et que j'accomplissais mon Voyage.

Les autres attendaient la suite de l'histoire de Mamut, mais il devint vite évident qu'il n'avait pas l'intention de donner d'autres précisions.

— Vieil homme, fit Ranec avec un large sourire, je me demande combien d'histoires et de secrets se cachent au sein des années de ta longue vie.

— J'en ai oublié plus que n'en pourrait contenir ta propre existence, jeune homme, et j'ai pourtant de nombreux souvenirs. J'étais déjà vieux quand tu es né.

— Quel âge as-tu ? demanda Danug. Le sais-tu ?

— Il fut un temps où je tenais le compte des années en traçant sur une peau sacrée, chaque printemps, un signe qui me rappelait un événement survenu dans l'année. J'ai ainsi couvert plusieurs peaux, l'écran des cérémonies est l'une d'entre elles. A présent, je suis si vieux que je ne compte plus. Mais je vais te dire, Danug, à quel point je suis vieux. Ma première compagne a eu trois enfants.

Mamut se tourna vers Frebec.

— Le premier-né, un fils, est mort. Le deuxième, une fille, a eu quatre enfants. L'aîné de ces quatre-là était une fille, et elle a donné naissance à Tulie et Talut. Toi, tu es le premier enfant de la compagne de Talut. La compagne du premier-né de Tulie attend peut-être déjà un enfant. Si Mut m'accorde encore une saison, je pourrai voir la cinquième génération. Voilà à quel point je suis vieux, Danug.

Le jeune homme secouait la tête. C'était plus d'années qu'il n'aurait jamais pu en imaginer.

— Manuv et toi n'êtes-vous pas parents, Mamut ? demanda Tornec.

— Il est le troisième enfant de la compagne d'un cousin plus jeune, comme tu es toi-même le troisième enfant de la compagne de Manuv.

En ce moment précis, ils prirent conscience d'une certaine agitation au Foyer de la Grue, et tous se tournèrent dans cette direction.

— Allons, respire bien à fond, dit Ayla, et pousse encore une fois. Tu y es presque.

Fralie reprit bruyamment son souffle et, accrochée aux mains de Nezzie, fit un grand effort.

— Bien ! Très bien ! l'encouragea Ayla. Le voilà qui vient ! Le voilà ! Bien ! Nous y sommes !

— C'est une fille, Fralie ! annonça Crozie. Je t'avais bien dit que, cette fois, ce serait une fille !

— Comment est-elle ? questionna Fralie. Est-elle...

— Nezzie, veux-tu l'aider à expulser le délivre ? dit Ayla.

Elle enlevait le mucus de la bouche de la toute petite qui luttait pour trouver son premier souffle.

Il y eut un terrible silence. Et puis, miraculeux, saisissant, le cri de la vie.

— Elle est vivante ! elle est vivante ! dit Fralie.

Des larmes de soulagement et d'espoir brillaient dans ses yeux.

Oui, pensait Ayla, elle est vivante, mais si petite. Jamais elle n'avait vu de bébé aussi minuscule. Pourtant elle était vivante, elle se débattait, elle gigotait, elle respirait. Ayla la coucha sur le ventre, en travers du corps de Fralie. Elle n'avait vu, se rappelait-elle, que des nouveau-nés du Clan. Les enfants des Autres étaient sans doute plus petits, à la naissance. Elle aida Nezzie à se débarrasser du délivre, retourna le petit être et lia le cordon ombilical en deux endroits, avec les morceaux de fibres de tendons qu'elle avait préparés. A l'aide d'un couteau en silex bien aiguisé, elle trancha le cordon entre les deux attaches. Pour le meilleur et pour le pire, la petite fille était maintenant un être humain indépendant, qui vivait, qui respirait. Mais les deux jours à venir seraient critiques.

Tout en nettoyant l'enfant, Ayla l'examina avec attention. Elle paraissait parfaite. Simplement exceptionnellement menue. Et ses vagissements étaient faibles. Ayla l'enveloppa d'une peau souple, la tendit à Crozie. Nezzie et Tulie enlevèrent la couverture d'enfantement. Quand la jeune femme se fut assurée que Fralie était propre, bien installée, garnie d'une couche absorbante de laine de mammouth, elle posa au creux du bras de l'accouchée la petite fille nouveau-née. Elle fit signe ensuite à Frebec de venir voir la première fille de son foyer. Crozie ne bougea pas de sa place.

Fralie écarta la peau souple, leva vers Ayla des yeux pleins de larmes.

— Elle est si petite, dit-elle en serrant le bébé contre elle.

Elle déplaça le devant de sa tunique, approcha l'enfant de son sein. La petite y frotta son visage, trouva le mamelon. Au sourire qui illumina les traits de Fralie, Ayla comprit que la nouveau-née tétait. Mais au bout d'un instant, elle lâcha le mamelon, apparemment épuisée par l'effort.

— Elle est si petite... Va-t-elle vivre ? demanda Frebec.

Mais c'était plutôt une supplication.

— Elle respire. Si elle peut téter, il y a de l'espoir. Mais, pour vivre, elle aura besoin d'aide. Il faut la tenir au chaud, et le peu de force dont elle dispose doit être employé à téter. Tout le lait qu'elle absorbera doit être consacré à sa croissance.

Ayla fit peser sur Frebec et Crozie un regard sévère.

— Il ne doit plus y avoir de querelles dans ce foyer, si vous voulez qu'elle vive. Sinon, elle sera dérangée, et il ne faut pas la déranger si vous tenez à la voir prospérer. Il ne faudra même pas la laisser pleurer : elle n'en a pas la force. Pleurer empêcherait le lait de la faire grandir.

— Mais comment l'empêcher de pleurer, Ayla ? Comment savoir quand je dois lui donner le sein, si elle ne pleure pas ? questionna Fralie.

— Frebec et Crozie devront t'aider l'un et l'autre, parce qu'elle doit rester constamment avec toi, comme si tu la portais encore dans ton ventre, Fralie. Le mieux, je crois, serait de lui faire un support qui la maintiendrait contre ta poitrine. Ainsi tu la tiendras au chaud. Elle sera rassurée par ton contact et par les battements de ton cœur, parce qu'elle y est habituée. Plus important encore, toutes les fois qu'elle aura envie de se nourrir, elle n'aura qu'à tourner la tête pour trouver ton sein. Elle n'aura pas ainsi à dépenser des forces qui lui sont nécessaires pour sa croissance.

— Et comment la changer ? demanda Crozie.

— Enduis-la de cette crème adoucissante que je t'ai donnée, Crozie. J'en ferai d'autre. Pour absorber ses excréments, sers-toi de bouse séchée dont tu l'envelopperas. Quand elle aura besoin d'être changée, ne la remue pas trop. Et toi, Fralie, tu dois te reposer. Ce te fera du bien. Nous devons essayer d'apaiser cette toux. Si l'enfant passe les tout prochains jours, chaque jour de vie supplémentaire la rendra plus forte. Avec votre aide, Frebec et Crozie, elle a une chance.

Une impression d'espoir contenu planait sur tout l'abri quand on tira les rideaux sur un soleil rouge qui se couchait dans un banc de nuages au ras de l'horizon. La plupart des habitants avaient achevé le repas du soir. Ils garnissaient les feux, nettoyaient les ustensiles, couchaient les enfants, avant de se rassembler pour une soirée de conversation. Au foyer du Mammouth plusieurs personnes étaient réunies autour du feu, mais les propos s'échangeaient dans un murmure, comme si des voix plus fortes n'étaient pas de mise.

Après avoir fait prendre à Fralie une tisane calmante, Ayla l'avait laissée dormir. Au cours des jours qui allaient suivre, la jeune femme n'aurait pas beaucoup de sommeil. La plupart des tout-petits s'adaptaient à une routine qui les faisait dormir pendant un temps raisonnable avant de s'éveiller pour se nourrir, mais la nouveau-née de Fralie n'était pas assez forte pour téter longuement chaque fois, et en conséquence, ne dormait pas bien longtemps avant d'avoir de nouveau besoin de se sustenter. Fralie allait devoir, elle aussi, se contenter de sommes très brefs, jusqu'au moment où l'enfant serait plus vigoureux.

Il était presque étrange de voir Frebec et Crozie travailler ensemble, s'aider mutuellement pour venir en aide à Fralie, se témoigner l'un à l'autre une courtoisie mesurée. Peut-être cela ne durerait-il pas, mais ils faisaient des efforts et leur animosité semblait s'éteindre.

Crozie était allée se coucher de bonne heure. La journée avait été dure, et elle n'était plus toute jeune. Elle était lasse et elle pensait bien se lever tôt pour s'occuper de Fralie. Crisavec couchait toujours avec le fils de Tulie, et Tronie gardait Tasher. Frebec, seul au Foyer de la Grue, contemplait le feu. Il éprouvait des émotions mêlées. Ce tout petit enfant, le premier-né de son foyer, lui inspirait de l'anxiété et un instinct de protection. De la peur, aussi. Ayla lui avait mis le bébé dans les bras, pour qu'il le tînt un instant pendant que Crozie et elle veillaient au bien-être de Fralie. Il l'avait détaillée, sans parvenir à croire qu'un être aussi minuscule pût être aussi parfait. Les toutes petites mains avaient même des ongles. Il avait peur de bouger, peur de briser l'enfant. Pourtant, il se la laissa prendre à regret.

Brusquement, Frebec se leva, s'engagea dans le passage central. Il n'avait pas envie d'être seul ce soir-là. A la limite du Foyer du

Mammouth, il s'arrêta, observa les quelques personnes assises autour du feu. C'étaient les membres les plus jeunes du Camp. Par le passé il aurait poursuivi son chemin sans s'arrêter jusqu'au premier foyer où il se serait entretenu avec Talut et Nezzie, avec Tulie et Barzec, ou bien avec Manuv ou Wymez ou même récemment avec Jondalar, et parfois Danug. Crozie se trouvait souvent au foyer de la cuisine, mais il était plus facile de l'ignorer que d'affronter la possibilité de se voir ignorer par Deegie ou dédaigner par Ranec. Mais Tornec s'était montré amical, un peu plus tôt, sa compagne avait déjà enfanté, il savait ce que c'était. Frebec reprit longuement son souffle, s'approcha du feu.

Au moment où il arrivait près de Tornec, les autres éclatèrent de rire, et il crut un instant qu'ils se moquaient de lui. Il fut tenté de partir.

— Frebec ! Te voilà ! dit Tornec.

— Il doit rester un peu d'infusion, je crois, déclara Deegie. Laisse-moi t'en servir une coupe.

— Tout le monde me dit que c'est une jolie petite fille, fit Ranec. Et Ayla assure qu'elle a une bonne chance de vivre.

— Nous sommes heureux d'avoir Ayla, affirma Tronie.

— Oui, c'est vrai, répondit Frebec.

Durant un moment personne ne dit mot. C'était le premier éloge d'Ayla qu'on entendait tomber de la bouche de Frebec.

— On pourra peut-être lui donner un nom à la Fête du Printemps, suggéra Latie.

Elle était assise dans l'ombre près de Mamut, et Frebec ne l'avait pas remarquée.

— Ça lui porterait bonheur.

— Oui, sûrement, dit Frebec.

Il prit la coupe que lui tendait Deegie. Il se sentait plus à l'aise.

— Moi aussi, j'aurai mon rôle à la Fête du Printemps, ajouta Latie, mi-timidement, mi-fièrement.

— Latie est femme, maintenant expliqua Deegie, de l'air un peu condescendant d'une grande sœur qui s'adresse à un autre adulte averti.

— Elle connaîtra les Rites des Premiers Plaisirs à la Réunion d'Eté, cette année, ajouta Tronie.

Frebec hocha la tête, et ne sachant que dire, sourit à Latie.

— Fralie dort toujours, demanda Ayla ?

— Elle dormait quand je suis parti.

— Je vais aller me coucher moi aussi, je crois, dit la jeune femme en se levant, je suis lasse.

Elle posa la main sur le bras de Frebec.

— Tu viendras me chercher quand Fralie se réveillera ?

— Oui, certainement, Ayla...et... euh... merci, ajouta-t-il à voix basse.

— Ayla, je crois qu'elle pousse, dit Fralie. Elle est plus lourde, j'en suis sûre, et elle commence à regarder autour d'elle. Je pense aussi qu'elle tète plus longtemps.

— Elle a cinq jours, elle pourrait bien prendre des forces en effet, acquiesça Ayla.

Fralie sourit, mais des larmes lui montèrent aux yeux.

— Je ne sais pas ce que je serais devenue sans toi. Je me reproche constamment de ne pas t'avoir demandé conseil plus tôt. Dès le début, cette grossesse ne me paraissait pas normale, mais quand ma mère et Frebec se sont mis à se quereller, je n'ai pas pu prendre parti pour l'un ou pour l'autre.

Ayla se contenta d'un hochement de tête.

— Ma mère peut se montrer difficile, je le sais. Mais elle a tant perdu. Elle était Femme Qui Ordonne tu sais.

— Je m'en étais douté.

— J'étais l'aînée de quatre enfants. J'avais deux sœurs et un frère... J'avais à peu près l'âge de Latie quand le malheur est arrivé. Ma mère m'a emmenée au Camp du Cerf, pour me présenter au fils de la Femme Qui Ordonne. Elle voulait arranger une Union. Moi, je ne voulais pas y aller, et, quand je l'ai vu, il ne m'a pas plu. Il était plus âgé que moi, et ce qui l'intéressait, c'était mon prestige. Pourtant avant la fin de la visite, ma mère a réussi à me convaincre. On a pris toutes les dispositions pour que nous soyons unis l'été suivant, à la cérémonie des Unions. Quand nous sommes revenues à notre Camp... Oh, Ayla... c'était affreux...

Fralie ferma les yeux, s'efforça de maîtriser son émotion.

— Personne ne sait ce qui s'est passé... le feu avait pris... L'habitation était vieille, construite par un oncle de ma mère. La chaume, le bois, l'os devaient être desséchés, nous a-t-on dit. Le feu avait dû prendre pendant la nuit... Personne n'avait pu s'échapper...

— Fralie, je suis désolée, dit Ayla.

— Nous ne savions où aller. Nous avons fait demi-tour, pour retourner au Camp du cerf. Les gens du Camp nous plaignaient ; mais ils n'étaient guère ravis. La mauvaise fortune leur faisait peur, et nous avions perdu notre prestige. Ils voulaient rompre notre accord, mais Crozie a porté l'affaire devant le Conseil des Sœurs et les a obligés à tenir parole. Le Camp du Cerf aurait perdu de son influence et de son prestige s'il avait renié l'accord. J'ai été unie cet été-là. Ma mère a dit que je ne pouvais pas faire autrement : c'était notre seule ressource. Mais je n'ai jamais eu beaucoup de bonheur dans cette Union, si ce n'est la naissance de Crisavec et celle de Tasher. Ma mère se querellait sans cesse avec les gens du Camp. Surtout avec mon compagnon. Elle était accoutumée à la position de Femme Qui Ordonne. Elle avait l'habitude de prendre des décisions, de se voir respecter. Il n'était pas facile pour elle de perdre tous ces avantages. Elle était incapable d'y renoncer. Les gens se sont mis à la considérer comme une femme amère qui les harcelait sans cesse de plaintes et de criailleries. Ils se refusaient à la fréquenter.

Fralie marqua une pause avant de continuer :

— Quand mon compagnon a été encorné par un aurochs, le Camp du Cerf a déclaré que nous portions malheur et nous a chassés. Ma mère a essayé de trouver une autre Union pour moi. Il y a eu quelques prétendants. J'avais conservé mon statut de naissance — on ne peut pas vous enlever ce qu'on possède en naissant —, mais personne ne voulait accueillir ma mère. On disait qu'elle portait malheur mais, en réalité, je crois, on avait horreur de l'entendre se plaindre constamment. Je ne peux pourtant pas lui en vouloir. Les gens ne comprenaient pas, voilà tout.

« Le seul homme qui se présenta fut Frebec. Il n'avait pas grand-chose à offrir, dit Fralie en souriant, mais il a offert tout ce qu'il avait. Au début, il ne m'attirait pas beaucoup. Il n'a jamais eu un statut notable et il ne sait pas toujours comment se comporter... il embarrasse ma mère. Il tient à affirmer sa valeur, et croit se donner de l'importance en tenant des propos désobligeants sur... sur d'autres personnes. J'ai décidé de partir avec lui pour faire un essai. A notre retour, ma mère n'en croyait pas ses oreilles quand je lui ai dit que je voulais accepter l'offre de Frebec. Elle n'a jamais compris...

Fralie regarda Ayla avec un doux sourire.

— Peux-tu imaginer ce qu'avait été une Union avec un homme qui ne voulait pas de moi et qui, dès le début, n'avait éprouvé aucun sentiment pour moi ? Et ma joie de découvrir un autre homme qui désirait m'avoir pour compagne au point d'être prêt à donner tout ce qu'il possédait et à promettre tout ce qu'il pourrait acquérir par la suite ? Cette première nuit, après notre départ, il m'avait traitée comme... comme un trésor incomparable. Il ne parvenait pas à croire qu'il avait le droit de me toucher. Grâce à lui, je m'étais sentie... comment dire ?... désirée. Il est encore ainsi quand nous sommes seuls. Mais ma mère et lui se sont pris de querelle dès les tout premiers temps. Quand ils ont mis l'un et l'autre leur point d'honneur à décider si je devais ou non te consulter, je n'ai pas pu dépouiller Frebec de toute dignité, Ayla.

— Je te comprends, je crois, Fralie.

— J'essayais de me répéter que je n'allais pas si mal, que ton remède me faisait du bien. J'ai toujours pensé qu'il changerait d'avis, le moment venu, mais je voulais que l'idée vînt de lui, sans contrainte de ma part.

— Je suis heureuse qu'il ait pris la bonne décision.

— Mais je ne sais pas ce que j'aurais fait si mon enfant...

— On ne peut pas encore en être tout à fait sûre mais tu as raison, je pense. Elle a l'air de prendre des forces.

Fralie sourit.

— Je lui ai choisi un nom. J'espère qu'il plaira à Frebec. J'ai décidé de l'appeler Bectie.

Ayla faisait le tri parmi toutes sortes de substances végétales séchées. Il y avait là de petits tas d'écorces, de racines, de graines, de tiges en bottes, des coupes pleines de feuilles, de fleurs, de fruits et même quelques plantes entières.

Ranec, qui s'efforçait de cacher quelque chose derrière son dos, s'approcha de la jeune femme.

— Tu es très occupée, Ayla, demanda-t-il ?

— Non, pas vraiment. Je passe mes remèdes en revue pour voir ce qui me manque. Je suis sortie aujourd'hui avec les chevaux. Le printemps arrive enfin... ma saison préférée. Les bourgeons se montrent, comme les chatons des saules. J'ai toujours aimé ces petites fleurs duveteuses. Bientôt, tout va reverdir.

Ranec sourit devant cet enthousiasme.

— Tout le monde attend avec impatience la Fête du Printemps. C'est l'occasion pour nous de célébrer la vie nouvelle, les nouvelles naissances. Avec le petit enfant de Fralie, et Latie qui va devenir femme, nous avons de quoi nous réjouir.

Ayla se rembrunit légèrement. Elle n'était pas bien sûre d'attendre avec impatience le rôle qui serait le sien, lors de la Fête du Printemps. Mamut l'avait initiée et certains phénomènes intéressants s'étaient produits, mais tout cela était un peu effrayant. Pas autant qu'elle l'avait redouté toutefois. Tout irait bien. Elle retrouva son sourire.

Ranec n'avait cessé de l'observer. Il se demandait ce qui se passait dans son esprit et, en même temps, il cherchait un moyen d'aborder le sujet qui l'avait poussé à venir la voir...

— La cérémonie pourrait bien être particulièrement captivante, cette année...

Il s'interrompit le temps de trouver les mots qui convenaient.

— Tu as sans doute raison...

Ayla pensait encore à son rôle dans la fête.

— Ça n'a pas l'air de te passionner, remarqua Ranec en souriant.

— Vraiment ? Mais si, je me réjouis de voir Fralie donner un nom à son enfant, et je suis contente pour Latie. Je me rappelle ma joie quand je suis enfin devenue femme, et le soulagement d'Iza. Mais Mamut prépare autre chose et je ne suis pas certaine d'être d'accord avec lui.

— J'oublie sans cesse que tu n'es pas mamutoï depuis très longtemps. Tu ne sais pas ce qu'est une Fête du Printemps. Rien d'étonnant que tu ne l'attendes pas avec notre impatience à tous.

Il changea nerveusement de posture, baissa les yeux, les releva sur elle.

— Ayla, ton impatience serait peut-être plus vive, et la mienne aussi, si...

Ranec se tut, décida d'aborder le sujet différemment. Il tendit à la jeune femme l'objet qu'il avait tenu derrière son dos.

— J'ai fait ça pour toi.

Ayla vit l'objet. Elle leva vers Ranec des yeux élargis de surprise et de ravissement.

— Tu as fait ça pour moi ? Mais pourquoi ?

— Parce que j'en avais envie. C'est pour toi, voilà tout. Considère ça comme un cadeau de printemps, dit-il.

Elle accepta la sculpture en ivoire, la tint précautionneusement entre ses mains pour l'examiner.

— C'est l'une de tes représentations de femme-oiseau... Elle ressemble à celle que tu m'avais montrée, mais ce n'est pas la même, constata-t-elle, avec un plaisir mêlé de respect.

Les yeux de Ranec s'illuminèrent.

— Je l'ai sculptée tout exprès pour toi. Mais je dois te mettre en garde, dit-il avec une feinte gravité : j'y ai mis une pointe de magie, afin de t'inspirer... de l'affection pour elle et pour celui qui l'a faite.

— Tu n'avais pas besoin de magie pour obtenir ce résultat, Ranec.

— Alors, elle te plaît ? Dis-moi comment tu la trouves ? insista-t-il.

En règle générale il ne demandait pas aux gens ce qu'ils pensaient de son travail : leur opinion lui était indifférente. Il travaillait pour lui-même et pour plaire à la Mère. Mais, cette fois, il désirait par-dessus tout plaire à Ayla. Il avait mis son cœur, ses désirs, ses rêves dans chaque encoche qu'il avait taillée, chaque ligne qu'il avait gravée, dans l'espoir que cette représentation de la Mère exercerait sa magie sur la femme qu'il aimait.

En détaillant la figurine, Ayla remarqua le triangle pointé vers le bas. C'était, elle l'avait appris, le symbole de la femme et l'une des raisons pour lesquelles le chiffre trois était celui du pouvoir générateur et un nombre sacré pour Mut. L'angle se répétait en chevrons sur ce qui devait être la face antérieure de la figurine, si on y voyait une femme, et sa face postérieure, si on la considérait comme un oiseau. La statuette entière était décorée de rangées de chevrons et de lignes parallèles, en un motif géométrique fascinant qu'on prenait plaisir à contempler, mais qui suggérait plus encore.

— C'est très beau, Ranec. J'aime particulièrement la façon dont tu as tracé ces lignes. D'une certaine manière, le dessin me rappelle des plumes mais, en même temps, il me fait penser à de l'eau, comme sur les cartes, dit Ayla.

Le sourire de Ranec s'élargit de ravissement.

— Je le savais ! Je savais que tu le verrais ! Les plumes de Son Esprit, quand Elle devient un oiseau et revient à tire-d'aile au printemps. Et les eaux de la naissance, dont Elle a empli les mers.

— C'est merveilleux Ranec mais je ne peux pas la garder.

Elle essayait de lui rendre l'objet.

— Pourquoi pas ? Je l'ai fait pour toi, dit-il en refusant de la prendre.

— Mais que pourrais-je te donner en échange ? Je n'ai rien qui ait la même valeur.

— Si c'est ce qui te tourmente, je peux te faire une proposition. Tu possèdes quelque chose que je désire et qui vaut beaucoup plus que ce morceau d'ivoire...

Les yeux de Ranec étincelaient d'humour... et d'amour. Il reprit plus ou moins son sérieux.

— Unis-toi à moi, Ayla. Sois ma compagne. Je veux partager un foyer avec toi. Je veux que tes enfants soient les enfants de mon foyer.

Ayla hésitait à lui répondre. Ranec s'en aperçut. Il continua de parler, pour tenter de la convaincre.

— Pense à tout ce que nous avons en commun. Tu es une femme mamutoï. Je suis un homme mamutoï. Nous avons été adoptés l'un et l'autre. Si nous nous unissions, nous n'aurions pas besoin de nous chercher un autre Camp. Nous pourrions demeurer au Camp du Lion. Tu continuerais à prendre soin de Mamut et de Rydag, ce qui ferait grand plaisir à Nezzie. Mais, ce qui est plus important, je t'aime, Ayla. Je veux partager ma vie avec toi.

— Je... je ne sais que te dire.

— Dis oui, Ayla. Annonçons la nouvelle, pour introduire une Cérémonie de Promesse dans la Fête du Printemps. Nous pourrons ainsi célébrer notre Union cet eté, en même temps que Deegie.

— Je ne suis pas sûre... je ne pense pas...

— Je ne te demande pas de me répondre tout de suite.

Il avait escompté une réponse immédiate. Il comprenait maintenant qu'il lui faudrait peut-être un peu plus de temps mais il ne voulait pas l'entendre refuser.

— Dis-moi seulement que tu me donneras une chance de te prouver combien je t'aime, combien je te désire, combien nous pourrions être heureux ensemble.

Ayla se rappelait les paroles de Fralie. Oui, elle éprouvait une émotion particulière à l'idée qu'un homme la désirait, qu'un homme avait pour elle de la tendresse et ne passait pas son temps à l'éviter. Et elle prenait plaisir à la pensée de rester en ces lieux, où les gens l'aimaient, où elle les aimait en retour. Le Camp du Lion était maintenant pour elle une famille. Jondalar n'y resterait jamais. Elle le savait depuis longtemps. Il voulait rejoindre son peuple, et naguère, il avait l'intention de l'emmener avec lui. A présent, il semblait ne plus avoir le moindre désir de l'approcher.

Ranec était charmant. Elle avait de l'affection pour lui, vraiment. Si elle s'unissait à lui, elle resterait où elle était. Et, si elle devait mettre au monde un autre enfant, il fallait que ce fût bientôt. Elle ne rajeunissait pas. En dépit de ce qu'avait dit Mamut, dix-huit ans lui paraissaient un âge avancé. Ce serait merveilleux d'avoir un autre tout-petit se disait-elle. Comme celui de Fralie. Mais plus vigoureux. Avec Ranec, elle pourrait en avoir un. Aurait-il les traits de Ranec, ses yeux d'un noir profond, ses lèvres douces, son nez court et large, si différent des grands nez crochus des hommes du Clan ? Celui de Jondalar était entre les deux, par la taille et la forme... Pourquoi pensait-elle à Jondalar ?

Une autre idée lui vint à l'esprit, accéléra les battements de son cœur. Si je m'unis à Ranec et si je reste ici, se dit-elle, je pourrai peut-être aller chercher Durc ! L'été prochain, peut-être. Il n'y aura pas de Rassemblement du Clan à cette époque. Mais Ura ? Pourquoi ne pas la ramener ici, elle aussi ? Si je pars avec Jondalar, jamais je ne reverrai Durc, je le sais. Les Zelandonii vivent trop loin, et Jondalar refusera d'aller chercher Durc pour l'emmener avec nous. Si seulement Jondalar acceptait de rester ici, de devenir mamutoï... mais il ne voudra jamais.

Elle regardait l'homme à la peau sombre, voyait briller l'amour dans les yeux de Ranec. Peut-être devrais-je songer à m'unir à lui.

— Je t'ai dit que j'y réfléchirais, Ranec.

— Oui, je le sais, mais s'il te faut plus de temps pour envisager une Promesse, viens au moins partager mon lit, Ayla. Donne-moi l'occasion de te montrer combien je te suis attaché. Dis-moi que tu feras au moins ça pour moi. Viens partager mon lit...

Il lui avait pris la main.

Elle baissa la tête pour se donner le temps de mettre de l'ordre dans ses sentiments. Elle sentait en elle une force subtile mais puissante qui la poussait à lui obéir. Elle avait beau la reconnaître pour ce qu'elle était, il lui était difficile de surmonter la conviction qu'elle devait aller le retrouver dans son lit. Plus encore, elle se demandait si elle devrait lui accorder une chance, faire peut-être un essai avec lui, comme l'avait fait Fralie avec Frebec.

Sans lever les yeux, elle hocha la tête.

— Je viendrai partager ton lit.

— Ce soir ?

La joie le faisait trembler, lui donnait envie de crier.

— Oui, Ranec. Si tu le désires, je viendrai partager ton lit, ce soir.

26

Jondalar se plaça de manière à voir la majeure partie du Foyer du Mammouth en portant son regard vers l'autre extrémité du passage central. Il avait si bien pris l'habitude d'épier Ayla qu'il n'y pensait pratiquement plus. Il n'en éprouvait même aucune gêne : cela faisait partie de son existence. Quoi qu'il fît, la jeune femme demeurait présente à son esprit, souvent à la limite de la conscience. Il savait quand elle dormait et quand elle était éveillée, quand elle mangeait et quand elle s'adonnait à quelque ouvrage. Il savait quand elle sortait, quelles personnes lui rendaient visite, et combien de temps elles restaient. Il avait même une certaine idée de ce dont ils parlaient.

Ranec, il le savait, avait passé près d'elle une bonne partie de son temps. Il n'aimait pas les voir ensemble, mais il savait aussi qu'Ayla n'avait pas eu de relations intimes avec lui et semblait éviter tout contact étroit. La situation restait acceptable pour Jondalar dont les inquiétudes s'apaisaient. Aussi n'était-il pas préparé à la voir accompagner Ranec au foyer du Renard, au moment où tout le monde se disposait à se mettre au lit. Pour commencer, il ne put y croire. Il supposait qu'elle allait chercher quelque chose, avant de revenir à sa propre couche. Il ne comprit pas qu'elle avait l'intention de passer la nuit avec le sculpteur avant de la voir ordonner à Loup de regagner le Foyer du Mammouth.

A ce moment, il eut l'impression qu'un incendie faisait explosion dans sa tête, avant de répandre dans son corps tout entier sa fureur et sa brûlure. Son premier mouvement fut pour se précipiter au Foyer du

Renard afin d'en arracher Ayla. Il imaginait Ranec se moquant de lui et il éprouvait le désir d'écraser le noir visage souriant, de démolir ce sourire railleur, méprisant. Il luttait pour retrouver son sang-froid. Finalement, il se saisit de sa pelisse, se jeta dehors.

Il respirait par grandes saccades l'air froid, pour essayer d'apaiser la jalousie qui le dévorait, et le froid, à son tour, lui brûlait les poumons. Une brusque gelée, en ce début de printemps, avait durci la neige fondue, transformé les ruisseaux en dangereuses glissoires, tassé la boue en creux et bosses inégaux qui rendaient la marche difficile. Dans l'obscurité Jondalar perdit l'équilibre et dut lutter pour le rétablir. Il pénétra dans l'abri des chevaux.

Whinney l'accueillit d'un léger reniflement. Rapide renâcla, le poussa du museau pour solliciter un peu d'affection. Durant cet hiver pénible, il avait passé beaucoup de temps avec eux, et plus encore depuis ce printemps incertain. Il appréciait sa compagnie, et il se détendait à la chaleur de leur présence qui n'exigeait rien de lui. Un mouvement du rideau intérieur attira son attention. Il sentit des pattes se poser sur ses jambes, perçut un gémissement plaintif. Il se pencha, tendit la main, souleva le louveteau.

— Loup ! fit-il en souriant.

Mais il s'écarta vivement quand le petit animal très démonstratif lui lécha le visage.

— Que fais-tu ici ?

Il perdit son sourire.

— Elle t'a chassé, hein ? Tu es habitué à sa présence toute proche, et elle te manque. Je connais ça. Il est difficile de dormir seul quand on l'a sentie à côté de soi.

Jondalar caressa, câlina le petit loup jusqu'à le sentir plus détendu. Il n'avait pas envie de le mettre par terre.

— Que vais-je faire de toi Loup ? Ça m'ennuie de te faire rentrer. Je pourrais peut-être te laisser dormir avec moi.

Il se rembrunit devant le problème qui se posait à lui. Comment allait-il rejoindre son lit avec le louveteau ? Dehors, il faisait froid, et il n'était pas sûr que le petit animal consente à sortir avec lui. Mais s'il rentrait par l'ouverture du Foyer du Mammouth, il devrait traverser le Foyer du Renard. Rien au monde à ce moment n'aurait pu l'engager à passer par là. Il aurait aimé avoir ses fourrures. Sans feu, il faisait froid dans l'abri des chevaux, alors que allongé dans ses fourrures entre les deux animaux il aurait assez chaud. Il n'avait pas le choix. Il allait devoir sortir avec le petit loup et pénétrer dans l'habitation par l'entrée principale.

Après avoir flatté les chevaux, il serra le petit animal contre sa poitrine, souleva le rideau et se retrouva dans la nuit froide. Le vent, qui avait forci, lui cingla la figure d'une gifle glacée et souleva la fourrure de sa pelisse. Loup chercha à se blottir plus étroitement contre lui et gémit, mais il ne fit pas un mouvement pour se libérer. Prudemment Jondalar avançait sur le sol gelé, irrégulier. Il fut soulagé d'atteindre l'arche d'entrée.

Le silence régnait lorsqu'il pénétra dans le premier foyer. Il alla jusqu'à ses fourrures de couchage, y posa Loup, fut heureux de constater qu'il semblait disposé à y rester. Vivement, il ôta sa pelisse, ses bottes, se glissa entre les fourrures en serrant contre lui le louveteau. On avait moins chaud, avait-il découvert, quand on couchait par terre dans le vaste foyer que dans les plates-formes closes de rideaux. Il dormait donc avec ses vêtements d'intérieur. Au bout d'un moment consacré à trouver une position confortable, le petit loup ne tarda pas à s'endormir.

Jondalar eut moins de chance. Dès qu'il fermait les paupières, il entendait les bruits nocturnes et se raidissait. En temps normal, les souffles, les mouvements, les toussottements, les murmures du Camp, la nuit, formaient un fond sonore aisément ignoré. Mais les oreilles de Jondalar percevaient ce qu'il ne voulait pas entendre.

Ranec, doucement fit allonger Ayla sur ses fourrures, la contempla.

— Tu es si belle, Ayla, si parfaite. Je te désire tant. Je veux te garder près de moi à jamais. Oh, Ayla...

Il se pencha pour souffler son haleine dans l'oreille de la jeune femme, pour respirer son parfum de femme. Elle sentit sur sa bouche le contact des lèvres douces et pleines et elle réagit à sa caresse. Au bout d'un moment, il posa une main sur son ventre, entreprit de décrire lentement des cercles en exerçant une pression légère.

Bientôt, il tendit la main pour s'emparer d'un sein, baissa la tête pour prendre dans sa bouche un mamelon durci. Elle gémit, tendit ses hanches vers lui. Il se serra contre elle, et elle sentit contre sa cuisse sa dure et brûlante virilité. Il prit l'autre mamelon entre ses lèvres, le téta à son tour, avec de petits bruits de plaisir.

Il passa la main tout au long d'un côté de son corps, la glissa entre ses cuisses. Elle sentit qu'il la fouillait, se souleva pour se tendre vers lui...

— Oh, Ayla, ma belle compagne, ma femme parfaite. Que m'as-tu fait pour que je sois prêt si vite ? C'est la volonté de la Mère. Tu as la connaissance de Ses secrets. Ma femme parfaite.

Il la caressait au plus intime d'elle-même, et des frissons la parcouraient. Le mouvement de la main de Ranec se faisait plus rapide, plus insistant. Elle poussa un cri. Elle était prête elle aussi. Elle se haussa vers lui, le guida, exhala un soupir de plaisir lorsqu'elle se sentit pénétrée.

Tout de suite il précipita le rythme, sentit leurs sensations se préciser, cria le nom de la jeune femme.

— Oh, Ayla, Ayla, je te désire tant ! Sois ma compagne, Ayla. Sois ma femme !

Les cris d'Ayla se faisaient haletants et, soudain, la vague d'indescriptible passion les emporta l'un et l'autre.

Elle respirait par saccades, cherchait à reprendre son souffle sous le poids de Ranec. Un long temps s'était écoulé depuis qu'elle n'avait pas partagé les Plaisirs. La dernière fois avait été la nuit de l'adoption, et elle prenait maintenant conscience que cet échange lui avait manqué. Dans sa joie de la posséder, dans son désir de lui plaire, Ranec avait eu tendance à exagérer ses efforts, mais, même si tout s'était passé trop rapidement, elle ne se sentait pas insatisfaite.

— C'était parfait pour moi, murmura Ranec. Es-tu heureuse, Ayla ?

— Oui. C'est bon de partager les Plaisirs avec toi, Ranec, dit-elle.

Elle l'entendit soupirer.

Ils demeurèrent longuement immobiles, mais l'esprit d'Ayla revenait à la question de Ranec. Etait-elle heureuse ? Elle n'était pas malheureuse. Ranec était un homme bon, attentionné, et elle avait ressenti le Plaisir, mais... quelque chose lui manquait. Ce n'était pas un homme comme Jondalar, mais elle était incapable de déterminer où se trouvait la différence.

Peut-être simplement, n'était-elle pas encore tout à fait habituée à Ranec, se dit-elle.

Elle tenta de trouver une position plus confortable. Il commençait à peser un peu lourd sur elle. Il sentit son mouvement, se redressa, lui sourit, avant de rouler sur lui-même pour se retrouver à son côté, blotti contre elle.

Il frotta le nez contre son cou, lui murmura à l'oreille :

— Je t'aime, Ayla. Je te désire tant. Dis-moi que tu seras ma femme.

Elle ne répondit pas, elle ne pouvait dire oui, et elle ne voulait pas dire non.

Jondalar grinçait des dents, s'agrippait à sa fourrure, la serrait en tampon dans son poing crispé. Malgré lui, il tendait l'oreille vers les murmures, les souffles précipités, le rythme des mouvements qui lui parvenaient du Foyer du Renard. Il ramena la couverture par-dessus sa tête, sans pouvoir éviter d'entendre les cris étouffés d'Ayla. Il serrait les dents dans un morceau de cuir pour ne laisser échapper aucun bruit, mais au fond de sa gorge, sa propre voix hurlait de souffrance et d'un total désespoir. Loup gémit, remonta contre lui d'un mouvement vif pour lécher les larmes salées que l'homme s'efforçait de contenir.

Il ne supportait plus d'imaginer Ayla dans les bras de Ranec. Mais c'était leur choix à tous deux. Qu'arriverait-il si elle rejoignait de nouveau le sculpteur dans son lit ? Il ne pourrait endurer une autre fois cette épreuve. Mais que pouvait-il faire ? Partir. Il pouvait partir. Il devait partir. Dès le lendemain matin. Au petit matin, aux premières lueurs du jour, il partirait.

Jondalar ne dormit pas. Tendu, rigide, il demeura immobile dans ses fourrures quand il comprit que les deux autres avaient seulement pris un peu de repos, qu'ils n'en avaient pas fini. Quand enfin il n'entendit plus que les bruits du sommeil, il ne dormit pas davantage. Sans cesse, il continuait d'entendre Ayla et Ranec, il les imaginait ensemble.

Lorsqu'un premier soupçon de lumière vint souligner les contours du trou à fumée, alors que personne d'autre n'avait encore bougé, il était déjà debout et entassait ses fourrures dans son sac. Il enfila sa pelisse, ses bottes, prit ses sagaies et le propulseur. Sans bruit, il se dirigea vers l'arche d'entrée, souleva la tenture. Loup fit un mouvement pour le suivre, mais Jondalar, dans un murmure rauque, ordonna « Reste » et laissa le rabat retomber derrière lui.

Une fois dehors, dans le vent mordant, il releva son capuchon, le serra autour de son visage en laissant seulement une petite ouverture pour voir où il allait. Il enfila les moufles qui pendaient en bas de ses manches, jeta son sac sur son dos et entreprit de gravir le versant de la colline. La glace craquait sous ses pieds, il trébucha dans la pâle lueur grisâtre du petit matin. Maintenant qu'il était seul, des larmes brûlantes l'aveuglaient.

Quand il parvint au sommet, le vent violent et glacé l'assaillit de bourrasques capricieuses. Il s'immobilisa, le temps de faire le choix d'une direction, prit celle du sud, le long de la rivière. La marche était pénible. Le gel avait été assez intense pour former une croûte de glace sur les congères qui commençaient à fondre. Il s'y enfonçait jusqu'aux genoux, devait en arracher un pied à chaque pas. Là où il n'y avait pas de congères, le sol était durci, irrégulier, souvent glissant. Jondalar perdait constamment l'équilibre. Une fois même, il tomba, se blessa à la hanche.

La matinée s'avançait, mais aucun rayon de soleil ne pénétrait l'épaisse couche de nuages qui recouvrait le ciel. La seule évidence de la présence de l'astre était une lumière diffuse mais grandissante dans un jour gris, sans ombres. Péniblement, Jondalar poursuivait sa marche. Son esprit était replié sur lui-même. Il faisait à peine attention à ce qui l'entourait.

Pourquoi ne supportait-il pas l'idée d'Ayla et de Ranec ensemble ? Pourquoi était-il si difficile de la laisser faire son propre choix ? La voulait-il pour lui seul ? Arrivait-il à d'autres hommes d'éprouver de tels sentiments ? De ressentir une telle souffrance ? Etait-ce l'idée qu'un autre homme la touchait ? Ou bien la peur de la perdre ?

Ou bien était-ce plus encore ? Avait-il le sentiment qu'il méritait de la perdre ? Elle parlait sans détours de sa vie avec le Clan. Il s'était montré aussi tolérant que n'importe qui, jusqu'au moment où il avait songé à ce que pourrait penser son propre peuple. Se sentirait-elle aussi libre de parler de son enfance chez les Zelandonii ? Elle s'était si bien fait sa place dans le Camp du Lion. On l'acceptait sans réserves, mais en irait-il de même si l'on apprenait l'existence de son fils ? Il s'en voulait cruellement de la direction de ses pensées. S'il avait à ce point honte d'elle, peut-être ferait-il mieux de renoncer à Ayla mais il ne supportait pas l'idée de la perdre.

La soif finit par pénétrer les brumes qui avaient envahi son cerveau. Il s'arrêta, chercha son outre de la main, s'aperçut qu'il l'avait oubliée. Lorsqu'il rencontra une autre congère, il brisa la croûte de glace, mit dans sa bouche une poignée de neige, l'y laissa fondre. C'était chez lui une seconde nature, il n'avait même pas besoin d'y penser. On l'avait habitué dès l'enfance à ne jamais avaler de neige sans l'avoir d'abord fait fondre, de préférence avant de la mettre dans la bouche. Avaler de la neige refroidissait tout le corps, et même la faire fondre dans la bouche représentait un pis-aller.

L'outre oubliée l'obligea à réfléchir un moment à sa situation. Il avait omis aussi de se munir de vivres, découvrit-il, mais cette idée lui sortit de l'esprit presque aussitôt. Il était trop occupé à se remémorer encore et encore, les bruits qu'il avait entendus dans la galerie, et les images, les pensées qu'elles avaient ancrées en lui.

Arrivé devant une vaste étendue blanche, il hésita à peine avant de s'y engager. S'il avait observé les environs, il aurait peut-être vu qu'il ne s'agissait pas d'une simple congère. Mais il n'était plus capable de réfléchir. Après quelques pas, son poids brisa la croûte de glace, et il s'enfonça jusqu'aux genoux, non pas dans la neige mais dans l'eau stagnante de la fonte. Ses bottes de cuir enduites de graisse étaient suffisamment imperméables pour résister à une certaine quantité de neige, même humide, fondante, mais pas à l'eau. Le choc du froid l'arracha à ses préoccupations qui l'avaient jusque-là totalement absorbé. Il sortit à grand-peine de l'eau, mordu par le vent glacial.

J'ai été vraiment stupide, se dit-il. Je n'ai même pas de vêtements pour me changer. Ni de quoi manger. Ni d'eau. Je suis obligé de faire demi-tour. Je ne suis pas du tout prêt pour un voyage. A quoi ai-je bien pu penser ? Tu le sais fort bien, Jondalar, se répondit-il à lui-même. Saisi à nouveau par la souffrance il ferma les yeux.

Il sentait le froid lui étreindre les pieds, les jambes jusqu'aux genoux. Il se demanda s'il devait se sécher avant de repartir mais il songea qu'il n'avait pas sur lui de pierre à feu, rien pour faire du feu. Ses bottes étaient doublées d'un feutre fait de laine de mammouth. Même mouillées, elles empêcheraient ses pieds de geler, s'il restait en mouvement. Il se remit en marche dans la direction opposée, en se fustigeant mentalement de sa stupidité.

Tout en marchant, il se prit à penser à son frère. Il se rappelait le jour où Thonolan avait été pris dans les sables mouvants, à l'embouchure de la Grande Rivière Mère, et avait désiré y rester, y mourir. Pour la première fois, Jondalar comprenait pleinement pourquoi Thonolan avait perdu toute volonté de vivre, après la mort de Jetamio. Son frère il s'en souvenait, avait choisi de rester avec le peuple de sa femme qu'il aimait. Mais Jetamio était née au sein du Peuple de la Rivière, se dit-il. Ayla, tout comme lui, était étrangère aux Mamutoï. Non, rectifia-t-il, ce n'était pas exact : Ayla était maintenant mamutoï...

En approchant du Camp du Lion, Jondalar vit une grande et large silhouette venir au-devant de lui.

— Nezzie était inquiète à ton sujet. Elle m'a envoyé à ta recherche. Ou es-tu allé ? demanda Talut en se mettant à marcher derrière Jondalar.

— Faire une promenade.

Le gigantesque chef hocha la tête. Ce n'était un secret pour personne qu'Ayla avait partagé les Plaisirs avec Ranec. Mais Jondalar n'était pas parvenu non plus à dissimuler sa détresse aussi bien qu'il le croyait.

— Tu as les pieds mouillés.

— Je suis passé à travers la glace d'une mare d'eau, en croyant qu'il s'agissait d'une congère.

— Tu devrais changer de bottes tout de suite en arrivant, Jondalar, remarqua Talut. Je pourrai t'en donner une paire.

— Merci, répondit le jeune homme.

Il prenait soudain conscience de sa qualité d'étranger. Il n'avait rien à lui, il dépendait entièrement de la bienveillance du Camp du Lion, même pour les vêtements, les vivres nécessaires à un voyage. Il lui déplaisait de solliciter davantage mais il n'avait pas le choix, s'il voulait partir. Après cela, il ne mangerait plus leurs provisions, il ne pèserait plus autrement sur leurs ressources.

— Te voilà ! fit Nezzie quand il pénétra dans la galerie. Jondalar ! Tu es mouillé, gelé ! Ote ces bottes. Je vais aller te chercher une boisson chaude.

Elle lui rapporta une infusion brûlante, et Talut lui donna une vieille paire de bottes et des braies sèches.

— Tu peux les garder, dit-il.

— Je te suis reconnaissant, Talut, de tout ce que tu as fait pour moi mais j'ai encore une faveur à te demander. Il faut que je parte. Je dois rentrer chez moi. J'ai été trop longtemps absent. Il est temps pour moi de prendre le chemin du retour, mais il me faudrait des vêtements de voyage et quelques vivres. Lorsqu'il fera plus chaud, il sera plus facile de trouver en route de quoi manger, mais j'aurai besoin de provisions pour entamer mon voyage.

— Je serai heureux de te donner ce qu'il te faudra. Mes vêtements sont un peu grands pour toi, mais tu peux les porter, fit le géant.

Il sourit, caressa sa barbe rousse, hirsute.

— Pourtant, j'ai une meilleure idée. Pourquoi ne pas demander à Tulie de t'équiper ?

— Pourquoi à Tulie ? demanda Jondalar, intrigué.

— Son premier compagnon était à peu près de ta taille, et je suis sûr qu'elle a gardé une bonne partie de ses vêtements. Ils étaient de la meilleure qualité. Tulie y avait veillé.

— Mais pourquoi me les donnerait-elle ?

— Tu n'as toujours pas réclamé ton gage : elle a une dette envers toi. Si tu lui dis que tu souhaites la récupérer sous forme de vêtements et de vivres, elle fera en sorte de te trouver ce qu'il y a de mieux, pour se libérer de son obligation.

— C'est vrai, dit Jondalar avec un sourire.

Il avait oublié le pari qu'il avait gagné. Il se sentait mieux à l'idée qu'il n'était pas entièrement dénué de ressources.

— Je vais m'adresser à elle.

— Mais tu n'as pas l'intention de partir, hein ?

— Mais si, dès que possible, répondit Jondalar.

Le chef s'assit pour entamer avec lui une discussion sérieuse.

— Il n'est pas sage de partir en voyage maintenant. Tout est en train de fondre. Regarde ce qui t'est arrivé au cours d'une simple promenade, dit-il. Et je me réjouissais à l'idée que tu nous accompagnerais à la Réunion d'Eté et que tu chasserais le mammouth avec nous.

— Je ne sais pas, répondit Jondalar.

Il vit près du trou à feu Mamut qui mangeait. Sa vue lui rappela Ayla. Il ne croyait pas pouvoir supporter la situation un jour de plus. Comment, alors, rester jusqu'à la Réunion d'Eté ?

— Le début de l'été est une meilleure époque pour entamer un long voyage. C'est plus sûr. Tu devrais attendre, Jondalar.

— J'y réfléchirai, répondit le jeune homme.

En vérité, il n'avait pas l'intention d'attendre plus longtemps que nécessaire.

— C'est entendu, réfléchis.

Talut se leva.

— Nezzie m'a recommandé de m'assurer que tu mangerais un peu de sa soupe chaude, ajouta-t-il. Elle y a mis les dernières de ses racines.

Jondalar acheva de lacer les bottes du chef, avant de se lever à son tour pour s'approcher du trou à feu auprès duquel Mamut finissait un bol de soupe. Après avoir salué le vieil homme, il prit l'un des bols empilés tout près, se servit. Il s'installa près du chaman, tira son couteau, l'enfonça dans un morceau de viande.

Mamut essuya son bol, le remit en place et se tourna vers Jondalar.

— Je n'ai pas pu m'empêcher d'entendre votre conversation : tu envisages de partir bientôt ?

— Oui, demain ou le jour suivant. Dès que je serai prêt.

— C'est trop tôt ! protesta Mamut.

— Je le sais. Talut me l'a dit également mais il m'est déjà arrivé de faire de longs chemins pendant la mauvaise saison.

— Ce n'est pas ce que je voulais dire. Il faut que tu restes jusqu'à la Fête du Printemps, déclara le chaman avec une gravité absolue.

— C'est une grande occasion, je le sais, tout le monde en parle. Mais il faut vraiment que je m'en aille.

— C'est impossible. C'est dangereux.

— Pourquoi ? Quelle différence feront quelques jours de plus ? La fonte des glaces, les inondations seront encore là.

Le visiteur ne comprenait pas pourquoi le vieil homme insistait pour le voir assister à une fête qui n'avait pour lui aucune signification particulière.

— Jondalar, tu es capable de voyager par tous les temps, je n'en doute pas. Je ne pensais pas à toi. Je songeais à Ayla.

— Ayla ?

Jondalar fronça les sourcils, sentit son estomac se nouer.

— Je ne comprends pas, ajouta-t-il.

— J'ai initié Ayla à quelques pratiques du Foyer du Mammouth et je projette de célébrer avec elle une cérémonie, lors de cette Fête du Printemps. Nous utiliserons une racine qu'elle a apportée du Clan. Elle s'en est servi une fois... sous la conduite de son mog-ur. J'ai quelque expérience d'un certain nombre de plantes magiques qui peuvent conduire au monde des esprits, mais je ne me suis jamais servi de cette racine et Ayla ne l'a encore jamais utilisée seule. Nous nous trouverons l'un et l'autre devant quelque chose de nouveau. Elle semble éprouver... quelques inquiétudes, et... certaines altérations pourraient amener un bouleversement. Si tu partais, l'effet de ton départ sur Ayla pourrait être imprévisible.

— Veux-tu dire qu'Ayla courra un danger dans cette cérémonie avec la racine ? demanda Jondalar, les yeux emplis de détresse.

— Il existe toujours un élément de danger lorsqu'on a affaire au monde des esprit, expliqua le chaman. Mais elle s'y est déjà aventurée seule. Si la chose se reproduisait, sans initiation, sans surveillance, elle pourrait perdre son chemin. Voilà pourquoi je l'instruis. Toutefois, elle aura besoin de l'aide de ceux qui ont des sentiments pour elle, de ceux qui l'aiment. Il est essentiel que tu sois là.

— Pourquoi moi ? Nous ne... sommes plus ensemble. Il y en a d'autres, ici, qui ont des sentiments pour Ayla... de l'amour pour elle. D'autres pour qui elle éprouve, elle aussi, certains sentiments.

Le vieil homme se leva.

— Je ne peux rien t'expliquer, Jondalar. Il s'agit d'une impression, d'une intuition. Tout ce que je peux te dire, c'est qu'en t'entendant parler de départ, j'ai été envahi d'un sombre, d'un terrible pressentiment. Je ne suis pas sûr de sa signification, mais je... préférerais... Non, je vais m'exprimer plus vigoureusement. Ne pars pas, Jondalar. Si tu l'aimes, promets-moi de ne pas partir avant la fin de la Fête du Printemps, dit Mamut.

Il s'écoula quelques jours avant qu'Ayla retournât partager le lit de Ranec. Ce ne fut cependant pas faute d'encouragements de la part de celui-ci. Il fut difficile à la jeune femme de refuser, la première fois qu'il lui demanda de venir le rejoindre. Sa première éducation avait laissé en elle des traces profondes et elle eut l'impression d'avoir commis une faute terriblement grave en disant non. Elle s'attendait à de la colère de la part de Ranec, mais il sut être compréhensif : il n'ignorait pas, lui dit-il, qu'elle avait besoin de temps pour réfléchir.

Ayla eut connaissance de la longue errance de Jondalar le matin qui avait suivi sa nuit avec le sculpteur. Elle soupçonnait qu'elle était en cause. Etait-ce sa façon de lui montrer qu'il lui restait attaché ? Mais Jondalar était plutôt, depuis ce jour, plus distant encore. Il l'évitait le plus possible, ne lui adressait la parole que si c'était indispensable. Elle devait se tromper, décida-t-elle. Il ne l'aimait plus. Quand, finalement, elle se résigna à accepter cette vérité, elle fut désespérée mais s'efforça de n'en rien montrer.

Ranec, de son côté, lui prouvait abondamment son amour. Il la pressait toujours de lui accorder sa présence dans ses fourrures et de venir partager son foyer, de devenir sa femme, dans une Union solennellement reconnue. Elle consentit finalement à revenir partager ses fourrures en raison surtout de la compréhension qu'il lui témoignait. Mais elle ajourna son consentement à une relation plus permanente. Elle passa avec lui plusieurs nuits, résolut ensuite de s'abstenir durant un certain temps. Cette fois il lui fut plus facile de refuser. Tout allait trop vite jugeait-elle. Ranec voulait annoncer leur Promesse à la Fête du Printemps, qui aurait lieu dans quelques jours. Elle avait encore besoin d'y penser plus longuement. Elle appréciait les Plaisirs avec Ranec, il était tendre, il savait comment lui plaire, et elle avait pour lui un certain attachement. Elle l'aimait beaucoup en fait, mais il manquait quelque chose à leurs relations. Elle le ressentait comme une sorte d'insatisfaction. Elle avait envie de l'aimer, elle souhaitait y parvenir, mais elle ne l'aimait pas.

Quand Ayla était avec Ranec, Jondalar ne dormait pas, et les effets de la fatigue commençaient à être visibles. De l'avis de Nezzie, il avait maigri, mais dans les vêtements de Talut, qui flottaient sur son corps, et avec la barbe de l'hiver, qu'il ne taillait plus, il était difficile de s'en rendre compte. Danug lui-même le trouvait décharné, épuisé et il croyait en connaître la cause. Il aurait aimé faire quelque chose pour l'aider. Il avait une affection profonde à la fois pour Jondalar et pour Ayla. Mais personne ne pouvait rien. Pas même Loup, bien que le petit animal apportât plus de réconfort qu'il n'y paraissait. Toutes les fois qu'Ayla s'absentait du Foyer du Mammouth, le jeune loup recherchait la compagnie de Jondalar. Le jeune homme sentait ainsi qu'il n'était pas seul à souffrir, à être rejeté. Par ailleurs il se prenait à passer plus de temps avec les chevaux. Il lui arrivait même de dormir avec eux, pour s'éloigner des scènes pénibles qui se déroulaient près de lui, mais il mettait un point d'honneur à se tenir à l'écart quand Ayla se trouvait dans l'abri des chevaux.

Au cours des jours qui suivirent, le temps se fit plus chaud. Il devint de plus en plus difficile à Jondalar d'éviter la jeune femme. En dépit de la neige fondue, de la montée des eaux, elle sortait plus souvent avec les chevaux. Il s'efforçait bien de s'éclipser lorsqu'il la voyait arriver mais, à plusieurs reprises, il fut obligé de marmonner un prétexte pour partir précipitamment, après s'être trouvé par accident en sa présence. Dans ses sorties, elle emmenait fréquemment Loup et parfois Rydag. Toutefois, quand elle avait envie d'être libre de toute responsabilité, elle laissait le louveteau à la garde de l'enfant, à la grande joie de celui-ci. Whinney et Rapide étaient maintenant parfaitement à l'aise avec le louveteau, et Loup, de son côté, paraissait apprécier la compagnie des chevaux, qu'il se trouvât avec Ayla sur le dos de Whinney ou qu'il courût à côté des deux bêtes en s'efforçant de se maintenir à leur hauteur. C'était un bon exercice et pour Ayla un prétexte tout trouvé pour s'évader de l'habitation où elle se sentait à l'étroit, après le long hiver. Néanmoins, elle ne pouvait échapper au tumulte des sentiments qui tourbillonnaient autour d'elle et en elle.

Elle avait entrepris, lorsqu'elle montait Whinney, d'encourager Rapide et de le diriger par la voix, les coups de sifflet, certains autres signaux. Mais, toutes les fois qu'il lui venait à l'esprit qu'elle devrait habituer l'étalon à porter un cavalier, elle pensait à Jondalar et retardait le moment. Il ne s'agissait d'ailleurs pas d'une décision vraiment consciente mais plutôt d'une tactique dilatoire. Elle souhaitait de tout son être que, d'une manière ou d'une autre, tout se passât comme elle l'avait naguère espéré. Ce serait alors Jondalar qui entraînerait Rapide et le monterait.

Jondalar, de son côté, entretenait le même espoir. Lors d'une de leurs rencontres imprévues, Ayla l'avait encouragé à emmener Whinney pour une randonnée : elle-même avait trop à faire, avait-elle prétendu, et la jument avait besoin d'exercice, après l'interminable hiver. Il avait oublié la sensation exaltante que l'on éprouvait à courir face au vent sur le dos du cheval. Quand il vit Rapide galoper près de lui, avant de distancer sa mère, il rêva de monter le jeune étalon, aux côtés d'Ayla sur Whinney. D'une façon générale, il était en mesure de contrôler la jument mais il avait l'impression qu'elle le tolérait seulement, et cela le mettait toujours mal à l'aise. Whinney était la monture d'Ayla, et, même s'il regardait avec convoitise le jeune étalon, même s'il éprouvait pour lui une véritable affection, Rapide, lui aussi, appartenait à Ayla.

A mesure que venait la chaleur, Jondalar songeait de plus en plus au départ. Il décida de suivre le conseil de Talut et de demander à Tulie de s'acquitter de sa dette envers lui en lui donnant les vêtements et le matériel de voyage qui lui faisaient si cruellement défaut. Comme le lui avait laissé supposer le chef, Tulie se montra ravie de pouvoir si facilement se libérer de ses obligations.

Jondalar attacha une ceinture sur sa nouvelle tunique d'un brun foncé quand Talut entra à grands pas dans le foyer de la cuisine. La Fête du Printemps devrait avoir lieu le surlendemain. Pour se préparer au grand jour, chacun essayait ses plus beaux vêtements et se détendait après les bains de vapeur et un plongeon dans l'eau froide de la rivière. Pour la première fois depuis qu'il était parti de chez lui, Jondalar possédait un surplus de vêtements bien confectionnés et superbement ornés, ainsi que des hottes, des tentes, et tout un matériel de voyage. Il avait toujours apprécié les objets de qualité et Tulie ne manqua pas de remarquer son goût. Elle avait toujours pensé, sans connaître les Zelandonii, et elle en était maintenant convaincue, que Jondalar faisait partie d'un peuple de grand prestige.

— La tunique a l'air d'avoir été faite pour toi, Jondalar, déclara Talut. La broderie de perles, en travers des épaules, tombe tout à fait comme il faut.

— Oui, ces vêtements me vont bien. Tulie a été plus que généreuse. Merci de ton conseil.

— Je suis heureux que tu aies décidé de ne pas partir tout de suite. La Réunion d'Eté te plaira.

— Eh bien... euh... je n'ai pas... Mamut...

Jondalar bredouillait, dans son effort pour expliquer qu'il n'était pas parti à la date d'abord prévue.

— Je ferai en sorte que tu sois invité à la première chasse, poursuivit Talut.

Pour lui, Jondalar avait retardé son départ à cause de ses conseils et de son invitation.

— Jondalar, fit Deegie, un peu déconcertée. De dos, je t'avais pris pour Darnev !

Souriante, elle tourna autour de lui pour l'examiner sur toutes les coutures. Ce qu'elle vit lui plut.

— Et tu t'es rasé, dit-elle.

— Le printemps est là. J'ai pensé qu'il était temps, fit-il en lui rendant son sourire.

Son regard disait à Deegie que, de son côté, il la trouvait séduisante.

Elle se sentit attirée par ses yeux bleus, sa séduction, mais elle se contenta de rire. Il était temps, en effet, se disait-elle, qu'il se retrouvât propre et convenablement vêtu. Il avait si piètre allure, avec sa barbe hirsute et les vieux vêtements de Talut, qu'elle avait oublié à quel point il était beau.

— Tu portes bien cette tenue, Jondalar. Elle te va. Attends seulement de te trouver à la Réunion d'Eté. Un étranger attire toujours beaucoup l'attention et, à mon avis, les femmes mamutoï auront à cœur de t'accueillir selon tes mérites, dit-elle, avec un sourire taquin.

— Mais...

Jondalar renonça à expliquer qu'il n'avait pas l'intention de se rendre à la Réunion d'Eté. Il pourrait toujours leur dire plus tard, au moment où il partirait.

Après le départ de Talut et de Deegie, il essaya une autre tenue, plus appropriée au Voyage ou aux nécessités de chaque jour. Il sortit ensuite, dans l'espoir de rencontrer la Femme Qui Ordonne et de lui montrer que les vêtements étaient parfaitement à sa taille. Dans le foyer d'entrée, il trouva Danug, Rydag et Loup, qui rentraient tout juste. Le jeune homme portait Rydag d'un bras et Loup de l'autre. Ils étaient enveloppés d'une fourrure, leurs cheveux et les poils du louveteau étaient encore humides. Danug avait remonté l'enfant depuis la rivière, après le bain de vapeur. Il posa sur le sol Rydag et le petit loup.

— Jondalar, tu es très beau, dit Rydag par signes. Prêt pour la Fête du Printemps ?

— Oui. Et toi ? demanda Jondalar dans le même langage.

— J'ai une tenue neuve, moi aussi. C'est Nezzie qui me l'a faite, pour la Fête du Printemps, répondit Rydag en souriant.

— Et pour la Réunion d'Eté aussi, ajouta Danug. Elle a fait de nouveaux vêtements pour moi, pour Latie et Rugie.

Jondalar remarqua que Rydag perdait son sourire en entendant Danug faire allusion à la Réunion d'Eté. Apparemment, il n'attendait pas l'événement avec la même impatience que les autres.

Quand Jondalar repoussa le lourd rabat pour sortir, Danug, qui ne voulait pas être entendu, murmura à l'oreille de Rydag :

— Aurions-nous dû lui dire qu'Ayla est dehors, tout près ? Toutes les fois qu'il la voit, il se sauve.

— Non. Il veut la voir. Elle veut le voir. Font bons signaux, disent mots faux, répondit l'enfant, par signes.

— Tu as raison, mais pourquoi ne s'en rendent-ils pas compte ? Comment pourront-ils se faire comprendre l'un de l'autre ?

— Oublier les mots. Faire les signaux, riposta Rydag, avec ce sourire qui n'était pas celui du Clan.

Il prit le louveteau dans ses bras, l'emporta à l'intérieur.

Dès le premier pas qu'il fit dehors, Jondalar découvrit ce que les garçons avaient omis de lui dire. Ayla était devant l'arche d'entrée avec les deux chevaux. Elle venait de confier Loup à Rydag et elle envisageait avec joie la perspective d'une longue chevauchée pour se libérer de la tension qu'elle ressentait. Ranec désirait obtenir son accord avant la Fête du Printemps, et elle ne parvenait pas à prendre sa décision. La randonnée, elle l'espérait, l'aiderait à réfléchir. Lorsqu'elle vit Jondalar, son premier mouvement fut pour lui offrir de monter Whinney, comme elle l'avait déjà fait : elle était sûre de lui faire plaisir et elle espérait que son amour des chevaux le rapprocherait d'elle. Mais elle avait vraiment envie de cette chevauchée. Elle l'avait attendue avec impatience et elle se disposait tout juste à partir.

Elle le regarda de nouveau, le souffle suspendu. Il s'était rasé à l'aide d'une de ses lames de silex bien affilées. Il était redevenu l'homme avec lequel elle avait vécu dans sa vallée, l'été précédent. Son cœur se mit à battre la chamade, son visage s'empourpra. Il réagit à ces signaux physiques par d'autres signaux inconscients, et le magnétisme de son regard attira Ayla vers lui.

— Tu as rasé ta barbe, dit-elle.

Sans en prendre conscience, elle s'était exprimait en Zelandonii. Jondalar mit un moment à comprendre ce qui était différent. Quand il s'en rendit compte, il ne put retenir un sourire. Il n'avait plus entendu sa propre langue depuis longtemps. Son sourire encouragea Ayla. Une idée lui vint à l'esprit.

— J'allais partir sur Whinney, et je me disais qu'il faudrait bien habituer Rapide à un cavalier. Pourquoi n'essaierais-tu pas de m'accompagner en le montant ? La journée s'y prête. La neige a presque disparu, l'herbe nouvelle commence à pousser et la terre n'est pas encore très dure, en cas de chute.

Elle parlait en toute hâte, avant qu'il n'arrivât quelque chose qui le ferait changer d'avis, reprendre son attitude distante.

— Eh bien... je ne sais pas...

Jondalar hésitait.

— Je pensais que tu voudrais le monter la première.

— Il est habitué à toi, Jondalar. Peu importe qui le montera le premier, il serait bon de toute manière que deux personnes se trouvent là : une pour le calmer, pendant que l'autre le dresse.

Il plissait le front.

— Tu as sans doute raison, dit-il.

Il n'était pas sûr de devoir l'accompagner sur les steppes, mais il ne savait comment refuser et il avait vraiment envie de monter l'étalon.

— Si tu y tiens, c'est faisable, je pense.

— Je vais chercher une longe et cet assemblage que tu as fait pour le guider, déclara Ayla.

Sans lui laisser le temps de changer d'avis, elle courait déjà vers l'abri des chevaux.

— Pendant ce temps, si tu les emmenais au pas sur la pente ?

Toute réflexion faite, il allait se raviser, mais Ayla avait déjà disparu. Il appela les chevaux, entama avec eux la montée vers les vastes plaines. Ils étaient presque au sommet quand la jeune femme les rattrapa. En même temps que le licou et une corde, elle portait un sac et une outre d'eau. Dès l'arrivée sur les steppes, elle conduisit Whinney jusqu'à un petit monticule dont elle s'était déjà servie quand elle laissait certains membres du Camp du Lion, particulièrement les jeunes, monter la jument. D'un bond léger, elle se retrouva sur le dos de sa monture.

— Monte, Jondalar. Nous pouvons tenir à deux.

— Tenir à deux ! répéta-t-il, presque affolé.

Il n'avait pas envisagé de monter en croupe d'Ayla et il était tout près de prendre la fuite.

— Jusqu'à ce que nous trouvions une belle étendue de terrain plat. Nous ne pouvons pas essayer ici : Rapide pourrait tomber dans une ravine ou dégringoler la pente, dit-elle.

Il se sentit pris au piège. Comment lui dire qu'il se refusait à monter la jument avec elle sur une courte distance ? Il marcha vers le monticule, se mit prudemment à califourchon sur Whinney en essayant d'éviter tout contact avec Ayla. Aussitôt, la jeune femme lança leur monture dans un trot rapide.

C'était plus fort que lui : quoi qu'il fît, l'allure heurtée de la jument le faisait glisser vers Ayla. A travers leurs vêtements, il sentait la chaleur de son corps, il respirait le parfum léger, agréable des fleurs séchées qu'elle utilisait pour se laver, mêlé à la familière odeur féminine. Avec chaque pas de la jument, il percevait le contact des jambes de la jeune femme, de ses hanches, de son dos pressé contre lui, et sa virilité s'en émouvait. La tête lui tournait, il devait résister au désir de poser un baiser sur sa nuque offerte, de tendre le bras pour cueillir au creux de sa main un sein plein et ferme.

Pourquoi avait-il accepté cette promenade ? Pourquoi ne s'était-il pas débarrassé d'Ayla sous un quelconque prétexte ? Quelle différence cela faisait-il qu'il montât ou non Rapide ? Jamais ils ne chevaucheraient de compagnie. Il avait entendu parler les gens : Ayla et Ranec allaient annoncer leur Promesse à la Fête du Printemps. Après cela, il partirait pour le long Voyage qui le ramènerait chez lui.

Ayla immobilisa Whinney.

— Qu'en dis-tu, Jondalar ? Il y a une bonne étendue de terrain plat devant nous.

— Oui, ça m'a l'air de convenir, répondit-il précipitamment.

Il ramena une jambe en arrière, sauta à terre.

Ayla lança une jambe par-dessus l'encolure, sauta de l'autre côté. Elle avait le souffle court, ses joues étaient colorées, ses yeux étincelaient. Elle avait longuement respiré l'odeur du corps masculin, elle s'était sentie fondre dans sa chaleur, elle avait frissonné de plaisir en sentant contre elle sa dure virilité. Je percevais son désir, se disait-elle. Pourquoi a-t-il été si pressé de se détacher de moi ? Pourquoi ne veut-il plus de moi ? Pourquoi ne m'aime-t-il plus ?

Debout de chaque côté de la jument, ils s'efforçaient de retrouver leur sang-froid. Ayla siffla Rapide, sur une note différente de celle qu'elle utilisait pour appeler Whinney. Quand elle l'eut flatté, gratté et qu'elle lui eût parlé un moment, elle se sentit prête à affronter de nouveau Jondalar.

— Veux-tu lui passer les courroies sur la tête ? demanda-t-elle.

Déjà, elle guidait le jeune étalon vers un amoncellement de gros ossements qu'elle avait remarqué.

— Je ne sais pas. Que ferais-tu, à ma place ? dit-il.

Il avait, lui aussi, presque entièrement repris ses esprits, et il commençait à se passionner à l'idée de monter le jeune cheval.

— Je ne me suis jamais servie de rien pour guider Whinney. Mes mouvements suffisaient. Mais Rapide a l'habitude d'être mené à la longe. J'utiliserais les courroies, je crois.

A eux deux, ils les placèrent sur Rapide. A ce contact inhabituel, il se montra plus remuant qu'à l'ordinaire, et ils durent le caresser, le flatter pour le calmer. Ils empilèrent ensuite deux ou trois os de mammouth afin de former un montoir pour Jondalar. Après quoi ils firent approcher l'étalon. Sur le conseil d'Ayla, Jondalar lui frictionna l'encolure, les jambes ; il se pressa contre l'animal, le gratta, le caressa pour lui rendre entièrement familier le contact humain.

— Quand tu vas le monter, tiens-le par l'encolure. Il risque de ruer pour se débarrasser de toi.

Ayla essayait de rassembler ses derniers conseils :

— Il s'est bien habitué à porter une charge en revenant de la vallée. Peut-être n'aura-t-il pas trop de difficultés à s'accoutumer à toi. Tiens la longe, qui pourrait traîner à terre et le faire trébucher. A ta place, je le laisserais courir, partout où il lui plaira, jusqu'à ce qu'il soit fatigué. Je vous suivrai sur Whinney. Tu es prêt ?

— Oui, je crois, fit Jondalar avec un sourire un peu inquiet.

Il grimpa sur les gros ossements, se pencha sur le poil bourru du solide animal et lui parla, tandis qu'Ayla lui tenait la tête. Il passa enuite une jambe de l'autre côté, s'assit, entoura de ses bras l'encolure de Rapide. En sentant ce poids sur son dos, l'étalon coucha les oreilles. Ayla le lâcha. Il se cabra d'abord, avant d'arquer le dos pour tenter de déloger ce fardeau, mais Jondalar tint bon. Alors, comme pour ne pas faire mentir son nom, le jeune cheval se lança au triple galop à travers la steppe.

Sous le vent froid, Jondalar fermait à demi les paupières. Une énorme vague de joie pure déferlait sur lui. Il voyait au-dessous de lui le sol se brouiller et ne parvenait pas à croire à son bonheur. Il montait bien réellement le jeune étalon et son plaisir était tel qu'il l'avait imaginé. Il ferma complètement les yeux. Il percevait sous son corps la formidable puissance des muscles qui se contractaient, se tendaient. Une sensation d'émerveillement magique l'envahissait, comme si, pour la première fois de sa vie, il participait à la création de la Grande Terre Mère Elle-même.

Il perçut chez le jeune cheval un début de fatigue, entendit le bruit d'autres sabots, rouvrit les yeux. Ayla et Whinney galopaient à son côté. D'un sourire, il exprima à la jeune femme son émerveillement, sa joie. Le sourire qu'elle lui rendit précipita les battements de son cœur. Durant un moment, tout le reste perdit son importance. Le monde de Jondalar n'était plus rien qu'une inoubliable chevauchée sur un étalon lancé au galop et le sourire d'une douloureuse beauté sur le visage de la femme qu'il aimait.

Rapide finit par ralentir pour s'arrêter enfin. Jondalar sauta à terre. L'animal baissait la tête presque jusqu'au sol, les jambes écartées, les flancs convulsivement soulevés par sa respiration haletante. Whinney s'immobilisa à son tour. Ayla descendit d'un bond. Elle sortit de son sac quelques morceaux de peau souple, en donna un à Jondalar pour bouchonner l'animal en sueur, fit de même pour Whinney. Les deux chevaux, à bout de force, s'étaient rapprochés et s'appuyaient l'un contre l'autre.

— Ayla, aussi longtemps que je vivrai, jamais je n'oublierai cette course, déclara Jondalar.

Il ne s'était pas montré aussi détendu depuis longtemps, et la jeune femme percevait un débordement de joie. Ils se regardaient en souriant, en riant même, et partageaient un moment prodigieux. Sans réfléchir, elle se haussa vers lui pour l'embrasser. Il allait lui répondre quand, tout à coup, il se rappela Ranec. Il se raidit, dénoua les bras qu'elle lui avait passés autour du cou, la repoussa.

— Ne joue pas avec moi, Ayla, dit-il, d'une voix enrouée par l'effort qu'il faisait sur lui-même.

— Jouer avec toi ? répéta-t-elle.

Ses yeux s'emplissaient de souffrance.

Jondalar ferma les paupières, serra les dents. Il tremblait de tout son corps, cherchait à garder son sang-froid. Brusquement, ce fut comme si un barrage se rompait. Il n'y tint plus. Il la saisit dans ses bras, posa sur ses lèvres un baiser désespéré dont la violence lui meurtrit la bouche. L'instant d'après, elle se retrouvait étendue sur le sol, et les mains de Jondalar, sous sa tunique, cherchaient la lanière qui retenait ses jambières.

Elle voulut l'aider, dénouer elle-même le lien, mais il était incapable d'attendre. Il s'en prit des deux mains au vêtement de peau souple, avec toute la force d'une passion trop longtemps réprimée, et elle entendit les coutures se déchirer. Déjà, il était sur elle, la cherchait avec une violence déchaînée.

Ayla le guida. La même ardeur montait en elle. Mais pourquoi le désir de Jondalar se manifestait-il avec une telle fureur ? D'où lui venait cette urgence insatiable ? Ne voyait-il pas qu'elle était prête à l'accueillir ? Elle l'était restée tout l'hiver. Il n'y avait pas eu un seul instant où elle n'eût été prête. Comme si son corps avait été entraîné depuis l'enfance à répondre au besoin de Jondalar, à son signal, il suffisait qu'il la désirât pour qu'elle éprouvât le même désir. Ce qui les unissait maintenant, c'était ce qu'elle avait longuement attendu. Ses yeux s'emplissaient de larmes de désir et d'amour.

Avec une passion égale à la sienne, elle s'ouvrit à lui, l'accueillit, lui offrit ce qu'il croyait prendre. Elle répondait à chacun de ses assauts, se cabrait à sa rencontre pour mieux presser contre lui le centre de ses Plaisirs.

Jondalar, sous l'effet d'une incroyable joie, poussa un cri. Il avait éprouvé la même sensation la première fois. Ils s'accordaient merveilleusement, comme si elle avait été faite pour lui, et lui pour elle. O Mère, ô Doni, comme elle lui avait manqué. Comme il l'avait désirée. Comme il l'aimait...

Le Plaisir déferlait sur lui, par vagues qui s'harmonisaient avec ses mouvements. Sans se lasser, il assaillait sa compagne, et elle se tendait vers lui, elle avait de lui une soif inextinguible. Sans répit, il revenait en elle, de plus en plus rapidement, et toujours, elle venait à sa rencontre, elle sentait la même tension grandir en elle comme en lui. Jusqu'au moment où ils atteignirent ensemble le paroxysme, où l'ultime vague de Plaisir s'abattit sur eux.

Il restait allongé sur elle, dans l'immensité de la steppe où bourgeonnait déjà une vie nouvelle. Soudain, il l'étreignit, enfouit son visage au creux de son épaule, cria son nom.

— Ayla ! Oh, mon Ayla, mon Ayla !

Il faisait pleuvoir des baisers sur son cou, sa gorge, ses lèvres. Il embrassa les paupières closes. Et il s'arrêta, aussi brusquement qu'il avait commencé. Il se redressa pour mieux la voir.

— Tu pleures ! Je t'ai fait mal ! O Grande Mère, qu'ai-je fait ?

Il se releva d'un bond, contempla le corps étendu à même la terre, les vêtements déchirés.

— Doni, ô Doni, qu'ai-je fait ? Je l'ai violentée. Comment ai-je pu agir ainsi ? Comment ai-je pu la blesser, elle qui, au commencement, n'avait connu que cette souffrance ? A présent, c'est moi qui la lui ai fait subir. O Doni ! O Mère ! Comment as-tu pu me laisser commettre cette abomination ?

— Non, Jondalar ! cria Ayla.

Elle se redressa sur son séant.

— Tout est bien. Tu ne m'as pas fait de mal.

Mais il refusait de l'entendre. Incapable de la regarder plus longtemps, il se détourna, rajusta sa tenue. Il n'eut pas la force de se retouner vers elle. Il s'éloigna, furieux contre lui-même, empli de honte et de remords. S'il ne pouvait avoir la certitude de ne pas la blesser, il devrait se tenir à l'écart, faire en sorte que, de son côté, elle ne l'approchât plus. Elle a eu raison de choisir Ranec, se disait-il. Je ne la mérite pas.

Il l'entendit se lever, se diriger vers les chevaux. Il l'entendit ensuite s'approcher de lui. Elle lui posa une main sur le bras.

— Jondalar, tu n'as pas...

Il se dégagea d'une secousse.

— Ne m'approche pas ! gronda-t-il.

Sa colère lui venait d'un profond sentiment de culpabilité.

Ayla recula. Qu'avait-elle encore fait de mal ?

Elle refit un pas vers lui.

— Jondalar... reprit-elle.

— Ne m'approche pas ! Tu ne m'as donc pas entendu ? Si tu ne te tiens pas à l'écart, je pourrais perdre la tête, te violer encore !

Il se détourna, s'éloigna.

— Mais tu ne m'as pas violée, Jondalar ! lui cria-t-elle. Tu ne pourrais pas me violer. Il n'y a pas un seul instant où je ne sois prête pour toi...

Mais le remords, le dégoût de soi rendirent Jondalar sourd à ses paroles.

Il continua de marcher, dans la direction du Camp du Lion. Un long moment, elle le suivit des yeux. Elle cherchait à remettre de l'ordre dans la confusion de ses pensées. Finalement, elle rejoignit les chevaux. Elle prit la longe de Rapide et, accrochée de l'autre main à la raide crinière de la jument, elle enfourcha sa monture. Elle rattrapa rapidement Jondalar.

— Tu ne vas pas faire à pied tout le chemin du retour, je pense ? dit-elle.

Il resta un instant sans répondre, sans même se retourner vers elle. Elle avait immobilisé sa monture à côté de lui. Si elle s'imaginait qu'il allait encore monter en croupe derrière elle... pensait-il. Du coin de l'œil, il vit qu'elle menait le jeune étalon derrière elle. Il se retourna enfin.

Il la regardait avec une poignante tendresse. Elle lui paraissait plus attirante, plus désirable que jamais, et il l'aimait plus encore qu'il ne l'avait jamais aimée, à présent qu'il était convaincu d'avoir tout gâché. Ayla, de son côté, mourait d'envie de se retrouver tout près de lui, pour lui dire combien les moments qu'ils venaient de passer ensemble avaient été merveilleux, combien elle se sentait heureuse, rassasiée, combien elle l'aimait. Mais devant une telle fureur, elle était si déconcertée qu'elle ne trouvait plus ses mots.

Ils se dévisageaient, se désiraient. Une force les attirait l'un vers l'autre. Mais leur cri d'amour silencieux se perdit dans le rugissement des malentendus, dans le fracas des croyances culturelles depuis longtemps enracinées.

27

— Tu devrais monter Rapide pour rentrer, je crois, dit Ayla. Le chemin est long.

Oui, il est long, pensait-il. Et comme il était long, aussi, le chemin qui le séparait de son peuple.

Jondalar acquiesça d'un signe de tête, suivit la jeune femme jusqu'à un rocher, au bord d'un petit cours d'eau. Rapide n'avait pas l'habitude d'être monté. Il était préférable de l'enfourcher avec douceur. L'étalon coucha les oreilles, piaffa nerveusement mais il ne tarda pas à se calmer et s'engagea derrière sa mère comme il l'avait fait bien des fois.

Sur le trajet de retour, Ayla et Jondalar n'échangèrent pas une parole et, à l'arrivée au Camp du Lion, ils furent heureux de ne trouver personne, ni à l'intérieur, ni alentour. Ils n'étaient pas d'humeur à soutenir une conversation banale.

Dès que les chevaux s'immobilisèrent, Jondalar mit pied à terre et se dirigea vers l'entrée principale. Il se retourna au moment où Ayla allait pénétrer dans l'abri des chevaux : il se sentait obligé de dire quelque chose.

— Euh... Ayla ?

Elle s'arrêta, leva les yeux.

— J'ai dit vrai, tu sais. Jamais je n'oublierai cet après-midi. Cette course. Je te remercie.

— Ne me remercie pas. C'est Rapide qu'il faut remercier.

— Oui, bien sûr, mais ce n'est pas uniquement Rapide.

— Non, c'est votre affaire à Rapide et toi.

Sur le point de dire autre chose, il se ravisa, fronça les sourcils, baissa la tête pour rentrer.

Ayla garda un long moment son regard fixé sur l'endroit où il se tenait l'instant auparavant, ferma les yeux, et ravala péniblement un sanglot qui menaçait de déclencher un flot de larmes. Quand elle eut repris son sang-froid, elle entra. Les chevaux, en chemin, s'étaient désaltérés dans les cours d'eau, mais elle n'en versa pas moins de l'eau dans les grandes coupes qui leur étaient réservées. Elle prit ensuite les morceaux de peau souple et entreprit de bouchonner Whinney. Bientôt, elle passa ses bras autour de l'encolure de la jument, s'appuya contre elle, le front posé sur le poil bourru de sa vieille amie, sa seule amie lorsqu'elle vivait dans la vallée. Rapide ne tarda pas à se presser contre elle lui aussi, et, ainsi serrée comme dans un étau entre les deux chevaux, elle se sentit réconfortée par cette pression familière.

Mamut avait vu Jondalar pénétrer dans l'habitation, il avait entendu Ayla et les chevaux dans leur foyer. Quelque chose allait très mal, il en avait nettement l'impression. Quand la jeune femme fit son apparition dans le Foyer du Mammouth, il remarqua le désordre de sa tenue, se demanda si elle avait fait une chute, si elle s'était blessée. Mais c'était plus grave. Quelque chose l'avait bouleversée. Dissimulé dans l'ombre de sa plate-forme, il l'observait. Elle se changeait, et il vit que ses vêtements étaient déchirés. Loup arriva à toute allure, suivi de Rydag et de Danug qui brandissait fièrement un filet où frétillaient plusieurs poissons. Ayla sourit, félicita les pêcheurs. Mais, dès qu'ils eurent pris la direction du Foyer du Lion, pour y déposer leur prise et récolter d'autres compliments, la jeune femme souleva le louveteau, le prit dans ses bras et, le tenant serré contre elle, se balança d'avant en arrière.

Inquiet, le vieil homme se leva, se dirigea vers l'autre plate-forme.

— J'aimerais reprendre encore une fois le rituel du Clan avec la racine, dit-il. Pour m'assurer que nous le suivrons très précisément.

— Quoi ?

Les yeux d'Ayla se fixèrent sur lui.

— Oh... si tu le désires, Mamut.

Elle posa Loup dans sa corbeille, mais, immédiatement, il bondit pour courir retrouver Rydag au Foyer du Lion. Il n'éprouvait pas le moindre désir de se reposer.

Visiblement, Ayla était plongée dans une méditation douloureuse. Elle avait l'air d'avoir pleuré ou d'être sur le point de le faire.

Mamut voulait tenter de la faire parler, se confier, peut-être.

— Tu m'as dit, commença-t-il, qu'Iza t'avait montré comment on préparait le breuvage.

— Oui.

— Elle t'avait dit aussi comment te préparer toi-même ? As-tu tout ce qu'il te faut ?

— Il est nécessaire que je me purifie. Je n'ai pas tout à fait les mêmes plantes : la saison est différente. Mais je peux en utiliser d'autres pour ma purification.

— Ton mog-ur, ton Creb, il était là, avec toi ?

— Oui, fit-elle, après une hésitation.

— Il devait posséder de grands pouvoirs.

— L'Ours des Cavernes était son totem. L'Ours l'avait choisi, lui avait donné ce pouvoir.

— Dans ce rituel avec la racine, y avait-il d'autres participants ?

Ayla baissa la tête, avant d'acquiescer d'un signe.

Elle ne lui avait pas tout dit, pensa Mamut. Il se demandait si c'était important.

— Etaient-ils au côté du mog-ur ?

— Non, Creb avait plus de pouvoir qu'eux tous. Je le sais, je le sentais.

— Comment le sentais-tu, Ayla ? Tu ne m'en as jamais parlé. Je croyais que les femmes du Clan n'avaient pas le droit de participer aux rites les plus secrets.

— Oui, c'est vrai, marmonna Ayla.

D'un doigt, le vieil homme lui releva le menton.

— Tu devrais peut-être m'en parler, Ayla.

Elle hocha la tête.

— Iza ne m'a jamais montré comment on préparait le breuvage : il était trop sacré, disait-elle, pour être gaspillé. Mais elle a essayé de me dire exactement comment il se faisait. Quand nous somme arrivés au Rassemblement du Clan, les mog-ur ne voulaient pas que je leur prépare le breuvage. Je ne faisais pas partie du Clan, disaient-ils. Peut-être avaient-ils raison, ajouta Ayla, en baissant de nouveau la tête. Mais il n'y avait personne d'autre.

Est-elle en train de quêter ma compréhension ? se demanda Mamut.

— J'ai dû le faire trop fort, je pense, ou en trop grande quantité. Ils n'ont pas tout bu. Un peu plus tard, après la danse des femmes, j'ai trouvé ce qui restait. La tête me tournait, je n'avais qu'une seule pensée : Iza avait dit que le breuvage était trop sacré pour être gaspillé. Alors, j'ai bu le reste. Je n'ai pas le souvenir de ce qui s'est passé ensuite et, pourtant, je ne l'oublierai jamais. Je ne sais trop comment, j'ai retrouvé Creb et les mog-ur. Creb m'a fait remonter le temps entier, jusqu'au tout début de la mémoire. Je me rappelle avoir respiré l'eau tiède de la mer, m'être terrée dans le limon... Le Clan et les Autres, nous avons tous la même origine, le savais-tu ?

— Je n'en suis pas surpris, dit Mamut.

Il aurait donné beaucoup pour connaître la même expérience.

— Mais j'avais peur, aussi, surtout avant que Creb m'ait retrouvée pour me guider. Et... depuis... je ne suis plus la même. Parfois, mes rêves me font encore peur. Je crois que Creb m'a transformée.

Mamut hochait la tête.

— Cela expliquerait tout, dit-il. Je me demandais comment tu pouvais faire tant de choses sans avoir été initiée.

— Creb a changé, lui aussi. Durant longtemps, les relations entre nous n'ont plus été les mêmes. Avec moi, il a vu quelque chose qu'il n'avait jamais vu auparavant. Je lui ai fait du mal. Je ne sais pas comment mais je lui ai fait du mal.

Les yeux d'Ayla s'emplissaient de larmes.

Mamut l'entoura de ses bras, et elle se mit à pleurer doucement sur son épaule. Ses larmes devinrent le flot qui menaçait depuis un long moment. Elle se mit à sangloter, secouée par un chagrin plus récent. La tristesse qui l'avait envahie au souvenir de Creb amenait les larmes qu'elle avait retenues, les larmes de sa douleur, de sa confusion, de son amour contrarié.

Jondalar avait tout observé, depuis le foyer de la cuisine. Il souhaitait faire amende honorable, et il essayait de réfléchir à ce qu'il pouvait lui dire quand il vit Mamut aller parler à la jeune femme. Ayla en pleurs, il se convainquit qu'elle avait tout raconté au vieux chaman. La honte empourpra le visage de Jondalar. Il ne cessait de penser à ce qui s'était passé sur les steppes et plus il y pensait, plus il se faisait de reproches.

Et, se disait-il, après ça, tu t'es contenté de t'éloigner. Tu n'as même pas essayé de l'aider, tu n'as même pas fait l'effort de lui demander pardon, de lui dire que tu t'en voulais terriblement. Il se détestait, il avait envie de partir, d'emballer tout ce qu'il possédait et de partir, de ne plus avoir à affronter Ayla, Mamut, personne. Mais il avait promis à Mamut de rester, d'assister à la Fête du Printemps. Mamut doit déjà me trouver méprisable, se disait-il. Manquer à ma promesse y changerait-il quelque chose ? Toutefois, ce n'était pas seulement sa promesse qui le retenait. Mamut lui avait dit qu'Ayla risquait de se trouver en danger. Et Jondalar avait beau se détester, il avait beau avoir envie de se sauver, il ne pouvait laisser Ayla affronter seule ce danger.

— Te sens-tu mieux, à présent ? demanda Mamut, quand la jeune femme se redressa, s'essuya les yeux.

— Oui.

— Et tu n'as pas eu de mal ?

La question la surprit. Comment savait-il ?

— Non, pas du tout, mais il le croit. Je voudrais parvenir à le comprendre...

Les larmes, une fois de plus, menaçaient. Elle essaya de sourire.

— Je n'ai jamais autant pleuré quand je vivais avec le Clan. Ça mettait les autres mal à l'aise. Iza pensait que j'avais les yeux malades parce qu'ils s'emplissaient de larmes quand j'étais triste. Lorsque je pleurais, elle les soignait toujours avec un remède particulier. Je me demandais si j'étais un cas à part, ou si tous les Autres avaient des yeux qui se mouillaient.

— Maintenant, tu le sais, dit Mamut avec un sourire. Les larmes nous ont été données pour soulager notre peine. La vie n'est pas toujours facile.

— Creb disait souvent qu'un totem puissant ne rend pas toujours la vie facile. Il avait raison. Le Lion des Cavernes attire une puissante protection mais aussi des épreuves difficiles. J'en ai toujours tiré un enseignement, et je lui en ai toujours été reconnaissante, mais ce n'est pas facile.

— Non, mais elles sont nécessaires, je crois. Tu as été choisie dans un dessein particulier.

— Pourquoi moi, Mamut ? cria Ayla. Je ne veux pas être différente des autres. Je veux simplement être une femme, trouver un compagnon, avoir des enfants, comme toute autre femme.

— Tu dois être ce que tu dois être, Ayla. C'est ton sort, ton destin. Si tu n'étais pas capable de l'assumer, tu n'aurais pas été choisie. Peut-être s'agit-il d'un rôle que, seule, une femme peut jouer. Mais ne sois pas malheureuse, enfant. Ta vie ne sera pas faite uniquement de peines et d'épreuves. Elle contiendra aussi beaucoup de bonheur. Simplement, elle ne sera peut-être pas celle que tu voulais ou que tu pensais qu'elle serait.

— Mamut, le totem de Jondalar est aussi le Lion des Cavernes. Il a été choisi et marqué, comme moi.

D'un geste inconscient, ses mains allèrent à la recherche des cicatrices qui striaient sa jambe, mais elles étaient recouvertes par les jambières.

— J'ai cru qu'il avait été choisi pour moi, parce qu'une femme protégée par un totem puissant doit avoir un homme protégé, lui aussi, par un totem semblable. Maintenant, je ne sais plus. Crois-tu qu'il sera mon compagnon ?

— Il appartient à la Mère d'en décider, et, quoi que tu fasses, tu n'y changeras rien. Mais, s'il a été choisi, il doit bien y avoir une raison.

Ranec savait qu'Ayla était partie à cheval avec Jondalar. Il était allé pêcher lui aussi, avec quelques autres hommes, mais, tout le jour, il s'était tourmenté à l'idée que le grand jeune homme séduisant pourrait reconquérir Ayla. Jondalar, dans les vêtements de Darnev, avait belle allure, et le sculpteur, avec sa profonde sensibilité d'artiste, avait parfaitement conscience de l'attirance irrésistible qu'exerçait le visiteur, en particulier sur les femmes. Il fut soulagé en constatant qu'ils n'étaient pas réunis. Toutefois, lorsqu'il demanda à Ayla de venir le rejoindre dans son lit, elle plaida la fatigue. Il sourit, lui conseilla de se reposer. Il était heureux de savoir qu'au moins, si elle ne dormait pas avec lui, elle dormirait seule.

Quand Ayla se coucha, elle n'était pas tant physiquement lasse qu'épuisée par tant d'émotions. Longtemps, elle resta éveillée, à réfléchir. Elle était heureuse que Ranec ne se fût pas trouvé là quand Jondalar et elle étaient rentrés, et reconnaissante qu'il n'ait pas répondu avec colère à son refus de le rejoindre : elle continuait à s'attendre à de l'irritation, à un châtiment si elle osait se montrer indocile. Mais Ranec n'était pas exigeant, et, devant une telle compréhension, elle faillit changer d'avis.

Elle s'efforçait d'y voir clair dans ce qui s'était passé et, mieux encore, dans ses propres sentiments. Pourquoi Jondalar l'avait-il prise, s'il ne la désirait pas ? Et pourquoi avait-il été si brutal avec elle ? Il lui avait presque rappelé Broud. Mais alors, pourquoi était-elle toujours prête à accueillir Jondalar ? Quand Broud l'avait violée, l'épreuve, pour elle, avait été effroyable. Alors, était-ce l'amour ? Eprouvait-elle les Plaisirs avec Jondalar parce qu'elle l'aimait ? Mais avec Ranec aussi, elle éprouvait les Plaisirs. Pourtant, elle n'avait pas d'amour pour lui... à moins que... ?

Si, peut-être, d'une certaine façon. Mais ce n'était pas ce qui était en cause. L'impatience de Jondalar lui avait rappelé son expérience avec Broud, mais ce n'était pas la même chose. Il s'était montré brutal, surexcité mais il ne l'avait pas prise de force. Elle reconnaissait la différence. L'unique but de Broud avait été de lui faire mal, de la réduire à sa merci. Jondalar, lui, la désirait. Elle avait répondu à son désir de tout son être, du plus profond d'elle-même. Elle s'était sentie satisfaite, comblée. Elle n'aurait pas éprouvé une telle plénitude s'il lui avait fait mal. L'aurait-il prise de force si elle l'avait repoussé ? Non, se disait-elle, certainement pas. Si elle avait résisté, si elle l'avait repoussé, il ne serait pas allé plus loin, elle en était convaincue. Mais elle n'avait opposé aucune résistance, elle l'avait accueilli, désiré, et il avait dû le sentir.

Il la désirait, certes, mais l'aimait-il ? Le fait qu'il eût envie de partager les Plaisirs avec elle ne signifiait pas qu'il l'aimât encore. L'amour apportait peut-être aux Plaisirs une joie supplémentaire, mais il était possible de connaître les uns sans éprouver l'autre. Ranec lui en donnait la preuve. Ranec l'aimait, elle n'en doutait pas. Il voulait s'unir à elle, vivre avec elle, il voulait ses enfants. Jondalar ne lui avait jamais offert de s'unir à elle, il n'avait jamais dit qu'il désirait ses enfants.

Pourtant, il l'avait aimée, naguère. Peut-être éprouvait-elle les Plaisirs parce qu'elle l'aimait, même si lui ne l'aimait plus. Mais il la désirait encore et il l'avait prise. Pourquoi, ensuite, s'était-il montré si froid ? Pourquoi l'avait-il de nouveau rejetée ? Pourquoi avait-il cessé de l'aimer ? Elle avait cru le connaître, dans le temps. Maintenant, elle ne le comprenait plus du tout...

Elle se retourna dans ses fourrures, se roula en boule, se remit à pleurer silencieusement. Elle pleurait du désir de voir Jondalar l'aimer de nouveau.

— Je suis content d'avoir pensé à inviter Jondalar pour la première chasse au mammouth, déclara Talut à Nezzie.

Ils venaient de regagner le Foyer du Lion.

— Il a passé toute la soirée à façonner cette sagaie. Il doit vraiment avoir envie de venir, je crois.

Nezzie leva les yeux vers lui, haussa un sourcil, secoua la tête.

— Rien n'est plus loin de son esprit que la chasse au mammouth, dit-elle.

Elle remonta une fourrure autour de la tête blonde de sa fille cadette, profondément endormie, et sourit tendrement devant les formes déjà presque féminines de son aînée, blottie contre sa jeune sœur.

— L'hiver prochain, il faudra penser à trouver une place séparée pour Latie : elle sera femme. Mais elle manquera à Rugie.

Talut jeta un coup d'œil derrière lui. Le visiteur débarrassait sa lame d'éclats de silex, tout en essayant de voir Ayla au-delà des foyers intermédiaires. Il ne la distinguait pas. Il porta alors son regard vers le Foyer du Renard. Talut tourna la tête, vit Ranec se mettre au lit. Il était seul mais il ne cessait, lui aussi, de regarder dans la direction de la couche d'Ayla. Nezzie doit avoir raison, se dit Talut.

Jondalar s'était attardé dans le foyer de la cuisine, seul. Il travaillait sur une longue lame de silex qu'il fixerait ensuite à une hampe solide, comme le faisait Wymez. Il apprenait à faire une lance mamutoï pour la chasse au mammouth en en fabriquant d'abord une réplique exacte. Une partie de son esprit se concentrait sur ce façonnage auquel il était familiarisé pour lui apporter certaines améliorations, ou envisager d'autres méthodes, mais, pour le reste, il était incapable de penser à autre chose qu'à Ayla, et, s'il était à l'ouvrage, c'était uniquement pour éviter la compagnie des autres et leur conversation. Il préférait être seul avec ses pensées.

En voyant la jeune femme aller se coucher seule, il éprouva un profond soulagement. Il n'aurait pas supporté qu'elle rejoigne le lit de Ranec. Il plia soigneusement ses nouveaux vêtements, avant de se glisser entre les fourrures neuves qu'il avait étendues sur les anciennes. Les mains croisées derrière la tête, il regardait le plafond trop familier du foyer de la cuisine. Il avait passé bien des nuits sans sommeil à le contempler. La honte et le remords l'obsédaient encore douloureusement, mais il ne ressentait pas, cette nuit-là, la brûlure du désir. Il avait beau s'en détester, il se remémorait le Plaisir de l'après-midi. Il y songeait, récapitulait avec minutie chaque instant, revoyait en esprit chaque détail, le savourant lentement.

Il n'avait jamais été aussi détendu depuis l'adoption d'Ayla. Il laissa vagabonder son esprit dans un demi-rêve. L'ardeur de la jeune femme n'était-elle pas un pur produit de son imagination ? Oui, sûrement : il était impossible qu'elle l'eût désiré à ce point. Avait-elle vraiment pu réagir avec un tel élan, tendue vers lui comme si son propre désir répondait au sien ? En songeant à leur étreinte, il sentait un feu se répandre dans ses reins. Mais il s'agissait plutôt d'une douce chaleur : ce n'était plus la souffrance obsédante où se mêlaient le désir refoulé, l'amour démesuré, la jalousie incandescente. Il pensait à lui apporter le Plaisir — il adorait lui apporter le Plaisir — et il fit un mouvement pour se lever, pour aller la retrouver.

Ce fut seulement lorsqu'il repoussa la fourrure et se redressa sur son séant, lorsqu'il commença à agir sur le coup de ses ruminations demi-éveillées, que les conséquences des événements de l'après-midi le frappèrent. Il ne pouvait aller partager son lit. Plus jamais. Il ne pourrait plus jamais la toucher. Il l'avait perdue. Ce n'était même plus une question de choix. Il avait détruit toute chance qu'elle pût le choisir. Il l'avait prise de force, contre sa volonté.

Assis sur ses fourrures, les pieds sur une natte, les coudes appuyés sur ses genoux relevés, il se prit la tête entre les mains, en proie à une angoisse atroce. De silencieuses nausées secouaient son corps tout entier. De toutes les fautes répugnantes qu'il avait commises dans sa vie, celle-ci était la pire.

Il n'existait pas de pire monstre — pas même l'enfant de sangs mêlés ou la femme qui lui donnait naissance — que l'homme qui prenait une femme contre son gré. La Grande Terre Mère elle-même condamnait cet acte, l'interdisait. Il suffisait, pour comprendre à quel point il était contre nature, d'observer les animaux de Sa création. Jamais aucun mâle ne prenait une femelle contre sa volonté.

Les cerfs, en saison, pouvaient combattre pour gagner le privilège de donner le Plaisir aux biches, mais, quand le mâle tentait de monter la femelle, il suffisait à celle-ci de s'éloigner, si elle ne voulait pas de lui. Il pouvait bien répéter ses assauts, mais la biche devait le lui permettre. Il ne pouvait pas la forcer. Il en allait de même pour tous les animaux. La louve, la lionne invitaient le mâle de leur choix. La femelle se pressait contre lui, lui donnait à respirer son odeur tentante, ramenait sa queue sur le côté quand il la montait. Mais, si quelque autre essayait de la monter contre son gré, elle s'en prenait à lui avec colère. Il payait chèrement son audace. Un mâle pouvait se montrer aussi insistant qu'il lui plaisait, le choix appartenait toujours à la femelle. Telle était la volonté de la Mère. Seul, un mâle humain était capable de forcer une femelle, un mâle humain monstrueux, contre nature.

Ceux Qui Servaient la Mère avaient souvent répété à Jondalar qu'il était un favori de la Grande Terre Mère, et toutes les femmes le savaient. Aucune femme n'était capable de le repousser, pas même la Mère. C'était là le don qu'Elle lui avait accordé. Mais Doni elle-même allait désormais lui tourner le dos. Il n'avait rien demandé, ni à Doni, ni à Ayla, ni à personne. Il l'avait forcée, l'avait prise contre son gré.

Dans le peuple de Jondalar, tout homme coupable d'un tel crime était mis au ban — ou pire encore. Au temps de sa prime jeunesse, les jeunes garçons parlaient entre eux de douloureuses émasculations. Jondalar n'avait jamais connu personne qui eût subi ce châtiment, mais il le jugeait approprié. C'était lui, à présent, qui méritait d'être châtié. Qu'avait-il bien pu avoir en tête ? Comment avait-il pu en venir là ?

Et tu t'inquiétais à l'idée qu'elle pourrait ne pas être acceptée, se disait-il. Tu craignais de la voir rejetée, tu te demandais si tu pourrais vivre dans de telles conditions. Qui serait rejeté, maintenant ? Que penseraient-ils de toi, s'ils savaient ? Surtout après... après ce qui s'était déjà passé. Delanar lui-même refuserait de t'accueillir, à présent. Tu serais chassé de son foyer, il te repousserait, il désavouerait tout lien entre vous. Zolena serait épouvantée ? Marthona... Il répugnait à imaginer ce qu'éprouverait sa mère.

Ayla s'était entretenue avec Mamut. Elle avait dû tout lui raconter. Sans doute était-ce la cause de ses larmes. Jondalar appuya le front sur ses genoux, se couvrit la tête des deux bras. Quoi qu'ils décidassent de lui faire subir, il l'aurait mérité. Il demeura ainsi un long moment replié sur lui-même. Il imaginait de terribles châtiments, il les souhaitait même, afin d'être délivré du fardeau de culpabilité qui l'écrasait.

Finalement, la raison reprit le dessus. Personne, il en prit conscience, ne lui avait parlé de l'affaire durant toute la soirée. Mamut s'était même entretenu avec lui de la Fête du Printemps, sans y faire la moindre allusion. Peut-être Ayla avait-elle pleuré sur ce qui s'était passé, mais sans en dire un mot. Il releva la tête, regarda dans sa direction, à travers les foyers plongés dans l'ombre. Etait-ce possible ? Plus que quiconque, elle était en droit de demander réparation. Elle avait déjà connu sa large part d'actes contre nature, aux mains de cette brute de Tête Plate... Mais quel droit avait-il de dire du mal de cet homme ? Valait-il mieux que lui ?

Pourtant, Ayla n'avait rien dit. Elle ne l'avait pas dénoncé, n'avait pas demandé qu'il fût puni. Elle était trop bonne pour lui. Il ne la méritait pas. Il serait bien qu'elle et Ranec déclarent leur Promesse, pensa Jondalar. A l'instant même où cette idée lui venait à l'esprit, il se sentit étreint par une intolérable souffrance et comprit que là serait son châtiment. Doni lui avait accordé ce qu'il avait le plus désiré. Elle avait trouvé pour lui la seule femme qu'il pût jamais aimer, mais il n'avait pas su l'accepter. Maintenant, il l'avait perdue. C'était sa seule faute, il était prêt à en payer le prix, mais ce ne serait pas sans souffrance.

D'aussi loin qu'il s'en souvînt, Jondalar avait toujours lutté pour conserver son sang-froid. D'autres manifestaient leurs émotions : ils riaient, se mettaient en colère, pleuraient beaucoup plus facilement que lui, mais, par-dessus tout, il résistait aux larmes. Depuis l'époque où il avait été éloigné des siens, où il avait perdu sa tendre et crédule jeunesse en une nuit passée à pleurer sur la perte de son foyer, de sa famille, il ne lui était arrivé qu'une fois de verser des larmes : dans les bras d'Ayla, sur la mort de son frère. Mais, de nouveau, cette nuit-là, il s'abandonna à son chagrin. Dans l'obscurité de cette habitation, à une année de route de son peuple, il versa des larmes silencieuses, intarissables sur la perte de ce qui lui tenait le plus à cœur. La perte de la femme qu'il aimait.

La Fête du Printemps, attendue avec tant d'impatience, était à la fois la célébration d'une année nouvelle et une manifestation d'actions de grâce. Elle ne se tenait pas au tout début de la saison mais à son apogée, quand les premières pousses, les premiers bourgeons étaient déjà bien installés et pouvaient être récoltés. La Fête, pour les Mamutoï, marquait le début du cycle annuel. Avec une ferveur joyeuse, avec un soulagement inexprimé que seuls pouvaient pleinement apprécier des êtres qui existaient à la limite de la survie, ils accueillaient le temps où la terre reverdissait, le temps qui garantissait la vie pour eux-mêmes et pour les animaux avec lesquels ils partageaient le territoire.

Par les nuits les plus noires, les plus froides d'un long hiver glacial, quand il semblait que l'air lui-même allait geler, le cœur le plus confiant pouvait douter que la chaleur et la vie pussent jamais renaître. En ces jours où le printemps semblait le plus lointain, les souvenirs, les histoires des Fêtes du Printemps passées venaient alléger les craintes profondément ancrées et apportaient l'espoir renouvelé que le cycle de la Grande Terre Mère allait bien se poursuivre. Ces histoires, ces souvenirs faisaient de chaque Fête du Printemps un événement aussi extraordinaire, aussi mémorable que possible.

Pour la grande Fête du Printemps, on ne devait rien manger de ce qui restait de l'année précédente. Seuls ou par petits groupes, les Mamutoï, depuis bien des jours, pêchaient, chassaient, posaient des pièges et cueillaient. Jondalar avait fait bon usage de son lance-sagaie et il était heureux d'avoir apporté sa contribution sous la forme d'une femelle de bison qui était pleine, même si elle était encore bien maigre. On recueillait tous les végétaux comestibles qu'on pouvait trouver. Les chatons de bouleaux et de saules, les jeunes feuilles à peine déroulées des fougères, tout comme les vieux rhizomes qui pouvaient être rôtis, pelés, réduits en poudre, tout comme le cambium des sapins et des bouleaux, adouci par une sève nouvelle ; quelques baies à courlis, d'un noir violacé, pleines de graines dures, qui poussaient à côté des petites fleurs roses, sur les buissons bas à feuilles persistantes ; et, dans les zones abritées, où elles avaient été recouvertes de neige, d'autres baies d'un rouge vif, gelées puis ramenées par le dégel à une moelleuse douceur, subsistaient sur les branches basses.

Bourgeons, pousses fraîches, bulbes, racines, feuilles, fleurs de toute espèce : la terre abondait en nourritures délicieuses. On utilisait en légumes les pousses et les jeunes cosses du laiteron, tandis que sa fleur, riche en nectar savoureux, servait à sucrer les mets. Les feuilles d'un vert tendre du trèfle, du chénopode, des orties, de la balsamine, du pissenlit, de la laitue sauvage se mangeaient cuites ou crues. Les tiges et, surtout, les racines de chardons étaient très recherchées. Les bulbes de lis, les pousses des massettes, les tiges de joncs étaient parmi les favoris. Les racines sucrées, savoureuses de la réglisse pouvaient se manger crues ou rôties dans les cendres. On récoltait certaines plantes pour leurs qualités nourrissantes, d'autres simplement pour leur saveur. Beaucoup servaient à préparer des infusions. Ayla connaissait les propriétés médicinales de la plupart d'entre elles et les récoltait pour son propre usage.

Sur les pentes rocheuses, on cueillait les pousses étroites et tubulaires de l'oignon sauvage et, dans les lieux secs et dénudés, les petites feuilles de l'oseille ronde. On trouvait les tussilages dans les terrains humides proches de la rivière. Le goût légèrement salé en faisait un assaisonnement apprécié, mais Ayla en ramassait aussi pour les toux et pour l'asthme. L'ail des ours donnait du goût à la cuisine, comme les baies de genévrier, les bulbes de lis tigrés à la saveur poivrée, le basilic, la sauge, le thym, la menthe. On en mettrait une bonne quantité en réserve, après les avoir fait sécher, et l'on emploierait le reste pour assaisonner les poissons récemment pêchés et les différentes variétés de viande rapportées pour la fête.

Les poissons abondaient, et on les appréciait particulièrement à cette époque de l'année où la plupart des animaux étaient encore maigres, après les ravages de l'hiver. Toutefois, au menu du festin, figurait toujours de la viande fraîche, sous la forme plus ou moins symbolique d'un jeune animal né au printemps : ce serait, cette année-là, un bison bien tendre. Ne prendre, pour le festin, que les produits nouveaux de la terre montrait que la Grande Terre Mère offrait une fois encore ses libéralités, qu'Elle continuerait à nourrir Ses enfants.

Avec les efforts accomplis pour amasser des provisions pour la Fête du Printemps, l'impatience, depuis des jours, n'avait cessé de croître. Les chevaux eux-mêmes la percevaient. Ils étaient nerveux, remarqua Ayla. Le matin, elle les emmenait dehors, pour les étriller, les bouchonner, activité qui détendait Whinney et Rapide et qui avait le même effet sur elle. Par ailleurs, elle trouvait là un prétexte pour s'isoler et réfléchir. Ce jour-là, elle savait qu'elle allait devoir donner sa réponse à Ranec. Le lendemain avait lieu la Fête du Printemps.

Loup, roulé en boule près d'elle, l'observait. Son nez sensible frémit, il leva la tête, battit de la queue sur le sol, ce qui annonçait l'approche d'un visiteur bien connu. Ayla se retourna, sentit son visage s'empourprer, son cœur battre plus vite

— J'espérais bien te trouver seule, Ayla. J'aimerais te parler, si tu le veux bien, dit Jondalar, d'une voix étonnamment sourde.

— Je le veux bien, répondit-elle.

Il s'était rasé, il avait soigneusement rejeté en arrière ses cheveux blonds, les avait attachés sur la nuque, et il portait l'une des tenues que lui avait données Tulie. Il était si séduisant ainsi — Deegie aurait dit qu'il était beau — qu'elle en eut presque le souffle coupé, et que sa voix s'étrangla dans sa gorge. Même vêtu des défroques de Talut, elle l'admirait. Sa présence emplissait l'espace autour de lui et venait l'effleurer, comme une braise incandescente aurait irradié sa chaleur jusqu'à elle. C'était une chaleur qui ne brûlait pas, et elle éprouvait le désir de la toucher, et s'en sentir enveloppée. Elle ébaucha vers Jondalar un mouvement involontaire. Mais l'expression de ses yeux la retint, une expression d'une ineffable tristesse, qu'elle n'y avait encore jamais vue. Alors, immobile et silencieuse, elle attendit qu'il parlât.

Il ferma un instant les paupières, afin de rassembler ses pensées. Il ne savait par où commencer.

— Te rappelles-tu, du temps où nous vivions ensemble dans ta vallée, alors que tu parlais encore difficilement, tu as voulu me dire un jour quelque chose d'important. Mais tu ne connaissais pas les mots. Alors, tu t'es mise à me parler par signes... Je me souviens d'avoir trouvé à tes mouvements une grande beauté : on aurait presque dit une danse.

Elle ne se rappelait que trop bien cette occasion. Alors, déjà, elle avait voulu lui exprimer ce qu'elle souhaitait lui dire à présent : ce qu'elle éprouvait pour lui, le sentiment qui l'emplissait, grâce à lui, et qu'elle ne savait pas encore traduire en paroles. Même lui dire qu'elle l'aimait n'était pas suffisant.

— Je ne suis pas sûr de posséder les mots qu'il faut pour exprimer ce que je dois te dire. « Pardon » n'est qu'un son qui sort de ma bouche, mais je ne sais comment le dire autrement. Je te demande pardon, Ayla, du plus profond de moi-même. Je n'avais pas le droit de te forcer mais je ne peux revenir sur ce qui s'est déjà passé. Je peux seulement te dire que ça n'arrivera plus. Je vais bientôt partir, dès que Talut estimera qu'il est possible de voyager sans danger. Ici, tu es chez toi. Les gens te portent une grande affection... ils t'aiment. Tu es Ayla des Mamutoï. Je suis Jondalar des Zelandonii. Il est temps que je rentre chez moi.

Ayla était incapable de parler. La tête baissée, elle s'efforçait de cacher les larmes qu'elle ne pouvait retenir. Dans l'impossibilité de regarder Jondalar en face, elle lui tourna le dos, se mit à bouchonner Whinney. Il allait partir. Il repartait chez lui et il ne lui avait pas demandé de l'accompagner. Il ne voulait pas d'elle. Il ne l'aimait plus. Tout en frottant la robe de la jument, elle ravalait des sanglots. Jamais, depuis l'époque où elle vivait avec le Clan, elle n'avait fait tant d'efforts pour retenir ses larmes, jamais elle n'avait autant lutté pour ne pas les montrer.

Jondalar, figé à la même place, contemplait son dos. Elle n'a pour moi qu'indifférence, se disait-il. J'aurais dû partir depuis longtemps. Elle lui avait tourné le dos. Il aurait voulu en faire autant, l'abandonner à ses chevaux, mais le muet langage des mouvements du corps de la jeune femme lui adressait un message qu'il était incapable de traduire par des mots. Ce n'était qu'une vague impression, la sensation qu'il y avait quelque chose d'anormal, mais cela suffisait pour le faire hésiter à partir.

— Ayla... ?

— Oui ? dit-elle.

Elle gardait le dos tourné, essayait de ne pas laisser sa voix se fêler.

— Y a-t-il... Puis-je faire quelque chose pour toi, avant mon départ ?

Elle ne répondit pas tout de suite. Elle voulait lui dire quelque chose qui le fasse changer d'avis. Elle cherchait désespérément le moyen de l'amener à se rapprocher d'elle, de le retenir. Les chevaux. Il aimait Rapide. Il aimait le monter.

— Oui, dit-elle enfin, d'un ton qui se voulait normal. Il y a quelque chose.

Il n'attendait plus de réponse et, déjà, il avait fait un mouvement pour la quitter. Mais il se retourna vivement.

— Tu pourrais m'aider à dresser Rapide... tant que tu seras encore ici. Je n'ai pas beaucoup de temps pour le sortir...

Elle se força à se retourner, pour lui faire face de nouveau.

Etait-ce un effet de son imagination, cette pâleur, ce tremblement ? se demanda Jondalar.

— Je ne sais pas combien de temps je vais rester, dit-il, mais je ferai ce que je pourrai.

Il allait poursuivre : il voulait lui dire qu'il l'aimait, qu'il partait parce qu'elle méritait mieux. Elle méritait un homme qui l'aimerait sans réserve, un homme comme Ranec. Il baissa la tête pour chercher les mots qui convenaient.

Ayla craignit de ne pouvoir beaucoup plus longtemps retenir ses larmes. Elle se retourna vers la jument, pour continuer à la bouchonner, mais, soudain, d'un seul mouvement, elle l'enfourcha, la lança au galop. Jondalar, stupéfait, recula de quelques pas et suivit des yeux Ayla et la jument qui s'élançaient sur la pente, suivies de Rapide et du louveteau. Ils avaient depuis longtemps disparu qu'il était toujours à la même place.

L'impatience, la tension étaient si intenses, quand tomba la nuit, la veille de la Fête du Printemps, que tout le monde était incapable de dormir. Enfants et adultes veillèrent tard. Latie, en particulier, était dans un état de fiévreuse surexcitation : elle se sentait impatiente un moment, inquiète le moment d'après, à la pensée de la brève cérémonie de la puberté, qui marquerait qu'elle était prête à commencer les préparatifs à la Célébration de la Féminité, qui se déroulerait lors de la Réunion d'Eté.

Elle avait atteint sa maturité physique, mais sa féminité ne serait pas complète avant la cérémonie qui se terminerait par la Première Nuit des Plaisirs : un homme, alors, l'ouvrirait pour lui permettre de recevoir les esprits fécondateurs rassemblés par la Mère. Lorsqu'elle serait capable d'accéder à la maternité, et alors seulement, elle serait considérée comme une femme, dans toute l'acception du terme, ce qui lui permettrait de créer un foyer et de former une Union avec un homme. Jusque-là, elle continuerait d'exister dans un état intermédiaire, plus vraiment enfant, pas encore tout à fait femme. Des femmes plus âgées et Ceux Qui Servent la Mère lui enseigneraient ce qu'étaient la féminité, la maternité et les hommes.

Tous les hommes, sauf Mamut, avaient été bannis du Foyer du Mammouth. Toutes les femmes s'y étaient rassemblées pour entendre instruire Latie du déroulement de la cérémonie du lendemain soir, pour offrir à cette femme en herbe leur soutien moral, leurs conseils, leurs suggestions judicieuses. Ayla était présente en qualité de femme plus âgée, mais elle en apprenait tout autant que la jeune fille.

Mamut expliquait :

— Tu n'auras pas grand-chose à faire, demain soir, Latie. Plus tard, tu devras en apprendre plus long, mais cette cérémonie n'est qu'un préliminaire. Talut fera l'annonce, et je te remettrai ensuite la muta. Garde-la précieusement, jusqu'au moment où tu seras prête à créer ton propre foyer.

Assise en face du vieil homme, Latie hocha la tête. En dépit de sa timidité, elle était plutôt satisfaite de l'intérêt qu'on lui prodiguait.

— Comprends bien ceci : après la journée de demain, tu ne devras jamais te trouver seule avec un homme ni même parler à un homme seul, jusqu'au jour où tu seras vraiment femme, dit Mamut.

— Pas même avec Danug ou Druwez ? questionna Latie.

— Non, pas même avec eux.

Durant cette période de transition, expliqua le vieux chaman, privée de la protection des esprits gardiens de l'enfance sans bénéficier encore du plein pouvoir de la féminité, elle serait considérée comme très vulnérable aux influences malignes. On exigerait d'elle qu'elle demeurât constamment sous le regard vigilant d'une femme, et elle ne devrait pas même rester seule avec son frère ou son cousin.

— Et Brinan ? Ou Rydag ? insista la jeune fille.

— Ce sont encore des enfants, déclara Mamut. Les enfants sont toujours en sécurité. Ils sont constamment environnés d'esprits protecteurs. Voilà pourquoi tu dois être désormais protégée : les esprits qui te gardaient vont te quitter, laisser la place à la force de vie, à la puissance de la Mère, qui entreront en toi.

— Mais Talut ou Wymez ne me feraient pas de mal. Pourquoi n'aurais-je pas le droit de leur parler seule à seul ?

— Les esprits mâles sont attirés vers la force de vie, de même que, tu vas le découvrir, les hommes seront désormais attirés vers toi. Certains esprits mâles sont jaloux de la puissance de la Mère. Ils peuvent tenter de t'en dépouiller, à cette époque où tu es vulnérable. Ils sont incapables de s'en servir pour créer la vie, mais c'est une force puissante. Sans les précautions qui conviennent, un esprit mâle peut entrer et, même s'il ne te dérobe pas ta force de vie, il pourrait l'endommager ou la dominer. Alors, il serait possible que tu n'aies jamais d'enfants, ou que tes désirs deviennent ceux d'un mâle, et, dans ce cas, tu souhaiterais partager les Plaisirs avec des femmes.

Latie ouvrait de grands yeux. Elle n'imaginait pas de tels dangers.

— Je ferai bien attention, je ne laisserai aucun esprit mâle m'approcher de trop près, mais... Mamut...

— Qu'y a-t-il, Latie ?

— Et toi, Mamut ? Tu es un homme.

Plusieurs des femmes pouffèrent. Latie rougit. Peut-être avait-elle posé une question stupide.

— J'aurais posé la même question, remarqua Ayla.

La jeune fille lui lança un regard reconnaissant.

— C'est une bonne question, acquiesça Mamut. Je suis un homme, oui, mais, par ailleurs, je sers la Mère. Tu ne courrais probablement aucun danger en parlant avec moi à n'importe quel moment et, naturellement, pour certains rites où j'agis comme Celui Qui Sert, tu devras parler seule avec moi, Latie. Mais, à mon avis, mieux vaudrait toutefois ne pas venir me rendre simplement visite ou me parler à moins qu'une autre femme ne t'accompagne.

Latie acquiesça d'un signe de tête, le front plissé. Elle commençait à sentir combien il était délicat d'établir des rapports nouveaux avec des êtres qu'elle avait connus et aimés toute sa vie.

— Qu'arrive-t-il quand un esprit mâle dérobe la force de vie ? questionna Ayla.

Sa curiosité était éveillée par ces intéressantes croyances des Mamutoï, par certains côtés semblables et pourtant très différentes des traditions du Clan.

— On a alors un puissant chaman, dit Tulie.

— Ou un chaman malfaisant, ajouta Crozie.

— Est-ce vrai, Mamut ? demanda Ayla.

Latie avait l'air étonné, perplexe. Deegie, Tronie et Fralie elles-mêmes s'étaient tournées vers Mamut avec intérêt.

Le vieil homme rassembla ses pensées. Il s'efforçait de choisir soigneusement sa réponse.

— Nous ne sommes que Ses enfants, commença-t-il. Il nous est difficile de comprendre pourquoi Mut, la Grande Mère, choisit certains d'entre nous à des fins particulières. Nous savons seulement qu'Elle a Ses raisons. Peut-être, par moments, a-t-Elle besoin de quelqu'un qui possède un pouvoir exceptionnel. Certains naissent avec tel ou tel don. D'autres sont choisis plus tard. Mais personne n'est choisi sans Sa connaissance.

Plusieurs regards, subrepticement, se glissèrent vers Ayla.

— Elle est la Mère de tout ce qui existe, continua Mamut. Personne ne peut La connaître totalement sous tous Ses aspects. Voilà pourquoi le visage de la Mère est inconnu sur toutes les figures qui La représentent.

Le chaman se tourna vers la femme la plus âgée du Camp.

— Qu'est-ce que la malfaisance, Crozie ?

— La malfaisance, c'est le mal commis avec une intention mauvaise, répondit la vieille femme avec conviction. La malfaisance, c'est la mort.

— La Mère est toutes choses, Crozie. La face de Mut, c'est la naissance du printemps, la générosité de l'été, mais c'est aussi la petite mort de l'hiver. A Elle appartient le pouvoir de vie, mais l'autre face de la vie, c'est la mort. Qu'est-ce que la mort, sinon le retour vers Elle, en vue d'une nouvelle naissance ? La mort est-elle malfaisante ? Sans la mort, il ne peut y avoir de vie. La malfaisance est-elle un mal commis avec une intention mauvaise ? Peut-être, mais ceux-là même qui nous semblent malfaisants agissent selon les Raisons de la Mère. Le mal est une force qu'Elle contrôle, un moyen pour Elle d'accomplir Ses desseins. Ce n'est qu'une face inconnue de la Mère.

— Mais qu'arrive-t-il quand une force mâle dérobe à une femme la force de vie ? questionna Latie.

Elle n'avait pas besoin de philosophie : elle voulait simplement savoir.

Mamut la considéra d'un air pensif. Elle était presque femme, elle avait le droit de tout apprendre.

— Cette femme mourra, Latie.

La jeune fille frissonna.

— Même si cette force lui a été dérobée, il peut lui en rester suffisamment pour créer une nouvelle vie. La force qui réside en une femme est si puissante que la femme peut ne pas prendre conscience qu'elle lui a été dérobée jusqu'à ce qu'elle mette un enfant au monde. Quand une femme meurt en couches, c'est toujours parce qu'un esprit mâle lui a dérobé sa force de vie avant qu'elle ait été ouverte. Voilà pourquoi il n'est pas bon d'attendre trop lontemps avant de célébrer la Cérémonie de la Féminité. Si la Mère avait voulu que tu sois prête au dernier automne, j'aurais proposé à Nezzie le rassemblement de quelques Camps pour faire la cérémonie : ainsi, tu n'aurais pas eu à passer l'hiver sans protection, même si cela t'avait privée d'une célébration à la Réunion d'Eté.

— Je suis heureuse de ne pas avoir été obligée de manquer ça, mais...

Latie s'interrompit : la force de vie la préoccupait plus encore que la célébration.

— ... la femme meurt-elle toujours ?

— Non. Il arrive qu'elle lutte pour conserver sa force de vie et, si celle-ci est puissante, elle peut non seulement la sauver mais conserver en même temps la force mâle, en tout ou partie. Elle possède alors une double puissance dans un seul corps.

— Ce sont les êtres qui deviennent de puissants chamans, dit spontanément Tulie.

Mamut hocha la tête.

— Souvent, c'est vrai. Afin d'apprendre comment utiliser le double pouvoir viril et féminin, de nombreux êtres se tournent vers le Foyer du Mammouth pour être guidés, et nombre de ceux-ci sont appelés à Servir la Mère. Ce sont souvent Ceux Qui Guérissent, et ils sont excellents, ou bien des Voyageurs dans le monde mystérieux de la Mère.

— Qu'advient-il de l'esprit mâle qui dérobe la force de vie ? demanda Fralie.

Elle appuya contre son épaule son tout petit enfant, lui tapota doucement le dos. C'était là une question, elle le savait, que sa mère avait envie de poser.

— C'est celui qui est malfaisant, déclara Crozie.

Mamut secoua la tête.

— Non, ce n'est pas exact. La force mâle est simplement attirée vers la force de vie d'une femme. Elle ne peut s'en empêcher, et les hommes, en général, ignorent que leur force mâle a dérobé la force de vie d'une jeune femme, jusqu'au moment où ils découvrent qu'au lieu d'être attirés vers les femmes, ils préfèrent la compagnie d'autres hommes. Les jeunes hommes sont vulnérables, alors. Ils ne désirent pas être différents des autres, ils ne veulent pas qu'on sache que leur esprit mâle a pu léser une femme. Souvent, ils éprouvent une honte profonde et, au lieu de venir au Foyer du Mammouth, ils essaient de la cacher.

— Mais il y a parmi eux des êtres malfaisants qui possèdent un grand pouvoir, insista Crozie. Le pouvoir de détruire un Camp tout entier.

— La force du mâle et de la femelle dans un seul corps est très puissante. Si elle n'est pas gouvernée, elle peut se pervertir, devenir maligne et vouloir amener la maladie, le malheur et même la mort. Même sans posséder un tel pouvoir, l'être qui souhaite le malheur d'un autre peut le faire survenir. Quand on le possède, les conséquences sont presque inévitables, mais, bien dirigé, un homme qui possède les deux forces peut devenir tout aussi puissant qu'une femme dans le même cas et il prend souvent le plus grand soin de n'utiliser son pouvoir que pour le bien.

— Que se passe-t-il si un être comme celui-là ne désire pas devenir chaman ? questionna Ayla.

Elle possédait peut-être des dons mais elle n'en avait pas moins le sentiment d'être poussée dans une voie qu'elle n'était pas sûre de désirer.

— Ils n'y sont pas obligés, répondit Mamut. Mais il leur est plus facile de trouver des compagnons, d'autres êtres qui leur ressemblent, parmi Ceux Qui Servent la Mère.

— Te rappelles-tu ces voyageurs sungaea que nous avons rencontrés il y a bien des années, Mamut ? demanda Nezzie. J'étais jeune, alors, mais n'y avait-il pas eu je ne sais plus quelle confusion, à propos d'un de leurs foyers ?

— Oui, je m'en souviens, maintenant que tu en parles. Nous revenions de la Réunion d'Eté et nous étions encore plusieurs Camps à voyager ensemble quand nous les avons rencontrés. Personne ne savait trop à quoi s'attendre : il avait été question de pillages. Mais, finalement, nous avons fait avec eux un feu d'amitié. Certaines femmes mamutoï ont élevé des protestations parce que l'un des hommes sungaea voulait aller les rejoindre « chez leur mère ». Il a fallu de longues explications pour découvrir que le foyer que nous croyions composé d'une femme et de ses deux compagnons se composait en réalité d'un homme et de ses deux compagnes, mais l'une de celles-ci était une femme, et l'autre un homme. Les Sungaea disaient « elle » en en parlant. Il portait la barbe mais il était vêtu en femme et, bien qu'il n'eût pas de seins, il était la mère de l'un des enfants. Il se conduisait certainement comme sa mère. Je ne sais plus trop si l'enfant lui avait été donné par la femme de ce foyer ou par une autre, mais on m'avait dit qu'il avait connu tous les symptômes de la grossesse, toutes les douleurs de l'enfantement.

— Il avait dû vouloir à tout prix être une femme, dit Nezzie. Peut-être n'avait-il pas dérobé à une femme sa force de vie. Peut-être était-il né dans un corps qui ne lui était pas destiné. Ça arrive aussi.

— Mais avait-il mal au ventre à chaque lune ? s'informa Deegie. C'est le signe qu'on est femme.

Tout le monde éclata de rire.

— As-tu mal au ventre à chacune de tes lunes, Deegie ? Je peux te donner quelque chose, si tu veux, dit Ayla.

— Je viendrai peut-être te le demander, la prochaine fois.

— Quand tu auras eu un enfant, tu souffriras moins, Deegie, promit Tronie.

— Et, quand tu es grosse, tu n'as pas à te soucier de porter une protection absorbante et de t'en débarrasser comme il faut, dit Fralie. Mais tu as hâte d'avoir l'enfant, ajouta-t-elle, en souriant au visage endormi de sa fille, toute petite mais bien vivace.

Elle essuya un filet de lait au coin des lèvres du bébé, avant de demander à Ayla, avec une brusque curiosité :

— De quoi te servais-tu, quand tu étais... plus jeune ?

— De bandes de cuir souple. C'est très pratique, surtout pour le voyage, mais il m'arrivait de les replier plusieurs fois ou de les garnir de laine de mouflon, de fourrure et même de duvet d'oiseau. Parfois, du duvet de certaines plantes. Jamais, en ce temps-là, de bouse de mammouth séchée, mais c'est efficace, aussi.

Mamut possédait la faculté, quand il le voulait, de s'effacer, de se fondre dans le décor, de sorte que les femmes oubliaient sa présence et parlaient entre elles en toute liberté, comme elles ne l'auraient jamais fait devant d'autres hommes. Ayla, toutefois, ne l'avait pas oublié. Elle le regardait observer ses compagnes. Quand la conversation languit, il s'adressa de nouveau à Latie.

— L'un de ces prochains jours, tu voudras trouver un endroit où communier personnellement avec Mut. Prête attention à tes rêves. Ils t'aideront à découvrir le lieu convenable. Avant de t'y rendre, tu devras jeûner et te purifier, en saluant toujours les quatre directions, le ciel et le monde souterrain. Tu lui présenteras des offrandes et des sacrifices, particulièrement si tu désires Son aide ou Sa bénédiction. Ce sera plus important encore quand viendra le moment où tu désireras un enfant, Latie, ou lorsque tu apprendras que tu en attends un. Alors, tu devras te rendre à ce lieu sacré pour toi et faire brûler un sacrifice pour Mut, un don qui montera vers Elle avec la fumée.

— Comment saurai-je ce que je dois Lui donner ? demanda Latie.

— Il pourra s'agir de quelque chose que tu auras trouvé. Tu sauras si c'est le don qui convient. Tu le sauras toujours.

— Quand tu désireras avoir un homme en particulier, tu pourras aussi le Lui demander, fit Deegie, avec un sourire de connivence. Je ne peux pas te dire combien de fois je Lui ai demandé Branag.

Ayla lança un coup d'œil vers son amie et résolut d'en apprendre plus long sur les lieux de sacrifices personnels.

— Il y a tant à apprendre ! gémit Latie.

— Ta mère pourra t'aider, et Tulie aussi, dit Mamut.

— Nezzie me l'a demandé, et j'ai accepté d'être Gardienne cette année, Latie, déclara Tulie.

— Oh, Tulie ! Je suis si contente. Je me sentirai moins seule.

La Femme Qui Ordonne sourit à l'ardeur affectueuse de la jeune fille.

— Ce n'est pas tous les ans, dit-elle, que le Camp du Lion présente une toute nouvelle femme.

Latie, le visage assombri par la concentration, demanda à voix presque basse :

— Tulie, comment est-ce ? Dans la tente, je veux dire. Cette nuit-là ?

Tulie regarda Nezzie, sourit de nouveau.

— Es-tu un peu inquiète ?

— Un peu, oui.

— Ne te tourmente pas. On t'expliquera tout. Tu sauras à quoi t'attendre.

— Est-ce un peu comme lorsqu'on jouait, Druwez et moi, quand on était enfants ? Il rebondissait sur moi très fort. Il essayait de faire comme Talut, je pense.

— Non, ce n'est pas vraiment ainsi, Latie. Il s'agissait là de jeux d'enfants : vous faisiez semblant d'être adultes. Vous étiez tous les deux très jeunes, alors, trop jeunes.

— Oui, c'est vrai, nous étions très jeunes.

Latie se sentait maintenant beaucoup plus âgée.

— Ces jeux-là sont pour les petits enfants, continua-t-elle. Il y a longtemps que nous n'y jouons plus. D'ailleurs, nous ne jouons plus du tout. Ces derniers temps, ni Danug ni Druwez ne veulent même me parler bien longtemps.

— Ils en auront bientôt envie, j'en suis sûre, déclara Tulie. Mais rappelle-toi bien : pour le temps présent, tu ne dois pas leur parler beaucoup et tu ne dois jamais rester seule avec eux.

Ayla tendit la main vers la grosse outre d'eau suspendue par une courroie de cuir à une cheville enfoncée dans l'un des piliers de soutènement. C'était la panse d'un cerf gigantesque, un mégacéros, qu'on avait traitée pour conserver son étanchéité naturelle. On l'emplissait par l'ouverture inférieure, qu'on repliait ensuite pour la fermer. On rainait sur tout le tour l'extrémité d'un os à moelle, percé au centre d'un trou naturel. Pour former un verseur, on attachait la paroi de l'estomac de cerf à l'os en enroulant bien serré une lanière autour de la partie rainée.

Ayla ôta le bouchon — une mince bande de cuir, passée dans le trou et nouée plusieurs fois en un endroit. Elle versa de l'eau dans la corbeille étanche qu'elle utilisait pour faire son infusion du matin, replaça le nœud de cuir dans l'ouverture. La pierre chauffée à blanc grésilla lorsqu'elle la laissa tomber dans l'eau. Elle la déplaça à plusieurs reprises, afin d'en tirer le plus de chaleur possible, avant de la sortir de l'eau à l'aide de deux baguettes plates et de la remettre au feu. Avec les mêmes baguettes, elle saisit une autre pierre, la mit dans la corbeille. Quand l'eau commença à frémir, elle y fit tomber une quantité soigneusement mesurée de feuilles et de racines séchées, en particulier les tiges ligneuses du fil d'or, et laissa infuser le tout.

Elle avait toujours pris grand soin de boire régulièrement l'infusion secrète d'Iza. La puissante magie, elle l'espérait, serait aussi efficace pour elle qu'elle l'avait été, durant tant d'années, pour Iza. Elle ne voulait pas avoir un enfant dès maintenant. Elle n'était pas assez sûre de ce qui allait se passer.

Après s'être habillée, elle versa la tisane dans sa coupe personnelle, s'assit sur une natte, près du feu, but une gorgée du breuvage très fort, un peu amer. Elle s'était habituée à ce goût, chaque matin. C'était le moment où elle se réveillait, un moment qui faisait partie de son emploi du temps de la matinée. Tout en buvant, elle songeait aux activités qui allaient se dérouler. Elle était arrivée, cette journée impatiemment attendue par tous, celle de la Fête du Printemps.

Pour Ayla, l'événement le plus heureux serait l'attribution d'un nom à la petite fille de Fralie. La minuscule nouveau-née avait grandi, grossi et prospéré. Sa mère n'avait plus à la garder au sein à tout moment : s'il lui arrivait encore d'utiliser le support qui avait été élaboré à la naissance, c'était par préférence personnelle. Le Foyer de la Grue était plus heureux, à présent, non seulement parce qu'on y partageait la joie de la présence de l'enfant, mais parce que Crozie et Frebec apprenaient à vivre ensemble sans se quereller constamment. Certes, il y avait toujours des difficultés, mais tous deux les affrontaient avec plus de sérénité, et Fralie elle-même jouait plus activement son rôle de médiatrice.

Ayla pensait encore à l'enfant de Fralie lorsqu'elle leva la tête et découvrit que Ranec l'observait. Ce jour était aussi celui où il voulait annoncer leur Promesse. La jeune femme, alors, se rappela brutalement ce que lui avait dit Jondalar : il allait partir. Elle se souvint soudain de la terrible nuit où Iza était morte.

« *Tu ne fais pas partie du Clan, Ayla,* lui avait dit Iza. *Tu es née chez les Autres, ta place est parmi eux. Pars vers le nord, Ayla. Rejoins ton peuple. Trouve celui qui sera ton compagnon.* »

Trouve celui qui sera ton compagnon..., pensait-elle. Elle avait cru naguère que Jondalar serait ce compagnon, mais il allait partir, il rentrait chez lui, sans elle. Jondalar ne voulait pas d'elle.

Ranec, lui, voulait s'unir à elle. Elle ne rajeunissait pas. Si elle voulait un enfant, elle ne devrait plus tarder à le concevoir. Elle but encore une gorgée de la tisane d'Iza, fit tourner au fond de la coupe le reste du breuvage et les fragments de végétaux. Si elle cessait de prendre la tisane d'Iza et si elle partageait les Plaisirs avec Ranec, cela l'aiderait-il à concevoir un enfant ? Elle pouvait essayer, afin d'en avoir le cœur net. Peut-être ferait-elle bien de s'unir à Ranec. Elle s'installerait avec lui, elle lui donnerait les enfants de son foyer. Aurait-elle de beaux petits à la peau sombre, aux yeux noirs, aux cheveux crêpus ? Ou bien auraient-ils comme elle le teint clair et les cheveux blonds ? Les deux, peut-être.

Si elle demeurait en ces lieux, si elle s'unissait à Ranec, elle ne serait pas trop loin du Clan. Elle pourrait aller chercher Durc et le ramener. Ranec était bon pour Rydag. Peut-être ne s'opposerait-il pas à la présence à son foyer d'un enfant d'esprits mêlés. Peut-être pourrait-elle adopter officiellement Durc, faire de lui un Mamutoï.

La seule idée qu'elle puisse retrouver son fils l'emplissait d'impatience. Peut-être était-il préférable que Jondalar partît sans elle. Si elle l'accompagnait, elle ne reverrait jamais son fils. Mais, s'il s'en allait seul, jamais elle ne reverrait Jondalar.

Le choix avait été fait pour elle. Elle resterait. Elle s'unirait à Ranec. Elle essayait d'en voir le côté positif, de se convaincre que tout était ainsi pour le mieux. Ranec était un homme de grande qualité, il l'aimait, il tenait à sa présence auprès de lui. Et elle avait de l'affection pour lui. Il ne serait pas si terrible de vivre avec lui. Elle pourrait avoir des enfants. Elle pourrait retrouver Durc, le ramener auprès d'eux. Un homme de bien, son propre peuple, son fils enfin retrouvé. C'était plus qu'elle n'en avait espéré, naguère. Que pouvait-elle demander de plus ? Oui, quoi d'autre, si Jondalar s'en allait ?

Je vais le lui dire, pensa-t-elle. Je vais dire à Ranec qu'il peut annoncer notre Promesse aujourd'hui. Elle se leva, se dirigea vers le Foyer du Renard, mais une seule idée occupait son esprit. Jondalar allait partir sans elle. Jamais plus elle ne le reverrait. Au moment où elle prenait pleinement conscience de cette vérité, elle en sentit tout le poids écrasant et elle dut fermer les paupières pour lutter contre sa souffrance.

— Talut ! Nezzie !

Ranec sortit en courant de l'habitation, chercha du regard le chef du Camp et sa mère adoptive. Il les découvrit enfin mais il était dans un tel état d'agitation qu'il pouvait à peine parler.

— Elle a dit oui ! Ayla a dit oui ! La Promesse, nous allons l'annoncer ! Ayla et moi !

Il ne voyait même pas Jondalar. S'il l'avait vu, cela n'aurait rien changé. Ranec était incapable de penser à rien d'autre qu'à la femme qu'il aimait : la femme qu'il désirait plus que tout au monde avait accepté de lui appartenir. Nezzie, elle, vit Jondalar, elle le vit blêmir, chercher un appui en s'accrochant à l'une des défenses de mammouth qui formaient l'arche d'entrée, elle lut la douleur sur son visage. Finalement, il lâcha prise, et descendit la pente qui menait à la rivière. Une inquiétude fugitive traversa l'esprit de Nezzie. La rivière était en crue. Il serait facile d'y entrer, de se mettre à nager et de se laisser emporter.

— Mère, je ne sais pas comment m'habiller pour aujourd'hui. Je n'arrive pas à me décider, gémit Latie, très agitée par la perspective de cette cérémonie qui allait reconnaître sa position.

— Allons voir ça, dit Nezzie.

Elle jeta un ultime regard vers la rivière.

Jondalar n'était plus en vue.

28

Jondalar passa la matinée entière à marcher le long de la rivière. L'esprit en tumulte, il entendait sans cesse les cris de joie de Ranec. Ayla avait accepté. Ils annonceraient leur Promesse lors de la cérémonie, ce soir-là. Il avait beau se répéter qu'il s'y était toujours attendu, devant la réalité, il comprenait qu'il n'en était rien. La nouvelle lui avait asséné un coup plus violent qu'il ne l'aurait jamais imaginé. Comme Thonolan après la mort de Jetamio, il avait envie de mourir.

Les craintes de Nezzie n'étaient pas sans fondement. Jondalar n'avait aucun but particulier en descendant vers la rivière : il avait pris cette direction par hasard. Toutefois, quand il atteignit la rive, il trouva le courant turbulent étrangement attirant. Il semblait lui offrir la paix, un soulagement à sa souffrance, à son chagrin, à la confusion de ses pensées. Pourtant, Jondalar se contenta de le contempler longuement. Une autre force, tout aussi puissante, le retenait. Contrairement à Jetamio, Ayla n'était pas morte. Aussi longtemps qu'elle resterait en vie, il pouvait encore nourrir une petite flamme d'espoir. Mais, plus encore, il craignait pour la sécurité d'Ayla.

Un peu au-dessus de la rivière, il trouva un endroit isolé, dissimulé par des buissons et des petits arbres. Là, il essaya de se préparer à l'épreuve des festivités de la soirée, au nombre desquelles compterait la Cérémonie de la Promesse. Ce n'était pas, se disait-il, comme si elle allait s'unir définitivement à Ranec le soir même. Elle devait seulement promettre de créer avec lui un foyer, dans un avenir plus ou moins proche. Jondalar avait fait une promesse, lui aussi : il avait dit à Mamut qu'il partirait après la Fête du Printemps. Pourtant, ce n'était pas ce serment qui le retenait. Ayla, il le savait, allait affronter un péril inconnu. Il n'avait pas la moindre idée de la nature de ce péril, il ignorait comment il pourrait l'en défendre mais il ne pouvait s'en aller en un tel moment, même s'il devait l'entendre faire sa Promesse à Ranec. Mamut, qui était versé dans les voies des esprits, pressentait qu'elle courait un danger. Jondalar devait donc s'attendre au pire.

Vers midi, Ayla annonça à Mamut qu'elle allait entamer ses préparatifs pour la cérémonie de la racine. A plusieurs reprises, ils étaient revenus sur tous les détails. Elle se sentait raisonnablement sûre de n'avoir rien oublié d'important. Elle rassembla des vêtements propres, une peau de daim, souple et absorbante, et plusieurs autres objets. Au lieu de sortir par l'abri des chevaux, elle se dirigea vers le foyer de la cuisine. Elle ressentait en même temps le désir de voir Jondalar et l'espoir de ne pas le trouver. Elle fut à la fois déçue et soulagée en découvrant que Wymez était seul dans l'aire du travail des outils. Il n'avait pas vu Jondalar depuis le début de la matinée, lui dit-il, mais il lui remit gentiment le petit nodule de silex qu'elle demandait.

Elle gagna le bord de la rivière et en remonta le cours sur une certaine distance, à la recherche d'un lieu approprié. Elle s'arrêta à l'endroit où un petit cours d'eau rejoignait la rivière. Le ruisseau avait contourné un affleurement rocheux qui formait sur l'autre rive une berge plus élevée et protégeait du vent. Un écran de buissons et d'arbres tout juste bourgeonnants enfermait un coin isolé, abrité et procurait en même temps du bois sec de l'année précédente.

Depuis sa position en surplomb, Jondalar, replié sur ses pensées, regardait sans vraiment le voir le courant furieux de l'eau boueuse. Il n'avait pas pris conscience des ombres changeantes à mesure que le soleil montait dans le ciel et il sursauta en entendant quelqu'un approcher. Il n'était pas d'humeur à soutenir une conversation aimable, amicale, en ce jour de fête pour les Mamutoï. Vivement, il se glissa derrière quelques buissons pour attendre, sans se faire voir, que l'arrivant se fût éloigné. Lorsqu'il vit Ayla s'arrêter et, manifestement, s'installer, il ne sut plus que faire. Il songea bien à s'esquiver sans bruit, mais Ayla était trop bonne chasseuse : elle l'entendrait, à coup sûr. Il pensa alors à émerger tout simplement des buissons, en prétextant un besoin pressant, et à poursuivre son chemin. Mais il n'en fit rien.

Aussi discrètement que possible, il demeura caché pour observer la jeune femme. Il ne pouvait s'en empêcher, il ne pouvait même pas s'obliger à détourner les yeux, même lorsque, très vite, il comprit qu'elle se préparait à la cérémonie de la soirée et qu'elle se croyait seule. Au début, il s'était senti submergé par la joie de sa présence mais il ne tarda pas à être fasciné. Il ne pouvait faire autrement que la regarder.

Rapidement, Ayla alluma un feu à l'aide d'une pierre à feu et d'un morceau de silex. Elle y mit des pierres à chauffer. Elle voulait rendre le rite de purification aussi proche que possible de celui du Clan mais elle ne pouvait éviter certaines différences. Elle avait envisagé de faire du feu à la manière du Clan, en faisant tourner rapidement entre ses paumes une baguette sèche sur un morceau de bois plat, jusqu'à faire naître une braise. Mais, dans le Clan, les femmes n'étaient pas censées transporter du feu ni en allumer pour une cérémonie rituelle. Si elle devait braver la tradition en allumant son propre feu, décida Ayla, elle pouvait aussi bien se servir de sa pyrite.

Les femmes, toutefois, avaient le droit de se fabriquer des couteaux et d'autres outils en pierre, à condition de ne pas s'en servir pour la chasse. Ayla avait décidé qu'il lui fallait un nouveau sac à amulettes. Celui qu'elle portait, un sac mamutoï abondamment orné, ne conviendrait pas à un rite du Clan. Pour en fabriquer un autre, conforme aux règles du Clan, elle avait besoin d'un couteau pareil à ceux du Clan, et c'était pour cette raison qu'elle avait demandé à Wymez un nodule de silex. Elle chercha sur la berge, trouva un galet de la grosseur d'un poing, poli et arrondi par l'eau, qui lui servirait de percuteur. Elle l'utilisa pour débarrasser de sa gangue de craie le petit nodule, tout en commençant à le façonner grossièrement. Elle n'avait pas fait ses propres outils depuis un certain temps mais elle n'avait pas oublié la technique et elle ne tarda pas à s'absorber dans sa tâche.

Quand elle eut fini, la pierre luisante, d'un gris sombre, avait une forme plus ou moins ovale, avec une extrémité aplatie. Elle l'examina, en fit encore sauter un éclat. Après quoi, visant soigneusement, elle détacha un fragment au bord de l'extrémité aplatie, sur la partie la plus étroite de l'ovale. Elle tourna ensuite la pierre pour la mettre en position sous un angle précis et la frappa à l'endroit qu'elle venait d'ébrécher. Une plaque assez épaisse se détacha : elle avait la forme de l'extrémité ovale et possédait un tranchant affilé comme un rasoir.

Ayla n'avait pour outil qu'un galet mais elle avait travaillé avec l'habileté et la rapidité que donne l'expérience, et elle avait obtenu un couteau extrêmement tranchant, parfaitement utilisable. Elle n'avait aucune intention de le garder. Il n'avait pas de manche, il fallait le tenir à pleine main. Avec tous les outils plus raffinés qu'elle possédait maintenant, la plupart munis de manches, elle n'avait pas besoin d'un couteau du Clan, excepté pour cet usage particulier.

Sans prendre le temps d'émousser le tranchant pour rendre l'instrument plus facile à tenir et moins dangereux, Ayla coupa sur le bord de sa peau de daim une longue lanière et tailla, sur une extrémité du reste, un petit cercle. Elle reprit ensuite le galet qui lui servait de percuteur. Quand elle eut détaché avec soin deux ou trois morceaux de silex, le couteau se trouva transformé en poinçon à la pointe très aiguë. Elle l'utilisa pour percer des trous sur tout le pourtour du cercle de peau, passa enfin la lanière à travers ces trous.

Elle détacha de son cou la bourse décorée, l'ouvrit, fit glisser au creux de sa main les objets sacrés, les emblèmes de son totem. Après les avoir examinés un instant, elle les serra contre sa poitrine, avant de les placer dans le nouveau petit sac plus simple, à la mode du Clan, et de serrer le lacet. Elle avait pris la décision de rester chez les Mamutoï et de s'unir à Ranec mais elle ne s'attendait pas découvrir un signe de son Lion des Cavernes pour lui confirmer que cette décision était la bonne.

Elle alla jusqu'au cours d'eau, emplit la corbeille à cuire, y ajouta les pierres brûlantes tirées du feu. Il était trop tôt dans l'année pour trouver la racine de saponaire, et les environs étaient trop découverts pour la prêle, qui poussait dans des lieux ombreux, humides. Il fallait trouver d'autres herbes.

Après avoir jeté dans l'eau chaude des fleurs séchées de coelanthus, qui dégageaient un parfum agréable tout en moussant, elle ajouta des pointes de fougère et quelques fleurs d'ancolie cueillies en chemin, enfin de jeunes rameaux de bouleau, pour leur odeur de gaulthérie. Elle mit la corbeille de côté. Elle avait longuement réfléchi à ce qu'elle utiliserait pour remplacer l'insectifuge à base d'acide extrait d'une infusion de fougère pour tuer puces et poux. Finalement, Nezzie, sans le vouloir, lui avait fourni la solution.

Ayla se déshabilla vivement, prit les deux corbeilles tressées et étanches et descendit vers la rivière. L'une d'elles contenait le mélange aromatique qu'elle venait de faire, l'autre l'urine de plusieurs jours.

Une fois déjà, Jondalar avait demandé à la jeune femme de lui montrer les techniques employées par le Clan pour tailler les pierres et il avait été impressionné. Mais il était maintenant fasciné en la regardant travailler, avec tant d'assurance et d'habileté. Sans marteaux en os, sans perçoirs, elle fabriquait rapidement les outils dont elle avait besoin. Il se demandait s'il aurait fait aussi bien à l'aide d'un simple galet. Brusquement, son estime pour la technique de taille de la pierre des Têtes Plates monta d'un cran.

Le petit sac fut rapidement fait, lui aussi. Il était rudimentaire, mais la conception en était ingénieuse. Ce fut seulement lorsqu'il la vit manier les différents objets qu'il devait contenir et qu'il remarqua la manière dont elle les tenait qu'il prit conscience d'une certaine mélancolie dans son attitude, d'une aura de tristesse et de chagrin. Elle aurait dû être pleine de joie mais elle semblait malheureuse. Non, se dit-il, c'était sans doute un effet de son imagination.

Il retint son souffle quand elle commença de se dévêtir. La vue de sa beauté épanouie faisait naître en lui un désir qui l'accablait. Mais le souvenir de son comportement sans nom suffisait à le retenir. Durant l'hiver, elle s'était remise à coiffer ses cheveux en nattes, un peu comme Deegie, et, lorsqu'elle dénoua sa longue chevelure, il se rappela la première fois où il l'avait vue nue, dans la chaleur d'été de sa vallée, dorée, superbe, encore mouillée après son bain. Il s'ordonna de ne plus la regarder et il aurait pu le faire quand elle entra dans la rivière mais, au prix même de la vie, il aurait été incapable de tout mouvement.

Ayla entama sa toilette avec l'urine. Le liquide ammoniacal était corrosif, il dégageait une odeur forte mais il dissolvait sur sa peau, sur ses cheveux, les huiles et les graisses et il tuait les poux, les puces qu'elle avait pu attraper. Il avait même tendance à éclaircir la chevelure. Les eaux de la rivière, après la fonte des glaces, étaient encore très froides mais le choc était revigorant, et le bouillonnement du flot, riche en sable gréseux, même près de la berge où il était plus calme, emportait à la fois la saleté et l'odeur pénétrante de l'ammoniac.

Le nettoyage énergique et le froid de l'eau avaient rosé la peau d'Ayla de la tête aux pieds. Elle frissonna en sortant de la rivière, mais le mélange parfumé qu'elle avait préparé était encore tiède et mousseux. Elle en frotta son corps entier et ses cheveux. Pour se rincer elle se dirigea vers un petit bassin d'eau calme, près du confluent avec le ruisseau : l'eau y était moins boueuse que celle de la rivière. Lorsqu'elle en émergea, elle s'enveloppa de sa peau de daim, afin de se sécher, pendant qu'elle démêlait sa chevelure à l'aide de sa brosse dure et d'une épingle à cheveux en ivoire. Fraîche et toute propre, elle se sentait bien.

Tout en étant dévoré du désir douloureux de la rejoindre, de lui faire partager les Plaisirs, Jondalar éprouvait une certaine satisfaction à se repaître du spectacle. Ce n'était pas seulement la vue de ce corps magnifique, riche en courbes féminines et pourtant ferme et bien modelé, dont les muscles plats et durs évoquaient la force. Il prenait plaisir à l'observer, à suivre ses mouvements naturellement gracieux. Qu'elle fît du feu, qu'elle façonnât l'outil dont elle avait besoin, elle savait précisément comment s'y prendre et ne gaspillait pas un geste. Jondalar avait toujours admiré son adresse, la sûreté de ses gestes, son intelligence. Tout cela faisait partie de l'attirance qu'elle exerçait sur lui. La compagnie d'Ayla lui avait manqué, et le seul fait de l'observer apaisait le besoin de se trouver près d'elle.

Ayla était presque rhabillée quand un jappement du jeune loup lui fit lever la tête. Elle sourit.

— Loup ! Que fais-tu là ? Tu as échappé à la surveillance de Rydag ?

Le louveteau bondit vers elle pour la saluer, tout heureux de l'avoir retrouvée. Elle entreprit de rassembler ses affaires, et le petit animal se mit à flairer un peu partout.

— Eh bien, maintenant que tu m'as découverte, nous pouvons rentrer. Viens, Loup. Allons-nous-en. Mais que cherches-tu dans ces buissons ?... Jondalar !

La stupeur coupa la parole à la jeune femme quand elle reconnut ce qui avait attiré l'attention du louveteau. Jondalar, de son côté, était trop embarrassé pour parler. Mais leurs regards se retenaient, en disaient plus long que des mots. Ni l'un ni l'autre ne pouvaient croire à ce qu'ils voyaient. Finalement, Jondalar tenta une explication :

— Je... je passais par ici et...

Il renonça, n'essaya même pas de formuler entièrement une mauvaise excuse. Il se détourna, s'éloigna rapidement. Plus lentement, Ayla reprit à sa suite le chemin du Camp, et gravit lourdement la pente. Elle s'expliquait mal le comportement de Jondalar. Elle ignorait depuis combien de temps il était là, mais il l'avait observée, elle le savait, elle se demandait pourquoi il s'était tenu caché. Que devait-elle en penser ? Elle passa par le foyer des chevaux, qui donnait sur le Foyer du Mammouth, enfin d'aller retrouver Mamut et achever ses préparatifs. A ce moment, elle se rappela le regard de Jondalar...

Jondalar ne revint pas tout de suite au Camp. Il n'était pas sûr de pouvoir affronter, pour le moment, Ayla ou n'importe qui d'autre. Au pied du sentier qui remontait vers l'habitation, il fit demi-tour, redescendit, se retrouva bientôt au même endroit isolé.

Il s'approcha des restes du feu, s'agenouilla, chercha de la main la légère chaleur qui subsistait. Il ferma à demi les paupières pour se remémorer la scène qu'il avait secrètement épiée. Lorsqu'il rouvrit les yeux, il vit le nodule de silex, qu'elle avait abandonné. Il le ramassa, l'examina. Il aperçut les éclats qu'elle avait fait sauter, en remit quelques-uns à leur place pour étudier le travail de plus près. Non loin des morceaux de peau de daim, il trouva le perçoir. Il le prit, l'examina. Il n'était pas fait de la manière à laquelle il était accoutumé, il semblait trop simple, presque grossier. Ce n'en était pas moins un bon outil, efficace. Et bien acéré, se dit-il, quand il s'y blessa le doigt.

Cet outil évoquait Ayla elle-même. Il représentait en quelque sorte l'énigme qu'elle incarnait, ses contradictions apparentes. Sa visible candeur, tout enveloppée de mystère. Sa simplicité, imprégnée d'un antique savoir. Sa sincérité, sa naïveté, encloses dans la richesse et la profondeur de son expérience. Il décida de garder le perçoir, en souvenir d'elle, l'enveloppa, pour l'emporter, dans les morceaux de peau.

Le festin eut lieu dans la chaleur de l'après-midi. Il se déroula dans le foyer de la cuisine, mais on avait relevé et attaché les lourds rabats de peau de l'abri des chevaux, afin de faciliter la circulation de l'air frais et celle des convives. Bon nombre des festivités se tenaient dehors, en particulier les jeux et les concours — la lutte semblait être un sport de printemps favori —, ainsi que les chants et les danses.

On échangeait des présents, en signe de chance, de bonheur, de bonne volonté, à l'imitation de la Grande Terre Mère qui, une fois encore, apportait à la terre la chaleur et la vie, et pour montrer qu'on appréciait les dons qu'Elle déversait sur Ses créatures. Il s'agissait généralement de cadeaux sans grande importance : des ceintures, des gaines pour les couteaux, des dents d'animaux percées d'un trou ou creusées d'une rainure afin de pouvoir les accrocher en guise de pendentifs, des rangs de perles qu'on pouvait porter tels quels ou coudre sur des vêtements. Cette année-là, le tout nouveau tireur de fil remportait un grand succès, qu'on le donnât ou le reçût, ainsi que l'étui où le ranger, fait d'un petit tube d'ivoire ou d'un os d'oiseau creux. Nezzie la première en avait eu l'idée : elle portait son étui, avec le petit carré de peau de mammouth qui lui servait de dé, dans son sac à coudre richement décoré. Plusieurs autres femmes l'avaient imitée.

Les pierres à feu possédées par chaque foyer étaient considérées comme magiques et tenues pour sacrées. On les gardait dans une niche, avec l'effigie de la Mère. Mais Barzec offrit plusieurs nécessaires dont il avait imaginé le modèle, et qui furent l'objet du plus vif enthousiasme. Ils étaient commodes à porter, contenaient des matériaux facilement inflammables sous l'effet d'une étincelle — des fibres végétales duveteuses, de la bouse séchée et pulvérisée, des éclats de bois — et ménageaient une place à la pierre à feu et au silex, lorsqu'on voyageait.

Quand le vent du soir rafraîchit l'atmosphère, le Camp abrita à l'intérieur ses sentiments chaleureux et referma les lourds rabats. On passa un certain temps à s'installer, à revêtir les tenues de cérémonie, à placer les derniers éléments décoratifs, à remplir les coupes d'un breuvage favori, tisane aux herbes ou bouza de Talut. Tout le monde se rendit ensuite au Foyer du Mammouth pour assister à la partie la plus importante de la Fête du Printemps.

Ayla et Deegie firent signe à Latie de venir s'asseoir avec elles : elle était presque leur égale, à présent, presque une jeune femme. Sur son passage, Danug et Druwez levèrent des regards empreints d'une timidité inaccoutumée. Elle carra les épaules, redressa la tête mais s'abstint de leur adresser la parole. Ils la suivirent des yeux. Lorsqu'elle s'installa entre les deux amies, Latie souriait : elle avait l'impression d'être devenue un personnage et de se trouver tout à fait à sa place.

Du temps où ils étaient enfants, elle était la compagne de jeux, l'amie des deux garçons, mais elle n'était plus une enfant, elle n'était pas une gamine que de jeunes mâles pouvaient ignorer, dédaigner. Elle était passée dans un monde attirant et magique, un peu inquiétant et parfaitement mystérieux, celui des femmes. Son corps avait changé de forme, elle pouvait éveiller dans le corps des garçons des émotions, des réactions inattendues, incontrôlables, rien qu'en passant devant eux. Un regard d'elle suffisait à les déconcerter.

Mais ils avaient entendu parler d'un phénomène plus intimidant encore. Elle pouvait, sans être blessée, faire sortir du sang de son corps, sans apparemment en souffrir, ce qui la mettait en quelque sorte en mesure d'absorber en elle-même la magie de la Mère. Sans comprendre comment, ils savaient qu'un jour elle mettrait au monde une vie nouvelle tirée de son propre corps. Un jour, Latie produirait des enfants. Mais un homme devrait d'abord faire d'elle une femme. Tel serait leur rôle... pas avec Latie, naturellement : elle était pour eux une sœur, une cousine, une parente trop proche. Mais, un jour, quand ils auraient acquis plus d'expérience, ils seraient peut-être choisis pour s'acquitter de cette importante fonction. En effet, même si elle pouvait saigner sans blessure, une fille était incapable de produire des enfants jusqu'à ce qu'un homme eût fait d'elle une femme.

La prochaine Réunion d'Eté apporterait des révélations aux deux jeunes hommes, à Danug surtout, puisqu'il était l'aîné des deux. Aucune contrainte ne s'exercerait sur eux, mais, lorsqu'ils seraient prêts, des femmes, qui s'étaient vouées à la Mère pour une saison, accueilleraient les jeunes gens, leur apporteraient l'expérience nécessaire, leur enseigneraient les voies et les joies mystérieuses des femmes.

Tulie s'avança jusqu'au centre du groupe. Elle tenait haut le Bâton Qui Parle et le secouait en attendant que tout le monde fît silence. Quand l'attention de tous se fut fixée sur elle, elle passa le bâton d'ivoire décoré à Talut qui était en grande tenue jusqu'à sa coiffure ornée de défenses de mammouth. Mamut apparut, vêtu d'une cape de cuir blanc, richement décorée. Il tenait une tige de bois habilement conçue qui semblait faite d'une seule pièce, mais une des extrémités était formée d'une branche sèche, nue, morte, tandis que l'autre était couverte de bourgeons et de petites feuilles vertes. Il la tendit à Tulie. En sa qualité de Femme Qui Ordonne, il lui appartenait d'ouvrir la Fête du Printemps. Le printemps était la saison des femmes, l'époque des naissances et d'une vie nouvelle, l'époque des recommencements. Elle prit la tige double dans ses deux mains, l'éleva au-dessus de sa tête, s'immobilisa un instant, afin de laisser à son geste le temps de produire tout son effet. Après quoi, d'un mouvement brusque, elle abattit la tige sur son genou, la brisa en deux parties, pour symboliser la fin de l'année écoulée et le début de l'année nouvelle. C'était le signe qui annonçait le début des cérémonies de la soirée.

— Au cours du dernier cycle, commença Tulie, la Mère nous a

comblés de Ses faveurs. Nous avons tant de bienfaits à célébrer qu'il nous sera malaisé de choisir l'événement le plus significatif pour marquer la place de l'année parmi les autres. Ayla a été adoptée par les Mamutoï, et nous avons ainsi parmi nous une femme nouvelle. La Mère a choisi Latie pour la rendre prête à devenir femme, ce qui nous en fera bientôt une autre.

Ayla fut surprise d'entendre citer son nom.

— Nous avons aussi un nouveau petit enfant, auquel nous devons donner un nom et sa place parmi nous, et une nouvelle Union va être annoncée.

Jondalar ferma les yeux, avala convulsivement sa salive. Tulie poursuivit :

— Nous sommes parvenus à la fin de l'hiver sans accidents et en bonne santé. Il est temps pour le cycle de recommencer.

Quand Jondalar rouvrit les yeux, Talut s'était avancé et tenait le Bâton Qui Parle. Il vit Nezzie faire signe à Latie. La jeune fille se leva, adressa un petit sourire nerveux aux deux jeunes femmes qui l'avaient si bien soutenue, avant de s'approcher du géant à la chevelure flamboyante qui était l'homme de son foyer. Talut lui sourit, pour l'encourager, avec une affection profonde. Elle vit Wymez, à côté de Nezzie. Son sourire, s'il était moins communicatif, exprimait autant de fierté et de tendresse pour la fille de sa sœur, sa propre héritière, qui serait bientôt une femme. Pour tous, le moment était important.

— Je suis très fier d'annoncer que Latie, première fille du Foyer du Lion, a été rendue prête à devenir une femme, déclara Talut, et de proclamer qu'elle fera partie de la Célébration de la Féminité, à la Réunion de cet été.

Mamut s'avança vers elle, lui tendit un objet.

— Voici ta muta, Latie, dit-il. Avec l'esprit de la Mère qui l'habite, tu pourras un jour créer toi-même un foyer. Conserve-la dans un endroit sûr.

Latie reçut l'objet sculpté dans l'ivoire et regagna sa place, où elle prit plaisir à faire voir sa muta à ceux qui l'entouraient. Ayla, très intéressée, savait que la muta avait été faite par Ranec, puisqu'elle en avait une semblable, et, au souvenir des mots qui venaient d'être prononcés, elle commençait à comprendre pourquoi il la lui avait offerte. Il lui fallait une muta pour fonder un foyer avec lui.

— Ranec doit travailler sur une idée nouvelle, remarqua Deegie, en examinant la figurine mi-femme, mi-oiseau. Je n'en avais jamais vu de semblable. Elle sort de l'ordinaire. Je ne suis pas sûre d'en comprendre la signification. La mienne ressemble davantage à une femme.

— Il m'en a offert une comme celle de Latie, dit Ayla. J'ai pensé qu'elle était à la fois une femme et un oiseau, selon l'angle sous lequel on la regarde.

Ayla prit entre ses mains la muta de Latie, la tourna d'un côté et de l'autre.

— Ranec m'a dit qu'il voulait représenter la Mère sous Sa forme spirituelle.

— Oui, je m'en rends compte, maintenant que tu me l'as montrée, reconnut Deegie.

Elle rendit la petite figurine à Latie qui la nicha précautionneusement au creux de ses mains.

— Elle me plaît, déclara la jeune fille. Ce n'est pas celle de tout le monde, et elle possède une signification particulière.

Elle était heureuse que Ranec lui eût offert une muta unique en son genre. Même s'il n'avait jamais vécu au Foyer du Lion, Ranec était son frère, lui aussi, mais beaucoup plus âgé que Danug, et elle le considérait plutôt comme un oncle que comme un frère. Elle ne le comprenait pas toujours, mais elle l'admirait et elle savait que tous les Mamutoï le tenaient en grande estime pour son talent de sculpteur. N'importe quelle muta de sa main lui aurait fait plaisir, mais elle était heureuse qu'il lui en eût donné une semblable à celle d'Ayla. S'il l'avait offerte à la jeune femme, c'est qu'il la considérait comme ce qu'il avait fait de meilleur.

La cérémonie qui allait donner un nom à l'enfant de Fralie avait déjà commencé. Les trois jeunes femmes reportèrent leur attention sur son déroulement. Ayla reconnut la plaque d'ivoire gravée de signes que Talut élevait très haut. Elle connut un moment d'inquiétude, au souvenir de son adoption. Mais la cérémonie était manifestement très courante. Mamut devait savoir que faire. Ayla regarda Fralie présenter son bébé au chaman et au chef du Camp du Lion et se remémora soudain une autre cérémonie du même genre. Cette fois aussi, le printemps avait commencé, mais c'était elle, alors, qui était la mère, et, s'attendant au pire, elle avait présenté son enfant avec crainte.

Elle entendit Mamut demander :

— Quel nom as-tu choisi pour cet enfant ?

Et Fralie répondit :

— Elle doit être appelée Bectie.

Mais, dans l'esprit d'Ayla, la voix de Creb disait : *Durc. Le nom du garçon est Durc.*

Des larmes lui montèrent aux yeux : elle retrouvait sa gratitude, quand Brun avait accepté son fils, quand Creb lui avait donné un nom. Elle releva la tête, vit Rydag. Assis parmi d'autres enfants, Loup sur ses genoux, il la regardait avec ces grands yeux bruns, emplis d'une antique sagesse, qui lui rappelaient tant ceux de Durc. Elle éprouva un désir soudain, violent de revoir son fils, mais au même instant, une pensée la frappa. Durc était d'esprits mêlés, comme Rydag, mais il était né au sein du Clan, il avait été accepté par le Clan, élevé par le Clan. Son fils faisait partie du Clan, et elle-même était morte, pour le Clan. Elle frissonna, tenta de chasser cette idée.

Le cri de surprise et de douleur d'un tout petit enfant ramena l'attention d'Ayla sur la cérémonie. La pointe d'un couteau avait entaillé le bras du bébé, et l'on avait gravé une marque sur la plaque d'ivoire. Bectie portait son nom, elle comptait au nombre des Mamutoï. Mamut versait sur le bras blessé la solution piquante. Du coup, la toute petite, qui n'avait jamais connu la souffrance, exprima son déplaisir avec plus de violence encore. Ses piaillements insistants amenèrent un sourire sur les lèvres d'Ayla. En dépit de sa naissance prématurée, Bectie avait pris de la vigueur. Elle avait assez de force pour crier. Fralie leva sa petite fille pour la montrer à toute l'assistance. Elle la reprit ensuite dans ses bras, entama, d'une voix haute et douce, un chant de joie et de réconfort qui apaisa l'enfant. Lorsqu'elle se tut, Fralie alla reprendre sa place auprès de Frebec et de Crozie. Un moment après, Bectie se remit à pleurer, mais ses cris cessèrent avec une soudaineté qui montra qu'on lui avait offert le meilleur des réconforts.

Deegie poussa Ayla du coude. Le moment était venu, comprit celle-ci : c'était son tour. On lui faisait signe d'avancer. L'espace d'un instant, elle se trouva incapable de bouger. Il lui prit peut-être l'envie de se sauver, mais elle n'avait nulle part où aller. Elle ne voulait pas faire cette Promesse à Ranec. C'était Jondalar qu'elle voulait. Elle avait envie de le supplier de ne pas partir sans elle. Mais, en levant les yeux, elle vit le visage ardent, heureux, souriant de Ranec. Elle reprit longuement son souffle, se leva. Jondalar ne voulait plus d'elle, et elle avait dit à Ranec qu'elle ferait cette Promesse. A regret, Ayla s'avança vers les deux chefs du Camp.

L'homme à la peau sombre la regarda venir dans sa direction, sortir de l'ombre pour entrer dans la lumière du feu, et sa gorge se noua. Elle portait la tenue de cuir pâle qui lui avait offerte Deegie, et qui lui allait si bien, mais sa chevelure n'était pas coiffée en nattes ni en chignon, elle n'avait pas, à la manière des femmes mamutoï, incorporé des perles ou d'autres ornements. Par déférence pour la cérémonie de la racine du Clan, elle avait laissé ses cheveux retomber librement sur ses épaules. Les épaisses vagues brillantes luisaient à la lumière du feu et encadraient d'un halo d'or son merveilleux visage délicatement modelé. A cet instant, Ranec se sentit convaincu d'avoir devant lui une incarnation de la Mère, née du corps du parfait Esprit de la Femme. Il la désirait tellement comme compagne que ce désir en devenait presque douloureux. Il avait peine à croire que cette nuit se déroulât dans la réalité.

Ranec n'était pas le seul à être ébloui par sa beauté. Lorsqu'elle entra dans le cercle de lumière, le Camp tout entier fut saisi de surprise. La tenue mamutoï, d'une élégante richesse, et la magnifique beauté naturelle de sa chevelure s'associaient en une bouleversante combinaison, encore rehaussée par cet éclairage dramatique. Talut pensait à la valeur supplémentaire qu'elle apporterait au Camp. Tulie était décidée à fixer très haut le Prix de la Femme, même si elle devait en verser elle-même la moitié, à cause du prestige dont ils bénéficieraient tous. Mamut, déjà convaincu qu'elle était destinée à Servir la Mère dans un rôle très important, remarqua son instinct pour choisir le bon moment, pour produire un effet dramatique. Un jour, il le comprit, elle représenterait une force avec laquelle il faudrait compter.

Mais personne ne perçut le choc comme le fit Jondalar. Sa beauté l'éblouissait tout autant que Ranec. Mais la mère de Jondalar avait commandé, et, après elle, son frère. Dalanar avait fondé et dirigé un autre groupe, et Zolena avait atteint le plus haut rang de la zelandonia. Jondalar avait grandi parmi les chefs naturels de son propre peuple et son intuition lui disait les qualités que les deux chefs et le chaman du Camp du Lion avaient remarquées chez Ayla. Comme si quelqu'un lui avait lancé un coup de pied dans l'estomac et lui avait coupé le souffle, il comprit tout à coup ce qu'il avait perdu.

Dès qu'Ayla se trouva aux côtés de Ranec, Tulie commença :

— Ranec des Mamutoï, fils du Foyer du Renard dans le Camp du Lion, tu as demandé à Ayla des Mamutoï, fille du Foyer du Mammouth dans le Camp du Lion, de se joindre à toi pour former une Union et créer un foyer. Est-ce vrai, Ranec ?

— Oui, c'est vrai, répondit-il.

Il se tourna vers Ayla, avec un sourire de joie absolue.

Talut s'adressa alors à Ayla :

— Ayla des Mamutoï, fille du Foyer du Mammouth dans le Camp du Lion, protégée par l'Esprit du Lion des Cavernes, acceptes-tu cette Union avec Ranec, fils du Foyer du Renard dans le Camp du Lion ?

Elle ferma les yeux, ravala sa salive avant de répondre, d'une voix à peine audible :

— Oui, je l'accepte.

Jondalar, assis derrière les autres, adossé au mur, ferma les paupières, serra les dents, au point de ressentir des élancements aux tempes. C'était sa faute. S'il ne l'avait pas forcée, elle ne se serait peut-être pas donnée maintenant à Ranec. Mais elle l'avait déjà fait, elle avait partagé son lit. Dès le jour où elle avait été adoptée par les Mamutoï, elle avait partagé son lit. Non, il devait le reconnaître, ce n'était pas tout à fait vrai. Après cette première nuit, elle n'avait plus rejoint le sculpteur dans son lit jusqu'au jour où, à la suite de cette stupide querelle, il avait quitté le Foyer du Mammouth. Pourquoi s'étaient-ils querellés ? Il ne ressentait pas de colère contre elle, il était inquiet à son sujet. Alors, pourquoi avait-il quitté le Foyer du Mammouth ?

Tulie se tourna vers Wymez, qui se tenait près de Ranec, à côté de Nezzie. Ayla ne l'avait même pas remarqué.

— Acceptes-tu cette Union entre le fils du Foyer du Renard et la fille du Foyer du Mammouth ?

— J'accepte cette Union, avec joie, répondit Wymez.

— Et toi, Nezzie ? questionna Tulie. Veux-tu accepter une Union entre ton fils, Ranec, et Ayla, si l'on peut convenir d'un Prix de la Femme qui soit convenable ?

— J'accepte l'Union, répondit-elle.

Talut s'adressa ensuite au vieil homme, debout près d'Ayla.

— Mamut, toi qui es à la recherche des Esprits, toi qui as renoncé à tout nom, à tout foyer, toi qui as été appelé, qui t'es voué au Foyer du Mammouth, qui parles à la Grande Mère de Toutes Choses, toi Qui Sers Mut, dit le chef, qui avait scrupuleusement énuméré tous les noms, tous les titres du chaman, Mamut, consens-tu à une Union entre Ayla, fille du Foyer du Mammouth, et Ranec, fils du Foyer du Renard ?

Mamut ne répondit pas immédiatement. Il regardait Ayla, debout devant lui, la tête basse. Elle attendait. N'entendant pas sa réponse, elle releva la tête. Il détailla son expression, nota son attitude, son aura.

Il déclara finalement :

— La fille du Foyer du Mammouth peut s'unir avec le fils du Foyer du Renard, si elle le désire. Il n'existe aucune raison qui s'oppose à cette Union. Elle n'a pas besoin de mon approbation ou de mon consentement, ni de ceux de quiconque. Le choix lui appartient. Le choix lui appartiendra toujours, où qu'elle se trouve. Si elle a besoin d'une autorisation, je la lui donne. Mais elle restera toujours fille du Foyer du Mammouth.

Tulie observait attentivement le vieil homme. Ses paroles, elle en avait l'impression, avaient un sens caché. Elle sentait une certaine ambiguïté dans sa réponse et elle se demandait ce qu'il voulait réellement dire, mais elle pensa qu'elle pourrait y réfléchir plus tard.

— Ranec, fils du Foyer du Renard, et Ayla, fille du Foyer du Mammouth, ont exprimé leur intention de s'unir. Ils souhaitent former une Union, pour mêler leurs esprits et partager un seul foyer. Tous ceux que l'affaire concernait ont accepté, déclara Tulie.

Elle se tourna vers le sculpteur.

— Ranec, si vous êtes unis, promettras-tu d'accorder à Ayla la protection de ta force et de ton esprit mâle, lui montreras-tu ta sollicitude quand la Mère la bénira en lui permettant de créer une autre vie, accepteras-tu ses enfants comme les enfants de ton foyer ?

— Je le promets. C'est ce que je désire plus que tout au monde, répondit Ranec.

— Ayla, si vous êtes unis, promettras-tu d'accorder à Ranec ta sollicitude, de lui donner la protection du pouvoir de ta Mère, accueilleras-tu sans réserve le Don de Vie de la Mère et partageras-tu tes enfants avec l'homme de ton foyer ? dit Tulie.

Ayla ouvrait la bouche pour répondre, mais aucun son, tout d'abord, n'en sortit. Elle toussa, s'éclaircit la voix, parvint enfin à parler, mais sa réponse fut presque inaudible.

— Oui, je le promets.

— Entendez-vous cette Promesse et en êtes-vous les témoins ? demanda Tulie au peuple rassemblé.

— Nous l'entendons et nous en sommes les témoins, répondit le groupe.

Deegie et Tornec se mirent à battre un rythme lent sur les os qui leur servaient d'instruments. Ils en modifiaient subtilement la tonalité pour accompagner les voix qui commençaient à psalmodier.

— Vous serez unis lors de la Réunion d'Eté, afin que tous les Mamutoï soient témoins de votre Union, déclara Tulie. Faites par trois fois le tour du feu, afin de garantir la Promesse.

Côte à côte, Ranec et Ayla marchèrent par trois fois autour du feu, au son de la musique et de la psalmodie de l'assistance. Ils étaient Promis. Ranec était plongé dans l'extase. Il avait l'impression que ses pieds touchaient à peine le sol. Son bonheur était à ce point dévorant qu'il lui était impossible de croire qu'Ayla ne le partageait pas. Il avait bien remarqué chez elle une certaine réticence mais il l'avait attribuée à la timidité, à la fatigue, à la nervosité. Il l'aimait tant qu'il était pour lui inconcevable d'envisager qu'elle ne l'aimât pas avec la même ardeur.

Mais Ayla, elle, avait le cœur lourd, tout en s'efforçant de ne pas le montrer. Jondalar se laissa glisser contre le mur. Comme si ses os eux-mêmes lui refusaient tout service, il était incapable de se soutenir, il se faisait l'effet d'une vieille bourse vide, jetée au rebut. Plus que de tout autre chose, il éprouvait l'envie de partir en courant, d'échapper au spectacle de la femme ravissante qu'il aimait aux côtés de l'homme à la peau sombre dont le visage rayonnait de joie.

Lorsqu'ils eurent achevé le troisième cercle, il se fit une pause dans le déroulement des cérémonies, afin de présenter des vœux et de faire des cadeaux à tous ceux qui y avaient participé. Parmi les présents offerts à Bectie figurait l'espace cédé au Foyer de la Grue par le Foyer de l'Aurochs, ainsi qu'un collier d'ambre et de coquillages et un petit couteau dans une gaine ornementée qui représentaient les premières des richesses qu'elle accumulerait au cours de sa vie. Latie reçut des cadeaux personnels très importants pour une femme et, de Nezzie, une magnifique tunique d'été, richement décorée, qu'elle porterait durant les festivités de la Réunion d'Eté. Elle recevrait bien d'autres présents de parents et d'amis dans d'autres Camps.

Ayla et Ranec se virent offrir des objets ménagers : une grande cuiller taillée dans une corne, un grattoir à deux manches qu'on utilisait pour assouplir la face interne des fourrures, des coupes, des bols, des écuelles. Ayla avait l'impression de recevoir une multitude d'objets. Il ne s'agissait pourtant que de dons symboliques. Le couple recevrait bien davantage à la Réunion d'Eté, mais alors, les Promis et le Camp du Lion devraient, eux aussi, offrir des présents. Ceux-ci, qu'ils fussent importants ou non, n'allaient jamais sans obligations, et la comptabilité de qui devait quoi à qui représentait un jeu complexe mais toujours fascinant.

— Oh, Ayla, je suis si heureuse que nous devions être unies en même temps ! s'écria Deegie. Ce sera tellement amusant de tout arranger avec toi. Mais tu reviendras ici, et moi, je partirai. Tu me manqueras, l'an prochain. Il aurait été tellement amusant de savoir laquelle recevra la première la bénédiction de la Mère. Ayla, tu dois être si heureuse.

— Oui, sans doute, dit Ayla.

Elle souriait, mais le cœur n'y était pas.

Deegie s'interrogeait sur ce manque d'enthousiasme. Ayla ne paraissait pas aussi follement heureuse qu'elle-même l'avait été après sa Promesse. Ayla, elle aussi, se posait des questions. Elle aurait dû être heureuse, elle aurait aimé l'être mais elle n'avait conscience que de ses espérances perdues.

Pendant les échanges de vœux, de félicitations et de commentaires, Mamut et elle s'éclipsèrent pour mettre la dernière main à leurs préparatifs dans le Foyer de l'Aurochs. Lorsqu'ils furent prêts, ils revinrent par le passage central, mais Mamut s'immobilisa dans l'ombre, entre le Foyer du Renne et le Foyer du Mammouth. Les assistants, par petits groupes, s'absorbaient dans leurs conversations. Le chaman attendit un moment où personne ne regardait dans leur direction. Il fit alors signe à Ayla, et tous deux se glissèrent vivement dans le périmètre réservé aux cérémonies et se réfugièrent dans l'ombre jusqu'au dernier moment.

Personne, au début, ne remarqua la présence de Mamut. Debout devant le feu, près de l'écran, enveloppé de son grand manteau, il avait les bras croisés sur la poitrine, les paupières apparemment closes. Ayla, assise en tailleur à ses pieds, la tête baissée, portait elle aussi sur les épaules une ample cape. Quand on les découvrit, ce fut avec l'étrange impression qu'ils s'étaient soudain matérialisés au milieu de l'assistance. Personne ne les avait vus arriver. Ils étaient là, tout simplement. Les gens trouvèrent rapidement où s'asseoir, saisis d'impatience, prêts maintenant à partager le mystère et la magie du Foyer du Mammouth, curieux de cette nouvelle cérémonie qu'on leur avait préparée.

Mamut tenait avant tout à affirmer l'existence du monde des esprits, afin de montrer la réalité sublimée du domaine de la connaissance dans lequel il se mouvait à ceux qui n'en avaient de notion que par ouï-dire. Les propos se turent. Dans le silence, on n'entendit plus que le bruit des respirations, les crépitements du feu. L'air était une invisible présence qui arrivait par bouffées à travers les orifices de ventilation du feu et jetait son hurlement assourdi et plaintif par les trous à fumée entrouverts. Par degrés si imperceptibles que personne n'en perçut le début, le gémissement devint une mélopée murmurée, puis une psalmodie rythmée. L'assemblée se joignit au chant, y ajouta des harmonies naturelles, et le vieux chaman entama un mouvement de danse qui balançait tout son corps. Le tambour accentua le rythme, aidé par le claquement d'une sorte de crécelle formée de plusieurs bracelets secoués ensemble.

Brusquement, Mamut rejeta son grand manteau, apparut devant l'assemblée complètement nu. Il n'avait ni poches, ni manches, ni plis secrets où dissimuler quelque chose. Imperceptiblement, il parut grandir devant leurs yeux. Sa présence miroitante emplissait l'espace. Ayla battit des paupières. Le vieux chaman, elle le savait, n'avait pas changé. Si elle se concentrait, elle retrouvait la silhouette familière du vieil homme, avec sa peau flasque, ses longs membres décharnés, mais c'était difficile.

Il revint à sa taille normale mais il avait, semblait-il, absorbé ou de quelque manière incorporé la présence miroitante : elle le soulignait maintenant d'un rayonnement qui le faisait paraître plus grand que nature. Il tendit devant lui ses mains ouvertes. Elles étaient vides. Il les frappa l'une contre l'autre, une fois, avant de les unir. Il ferma les yeux et demeura tout d'abord immobile. Mais bientôt, il se mit à trembler, comme s'il luttait contre une force supérieure. Lentement, au prix d'un grand effort, il sépara ses deux mains. Une forme vague, sombre, apparut entre elles, et plus d'un témoin frémit. Cette forme évoquait l'indicible sensation, l'odeur, du mal, de quelque chose d'infect, de répugnant, d'horrible. Ayla sentit ses cheveux se hérisser sur sa nuque et retint son souffle.

A mesure que Mamut écartait les mains, la forme grossissait. L'odeur âcre de la sueur montait de l'assistance assise. Chacun, le dos rigide, tendu en avant, psalmodiait une plainte avec une intensité gémissante, et la tension se faisait presque intolérable. La forme devenait plus sombre, s'enflait, se tordait sous l'effet d'une vie propre ou, plutôt, du contraire de la vie. Le vieux chaman se tendait, le corps secoué par l'effort. Ayla, inquiète, concentrait toute son attention sur lui.

Sans autre avertissement, elle se sentit attirée, entraînée, se retrouva soudain avec Mamut, dans sa pensée ou dans sa vision. Elle voyait tout clairement, elle comprenait le danger et elle était épouvantée. Il contrôlait quelque chose qui dépassait toute expression, toute compréhension. Mamut l'avait entraînée, à la fois pour la protéger, et pour qu'elle l'aidât. Il œuvrait pour maîtriser cette force, et elle était avec lui, elle savait et elle apprenait tout ensemble. Lorsqu'il rapprocha ses deux mains l'une de l'autre, la forme décrut, et Ayla comprit qu'il la repoussait vers le lieu d'où elle était venue. A l'instant où les deux mains s'unissaient enfin, elle perçut en esprit un éclat retentissant, pareil à celui d'un coup de tonnerre.

Le mal était parti. Mamut l'avait chassé. La jeune femme, alors, prit conscience que le chaman avait fait appel à d'autres esprits pour l'aider à lutter contre la chose immonde. Elle sentait la présence de vagues formes animales, d'esprits protecteurs : le Mammouth, le Lion des Cavernes, peut-être même l'Ours des Cavernes, Ursus en personne. Elle se retrouva tout à coup assise en tailleur sur une natte, les yeux levés vers le vieil homme qui était redevenu le Mamut familier. Physiquement, il était las, mais, sur le plan mental, ses facultés avaient été aiguisées par cette bataille de volontés. Ayla, elle aussi, avait l'impression de posséder une vision plus nette et elle continuait à percevoir la présence des esprits protecteurs. Elle était maintenant suffisamment initiée pour comprendre que le but du vieil homme avait été de se débarrasser de toute influence néfaste qui aurait pu s'attarder et mettre en péril la cérémonie. Ces influences avaient été attirées par le mal qu'il avait évoqué et avaient été chassées avec lui.

Mamut, d'un signe, demanda le silence. Le chant, le son des instruments se turent ensemble. Il était temps pour Ayla d'aborder la cérémonie de la racine célébrée comme au Clan, mais le chaman tenait avant tout à insister sur l'importance de l'aide que devrait apporter le Camp lorsque reviendrait le moment de chanter. Partout où les emmènerait le rituel de la racine, le bruit de la psalmodie pourrait les ramener à leur point de départ.

Dans le silence nocturne chargé d'attente, Ayla se mit à marquer une suite de rythmes inconnus sur un instrument différent de tout ce que ces gens connaissaient. Il était très précisément ce qu'il semblait être : une grande coupe taillée d'une pièce dans un morceau de bois et retournée. La jeune femme l'avait rapportée de sa vallée, et elle surprenait tout autant par ses dimensions que par l'usage qu'en faisait

Ayla. On ne trouvait pas, sur la steppe aride et battue par les vents, d'arbres assez gros pour y tailler une coupe comme celle-là. La vallée de la rivière elle-même, en dépit d'inondations périodiques, ne donnait pas naissance à de tels arbres. Mais la petite vallée où elle avait vécu était abritée des vents les plus cruels et profitait d'une eau assez abondante pour nourrir quelques grands conifères. L'un d'eux avait été frappé par la foudre, et Ayla avait taillé sa coupe dans un morceau du tronc.

Elle se servait, pour la battre, d'une baguette de bois lisse et en tirait certaines variations de ton en frappant des endroits différents, mais il ne s'agissait pourtant pas d'un instrument musical à percussion, comme l'étaient le crâne aux sonorités de tambour ou l'omoplate. Celui-là était fait pour marquer des rythmes. Les gens du Camp du Lion étaient intrigués : ce n'était pas là leur musique, et ils n'étaient pas entièrement à l'aise. Les sons produits par Ayla étaient franchement étrangers. Toutefois, comme elle l'avait espéré, ils créaient l'atmosphère appropriée, celle même du Clan. Mamut était submergé par les souvenirs du temps qu'il avait passé chez cet autre peuple. Les derniers battements exécutés par la jeune femme, au lieu d'évoquer une fin, créèrent une impression d'anticipation : on attendait une suite.

Laquelle ? Le Camp l'ignorait. Mais, quand Ayla rejeta sa cape et se dressa, l'assistance fut surprise par les motifs peints à même sa peau : des cercles rouges et noirs. Mis à part quelques tatouages sur le visage de ceux qui appartenaient au Foyer du Mammouth, les Mamutoï décoraient leurs vêtements et non leurs corps. Pour la première fois, les habitants du Camp du Lion eurent la perception du monde d'où était issue Ayla, d'une culture tellement étrangère qu'elle leur demeurait en grande partie inintelligible. Il ne s'agissait pas simplement d'une tunique de style différent, du choix de couleurs prédominantes, d'une préférence pour un certain modèle de sagaie, ni même d'un langage différent. C'était une autre façon de penser, mais ils reconnaissaient au moins que cette façon de penser était humaine.

Fascinés, ils regardèrent Ayla emplir d'eau la coupe qu'elle avait remise à Mamut. Elle prit ensuite une racine desséchée qu'ils n'avaient pas remarquée, entreprit de la mastiquer. Au début, ce fut difficile. La racine était vieille, durcie, et il fallait en cracher le suc dans la coupe. Elle ne devait pas en avaler une goutte. Mamut avait voulu, une fois de plus, savoir si la racine pouvait conserver son efficacité, après tout ce temps, et Ayla lui avait expliqué qu'elle serait sans doute plus efficace encore.

Après un moment qui parut très long — elle se souvenait d'avoir eu déjà cette impression, la première fois —, elle cracha dans la coupe pleine d'eau la pulpe mastiquée et le reste de suc. Avec son doigt, elle remua le contenu pour obtenir un liquide légèrement laiteux, avant de tendre la coupe à Mamut.

En frappant son propre tambour, en agitant sa crécelle faite de bracelets, le chaman indiqua aux musiciens et aux chanteurs le rythme à maintenir. Il fit signe ensuite à Ayla qu'il était prêt. La jeune femme se sentait nerveuse. Sa précédente expérience avec la racine lui avait laissé des souvenirs désagréables. Elle repoussait mentalement chaque détail des préparatifs et s'efforçait de se rappeler tout ce que lui avait dit Iza. Elle avait fait tout son possible pour suivre au plus près le rituel du Clan. Elle hocha la tête. Mamut porta la coupe à ses lèvres, but la première gorgée. Lorsqu'il eut avalé la moitié du breuvage, il donna le reste à Ayla. Elle vida la coupe.

La saveur elle-même semblait venir du fond des âges, elle évoquait un riche limon dans de profondes et ombreuses forêts primitives, d'étranges arbres géants, un dais de verdure au travers duquel filtraient le soleil et la lumière. Presque immédiatement, Ayla commença d'en ressentir les effets. Une sensation de nausée s'empara d'elle, accompagnée d'une impression de vertige. Les murs tournoyaient sans répit autour d'elle, sa vision s'embrumait, son cerveau lui semblait grossir démesurément, au point de se trouver à l'étroit dans son crâne. Soudain, les murs disparurent. Elle se trouva dans un autre lieu, un lieu obscur. Elle se crut perdue, connut un instant d'affolement. Elle eut alors la sensation que quelqu'un lui tendait la main. Mamut, comprit-elle, se trouvait là avec elle. Elle en fut rassurée. Mais Mamut n'était pas dans son esprit, comme l'avait été Creb. Il ne la dirigeait pas, il ne se dirigeait pas lui-même, comme Creb l'avait fait. Il n'exerçait aucun contrôle. Il était là, sans plus, il attendait de voir ce qu'il allait arriver.

Faiblement, comme si elles s'étaient trouvées à l'intérieur de l'habitation, et elle à l'extérieur, Ayla entendait les voix qui psalmodiaient, la résonance des tambours. Elle se raccrocha à ce bruit. Il exerçait un effet réconfortant, il lui donnait un point de référence, l'impression qu'elle n'était pas seule. La présence proche de Mamut avait aussi une influence calmante, mais elle aurait aimé tenir près d'elle l'esprit qui lui avait fourni un solide fil conducteur et qui lui avait montré le chemin, la fois précédente.

L'obscurité se mua en une grisaille qui devint lumineuse, puis iridescente. La jeune femme perçut un mouvement, comme si elle-même et Mamut planaient au-dessus du paysage, mais elle ne distinguait aucun détail caractéristique : c'était plutôt une sensation de passage au travers du nuage opalescent qui l'entourait. Par degrés, la vitesse s'accentua, le nuage brumeux se résolut en un mince voile qui chatoyait de toutes les couleurs de l'arc-en-ciel. Ayla glissait tout au long d'un tunnel translucide dont les parois ressemblaient à l'intérieur d'une bulle de savon. Elle glissait de plus en plus vite, se dirigeait tout droit vers une fulgurante lumière blanche, pareille à celle du soleil, mais glaciale. Elle poussa un hurlement qui ne produisit aucun bruit, se retrouva brutalement au centre de la lumière, puis de l'autre côté.

Elle était maintenant dans un vide profond, froid, obscur qui lui donnait une terrifiante sensation de familiarité. Elle était déjà venue dans cet endroit, mais, cette fois-là, Creb l'avait retrouvée, l'en avait fait sortir. Très vaguement, elle sentait que Mamut était toujours avec elle, mais, elle le savait, il ne pouvait rien pour l'aider. La psalmodie des Mamutoï ne parvenait plus qu'en faible répercussion. Si elle venait à se taire, la jeune femme en était convaincue, jamais elle ne retrouverait son chemin, mais elle n'était pas sûre de vouloir le retrouver. Là où elle était, il n'y avait ni sensations ni émotions, rien qu'une absence qui l'amenait à mesurer son désarroi, son douloureux amour, son désespoir. Le vide obscur était effrayant mais pas plus, semblait-il, que la désolation qu'elle ressentait intérieurement.

Elle sentit le mouvement reprendre, l'obscurité s'estomper. Elle se retrouvait dans un nuage, mais différent, cette fois, plus épais, plus dense. Le nuage se dissipa, une échappée s'ouvrit devant Ayla, mais elle n'avait pour elle aucune signification. Ce n'était pas le paysage naturel, modéré, sans ordre défini qu'elle connaissait. Les formes qui le peuplaient ne lui étaient pas familières. Elles étaient régulières, monotones, tout en dures surfaces planes et en lignes droites, avec de vastes masses de couleurs crues, artificielles. Certains objets se mouvaient, rapidement, semblait-il, mais peut-être s'agissait-il d'une illusion. Elle l'ignorait, mais ces lieux ne lui plaisaient pas. Elle fit un grand effort pour les repousser loin d'elle, pour leur échapper.

Jondalar avait vu Ayla absorber la mixture. Son front s'était plissé d'inquiétude quand il l'avait vue chanceler, pâlir. Après quelques hoquets, elle s'affaissa sur le sol. Mamut était tombé, lui aussi, mais il n'était pas exceptionnel de voir le chaman s'effondrer lorsqu'il s'aventurait très loin dans l'autre monde, à la recherche des esprits, qu'il eût ou non bu ou mangé quelque chose pour l'aider dans sa tâche. On allongea Mamut et Ayla sur le dos. Le chant, le battement des tambours continuaient. Jondalar vit Loup tenter d'atteindre la jeune femme, mais on le retint. Jondalar comprenait ce que ressentait Loup. Lui-même aurait aimé se précipiter vers Ayla. Il jeta même un coup d'œil vers Ranec, pour voir comment il réagissait. Mais le Camp du Lion ne témoignait d'aucune anxiété, et il hésitait à intervenir dans un rituel sacré. Il finit pas s'unir au chant psalmodié. Mamut avait pris soin de lui en indiquer l'importance.

Un long moment s'écoula. Ni la jeune femme ni le chaman n'avaient bougé. L'inquiétude de Jondalar pour Ayla se précisait. Il crut voir une certaine anxiété se peindre sur les visages de quelques assistants. Il se leva pour tenter de voir la jeune femme, mais les feux étaient presque éteints, l'habitation était noyée d'ombre. Il entendit un gémissement, baissa les yeux sur Loup. Le jeune animal gémit de nouveau. Il leva vers Jondalar un regard suppliant. A plusieurs reprises, il fit quelques pas vers Ayla, revint vers le jeune homme.

Celui-ci entendit Whinney hennir dans le foyer des chevaux. Elle semblait inquiète, comme si elle flairait un danger. Il alla voir ce qui se passait. Certes, c'était improbable, mais un prédateur aurait pu se glisser auprès des animaux pour s'attaquer à eux pendant que tout le monde était occupé ailleurs. A la vue de Jondalar, la jument émit un autre petit hennissement Il ne découvrit rien qui justifiât un tel comportement, mais, visiblement, Whinney était effrayée. Ni les caresses ni les paroles de réconfort ne paraissaient capables de la calmer. Sans cesse, elle se dirigeait vers l'entrée du Foyer du Mammouth, alors qu'elle n'avait jamais encore tenté d'y pénétrer. Rapide, lui aussi, était mal à l'aise, gagné peut-être par l'agitation de sa mère.

Jondalar retrouva Loup à ses pieds : il pleurait, gémissait, s'élançait vers l'entrée du foyer, revenait vers lui.

— Qu'y a-t-il, Loup ? Qu'est-ce qui te tourmente ainsi ?

Et qu'est-ce qui tourmente Whinney ? se demandait-il. Une idée, soudain, lui traversa l'esprit. Ayla ! Les animaux devaient la sentir menacée !

Jondalar rentra précipitamment dans le Foyer du Mammouth. Plusieurs personnes étaient maintenant rassemblées autour de Mamut et d'Ayla. On s'efforçait de les réveiller. Incapable de se contenir plus longtemps, Jondalar se précipita vers la jeune femme. Elle était inerte, rigide, les muscles contractés. Son corps était froid. Elle respirait à peine.

— Ayla ! cria-t-il. O, Mère, elle a l'air à moitié morte ! Ayla ! O, Doni, ne la laisse pas mourir ! Ayla, reviens ! Ne meurs pas, Ayla ! Je t'en supplie, ne meurs pas !

Il la tenait entre ses bras, l'appelait de son nom avec une fiévreuse instance, la suppliait de ne pas mourir.

Ayla se sentait glisser de plus en plus loin. Elle essayait d'entendre la psalmodie, le battement des tambours, mais ils n'étaient plus qu'un vague souvenir. Elle crut alors entendre son nom. Elle fit un effort pour écouter. Oui, l'appel lui parvenait encore : c'était bien son nom, répété avec insistance, avec une pressante insistance. Elle sentit Mamut se rapprocher d'elle, et, ensemble, ils concentrèrent leur attention sur les voix qui chantaient. Elle perçut un faible bourdonnement, eut l'impression d'être entraînée vers le bruit. Enfin, au loin, elle entendit la voix profonde, vibrante, saccadée des tambours dire « h-h-o-ooo-m-m-m ». Plus distinctement, maintenant, elle entendit aussi son nom, crié sur un ton d'angoisse et d'amour infini. Une sorte de pression indéfinissable arriva jusqu'à elle, toucha son essence même et celle de Mamut en même temps.

Elle se retrouva tout à coup en mouvement, tirée, poussée au long d'un fil unique, brillant. Elle avait une impression de vitesse inouïe. Le lourd nuage l'environna, disparut. Elle traversa le vide en l'espace d'un clin d'œil. L'arc-en-ciel miroitant devint une brume grise. L'instant d'après, elle se retrouvait dans l'habitation. Au-dessous d'elle, son propre corps, bizarrement inerte et d'une pâleur grisâtre, était étendu sur le sol. Elle vit le dos d'un homme blond qui était penché sur elle et la serrait dans ses bras. Elle sentit Mamut la pousser avec force.

Les paupières d'Ayla battirent. Elle ouvrit enfin les yeux, vit le visage de Jondalar tout près du sien. L'effroi qui hantait les yeux bleus se transforma en un intense soulagement. La jeune femme voulut parler, mais sa langue lui semblait épaissie, et elle avait froid, elle était glacée.

Elle entendit la voix de Nezzie :

— Ils sont de retour ! Je ne sais pas où ils sont allés mais ils sont de retour. Et ils ont froid ! Apportez des fourrures et quelque chose de chaud à boire.

Deegie alla prendre sur son lit une brassée de fourrures, et Jondalar s'écarta pour lui permettre d'en envelopper Ayla. Loup arriva précipitamment, sauta sur la jeune femme, lui lécha le visage. Ranec apporta une coupe d'infusion brûlante. Talut aidait Ayla à se redresser. Ranec approcha de ses lèvres le breuvage chaud, et elle lui sourit avec gratitude. Dans l'abri des chevaux, Whinney hennit. La jeune femme reconnut dans son cri la détresse et la peur. Elle s'assit, répondit à la jument par le même hennissement, pour la calmer, la rassurer. Elle s'inquiéta ensuite de Mamut, insista pour le voir.

On l'aida à se lever, on lui jeta une fourrure sur les épaules, avant de la conduire jusqu'au vieux chaman. Enveloppé de fourrures, il tenait, lui aussi, une coupe de tisane chaude. Il sourit à Ayla, mais son regard exprimait une nuance de tourment. Il n'avait pas voulu inquiéter le Camp plus que de raison et il avait essayé de minimiser leur périlleuse expérience. Il ne voulait pas, cependant, laisser ignorer à Ayla la gravité du danger qu'ils avaient couru. Elle aussi était désireuse d'en parler, mais l'un et l'autre évitaient toute allusion directe à ce qu'ils avaient connu. Nezzie comprit très vite leur désir de s'entretenir seule à seul. Discrètement, elle dispersa l'assistance.

— Où étions-nous, Mamut ? questionna Ayla.

— Je l'ignore. Je ne m'étais encore jamais trouvé là. C'était un autre lieu, peut-être un autre temps. Il est possible qu'il ne se soit pas agi d'un endroit réel, ajouta-t-il d'un ton pensif.

— Mais si, certainement, dit-elle. Toutes ces choses m'ont donné l'impression d'être réelles, et certains éléments m'étaient familiers. Ce vide, cette obscurité, je m'y suis trouvée avec Creb.

— Je te crois quand tu parles du pouvoir de ton Creb. Peut-être était-il plus puissant encore que tu ne le crois, s'il était en mesure de diriger et de maîtriser ce lieu.

— Oui, il l'était, Mamut, mais...

Une idée se présentait à l'esprit d'Ayla, mais elle n'était pas sûre de pouvoir la formuler.

— Creb gouvernait ce lieu, il m'a montré ses souvenirs et nos commencements, mais je ne crois pas qu'il soit jamais allé là où nous sommes allés, Mamut. Il ne le pouvait pas, je pense. Peut-être est-ce ce qui m'a protégée. Il possédait certains pouvoirs et il était capable de les maîtriser, mais ils étaient différents. L'endroit où nous sommes allés, cette fois, c'était un endroit nouveau. Creb était incapable de se rendre dans un lieu nouveau, il ne pouvait se rendre qu'en des lieux où il s'était déjà trouvé. Mais peut-être a-t-il su que j'aurais ce pouvoir. Je me demande si c'était ce qui le rendait si triste...

Mamut hocha la tête.

— C'est possible, mais il y a plus important : cet endroit était beaucoup plus dangereux que je ne l'avais imaginé. J'ai essayé d'en parler avec une certaine légèreté, afin de ne pas inquiéter le Camp. Si nous étions restés absents plus longtemps, nous n'aurions plus été en mesure de revenir. Et notre retour ne s'est pas opéré grâce à nos seules forces. Nous avons été aidés par... par quelqu'un qui éprouvait un désir... si violent de nous voir revenir qu'il a surmonté tous les obstacles. Quand une force de volonté aussi résolue se concentre sur un seul but, aucune frontière ne peut lui résister, sauf, peut-être, la mort elle-même.

Ayla, visiblement troublée, fronçait les sourcils. Mamut se demanda si elle avait identifié celui qui les avait ramenés ou si elle comprenait pourquoi une telle concentration de volonté pouvait être nécessaire à sa sauvegarde. Elle finirait par le savoir, mais ce n'était pas à lui de l'informer. Elle devrait le découvrir par elle-même.

— Je ne retournerai jamais en ce lieu, poursuivit-il. Je suis trop vieux. Je ne veux pas que mon esprit s'égare dans ce vide. Un jour, quand tu auras encore développé tes pouvoirs, il se peut que tu désires y retourner. Je ne te le conseille pas, mais, si tu pars, assure-toi d'une puissante protection. Assure-toi que quelqu'un t'attend, quelqu'un qui soit capable de te rappeler.

En gagnant sa plate-forme de couchage, Ayla chercha Jondalar du regard. Mais il avait battu en retraite quand Ranec avait apporté l'infusion et il se tenait maintenant à l'écart. Lorsqu'il avait senti qu'Ayla était en danger, il n'avait pas hésité à aller vers elle mais il n'était plus très sûr de ce qui l'avait poussé. Elle venait d'accorder sa Promesse au sculpteur mamutoï. Quel droit avait-il, lui, de la tenir entre ses bras ? Et tout le monde, apparemment, savait ce qu'il fallait faire, lui apportait des fourrures, des boissons chaudes. Il avait eu l'impression, sur le moment, que, sous l'effet de son immense amour pour elle, il avait pu l'aider de quelque étrange manière. En y réfléchissant, il commençait à en douter. Sans doute, à ce moment, Ayla se trouvait-elle déjà sur le chemin du retour, se disait-il. C'était une simple coïncidence. Je me suis trouvé là, voilà tout. Elle ne s'en souviendra même pas.

Ranec alla trouver Ayla, quand elle eut fini de s'entretenir avec Mamut. Il la supplia de venir partager son lit, non pour s'accoupler, mais seulement pour lui permettre de la tenir dans ses bras, de la réchauffer. Elle refusa : elle se sentirait mieux dans son propre lit, insista-t-elle. Il finit par accepter son refus mais il demeura longuement éveillé, sous ses fourrures. Il réfléchissait. Jondalar avait eu beau quitter le Foyer du Mammouth, l'intérêt qu'il portait à Ayla ne s'était pas éteint pour autant : tout le monde s'en rendait compte. Ranec, lui, était parvenu à l'ignorer. Toutefois, il ne pouvait plus nier les sentiments violents que le grand étranger entretenait encore à l'égard de la jeune femme. Pas après l'avoir vu conjurer la Mère de lui laisser la vie.

Jondalar, il n'en doutait pas, avait joué un rôle décisif dans le retour d'Ayla, mais Ranec se refusait à croire qu'elle lui rendît ses sentiments. Au cours de cette même soirée, elle s'était Promise à lui. Ayla allait être sa compagne, elle partagerait son foyer. Il avait eu peur pour elle, lui aussi, et la seule idée de la perdre, que ce fût par quelque péril ou bien au profit d'un autre, ne faisait qu'accroître son désir.

Jondalar vit Ranec rejoindre la jeune femme. Il respira plus librement lorsqu'ensuite l'homme à la peau sombre revint seul à son foyer. Néanmoins, il se tourna sur le flanc, ramena les fourrures sur sa tête. Quelle différence cela faisait-il qu'elle partageât ou non sa couche, cette nuit-là ? Elle finirait par le rejoindre. Elle s'était Promise à lui.

29

Ayla faisait généralement le compte de ses années à la fin de l'hiver, avec la saison du renouveau, et le printemps de la dix-huitième année était resplendissant d'une profusion de fleurs des champs et du vert tout frais des feuilles nouvelles. On l'accueillit comme seuls pouvaient le faire les habitants d'une région de terres arides et glaciales. Mais, après la Fête du Printemps, la saison mûrit très vite. A mesure que se fanaient les fleurs multicolores de la steppe, elles étaient remplacées rapidement par l'abondance luxuriante d'une herbe neuve... et par les troupeaux qui venaient paître. Les migrations saisonnières avaient commencé.

Les animaux, en grand nombre et de multiples espèces, étaient en marche à travers les vastes plaines. Certains se rassemblaient en nombres incalculable, d'autres par troupes moins importantes ou par groupes familiaux. Mais tous tiraient leur subsistance, leur vie, des grandes plaines herbeuses, balayées par le vent, incroyablement riches, et du réseau des rivières nourries par les glaciers qui les traversaient.

D'immenses hordes de bisons aux longues cornes couvraient collines et dépressions d'une masse vivante, beuglante, ondulante, sans cesse en mouvement, qui laissait derrière elle une terre piétinée, dénudée. Les aurochs s'égrenaient dans les plaines plus ou moins boisées qui s'étendaient au long des vallées des cours d'eau les plus importants. Ils se dirigeaient vers le nord et se trouvaient parfois mêlés à des troupeaux d'élans et de gigantesques cerfs aux massives ramures. De timides chevreuils traversaient les bois et les forêts boréales pour rejoindre, par petits groupes, leurs pâturages de printemps et d'été, en compagnie d'orignaux insociables qui fréquentaient aussi les marécages et les lacs formés par la fonte des neiges. Les chèvres sauvages, les mouflons, qui habitaient la plupart du temps la montagne, descendaient jusqu'aux grandes plaines des froides terres du nord et retrouvaient aux points d'eau les familles d'antilopes saïgas et les groupes plus nombreux de chevaux des steppes. La migration saisonnière des animaux à la toison laineuse était plus limitée. Avec leur couche épaisse de graisse, leur double et pesant manteau de fourrure, ils étaient adaptés à la vie près des glaciers, ils ne pouvaient résister à une chaleur trop grande. Ils passaient toute l'année dans les régions périglaciaires des steppes, où le froid était particulièrement vif mais sec, où la neige était plus rare. L'hiver, ils se nourrissaient de l'herbe séchée sur pied. Les bœufs musqués, un peu semblables à des moutons, habitaient en permanence le Nord glacé ; ils se déplaçaient en petits troupeaux à l'intérieur d'un territoire limité. Les rhinocéros laineux qui, le plus souvent, voyageaient par familles, et les troupes plus nombreuses des mammouths s'aventuraient plus loin tout en se cantonnant, l'hiver, aux territoires du Nord. Dans les steppes continentales du Sud, légèrement plus chaudes et plus humides, l'épaisse couche de neige ensevelissait la nourriture et faisait patauger péniblement les pesantes bêtes. Le printemps venu, ils descendaient vers le sud pour s'engraisser de la tendre herbe nouvelle mais, dès que la température s'élèverait, ils remonteraient vers le nord.

Le Camp du Lion se réjouissait de voir les plaines grouiller de nouveau de vie et commentait l'apparition de chaque espèce, celles, surtout, qui se trouvaient bien des températures les plus basses. C'étaient celles-là qui contribuaient le plus à la survie des Mamutoï. La vue d'un énorme rhinocéros, aux réactions imprévisibles, avec ses deux cornes, la première plus longue que l'autre, et ses deux couches de fourrure rougeâtre, celle du dessous duveteuse, celle du dessus formée de longs poils, amenait toujours des exclamations émerveillées.

Rien, toutefois, ne soulevait autant d'agitation parmi les Mamutoï que la vue des mammouths. Quand approchait la date coutumière de leur passage, il y avait toujours quelqu'un du Camp du Lion pour les guetter. Sauf de loin, Ayla n'avait pas vu de mammouths depuis le temps où elle vivait avec le Clan, et elle fut aussi excitée que les autres quand Danug, un après-midi, descendit la pente à toute allure en criant :

— Les mammouths ! Les mammouths !

Elle fut parmi les premiers qui se précipitèrent pour les voir. Talut, qui portait souvent Rydag à califourchon sur ses épaules, se trouvait sur la steppe avec Danug. Ayla remarqua que Nezzie, l'enfant sur sa hanche, peinait derrière les autres. Elle allait retourner en arrière pour l'aider lorsqu'elle vit Jondalar prendre Rydag et le percher sur ses propres épaules. Nezzie et l'enfant lui sourirent. Ayla, elle aussi, sans qu'il la vît. Le sourire ne s'était pas encore effacé de son visage quand elle se tourna vers Ranec qui avait pris le pas de course pour la rattraper. Ce tendre, ce merveilleux sourire éveilla en lui une chaleur intense et l'ardent désir qu'elle fût déjà à lui. Elle ne put s'empêcher de répondre à l'amour qui brillait dans les yeux sombres. Elle garda son sourire aux lèvres.

Une fois sur la steppe, le Camp du Lion regarda, dans un respectueux silence, passer les énormes créatures au poil rude. C'étaient les animaux les plus gigantesques de leur région, et, en fait, de presque partout ailleurs. Le troupeau, où se trouvaient plusieurs jeunes, défilait non loin, et la vieille matriarche qui le menait considérait les humains avec méfiance. Elle mesurait bien trois mètres à l'épaule. Son crâne très haut était en forme de dôme, et elle portait sur le garrot une bosse qui lui servait à emmagasiner une réserve de graisse pour l'hiver. Le dos court, qui descendait en pente raide jusqu'au pelvis, complétait le profil caractéristique, immédiatement reconnaissable. La tête était large en proportion de la taille, plus de la moitié de la longueur d'une trompe relativement courte, munie à l'extrémité de deux projections mobiles et sensibles, l'une au-dessus, l'autre en dessous. La queue était courte, elle aussi, les oreilles petites, pour conserver la chaleur.

Les mammouths étaient éminemment adaptés à leur glacial domaine, avec un cuir épais, isolé par huit centimètres ou davantage de graisse et couvert d'un duvet dru et moelleux long de près de trois centimètres. Le rude poil du dessus, qui pouvait atteindre cinquante centimètres, était d'un brun rougeâtre sombre. Il recouvrait en couches régulières l'épais duvet laineux, à la manière d'un chaud manteau imperméable, résistant au vent. L'efficacité de leurs molaires pareilles à des râpes leur permettait de consommer en hiver un régime d'herbe sèche et dure, agrémenté de petits rameaux de bouleaux, de saules et de mélèzes, avec autant de facilité qu'ils se nourrissaient, l'été, d'herbe verte, de joncs et de plantes.

Le plus impressionnant, chez les mammouths, c'étaient leurs immenses défenses, qui inspiraient la stupeur et une crainte respectueuse. Assez proches l'une de l'autre à l'origine, elles émergeaient de la mâchoire inférieure, pointaient d'abord droit vers le bas, pour se recourber ensuite fortement vers l'extérieur, puis vers le haut et, enfin, vers l'intérieur. Chez les vieux mâles, une défense pouvait atteindre cinq mètres de long, mais, lorsqu'elles arrivaient à cette taille, elles se croisaient par-devant. Pour les jeunes, les défenses constituaient des armes très efficaces et des outils tout faits : elles servaient à déraciner les arbres, à débarrasser de la neige les pâturages et les zones où l'on trouvait à se nourrir. Mais, quand les deux pointes se relevaient et se croisaient, elles devenaient plus encombrantes qu'utiles.

La vue des gigantesques animaux submergeait Ayla d'un flot de souvenirs. Elle se rappelait la première fois où elle avait pu admirer des mammouths et combien elle avait souhaité, alors, aller à la chasse avec les hommes du Clan. Talut l'avait invitée à la première chasse au mammouth avec les Mamutoï. Elle avait la passion de la chasse, et l'idée de pouvoir véritablement, cette fois, s'y livrer avec les hommes et les femmes du Camp du Lion fit passer sur sa peau un frisson d'impatience heureuse. Elle commença d'envisager avec un certain plaisir la perspective de la Réunion d'Eté.

La première chasse de la saison possédait une importante signification symbolique. Certes, la taille massive des mammouths laineux leur conférait une grande majesté, mais le sentiment des Mamutoï à leur égard allait plus loin. Ils dépendaient de l'animal pour bien autre chose que leur nourriture et, dans leur besoin, leur désir d'assurer la survivance des énormes bêtes, ils avaient conçu une relation particulière avec elles. Ils avaient pour elles un profond respect parce qu'ils basaient sur les mammouths leur propre identité.

Les mammouths n'avaient pas de véritables ennemis naturels. Aucun carnivore ne dépendait régulièrement d'eux pour sa subsistance. Les énormes lions des cavernes, deux fois plus grands que tout autre félin, s'en prenaient normalement aux plus gros herbivores — aurochs, bisons, cerfs géants, élans, orignaux ou chevaux — et pouvaient tuer un adulte dans toute sa force. Il leur arrivait d'abattre un très jeune ou un très vieux mammouth, ou bien encore un malade, mais aucun prédateur à quatre pattes, que ce fût seul ou en groupe, n'était capable de tuer un mammouth adulte à la fleur de l'âge. Seuls, les Mamutoï, les enfants humains de la Grande Terre Mère, avaient reçu le pouvoir de chasser la plus grande de Ses créatures. Ils étaient les élus. Parmi toutes Ses créations, ils avaient la prééminence. Ils étaient les Chasseurs de Mammouths.

Après le passage des mammouths, les gens du Camp du Lion s'engagèrent avec ardeur sur leurs traces. Pas pour les chasser : ce serait pour plus tard. Ils voulaient recueillir la douce laine duveteuse qu'ils perdaient en grande quantité à travers les poils plus rudes de la toison supérieure. Cette laine d'un rouge sombre, que l'on ramassait sur le sol ou sur les branches épineuses qui s'y accrochaient et la retenaient, était considérée comme un don exceptionnel offert par l'Esprit du Mammouth. A l'occasion, on ramassait aussi, avec le même enthousiasme, la laine blanche du mouflon, que le mouton sauvage perdait au printemps, la laine brune, incroyablement douce, du bœuf musqué et le duvet plus clair du rhinocéros laineux. Ils offraient mentalement des actions de grâces à la Grande Terre Mère qui puisait dans Son abondance tout ce qu'il fallait à Ses enfants, les végétaux comestibles, les animaux et des matériaux comme le silex et l'argile. Il leur suffisait de savoir où et quand les chercher.

Les Mamutoï ajoutaient avec joie à leur régime des légumes, riches en variété, mais ils chassaient peu au printemps et au début de l'été, à moins que les réserves de viande ne fussent près de s'épuiser. Les animaux étaient trop maigres. Le long et dur hiver les privait des nécessaires sources d'énergie, concentrée sous la forme de graisse. Leurs migrations étaient commandées par le besoin de se refaire. On choisissait parfois quelques bisons mâles, si le poil, encore noir au garrot, indiquait la présence d'une certaine quantité de graisse ; ou bien quelques femelles pleines, de différentes espèces, à cause de la chair tendre du fœtus et de sa peau dont on faisait des vêtements d'enfants. L'exception marquante, c'était le renne.

De vastes troupeaux de rennes migraient vers le nord. Les femelles coiffées de bois, avec les jeunes de l'année précédente, montraient le chemin au long des pistes qui menaient aux territoires où, traditionnellement, elles mettaient bas. Les mâles suivaient. Comme pour tous les animaux qui se déplaçaient en troupeaux, leurs rangs étaient décimés par les loups, qui les suivaient sur leurs flancs et repéraient les plus faibles, les plus vieux, et par plusieurs espèces de félins : les grands lynx, les léopards au corps effilé et, de temps à autre, un énorme lion des cavernes. Les grands carnivores conviaient aux restes de leurs festins d'autres carnivores de moindre importance, et des nécrophages, quadrupèdes ou oiseaux : renards, hyènes, ours bruns, civettes, petits félins des steppes, gloutons, corbeaux, milans, faucons et bien d'autres.

Les bipèdes chasseurs cherchaient leurs proies parmi toutes ces espèces. Ils ne dédaignaient ni les fourrures ni les plumes de leurs concurrents. Le renne, toutefois, était le gibier le plus recherché du Camp du Lion. Non pour sa chair, même si on ne la laissait pas perdre. La langue était considérée comme un mets recherché, et l'on faisait sécher la viande, dans son ensemble, pour en faire des vivres en cas de voyage. Mais c'étaient surtout les peaux qui attiraient les Mamutoï. Généralement d'une couleur fauve grisâtre, le poil de la plupart des rennes du nord pouvait aller du blanc crème jusqu'à une teinte foncée presque noire, en passant par un ton brun rougeâtre chez les jeunes, naturellement isolante. On ne pouvait trouver rien de mieux pour les vêtements d'hiver, et elle était sans égale comme couverture. Chaque année, à l'aide de fosses ou en battues, le Camp du Lion chassait le renne, afin de reconstituer ses réserves ou pour avoir des cadeaux à emporter lorsqu'ils partiraient pour leurs propres migrations d'été.

Le Camp du Lion se préparait pour la Réunion d'Eté, et l'agitation était à son comble. Une fois au moins par jour, quelqu'un expliquait à Ayla qu'elle prendrait plaisir à faire la connaissance de tel ou tel parent ou ami, et que tous ces gens seraient heureux de la rencontrer. Le seul qui semblait manquer d'enthousiasme à la perspective de ce rassemblement des Camps était Rydag. Jamais Ayla n'avait vu l'enfant aussi déprimé, et elle s'inquiétait pour sa santé.

Durant plusieurs jours, elle l'observa avec attention. Par un après-midi exceptionnellement chaud, où il regardait plusieurs personnes étendre sur des cadres des peaux de rennes, elle s'assit à côté de lui.

— J'ai préparé pour toi un nouveau remède, Rydag, dit-elle. Tu l'emporteras à la Réunion d'Eté. Il est plus frais, et il aura peut-être plus de force. Il faudra me dire si tu constates des différences, en mieux ou en plus mal.

Elle s'exprimait à la fois par des signes et par des mots, comme elle le faisait généralement avec lui.

— Comment te sens-tu, en ce moment ? Y a-t-il eu des changements, ces derniers temps ?

Rydag aimait parler avec Ayla. Il était profondément reconnaissant de pouvoir désormais communiquer avec son Camp, mais, pour les Mamutoï, la compréhension et l'usage du langage par signes étaient essentiellement simples et directs. Il comprenait depuis des années leur langage parlé, mais, lorsqu'ils s'adressaient à lui, ils avaient tendance à le simplifier pour l'accorder aux signes qu'ils utilisaient. Les signes qu'employait Ayla serraient de plus près les nuances et l'esprit du langage verbal, ils rehaussaient ses paroles.

— Non, je me sens comme d'habitude, lui exprima-t-il.

— Tu n'es pas fatigué ?

— Non... Oui. Toujours fatigué un peu. Pas trop, ajouta-t-il en souriant.

Ayla hocha la tête. Elle l'examinait de près, à la recherche de symptômes visibles. Elle tentait de s'assurer qu'il ne s'était produit aucun changement dans son état, du moins pas d'aggravation. Elle ne distinguait aucun signe de détérioration physique, mais l'enfant semblait abattu.

— Rydag, quelque chose te tourmente ? Tu es malheureux ?

Il haussa les épaules, le regard détourné. Mais il reporta bientôt les yeux sur la jeune femme.

— Veux pas partir, fit-il par signes.

— Où ne veux-tu pas partir ? Je ne comprends pas.

— Veux pas aller à la Réunion.

Il s'était de nouveau détourné d'elle.

Ayla fronça les sourcils mais n'insista pas. Apparemment, Rydag n'avait pas envie de s'attarder sur le sujet. Il ne tarda pas à rentrer dans l'habitation où elle le suivit, et, du foyer de la cuisine, elle le regarda s'allonger sur son lit. Elle était inquiète. Il était rare qu'il se couchât de son plein gré dans la journée. Elle vit Nezzie entrer et s'arrêter pour rattacher le rabat. Ayla se hâta d'aller l'aider.

— Nezzie, sais-tu ce qui ne va pas, chez Rydag ? Il a l'air... si malheureux, dit-elle.

— Oui, je sais. Il est ainsi chaque année, à cette époque. C'est la Réunion d'Eté qui lui déplaît.

— C'est ce qu'il m'a dit. Mais pourquoi ?

Nezzie prit le temps de dévisager Ayla.

— Tu ne le sais vraiment pas, hein ?

La jeune femme fit non de la tête. Nezzie haussa les épaules.

— Ne t'en inquiète pas, Ayla. Tu ne peux rien y faire.

La jeune femme s'engagea dans le passage central et jeta un coup d'œil vers l'enfant. Il avait les paupières closes mais il ne dormait pas, elle le savait. Elle secoua la tête. Elle aurait aimé pouvoir lui venir en aide. Son abattement, se disait-elle, venait sans doute du fait qu'il était différent des autres. Pourtant, il s'était déjà rendu à d'autres Réunions.

Très vite, elle traversa le Foyer du Renard, désert, et pénétra dans le Foyer du Mammouth. Brusquement, Loup arriva en bondissant, se retrouva sur ses talons et se mit, par jeu, à sauter autour d'elle. D'un signe, elle lui ordonna de se tenir tranquille. Il obéit mais il avait l'air si malheureux qu'elle se radoucit, lui lança le morceau de peau longuement mâchonné qui avait été l'un de ses chaussons d'intérieur favoris. Elle avait fini par le lui abandonner lorsqu'elle avait découvert qu'apparemment c'était le seul moyen pour l'empêcher de s'en prendre aux chaussons et aux bottes des autres. Il se lassa vite de son vieux jouet, s'aplatit sur les pattes de devant, remua la queue et jappa en la regardant. Ayla ne put s'empêcher de sourire. La journée était trop belle, décida-t-elle, pour rester enfermée. Sur l'inspiration du moment, elle prit sa fronde et un petit sac de galets ronds qu'elle avait rassemblés, fit signe à Loup de la suivre. Dans l'abri des chevaux, elle vit Whinney. Pourquoi ne pas l'emmener, elle aussi ?

Elle sortit, suivie de la jument et du jeune loup gris, dont le pelage et les marques étaient, au contraire de sa mère, caractéristiques de son espèce. Elle vit Rapide à mi-hauteur de la pente qui descendait vers la rivière. Jondalar était avec lui. Sous le chaud soleil, il était torse nu et menait le jeune étalon à la longe. Ainsi qu'il l'avait promis, il avait entrepris de dresser Rapide : il y consacrait, en fait, la majeure partie de son temps, et le cheval, tout comme lui, semblait y prendre plaisir.

A la vue d'Ayla, Jondalar lui fit signe de l'attendre, remonta la pente dans sa direction. Il était rare qu'il l'approchât, qu'il marquât le désir de lui parler. Jondalar avait changé, depuis l'incident qui s'était produit sur la steppe. Il n'évitait plus la jeune femme, à proprement parler, mais il faisait rarement l'effort de lui adresser la parole et, quand cela lui arrivait, il se comportait en étranger, poli et réservé. Elle avait espéré que le jeune étalon les rapprocherait, mais il paraissait plutôt plus distant encore.

Elle attendait, le regard fixé sur le grand et bel homme musclé qui s'avançait vers elle. Sans qu'elle l'eût cherché, le souvenir de son ardente réponse au désir de Jondalar se présenta à son esprit. Aussitôt, elle se surprit à le désirer elle-même. C'était une réaction de son corps, qui échappait à son contrôle, mais, au moment où Jondalar approchait, elle vit son visage se colorer, ses beaux yeux bleus prendre l'expression qu'elle connaissait si bien. Elle remarqua la bosse que faisait sa virilité sous ses jambières, bien qu'elle n'eût pas eu l'intention de porter son regard dans cette direction, et se sentit rougir à son tour.

— Pardonne-moi, Ayla, je ne voudrais pas te déranger mais j'ai cru devoir te montrer la nouvelle bride que j'ai fabriquée pour Rapide. Elle pourrait te convenir pour Whinney.

Jondalar maîtrisait sa voix. Il aurait aimé pouvoir en faire autant pour le reste de sa personne.

— Tu ne me déranges pas, dit-elle, contre toute vraisemblance.

Elle regardait les minces lanières de cuir, tressées et entrelacées.

La jument était entrée en chaleur au début de la saison. Peu de temps après s'en être rendu compte, Ayla avait entendu le hennissement bien reconnaissable d'un étalon sur la steppe. Elle avait découvert la jument après que celle-ci eut vécu avec un étalon et son troupeau mais elle ne supportait pas l'idée de perdre Whinney au profit d'un autre cheval. Peut-être, cette fois, ne retrouverait-elle pas son amie. Elle s'était servie d'une sorte de licou pour retenir la jument, ainsi que Rapide qui avait manifesté un grand intérêt et une vive agitation, et elle les avait gardés dans le foyer des chevaux quand elle ne pouvait être avec eux. Depuis, elle continuait à utiliser le licou de temps à autre, bien qu'elle préférât laisser à Whinney la liberté d'aller et venir à son gré.

— Comment s'en sert-on ? demanda-t-elle à Jondalar.

Il lui en fit la démonstration sur Whinney avec un autre modèle qu'il avait fait pour elle. Ayla posa plusieurs questions, d'un ton qui se voulait détaché, mais elle ne prêtait guère attention aux réponses. Ce qui comptait pour elle maintenant, c'était la chaleur de Jondalar, qui se tenait près d'elle, et son léger parfum viril. Elle était apparemment incapable de détacher son regard de ses mains, du jeu des muscles sur son torse, de la bosse que faisait sa virilité. Ses questions, elle l'espérait, amèneraient Jondalar à poursuivre la conversation. Mais, dès qu'il eut achevé ses explications, il la quitta brusquement. Ayla le regarda enfourcher Rapide et, le guidant avec les rênes attachées à la nouvelle bride, s'engager sur la pente. Un instant, elle songea à le suivre mais y renonça. S'il était si pressé de s'éloigner, c'était sans doute qu'il ne voulait pas d'elle à ses côtés.

Ayla le suivit des yeux jusqu'à ce qu'il eût disparu. Loup jappait avec énergie, quémandait son attention. Elle noua sa fronde autour de sa tête, vérifia le nombre des galets dans leur petit sac, ramassa le louveteau et le posa sur le garrot de Whinney. Elle sauta alors sur le dos de la jument et, à son tour, s'engagea sur la pente, dans une direction différente de celle qu'avait prise Jondalar. Elle avait projeté de chasser avec Loup, et le moment était venu. Le petit loup avait commencé de suivre et de tenter d'attraper des petits rongeurs et d'autres animaux et Ayla avait découvert qu'il était habile à lever le gibier pour sa fronde. Au début, c'était par accident, mais Loup apprenait vite : déjà, elle s'était mise à le dresser à faire partir les bêtes à son commandement.

Ayla ne s'était pas trompée sur un point. Si Jondalar s'était éloigné en toute hâte, ce n'était pas parce qu'il ne voulait pas se trouver près d'elle à ce moment, mais bien plutôt parce qu'il éprouvait le désir d'être avec elle à tout instant. Il avait besoin de fuir ses propres réactions à la proximité de la jeune femme. Elle avait maintenant donné sa Promesse à Ranec, et lui-même avait perdu tout droit qu'il aurait pu avoir sur elle. Ces derniers temps, il enfourchait Rapide toutes les fois qu'il voulait échapper à une situation difficile ou à la lutte contre des émotions contradictoires, ou, plus simplement, quand il avait envie de réfléchir. Il commençait à comprendre pourquoi, si souvent, Ayla avait eu recours à la fuite sur Whinney lorsqu'elle était tourmentée. Parcourir les vastes plaines herbeuses sur l'étalon, sentir le vent lui fouetter le visage avaient sur lui un effet à la fois calmant et vivifiant.

Une fois sur la steppe, il mit Rapide au galop, se coucha sur l'encolure vigoureuse qui se tendait en avant. Amener le jeune étalon à accepter un cavalier avait été étonnamment rapide, mais, de bien des manières, Ayla et Jondalar l'y avaient peu à peu accoutumé. Il était plus malaisé de découvrir comment se faire comprendre du cheval pour qu'il acceptât la direction choisie par son cavalier.

La maîtrise d'Ayla sur Whinney, Jondalar le comprenait, s'était élaborée d'une façon toute naturelle, de sorte que les signaux de la jeune femme étaient encore en grande partie inconscients. Jondalar, lui, avait une démarche plus préméditée, et, en dressant l'animal, il apprenait lui-même beaucoup. Il apprenait comment se tenir sur l'étalon, comment profiter de la vigueur de ses muscles au lieu de se laisser rebondir sur son dos. Il découvrait que la sensibilité du cheval à une simple pression des cuisses, à de légères modifications dans la position de son corps le rendait plus facile à guider.

A mesure qu'il gagnait en assurance et se sentait plus à l'aise, il montait plus souvent, et c'était précisément ce dont l'un et l'autre avaient besoin. En même temps, plus il connaissait Rapide, plus son affection pour lui grandissait. Cette affection, il l'avait éprouvée dès le début, mais c'était encore le cheval d'Ayla. Il se répétait sans cesse qu'il dressait Rapide pour elle, tout en détestant l'idée de laisser derrière lui le jeune étalon.

Il avait formé le projet de partir tout de suite après la Fête du Printemps. Pourtant, il était toujours là et il ne savait pas pourquoi. Il s'inventait des raisons : la saison n'était pas encore assez avancée, le temps restait imprévisible, et il avait promis à Ayla d'entraîner Rapide. Mais c'étaient là de simples prétextes, il ne l'ignorait pas. Talut croyait qu'il prolongeait son séjour pour les accompagner à la Réunion d'Eté. Jondalar ne cherchait pas à le détromper, tout en se disant qu'il serait en route avant le départ des Mamutoï. Chaque soir, lorsqu'il allait se coucher, et surtout si Ayla se rendait au Foyer du Renard, il se promettait de partir le lendemain mais, chaque jour, il retardait sa décision. Il avait beau lutter contre lui-même : toutes les fois qu'il songeait sérieusement à faire ses paquets, il revoyait Ayla, inerte et glacée, sur le sol du Foyer du Mammouth et il ne pouvait pas partir.

Le lendemain de la Fête, Mamut lui avait parlé : il lui avait expliqué que la racine possédait un pouvoir impossible à maîtriser. C'était trop dangereux, avait-il déclaré : jamais il ne referait l'expérience. Il avait conseillé à Ayla de s'en abstenir, elle aussi, mais l'avait avertie que, si cela devait se reproduire, elle aurait besoin d'une puissante protection. Sans vraiment l'exprimer, le vieil homme laissait entendre que Jondalar était parvenu à atteindre la jeune femme par la pensée, et que son retour lui était dû.

Les paroles du chaman troublèrent Jondalar, mais, en même temps, il y puisa un étrange réconfort. Quand l'homme du Foyer du Mammouth avait craint pour la sécurité d'Ayla, pourquoi avait-il demandé à Jondalar de ne pas partir ? Et pourquoi Mamut prétendait-il que c'était lui qui l'avait ramenée ? Elle avait donné sa Promesse à Ranec, et l'on ne pouvait douter de l'amour du sculpteur pour elle. Puisque Ranec était là, quel besoin Mamut avait-il de Jondalar ? Pourquoi n'était-ce pas Ranec qui avait ramené la jeune femme ? Que savait le vieil homme ? Mais qu'importait ? Jondalar ne supportait pas l'idée de ne pas être là si elle avait de nouveau besoin de lui ou de la laisser affronter sans lui un terrible danger. En même temps, il ne supportait pas l'idée de la voir vivre avec un autre homme. Il ne parvenait pas à choisir entre partir ou rester.

— Loup ! Lâche ça ! cria Rugie, furieuse et inquiète.

Elle et Rydag jouaient ensemble au Foyer du Mammouth, où Nezzie les avait envoyés afin d'être tranquille pour préparer le départ.

— Ayla ! Loup m'a pris ma poupée et il ne veut pas la lâcher !

La jeune femme était assise au milieu de sa couche, sur laquelle elle avait rangé ses affaires par petits tas.

— Loup ! Lâche ! ordonna-t-elle.

D'un signe, elle lui commandait en même temps d'approcher.

Le louveteau laissa tomber la poupée, faite de petits morceaux de cuir, et, la queue entre les pattes, rampa jusqu'à Ayla.

— Ici, dit-elle.

Elle tapotait l'endroit où il dormait généralement, à la tête de son lit. Le petit loup y sauta.

— Maintenant, couche-toi et ne va plus ennuyer Rugie et Rydag.

Il s'allongea, le museau sur les pattes, leva vers elle un regard désolé, repentant.

Ayla se remit à trier ses affaires mais elle fit bientôt une nouvelle pause pour observer les deux enfants qui jouaient sur le sol. Ils l'intriguaient. Ils faisaient semblant de partager un foyer, à la manière des adultes, hommes et femmes. Leur « enfant » était la poupée de cuir en forme d'être humain, avec une tête ronde, un corps, des bras et des jambes, qu'ils avaient enveloppée d'un morceau de peau souple. C'était la poupée qui fascinait Ayla. Elle n'en avait jamais eu. Les gens du Clan ne se faisait aucune image, dessinée, sculptée ou formée de morceaux de cuir. Mais la poupée rappelait à la jeune femme un lapin blessé qu'elle avait un jour rapporté à la caverne pour le faire soigner par Iza. Ce lapin, elle l'avait dorloté, bercé, avec les gestes de Rugie pour tenir sa poupée et jouer avec elle.

C'était le plus souvent Rugie, Ayla le savait, qui décidait des jeux. Parfois, ils faisaient semblant d'être unis. D'autres fois, ils étaient des « chefs », un frère et une sœur, à la tête de leur propre camp. La jeune femme regardait la petite fille blonde et le jeune garçon brun chez lequel, soudain, elle remarquait mieux les traits caractéristiques du Clan. Rugie le considère comme son frère, se disait-elle. Elle doutait qu'ils pussent un jour diriger ensemble un Camp.

Rugie confia la poupée aux soins de Rydag, se leva, s'éloigna pour aller s'acquitter d'une tâche imaginaire. Rydag la suivit des yeux, avant de poser la poupée par terre. Il leva les yeux vers Ayla, lui sourit. Le garçon ne s'intéressait plus autant au bébé imaginaire, en l'absence de Rugie. Il préférait les véritables petits enfants. Pourtant, il se prêtait volontiers au jeu de Rugie, quand elle était là. Au bout d'un moment, il se leva, partit à son tour. Rugie avait oublié le jeu de la poupée. Il allait à sa recherche ou pensait trouver une autre occupation.

Ayla revint aux choix qu'elle devait faire. Qu'allait-elle emporter à la Réunion d'Eté ? Au cours d'une seule année, lui semblait-il, il lui était arrivé trop souvent de faire le tri de ce qu'elle devait emporter ou laisser de ses possessions. Cette fois, il s'agissait d'un simple voyage. Elle prendrait seulement ce qu'elle pourrait porter. Tulie lui avait déjà demandé à utiliser les chevaux et les travois pour transporter les présents : un tel équipage rehausserait son prestige et celui du Camp.

Ayla prit en main la peau qu'elle avait teinte en rouge et la secoua. Elle se demandait si elle en aurait besoin. Elle n'avait jamais pu décider de ce qu'elle pourrait en faire. A présent encore, elle restait indécise, mais la couleur rouge était sacrée pour le Clan, et, par ailleurs, elle aimait cette teinte. Elle replia la peau, la mit avec tout ce qu'elle allait emporter, en dehors de l'essentiel : le petit cheval sculpté qu'elle aimait tant, et que Ranec lui avait offert le jour de son adoption, et la nouvelle muta ; la superbe pointe de sagaie donnée par Wymez ; quelques bijoux, perles et colliers ; la tenue dont Deegie lui avait fait présent, la tunique blanche qu'elle avait confectionnée et la couverture de Durc.

Tandis qu'elle triait encore quelques objets, son esprit vagabondait, et elle se prit à songer à Rydag. Aurait-il un jour une compagne, comme Durc ? Elle ne pensait pas rencontrer à la Réunion d'Eté des filles de sa sorte. Elle n'était même pas sûre qu'il pût un jour atteindre l'âge adulte, se dit-elle. Elle se réjouit encore d'avoir eu un fils vigoureux et en bonne santé, qui aurait bientôt une compagne. Le Clan de Broud devait maintenant se préparer à se rendre au Rassemblement du Clan, s'il n'était pas déjà en route. Ura s'attendait sans doute à revenir avec eux, pour s'unir à Durc, et elle redoutait probablement la pensée de quitter son propre clan. Pauvre Ura, il serait douloureux pour elle de laisser tous ceux qu'elle connaissait pour aller vivre dans un endroit inconnu avec un clan inconnu. Une idée, qui n'était pas encore venue à Ayla, lui traversa l'esprit. Durc plairait-il à Ura ? Lui plairait-elle ? Elle l'espérait : sans doute n'auraient-ils l'un et l'autre pas d'autre choix.

En songeant à son fils, Ayla prit une bourse qu'elle avait rapportée de sa vallée. Elle l'ouvrit, en vida le contenu. Son cœur fit un bond à la vue de la sculpture d'ivoire. Elle la prit. La statuette représentait une femme mais elle ne ressemblait à aucune de celles qu'elle avait vues, et elle concevait maintenant son originalité. La plupart des muta, mises à part les femmes-oiseaux de Ranec, avaient des formes abondantes, maternelles, surmontées d'une simple protubérance, parfois décorée, en guise de tête. Elles étaient toutes censées représenter la Mère. Mais cette statuette figurait une femme aux lignes minces, coiffée en nombreuses petites nattes, comme Ayla elle-même s'était coiffée un temps. Plus surprenant encore, elle avait une tête minutieusement modelée, avec un nez fin, un menton, la suggestion de deux yeux.

Entre les doigts de la jeune femme, la statuette se brouillait sous son regard, à mesure qu'affluaient les souvenirs. C'était Jondalar qui l'avait sculptée, dans la vallée. Lorsqu'il l'avait faite, il avait déclaré qu'il voulait capturer l'esprit d'Ayla, afin qu'ils ne fussent jamais séparés. C'était la raison qui l'avait poussé à la faire à la ressemblance de la jeune femme, alors que personne ne devait former une image à la ressemblance d'une personne réelle, de peur de piéger son esprit. Il voulait qu'elle gardât la sculpture, lui avait-il dit, afin que personne ne pût l'utiliser contre elle dans un but maléfique. C'était sa première muta, se dit-elle. Il la lui avait offerte après les Premiers Rites, lorsqu'il avait fait d'elle une vraie femme.

Jamais elle n'oublierait cet été dans sa vallée, quand ils étaient seuls tous les deux. Mais Jondalar allait maintenant partir sans elle. Elle serra contre sa poitrine la figurine d'ivoire. Elle souhaitait pouvoir partir avec lui. Loup, par sympathie, gémissait en la regardant et rampait insensiblement vers elle : il était censé rester où il était et il le savait. Elle l'attira vers elle, enfouit son visage dans sa fourrure, tandis qu'il essayait de lécher ses larmes.

Elle entendit quelqu'un approcher par le passage central. Elle se redressa précipitamment, s'essuya le visage, fit effort pour se contenir. Comme si elle cherchait quelque chose, elle se détourna, tandis que Barzec et Druwez passaient, absorbés dans leur conversation. Elle remit ensuite la statuette dans la bourse, la posa soigneusement sur le cuir rouge, pour l'emporter. Jamais elle ne pourrait laisser derrière elle sa première muta.

Ce même soir, au moment où le Camp du Lion se disposait à partager un repas, Loup se mit soudain à gronder d'un ton menaçant, avant de se précipiter vers l'entrée principale. Ayla bondit sur ses pieds et se lança à sa poursuite. Elle se demandait ce qui se passait. Plusieurs autres la suivirent. En soulevant le rabat, elle eut la surprise de se trouver en face d'un inconnu, un inconnu bien effrayé qui battait en retraite devant un loup presque adulte visiblement prêt à l'attaque.

— Loup ! Ici ! ordonna Ayla.

Le louveteau recula à regret, sans toutefois cesser de faire face à l'homme, les crocs découverts, un grondement soutenu au fond de la gorge.

— Ludeg !

Talut s'avançait, avec un large sourire. Il enferma l'arrivant dans une étreinte d'ours.

— Entre. Entre donc. Il fait froid.

— Je... je ne sais pas trop, fit le visiteur, les yeux fixés sur le jeune loup. Y en a-t-il d'autres à l'intérieur ?

— Non, aucun autre, dit Ayla. Loup ne te fera pas de mal. Je ne le permettrais pas.

Ludeg, qui hésitait à croire cette femme inconnue, se tourna vers Talut.

— Pourquoi as-tu un loup ?

— C'est une longue histoire qu'il vaut mieux écouter près d'un bon feu. Entre, Ludeg. Le jeune loup ne te fera aucun mal, je te le promets.

Talut, en attirant le jeune homme de l'autre côté de l'arche, lança vers Ayla un regard lourd de sens.

Elle le comprit fort bien. Loup aurait intérêt à ne pas s'en prendre au visiteur. Elle suivit les deux hommes, en faisant signe au jeune animal de se tenir derrière elle, mais elle ne savait comment lui ordonner de cesser de gronder. La situation était toute nouvelle. Les loups, elle le savait, étaient très attachés aux membres de leur propre troupe et se montraient pour eux très affectueux mais ils étaient connus pour attaquer et tuer les étrangers qui se hasardaient sur leur territoire. Le comportement de Loup était bien compréhensible, ce qui ne le rendait pas pour autant acceptable. Que cela lui plût ou non, il devrait s'habituer aux nouveaux venus.

Nezzie accueillit chaleureusement le fils de son cousin. Elle le débarrassa de son sac et de sa pelisse, les donna à Danug, pour qu'il allât les déposer sur une plate-forme vacante, dans le Foyer du Mammouth. Après quoi, elle lui remplit une assiette, lui trouva une place où s'asseoir. Ludeg persistait à jeter du côté du loup des regards méfiants qui trahissaient son appréhension. Toutes les fois que Loup rencontrait ce regard, le grondement au fond de sa gorge s'intensifiait. Quand Ayla le faisait taire, il couchait les oreilles en arrière et s'allongeait sur le sol mais, l'instant d'après, il se remettait à gronder. Elle pensa à lui passer une corde autour du cou, mais, à son avis, cela n'aurait rien résolu. L'animal, déjà sur la défensive, aurait été plus inquiet encore, et l'étranger serait devenu plus nerveux.

Rydag se tenait un peu à l'écart : tout en connaissant le visiteur, il restait timide. Il eut tôt fait de discerner le problème. La méfiance, la tension de l'homme y contribuaient pour beaucoup. Peut-être Ludeg se détendrait-il, s'il pouvait constater que le loup était amical. La plupart des membres du Camp étaient rassemblés dans le foyer où l'on faisait la cuisine. Rydag entendit Hartal s'éveiller, et il lui vint une idée. Il alla au Foyer du Renne, consola l'enfant, avant de le prendre par la main pour l'emmener vers le foyer de la cuisine. Mais il ne le conduisit pas vers sa mère : il alla droit vers Ayla et Loup.

Depuis quelque temps, Hartal s'était pris d'une grande affection pour le louveteau folâtre. Dès qu'il vit la créature à l'épaisse fourrure grise, il gloussa de joie. Ravi, il voulut se précipiter vers le loup, mais ses pas étaient encore incertains. Il trébucha, tomba sur l'animal. Loup poussa un jappement, mais sa seule réaction fut de lécher le visage de l'enfant, qui eut un rire joyeux. Il repoussa la langue chaude et mouillée, fourra ses petites mains potelées dans la longue gueule garnie de dents acérées, avant d'attraper la fourrure à poignées pour attirer Loup vers lui.

Ludeg avait oublié ses craintes. Les yeux arrondis par la surprise, il regardait le petit malmener le loup et s'étonnait plus encore de la patience et de la mansuétude du féroce carnassier. De son côté, Loup, sous l'assaut, ne pouvait persister dans son attitude défensive et méfiante contre l'étranger. Pas encore tout à fait adulte, il n'avait pas l'obstination des membres plus âgés de son espèce. Ayla sourit à Rydag : elle avait tout de suite compris qu'il avait amené Hartal dans le but précis qui venait d'être atteint. Quand Tronie s'approcha pour reprendre son fils, Ayla souleva Loup dans ses bras : il était temps, à son avis, de le présenter au visiteur.

— Loup s'habituera plus vite à ta présence, je crois, si tu le laisses se familiariser avec ton odeur, dit-elle au jeune homme.

Elle s'exprimait parfaitement en mamutoï, mais Ludeg remarqua cependant une légère différence dans la manière dont elle prononçait certains mots. Pour la première fois, il la détailla, se demanda qui elle était. Elle ne faisait pas partie du Camp du Lion au moment du départ, l'année précédente. En fait, il ne se rappelait pas l'avoir jamais vue et il était certain qu'il se serait souvenu d'une femme aussi belle. D'où venait-elle ? Il leva la tête, vit un grand étranger blond qui l'observait.

— Que dois-je faire ? demanda-t-il.

— Si tu lui laissais simplement flairer ta main, ce serait utile, je pense. Il aime être caressé, aussi, mais, à ta place, je ne montrerais pas trop de hâte. Il a besoin d'un peu de temps pour te connaître, dit Ayla.

D'un mouvement un peu hésitant, Ludeg tendit la main. Ayla posa Loup sur le sol, pour lui permettre de la flairer, tout en restant par précaution tout près de lui. Elle ne pensait pas qu'il allait attaquer mais elle n'en était pas sûre. Au bout d'un moment, l'homme allongea le bras pour toucher l'épaisse fourrure. Il ne lui était encore jamais arrivé de toucher un loup vivant. C'était extraordinaire. Il sourit à la jeune femme, se dit de nouveau qu'elle était vraiment belle, lorsqu'elle lui sourit en retour.

— Talut, je ferais bien, je crois, d'annoncer tout de suite les nouvelles que j'apporte. J'ai l'impression que le Camp du Lion a certaines histoires que j'aimerais entendre.

Le gigantesque chef sourit. C'était là le genre d'intérêt qui lui faisait plaisir. Les messagers arrivaient le plus souvent avec des nouvelles. On les choisissait non seulement parce qu'ils couraient vite mais aussi parce qu'ils aimaient conter une bonne histoire.

— Alors, dis-nous. Quelles nouvelles apportes-tu ? demanda Talut.

— La plus importante, c'est le changement du lieu de rendez-vous pour la Réunion d'Eté. Le Camp du Loup reçoit les autres camps. L'endroit choisi l'an dernier a été dévasté par l'inondation. Mais j'ai d'autres nouvelles, de tristes nouvelles. J'ai fait étape pour une nuit dans un camp sungaea. Ils ont la maladie, une maladie qui tue. Certains sont déjà morts, et, quand je suis parti, le fils et la fille de la Femme Qui Ordonne étaient très atteints. On se demandait s'ils allaient survivre.

— Mais c'est terrible ! s'écria Nezzie.

— Quel genre de maladie ont-ils ? questionna Ayla.

— C'est dans la poitrine, on dirait. Beaucoup de fièvre, une toux rauque, du mal à respirer.

— A quelle distance est cet endroit ? demanda-t-elle.

— Tu ne le sais pas ?

— Ayla était venue nous rendre visite, mais nous l'avons adoptée, expliqua Tulie.

Elle se tourna vers la jeune femme.

— Ce n'est pas bien loin d'ici.

— Pouvons-nous y aller, Tulie ? Ou bien quelqu'un peut-il m'emmener ? Si ces enfants sont malades, je peux peut-être faire quelque chose pour eux.

— Je ne sais pas. Qu'en dis-tu, Talut ?

— Ce n'est pas sur notre route, si la Réunion d'Eté doit se tenir au Camp du Loup, et ils ne nous sont même pas apparentés, Tulie.

— Darnev avait des parents éloignés dans ce Camp, je crois, répondit Tulie. Et c'est bien dommage, pour un frère et une sœur si jeunes, d'être aussi gravement malades.

— Peut-être devons-nous y aller, mais il faudrait partir, dans ce cas, le plus tôt possible, déclara Talut.

Ludeg les avait écoutés avec un vif intérêt.

— Eh bien, à présent que je vous ai appris mes nouvelles, je voudrais bien en savoir davantage sur ce nouveau membre du Camp du Lion, Talut. Est-ce vraiment une Femme Qui Guérit ? Et d'où vient ce loup ? Je n'avais encore jamais entendu parler de la présence d'un loup dans une habitation.

— Et ce n'est pas tout, intervint Frebec. Ayla a aussi deux chevaux : une jument et un jeune étalon.

Le visiteur le dévisagea d'un air incrédule, avant de s'installer confortablement pour entendre les histoires que le Camp du Lion avait à lui conter.

Le lendemain matin, après une longue nuit passée en récits passionnants, on offrit à Ludeg un aperçu des talents de cavalier d'Ayla et de Jondalar. Il se montra convenablement impressionné. Lorsqu'il partit vers le Camp suivant, il était tout prêt à répandre la nouvelle de la présence d'une nouvelle femme mamutoï, en même temps que l'annonce d'un changement de lieu pour la Réunion d'Eté. Le Camp du Lion avait décidé de partir dès le lendemain matin, et l'on consacra le reste de la journée aux préparatifs de dernière minute.

Ayla résolut d'emporter plus de remèdes qu'elle n'en avait généralement dans son sac. Elle passait en revue ses réserves d'herbes, tout en bavardant avec Mamut, qui faisait ses paquets. Elle avait à l'esprit le Rassemblement du Clan et, en regardant le vieux chaman ménager ses articulations douloureuses, elle se rappelait qu'au Clan, les gens âgés, incapables de faire la longue route, étaient laissés en arrière. Comment Mamut allait-il pouvoir couvrir le trajet ? Son inquiétude la poussa à aller trouver Talut, pour lui poser la question.

— Je le porte la plupart du temps sur mon dos, lui expliqua le chef.

Ayla vit Nezzie ajouter un paquet au tas de ballots qui seraient tirés sur les travois par les chevaux. Non loin d'elle, Rydag, assis par terre, avait une expression désolée. La jeune femme se mit soudain en quête de Jondalar. Elle le trouva en train de garnir le sac que lui avait donné Tulie pour le voyage.

— Te voilà, Jondalar ! dit-elle.

Surpris, il leva la tête. Ayla était bien la dernière personne qu'il s'attendît à voir en cet instant. Il venait de penser à elle et à la façon dont il lui ferait ses adieux. Sa décision était prise : le temps était venu pour lui de partir, au moment où tout le monde quittait l'habitation. Mais, au lieu d'accompagner le Camp du Lion à la Réunion d'Eté, il prendrait la direction opposée pour entamer la longue marche qui le ramènerait chez lui.

— Sais-tu comment Mamut se rend à cette Réunion d'Eté ? demanda la jeune femme.

La question le prit totalement au dépourvu. Elle n'entrait pas dans ses préoccupations dominantes. Il n'était même pas sûr de l'avoir bien comprise.

— Euh... non, fit-il.

— Talut est obligé de le porter sur son dos. Il y a aussi Rydag, qu'il faut porter également. Je viens de réfléchir, Jondalar : tu as dressé

Rapide, il est maintenant habitué à porter quelqu'un sur son dos, n'est-ce pas ?

— Oui.

— Et tu es capable de le diriger ? Il est prêt à aller où tu veux, n'est-ce pas ?

— Oui, je pense.

— Bien ! Alors, il n'y a aucune raison pour que Mamut et Rydag ne se rendent pas à cheval à la Réunion. Ils ne sauraient pas conduire les bêtes, mais nous pourrons les mener, toi et moi. Ce serait beaucoup plus facile pour tout le monde. Pour ce qui est de Rydag, il a été si malheureux, ces derniers temps, que cela pourrait le remonter un peu. Tu te rappelles sa joie, la première fois qu'on l'a juché sur Whinney ? Ça ne te fait rien, n'est-ce pas, Jondalar ? Nous n'avons pas à aller là-bas à cheval : tout le monde marche.

Elle était heureuse, tout excitée d'avoir eu cette idée. Visiblement, il ne lui était pas venu à l'esprit qu'il pût ne pas partir avec eux. Comment refuser ? se disait-il. C'était une excellence idée, et, après tout ce que le Camp du Lion avait fait pour lui, c'était le moins qu'il pût faire de son côté.

— Non, je ne vois pas d'inconvénient à marcher, dit Jondalar.

Il eut l'étrange impression de se sentir plus léger en regardant Ayla aller retrouver Talut : c'était comme s'il était délivré d'un terrible poids. Il se hâta d'achever sa tâche, prit son sac et rejoignit le reste du Camp. Ayla surveillait le chargement des deux travois. Le départ était proche.

Nezzie vit Jondalar et lui sourit.

— Je suis heureuse que tu aies décidé de venir avec nous pour aider Ayla à mener les chevaux. Mamut sera bien plus à l'aise, je crois, et regarde Rydag ! Jamais je ne l'ai vu aussi joyeux de partir pour une Réunion d'Eté.

Pourquoi avait-il le sentiment, se demandait Jondalar, que Nezzie était au courant de son intention de rentrer chez lui ?

— Et pense un peu à la sensation que nous allons produire quand nous arriverons non seulement avec des chevaux mais avec des gens sur leur dos, fit Barzec.

— Jondalar, nous t'attendions. Ayla ne savait pas trop qui elle devait mettre sur chaque cheval, dit Talut.

— A mon avis, ça ne fait pas grande différence, répondit le jeune homme. Whinney est un peu plus facile à monter : elle vous secoue moins.

Ranec, remarqua-t-il, aidait Ayla à équilibrer les chargements. Son cœur se serra quand il les vit rire ensemble. Son répit, il le comprenait, serait de courte durée. Il avait simplement retardé l'inévitable, mais il devait maintenant aller jusqu'au bout.

Après avoir fait quelques gestes mystérieux et prononcé des formules secrètes, Mamut enfonça en terre une muta, devant l'entrée principale de l'abri. Après quoi, avec l'aide d'Ayla et de Talut, il enfourcha Whinney. Il paraissait nerveux, mais c'était difficile à dire. Il le cachait bien, se dit Jondalar.

Rydag, lui, n'était pas nerveux : il était déjà monté à cheval. Il était simplement surexcité quand le grand jeune homme l'enleva de terre pour le placer sur Rapide. Jamais il n'avait enfourché l'étalon. Il gratifia d'un large sourire Latie qui l'observait avec un mélange d'inquiétude pour sa sécurité, de joie à lui voir connaître une nouvelle expérience et d'un brin d'envie. Elle avait regardé Jondalar dresser le cheval, dans la mesure où elle pouvait le voir d'assez loin : il était difficile de convaincre une autre femme de l'accompagner. Le passage à l'âge adulte avait ses inconvénients. Le dressage d'un jeune cheval n'était pas nécessairement magique, avait-elle pensé. Il suffisait d'avoir de la patience et, naturellement, un cheval à dresser.

Le Camp s'engagea dans la montée. A mi-hauteur, Ayla s'arrêta. Loup en fit autant, la regarda d'un air d'attente. Elle se retourna pour contempler l'abri où elle avait trouvé un foyer, où elle avait été accueillie par des êtres de sa race. Déjà, la confortable sécurité de cet asile lui manquait, mais l'habitation serait toujours là lorsqu'ils reviendraient, prête à les abriter de nouveau d'un long hiver glacial. Le vent agita le lourd rabat devant l'entrée faite de défenses de mammouth. Ayla distingua, au-dessus de l'arche, le crâne du lion des cavernes. Le Camp du Lion, vidé de son peuple, semblait désolé. Ayla des Mamutoï frissonna sous l'effet d'une soudaine angoisse.

30

Les grandes plaines herbeuses, généreuse source de vie dans ces régions froides, montraient encore, sur le passage du Camp du Lion, un autre aspect du cycle du renouveau. Les fleurs des derniers iris nains, jaunes ou d'un bleu violacé, commençaient à se faner tout en conservant leurs couleurs, et les pivoines aux feuilles découpées étaient en pleine floraison. A la vue d'un large lit de ces corolles d'un rouge sombre, qui couvrait toute la dépression entre deux collines, les voyageurs se récrièrent de surprise et d'émerveillement. Mais c'étaient le pâturin, la fétuque et la stipe plumeuse qui prédominaient et faisaient de la steppe une mer onduleuse d'argent, soulignée par les ombres de la sauge bleue. Plus tard, quand l'herbe jeune aurait mûri, quand la stipe aurait perdu ses plumes, les riches plaines passeraient de l'argent à l'or.

Le jeune loup prenait un vif plaisir à découvrir la multitude de petits animaux qui vivaient dans la vaste prairie. Il se lançait à la poursuite des putois et des hermines revêtues de leur brun manteau d'été mais reculait devant les intrépides carnassiers qui lui tenaient tête. Quand les mulots, les campagnols, les musaraignes, accoutumés à déjouer la poursuite des renards, se faufilaient dans les trous creusés juste sous la surface du sol, Loup partait à la chasse des gerbilles, des hamsters, des hérissons aux longues oreilles, hérissés de piquants. Ayla riait de son sursaut de surprise lorsqu'une gerboise à la queue épaisse, aux courtes pattes de devant, aux longues pattes tridactyles de derrière, s'échappait par bonds et plongeait dans le terrier où elle avait passé tout l'hiver. Les lièvres, les hamsters géants, les grandes gerboises constituaient un repas savoureux, rôtis, le soir, au-dessus d'un feu. La fronde de la jeune femme en tua plusieurs que Loup avait levés.

Les rongeurs qui creusaient des terriers rendaient service à la steppe, en retournant et en aérant la couche de terre superficielle, mais certains, parmi les plus actifs, modifiaient le caractère du paysage. Le Camp du Lion, dans sa marche, rencontrait partout les trous des sousliks tachetés, par quantités innombrables, et, en certains endroits, les voyageurs devaient contourner des centaines de monticules couverts d'herbe, qui mesuraient près d'un mètre de haut, et dont chacun abritait une communauté de marmottes des steppes.

Les sousliks étaient la proie préférée des milans noirs, même si les rapaces aux longues ailes se nourrissaient aussi d'autres rongeurs, sans compter les insectes et les charognes. En général, les élégants oiseaux repéraient leurs victimes au cours de leur ascension, mais ils planaient aussi à la manière du faucon ou volaient bas pour fondre sur leur proie. L'aigle fauve, également, appréciait ces petits rongeurs prolifiques. Un jour, Ayla surprit Loup dans une posture qui l'engagea à regarder de plus près. En approchant, elle vit l'un des grands rapaces d'un brun foncé atterrir près de son aire construite à même le sol : il apportait un souslik à ses petits. La jeune femme observa la scène avec intérêt, mais ni elle ni le loup ne troublèrent la nichée.

Une multitude d'autres oiseaux vivaient de la générosité des grandes plaines. On voyait partout sur la steppe des alouettes, des pipits, des lagopèdes, des perdrix, des gélinottes, des outardes et de magnifiques grues d'un gris bleuté, avec une tête noire et une touffe de plumes blanches entre les yeux. Ils arrivaient au printemps pour faire leur nid, se nourrissaient d'insectes, de lézards et de serpents et, à l'automne, traversaient le ciel par grandes formations en V, dans un concert de cris sonores.

Talut, au début, avait réglé l'allure sur le rythme habituel, afin de ne pas abuser des forces de ceux qui marchaient moins vite. Mais il se rendit compte qu'ils avançaient beaucoup plus rapidement que d'ordinaire. Les chevaux faisaient toute la différence. En portant sur les travois les présents, les marchandises destinées au troc, les tentes de peau et, sur leur dos, les membres de la troupe qui avaient besoin d'aide, ils avaient allégé la charge de chacun. Le chef était heureux de pouvoir accélérer le pas, d'autant qu'ils allaient devoir se détourner de leur route, mais, en même temps, cela posait un problème. Il avait prévu l'itinéraire qu'ils allaient emprunter et toutes les étapes, en tenant compte de certains points d'eau de sa connaissance. A présent, il devait tout remanier en poursuivant son chemin.

Ils avaient fait halte près d'une petite rivière, bien que la journée ne fût pas encore avancée. La steppe, par endroits, laissait place à des bois, le long des cours d'eau, et ils dressèrent le camp sur une grande prairie en partie cernée d'arbres. Ayla, après avoir détaché Whinney du travois, décida d'emmener Latie faire une promenade. La jeune fille aimait aider à prendre soin des chevaux, et les animaux, en retour, lui témoignaient un grand attachement. Elles partirent toutes deux sur le dos de la jument, traversèrent un bosquet où se mêlaient les épicéas, les charmes, les bouleaux et les mélèzes et se trouvèrent dans une petite clairière verdoyante émaillée de fleurs. Ayla immobilisa leur monture, murmura tout bas à l'oreille de la jeune fille, assise à califourchon devant elle :

— Ne fais pas un geste, Latie, mais regarde là-bas, au bord de l'eau.

Latie porta son regard dans la direction indiquée, fronça tout d'abord les sourcils parce qu'elle ne distinguait rien de marquant mais sourit en voyant une antilope saïga, en compagnie de deux jeunes, lever la tête dans un mouvement qui exprimait à la fois la méfiance et l'incertitude. La jeune fille en découvrit alors plusieurs autres. Les cornes en spirale montaient tout droit du front de la petite antilope, pour se recourber légèrement en arrière à la pointe. Le nez large, un peu pendant, accentuait la longueur de la face.

Tandis que les deux femmes, silencieuses sur le dos de la jument, observaient les saïgas, le chant des oiseaux leur parvint plus nettement : le roucoulement des tourterelles, le joyeux refrain d'une fauvette, l'appel d'un pivert. Ayla perçut la ravissante note flûtée d'un loriot doré et la reproduisit avec une telle exactitude que l'oiseau en demeura coi. Latie lui envia ce talent.

D'un imperceptible signal, la jeune femme fit repartir lentement Whinney. Latie tremblait presque d'excitation à l'approche des antilopes, et à la découverte d'une autre femelle avec deux jeunes. Il y eut une brusque saute de vent. Toutes les saïgas relevèrent la tête et, aussitôt, partirent en bondissant à travers bois pour rejoindre l'étendue découverte de la steppe. Une flèche grise se lança à leur poursuite. Ayla comprit alors ce qui les avait alertées.

Quand Loup revint, haletant, et se laissa tomber sur le sol, Whinney paissait paisiblement, et les deux jeunes femmes, assises sur l'herbe ensoleillée, cueillaient des fraises sauvages. Un bouquet de fleurs aux couleurs vives était posé par terre, à côté d'Ayla : des corolles d'un rouge éclatant, aux longs et fins pétales, et des touffes de grandes fleurs jaunes, mêlées à des boules blanches et duveteuses.

Ayla porta à ses lèvres un autre fruit minuscule mais exceptionnellement savoureux.

— Si seulement il y en avait assez pour en rapporter à tout le monde, dit-elle.

— Il en faudrait beaucoup plus. Moi, j'aimerais surtout qu'il y en ait davantage pour moi seule, fit Latie avec un grand sourire. Et puis, je veux penser à ce lieu comme à un endroit qui nous appartient, à nous seules.

Elle mit une fraise dans sa bouche, ferma les yeux pour mieux la savourer. Son expression se fit pensive.

— Ces petites antilopes, elles étaient vraiment jeunes, n'est-ce pas ? Jamais je n'en avais approché d'aussi près.

— C'est Whinney qui nous a permis de venir tout près d'elles. Les antilopes n'ont pas peur des chevaux. Mais ce Loup...

Ayla tourna la tête vers l'animal qui ouvrit les yeux en entendant son nom.

— C'est lui qui les a fait partir.

— Ayla, je peux te demander quelque chose ?

— Bien sûr.

— Crois-tu qu'un jour je pourrais trouver un cheval ? Un petit, je veux dire, dont je prendrais soin comme tu as pris soin de Whinney, et qui s'habituerait à moi.

— Je ne sais pas. Je n'ai pas cherché Whinney. Je l'ai trouvée par hasard. Ce sera difficile de mettre la main sur un poulain. Toutes les mères protègent leurs jeunes.

— Si tu voulais un autre cheval, un petit, comment t'y prendrais-tu ?

— Je n'y ai jamais réfléchi... Si je voulais un jeune cheval, je suppose... Voyons un peu... Il faudrait capturer sa mère. Tu te rappelles la chasse au bison, l'automne dernier ? Si tu forçais des chevaux à pénétrer dans un enclos comme celui-là, tu ne serais pas obligée de les tuer tous. Tu pourrais garder un poulain ou deux. Peut-être même pourrais-tu en séparer un du reste du troupeau et laisser partir tous les autres, si tu n'en avais pas besoin.

Ayla sourit.

— J'ai peine à chasser les chevaux, maintenant.

Lorsqu'elles revinrent au campement, la plupart des Mamutoï, assis autour d'un grand feu, mangeaient. Les deux jeunes femmes se servirent et s'installèrent.

— Nous avons vu des saïgas, déclara Latie. Il y avait même des petits.

— Tu as dû voir des fraises, aussi, je pense, commenta ironiquement Nezzie, qui avait vu les mains tachées de rouge de sa fille.

Latie rougit : elle avait voulu les garder toutes pour elle, se rappelait-elle.

— Il n'y en avait pas assez pour que nous puissions en rapporter, dit Ayla.

— Ça n'aurait rien changé. Je connais Latie et les fraises. Elle en dépouillerait un champ entier sans en offrir à personne, si elle en avait l'occasion.

La jeune femme constata l'embarras de Latie et fit dévier la conversation.

— J'ai cueilli du pas-d'âne contre la toux, pour le Camp qui a des malades, et aussi une plante à fleurs rouges dont je ne connais pas le nom : la racine est très bonne pour soigner les toux rauques et pour faire remonter les glaires de la poitrine, dit-elle.

— Je ne savais pas que tu avais cueilli des fleurs dans ce but, remarqua Latie. Comment sais-tu qu'il y a cette maladie dans le Camp ?

— Je n'en sais rien mais, en voyant ces plantes, j'ai pensé que je ferais bien d'en prendre. Nous-mêmes avons bien souffert de cette maladie. Dans combien de temps serons-nous là-bas, Talut ?

— Difficile à dire, répondit le chef. Nous voyageons plus vite que d'ordinaire. Nous devrions atteindre le Camp sungaea dans un jour ou deux, je pense. La carte que m'a faite Ludeg est très bonne, mais j'espère que nous n'arriverons pas trop tard. Leur maladie est plus grave que je ne le pensais.

— Comment le sais-tu ? questionna Ayla, les sourcils froncés.

— J'ai trouvé des signes laissés par quelqu'un.

— Des signes ?

— Viens avec moi. Je vais te montrer.

Talut posa sa coupe et se leva. Il conduisit la jeune femme jusqu'à un tas d'ossements, près de la rivière. On trouvait des os, particulièrement de gros os, comme des crânes, dans toute la plaine, mais, en approchant, Ayla vit clairement qu'il ne s'agissait pas là d'un amoncellement qui s'était constitué naturellement. On avait empilé les ossements dans un but précis. Un crâne de mammouth aux défenses brisées avait été placé, renversé, au sommet du tas.

Talut le désigna d'un geste.

— C'est un signe de mauvaises nouvelles, dit-il. Très mauvaises. Vois-tu cette mâchoire inférieure et les deux vertèbres qui s'y appuient ? La pointe de la mâchoire désigne la direction à prendre, et le Camp se trouve à deux jours d'ici.

— Ils doivent avoir besoin d'aide, Talut ! Est-ce dans ce but qu'ils ont placé ici ce signe ?

Talut montra à la jeune femme un morceau d'écorce de bouleau noircie par le feu, retenue par l'extrémité brisée de la défense gauche.

— Tu vois ça ?

— Oui. L'écorce est brûlée, comme si elle avait été dans un incendie.

— Ça veut dire « maladie », « maladie mortelle ». Quelqu'un est mort. Les gens ont peur de cette sorte de maladie, et cet endroit est un lieu où l'on s'arrête souvent. Ce signe n'a pas été placé ici pour demander de l'aide mais pour avertir les voyageurs de se tenir à l'écart.

— Oh, Talut ! Il faut que j'y aille. Pour vous autres, ce n'est pas nécessaire, mais moi, je dois y aller. Je peux partir tout de suite, sur Whinney.

— Et que leur diras-tu, en arrivant là-bas ? demanda Talut. Non, Ayla. Ils ne te permettront pas de leur venir en aide. Personne ne te connaît. Ce ne sont même pas des Mamutoï, ce sont des Sungaea. Nous en avons parlé. Nous savions que tu voudrais te rendre chez eux. Nous avons pris cette route et nous t'accompagnerons. Grâce aux chevaux, je pense, nous pourrons faire le chemin en un seul jour au lieu de deux.

Le soleil frôlait la limite de la terre quand les voyageurs du Camp du Lion approchèrent d'un grand campement situé sur une large terrasse naturelle, à une dizaine de mètres au-dessus d'une large et rapide rivière. Ils s'arrêtèrent en voyant qu'on les avait remarqués : quelques personnes les dévisagèrent avec stupeur, avant de courir vers l'une des habitations. Un homme et une femme en émergèrent. Leurs visages étaient couverts d'une pommade à l'ocre rouge, leurs cheveux blanchis de cendres.

Il est trop tard, se dit Talut. En compagnie de Tulie, il se remit en marche vers le Camp sungaea, suivi de Nezzie et d'Ayla qui menait Whinney, avec Mamut sur son dos. Visiblement, leur arrivée avait interrompu une cérémonie importante. Ils étaient encore à quelques mètres de l'entrée du camp lorsque l'homme au visage teint en rouge leva le bras, la main tournée vers les arrivants. Il leur faisait manifestement signe de s'arrêter. Il s'adressa à Talut dans un langage inconnu d'Ayla mais qui avait pourtant quelque chose de familier. Elle avait l'impression qu'elle aurait dû le comprendre : peut-être avait-il une ressemblance avec la langue des Mamutoï. Talut répondit dans son propre langage. L'homme, alors, reprit la parole.

— Pourquoi le Camp du Lion des Mamutoï se présente-t-il chez nous en un tel temps ? demanda-t-il, en mamutoï, cette fois. Il y a dans ce Camp la maladie et une grande tristesse. N'as-tu pas vu les signes ?

— Si, dit Talut, nous les avons vus. Nous avons parmi nous une femme qui est fille du Foyer du Mammouth, une Femme Qui Guérit de grande expérience. Ludeg, le courrier, qui est passé par ici il y a quelques jours nous a parlé de vos épreuves. Nous nous apprêtions à partir pour notre Réunion d'Eté, mais Ayla, notre Femme Qui Guérit, a tenu à passer d'abord par ici pour vous offrir ses talents. L'un de nous était parent de l'un d'entre vous. Nous sommes venus.

L'homme se tourna vers la femme qui se tenait près de lui. Elle était visiblement la proie d'un profond chagrin et elle dut faire effort pour se reprendre quelque peu.

— Il est trop tard, dit-elle. Ils sont morts.

Sa voix se perdit dans un gémissement, et elle reprit, dans un cri d'angoisse :

— Ils sont morts. Mes enfants, mes petits, ma vie. Ils sont morts.

Deux autres personnes, lui prenant chacune un bras, l'entraînèrent.

— Ma sœur vient de connaître une triste épreuve, reprit l'homme. Elle a perdu en même temps une fille et un fils. La fille était presque une femme, le garçon avait quelques années de moins... Nous sommes tous plongés dans la tristesse.

Talut secoua la tête en un geste de sympathie.

— C'est une bien grande épreuve, en vérité. Nous partageons votre chagrin et vous offrons toutes les consolations possibles. Si vos coutumes s'y prêtent, nous aimerions rester pour joindre nos larmes aux vôtres quand ils seront rendus au sein de la Mère.

— Nous apprécions ta bonté et nous ne l'oublierons jamais, mais il en est parmi nous qui sont encore malades. Il pourrait être dangereux pour vous de rester. Il est peut-être même dangereux pour vous d'être venus jusqu'ici.

— Talut, demande-leur si je peux voir ceux qui sont encore malades. Peut-être pourrai-je les aider, dit doucement Ayla.

— Oui, Talut. Demande si Ayla peut examiner les malades, appuya Mamut. Elle pourra nous dire si nous pouvons rester ici sans danger.

L'homme au visage couvert de rouge dévisagea longuement le vieil homme assis sur le cheval. La vue des chevaux l'avait stupéfait mais il ne voulait pas paraître trop impressionné, et il était si assommé de chagrin qu'il avait oublié sa curiosité, le temps de servir de porte-parole à sa sœur et à son Camp. Mais, à la voix de Mamut, il reprit soudain pleine conscience de l'étrange spectacle : un homme assis sur le dos d'un cheval.

— Comment se fait-il que cet homme soit monté sur le dos d'un cheval ? se décida-t-il à demander brutalement. Pourquoi le cheval le supporte-t-il ? Et cet autre, là-bas ?

— C'est une longue histoire, répondit Talut. L'homme est notre Mamut, et les chevaux obéissent à notre Femme Qui Guérit. Quand nous en aurons le temps, nous serons heureux de tout vous raconter, mais, avant tout, Ayla voudrait examiner vos malades. Peut-être sera-t-elle en mesure de les secourir. Elle nous dira si les mauvais esprits s'attardent encore parmi vous, et si elle peut les maîtriser, les rendre inoffensifs, ce qui nous permettrait de rester.

— Tu dis qu'elle est habile. Je dois te croire. Si elle peut commander à l'esprit du cheval, elle doit posséder une puissante magie. Laisse-moi aller parler aux autres.

— Il y a un autre animal dont tu dois connaître la présence, dit Talut, qui se tourna vers la jeune femme : — Appelle-le, Ayla.

Elle siffla. Sans laisser à Rydag le temps de le lâcher, Loup s'était déjà libéré de force. L'homme sungaea et quelques autres spectateurs, abasourdis, virent le jeune loup arriver vers eux à toute vitesse, mais ils furent encore plus surpris quand l'animal s'arrêta aux pieds d'Ayla et leva vers elle un regard qui la questionnait. A son signal, il s'allongea sur le sol, mais son regard attentif, fixé sur les étrangers, mettait ceux-ci mal à l'aise.

Tulie n'avait cessé d'observer avec soin les réactions des Sungaea et elle eut tôt fait de constater que les animaux apprivoisés avaient fait sur eux grande impression. Ils avaient grandi le prestige de ceux qui les accompagnaient et du Camp du Lion dans son ensemble. Par le simple fait d'être assis sur un cheval, Mamut avait gagné en ascendant. On le considérait d'un œil circonspect, et ses paroles avaient porté avec une grande autorité, mais la réaction envers Ayla était plus significative encore : on la regardait avec une sorte de respect craintif, presque révérencieux.

Celle Qui Ordonne se rendit compte qu'elle-même s'était accoutumée à la présence des chevaux mais elle se rappelait encore son appréhension, la première fois qu'elle avait vu Ayla avec eux. Il ne lui était pas difficile de se mettre à la place de ces gens. Elle était présente quand Ayla avait mené au Camp du Lion le minuscule louveteau et elle l'avait vu grandir, mais, en le regardant avec des yeux étrangers, elle comprenait que personne ne pourrait le considérer comme un jeune animal joueur. Son apparence était celle d'un loup en pleine force, et le cheval était une jument adulte. Si Ayla était capable de plier à sa volonté des chevaux fougueux, de maîtriser l'esprit de loups indépendants, quelles autres forces ne pouvait-elle dominer ? Surtout quand on l'annonçait comme la fille du Foyer du Mammouth et comme une Femme Qui Guérit.

Tulie se demandait comment ils seraient reçus à la Réunion d'Eté mais elle ne fut pas surprise le moins du monde quand Ayla fut invitée à examiner les membres du Camp qui étaient malades. Les Mamutoï s'installèrent pour attendre. Ayla, à son retour, rejoignit Mamut, Talut et Tulie.

— Je crois qu'ils sont atteints de ce que Nezzie appelle le mal du printemps : fièvre, oppression de la poitrine, respiration difficile. Mais le mal les a saisis tard dans la saison et avec une grande violence, expliqua-t-elle. Deux personnes âgées étaient mortes plus tôt, mais c'est toujours très triste quand des enfants meurent. Je ne comprends pas bien leur cas. Les jeunes ont généralement assez de force pour résister à cette sorte de maladie. Tous les autres, semble-t-il, ont franchi la période la plus dangereuse. Certains toussent encore beaucoup, et je vais pouvoir les soulager un peu, mais plus personne, apparemment, n'est gravement malade. J'aimerais préparer un breuvage pour venir en aide à la mère. Elle est très atteinte. Sans en être tout à fait sûre, je ne pense pas que nous courons un danger en attendant la sépulture. Mais, à mon avis, nous ne devrions pas séjourner dans leurs habitations.

— J'étais prête à proposer de dresser les tentes, si nous décidions de rester, déclara Tulie. Le moment est trop difficile pour eux pour, au surplus, les encombrer d'étrangers. Et ce ne sont pas même des Mamutoï. Les Sungaea sont... différents.

Ayla fut réveillée, le lendemain matin, par un bruit de voix, pas bien loin de la tente. Elle se leva vivement, s'habilla, regarda au-dehors. Plusieurs personnes creusaient une tranchée longue et étroite. Tronie et Fralie, assises auprès d'un feu, donnaient le sein à leurs petits. Ayla leur sourit, alla les rejoindre. L'odeur d'une infusion de sauge montait d'une corbeille à cuire. Elle en remplit une coupe, s'assit après des deux femmes pour savourer le breuvage brûlant.

— Vont-ils les ensevelir aujourd'hui ? demanda Fralie.

— Oui, je pense. A mon avis, Talut n'a pas voulu leur poser directement la question, mais j'ai eu cette impression. Je ne comprends pas leur langage, même si j'en saisis un mot de temps en temps.

— Ils doivent être en train de creuser la tombe. Je me demande pourquoi ils la font si longue, dit Tronie.

— Je n'en sais rien mais je suis contente que nous partions bientôt. Nous avons eu raison de rester, je le sais bien, mais je n'aime pas les ensevelissements, déclara Fralie.

— Personne n'aime ça, dit Ayla. Si seulement nous étions arrivés quelques jours plus tôt.

— Même ainsi, tu ne peux pas savoir si tu aurais été capable de faire quelque chose pour ces deux enfants, remarqua Fralie.

— J'ai tellement pitié de la mère, commenta Tronie. Perdre un enfant est déjà cruel, mais deux à la fois... Je ne sais pas si je pourrais le supporter.

Elle serrait Hartal contre son sein, mais le petit se mit à gigoter pour se dégager.

— Oui, il est bien cruel de perdre un enfant, dit Ayla.

Il y avait dans sa voix un tel désespoir que Fralie leva vers elle un regard interrogateur.

Ayla posa sa coupe, se leva.

— J'ai vu qu'il poussait de l'armoise, tout près d'ici. La racine donne un remède très puissant. Je ne m'en sers pas souvent mais je veux préparer quelque chose qui calme et détende la mère, elle en a bien besoin.

Durant la journée, le Camp du Lion observa ou participa d'un peu loin aux différentes activités et cérémonies. Mais, vers le soir, l'atmosphère changea, se chargea d'une intensité qui gagna jusqu'aux visiteurs. Les émotions poussées à leur paroxysme arrachèrent aux Mamutoï des cris de tristesse et de douleur sincères quand les deux enfants, allongés sur des sortes de brancards, furent sortis d'une habitation et présentés à chaque assistant pour un dernier adieu. Les enfants avaient été revêtus de leurs plus beaux atours, élégamment décorés, comme s'ils étaient habillés en vue d'une importante cérémonie. Ayla ne put s'empêcher d'être impressionnée et intriguée. Des morceaux de fourrure et de cuir, à l'état naturel ou teints de couleurs variées, avaient été soigneusement assemblés en motifs géométriques compliqués, pour faire des tuniques et de longues jambières, rehaussées par des morceaux unis entièrement recouverts de milliers de petites perles d'ivoire. Une pensée fugitive se présenta à Ayla. Tout ce travail avait-il été effectué à l'aide seulement d'un poinçon aigu ? La mince tige d'ivoire percée d'un trou à une extrémité aurait pu rendre service.

Elle remarqua aussi les bandeaux et les ceintures et, sur les épaules de la petite fille, une cape ornée de dessins extraordinaires : ils avaient été, semblait-il, réalisés à partir des fibres moelleuses laissées sur leur passage par les animaux à toison laineuse. Elle aurait aimé palper ces dessins, les examiner de plus près, mais une telle manifestation de curiosité eût été inconvenante. Ranec, près d'elle, remarqua ce travail exceptionnel, fit quelques commentaires sur la complexité des motifs en spirales. Ayla espérait bien en apprendre davantage, avant le départ, peut-être en échange d'une de ses pointes percées d'un trou.

Les deux enfants portaient aussi des bijoux faits de coquillages, de crocs d'animaux, d'os. Le garçon avait même une curieuse pierre de grosse taille qui avait été percée pour former un pendentif. Au contraire des adultes, dont les chevelures étaient en désordre et couvertes de cendres, les enfants étaient soigneusement coiffés : les cheveux du garçon étaient tressés en nattes, ceux de la fille ramassés en chignon de chaque côté de la tête.

Ayla ne parvenait pas à chasser l'impression qu'ils étaient simplement endormis, qu'ils allaient se réveiller d'un instant à l'autre. Ils paraissaient trop jeunes, trop sains, avec leurs visages aux joues rondes, vierges de toute ride, pour être partis, pour être passés dans le royaume des esprits. Secouée d'un frisson, elle porta involontairement les yeux vers Rydag. Elle croisa le regard de Nezzie, se détourna.

Finalement, on apporta les corps des enfants près de la longue et étroite tranchée. On les y descendit, en les plaçant tête contre tête. Une femme, vêtue d'une longue tunique, la tête couverte d'une coiffure particulière, se leva pour entamer une mélopée plaintive, aiguë, qui fit frissonner tous les assistants. A son cou pendaient des colliers et des pendentifs nombreux qui s'entrechoquaient et cliquetaient à chacun de ses mouvements, et, aux bras, des bracelets d'ivoire, larges d'un centimètre. Ils ressemblaient, se dit Ayla, à ceux que portaient certains Mamutoï.

Un battement de tambour, grave, retentissant, se fit entendre : c'était le son familier d'un tambour fait d'un crâne de mammouth. La femme qui chantait de sa voix aiguë commença de se balancer, de se tordre. Elle se dressait sur la pointe des orteils, levait un pied puis l'autre, se tournait dans différentes directions, tout en demeurant à la même place. Elle agitait les bras en cadence, avec une grande énergie, et ses bracelets se heurtaient avec bruit. Ayla avait rencontré cette femme. Elles n'avaient pas pu converser, mais Ayla se sentait attirée vers elle. Ce n'était pas, comme elle, lui avait expliqué Mamut, une guérisseuse, mais une femme capable d'entrer en communication avec le monde des esprits. Elle correspondait, pour les Sungaea, à Mamut... ou à Creb, se dit Ayla, non sans stupeur. Il lui était encore difficile d'imaginer une femme mog-ur.

L'homme et la femme au visage teinté de rouge dispersèrent sur les enfants de la poudre d'ocre, qui rappela à Ayla l'onguent à l'ocre rouge dont Creb avait peint le corps d'Iza. On plaça encore dans la tombe plusieurs autres objets : des segments de défenses de mammouth, qu'on avait redressés, des javelots, des couteaux et des poignards en silex, les figurines d'un mammouth, d'un bison, d'un cheval — moins habilement sculptées que celles de Ranec, pensa Ayla. Elle fut surprise de voir poser au côté de chaque enfant un long bâton d'ivoire, orné d'une sculpture en forme de roue, aux rayons de laquelle on avait attaché des plumes et d'autres ornements. Quand les Sungaea se joignirent à la mélopée plaintive de la chanteuse, Ayla se pencha vers Mamut pour lui demander à voix basse :

— Ces bâtons d'ivoire ressemblent à celui de Talut. Ce sont aussi des Bâtons Qui Parlent ?

— Oui, en effet. Les Sungaea sont plus proches des Mamutoï que certaines personnes ne veulent l'admettre, répondit le chaman. Il y a certaines différences, mais cette cérémonie d'ensevelissement ressemble beaucoup à la nôtre.

— Pourquoi tiennent-ils à placer des Bâtons Qui Parlent dans une tombe qui contient des enfants ?

— On les munit de ce qui leur sera nécessaire lorsqu'ils se réveilleront dans le monde des esprits. Fils et fille de la Femme Qui Ordonne, ce frère et cette sœur étaient destinés à devenir chefs à leur tour, sinon dans ce monde, alors dans l'autre. Il est indispensable de donner des preuves de leur rang, afin qu'ils ne perdent pas leur prestige de l'autre côté.

Ayla, durant un moment, suivit le déroulement de la cérémonie, avant de s'adresser de nouveau à Mamut.

— Pourquoi les ensevelit-on ainsi, tête contre tête ?

— Ils sont frère et sœur, répondit le vieil homme, comme si c'était là une explication suffisante.

Mais il vit l'expression perplexe de la jeune femme et continua :

— Le Voyage jusqu'au monde des esprits peut être long, difficile et chaotique, surtout pour des êtres aussi jeunes. Ils doivent être en mesure de communiquer l'un avec l'autre, afin de se réconforter, de s'aider, mais c'est une abomination au regard de la Mère qu'un frère et une sœur partagent les Plaisirs. S'ils se réveillaient côte à côte, ils pourraient oublier qu'ils sont frère et sœur et s'accoupler par erreur, dans l'idée qu'ils dormaient ensemble parce qu'ils étaient destinés à être unis. Tête contre tête, ils peuvent s'encourager durant le Voyage, sans toutefois se tromper sur leurs liens à leur arrivée de l'autre côté.

Ayla hocha la tête. L'explication lui paraissait logique. Elle n'en regrettait pas moins, en regardant la terre s'accumuler dans la tombe, de n'être pas parvenue en ce lieu quelques jours plus tôt. Peut-être n'aurait-elle pas réussi à sauver ces enfants mais du moins aurait-elle pu essayer.

Talut s'arrêta au bord d'un petit cours d'eau. Il regarda vers l'amont, puis vers l'aval, consulta la plaque d'ivoire marquée de signes qu'il tenait à la main. Il vérifia la position du soleil, étudia, au nord, quelques formations nuageuses, renifla le vent. Finalement, il examina ce qui l'entourait.

— Nous allons dresser le camp ici, pour la nuit, déclara-t-il.

Il se débarrassa de son sac et de sa hotte, s'approcha de sa sœur qui était en train de décider de l'endroit où l'on placerait la tente principale, afin que les autres, contiguës, restent sur un terrain plat.

— Tulie, si nous nous arrêtions pour faire un peu de troc, qu'en dirais-tu ? Je regardais ces cartes que Ludeg a dressées. Je n'y avais pas prêté attention tout de suite, mais regarde.

Il lui montra deux plaques d'ivoire gravées de signes.

— Cette carte indique la route jusqu'au Camp du Loup, le nouveau site choisi pour la Réunion d'Eté, et celle-ci, c'est celle qu'il a tracée rapidement pour nous montrer le chemin jusqu'au Camp sungaea. D'ici, le détour ne serait pas bien grand pour passer par le Camp du Mammouth.

— Tu veux dire le Camp du Bœuf Musqué, fit Tulie, avec un agacement dédaigneux. Ils ont montré bien de la présomption en changeant le nom de leur Camp. Tout le monde possède un Foyer du

Mammouth, mais personne ne doit donner à un Camp le nom du mammouth. Ne sommes-nous pas tous des Chasseurs de Mammouths ?

— Mais les Camps portent toujours le nom du foyer du chef, et leur nouveau chef est en même temps leur mamut. D'ailleurs, ce n'est pas une raison pour ne pas faire du négoce avec eux... s'ils ne sont pas partis pour l'été. Ils sont apparentés au Camp de l'Ambre, tu le sais, et ils ont toujours de l'ambre à proposer.

Talut connaissait bien la faiblesse de sa sœur pour les tons chauds et dorés de la résine pétrifiée.

— Et Wymez prétend que, par ailleurs, ils ont accès à un bon gisement de silex. Nous apportons une grande quantité de peaux de rennes, sans parler de quelques autres belles fourrures.

— Je ne comprends pas comment un homme peut fonder un foyer quand il n'a même pas de femme avec lui, mais j'ai dit simplement qu'ils se montraient présomptueux. Ça ne nous empêche pas de faire du commerce avec eux. Mais oui, Talut, il faut nous arrêter chez eux.

Le visage de la Femme Qui Ordonne s'éclaira d'un sourire énigmatique.

— Oui, certainement. Je pense qu'il serait intéressant, pour le Camp du Mammouth, de faire la connaissance de notre Foyer du Mammouth.

— Très bien. Nous aurons intérêt à partir de bonne heure, demain matin, dit Talut.

Mais il considérait Tulie d'un air intrigué, en secouant la tête. A quoi pouvait bien penser sa sœur, avec son intelligence et son astuce ? se demandait-il.

Le Camp du Lion parvint à une large rivière sinueuse qui s'était creusé un lit entre deux rives abruptes de lœss. Talut s'avança jusqu'à un promontoire entre deux ravins et examina avec attention les alentours. Dans la plaine inondable, au-dessous de lui, il vit des cerfs et des aurochs qui, au bord de l'eau, paissaient dans une prairie verdoyante, parsemée de petits arbres. A quelque distance, il remarqua un amoncellement considérable d'ossements, entassés contre une berge haute, à l'endroit où la rivière faisait un coude. De minuscules silhouettes s'y démenaient, et il en vit plusieurs emporter de gros os.

— Ils sont encore là, annonça-t-il. Ils doivent être en train de construire.

Les voyageurs descendirent une pente qui menait au Camp, situé sur une large terrasse qui ne dominait pas de plus de cinq mètres le lit de la rivière. Si Ayla avait été surprise en découvrant le Camp du Lion, elle fut stupéfaite à la vue du Camp du Mammouth. Au lieu d'une seule vaste habitation semi-souterraine et couverte d'herbe, à laquelle la jeune femme avait trouvé une ressemblance avec une caverne ou avec un terrier à l'échelle humaine, ce Camp était composé de plusieurs huttes groupées sur la terrasse. Elles étaient massives et solides, elles aussi, sous une épaisse couche de terre recouverte d'argile, et l'herbe poussait par endroits autour d'elles, mais pas sur les toits. Elles évoquaient pour Ayla d'énormes buttes chauves au-dessus de terriers de marmottes.

En approchant, elle comprit pourquoi les couvertures des huttes étaient nues. Comme chez eux, le Camp du Mammouth utilisait les toits de ses huttes comme postes d'observation. Une foule de spectateurs s'étaient regroupés sur deux d'entre elles, et, bien que l'arrivée du Camp du Lion ait capté leur attention, ce n'était pas cela qui les avait d'abord regroupés sur les toits. Quand le Camp du Lion eut contourné une hutte qui bloquait la vue, Ayla découvrit avec stupéfaction l'objet de leur intérêt.

Talut ne s'était pas trompé. Ils construisaient. Elle avait surpris les remarques de Tulie à propos du nom que ces gens s'étaient choisi, mais, au vu de la demeure qu'ils édifiaient, ce nom lui paraissait tout à fait approprié. Peut-être, une fois fini, cet édifice ressemblerait-il à tous les autres, mais la manière dont ces gens utilisaient les os de mammouth en guise de structure semblait s'approprier une qualité particulière de l'animal. Certes, les gens du Camp du Lion se servaient d'os de mammouth pour soutenir leur habitation, ils avaient choisi certains d'entre eux, les avaient parés à la forme voulue, mais ceux qui étaient utilisés ici n'étaient pas seulement des supports. Ils étaient choisis et disposés de telle manière que la structure tout entière parvenait à traduire l'essence même du mammouth de façon à exprimer les croyances des Mamutoï.

Pour ce faire, ils apportaient d'abord en nombre considérable des éléments semblables des squelettes de mammouths, qu'ils trouvaient dans l'amoncellement d'ossements, au-dessous de leur terrasse. Ils commençaient par former un cercle d'environ six mètres de diamètre, avec des crânes placés de manière à présenter à l'intérieur la surface massive des fronts. L'ouverture était constituée par l'arche familière, constituée de deux immenses défenses recourbées, fixées de chaque côté dans la cavité d'un crâne de mammouth et jointes au sommet. Sur le pourtour du cercle et jusqu'à mi-hauteur, ils élevaient un mur fait d'une centaine de mâchoires en forme de V, empilées, la pointe en bas, sur quatre rangées d'épaisseur.

L'effet d'ensemble de ces piles de V, placées côte à côte, était peut-être le concept le plus significatif de la construction. Elles créaient un motif en zigzag, semblable au dessin utilisé sur les cartes pour représenter l'eau. Mieux encore, Ayla l'avait appris de Mamut, ce dessin en zigzag représentait aussi le symbole le plus profond de la Grande Mère, Créatrice de toute vie. Il évoquait le triangle, pointe en bas, de son sexe, l'expression extérieure de sa matrice. Ainsi multiplié de nombreuses fois, le symbole représentait toute vie, non seulement l'eau, mais aussi le liquide amniotique de la Mère, qui avait inondé la terre et rempli les mers et les rivières lorsqu'Elle avait donné naissance à toute vie. Aucun doute : cet édifice abriterait le Foyer du Mammouth.

Le mur extérieur n'était pas achevé, mais on travaillait déjà au reste de la hutte : on insérait des os du bassin et des vertèbres, en les assemblant étroitement, selon un motif symétriquement et rythmiquement répété. A l'intérieur, une charpente de bois consolidait la structure, et, apparemment, le toit serait fait de défenses de mammouth.

— Voilà l'ouvrage d'un véritable artiste ! dit Ranec, qui s'était approché pour mieux admirer le travail.

Ayla avait prévu son approbation. A quelque distance, elle vit Jondalar, qui tenait la longe de Rapide. Lui aussi appréciait et admirait l'artiste inspiré qui avait conçu cette architecture. Pour tout dire, le Camp du Lion tout entier avait perdu l'usage de la parole. Mais, comme l'avait pensé Tulie, le Camp du Mammouth n'était pas moins stupéfait devant ses visiteurs — ou plutôt par les animaux apprivoisés qui voyageaient avec eux.

Après un moment de stupeur réciproque, un homme et une femme, l'un et l'autre un peu plus jeunes que les chefs du Camp du Lion, s'avancèrent pour accueillir Tulie et Talut. L'homme avait été occupé à traîner sur la pente de pesants ossements de mammouth : il était nu jusqu'à la taille, luisant de sueur. Son visage était couvert de tatouages, et Ayla dut se reprendre en main pour ne pas le dévisager avec trop d'insistance. Comme Mamut du Camp du Lion, il portait un motif en chevrons sur la joue gauche, mais il avait aussi un arrangement symétrique de zigzags, de triangles, de losanges et de spirales en deux couleurs, bleu et rouge.

Visiblement, la femme, elle aussi, avait participé au travail commun : elle avait le torse nu mais, au lieu de jambières, elle portait une jupe sans couture qui descendait juste au-dessous des genoux. Elle n'avait pas de tatouages, mais l'aile de son nez avait été percée, et un ornement fait d'un petit morceau d'ambre poli et sculpté était inséré dans le trou.

— Tulie, Talut, quelle surprise ! Nous ne vous attendions pas, mais, au nom de la Mère, vous êtes les bienvenus au Camp du Mammouth, dit la femme.

— Au nom de Mut, nous te remercions de ton accueil, Avarie, répondit Tulie. Nous n'avions pas l'intention d'arriver à un moment inopportun.

— Nous étions tout près, Vincavec, ajouta Talut, et nous ne pouvions passer sans nous arrêter.

— Le moment n'est jamais inopportun pour une visite du Camp du Lion, déclara l'homme. Mais d'où vient que vous vous soyez trouvés dans les parages ? Ce n'est pas votre route pour aller au Camp du Loup.

— Le courrier qui est venu nous dire que le lieu de la Réunion avait changé était passé par un Camp sungaea. Il nous a dit qu'ils avaient la maladie. Nous avons parmi nous un nouveau membre, une Femme Qui Guérit, Ayla du Foyer du Mammouth, expliqua Talut.

Il fit signe à la jeune femme d'approcher.

— Elle tenait à voir si elle pouvait les aider. Nous en arrivons à présent.

— Oui, je connais ce Camp sungaea, dit Vincavec.

Il se tourna vers Ayla. L'espace d'un instant, elle sentit son regard peser sur elle. Elle eut une brève hésitation : elle n'était pas encore tout à fait accoutumée à soutenir le regard direct d'un inconnu. Mais elle sentit que ce n'était pas le moment de manifester la timidité, la pudeur d'une femme du Clan et elle rendit à Vincavec son regard intense. Il se mit brusquement à rire. Ses yeux gris pâle eurent une lueur d'approbation, et il parut apprécier sa féminité. Elle remarqua alors combien il était séduisant : non qu'il fût particulièrement beau ou qu'il possédât des traits frappants, bien que les tatouages le distinguassent des autres, mais parce que, de toute sa personne, émanaient la force, la volonté et l'intelligence.

Il leva les yeux vers Mamut, à califourchon sur Whinney.

— Tu es donc toujours avec nous, vieil homme, dit-il, visiblement heureux.

Il ajouta avec un sourire entendu :

— Et jamais à court de surprises. Depuis quand invoques-tu les esprits pour attirer les animaux ? Deux chevaux et un loup qui voyagent avec le Camp du Lion ? C'est plus que le Don d'Invocation.

— Un autre nom pourrait convenir, Vincavec, mais ce don n'est pas le mien. Ces animaux obéissent à Ayla.

— Ayla ? Apparemment, le vieux Mamut s'est trouvé une fille digne de lui.

Avec un intérêt évident, Vincavec examina de nouveau la jeune femme. Il ne vit pas Ranec s'empourprer de colère, mais Jondalar, lui, se sentit pour la première fois étrangement proche du sculpteur.

— Ne restons pas debout ici à bavarder, dit Avarie. Nous en aurons tout le temps. Les voyageurs doivent être fatigués, affamés. Il faut me laisser vous préparer un repas et un endroit où vous reposer.

— Vous êtes en train de construire un nouveau foyer, Avarie. Inutile de te mettre en frais pour nous. Indique-nous seulement où dresser nos tentes, déclara Tulie. Un peu plus tard, nous serons heureux de partager un repas avec vous et, peut-être, de vous montrer quelques belles peaux de rennes et des fourrures que nous avons justement emportées.

Talut se débarrassait de sa hotte. Il lança, de sa voix sonore :

— J'ai une meilleure idée ! Si nous vous aidions ? Il faudra peut-être me dire où les poser, mais j'ai assez de force pour porter un os de mammouth ou deux.

— Oui, j'aimerais participer à vos travaux, déclara spontanément Jondalar.

Il fit avancer Rapide, aida Rydag à en descendre.

— Vous élevez là une hutte pas comme les autres, ajouta-t-il. Je n'en ai jamais vu de pareille.

— Certainement. Nous acceptons votre aide avec plaisir. Certains, parmi nous, sont pressés de partir pour la Réunion, mais auparavant, nous devons achever la hutte : il faut tout un été pour la consolider. Le Camp du Lion est très généreux, dit Vincavec.

Il se demandait en même temps combien de morceaux d'ambre allait lui coûter cette générosité, quand viendrait le moment des échanges. Mais il décida qu'achever sa hutte et apaiser quelques mécontents en valaient la peine.

Vincavec n'avait pas remarqué dès le début le grand homme blond, au milieu des arrivants. Il le regarda par deux fois, puis Ayla qui dételait Whinney de son travois. C'était un étranger, comme Ayla, et, comme elle, il semblait à l'aise avec les chevaux. Mais, par ailleurs, le petit Tête Plate paraissait dans les meilleurs termes avec le loup, et il n'était plus un inconnu. Cela devait avoir un rapport avec cette femme. Le mamut et chef du Camp du Mammouth reporta son attention sur Ayla. Il s'aperçut que le sculpteur à la peau sombre ne la quittait guère. Ranec, pensa-t-il, avait toujours su reconnaître la beauté, l'exceptionnel. Son attitude avait quelque chose de possessif. Mais l'étranger, qui était-il ? N'était-il pas lié à la femme ? Vincavec lança un coup d'œil vers Jondalar, vit qu'il surveillait Ayla et Ranec.

Il se passe quelque chose entre ces trois-là, se dit Vincavec. Il sourit. Si les deux hommes témoignaient d'un tel intérêt, il était probable que la femme n'était encore unie officiellement à aucun des deux. Une fois encore, il la détailla. Elle était d'une beauté saisissante, et c'était une fille du Foyer du Mammouth, une Femme Qui Guérit, selon ses compagnons. Elle avait certainement un pouvoir unique sur les animaux. Une femme de grand prestige, sans doute, mais d'où venait-elle ? Et pourquoi était-ce toujours le Camp du Lion qui se présentait avec quelqu'un sortant de l'ordinaire ?

Les deux Femmes Qui Ordonnent se tenaient dans une hutte de terre récemment construite mais encore vide. L'extérieur était couvert, mais, à l'intérieur, le motif en chevrons ressortait subtilement.

— Es-tu sûre de ne pas vouloir voyager avec nous, Avarie ? demanda Tulie, dont le cou était orné d'un nouveau collier de grosses perles d'ambre. Nous attendrions volontiers quelques jours de plus, jusqu'à ce que vous soyez prêts.

— Non, partez devant. Tout le monde, je le sais, à grande hâte d'arriver à la Réunion, et vous en avez déjà fait beaucoup trop pour nous. La hutte est presque terminée. Sans vous, nous n'en serions pas là.

— Nous l'avons fait avec plaisir. La nouvelle hutte, je dois l'avouer, est tout à fait impressionnante. Elle fait honneur à la Mère. Ton frère est vraiment un homme remarquable. La présence de la Mère est presque palpable, en ce lieu.

Elle était sincère. Avarie ne s'y trompa pas.

— Merci, Tulie. Nous n'oublierons pas votre aide. Voilà pourquoi nous ne voulons pas vous retenir plus longtemps. Vous vous êtes déjà mis en retard pour nous. Les meilleures places vont être prises.

— Il ne nous faudra plus bien longtemps pour arriver là-bas. Notre chargement s'est considérablement allégé. Le Camp du Mammouth est dur en affaires.

Les yeux d'Avarie effleurèrent le collier de l'autre Femme Qui Ordonne.

— Bien moins que le Camp du Lion, dit-elle.

Tulie en tombait d'accord. A son avis, le Camp du Lion avait eu l'avantage dans les transactions, mais il aurait été malséant de l'admettre. Elle changea de sujet.

— Eh bien, nous vous attendrons là-bas avec impatience. Si nous le pouvons, nous essaierons de vous retenir une place.

— Nous vous en serions reconnaissants, mais nous serons les derniers arrivés, je le crains. Nous devrons accepter ce qui restera. Mais nous vous retrouverons.

Les deux femmes sortirent.

— Nous partirons donc demain matin, déclara Tulie.

Elles s'étreignirent, se donnèrent l'accolade. La Femme Qui Ordonne du Camp du Lion prit la direction des tentes.

— Oh, Tulie, si je ne revois pas Ayla avant votre départ, redis-lui encore nos remerciements pour la pierre à feu, dit Avarie.

Elle ajouta, d'un ton apparemment négligent :

— Avez-vous déjà fixé pour elle un Prix de la Femme ?

— Nous y songeons, mais elle a tant à offrir que c'est difficile.

Tulie fit quelques pas, se retourna, sourit.

— Elle et Deegie se sont liées d'une telle amitié qu'elle est pour moi presque comme une fille.

En reprenant son chemin, elle avait peine à masquer une expression triomphante. Elle pensait bien avoir remarqué que Vincavec prêtait une attention particulière à Ayla. La question d'Avarie, elle le savait, n'avait rien de fortuit. C'était lui qui l'avait inspirée à sa sœur. Ce ne serait pas une mauvaise Union, se disait Tulie, et nouer des liens avec le Camp du Mammouth présentait des avantages. Certes, Ranec possédait un droit de priorité : après tout, ils avaient prononcé la Promesse. Mais, si un homme comme Vincavec faisait une offre, il ne serait pas mauvais de l'examiner. La valeur d'Ayla s'en trouverait pour le moins accrue. Oui, Talut avait eu une bonne idée en proposant de faire étape en ces lieux pour conclure quelques transactions.

Avarie la suivait des yeux. Ainsi, Tulie va se charger elle-même de négocier le Prix de la Femme, se disait-elle. Je le pensais bien. Peut-être devrions-nous, en route, nous arrêter au Camp de l'Ambre. Je sais où la Mère cache la pierre brute. Si Vincavec doit essayer d'obtenir Ayla, il lui faudra tout ce qu'il pourra amasser. Je n'ai jamais connu de femme plus dure en affaires que Tulie, pensait Avarie, avec une admiration accordée à contrecœur. Elle n'avait pas auparavant d'estime particulière pour la grande Femme Qui Ordonne du Camp du Lion, mais, ces derniers jours, les deux femmes avaient eu l'occasion de se mieux connaître, et Avarie en était venue à concevoir pour Tulie du respect et même de la sympathie. Tulie avait travaillé dur avec eux tous. Elle n'épargnait pas les louanges quand elles étaient méritées, et, si elle se montrait redoutable dans les transactions, eh bien, après tout c'était son rôle. Pour tout dire, pensait Avarie, si elle-même avait été jeune et prête à conclure une Union, elle n'aurait pas trouvé mauvais d'avoir quelqu'un comme Tulie pour négocier le Prix de la Femme.

En quittant le Camp du Mammouth, le Camp du Lion prit la

direction du nord, en suivant la plupart du temps la rivière. Dans les parages des grandes voies d'eau qui sillonnaient le continent, le paysage changeait continuellement et montrait une grande variété de vie végétale. La marche des Mamutoï les faisait passer des ondulations rocheuses de la toundra et des plaines de lœss à des lacs de forêt peuplés de roseaux, des marécages grouillants de vie aux tertres balayés par le vent et aux prairies herbeuses émaillées de fleurs d'été. Les plantes de ces régions nordiques étaient souvent rabougries, mais leurs fleurs étaient fréquemment plus grandes, plus brillamment colorées que celles du Sud. Ayla en identifiait la plupart, sans toutefois en connaître toujours les noms. Quand elle se promenait à cheval ou à pied, il lui arrivait souvent d'en cueillir et de les rapporter à Mamut, à Nezzie, à Deegie ou à quelqu'un d'autre pour en apprendre les noms.

Plus ils se rapprochaient du lieu où allait se tenir la Réunion d'Eté, et plus Ayla trouvait de prétextes pour s'isoler du reste de la troupe. En été, elle avait besoin de solitude. D'aussi loin qu'elle pût s'en souvenir, il en avait toujours été ainsi. En hiver, elle acceptait de rester enfermée, dans les conditions qu'imposait le mauvais temps, que ce fût dans la caverne du clan de Brun, dans la sienne, dans sa vallée, ou dans la caverne des Mamutoï. Mais, en été, bien qu'elle n'aimât pas se trouver seule la nuit, elle avait souvent aimé s'écarter des autres durant la journée. C'était le moment où elle pouvait donner libre cours à ses propres pensées, suivre ses propres impulsions, enfin soulagée d'une trop grande surveillance imposée soit par la suspicion soit par l'amour.

Lorsqu'ils faisaient étape, le soir, elle pouvait assez facilement prétendre qu'elle voulait chasser, ou bien identifier certaines plantes, et elle faisait l'un et l'autre : elle prenait sa fronde et le lance-sagaie pour rapporter de la viande fraîche. Mais, en réalité, elle avait simplement envie d'être seule. Sans bien comprendre pourquoi, elle redoutait le moment où ils arriveraient à destination. Elle avait maintenant rencontré bien des gens et elle avait été accueillie par eux sans grandes difficultés : son appréhension ne venait donc pas de là, elle le savait. Mais, plus ils se rapprochaient du but, plus Ranec devenait expansif, et plus Jondalar paraissait morose. Quant à elle, elle souhaitait de plus en plus pouvoir éviter cette assemblée des Camps.

Le dernier soir du voyage, Ayla revint d'une longue promenade à pied avec un bouquet de fleurs. Elle remarqua qu'on avait aplani une petite surface près du feu. Jondalar y faisait des marques avec le couteau à dessiner. Tornec tenait un fragment de plaque d'ivoire. Il avait sorti un couteau acéré et il examinait les marques.

— La voici, dit Jondalar. Ayla, mieux que moi, pourra te renseigner. Je ne suis pas sûr que je serais capable de retrouver mon chemin jusqu'à la vallée depuis le Camp du Lion mais je suis certain que cela me serait impossible à partir d'ici. Nous avons fait trop de tours et de détours.

— Jondalar essayait de dresser une carte qui nous permettrait de retrouver la vallée où tu as découvert les pierres à feu, expliqua Talut.

— Depuis notre départ, je n'ai pas cessé de regarder autour de moi et je n'en ai pas vu une seule, ajouta Tornec. J'aimerais bien aller faire un tour là-bas un de ces jours pour en rapporter. Celles que nous avons ne dureront pas éternellement. La mienne est déjà profondément creusée.

— J'ai du mal à évaluer les distances, déclara Jondalar. Nous voyagions à cheval. Il est difficile de dire combien de jours prendrait la route, si on la faisait à pied. Et nous avons fait de nombreux crochets, nous nous arrêtions quand nous en avions envie et nous ne suivions pas de piste bien précise. A plusieurs reprises, j'en suis presque sûr, nous avons traversé la rivière qui passe dans votre vallée, plus au nord. Quand nous sommes retournés là-bas, c'était presque l'hiver, et beaucoup de points de repère s'étaient transformés.

Ayla posa ses fleurs pour s'emparer du couteau à dessiner. Elle cherchait comment s'y prendre pour dresser une carte de la vallée. Elle commença de tracer un trait, hésita.

— Ne cherche pas à la faire d'ici, fit Talut, d'un ton encourageant. Pense seulement à la façon d'y arriver à partir du Camp du Lion.

Une intense concentration plissa le front de la jeune femme.

— Je pourrais vous montrer le chemin à partir du Camp du Lion, je le sais, mais je ne comprends pas encore très bien les cartes. Je ne crois pas pouvoir en dessiner une.

— Bon, ne t'inquiète pas, dit Talut. Nous n'avons pas besoin de carte si tu peux nous montrer le chemin. Peut-être, après notre retour de la Réunion d'Eté, tenterons-nous de faire un tour là-bas.

Il pointa vers les fleurs son menton barbu de roux.

— Que nous as-tu rapporté, cette fois, Ayla ?

— C'est ce que je vous demande de me dire. Je connais ces fleurs mais j'ignore comment vous les appelez.

— Cette rouge-là est un géranium, déclara Talut. Et cette autre est un pavot.

— Encore des fleurs ? fit Deegie, qui arrivait.

— Oui. Talut m'a dit les noms de ces deux-là.

— Voyons un peu. Ça, c'est de la bruyère, et ça, des œillets sauvages. Deegie s'assit près d'Ayla.

— Nous sommes presque arrivés. Demain dans la journée, a dit Talut. Je meurs d'impatience. Demain, je vais revoir Branag. Après ça, il ne s'écoulera pas beaucoup de temps jusqu'à notre Union. Je ne sais même pas si je vais pouvoir dormir cette nuit.

Ayla sourit à son amie. Il était difficile de ne pas partager un tel enthousiasme, mais, en même temps, la jeune femme était amenée à se rappeler qu'elle aussi serait bientôt unie. En entendant Jondalar parler de la vallée et du moyen d'y retourner, elle avait senti renaître le douloureux désir qu'elle avait de lui. Elle l'avait observé à la dérobée et elle avait la très nette impression qu'il en avait fait autant de son côté. Sans cesse, leurs regards se croisaient fugitivement, avant de se détourner.

— Oh, Ayla, il y a tant de gens que je veux te faire connaître et je suis si heureuse que nous devions être unies lors de la même cérémonie. C'est une chose que nous aurons toujours en commun.

Jondalar se leva.

— Il faut que j'aille... euh... dérouler mes fourrures de couchage, marmonna-t-il, avant de s'éloigner précipitamment.

Deegie vit Ayla le suivre du regard et fut presque certaine de voir des larmes retenues. Elle secoua la tête. Ayla n'avait vraiment rien d'une femme qui allait s'unir à l'homme qu'elle aimait et fonder avec lui un nouveau foyer. Elle ne montrait aucune joie, pas le moindre enthousiasme. Quelque chose lui manquait. Quelque chose qui s'appelait Jondalar.

31

Au matin, le Camp du Lion reprit sa route vers l'amont, sur le plateau, apercevant de temps à autre sur la gauche le flot tumultueux de la rivière troublée par les eaux de fonte des glaciers et charriant des nuages de vase. Parvenus à une fourche, là où deux grands cours d'eau se rejoignaient, ils suivirent le bras de gauche. Après avoir passé à gué deux affluents, presque tout leur chargement entassé dans un bateau emporté à cet effet, ils descendirent vers les plaines inondables et continuèrent à travers les bois et les prairies de la vallée.

Sans cesse, Talut examinait les creux et les ravins qui s'ouvraient dans la rive haute, de l'autre côté de la rivière. Il confrontait le véritable paysage aux symboles tracés sur l'ivoire, dont la signification demeurait encore assez brumeuse pour Ayla. Un peu plus loin, près d'un coude prononcé, se dressait le point le plus haut de la rive opposée : il s'élevait à quelque quatre-vingts mètres au-dessus de la rivière. Du côté des voyageurs, une large étendue d'herbe semée de bosquets se poursuivait sur plusieurs lieues. Ayla remarqua un cairn fait d'ossements, surmonté d'un crâne de loup. Des rochers étaient disposés à travers la rivière selon un aménagement bien précis, dans la direction que suivait Talut.

La rivière, à cet endroit, était large, sans grande profondeur et guéable de toute manière, mais quelqu'un avait rendu la traversée plus facile encore. On avait empilé de place en place des rochers, des graviers, quelques os, on avait aplati le sommet de ces monticules pour permettre de passer à sec.

Jondalar s'arrêta pour regarder de plus près ce dispositif.

— Quelle idée ingénieuse ! remarqua-t-il. On peut traverser la rivière sans même se mouiller les pieds !

— Les meilleurs endroits où construire des huttes se trouvent de l'autre côté : ces trous profonds protègent bien du vent. Mais les meilleurs terrains de chasse sont de ce côté-ci, expliqua Barzec. Ce passage est emporté par les inondations, mais le Camp du Loup en reconstruit un nouveau chaque année. Ils se sont donné du mal encore, cette année, on dirait, sans doute en l'honneur de leurs visiteurs.

Talut donna l'exemple. Whinney, remarqua Ayla, était extrêmement agitée. Elle mit cette agitation sur le compte de la peur devant ce passage coupé d'espaces liquides. Pourtant, la jument la suivit sans incident.

A plus de la moitié du chemin, le chef s'immobilisa.

— Ici, dit-il, la pêche est bonne. Le courant est rapide, il y a plus de profondeur. Les saumons viennent jusqu'ici. Les esturgeons aussi. Et d'autres poissons, les brochets, les truites, les silures.

Il adressait son discours à Ayla et à Jondalar, en particulier, mais aussi à ceux des jeunes qui n'étaient encore jamais venus en ce lieu. Le Camp du Lion dans son ensemble n'avait pas rendu visite au Camp du Loup depuis plusieurs années.

Sur l'autre rive, Talut les conduisit vers un large ravin qui s'ouvrait sur près de huit cents mètres de haut. Ayla perçut un bruit étrange : on aurait dit un fort bourdonnement ou bien un rugissement assourdi. Lentement, les voyageurs poursuivaient leur ascension. A quelque vingt mètres au-dessus du niveau de la rivière, ils parvinrent au bas du large ravin. Ayla porta son regard en avant, et le spectacle lui coupa le souffle. Protégées par les murailles abruptes, une demi-douzaine de huttes s'alignaient confortablement au fond de la très longue cavité. Mais ce n'était pas la vue des huttes rondes qui avait causé la stupeur de la jeune femme.

C'étaient les gens. De toute sa vie, Ayla n'en avait jamais vu un tel nombre. Plus de mille âmes, plus de trente Camps, s'étaient réunis pour la Réunion d'Eté des Mamutoï. En longueur comme en largeur, toute la surface était occupée par des tentes. Il y avait là pour le moins quatre ou cinq fois plus de personnes qu'il ne s'en était trouvé au Rassemblement du Clan. Et tous ces gens la regardaient.

Ou, plutôt, on regardait ses chevaux et Loup. Tout aussi épouvanté qu'elle, le jeune animal se serrait contre la jambe d'Ayla. Elle percevait l'affolement chez Whinney, et Rapide était sans doute dans le même état. La crainte qu'elle éprouvait pour eux l'aida à dominer sa propre terreur devant tant d'êtres humains. Elle leva les yeux, vit Jondalar : accroché à la longe, il luttait de toutes ses forces pour empêcher Rapide de se cabrer, tandis que Rydag, effrayé, se cramponnait à la crinière.

— Nezzie, va chercher Rydag ! cria-t-elle.

Nezzie avait déjà vu ce qui se passait, et l'injonction d'Ayla était presque superflue. Ayla aida Mamut à mettre pied à terre, avant de passer un bras autour de l'encolure de la jument et de la conduire vers le jeune étalon pour aider à le calmer. Le loup la suivit.

— Je suis désolé, Ayla, dit Jondalar. J'aurais dû prévoir la réaction des chevaux devant tout ce monde.

— Tu savais qu'ils seraient aussi nombreux ?

— Je... je ne le savais pas, mais je pensais bien qu'il y en aurait à peu près autant qu'à une Réunion d'Eté des Zelandonii.

— Nous devrions, je crois, essayer de monter le Camp de la Massette un peu à l'écart, dit Tulie.

Elle élevait la voix pour se faire entendre de tous.

— Peut-être ici, près de la limite du campement. Nous serons un peu loin de tout, ajouta-t-elle en promenant son regard autour d'elle, mais un ruisseau traverse l'enceinte du Camp du Loup, cette année, et il fait un coude par ici.

La réaction de tout le peuple mamutoï était à la hauteur de ce qu'avait imaginé Tulie. On les avait vus traverser la rivière, et tous ceux qui se trouvaient là s'étaient assemblés pour l'arrivée du Camp du Lion. Mais elle n'avait pas prévu que les animaux pourraient être épouvantés par ce troupeau d'humanité.

— Si nous nous installions là-bas, près de la muraille ? proposa Barzec. Le terrain n'est pas très égal, mais nous pourrons le niveler.

— Ça me paraît parfait, déclara Talut. Y a-t-il des objections ?

Il s'adressait plus précisément à Ayla. Elle et Jondalar se contentèrent de conduire les animaux vers l'endroit indiqué, pour les calmer au plus vite. Le Camp du Lion entreprit de débarrasser l'emplacement choisi des rochers et des broussailles, avant de l'aplanir pour y dresser leur vaste tente commune à double paroi.

La vie sous une tente à deux couches de peaux était beaucoup plus confortable. La couche d'air isolante qui se formait entre elles aidait à conserver la chaleur de l'intérieur, et l'humidité qui se condensait à la fraîcheur du soir ruisselait le long de la paroi extérieure, dans ce vide, pour se perdre dans le sol. Les peaux intérieures, glissées sous celles que l'on étendait sur le sol, arrêtaient les courants d'air. La structure ne constituait pas, et de loin, un logement permanent comme l'habitation semi-souterraine du Camp du Lion mais elle était plus résistante que la tente à une seule paroi où les Mamutoï passaient les nuits en voyage. Cette résidence d'été, ils l'appelaient le Camp de la Massette, pour la différencier, où qu'elle se trouvât, du site où ils passaient l'hiver, ce qui ne les empêchait pas de continuer à se considérer comme les membres d'un groupe appelé le Camp du Lion.

La tente était divisée en quatre sections coniques qui ouvraient les unes sur les autres. Chacune avait son propre foyer et était soutenue par de jeunes arbres solides et flexibles qu'on aurait pu remplacer — et cela s'était fait — par des côtes de mammouth ou d'autres os longs. La partie centrale, la plus vaste, devait abriter le Foyer du Mammouth, le Foyer du Lion et le Foyer du Renard. La tente n'était certes pas aussi spacieuse que l'habitation semi-souterraine, mais on s'en servirait surtout pour dormir, et il était rare que tout le monde vînt y dormir en même temps. D'autres activités, personnelles, communes ou publiques, se dérouleraient dehors. Il fallait donc, quand on s'installait, définir les limites d'un territoire, autour de la tente. L'emplacement du Foyer de la Massette, la fosse à feu principale en plein air, avait une certaine importance.

Pendant que les arrivants s'activaient à dresser leur tente et à jalonner leur aire, les centaines de gens venus pour la Réunion commençaient à se remettre du choc initial qui les avait réduits au silence. Ils s'étaient mis à parler entre eux avec agitation. Ayla finit par découvrir la source de cet étrange grondement sourd. Elle se rappelait son arrivée au Camp du Lion et le bruit qui l'avait frappée quand tout le monde s'exprimait en même temps. C'était, là encore, le même bruit, largement multiplié. C'étaient les voix mêlées de la foule tout entière.

Rien d'étonnant si Whinney et Rapide étaient si nerveux, se dit la jeune femme. Ce bourdonnement continuel lui faisait le même effet. Elle n'y était pas habituée. Le Rassemblement du Clan n'était pas aussi fréquenté mais, de toute façon, il n'aurait jamais été aussi bruyant. Les gens du Clan utilisaient peu de mots pour communiquer, et, rassemblés, ils faisaient peu de bruit, mais ce peuple qui s'exprimait verbalement, sauf en de rares occasions, engendrait toujours la cacophonie à l'intérieur d'un campement.

Nombreux furent ceux qui accoururent pour saluer le Camp du Lion, pour offrir leurs services. Ils furent accueillis avec chaleur, mais, à plusieurs reprises, Talut et Tulie échangèrent des regards chargés de sens. Ils ne se rappelaient pas avoir jamais trouvé tant d'amis disposés à leur venir en aide. Avec l'assistance de Latie, de Jondalar, de Ranec et, pendant un moment, celle de Talut, Ayla édifia un abri pour les chevaux. Les deux jeunes hommes travaillaient ensemble mais se parlaient peu. La jeune femme refusait l'aide des curieux : les chevaux, expliquait-elle, étaient craintifs, et la présence d'inconnus les rendait nerveux. Elle prouvait ainsi qu'elle était la seule à exercer une autorité sur les animaux, ce qui avait pour unique résultat d'attirer la curiosité. Très vite, on ne parla plus que d'elle.

A l'extrémité la plus écartée du campement, légèrement en retrait derrière une courbe de la muraille du ravin qui s'ouvrait sur la vallée de la rivière, le petit groupe construisit une sorte de brise-vent. Ils utilisèrent la tente dont Ayla et Jondalar s'étaient servis quand ils voyageaient ensemble, en l'étayant avec de jeunes arbres et des branches solides. L'abri était à peu près dissimulé à la vue des gens qui campaient dans le ravin, mais, de cet endroit, on découvrait largement la rivière et les magnifiques prairies parsemées d'arbres.

Les arrivants étaient occupés à emménager et à aménager leurs emplacements pour dormir, quand une délégation du Camp du Loup accompagnée de quelques autres personnes se présenta pour les accueillir officiellement. Ils se trouvaient sur le territoire du Camp qui recevait, et, même si cela était tacite, c'était plus qu'un geste de simple courtoisie d'offrir à tous les visiteurs la libre disposition des terrains de pêche, de chasse et de cueillette qui appartenaient par droit d'hérédité au Camp du Loup. Bien sûr, la Réunion d'Eté ne se prolongerait pas sur toute la saison, mais recevoir à la fois tant de gens représentait une lourde charge, et il était nécessaire de préciser si quelque territoire particulier devait être évité afin de ne pas abuser des ressources de la région.

Talut avait été très surpris à l'annonce du changement de lieu pour la Réunion d'Eté. D'ordinaire, les Mamutoï ne se rassemblaient pas dans un Camp. Ils choisissaient habituellement un emplacement situé sur la steppe ou dans la vallée d'une grande rivière, susceptible d'accueillir plus aisément de telles concentrations d'êtres humains.

— Au nom de la Grande Mère de toutes choses, le Camp du Lion est le bienvenu, annonça une maigre femme aux cheveux gris.

En la voyant, Tulie reçut un choc. Elle se rappelait une femme robuste, d'une grâce incomparable, qui avait assumé sans difficulté les responsabilités de sa position de Femme Qui Ordonne. En une seule année, elle avait vieilli de dix ans.

— Marlie, nous apprécions votre hospitalité. Au nom de Mut, nous vous en remercions.

Un homme étreignit les deux mains de Talut, en manière de salut.

— Toujours le même, je vois, fit-il.

Valez était plus jeune que sa sœur, mais, pour la première fois, Tulie remarqua, sur lui aussi, les signes de vieillissement. Du coup, elle prit soudain conscience de sa propre condition mortelle. Elle avait toujours cru Marlie et Valez proches de son âge.

Valez continuait :

— Mais voilà la plus grosse surprise, je crois. Quand Thoran est accouru en criant que des chevaux traversaient la rivière à gué avec vous, personne n'a pu s'empêcher d'aller voir. Et alors quelqu'un a découvert le loup...

— Nous n'allons pas vous demander de tout nous raconter dès maintenant, dit Marlie, même si, je le reconnais, je meurs de curiosité. Vous allez devoir répéter trop souvent votre récit. Nous attendrons donc la soirée : tout le monde en profitera.

— Marlie a raison, naturellement, déclara Valez, qui aurait pourtant préféré connaître l'histoire sur-le-champ.

Il remarqua aussi que sa sœur semblait particulièrement fatiguée. Elle allait vivre là sa dernière Réunion d'Eté, il le craignait. Voilà pourquoi il avait accepté d'accueillir ce rassemblement, quand le terrain initialement prévu avait été inondé par un changement dans le cours de la rivière. Marlie et lui allaient abandonner leur position de chefs cette même saison.

Marlie reprit la parole.

— Servez-vous de tout ce dont vous aurez besoin, je vous en prie. Etes-vous bien installés ? Je regrette que vous deviez loger dans ce coin isolé, mais vous êtes arrivés bien tard. Je n'étais même plus sûre que vous alliez venir.

— Nous avons fait un détour, reconnut Talut. Mais cet endroit nous convient parfaitement. Il est préférable pour les animaux qui ne sont pas habitués à voir tant de monde.

— J'aimerais bien savoir comment ils se sont habitués à la présence d'une seule personne ! claironna une voix.

Les yeux de Tulie s'illuminèrent à la vue du grand jeune homme qui s'approchait, mais Deegie fut la première à l'atteindre.

— Tarneg ! Tarneg ! s'écria-t-elle, en courant se jeter dans ses bras.

Les autres occupants du Foyer de l'Aurochs la suivirent de près. Tarneg étreignit sa mère, Barzec ensuite. Tous avaient les larmes aux yeux. Druwez, Brinan et Tusie réclamèrent ensuite son attention.

Il passa un bras autour des épaules de chacun des garçons, déclara qu'ils avaient bien grandi, avant de soulever Tusie de terre. Ils s'embrassèrent, le jeune homme chatouilla l'enfant qui éclata d'un rire ravi. Il la reposa sur le sol.

— Tarneg ! fit Talut de sa voix tonnante.

— Talut, vieil ours ! répliqua Tarneg, d'une voix tout aussi sonore.

Les deux hommes s'étreignirent. Il y avait entre eux un grand air de famille : Tarneg, comme son oncle, possédait la stature et la vigueur d'un ours. Mais il tenait de sa mère un teint et des cheveux moins hauts en couleur. Il se pencha vers Nezzie pour frotter sa joue contre la sienne. Après quoi, avec un sourire espiègle, il entoura de ses bras ses formes rebondies, la souleva du sol.

— Tarneg ! protesta-t-elle. Que fais-tu là ? Lâche-moi !

Il la reposa doucement, lui adressa un clin d'œil.

— Je sais maintenant que je te vaux, Talut ! lança-t-il dans un éclat de rire. Sais-tu depuis combien de temps j'attendais ce moment ? Rien que pour prouver que j'en étais capable ?

— Il n'est pas nécessaire de... commença Nezzie.

Talut, la tête rejetée en arrière, se mit à rire à gorge déployée.

— Il en faut davantage, jeune homme. Quand tu seras mon égal entre les fourrures, alors, tu me vaudras.

Nezzie renonça à protéger sa dignité sous des protestations. Elle se contenta de regarder son gigantesque ours de compagnon en secouant la tête avec une exaspération affectueuse.

— Par quel mystère une Réunion d'Eté pousse-t-elle les vieillards à vouloir prouver qu'ils ont retrouvé leur jeunesse ? dit-elle. Enfin, ça me donne au moins un peu de repos !

— Je ne parierais pas là-dessus ! dit Talut. Je ne suis pas encore assez vieux pour être incapable de me frayer un chemin jusqu'à la lionne de mon foyer, tout en déblayant d'autres congères.

Avec une exclamation dédaigneuse, Nezzie haussa les épaules et se détourna sans répondre. Ayla était restée près des chevaux et retenait le loup près d'elle afin qu'il n'effrayât pas les visiteurs par ses grondements, mais elle avait suivi avec un intérêt intense toute la scène, y compris les réactions des assistants. Danug et Druwez paraissaient un peu embarrassés. Sans encore avoir d'expérience, ils savaient de quoi il était question, et le sujet les occupait beaucoup, depuis quelque temps. Le sourire de Tarneg et de Barzec allait d'une oreille à l'autre. Latie rougissait et tentait de se dissimuler derrière Tulie, dont l'attitude disait qu'elle était bien au-dessus de toutes ces bêtises. La plupart des assistants souriaient avec bienveillance, même Jondalar, remarqua Ayla, surprise. Elle s'était demandé si le comportement de Jondalar à son égard trouvait ses raisons dans des coutumes très différentes. Peut-être, à la différence des Mamutoï, les Zelandonii ne croyaient-ils pas qu'un individu eût le droit de choisir le compagnon ou la compagne de sa vie. Pourtant, il n'avait pas l'air désapprobateur.

Au moment où Nezzie passait devant elle pour rejoindre la tente, Ayla vit un petit sourire entendu se jouer sur ses lèvres.

— Tous les ans, c'est la même chose, murmura-t-elle. Il faut qu'il fasse une grande scène, qu'il prouve à tout le monde quel homme il est

et même, les premiers jours, qu'il déblaie quelques autres « congères »...
bien qu'elles me ressemblent toujours, blondes et grasses. Après ça,
quand il pense que personne ne lui prête plus attention, il est tout
heureux de passer presque toutes ses nuits au Camp de la Massette... et
beaucoup moins heureux si je n'y suis pas.

— Où vas-tu donc ?

— Qui sait ? Dans un rassemblement de cette taille, tu as beau
connaître tout le monde ou à tout le moins chaque Camp, tu ne connais
personne intimement. Chaque année, tu trouves quelqu'un avec qui tu
veux faire plus étroitement connaissance. Pour moi, il s'agit le plus
souvent, je l'avoue, d'une autre femme qui a de grands enfants et une
nouvelle recette pour cuisiner le mammouth. Parfois, un homme attire
mon attention, ou c'est moi qui attire la sienne, mais je n'ai pas besoin
d'en faire toute une histoire. Talut peut se permettre de se vanter,
mais, pour dire toute la vérité, il ne serait pas très content si je me
vantais, moi aussi.

— Alors, tu ne dis rien, fit Ayla.

— Ce n'est pas grand-chose quand il s'agit de préserver l'harmonie
et la bonne entente au foyer... et... de faire plaisir à Talut.

— Tu l'aimes vraiment, n'est-ce pas ?

— Ce vieil ours ! commença Nezzie.

Mais elle sourit, et une douceur lui monta aux yeux.

— Nous avons eu nos mauvais moments, au début... Tu sais, quand
il se met à crier !... Mais jamais je ne l'ai laissé prendre le dessus sur
moi ni m'imposer le silence par la seule force de sa voix. C'est ce qui
lui plaît chez moi, je crois. Talut, s'il le voulait, pourrait briser un
homme en deux, mais ce n'est pas dans sa manière. Il est capable de se
mettre en fureur, parfois, mais il n'y a pas en lui la moindre cruauté.
Jamais il ne ferait de mal à plus faible que lui... autrement dit, presque
tout le monde ! Oui, je l'aime, et, quand on aime un homme, on a
envie de lui faire plaisir.

— Tu ne... tu ne partirais pas avec un autre homme qui t'aurait
plu, même si tu en avais envie, même si ça lui faisait plaisir ?

— A mon âge, je n'aurais pas de mal à résister, Ayla. S'il faut dire
toute la vérité, je n'ai pas vraiment de quoi me vanter. Quand j'étais
plus jeune, il m'arrivait encore d'attendre avec impatience la Réunion
d'Eté, pour voir de nouveaux visages, m'amuser un peu et même, de
temps en temps, pour aller faire un petit tour entre deux fourrures.
Mais, à mon avis, Talut a raison au moins sur un point. Il n'y a pas
beaucoup d'hommes qui le vaillent. Non pas à cause de toutes les
« congères » qu'il est capable de déblayer mais parce qu'il se soucie de
la manière de le faire.

Ayla hocha la tête pour montrer qu'elle comprenait. Mais, aussitôt,
elle plissa le front. Que faisait-on, s'il y avait deux hommes qui vous
aimaient également ?

— Jondalar !

Ayla releva la tête en entendant une voix inconnue appeler le jeune homme par son nom. Elle le vit sourire, se diriger à grands pas vers une femme qu'il salua chaleureusement.

— Tu es donc toujours chez les Mamutoï ! Où est ton frère ? demanda la femme.

Elle était assez impressionnante, pas très grande mais bien musclée.

Le front de Jondalar se contracta sous l'effet de la souffrance. A l'expression de la femme, Ayla vit qu'elle avait compris.

— Comment est-ce arrivé ?

— Une lionne lui a volé sa proie, et il l'a suivie jusqu'à sa tanière. Le mâle l'a tué et m'a blessé, expliqua Jondalar, le plus brièvement possible.

La femme secoua la tête avec sympathie.

— Tu étais blessé, disais-tu ? Comment t'es-tu tiré de ce mauvais pas ?

Jondalar se tourna vers Ayla, vit qu'elle les regardait. Il conduisit l'inconnue jusqu'à elle.

— Ayla, voici Brecie des Mamutoï, Femme Qui Ordonne du Camp du Saule... ou plutôt du Camp de l'Elan. Talut a dit que c'était le nom de ton camp d'hiver. Et voici Ayla des Mamutoï, fille du Foyer du Mammouth, au Camp du Lion.

Brecie en resta interdite. Fille du Foyer du Mammouth ! D'où venait-elle ? Elle n'était pas avec le Camp du Lion, l'année précédente. Ayla n'était même pas un nom mamutoï.

— Brecie, dit Ayla, Jondalar m'a parlé de toi. Tu es celle qui les a sauvés, son frère et lui, des sables mouvants de la Grande Rivière Mère et tu es l'amie de Tulie. Je suis heureuse de te connaître.

Ce n'est certainement pas un accent mamutoï, se disait Brecie, et il n'est pas sungaea. Ce n'est pas non plus celui de Jondalar. Je ne suis même pas sûre que ce soit un accent. Elle parle vraiment très bien le mamutoï mais elle a une façon particulière d'avaler un peu certains mots.

— Je suis heureuse de te connaître... Ayla, c'est bien ça ?

— Oui, Ayla.

— Un nom peu commun...

Ne recevant aucune explication, Brecie continua :

— Tu es celle, on dirait, qui... garde ces... animaux.

Il vint à l'esprit de Brecie qu'elle ne s'était jamais trouvée aussi proche d'un animal — d'un animal, du moins, qui se tenait tranquille sans tenter de se sauver.

— C'est parce qu'ils lui obéissent, expliqua Jondalar en souriant.

— Mais ne t'ai-je pas vu toi-même avec l'un deux ? Tu m'as prise au dépourvu, je dois l'avouer, Jondalar. Dans ces vêtements, je t'ai d'abord confondu avec Darnev et, en te voyant conduire un cheval, j'ai pensé que j'avais des visions, ou que Darnev était revenu du monde des esprits.

— Ayla m'enseigne à m'entendre avec ces animaux, déclara Jondalar. C'est elle, aussi, qui m'a sauvé du lion des cavernes. Crois-moi, elle a une manière bien à elle avec les bêtes.

— Ça me paraît évident, dit Brecie.

Cette fois, elle baissait les yeux sur Loup, qui ne se montrait plus aussi nerveux, mais dont l'attention en éveil semblait encore plus menaçante.

— Est-ce la raison pour laquelle elle a été adoptée par le Foyer du Mammouth ?

— C'est l'une des raisons, répondit Jondalar.

Brecie avait frappé à l'aveuglette en supposant qu'Ayla avait été récemment adoptée par Mamut du Camp du Lion. La réponse de Jondalar confirmait ses suppositions. Elle ne lui apprenait toutefois pas d'où venait cette fille. La plupart des gens pensaient qu'elle accompagnait le grand homme blond, au titre de compagne de foyer, peut-être, ou de sœur. Mais Jondalar, Brecie le savait, était arrivé dans leur territoire en la seule compagnie de son frère. Où avait-il trouvé cette femme ?

— Ayla ! Je suis content de te revoir.

Ayla leva les yeux, vit Branag, accompagné de Deegie. Elle ne l'avait rencontré qu'une fois, mais il lui faisait l'effet d'un vieil ami, et il était plaisant de connaître au moins quelqu'un, dans ce rassemblement.

— Ma mère voudrait te présenter à l'Homme et à la Femme Qui Ordonnent du Camp du Loup, annonça Deegie.

— Certainement, répondit Ayla.

Elle était plutôt heureuse d'avoir un prétexte pour échapper au regard pénétrant de Brecie. Ayla avait décelé l'esprit aiguisé qui transparaissait dans les remarques de cette femme et elle se sentait vaguement mal à l'aise en sa présence.

— Jondalar, veux-tu rester ici, avec les chevaux ?

Quelques autres personnes avaient accompagné Branag et Deegie et se rapprochaient des animaux.

— Tout cela est encore très nouveau pour eux, et ils sont plus tranquilles quand quelqu'un de familier est près d'eux. Où est Rydag ? Il pourrait surveiller Loup.

— Il est dans la tente, répondit Deegie.

Ayla se retourna. L'enfant se tenait timidement au seuil de la tente. Elle s'adressa à lui en paroles et par signes.

— Tulie veut que je rencontre Celle Qui Ordonne. Tu surveilleras Loup ?

— Je surveille, dit-il par signes, avec un regard chargé d'appréhension vers le petit groupe de personnes.

Il s'avança lentement, s'assit près de Loup et l'entoura de son bras.

— Regardez ça ! Elle parle même avec les Têtes Plates. Elle doit être très habile avec les animaux ! fit une voix sarcastique.

Quelques personnes se mirent à rire.

Ayla se retourna vivement, et son regard menaçant chercha celui qui avait fait cette remarque.

— N'importe qui peut leur parler : on parle bien à un rocher. Le plus difficile, c'est de les amener à répondre, dit une autre voix.

Les rires éclatèrent de nouveau. La jeune femme se tourna dans cette direction. La fureur lui coupait presque la parole.

— Y a-t-il quelqu'un ici pour dire que ce garçon est un animal ? demanda une autre voix, plus familière.

Ayla plissa le front en voyant s'avancer un membre du Camp du Lion.

— Moi, Frebec. Et pourquoi pas ? Il ne comprend pas ce que je dis. Les Têtes Plates sont des animaux, tu l'as dit assez souvent.

— Et je dis maintenant que je me trompais, Chaleg. Rydag comprend très bien ce que tu dis, et il n'est pas difficile de l'amener à te répondre. Il te suffit d'apprendre son langage.

— Quel langage ? Les Têtes Plates ne savent pas parler. Qui t'a raconté ces histoires ?

— Il s'agit d'un langage par signes. Il parle avec ses mains, dit Frebec.

Il y eut un concert de rires moqueurs. La curiosité d'Ayla s'éveillait. Elle observait Frebec. Il n'aimait pas qu'on se moquât de lui.

— Ne me croyez pas si vous voulez, dit-il.

Il haussa les épaules, fit quelques pas pour s'éloigner, comme si tout cela était sans importance. Mais il se retourna vers l'homme qui avait tourné Rydag en ridicule.

— Mais je vais te dire quelque chose. Il peut aussi parler avec ce loup, et, s'il commande à ce loup de se jeter sur toi, je ne donne pas cher de ta peau.

A l'insu de Chaleg, Frebec avait adressé des signes à Rydag. Les mouvements de ses mains n'avaient pour Chaleg aucun sens particulier. Rydag, à son tour, avait questionné Ayla de la même façon. Tout le Camp du Lion suivait la scène et se réjouissait en comprenant, grâce à ce langage secret, ce qui allait se passer. Ils pouvaient converser devant tous ces gens sans qu'aucun s'en rendît compte.

Sans se retourner, Frebec reprit :

— Pourquoi ne pas le lui montrer, Rydag ?

Brusquement, Loup ne se trouva plus assis au creux d'un bras d'enfant. Loup, d'un seul bond, attaquait l'homme, le poil dressé, les cros à nu, avec un grondement qui fit se hérisser les cheveux sur la nuque de tous les spectateurs. Saisi d'une terreur panique, les yeux agrandis, l'homme fit un saut en arrière. La plupart de ceux qui se trouvaient près de lui en firent autant, mais Chaleg reculait toujours. Sur un signal de Rydag, Loup vint calmement reprendre sa place près de l'enfant. Il avait l'air très satisfait de lui-même. Il se tourna, se retourna à plusieurs reprises, avant de se coucher le museau sur les pattes, les yeux fixés sur Ayla.

Ils avaient pris un risque, se disait intérieurement la jeune femme. Cependant, le signal n'était pas tout à fait celui d'attaquer. Il s'agissait d'un jeu auquel les enfants jouaient avec Loup : une attaque simulée qui était aussi un jeu naturel entre les louveteaux. On avait simplement enseigné à Loup à se retenir de mordre. Quand Ayla chassait avec lui et qu'elle voulait lui faire lever du gibier, elle utilisait un signal semblable. Certes, il lui arrivait de bondir et de tuer l'animal pour son propre compte, mais cela n'avait rien du signal qui l'aurait lancé dans une véritable attaque contre un être humain. Loup n'avait pas touché l'homme. Il s'était contenté de bondir sur lui. Le danger, c'était qu'il avait eu la possibilité de le tuer. Les loups, la jeune femme le savait, se montraient très protecteurs en ce qui concernait leur territoire ou leur troupe. Ils étaient capables de tuer pour les défendre. Cependant, en regardant revenir l'animal, elle se dit que, si les loups avaient su rire, il aurait ri. Elle ne pouvait s'empêcher de penser qu'il savait ce qui se passait : il s'agissait de jouer un bon tour, et il savait précisément comment s'y prendre. L'attaque n'avait pas été une simple feinte, ses mouvements n'avaient pas donné l'impression d'un jeu. Il avait donné tous les signes d'une agression. Simplement, il s'était arrêté avant la conclusion. Se trouver soudain en présence d'une masse de gens avait représenté une épreuve pour le jeune loup, mais il s'était acquitté à merveille de son rôle. Le seul plaisir de voir l'expression de terreur répandue sur le visage de l'homme valait bien la peine d'avoir pris le risque. Rydag n'était pas un animal !

Branag paraissait un peu choqué, mais Deegie arborait un large sourire, lorsqu'ils rejoignirent Tulie et Talut avec un autre couple. Ayla fut cérémonieusement présentée aux deux chefs du Camp qui les recevait et elle comprit aussitôt ce que tout le monde savait déjà. Marlie était gravement malade. Elle n'aurait même pas dû se trouver là, se dit Ayla. Mentalement, elle prescrivait pour elle des remèdes, des préparations. A voir le teint de la femme, l'expression de ses yeux, la texture de sa peau et de ses cheveux, elle se demandait si quelque chose pouvait encore lui venir en aide mais, en même temps, elle sentait sa force de caractère : elle ne lâcherait pas facilement. Cette résistance pouvait être plus efficace que tous les remèdes.

— Tu nous as offert une remarquable démonstration, Ayla, dit Marlie.

Elle avait remarqué l'intéressante particularité de prononciation de la jeune femme.

— Etait-ce l'enfant ou toi qui commandiez le loup ?

— Je n'en sais rien, répondit Ayla en souriant. Loup répond à des signaux, mais nous lui en avons donné tous les deux.

— Loup ? Tu dis ce mot comme si c'était son nom, remarqua Valez.

— C'est son nom.

— Les chevaux ont-ils des noms, eux aussi ? demanda Marlie.

— La jument s'appelle Whinney.

Ayla prolongeait la dernière syllabe à la manière d'un hennissement. La jument répondit, ce qui fit naître sur les visages du petit groupe des sourires peut-être un peu nerveux.

— L'étalon est son fils, continua Ayla. Jondalar l'a nommé Rapide : dans sa langue, c'est un mot qui désigne quelqu'un qui court très vite et qui aime arriver le premier.

Marlie hocha la tête. La jeune femme la dévisagea un instant, avant de se tourner vers Talut.

— Je me sens très fatiguée, après avoir construit cet abri pour les chevaux. Tu vois cette grosse bûche ? Voudrais-tu l'apporter jusqu'ici, pour que je puisse m'asseoir ?

Le géant fut un instant totalement déconcerté. Cela ne ressemblait pas à Ayla. Jamais elle n'aurait fait pareille demande, surtout au beau milieu d'une conversation avec la Femme Qui Ordonne du Camp. Si quelqu'un avait besoin d'un siège, c'était bien Marlie. Et l'idée le frappa soudain. Mais bien sûr ! Pourquoi n'y avait-il pas songé plus tôt ? Il se hâta d'aller chercher la bûche et la manœuvra lui-même jusqu'au petit groupe.

Ayla s'assit.

— Vous ne m'en voudrez pas, j'espère. Je suis vraiment très fatiguée. Ne veux-tu pas t'asseoir près de moi, Marlie ?

Marlie accepta. Elle tremblait légèrement. Au bout d'un moment, elle sourit.

— Merci, Ayla. Je n'avais pas l'intention de rester ici si longtemps. Comment as-tu su que j'avais des vertiges ?

— C'est une Femme Qui Guérit, déclara Deegie.

— Elle invoque et elle guérit. Voilà une bien étrange combinaison. Je ne m'étonne plus que le Foyer du Mammouth ait voulu se l'attacher.

— J'aimerais préparer quelque chose pour toi, si tu veux bien le prendre, dit Ayla.

— D'autres m'ont examinée, mais tu peux encore essayer, Ayla. Voyons, avant d'enterrer définitivement le sujet, j'ai encore une question à poser : étais-tu certaine que le loup ne ferait aucun mal à cet homme ?

Ayla prit un temps très bref avant de répondre.

— Non, je n'en étais pas certaine. Il est encore très jeune, et ses réactions ne sont pas toujours prévisibles. Mais je jugeais que j'étais assez près pour briser son attaque s'il ne s'arrêtait pas à temps de lui-même.

Marlie hocha la tête d'un air entendu.

— Les gens ne sont pas toujours absolument prévisibles. On ne saurait s'attendre à ce que des animaux le soient. Si tu m'avais fait une autre réponse, je ne t'aurais pas crue. Dès qu'il sera remis, Chaleg va se plaindre, tu sais, pour sauver la face. Il formulera sa plainte devant le Conseil des Frères qui nous la transmettra.

— « Nous » ?

— Le Conseil des Sœurs, expliqua Tulie. Les Sœurs représentent l'autorité sans appel. Elles sont plus proches de la Mère.

Marlie reprit :

— Je suis heureuse d'avoir assisté à toute l'affaire. Je n'aurai plus à me soucier de faire le tri entre plusieurs histoires contradictoires, de toute manière incroyables.

Elle reporta son regard sur les chevaux, puis sur Loup.

— Ils me paraissent parfaitement normaux. Ce ne sont pas des esprits ni d'autres créations magiques. Dis-moi, Ayla, que mangent-ils quand ils sont avec toi ? Car ils mangent, n'est-ce pas ?

— Ce qu'ils mangent d'ordinaire. Pour Loup, c'est surtout de la viande, cuite ou crue. Il est comme tout le monde, dans l'habitation, il mange comme moi, même des légumes. Parfois, je chasse pour lui, mais il devient très habile à attraper seul des mulots ou d'autres petits animaux. Les chevaux se nourrissent d'herbe et de grains. Je pensais les emmener bientôt dans cette prairie de l'autre côté de la rivière pour les y laisser quelque temps.

Valez porta son regard vers l'autre rive, le ramena sur Talut. Ayla devina ce qu'il pensait.

— Ça m'ennuie de te le dire, Ayla, mais il pourrait être dangereux de les laisser seuls là-bas.

— Pourquoi ? questionna-t-elle, une nuance d'affolement dans la voix.

— A cause des chasseurs. Ils ressemblent à n'importe quels autres chevaux, la jument surtout. Le poil sombre du jeune est plus inhabituel. Nous pourrions peut-être faire passer le mot de ne tuer aucun cheval brun, surtout s'il paraît familier. Mais l'autre... Un cheval sur deux, sur la steppe, est de cette couleur, et je ne crois pas que nous puissions demander à nos gens de ne plus tuer de chevaux. Pour certains, c'est leur viande préférée, expliqua Valez.

— Alors, je resterai avec elle, dit Ayla.

— Ce n'est pas possible ! s'écria Deegie. Tu manquerais tout ce qui va se passer.

— Je ne veux pas qu'il lui arrive quelque chose. Je serai obligée de manquer les festivités.

— Ce serait dommage, dit Tulie.

— Tu n'as pas une idée ? demanda Deegie.

— Non... dit Ayla. Si seulement elle était brune, elle aussi.

— Eh bien, pourquoi ne pas la teindre ?

— La teindre ? Mais comment ?

— Si nous mélangions des couleurs, comme je le fais pour le cuir, et si nous la frottions avec le mélange ?

Ayla réfléchit un instant.

— Ça ne suffirait pas, je pense. Ton idée est bonne, Deegie, mais la teindre en brun ne ferait pas vraiment de différence. Rapide lui-même resterait en danger. Un cheval brun est toujours un cheval, et, si quelqu'un chasse le cheval, il aura du mal à se rappeler qu'il ne doit pas tuer les chevaux bruns.

— C'est vrai, approuva Talut. Un chasseur pense avant tout à la chasse, et deux chevaux bruns qui n'ont pas peur des gens feraient des cibles tentantes.

— Alors, que penserais-tu d'une couleur tout à fait différente comme... le rouge ? Pourquoi ne pas faire de Whinney une jument rouge ? Rouge vif ? Ainsi, elle se distinguerait de tous les autres chevaux.

Ayla fit la grimace.

— Cela ne me tente vraiment pas, Deegie. Elle aurait l'air si étrange. Mais il y a quand même quelque chose à retenir. Tout le monde comprendrait qu'il ne s'agit pas d'un cheval comme les autres. Oui, nous devrions le faire, mais... rouge vif... Attends ! Il me vient une autre idée.

Ayla se précipita à l'intérieur de la tente. Elle renversa son sac de voyage sur ses fourrures de couchage, trouva tout au fond ce qu'elle cherchait. Elle revint en courant.

— Regarde, Deegie ! Tu te rappelles ?

Elle déplia la peau d'un rouge vif qu'elle avait teinte elle-même.

— Je n'ai jamais pu trouver ce que je pourrais en faire. C'était la couleur qui me plaisait. Je pourrais l'attacher sur le dos de Whinney, quand elle sera seule dans la prairie.

Valez sourit, hocha la tête.

— C'est vraiment un rouge vif ! dit-il. Ça fera l'affaire, je crois. Si quelqu'un la voit avec ça sur le dos, il saura que ce n'est pas un cheval ordinaire et hésitera sans doute à le chasser, même s'il n'a pas été prévenu. Nous pourrons annoncer ce soir que la jument qui porte une couverture rouge et le cheval brun avec elle ne doivent pas être chassés.

— Ça ne ferait peut-être pas de mal d'attacher aussi quelque chose sur le dos de Rapide, suggéra Talut.

— Moi, j'ai une autre proposition à faire, déclara Marlie. On ne peut pas faire confiance à tout le monde, et une mise en garde n'est pas toujours suffisante. Il serait peut-être sage, pour toi et Mamut, d'imaginer une interdiction de tuer les chevaux. Une bonne malédiction suffirait sans doute à effrayer ceux qui pourraient être tentés de voir jusqu'à quel point ces animaux sont mortels.

— Tu peux toujours dire que Rydag lancera Loup contre celui qui leur ferait du mal, fit Branag en souriant. Cette histoire doit maintenant avoir fait le tour de toute la Réunion et avoir pris des proportions considérables au passage.

— L'idée n'est peut-être pas mauvaise, dit Marlie.

Elle se leva pour partir.

— Elle aurait l'avantage de pouvoir se répandre comme une rumeur.

Ils regardèrent s'éloigner les deux chefs du Camp du Loup. Tulie, en secouant tristement la tête, alla ensuite finir de s'installer. Talut décida d'aller voir qui organisait les concours : il en envisageait un pour le lancer de la sagaie. Il s'arrêta pour parler avec Jondalar et Brecie, et tous trois s'éloignèrent ensemble. Deegie et Branag se dirigèrent avec Ayla vers les chevaux.

— Je sais exactement à qui il faut nous adresser pour lancer la rumeur, déclara Branag. Avec les histoires qui circulent déjà, même si l'on n'y croit pas entièrement, on évitera de s'approcher des chevaux, je crois. Personne, à mon avis, ne courra le risque de voir Rydag lancer le loup contre lui. Je voulais vous demander... comment Rydag a-t-il su qu'il devait donner le signal au loup ?

Deegie considéra d'un air surpris l'homme auquel elle avait donné sa Promesse.

— Tu n'es pas au courant, n'est-ce pas ? Je ne sais pas pourquoi je crois toujours que, si je sais quelque chose, tu dois le savoir, toi aussi. Frebec n'a pas inventé quelque chose pour défendre le Camp du Lion.

Il disait vrai. Rydag comprend tout ce qu'on dit. Il a toujours tout compris. Nous n'en savions rien jusqu'au jour où Ayla nous a enseigné son langage par signes, pour nous permettre de le comprendre. Quand Frebec a fait mine de s'éloigner, il a fait signe à Rydag, qui a posé la question à Ayla. Nous avions tous compris ce qu'ils se disaient et nous savions donc ce qui allait se passer.

— Est-ce vrai ? demanda Branag. Vous vous parliez, et personne ne s'en doutait !

Il éclata de rire.

— Eh bien, si je veux être au courant des surprises du Camp, je ferais peut-être bien d'apprendre ce langage secret, moi aussi.

— Ayla ! appela Crozie, qui sortait de la tente.

Les jeunes gens s'arrêtèrent pour l'attendre.

— Tulie m'a dit ce que tu avais décidé de faire pour marquer les chevaux, poursuivit la vieille femme en arrivant à leur hauteur. Excellente idée. Le rouge tranchera sur un poil clair. Mais tu n'as pas deux peaux rouge vif. En vidant mon sac, j'ai trouvé quelque chose que j'aimerais te donner.

Elle ouvrit un paquet, en tira une peau, la secoua pour la déplier.

— Oh, Crozie ! s'exclama la jeune femme. C'est magnifique !

Elle s'émerveillait devant une cape de cuir d'un blanc de craie, décorée de perles d'ivoire disposées en triangles et de piquants de porc-épic teints à l'ocre rouge et cousus pour former des spirales et des zigzags.

Devant cette admiration, les yeux de Crozie s'illuminèrent. Pour avoir fait une tunique, Ayla comprenait combien il était difficile d'obtenir cette teinte.

— C'est pour Rapide. Le blanc, à mon avis, ressortira bien sur son poil brun foncé.

— Crozie, c'est bien trop beau pour ça. La peau va se couvrir de taches et de poussière et, surtout si Rapide essaye de se rouler dans l'herbe, elle perdra tous ses ornements. Je ne peux pas lui laisser porter ça dans la prairie.

Crozie posa sur Ayla un regard sévère.

— Si quelqu'un est à la chasse aux chevaux et s'il voit un cheval qui porte sur son dos une couverture blanche très décorée, crois-tu qu'il essaiera de lancer une sagaie sur lui ?

— Non, mais tu t'es donné trop de peine pour faire cette cape : on ne peut pas la laisser s'abîmer ainsi.

— La peine est vieille de bien des années, dit Crozie.

Son visage s'adoucit, ses yeux s'embrumèrent.

— J'avais fait cette cape pour mon fils, le frère de Fralie. Je n'ai jamais eu le courage de la donner à quelqu'un d'autre. Je ne supporterais pas de voir un autre la porter et je ne pouvais pas la jeter. Je l'ai traînée d'un endroit à un autre... Un morceau de peau inutile, tout mon travail perdu. Si cette peau peut aider à protéger l'animal, elle ne sera plus inutile, mon travail aura retrouvé un peu de sa valeur. Je veux que tu l'acceptes, en échange de ce que tu m'as donné.

Ayla prit le paquet qu'on lui tendait, mais elle semblait perplexe.

— Que t'ai-je donc donné, Crozie ?

— C'est sans importance, répondit la vieille femme d'un ton brusque. Prends-la, c'est tout.

Frebec, qui entrait en courant dans la tente, leva la tête. Il vit les deux femmes, leur adressa un sourire satisfait, avant de pénétrer à l'intérieur. Elles lui rendirent son sourire.

— J'ai été stupéfait en voyant Frebec se manifester pour défendre Rydag, remarqua Branag. J'aurais cru qu'il serait le dernier à le faire.

— Il a beaucoup changé, déclara Deegie. Il prend toujours plaisir à discuter, mais on a moins de mal à s'entendre avec lui. Parfois, il se montre disposé à écouter.

— Il n'a jamais eu peur de se mettre en avant pour dire ce qu'il pensait, fit Branag.

— C'est peut-être ce qui n'allait pas, dit Crozie. Je n'ai jamais compris ce que Fralie lui trouvait. J'ai fait de mon mieux pour la dissuader de s'unir à lui. Il n'avait rien à lui offrir. Sa mère n'avait aucun prestige, lui-même ne possédait aucun talent particulier. A mon avis, Fralie se sacrifiait inutilement. Peut-être le seul fait de s'être présenté pour la revendiquer parle-t-il en sa faveur. Et il désirait vraiment en faire sa compagne. Sans doute aurais-je dû me fier dès le début au jugement de Fralie : c'est ma fille, après tout. Ce n'est pas parce qu'un homme a connu des débuts difficiles qu'il ne cherchera pas à améliorer sa condition.

Branag, par-dessus la tête de Crozie, regarda Deegie, puis Ayla. A son avis, la vieille femme avait changé, elle aussi, plus encore que Frebec.

32

Ayla était seule à l'intérieur de la tente. Elle jeta un coup d'œil pour voir si elle ne trouvait pas encore quelque chose à envelopper ou à ranger, une bonne raison de repousser le moment de quitter le Camp de la Massette. Mamut lui avait dit que, dès qu'elle serait prête, il tenait à lui faire rencontrer ceux avec lesquels elle avait des liens privilégiés, les mamuti qui appartenaient au Foyer du Mammouth.

Pour elle, cette rencontre faisait figure d'épreuve. Elle était sûre qu'on allait lui poser des questions et la juger pour savoir si elle était digne de rejoindre les rangs des mamuti. A son avis, elle ne l'était pas. Elle ne pensait pas posséder des talents et des dons hors du commun. Si elle était une Femme Qui Guérit, c'était simplement parce qu'Iza lui avait appris à soigner ceux qui souffraient. Il n'y avait pas non plus à ses yeux quoi que ce soit de magique dans ses rapports avec les animaux. La jument lui obéissait parce qu'elle l'avait recueillie toute jeune et qu'elles avaient vécu ensemble dans la vallée. Rapide, lui, était né là-bas. Quant à Loup, elle l'avait sauvé car elle devait bien ça à sa mère, et elle savait que les animaux élevés au milieu des hommes ne leur faisaient pas de mal. Il n'y avait là rien de mystérieux.

Rydag était resté un certain temps à l'intérieur de la tente avec elle après qu'elle l'eut examiné. Ayla lui avait posé quelques questions précises pour savoir ce qu'il ressentait et elle avait pris note, mentalement, de modifier légèrement son traitement. Puis il était sorti et s'était installé dehors en compagnie de Loup pour observer les gens. Nezzie avait raison de dire que son moral allait mieux. Elle n'avait aussi qu'éloges à faire de Frebec. Ce dernier avait eu droit à de tels compliments qu'il avait fini par en être gêné. Ayla ne l'avait jamais vu aussi heureux. Elle savait que son bonheur venait en grande partie d'avoir été accepté par la communauté et elle comprenait parfaitement ce sentiment.

Elle jeta un dernier coup d'œil, alla chercher un petit sac en peau brute qu'elle attacha à sa ceinture, puis en soupirant, elle quitta la tente. Il n'y avait plus personne dehors, sauf Mamut, en train de parler avec Rydag. Quand elle fut à leur hauteur, Loup leva la tête.

— Tout le monde est parti ? demanda-t-elle. Il vaudrait peut-être mieux que je reste ici pour veiller sur Rydag en attendant que quelqu'un arrive.

— Loup veille sur moi, répondit Rydag par gestes, en souriant. Personne rester longtemps quand voir Loup. Je dis Nezzie partir. Toi aussi, Ayla.

— Il a raison, Ayla, intervint Mamut. Loup a l'air content de rester avec Rydag et on ne peut rêver meilleur gardien.

— Et s'il est malade ? demanda Ayla.

— Si malade, je dis à Loup : « Va chercher Ayla », répondit Rydag.

Il utilisa le signal qu'ils avaient appris à l'animal en jouant avec lui. Loup bondit, posa ses pattes sur la poitrine d'Ayla et lui donna un grand coup de langue sur le menton pour qu'elle le caresse.

Ayla sourit, lui caressa le cou, puis lui fit signe de se coucher.

— Je veux rester ici, Ayla. J'aime regarder. La rivière. Les chevaux dans la prairie. Les gens qui passent. Ils ne me voient pas toujours. Regardent la tente, les chevaux. Puis voient Loup. Des gens amusants.

Le plaisir qu'éprouvait le jeune garçon à observer les réactions étonnées des gens les fit sourire.

— Je pense que tout ira bien. S'il risquait quoi que ce soit, Nezzie ne l'aurait pas laissé seul. Je suis prête, Mamut.

Tandis qu'ils se dirigeaient vers les habitations du Camp du Loup, Ayla remarqua qu'il y avait de plus en plus de tentes et de gens. Elle était contente qu'ils soient installés en bordure du campement. Comme ça, au moins, elle pouvait voir l'herbe et les arbres, la rivière et le pré. Des personnes les saluèrent et échangèrent quelques mots avec eux. Ayla observa la manière dont Mamut répondait à leurs salutations.

Une des huttes, qui se trouvait à l'extrémité d'une rangée de six, semblait être au cœur des activités. Aux abords, un espace dégagé devait servir de lieu de rassemblement. Les Camps qui se trouvaient juste à côté de cette clairière ne ressemblaient pas aux lieux d'habitation habituels. L'un d'eux était entouré d'une palissade composée d'os de mammouths largement espacés, de branches et de buissons secs. Alors qu'ils longeaient cette palissade, Ayla s'entendit appeler par quelqu'un qui se trouvait de l'autre côté.

— Latie ! s'écria-t-elle en se rappelant soudain ce que lui avait dit Deegie.

Tant que Latie était encore dans le Camp du Lion, le fait qu'elle ne doive avoir aucun rapport avec les hommes ne limitait pas trop ses mouvements. Cependant, maintenant qu'ils avaient rejoint la Réunion, elle était totalement isolée d'eux. Un certain nombre d'autres jeunes filles se trouvaient avec elle et elles s'approchèrent en gloussant. Quand Latie présenta Ayla à ses compagnes du même âge, celle-ci eut l'impression qu'elles avaient un peu peur d'elle.

— Où vas-tu, Ayla ?

— Au Foyer du Mammouth, répondit Mamut à sa place.

Latie hocha la tête, comme si elle était au courant. Ayla aperçut alors Tulie. Debout à l'intérieur de l'enclos dressé autour d'une tente décorée de motifs à l'ocre rouge, la Femme Qui Ordonne était en train de discuter avec d'autres femmes. Elle agita la main en direction d'Ayla et lui fit un grand sourire.

— Regarde, Latie ! s'écria une des amies de la jeune fille d'une voix excitée. Une pied-rouge !

Tout le monde s'arrêta pour regarder et les jeunes filles pouffèrent. Ayla elle-même observa avec intérêt la femme qui passait d'un pas nonchalant et elle remarqua que la plante de ses pieds nus était d'un rouge profond et brillant. Elle avait entendu parler de ces femmes, mais c'était la première fois qu'elle en voyait une. Même si elle semblait tout à fait ordinaire, il y avait quelque chose chez elle qui attirait les regards.

La femme se dirigea vers un groupe de jeunes gens qu'Ayla n'avait encore jamais vus et qui flânaient près d'une rangée d'arbres, de l'autre côté de la clairière. Ayla remarqua que son attitude changeait au fur et à mesure qu'elle s'approchait d'eux : le balancement de ses hanches s'accentuait, son sourire devenait plus langoureux et on remarquait plus encore la teinte rouge de ses pieds. La femme s'arrêta pour discuter avec les jeunes gens et son rire limpide flotta dans l'air. Tandis qu'ils s'éloignaient, Ayla se souvint de la conversation que Mamut avait eue avec les femmes la veille de la Fête du Printemps.

Les Pas Encore Femmes, ces jeunes filles qui n'avaient pas encore été initiées aux Plaisirs, étaient l'objet d'une surveillance constante — et pas seulement de la part de leurs chaperons. Ayla remarqua que des groupes de jeunes gens se pressaient maintenant non loin de la palissade derrière laquelle se trouvaient Latie et ses compagnes dans l'espoir d'attirer le regard de ces jeunes filles qui, pour leur être interdites, n'en étaient que plus désirables. A aucun moment de sa vie une femme n'était l'objet d'une telle attention de la part de la population mâle. Les jeunes femmes profitaient de ce statut tout à fait exceptionnel et des marques d'attention qu'il suscitait et elles aussi, elles étaient fascinées par les représentants de l'autre sexe, même si elles prenaient bien garde de n'en rien montrer. Elles passaient d'ailleurs leur temps à jeter des coups d'œil furtifs hors de la tente ou de la palissade, en direction des jeunes gens qui paradaient, d'un air faussement dégagé.

Même si certains de ces jeunes gens finiraient par former un jour un foyer avec une des jeunes filles qu'ils regardaient pour l'instant de loin, il y avait très peu de chances que l'un d'eux soit choisi pour cette première et importante initiation. A cette occasion, on faisait appel à des hommes plus âgés et plus expérimentés. Les jeunes filles et les conseillères plus âgées qui partageaient leur tente discutaient entre elles des candidats possibles. En général, ces hommes étaient consultés en privé avant que la décision finale soit prise.

La veille de la cérémonie, les jeunes filles qui avaient séjourné ensemble dans une tente à part — parfois deux, quand elles étaient trop nombreuses — sortaient en groupe. Quand elles rencontraient l'homme avec lequel elles désiraient passer la nuit, elles l'entouraient et le « capturaient ». Les hommes capturés accompagnaient alors les initiées — rares étaient ceux qui se dérobaient. Cette nuit-là, après quelques rituels préliminaires, les hommes et les jeunes filles pénétraient dans la tente que n'éclairait aucune lampe, tâtonnaient dans l'obscurité jusqu'à ce qu'ils se rencontrent et passaient la nuit à explorer leurs différences et à partager les Plaisirs. Ni les jeunes filles ni les hommes n'étaient censés savoir avec qui ils allaient s'accoupler mais, dans la pratique, ils le savaient presque toujours. Des gardiennes plus âgées étaient là pour s'assurer qu'aucun homme ne faisait preuve de brutalité et elles pouvaient donner leur avis dans les rares occasions où celui-ci s'avérait nécessaire. Si, pour une raison ou une autre, certaines jeunes femmes n'étaient pas ouvertes à la fin de la cérémonie, on ne blâmait jamais personne et elles avaient droit à une seconde nuit rituelle, moins agitée que la précédente.

Ni Danug ni Druwez ne seraient invités sous la tente de Latie : d'abord parce qu'ils étaient parents et ensuite parce qu'ils étaient trop jeunes. D'autres femmes, initiées aux Premiers Rites les années précédentes, et tout particulièrement celles qui n'avaient pas encore eu d'enfants, pouvaient décider de représenter la Grande Mère lors de la Réunion et d'enseigner Sa voie aux jeunes gens. Après une cérémonie spéciale en leur honneur et une retraite qui durait toute une saison, on leur teignait la plante des pieds en rouge, avec une teinture qui résistait à l'eau et s'effacerait avec le temps, pour montrer qu'elles étaient à la disposition des jeunes gens pour les aider à acquérir de l'expérience. Un grand nombre d'entre elles portaient aussi des bandes en cuir rouge autour de l'avant-bras, de la cheville ou de la taille.

Même s'il était inévitable qu'elles plaisantent avec les jeunes gens, ces femmes prenaient leur tâche très au sérieux. Elles faisaient preuve de compréhension vis-à-vis de la timidité naturelle et de l'impatience des jeunes gens et leur apprenaient à se comporter tendrement avec une femme en prévision du jour où ils seraient choisis pour les Premiers Rites. Pour montrer à ces femmes à quel point Elle appréciait leur offrande, Mut en bénissait un grand nombre. Même celles qui avaient déjà été unies à un homme sans avoir d'enfant étaient souvent enceintes avant la fin de la saison.

Juste après les Pas Encore Femmes, les pieds-rouges étaient les femmes les plus recherchées par les hommes, quel que soit l'âge de ces derniers. Pour le restant de ses jours, rien ne pouvait stimuler autant un Mamutoï que d'apercevoir l'éclair d'un pied teint en rouge, à tel point que certaines femmes teignaient leurs pieds en rouge pour être plus attirantes. Même si les pieds-rouges se consacraient tout particulièrement aux jeunes gens, elles pouvaient aussi choisir d'autres hommes. Et quand l'un d'eux réussissait à partager la compagnie d'une pied-rouge, il considérait cela comme une grande faveur.

Mamut entraîna Ayla vers un Camp qui n'était pas très éloigné de celui des Rites de la Féminité. La tente de ce Camp n'était pas différente de celle des Camps familiaux. Par contre, tous ceux qui se trouvaient là étaient tatoués. Certains, comme Mamut, portaient simplement un motif en chevrons bleu foncé tatoué en haut de la pommette droite : trois ou quatre V superposés et imbriqués les uns dans les autres. Ce tatouage rappelait à Ayla les maxillaires inférieurs de mammouths qui avaient été utilisés pour construire la hutte de Vincavec. Certains tatouages étaient plus élaborés que celui-là, surtout ceux des hommes. Ils comportaient non seulement des chevrons, mais aussi des triangles, des zigzags, des losanges et des spirales bleu et rouge.

Ayla se félicitait qu'ils se soient arrêtés au Camp du Mammouth avant de venir à la Réunion. Si elle n'avait pas rencontré Vincavec, elle aurait sursauté en voyant ces visages tatoués. Mais aussi fascinants et compliqués soient-ils, aucun de ces tatouages n'était aussi élaboré que celui de Vincavec.

Elle fut frappée par le fait que, bien qu'il y ait une majorité de femmes dans ce Camp, on n'y apercevait aucun enfant. Ceux-ci avaient dû être confiés aux Camps familiaux. On voyait bien d'ailleurs que les enfants n'avaient pas leur place ici : les adultes venaient là pour se retrouver, discuter sérieusement, accomplir certains rites — ou jouer. Plusieurs personnes étaient en train de jouer avec des os marqués, des bâtons et des pièces d'ivoire dans l'aire extérieure du Camp.

Mamut s'approcha de l'entrée de la tente, qui était ouverte, et gratta le cuir pour prévenir de son arrivée. Ayla jeta un coup d'œil par-dessus son épaule dans la tente, le plus discrètement possible, pour que ceux qui flânaient à l'extérieur ne remarquent pas sa curiosité. Mais eux aussi l'observaient. Cette jeune femme que Mamut avait non seulement accepté de former mais qu'il avait adoptée, excitait leur curiosité. On disait que c'était une étrangère, qu'elle n'était pas mamutoï et qu'on ne savait même pas d'où elle venait.

La plupart de ces gens étaient allés faire un tour du côté du Camp de la Massette pour jeter un coup d'œil aux chevaux et au loup et ils avaient été très impressionnés par ces animaux, même s'ils n'en avaient rien montré. Comment pouvait-on dompter un étalon ? Ou obliger une jument à se tenir tranquille quand il y avait autant de monde autour ?

Et que dire de ce loup qui vivait avec eux ? Pourquoi se montrait-il si docile vis-à-vis des gens du Camp du Lion alors qu'il se conduisait comme un loup normal avec les étrangers ? Personne ne pouvait s'aventurer à l'intérieur du Camp du Lion à moins d'y être invité et on disait qu'il avait attaqué Chaleg.

Le vieil homme fit signe à Ayla de le suivre à l'intérieur et ils s'assirent tous deux près d'un grand foyer où brûlait seulement une petite flamme. De l'autre côté du feu était assise une femme énorme. Elle était si grosse qu'Ayla se demanda comment elle avait fait pour se déplacer jusqu'ici.

— Je t'ai amené ma fille pour te la présenter, Lomie, dit le vieux Mamut.

— Je me demandais quand tu viendrais, répondit-elle.

Puis avant d'ajouter quoi que ce soit, elle déplaça une des pierres chauffées à blanc en se servant de baguettes, y jeta des feuilles qu'elle venait de sortir d'un paquet et se pencha vers la pierre pour respirer la fumée qui s'en dégageait. Ayla reconnut l'odeur de la sauge, et moins prononcée, celle du bouillon-blanc et de la lobélie. Elle regarda la femme de plus près, nota qu'elle avait des difficultés respiratoires et se dit qu'elle devait souffrir d'une toux chronique, certainement de l'asthme.

— Utilises-tu aussi la racine de bouillon-blanc pour confectionner un sirop contre la toux ? lui demanda-t-elle. Cela devrait te faire du bien.

Ayla avait hésité à parler la première, alors qu'on ne l'avait pas encore présentée, mais son désir d'aider cette femme avait été plus fort que sa crainte d'être incorrecte, et finalement il s'avéra que c'était la chose à faire.

Lomie sursauta, releva la tête et la regarda avec un certain intérêt. Mamut ne put s'empêcher de sourire.

— Elle aussi, c'est une Femme Qui Guérit ? demanda Lomie à Mamut.

— Je ne crois pas qu'il y en ait de meilleure qu'elle. Même pas toi, Lomie.

Ce n'étaient pas des paroles en l'air, Lomie le savait : Mamut respectait ses talents.

— Et moi qui croyais que tu avais adopté une jolie jeune femme simplement pour agrémenter tes vieux jours, Mamut !

— C'est en effet le cas, Lomie. Ayla a soulagé mon arthrite d'hiver et toutes sortes d'autres douleurs.

— Je suis heureuse d'apprendre qu'elle a des dons cachés. Elle est pourtant bien jeune pour cela.

— En dépit de son âge, elle a encore plus de dons que tu ne peux imaginer.

— Tu t'appelles Ayla, dit Lomie en se tournant vers elle.

— Oui, je suis Ayla du Camp du Lion des Mamutoï, fille du Foyer du Mammouth et... sous la protection du Lion des Cavernes, répondit Ayla, comme Mamut lui avait conseillé de le dire.

— Ayla des Mamutoï. Ayla... hum... C'est un son inhabituel, comme ta voix d'ailleurs. Pas désagréable. Simplement différent. Les gens doivent te remarquer. Je m'appelle Lomie, Mamut du Camp du Loup et Femme Qui Guérit des Mamutoï.

— Première Femme Qui Guérit, corrigea Mamut.

— Comment serais-je Première Femme Qui Guérit, vieux Mamut, si elle est mon égale ?

— Je n'ai pas dit qu'elle était ton égale, Lomie, mais que personne n'était meilleur qu'elle. La formation qu'elle a reçue est assez... inhabituelle. Elle a été initiée, par... quelqu'un qui avait de profondes connaissances dans certains domaines. Sinon, comment aurait-elle pu reconnaître l'arôme subtil du bouillon-blanc, masqué en partie par la puissante odeur de la sauge ? Elle a aussi diagnostiqué la maladie dont tu souffres.

Lomie ouvrit la bouche pour parler, hésita, et préféra ne rien répondre. Mamut continua :

— Il lui a suffi de te regarder pour le savoir. Elle possède un talent exceptionnel pour diagnostiquer une maladie et une connaissance surprenante des remèdes et des traitements. Par contre, elle n'est pas capable, comme toi, de découvrir la cause d'une maladie, d'agir sur cette cause et d'aider ceux qui veulent guérir. Grâce à toi, elle pourra apprendre beaucoup si tu acceptes de la former, et je pense que toi aussi, tu apprendras à son contact.

— C'est ce que tu veux ?

— Oui, répondit Ayla.

— Si tu sais déjà tant de choses, que pourrai-je t'enseigner de plus ?

— Je suis une Guérisseuse. Cela fait intimement partie de ma vie. Je ne peux pas faire autrement. J'ai été formée par quelqu'un qui était comme toi... une Femme Qui Guérit de premier ordre et elle m'a dit qu'il me faudrait toujours approfondir mon savoir. Je serais heureuse si tu acceptais de me former.

Ayla était sincère : elle avait envie de pouvoir parler avec quelqu'un, de discuter des traitements, de développer ses connaissances.

Pourquoi pas, pensa Lomie, touchée par la foi et l'élan de la jeune femme.

— Ayla a un cadeau pour toi, dit Mamut. Fais entrer ceux qui le désirent et ensuite, nous fermerons le rabat de la tente, si tu veux bien.

La plupart de ceux qui se trouvaient dehors à leur arrivée avaient profité de leur discussion pour entrer et ceux qui attendaient encore, debout devant l'ouverture, se précipitèrent à l'intérieur, bien décidés à ne rien rater. Mamut ferma alors le rabat et l'attacha. Puis il dessina de la main sur le sol un grand cercle en ramassant une poignée de terre dont il se servit pour éteindre le feu. Il ne faisait pas totalement sombre à l'intérieur de la tente car la lumière pénétrait par le trou à fumée et à travers les interstices des parois en peau. La démonstration d'Ayla allait être moins spectaculaire que dans la complète obscurité de l'habitation du Camp du Lion, mais cela n'empêcherait pas les mamuti de reconnaître les extraordinaires possibilités du cadeau qu'elle avait apporté.

Ayla défit le petit sac en peau, fabriqué par Barzec, et elle en sortit les matériaux inflammables, la pierre à feu et le silex. Quand tout fut prêt, elle marqua un temps d'arrêt et, pour la première fois depuis de nombreuses lunes, elle eut une pensée silencieuse pour son totem. Elle ne lui demanda rien de précis, imaginant simplement une grande étincelle, capable d'impressionner les mamuti présents, afin que Mamut obtienne l'effet escompté. Puis, à l'aide du silex, elle frappa la pyrite de fer. Bien que l'obscurité ne soit pas totale, l'étincelle fut bien visible. Ayla frappa à nouveau les deux pierres et cette fois-ci l'étincelle mit le feu aux herbes sèches. Un instant plus tard, un nouveau feu brûlait dans le foyer.

Les mamuti s'y connaissaient en matière d'artifices et ils avaient l'habitude d'impressionner leur auditoire avec des tours de passe-passe. Ils se vantaient d'être capables de deviner comment ces tours pouvaient être accomplis. Il en fallait beaucoup pour les surprendre. Mais la démonstration d'Ayla les laissa sans voix.

— La magie est dans la pierre à feu elle-même, intervint Mamut alors qu'Ayla replaçait les deux pierres dans le sac en peau, puis remettait celui-ci à Lomie. Mais la manière d'en faire sortir le feu a été dévoilée à Ayla, continua-t-il sur un ton différent. Je n'ai pas eu besoin de l'adopter, Lomie. Elle était destinée à faire partie du Foyer du Mammouth et a été choisie par la Mère. Elle ne peut que suivre sa destinée. Mais maintenant, je sais que j'ai été choisi pour en faire partie moi aussi, et j'ai enfin compris pourquoi il m'a été donné de vivre aussi vieux.

Ses propos firent courir un frisson dans l'assistance et tout le monde en eut la chair de poule. Mamut venait de toucher du doigt le vrai mystère, l'appel plus profond que chacun d'eux, dans une certaine mesure, avait entendu au-delà de l'apparat attaché à sa fonction et d'un cynisme fortuit. Vieux Mamut était un phénomène. Le fait qu'il soit encore en vie était magique à lui seul. Personne n'avait jamais vécu aussi vieux. Au fil du temps, il avait perdu jusqu'à son nom. Chacun d'eux était un mamut, le chaman de son Camp, mais lui, on l'appelait Mamut, tout court : sa vocation et son nom ne faisaient plus qu'un. Tous ceux qui se trouvaient là étaient persuadés qu'il n'avait pas vécu aussi longtemps sans raison. S'il disait que c'était à cause d'Ayla, cela signifiait qu'elle était en plein cœur des profonds et inexplicables mystères de la vie et du monde autour d'eux, ces mystères auxquels chacun d'eux avait pour mission de se mesurer.

Lorsqu'ils quittèrent tous deux la tente, Ayla était encore préoccupée par les paroles de Mamut. Elle aussi, elle avait senti une tension soudaine et avait eu la chair de poule quand il avait parlé de sa destinée. Elle n'aimait pas être l'objet d'un intérêt aussi marqué de la part de forces qu'elle ne pouvait contrôler. Que Mamut ait parlé de sa destinée l'effrayait. Elle ne se sentait pas différente des autres et ne voulait pas l'être. Elle n'aimait pas non plus les commentaires qu'avait suscités sa manière de parler. Dans le Camp du Lion, personne n'y faisait plus attention. Elle avait fini par oublier que certains mots lui échapperaient toujours, malgré tous ses efforts.

— Ayla ! C'est là que tu es. Je t'ai cherchée partout.

Elle aperçut les yeux noirs et rieurs et le large sourire de l'homme auquel elle avait donné sa Promesse. Chassant les pensées qui l'obsédaient, elle lui sourit en retour et se tourna vers Mamut pour voir s'il avait encore besoin d'elle. Il lui dit en souriant qu'elle pouvait aller faire un tour dans le campement avec Ranec.

— Je voudrais te faire rencontrer quelques sculpteurs, lui dit Ranec en l'entraînant, le bras posé autour de sa taille. Certains d'entre eux font un merveilleux travail. Nous avons toujours un Camp près du Foyer du Mammouth. Il n'est pas réservé qu'aux sculpteurs : tous les artistes s'y retrouvent.

Ranec semblait très excité. Comme elle, un peu plus tôt, quand elle avait appris que Lomie était une Femme Qui Guérit. Même s'il y avait toujours une certaine rivalité à propos du talent et du statut de chacun, seuls ceux qui pratiquaient une même activité étaient capables d'en comprendre toutes les subtilités. Si Ayla désirait discuter des mérites comparés du bouillon-blanc et de la petite pervenche dans le traitement de la toux, par exemple, elle ne pouvait le faire qu'avec une Femme Qui Guérit et ce genre d'échange lui manquait. Elle avait noté que Jondalar, Wymez et Danug pouvaient passer un temps fou à discuter des silex et de la taille des outils et elle se rendait compte que Ranec, lui aussi, se réjouissait de rencontrer ceux qui, comme lui, travaillaient l'ivoire.

Alors qu'ils traversaient la clairière, Ayla remarqua Danug et Druwez, debout au milieu d'un groupe de jeunes gens qui traînaient autour d'une pied-rouge en riant nerveusement. Quand Danug l'aperçut, il lui sourit et, après s'être excusé, traversa rapidement l'herbe sèche et piétinée pour la rejoindre.

— Je t'ai vue lorsque tu discutais avec Latie, Ayla, lui dit-il. J'aurais bien aimé te rejoindre car je voulais te présenter quelques amis. Mais nous n'avons pas le droit de nous approcher du Camp des Filles Qui Gloussent...

Il s'interrompit et rougit, gêné d'avoir employé devant Ayla le sobriquet que les jeunes gens donnaient au Camp dont l'entrée leur était interdite.

— Ne t'en fais pas, Danug. C'est vrai qu'elles gloussent pas mal.

Le jeune homme se détendit.

— Ce petit nom n'est pas bien méchant, reconnut-il. Es-tu pressée ? Peux-tu venir maintenant pour que je te présente mes amis ?

Ayla lança un regard interrogateur à Ranec.

— Moi aussi, je comptais lui présenter des gens. Mais nous avons le temps. Nous pouvons commencer par tes amis.

Danug les entraîna à sa suite. La femme aux pieds rouges était toujours au milieu du groupe de jeunes gens.

— Je désirais faire ta connaissance, Ayla, dit-elle quand Danug eut fait les présentations. Tout le monde parle de toi, se demande d'où tu viens et pourquoi les animaux t'obéissent. Tout ça est tellement mystérieux que je sens que nous allons en parler pendant des années.

(Elle sourit et fit un clin d'œil à Ayla.) Suis mon conseil. Ne leur dis pas d'où tu viens. Laisse-les se poser des questions. C'est bien plus amusant.

Ranec se mit à rire.

— Elle a sûrement raison, Ayla. Dis-moi, Mygie, comment se fait-il que tu aies les pieds rouges cette année ?

— Quand Zacanen et moi nous nous sommes séparés, je n'ai pas voulu rester dans son Camp. Mais je n'étais pas sûre, non plus, de vouloir retourner dans le Camp de ma mère. J'ai donc choisi de devenir pied-rouge. Cela m'a permis de trouver un endroit où vivre pendant quelque temps et si la Mère décide de me récompenser avec un enfant, je n'aurai pas à me plaindre. Tiens, ajouta-t-elle soudain, ça me fait penser à quelque chose. Sais-tu que la Mère a donné un enfant de ton esprit à une autre femme, Ranec ? Tu te souviens de Tricie ? La fille de Marlie ? Celle qui vit dans le Camp du Loup ? Elle avait choisi d'avoir les pieds rouges l'année dernière et cette année, elle a un petit garçon. La fille de Toralie avait la peau noire comme la tienne, tandis que ce garçon à la peau claire et des cheveux roux comme les siens. Mais il te ressemble beaucoup, il a le même nez que toi et exactement tes traits. Elle l'a appelé Ralev.

Ayla regarda Ranec en souriant d'un air bizarre. Elle remarqua que son visage semblait encore plus sombre qu'à l'ordinaire. Il rougit, songea-t-elle. Mais pour le savoir, il faut bien le connaître. Je suis sûre qu'il se souvient de Tricie.

— Si nous y allions, proposa Ranec en la prenant par la taille, comme s'il était brusquement pressé de traverser la clairière.

Mais Ayla lui résista un court instant.

— Cette rencontre était très intéressante, Mygie, dit-elle. J'espère que nous aurons à nouveau l'occasion de parler ensemble. Puis, se tournant vers le fils de Nezzie, elle continua : — Cela m'a fait plaisir de rencontrer tes amis, Danug. (Elle lui sourit ainsi qu'à Druwez, un de ses sourires à vous couper le souffle.) J'ai été heureuse de faire votre connaissance, ajouta-t-elle en regardant chacun à leur tour les amis de Danug.

Le jeune homme la regarda s'éloigner en compagnie de Ranec.

— J'aurais bien aimé qu'Ayla ait les pieds rouges, avoua-t-il avec un soupir.

Un murmure d'approbation suivit cette déclaration.

Quand Ayla et Ranec passèrent devant la grande hutte cernée sur trois de ses côtés par la clairière, la jeune femme entendit le son d'un tambour et un autre son qui lui était inconnu. Elle jeta un coup d'œil en direction de l'entrée, mais celle-ci était fermée. Au moment où ils allaient pénétrer dans un autre Camp qui se trouvait en lisière de la clairière, une femme leur barra la route. Elle était plus petite que la moyenne et sa peau d'un blanc laiteux était parsemée de taches de rousseur. Ses yeux bruns, pailletés d'or et de vert, brillaient de colère.

— Tu es donc arrivé avec le Camp du Lion, Ranec, dit-elle. Pourquoi ne t'es-tu pas arrêté à notre hutte pour dire bonjour ? En ne te voyant pas, j'ai pensé que tu t'étais noyé dans la rivière ou que tu avais été écrasé par les sabots d'un troupeau, ajouta-t-elle d'une voix venimeuse.

— Tricie ! Je... euh... J'avais l'intention de passer mais... il a fallu installer le Camp.

Lui qui avait un tel bagou d'habitude, il semblait avoir perdu sa langue et s'il n'avait pas eu la peau noire, son visage aurait été en cet instant aussi rouge que les pieds de Mygie.

— Tu ne me présentes pas à ton amie, Ranec ? demanda la jeune femme d'un air sarcastique.

— Si, bien sûr. Ayla, voici Tricie, une de mes... amies.

— J'aurais aimé te montrer quelque chose, dit Tricie, en ignorant grossièrement les présentations. Mais je suppose que ça n'a plus d'importance maintenant. Une Promesse qui n'est pas officielle ne signifie pas grand-chose. Je suppose que c'est la femme à laquelle tu vas t'unir lors de la Cérémonie de l'Union de la saison.

Il y avait dans sa voix une note douloureuse, en plus de la colère.

Ayla avait deviné quel était le problème, elle plaignait Tricie et se demandait comment elle allait s'y prendre pour sortir de cette situation délicate. Elle s'avança vers elle et lui dit, les deux mains tendues :

— Tricie, je suis Ayla des Mamutoï, fille du Foyer du Mammouth du Camp du Lion et sous la protection du Lion des Cavernes.

Cette présentation en règle rappela à Tricie qu'elle était la fille d'une Femme Qui Ordonne et que c'était le Camp du Loup qui accueillait cette année la Réunion d'Eté. Cela lui conférait des responsabilités.

— Au nom de Mut, la Grande Mère, le Camp du Loup te souhaite la bienvenue, Ayla des Mamutoï, dit-elle.

— On m'a dit que tu étais la fille de Marlie.

— Oui, répondit Tricie.

— J'ai eu l'occasion de faire sa connaissance. C'est une femme remarquable. Je suis heureuse de te connaître.

Ayla entendit le soupir de soulagement de Ranec. Elle lui jeta un coup d'œil puis, regardant par-dessus son épaule, aperçut Deegie qui se dirigeait vers la hutte où elle avait entendu le son du tambour. Elle se dit soudain qu'il valait mieux laisser Ranec seul avec Tricie.

— Ranec, j'aperçois Deegie, dit-elle. Il y a quelque chose dont j'aimerais parler avec elle. J'irai voir les sculpteurs plus tard, ajouta-t-elle en le quittant brusquement.

Quand elle fut partie, Ranec réalisa soudain qu'il ne pouvait plus se dérober : qu'il le veuille ou non, il allait être obligé d'avoir une explication avec Tricie. Il jeta un coup d'œil à la jeune femme debout en face de lui : malgré sa colère, elle semblait bien vulnérable. La saison précédente, ses longs cheveux roux et ses pieds rouges la rendaient doublement désirable et elle était, elle aussi, une artiste. Ranec avait été très impressionné par la qualité de son travail. Ses paniers étaient d'une beauté exquise et la natte d'une qualité exceptionnelle qui se trouvait chez lui sortait de ses mains. Elle avait pris tellement au sérieux son offrande à la Mère qu'il n'était pas question qu'elle commence par accorder ses faveurs à un homme expérimenté. Et cela n'avait fait que décupler le désir de Ranec.

Malgré le désir qu'il en avait, il ne s'était pas engagé officiellement vis-à-vis d'elle. Tricie n'avait pas voulu. Comme elle s'était consacrée à Mut, elle craignait, en cas de Promesse officielle, que la Mère se sente offensée et la prive de Sa bénédiction. La Mère ne devait pas être si en colère que ça, se dit Ranec, puisqu'Elle s'est servie de l'essence de mon Plaisir pour que Tricie ait un enfant. Il supposait que c'était ce que Tricie voulait lui montrer : cet enfant de son esprit qu'elle pouvait maintenant amener dans son foyer. Dans d'autres circonstances, cela l'aurait rendue irrésistible. Mais Ranec aimait Ayla. S'il en avait eu les moyens, il les aurait demandées toutes les deux. Mais il était obligé de choisir, la question ne se posait même pas. A la simple pensée qu'il risquait de perdre Ayla, son estomac se contractait sous l'effet de la panique. Il la désirait plus qu'aucune autre femme.

Ayla appela Deegie et, quand elle l'eut rattrapée, elles se dirigèrent ensemble vers la hutte.

— J'ai vu que tu avais rencontré Tricie, dit Deegie.

— Oui. Mais elle semblait avoir besoin de parler avec Ranec. Quand je t'ai aperçue, j'ai sauté sur cette excuse pour les laisser seuls.

— Je comprends qu'elle veuille parler avec lui. La saison dernière, tout le monde disait qu'ils avaient l'intention de s'unir.

— Je ne sais pas si tu es au courant, mais elle a eu un bébé. Un fils.

— Non, je n'en savais rien ! J'ai tout juste eu le temps de saluer tous ceux que je connais et personne ne m'a rien dit. A cause de l'enfant, le Prix de la Femme va être encore plus élevé. Qui te l'a dit ?

— Mygie, une des pieds-rouges. Elle dit que c'est le fils de son esprit.

— C'est la seconde fois que cela lui arrive. Avec les autres hommes, on ne peut jamais dire avec certitude de quel esprit il s'agit. Mais avec lui, on ne peut pas se tromper, à cause de la couleur.

— Mygie a dit que ce bébé avait la peau claire et les cheveux roux. Mais que son visage ressemblait beaucoup à celui de Ranec.

— C'est très intéressant, tout ça ! J'ai l'impression qu'il va falloir que j'aille voir Tricie, dit Deegie avec un sourire. La fille d'une Femme Qui Ordonne se doit de rendre visite à la fille d'une autre Femme Qui Ordonne, surtout lorsqu'il s'agit du Camp qui nous offre l'hospitalité. Tu m'accompagneras ?

— Je ne sais pas... Oui, je pense que je viendrai avec toi.

Elles avaient atteint l'entrée en forme d'arche de la hutte d'où s'échappaient un peu plus tôt ces sons étonnants.

— Je comptais m'arrêter à la Hutte des Musiciens, expliqua Deegie. Je suis certaine que cela va te plaire, ajouta-t-elle en grattant la peau qui fermait l'entrée.

Tandis qu'elles attendaient qu'on vienne leur ouvrir, Ayla jeta un coup d'œil autour d'elle.

Au sud-ouest de l'entrée se trouvait une palissade, fabriquée avec sept défenses de mammouth et d'autres os, entre lesquels on avait entassé de l'argile pour la renforcer. Probablement un brise-vent, se dit

Ayla. Le campement était situé dans une cuvette et le vent ne pouvait venir que de la vallée où coulait la rivière. Au nord-est se trouvaient quatre énormes foyers en plein air et deux aires de travail. L'une d'elles était réservée à la fabrication des outils en os et en ivoire, l'autre à la taille des silex que l'on ramassait non loin de là. Ayla ne fut pas surprise d'y voir Jondalar en compagnie de Wymez et d'autres Mamutoï, hommes et femmes, qui travaillaient la pierre.

Comme on venait de soulever la tenture en peau, Deegie fit signe à Ayla de la suivre. Mais quelqu'un les arrêta.

— Tu sais que nous ne laissons pas entrer les visiteurs quand nous répétons, Deegie.

— Mais, Kylie, c'est une fille du Foyer du Mammouth, expliqua Deegie, un peu surprise.

— Elle n'a pas de tatouage. Comment peut-elle être une mamutoï si elle n'est pas tatouée ?

— C'est Ayla, la fille du vieux Mamut. Il l'a adoptée.

— Un instant, je vais voir...

Elles durent attendre à nouveau, malgré l'impatience de Deegie.

— Pourquoi ne m'as-tu pas dit que c'était celle qui a les animaux ! s'écria Kylie quand elle revint. Entrez, leur dit-elle.

— Tu aurais pu te douter que jamais je n'aurais amené ici quelqu'un qui ne convienne pas, dit Deegie.

Il ne faisait pas sombre à l'intérieur car le trou à fumée était plus grand que d'ordinaire et laissait entrer la clarté. Néanmoins, après l'éclatante clarté du soleil, Ayla eut besoin d'un certain temps avant de pouvoir détailler celle qui les avait accueillies. Comme elle était beaucoup plus petite que Deegie, elle avait d'abord cru qu'il s'agissait d'une enfant. Mais en la regardant de plus près, elle s'aperçut qu'elle était légèrement plus âgée que Deegie. Elle était petite et très mince, ce qui l'avait induite en erreur. Mais elle avait une démarche souple et gracieuse et l'assurance d'une femme faite.

La hutte lui avait semblé grande de l'extérieur, mais intérieurement, elle était beaucoup moins spacieuse qu'elle ne l'avait imaginé. Le toit était plus bas qu'à l'ordinaire et la moitié de l'espace était occupé par quatre crânes de mammouth, partiellement enterrés dans le sol et placés de telle façon que les cavités des défenses se retrouvent sur le dessus. On avait placé dans ces cavités des branches pour servir de supports au toit qui menaçait de s'effondrer. Ayla se dit que cette hutte devait être très ancienne. Les montants en bois et le toit en chaume étaient devenus grisâtres avec le temps. Le sol avait été balayé et on y voyait encore la trace des anciens foyers.

Entre les supports en bois, on avait tendu des cordes auxquelles étaient accrochées des tentures qui devaient servir à diviser l'espace et qui, pour l'instant, étaient relevées. Toutes sortes d'objets tout à fait étonnants étaient suspendus à ces cordes ou aux chevilles qui traversaient les montants en bois : vêtements colorés, coiffes à la forme fantastique, colliers de perles d'ivoire et de coquillages, pendeloques en os et en ambre et d'autres choses encore, totalement inconnues d'Ayla.

Il y avait du monde à l'intérieur. Quelques personnes, assises près du feu, étaient en train de boire une infusion. D'autres, installées sous le trou à fumée, là où on y voyait le mieux, cousaient des vêtements. Ceux qui se trouvaient à gauche de l'entrée étaient soit assis, soit agenouillés sur des nattes à côté d'os de mammouth décorés de lignes et de zigzags de couleur rouge. Ayla reconnut aussitôt un fémur, une omoplate, deux mâchoires inférieures, un os du bassin et un crâne.

Malgré l'accueil chaleureux des occupants, elle eut l'impression que leur arrivée les avait interrompus en pleine activité. Deegie devait avoir le même sentiment car elle dit aux musiciens :

— Ne cessez pas de jouer à cause de nous. J'ai amené Ayla avec moi pour qu'elle fasse votre connaissance. Mais nous attendrons que vous ayez fini.

La femme qui était agenouillée en face du grand fémur commença à frapper en mesure sur son instrument avec un andouiller de renne qui avait la forme d'un marteau. Les sons qu'elle produisait n'étaient pas seulement rythmés. Chaque fois qu'elle frappait le fémur à un endroit différent, la hauteur et le timbre du son variaient. Ayla regarda l'instrument de plus près pour essayer de comprendre ce qui produisait cette sonorité surprenante.

Le fémur, long d'environ soixante-quinze centimètres, n'était pas posé directement sur le sol mais placé horizontalement sur deux supports. L'épiphyse de l'os avait été retirée ainsi qu'une partie du tissu spongieux afin d'élargir le canal médullaire. Sur le dessus de l'os, on avait peint à l'ocre rouge des bandes en zigzag régulièrement espacées, semblables aux motifs qui ornaient presque tout ce qui sortait des mains des Mamutoï, depuis leurs bottes jusqu'à leurs constructions. Mais dans ce cas précis, ces bandes avaient une fonction autre que décorative ou symbolique. Après avoir observé pendant un certain temps la musicienne, Ayla fut persuadée que ces motifs lui servaient de repères, lui permettant de savoir à quel endroit elle devait frapper pour produire le son qu'elle désirait.

Ayla avait déjà entendu les Mamutoï jouer du tambour et Tornec frapper sur une omoplate. Les sons qu'ils en tiraient étaient variés mais c'était la première fois qu'elle entendait une telle gamme de sonorités musicales. Les Mamutoï semblaient penser qu'elle possédait des dons magiques mais leur musique lui semblait bien plus magique que ce qu'elle faisait. Un homme se mit à frapper l'omoplate de mammouth, semblable à celle de Tornec, avec un marteau en andouiller. Le timbre et la sonorité de l'omoplate étaient plus aigus que ceux du fémur, mais ce son complétait et mettait en valeur la musique que jouait la femme sur le fémur.

Cette grande omoplate, de forme triangulaire, était haute d'environ soixante-cinq centimètres. La partie la plus large de l'os — près de cinquante centimètres — reposait sur le sol et l'homme tenait son instrument par l'extrémité supérieure, la partie la plus étroite de l'omoplate. Elle était peinte elle aussi de bandes zigzagantes et parallèles de couleur rouge. Chaque bande était large comme le petit doigt de la main et d'un dessin parfaitement régulier. L'intervalle entre ces bandes était toujours le même. Là où l'homme frappait le plus souvent, au centre de la partie inférieure de l'os, les bandes étaient effacées et l'os était poli par l'usage.

Quand les autres instrumentistes se joignirent aux deux premiers, Ayla retint sa respiration. Au début, subjuguée par ces sons complexes, elle se contenta d'écouter. Puis elle concentra son attention sur chacun des musiciens.

Le vieil homme qui frappait sur la mâchoire inférieure n'utilisait pas un marteau en andouiller mais un morceau de défense de mammouth, d'environ trente centimètres, dont l'extrémité la plus large avait été taillée en forme de boule. Seule la moitié droite de la mâchoire était peinte en rouge, comme les autres instruments. La partie gauche de la mâchoire était posée sur le sol et l'homme ne tapait que sur la partie peinte, celle qui n'était pas en contact avec le sol, si bien qu'il tirait de son instrument un son clair, pas du tout assourdi. Il tapait avec son marteau en ivoire aussi bien sur les bandes parallèles peintes à l'intérieur de la mâchoire que sur le bord externe de celle-ci ou alors il le laissait courir sur la surface inégale des dents pour créer des sons stridents.

L'autre mâchoire, qui provenait d'un animal plus jeune, avait été confiée à une femme. Elle avait cinquante centimètres de long, et trente-cinq centimètres dans sa plus grande largeur, et la partie droite était peinte de bandes rouges en zigzag. On avait retiré une des dents de la mâchoire pour créer une cavité, large de cinq centimètres sur douze, ce qui modifiait la sonorité de l'instrument et augmentait son registre aigu.

La femme qui jouait sur l'os de bassin avait posé une des extrémités sur le sol et tenait, elle aussi, son instrument verticalement. Elle laissait retomber son marteau en andouiller surtout au centre de l'os qui était légèrement incurvé à cet endroit. Cela faisait caisse de résonance et lui permettait d'obtenir des sonorités particulières. D'ailleurs, les bandes rouges peintes à cet endroit était entièrement effacées.

Ayla connaissait déjà les sons plus graves, puissants et résonnants qu'un jeune homme tirait du crâne de mammouth. Il jouait de cet instrument aussi bien que Deegie et Mamut. Il tapait sur le front et la boîte crânienne qui, au lieu d'être décorés de bandes en zigzag, étaient ornés de lignes ramifiées, de marques discontinues et de points.

Quand les musiciens eurent fini de jouer, ils se mirent à discuter. Deegie se joignit à eux. Quant à Ayla, elle se contentait de les écouter, essayant de comprendre les termes inhabituels qu'ils employaient sans intervenir dans la discussion.

— Ce morceau a besoin d'être équilibré et il manque encore un peu d'harmonie, dit la jeune femme qui frappait sur le fémur. A mon avis, nous devrions introduire un pipeau avant les danses de Kylie.

— Je suis sûre que tu pourrais convaincre Barzec de chanter cette partie, Tharie, dit Deegie.

— Il vaudrait mieux qu'il n'intervienne qu'ensuite. Kylie et Barzec ensemble, cela ferait trop. Ils vont se faire du tort. Je crois que le mieux ce serait d'employer un pipeau à cinq trous. Essayons, Manen, proposa Tharie à un homme à la barbe soigneusement peignée qui venait de les rejoindre.

Tharie recommença à jouer et cette fois les sons qu'elle tirait du fémur semblèrent presque familiers à Ayla. Elle était heureuse de pouvoir assister à cette répétition et ne demandait rien d'autre que de continuer à écouter les musiciens. Cette expérience toute nouvelle pour elle l'enchantait. Le pipeau qu'utilisait Manen était une patte de grue dont on avait creusé l'intérieur. Quand il se mit à en jouer, les sonorités obsédantes de l'instrument rappelèrent à Ayla la voix surnaturelle d'Ursus, le Grand Ours des Cavernes, lors du Rassemblement du Clan. Seul un mog-ur était capable de produire un tel son. C'était un secret auquel seuls ils avaient accès et qu'ils se transmettaient. Eux aussi, ils devaient utiliser un instrument comme celui-ci, songea Ayla.

Puis Kylie se mit à danser. Elle portait autour de ses bras des bracelets semblables à ceux de la danseuse sungaea. Chacun d'eux était composé de cinq cercles très fins en ivoire de mammouth, larges d'un centimètre. On avait gravé sur chacun des bracelets des marques en diagonale qui rayonnaient à partir d'un losange central, si bien que lorsque les cinq bracelets étaient réunis apparaissait un motif d'ensemble en zigzag. On avait creusé un petit trou à chaque extrémité pour pouvoir les attacher ensemble et, lorsque Kylie faisait certains gestes, ils cliquetaient à l'unisson.

Kylie restait sur place : soit elle adoptait des positions incroyables dans lesquelles elle se figeait un long moment, soit elle faisait des mouvements acrobatiques qu'accentuait encore le cliquetis des bracelets. Les mouvements de cette jeune femme forte et souple étaient si gracieux et si coulants qu'ils semblaient aller de soi. Mais Ayla savait qu'elle n'aurait jamais pu les faire. Elle était tellement transportée par la performance que, quand Kylie eut terminé, elle laissa libre cours à son enthousiasme, comme le faisaient si souvent les Mamutoï.

— Comment fais-tu, Kylie ? C'est extraordinaire ! Les sons, les mouvements, tout ! Je n'ai jamais rien vu de pareil.

Kylie et les musiciens sourirent : ils étaient heureux que cela lui ait plu. Maintenant que la répétition était terminée, ils étaient plus détendus. Le moment était venu de se reposer et ils voulaient en profiter pour satisfaire leur curiosité. Ils avaient très envie d'en savoir un peu plus sur cette femme mystérieuse qui n'était pas mamutoï et semblait venir de nulle part. Tout le monde alla s'asseoir autour du foyer et, après avoir ranimé le feu, on mit des pierres à chauffer et de l'eau à bouillir dans un récipient en bois pour préparer une infusion.

— Il est impossible que tu n'aies pas déjà vu quelque chose comme ça, dit Kylie.

— Jamais, protesta Ayla.

— Et les rythmes que tu m'as montrés ? intervint Deegie.

— Ce n'est pas la même chose. C'étaient de simples rythmes du Clan.

— Des rythmes du Clan ? demanda Tharie. Qu'entends-tu par là ?

— Le Clan, ce sont les gens qui m'ont élevée... commença Ayla.

— Ces rythmes ont l'air simples, mais ils ne le sont pas, l'interrompit Deegie. En plus, ils suscitent des sentiments très forts.

— Voulez-vous nous montrer ? demanda le jeune homme qui avait joué sur le crâne de mammouth.

Deegie regarda Ayla.

— On essaie ? lui demanda-t-elle. Puis elle se tourna vers les autres pour leur expliquer : Nous avons déjà un peu joué ensemble.

— Je ne sais pas ce que ça va donner, dit Ayla.

— On verra bien, répondit Deegie. Nous avons besoin d'un instrument qui rende un son sourd, étouffé, sans résonance, comme si on tapait du pied sur le sol et il faudrait qu'Ayla emprunte le tambour de Marut.

— Je pense qu'en enveloppant mon marteau dans un morceau de peau, cela devrait marcher, dit Tharie en proposant son instrument.

Les musiciens étaient intrigués. Tout ce qui était nouveau les intéressait. Deegie s'agenouilla sur une natte en face du fémur à la place de Tharie et Ayla s'assit en tailleur en face du tambour. Elle le frappa pour l'essayer, puis Deegie frappa à son tour sur le fémur à divers endroits jusqu'à ce qu'Ayla lui fasse signe que le son était bon.

Dès qu'elles furent prêtes, Deegie commença à frapper sur le fémur lentement et régulièrement, en produisant toujours le même son mais en modifiant légèrement le tempo jusqu'à ce qu'Ayla approuve d'un signe de tête. Ayla ferma les yeux et quand elle sentit qu'elle était prête à suivre le battement régulier de Deegie, elle commença à taper sur le tambour. Le timbre de celui-ci avait trop de résonance pour reproduire exactement les sons dont elle se souvenait. Il était difficile, par exemple, de recréer le bruit sec d'un coup de tonnerre : le staccato des battements du tambour faisait plutôt penser à un grondement continu. Mais Ayla avait déjà joué sur un tambour de ce genre et elle en avait l'habitude. Elle ne tarda pas à tisser en contrepoint du battement régulier de l'instrument de Deegie un rythme étrange, qui ne semblait obéir à aucune loi, une série de sons détachés les uns des autres et dont le tempo variait. Les deux rythmes étaient si distincts qu'ils semblaient n'avoir aucun rapport. Cependant, un battement plus accentué du rythme d'Ayla coïncidait, une fois sur cinq, avec le battement régulier de Deegie, comme sous l'effet du hasard.

Les deux rythmes suscitaient un sentiment d'attente et même, à la longue, une légère anxiété. Et puis soudain, alors que cela semblait impossible, les deux femmes se mettaient à jouer à l'unisson. Tout le monde était comme soulagé. Puis, à nouveau, elles reprenaient chacune leur rythme et la tension montait un peu plus. Juste au moment où cela risquait de devenir insupportable pour l'assistance, Ayla et Deegie s'arrêtèrent, après un dernier battement, laissant planer une attente. Puis, à la surprise de tous, Deegie y compris, un sifflement nasillard se fit entendre, semblable à celui de la flûte, un son surnaturel et obsédant, qui n'était pas mélodieux à proprement parler et qui fit courir un frisson dans l'assistance. Quand il se tut sur une dernière note, le sentiment d'être détaché de ce monde se prolongea longtemps encore.

Pendant un certain temps, personne ne dit mot.

— Qui a joué du pipeau ? demanda Tharie finalement, en sachant très bien que ce n'était pas Manen.

— Personne, répondit Deegie. Il n'y avait pas d'instrument. C'était Ayla qui sifflait.

— Comment peut-elle siffler comme ça ?

— Ayla peut imiter tous les sifflements, expliqua Deegie. Il faut entendre ses chants d'oiseaux ! Les oiseaux eux-mêmes s'y laissent prendre. Ils s'approchent d'elle et viennent manger dans sa main. Cela fait partie de ce qu'elle sait faire avec les animaux.

— Veux-tu nous montrer comment tu imites le sifflement d'un oiseau, Ayla ? demanda Tharie d'une voix incrédule.

Même si l'endroit lui semblait mal choisi, Ayla leur fit entendre une partie de son répertoire, soulevant l'étonnement de l'auditoire.

Quand Kylie lui proposa de lui faire faire le tour de la tente, elle se sentit soulagée. La jeune danseuse lui montra des costumes et d'autres accessoires. Elle descendit une des coiffes pour la lui montrer de près, et Ayla s'aperçut qu'il s'agissait en réalité d'un masque. Presque tous ces accessoires étaient d'une couleur criarde. Mais la nuit, à la lueur du feu, les couleurs des costumes devaient bien ressortir et sembler aux spectateurs pratiquement normales. Une femme venait de sortir de l'ocre rouge d'un sac et était en train de le mélanger à de la graisse. Cela rappela à Ayla la pâte d'ocre rouge dont Creb s'était servi pour enduire le corps d'Iza avant qu'on l'enterre et elle frissonna. On lui avait dit qu'on se servait de cette pâte pour colorer le visage et le corps des musiciens et des danseurs et elle remarqua aussi de la craie et du charbon de bois.

Ayla aperçut un homme en train de coudre des décorations sur une tunique à l'aide d'un perçoir, et elle se dit que sa tâche serait moins compliquée s'il possédait un tire-fil. Elle leur en ferait porter un par Deegie un peu plus tard. Elle ne voulait pas leur en parler de crainte d'attirer à nouveau l'attention sur elle. Kylie lui montra des colliers en perles et d'autres bijoux, puis elle alla chercher deux coquillages coniques et les plaça devant ses oreilles.

— Dommage que tu n'aies pas les oreilles percées, dit-elle. Ils t'iraient très bien.

— Ils sont très jolies, reconnut Ayla en remarquant que les oreilles de Kylie et son nez étaient percés.

Kylie lui plaisait. Elle éprouvait même de l'admiration pour elle et sentait qu'elles auraient pu devenir facilement amies.

— Emporte-les, lui proposa Kylie. Tu n'as qu'à demander à Tulie de te percer les oreilles. Et tu devrais aussi te faire tatouer, Ayla. Comme ça, tu pourrais aller où tu veux sans avoir besoin d'expliquer que tu fais partie du Foyer du Mammouth.

— Mais je ne suis pas vraiment une mamutoï.

— Je pense que tu en es une, Ayla. Je ne connais pas très bien les rites, mais je suis certaine que Lomie n'hésiterait pas si tu lui disais que tu es prête à te consacrer à la Mère.

— Je ne crois pas être prête.

— Peut-être. Mais ça ne saurait tarder. Je le sens.

Quand Deegie et Ayla quittèrent la hutte, celle-ci se dit qu'elle avait eu une chance extraordinaire : rares devaient être ceux qui avaient accès à ce qui se passait dans la coulisse. Même maintenant qu'elle en avait découvert certains secrets, la Hutte des Musiciens restait un endroit mystérieux, plus magique et plus surnaturel encore que ce qu'on imaginait quand on ne la voyait que de l'extérieur. En passant devant l'aire réservée à la taille du silex, Ayla regarda si elle voyait Jondalar, mais celui-ci n'y était plus.

Elle suivit Deegie à travers le campement en direction du fond de la cuvette, saluant au passage des amis ou des connaissances. Elles arrivèrent alors à un endroit où étaient installés trois Camps au milieu des buissons et en face d'une clairière. L'atmosphère y était différente du reste du campement. Les tentes étaient déchirées et mal dressées, les trous mal rapiécés, quand ils l'étaient. On avait abandonné entre deux tentes un quartier de viande rôtie qui dégageait une odeur nauséabonde et qui était couvert de mouches. Des ordures traînaient un peu partout. Les enfants qui les regardaient passer auraient eu besoin d'une bonne toilette : leurs vêtements étaient crasseux, ils étaient mal peignés et couverts de poussière. L'endroit était sordide.

Ayla aperçut Chaleg qui flânait devant une des tentes. Il ne s'attendait pas à la voir et elle surprit ses yeux pleins de haine. Cela la bouleversa : seul Broud la regardait ainsi. Puis Chaleg changea d'expression. Mais le sourire faux, malveillant qu'il lui adressa était peut-être encore pire.

— Allons-nous en, dit Deegie en reniflant avec dédain. Mieux vaut savoir où ils sont, comme ça on peut éviter l'endroit.

Elles allaient faire demi-tour quand elles entendirent des cris. Deux enfants sortirent en courant d'une tente. La fillette devait avoir onze ans et le garçon tout juste deux ans de plus qu'elle.

— Rends-moi ça ! hurla la petite fille en courant après le garçon. Tu entends ? Rends-le-moi !

— Attrape-moi d'abord, petite sœur ! cria le garçon en secouant sous son nez l'objet qu'il tenait à la main.

— Donne-moi ça ! cria la fille en se lançant à nouveau à sa poursuite.

A voir son sourire, le garçon éprouvait un malin plaisir à mettre sa sœur en colère. Mais quand il se retourna à nouveau pour la regarder, il buta contre une racine et tomba de tout son long sur le sol. Sa sœur se jeta sur lui et se mit à le bourrer de coups. Il la frappa au visage et un flot de sang jaillit de son nez. Elle cria de douleur et le frappa sur la bouche, lui déchirant la lèvre.

— Donne-moi un coup de main, Ayla ! dit Deegie en se précipitant vers les enfants.

Elle n'était pas aussi forte que sa mère, mais elle était grande et bien charpentée et quand elle agrippa le garçon, celui-ci ne put lui résister. Ayla retint la petite fille qui profitait de l'intervention de Deegie pour essayer d'atteindre à nouveau son frère.

— Est-ce que vous vous rendez compte de ce que vous faites ? demanda Deegie d'une voix sévère. Vous devriez avoir honte ! Comment pouvez-vous vous battre ainsi ! Entre frère et sœur, en plus ! Maintenant, vous allez venir avec moi. On va régler ça tout de suite.

Elle tira le garçon qui n'avait aucune envie de la suivre par le bras et Ayla entraîna la petite fille qui se débattait dans l'espoir de s'échapper.

Les gens qui s'étaient approchés pour regarder les suivirent alors qu'elles se dirigeaient vers le centre du Camp avec les deux enfants couverts de sang. Le temps qu'elles y arrivent, tout le monde était au courant et un groupe de femmes les attendaient. Il y avait là Tulie, Brecie et Marlie, les Femmes Qui Ordonnent qui composaient le Conseil des Sœurs.

— C'est elle qui a commencé... cria le garçon.

— Il m'a pris mon... intervint la fille.

— Taisez-vous ! dit Tulie sévèrement, les yeux brillants de colère.

— N'essayez pas de vous justifier ! intervint Marlie d'une voix dure. Vous êtes assez grands tous les deux pour savoir qu'on ne doit pas se battre. Et si vous ne le saviez pas, vous allez l'apprendre. Apportez les lanières en cuir ! ordonna-t-elle.

Un jeune homme se précipita à l'intérieur d'une des huttes. La petite fille semblait pétrifiée d'horreur. Le garçon se débattit pour se libérer. Il réussit à échapper à Deegie et se mit à courir. Mais Talut, qui revenait du Camp de la Massette, le rattrapa et le ramena vers les femmes.

Ayla se faisait du souci. Les deux enfants étaient blessés, ils avaient besoin de soins. Et qu'allait-on leur faire ?

Tandis que Talut tenait toujours le garçon, un des hommes s'approcha avec une des lanières et il s'en servit pour attacher le bras droit du jeune garçon contre son corps. La lanière n'était pas suffisamment serrée pour arrêter la circulation mais l'enfant ne pouvait plus bouger son bras. Une autre personne attacha le bras droit de la petite fille de la même manière.

— Mais... il m'a pris... dit-elle en pleurant.

— Peu importe ce qu'il t'a pris ! s'écria Tulie.

— Tu pouvais t'y prendre autrement pour qu'il te le rende, continua Brecie. Tu n'avais qu'à venir au Conseil des Sœurs. Les Conseils sont faits pour ça.

— Que se passerait-il si on avait le droit de frapper les autres sous prétexte qu'ils ne sont pas d'accord avec vous ou parce qu'ils vous ont taquinés ou pris quelque chose ? demanda une autre femme.

— Il faut que vous appreniez qu'il n'y a pas de lien plus fort que celui qui unit le frère et la sœur, intervint Marlie tandis qu'on attachait la cheville du garçon à celle de la fille. C'est le lien de la naissance. Pour que vous vous en souveniez, vous allez rester attachés l'un à l'autre pendant deux jours. Et vous ne pourrez pas bouger la main dont vous vous êtes servis pour vous battre. Vous allez être obligés de vous aider réciproquement maintenant. Pour marcher, dormir, manger ou boire. Vous allez apprendre que vous dépendez l'un de l'autre et que vous vous devez une aide mutuelle jusqu'à la fin de vos jours.

— Et, en vous voyant, tout le monde saura ce que vous avez fait ! annonça Talut suffisamment fort pour que tous les assistants l'entendent.

— Deegie, dit Ayla à voix basse, ils ont besoin qu'on les soigne. Le nez de la petite saigne toujours et le garçon a la lèvre enflée.

Deegie s'approcha de Tulie et lui parla à l'oreille. Cette dernière acquiesça.

— Avant de retourner dans votre Camp, vous irez avec Ayla au Foyer du Mammouth pour qu'elle examine les blessures que vous vous êtes infligées.

Dès que les enfants voulurent marcher, ils eurent droit à leur première leçon de coopération : avec leurs chevilles attachées, ils étaient obligés d'avancer à la même allure et dans la même direction. Deegie et Ayla les emmenèrent au Foyer du Mammouth et, après les avoir nettoyés et soignés, elles les regardèrent repartir en boitillant vers leur Camp.

— Ils se sont vraiment battus, dit Ayla alors qu'elles revenaient vers le Camp de la Massette. Mais le garçon avait pris quelque chose à sa sœur.

— Peu importe ! dit Deegie. Elle n'avait qu'à s'y prendre autrement pour qu'il lui rende. Il faut qu'ils apprennent qu'il est inadmissible de se battre. Comme on ne le leur a pas enseigné dans leur Camp, il fallait bien que quelqu'un s'en charge. Je pense que tu as compris maintenant pourquoi Crozie était si réticente quand Fralie a voulu s'unir à Frebec, ajouta-t-elle.

— Non. Pourquoi ?

— Frebec est originaire d'un de ces Camps. Les trois Camps ont des liens de parenté. Chaleg est le cousin de Frebec.

— Mais Frebec a changé.

— C'est vrai. Mais je ne lui fais toujours pas confiance. Je réserve mon jugement tant qu'il n'aura pas fait ses preuves.

Ayla ne pouvait s'empêcher de penser aux enfants et elle était persuadée qu'il y avait une leçon à tirer de cet incident. Le jugement avait été rapide et sans appel. On ne leur avait pas donné l'occasion de s'expliquer et personne n'avait semblé s'inquiéter de leurs blessures — elle ne savait même pas comment ils s'appelaient. Mais c'est vrai qu'ils n'étaient pas gravement blessés et qu'ils s'étaient battus. Ils n'étaient pas près d'oublier la punition. Personne ne les avait brutalisés, mais ils risquaient d'être longtemps marqués par l'humiliation qu'on venait de leur infliger.

— Deegie, dit-elle, le bras gauche de ces enfants est libre. Qu'est-ce qui les empêche de détacher ces liens ?

— Tout le monde le saurait. Aussi humiliant cela soit-il pour eux de se déplacer ainsi dans le campement, ce serait encore pire s'ils se détachaient. On dirait qu'ils sont habités par les esprits malins de la colère, qu'ils sont incapables de se contrôler et qu'ils ne peuvent même pas apprendre à s'entraider. Tout le monde les éviterait et ils auraient encore plus honte.

— Ils ne sont pas près d'oublier la leçon.

— Ni eux ni les autres enfants. Ils vont tous se tenir tranquilles pendant un petit bout de temps.

Ayla avait hâte de retrouver l'atmosphère familière du Camp de la Massette. Elle avait rencontré tellement de gens et vu tellement de choses qu'elle avait l'impression que la tête lui tournait. Néanmoins, quand elles repassèrent devant l'aire où on travaillait le silex, elle ne put s'empêcher d'y jeter un coup d'œil. Cette fois-ci, Jondalar y était. Mais elle vit aussi une autre personne qu'elle ne s'attendait pas à trouver là. Mygie avait rejoint Jondalar et elle le contemplait avec adoration. Elle exagère, se dit Ayla en remarquant la pose suggestive de la jeune femme. Jondalar ne devait pas partager son avis car il lui souriait, un grand sourire qu'elle ne lui avait pas vu depuis longtemps.

— Je croyais que les pieds-rouges devaient se consacrer à la formation des jeunes gens, dit-elle, en songeant que Jondalar n'avait plus rien à apprendre en la matière.

Deegie avait remarqué l'expression d'Ayla et elle savait pourquoi elle fronçait les sourcils. Elle la comprenait mais elle se mettait aussi à la place de Jondalar : pour lui aussi, l'hiver avait été long et difficile.

— Lui aussi, il a des besoins physiques. Comme toi, Ayla.

Ayla rougit brusquement. C'était elle qui avait commencé : elle avait partagé la couche de Ranec alors que Jondalar dormait seul. Pourquoi était-elle bouleversée à l'idée qu'il puisse partager les Plaisirs avec une femme pendant la Réunion d'Eté ? Elle aurait dû s'y attendre. Il n'empêche que cela ne lui plaisait pas. Elle aurait de loin préféré qu'il partage les Plaisirs avec elle.

— S'il cherche une femme, c'est aussi bien qu'il aille avec une pied-rouge, continua Deegie. Elles ne peuvent pas s'engager. A moins qu'il tombe amoureux, cela ne durera pas plus longtemps que la saison. Cet hiver, ce sera fini. A mon avis, il n'est pas amoureux de Mygie et cela lui fera du bien d'aller avec une femme. Il sera plus détendu et il aura les idées plus claires.

— Tu as raison, Deegie. De toute façon, ça n'a pas d'importance. Il doit partir après la chasse au mammouth et moi, j'ai donné ma Promesse à Ranec.

Ensuite, se dit-elle, j'irai chercher Durc et je le ramènerai ici. Il pourra devenir mamutoï et partager notre foyer. Peut-être ramènerai-je aussi Uba pour qu'il ait une compagne... Et je vivrai ici au milieu de tous mes amis, avec Ranec, qui m'aime, et avec Durc, mon fils... et Rydag, et les chevaux et Loup... Et jamais plus je ne reverrai Jondalar, conclut-elle, le cœur soudain empli de tristesse.

33

Rugie et Tusie se précipitèrent en riant à l'intérieur de la tente.

— Il y en a encore une autre dehors, annonça Rugie.

Ayla baissa aussitôt les yeux, Nezzie et Tulie échangèrent un regard entendu, Fralie sourit, et Frebec aussi.

— Une autre quoi ? demanda Nezzie bien qu'elle sût parfaitement de quoi il s'agissait.

— Une autre « légation », répondit Tusie d'un air supérieur, comme si elle en avait par-dessus la tête de toutes ces bêtises.

— Entre les délégations et tes devoirs de gardienne, tu risques d'avoir un été bien rempli, Tulie, dit Fralie en continuant à couper de la viande pour Tasher.

Elle savait que Tulie était en réalité très fière de représenter le Camp du Lion à un moment où celui-ci suscitait un tel intérêt.

Tulie et Ayla sortirent puis Nezzie les suivit au cas où on aurait besoin d'elle. Frebec et Fralie s'avancèrent vers l'ouverture de la tente pour voir qui arrivait. Frebec alla rejoindre les trois femmes, mais Fralie resta pour garder les enfants qui risquaient d'importuner les visiteurs. Un groupe de gens attendait à l'extérieur du territoire qui, aux yeux de Loup, appartenait au Camp du Lion. Il en avait marqué les frontières invisibles avec son urine et le surveillait étroitement. Les gens n'avaient pas le droit de pénétrer dans ce territoire à moins que quelqu'un que Loup connaissait leur fasse signe de s'avancer.

Loup se trouvait entre la tente et les nouveaux arrivants. Il défendait son aire en grognant et en montrant les dents et aucun des visiteurs ne se risquait à passer outre. Ayla lui fit signe d'approcher, puis elle utilisa le geste « ami » qu'elle avait mis toute une matinée à lui apprendre. Pour lui, cela signifiait que, contrairement à ce que lui dictait son instinct, il devait laisser pénétrer des étrangers. Même s'il tolérait plus facilement les visiteurs qui venaient régulièrement au Camp du Lion que les inconnus, il leur faisait néanmoins comprendre qu'il n'aimait pas la compagnie et semblait toujours soulagé quand ils s'en allaient.

De temps en temps, pour l'habituer à la foule, Ayla l'emmenait faire un tour dans le campement, en le gardant à côté d'elle. Quand les gens la voyaient passer, marchant en toute confiance à côté d'un loup, ils la dévisageaient d'un air étonné, ce qui la gênait beaucoup. Mais elle n'en continuait pas moins à l'emmener à l'intérieur du campement, car elle jugeait ça indispensable. Loup ne vivrait plus jamais parmi ses congénères. S'il devait partager la vie des gens, il y avait certaines choses auxquelles il fallait qu'il s'habitue. Les êtres humains aimaient la compagnie, même celle des étrangers et il leur arrivait de se rassembler et de former alors de très grands groupes. Et il fallait que Loup l'accepte.

Mais Loup ne passait pas tout son temps au Camp de la Massette. Il lui arrivait aussi d'accompagner les chevaux dans le pré ou de partir faire un tour tout seul. Il aimait aussi se promener avec Ayla, avec Jondalar ou Danug, et même, ce qui semblait étonnant à beaucoup, en compagnie de Frebec.

Frebec l'appela et se dirigea avec lui vers l'abri des chevaux pour qu'il n'importune pas les visiteurs. La présence de Loup rendait les gens nerveux et cela pouvait avoir un fâcheux effet sur les délégations envoyées par des hommes qui recherchaient l'alliance d'Ayla. Ces hommes ne désiraient pas s'unir à elle, ils savaient qu'elle avait donné

sa Promesse à Ranec. Ils ne cherchaient pas une compagne, mais une
sœur. Les délégations qui se présentaient au Camp du Lion venaient
faire des offres pour l'adopter.

Tulie avait beau connaître parfaitement les coutumes de son peuple,
avant son arrivée à la Réunion d'Eté, elle n'avait pas envisagé cette
éventualité. Quand, pour la première fois, une femme de sa connaissance,
qui n'avait que des garçons, était venue la voir pour lui demander si
elle était prête à accueillir favorablement une offre émanant de son
Foyer et de son Camp pour adopter Ayla, elle avait soudain compris
ce que cela impliquait. Elle avait expliqué un peu plus tard au Camp
du Lion :

— J'aurais dû me douter qu'une femme libre, belle, de statut élevé
et comblée de dons, allait attirer la convoitise de ceux qui cherchaient
une sœur, surtout maintenant que le Foyer du Mammouth l'a adoptée.
Habituellement, celui-ci n'est pas considéré comme un foyer familial.
A mon avis, à moins qu'Ayla le veuille, nous ne devons accepter aucune
de ces propositions, mais ces offres, à elles seules, font monter sa
valeur.

Tulie ne se tenait plus de joie en songeant à quel point Ayla
contribuait à la renommée et à la prospérité du Camp du Lion. Mais,
au fond d'elle-même, elle aurait presque préféré qu'Ayla n'ait pas
donné sa Promesse à Ranec. Si elle avait été libre de tout engagement,
le Prix de la Femme aurait alors été stupéfiant. D'un autre côté, elle
aurait été alors perdue pour le Camp du Lion. Mieux valait conserver
le trésor plutôt que le perdre à tout jamais, même en échange d'un bon
prix. Tant que la valeur d'Ayla ne serait pas fixée d'une manière
définitive, la spéculation pouvait encore faire monter le Prix. En plus,
les offres d'adoption faites à Tulie ouvraient toute une gamme de
possibilités. Il pouvait très bien s'agir d'une adoption de pure forme
qui ne l'obligerait nullement à quitter le Camp du Lion. Si son frère
éventuel avait de bons appuis et de l'ambition, elle pourrait même
devenir Femme Qui Ordonne. Et si Ayla et Deegie étaient toutes les
deux des Femmes Qui Ordonnent, comme elles avaient des liens de
parenté directs avec le Camp du Lion, cela accroîtrait considérablement
l'influence de ce dernier... Voilà à quoi pensait Tulie tout en se dirigeant
vers la délégation qui venait d'arriver.

Ayla savait maintenant que les différences dans les motifs qui ornaient
les vêtements et les bottes permettaient de déterminer à quel groupe de
Mamutoï on appartenait. Bien qu'on utilisât toujours les mêmes motifs
géométriques de base, la prépondérance d'un de ces motifs — celle des
chevrons sur les losanges, par exemple — et la manière dont ils étaient
agencés, permettaient de déterminer sans erreur possible l'appartenance
à un Camp et les liens de parenté qui existaient entre celui-ci et d'autres
Camps. Malgré tout, contrairement à Tulie, Ayla n'était pas capable
de deviner au premier coup d'œil, à partir de ces motifs et des relations
personnelles des visiteurs, quelle était leur place exacte dans l'ensemble
de l'édifice hiérarchique et leurs liens de parenté à l'intérieur du groupe.

Le statut de certains Camps était si élevé que Tulie aurait été prête à se montrer moins exigeante sur les dons en nature en raison de la valeur inestimable d'une telle alliance. Les propositions de certains Camps, au statut moins élevé, méritaient réflexion, à condition que ceux-ci soient prêts à payer le prix fort. Compte tenu des offres qui avaient déjà été faites, la délégation qui venait de se présenter méritait à peine qu'on discute avec elle. Une telle alliance ne présentait aucun intérêt. En conséquence, Tulie se montra très aimable avec eux. Néanmoins, elle ne les invita pas à entrer et ils comprirent qu'ils n'offraient pas assez et qu'ils arrivaient trop tard. Le fait qu'ils se soient déplacés pour faire une offre présentait néanmoins certains avantages. C'était une manière de s'allier au Camp du Lion, ce qui augmentait du même coup l'influence de ce dernier : le Camp du Lion ne l'oublierait pas.

Alors qu'ils étaient en train de plaisanter dehors, Frebec entendit Loup grogner et il le vit soudain filer en direction de la rivière.

— Ayla ! cria-t-il. Loup a vu quelque chose.

Ayla siffla très fort, puis elle se précipita dans le sentier qui menait à la rivière. Loup revenait, suivi par un groupe de visiteurs. Mais ceux-là, il les connaissait.

— C'est le Camp du Mammouth, annonça Ayla. J'ai reconnu Vincavec.

Tulie se tourna vers Frebec.

— Essaie de trouver Talut, lui dit-elle. Il faut que nous les accueillions correctement. Et profites-en pour prévenir Marlie ou Valez qu'ils sont enfin arrivés.

Frebec acquiesça et partit chercher Talut. La délégation qui était venue faire une offre décida de rester pour assister à ce qui allait suivre.

Vincavec marchait en tête du Camp du Mammouth. En apercevant Tulie, Ayla et la délégation, il comprit aussitôt ce qui se passait. Il se débarrassa de son sac de voyage et s'avança vers eux en souriant.

— C'est de bon augure, Tulie, que tu sois la première personne que je rencontre, car c'est justement toi que je désirais voir, dit-il en prenant ses deux mains et en frottant sa joue contre la sienne, comme le faisaient les amis de longue date.

— Pourquoi tenais-tu tant à me voir ? demanda Tulie en souriant, incapable de résister au charme de Vincavec.

Il fit comme s'il n'avait pas entendu et demanda :

— Pourquoi tes invités sont-ils en grande tenue ? Sont-ils par hasard venus en délégation ?

— Nous sommes venus faire une offre pour Ayla, expliqua une des visiteuses avec dignité en faisant comme si son offre n'avait pas été refusée. Mon fils n'a pas de sœur.

Vincavec ne mit pas longtemps à faire le tour de la question et sa décision fut vite prise.

— Moi aussi, je compte faire une offre, dit-il, une offre en bonne et due forme, mais ce sera pour plus tard. Pour l'instant, je tenais à te dire, Tulie, afin que tu puisses y réfléchir, que j'aimerais m'unir à Ayla. Se tournant vers l'intéressée, il lui prit les deux mains et ajouta :

— Je veux m'unir à toi, Ayla. Je veux t'emmener avec moi et que tu fasses de mon Foyer du Mammouth autre chose qu'un simple nom. Il n'y a que toi qui puisses faire ça pour moi. Tu m'apportes ton Foyer, mais en échange, je te donne le Camp du Mammouth.

Ayla était stupéfaite. Vincavec savait qu'elle était déjà engagée. Pourquoi lui demandait-il de devenir sa compagne ? Même si elle en avait envie, pouvait-elle brusquement changer d'avis et s'unir avec lui ? Pouvait-on si aisément rompre une Promesse ?

— Elle a déjà donné sa Promesse à Ranec, dit Tulie.

Vincavec regarda la Femme Qui Ordonne dans les yeux et lui adressa un sourire de connivence. Puis il fouilla dans sa sacoche, en retira sa main fermée, l'ouvrit devant elle et lui montra les deux magnifiques morceaux d'ambre poli qui étaient posés au creux de sa paume.

— J'espère que le Prix de la Femme qu'il t'a proposé est élevé, Tulie, dit-il.

Tulie écarquilla les yeux. L'offre de Vincavec lui coupait le souffle. Il lui avait effectivement demandé de dire son prix, et de le dire en ambre, si elle le désirait, mais elle ne lui avait pas répondu, pas de manière aussi précise en tout cas.

— Ce n'est pas à moi de décider, répondit-elle, en fermant à moitié les yeux. C'est à Ayla de choisir.

— Je sais. Mais accepte cet ambre. C'est un cadeau que je te fais pour te remercier de m'avoir aidé à construire mon habitation, dit-il en lui tendant les pierres.

Tulie était au supplice. Elle ne pouvait pas accepter. Si elle le faisait, il aurait barre sur elle. Mais c'était à Ayla de décider : Promesse ou pas, elle restait libre de faire son choix. Quand Tulie s'empara de l'ambre, Vincavec eut une expression de triomphe et elle eut soudain l'impression de s'être laissé acheter pour deux morceaux d'ambre. Il savait qu'elle repousserait maintenant toutes les autres offres. Il ne lui restait plus qu'à convaincre Ayla. Il ne la connaît pas, songea Tulie. Qui pouvait se vanter de la connaître ? Même si elle était maintenant mamutoï, elle restait une étrangère. Qui pouvait prévoir ses réactions ? Tulie jeta un coup d'œil à l'homme tatoué qui observait intensément Ayla, puis elle examina le visage de celle-ci. Aucun doute : Ayla semblait intéressée.

— Tulie ! Comme je suis heureuse de te revoir ! s'écria Avarie en s'approchant d'elle, les mains tendues. Nous arrivons bien tard. J'ai l'impression que toutes les bonnes places sont prises. Tu ne pourrais pas nous indiquer un endroit où dresser notre camp ? Où se trouve le vôtre ?

— Ici, répondit Nezzie en s'approchant pour saluer à son tour la Femme Qui Ordonne du Camp du Mammouth.

Elle avait suivi avec beaucoup d'intérêt les propos qu'avaient échangés Tulie et Vincavec. Ranec n'allait pas être heureux d'apprendre que Vincavec voulait faire une offre pour Ayla. Mais Nezzie n'était pas sûre du tout que Vincavec parvienne à convaincre Ayla, aussi élevée soit l'offre qu'il comptait faire.

— Vous êtes installés ici ? s'étonna Avarie. Si loin de tout ?

— Nous avons préféré nous installer à cet endroit à cause des animaux, dit Tulie, comme si elle avait délibérément choisi cet emplacement. Quand il y a trop de monde autour, cela les rend nerveux.

— Si le Camp du Lion s'est installé ici, pourquoi ne ferions-nous pas de même, Vincavec ? proposa Avarie.

— Cet endroit n'est pas mal, dit Deegie. L'avantage, c'est qu'on n'est pas les uns sur les autres.

Elle se dit que si le Camp du Mammouth s'installait à côté du leur, il y aurait alors presque autant d'animation qu'au centre du campement.

— Je ne crois pas qu'on pourrait rêver meilleur endroit que le voisinage du Camp du Lion, répondit Vincavec en souriant à Ayla.

Talut s'approcha alors pour saluer les deux chefs du Camp du Mammouth.

— Vincavec ! Avarie ! s'écria-t-il d'une voix aussi tonitruante que d'habitude. Vous voilà enfin ! Qu'est-ce qui vous a retenus ?

— Nous nous sommes arrêtés plusieurs fois en chemin, répondit Vincavec.

— Demande à Tulie de te montrer ce qu'il lui a apporté, intervint Deegie.

Tulie était gênée : elle aurait préféré que Deegie ne dise rien. Elle ouvrit la main et montra les deux morceaux d'ambre à son frère.

— Ces pierres sont magnifiques, reconnut Talut. Je vois que tu as envie de faire du troc, Vincavec. Je te signale que le Camp du Saule a apporté des coquillages blancs en colimaçon.

— Vincavec désire autre chose que des coquillages, intervint Nezzie. Il veut faire une offre pour Ayla... pour son foyer.

— Mais elle a donné sa Promesse à Ranec, dit Talut.

— Une Promesse n'est qu'une promesse, intervint Vincavec.

Talut regarda Ayla, puis Vincavec, puis Tulie, et éclata de rire.

— Nous ne sommes pas prêts d'oublier cette Réunion d'Eté !

— Si nous arrivons si tard ce n'est pas seulement parce que nous nous sommes arrêtés au Camp de l'Ambre, expliqua Avarie. Nous avons aussi été obligés de faire un large détour à cause d'un lion qui semblait suivre la même direction que nous. Il avait une crinière du même roux que tes cheveux, Talut. Nous n'avons pas vu sa horde. Mais mieux vaudrait peut-être prévenir les gens que des lions rôdent pas loin d'ici.

— Il y a toujours des lions par ici, dit Talut.

— Oui, mais celui-là se conduisait d'une manière étrange. D'habitude, les lions évitent les gens. Mais ce lion-là, on aurait presque dit qu'il était dans nos traces. A un moment donné, il s'est tellement approché de nous que je n'en ai pas fermé l'œil de la nuit. Jamais encore je n'avais vu un lion des cavernes aussi énorme. Rien que d'y penser, j'en tremble encore.

Un lion énorme, avec une crinière rousse..., songea Ayla en fronçant les sourcils. Ce n'est qu'une coïncidence, ajouta-t-elle pour elle-même en haussant les épaules. Il y a tellement de lions qui sont gros.

— Quand vous serez installés, rejoignez-nous à la clairière, proposa

Talut. Nous avons commencé à parler de la chasse au mammouth et le Foyer du Mammouth est en train d'organiser la Cérémonie de la Chasse. Un autre Invocateur ne serait pas de trop. Si tu as l'intention de jouer un rôle de premier plan lors de la Cérémonie de l'Union, je pense que tu auras besoin d'un bon morceau de mammouth, Vincavec !

Avant de les quitter, Talut se tourna vers Ayla.

— Puisque tu comptes participer à la chasse, tu ferais bien d'aller chercher ton propulseur et de venir avec moi, lui proposa-t-il.

— Je vous accompagne, annonça Tulie. Je dois voir Latie au Camp de la Féminité.

— Ces silex sont vraiment d'excellente qualité, dit Jondalar. Ils conviendront très bien pour fabriquer des burins, des grattoirs ou des drilles.

Un genou posé sur le sol, il était en train d'examiner un silex gris et lisse au grain très fin. Pour arracher le rognon siliceux à sa gangue crayeuse il s'était servi d'un morceau d'andouiller, prélevé sur un animal qui venait d'être tué et qui avait donc conservé son élasticité, tout en étant suffisamment solide pour ne pas se casser. Cet outil avait fait office de pic, puis de levier. Il prit alors son percuteur et frappa sur le silex.

— Wymez dit que les silex que l'on trouve ici sont parmi les meilleurs, dit Danug.

Jondalar fit un geste en direction de la falaise verticale, qui surplombait la rivière, et avait été érodée par les eaux bouillonnantes. La plupart des blocs de silex, enveloppés dans une croûte blanche et opaque, faisaient saillie par rapport à la pierre calcaire, légèrement plus tendre.

— Les silex sont toujours meilleurs quand on va les chercher dans leur gisement d'origine. Celui-ci me rappelle la mine de Dalanar. Dans notre région, c'est lui qui a les meilleures pierres.

— Le Camp du Loup pense que ces silex dépassent de loin tous les autres, intervint Tarneg. La première fois que je suis venu ici, Valez était avec moi. Il fallait l'entendre s'extasier ! Comme ce gisement est juste à côté de leur Camp, ils considèrent que l'extraction leur est réservée. Tu as bien fait de leur demander la permission avant de venir, Jondalar.

— C'était la moindre des politesses. Je sais ce que Dalanar resssentait vis-à-vis de sa mine.

— Qu'est-ce que ces pierres ont de spécial ? demanda Tarneg. J'ai souvent vu des silex dans les plaines d'inondation des rivières.

— Il arrive en effet qu'on trouve de bons nodules dans les plaines d'inondation car ils viennent juste d'être arrachés à leur gisement d'origine. Et évidemment, ils sont plus faciles à ramasser : on n'a pas besoin de les arracher au rocher. Mais les silex ont tendance à sécher quand ils restent très longtemps en plein air. Et les éclats sont alors plus courts et moins réguliers.

— Quand les silex sont restés trop longtemps en plein air, Wymez les enterre dans un sol humide pendant un certain temps pour qu'ils soient plus faciles à tailler, dit Danug.

— Moi aussi, il m'est arrivé de le faire. Mais tout dépend de la taille du nodule et depuis quand il est à l'air libre. En général, ça marche mieux avec les petits nodules, ceux qui sont à peine de la taille d'un œuf. Malheureusement, bien souvent ces nodules-là ne valent pas le coup qu'on les taille, à moins qu'ils soient d'excellente qualité.

— Nous en faisons autant avec les défenses de mammouth, dit Tarneg. Nous les enveloppons à l'intérieur d'une peau mouillée et nous les enfouissons sous de la cendre chaude. L'ivoire change : il devient plus dense mais il est plus facile à travailler ou à cintrer. Nous utilisons aussi cette méthode pour redresser une défense.

— Je me demandais comment vous faisiez, dit Jondalar. (Il se tut un court instant, plongé dans ses pensées.) Mon frère aurait été intéressé par cette méthode, reprit-il. Il fabriquait des sagaies. Il était non seulement capable de faire une hampe parfaitement droite, mais il connaissait aussi les propriétés du bois, il savait comment le cintrer ou lui donner une certaine forme. Je suis sûr qu'il aurait parfaitement compris les techniques que vous utilisez pour travailler l'ivoire. Je comprends mieux pourquoi Wymez a eu l'idée de chauffer un silex pour faciliter la taille. C'est un des meilleurs tailleurs de silex que je connaisse.

— Toi aussi, tu excelles dans ton métier, Jondalar, dit Tarneg. Wymez lui-même ne tarit pas d'éloges à ton sujet. Et pourtant, il est plutôt avare de compliments, d'habitude... J'ai d'ailleurs une proposition à te faire. Je vais avoir besoin d'un bon tailleur de silex pour le Camp de l'Aurochs. Je sais que tu as parlé de rentrer chez toi. Mais c'est un long voyage. Peut-être serais-tu prêt à changer d'avis si je te proposais de faire partie du Camp de l'Aurochs ?

Jondalar plissa le front. Comment refuser l'offre de Tarneg sans l'offenser ?

— Je ne sais pas quoi te répondre, dit-il. Il faut que j'y réfléchisse.

— Je sais que Deegie t'aime bien, reprit Tarneg. Et tu n'auras aucune difficulté à trouver une femme pour fonder un foyer. J'ai remarqué que les femmes te tournaient autour, même les pieds-rouges. D'abord il y a eu Mygie, puis les autres pieds-rouges ont toutes trouvé une bonne excuse pour venir faire un tour dans l'aire des tailleurs de silex. C'est peut-être parce que tu es nouveau par ici. Les femmes sont toujours intéressées par les étrangers. Surtout quand l'étranger en question est grand et blond. J'ai l'impression que pas mal d'hommes aimeraient bien être à ta place. Cela ne leur déplairait pas qu'une pied-rouge s'intéresse à nouveau à eux. Mais cette fois-ci, c'est le tour de Danug, conclut-il en adressant à son jeune cousin un sourire entendu.

Danug avait rougi et Jondalar lui aussi semblait gêné. Aucun d'eux ne releva la plaisanterie.

— Réfléchis à ma proposition, dit Tarneg. A l'automne, Deegie et Branag seront unis, et nous allons pouvoir attaquer les travaux. Je ne sais pas encore si nous construirons une seule habitation, comme le

Camp du Lion, ou des cabanes individuelles pour chaque famille. Dans ce domaine, je suis un peu vieux jeu : je préfère les habitations communautaires. Mais les jeunes aiment mieux vivre uniquement avec leurs propres parents. Et je reconnais que, quand on se dispute avec quelqu'un, on est content d'avoir sa propre cabane.

— Je suis très touché par ton offre, Tarneg, répondit Jondalar. Mais je ne veux pas que tu te fasses des idées. Je vais rentrer chez moi. Il le faut. Je pourrais invoquer toutes sortes de raisons pour justifier mon départ, te dire, par exemple, qu'il faut que je revienne pour annoncer le décès de mon frère... Mais la vérité c'est que, même si je ne sais pas très bien moi-même pourquoi je pars, je suis néanmoins persuadé qu'il faut que je le fasse.

— Est-ce à cause d'Ayla ? demanda Danug d'un air soudain soucieux.

— En partie, reconnut Jondalar. Quand nous vous avons rencontrés, j'espérais la convaincre de rentrer avec moi. Et maintenant, elle va partager le foyer de Ranec... J'ai l'impression que je vais faire ce voyage tout seul. Mais cela ne modifie pas ma décision. Il faut quand même que je rentre.

— Même si je ne comprends pas bien ce qui te pousse à partir, je tiens à te souhaiter bonne chance, dit Tarneg. Que la Mère te protège durant ton Voyage ! Quand comptes-tu nous quitter ?

— Juste après la chasse au mammouth.

— Puisque nous parlons de ça, je crois qu'il vaudrait mieux rentrer, dit Tarneg. C'est cet après-midi que nous organisons la chasse.

Ils prirent le chemin du retour en suivant la rivière qui se jetait dans le cours d'eau, juste à côté du campement. A un moment donné, comme les parois se resserraient, ils commencèrent à escalader les rochers. Ils étaient pratiquement sortis de la gorge quand, soudain, au détour d'une corniche, ils tombèrent sur un groupe de jeunes gens. Deux d'entre eux étaient en train de se battre et les autres leur criaient des insultes ou des encouragements. Druwez était parmi les spectateurs.

— Qu'est-ce qui se passe ! s'écria Tarneg en se précipitant au milieu du groupe pour séparer les combattants.

L'un d'eux avait la bouche en sang et l'autre, l'œil tout enflé.

— Ils faisaient juste... un petit combat, répondit un des jeunes gens.

— Oui, ils... euh... s'entraînaient en vue des épreuves de lutte, précisa un autre spectateur.

— Vous appelez ça un petit combat ! s'écria Tarneg. Vous étiez en train de vous bagarrer, oui !

— Pas vraiment, intervint le garçon dont l'œil était enflé. C'était simplement pour s'amuser...

— Toi, tu as l'œil au beurre noir et l'autre a les dents cassées, et tu appelles ça s'amuser ! Si vous vouliez juste vous entraîner, pourquoi êtes-vous venus dans un endroit où vous saviez bien que personne ne vous verrait ? Vous l'avez fait exprès. Et maintenant vous allez m'expliquer ce qui se passe.

Aucun des deux jeunes gens ne voulut répondre.

— Et vous, alors ? demanda Tarneg en regardant les autres. Que faites-vous là ? Ma question s'adresse aussi à toi, Druwez ! Que vont penser ta mère et Barzec quand ils sauront que tu assistais à une bagarre ? Tu ferais mieux de me dire la vérité.

Comme personne ne se décidait à ouvrir la bouche, Tarneg leur dit :

— Je pense que je vais vous ramener au campement avec nous et laisser le Conseil décider de votre sort. Les Sœurs trouveront bien un moyen de vous faire passer l'envie de vous battre. Cela servira d'exemple pour les autres. Il est possible qu'elles vous interdisent de participer à la chasse au mammouth.

— Ne leur dis rien, Tarneg, supplia Druwez. Dalen essayait simplement de les arrêter.

— Les arrêter ? Que veux-tu dire ? Je crois que le moment est venu de m'expliquer pourquoi vous vous battiez.

— Je crois le savoir, intervint Danug. C'est à cause du raid.

— Quel raid ?

— Quelques personnes ont parlé de lancer un raid contre un Camp sungaea.

— Tu sais bien que les raids ont été interdits. Les Conseils ont décidé de partager le feu de l'amitié avec les Sungaea et de faire du troc avec eux. Un raid contre eux risquerait de remettre ces accords en cause. Qui a eu une idée pareille ?

— Je ne sais pas, répondit Danug. Un beau jour, tout le monde a commencé à parler de ça. Quelqu'un a découvert un Camp sungaea à quelques jours de marche d'ici. Les membres de l'expédition comptaient dire qu'ils partaient à la chasse et, au lieu de ça, ils auraient détruit le Camp, volé leurs réserves de nourriture et les auraient chassés. Je leur ai dit que ça ne m'intéressait pas, que je trouvais ça complètement idiot et que cela allait attirer des ennuis à tout le monde, eux y compris. Nous nous sommes arrêtés dans un Camp sungaea avant de rejoindre la Réunion et je sais qu'ils viennent de perdre deux enfants. Je ne sais pas si c'est ce Camp-là où un autre qui devait être attaqué, mais je suis certain que les Sungaea ont dû être bouleversés par ces décès. Il ne faut pas en profiter pour lancer un raid contre un de leurs Camps.

— Danug peut se permettre de parler comme ça, intervint Druwez. Personne n'osera le traiter de lâche car tout le monde a bien trop peur de se battre avec lui. Mais quand Dalen a dit qu'il ne participerait pas à ce raid, certains lui ont dit que c'était parce qu'il avait peur. Il leur a répondu qu'il allait leur montrer qu'il n'avait pas peur de se battre. Nous n'avons pas voulu le laisser seul, de crainte que les autres se mettent à plusieurs pour lui fiche une raclée. C'est pour ça que nous sommes là.

— Lequel d'entre vous est Dalen ? demanda Tarneg. (Le garçon qui avait la bouche en sang s'approcha.) Et toi, comment t'appelles-tu ? demanda-t-il à celui qui avait un œil au beurre noir.

Le garçon refusa de répondre.

— Il s'appelle Cluve, répondit Druwez. C'est le neveu de Chaleg.

— Je sais ce que tu essaies de faire, dit Cluve, l'air buté. Comme Druwez est ton frère, tu vas rejeter tout le blâme sur moi.

— Je ne vais pas rejeter le blâme sur qui que ce soit, rétorqua Tarneg. Je vais demander au Conseil des Frères de trancher. Vous serez tous convoqués, mon frère y compris. Et maintenant, je crois que le mieux, c'est que vous alliez vous nettoyer. Si vous revenez à la Réunion dans cet état, tout le monde comprendra que vous vous êtes bagarrés et les Sœurs finiront par le savoir. Inutile de vous dire quelle sera leur réaction si elles apprennent que vous comptiez faire un raid chez les Sungaea.

Les jeunes gens se dépêchèrent de filer avant que Tarneg change d'avis. Mais, pour gagner la rivière, ils se séparèrent en deux groupes et Tarneg prit note de ceux qui accompagnaient Cluve et de ceux qui entouraient Dalen. Puis ils reprirent tous les trois le chemin du retour.

— Il y a quelque chose que j'aimerais bien savoir, Tarneg, dit alors Jondalar. Même si c'est le Conseil des Frères qui s'occupe de ce problème, crois-tu vraiment qu'ils n'avertiront pas les Sœurs ?

— Les Sœurs n'ont aucune indulgence pour ceux qui se battent et elles ne leur trouveront aucune excuse. Les Frères auront une attitude différente : certains d'entre eux ont participé à des raids quand ils étaient plus jeunes et ils se sont bagarrés une fois ou deux, ne serait-ce que pour se défouler. Cela a bien dû t'arriver à toi aussi, même si tu n'étais pas censé le faire, non ?

— C'est vrai, reconnut Jondalar. Et moi aussi, je me suis fait rappeler à l'ordre.

— Les Frères feront preuve d'une certaine indulgence, surtout vis-à-vis de Dalen, qui s'est battu pour la bonne cause. Même s'ils lui reprochent de n'avoir parlé à personne de ce raid, ils lui trouveront quand même des excuses. Tandis que les Sœurs pensent que la violence entraîne la violence — et peut-être ont-elles raison. Cluve, quant à lui, a vu juste sur un point au moins : Druwez est mon frère, il n'a pas poussé qui que ce soit à se battre et il n'était là que pour donner un coup de main à son ami. Ça ne me plairait pas qu'il ait des ennuis à cause de ça.

— Est-ce que tu t'es déjà battu, Tarneg ? demanda Danug.

Le futur chef regarda son jeune cousin un court instant avant d'acquiescer.

— Une fois ou deux, dit-il. Peu d'hommes avaient envie de se mesurer à moi. Je suis plus grand que la plupart des hommes, comme toi, Danug. En plus, même si les gens refusent de l'admettre, ces combats organisés ressemblent souvent à de véritables bagarres.

— Je sais, répondit Danug pensivement.

— Mais au moins, ils ont lieu devant tout le monde. Personne n'en sort gravement blessé et n'éprouve le besoin de prendre sa revanche. (Tarneg leva les yeux pour regarder le ciel.) Il ne doit pas être loin de midi, dit-il. Plus tard que je pensais. Nous ferions bien de nous dépêcher si nous voulons savoir comment va être organisée la chasse.

Quand Ayla et Talut eurent rejoint la clairière, ils gagnèrent une légère éminence, située sur un de ses côtés, où on se réunissait quand les participants n'étaient pas trop nombreux et qui était utilisée aussi bien pour des rencontres improvisées que pour les assemblées officielles. En arrivant, Ayla parcourut la foule des yeux pour voir si elle n'apercevait pas Jondalar. Depuis qu'ils étaient arrivés, ils ne se voyaient pratiquement plus. Jondalar quittait le Camp de la Massette très tôt le matin et ne rentrait que tard le soir, quand il rentrait.

Les rares fois où Ayla l'apercevait de loin, il était toujours en compagnie d'une femme, jamais la même. Si elle se trouvait avec Deegie, elle ne pouvait s'empêcher de faire quelque remarque désobligeante au sujet de ses nombreuses partenaires. Elle n'était pas la seule à avoir remarqué l'attitude de Jondalar. Elle avait entendu Talut dire qu'après s'être privé pendant tout l'hiver, il mettait maintenant les bouchées doubles. Nombreux étaient ceux qui commentaient ses exploits, la plupart du temps avec humour, mais parfois aussi avec un sentiment d'admiration un peu équivoque, impressionnés par son apparente vigueur et son charme évident. Ce n'était pas la première fois qu'on parlait de l'attirance qu'il exerçait sur les femmes, mais cette fois-ci, il s'en moquait.

Quand on plaisantait devant elle au sujet de Jondalar, Ayla riait comme les autres. Mais la nuit, lorsqu'elle était seule, elle se demandait, les larmes aux yeux, ce qui n'allait pas chez elle. Pourquoi ne la choisissait-il jamais ? Néanmoins, elle ressentait un certain soulagement en voyant qu'il changeait sans cesse de partenaire : c'était la preuve qu'il n'avait pas encore trouvé qui que ce soit pour la remplacer.

Elle ne pouvait pas savoir que Jondalar se débrouillait pour rentrer le moins souvent possible au Camp de la Massette. Quand il ne dormait pas à l'intérieur de la tente, il oubliait plus facilement qu'Ayla et Ranec dormaient ensemble — pas dans la même couche toutes les nuits, puisque de temps à autre Ayla éprouvait le besoin de dormir seule, mais jamais très loin l'un de l'autre. En général, Jondalar passait ses journées dans l'aire réservée à la taille du silex, ce qui lui permettait de rencontrer des gens et, bien souvent, d'être invité à manger. Pour la première fois depuis de longues années, il se faisait des amis sans l'aide de son frère et découvrait que ce n'était pas aussi difficile qu'il l'avait cru.

Les femmes lui fournissaient une bonne excuse pour ne pas rentrer de la nuit ou alors très tard, quand tout le monde dormait. Aucune d'elles ne lui inspirait de sentiment profond et, comme il était un peu honteux de profiter de leur hospitalité, il se débrouillait pour qu'elles n'oublient pas de sitôt la nuit qu'elles passaient avec lui. Beau comme il était, elles s'imaginaient qu'il allait être plus soucieux de son propre plaisir que du leur, mais Jondalar était trop habile pour ne pas les satisfaire pleinement. Et lui aussi, cela lui faisait du bien : il n'avait plus besoin de refréner ses désirs et il ne se torturait plus à essayer d'y voir clair dans ses propres sentiments. Ces femmes lui plaisaient, mais comme lui avaient plu toutes les femmes avec lesquelles il avait partagé les Plaisirs avant de rencontrer Ayla : d'une manière superficielle. Il était avide de sentiments plus profonds qu'il avait toujours recherchés et qu'aucune femme n'avait réussi à éveiller en lui — à l'exception d'Ayla.

Ayla l'aperçut au moment où il revenait de la mine du Camp du Loup en compagnie de Tarneg et de Danug et, comme chaque fois qu'elle le voyait, les battements de son cœur s'accélérèrent et sa gorge se noua. Elle remarqua que Tulie s'approchait des trois hommes et qu'elle repartait avec Jondalar tandis que Tarneg et Danug venaient à la réunion. Talut leur fit signe de venir le rejoindre.

— Je désire te poser quelques questions sur les coutumes de ton peuple, Jondalar, dit Tulie lorsqu'ils eurent trouvé un endroit tranquille pour parler. Je sais que, comme nous, vous honorez la Mère. Mais avez-vous aussi une cérémonie d'initiation à la féminité que l'on accomplit avec douceur et compréhension ?

— Les Premiers Rites ? Oui, bien sûr. Comment pourrait-on ne pas s'inquiéter de la manière dont une jeune femme est ouverte la première fois ? Chez nous, le rituel est un peu différent, mais le but est le même.

— C'est parfait. J'ai discuté avec un certain nombre de femmes qui te tiennent en grande estime et tu m'as été recommandé plusieurs fois. Mais, plus important encore, Latie aimerait que ce soit toi qui l'inities. Qu'en penses-tu ?

J'aurais dû m'en douter, se dit Jondalar qui avait commencé par penser que Tulie voulait simplement le questionner sur les coutumes de son peuple. Ce n'était pas la première fois, loin de là, qu'on lui demandait d'initier une jeune fille. Dans le passé, il avait toujours été séduit par ce genre de proposition et ne s'y était jamais dérobé, bien au contraire, mais cette fois-ci, il hésitait à dire oui. Ne risquait-il pas d'éprouver à nouveau ce terrible sentiment de culpabilité en songeant qu'il avait peut-être profité de cette cérémonie sacrée pour assouvir son besoin de sentiments plus profonds qu'inévitablement elle faisait naître ? Il était tellement perdu en ce moment, qu'il craignait de ne pouvoir maîtriser ces sentiments, particulièrement avec quelqu'un comme Latie, qu'il aimait beaucoup.

— J'ai déjà participé à ce genre de rituel, Tulie, et je suis très sensible à l'honneur que vous me faites, Latie et toi, mais que je ne pense pas pouvoir accepter. Même si nous ne sommes pas vraiment parents, j'ai vécu au Camp du Lion tout l'hiver et je considère Latie comme ma sœur.

Tulie acquiesça.

— C'est vraiment dommage, Jondalar. Pour tout un tas de raisons, ça aurait été idéal. Tu viens de trop loin pour que nous puissions être parents, mais je comprends que tu aies fini par considérer Latie comme ta sœur. Même si vous n'avez pas partagé le même foyer, Nezzie t'a traité avec la même affection que si tu étais son fils, et il ne faut pas hypothéquer l'avenir de Latie. Aux yeux de la Mère, rien n'est plus abominable que l'homme qui initie sa propre sœur. Si tu te sens le frère de Latie, cela risque en effet de souiller cette cérémonie. Tu as bien fait de me le dire.

Quand ils revinrent vers le lieu de réunion, Talut était en train de parler, Ayla assise à côté de lui.

— Vous avez déjà vu à quelle distance Ayla pouvait envoyer une sagaie grâce à ce propulseur, était-il en train de dire. Mais j'aimerais que Jondalar et elle vous montrent quel usage on peut faire de cette arme dans d'autres circonstances, plus convaincantes. Je sais que la plupart d'entre vous aiment utiliser pour chasser le mammouth une sagaie plus grande, munie d'une pointe spécialement fabriquée par Wymez. Mais le propulseur l'Ayla présente aussi des avantages. Certains chasseurs du Camp du Lion l'ont déjà expérimenté. Grâce à cette arme, on peut lancer des sagaies de la taille voulue à condition de savoir s'en servir — exactement comme lorsqu'on lance une sagaie à la main. La plupart d'entre vous savent se servir d'une sagaie depuis leur plus tendre enfance. Et je suis certain que quand vous aurez vu comment marche cette arme, vous aurez envie de l'essayer. Ayla m'a dit qu'elle avait l'intention de l'utiliser pour chasser le mammouth, et je pense que Jondalar fera de même. Comme ça, tout le monde pourra apprécier la qualité de cette nouvelle arme. Nous avons parlé de faire un concours, mais celui-ci n'a pas encore été organisé. Je pense que nous pouvons en prévoir un pour notre retour de la chasse. Un grand concours avec toutes sortes d'épreuves, conclut Talut.

Tout le monde semblait approuver cette proposition.

— C'est une excellente idée, dit Brecie. J'avoue que si ce concours durait deux ou trois jours, cela ne me gênerait nullement. Nous avons travaillé sur un Bâton Qui Revient. Grâce à cette arme, certains d'entre nous ont réussi à tuer plusieurs oiseaux d'un seul coup. En attendant, nous devrions laisser les mamuti décider du meilleur jour pour le départ et lancer quelques Invocations pour attirer les mammouths. Si nous n'avons rien d'autre à nous dire, je vais regagner mon Camp.

Les gens étaient en train de se disperser quand, soudain, l'attention de la foule fut attirée par l'arrivée de Vincavec et de son Camp dans la clairière, puis de Nezzie et de Rydag. Très vite la nouvelle se répandit que le mamut et chef du Camp du Mammouth était prêt à payer le Prix de la Femme qu'exigerait Tulie pour Ayla, en dépit du fait que celle-ci avait déjà donnée sa Promesse à Ranec.

— Il revendique le droit d'appeler son Camp « le Camp du Mammouth » simplement parce qu'en tant que mamut il fait partie du Foyer du Mammouth, était en train de dire à sa voisine une femme qui se trouvait à côté de Jondalar. Mais tant qu'il n'est pas uni, il ne peut avoir de foyer. C'est la femme qui apporte le foyer. Il veut s'unir à Ayla uniquement parce qu'elle est fille du Foyer du Mammouth, comme ça il fera accepter son soi-disant Camp du Mammouth.

Jondalar se trouvait par hasard à côté de Ranec quand celui-ci avait appris la nouvelle. En voyant son visage changer d'expression, il n'avait pu s'empêcher d'avoir pitié de lui. Il était bien placé pour savoir ce qu'il ressentait. Et il ne s'en réjouissait pas car il savait qu'il aimait Ayla. Ce qui n'était nullement le cas de Vincavec : il voulait s'unir à Ayla pour servir ses propres ambitions.

Ayla, elle aussi, avait surpris certains commentaires où son nom revenait régulièrement. Elle n'aimait pas surprendre des conversations à son sujet. Si elle avait encore vécu au sein du Clan, elle n'aurait eu qu'à fermer les yeux pour ne plus voir les gestes. Mais là, elle ne pouvait pas se boucher les oreilles.

Et soudain, elle n'entendit plus rien, si ce n'est les paroles injurieuses de quelques enfants et les mots « Tête Plate ».

— Regardez-moi cet animal, habillé comme un être humain ! dit en ricanant un garçon plus âgé que les autres en montrant Rydag du doigt.

— Ils habillent bien les chevaux, pourquoi pas les Têtes Plates ! lança un autre, en riant encore plus fort.

— Elle prétend que c'est un être humain, renchérit un troisième. Il paraît qu'il comprend ce qu'on dit et qu'il peut même parler.

— Si elle pouvait faire marcher son loup sur ses pattes de derrière, elle dirait certainement aussi que c'est un être humain.

— Tu devrais faire attention à ce que tu racontes. Chaleg a dit que le Tête Plate pouvait lancer son loup sur n'importe qui et qu'il lui avait ordonné de l'attaquer. Il compte d'ailleurs en parler au Conseil des Frères.

— S'il est capable de pousser un animal à vous attaquer, est-ce que ça ne prouve pas justement qu'il en est un lui-même ?

— Ma mère dit qu'on ne devrait pas avoir le droit d'amener des animaux à la Réunion d'Eté.

— Mon oncle dit que les animaux ne le gênent pas, à condition qu'on les tienne à l'écart. Mais il dit qu'à partir du moment où ils amènent ce Tête Plate aux assemblées et aux cérémonies, on aurait dû leur interdire de venir à la Réunion.

— Eh toi, Tête Plate ! Fiche le camp d'ici ! Retourne chez les animaux !

Au début, Ayla était tellement ahurie qu'elle n'avait même pas songé à réagir aux insultes des enfants. Mais quand elle s'aperçut que Rydag baissait les yeux et qu'il reprenait, tête basse, le chemin du Camp de la Massette, elle vit rouge et se précipita vers les enfants.

— Comment pouvez-vous être aussi méchants ! s'écria-t-elle en réfrénant à grand-peine sa colère. Comment osez-vous dire que Rydag est un animal ! Vous êtes aveugles ou quoi ? (Quelques personnes s'approchèrent pour voir ce qui se passait.) Vous ne voyez donc pas qu'il comprend tout ce que vous dites ? Comment pouvez-vous être aussi cruels ? Vous devriez avoir honte !

— Pourquoi mon fils devrait-il avoir honte ? demanda une femme en prenant la défense de son rejeton. Ce Tête Plate est un animal et il ne devrait pas avoir le droit d'assister aux cérémonies en l'honneur de la Mère.

D'autres gens s'étaient approchés et parmi eux se trouvaient la plupart des membres du Camp du Lion.

— Ne fais pas attention à ce qu'ils disent, Ayla, lui conseilla Nezzie, dans l'espoir de la calmer.

— Un animal ! Tu oses dire que c'est un animal ! cria Ayla en se tournant vers la femme. Rydag est un être humain, comme toi !

— On n'a pas le droit de m'insulter ainsi ! se défendit la femme. Je ne suis pas une Tête Plate.

— Non, tu n'en es pas une, en effet ! Une Tête Plate serait plus humaine que toi ! Elle aurait pitié de Rydag et se montrerait plus compréhensive !

— Comment le sais-tu ?

— Je suis bien placée pour le savoir, répondit Ayla. Ils m'ont recueillie quand je me suis retrouvée seule au monde et ils m'ont élevée. Je serais morte si une femme du Clan n'avait eu pitié de moi. Je suis fière d'être une femme du Clan.

— Non, Ayla, non ! entendit-elle Jondalar crier.

Mais plus rien ne pouvait l'empêcher de continuer.

— Ce sont des êtres humains, reprit-elle. Et Rydag en est un lui aussi. Je le sais car j'ai un fils qui est comme lui.

— Grande Mère ! gémit Jondalar en se frayant un passage dans la foule pour s'approcher d'elle.

— Elle a bien dit qu'elle avait un enfant comme ça ? demanda un homme. Un esprit mêlé !

— Je crois que cette fois-ci, ça y est, Ayla, remarqua Jondalar à voix basse.

— Elle a mis au monde un monstre ! s'exclama un autre homme en s'approchant de la femme avec laquelle Ayla venait de se disputer. Tu ferais mieux de t'éloigner d'elle. Si elle a réussi à attirer ce genre d'esprit en elle, il peut très bien se glisser à l'intérieur d'une autre femme.

— C'est vrai ! Toi aussi tu ferais mieux de t'éloigner, conseilla un autre homme à sa compagne manifestement enceinte.

Le visage déformé par la répulsion et la peur, d'autres personnes commencèrent à reculer.

— Le Clan ? demanda un des musiciens. Quand elle a joué pour nous, il me semble qu'elle a dit que c'étaient des rythmes du Clan ? C'est donc des Têtes Plates qu'elle voulait parler ?

Lorsqu'Ayla jeta un coup d'œil autour d'elle, elle faillit céder à la panique et fuir pour ne plus voir ces gens qui la regardaient avec un tel dégoût. Elle ferma un instant les yeux et prit une profonde inspiration. Puis elle releva fièrement la tête et défia du regard ceux qui l'entouraient. De quel droit disaient-ils que son fils n'était pas un humain ? Du coin de l'œil, elle aperçut Jondalar qui se tenait à côté d'elle. Sa présence la rassura.

Puis deux autres hommes s'approchèrent. Elle tourna la tête pour sourire à Mamut et à Ranec. Puis Nezzie à son tour vint la rejoindre, et Talut, et même Frebec. En un rien de temps, l'ensemble du Camp du Lion se trouva à ses côtés.

— Vous vous trompez, dit Mamut à la foule, d'une voix si puissante qu'on avait du mal à croire qu'elle puisse appartenir à un homme aussi vieux. Les Têtes Plates ne sont pas des animaux. Ils sont humains et ce sont des enfants de la Mère au même titre que vous. Moi aussi, j'ai vécu chez eux un certain temps et j'ai chassé avec eux. Leur guérisseuse a soigné mon bras et, grâce à eux, j'ai découvert ma vocation. La Mère ne mélange pas les esprits. Il n'y a pas de cheval-loup ou de cerf-lion. Les gens du Clan sont différents de nous, mais cette différence est insignifiante. Des enfants comme Rydag ou le fils d'Ayla n'auraient jamais pu naître s'ils n'avaient pas été humains, eux aussi. Les monstres n'existent pas. Ce sont simplement des enfants.

— Je me moque de ce que tu dis, Vieux Mamut ! s'écria la femme enceinte. Je ne veux pas mettre au monde un Tête Plate ou un esprit mêlé. Si cette femme en a eu un, cet esprit peut encore très bien rôder autour d'elle.

— Tu n'as rien à craindre d'Ayla ! répliqua Mamut. L'esprit qui a été choisi pour ton enfant est déjà en toi. Il est trop tard pour y changer quoi que ce soit. Ayla elle-même n'a pas attiré l'esprit d'un Tête Plate en elle pour avoir un enfant. C'est la Mère qui en a décidé ainsi. Vous savez comme moi que l'esprit d'un homme n'est jamais bien loin de l'homme lui-même. Ayla a grandi au sein du Clan. Quand elle est devenue une femme, elle vivait encore avec eux. Le jour où Mut a décidé de lui donner un enfant, Elle ne pouvait choisir que parmi les hommes avec lesquels elle vivait, et c'étaient tous des hommes du Clan. L'esprit qu'Elle a choisi était celui d'un homme du Clan. Ce qui est normal. Mais ici, il n'y a pas d'homme du Clan, que je sache !

— Que se passerait-il, Vieux Mamut, s'il y en avait un ? demanda une des femmes.

— Pour que la Mère choisisse son esprit, il faudrait qu'il soit tout près d'une femme, qu'il partage son foyer. Même si les gens du Clan sont humains, il y a néanmoins quelques différences. Il n'est pas facile de mêler deux esprits qui ne sont pas tout à fait semblables. Quand Ayla a voulu un enfant, comme elle n'était entourée que par des hommes du Clan, la Mère n'a pas eu le choix. Mais ici, les Mamutoï sont très nombreux, et si une femme devait avoir un enfant, la Mère commencerait par choisir l'esprit d'un Mamutoï.

— C'est toi qui le dis, vieil homme ! lança un des hommes. Mais je ne suis pas sûr que ce soit vrai. Je préfère que ma femme ne s'approche pas d'elle.

— Pas étonnant qu'elle ait le don avec les animaux ! lança Chaleg. C'est facile quand on a été élevée par des animaux.

— Ça veut peut-être dire aussi que leurs pouvoirs magiques sont supérieurs aux nôtres, rétorqua Frebec.

Son intervention provoqua un certain malaise dans l'assistance.

— Je l'ai entendue dire que cela n'avait rien de magique, que tout le monde pouvait en faire autant, rappela le mamut du Camp de Chaleg.

— Pourquoi personne n'y a-t-il pensé avant ? lui demanda Frebec. Tu es un mamut. Si c'est à la portée de tout le monde, pourquoi ne montes-tu pas toi aussi à cheval ? Comment se fait-il que tu n'aies pas, toi aussi, un loup qui t'obéisse ? Pourquoi ne siffles-tu pas comme

Ayla afin que les oiseaux descendent du ciel pour venir manger dans ta main ?

— Pourquoi prends-tu son parti, Frebec ? lui demanda Chaleg. Au lieu de défendre ta propre famille et ton propre Camp ?

— J'aimerais bien qu'on me dise à quel Camp j'appartiens ? A celui qui m'a rejeté ou à celui qui m'a accueilli ? Mon foyer est celui de la Grue. Mon Camp est celui du Lion. Ayla a vécu près de nous pendant tout l'hiver. Elle était là quand Bectie est née et la fille de mon foyer n'est pas un esprit mêlé. Et si Ayla n'avait pas été là, jamais elle n'aurait vécu.

En entendant Frebec, Jondalar sentit une boule au fond de sa gorge. Il avait beau dire qu'il appartenait maintenant au Camp du Lion, il fallait un sacré courage pour s'opposer à son propre cousin, ses propres parents et le Camp où on était né. Jondalar avait du mal à le reconnaître. Lui qui, au début, l'avait accusé d'être un fauteur de troubles, de quel droit lui avait-il jeté la pierre ? Qui avait eu peur de ce que les gens diraient si Ayla parlait de son passé ? Qui avait craint d'être rejeté par sa famille et par son peuple s'il prenait le parti d'Ayla ? Frebec venait de lui montrer à quel point il pouvait être lâche. Frebec et Ayla.

Quand il l'avait vue surmonter sa panique et leur tenir tête, il s'était senti fier d'elle. Puis le Camp du Lion s'était rangé à ses côtés, ce qui l'avait beaucoup surpris. Ceux qui comptaient, c'étaient ceux qui vous appréciaient.

Jondalar avait de bonnes raisons d'être fier d'Ayla et du Camp du Lion. Mais il en oubliait qu'il avait été le premier à se précipiter à ses côtés.

34

Le Camp du Lion revint au Camp de la Massette afin de discuter de cette crise inattendue. La suggestion initiale de s'en aller sur-le-champ fut rapidement abandonnée. Après tout, ils étaient mamutoï et c'était la Réunion d'Eté. Tulie s'était arrêtée au Camp de la Féminité pour y prendre Latie afin qu'elle puisse assister à la discussion et aussi pour lui dire qu'elle risquait maintenant d'entendre des réflexions désobligeantes au sujet d'Ayla ou du Camp du Lion. Elle lui avait demandé si elle désirait repousser les Rites de la Féminité. Latie avait pris la défense d'Ayla d'une manière véhémente. Puis elle avait annoncé qu'elle regagnerait le Camp réservé à la cérémonie et aux rites et qu'elle ne laisserait personne dire du mal d'Ayla ou du Camp du Lion.

Ensuite, Tulie avait demandé à Ayla pourquoi elle n'avait pas parlé de son fils plus tôt. Celle-ci lui avait répondu qu'elle n'aimait pas en parler car cela lui faisait trop de peine et Nezzie était intervenue pour dire qu'elle était au courant depuis le début. Mamut avait reconnu que, lui aussi, il le savait. Même si la Femme Qui Ordonne regrettait qu'Ayla ne s'en soit pas ouverte à elle, elle ne lui reprochait rien. Si elle avait été au courant, cela aurait-il changé quoi que ce soit à ce qu'elle pensait d'Ayla ? Elle aurait moins surestimé son statut et sa valeur potentiels et aurait certainement rabaissé ses prétentions. Mais son attitude en aurait-elle été modifiée pour autant ? Cela changeait-il vraiment quelque chose à ce qu'était Ayla ?

Rydag était bouleversé et déprimé et Nezzie eut beau faire, elle ne réussit pas à le consoler. Il ne voulait pas manger, refusait de sortir et se taisait, acceptant tout juste de répondre aux questions. Il restait assis sur ses fourrures dans l'endroit le plus sombre de la tente en serrant Loup contre lui.

Quand Ayla s'approcha de lui, Loup leva la tête et remua la queue.

— Est-ce que je peux m'asseoir à côté de toi, Rydag ? lui demanda-t-elle.

Il hocha la tête en signe d'assentiment. Ayla s'installa à côté de lui et commença à lui parler. Elle parlait à haute voix et accompagnait automatiquement ses paroles de signes, tout en se disant qu'il faisait tellement sombre à cet endroit que Rydag devait avoir du mal à voir ses gestes. Pouvoir s'exprimer avec des mots présentait un réel avantage : on ne parlait pas mieux qu'avec des signes et des gestes, mais on n'était pas limité par l'impossibilité de voir ce qu'on était en train de vous dire.

Elle retrouvait là la même différence qu'entre les armes de chasse du Clan, les épieux qui permettaient seulement de porter un coup et les sagaies que l'on pouvait lancer à distance. Avec ces deux types d'armes, on ramenait de la viande, mais la seconde offrait beaucoup plus de possibilités. Ayla avait constaté à maintes reprises à quel point les gestes et les signes pouvaient être utiles, tout spécialement quand on devait se communiquer un secret ou avoir une conversation intime, mais elle trouvait que parler avec des mots était infiniment supérieur. Le langage verbal permettait de s'adresser à quelqu'un situé hors de votre vue — soit éloigné, soit caché par des obstacles naturels —, ou d'imposer le silence à une large assemblée. On pouvait très bien s'adresser à quelqu'un qui avait le dos tourné et parler tout en ayant soi-même les mains occupées. Et on pouvait même chuchoter dans l'obscurité.

Ayla resta un long moment assise à côté de Rydag, sans lui poser de questions et sans parler, simplement pour lui tenir compagnie. Puis elle se mit à lui parler du Clan.

— Cette Réunion me rappelle un peu le Rassemblement du Clan, lui dit-elle. Ici, même si je suis comme tout le monde, je me sens malgré tout différente. Là-bas, j'étais vraiment différente : plus grande que tous les hommes... une femme grande et laide. Quand nous sommes arrivés au Rassemblement, cela a été vraiment horrible. A cause de moi, ils ne voulaient pas laisser le clan de Brun s'installer. Ils disaient que je ne faisais pas partie du Clan. Mais Creb leur a dit que j'en faisais partie et ils n'ont pas osé le contrer car il était mog-ur. Heureusement pour lui, Durc n'était qu'un bébé. Tous les gens pensaient qu'il était difforme et le dévisageaient. Tu connais ça, Rydag ! Mais Durc n'était pas difforme. Il tenait à la fois du Clan et de moi, un mélange des deux, comme toi. Ou plutôt comme Ura. La mère d'Ura faisait partie du Clan.

— Tu dis avant : Ura s'unira un jour avec Durc ? demanda Rydag en se tournant vers le feu pour qu'Ayla puisse voir ses gestes.

— Oui. La mère d'Ura était venue me voir et c'était d'accord. Elle était heureuse d'avoir trouvé un garçon qui était comme sa fille. Elle craignait qu'Ura ne puisse jamais avoir de compagnon. Pour être tout à fait sincère, moi, je ne m'étais pas tellement souciée de ça. Je m'estimais déjà heureuse que Durc ait été accepté par le Clan.

— Durc est du Clan ? demanda Rydag par gestes. Il est esprit mêlé, mais du Clan ?

— Brun l'avait accepté dans le Clan et Creb lui avait donné un nom. Broud lui-même ne pouvait pas lui retirer ça. Et lui mis à part, tout le monde l'aimait. Même Oga, la compagne de Broud. C'est elle qui l'a nourri au sein quand j'ai perdu mon lait, en même temps que Grev, son fils. Ils ont été élevés ensemble comme deux frères et ils s'entendaient très bien. Vieux Grod avait fabriqué un petit épieu pour Durc, juste à sa taille, continua Ayla en souriant à ce souvenir. Mais celle qui l'aimait le plus, c'était Uba, ma sœur, l'équivalent de Rugie pour toi. C'est elle qui est la mère de Durc maintenant. Je lui ai confié mon fils quand Broud m'a obligée à quitter le Clan. Je suppose qu'il est un peu différent d'eux. Mais il fait partie du Clan.

— Je hais ici, intervint Rydag, les yeux brillants de colère. Je souhaite être Durc et vivre avec le Clan.

Sa véhémence l'effraya et, bien après qu'elle eut réussi à le faire manger et qu'elle l'eut mis au lit, elle continua à penser à lui.

Durant toute la soirée, Ranec remarqua qu'elle n'était pas à ce qu'elle faisait. Elle s'interrompait soudain en plein milieu d'une activité pour regarder dans le vide ou alors son front se plissait sous l'effet de la réflexion. Ranec se doutait que ces pensées devaient lui peser et il aurait bien aimé pouvoir la réconforter.

Cette nuit-là, tout le monde décida de dormir au Camp de la Massette et quand vint le moment de se coucher, il y avait foule à l'intérieur de la tente. Ranec attendit qu'Ayla soit sur le point de se glisser à l'intérieur de ses fourrures de couchage pour s'approcher d'elle.

— Veux-tu partager mes fourrures cette nuit, Ayla ? lui proposa-t-il. Voyant qu'elle fermait les yeux et fronçait les sourcils, il ajouta aussitôt :
— Je ne veux pas dire pour les Plaisirs, à moins que tu en aies envie. Je sais que tu as eu une journée difficile.

— Elle l'a été encore plus pour le Camp du Lion.

— Je n'en suis pas sûr. Mais ça n'a pas d'importance. Je voudrais t'offrir un peu de réconfort : mes fourrures pour que tu n'aies pas froid, et mon amour pour que tu ne te sentes pas trop seule.

Ayla hocha la tête et se glissa à côté de Ranec. Cela ne suffit pas pour qu'elle s'endorme et elle n'arrêtait pas de bouger. Ranec s'en rendit compte.

— Qu'est-ce qui t'inquiète ? lui demanda-t-il. Veux-tu en parler avec moi ?

— Je pense à Rydag et à mon fils. Mais je ne suis pas certaine que le moment soit venu d'en parler. J'ai encore besoin de réfléchir à tout ça.

— Il vaudrait peut-être mieux que tu retournes dans tes fourrures ?

— Je sais que tu désires m'aider, Ranec. Et ça me fait du bien. Plus encore que tu ne pourrais l'imaginer. Pour moi, c'est très important que tu sois venu me rejoindre pour prendre ma défense. Et j'éprouve aussi une profonde reconnaissance envers le Camp du Lion. Tout le monde a été si gentil pour moi, si merveilleux. Trop, peut-être... J'ai appris tellement de choses grâce à vous et j'étais si fière d'être une Mamutoï, de pouvoir dire que c'était mon peuple. Je m'imaginais que les Autres — ceux que moi j'appelle les Autres — étaient tous comme ceux du Camp du Lion. Mais je me rends compte maintenant que je m'étais trompée. Comme dans le Clan, la plupart des gens sont gentils, mais pas tous. Et même ceux qui le sont ont des idées bien arrêtées dans certains domaines. J'ai besoin de réfléchir aux projets que j'avais faits...

— Et pour réfléchir, tu seras mieux dans ta propre couche. Vas-y, Ayla. De toute façon, tu ne seras pas très loin de moi.

Jondalar avait observé de loin toute la scène et quand il vit qu'Ayla quittait la couche de Ranec pour se glisser dans la sienne, il éprouva un curieux mélange de sentiments. Il était soulagé à l'idée que cette nuit-là il ne grincerait pas des dents en entendant le bruit qu'ils faisaient alors qu'ils partageaient les Plaisirs. Mais il se sentait aussi désolé pour Ranec. S'il avait été à sa place, il aurait voulu serrer Ayla dans ses bras pour la consoler et aurait été peiné de voir qu'elle préférait dormir seule.

Lorsque Ranec se fut endormi et que tout fut silencieux à l'intérieur de la tente, Ayla se leva sans bruit, enfila une légère pelisse pour se protéger du froid nocturne et sortit dehors, dans la nuit étoilée. Aussitôt, Loup s'approcha d'elle. Elle se dirigea alors vers l'abri des chevaux. Whinney salua son arrivée en soufflant doucement et Rapide hennit à son approche. Ayla les caressa, les gratta, leur parla avec des gestes. Puis elle passa ses bras autour de l'encolure de Whinney et serra la jument contre elle.

Combien de fois déjà Whinney avait-elle été l'amie dont elle avait besoin ? Et que penserait le Clan en voyant ses amis ? Deux chevaux et un loup ! Mais même si la présence des animaux la réconfortait, elle avait néanmoins l'impression qu'il lui manquait quelque chose. Pas quelque chose : quelqu'un. L'homme qu'elle désirait tant. Et pourtant, il ne l'avait pas abandonnée. Il avait été le premier à s'approcher d'elle. Avant même que le Camp du Lion prenne sa défense. Surgi de nulle part, Jondalar s'était soudain trouvé à ses côtés, prêt à la défendre contre tous. Malgré le dégoût qu'elle leur inspirait. Cela avait été encore pire qu'au Rassemblement du Clan. Cette fois-ci, ce n'était pas parce qu'elle était simplement différente d'eux. Ils avaient peur d'elle et la haïssaient. Jondalar l'avait prévenue et il avait essayé de l'y préparer lorsqu'ils vivaient ensemble dans la vallée. Mais même si elle avait vraiment su ce qui l'attendait, cela n'aurait rien changé. Elle ne les aurait pas laissés s'acharner sur Rydag ou dire du mal de son fils.

Ayla n'était pas seule à ne pas trouver le sommeil. Jondalar était dans le même cas. Il l'avait vue se lever et, debout à l'entrée de la tente, il la regardait de loin. Ce n'était pas la première fois qu'il la voyait serrer Whinney dans ses bras. Il était content qu'elle puisse se consoler avec les animaux, mais il souffrait de ne pas être à la place de la jument. Malheureusement, il était trop tard : elle ne voulait plus de lui. Et il ne pouvait pas le lui reprocher. Brusquement, il voyait clair en lui-même et ses propres actions lui apparaissaient sous un nouveau jour : il avait été l'artisan de sa propre perte. Au début, il avait voulu se montrer beau joueur et la laisser choisir entre Ranec et lui. Mais ce n'était qu'un prétexte. En réalité, il s'était détourné d'elle parce qu'il crevait de jalousie. Comme il souffrait, il avait voulu la faire souffrir à son tour.

Reconnais qu'il n'y avait pas que ça, se dit-il. Même si tu souffrais, tu aurais dû penser à la manière dont elle avait été élevée. Pour elle, le fait que tu sois jaloux ne signifiait strictement rien. Quand elle a rejoint la couche de Ranec cette nuit-là, elle se comportait seulement en bonne femme du Clan. C'était ça le problème : son passé au sein du Clan. Tu en avais honte. Tu avais honte de l'aimer. Tu craignais de devoir affronter une scène comme celle qui a eu lieu aujourd'hui. Tu ne savais pas si tu supporterais qu'on la traite ainsi. Tu avais beau dire que tu l'aimais, tu n'étais pas certain que tu prendrais son parti. Ce qui est honteux, ce n'est pas de l'aimer comme tu l'aimes, mais ta lâcheté. Et maintenant, il est trop tard. Elle n'a plus besoin de toi. Elle est assez forte pour se défendre toute seule et tout le Camp du Lion est venu à sa rescousse. Non seulement elle n'a pas besoin de toi, mais tu ne la mérites pas.

Finalement, comme il faisait froid, Ayla se décida à rentrer. Elle jeta un coup d'œil à l'endroit où était couché Jondalar : il était allongé sur le côté, la tête tournée vers la paroi de la tente, et elle ne put voir son visage. Au moment où elle se glissait dans sa couche, Ranec tendit la main vers elle dans son sommeil. Ayla savait qu'il l'aimait. Et elle aussi, elle l'aimait à sa manière. Elle resta étendue sans bouger à écouter la respiration régulière de Ranec. Au bout d'un certain temps, celui-ci se retourna et sa main disparut.

Ayla aurait bien aimé s'endormir, mais elle ne pouvait s'empêcher de réfléchir. Elle avait pensé aller chercher Durc et le ramener au Camp du Lion pour qu'il vive avec elle. Maintenant, elle se demandait si c'était vraiment la bonne solution. Serait-il plus heureux en vivant ici avec elle que s'il restait au sein du Clan ? Ne risquait-il pas de souffrir s'il vivait parmi des gens qui le haïssaient ? Des gens qui lui diraient qu'il était mi-bête, mi-homme, qui le traiteraient de Tête Plate et de monstre ? Il faisait partie du Clan et, là-bas, on l'aimait. Même si Broud le détestait, cela ne l'empêcherait pas de se faire des amis lors du Rassemblement du Clan. Il était accepté, avait le droit de participer aux cérémonies et aux concours — peut-être même avait-il hérité des souvenirs du Clan.

Si elle ne le ramenait pas ici, pouvait-elle retourner dans le Clan pour vivre avec lui ? Maintenant qu'elle avait vécu avec ses semblables, accepterait-elle de se plier à nouveau au mode de vie du Clan ? Jamais ils ne lui permettraient de garder des animaux. Pourrait-elle renoncer à Whinney, à Rapide et à Loup pour n'être plus que la mère de Durc ? Durc avait-il vraiment besoin d'une mère ? Quand elle était partie, ce n'était encore qu'un bébé. Mais il avait grandi et Brun devait maintenant être en train de lui apprendre à chasser.

Il avait déjà dû tuer du petit gibier et le ramener à Uba pour le lui montrer. Ayla sourit en imaginant la scène. Uba devait être fière de lui et elle avait dû lui dire qu'il était un grand chasseur.

Durc a une mère ! se dit soudain Ayla. Uba est sa mère. C'est elle qui l'a élevé, qui a pris soin de lui et elle a dû soigner les bobos qu'il s'est faits lorsqu'il a commencé à chasser. Comment pourrais-je lui enlever Durc maintenant ? S'il n'est plus là, qui prendra soin d'elle quand elle sera vieille ? Même quand il était un bébé, ce sont les autres femmes du Clan qui se sont occupées de lui car je n'avais plus de lait.

De toute façon, je ne peux pas retourner là-bas pour aller le chercher. J'ai été maudite. Aux yeux du Clan, je suis morte ! Si Durc me voit, je vais lui faire peur. Et tout le monde réagira comme lui. Et même si je n'avais pas été maudite, serait-il heureux de me voir ? Se souviendrait-il même de moi ?

Il était encore très jeune quand je suis partie. Actuellement, il doit se trouver au Rassemblement du Clan et il a certainement rencontré Ura. Même s'il est encore un peu jeune pour ça, il doit commencer à penser au moment où elle deviendra sa compagne. Il doit penser à son futur foyer — comme moi. Même si j'arrivais à le convaincre que je ne suis pas un esprit, il faudrait que j'emmène aussi Ura. Et ici, elle serait affreusement malheureuse. Cela va déjà lui être difficile de quitter son propre clan pour venir vivre dans celui de Durc, mais si elle est soudain obligée de vivre dans un monde complètement différent du sien, ce sera terrible pour elle. Surtout qu'elle n'y rencontrera que haine et incompréhension.

Et si je revenais dans la vallée ? Et que j'y ramène Durc et Ura ? Mais Durc a besoin de vivre avec des gens... et moi aussi. Je ne veux plus vivre seule. Pourquoi accepterait-il de vivre tout seul dans la vallée avec moi ?

J'ai pensé à moi et non à lui. Ce ne serait pas une bonne chose pour lui de vivre ici. Il ne serait pas heureux. Je me réjouissais qu'il vienne vivre avec moi, mais je ne suis plus sa mère. Sa mère, c'est Uba. A ses yeux, sa vraie mère est morte et peut-être est-ce mieux ainsi. Son monde, c'est le Clan, et que ça me plaise ou non, le mien, c'est ici. Je ne peux pas revenir dans le Clan et Durc ne peut pas venir vivre ici. Il n'y a pas un seul endroit dans ce monde où mon fils et moi puissions vivre ensemble et être heureux.

yeux fixés droit devant elles, Tulie et Latie traversaient le campement sans prêter attention aux regards curieux de ceux qu'elles croisaient.

— Tulie ! Latie ! Attendez-moi ! cria Brecie. J'allais justement t'envoyer un messager, Tulie, expliqua-t-elle quand elle les eut rattrapées. Nous aimerions que vous veniez dîner avec nous ce soir au Camp du Saule.

— Merci, Brecie. Je suis très touchée par ton invitation. Naturellement, nous viendrons. Je savais qu'on pouvait compter sur vous.

— Nous sommes des amies de longue date, Tulie. Parfois, on croit aux vieilles histoires uniquement parce qu'elles sont vieilles. Le bébé de Fralie m'a l'air absolument normal.

— Et pourtant, elle est née trop tôt, intervint Latie, prompte à prendre la défense de son amie. Bectie n'aurait jamais vécu si Ayla n'avait pas été là.

— Je me suis toujours demandé d'où elle venait, dit Brecie. Tout le monde disait qu'elle était arrivée avec Jondalar et comme ils étaient tous les deux grands et blonds, les gens se contentaient de cette explication. Mais moi, je savais qu'il y avait quelque chose d'autre. Je me rappelais que, quand nous avons sorti Jondalar et son frère des sables mouvants, près de la mer de Beran, elle n'était pas avec eux. En plus, je trouvais qu'elle n'avait ni l'accent mamutoï, ni l'accent sungaea. Mais je ne comprends toujours pas comment elle s'y prend pour faire obéir ces chevaux et ce loup.

Alors qu'elles marchaient à nouveau en direction du centre de la cuvette pour rejoindre les huttes du Camp du Loup, Tulie se sentait nettement mieux.

— Combien ça fait ? demanda Tarneg à Barzec après le départ d'une autre délégation.

— Presque la moitié des Camps ont fait un geste pour se réconcilier avec nous, répondit Barzec. Et je pense que nous pouvons encore compter sur l'appui d'un ou deux Camps.

— Mais il en reste encore une bonne moitié, intervint Talut. Et certains d'entre eux sont vraiment montés contre nous. Il y en a même quelques-uns qui exigent que nous partions.

— Oui, mais vois un peu de quels Camps il s'agit, dit Tarneg. Chaleg est le seul à avoir dit que nous devions quitter la Réunion.

— Ce sont des Mamutoï, rappela Nezzie. Et même les graines dispersées par le mauvais vent peuvent s'enraciner.

— Ça ne me plaît pas que nous soyons divisés, dit Talut. Il y a des gens honorables des deux côtés. J'aimerais trouver un moyen d'arranger les choses.

— Ayla est dans tous ses états. Elle dit que c'est à cause d'elle que le Camp du Lion a des ennuis.

— Tu veux parler de ceux que nous avons surpris près de la ri..., commença Danug.

— Elle veut parler du frère et de la sœur qu'Ayla et Deegie ont surpris en train de se battre, intervint Tarneg.

Un peu plus, songea-t-il, et Danug leur parlait de la bagarre d'hier.

— Rydag est bouleversé, continua Nezzie. Je ne l'ai jamais vu comme ça. Chaque année, la Réunion d'Eté est un peu plus difficile pour lui. Il ne supporte pas la manière dont les gens le traitent. Mais cette année, c'est encore pire... Peut-être parce qu'il est beaucoup mieux intégré maintenant au Camp du Lion. J'ai peur que tout ça ne soit pas bon pour lui. Même Ayla est inquiète à son sujet et moi, je le suis d'autant plus.

— Où est Ayla ? demanda Danug.

— Dehors, avec les chevaux, répondit Nezzie.

— Quand ils l'ont traitée de femme-animal, elle aurait dû prendre ça pour un compliment, dit Barzec. Elle sait vraiment y faire avec les animaux. Il y en a même qui pensent qu'elle peut parler avec les esprits dans l'autre monde.

— Malheureusement, il y en a aussi qui disent que cela prouve seulement qu'elle a vécu avec des animaux, rappela Tarneg. Et ils l'accusent d'attirer des esprits dont on se passerait volontiers.

— Ayla continue à dire que n'importe qui est capable d'apprivoiser les animaux.

— Elle a tendance à minimiser ses mérites, dit Barzec. C'est pour ça que certains y attachent si peu d'importance. Les Mamutoï sont plutôt habitués aux gens comme Vincavec. Lui, il ne se prive pas de vous rappeler la haute idée qu'il a de lui.

Nezzie jeta un coup d'œil au compagnon de Tulie en se demandant pourquoi il tenait Vincavec en si piètre estime. Le Camp du Mammouth avait été un des premiers à se ranger de leur côté.

— Tu dois avoir raison, Barzec, dit Tarneg. En plus, on s'habitue tellement à avoir des animaux autour de soi. Cela semble tout naturel. Ils ne sont pas différents des autres animaux, sauf qu'on peut s'approcher d'eux et les toucher. Mais quand on y réfléchit, on se rend compte que c'est presque insensé. Pourquoi ce loup obéit-il à un enfant malingre qu'il pourrait facilement dévorer ? Pourquoi ces chevaux acceptent-ils qu'on monte sur leur dos ? Et comment se fait-il que quelqu'un ait pensé à essayer ?

— Ça ne m'étonnerait pas que Latie essaie un jour, dit Talut.

— Si quelqu'un doit le faire, c'est bien elle, intervint Danug. As-tu remarqué où elle est allée en arrivant ? Elle s'est précipitée vers l'abri des chevaux. Ils lui manquaient plus que nous. J'ai l'impression qu'elle est amoureuse d'eux.

Jondalar avait écouté la conversation sans faire aucun commentaire. Aussi douloureuse et avilissante soit la situation d'Ayla maintenant qu'elle avait dit par qui elle avait été élevée, dans une certaine mesure, c'était moins grave qu'il ne l'avait imaginé. Il était étonné qu'elle n'ait pas été condamnée plus durement. Il s'attendait à ce qu'elle soit agonie d'insultes, chassée et bannie. Ce tabou était-il plus fort chez les Zelandonii que chez les Mamutoï ? Ou était-ce lui qui se faisait des idées ?

Quand le Camp du Lion avait pris son parti, il avait cru qu'il s'agissait d'une exception et qu'ils étaient plus indulgents à cause de Rydag. Lorsque Vincavec et Avarie étaient venus apporter leur appui, il avait commencé à réviser son jugement et maintenant que de plus en plus de Camps se rangeaient du côté du Camp du Lion, il était obligé de réexaminer ses propres croyances.

Jondalar, pour comprendre des concepts tels que l'amour, la pitié et la colère, se basait uniquement sur ses propres réactions. Il n'était pas fermé aux discussions philosophiques ou spirituelles, mais cela ne le passionnait pas. Il acceptait sa position au sein de la société sans s'interroger à ce sujet. Mais Ayla avait bravé la foule avec une telle dignité et une force si tranquille, que cela n'avait fait qu'accroître le respect qu'il éprouvait pour elle. Et maintenant il s'interrogeait.

Il commençait à se dire qu'il ne suffisait pas qu'un certain nombre de personnes jugent mauvais un certain type de comportement pour que celui-ci le soit. Quelqu'un pouvait très bien refuser une croyance populaire et défendre ses principes personnels sans que tout soit perdu pour autant. Au contraire, cette personne pouvait sortir grandie de l'affrontement. Ayla n'avait pas été bannie par le peuple qui venait de l'adopter et la moitié des Mamutoï, non seulement l'acceptait, mais pensait qu'elle était une femme au talent et au courage exceptionnels.

L'autre moitié n'était pas de cet avis, mais pour des raisons diverses. Certains Camps sautaient sur l'occasion de s'opposer au puissant Camp du Lion pour accroître leur statut et leur influence à un moment où ceux-ci étaient menacés. D'autres étaient naïvement persuadés qu'une femme aussi dépravée n'avait pas le droit de vivre parmi les Mamutoï. A leur avis, elle personnifiait d'autant plus les esprits malfaisants que cela ne se voyait pas. Elle ressemblait aux autres femmes, était plus attirante que la plupart, et les avait dupés grâce à des tours qu'elle avait appris quand elle vivait avec les Têtes Plates. Ces monstres avaient même réussi à en persuader certains qu'ils n'étaient pas des animaux, mais des humains.

Aux yeux de ces Camps, Ayla représentait une véritable menace. Elle avait elle-même reconnu avoir engendré un bâtard, mi-humain, mi-animal, et elle mettait en danger toutes les femmes de la Réunion d'Eté. Quoiqu'en dise Vieux Mamut, tout le monde savait bien que certains esprits mâles étaient toujours attirés par la même femme. Le Camp du Lion avait autorisé Nezzie à garder ce petit d'animal et il fallait voir ce qui leur était arrivé ! Ils vivaient maintenant avec des animaux et cette femme, ce monstre, cette abomination qui avait dû être attirée par cet esprit mêlé. On devrait chasser le Camp du Lion, un point c'est tout !

Tous les Mamutoï avaient entre eux des liens très étroits. Chacun d'eux comptait au moins un parent ou un ami dans chaque Camp. A cause de ce qui venait de se passer, ces liens risquaient d'être rompus à jamais. Beaucoup de gens, comme Talut, en étaient catastrophés. Les Conseils s'étaient réunis, mais ils avaient été incapables de trancher et cela s'était terminé par une querelle générale. C'était une situation sans précédent et les Sœurs et les Frères n'avaient pas les moyens d'y remédier.

Le chaud soleil de l'après-midi ne parvenait pas à chasser la sombre atmosphère qui régnait dans le campement. En remontant en compagnie de Whinney le sentier qui rejoignait le Camp de la Massette, Ayla découvrit l'endroit où on était venu chercher l'ocre rouge et cela lui rappela sa visite à la Hutte des Musiciens. Bien que les musiciens aient repris leurs répétitions et qu'une célébration soit toujours prévue après le retour des chasseurs, personne ne s'en réjouissait plus vraiment. Même l'enthousiasme qu'éprouvait Deegie à la veille de la Cérémonie de l'Union et celui que ressentait Latie à la pensée qu'elle n'allait pas tarder à devenir une femme avaient été considérablement refroidis par les dissensions qui menaçaient de faire éclater la Réunion d'Eté.

Ayla avait proposé de s'en aller. Mais Nezzie lui avait répondu que ça ne résoudrait rien. Ce n'était pas elle qui était à l'origine de ce problème. Son intervention avait fait apparaître au grand jour le désaccord profond qui existait déjà entre les deux factions. Le problème datait de l'époque où elle avait amené pour la première fois Rydag. Bien des gens continuaient à penser qu'on n'aurait jamais dû l'autoriser à vivre avec eux.

Ayla se faisait du souci pour Rydag. Il souriait rarement et ne plaisantait plus, même avec elle. Il avait perdu l'appétit et devait mal dormir. Il appréciait qu'elle lui parle du Clan, mais se joignait rarement aux conversations.

Au moment où elle installait Whinney dans l'abri, elle aperçut Jondalar dans la prairie en contrebas. Il montait Rapide et se dirigeait avec lui vers la rivière. Ces derniers temps, son attitude avait changé : il était moins distant, mais semblait très triste.

Sur un coup de tête, Ayla décida d'aller faire un tour au centre du campement. Le Camp du Loup avait indiqué que, comme il accueillait la Réunion d'Eté de cette année, il ne pouvait pas prendre parti pour les uns ou pour les autres. Mais Ayla savait qu'ils soutenaient la position du Camp du Lion. Elle ne voulait pas avoir l'air de se cacher. Elle n'était pas un monstre, une abomination, les gens du Clan étaient des êtres humains, Rydag et Durc, aussi. Elle tenait à faire quelque chose, à ce qu'on la voie. Elle pouvait très bien rendre visite au Foyer du Mammouth, retourner à la Hutte des Musiciens ou aller discuter avec Latie.

Elle s'engagea résolument vers le centre du campement, saluant de la tête ceux qui lui disaient bonjour et ignorant les autres, jusqu'à ce qu'elle aperçoive Deegie qui sortait de la Hutte des Musiciens.

— Ayla ! Justement, je comptais aller te chercher ! On t'attend quelque part ?

— Non, répondit-elle. J'ai simplement voulu m'éloigner un peu du Camp de la Massette.

— Tu as très bien fait ! Je vais rendre visite à Tricie et voir son bébé. J'ai déjà essayé à plusieurs reprises de la voir, mais à chaque fois, elle était sortie. Kylie m'a dit que cet après-midi elle était au Camp du Loup. Tu m'accompagnes ?

— Oui, répondit Ayla.

Elles se dirigèrent toutes les deux vers la hutte de la Femme Qui Ordonne.

— Nous sommes venues te rendre visite, Tricie, et voir ton bébé, annonça Deegie à l'entrée.

— Entrez, leur proposa Tricie. Je viens juste de le coucher, mais il ne doit pas encore dormir.

Alors que Deegie prenait le bébé dans ses bras pour lui parler et lui faire risette, Ayla s'était tenue un peu en retrait.

— Tu ne veux pas le voir, Ayla ? demanda Tricie en la défiant du regard.

— Bien sûr que je veux le voir, répondit-elle.

Elle prit le bébé et l'observa un long moment. Sa peau était si blanche qu'elle semblait presque translucide et ses yeux d'un bleu si pâle qu'on aurait presque dit qu'ils n'avaient pas de couleur. Ses cheveux rouge orangé étaient bouclés, comme ceux de Ranec, et, de visage, il lui ressemblait tellement qu'Ayla se dit que ce petit Ralev ne pouvait être que le bébé de Ranec. Ranec avait mis cet enfant en train, aussi sûrement que Broud avait fait pousser Durc dans son propre ventre. Elle ne put s'empêcher de se demander si, quand ils seraient unis, Ranec et elle, elle aurait un bébé comme celui-là.

Elle parla au bébé qu'elle tenait dans ses bras. Il leva la tête vers elle, intéressé, presque fasciné, lui sourit et se mit à rire de plaisir.

— Tu ne trouves pas qu'il est beau, Ayla ? dit Deegie.

— Il est beau, n'est-ce pas ? demanda Tricie à son tour, sur un ton coupant.

— Non, il n'est pas beau, répondit Ayla, au grand étonnement de Deegie. Personne ne dirait une chose pareille. Mais j'ai rarement vu un bébé aussi adorable. Aucune femme ne pourra lui résister. Il n'a pas besoin d'être beau. Il a vraiment quelque chose de spécial. Tu as bien de la chance, Tricie.

— C'est ce que je pense aussi, répondit celle-ci, soudain radoucie. C'est vrai qu'il n'est pas beau. Mais c'est un bébé extraordinaire.

Soudain, elles entendirent courir et crier dehors, elles se précipitèrent.

— Grande Mère ! se lamentait une femme. Ma fille ! Il faut que quelqu'un aille à son secours !

— Que se passe-t-il ? demanda Deegie. Où est ta fille ?

— Un lion l'a prise ! répondit la femme. Là, plus bas, dans le pré ! Faites quelque chose !

— Un lion ? demanda Ayla. Non, c'est impossible !

Quelques hommes armés s'étaient déjà mis en route et elle courut à leur suite.

— Ayla ! Où vas-tu ? lui cria Deegie en essayant de la rattraper.

— Je vais chercher la fillette, lui répondit-elle sans se retourner.

Massée en haut du sentier, la foule était en train d'observer les hommes qui descendaient en hâte vers la rivière, une sagaie à la main.

Bien en vue au milieu de la plaine verdoyante située de l'autre côté du cours d'eau, un énorme lion des cavernes, à l'abondante crinière rousse, était en train de tracer de larges cercles autour d'une fillette qui était trop terrorisée pour bouger. Ayla examina le lion pour être certaine de ne pas se tromper, puis elle se précipita vers le Camp du Lion. En la voyant, Loup bondit vers elle.

— Rydag ! appela-t-elle. Viens garder Loup ! Il faut que j'aille chercher cette fille.

Dès que Rydag fut sorti de la tente, elle ordonna à Loup : « Reste là ! », puis elle le confia à la garde de Rydag et alla chercher Whinney. Elle enfourcha la jument et descendit le sentier. Quand elle rejoignit la rivière, les hommes armés de sagaies étaient en train de traverser. Elle les contourna, et dès qu'elle se retrouva sur l'autre rive, lança Whinney au galop pour rejoindre le lion et la fillette.

Ceux qui se trouvaient en haut du sentier l'observaient, très étonnés.

— Que croit-elle pouvoir faire ? demanda quelqu'un d'une voix coléreuse. Elle n'a même pas de sagaie. La petite n'a pas l'air blessée. Mais foncer sur ce lion avec un cheval risque de l'exciter. S'il tue cette fillette, ce sera de sa faute.

Jondalar avait entendu cette réflexion, comme la plupart des membres du Camp du Lion qui se tournaient maintenant vers lui d'un air interrogateur. Il préféra ne pas leur faire part de ses doutes et se contenta de regarder Ayla. Il n'était sûr de rien, mais elle, elle devait savoir ce qu'il en était. Sinon, jamais elle n'aurait emmené Whinney.

Quand Ayla et Whinney arrivèrent à sa hauteur, le lion s'immobilisa en face d'elles. Il portait une cicatrice sur le nez, une cicatrice qu'Ayla reconnut aussitôt.

— C'est Bébé, Whinney ! cria-t-elle en se laissant glisser sur le sol.

Elle se précipita vers le lion sans penser un seul instant qu'il risquait de ne pas se rappeler d'elle. C'était son Bébé. Elle était sa mère. Elle l'avait recueilli quand il n'était qu'un jeune lionceau, l'avait élevé et avait chassé avec lui.

Le lion n'avait pas oublié cette femme qui n'avait jamais eu peur de lui. Il s'avança vers elle sous le regard horrifié de la fillette. L'instant d'après, Ayla se retrouvait plaquée sur le sol, serrant dans ses bras son cou épais, tandis qu'il drapait autour d'elle ses pattes antérieures pour l'étreindre.

— Oh, Bébé, tu es revenu ! Comment as-tu fait pour me retrouver ? demanda-t-elle en essuyant les larmes de joie qui coulaient sur ses joues contre la crinière du lion.

Elle finit par s'asseoir et sentit que le lion lui léchait le visage avec sa langue rapeuse.

— Arrête ! dit-elle en souriant. Si tu continues à me lécher la figure, il ne va plus rien me rester.

Elle le gratta aux endroits qu'il aimait et il se mit à grogner de plaisir, puis il se coucha sur le dos, lui offrant ainsi son ventre. La fillette les regardait en écarquillant les yeux. Elle était très grande pour son âge et avait de longs cheveux blonds.

— Il me cherchait, lui expliqua Ayla. Je pense qu'il t'a prise pour moi. Tu peux t'en aller maintenant. Marche, mais ne cours pas !

Ayla continua à caresser Bébé tandis que la fillette rejoignait un homme qui l'attendait et se jetait dans ses bras. L'homme poussa un soupir de soulagement et l'emmena en direction du sentier. Les autres reculèrent un peu, mais leurs sagaies étaient toujours pointées en direction du lion. Jondalar se trouvait parmi eux, son propulseur de sagaie prêt à entrer en action. Debout à côté de lui, il y avait un homme plus petit, à la peau noire. Talut était là, lui aussi, ainsi que Tulie.

— Il faut que tu t'en ailles, Bébé. Je ne veux pas qu'on te fasse de mal. Même si tu es le lion le plus énorme de la terre, une sagaie peut t'arrêter.

Pour s'adresser à lui, Ayla avait utilisé un langage bien particulier, composé de signes et de mots du Clan, ainsi que de sons d'animaux. Bébé avait l'habitude de ces sons et il connaissait parfaitement le sens de ces signes. Il roula sur le côté et se remit debout. Ayla l'attrapa par le cou et soudain, elle ne put y résister. Elle grimpa sur son dos et s'accrocha fermement à sa crinière. Ce n'était pas la première fois qu'elle faisait cela et elle savait comment Bébé allait réagir.

Le lion banda ses muscles, il bondit en avant, et l'instant d'après il filait à toute vitesse, aussi vite que s'il pourchassait une proie. Bien qu'Ayla ait déjà chevauché le lion, elle n'avait jamais réussi à diriger sa course. Il allait où il voulait, l'autorisant simplement à s'y rendre avec lui. Cette chevauchée sauvage était toujours très exaltante et elle aimait cela. Accrochée à sa crinière, le visage fouetté par le vent, elle respirait avec délice son odeur forte d'animal des grands espaces.

Elle sentit qu'il ralentissait — les pointes de vitesse d'un lion ne duraient jamais longtemps, contrairement au loup, il n'avait pas d'endurance. Puis il fit demi-tour et revint vers Whinney qui les attendait en broutant tranquillement. Elle hennit à leur approche et remua la tête. Aussi forte et inquiétante soit l'odeur du lion, elle n'en avait pas peur car elle avait aidé Ayla à l'élever et elle le considérait un peu comme son propre petit. Bien que Bébé soit plus grand qu'elle, plus long et plus lourd, elle savait qu'avec lui, elle ne risquait rien, surtout lorsqu'Ayla était là.

Lorsque le lion s'immobilisa, Ayla se laissa glisser sur le sol. Elle le serra une dernière fois contre elle, puis elle leva le bras et le lança en avant, comme si elle lançait un caillou avec sa fronde, pour lui indiquer que le moment était venu de partir. Tandis que Bébé s'éloignait en balançant la queue, des larmes inondèrent son visage. Quand il grogna, un grognement qu'elle aurait reconnu n'importe où, elle lui répondit par un sanglot. A travers ses larmes, elle vit l'énorme félin disparaître dans les hautes herbes. Elle savait que jamais plus elle ne monterait sur son dos, qu'elle ne reverrait jamais plus ce fils sauvage et invraisemblable.

Soudain, les grognements s'interrompirent et l'énorme lion des cavernes poussa un formidable rugissement qui s'entendit à des kilomètres alentour. Son adieu fit même trembler la terre.

Ayla fit signe à Whinney et elle regagna le campement à pied. Elle ne voulait pas remonter tout de suite sur Whinney, elle désirait conserver le plus longtemps possible le souvenir de sa dernière chevauchée sur le dos du lion.

Quand Jondalar réussit à détacher ses yeux de la scène qui venait d'avoir lieu, il regarda ceux qui se trouvaient autour de lui. Pour avoir déjà éprouvé le même genre de sentiment, il savait ce qu'ils étaient en train de penser. Des chevaux et même un loup, passe encore, mais un lion des cavernes ! Puis soudain, il eut un grand sourire, un sourire de fierté et de soulagement. Qui oserait maintenant mettre en doute ce qu'il racontait ?

Les hommes s'engagèrent sur le sentier à la suite d'Ayla. Ils se sentaient un peu ridicules avec leurs sagaies qui n'avaient servi à rien. La foule, massée en haut du sentier, recula pour laisser passer la femme et la jument. Complètement abasourdis, les Mamutoï la regardèrent se diriger vers l'abri de Whinney avec un respect mêlé de crainte. Même ceux du Camp du Lion qui étaient pourtant au courant, grâce à Jondalar, avaient du mal à en croire leurs yeux.

35

On l'avait prévenue qu'il faisait parfois très froid la nuit, et Ayla avait soigneusement choisi des vêtements chauds pour la chasse. Ils allaient approcher le gigantesque mur de glace qui bordait le glacier. A sa grande surprise, Wymez lui avait apporté plusieurs pointes de sagaie particulièrement réussies, et il lui avait montré les avantages de celles qu'il avait spécialement conçues pour chasser le mammouth. C'était là un cadeau inattendu qui, ajouté à l'étrange comportement des Mamutoï et aux louanges excessives dont elle avait fait l'objet, commençait à causer quelque embarras à Ayla. Mais le sourire chaleureux de Wymez la mit à l'aise. Il lui expliqua qu'il avait prévu ce cadeau depuis qu'elle s'était promise au fils de son foyer. Elle demandait à Wymez d'emmancher les pointes à des hampes adaptées au propulseur quand Mamut entra sous la tente.

— Les mamuti aimeraient te parler, Ayla, déclara-t-il. Ils veulent que tu les aides à invoquer l'Esprit du Mammouth pour qu'il nous assure une bonne chasse. Ils croient que si c'est toi qui lui demandes, il nous accordera davantage de mammouths.

— Mais, Mamut, je t'ai déjà dit que je n'avais aucun pouvoir particulier, protesta Ayla. Non, je ne veux pas parler aux mamuti.

— Je sais, Ayla. Je leur ai pourtant affirmé que si tu possédais le don d'invoquer les esprits, tu n'avais pas d'expérience véritable. Mais ils ont insisté. Tu comprends, ils ont vu le lion te porter sur son dos, et ils t'ont entendue lui ordonner de partir. Alors, ils sont convaincus que tu pourrais influencer l'Esprit du Mammouth, même si on ne t'a pas appris à développer ton don.

— Mais c'était Bébé, Mamut ! C'est moi qui l'ai élevé. Jamais je ne pourrais faire la même chose avec un autre lion !

— Pourquoi parles-tu de ce lion comme si tu étais sa mère ? demanda une voix qui provenait de l'entrée.

C'était Lomie, qui s'avança sur un geste de Mamut.

— Serais-tu vraiment sa mère ? reprit-il.

— D'une certaine manière, oui. C'était un bébé quand je l'ai recueilli. Il avait reçu un coup de sabot sur la tête, alors, je l'ai soigné, je l'ai élevé et je l'ai appelé Bébé. Le nom lui est resté même s'il a grandi depuis. Il faut me croire, Lomie, je ne sais pas commander aux animaux.

— Alors comment expliques-tu que ce lion soit arrivé à ce moment crucial, comme par miracle ? demanda Lomie.

— Il n'y avait rien de miraculeux, c'était un hasard. J'imagine qu'il avait senti mon odeur, ou celle de Whinney, et qu'il s'est mis à ma recherche. Lorsqu'il était parti avec la lionne qu'il s'était choisie, il revenait me voir de temps en temps. Demande à Jondalar.

— S'il n'est pas sous ton pouvoir, pourquoi n'a-t-il pas blessé la fillette ? Elle n'avait pourtant aucune relation maternelle avec lui. Elle a raconté qu'il l'avait renversée et elle croyait qu'il allait la dévorer. Mais il s'est contenté de lui lécher la figure.

— Je pense qu'il l'a épargnée parce qu'elle me ressemble un peu. C'est avec moi qu'il a grandi, pas parmi les lions, et il considère les humains comme sa famille. D'ailleurs, quand il ne m'avait pas vue depuis longtemps, il sautait sur moi et, si je ne le retenais pas, il me renversait, c'était sa manière de jouer. Ensuite, il voulait que je le câline, que je le gratte.

Pendant qu'Ayla parlait, la tente s'était remplie de mamuti. Dissimulant un sourire malicieux, Wymez fit quelques pas à l'écart. Ayla n'était pas venue à eux, ils étaient donc venus à elle. Il se crispa quand il vit Vincavec s'approcher d'Ayla. Ranec serait malheureux si elle décidait de s'unir à Vincavec. La demande d'Union de l'Homme Qui Ordonne avait foudroyé Ranec. Wymez ne l'avait jamais vu dans cet état. Et il dut s'avouer qu'il était lui-même bouleversé.

Vincavec observait Ayla pendant qu'elle répondait aux questions. Il se laissait rarement prendre au dépourvu. Après tout, il était chef et mamut, familier des intrigues du monde matériel comme des déguisements des pouvoirs surnaturels. Mais comme les autres mamuti, il avait été élu par le Foyer du Mammouth à cause de sa passion pour l'exploration des domaines inconnus, sa soif de découvrir les raisons profondes qui régissent toutes choses au-delà des apparences, et les mystères auxquels il ne trouvait pas d'explication le troublaient, la manifestation évidente d'un pouvoir surnaturel l'inquiétait.

Depuis leur première rencontre, Ayla l'intriguait. Il émanait d'elle un mystère, une force tranquille qui le fascinaient. On aurait dit que son courage s'était fortifié des épreuves qui avaient jalonné sa vie.

Vincavec en avait conclu que la Mère la protégeait, et qu'Ayla surmonterait toujours l'adversité. Il n'avait aucune idée des méthodes qu'elle employait, et les résultats qu'elle obtenait le surprenaient au plus haut point. Il savait que personne n'oserait affronter Ayla, ni ceux qui l'avaient recueillie. Personne n'oserait lui reprocher son éducation, ou médire sur le fils qu'elle avait mis au monde. Elle possédait de trop grands pouvoirs. Qu'elle les utilisât dans des buts bénéfiques ou maléfiques était accessoire. Ce n'étaient que les deux faces d'une même substance, comme l'été et l'hiver, le jour et la nuit. Mais personne ne voudrait encourir les foudres de sa colère. Puisqu'elle pouvait commander un lion des cavernes, où s'arrêtaient ses pouvoirs ?

Mamut, Vincavec et les autres mamuti avaient été élevés dans le même milieu, ils avaient baigné dans la même culture, partageaient les mêmes croyances profondément ancrées et qui gouvernaient leurs mœurs et leur philosophie de la vie.

Ayant peu d'emprise sur les événements, leur vie avait été tracée une fois pour toutes. La maladie frappait au hasard. Certes, les soins la combattaient, mais certains mouraient tout de même et d'autres non. Les accidents étaient tout aussi imprévisibles, et lorsqu'une personne isolée en était victime, l'issue était souvent fatale. Les climats impitoyables et les brusques changements météorologiques dus à la proximité des glaciers gigantesques provoquaient inondations ou sécheresse qui modifiaient considérablement l'environnement naturel dont ils dépendaient. Un été trop froid ou trop pluvieux retardait la croissance des plantes, diminuait la population animale et modifiait les migrations. Les chasseurs de mammouths en souffraient parfois cruellement.

L'organisation de leur univers métaphysique s'inspirait du monde visible, et leur procurait les réponses à des questions insolubles autrement, et qui, à défaut d'explications acceptables, auraient alimenté des angoisses insurmontables. Mais malgré son utilité, toute structure est limitative. Dans leur univers, les animaux erraient en liberté, les plantes poussaient d'elles-mêmes, cela avait toujours été et ils n'imaginaient pas de changement possible. Certes, ils savaient où trouver telle ou telle plante et connaissaient les habitudes des animaux, mais ils n'imaginaient pas qu'on pût influer sur la faune ou la flore. L'idée que les plantes, les animaux et les humains puissent posséder des capacités de mutation et d'adaptation ne les effleurait pas. Par conséquent, ils ignoraient que ces capacités étaient leur unique chance de survie.

Ils ne concevaient pas que le pouvoir d'Ayla sur les animaux qu'elle avait élevés fût naturel. Personne n'avait jamais essayé d'en apprivoiser ou d'en domestiquer.

Conscients de la soif de leur peuple d'explications susceptibles d'apaiser l'inévitable angoisse due à cette surprenante innovation, les mamuti avaient interrogé leur système de croyances afin d'y trouver une réponse rassurante. Ayla n'avait pas simplement apprivoisé des animaux, bien au contraire. Elle avait prouvé l'existence d'un pouvoir surnaturel dont personne n'avait soupçonné l'existence. Son pouvoir sur les animaux ne tolérait qu'une seule explication : elle communiquait avec l'Esprit originel, donc avec la Mère Elle-même.

Vincavec, Mamut, ainsi que les autres mamuti, étaient intimement convaincus qu'Ayla était davantage qu'une mamut, Une Qui Sert La Mère. Une présence surnaturelle l'habitait, à moins qu'elle ne fût l'incarnation même de la Mère. C'était d'autant plus plausible qu'elle ne faisait pas étalage de ses pouvoirs. Vincavec était arrivé à la conclusion qu'Ayla était vouée à un grand destin, et il souhaitait ardemment y être mêlé. Elle était l'Elue de la Grande Terre Mère.

— Toutes ces explications sont méritoires, assura Lomie avec conviction après avoir écouté les protestations d'Ayla, mais acceptes-tu de participer à la Cérémonie d'Invocation, bien que tu prétendes n'avoir aucun don particulier pour communiquer avec les Esprits ? Nombre d'entre nous sont convaincus que tu favoriseras la chasse si tu acceptes d'invoquer l'Esprit du Mammouth avec nous. En quoi nous porter chance pourrait-il te nuire ? Les Mamutoï seraient si heureux !

Ayla était obligée d'accepter, mais l'adulation dont elle faisait l'objet lui déplaisait. Elle n'aimait plus se promener dans le campement, et elle attendait avec impatience le départ de la chasse prévu pour le lendemain. A l'excitation de sa première chasse au mammouth s'ajoutait le soulagement d'échapper un moment à tant d'adoration.

Lorsqu'Ayla se réveilla, la lumière du jour commençait à filtrer par l'ouverture triangulaire de la tente. Elle se leva sans tarder en prenant garde de ne pas déranger Ranec, ni les autres, et se faufila dehors. La froide humidité de l'aube imprégnait l'air, mais elle constata avec satisfaction que les essaims d'insectes avaient disparu. Le soir précédent, ils pullulaient.

Elle s'avança jusqu'au sombre bassin d'eau stagnante, chargé de vase et de pollen, terrain idéal pour les nuées de moucherons, cousins, mouches noires, et surtout pour les nuages de moustiques qui s'élevaient comme des volutes bourdonnantes de fumée noire. Les insectes avaient pénétré sous les vêtements, laissant sur la peau des traînées de cloques rougeâtres, ils s'étaient agglutinés autour des yeux, et introduits dans la bouche des chasseurs et des chevaux.

Les cinquante hommes et femmes choisis pour participer à la première chasse de la saison avaient donc atteint les pénibles mais inévitables marais. Sous la surface amollie par les fontes du printemps et de l'été, la terre gelée en permanence empêchait l'eau de s'infiltrer. Là où la fonte accumulée était trop importante pour s'évaporer entièrement, les eaux dormantes stagnaient. A la saison chaude, on ne pouvait parcourir de grandes distances sans rencontrer des sols spongieux, de grands lacs ou de petits bassins d'eau de fonte, bourbiers marécageux où se reflétait le ciel chargé de nuages.

Ils étaient arrivés trop tard pour traverser les marais ou les contourner. On avait dressé le camp à la hâte et allumé des feux chargés s'éloigner les hordes volantes. La première nuit, ceux qui n'avaient pas encore vu Ayla utiliser sa pierre à feu avaient poussé les exclamations de surprise et de crainte habituelles, mais maintenant tous y étaient habitués et avaient décidé tacitement qu'elle serait responsable de l'entretien du feu. Des peaux de bêtes cousues ensemble pour faire une seule grande tente leur servaient d'abri dont la forme dépendait des matériaux utilisés pour la charpente. S'ils trouvaient un crâne de mammouth avec ses défenses intactes, ils l'utilisaient pour maintenir le toit, sinon, un saule nain, souple mais robuste, faisait l'affaire. Si on ne trouvait pas d'autres supports, on avait parfois recours aux sagaies. Cette fois-ci, ceux qui partageaient la tente avec les chasseurs du Camp du Lion avaient disposé la peau de bête sur un poteau de faîtage incliné, dont une extrémité s'enfonçait dans le sol pendant que l'autre était calée dans la fourche d'un arbre.

Une fois le camp installé, Ayla avait exploré les marais alentour et découvert avec plaisir une petite plante aux feuilles vert foncé en forme de main. En creusant avec soin, elle avait dégagé le réseau de racines et de rhizomes, en avait ramassé quelques-unes pour les faire bouillir afin d'obtenir une lotion calmante pour les yeux et la gorge des chevaux, et dont l'odeur chassait les insectes. En la voyant badigeonner ses piqûres de moustiques avec la lotion, des Mamutoï lui en avaient demandé, et elle avait fini par soigner les piqûres de tous les chasseurs. Avec la racine pilée et de la graisse, elle avait fabriqué une pommade qu'elle comptait utiliser le lendemain. Ensuite, elle avait trouvé un massif de pulicaires et en avait arraché quelques-unes qu'elle avait jetées dans le feu. La fumée, ajoutée à l'insectifuge que constituait la combustion de pulicaires, garantirait près du foyer un espace protégé.

Mais dans la fraîcheur humide du matin, les insectes calamiteux restaient inactifs. Ayla se frictionna pour se réchauffer, dédaignant l'abri de peaux et sa tiédeur bienfaisante. L'œil rivé sur l'eau noirâtre, elle s'aperçut à peine que la luminosité gagnait le reste de la voûte céleste, dévoilant les reliefs de la végétation enchevêtrée. Elle sentit une fourrure chaude qu'on posait sur ses épaules. Elle s'en enveloppa et des bras l'enlacèrent par-derrière.

— Tu as froid, Ayla. Tu es restée dehors longtemps, dit Ranec.

— Je n'arrivais pas à dormir.

— Qu'est-ce qui ne va pas ?

— Je ne sais pas. J'ai un mauvais pressentiment, mais je ne peux pas l'expliquer.

— Je te sens mal à l'aise depuis la Cérémonie de l'Invocation, Ayla. Est-ce que je me trompe ? demanda Ranec.

— Je n'y avais pas pensé, mais tu as peut-être raison.

— Pourtant, tu n'y as pas participé. Tu t'es contentée d'y assister.

— Je ne voulais pas participer, mais je ne sais plus. Il s'est peut-être passé quelque chose, dit Ayla.

Après s'être restaurés, les chasseurs plièrent le camp et se remirent en route. Ils tentèrent d'abord de contourner les marais, mais cela exigeait un long détour et ils y renoncèrent. Talut et certains maîtres de chasse sondèrent des yeux l'épais fourré marécageux enveloppé dans un brouillard froid et débattirent avec d'autres chefs du chemin à suivre. Ils optèrent finalement pour le passage qui semblait le plus praticable.

Le sol détrempé céda la place à une boue tremblotante. De nombreux chasseurs ôtèrent leurs bottes et avancèrent nu-pieds dans l'eau vaseuse. Ayla et Jondalar conduisaient les chevaux inquiets avec de multiples précautions. Des lianes et les longues barbes des lichens gris-vert pendaient des bouleaux rabougris, des saules et des aulnes nains, si serrés qu'on aurait dit une jungle arctique. Il fallait faire attention où l'on mettait les pieds. En l'absence de sol ferme, les arbres étaient mal enracinés et poussaient en formant des angles les plus inattendus, rampaient même, parfois. Les chasseurs éprouvaient les pires difficultés à se frayer un chemin parmi les troncs morts, les broussailles, les arbustes entremêlés, les racines cachées sous l'eau et les branches qui piégeaient les pas sans méfiance.

La progression était lente, épuisante. En milieu de matinée, ils firent une halte pour se reposer. Tout le monde était en sueur. Reprenant sa route, Talut accrocha une branche particulièrement tenace d'un aulne et dans une explosion de colère rare, il attaqua furieusement l'arbre à la hache. Le liquide rouge suintant de l'entaille de l'arbre blessé apparut à Ayla comme un signe de mauvais augure.

Enfin, ils retrouvèrent le sol ferme sous leurs pieds. De grandes fougères, des herbes à hauteur d'homme poussaient sur la riche clairière à la lisière du marais.

Ils obliquèrent vers l'est pour éviter les terres humides, remontèrent les flancs de la dépression où stagnaient les marais et arrivèrent en vue du confluent d'une grande rivière et de son affluent.

Talut, Vincavec et les autres chefs des Camps s'arrêtèrent pour consulter leurs cartes gravées dans l'ivoire et firent encore quelques marques sur le sol.

A proximité de la rivière, ils traversèrent une forêt de bouleaux. Pas ces bouleaux robustes et élancés des forêts tempérées, mais des arbres rabougris par les conditions climatiques rigoureuses. Comme taillé, modelé en toutes sortes de formes étonnantes, chaque arbre avait une grâce particulière, fragile, mais les branches frêles, pendantes, étaient trompeuses — Ayla essaya d'en briser une, elle était dure comme un tendon — et sous le vent elles fouettaient la végétation environnante.

— On les appelle les « vieilles mères ». — Ayla se retourna et vit Vincavec. — C'est bien trouvé. Cela rappelle qu'on ne doit jamais sous-estimer la force d'une vieille femme. Ceci est un bosquet sacré et les bouleaux protègent les somuti, poursuivit Vincavec, le doigt pointé vers le sol.

Les petites feuilles vertes et tremblantes des bouleaux laissaient passer des taches de soleil qui dansaient légèrement sur le tapis de feuilles épais.

Ayla remarqua, pointant sous la mousse au pied de certains arbres, de gros champignons rouges mouchetés de blanc.

— Ce sont ces champignons que vous appelez les somuti ? demanda-t-elle. Ils sont vénéneux. On peut mourir si on en mange.

— Oui, bien sûr, à moins de connaître les secrets de préparation. Mais seuls ceux qui ont été élus peuvent impunément explorer le monde des somuti.

— Ont-ils des vertus curatives ? Je n'en connais aucune.

— Je ne peux te répondre, je ne suis pas un Homme Qui Guérit. Tu devrais interroger Lomie.

Soudain, avant qu'Ayla pût esquisser un geste, il avait pris ses deux mains dans les siennes et la dévisageait. Ayla eut l'impression qu'il la fouillait des yeux.

— Pourquoi m'as-tu combattu à la Cérémonie de l'Invocation, Ayla ? J'avais préparé la voie pour une compréhension mutuelle, mais tu m'as résisté.

Ayla était déchirée, en proie à un étrange conflit intérieur. La voie chaleureuse de Vincavec était irrésistible, et l'envie lui prit de se perdre dans la profondeur de ses yeux noirs, de flotter sur les étangs aux fraîches eaux noires, de s'abandonner à ses désirs. Mais un besoin impérieux de rompre le charme, de se soustraire à son influence et de sauvegarder son identité, l'emporta. Au prix d'un effort douloureux, elle détourna les yeux, et surprit Ranec qui les observait à la dérobée. Il s'éclipsa vivement.

— Tu avais peut-être préparé la voie, mais je n'étais pas prête, dit Ayla en évitant le regard de Vincavec.

Il éclata de rire. Elle croisa alors son regard et s'aperçut que ses yeux qu'elle avait crus noirs étaient en réalité gris.

— Bravo, Ayla ! Tu es forte. Je n'ai encore rencontré personne de ta valeur. Tu es digne du Foyer du Mammouth, digne du Camp du Mammouth. Accepte de partager mon foyer, déclara-t-il en jetant toute sa persuasion et sa séduction dans sa proposition.

— Je me suis promise à Ranec, objecta Ayla.

— Mais cela n'empêche rien, Ayla. Si tu le souhaites, tu peux l'amener avec toi. Je ne serai pas fâché de partager le Foyer du Mammouth avec un sculpteur aussi talentueux. Prends-nous tous les deux ! Ou c'est moi qui vous prendrais, s'esclaffa-t-il. Ce ne serait pas la première fois. L'homme ne manque pas de charme non plus !

— Je... je ne sais pas, bredouilla Ayla qui dressa l'oreille en entendant un martèlement étouffé de sabots.

— Ayla, intervint Jondalar. Je descends à la rivière avec Rapide lui brosser les jambes pour le débarrasser des plaques de boue séchée. Veux-tu que j'emmène aussi Whinney ?

— Je m'occupe d'elle ! déclara Ayla, sautant sur le prétexte pour fuir Vincavec qu'elle trouvait fascinant, un peu trop effrayant pour son goût.

— Tu trouveras Whinney là-bas, près de Ranec, dit Jondalar avant de se diriger vers la rivière.

Perplexe, Vincavec regarda le géant blond s'en aller. Quel rôle jouait-il ? se demanda l'Homme Qui Ordonne. Ayla et lui sont arrivés ensemble, et il comprend les animaux aussi bien qu'elle, ou presque. Mais on ne dirait pas qu'ils sont amants, et ce n'est pas parce qu'il a peur des femmes. Avarie m'a avoué qu'elles raffolaient toutes du Zelandonii. Elle m'a aussi assuré qu'il ne couche jamais avec Ayla et qu'il ne la touche même pas. On prétend qu'il a refusé de participer aux Rites de la Femme sous prétexte que ses sentiments sont trop fraternels. Considère-t-il Ayla comme sa sœur ? Est-ce pour cela qu'il a interrompu notre discussion, et qu'il a adroitement incité Ayla à rejoindre Ranec ? L'air soucieux, Vincavec se plongea dans ses réflexions. Puis, il arracha quelques gros champignons et les suspendit avec une cordelette aux branches d'une vieille mère afin de les faire sécher. Il les récupérerait au retour.

Ils traversèrent l'affluent et atteignirent une région plus sèche où aucun arbre ne poussait dans les marais épars. Les piaillements des oiseaux d'eau les prévinrent de la proximité de l'immense lac de fonte. Ils installèrent le camp non loin du lac et certains chasseurs s'y rendirent pour rapporter à manger. On ne trouvait pas de poisson dans les étendues d'eau provisoires, à moins qu'elles ne fussent irriguées par des rivières ou des torrents permanents. Mais parmi les racines des hauts phragmites, des joncs, des carex et des queues-de-renard, grouillaient les têtards des grenouilles vertes et des crapauds sonneurs.

Répondant à un mystérieux signal saisonnier, une impressionnante masse d'oiseaux, aquatiques principalement, était venue du nord se joindre aux lagopèdes, aux aigles royaux, et aux harfangs des neiges. Le dégel du printemps qui réveillait la croissance de la végétation, et faisait revivre les marais où prospéraient les roseaux, invitait des nombres incalculables d'oiseaux migrateurs à s'attarder le temps de bâtir leurs nids et de se reproduire. De nombreux oiseaux se nourrissaient des larves des batraciens, ainsi que de quelques adultes, mais aussi de tritons, de serpents, de graines, de bulbes et des inévitables insectes, ou parfois de petits mammifères.

— Loup se régalerait ici, dit Ayla à Brecie en observant un couple d'oiseaux qui décrivaient des cercles dans le ciel. (Sa fronde était prête au cas où les oiseaux daigneraient s'approcher suffisamment du rivage. Elle refusait de se mouiller pour aller chercher le gibier que ses pierres atteindraient.) Je lui ai appris à rapporter les proies, et il fait beaucoup de progrès.

Brecie avait promis à Ayla de lui montrer son Bâton Qui Revient et elle était curieuse de voir l'adresse tant vantée d'Ayla à la fronde. Chacune avait été très impressionnée par les talents de l'autre. L'arme de Brecie était taillée dans un fémur coupé en diagonale, débarrassé de son épiphyse, et affûté pour obtenir un côté tranchant. Il décrivait un vol circulaire et si on visait une compagnie d'oiseaux, il pouvait en tuer plusieurs d'un même jet. Ayla trouvait le Bâton Qui Revient supérieur pour chasser les oiseaux, mais sa fronde avait davantage d'usages. Elle pouvait, par exemple, tuer aussi des mammifères.

— Puisque tu as emmené les chevaux, pourquoi avoir laissé le loup au camp ? demanda Brecie.

— Loup est encore jeune, dit Ayla. Je ne suis pas sûre de son comportement en face des mammouths et je ne voulais pas risquer de le voir gâcher la chasse. Les chevaux, c'est différent. Ils nous aideront à rapporter la viande. Et puis, Rydag se sentira moins seul avec Loup. Ils me manquent tous les deux.

Brecie aurait bien voulu demander à Ayla s'il était vrai qu'elle avait mis au monde un fils affublé des mêmes tares physiques que Rydag, mais elle préféra s'en abstenir. C'était une question trop délicate.

Les jours suivants, ils poursuivirent vers le nord et le paysage changea. Les marais avaient disparu, et avec eux le tintamarre des oiseaux. Le sifflement du vent traversait les vastes plaines où aucun arbre ne poussait, brisant le silence de gémissements inquiétants et sinistres. Le ciel se couvrit de nuages gris qui empêchaient le soleil de percer et cachaient les étoiles, mais il pleuvait rarement. Au contraire, l'air devint plus sec et plus froid, et le vent coupant desséchait jusqu'à la buée exhalée par l'haleine. Parfois, en fin d'après-midi, dans la monotonie grisâtre des nuages, une brèche s'ouvrait laissant filtrer l'éclat resplendissant d'un coucher de soleil avivé par la réflexion sur les cieux saturés d'humidité. Sidérés par la beauté du spectacle, les voyageurs restaient sans voix.

C'était une terre aux vastes horizons. Les collines moutonnantes se succédaient sans pics rocheux pour en briser la perspective, ni la verdure des roseaux pour rehausser les gris, les bruns et les ors poussiéreux. La plaine semblait s'étendre dans toutes les directions, sauf au nord où un épais brouillard enveloppait l'horizon et effaçait les distances.

La nature du terrain était un mélange de vertes steppes et de toundra gelée. Des touffes d'herbes résistantes au gel et à la sécheresse, les herbacées aux racines profondes, les arbrisseaux nains de sauge et d'armoise mêlés à la bruyère cendrée, les rhododendrons miniatures, et les fleurs de myrtilles dominaient le pourpre délicat de la lande. Des buissons d'airelles, à peine hauts de dix centimètres, promettaient néanmoins une récolte abondante, et des bouleaux rampaient au sol comme des vignes.

Mais les deux types de climat n'étaient guère profitables aux arbrisseaux nains quelque peu clairsemés. Dans la toundra, l'été était trop froid pour la germination des graines. Dans les steppes, les vents hurlants, qui absorbaient l'humidité avant qu'elle ne se déposât, balayaient les plaines et contrariaient la pousse des arbres aussi efficacement que le froid. Soumise à la combinaison des deux, la terre restait à la fois gelée et aride.

Une contrée encore plus morne attendait les chasseurs à mesure qu'ils approchaient des épaisses brumes blanchâtres. Des rochers nus et des éboulis jonchaient le sol. Des lichens s'y cramponnaient, croûtes squameuses jaunâtres, grises, brunes et parfois orange vif, plus près de la pierre que de la plante. Quelques rares herbacées fleuries et des arbrisseaux nains persistaient, alors que l'herbe épaisse et les carex dessinaient de larges tapis verts. Même dans cette contrée sauvage et désolée, battue par des vents glacials et desséchants, la vie continuait.

Des contours se détachèrent bientôt de la brume opaque. Larges plaques de roches entaillées, longues traînées de sable, de pierres et de graviers, rochers tombés de nulle part, comme déposés par une invisible main géante. Le sol caillouteux était lavé par les eaux, menus ruisseaux ou torrents bouillonnant d'une manière anarchique, et plus les chasseurs avançaient, plus l'humidité de l'air était sensible. Des langues de neige sale subsistaient dans les recoins ombragés, et dans une dépression près d'un gros rocher, une couche de neige encerclait un petit bassin où des blocs de glace en suspension enrichissaient l'eau de vives couleurs bleutées.

Dans l'après-midi, le vent changea, et quand les chasseurs installèrent leur campement, une neige sèche s'était mise à tomber. Déroutés, Talut et les autres se réunirent pour analyser la situation. Vincavec avait invoqué plusieurs fois l'Esprit du Mammouth sans succès. Tous avaient espéré voir les mammouths bien plus tôt.

Cette nuit-là, allongée dans ses fourrures, Ayla entendit des bruits mystérieux qui semblaient émaner des entrailles de la terre : grincements, gargouillis, grognements. Elle n'arrivait pas à les identifier et ignorait totalement leur provenance, ce qui la rendait nerveuse et l'empêcha de s'endormir. Vers le matin, la fatigue l'emporta et elle sombra enfin dans le sommeil.

Lorsqu'elle se réveilla, elle devina qu'il était tard. La lumière était anormalement vive et tout le monde avait déserté la tente. Elle ramassa sa pelisse et s'apprêtait à sortir quand elle s'arrêta, bouche bée. Le vent avait nettoyé la brume qui descendait du glacier. Par l'ouverture de la tente, elle apercevait le gigantesque mur de glace qui s'élevait si haut que son sommet se perdait dans les nuages.

Sa taille le faisait croire plus proche qu'il n'était en réalité, mais d'énormes blocs, jadis arrachés à la muraille de glace, formaient des monticules à quelques centaines de mètres à peine. Autour des blocs de glace, plusieurs Mamutoï assemblés lui donnèrent une échelle de la véritable taille de l'immense barrière de glace. Le glacier offrait un spectacle d'une incroyable beauté. Dans la lumière du soleil — Ayla s'aperçut que les nuages ne cachaient plus le soleil — des millions de cristaux scintillaient de toutes les couleurs prismatiques, avec une dominante du même bleu irréel qu'elle avait vu la veille dans le bassin. Les mots manquaient pour décrire ce spectacle. On restait confondu devant tant de splendeur, de grandeur, et de puissance.

Comprenant qu'elle avait raté quelque chose d'important, Ayla acheva de s'habiller à la hâte. Elle se versa une coupe d'un liquide recouvert d'une mince pellicule de glace et qu'elle prit pour de l'infusion. Elle découvrit qu'il s'agissait d'un bouillon de viande, hésita, puis vida la coupe avec plaisir. Elle se servit ensuite une louche de céréales grillées sur une épaisse tranche de rôti froid, et rejoignit le reste des chasseurs à grandes enjambées.

— Ah, tu as fini par te lever ! remarqua Talut en la voyant arriver.

— Pourquoi ne pas m'avoir réveillée ? demanda-t-elle en avalant sa dernière bouchée.

— Il n'est pas sage de réveiller quelqu'un qui dort aussi profondément, sauf en cas d'urgence, rétorqua Talut.

— L'esprit doit prendre son temps pour ses voyages nocturnes, afin de revenir frais et dispos, intervint Vincavec qui s'était approché pour la saluer.

Il esquissa un geste pour lui prendre les mains, mais elle s'esquiva, frotta rapidement ses joues contre les siennes, et s'en fut examiner la glace.

A l'évidence, les énormes blocs avaient dû tomber avec fracas. Ils étaient profondément enfoncés et le sol portait encore les traces de leur chute. On devinait aussi qu'ils étaient là depuis des années. Du sable, moulu sur la roche par le glacier et déposé par les vents, recouvrait la surface d'une couche de poussière grisâtre, striée çà et là de langues de neige compacte. La surface elle-même était grêlée et rendue poreuse par les incessants gels et dégels. Quelques petites plantes tenaces s'étaient enracinées dans la glace.

— Monte, Ayla ! appela Ranec. Fais le tour, tu grimperas plus facilement.

Elle leva les yeux et l'aperçut debout en haut d'un bloc légèrement de guingois. Quelle ne fut pas sa surprise de voir Jondalar à ses côtés !

Ayla s'exécuta et gravit une série de dalles et de blocs. La poudre de roche qui recouvrait la glace rendait la surface moins glissante, et avec quelques précautions on pouvait escalader sans risque. Arrivée au sommet, Ayla se campa face au vent, les yeux fermés. Les rafales la poussaient comme pour tester sa résistance et le glacier proche grondait, craquait et menaçait. Elle leva la tête vers la lumière intense qu'elle voyait même à travers ses paupières closes et sentit sur sa peau la bataille cosmique que se livraient l'astre céleste et le froid glacial de la muraille gigantesque. L'air, lui-même, frissonnait, indécis.

Elle ouvrit les yeux. Le glacier envahissait l'espace. L'énorme, la formidable et majestueuse étendue glacée rejoignait le ciel et couvrait la terre à perte de vue. A côté, les montagnes paraissaient insignifiantes. La vision de l'extraordinaire glacier la remplit d'enthousiasme et lui inspira une crainte révérencielle. Jondalar et Ranec épiaient sa réaction.

— Je l'avais déjà vu, dit Ranec, mais je pourrais le voir autant de fois qu'il y a d'étoiles dans le ciel, je ne m'en lasserais jamais.

Ayla et Jondalar approuvèrent.

— Il faut prendre garde, cela peut être dangereux, ajouta Jondalar.

— Oui, le glacier bouge, précisa Ranec. Parfois il s'étend, d'autres fois il se retire. Ces blocs sont tombés quand il était là. Au début, ils étaient bien plus gros. Ils ont rétréci, comme le glacier. Tiens, il me semble qu'il était plus loin, la dernière fois. Sans doute avance-t-il de nouveau.

Perchée sur son promontoire, Ayla embrassa l'horizon du regard.

— Oh, regardez ! s'exclama-t-elle en pointant un doigt vers le sud-est. Des mammouths ! Un troupeau de mammouths !

— Où cela ? s'écria Ranec en proie à une grande agitation.

La fièvre embrasa les chasseurs. Talut, qui avait sursauté en entendant parler de mammouths, s'était empressé d'escalader le bloc de glace. Il atteignit le sommet en quelques enjambées et, la main en visière, scruta l'horizon dans la direction qu'avait indiquée Ayla.

— Elle a raison ! hurla-t-il, incapable de contenir son émotion. Les voilà ! Voilà les mammouths !

Ce fut une ruée. Tout le monde se bousculait pour voir les énormes bêtes aux défenses gigantesques. Ayla se poussa pour laisser sa place à Brecie.

Un incontestable soulagement accompagnait la fièvre qui s'était emparée des chasseurs. Les mammouths se montraient enfin. Pour des raisons qui resteraient mystérieuses, l'Esprit du Mammouth avait décidé d'autoriser ses créatures temporelles à se présenter devant celles que Mut avait choisies pour les chasser.

L'une des femmes du Camp de Brecie raconta à l'un des chasseurs qu'elle avait vu Ayla en haut des blocs de glace, les yeux clos, offrant son visage aux vents dans une Invocation muette. Et lorsqu'elle avait rouvert les yeux, les mammouths étaient apparus. L'homme prêta l'oreille d'un air entendu.

Ayla se préparait à descendre de la pile de glace quand Talut s'approcha. Elle ne l'avait jamais vu sourire avec une telle ferveur.

— Ayla, tu as fait de cet Homme Qui Ordonne le plus heureux des hommes, déclara le géant à la barbe rousse.

— Mais je n'ai rien fait, protesta Ayla. Je les ai aperçus, c'est tout.

— C'est beaucoup. Quiconque les aurait vus le premier aurait fait de moi un homme heureux. Mais je me réjouis que ce soit toi.

Ayla lui adressa un sourire de gratitude. Décidément, ce géant lui plaisait beaucoup. Elle le considérait comme un oncle, un frère ou un ami, et elle ne doutait pas qu'il éprouvât les mêmes sentiments envers elle.

— Tu étais sur le point de descendre, Ayla, mais que regardais-tu ? reprit Talut.

— Oh, rien. J'examinais la forme de cet amas de glace. Tu vois, là où nous sommes montés il s'incurve, et il repart de l'autre côté.

Talut jeta un bref regard circulaire, puis étudia plus attentivement l'agencement des blocs de glace.

— Ayla ! Tu as encore fait des tiennes ! s'écria-t-il alors.

— Qui ? Moi ?

— Oui, tu as rendu cet Homme Qui Ordonne très, très heureux !

Son rire était contagieux, elle y succomba à son tour.

— Et peut-on savoir ce qui te réjouit, cette fois-ci ? demanda-t-elle.

— Tu as attiré mon attention sur la forme particulière de ces blocs de glace. On dirait presque un cul-de-sac. Presque, mais nous pourrons l'améliorer. Ah, maintenant je sais comment nous chasserons ces mammouths !

Il n'y avait pas de temps à perdre. Les mammouths pouvaient décider de disparaître, le temps pouvait de nouveau changer. Les chasseurs ne devaient pas gaspiller leur chance. Les chefs se concertèrent et dépêchèrent immédiatement des éclaireurs étudier la configuration du terrain et l'importance du troupeau. Pendant ce temps-là, on bâtit un mur de glace pour fermer le canyon afin de former un enclos percé d'une seule entrée. Au retour des éclaireurs, les chasseurs se réunirent afin de mettre au point le meilleur plan pour attirer les mammouths dans le piège.

Talut expliqua comment Ayla, montée sur Whinney, les avait aidés à capturer un bison. On l'écouta avec intérêt, mais tout le monde arriva à la conclusion qu'un cavalier sur son cheval ne pouvait forcer à lui seul les mammouths à se diriger vers le cul-de-sac. Son aide serait utile, mais il fallait employer un moyen plus sûr.

Ce moyen, c'était le feu. A la fin de l'été, les orages embrasaient souvent les champs desséchés, et les mammouths, qui ne craignaient pas grand-chose, avaient du feu une peur salutaire. Toutefois, à cette saison il serait difficile d'enflammer l'herbe. Les chasseurs devraient effrayer les monstres avec des torches.

— Avec quoi fabriquerons-nous les torches ? demanda quelqu'un.

— Avec de l'herbe sèche et des bouses de mammouth liées ensemble, dit Brecie. Une fois trempées dans de la graisse, les torches s'enflammeront en un clin d'œil.

— Nous pourrons utiliser la pierre à feu d'Ayla pour les allumer, ajouta Talut au milieu de l'approbation générale.

— Il faudra allumer les feux à plusieurs endroits et dans un ordre précis, dit Brecie.

— Ayla a donné une pierre à feu à chaque foyer du Camp du Lion, expliqua Talut. Nous en possédons plusieurs. J'en ai une, Ranec aussi. Jondalar a la sienne.

Talut se prit à regretter l'absence de Tulie. Il savait qu'elle aurait apprécié le prestige que la possession des fameuses pierres accordait à son Camp, d'autant qu'elles étaient rares.

— Mais si nous réussissons à les effrayer, comment être sûrs que les mammouths fuiront vers le canyon ? demanda une femme du Camp de Brecie. La région est vaste.

Ils élaborèrent un plan simple et efficace. Avec des blocs de pierre et de glace, ils construisirent deux rangées de cairns qui partaient du canyon en s'élargissant. Avec son énorme hache, Talut brisa sans peine les blocs de glace en morceaux facilement transportables. Derrière chaque cairn, on disposa des torches en cas de besoin. Sur les cinquante chasseurs, certains choisirent de rester à l'abri des cairns pour recevoir le premier assaut. Les autres, les plus rapides — car en dépit de leur masse imposante, les mammouths couraient remarquablement vite sur de courtes distances —, se séparèrent en deux groupes pour encercler les monstres laineux.

Brecie décrivit certains comportements des mammouths, ainsi que leurs points vulnérables, aux plus jeunes qui n'avaient pas encore eu l'occasion de les chasser. Ayla écouta attentivement et les suivit dans le canyon de glace. La Femme Qui Ordonne du Camp du Wapiti dirigerait l'assaut frontal de l'intérieur, et elle tenait à inspecter le piège et à choisir sa place.

En pénétrant dans l'enceinte de glace, Ayla remarqua le soudain refroidissement. Comme ils avaient allumé du feu pour faire fondre la graisse et qu'ensuite ils avaient transpiré à couper l'herbe et charrier les blocs de glace, elle ne s'était pas rendu compte du froid. Pourtant, ils étaient si près du grand glacier qu'au petit matin l'eau était recouverte d'une fine pellicule de glace, et chacun portait sa pelisse dans la journée. A l'intérieur de l'enclos l'air était glacial, mais Ayla était trop émerveillée par la beauté austère du lieu pour s'en soucier. On se serait cru dans un autre monde, un monde de glace où dominaient le bleu et le blanc.

Comme dans les canyons rocheux proches de sa vallée, de larges blocs, récemment arrachés des murailles glacées, jonchaient le sol, hérissé d'arêtes tranchantes et d'aiguilles d'un blanc étincelant qui prenaient dans les crevasses ou dans les coins ombreux de riches tons bleu vif qui lui rappelèrent soudain les yeux de Jondalar. La surface arrondie de pitons plus anciens ou de blocs éboulés, polie par le temps et recouverte de fins gravillons apportés par les vents, était une invite à l'escalade et à l'exploration.

Pendant que les autres cherchaient les endroits où se poster, Ayla se laissa tenter par l'escalade. De toute façon, elle n'attendrait pas les mammouths dans l'enclos. Whinney et elle, de même que Jondalar et Rapide, aideraient à pousser les créatures laineuses vers le piège de glace. La rapidité des chevaux serait fort utile, et Ayla et Jondalar prêteraient chacun sa pierre à feu à l'un des deux groupes de chasseurs. Ayla remarqua que les gens se rassemblaient devant l'entrée du canyon. Elle siffla Whinney qui sortait du campement avec Rapide et Jondalar. La jument accourut à l'appel de la jeune femme.

Les deux groupes de chasseurs partirent à la rencontre des mammouths en décrivant un large cercle pour les approcher par l'arrière sans se faire remarquer. Ranec et Talut s'étaient postés chacun derrière une rangée de cairns convergeant vers l'entrée du canyon, prêts à allumer les feux. En passant devant eux, Ayla salua Talut et adressa un sourire à Ranec. Vincavec avait pris place du même côté que Ranec. Ayla lui fit un signe amical.

Accompagnée par d'autres chasseurs qui observaient un silence tendu, elle marchait devant Whinney, sagaies et propulseur rangés dans un panier avec un jeu de torches sur le dos de la jument. Chacun se concentrait sur la chasse, priant avec ferveur pour sa réussite. Ayla se retourna vers Whinney, puis observa le troupeau devant elle. Les mammouths paissaient toujours dans le pré où elle les avait aperçus du haut de son promontoire. Tout s'était déroulé si vite qu'elle avait à peine eu le temps de réfléchir. Ils avaient abattu un travail considérable en peu de temps.

Elle avait toujours rêvé de chasser le mammouth et elle frissonna à l'idée de participer pour la première fois de sa vie à cette battue grandiose. Pourtant, en y réfléchissant, elle trouvait la situation grotesque. Comment des créatures aussi minuscules et fragiles osaient-elles s'attaquer aux énormes bêtes laineuses munies de défenses puissantes ? Et pourtant, simplement armée de quelques sagaies, Ayla était prête à affronter l'animal le plus colossal que la terre abritait. Oui, mais elle possédait aussi l'intelligence, et pouvait compter sur l'expérience et la solidarité des autres chasseurs. Et sur le propulseur de Jondalar.

Le nouveau propulseur qu'il avait fabriqué pour lancer les lourdes sagaies qu'on utilisait pour chasser le mammouth serait-il efficace ? Ils l'avaient essayé, mais elle n'était pas encore familiarisée avec l'engin.

Elle aperçut Rapide et le groupe de chasseurs qui avaient contourné le troupeau par le côté opposé, et avançaient maintenant vers les mammouths qui semblaient s'être mis en marche. Comprenaient-ils que les humains tentaient de les encercler ? Le groupe d'Ayla avait accéléré l'allure. La tension atteignait son paroxysme. On fit circuler le signal de préparer les torches. Ayla les sortit vivement du panier de Whinney et les passa à la ronde. Quand tout le monde eut sa torche, le chef de la chasse donna l'ordre de les allumer.

Ayla ôta ses moufles et s'accroupit devant une pile de graines pelucheuses et de bouses de mammouth séchées. Ses compagnons de chasse s'approchèrent, anxieux. Elle frappa le silex sur le morceau de pyrite de fer gris jaunâtre, mais l'étincelle mourut. Elle recommença. L'amadou sembla prendre. Elle frappa encore les deux pierres l'une contre l'autre, aspergeant l'amadou d'étincelles et souffla pour obtenir la flamme tant attendue. Une brusque rafale de vent vint à son secours et le feu jaillit soudain de l'amadou et de la bouse émiettée. Ayla ajouta quelques morceaux de suif pour activer la combustion, et se releva pendant que le premier chasseur tendait sa torche au-dessus de la flamme. Lorsqu'ils eurent tous allumé leur torche, ils se dispersèrent.

Aucun signal précis n'annonça le commencement de la poursuite qui débuta lentement en ordre dispersé, chaque chasseur avançant sur les mammouths en poussant des cris et en agitant sa torche fumante. Mais les Mamutoï étaient des chasseurs aguerris habitués à chasser ensemble, leurs mouvements anarchiques prirent bientôt une tournure plus ordonnée et les colosses laineux s'ébranlèrent vers les cairns.

La femelle dominante du troupeau sembla discerner une intention agressive dans l'apparente confusion, et elle se retourna contre les chasseurs. Ayla fonça vers elle en hurlant et en agitant sa torche. Elle se souvint du jour où elle avait poursuivi seule une bande de chevaux. Tous les coursiers sauf un avaient réussi à s'échapper... non, songea-t-elle, il y en avait deux. La jument était tombée dans la fosse et le jeune poulain louvet avait regardé sa mère se débattre vainement.

Le barrissement strident surprit Ayla. Elle se retourna à temps pour apercevoir la vieille femelle expérimentée lorgner vers les insignifiantes créatures porteuses de l'odeur du danger, et foncer dans sa direction. Mais la jeune femme n'était pas seule. Jondalar était à ses côtés, bientôt rejoint par plusieurs Mamutoï. Les adversaires étaient trop nombreux pour la vieille femelle. Elle leva sa trompe et barrit longuement pour avertir ses congénères du danger et recula.

La parcelle de foin séché sur pied se trouvait sur une hauteur, à l'abri des ruisselets qui dévalaient du glacier à la saison chaude, et malgré les brumes il n'avait pas plu depuis des jours. Poussés par le vent, les feux qui avaient servi à enflammer les torches s'étaient répandus dans la prairie. L'odeur de terre et d'herbe brûlées parvint aux mammouths qui comprirent immédiatement le danger. La vieille femelle ne cessait de barrir, et les autres mammouths joignirent leurs cris affolés aux siens tout en se ruant dans un grand bruit de piétinements vers un danger inconnu encore plus grand.

Une rafale de vent contraire rabattit la fumée sur les chasseurs qui poursuivaient le troupeau. Ayla, qui s'apprêtait à monter Whinney, jeta un coup d'œil sur la prairie en feu qui avait effrayé les monstres. Elle s'attarda un instant, fascinée par les flammes crépitantes qui dévoraient la prairie, jetant des gerbes d'étincelles et crachant une épaisse fumée âcre. Elle savait que le feu ne représentait pas une menace réelle. Même s'il réussissait à traverser le terrain aride parsemé de rochers, le canyon de glace l'arrêterait. Ayla remarqua que Jondalar avait déjà enfourché Rapide et poursuivait les mammouths paniqués. Elle se hâta de le rejoindre.

Elle dépassa une jeune femme du Camp de Brecie qui courait, haletante, et s'approcha des mammouths. Une fois engagés dans la voie qui les conduisait droit au canyon, il leur serait difficile de l'éviter, et les deux femmes se sourirent en voyant le troupeau s'élancer entre les deux rangées de cairns. Ayla harcela les énormes bêtes.

Elle vit derrière les cairns les torches qui jalonnaient le chemin juste devant les monstres à la foulée pesante. Les Mamutoï n'avaient pas allumé les torches trop en avance de peur que les mammouths ne rebroussent chemin. Ayla approchait de l'entrée du canyon de glace. Elle fit dévier Whinney, empoigna ses sagaies et sauta de cheval. En posant le pied au sol, elle sentit la terre vibrer sous le pas lourd des mammouths qui se précipitaient sans le savoir dans le piège mortel. Elle se rua vers l'enclos sur les traces d'un vieux mâle dont les défenses se croisaient devant son front. Des brasiers installés à l'entrée du canyon furent aussitôt allumés pour empêcher les monstres de faire demi-tour. Ayla contourna un foyer et pénétra dans l'enclos glacé.

L'endroit avait perdu sa beauté sereine et austère. Les barrissements affolés se répercutaient sur les murailles de glace et revenaient en écho, déchirant les oreilles et agaçant les nerfs. Fiévreuse et tendue, Ayla ravala sa peur et engagea sa première sagaie dans le propulseur.

La femelle dominante s'était avancée jusqu'à l'extrémité de l'enclos et cherchait une ouverture par où conduire son troupeau. Mais Brecie l'attendait, perchée sur un bloc de glace. La vieille matriarche dressa sa trompe et barrit de rage et de frustration pendant que la Femme Qui Ordonne au Camp du Wapiti projetait sa sagaie dans la gueule ouverte du monstre. Le barrissement mourut dans un flot de sang qui jaillit de sa gorge et inonda la glace d'un jet rouge encore fumant.

Un jeune chasseur du Camp de Brecie lança une seconde sagaie qui traversa l'épaisse peau et se ficha dans l'abdomen de la vieille femelle.

Une autre sagaie perça le ventre de la femelle agonisante qui poussa un profond râle pendant que ses boyaux grisâtres se répandaient sur le sol gelé. Ses pattes de derrière s'emmêlèrent dans ses propres viscères. Déjà une autre sagaie fendait l'air, mais elle heurta un os et rebondit. Celle qui suivit, plus heureuse, se glissa entre deux côtes.

La vieille femelle sombra, les genoux à terre. Elle tenta de se relever, mais s'écroula sur son flanc. Sa trompe se souleva une dernière fois dans un ultime effort pour avertir ses compagnons, et retomba lentement dans un mouvement presque gracieux. Brecie frappa de sa sagaie la tête de la vaillante femelle, loua son noble combat et remercia la Grande Mère pour le sacrifice de l'animal qui permettait aux Enfants de la Terre de survivre.

Brecie ne fut pas la seule à remercier la Mère d'avoir accordé à Ses enfants le sacrifice d'un mammouth. Des équipes de chasseurs s'étaient formées et chacune s'acharnait sur la bête qu'elle avait choisie. Tous prenaient garde de se tenir à l'écart des défenses et des piétinements des mammouths. Le sang ruisselait des blessures et les bêtes mourantes réchauffaient la glace qui regelait aussitôt, formant des plaques rougeâtres où les glissades se firent nombreuses. Le canyon retentissait des cris des chasseurs et des barrissements des mammouths, amplifiés par les murs scintillants qui répercutaient chaque son.

Après avoir hésité, Ayla se dirigea vers un jeune mâle dont les épaisses défenses incurvées formaient une arme menaçante. Elle introduisit une lourde sagaie dans le propulseur et soupesa l'engin. Elle se souvint du conseil de Brecie qui recommandait de viser l'estomac, l'une des parties les plus vulnérables des mammouths, et elle avait été très impressionnée par l'éviscération de la vieille femelle. Elle visa soigneusement sa cible et propulsa sa sagaie avec force.

L'arme fusa et se planta dans la cavité abdominale du jeune mâle. Mais elle regretta de ne pas avoir visé un point plus vital. Une seule sagaie dans le ventre ne provoquait pas la mort immédiate. La blessure rendit le jeune mâle fou de rage, et il se retourna contre son agresseur. Il claironna un barrissement menaçant, et fonça tête baissée sur Ayla.

Ayla avait lancé sa sagaie d'une distance respectable, et ce fut cette distance qui lui sauva la vie. Elle abandonna sagaies et propulseur et se précipita vers un bloc de glace. Mais son pied glissa quand elle voulut l'escalader. Elle rampa à l'abri au moment où le mammouth heurtait la paroi de toutes ses forces. Les défenses massives se fichèrent dans l'énorme bloc de glace qui se brisa en deux, arrachant un cri d'effroi à la jeune femme. Avec un barrissement de rage, le mammouth s'acharna sur la glace, essayant d'atteindre la créature tapie derrière. Soudain, deux sagaies volèrent et se plantèrent dans le mammouth en furie. L'une s'enfonça dans sa nuque, l'autre brisa une côte avec une telle force qu'elle pénétra jusque dans le cœur.

Le mammouth s'affaissa près de l'amas de glace. Le sang ruissela de sa blessure et forma une énorme flaque rouge fumante, qui se refroidit et gela immédiatement. Encore tremblante, Ayla sortit en rampant de sa cachette.

— Tu n'es pas blessée, Ayla ? s'enquit Talut qui arriva à temps pour l'aider à se relever.

— Non, ça va, bredouilla-t-elle, haletante.

Talut empoigna la sagaie qui s'était fichée dans la poitrine du colosse, et l'arracha d'une puissante secousse, faisant jaillir un nouveau jet de sang. Jondalar les rejoignit à ce moment précis.

— Ayla, j'ai eu peur qu'il te tue ! avoua-t-il, le visage décomposé. Tu aurais dû nous attendre. Tu n'es pas blessée, tu es sûre ?

— Non, tout va bien, mais heureusement que vous étiez là tous les deux, fit-elle en souriant. Oh, comme la chasse au mammouth me plaît !

Talut observa Ayla avec intérêt. L'alerte avait été chaude. Le mammouth avait failli l'emporter, mais elle ne semblait pas terrifiée outre mesure. Sans doute légèrement nerveuse, ce qui était bien normal. Il hocha la tête en souriant et reporta son attention sur l'état de sa sagaie.

— Ah ! Elle n'a pas souffert ! s'exclama-t-il. Je vais m'en resservir, ajouta-t-il en retournant dans la mêlée.

Ayla suivit le colosse du regard, mais Jondalar ne la quittait pas des yeux, le cœur encore tremblant. Il avait été à deux doigts de la perdre ! Le mammouth avait failli la tuer ! Les cheveux ébouriffés, la capuche défaite, les yeux brillant de fièvre, elle haletait et l'excitation la rendait encore plus attirante.

Il la trouvait si belle ! C'était la seule et unique femme qu'il eût jamais aimée. Que serait-il devenu s'il l'avait perdue ? Un fourmillement familier lui parcourut les reins. La peur de la perdre avait réveillé son désir, et il eut une envie irrésistible de la prendre dans ses bras. Il la voulait. Il la désirait plus que jamais. Il aurait pu la prendre ici même, dans le froid glacial, sur le sol ensanglanté du canyon.

Elle lui jeta un coup d'œil, surprit son regard, et le charme irrésistible de ses yeux bleus aussi limpides que l'eau du bassin gelé la bouleversa. En devinant son désir, un feu ardent la dévora. Elle l'aimait davantage qu'elle n'aimerait jamais. Elle s'avança vers lui le corps offert, attendant impatiemment ses baisers, ses caresses, son amour.

— Talut vient de me raconter ! s'écria Ranec qui accourait, la voix rauque d'inquiétude. C'est ce mammouth-là ? Ayla, tu n'es pas blessée, au moins ?

Ayla regarda Ranec sans comprendre, et vit un voile obscurcir le regard de Jondalar qui se recula d'un pas. Elle prit alors conscience de l'inquiétude de Ranec.

— Non, Ranec, je vais très bien, fit-elle, bien qu'elle fût loin d'en être persuadée.

Désemparée, elle regarda Jondalar arracher sa sagaie du corps de l'animal et s'en aller.

Elle ne m'appartient plus, elle n'est plus mon Ayla, et c'est de ma faute ! songea Jondalar. Soudain, il se souvint de l'incident le jour où il avait monté Rapide pour la première fois et il fut accablé de honte et de remords. Il avait fait une grave faute ce jour-là, et pourtant il aurait pu recommencer. Il valait mieux pour Ayla qu'il s'efface devant Ranec. Il avait tourné le dos à Ayla et s'était mis à la fuir. Il ne la méritait pas. Il avait cru qu'il commençait à accepter l'inévitable, et qu'un jour, après être rentré chez les siens, il réussirait à oublier Ayla. Il commençait même à apprécier l'amitié de Ranec. Mais il comprenait maintenant que la douleur ne le quitterait jamais, et qu'il ne pourrait pas oublier Ayla.

Il aperçut un jeune mammouth, le dernier qui avait, on ne sait comment, échappé au carnage. Il lança sa sagaie avec une telle fureur que l'animal en tomba à genoux. Ensuite, il sortit du canyon. Il voulait être seul. Il s'éloigna suffisamment pour se trouver hors de la vue des chasseurs. Alors il se prit la tête à deux mains, serra les dents et essaya de se calmer. Il s'agenouilla et tambourina sur le sol gelé à grands coups de poing.

— O Doni ! s'écria-t-il d'une voix brisée. Tout est de ma faute. C'est moi qui l'ai rejetée. Je n'étais pas seulement jaloux, j'avais honte de l'aimer. J'avais peur que mon peuple ne la juge indigne de moi et qu'on me renie à cause d'elle. C'est moi qui ne suis pas digne d'elle, et pourtant je l'aime. O Grande Mère, je l'aime, tu en es témoin. Doni, j'ai besoin d'Ayla ! Les autres femmes m'indiffèrent. Doni, rends-la-moi ! Je sais qu'il est trop tard, mais je t'en supplie, je veux qu'elle me revienne !

36

Lorsqu'il dépeçait les mammouths, Talut était véritablement dans son élément. Torse nu, transpirant abondamment, il maniait sa lourde hache comme s'il s'agissait d'un jouet d'enfant, et brisait les os et l'ivoire, tranchait les tendons, fendait la peau épaisse et dure. Il aimait cela, et prenait un plaisir d'autant plus grand qu'il exerçait sa puissance physique pour le bien-être de son peuple, et allégeait ainsi la tâche d'autrui. Il travaillait le sourire aux lèvres et utilisait son impressionnante musculature comme personne. On ne pouvait le voir à l'œuvre sans se réjouir.

Mais dépouiller la peau épaisse des gigantesques monstres exigeait un grand nombre de participants, et il en irait de même au Camp lorsqu'il faudrait nettoyer et curer les peaux. Les rapporter demandait déjà beaucoup d'efforts, ce qui justifiait le tri rigoureux. Ils n'emportaient que les meilleures peaux. Ils sélectionnaient la viande avec encore plus de soin, ne conservaient que la viande bien grasse, et abandonnaient le reste.

Ce n'était pas du gâchis. Les Mamutoï portaient les charges à dos d'homme, et le transport des bas morceaux leur coûterait davantage de calories qu'ils n'en gagneraient à manger de la viande maigre. Grâce à une sélection judicieuse, la viande nourrirait de nombreuses bouches et ils ne seraient plus obligés de chasser avant longtemps. Ceux qui vivaient de la chasse ne tuaient jamais inutilement. Ils étaient proches de la

Grande Terre Mère, savaient ce qu'ils Lui devaient et ne gaspillaient pas Ses ressources.

Pendant que les chasseurs dépeçaient les mammouths, le temps resta dégagé et l'écart de température entre le jour et la nuit s'accentua. Bien qu'ils fussent près du glacier, le soleil chauffait suffisamment quand il perçait pour sécher la viande la moins grasse et l'alléger pour le transport. Mais les nuits appartenaient aux glaces. Le jour de leur départ, le vent changea et le ciel se couvrit de nuages épars à l'ouest. La température chuta d'un coup.

Lorsque les chevaux d'Ayla furent chargés pour le retour, les Mamutoï les apprécièrent enfin à leur juste valeur. Les travois furent l'objet d'un intérêt particulier. Nombreux étaient ceux qui s'étaient étonnés de l'insistance d'Ayla à emporter les longues perches. Ce n'était pourtant pas des sagaies ! A présent, ils comprenaient et manifestaient leur approbation avec force gestes. L'un des Mamutoï s'amusa même à tirer un travois à moitié chargé.

Impatients de rentrer, les chasseurs se levèrent de bonne heure, mais la matinée était déjà bien entamée quand ils se mirent en route. Vers le début de l'après-midi, ils avaient gravi une colline en empruntant un chemin de sable et de graviers jonché de rocs que le glacier avait déposés dans une de ses avancées antérieures. Ils se reposèrent au sommet d'où Ayla contempla le glacier dépouillé de son linceul de brume. Elle ne pouvait en détacher son regard.

Scintillant au soleil, une barrière de glace aussi haute qu'une montagne s'étendait à perte de vue, délimitant une frontière infranchissable. C'était véritablement la fin de la terre.

Ses bords inégaux recelaient des accidents de terrain mineurs, et une escalade aurait révélé des pendages et des crêtes, des sèracs et des crevasses, importants à l'échelle humaine. Mais à l'échelle du gigantesque glacier, la surface était uniformément plate. Le vaste glacier inexorable recouvrait un quart de la planète de sa carapace scintillante. Lorsque la troupe des chasseurs s'ébranla, Ayla ne cessait de se retourner pour admirer le glacier que des nuages et une brume montante commençaient d'habiller d'un voile mystérieux.

Malgré leur chargement, les chasseurs avançaient plus vite qu'à l'aller. L'hiver modifiait assez la topographie pour qu'un nouvel itinéraire eût besoin d'être exploré chaque année, mais la voie du retour leur était connue maintenant. La chasse avait été réussie et l'atmosphère était à la joie et à la bonne humeur. On se hâtait de rentrer à la Réunion d'Eté et personne ne semblait plier sous le poids de son fardeau, excepté Ayla. Le pressentiment qui l'avait taraudée à l'aller se faisait maintenant plus pressant, mais elle évita de mentionner ses craintes.

Le sculpteur avait du mal à réfréner son enthousiasme. Seul l'intérêt constant que Vincavec continuait de porter à Ayla l'inquiétait, et il en éprouvait confusément une vague appréhension. Mais Ayla restait sa Promise et ils rapportaient la viande pour la Cérémonie de l'Union. Même Jondalar semblait s'être accoutumé à l'idée de leur Union, et par une sorte d'accord tacite, Ranec devinait que le géant avait pris son parti contre Vincavec. Le sculpteur appréciait les nobles qualités du Zelandonii et une espèce d'amitié s'ébauchait entre les deux hommes. Néanmoins, Ranec voyait une menace potentielle dans la présence de Jondalar qui pouvait encore faire obstacle à son bonheur. Ranec avait hâte que le Zelandonii les quitte.

Ayla n'attendait pas la Cérémonie de l'Union avec autant de plaisir et se reprochait son manque d'enthousiasme. Elle savait combien Ranec l'aimait et ne doutait pas qu'elle pût être heureuse avec lui. Elle se réjouissait d'avoir un jour un enfant qui ressemblerait à celui de Tricie. Dans son for intérieur, Ayla était certaine que Ralev était l'enfant de Ranec, et non le produit d'un mélange d'esprits. Elle était sûre qu'il avait introduit l'enfant dans le ventre de Tricie grâce à son essence en partageant les Plaisirs avec elle. Ayla aimait bien la jeune femme rousse et éprouvait de la pitié pour elle. Elle envisagea de partager Ranec et son foyer avec Ralev et Tricie, si cette dernière y consentait.

Mais la nuit, seule dans le noir, Ayla se laissait aller à penser qu'elle serait heureuse de ne pas vivre au foyer de Ranec. Elle avait évité de partager sa couche à l'aller, sauf en de rares occasions où il semblait soucieux de l'avoir près de lui, non par désir physique mais pour être rassuré. Au retour, elle n'avait pu se résoudre à partager les Plaisirs avec le sculpteur et ne cessait de penser à Jondalar. Elle retournait toujours les mêmes questions dans sa tête, mais ne trouvait aucune réponse.

Lorsqu'elle repensait à la chasse et à l'accident qu'elle avait évité de justesse, et qu'elle revoyait le regard douloureux d'inquiétude de Jondalar, elle se disait qu'il l'aimait encore. Mais alors, pourquoi avait-il été si distant tout l'hiver ? Pourquoi avait-il cessé de trouver ses Plaisirs en elle ? Pourquoi avait-il fui le Foyer du Mammouth ? Elle se souvint de ce fameux jour dans les steppes, la première fois qu'il avait chevauché Rapide. Lorsqu'elle pensait au désir de Jondalar, à son envie d'elle, et à son propre corps brûlant de le recevoir, un besoin de lui la dévorait qui l'empêchait de dormir. Elle ressentait avec amertume le rejet de Jondalar, et ne comprenait plus ce que voulait vraiment le Zelandonii.

Après une journée particulièrement longue, Ayla fut l'une des premières à quitter le foyer au sortir du repas. Elle rentra sous la tente après avoir rejeté d'un sourire, en prétextant la fatigue, la demande silencieuse de Ranec de partager ses fourrures. L'air désolé du sculpteur la rendit mal à l'aise. Mais elle se sentait réellement lasse et n'était plus sûre de ses sentiments. Avant d'entrer sous la tente, elle aperçut Jondalar près des chevaux. Il lui tournait le dos et elle l'observa, fascinée malgré elle par son corps musclé, l'aisance de ses gestes, et par son port altier. Elle le connaissait si bien qu'elle l'aurait reconnu à son ombre. Elle remarqua aussi que son désir s'était éveillé en le regardant. Haletante, empourprée, elle se sentit irrésistiblement attirée vers lui.

Non, se dit-elle, c'est sans espoir. Si je m'approche, il s'éloignera, il trouvera une excuse et ira discuter avec quelqu'un. Elle pénétra donc sous la tente et se glissa dans ses fourrures, encore bouleversée par cette rencontre.

Elle était fatiguée, et pourtant le sommeil la fuyait. Elle tournait et se retournait, se défendant du désir qui la torturait. Pourquoi s'intéresser à lui puisqu'il semblait l'ignorer ? Mais alors que signifiaient ces regards ? Pourquoi l'avait-il tant désirée ce jour-là dans les steppes ? On aurait dit qu'il ne pouvait pas lutter contre son attirance pour elle. Une pensée lui traversa l'esprit et la fit frémir. Et s'il ne supportait pas cette attirance ? Peut-être voulait-il s'en défaire ?

Le rouge lui monta au visage, mais de dépit cette fois. A voir les choses sous cet angle, tout s'éclairait, ses fuites et ses esquives. Donc, il luttait contre l'envie qu'elle provoquait en lui ? En repensant à toutes ses tentatives pour l'approcher, pour lui parler, pour le comprendre, alors qu'il ne songeait qu'à la fuir, elle se sentit humiliée. Il ne m'aime pas, conclut-elle. Il ne m'aime pas comme Ranec. Jondalar prétendait m'aimer, et parlait de m'emmener avec lui quand nous étions dans ma vallée, mais il ne m'a jamais proposé l'Union. Il n'a jamais dit qu'il voulait partager son foyer avec moi, et ne m'a jamais demandé de lui donner des enfants.

Pourquoi est-ce que je continue à m'intéresser à lui alors qu'il se moque de moi ? se demanda-t-elle, les yeux brûlants de larmes. Elle renifla et s'essuya d'un revers de main. Pendant que je ne pensais qu'à lui, il cherchait à m'oublier, se disait-elle, rageuse.

Ranec, lui au moins, il m'aime, et il sait me donner les Plaisirs. Il est bon, il veut partager son foyer avec moi. Pourtant, je n'ai pas été très attentionnée. Il fait aussi de beaux bébés, comme celui de Tricie, par exemple. Je devrais être plus gentille avec Ranec et oublier Jondalar, se promit-elle. Mais pendant que les pensées défilaient dans sa tête, elle éclata en sanglots. Elle avait beau faire, elle ne pouvait nier l'évidence : oui, Ranec est bon et généreux, mais Ranec n'est pas Jondalar, et c'est Jondalar que j'aime.

Ayla ne dormait toujours pas quand les Mamutoï vinrent se coucher. Elle regarda Jondalar entrer et le vit jeter un coup d'œil de son côté d'un air hésitant. Elle l'observa un moment, puis détourna la tête. Sur ces entrefaites, Ranec arriva. Elle s'assit et lui sourit.

— Je croyais que tu étais fatiguée, s'étonna-t-il.

— Oui, je le croyais aussi, mais je ne trouve pas le sommeil. Pourquoi ne pas partager tes fourrures, après tout ?

Le sourire radieux qui illumina le visage de Ranec aurait fait de l'ombre au soleil lui-même...

— Heureusement que rien ne m'empêche de dormir quand je suis fatigué, fit Talut avec un sourire complice en s'asseyant sur ses fourrures pour défaire ses bottes.

Ayla remarqua que Jondalar faisait grise mine. La douleur se lisait sur son visage, et il rejoignit sa couche l'air abattu. Soudain, il fit demi-tour et sortit d'un pas vif. Ranec et Talut échangèrent un bref regard, et l'homme à la peau foncée se tourna vers Ayla.

Lorsqu'ils atteignirent les marais, ils décidèrent de les contourner. Ils étaient trop chargés pour s'aventurer dans la vase. On consulta l'itinéraire de l'année précédente gravé sur une plaque d'ivoire, et la décision fut prise de changer de cap le matin suivant. Talut pensait qu'on ne perdrait pas de temps à contourner les marais, mais eut du mal à en convaincre Ranec que le moindre retard contrariait.

La soirée qui précéda leur changement de direction, Ayla fut plus sombre que d'habitude. Les chevaux avaient été nerveux toute la journée, et ils ne se calmèrent pas quand Ayla les bouchonna. Quelque chose se préparait, Ayla n'aurait pas su dire quoi, mais elle ressentait un étrange malaise. Elle tenta de distraire son inquiétude en marchant longuement dans la steppe.

Elle aperçut une compagnie de lagopèdes et chercha sa fronde, mais elle l'avait oubliée. Soudain, sans raison apparente, les oiseaux s'envolèrent, pris de panique. Un aigle royal apparut à l'horizon. Avec d'amples mais lents battements d'ailes, il filait nonchalamment en suivant les courants d'air. Pourtant le rapace rattrapa les oiseaux qui volaient à tire d'aile à moindre altitude, et piqua brusquement sur une victime qu'il étouffa dans ses serres.

Ayla frissonna et retourna vivement au camp. Elle s'attarda après le repas, parlant avec les uns et les autres pour évacuer son angoisse, mais rien n'y fit. Lorsqu'elle se coucha, le sommeil la fuit longtemps et fut ensuite peuplé de rêves troublants. Elle se réveilla souvent, et vers l'aube elle était de nouveau éveillée et ne put se rendormir. Elle se glissa hors de ses fourrures, sortit de la tente et alluma du feu pour faire chauffer de l'eau.

Pendant que le ciel grisâtre se colorait lentement, elle but son infusion matinale en regardant distraitement une fleur en ombelle séchée qui se dressait sur une mince tige près du feu. Au-dessus du foyer, on avait suspendu sur trois sagaies en faisceau un quartier de mammouth à moitié mangé, hors d'atteinte des animaux maraudeurs. Sortant de sa torpeur, Ayla reconnut enfin la fleur de la carotte sauvage, et apercevant sur un tas de bois une branche cassée au bout acéré, elle l'utilisa comme bâton à fouir et creusa la terre de quelques pouces pour dégager les racines de la plante. Elle vit d'autres fleurs en ombelle et pendant qu'elle les déterrait, elle aperçut des chardons, croustillants et juteux une fois la tige débarrassée des épines. Près des chardons, une grosse vesse-de-loup encore blanche et fraîche attendait d'être cueillie au milieu de petits lis aux nouveaux bourgeons croquants. Quand les chasseurs se levèrent, un grand panier de soupe enrichie de céréales les attendait en mijotant.

— Mais c'est délicieux ! s'exclama Talut en se servant une seconde louche. Qu'est-ce qui t'a décidée à nous faire cuire une si bonne soupe ?

— Je n'arrivais pas à dormir. Je suis sortie prendre l'air et j'ai vu toutes ces bonnes choses qui attendaient qu'on les cueille. Ça m'a permis... de ne pas penser.

— J'ai dormi comme un ours des cavernes, déclara Talut qui étudia attentivement Ayla en regrettant que Nezzie ne soit pas là. Qu'est-ce qui ne va pas, Ayla ?

— Rien... enfin, si. Mais je ne sais pas ce que c'est.

— Serais-tu malade ?

— Non, ce n'est pas ça... Je... je me sens bizarre. Les chevaux aussi sont nerveux. Je ne sais pas ce qu'il y a.

Soudain, Ayla laissa échapper sa coupe et se figea, grimaçant d'effroi, les yeux rivés sur le sud-est.

— Talut, regarde ! s'écria-t-elle en désignant une colonne gris-noir qui s'élevait dans le lointain et envahissait le ciel d'un nuage sombre. Qu'est-ce que c'est ?

— Je n'en sais rien, avoua l'Homme Qui Ordonne, aussi effrayé qu'elle.

— Moi non plus.

Ils se retournèrent en entendant cette voix. C'était Vincavec.

— Cela vient des montagnes du sud-est, articula le mamut en essayant de cacher sa frayeur.

Un Homme Qui Ordonne, mamut de surcroît, ne devait pas montrer ses peurs, ce qui n'était pas toujours facile.

— C'est sans doute un signe de la Mère, reprit-il, rasséréné.

Ayla était persuadée qu'une terrible catastrophe venait de bouleverser la terre pour qu'elle vomisse ainsi avec une telle ardeur. La colonne grise devait avoir des proportions incommensurables pour paraître aussi énorme de si loin, et le gigantesque nuage qui se formait au-dessus s'avançait, menaçant. Des vents violents se levaient qui le pousseraient bientôt vers l'ouest.

— C'est le lait des Mamelles de Doni, annonça Jondalar en zelandonii d'une voix neutre qui reflétait mal son trouble.

Tout le monde était sorti des tentes et contemplait avec effroi l'éruption terrifiante et l'énorme nuage de cendres volcaniques en effervescence.

— Co... Comment as-tu dit ? demanda Talut.

— C'est le nom d'une sorte de montagne, expliqua Jondalar. Une montagne qui vomit. J'en ai vu une cracher des cendres quand j'étais petit. Nous l'appelons les « Mamelles de Doni ». Le vieux Zelandoni nous a raconté une légende sur elles. Celle que j'ai vue se trouvait au loin sur une chaîne centrale. Un homme qui voyageait près de la montagne nous a ensuite expliqué ce qu'il avait vu. C'était très intéressant, mais l'homme était vert de peur. Il y a d'abord eu de petits tremblements de terre, et le couvercle de la montagne a été projeté en l'air. Ensuite, la montagne a craché le même nuage qu'ici. Ce n'est pas vraiment un nuage, c'est de la poussière, ou de la cendre. Celui-ci, fit-il en montrant le nuage qui s'étalait vers l'ouest, semble s'éloigner. J'espère que le vent ne va pas tourner. Lorsque les cendres retombent, elles recouvrent tout. Et la couche peut être très épaisse.

— Cela doit se passer loin d'ici, remarqua Brecie, on n'aperçoit même pas les montagnes, et il n'y a aucun bruit, ni grondement, ni tremblement de terre. On ne voit que cette énorme vomissure et l'immense nuage noir.

— Tant mieux, dit Jondalar. Si les cendres tombent, nous serons peut-être épargnés. Nous sommes assez loin.

— Tu parlais de tremblements de terre ? Les tremblements de terre sont un signe de la Mère, déclara Vincavec qui ne voulait pas paraître moins savant que l'étranger. Ce que nous voyons en est certainement un aussi. Les mamuti devront méditer sur ce qu'ils ont vu, et interpréter le message.

Ayla comprit seulement qu'on parlait de tremblements de terre, et les tremblements de terre étaient ce qu'elle craignait le plus au monde. Elle avait perdu sa famille à l'âge de cinq ans dans une violente déchirure de la croûte terrestre, et un autre tremblement de terre avait tué Creb le jour où Broud avait prononcé sa Malédiction Suprême et l'avait chassée du Clan. Les tremblements de terre avaient toujours présagé une perte irréparable, un changement dramatique dans sa vie. Elle éprouvait toutes les peines du monde à se contrôler.

Une chose familière surgit alors dans son champ de vision, et l'instant d'après une boule de poils gris se précipita sur elle, sauta à son cou et appuya ses pattes pleines de boue sur sa poitrine en même temps qu'elle sentait une langue râpeuse sur sa joue.

— Loup ! Oh, Loup ! Que fais-tu ici ? s'exclama-t-elle en le caressant. (Soudain, elle se figea.) Oh, non ! C'est Rydag ! Loup est venu me chercher, me ramener près de Rydag ! Je dois y aller, il faut que je parte tout de suite !

— Laisse le travois et le chargement du cheval, tu reviendras le chercher plus tard, conseilla Talut.

Le visage de l'Homme Qui Ordonne du Camp du Lion témoignait de sa douleur. Rydag était le fils de son foyer au même titre que les enfants de Nezzie, et Talut aimait beaucoup le garçon. S'il n'avait pas été aussi lourd, Ayla lui aurait offert de l'accompagner en montant sur le dos de Rapide.

Elle courut dans la tente pour s'habiller et y trouva Ranec.

— C'est Rydag, annonça-t-elle.

— Je sais, fit l'homme à la peau foncée. Je t'ai entendue. Laisse-moi t'aider. Je vais mettre une outre d'eau et de quoi manger dans ton sac. Auras-tu besoin de tes fourrures de couchage ? Je vais les préparer, assura-t-il pendant qu'Ayla nouait des cordelettes autour de ses bottes.

— Oh, Ranec, comment te remercier ? tu es si bon !

— C'est mon frère, Ayla.

Bien sûr ! se dit-elle. Ranec aussi aime Rydag.

— Oh, excuse-moi, je ne sais pas où j'ai la tête. Veux-tu m'accompagner à cheval ? Je pensais le proposer à Talut, mais il est trop gros. Rapide te porterait si tu veux.

— Moi ? Monter sur le dos d'un cheval ? Jamais ! s'écria Ranec, médusé.

Ayla sourcilla. Elle ne savait pas que les chevaux l'effrayaient à ce point, mais en y repensant elle se souvint que Ranec était le seul qui n'avait jamais demandé de faire un tour à cheval.

— Je ne saurais pas le guider, et... et j'aurais peur de tomber. C'est bon pour toi de monter sur le dos des chevaux, c'est l'une des choses que j'aime chez toi, Ayla. Mais je ne monterai jamais sur le dos d'un cheval... J'ai davantage confiance dans mes jambes. Je n'aime déjà pas les bateaux.

— Il faut pourtant que quelqu'un l'accompagne, intervint Talut qui s'était avancé jusqu'à l'entrée de la tente. On ne peut pas la laisser rentrer toute seule.

— Elle ne sera pas seule, dit Jondalar.

Il avait revêtu ses habits de voyage et se tenait près de Whinney, la longe de Rapide à la main.

Ayla poussa un profond soupir, puis se renfrogna. Pourquoi voulait-il l'accompagner ? Il refusait toujours de rester seul avec elle. Il se moquait bien d'elle. Ayla était heureuse qu'il vienne, mais elle ne le lui avouerait jamais. Elle s'était assez humiliée comme cela.

Pendant qu'elle installait les paniers de charge sur le dos de Whinney, Ayla remarqua que Loup lapait de l'eau dans l'écuelle de Ranec. L'animal venait déjà d'engloutir une demi-écuelle de viande.

— Je te remercie de nourrir Loup, Ranec, fit-elle.

— Ce n'est pas parce que je ne monte pas sur les chevaux que je n'aime pas les animaux, répliqua le sculpteur, vexé.

Il se sentait diminué. Il n'avait pas voulu lui avouer sa peur des chevaux. Ayla prit un air entendu et lui sourit.

— Nous nous reverrons au Camp du Loup, dit-elle en l'embrassant.

Elle trouva qu'il l'étreignait avec une ferveur exagérée. Elle embrassa aussi Talut et Brecie, donna l'accolade à Vincavec et enfourcha Whinney. Loup emboîta immédiatement le pas des chevaux.

— J'espère que Loup n'est pas trop fatigué, après avoir couru jusqu'ici, dit Ayla.

— S'il est fatigué, il pourra toujours monter avec toi sur la croupe de Whinney, dit Jondalar qui essayait de maîtriser son étalon nerveux.

— C'est vrai. Où ai-je la tête ?

— Occupe-toi bien d'elle, Jondalar, supplia Ranec. Quand elle s'inquiète pour quelqu'un, elle oublie de prendre soin d'elle. Je veux qu'elle soit prête pour la Cérémonie de l'Union.

— Je prendrai soin d'elle, Ranec, promit Jondalar. Ne t'inquiète pas, tu n'auras pas à te plaindre de la femme que tu ramèneras à ton foyer.

Ayla les regarda à tour de rôle, devinant les sous-entendus sans les comprendre.

Ils chevauchèrent à vive allure jusqu'à la mi-journée, et firent ensuite une halte pour se restaurer. Ayla s'inquiétait tellement pour Rydag qu'elle aurait continué sans s'arrêter, mais les chevaux avaient besoin de se reposer. Elle se demandait si c'était Rydag qui avait eu l'idée d'envoyer Loup. C'était l'hypothèse la plus plausible. N'importe qui aurait envoyé un humain. Seul Rydag pouvait imaginer Loup assez subtil pour comprendre le message, partir à sa recherche et la retrouver. Mais Rydag n'aurait agi ainsi qu'en ultime recours.

L'éruption volcanique effrayait Ayla. La colonne avait disparu mais le nuage envahissait toujours le ciel. Pire, il s'étendait. Les étranges convulsions de la terre faisaient ressurgir des peurs si profondément ancrées en elle qu'elle était en état de choc. Seule l'urgence qui la poussait à rejoindre Rydag au plus vite l'aidait à garder ses esprits.

Mais malgré ses craintes, ses peurs et ses angoisses, elle trouvait encore le temps de penser à Jondalar. Elle redécouvrait le plaisir d'être en sa compagnie. Elle avait tant rêvé de chevaucher côte à côte avec lui, escortée de Loup ! Pendant leur halte, elle l'observait à la dérobée, avec toute l'habileté des femmes du Clan qui apprennent très tôt à dissimuler leur curiosité. Le regarder la réconfortait et elle mourait d'envie de se lover dans ses bras. Mais sa récente interprétation de l'inexplicable comportement de Jondalar, et la hantise d'être rejetée l'incitaient à cacher ses sentiments. Puisqu'elle ne l'intéressait pas, il ne l'intéressait pas non plus, ou du moins s'efforcerait-elle de le prétendre.

De son côté, Jondalar observait Ayla, cherchant un moyen de lui parler, de lui dire combien il l'aimait, de regagner son amour. Mais elle semblait l'éviter et il n'arrivait pas à croiser son regard. Il comprenait son inquiétude pour Rydag, qu'il partageait d'ailleurs, et n'osait pas s'imposer. Il hésitait à étaler ses sentiments dans un moment aussi pénible, et après l'avoir évitée tout l'hiver il ne savait plus comment l'aborder. Il échafaudait les plans les plus fous : poursuivre leur route sans s'arrêter au Camp du Loup, et la conduire jusqu'à chez lui. Il savait pertinemment que c'était impossible, que Rydag avait besoin d'elle, et qu'elle s'était Promise à Ranec. Elle avait décidé de s'unir au sculpteur à la peau foncée, alors pourquoi le suivrait-elle ?

Ils ne s'attardèrent pas. Dès qu'Ayla décida que les chevaux étaient assez reposés, ils repartirent. Ils n'avaient pas beaucoup progressé quand ils virent un homme accourir. Il leur fit signe de loin, et en s'approchant ils reconnurent Ludeg, le messager qui leur avait annoncé le nouvel emplacement de la Réunion d'Eté.

— Ah, Ayla ! s'exclama-t-il en les rejoignant. C'est toi que je voulais voir. Nezzie m'a envoyé te chercher. J'ai de mauvaises nouvelles : Rydag est malade... Mais... mais où sont les autres ? fit-il en regardant autour de lui.

— Ils nous suivent, expliqua Ayla. Nous sommes partis en avant dès que nous avons su.

— Mais comment l'avez-vous su ? On n'a pas envoyé d'autre courrier que moi.

— En effet, dit Jondalar. Mais tu oublies que les loups sont encore plus rapides que les humains.

Ludeg remarqua alors la présence de Loup.

— Il n'était pas à la chasse avec vous. Que fait-il ici ?

— Je crois que Rydag l'a envoyé me chercher, dit Ayla. Il nous a trouvés de l'autre côté des marais.

— Heureusement, renchérit Jondalar. Tu aurais pu rater les chasseurs. Ils ont décidé de contourner les marais. Chargés comme ils sont, ils se déplaceront mieux sur terrain sec.

— Ah ! Ils rapportent de la viande de mammouth ! Les Mamutoï seront contents. Dépêche-toi, Ayla. Heureusement que tu n'es plus très loin du Camp.

Ayla blémit.

— Veux-tu que je te ramène sur Rapide ? proposa Jondalar. Nous pouvons monter à deux.

— Non. Je vous retarderais. Vous m'avez déjà évité une longue course, je peux rentrer à pied.

Ayla fit galoper Whinney d'une traite et sauta de cheval en arrivant à la Réunion d'Eté. Elle était déjà sous la tente avant qu'on apprenne son retour.

— Ayla ! Te voilà enfin ! s'écria Nezzie. J'avais peur que tu n'arrives pas à temps. Ludeg a dû courir vite.

— Ludeg n'y est pour rien, c'est Loup qui nous a trouvés, dit Ayla en ôtant sa pelisse et en se précipitant près de la couche de Rydag.

Elle reçut un choc en le voyant. Ses mâchoires crispées et les rides de son front étaient plus éloquentes qu'un long discours. Rydag souffrait beaucoup. Il était pâle, les yeux cernés, pommettes et arcades sourcilières saillaient sous la peau tendue, et il respirait avec difficulté. Retenant à peine ses larmes, Ayla interrogea Nezzie qui se tenait à côté du lit.

— Qu'est-il arrivé ?

— Si je savais ! Il allait bien, et tout d'un coup les douleurs l'ont pris. J'ai essayé tout ce que tu m'avais recommandé, je lui ai donné son remède, mais rien ne le soulage.

Ayla sentit qu'on lui effleurait le bras.

— Content toi venue, fit Rydag par geste.

La scène lui en rappelait une autre, laquelle ? Où avait-elle vu ces efforts pour obliger un corps trop faible à se mouvoir ? Iza ! Elle était morte de cette manière. Ayla rentrait d'une longue randonnée, et d'un long séjour au Rassemblement du Clan. Cette fois, elle s'était seulement absentée le temps d'une chasse. Qu'était-il arrivé à Rydag ? Il était tombé malade si vite ! A moins que la maladie ait couvé depuis longtemps ?

— C'est toi qui as envoyé Loup me chercher, n'est-ce pas ?

— Moi savoir lui te trouve, fit l'enfant. Loup intelligent.

Epuisé, Rydag ferma les yeux. Ayla détourna la tête. Elle ne pouvait pas le voir souffrir, lutter à chaque respiration.

— Quand as-tu pris ton dernier remède ? demanda Ayla lorsqu'il rouvrit les yeux.

— Remède soulage pas Rydag. Rien soulage, fit-il d'un air triste.

— Qu'est-ce que tu racontes ? Tu n'es pas guérisseuse, comment sais-tu que cela ne te soigne pas ? C'est moi qui sais, fais-moi confiance, dit-elle d'une voix ferme.

— Non, Ayla. Je sais, insista-t-il.

— Bon, je vais t'examiner, mais je vais d'abord te chercher un remède, expliqua-t-elle en luttant contre les larmes.

Il toucha sa main avant qu'elle ne parte.

— Toi pas partir, réussit-il à signifier entre deux respirations qui lui arrachèrent des grimaces de douleur. Loup ici ? demanda-t-il alors.

Ayla siffla et celui qui empêchait Loup de rentrer sous la tente ne put le contenir. L'animal était là, il bondit sur le lit de Rydag et lui lécha le visage. Rydag sourit. Ah, ce sourire sur un visage du Clan ! Ayla ne put en supporter davantage. Elle ordonna à l'animal exubérant de descendre, craignant qu'il n'étouffât le jeune garçon.

— Moi envoyé Loup. Moi veux Ayla, fit Rydag. Moi vouloir...

Il ne semblait pas connaître les mots qu'il cherchait.

— Que veux-tu, Rydag ? l'encouragea Ayla.

— Il a essayé de me le dire, intervint Nezzie. Mais je n'ai pas compris. J'espère que tu réussiras, cela semble tellement important pour lui.

Ayla regardait le jeune garçon intensément. Il faisait de gros efforts pour se souvenir.

— Durc chance. Lui... accepté. Ayla, moi vouloir... mog-ur.

Ayla aurait bien voulu l'aider mais elle ne comprenait pas.

— Mog-ur ? fit-elle par gestes. Tu veux sans doute dire l'homme qui règne sur le monde des esprits ? reprit-elle tout haut.

Rydag approuva d'un signe de tête. Mais le visage de Nezzie reflétait une expression insondable.

— C'est cela qu'il veut ? demanda-t-elle.

— Oui, je le crois, confirma Ayla. Ça t'aide à comprendre ?

Nezzie eut un geste de découragement, puis un éclair de colère brilla dans ses yeux.

— Je sais ! fit-elle. Il ne veut pas être un animal. Il veut marcher dans le monde des esprits. Il veut qu'on l'ensevelisse... comme un être humain.

Rydag approuvait vigoureusement.

— Mais c'est un être humain ! assura Ayla, perplexe.

— Non, fit Nezzie. Il n'a jamais compté parmi les Mamutoï, ils ne l'accepteraient pas. Ils ont dit que c'était un animal.

— Alors, il ne sera pas enseveli ? Il ne pourra pas rejoindre le monde des esprits ? Qui a décidé cela ? s'écria Ayla, furieuse.

— Ceux du Foyer du Mammouth, expliqua Nezzie. Ils n'autoriseront pas les funérailles.

— Ne suis-je pas la fille du Foyer du Mammouth ? Moi, je l'autorise ! annonça-t-elle.

— C'est inutile, Ayla. Mamut serait d'accord, lui aussi. Mais le Foyer du Mammouth doit approuver, et il refuse.

Rydag avait écouté plein d'espoir, mais en comprenant qu'il n'aurait pas de funérailles il parut abattu. En voyant la tristesse inconsolable de l'enfant, Ayla entra dans une rage indignée.

— Nous nous passerons de l'accord de ceux du Foyer du Mammouth, ce n'est pas à eux de décider si Rydag est humain. C'est un être humain, qu'ils le veuillent ou non. Autant que mon fils l'était. Qu'ils gardent leurs funérailles, Rydag n'en a pas besoin. Quand le moment sera venu, je lui donnerai une sépulture à la manière du Clan, comme je l'ai fait pour Creb, le mog-ur. Rydag marchera dans le monde des esprits, vous pouvez me croire !

Nezzie lança un regard vers Rydag. Il s'était calmé. Ou plutôt, apaisé. Les rides, la tension s'étaient effacées et son visage témoignait de sa sérénité. Il toucha le bras d'Ayla.

— Je ne suis pas un animal, fit-il par signes.

Il allait poursuivre, mais Ayla s'aperçut que la douleur qui déformait son visage avait disparu avec son dernier souffle. Ses souffrances étaient terminées.

Pas celles d'Ayla. Elle leva la tête et vit Jondalar, qui avait autant de chagrin qu'elle, ou que Nezzie. Ils tombèrent tous trois dans les bras les uns des autres.

Ils n'étaient pas les seuls à montrer leur peine. Du sol s'éleva un couinement, suivi de quelques jappements qui se prolongèrent en un long hurlement plaintif. Loup reprit son souffle et hurla à la mort. Des Mamutoï s'étaient rassemblés autour de la tente mais hésitaient à entrer. Même Ayla, Jondalar et Nezzie cessèrent de pleurer et écoutèrent en frissonnant la plainte du loup. Nul n'aurait pu rêver d'élégie plus poignante.

Après avoir séché ses larmes, Ayla s'assit, immobile, près du petit corps chétif. Les yeux rougis, elle revoyait sa vie dans le Clan, son fils, et sa première rencontre avec Rydag. Elle aimait Rydag. Il avait fini par occuper la place de Durc. On lui avait retiré son enfant, mais grâce à Rydag, elle pouvait imaginer comment il grandirait, à quoi il ressemblerait et comment il penserait. Quand une tendre repartie de Rydag la faisait sourire, ou quand elle se réjouissait de son intelligence, elle imaginait Durc avec les mêmes qualités, la même compréhension. Avec Rydag, le lien ténu qui la rattachait encore à Durc disparaissait. Et elle pleurait ses deux enfants.

Nezzie avait autant de peine, mais elle devait songer aux vivants. Rugie grimpa sur ses genoux, déçue que son compagnon de jeu, son ami, son frère refusât de jouer avec elle. Il ne faisait même plus de mots avec ses mains. Danug était allongé sur sa couche, et pleurait, la tête cachée sous une fourrure. On envoya prévenir Latie.

— Ayla ? finit par dire Nezzie. Que doit-on faire pour l'ensevelir dans les règles du Clan ? Il faut commencer à le préparer.

Perdue dans ses souvenirs, Ayla ne comprit pas tout de suite qu'on s'adressait à elle.

— Comment ?

— Il faut le préparer, répéta Nezzie. Mais que doit-on faire ? Je ne connais pas les coutumes du Clan.

Bien sûr ! Les Mamutoï ne pouvaient pas les connaître, se disait Ayla. Surtout ceux du Foyer du Mammouth. Mais elle les connaissait, elle. Elle récapitula les funérailles auxquelles elle avait assisté, et réfléchit à ce qui conviendrait le mieux pour Rydag. Avant d'être enterré selon les coutumes du Clan, il devait être introduit dans le Clan. Donc, avant tout lui trouver un nom, et lui faire une amulette contenant un morceau d'ocre rouge. Ayla se leva précipitamment et sortit.

Jondalar la suivit.

— Où vas-tu, Ayla ?

— Si Rydag doit rejoindre le Clan, il faut que je lui fasse une amulette, expliqua-t-elle.

Avec une rage contenue, elle traversa le campement d'un air digne, passa devant le Foyer du Mammouth sans un regard, et se dirigea tout droit vers l'aire des tailleurs de silex. Jondalar la suivait, se doutant de ce qu'elle voulait faire. Ayla demanda un nodule de silex, que personne n'osa lui refuser, jeta un regard circulaire, aperçut le percuteur qu'elle cherchait et nettoya un endroit pour se mettre au travail.

La voyant préparer un silex selon les méthodes du Clan, les tailleurs de pierre, intrigués, s'approchèrent le plus discrètement possible. Ils craignaient de déclencher ses foudres, mais ne voulaient pas gâcher la chance qui s'offrait. Après que les origines d'Ayla avaient été dévoilées, Jondalar avait essayé de leur montrer les techniques du Clan, mais il manquait de pratique. Et lorsqu'il parvenait à tailler un silex à la façon du Clan, les Mamutoï mettaient sa réussite sur le compte de son adresse personnelle. Ils ne comprenaient pas qu'il utilisait une technique différente.

Ayla décida de fabriquer deux outils, un couteau et un poinçon, et de les rapporter au Camp de la Massette pour y coudre l'amulette. Elle réussit à tailler un couteau tranchant, mais tremblante de colère et d'émotion, elle éprouva les pires difficultés à façonner le poinçon. Elle rata son premier essai et le nombre de curieux qui l'observaient accentua sa nervosité. Elle sentait que les tailleurs de pierre évaluaient les techniques du Clan et elle se reprochait d'être une piètre ambassadrice de leur savoir et elle s'en voulait de tenir compte de l'opinion des Mamutoï. A sa deuxième tentative, elle brisa encore la pierre. Elle en pleurait de rage. Entre deux sanglots, elle vit Jondalar agenouillé à ses pieds.

— Est-ce cela que tu veux ? demanda-t-il en lui tendant le perçoir qu'elle avait fabriqué à l'occasion de la Fête du Printemps.

— Mais c'est un outil du Clan ! Où l'as-tu trouvé ?... Ah, je sais. C'est celui que j'ai fabriqué !

— Oui, j'étais allé le rechercher. Tu ne m'en veux pas ?

Ayla était déroutée, surprise et contente à la fois.

— Non, bien sûr. Mais pourquoi l'as-tu récupéré ?

— Je... je voulais l'examiner.

Il n'osait pas lui avouer qu'il l'avait gardé en souvenir, au cas où il repartirait sans elle, ce dont il était de plus en plus convaincu. Il ne le souhaitait pourtant pas.

Elle rapporta les outils au Camp de la Massette, et demanda à Nezzie un morceau de cuir souple. Après le lui avoir donné, Nezzie la regarda coudre la bourse de cuir.

— Ces outils ont l'air grossiers, mais ils sont très efficaces, remarqua Nezzie. A quoi servira la bourse ?

— C'est l'amulette de Rydag. J'en avais fabriqué une pour la Fête du Printemps. J'y glisserai un morceau d'ocre rouge et je nommerai Rydag selon les règles du Clan. Il lui faudra aussi un totem pour le protéger et l'aider à trouver son chemin dans le monde des esprits. J'ignore comment Creb découvrait le totem des gens, mais il ne se trompait jamais... peut-être pourrais-je partager le mien avec Rydag. Le Lion des Cavernes est un totem très puissant, difficile, mais excellent protecteur. Rydag a besoin d'être bien protégé.

— Puis-je faire quelque chose ? demanda Nezzie. A-t-il besoin d'être préparé ? Habillé ?

— Moi aussi, je voudrais me rendre utile, fit Latie qui apparut sur le seuil accompagnée de Tulie.

— Moi aussi, dit Mamut.

Ayla s'aperçut que tout le Camp du Lion s'était réuni sous la tente et offrait son aide. Seuls les chasseurs manquaient à l'appel. Elle se sentit pleine de reconnaissance pour ce peuple qui avait recueilli un étrange orphelin et l'avait accepté comme l'un des siens. Et une colère froide la révolta en pensant à ceux du Foyer du Mammouth qui n'accordaient même pas des funérailles convenables au jeune garçon.

— Que quelqu'un me rapporte de l'ocre rouge pilé, celui que Nezzie utilise pour teindre le cuir, et qu'il le mélange dans de la graisse pour obtenir un baume. Il faudra lui en enduire le corps. En principe, on devrait utiliser de la graisse d'ours des cavernes. C'est l'animal sacré du Clan.

— Nous n'avons pas de graisse d'ours des cavernes, déplora Tornec.

— Il n'y a pas beaucoup d'ours des cavernes dans cette région, expliqua Manuv.

— Pourquoi ne pas utiliser de la graisse de mammouth ? suggéra Mamut. Rydag ne faisait pas seulement partie du Clan, il était moitié mamutoï, moitié Clan. Et le mammouth est sacré chez les Mamutoï.

— Tu as raison. Rydag était aussi mamutoï, nous ne devons pas l'oublier.

— Doit-on l'habiller, Ayla ? insista Nezzie. Il n'a jamais porté les nouveaux vêtements que je lui avais faits cette année.

Ayla réfléchit, et donna son accord.

— Pourquoi pas ? Quand on l'aura enduit d'ocre rouge, comme on fait dans le Clan, on l'habillera avec ses plus beaux vêtements comme pour un Mamutoï. Tu as eu une bonne idée, Nezzie.

— Je n'aurais jamais pensé que ceux du Clan utilisaient l'ocre rouge pour leurs morts, avoua Frebec.

— Je ne savais même pas qu'ils enterraient leurs morts, renchérit Crozie.

— Ceux du Foyer du Mammouth l'ignorent aussi, dit Tulie avec une moue de mépris. Ils vont être surpris.

Ayla demanda à Deegie l'un des bols en bois qu'elle lui avait offerts comme cadeau d'adoption. Il était taillé à la façon du Clan, et elle voulait y mélanger la graisse de mammouth et l'ocre rouge. Ce furent Nezzie, Crozie et Tulie, les trois anciennes, qui enduisirent le corps de Rydag de baume, et qui l'habillèrent ensuite. Ayla mit de côté une noix de baume, et glissa un morceau d'ocre rouge dans la bourse qu'elle venait de confectionner.

— Et pour le linceul ? fit Nezzie.

— Un linceul ? Qu'est-ce que c'est ? demanda Ayla.

— Chez les Mamutoï, pour transporter le corps nous l'enveloppons dans une peau de bête, ou dans une fourrure. Et il reste enveloppé quand on le met en terre.

Ayla craignit qu'en parant Rydag de beaux habits et de bijoux les funérailles fussent plus mamutoï que Clan. Les trois femmes attendaient anxieusement sa réponse. Ayla les regarda tour à tour. Oui, Nezzie avait raison, il était bon de l'envelopper dans une fourrure ou dans une peau. Elle dévisagea alors Crozie.

Elle se souvint d'un coup d'un objet auquel elle n'avait plus pensé depuis longtemps : la couverture de Durc, celle dont elle se servait pour le porter quand il était bébé. C'était le seul objet inutile qu'elle avait emporté en quittant le Clan. Pendant de nombreuses nuits, lorsqu'elle s'était retrouvée seule, la couverture de Durc avait été son unique lien avec un passé rassurant et avec ceux qu'elle avait aimés. Combien de fois s'était-elle endormie avec cette couverture ? Combien de fois la couverture avait-elle séché ses pleurs ? C'était le seul souvenir qu'elle gardait de son fils, et elle refusait de s'en séparer. Mais allait-elle conserver cette couverture toute sa vie ?

Ayla remarqua que Crozie l'observait et elle se souvint de la cape blanche que la Mamutoï avait confectionnée pour son fils. Elle l'avait conservée plusieurs années, mais avait accepté de s'en séparer pour le bien-être de Rapide, pour qu'elle lui serve de couverture. Celle de Durc ne serait-elle pas plus utile à Rydag dans son voyage dans le monde des esprits ? Crozie s'était déchargée du poids de la mort de son fils, n'était-il pas temps pour elle de suivre son exemple ? Elle avait la chance que Durc fût bien vivant, lui.

— J'ai quelque chose pour l'envelopper, dit Ayla.

Elle courut où elle rangeait ses affaires et sortit une peau qu'elle déplia. Elle porta la vieille pièce de cuir souple à sa joue, ferma les yeux et se recueillit un instant. Puis elle retourna auprès des trois femmes et tendit la peau à la mère de Rydag.

— Voilà, fit-elle. C'est un linceul du Clan. Il appartenait à mon fils, et il protégera Rydag dans le monde des esprits. Je dois te remercier, Crozie, ajouta-t-elle.

— Me remercier de quoi ?

— De tout ce que tu as fait pour moi, et de m'avoir convaincue que les mères doivent apprendre à oublier.

— Hum ! grogna la vieille femme, essayant de garder une mine sévère alors que son regard trahissait l'émotion.

Nezzie prit la peau et en recouvrit le corps de Rydag.

Il faisait déjà nuit. Ayla avait envisagé de faire une simple cérémonie sous la tente, mais Nezzie lui demanda d'attendre le matin et de conduire la cérémonie au grand jour pour prouver à tous la condition humaine de Rydag. Elle espérait aussi que les chasseurs seraient de retour. Personne ne voulait que Talut et Ranec manquent les funérailles.

Le lendemain en fin de matinée, on porta le corps dehors et on l'étendit sur la peau. Le bruit circulait qu'Ayla conduirait les funérailles de Rydag selon les coutumes du Clan, et, curieux, de nombreux Mamutoï s'étaient rassemblés et il en arrivait d'autres. Le bol d'ocre rouge et l'amulette à côté d'elle, Ayla commença à invoquer les esprits comme elle avait vu Creb le faire, quand un brouhaha l'interrompit. Au grand soulagement de Nezzie, les chasseurs rentraient enfin, rapportant des chargements de viande de mammouth. Ils avaient tiré les travois à tour de rôle et, conquis par les avantages des traîneaux, avaient échafaudé des projets d'aménagement pour les rendre plus maniables aux humains.

On ajourna la cérémonie le temps d'entreposer la viande, et Talut et Ranec furent rapidement mis au courant des événements. La mort du jeune garçon pendant la Réunion d'Eté des Mamutoï posait un cruel dilemme. On l'avait traité de monstre, d'abomination, d'animal, et on n'enterrait pas les animaux. On stockait leur viande. Seuls, les humains bénéficiaient de funérailles et on n'avait pas l'habitude d'attendre plusieurs jours avant de les ensevelir. Malgré leur refus d'accorder des funérailles à Rydag, les Mamutoï savaient bien qu'il n'était pas un animal. Ils ne révéraient pas les esprits des Têtes Plates comme ceux des cerfs, des bisons ou des mammouths, et personne n'avait envie de stocker le corps de Rydag à côté d'une carcasse de mammouth. C'était précisément son aspect humain qu'ils trouvaient monstrueux, et qu'ils refusaient de reconnaître. La solution imaginée par Ayla et ceux du Camp du Lion satisfaisait donc tout le monde.

Ayla se percha sur un monticule et commença la cérémonie, essayant de se remémorer les gestes de Creb. Elle ne connaissait pas le sens exact de tous les signes, qu'on enseignait uniquement aux mog-ur, mais elle en savait assez pour expliquer au Camp du Lion ce qu'elle était en train de faire.

— Je commence par invoquer les esprits, dit-elle. L'Esprit du Grand Ours des Cavernes, du Lion des Cavernes, du Mammouth, et tous les autres, et aussi les Esprits Ancestraux du Vent, de la Pluie et du Brouillard. A présent, je vais le nommer et l'accueillir parmi le Clan, expliqua Ayla en ramassant le bol d'ocre rouge.

Elle plongea un doigt dans la pâte rouge, et dessina un trait vertical sur le front de Rydag qu'elle prolongea jusqu'à la base de son nez.

Puis elle se releva et fit quelques gestes en même temps qu'elle traduisait :

— Cet enfant s'appelle Rydag.

Le ton de sa voix, la tension qu'ils lisaient sur son visage concentré sur la remémoration des signes qu'elle avait vus faits par Creb, et sa façon étrange de parler fascinaient les Mamutoï. Le récit d'Ayla en haut des glaces appelant les mammouths circulait dans toutes les bouches, et personne ne mettait en doute son droit à conduire cette cérémonie, ou toute autre, malgré l'absence de son tatouage de mamut.

— Voilà, poursuivit Ayla, je l'ai nommé selon les coutumes du Clan, mais il a besoin d'un totem pour l'aider à trouver son chemin dans le monde des esprits. Je ne connais pas son totem, je vais donc partager le mien avec lui. L'Esprit du Lion des Cavernes est un totem très puissant, mais Rydag le mérite.

Elle souleva la jambe droite de Rydag et, avec la pâte d'ocre rouge, traça quatre lignes parallèles sur sa cuisse.

— Esprit du Lion des Cavernes, l'enfant, Rydag, est placé sous ta protection.

Elle glissa ensuite l'amulette, attachée à une cordelette, autour du cou du cadavre.

— Rydag a été nommé et accepté par le Clan, dit-elle en espérant de tout son cœur que cela fût vrai.

Ayla avait choisi un emplacement à l'écart du campement, et le Camp du Lion avait demandé et obtenu du Camp du Loup la permission d'enterrer Rydag à cet endroit. Nezzie enveloppa le petit corps raidi dans la peau de Durc, et Talut souleva l'enfant et le porta dans son dernier refuge, ignorant les larmes qui inondaient ses joues.

Tous ceux du Camp du Lion entouraient le trou à peine creusé, pendant qu'on jetait divers objets dans la tombe. Nezzie apporta de la nourriture qu'elle plaça à côté du corps. Latie ajouta le petit sifflet préféré de Rydag. Tronie déposa les osselets de cerf enfilés sur un anneau tressé avec lequel Rydag amusait les bébés du Camp du Lion qu'il avait gardés l'hiver précédent. Il adorait s'occuper des nourrissons, c'était sa manière de se rendre utile. A la surprise générale, Rugie accourut avec sa poupée favorite et la jeta dans la tombe.

Au signal d'Ayla, chaque Mamutoï du Camp du Lion ramassa une pierre et la déposa précautionneusement sur le linceul, construisant peu à peu le cairn qui recouvrirait la tombe. Ayla commença alors la cérémonie proprement dite, sans traduire les gestes qu'elle faisait. Elle utilisa les mêmes signes que Creb avait faits sur la tombe d'Iza, et qu'elle avait reproduits pour honorer Creb quand elle l'avait trouvé sous les décombres de la grotte. Elle se lança ainsi dans une danse gestuelle dont l'origine remontait à la nuit des temps, et dont la beauté majestueuse en étonna plus d'un.

Ayla n'employait pas les signes simplifiés qu'elle avait appris à ceux du Camp du Lion, mais ceux plus complexes que chaque position du corps enrichissait de nuances subtiles. De nombreux signes étaient si ésotériques qu'Ayla n'en connaissait pas le sens profond, mais elle utilisait aussi des signes plus courants que le Camp du Lion comprenait. Ils s'aperçurent donc que le rituel était destiné à faciliter l'accès à l'autre monde. Mais les autres Mamutoï voyaient seulement une danse gestuelle où les bras et les mains dessinaient des mouvements gracieux qui évoquaient l'amour et la perte, le chagrin et l'espoir mythique de l'au-delà.

Enthousiaste, et les joues inondées de larmes comme tous les membres du Camp du Lion, Jondalar contemplait la danse silencieuse en se rappelant le jour — qui paraissait si lointain — où elle avait tenté, dans sa vallée, de lui expliquer quelque chose d'important avec cette même grâce. A cette époque, alors qu'il n'avait pas encore compris la nature idiomatique de cette curieuse danse, il avait pressenti que ses gestes recelaient un sens caché. Maintenant, il s'étonnait de son ignorance passée et se laissait charmer par la beauté du rituel.

Il se souvint de l'attitude qu'elle adoptait au début de leur rencontre, assise par terre, les jambes croisées, la tête courbée, attendant qu'il lui touchât l'épaule. Même lorsqu'elle avait su parler, elle avait persévéré dans cette position qui l'embarrassait d'autant plus qu'il avait appris qu'il s'agissait d'une coutume du Clan. Mais elle lui avait expliqué qu'elle ne connaissait pas d'autres moyens de faire comprendre ce qu'elle ne pouvait pas dire avec des mots. Il songea en souriant qu'il n'y avait pas si longtemps, elle ne savait pas parler. Maintenant, elle s'exprimait couramment en deux langues : le zelandonii et le mamutoï. Trois, en comptant le langage du Clan. Elle avait même appris quelques expressions sungaea au cours du peu de temps qu'elle avait passé avec eux.

En contemplant le rituel du Clan, envahi par les souvenirs de leurs amours dans la vallée, il la désirait plus que jamais. Mais à côté d'Ayla, il aperçut Ranec, aussi captivé que lui, et chaque fois qu'il regardait la jeune femme, il ne pouvait éviter l'homme à la peau sombre. Depuis son retour, Ranec ne quittait plus Ayla, et il avait clairement fait comprendre à Jondalar qu'elle était toujours sa Promise. Jondalar avait essayé de parler à Ayla et de lui exprimer sa douleur devant la mort de Rydag, mais elle n'avait pas semblé sensible à ses efforts pour la consoler. Elle était submergée de chagrin, qu'espérait-il ?

Soudain, toutes les têtes se tournèrent. Marut, le tambour, frappait sur le crâne de mammouth tendu de peau. On jouait de la musique aux enterrements mamutoï, mais le rythme lancinant qui venait de s'élever ne ressemblait pas à ce qu'ils avaient l'habitude d'entendre. C'étaient les rythmes étranges et fascinants qu'Ayla lui avait enseignés. Les rythmes du Clan. Manem, le musicien barbu, reproduisit alors avec sa flûte l'air qu'elle lui avait sifflé. La flûte et le tambour épousèrent les mouvements de la danse rituelle d'Ayla qui s'enrichirent d'une dimension aussi évanescente que la musique elle-même.

Arrivée à la fin de son rituel, Ayla décida de recommencer, accompagnée cette fois par les musiciens qui se mirent à improviser. Grâce à leur talent, ils transformèrent la mélodie simple du Clan en un rythme plus complexe qui n'était ni Clan ni mamutoï, mais un mélange des deux. Ayla ne put s'empêcher de penser qu'il s'agissait là d'une musique à la mesure de Rydag, lui-même mélange de Clan et de mamutoï.

Toujours accompagnée par les musiciens, Ayla recommença une dernière fois le rituel funéraire. Elle s'était mise à pleurer sans s'en rendre compte, mais elle voyait bien qu'elle n'était pas la seule. Les yeux gonflés de larmes étaient nombreux parmi les Mamutoï du Camp du Lion.

A la fin de la troisième danse, un nuage sombre venant du sud-est avait obscurci le ciel. C'était la saison des orages et les Mamutoï coururent s'abriter. Mais à la place de l'eau, une poussière légère s'abattit sur le campement, et la pluie de cendres tomba de plus en plus fort.

Plantée près du cairn de Rydag, Ayla sentit la caresse des cendres volcaniques sur son visage, ses cheveux, ses épaules. La poussière l'enveloppa, s'accrochant à ses bras, ses sourcils, ses cils même, et la transforma en statue grisâtre. La cendre recouvrait tout, les pierres du cairn, l'herbe, et jusqu'à la poussière du chemin. Ceux qui étaient restés près de la tombe disparurent bientôt sous le ton uniforme du linceul gris qui, comme la mort, effaçait toutes les différences.

37

— C'est affreux ! gémit Tronie en secouant une fourrure au-dessus d'une rigole. Je passe mon temps à nettoyer, mais cette cendre s'insinue partout, dans la nourriture, dans l'eau, dans les habits, dans les lits. Pas moyen de s'en débarrasser !

— Il nous faudrait une bonne averse, ou une tempête de neige, déclara Deegie en jetant l'eau qui avait servi à laver la peau de la tente. C'est bien la première fois que j'attends l'hiver avec impatience.

— Cela ne m'étonne pas ! ricana Tronie. Mais n'est-ce pas surtout parce que tu vas t'unir à Branag et vivre avec lui ?

— Tu as deviné ! fit Deegie avec un sourire radieux.

— On dit que ceux du Foyer du Mammouth ont voulu reporter la Cérémonie de l'Union à cause de ces cendres, c'est vrai ? demanda Tronie.

— Oui, et aussi les Rites de la Féminité, mais personne n'a accepté, répondit Deegie. Et puis, Latie et moi, nous refusons d'attendre. Les cérémonies auront lieu pour ne pas aggraver le malaise qui s'est installé. Tu sais, beaucoup de Mamutoï pensent qu'ils ont eu tort de s'opposer à l'enterrement de Rydag.

— Oui, mais tous ne partagent pas cet avis, intervint Fralie qui approchait, portant un panier rempli de cendres. De toute façon, quoi qu'ils aient décidé, quelqu'un y aurait trouvé à redire.

— Il fallait avoir vécu auprès de Rydag pour comprendre, dit Tronie.

— Et encore ! fit Deegie. Je n'avais jamais réussi à le considérer tout à fait comme un être humain avant l'arrivée d'Ayla.

— A propos d'Ayla, elle n'a pas l'air aussi impatiente que toi de s'unir, tu ne trouves pas, Deegie ? fit Tronie. Je me demande ce qui ne va pas. Est-elle malade ?

— Non, je ne crois pas, répondit Deegie. Pourquoi ?

— Je la trouve bizarre. Elle se prépare à l'Union, mais ça n'a pas l'air de lui faire plaisir. Pourtant, elle reçoit beaucoup de cadeaux. Elle devrait se réjouir, comme toi, Deegie. Chaque fois qu'on parle d'Union, tu affiches un sourire béat.

— Tout le monde n'attend pas la même chose d'une Union, remarqua Fralie.

— Elle était très proche de Rydag, expliqua Deegie. Elle le pleure autant que Nezzie. S'il avait été un vrai Mamutoï on aurait reculé la Cérémonie de l'Union.

— Moi aussi, j'ai de la peine, assura Tronie. Rydag me manque... Il était très gentil avec Hartal. Nous éprouvons tous du chagrin, même si je suis soulagée que ses souffrances aient enfin cessé. Mais je crois que c'est autre chose qui tracasse Ayla.

Préférant ne pas s'appesantir sur la question, elle omit d'ajouter qu'elle n'avait jamais compris pourquoi Ayla s'unissait à Ranec. Deegie était sûre qu'en dépit des apparences, Ayla était toujours éprise de Jondalar, bien plus que du sculpteur. Or, ces derniers temps, Ayla n'avait manifesté qu'indifférence envers le Zelandonii.

A ce moment-là, Jondalar sortit de la tente. Il paraissait soucieux.

Plongé dans ses pensées, Jondalar répondait par un vague signe de tête aux gens qui le saluaient sur son passage. Son imagination lui jouait-elle des tours, ou Ayla l'évitait-elle réellement ? Il l'avait fuie pendant longtemps, mais maintenant qu'il essayait de lui parler en tête à tête, il n'arrivait pas à croire qu'elle l'évitât à son tour. Bien qu'elle eût promis de s'unir à Ranec, il persistait à penser qu'elle lui reviendrait dès qu'il cesserait de la fuir. Il l'avait toujours sentie réceptive, mais elle s'était refermée ces derniers temps. Il avait décidé d'avoir une explication franche avec elle, mais elle n'était jamais seule et il n'arrivait pas à trouver le moment propice.

Il vit Latie approcher. Il s'arrêta pour la regarder, étonné des changements qu'apportaient les Premiers Rites. La démarche tranquille, elle souriait à ceux qui la saluaient. Elle n'était plus une enfant, ne gloussait plus comme une gamine empruntée. Elle possédait maintenant l'assurance d'une femme.

— Bonjour, Jondalar, fit-elle en souriant.

— Bonjour, Latie. Tu m'as l'air bien heureuse.

Et bien jolie, songea-t-il. Ses yeux trahissaient ses pensées. Latie perçut son émotion, et, retenant son souffle, lui rendit son regard sans équivoque.

— C'est vrai, je suis très heureuse, dit-elle. J'avais envie de me promener un peu toute seule... ou avec quelqu'un qui me plaît... Et toi, où allais-tu ? demanda-t-elle en se rapprochant.

— Je cherche Ayla. Sais-tu où elle est ?

Déçue, Latie soupira.

— Oui, dit-elle tout de même avec un sourire amical. Elle surveille le bébé de Tricie. Mamut la cherche, lui aussi.

Profitant de la belle journée ensoleillée, Mamut et Ayla étaient assis à l'ombre d'un bosquet d'aulnes.

— N'en veux pas à tout le monde, Ayla, disait Mamut. Certains ont essayé de s'opposer à leur décision. J'étais de ceux-là.

— Mais je ne te reproche rien, Mamut. Pas plus qu'aux autres, d'ailleurs. C'est leur aveuglement qui m'exaspère. Pourquoi les détestent-ils à ce point ?

— Peut-être que la ressemblance les inquiète, alors ils mettent l'accent sur les différences... Tu devrais aller au Foyer du Mammouth avant demain, poursuivit-il. C'est indispensable si tu veux t'unir. Tu es la dernière, Ayla, tu sais.

— Oui, j'irai.

— Tes atermoiements encouragent Vincavec. Il m'a demandé aujourd'hui même si je croyais que tu étudiais sa proposition. Il m'a dit que si tu craignais de rompre ta Promesse, il allait offrir à Ranec de cohabiter avec lui. Cette offre augmenterait ton Prix de la Femme et élèverait considérablement votre statut à tous trois. Qu'en penses-tu, Ayla ? Accepterais-tu de vivre avec Ranec et Vincavec ?

— Vincavec m'en a déjà dit deux mots à la chasse. Je dois d'abord en parler avec Ranec.

Son manque d'enthousiasme pour toute solution, quelle qu'elle fût, désorientait Mamut. Avec le deuil, le moment était mal choisi pour une Union, pensait-il. Mais craignant qu'Ayla ne soit harcelée, il ne voulait pas lui conseiller d'attendre. Ayla regardait ailleurs, et Mamut s'intéressa à ce qui retenait l'attention de la jeune femme. Il vit Jondalar se diriger vers eux. Nerveuse, Ayla faillit s'esquiver, mais elle n'osa pas interrompre brusquement sa conversation avec Mamut.

— Ah, te voilà ! Je te cherchais partout. Ayla, il faut que je te parle.

— Tu vois bien que je suis avec Mamut, fit-elle.

— Oh, nous avions terminé, dit Mamut. Si tu veux parler avec Jondalar...

Gênée, Ayla hésita.

— Nous n'avons plus rien à nous dire, finit-elle par déclarer en fuyant le regard de Jondalar.

Jondalar blêmit. Ainsi, elle l'avait évité ! Et maintenant elle refusait de lui parler.

— Je... euh... je, excusez-moi de vous avoir dérangés, bredouilla-t-il, confus.

Il serait rentré sous terre s'il avait pu. Il s'éloigna vivement.

Mamut observait Ayla. Manifestement troublée, elle suivait des yeux Jondalar. Mamut la raccompagna au Camp du Lion. Songeur, il s'abstint toutefois de tout commentaire.

A l'approche du Camp, ils eurent la surprise de voir Nezzie et Tulie venir à leur rencontre. La mort de Rydag avait secoué Nezzie. La veille, elle avait remis à Ayla les remèdes qui lui restaient, et elles avaient pleuré ensemble. Nezzie ne voulait pas garder ces tristes souvenirs, mais elle n'osait pas les jeter. Ayla avait compris que, Rydag mort, Nezzie n'avait plus besoin de son aide.

— Ah, Ayla ! s'exclama Tulie. Nous te cherchions.

Elle se réjouissait comme quelqu'un qui prépare une surprise, ce qui était inattendu de la part de la Femme Qui Ordonne. En échangeant des regards complices, les deux femmes déplièrent un objet devant les yeux ébahis d'Ayla.

— Toute Promise a besoin d'une tunique neuve, déclara Tulie. D'habitude c'est la mère de l'homme qui la fabrique, mais j'avais envie d'aider Nezzie.

C'était une tunique de cuir jaune d'or aux ornements d'une rare beauté. Certaines parties étaient brodées de perles d'ivoire dessinant de merveilleux motifs, rehaussés de petites perles d'ambre.

— Oh, comme c'est beau ! s'extasia Ayla. Et quel travail ! Rien que la fabrication des perles a dû vous prendre des jours et des jours de patience. Quand l'avez-vous faite ?

— Nous l'avons commencée dès que tu as annoncé ta Promesse d'Union, dit Nezzie. Viens dans la tente, et essaye-la !

Ayla regarda Mamut qui souriait. Il était dans le secret, lui aussi. Les trois femmes pénétrèrent sous la tente et se dirigèrent vers le foyer de Tulie. Ayla se déshabilla mais ne savait comment porter la tunique. Tulie l'aida à l'enfiler. La tunique s'ouvrait devant, et se fermait avec des garnitures en laine de mammouth rouge.

— Tu peux la porter fermée comme ceci, expliqua Nezzie. Mais le jour de la cérémonie, tu devras l'ouvrir comme ça, fit-elle en détachant le haut. Quand elle s'unit, une femme doit exhiber fièrement ses seins.

Les deux femmes se reculèrent pour admirer la Promise. Quelle poitrine magnifique ! pensa Nezzie. Une poitrine faite pour allaiter. Dommage qu'Ayla n'ait pas de mère, elle serait fière de sa fille.

— Pouvons-nous entrer ? demanda Deegie en passant sa tête par l'ouverture de la tente.

Les femmes du Camp entrèrent à sa suite admirer Ayla dans sa tenue de cérémonie. Ayla comprit qu'elles étaient toutes dans le secret.

— Ferme la tunique, maintenant, conseilla Nezzie, et sors la montrer aux hommes. Il ne faut pas la porter ouverte en public avant la cérémonie.

Ayla obtempéra et déclencha des murmures émerveillés chez les hommes du Camp du Lion. Des Mamutoï d'autres Camps étaient venus se joindre aux admirateurs. Vincavec, dans la confidence, avait tenu à être présent. Lorsqu'il la vit, il se jura de s'unir à elle, même s'il devait la partager avec une dizaine de Mamutoï.

Un homme, qui n'était pas du Camp du Lion, bien qu'on le considérât comme un de ses membres, assistait aussi à la scène. Jondalar avait suivi Mamut et Ayla, incapable d'accepter la rebuffade qu'il avait essuyée. Danug l'avait prévenu de ce qui se préparait et il avait attendu dehors avec tout le monde. Lorsqu'Ayla était sortie, sa beauté l'avait bouleversé, mais son visage s'était peu à peu crispé dans une expression douloureuse. Il avait perdu Ayla ! Elle montrait à tous qu'elle s'unirait à Ranec le lendemain. Hébété, il décida de ne pas assister à son Union avec le sculpteur à la peau noire. Il était temps pour lui de s'en aller.

Ayla avait remis ses habits de tous les jours et était repartie avec Mamut. Jondalar se précipita sous la tente, et fut soulagé de la trouver déserte. Il rangea les affaires qu'il comptait emporter, et les enroula dans sa fourrure de couchage. Il décida d'attendre le matin, de dire au revoir à tout le monde et de partir aussitôt après le repas. D'ici là, il ne préviendrait personne.

Jondalar passa la journée à rendre visite à ceux avec qui il avait sympathisé à la Réunion d'Eté, mais sans dévoiler ses intentions. Le soir, il s'attarda auprès des membres du Camp du Lion qu'il considérait comme sa famille. Il savait qu'il ne les reverrait jamais, et les adieux s'annonçaient difficiles. Il voulait parler une dernière fois avec Ayla, mais l'occasion ne se présentait pas. Enfin, il la vit se diriger en compagnie de Latie vers l'auvent qui abritait les chevaux, et leur emboîta le pas.

Leur conversation resta superficielle, mais la tension qu'elle devinait chez Jondalar intimidait Ayla. Lorsqu'elle le quitta, il resta bouchonner l'étalon. La première fois qu'il avait vu Ayla, elle aidait Whinney à mettre bas, et cette vision l'avait profondément troublé. Jondalar se rendit compte qu'il aurait du mal à quitter le jeune étalon pour lequel il éprouvait des sentiments qu'il n'aurait jamais cru possibles.

Finalement, il retourna sous la tente et se glissa dans son lit. Mais le sommeil le fuyait. Il repensa à Ayla, aux jours heureux passés dans sa vallée, à leur amour naissant lentement. Non, il l'avait tout de suite aimée ! Il avait simplement mis du temps à le reconnaître, et c'était pourquoi il l'avait perdue. Il regretterait toute sa vie d'avoir rejeté son amour. Comment avait-il pu être aussi stupide ? Il n'était pas près de se le pardonner. Jamais il n'oublierait Ayla.

La nuit fut longue et pénible, et aux premières lueurs de l'aube, il n'y tint plus. Il ne pouvait se résoudre aux adieux, et décida de partir sans dire au revoir à Ayla ni aux autres. Il ramassa ses affaires en silence et se glissa dehors.

— Tu as choisi de partir à l'aube, murmura Mamut. Je m'en doutais.

Jondalar se retourna, surpris.

— Je... euh... je dois partir. Je... je ne peux plus rester davantage. Il est temps que... euh... que je... bégaya-t-il.

— Je sais, Jondalar. Et je te souhaite un bon voyage. Un long chemin t'attend. C'est à toi de décider ce qui est le mieux pour toi, mais souviens-toi de ceci : comment choisir quand il n'y a pas de choix ?

Sur ce, le vieil homme rentra sous la tente.

Jondalar resta un instant interdit, puis il se dirigea vers l'auvent des chevaux. Qu'avait donc voulu dire Mamut ? Pourquoi Ceux Qui Servent la Mère tenaient-ils toujours des propos obscurs ?

Lorsqu'il vit Rapide, Jondalar fut pris d'une envie subite de partir avec lui, d'emporter au moins l'étalon. Mais Rapide appartenait à Ayla. Il caressa les deux chevaux, flatta l'encolure de Rapide, aperçut Loup et lui frotta tendrement le cou. Puis il se mit vivement en marche.

Lorsqu'Ayla se réveilla, le soleil inondait déjà la tente d'une lumière dorée. La journée s'annonçait belle. Elle se souvint alors que c'était le jour de la Cérémonie de l'Union et se renfrogna. Elle s'assit et examina la tente d'un regard circulaire. Quelque chose n'allait pas. A son réveil, elle jetait toujours un œil vers Jondalar. Il n'était pas là. Tiens, se dit-elle, il s'est levé de bonne heure ce matin ! Un sombre pressentiment lui noua la gorge.

Elle se leva, s'habilla, sortit se laver et chercha une brindille pour se nettoyer les dents. Près du feu, Nezzie la regardait d'un drôle d'air, renforçant le pressentiment d'Ayla. Elle lorgna vers l'auvent. Whinney et Rapide semblaient tranquilles, et Loup était couché près d'eux. Elle retourna sous la tente et l'inspecta. La plupart de ses occupants étaient déjà dehors. Elle remarqua alors que la place de Jondalar était vide. Sa fourrure de couchage et ses affaires avaient disparu. Jondalar était parti !

En proie à une panique soudaine, Ayla se rua dehors.

— Nezzie ! Jondalar est parti ! Il n'est plus dans le Camp du Loup, il est parti pour de bon. Il m'a abandonnée !

— Il fallait s'y attendre, tu ne crois pas ?

— Mais il ne m'a même pas dit au revoir ! Je croyais qu'il resterait jusqu'à la Cérémonie.

— C'est justement ce qu'il a voulu éviter, déclara Nezzie. Il n'a jamais accepté que tu t'unisses à un autre.

— Mais... mais... il ne voulait pas de moi. Que pouvais-je faire ?

— Tout dépend de ce dont tu as envie.

— Je voulais aller avec lui ! Comment a-t-il pu m'abandonner ? Il disait qu'il m'emmènerait. C'est ce que nous avions décidé. Qu'advient-il de nos projets, Nezzie ? demanda-t-elle en éclatant en sanglots.

Nezzie la prit dans ses bras et essaya de la réconforter.

— Les projets changent, Ayla, la vie change, tout change. Et Ranec dans tout ça ?

— Ce n'est pas moi qu'il lui faut, Nezzie. Il devrait s'unir à Tricie. Elle l'aime.

— Et toi ? Lui aussi t'aime.

— J'ai essayé de l'aimer, Nezzie. J'ai vraiment essayé, mais c'est Jondalar que j'aime. Et il m'a quittée, fit-elle entre deux sanglots. Il ne m'aime pas.

— En es-tu si sûre ?

— Il m'a quittée sans même me dire au revoir. Oh, Nezzie, pourquoi est-il parti sans moi ? gémit Ayla. Qu'ai-je fait de mal ?

— Tu penses avoir mal agi ?

Troublée, Ayla réfléchit.

— Il voulait me parler, hier, et j'ai refusé.

— Pourquoi ?

— Parce que... parce qu'il ne voulait plus de moi. Tout l'hiver, j'avais envie d'être avec lui et il me fuyait. Il ne m'adressait même plus la parole.

— Donc, il voulait te parler et tu as refusé ? Ce sont des choses qui arrivent, constata Nezzie.

— Mais je veux lui parler, Nezzie. Je veux être avec lui, même s'il ne m'aime pas. Mais c'est trop tard, il est parti. Il est parti tranquillement, sans me dire au revoir. Non, c'est impossible ! Il n'a pas pu faire cela !... Il ne peut pas être... loin...

Nezzie la considérait d'un air amusé.

— Tu crois qu'il est déjà loin, Nezzie ? Je marche vite, tu sais. Je pourrais le rejoindre. Tu crois que je devrais essayer de le rattraper et lui parler ? Oh, Nezzie ! Je l'aime !

— Alors, cours-lui après, mon enfant. Si tu l'aimes, va, rejoins-le. Avoue-lui tes sentiments. Donne-lui au moins la chance de s'expliquer.

— Oui, tu as raison ! fit Ayla en séchant ses pleurs. Oui, c'est ce que je vais faire. Tout de suite !

Et elle s'élança sur le sentier. Elle traversa la rivière en effleurant à peine les pierres du gué, arriva dans le pré et s'arrêta. Elle ne savait pas quelle direction Jondalar avait prise. Elle devrait le suivre à la trace, et cela risquait de prendre trop de temps.

Soudain, Nezzie entendit deux sifflements stridents. Elle sourit en voyant Loup filer devant elle ventre à terre, et Whinney dresser les oreilles et suivre le quadrupède. Rapide s'élança derrière eux. Amusée, Nezzie observa le loup dévaler la colline en bondissant.

Lorsque Loup rejoignit Ayla, elle lui parla, étayant ses paroles de gestes du Clan.

— Cherche Jondalar, Loup. Cherche !

Le loup renifla le sol, l'air, et choisit une direction. Ayla remarqua alors des brins d'herbe foulés et des brindilles brisées. Elle enfourcha Whinney et partit au galop.

Pendant qu'elle chevauchait, des questions l'assaillirent. Que lui dire ? Comment lui faire comprendre qu'elle attendait qu'il l'emmène ? Et s'il refusait de l'écouter ? S'il ne voulait pas d'elle ?

La pluie avait nettoyé les arbres et les feuillages des cendres volcaniques, mais Jondalar marchait sans se préoccuper de la beauté des prairies et des bois, resplendissants sous le soleil d'été. Il avançait sans but, se contentant de suivre la rivière, mais chaque pas qui l'éloignait du Camp l'assombrissait davantage.

Pourquoi l'ai-je quittée ? Qu'est-ce qui me prend de voyager seul ? Peut-être devrais-je faire demi-tour et lui proposer de venir avec moi ? Mais elle refuse de te suivre, Jondalar. C'est une Mamutoï, elle est avec son peuple. Elle a préféré Ranec. Oui, elle a choisi Ranec, mais lui as-tu laissé le choix ? Qu'avait dit Mamut ? Il avait parlé de choix.

Ah, oui, « Comment choisir quand il n'y a pas de choix ? ». Que voulait-il dire ?

Jondalar s'était arrêté. Exaspéré, il se remit en marche quand soudain, il comprit. Je ne lui ai jamais laissé le choix. Ayla n'a pas choisi Ranec, pas au début. La nuit de l'adoption, oui, elle a eu le choix... et encore ! C'est le Clan qui l'a élevée, et on ne lui a jamais appris le sens du mot « choix ». Et je l'ai rejetée. Pourquoi ai-je refusé de lui laisser le choix avant de partir ? Parce qu'elle ne voulait pas t'écouter, Jondalar.

Non, parce que tu avais peur qu'elle en choisisse un autre. Cesse donc de te mentir ! Elle a fini par se lasser et a refusé de t'écouter. Mais c'était parce que tu avais peur qu'elle en préfère un autre, Jondalar. Tu ne lui as jamais laissé le choix. Ah, tu peux être fier de toi !

Pourquoi ne retournes-tu pas la laisser choisir entre Ranec et toi ? Ose donc faire ta proposition ! Elle se prépare pour une cérémonie importante. Qu'as-tu à lui proposer ?

Tu pourrais rester. Tu pourrais même cohabiter avec Ranec. Le supporterais-tu ? Accepterais-tu de la partager avec Ranec ? Plutôt que de la perdre, accepterais-tu de rester parmi les Mamutoï et de partager Ayla ?

Jondalar réfléchit longuement. Oui, se dit-il enfin, s'il ne pouvait pas faire autrement. Mais ce n'était pas ce qu'il voulait. Il voulait l'emmener chez son peuple et s'y installer avec elle. Les Mamutoï avaient accepté Ayla, pourquoi les Zelandonii n'en feraient-ils pas autant ? Certains d'entre eux l'accepteraient, mais les autres ?

Ranec peut s'appuyer sur le Camp du Lion et sur de nombreuses filiations. Mais toi, tu ne peux même pas lui offrir ton peuple, ni tes filiations. Les Zelandonii risquent de la rejeter, et de te renier. Tu n'as que toi à lui offrir.

Que deviendraient-ils si les Zelandonii les rejetaient ? Nous irions ailleurs. Nous pourrions revenir ici. Hum ! C'est un long voyage. Il serait peut-être plus judicieux de rester ici, et de s'y établir. Tarneg cherchait un tailleur de silex pour le Camp qu'il voulait fonder. Et Ranec dans tout cela ? Mieux encore, et Ayla ? Supposons qu'elle refuse ?

Perdu dans ses pensées, Jondalar n'entendit pas le bruit des sabots et sursauta quand Loup bondit sur lui.

— Loup ? Que fais-tu ici ?...

Médusé, il vit Ayla descendre de Whinney.

Elle s'avança, timide, craignant qu'il ne lui tourne le dos. Comment lui expliquer ? Comment le forcer à l'écouter ? Et s'il refusait de l'entendre ? Elle se souvint alors de l'époque où elle ne savait pas encore parler, et de la posture qu'elle avait apprise avec le Clan pour demander la parole. Elle se laissa glisser au sol avec grâce, baissa la tête et attendit.

Jondalar la regardait sans comprendre, puis la mémoire lui revint. C'était son signal. Lorsqu'elle désirait lui communiquer quelque chose d'important et qu'elle ne savait pas comment s'exprimer, elle utilisait la posture du Clan. Pourquoi adopter cette posture ? Que voulait-elle lui dire de si important ?

— Lève-toi, fit-il. Ne fais pas cela !

Il se souvint alors du geste approprié et lui tapota l'épaule. Lorsque Ayla releva la tête, il vit ses yeux gonflés de larmes. Il s'agenouilla pour les sécher.

— Pourquoi pleures-tu, Ayla ? Que fais-tu ici ?

— Jondalar, hier tu as essayé de me parler et j'ai refusé de t'écouter. Maintenant, ce que j'ai à te dire est difficile à expliquer. Je me suis assise à la manière des femmes du Clan pour que tu m'écoutes. Promets-moi de ne pas partir avant de m'avoir écoutée.

L'espoir faisait battre le cœur de Jondalar au point qu'il n'arrivait pas à articuler un son. Il se contenta de hocher la tête et prit les mains d'Ayla.

— Au début, tu voulais m'emmener mais je refusais de quitter ma vallée, commença-t-elle avant de s'interrompre pour reprendre son calme. Maintenant, je te suivrais n'importe où. Avant, tu disais m'aimer, mais j'ai l'impression que tu ne m'aimes plus. Pourtant, j'ai toujours envie de partir avec toi.

— Ayla, relève-toi, je t'en prie, dit-il en l'aidant. Je croyais que tu préférais Ranec. L'aimes-tu ?

— Non, je ne l'aime pas. C'est toi que j'aime, Jondalar. Je t'ai toujours aimé. Je ne comprends pas ce que j'ai fait pour que tu cesses de m'aimer.

— Tu... tu m'aimes toujours ? Oh, Ayla ! Oh, mon Ayla ! s'exclama-t-il en la serrant dans ses bras de toutes ses forces.

Il la contempla avec amour comme s'il la voyait pour la première fois. Ayla leva son visage vers lui, et ses lèvres qu'il prit dans un élan passionné.

Dans les bras de Jondalar, Ayla était bouleversée de sentir son amour, son désir. Elle essaya de réfréner ses pleurs de crainte qu'il ne se méprenne encore, mais les larmes ruisselèrent sans qu'elle pût les contenir.

— Ayla ! Mais tu pleures ?

— Oui, c'est parce que je t'aime. Je ne peux pas m'en empêcher. Cela fait si longtemps, et je t'aime tant !

Il baisa ses yeux, ses larmes, ses lèvres fraîches et fermes qui s'entrouvrirent pour accueillir sa langue.

— Ayla, est-ce vraiment toi ? fit-il. J'ai cru t'avoir perdue par ma faute. Je t'aime, Ayla, je t'ai toujours aimée. Il faut me croire. Je n'ai jamais cessé de t'aimer, mais je comprends pourquoi tu as cru le contraire.

— Je sais. Tu luttais contre ton amour, n'est-ce pas ?

Les yeux clos, il approuva d'un air douloureux.

— J'avais honte d'aimer une femme du Clan, et cette honte me dégoûtait. Je n'ai jamais été heureux avec personne comme avec toi. Je t'aime, et quand nous étions seuls tout allait pour le mieux. Mais quand nous nous sommes retrouvés parmi d'autres gens j'étais gêné...

chaque fois que tu te conduisais en femme du Clan. Et j'avais toujours peur... que tu dévoiles ton passé. J'avais honte qu'on apprenne que j'aimais une femme qui... que j'aimais un... un monstre, finit-il par avouer, bien que le mot lui coûtât.

» On me disait toujours que je pouvais avoir toutes les femmes, qu'aucune ne se refuserait à moi, pas même la Mère en personne. Et c'était vrai. Mais avant de te connaître, je n'avais jamais rencontré de femmes qui me plaisent vraiment. Que dirait-on si je te ramenais chez moi ? Si Jondalar peut choisir la femme qu'il veut, pourquoi la mère de cette Tête Plate... pourquoi ce monstre ? J'avais peur que les miens te rejettent... et qu'ils me renient aussi, à moins... à moins que je ne me range de leur côté contre toi. Et si j'avais eu à choisir entre toi et mon peuple, je craignais de les préférer à toi.

Ayla l'écoutait intensément.

— Je n'avais pas compris, dit-elle.

— Ayla, fit-il en lui prenant le menton et en l'obligeant à le regarder. Je t'aime. Je découvre seulement à quel point tu comptes pour moi. Et je sais que si j'avais à choisir entre mon peuple et toi, c'est toi que je choisirais. Je veux vivre là où tu vis.

Ayla tenta encore de refouler ses larmes, mais en vain.

— Si tu veux vivre parmi les Mamutoï, je resterai avec toi et je deviendrai un Mamutoï moi aussi. Si tu acceptes que je te partage avec Ranec... je suis prêt.

— Est-ce ce que tu souhaites ?

— Si c'est ce que tu veux... commença Jondalar.

Mais il se rappela les paroles de Mamut. Il prit garde de laisser un choix à Ayla.

— Ce que je veux, c'est vivre avec toi. J'accepterai de rester ici si tu le souhaites. Mais ce que je voudrais par-dessus tout, c'est que tu m'accompagnes chez les miens. Là, je serais heureux.

— Que je t'accompagne ? Tu n'as donc plus honte de moi ? Tu n'as plus honte du Clan, ni de Durc ?

— Non, je n'ai plus honte. Au contraire, je suis fier de toi. Et je n'ai plus honte du Clan, non plus. Rydag et toi, vous m'avez appris quelque chose de fondamental, et peut-être est-il temps que je le fasse comprendre aux autres à mon tour. J'ai découvert tant de choses que je veux rapporter à mon peuple. Je veux qu'ils voient le propulseur, qu'ils connaissent les méthodes de taille de Wymez, tes pierres à feu, et le tire-fil, qu'ils voient les chevaux, et Loup. Alors, peut-être croiront-ils celui qui leur expliquera pourquoi le peuple du Clan appartient aussi aux Enfants de la Terre Mère.

— Jondalar, le Lion des Cavernes est ton totem, déclara Ayla d'un ton définitif.

— Tu me l'as déjà dit. Comment en es-tu si sûre ?

— Je t'avais prévenu qu'un totem puissant est difficile à vivre. Si tu surmontes les épreuves qu'il t'impose, il t'apprendra beaucoup et te donnera encore plus. Tu viens de subir une épreuve pénible, mais as-tu à t'en plaindre ? Nous avons vécu tous deux une année difficile, mais j'ai beaucoup appris, sur moi, sur les Autres. Ils me font moins peur. Toi aussi tu as appris beaucoup sur toi, sur le Clan. Tu as réussi à surmonter la peur que tu éprouvais à l'égard de ceux du Clan, et tu as cessé de les détester.

— Tu as sans doute raison, et je suis content qu'un totem du Clan m'ait choisi. Mais je n'ai rien à t'offrir, Ayla. Je ne peux pas compter sur mes filiations, ni sur mon peuple. Je ne sais pas si les Zelandonii t'accepteront, je ne peux donc rien te promettre. Mais s'ils te rejettent, nous irons ailleurs. Pour toi, j'accepte de devenir mamutoï, mais je préférerais rentrer chez moi, et que Zelandoni nous lie l'un à l'autre.

— Est-ce comme l'Union ? demanda Ayla. Tu ne m'as jamais proposé l'Union. Tu m'as demandé de te suivre, mais jamais de fonder un foyer.

— Ah, Ayla, je suis impardonnable ! Pourquoi est-ce que je m'imagine que tu sais déjà tout ? Peut-être est-ce parce que tu connais tant de choses que j'ignore, et que tu apprends si vite ! Il faut que je trouve un moyen de te faire comprendre ce que les mots ne peuvent exprimer.

Avec un sourire amusé, il s'assit, jambes croisées, devant Ayla, mais ne pouvant se résoudre à courber la tête, il la regarda. Il la vit décontenancée et mal à l'aise, comme lui-même lorsqu'elle adoptait la posture des femmes du Clan.

— Jondalar, que fais-tu ? Un homme ne doit pas s'asseoir ainsi devant une femme ! Il n'a pas besoin de demander l'autorisation pour parler.

— Ayla, j'ai une demande à formuler. Acceptes-tu de m'accompagner, de t'unir à moi, autoriseras-tu Zelandoni à nouer nos liens, me feras-tu l'honneur de fonder un foyer avec moi, et me donneras-tu des enfants ?

Ayla se remit à pleurer, honteuse de tant de larmes.

— Oh, Jondalar ! J'en ai toujours rêvé ! A toutes tes questions, je réponds oui. Maintenant, relève-toi, je t'en supplie.

Il s'exécuta et l'enlaça tendrement, plus heureux que jamais. Il l'embrassa, la serra comme s'il craignait qu'elle lui échappe, et qu'il la perde une seconde fois.

Il l'embrassa encore, et sentit croître son désir. Elle le sentit aussi, et son corps offert répondit à l'attente ardente de Jondalar. Il se dégagea et se débarrassa du sac de voyage qu'il portait toujours sur le dos. Il sortit une peau de bête et l'étendit sur le sol. Croyant à un jeu, Loup se mit à bondir sur lui.

— Ah, Loup, tu nous déranges, tu sais, fit-il en regardant Ayla.

Elle ordonna au loup de s'éloigner, et sourit à Jondalar. Il s'assit sur la peau de bête et l'invita à le rejoindre. Troublée, elle obéit, impatiente déjà.

Il l'embrassa avec douceur et caressa ses seins dont il retrouvait avec délices les rondeurs fermes à travers la fine tunique. Ayla frémit sous les caresses familières. Elle ôta vivement sa tunique. Jondalar la coucha sur le dos et joignit ses lèvres aux siennes. Haletante, elle sentit la bouche du Zelandonii glisser sur sa gorge et sucer bientôt un mamelon érigé pendant qu'il caressait l'autre d'une main experte. Traversée d'aiguillons de feu, Ayla ne put étouffer un gémissement de plaisir pendant que son puits avide brûlait d'être comblé par la virilité de l'homme qu'elle aimait. Elle pétrit ses bras, son dos musclé, sa nuque, empoigna ses cheveux. Un instant déroutée qu'ils ne fussent point bouclés, elle l'oublia bien vite.

Il l'embrassa de nouveau, la fouillant gentiment de sa langue qu'elle suça avec délice. Elle retrouvait avec plaisir ses baisers à la douceur experte. C'était comme la première fois, elle le redécouvrait et s'apercevait avec enchantement à quel point il la connaissait. Ah, comme il lui avait manqué !

Elle était parcourue de frissons. Il déposa des baisers sur ses épaules, jouant une musique délicate sur ce corps qu'il aimait tant. Il étreignit son sein sans crier gare et lui arracha un cri, puis il caressa les mamelons érigés et elle gémit de plaisir.

Alors, il s'assit, la regarda longuement et ferma les yeux comme pour s'imprégner d'elle.

— Oh, Jondalar, je t'aime tant ! Tu m'as tellement manqué !

— Je mourais d'envie de toi, mais j'ai failli te perdre par ma faute. Comment ai-je pu être si bête ?

Il l'embrassa encore, la serra dans ses bras comme s'il craignait qu'elle lui échappe. Elle l'étreignit avec une ardeur égale. Soudain, ils ne purent attendre davantage. Il lui dénoua sa ceinture et elle ôta ses jambières d'été pendant qu'il défaisait les siennes et se débarrassait de sa chemise.

Il enlaça sa taille et enfouit sa tête contre son ventre, puis descendit entre ses jambes et baisa son mont soyeux. Il écarta ses cuisses pour admirer les pétales de rose dont il goûta le parfum salé. Elle poussa un cri et se cambra pour qu'il explore de sa langue le moindre repli, chatouillant, suçant, mordillant, avide de lui procurer les Plaisirs. Dire qu'il s'en était privé si longtemps !

C'était Ayla, son Ayla, son parfum, son goût de miel, et le membre turgescent de Jondalar se tendit, prêt à éclater. Il aurait voulu attendre, faire durer le plaisir, mais Ayla était trop impatiente. Haletante, gémissante, elle l'implora, l'empoigna, et dirigea la hampe durcie dans son puits en feu.

Il la pénétra en soupirant bruyamment, glissa son membre gonflé au plus profond de son intimité dont les lèvres chaudes et humides l'enserrèrent avec force. C'était son Ayla, aussi parfaitement faite pour lui que lui pour elle, celle qui pouvait engloutir son membre tout entier. Il resta un instant sans bouger, se délectant de la chaude étreinte de son puits. Comment avait-il pu imaginer la quitter ? La Mère l'avait faite à ses mesures, exprès pour lui, afin qu'ils L'honorent dignement, et qu'il La repaissent de leurs Plaisirs comme Elle le commandait.

Il se retira, et sentant son impatience, plongea de nouveau son membre dans son puits d'amour en imprimant un lent mouvement de va-et-vient. Bientôt ils furent prêts tous les deux, et il accéléra ses mouvements, lui arrachant des cris de jouissance pendant qu'une vague déferlante les emportait, qui les laissa pantois, frissonnants et comblés.

Le repos qui suivit faisait partie des Plaisirs. Ayla aimait sentir le poids de Jondalar sur son corps apaisé. Elle ne le trouvait jamais trop lourd. D'habitude, il se relevait le premier, alors qu'elle aurait voulu le garder encore un instant. Là, elle sentait avec ravissement sa propre odeur sur le corps de Jondalar, attestant des Plaisirs qu'ils venaient de partager. Elle préférait ces instants de pléniture totale, quand, les Plaisirs accomplis, il était toujours en elle.

Jondalar aimait sentir le corps d'Ayla sous le sien, cela faisait si longtemps, si bêtement longtemps ! Dire qu'elle l'aimait ! Comment pouvait-elle encore l'aimer après qu'il se fut conduit avec autant de stupidité ? Le méritait-il ? Jamais, jamais plus il ne la laisserait lui échapper.

Finalement, il se retira, roula sur le côté et lui sourit.

— Jondalar ? fit-elle au bout d'un moment.

— Oui ?

— La rivière n'est pas loin, allons nager, comme autrefois dans ma vallée. Nous rentrerons au Camp du Loup après la baignade.

— Bonne idée ! s'exclama-t-il.

Il fut vite debout et l'aida à se relever. Loup les regardait en agitant la queue avec frénésie.

— Oui, tu peux venir aussi, lui dit Ayla, ramassant ses affaires et courant vers la rivière.

Ils plongèrent dans l'eau, imités par Loup, réjoui de participer enfin à leurs ébats.

Après avoir nagé et joué dans l'eau avec Loup, les chevaux reposés et restaurés, Ayla et Jondalar s'habillèrent. Ils se sentaient revigorés et mouraient de faim.

— Jondalar ? fit Ayla.

— Oui ?

— Montons à deux sur Whinney. J'ai envie de sentir ton corps contre le mien.

Sur le chemin du retour, Ayla se demandait, mal à l'aise, comment expliquer la situation à Ranec. A leur arrivée, il l'attendait, l'air malheureux. Il l'avait cherchée partout. Tout le monde était prêt pour la Cérémonie de l'Union, participants et spectateurs. Les voyant chevaucher Whinney ensemble, Rapide suivant derrière, Ranec les accueillit d'un œil sombre.

— Où étais-tu ? demanda-t-il. Tu devrais déjà être habillée.

— Ranec, il faut que nous parlions.

— Ce n'est pas le moment, répondit-il au comble de l'inquiétude.

— Nous devons parler, Ranec, c'est important, insista-t-elle.

Il ne pouvait se dérober. Ayla pénétra d'abord sous la tente et prit un objet dans ses bagages. Ils se rendirent ensuite à la rivière et marchèrent au bord de l'eau. Finalement, Ayla s'arrêta, et sortit de sa tunique la sculpture d'une femme représentée dans la forme transcendantale d'un oiseau. C'était la muta que Ranec avait taillée pour Ayla.

— Je dois te la rendre, déclara-t-elle en lui tendant la figurine.

Ranec sursauta comme sous l'effet d'une brûlure.

— Que veux-tu dire ? C'est impossible ! Tu en as besoin pour le foyer, pour la Cérémonie de l'Union ! s'écria-t-il d'une voix que l'appréhension faisait trembler.

— C'est pour cela que je dois te la rendre. Je ne peux pas fonder de foyer avec toi, Ranec. Je m'en vais.

— Tu... tu t'en vas ? Non, tu ne peux pas ! Tu n'as pas le droit. Tu es ma Promise, Ayla. Tout est prêt, la Cérémonie a lieu ce soir. Tu as promis de t'unir à moi. Je t'aime, Ayla, tu ne peux pas partir. Tu ne comprends pas ? Je t'aime !

— Je sais, fit-elle d'une voix douce, attristée par tant de douleur. J'ai promis et tout est prêt. Pourtant, je dois partir.

— Mais... mais pourquoi ? Pourquoi es-tu si pressée ? s'étrangla-t-il.

— Parce que je dois partir tout de suite. C'est la meilleure saison pour voyager, et une longue route m'attend. Je pars avec Jondalar. Je l'aime, Ranec. Je l'ai toujours aimé. Je croyais qu'il ne m'aimait plus...

— Quand tu croyais qu'il ne t'aimait plus, j'étais assez bien pour toi, n'est-ce pas ? C'est cela ? Pendant que nous étions ensemble, tu ne pensais qu'à lui ? Tu ne m'as jamais aimé !

— C'est faux ! J'ai essayé, Ranec, la Mère m'en est témoin. J'ai beaucoup d'affection pour toi, et je ne pensais pas toujours à Jondalar quand j'étais dans tes bras. Tu m'as parfois rendue heureuse.

— Oui, mais pas toujours. Je n'étais pas assez bien. Toi, tu es la perfection même, mais je n'étais pas assez parfait pour toi.

— Je ne cherche pas la perfection, Ranec. J'aime Jondalar. Combien de temps m'aurais-tu aimée en sachant que j'en aimais un autre ?

— Je t'aurais aimée jusqu'à ma mort, Ayla, et même au-delà. Tu ne comprends donc pas ? Je n'aimerai plus personne autant que toi. Tu ne peux pas me quitter !

Les larmes aux yeux, Ranec l'implorait. C'était la première fois que l'artiste au charme irrésistible suppliait quelqu'un.

Ayla comprenait sa douleur, et aurait bien voulu l'atténuer. Mais elle n'avait rien à lui offrir. Son cœur appartenait à Jondalar.

— Je suis navrée, Ranec. Excuse-moi. Tiens, reprends cette muta, fit-elle en lui tendant la statuette.

— Garde-la ! cracha-t-il. Je ne suis peut-être pas assez bien pour toi, mais je n'ai pas besoin de toi. Je peux choisir qui je veux, ici ! Va, pars avec ton tailleur de silex ! Je m'en moque !

— Non, je ne peux pas la garder, dit Ayla en déposant la statuette à ses pieds.

Elle le salua et retourna au campement. Le cœur gros, elle longeait la rive, attristée par la douleur de Ranec. Elle ne souhaitait pas son malheur, et aurait préféré qu'il ne souffrît pas. Elle se promit de ne jamais plus se laisser aimer par un homme qu'elle n'aimerait pas en retour.

— Ayla ? rappela Ranec.

Elle se retourna et l'attendit.

— Ayla, quand pars-tu ?

— Dès que mes affaires seront prêtes.

— Tu ne m'as pas cru, j'espère ? Cela ne m'est pas égal que tu partes.

Devant son visage défiguré par la douleur, Ayla faillit le prendre dans ses bras, le consoler. Mais elle se retint, de peur d'encourager son amour.

— J'ai toujours su que tu l'aimais, Ayla. Mais je t'aimais. Je te désirais tant que j'ai refusé d'en tenir compte. J'ai fait comme si tu m'aimais, et je croyais qu'avec le temps cela finirait par être vrai.

— Je suis sincèrement désolée, Ranec. S'il n'y avait eu Jondalar, je t'aurais aimé. J'aurais pu être heureuse avec toi. Tu es si bon, et tu sais me faire rire. Je t'aime, tu sais. Pas comme tu le souhaiterais, mais je t'aime.

— Je t'aimerai toujours, Ayla, déclara-t-il d'une voix lourde d'angoisse. Je ne t'oublierai jamais. J'emporterai mon amour dans la tombe.

— Non, ne dis pas ça ! Tu mérites mieux que cela.

Il éclata d'un rire amer.

— Ne t'inquiète pas, Ayla. Je n'ai pas envie de mourir, pas encore. Un jour, j'aurai un foyer, une femme qui me donnera des enfants. Peut-être l'aimerai-je. Mais ce ne sera plus la même chose, je ne pourrai plus jamais aimer comme je t'ai aimée. Cela n'arrive qu'une fois dans la vie d'un homme.

— T'uniras-tu à Tricie ? demanda Ayla, alors qu'ils repartaient vers le campement. Elle t'aime, tu sais.

— Ça se peut. Maintenant qu'elle a un fils, elle sera très demandée, et elle a déjà reçu de nombreuses propositions.

Ayla s'arrêta et regarda Ranec bien en face.

— Tricie sera une bonne compagne pour toi. Pour l'instant, elle te fuit, mais c'est parce qu'elle t'aime trop. Mais il y a autre chose que tu dois savoir. Son fils, Ralev, c'est ton fils, Ranec.

— Tu veux dire qu'il est le fils de mon esprit ? s'étonna Ranec. Oui, ça se peut.

— Non, Ralev est ton fils, le fils de ta chair, de ton essence. Il est ton fils autant que celui de Tricie. Tu l'as fait naître dans son ventre en partageant les Plaisirs avec elle.

— Qui t'a dit que j'avais partagé les Plaisirs avec Tricie ? demanda Ranec, gêné. L'année dernière, c'était une pied-rouge très dévouée.

— Je l'ai deviné en voyant Ralev, et je te dis que c'est ton fils. C'est comme cela que commence la vie, et c'est pourquoi les Plaisirs honorent la Mère. C'est dans les Plaisirs que commence la vie, Ranec. Je te promets que c'est vrai, et cette promesse-là ne sera jamais rompue.

Ranec réfléchit, le front plissé. Quelle étrange idée ! Les femmes devenaient mères. Elles mettaient des enfants au monde, des garçons et des filles. Mais comment un homme aurait-il un fils ? Se pouvait-il que Ralev fût son fils ? Oui, puisqu'Ayla l'affirmait. Elle portait l'essence de Mut, elle était peut-être l'incarnation de la Grande Terre Mère.

Jondalar vérifia une dernière fois ses bagages, et conduisit Rapide sur le sentier où Ayla faisait ses adieux aux Mamutoï. Déjà chargée, Whinney attendait patiemment, mais Loup courait avec fébrilité de l'une à l'autre, comprenant que quelque chose se préparait.

Lorsqu'elle avait été chassée du Clan, elle avait quitté ceux qu'elle aimait avec une infinie tristesse, mais n'avait pas eu le choix. Quitter volontairement ceux du Camp du Lion, sachant qu'elle ne les reverrait plus, la bouleversait davantage. Elle avait versé tant de larmes depuis le matin qu'elle croyait ses yeux asséchés. Pourtant, à chaque ami qu'elle embrassait, les pleurs se remettaient à couler.

— Talut, hoqueta-t-elle en enlaçant le géant aux cheveux roux. T'ai-je déjà avoué que c'était ton rire qui m'avait décidée à vous visiter ? Les Autres m'effrayaient tant que j'étais prête à retourner dans ma vallée. Et je t'ai vu rire...

— Eh bien, tu vas bientôt me voir pleurer ! Je ne veux pas que tu partes, Ayla.

— Moi, je pleure déjà, dit Latie, et je ne veux pas non plus que tu t'en ailles. Te souviens-tu de la première fois où tu m'as laissée caresser Rapide ?

— Je me rappelle le jour où elle a fait monter Rydag sur le dos de Whinney, dit Nezzie. Il n'avait jamais été aussi heureux.

— Les chevaux me manqueront, soupira Latie en embrassant Ayla.

— Tu auras peut-être un poulain à toi, un de ces jours, suggéra Ayla.

— Les chevaux me manqueront aussi, fit Rugie.

Ayla la souleva et déposa un baiser sur ses joues.

— Alors pourquoi n'aurais-tu pas aussi ton poulain ? Oh, Nezzie ! s'écria-t-elle. Comment te remercier ? Tu sais, j'ai perdu ma mère quand j'étais toute petite, mais la chance m'a souri. J'ai eu deux mères pour la remplacer. Iza s'est occupée de moi quand j'étais enfant, et tu as été la mère qui m'a aidée à devenir femme.

— Tiens ! fit Nezzie en lui tendant un paquet et en s'efforçant de retenir ses larmes. C'est ta tunique nuptiale. Je veux que tu la portes le jour de ton Union avec Jondalar. Il est un peu mon fils, tu sais. Et toi, tu es ma fille.

Ayla étreignit Nezzie une dernière fois, et se retourna pour admirer son grand gaillard de fils. Quand elle prit Danug dans ses bras, il lui rendit son étreinte sans réserve. Ayla sentit sa force virile, la chaleur de son corps, et son émoi physique.

— J'aurais aimé que tu sois ma pied-rouge, lui glissa-t-il à l'oreille.

Elle se dégagea et lui sourit.

— Danug ! Tu seras un bien beau géant ! Tu seras bientôt aussi grand et aussi fort que Talut.

— Quand je serai plus vieux, j'entreprendrai peut-être un long voyage, et je vous visiterai !

Ayla étreignit ensuite Wymez, mais elle n'aperçut pas Ranec.

— Je suis désolée, Wymez, assura-t-elle.

— Moi aussi, fit-il. J'aurais aimé que tu restes avec nous. J'aurais aimé voir les enfants que tu aurais apportés à son foyer. Mais Jondalar est un homme solide et bon. Puisse la Mère te sourire dans ton voyage !

Ayla prit Hartal des bras de Tronie et s'amusa de ses gazouillements. Manuv lui présenta ensuite Nuvie pour qu'elle l'embrasse.

— C'est grâce à toi qu'elle est vivante, Ayla, dit Manuv. Je ne l'oublierai jamais, et elle non plus.

Ayla l'embrassa, puis Tronie, et aussi Tornec.

Frebec prit Bectie dans ses bras pendant qu'Ayla disait adieu à Fralie et aux deux garçons. Elle embrassa ensuite Crozie qui se raidit bien qu'Ayla la sentît trembler d'émotion. La vieille femme l'étreignit ensuite, et une larme coula sur sa joue.

— N'oublie pas la recette du cuir blanc, recommanda-t-elle.

— Non, c'est promis. Et j'ai toujours la tunique. Mais souviens-toi, Crozie, ajouta Ayla avec un sourire malin, ne joue plus jamais aux osselets avec un membre du Foyer du Mammouth.

Crozie la dévisagea d'un air surpris, et éclata de rire. Loup les avait rejoints et Frebec lui grattait le poil, derrière les oreilles.

— Cet animal me manquera, déclara-t-il.

— Et cet autre te regrettera ! fit Ayla en le serrant dans ses bras.

— Moi aussi, je te regretterai, Ayla, répliqua-t-il.

Ayla se retrouva au milieu des membres du Foyer de l'Aurochs, submergée par les embrassades de Barzec et des enfants. Tarneg aussi était là avec sa compagne. Deegie attendait à l'écart avec Branag, et les deux jeunes femmes tombèrent dans les bras l'une de l'autre, pleurant de plus belle.

— C'est encore plus difficile de te quitter, Deegie, déclara Ayla. Tu es la seule amie de mon âge que j'aie jamais eue, et tu me comprenais.

— Eh oui, je n'arrive pas à croire que tu t'en vas. Je ne saurai jamais laquelle de nous deux aura un bébé la première.

Ayla se recula pour contempler la jeune femme d'un œil critique.

— C'est toi, fit-elle en souriant. Tu l'as déjà commencé.

— Je me posais la question ! Tu en es sûre ?

— Oui, certaine.

Ayla remarqua Vincavec qui se tenait à côté de Tulie. Elle effleura ses joues d'un baiser.

— Tu me surprends, Ayla. Je n'aurais pas cru que tu choisirais celui-là. Bah ! A chacun ses faiblesses, dit Vincavec en lançant à Tulie un regard entendu.

Vincavec était vexé de s'être aussi lourdement trompé. Il avait complètement omis le blond Zelandonii de la compétition, et il était quelque peu en colère après Tulie, quand bien même avait-il insisté pour qu'elle les acceptât, qui avait pris ses deux pièces d'ambre en sachant pertinemment qu'il n'obtiendrait rien. Il avait fait des remarques pleines de sous-entendus, stigmatisant sa faiblesse pour l'ambre, et lui reprochant de les avoir acceptées sans rien donner en échange. Comme il lui en avait fait ostensiblement cadeau, elle ne pouvait pas les lui rendre, mais il se vengeait par ses remarques mordantes.

Avant de s'avancer vers Ayla, Tulie s'assura d'un coup d'œil que Vincavec les observait, et elle étreignit la jeune femme avec chaleur.

— J'ai quelque chose pour toi, annonça-t-elle. Tout le monde sera d'accord, j'en suis sûre, tu les porteras mieux que personne, dit-elle en glissant deux magnifiques pièces d'ambre identiques dans la main d'Ayla. Elles iront très bien avec ta tunique nuptiale. Tu pourrais les porter aux oreilles, par exemple.

— Oh, Tulie ! s'exclama Ayla. Je ne peux pas accepter. Elles sont splendides !

— Accepte-les, Ayla. Elles t'étaient destinées, fit-elle en dévisageant Vincavec d'un air triomphant.

Ayla remarqua que Barzec souriait, et que Nezzie hochait la tête d'un air approbateur.

Jondalar avait lui aussi de la peine de quitter le Camp du Lion. Les Mamutoï l'avaient accueilli avec chaleur, et il avait appris à les apprécier. Ses adieux se déroulèrent dans les larmes. La dernière personne qu'il salua fut Mamut. Ils s'enlacèrent et se donnaient l'accolade quand Ayla les rejoignit.

— Je dois te remercier, Mamut, dit Jondalar. Je suis sûr que tu savais depuis le début que j'avais une leçon à recevoir. J'ai appris beaucoup de toi et des Mamutoï. Je sais maintenant ce qui est essentiel et ce qui est superficiel, et je connais aussi la profondeur de mes sentiments pour Ayla. Toute ma réserve s'est dissipée. Je la défendrai contre mes pires ennemis, et contre mes meilleurs amis.

— Tu dois savoir autre chose, Jondalar, déclara Mamut. J'ai deviné que son destin était avec toi, et quand le volcan s'est réveillé, j'ai compris qu'elle partirait bientôt. Mais souviens-toi de ceci. Le destin d'Ayla est plus grand qu'on le croit. La Mère l'a choisie, et elle devra affronter de multiples épreuves. Toi aussi. Elle aura besoin de ta protection, et de toute la force de ton amour. C'est la raison de la leçon dont tu avais besoin. Elle a fortifié ton amour. La vie de ceux qui ont été élus est parfois dure, mais elle est aussi riche de profits. Prends soin d'elle, Jondalar. Souviens-toi que lorsqu'elle s'occupe des autres, elle oublie de penser à elle.

Jondalar promit. Ayla étreignit le vieil homme, au regard mouillé de larmes, qui souriait.

— Ah, si Rydag était encore là ! soupira Ayla. Il me manque. Moi aussi, j'ai beaucoup appris. Je voulais retourner près de mon fils, mais Rydag m'a fait comprendre que je devais le laisser vivre sa vie. Comment te remercier, Mamut ?

— Les remerciements sont superflus, Ayla. Nos routes devaient se croiser. Je t'attendais sans le savoir, et tu m'as procuré de grandes joies, ma fille. Tu n'étais pas faite pour retourner avec Durc. Durc était ton cadeau au Clan. Les enfants apportent leur lot de joies et de peines, et il est bon de les laisser suivre leur propre chemin. Mut, Elle-même, laissera un jour Ses enfants suivre leur voie, mais si nous La négligeons, notre sort sera douloureux. Si nous oublions de respecter notre Grande Terre Mère, Elle nous retirera Ses bénédictions, et cessera de nous nourrir.

Ayla et Jondalar enfourchèrent leur monture, et agitèrent les mains en signe d'adieu. Presque tout le campement s'était rassemblé pour leur souhaiter un bon Voyage. En s'éloignant, Ayla cherchait Ranec. Mais il avait déjà fait ses adieux, et n'aurait pas supporté de les recommencer en public.

Elle allait s'engager dans le sentier quand elle le vit enfin. Il était seul. Ayla s'arrêta et lui fit un dernier signe, le cœur lourd.

Ranec lui renvoya son adieu d'une main, mais dans l'autre il serrait contre sa poitrine la petite statuette d'ivoire dont il avait sculpté avec amour, élégance et sensibilité, chaque courbe, chaque ligne, chaque entaille. Il l'avait sculptée pour Ayla, espérant façonner un être magique qui l'attacherait à son foyer, comme il espérait que son esprit étincelant et ses yeux rieurs lui gagneraient son cœur. Mais pendant que Ranec, artiste pétri de talent, de charme, d'esprit, regardait la femme de son cœur s'en aller, son sourire s'était figé, et ses yeux noirs rieurs débordaient de larmes.

Cet ouvrage a été composé par
Nord Compo, Villeneuve d'Ascq, Nord
et achevé d'imprimer
par Maury-Eurolivres S.A.
45300 Manchecourt

Imprimé en France